TRICOT

La *laine* se vend généralement au poids—habituellement en écheveaux ou en balles de 25, 50 et 100 g, parfois en unités plus grosses de 200 et 400 g. La «règle», à droite, servira de guide pour déterminer la quantité de laine requise.

Les *aiguilles à tricoter* sont maintenant numérotées selon leur diamètre en millimètres. Dans ce livre, on fait suivre (entre parenthèses) le chiffre métrique de son équivalent impérial. Le tableau ci-dessous compare ces deux systèmes avec le système américain:

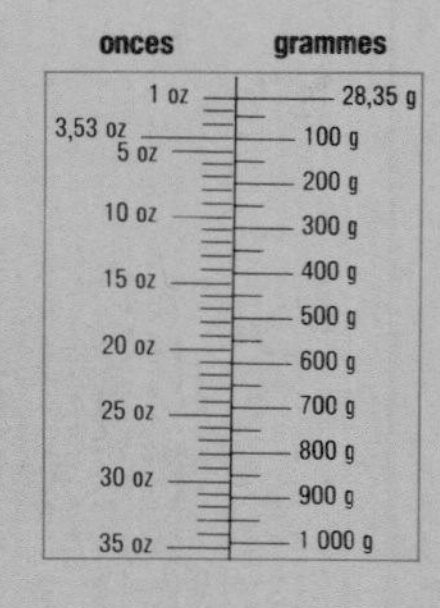

Aiguilles à tricoter

Métrique (mm)	10,00	9,00	8,00	7,50	7,00	6,50	6,00	5,50	5,00	4,50	4,00	3,75	3,50	3,25	3,00	2,75	2,25	2,00	1,75
Impérial	000	00	0	1	2	3	4	5	6	7	8	9	—	10	11	12	13	14	15
Américain	15	13	11	—	—	10½	10	9	8	7	6	5	4	3	—	2	1	0	—

Il s'agit uniquement d'équivalences puisque les comparaisons entre les grosseurs d'aiguille peuvent varier d'un tableau à l'autre. Il est surtout important de tricoter un échantillon et d'utiliser la grosseur d'aiguille voulue pour obtenir la tension requise selon les instructions du patron (voir page 287).

CROCHET

Le *coton à crocheter* se vend au mètre.

Dans le système métrique, le numéro du *crochet* indique son diamètre en millimètres. Le système métrique remplace cinq échelles différentes pour indiquer la grosseur des crochets: une impériale et deux américaines pour les crochets en aluminium et en plastique, de même que l'ancienne échelle impériale et une autre, révisée (en usage au Canada et aux E.-U.), pour les crochets d'acier. Le tableau ci-dessous compare les grosseurs de crochets dans le système métrique et les divers autres systèmes.

Crochets en aluminium et en plastique

Métrique (mm)	10,00	9,00	8,00	7,00	6,50	6,00	5,50	5,00	4,50	4,00	3,75	3,50	3,25	3,00	2,75	2,50	2,25	2,00
Impérial	000	00	0	2	3	4	5	6	7	8	—	9	10	11	—	12	13	14
Américain	—	—	—	—	K 10½	J 10	I 9	H 8	— 7	G 6	F 5	E 4	D 3	—	C 2	—	B 1	—

Crochets en acier

Métrique (mm)	2,50	2,00	1,95	1,85	1,75	1,70	1,60	1,50	1,25	1,15	1,00	0,80	0,75	0,70	0,60
Impérial révisé (canadien, américain)	0	1	2	3	4	5	6	7	8	9	10	11	12	13	14
Impérial ancien	00	1	—	—	2	—	—	2½	3	—	4	—	5	—	6

Le diamètre des crochets varie selon les fabricants. Si votre patron ne requiert pas de crochets millimétriques, confectionnez un échantillon avec un crochet qui vous permettra d'obtenir la tension indiquée d'après les instructions de votre patron; vous vous assurerez ainsi d'utiliser un crochet de diamètre équivalent. Voyez les explications détaillées à la page 393.

DENTELLE

Le fil utilisé pour la dentelle est habituellement un coton à crocheter (voir Crochet). Lorsque le patron demande des aiguilles ou des crochets, vous pouvez effectuer la conversion au moyen des tableaux ci-dessus.

Les *galons* qui conviennent le mieu
5 et 15 mm de largeur. La largeur des
cordons (ganses) est exprimée en mil
mètres et en décimètres ; consultez les
les quantités requises en verges et en

MACRAMÉ

Le *fil* approprié au macramé peut exister sous diverses formes. En règle générale, cependant, il se vend au mètre ; son épaisseur est indiquée en millimètres. Servez-vous des «règles» de comparaison ci-dessous pour convertir en mètres les quantités exprimées en verges.

Les *perles* se mesurent, selon leur diamètre, en millimètres.

TAPIS

Les *tissus de support* se vendent au mètre en différentes largeurs (exprimées en centimètres). Le canevas de tapis est conçu de la même façon que le canevas de tapisserie à l'aiguille (voir Tapisserie à l'aiguille). Le *galon à tapis* se vend au mètre. Il existe en 38 et 100 mm de large.

En général, le *fil à tapis* est emballé en longueurs, au mètre. La laine précoupée pour les tapis noués se trouve en longueurs de 6,5, 7 et 9 cm.

Le *tissu* pour les tapis tressés s'achète au mètre ou au kilogramme lorsqu'il s'agit de retailles de manufacture.

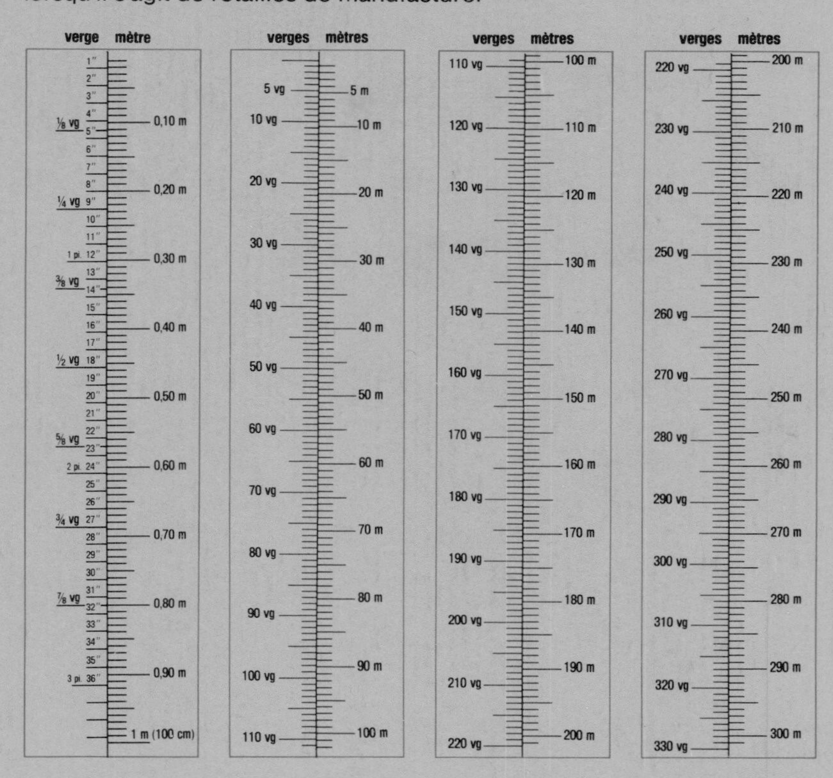

Sélection du Reader's Digest

Guide complet des travaux à l'aiguille

Sélection du Reader's Digest

Sélection du Reader's Digest
215, avenue Redfern, Montréal, Qué. H3Z 2V9

Les sources de la page 6 sont, par la présente, incorporées à cette notice.

ISBN 0-88850-084-X

Imprimé au Canada — Printed in Canada
81 82 83 / 5 4 3

Table des matières

Rédaction
Agnès Saint-Laurent

Terminologue et rédactrice adjointe
Marie La Palme Reyes

Traduction
Cécile Kandalaft
Marie D. Tittley
Claire Vanier

Mise en page
Andrée Payette

Documentaliste
Johanne Boutin

Index
Renée Champagne-Labonté

Fabrication
Holger Lorenzen

Cet ouvrage est l'adaptation française de *Complete Guide to Needlework*

Rédactrice en chef
Virginia Colton

Directeur artistique
David Trooper

Directeur artistique adjoint
Albert D. Burger

Rédacteurs adjoints
Linda Hetzer
Susan C. Hoe
Therese L. Hoehlein
Gayla Visalli

Maquettistes
Larissa Lawrynenko
Marta Norman
Marta M. Strait
Virginia Wells

Recherche photographique
Margaret Mathews

Photographie
Ernest Coppolino

Rédacteurs et maquettistes-conseils
Louise Ambler
Peggy Bendel
Sherry De Leon
Rosemary Drysdale
Katherine Enzmann
Phoebe Fox
Zuelia Ann Hurt
Barbara H. Jacksier
Joyce D. Lee
Susanna E. Lewis
Claudia Librett
Victoria Mileti
Edna Adam Walker
Monna Weinman
Joanne Whitwell

Experts-conseils
Linda Blyer
Charlotte Feng-Veshi
Arlene Mintzer
Erwin Rowland
Cathie Strunz
Valentina Watson

Illustrations
Roberta W. Frauwirth
Susan Frye
John A. Lind Corp.
Marilyn MacGregor
Mary Ruth Roby
Jim Silks
Randall Lieu
Ray Skibinski
Lynn E. Yost

Photographies
J.D. Barnell
Joel Elkins
Ken Korsh
Russ McCann/
Conrad-Dell-McCann, Inc.
Michael A. Vaccaro

Les rédacteurs de ce livre remercient les organismes suivants pour leur contribution à la réalisation de cet ouvrage :

C.J. Bates & Son
Emile Bernat & Sons Co.
Boye Needle Company
Brunswick Worsted Mills, Inc.
Coats & Clark Inc.
The D.M.C. Corporation
Dritz Art Needlework/
Scovill Manufacturing Company
Frederick J. Fawcett, Incorporated
Harry M. Fraser Company
Kreinik Mfg. Co.
Paternayan Bros., Inc.
Reynolds Yarns Inc.
Talon/Donahue Sales, Div. of Textron
Joan Toggitt, Ltd.
Wm. E. Wright Co.

Sources supplémentaires de photos
Page 12 : L'oiseau et la fleur, The Bagshaws of St. Lucia Ltd. Sérigraphie, Janovic/Plaza
Page 103 : Alphabet, de Marcia Loeb, extrait de New Art Deco Alphabets, Dover Publications, Inc.
Page 208 : Rose, The Gazebo
Page 233 : Les Cubes, The Gazebo
Page 234 : Les Fleurs de grand-mère, Thos. K. Woodard

Composition
Le Groupe Graphique du Canada Ltée

Photo lithographie
Graphix Studio (1973) Ltée

Impression
Imprimerie Ronalds

Papier
Produits Forestiers E.B. Eddy Ltée

Reliure
Imprimerie Coopérative Harpell

Broderie

Broderie : matériel et fournitures

Fils et laines

La broderie se prête à une extraordinaire variété d'effets, et elle exige l'utilisation d'un vaste éventail de laines et de fils. Nous représentons ici les types de fils et de laines que l'on emploie le plus souvent en broderie. Bien qu'ils diffèrent les uns des autres par leur texture, les fibres et les brins qui les composent, ils présentent tous une grosseur constante. Les laines de fantaisie à texture inégale (voir *Tricot* et *Crochet*) ne sont généralement pas recommandées, à moins que ce ne soit pour obtenir un effet original.

Les laines et les fils existent dans plusieurs sortes de fibres. Certains sont plus faciles à trouver que d'autres; il sera sans doute nécessaire que vous fassiez quelques recherches dans les rayons de broderie des grands magasins comme dans les boutiques spécialisées avant de découvrir exactement ce dont vous avez besoin. Pour chaque genre de broderie, nous indiquerons le type conventionnel de laine et de fil à employer, ce qui ne devrait pas vous empêcher d'en essayer d'autres.

Fil floche : fil à six fils simples, à torsade lâche. On peut séparer ses fils simples pour un travail plus fin. Très populaire en coton, mais existe aussi en soie et en rayonne. Nombreux coloris (moins, en rayonne).

Coton perlé : fil torsadé à deux brins. Convient à tous genres de broderies. Reflets chatoyants et beaux coloris. Se fait en trois grosseurs.

Coton à broder mat : fil à cinq brins, à torsade serrée, sans reflets. Habituellement utilisé avec des tissus épais. Bon choix de coloris.

Laine à broder : laine mince, à deux brins. Pour les broderies très fines et la tapisserie à l'aiguille. Nombreux tons pastel.

Laine floche (laine perse) : laine à trois fils simples à torsade lâche. Chaque fil simple est à deux brins. Broderie et tapisserie à l'aiguille.

Laine à tapisserie : laine à quatre brins à torsade serrée. Broderie et tapisserie à l'aiguille. (Nombreux coloris en laine, moins en acrylique.)

Laine à tricoter : laine à quatre brins, semblable à la laine à tapisserie mais en moins torsadé. S'emploie aussi en crochet.

Laine à tapis : laine épaisse à trois fils. S'emploie pour varier la texture dans des pièces de broderie; elle donne de meilleurs résultats quand elle est travaillée à plat (avec des petits points).

Fil à broder spécial machine : fil extra-fin. Tons chatoyants en soie.

Fils lamés : varient en poids et texture. Ne s'utilisent que pour des effets spéciaux.

Illustration de la page précédente : couvre-lit brodé (détail) de Lucretia Hall, milieu du XIXe, collection de Historic Deerfield, Inc., Deerfield, Massachusetts, E.-U.

Tissus à broder

Pour la broderie, on se sert généralement de tissus à armure toile. Nous diviserons ces tissus en trois catégories. Les tissus à **armure toile commune**, la première catégorie, comprennent des pièces à tissage serré et à surface relativement lisse. Bien que, par tradition, on préfère utiliser des toiles de lin de poids moyen et des lainages, on peut choisir des cotons et des tissus synthétiques, à condition que la laine ou le fil à broder ne soient pas trop lourds. Les broderies libres (y compris la tapisserie) sont généralement exécutées sur ce genre de tissu.

La deuxième catégorie, les tissus à **armure toile à contexture carrée**, se compose du même genre de tissu, mais avec une particularité : le nombre de fils par centimètre carré est le même pour la chaîne et la trame. Le *fil-à-fil*, qui appartient à cette catégorie, est fait de fils individuels qui s'entrecroisent, le nombre de fils allant d'un grain épais de 28 fils à un grain fin de 72 fils pour 5 centimètres. Dans le *natté fin* ou Hardanger, un autre type, les fils s'entrecroisent par paires : 44 paires de fils pour 5 centimètres. Ce genre de tissus s'utilise généralement dans la broderie à fils comptés. Ils peuvent être en coton, en lin, en laine, ou mélangés à des fibres synthétiques.

Les tissus à **armure toile fantaisie**, le troisième groupe, présentent tous un motif répété à intervalles réguliers. Le motif sert de grille pour le point de croix et les nids d'abeilles, par exemple. Comme le montrent les échantillons, les motifs peuvent être soit imprimés sur la surface, soit tissés à même l'étoffe. La méthode utilisée pour obtenir le motif est sans importance; ce qui importe, c'est son utilité en tant que grille à suivre. Cependant, pour réussir une broderie sur ce genre d'étoffe, il est important de choisir un matériau tissé, les tissus tricotés n'étant pas recommandés.

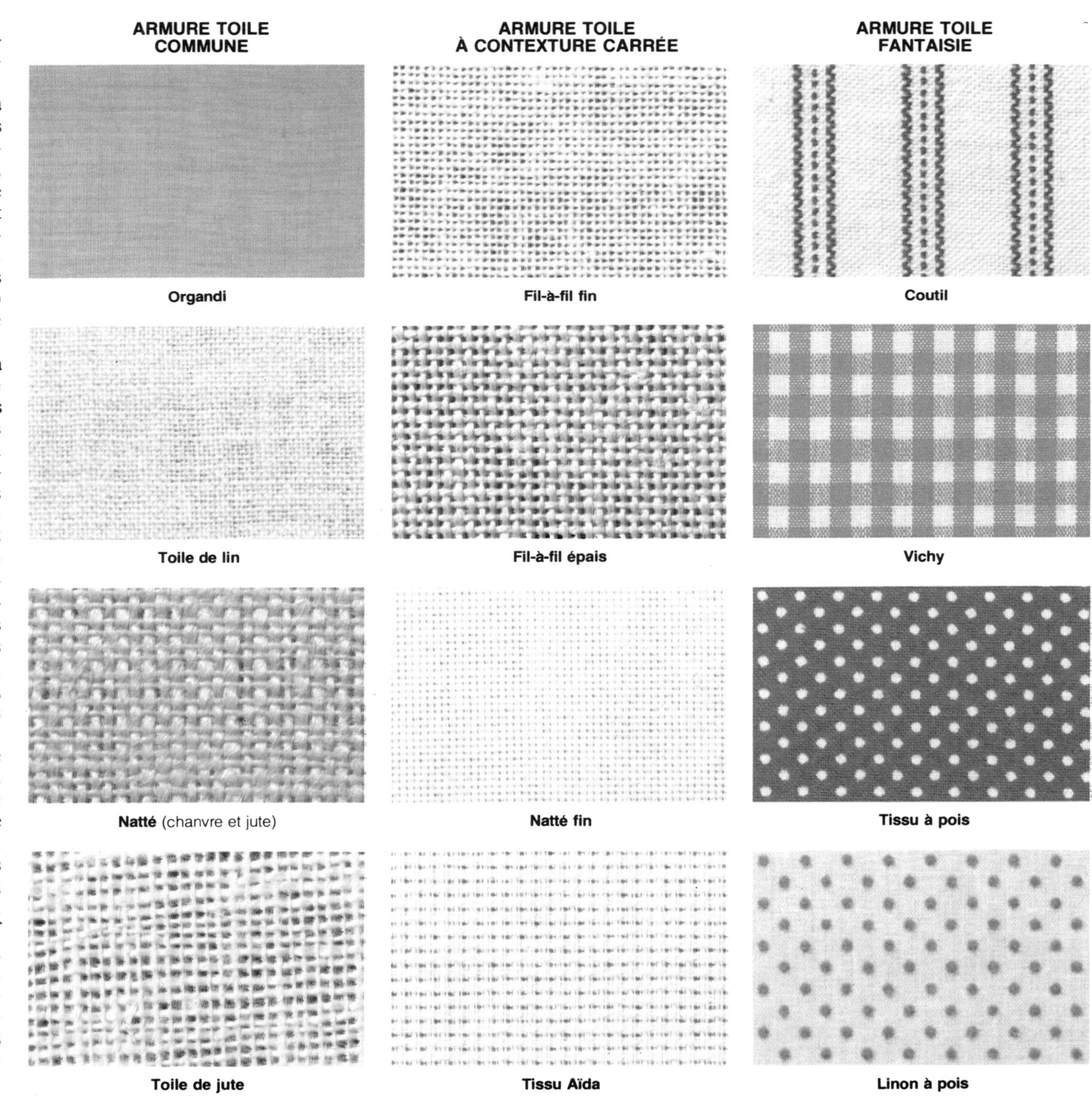

ARMURE TOILE COMMUNE	ARMURE TOILE À CONTEXTURE CARRÉE	ARMURE TOILE FANTAISIE
Organdi	**Fil-à-fil fin**	**Coutil**
Toile de lin	**Fil-à-fil épais**	**Vichy**
Natté (chanvre et jute)	**Natté fin**	**Tissu à pois**
Toile de jute	**Tissu Aïda**	**Linon à pois**

Tambours et métiers à tapisserie 116

Tambours et métiers

Dans la plupart des travaux de broderie, il est nécessaire d'utiliser un tambour ou un métier à broder pour maintenir le tissu tendu. Le **tambour à broder** ne maintient qu'une petite surface de tissu tendue entre deux cercles qui s'ajustent l'un dans l'autre. Le cercle extérieur est habituellement muni d'une vis ou d'un ressort que l'on serre plus ou moins selon l'épaisseur du tissu. Il y a différentes tailles de tambours; certains modèles sont conçus pour être tenus à la main, d'autres sont posés sur un support. Les **métiers à broder** maintiennent tout le tissu tendu pendant le travail. Il y a deux modèles principaux : le *métier à rouleaux* qui tend le tissu entre des rouleaux et le *métier à lattes,* fait de quatre lattes de bois sur lesquelles le tissu est étiré puis agrafé (voir *Tapisserie à l'aiguille).*

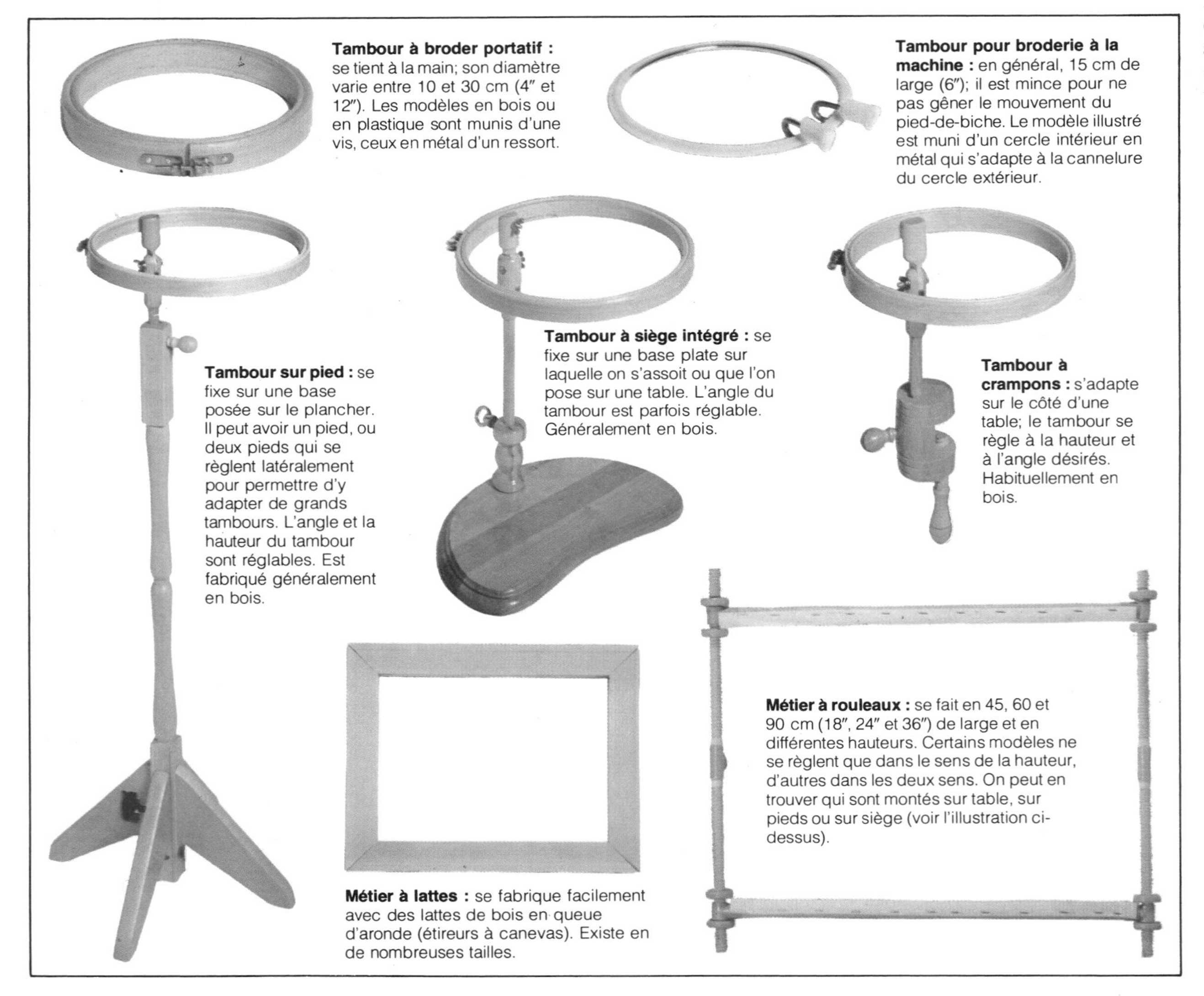

Tambour à broder portatif : se tient à la main; son diamètre varie entre 10 et 30 cm (4" et 12"). Les modèles en bois ou en plastique sont munis d'une vis, ceux en métal d'un ressort.

Tambour pour broderie à la machine : en général, 15 cm de large (6"); il est mince pour ne pas gêner le mouvement du pied-de-biche. Le modèle illustré est muni d'un cercle intérieur en métal qui s'adapte à la cannelure du cercle extérieur.

Tambour sur pied : se fixe sur une base posée sur le plancher. Il peut avoir un pied, ou deux pieds qui se règlent latéralement pour permettre d'y adapter de grands tambours. L'angle et la hauteur du tambour sont réglables. Est fabriqué généralement en bois.

Tambour à siège intégré : se fixe sur une base plate sur laquelle on s'assoit ou que l'on pose sur une table. L'angle du tambour est parfois réglable. Généralement en bois.

Tambour à crampons : s'adapte sur le côté d'une table; le tambour se règle à la hauteur et à l'angle désirés. Habituellement en bois.

Métier à rouleaux : se fait en 45, 60 et 90 cm (18", 24" et 36") de large et en différentes hauteurs. Certains modèles ne se règlent que dans le sens de la hauteur, d'autres dans les deux sens. On peut en trouver qui sont montés sur table, sur pieds ou sur siège (voir l'illustration ci-dessus).

Métier à lattes : se fabrique facilement avec des lattes de bois en queue d'aronde (étireurs à canevas). Existe en de nombreuses tailles.

Aiguilles

Il y a trois modèles principaux d'aiguilles à broder : l'**aiguille à broderie**, l'**aiguille à tapisserie pointue** et l'**aiguille à tapisserie à bout rond**. Chaque modèle a son usage particulier et existe en plusieurs tailles (plus le chiffre est grand, plus l'aiguille est courte et fine). L'aiguille est choisie d'après la grosseur de la laine ou du fil utilisés; elle doit être assez grosse pour que le fil ou la laine ne s'effilochent pas trop en passant dans le tissu.

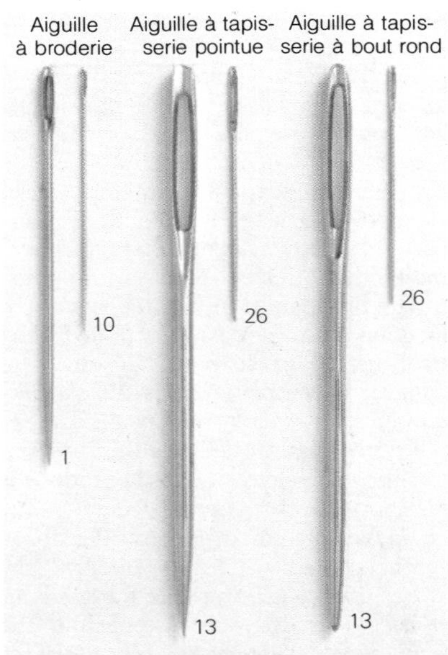

Aiguille à broderie (tailles 1 à 10) : sa pointe est effilée, sa taille moyenne et son chas assez large; utilisée pour les points de broderie les plus courants.
Aiguille à tapisserie pointue (tailles 13 à 26) : sa pointe est aussi effilée mais l'aiguille est plus épaisse et plus longue et son chas est plus large; employée pour la broderie avec de gros fils.
Aiguille à tapisserie à bout rond (tailles 13 à 26) : semblable à la précédente mais avec l'extrémité arrondie; utilisée particulièrement dans la broderie à fils comptés et dans la tapisserie à l'aiguille.

Matériel de reproduction

Décalques au fer : ces modèles, sensibles à la chaleur, se font dans un vaste éventail de dessins; en général, il y a plusieurs dessins différents sur une même feuille.

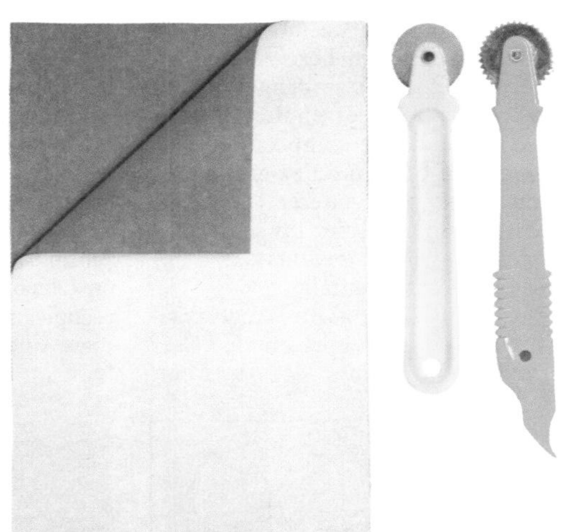

Papier carbone et roulette de couturière : ces outils aident à transférer les dessins sur le tissu. Le papier se fait dans une gamme limitée de couleurs. La roulette peut être à bord lisse ou dentelé.

Papier-calque : très utile pour reproduire des dessins originaux. Se fait en plusieurs dimensions.

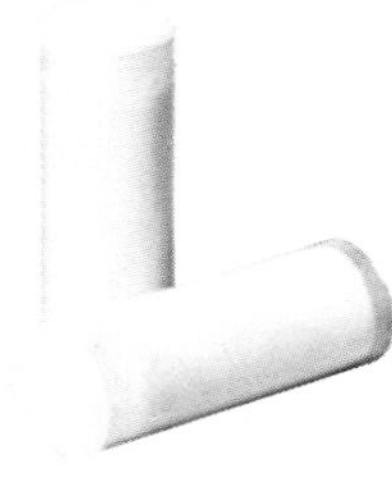

Craie tailleur en poudre : sert à reproduire des dessins en suivant la méthode du piquage (p. 17).

Craie tailleur : permet de dessiner directement sur le tissu sans risquer de le tacher. Se fait dans des teintes pastel.

Crayon à calque : permet de décalquer au fer n'importe quel dessin de votre cru.

Accessoires

Ruban à mesurer : flexible, il permet de mesurer avec exactitude.

Règle plate graduée : objet très pratique pour mesurer n'importe quoi. On recommande une longueur d'au moins 60 cm (24″).

Ruban adhésif : pour empêcher le tissu de s'effilocher.

Enfile-aiguille : permet d'enfiler rapidement des fils et des laines de grosseurs différentes.

Dé à coudre : protège le majeur. Se fait dans plusieurs tailles.

Epingle en T : sert à arrêter.

Equerre : permet de tracer un angle droit. Sert pour agrandir ou réduire un dessin.

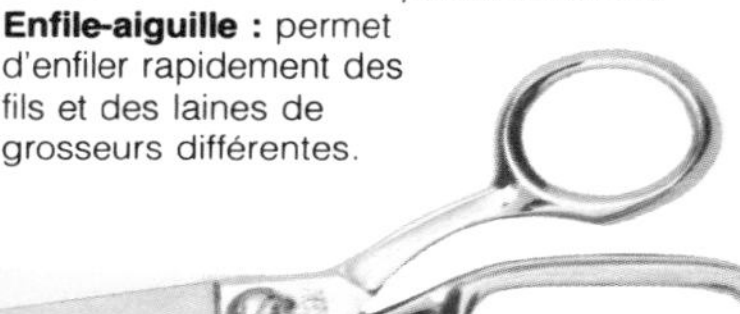

Ciseaux de couturière : très pratiques pour tailler le tissu. Les modèles de 19 et 21 cm (7″ et 8″) sont les plus utilisés.

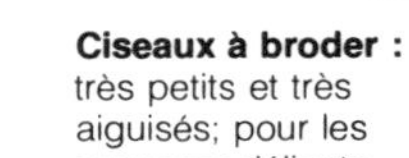

Ciseaux à broder : très petits et très aiguisés; pour les ouvrages délicats.

Planche de mise en forme : peut être fabriquée avec du bois de pin tendre, ou avec un panneau d'aggloméré; habituellement recouverte de mousseline ou capitonnée.

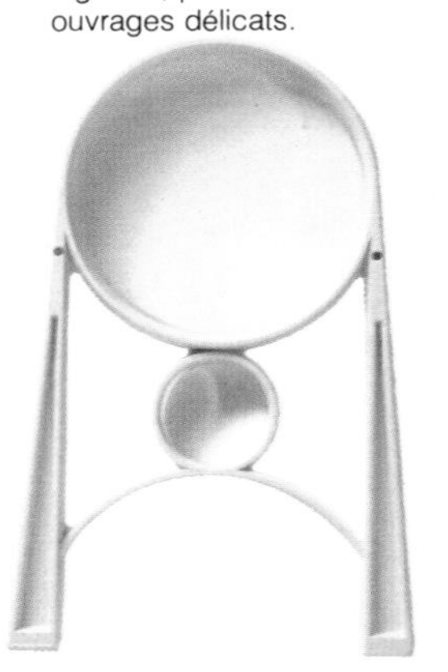

Loupe : aide à distinguer les infimes détails d'un ouvrage délicat. Il vaut mieux un modèle qui se suspend autour du cou.

Motifs de broderie

Choix et interprétation d'un dessin
Choix des couleurs
Agrandissement d'un dessin
Réduction d'un dessin

Choix et interprétation d'un dessin

Ceux qui pratiquent la broderie de longue date et sont très habiles dans cet art ne se considèrent pas comme des dessinateurs. Ils parviennent pourtant à un certain degré de création et vous pouvez en faire autant. Dans une première étape vers la créativité, on pourra tout simplement changer les coloris du modèle. Dans une deuxième étape, on décidera non seulement des coloris, mais aussi des points à exécuter. Et, enfin, on pourra inventer soi-même un dessin original.

La plupart des motifs de broderie seront souvent des interprétations de dessins empruntés à des livres, à des magazines, à des affiches, à des porcelaines, à des tissus imprimés, à des papiers peints ou à des photos. Examinez avec soin chaque composition dans son ensemble, puis étudiez-en chaque élément, vous constaterez peut-être qu'il est possible d'isoler un seul motif d'un dessin (voir ci-dessous) et d'obtenir d'excellents résultats.

Notez les dessins dont la composition est verticale ou horizontale. Ceci déterminera la ligne de direction générale de l'ouvrage fini. Quand vous aurez trouvé un dessin que vous aimez, posez par-dessus un papier-calque et dessinez-en les contours avec soin. Vous aurez peut-être envie d'omettre quelques-uns des détails les plus délicats ou de styliser certaines lignes, ou encore de disposer à votre manière les éléments de la composition. Faites plusieurs essais et choisissez le meilleur en sachant que vous ne cherchez pas à recopier fidèlement le dessin original mais que vous l'interprétez pour en faire une broderie.

Un thème d'une composition peut être isolé, comme l'oiseau et la fleur de la composition ci-dessous. Notez les modifications apportées dans l'exécution du tracé.

Les fortes lignes horizontales dirigent naturellement l'œil de gauche à droite.

Les lignes verticales le dirigent de haut en bas.

Choix des couleurs

Le dessin choisi, vous devrez en sélectionner les couleurs. Du choix de ces dernières dépendra en grande partie l'atmosphère qui se dégagera de votre ouvrage.

La plupart des combinaisons de couleurs font partie de trois groupes de base. Le premier groupe, appelé **monochrome**, comprend les nuances claires et foncées d'une même teinte (ex. la gamme des tons de bleu). Le second groupe, qui procède par **analogie**, emploie soit des couleurs similaires, soit les coloris les plus rapprochés sur l'éventail des couleurs (ex. les bleus, les verts et les violets). Une combinaison de couleurs **complémentaires**, le troisième groupe, marie ensemble deux ou plusieurs tons tranchants, les contrastes les plus importants étant obtenus avec les couleurs situées à l'opposé de l'éventail (ex. le rouge et le vert, le pourpre et le jaune).

Préparez un plan des couleurs — une version-couleur de votre dessin. Vous aurez peut-être à colorier plusieurs dessins avant de trouver la combinaison satisfaisante. Par ailleurs, emportez cette combinaison avec vous lorsque vous irez acheter vos fils et soyez prêt à en modifier légèrement les tons et les nuances selon ce que vous trouverez en magasin.

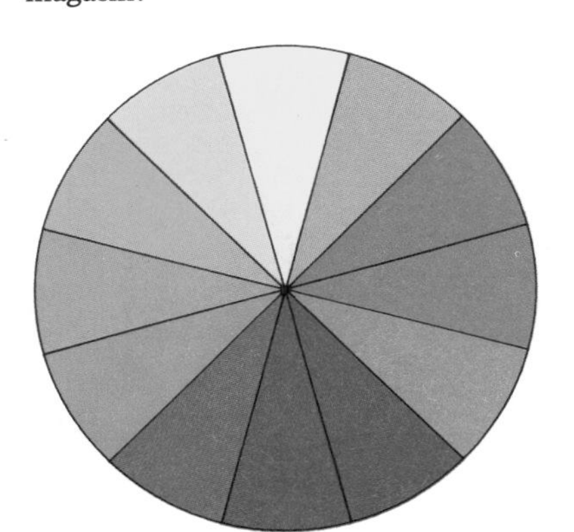

Eventail des couleurs

Combinaisons monochromes (d'une seule couleur) : on peut réussir des choses surprenantes si les nuances sont choisies avec un peu d'imagination.

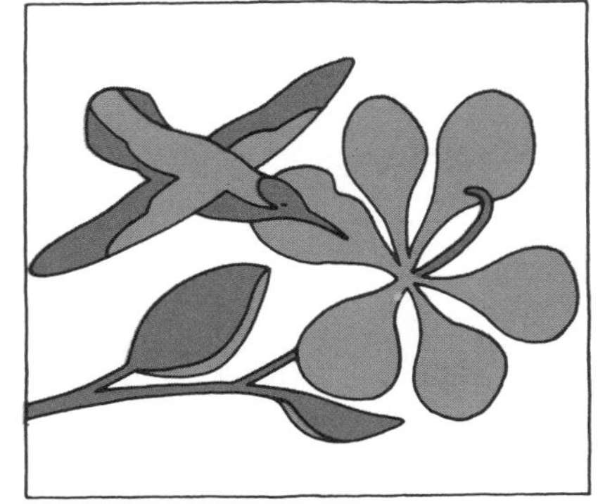

Combinaisons de couleurs analogues : elles associent des couleurs similaires, ce qui leur garantit presque à coup sûr une grande harmonie.

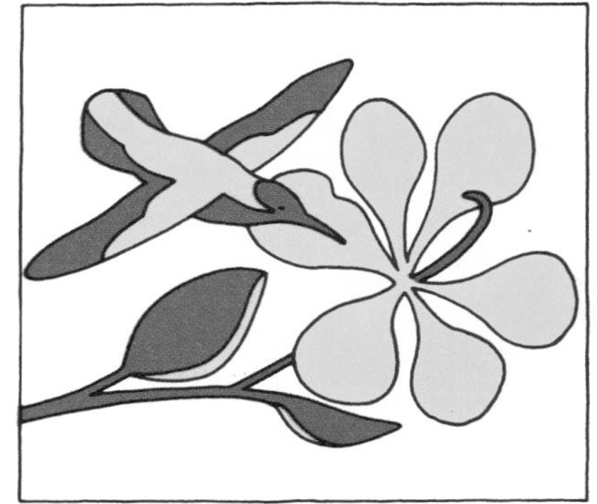

Combinaisons de couleurs complémentaires : avec leurs tons tranchants, elles peuvent être difficiles à réussir. Faites plusieurs essais.

Motifs de broderie

Agrandissement d'un dessin

Que faire quand la dimension du dessin que vous avez envie de broder ne correspond pas à celle de votre projet? Si vous pouvez faire appel à un service de photostat, faites-leur reproduire votre dessin ou l'original de ce dessin, à la grandeur désirée. Mais si vous ne pouvez en bénéficier, ou si vous êtes de ceux qui aiment tout faire par eux-mêmes, suivez les indications que nous illustrons sur cette page, pour l'agrandissement et sur la page opposée, pour la réduction. La méthode consiste simplement à transposer les lignes du dessin d'une grille à une autre grille de dimension différente.

1. Dessinez le motif au centre du papier.

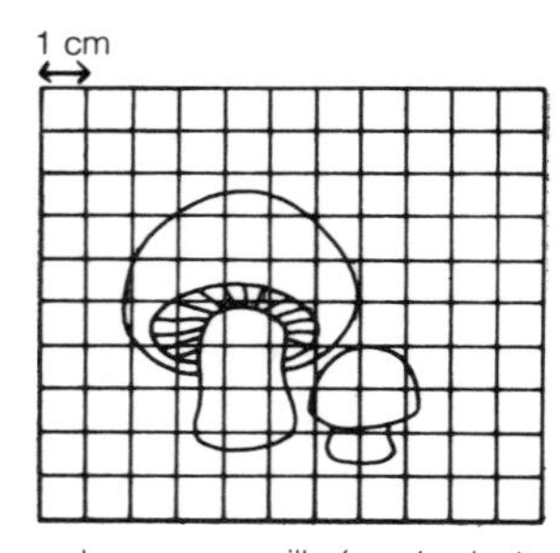

2. Tracez dessus une grille (carrés de 1 cm).

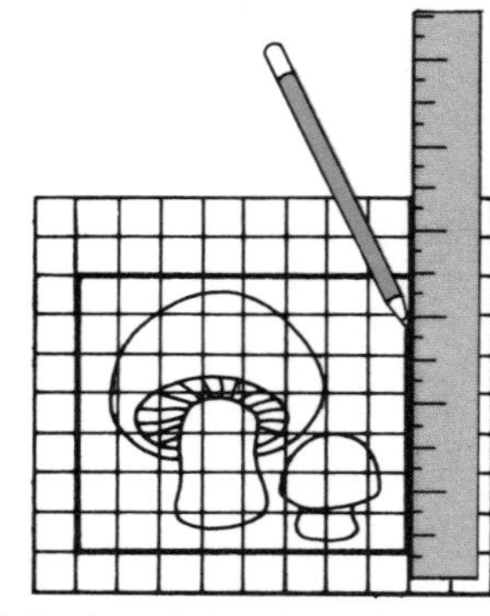

3. Délimitez le périmètre du motif.

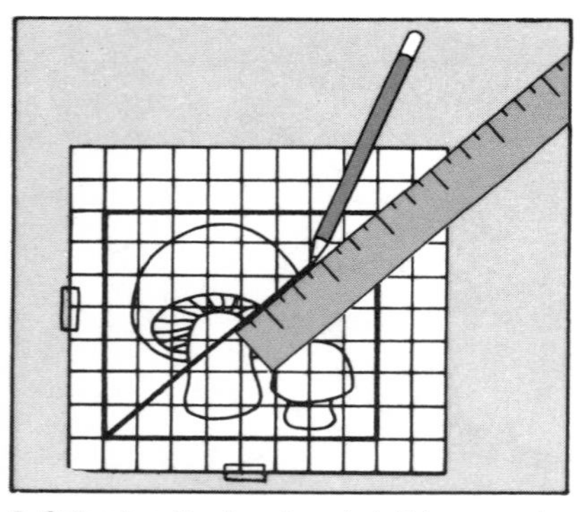

4. Collez la grille dans le coin inférieur gauche d'une feuille de papier. Tracez la diagonale d'un angle à l'autre du dessin, en dépassant la grille.

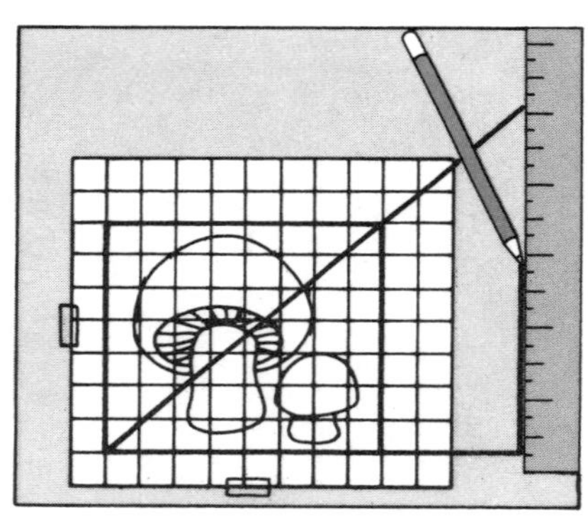

5. Prolongez la ligne de base du dessin à la largeur désirée. Tracez une perpendiculaire à cette ligne, jusqu'à l'intersection avec la diagonale.

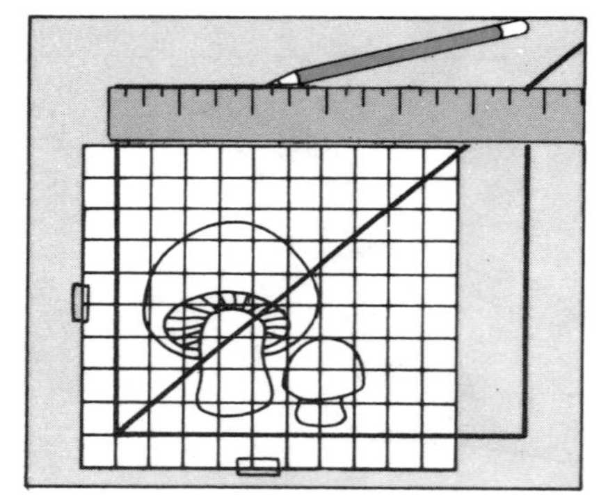

6. En prenant pour points de repère les limites déterminées à l'étape 5, dessinez les deux autres côtés du rectangle.

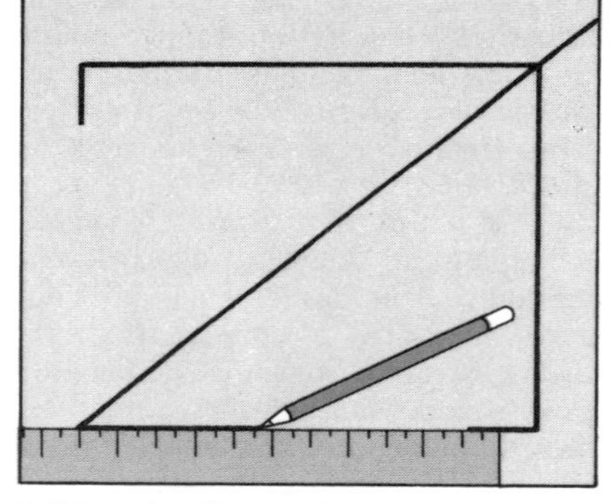

7. Enlevez la grille et prolongez les lignes sur la surface qui était recouverte par celle-ci, de manière à refermer le rectangle ainsi agrandi.

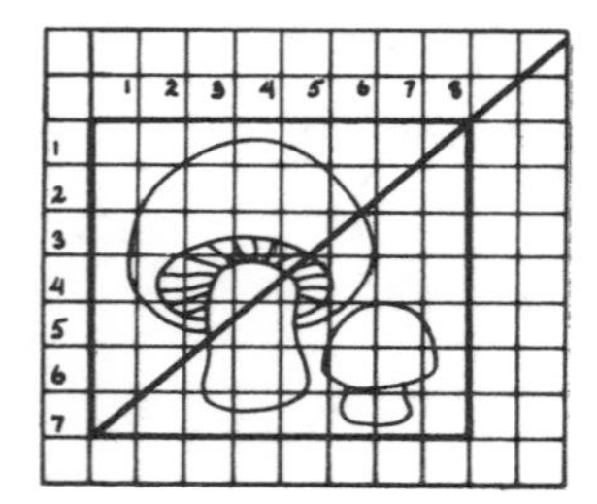

8. Numérotez les carrés de la petite grille horizontalement et verticalement.

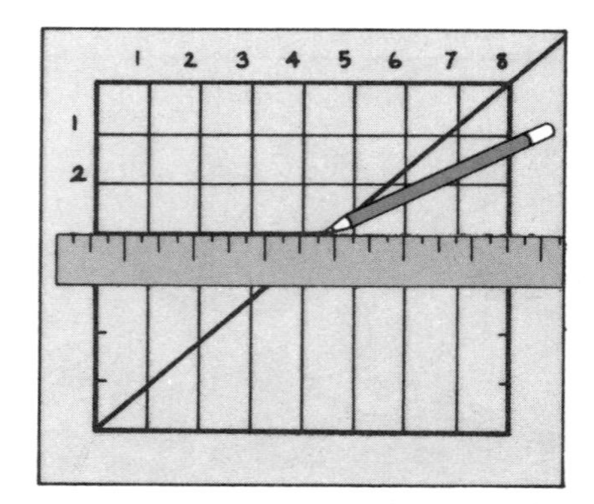

9. Quadrillez la grande feuille en y traçant le même nombre de carrés que sur la petite grille.

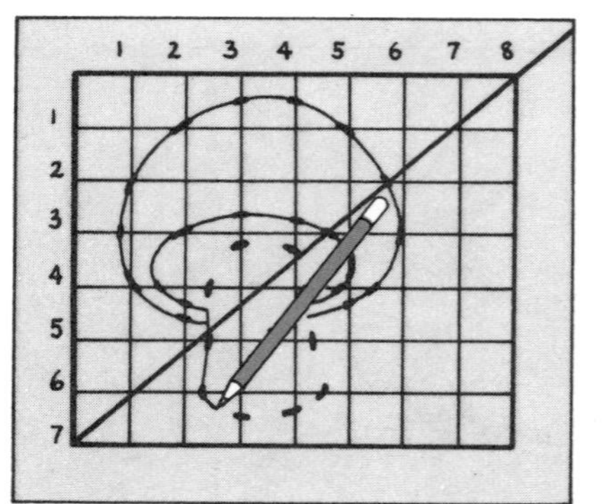

10. Transférez le dessin en respectant la position qu'il avait sur la grille originale.

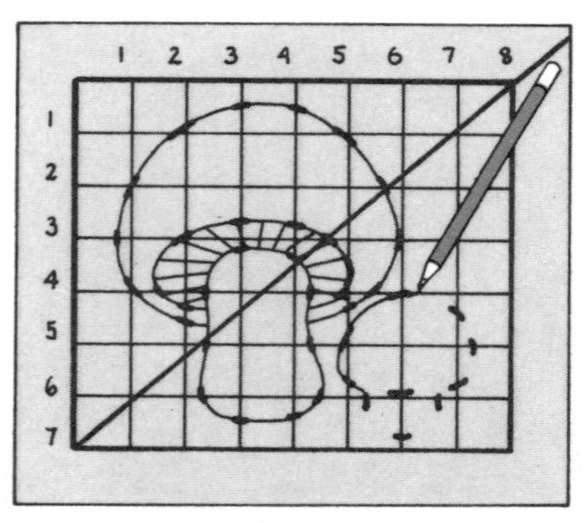

Pour faciliter le transfert, faites des tirets à l'intersection des carrés et reliez-les entre eux.

Réduction d'un dessin

Lorsqu'un motif est trop grand, vous vous trouvez dans la même situation que s'il était trop petit. Vous pouvez le faire réduire dans la proportion voulue par un service commercial de photostat. Ou, si vous préférez, vous pouvez réduire le dessin vous-même grâce à la technique de la grille. Le principe de base, qui est de recopier le dessin carré par carré, est le même pour réduire un dessin que pour l'agrandir, mais la démarche est renversée. Suivez bien les indications. Pour dessiner les angles droits avec exactitude, servez-vous d'une équerre.

1. Dessinez le motif au centre du papier.

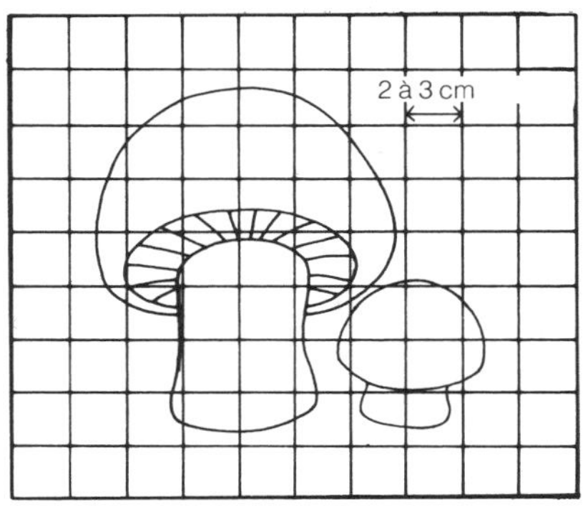

2. Tracez dessus une grille à grands carrés.

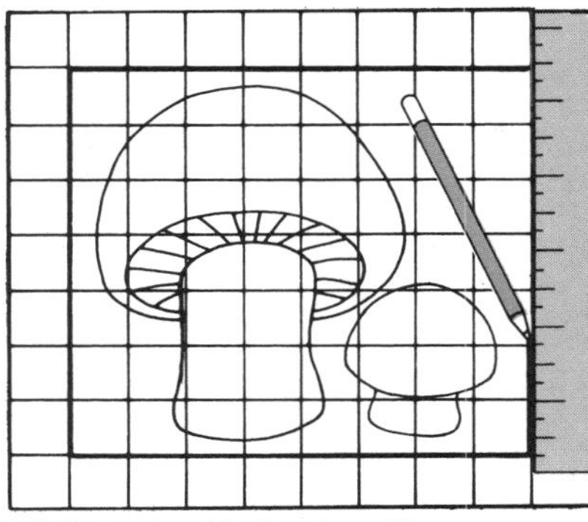

3. Délimitez le périmètre du motif.

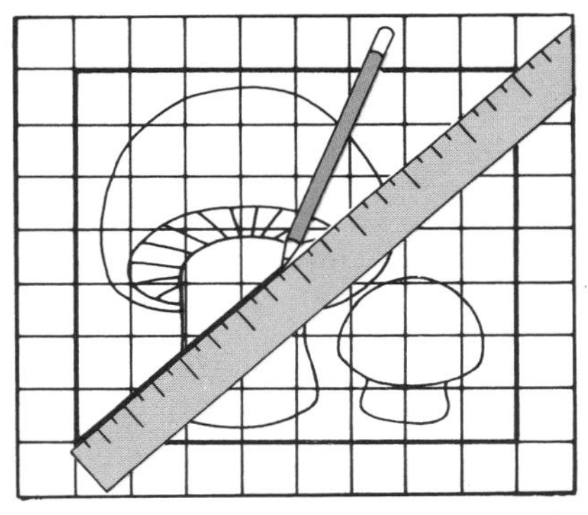

4. Tracez la diagonale d'un angle à l'autre du dessin. Collez une feuille de papier plus petite sur le coin inférieur gauche du dessin.

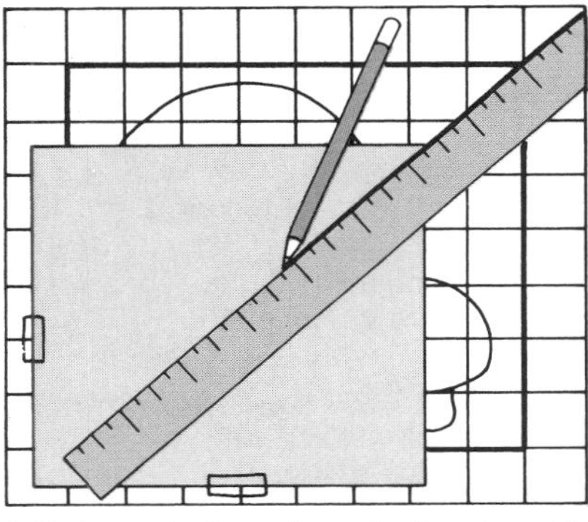

5. Prolongez la ligne diagonale du coin supérieur droit de la grille au coin inférieur gauche de la feuille de papier que vous venez de coller.

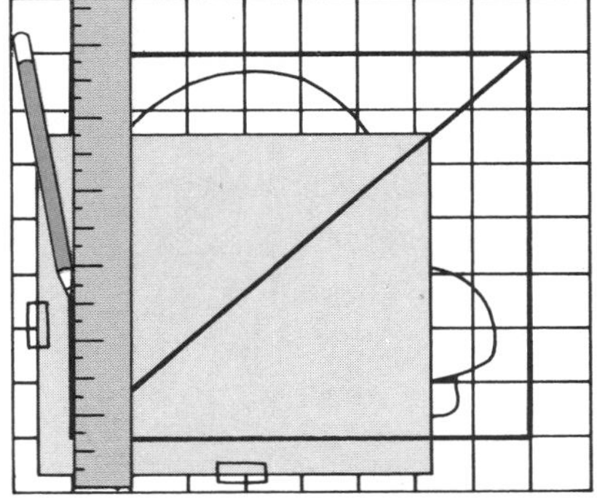

6. Prolongez la ligne du bas du rectangle jusqu'à l'intersection avec la diagonale, et reliez ce point à la ligne gauche du rectangle.

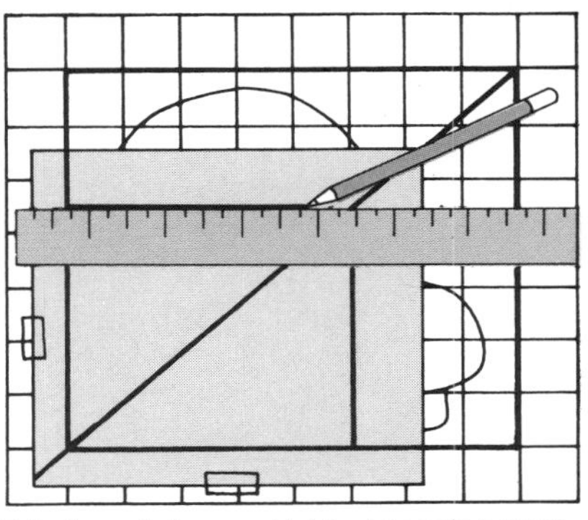

7. Indiquez la largeur désirée; tracez la perpendiculaire au bas du rectangle jusqu'à son intersection avec la diagonale. Fermez le rectangle.

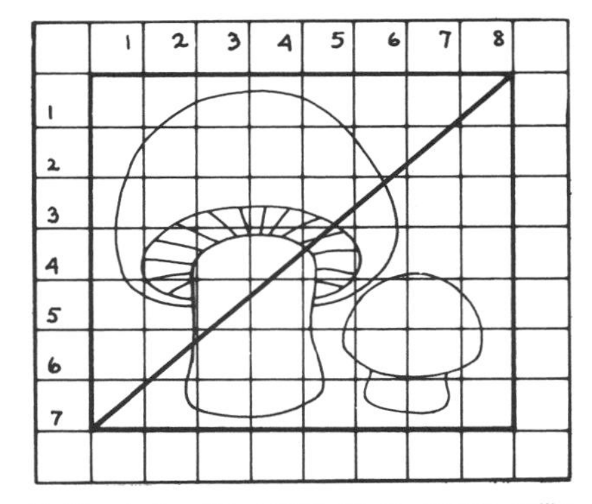

8. Numérotez les carrés de la grande grille horizontalement et verticalement.

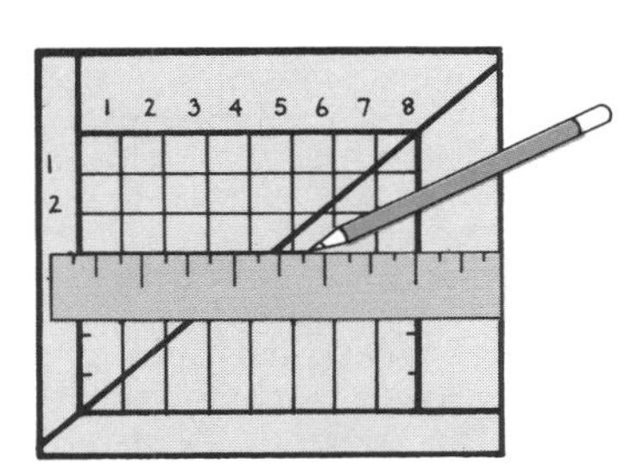

9. Quadrillez la petite feuille en traçant le même nombre de carrés que sur la grande grille.

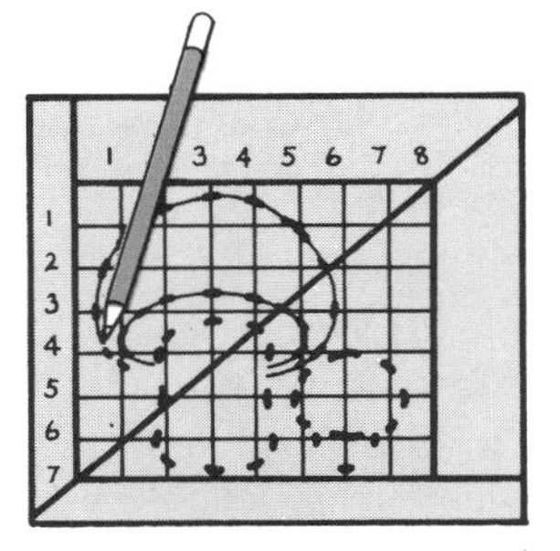

10. Transférez le dessin en respectant la position qu'il avait sur la grille originale.

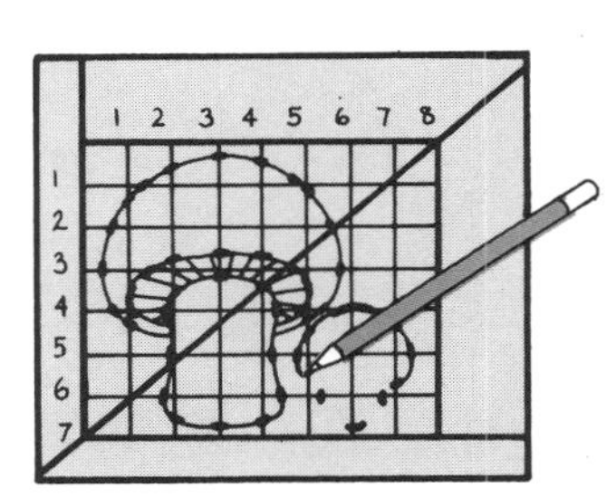

Pour faciliter le transfert, faites des tirets à l'intersection des carrés et reliez-les entre eux.

Généralités sur la broderie

Coupe et finition des bords

Avant de couper le tissu, calculez les dimensions réelles de l'ouvrage et ajoutez 5 centimètres (2″) sur chaque côté. Si l'ouvrage doit être encadré, laissez deux fois plus de marge. Coupez le tissu en suivant le sens du fil; le droit fil est particulièrement important dans la broderie à fils comptés. Pour empêcher que le tissu s'effiloche, surtout dans les ouvrages qui prennent du temps, finissez les bords en utilisant une des méthodes décrites ci-dessous.

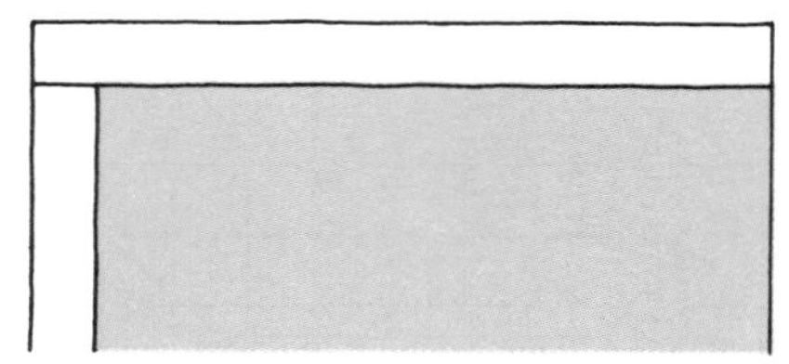

Recouvrez les bords avec du ruban adhésif.

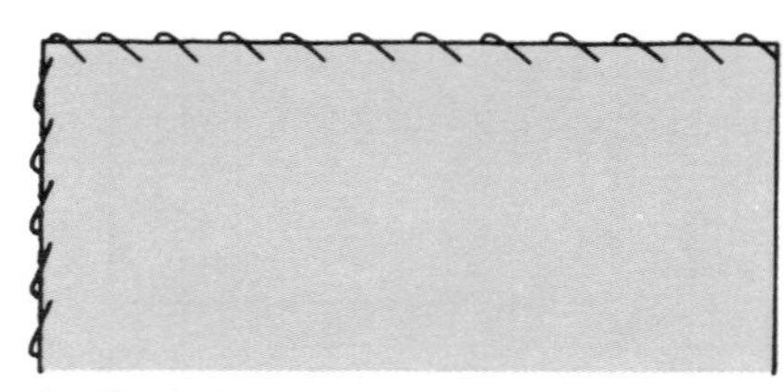

Surfilez les bords à la main.

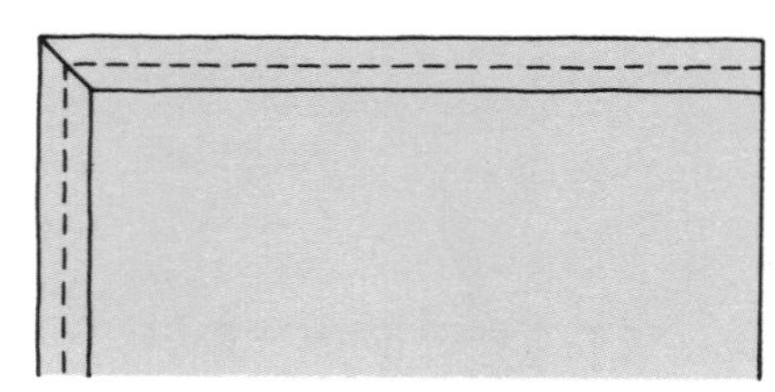

Pliez et surpiquez à la machine au point droit.

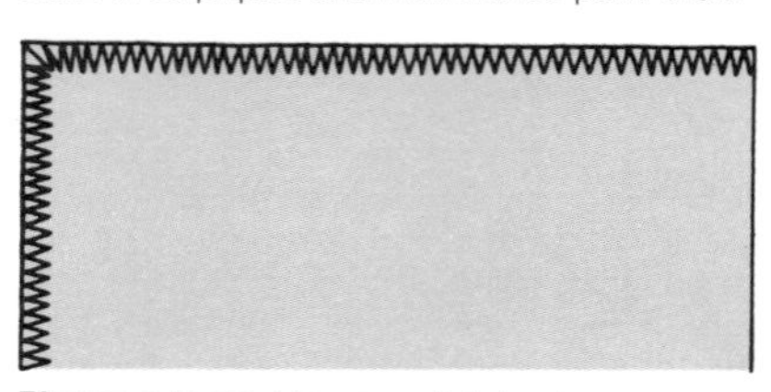

Piquez à la machine au point de zigzag.

Reproduction des dessins

Pour reporter des dessins sur un tissu, on peut utiliser trois méthodes différentes. La première, et probablement la plus simple, est d'employer la méthode du **décalque au fer** d'un motif spécialement conçu pour cela. Posez le motif sur votre tissu et appliquez par-dessus un fer chaud; le dessin s'imprime aussitôt sur le tissu. On trouve dans le commerce une grande variété de motifs très séduisants; consultez le catalogue des décalques pour robes avec autant d'attention que ceux qui sont expressément destinés aux ouvrages à l'aiguille. Bien que la plupart des décalques au fer ne soient valables que pour une seule reproduction, il en existe qui peuvent être réutilisés plusieurs fois. Si vous préférez reproduire un dessin que vous avez vous-même réalisé, préparez votre propre décalque au fer avec un crayon à calque spécial (voir page ci-contre).

Une autre méthode de reproduction exige l'utilisation du **papier carbone de couturière**, et d'une roulette. Ne pas confondre ce genre de papier avec le carbone de dactylo qui peut tacher énormément. La méthode du papier carbone de couturière n'est valable que pour les tissus très lisses.

Le **piquage** est une vieille méthode mais toujours aussi efficace. De petits trous sont piqués le long du contour du modèle qu'on désire reproduire. On place ensuite ce modèle sur le tissu et on applique sur le dessin de la craie tailleur en poudre (ou de la poudre à poncer). On soulève le modèle et il reste sur le tissu une ligne pointillée. On relie entre eux les pointillés à l'aide d'une craie tailleur; pour les tissus comme le velours, au lieu de la craie on doit se servir d'aquarelle. Les modèles piqués peuvent être réutilisés plusieurs fois; ils conviennent surtout aux tissus de texture légère. Cette méthode convient aussi pour reporter des motifs sur les tissus à matelasser.

COMMENT CENTRER LE DESSIN

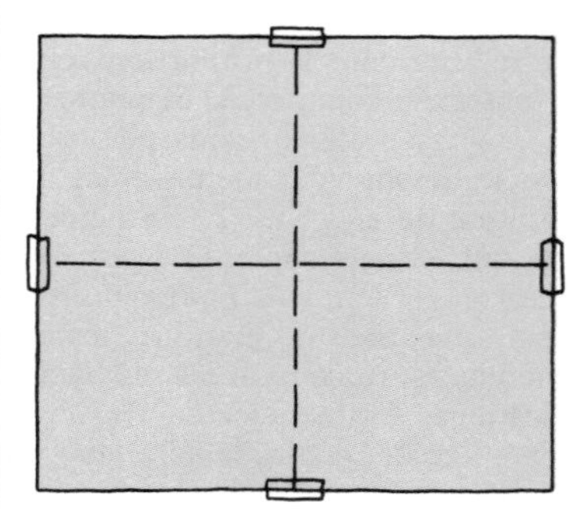

Pliez le tissu en quatre; cassez les pliures ou marquez-les avec un bâti. Fixez le tissu sur une surface plane.

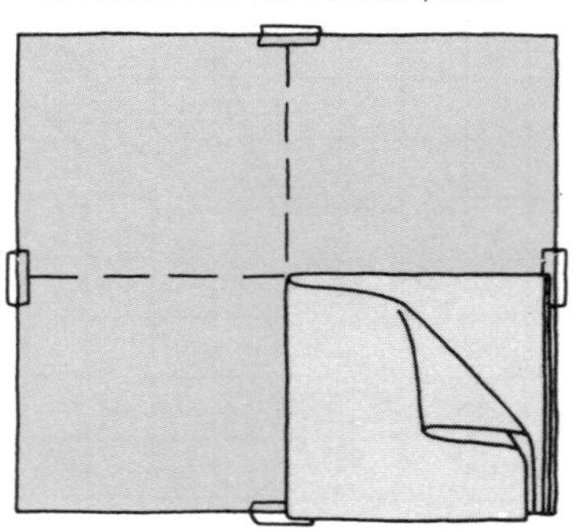

Pliez le modèle en quatre. Placez-le dans un quartier de tissu, en l'alignant sur les marques centrales.

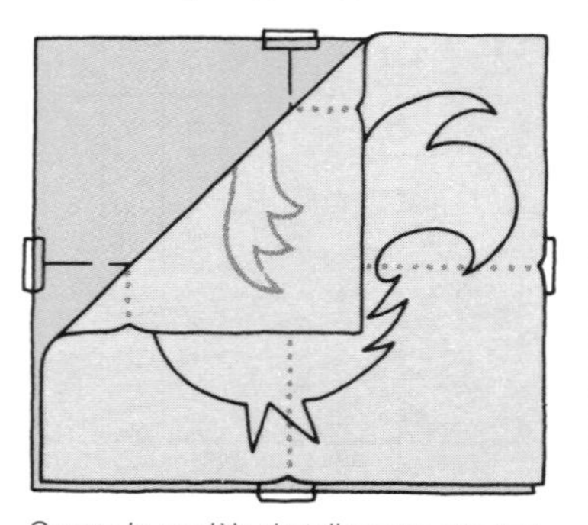

Ouvrez le modèle de telle sorte que ses pliures se superposent exactement sur les repères. Epinglez et décalquez.

DÉCALQUES AU FER

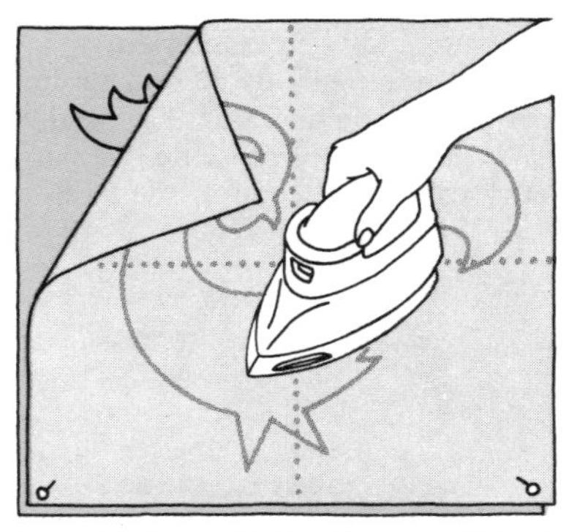

Pour décalquer au fer, découpez d'abord un bout de calque inutile et faites un essai sur une chute de tissu. Si le résultat est bon, posez le dessin à décalquer sur le tissu et épinglez-les ensemble. Appuyez le fer à peine tiède quelques secondes sur le calque. Soulevez le fer et reposez-le un peu plus loin sans le faire glisser.

Pour préparer votre propre décalque au fer, copiez votre dessin sur du papier-calque épais. Retournez-le sur l'envers et retracez-en les lignes avec un crayon à calque. Posez l'envers du papier-calque sur le tissu et appliquez le fer à repasser. Le crayon de cire peut remplacer le crayon à calque dans les grands dessins sur tissus rudes.

PAPIER CARBONE DE COUTURIÈRE

Pour utiliser le papier carbone de couturière, posez votre dessin sur le tissu et épinglez-les ensemble. Glissez le papier carbone entre les deux, côté face sur le tissu. Passez une roulette de couturière sur les lignes du motif. Vous pouvez utiliser une aiguille à tricoter qui permet de mieux contrôler le mouvement de la main.

MÉTHODES DE PIQUAGE

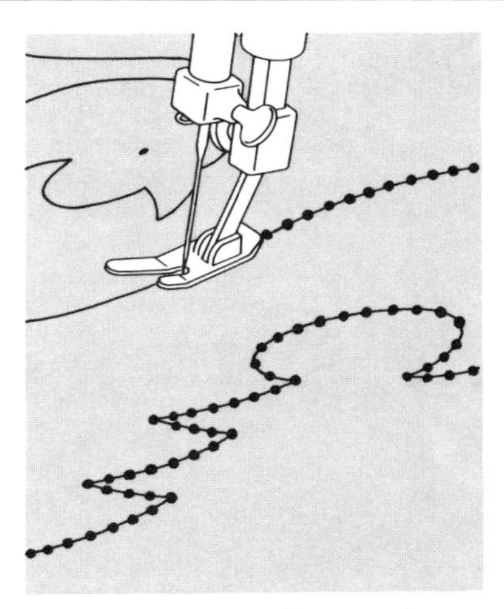

Pour reporter le dessin par la méthode du piquage, étendez votre modèle sur un coussin de tissu (un vieux drap plié fera l'affaire). Piquez-en les lignes avec une aiguille ou un poinçon. **Pour un piquage rapide,** servez-vous de votre machine à coudre. Enlevez la bobine de fil et le fil de la canette, et réglez la longueur du point à 3.

Placez le modèle piqué sur le tissu, endroit vers vous, et épinglez-les ensemble. Avec un tampon de feutre, passez de la craie tailleur en poudre sur les petits trous.

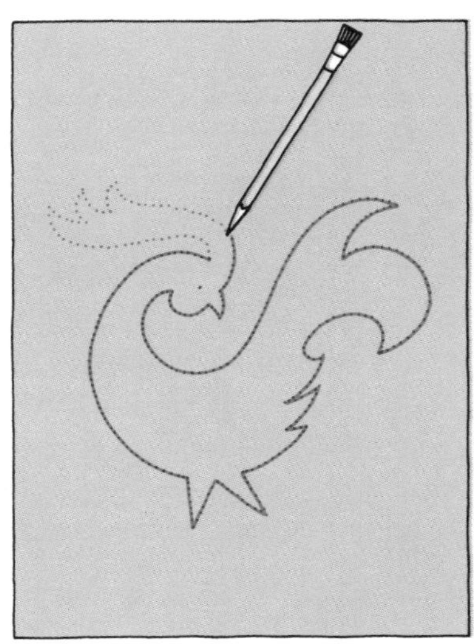

Enlevez le modèle avec précaution pour qu'il n'y ait pas de bavures, puis soufflez pour supprimer le surplus de poudre. Reliez les pointillés entre eux.

Généralités sur la broderie

Utilisation du tambour

On emploie un tambour pour maintenir le tissu tendu pendant le travail de telle sorte que la tension du point demeure égale et uniforme. Les tambours peuvent être en bois, en plastique ou en métal; leur diamètre varie de 10 à 30 centimètres (4″ à 12″). Le cercle extérieur des tambours de bois et de plastique est généralement muni d'une vis qui se règle selon l'épaisseur du tissu. Celui des tambours de métal est muni d'un ressort.

Pour placer le tissu dans le tambour, suivez les instructions ci-dessous en vous assurant que les fils sont également tendus dans les deux sens. Quand le tissu est en place, donnez de petits coups sur la surface : il doit être tendu comme la peau d'un tambour. Les tissus délicats comme le satin et certains points peuvent être endommagés par la pression des cercles. Du papier de soie enroulé autour des cercles empêchera cela. L'humidité fait parfois jouer les tambours de bois et il y a distension du cercle extérieur. Pour que ceci n'arrive pas, il suffit d'enrouler une bande de tissu autour du cercle intérieur.

Essayez toujours de centrer un motif complet dans le tambour. Par exemple, si votre dessin représente un jardin fleuri, essayez de centrer une fleur.

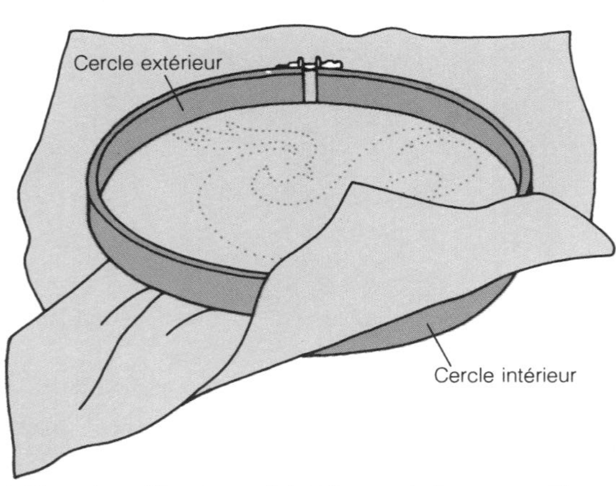

1. Placez le motif sur le cercle intérieur, endroit vers vous. Placez le cercle extérieur par-dessus et serrez la vis.

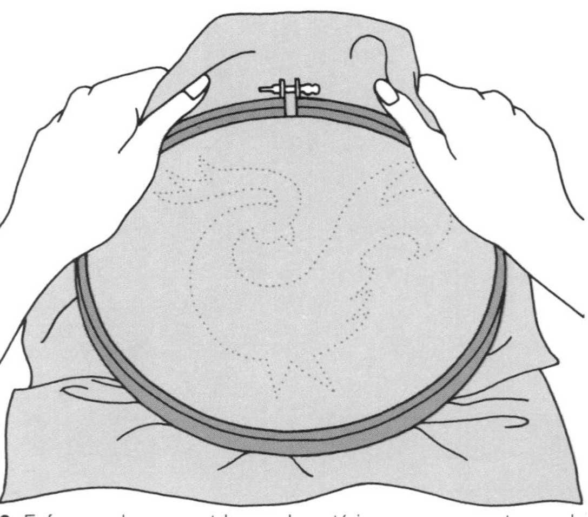

2. Enfoncez doucement le cercle extérieur en poussant avec la paume le long du cercle, tout en étirant le tissu entre les doigts.

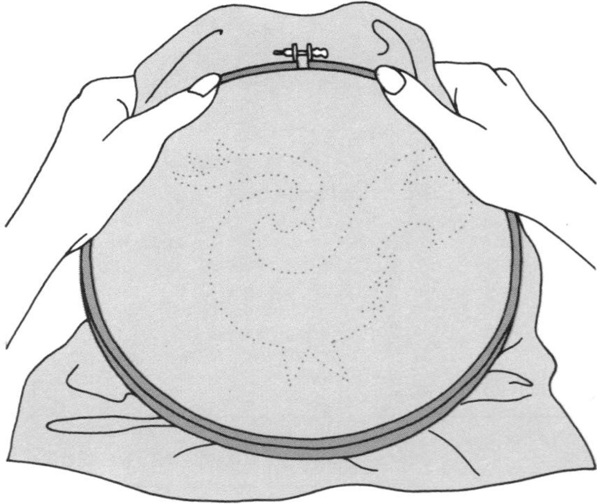

3. En étirant le tissu, le cercle extérieur risque de se déchausser. Aussi, encastrez parfaitement les cercles l'un dans l'autre.

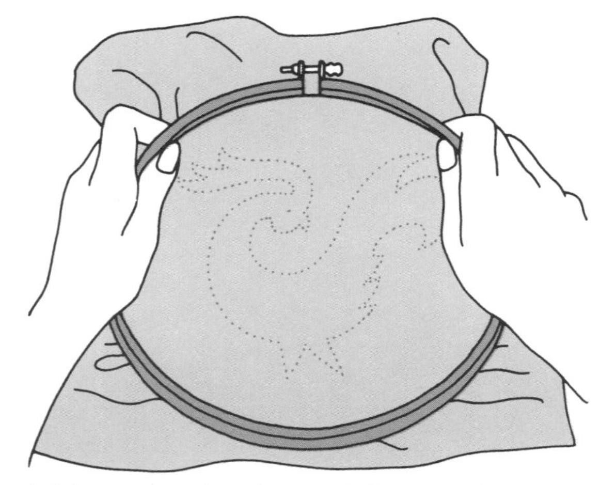

4. Enlevez toujours le tambour avant de ranger votre ouvrage. Poussez sur le tissu tout en soulevant le cercle extérieur.

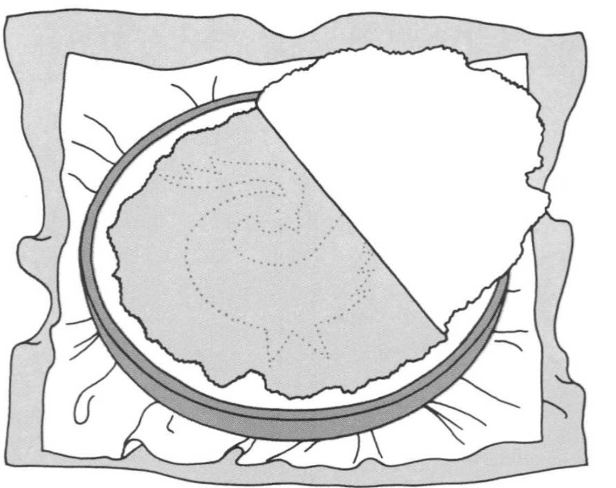

Pour protéger le tissu ou la broderie placés entre les cercles, recouvrez-les d'une feuille de papier avant d'assujettir le tambour.

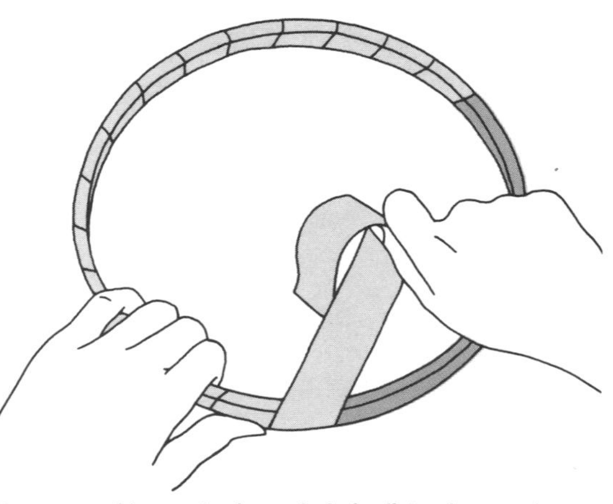

Pour consolider un tambour de bois distendu, enroulez une bande de coton ou de biais autour du cercle intérieur.

Préparation des fils

La longueur du fil à broder ne devrait pas dépasser 45 centimètres (18″); un long fil, tiré trop souvent à travers le tissu, tend à s'effilocher.

Le fil et la laine floches sont des fils à torsade lâche dont on peut séparer les fils simples (voir ci-dessous les méthodes de séparation). Il vaut mieux effectuer ce travail au fur et à mesure de vos besoins plutôt qu'à l'avance.

La première étape, et pour le fil et pour la laine floches, consiste à isoler les uns des autres les différents fils simples qui le composent.

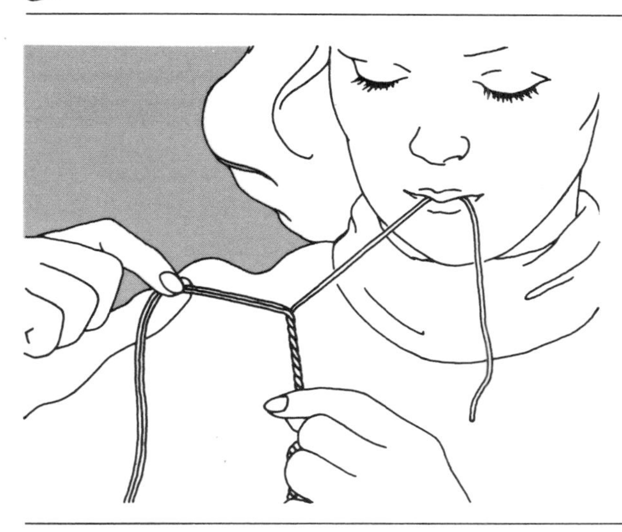

Pour séparer le fil floche, isolez-en d'abord les fils simples, tel qu'expliqué ci-dessus; tenez un groupe de fils simples entre les lèvres et l'autre entre les doigts d'une main. Prenez la torsade dans votre main libre. Avec douceur, séparez les deux groupes de fils simples en déplaçant lentement votre main libre sur la torsade, pour mieux contrôler le mouvement de rotation imprimé au fil.

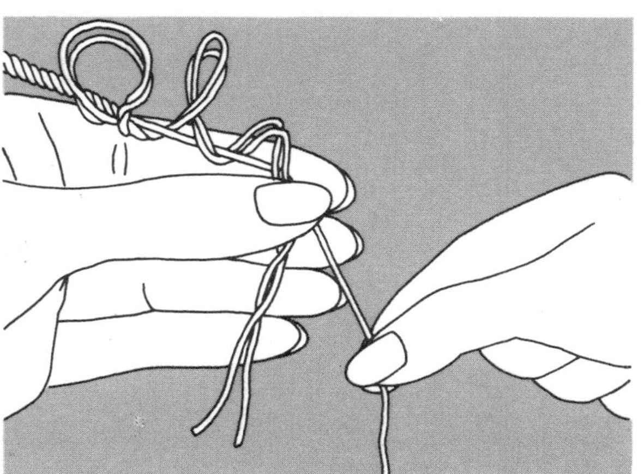

Quand les fils simples de laine floche ont été isolés, tel qu'indiqué sur la première illustration, étendez la laine sur votre main gauche; de la main droite, tirez par petits coups sur les fils simples dont vous avez besoin. Arrêtez et, de la main gauche, débrouillez les fils restants pour les empêcher de s'emmêler. Procédez ainsi jusqu'à ce que vous ayez séparé sur toute sa longueur la quantité de fil dont vous avez besoin.

Enfilage de l'aiguille

Il y a plusieurs façons de simplifier l'enfilage d'une aiguille. Vous pouvez utiliser un **enfile-aiguille**, accessoire conçu pour cela. Si vous n'en avez pas, essayez soit la méthode de la **bande de papier**, soit la méthode de la **boucle**, illustrées plus bas. Le fil choisi doit passer facilement à travers le chas de l'aiguille, mais pas assez cependant pour en ressortir sans cesse.

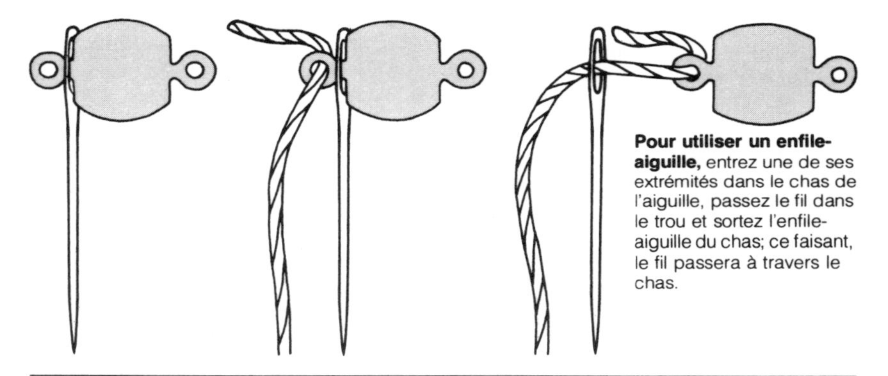

Pour utiliser un enfile-aiguille, entrez une de ses extrémités dans le chas de l'aiguille, passez le fil dans le trou et sortez l'enfile-aiguille du chas; ce faisant, le fil passera à travers le chas.

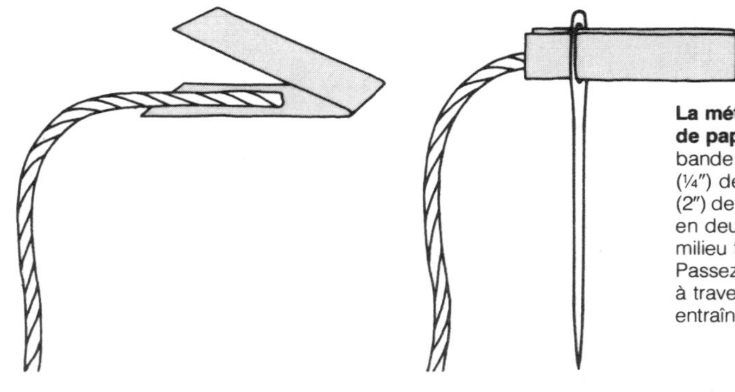

La méthode de la bande de papier : coupez une bande de papier de 0,5 cm (¼″) de large et de 5 cm (2″) de long. Pliez la bande en deux et insérez le fil au milieu tel qu'indiqué. Passez la bande de papier à travers le chas, entraînant ainsi le fil.

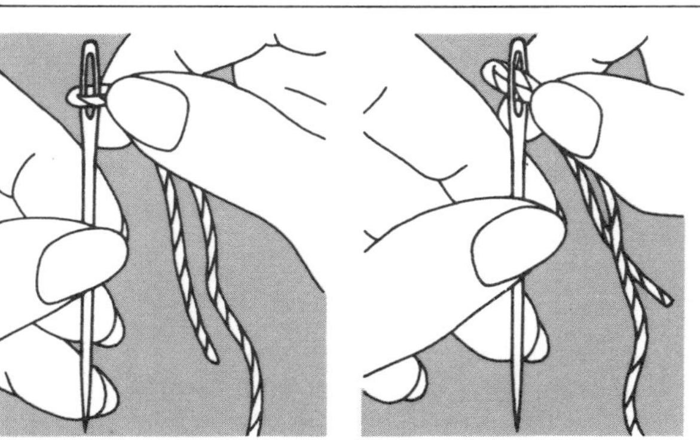

La méthode de la boucle : faites une boucle à une des extrémités du fil; passez la boucle au-dessus du chas de l'aiguille et tirez pour tendre la laine et faire une pliure; glissez la boucle le long du chas pour la dégager et poussez-la dans le chas au niveau de la pliure.

Généralités sur la broderie

Exécution d'une broderie

Pour réussir une broderie, il faut beaucoup de patience et de soin. Vos points doivent présenter une tension uniforme et votre ouvrage doit être aussi soigné sur l'envers que sur l'endroit.

Ne faites jamais de nœud pour commencer ou finir une aiguillée; les nœuds pourraient ressortir sur l'endroit de l'ouvrage ou faire des bosses. Cette recommandation est particulièrement importante si vous avez l'intention d'encadrer votre ouvrage. Les illustrations ci-contre vous suggèrent plusieurs moyens d'arrêter le fil au début et à la fin de l'aiguillée.

Que vous vous serviez d'un tambour ou d'un métier à broder, travaillez autant que possible des deux mains. Si votre tambour ou votre métier à broder sont fixés sur un pied, vous vous apercevrez que vous contrôlerez mieux le passage de l'aiguille à travers le tissu parce que vous aurez alors les deux mains libres pour piquer et retirer l'aiguille.

Avant de commencer à broder, étudiez soigneusement votre dessin et notez les endroits où les points de broderie paraissent en chevaucher d'autres. Commencez par broder les parties sous-jacentes et ensuite les éléments superposés, de telle sorte qu'ils se chevauchent légèrement. Cette méthode ajoutera à votre ouvrage une touche de réalisme, et permettra en même temps d'éviter que des blancs n'apparaissent entre les différents éléments du dessin.

Si vous travaillez sur un motif du dessin et que vous désiriez passer à un autre motif de la même couleur situé plus loin, il vaut mieux arrêter le fil sous le premier motif et le reprendre ensuite plutôt que d'avoir sur l'envers de l'ouvrage une longue traînée de fil.

Suivez avec précision les lignes du dessin en n'oubliant pas qu'elles ne servent que de guide et ne doivent pas rester visibles une fois l'ouvrage terminé.

DÉBUT ET FIN DE L'AIGUILLÉE

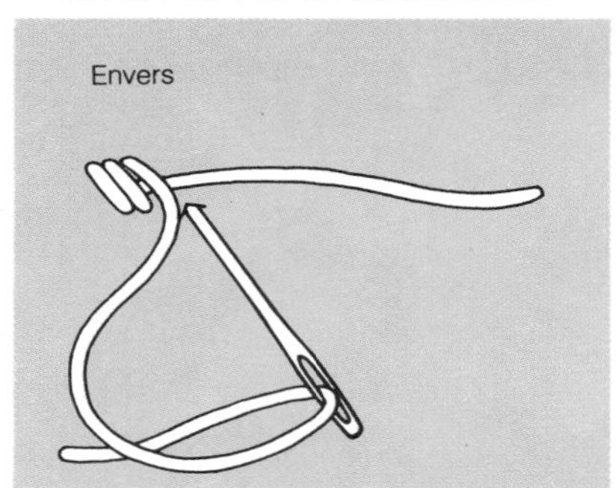

Pour retenir le fil au début d'une aiguillée, maintenez son extrémité sur l'envers du tissu et recouvrez de points, sur 5 cm (2").

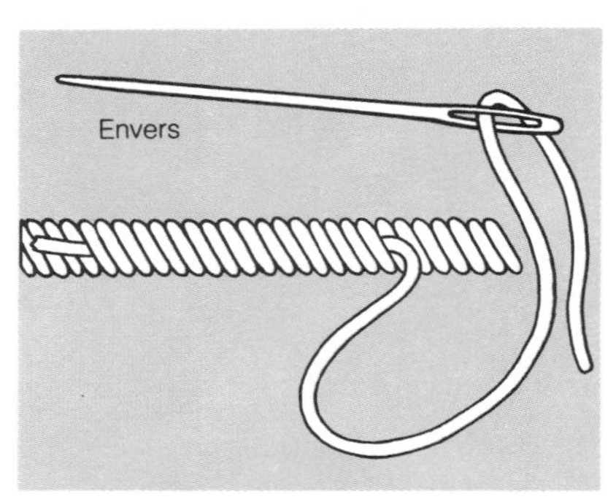

Si vous avez déjà commencé votre broderie, glissez simplement le fil sous une rangée de points, sur une longueur de 5 cm (2").

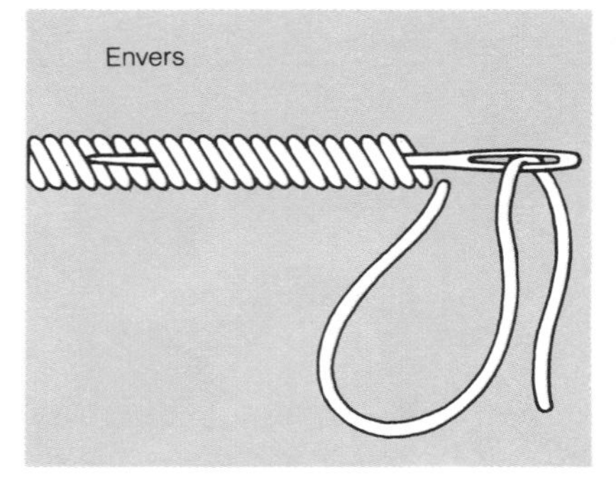

Pour terminer une aiguillée et arrêter le fil, glissez l'aiguille sous les points déjà formés sur une longueur de 5 cm (2") et coupez le fil.

TENUE DE L'AIGUILLE

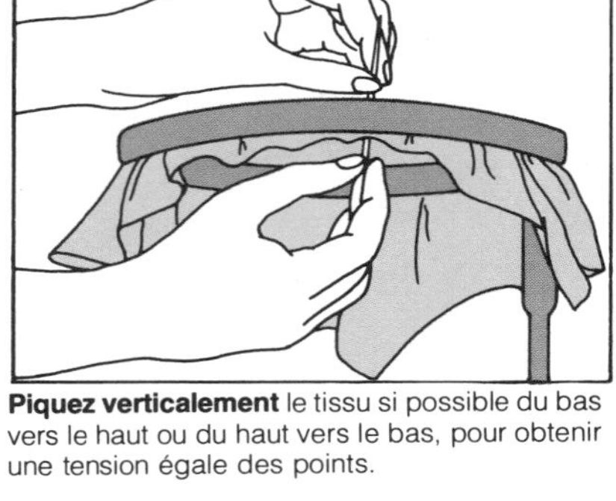

Piquez verticalement le tissu si possible du bas vers le haut ou du haut vers le bas, pour obtenir une tension égale des points.

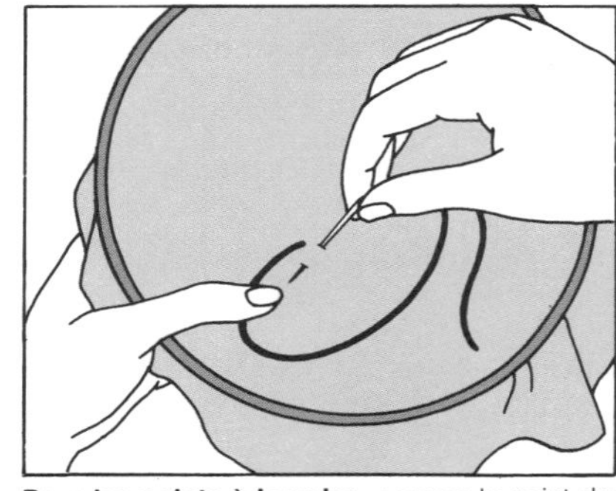

Pour les points à boucles, comme le point de chaînette, ressortez l'aiguille avant de commencer à tirer sur le fil.

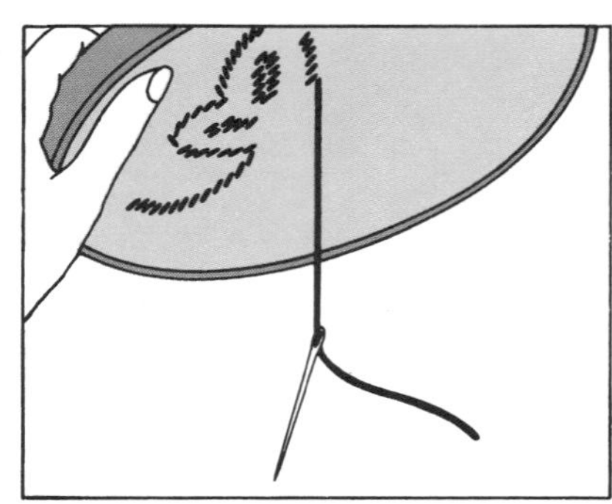

Souvent le fil s'emmêle et s'entortille pendant le travail. Dans ce cas, laissez pendre l'aiguille au bout du fil pour qu'il se déroule.

COMMENT SUIVRE LE TRACÉ

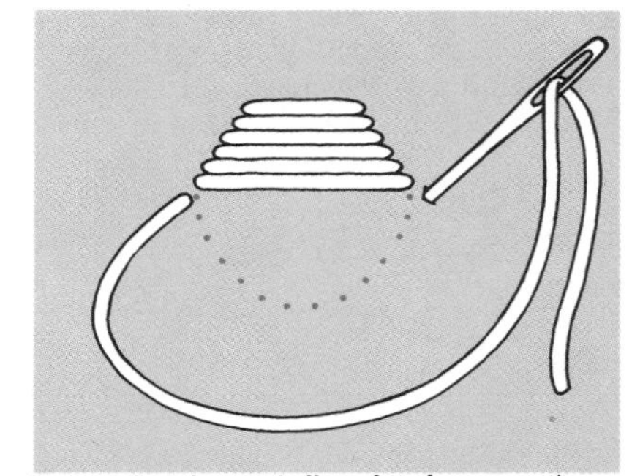

Pour suivre le tracé d'un dessin sur un tissu, piquez l'aiguille au-delà de la ligne décalquée de façon à recouvrir tous les tracés.

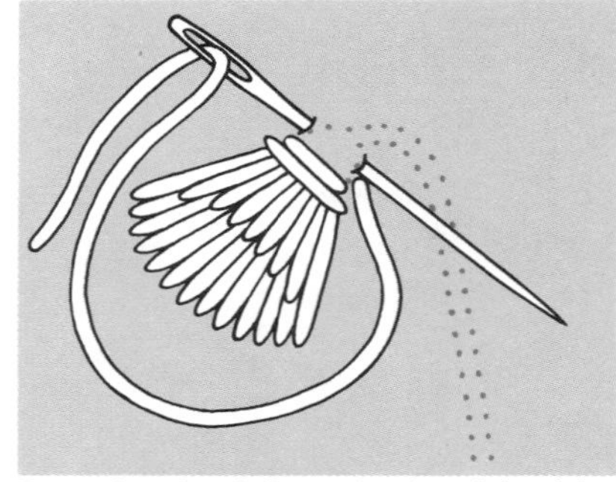

Pour plus de réalisme, brodez d'abord les détails sous-jacents et ensuite ceux qui leur sont superposés, en les faisant se chevaucher.

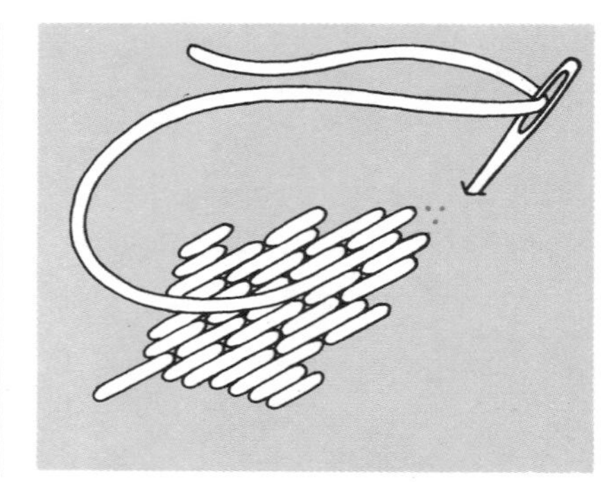

Pour faire ressortir les pointes (telles que l'extrémité d'une feuille), exagérez-les en étendant le point au-delà de la ligne du dessin.

Points de broderie

Choix des points

Les points de broderie sont les éléments de base avec lesquels on compose un dessin. Bien que le nombre de points puisse paraître illimité, il ne l'est pas. En fait, chaque point se rattache à un groupe ou famille. Il en existe 11 qui sont décrits dans les pages suivantes.

Pour vous aider à comprendre la relation entre chaque point d'une même famille et vous permettre de vous exercer, nous vous suggérons de faire un échantillonnage des points que nous décrivons. Vous pourrez le consulter comme un dictionnaire, par la suite. Ou, si vous préférez, vous pourrez joindre l'utile à l'agréable en faisant un panneau mural décoratif des points, qui servira de référence.

Les points de broderie servent à faire ressortir un motif, soit en le soulignant, soit en le remplissant. Le motif peut être rempli de points serrés de sorte que pas un espace de tissu n'apparaisse au travers, ou encore rempli de points détachés qui produisent un effet de dentelle. Certains points donnent un effet particulier, comme le point de vannerie (p. 38), qui reproduit naturellement la forme d'une feuille.

Lors de votre premier essai, limitez votre choix à quelques points seulement. Souvenez-vous qu'il n'existe pas qu'une seule bonne combinaison de points pour un ouvrage. Il s'agit de trouver les points qui créeront ensemble l'effet désiré. Observez comment le dessin illustré plus bas a été exécuté dans deux styles distincts. Les deux broderies sont des pièces ravissantes, et cependant chacune d'elles a été réalisée avec une combinaison absolument différente de points.

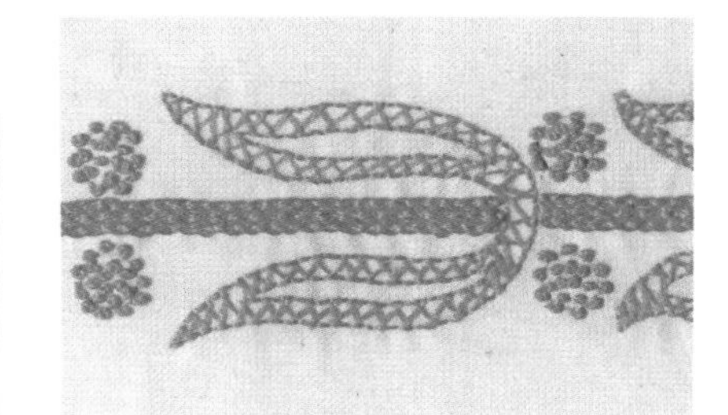

Différents choix de points pour un même dessin peuvent produire deux effets très distincts.

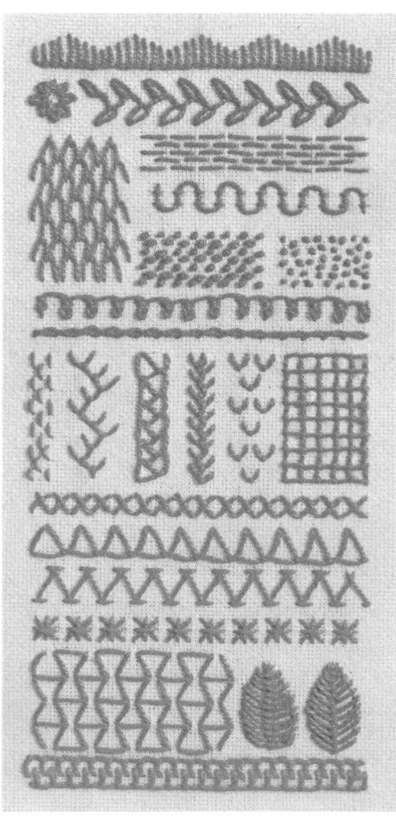

L'échantillonnage peut servir de référence.

Plan de l'ouvrage

Préparez un plan de votre ouvrage en traçant le schéma du dessin et en y indiquant les points et les couleurs de votre choix. Servez-vous de votre tracé original pour établir ce plan.

Désignez chaque point par une lettre et faites une liste de ces symboles, que vous conserverez. Puis inscrivez chaque lettre dans la partie correspondante du dessin, pour l'identifier. D'un simple trait au crayon, indiquez dans quel sens chaque point doit être exécuté.

Etablissez un code similaire pour les couleurs en leur assignant un numéro que vous noterez aussi sur le dessin. S'il existe d'autres variantes à déterminer, telles que le nombre de fils simples à employer pour chaque genre de point, indiquez-les aussi sur votre liste. Voici maintenant un exemple de plan.

A - Point passé repiqué empiétant
B - Point en arceaux
C - Point passé plat droit
D - Point de chaînette entrelacé

1 - Orange pâle
2 - Lavande
3 - Noir
4 - Havane

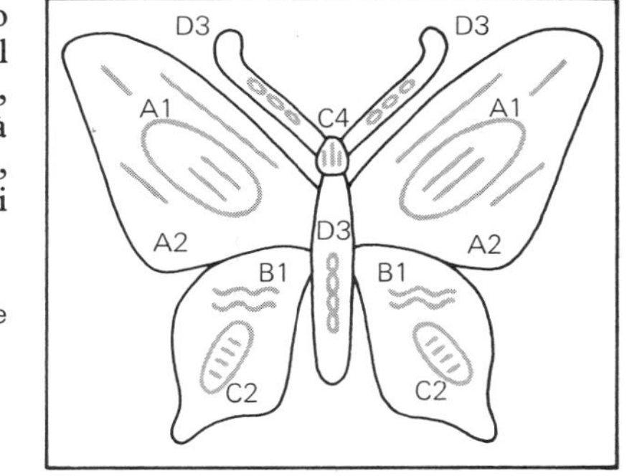

Points de broderie

Points arrière

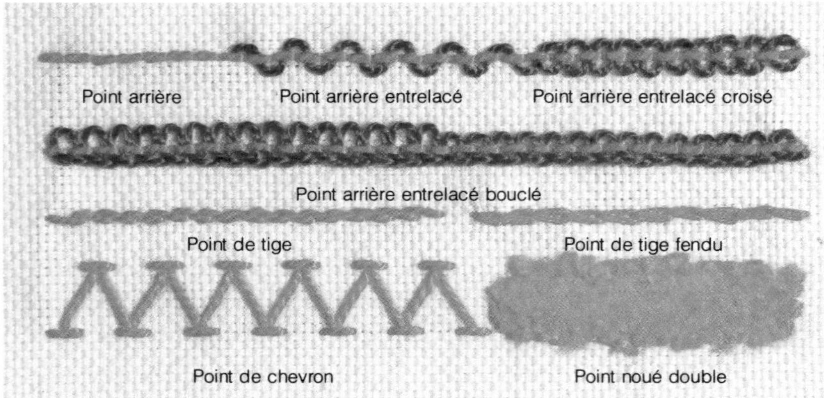

Bien que chaque point de cette catégorie présente un caractère distinct, ils se ressemblent par le fait qu'on les exécute à reculons, c'est-à-dire en plantant l'aiguille à l'arrière de l'endroit d'où elle vient de sortir, puis en la ramenant vers l'avant.

Quelques-uns des points illustrés sont petits et donc parfaits pour souligner des contours. D'une manière générale, le *point arrière simple* est utilisé pour souligner des surfaces bordées de lignes droites, mais il vaut mieux choisir le *point de tige* et le *point de tige fendu* quand le contour devient courbe. Exécutés en rangs serrés, ces points fins peuvent recouvrir une surface. Quelques-uns des autres points, tels que le *point de chevron* et le *point arrière entrelacé*, sont plus larges et peuvent décorer des bandes et des bordures. La plupart des points arrière sont des points plats peu texturés, à l'exception du *point noué double* qui forme un tas de poils quand il est coupé.

Quand vous exécutez un point, suivez chaque étape dans l'ordre. A cause du mouvement vers l'arrière, l'aiguille rentrera souvent dans un trou fait à une étape précédente; il est alors important de planter l'aiguille exactement dans le même trou.

Le point arrière simple s'utilise généralement pour obtenir un effet de ligne droite. On le rencontre souvent dans les broderies sur toile. Il sert aussi de base à d'autres points. Travaillez de droite à gauche. Sortez l'aiguille en 1, plantez-la en 2 et ressortez-la en 3; la distance comprise entre 3 et 1 doit être égale à la distance entre 1 et 2. Procédez de la même façon pour le point suivant. L'aiguille plantée en 2 doit entrer dans le même trou que le fil sorti en 1 à l'étape précédente. Les points doivent toujours avoir la même longueur.

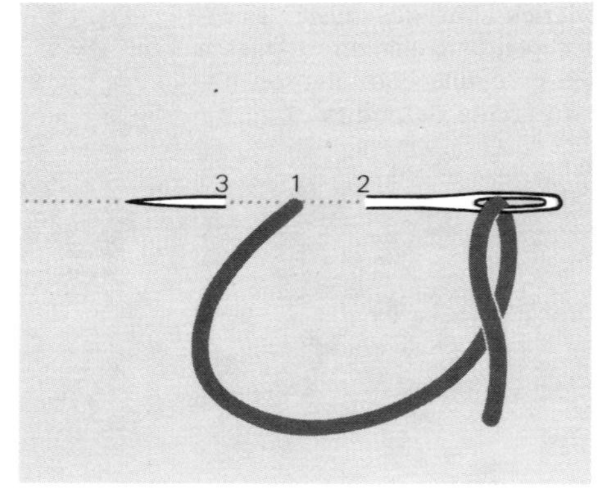

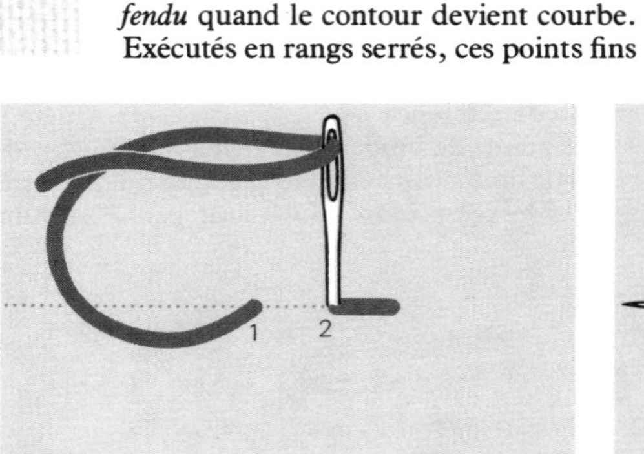

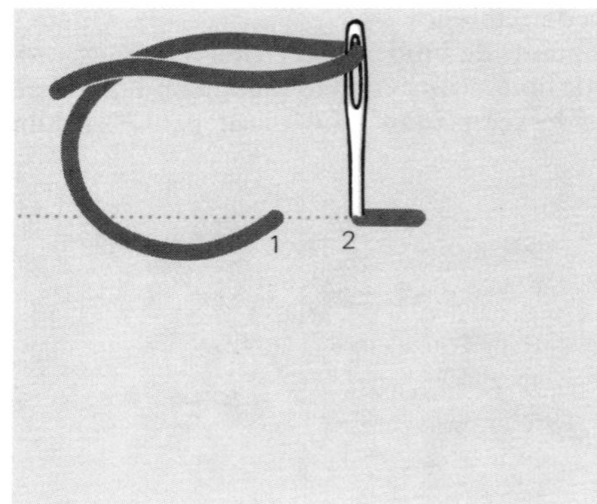

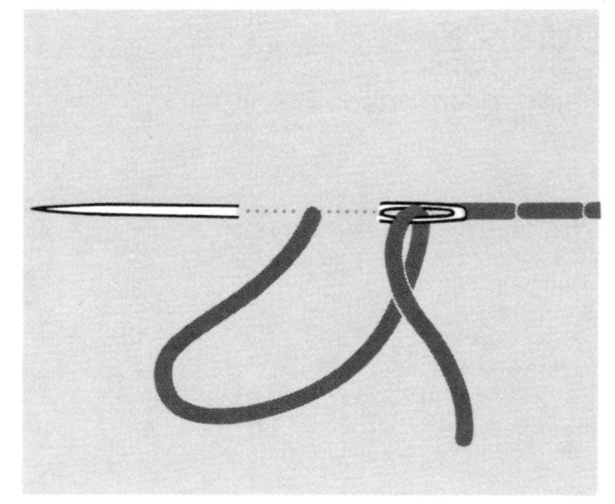

Le point arrière entrelacé ajoute une dimension au point arrière simple. On peut, en effet, exécuter chaque nouvelle rangée avec des fils de couleurs différentes. Brodez d'abord la rangée de base au point arrière simple. Pour l'*entrelacé* simple, utilisez une aiguille à bout rond et passez un fil dans chaque point sans mordre dans le tissu. Pour l'*entrelacé croisé,* passez un second fil mais en commençant par l'autre côté. Les boucles doivent avoir la même taille des deux côtés de la rangée. Evitez de séparer les fils déjà brodés.

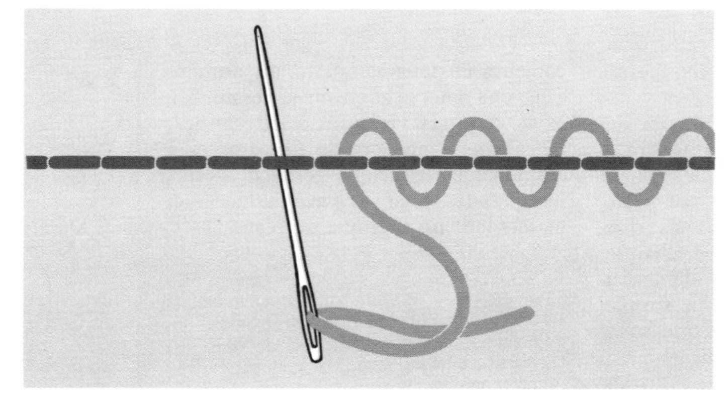

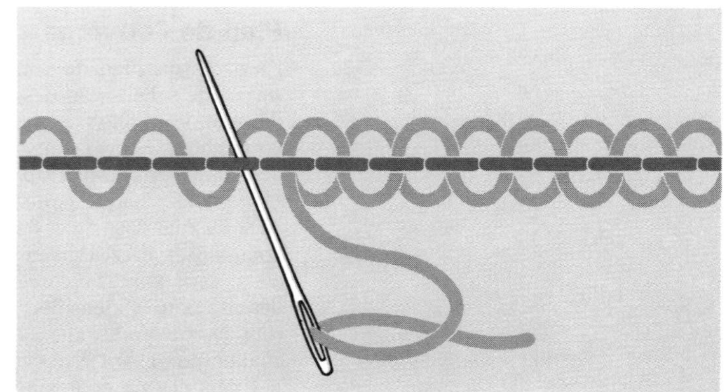

Le point arrière entrelacé bouclé, comme le point arrière entrelacé, s'appuie sur un point arrière simple. Toutefois, sa technique d'entrelacs produit un effet de tresse. Ce point est souvent utilisé pour souligner des contours ou faire des bordures décoratives. Commencez par broder le point arrière simple. Puis, avec une aiguille à bout rond, entrelacez le fil, comme sur l'illustration, sans mordre dans le tissu et en veillant à ce que les boucles aient toutes la même ouverture. Les boucles peuvent être plus ou moins serrées.

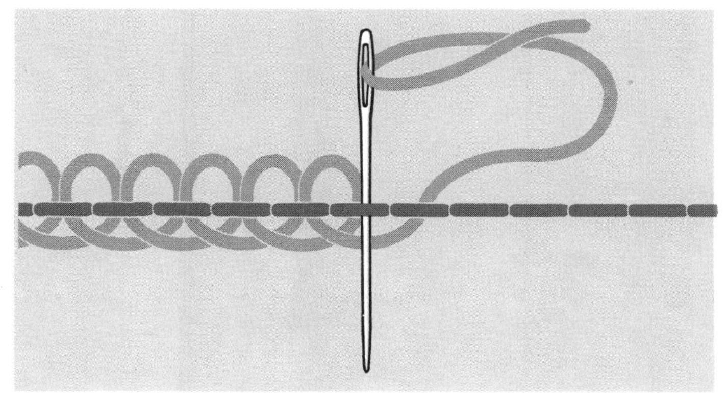

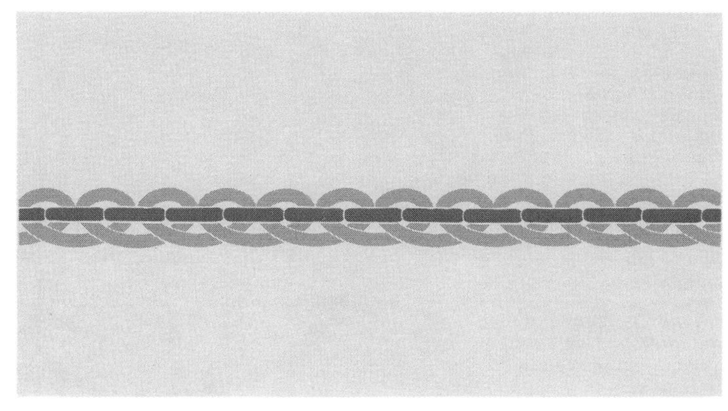

Le point de tige sert à souligner les contours, mais aussi à broder les tiges dans les motifs à fleurs. En travaillant de gauche à droite, sortez l'aiguille en 1; rentrez-la en 2 et ressortez-la vers l'arrière en 3; les distances de 1 à 3 et de 3 à 2 devraient être égales. Recommencez. Notez que l'aiguille émergeant en 3 sort du trou pratiqué par le fil entré en 2 au point précédent. Pour obtenir un point de tige large, mettez l'aiguille légèrement en oblique au moment de la rentrer en 2 et de la sortir en 3, comme sur la dernière illustration.

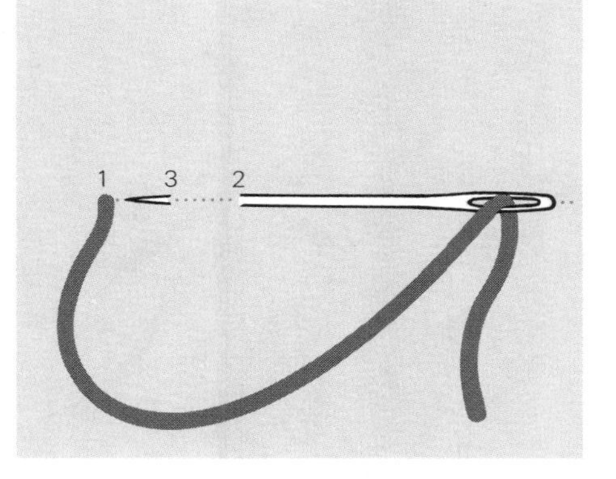

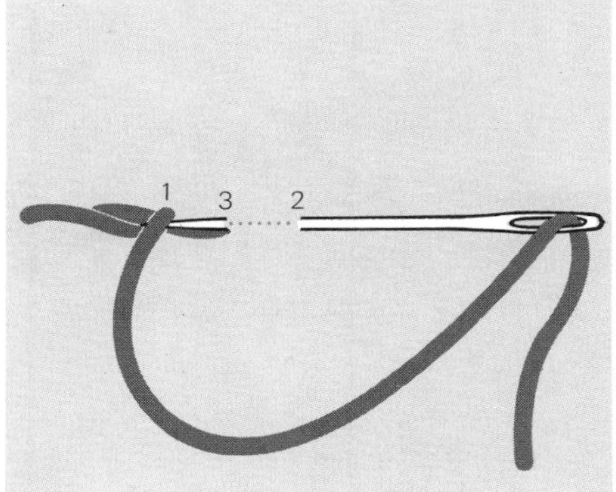

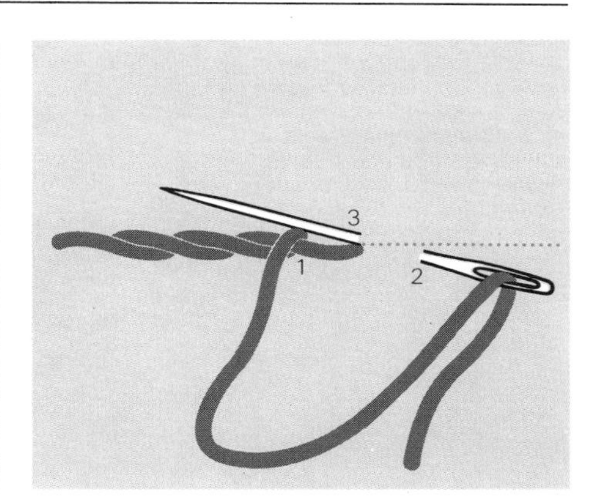

Le point de tige fendu s'exécute comme le point de tige ordinaire avec cette différence que l'aiguille, au moment de ressortir, passe au milieu du fil couché et en sépare les brins. Le point de tige fendu sert surtout à souligner des contours. En travaillant de gauche à droite, sortez l'aiguille en 1 et rentrez-la en 2; tendez le fil puis ressortez l'aiguille en 3, au milieu du point que vous venez de broder. Recommencez. Faites des points d'égale longueur mais, dans les courbes, faites des points plus petits.

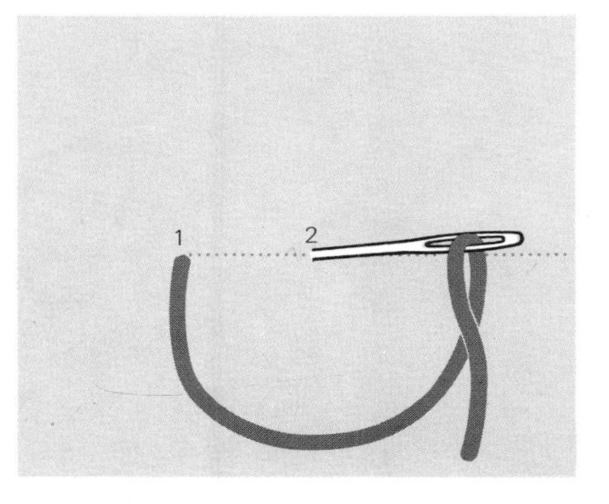

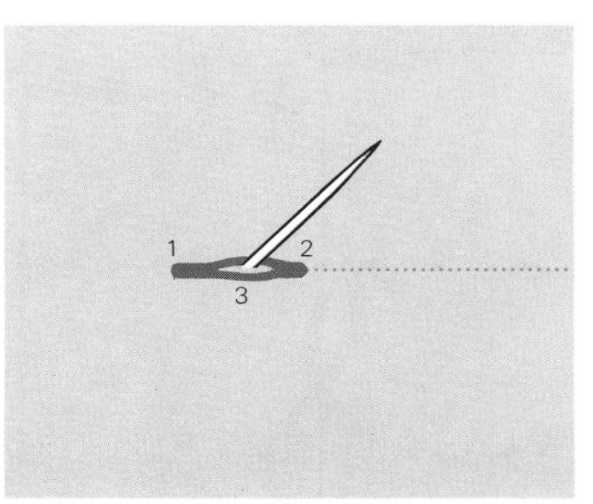

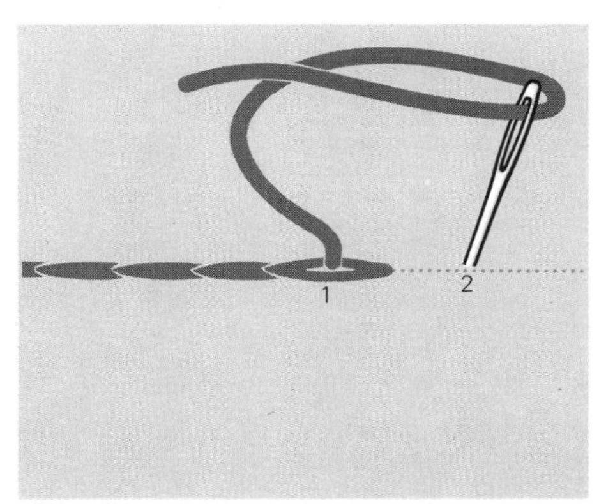

Points de broderie

Points arrière

Le point de chevron est souvent employé pour les bordures décoratives. Il se travaille de gauche à droite entre deux lignes. Pour l'exécuter, sortez l'aiguille en 1, sur la ligne inférieure. Puis plantez-la en 2 et ressortez-la en 3, c'est-à-dire à la moitié de la longueur du point. Plantez ensuite l'aiguille en 4, sur la ligne supérieure, et ressortez-la en 5; la distance entre 4 et 5 doit être égale à la moitié de la longueur du point entier. Plantez l'aiguille en 6 (longueur d'un point complet à partir du repère 5) et ressortez-la de nouveau en 4.

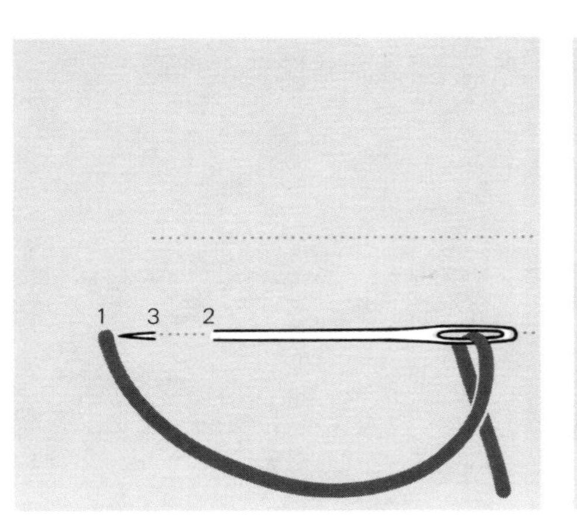

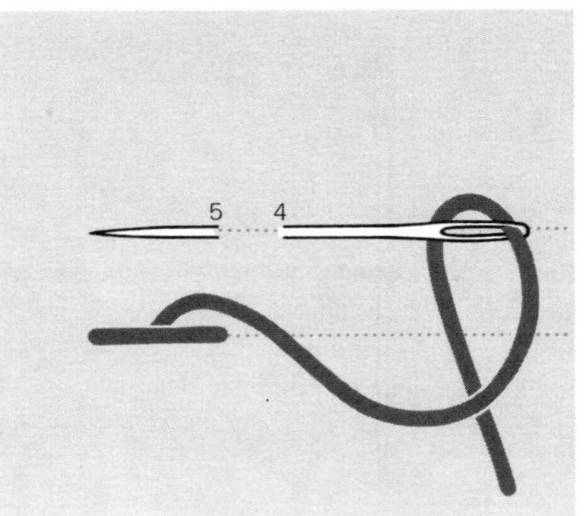

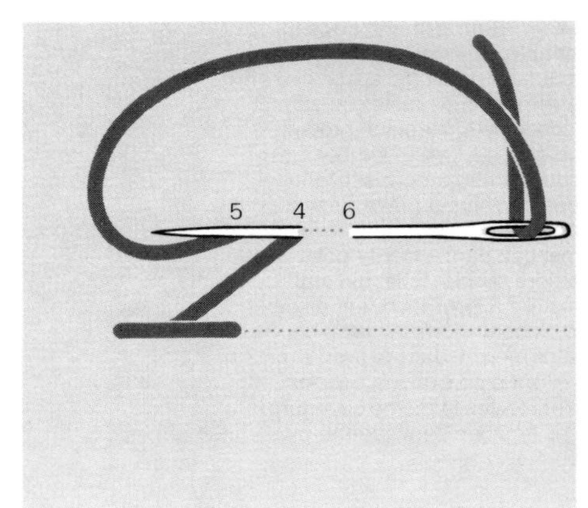

Pour retourner à l'étape 1, il faut rentrer l'aiguille en 7, sur la ligne inférieure, et la ressortir vers l'arrière en 8; la distance entre 4 et 7 doit être la même qu'entre 3 et 4. Notez qu'au début de l'enchaînement suivant, l'étape 8 devient 1 et recommencez l'enchaînement de 1 en 8.

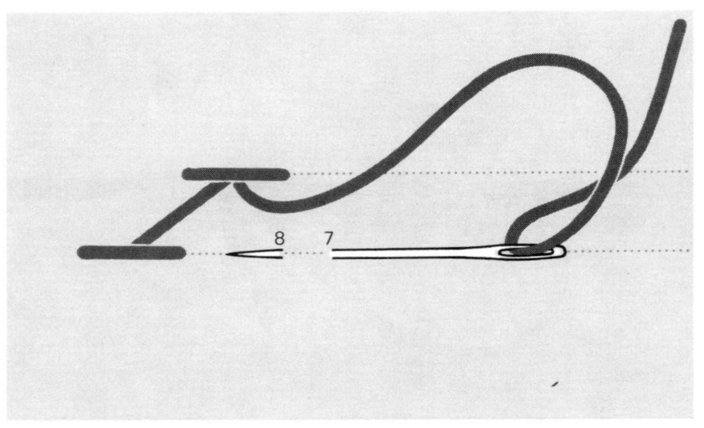

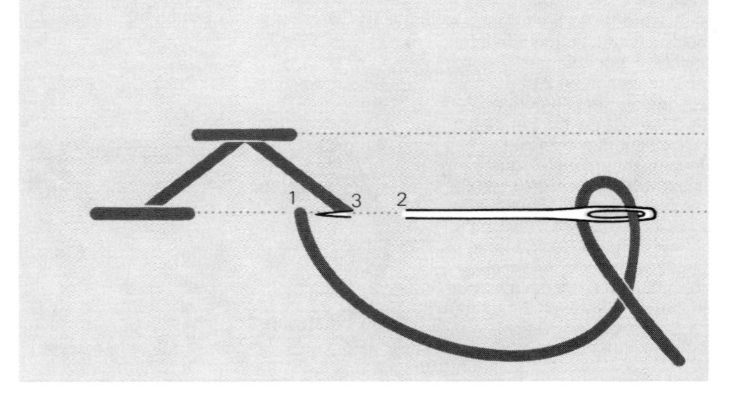

Le point noué double est fait de points arrière serrés qui alternent avec des points arrière bouclés. On obtient un tas de boucles que l'on peut couper pour obtenir un effet pelucheux. Travaillez de gauche à droite. Sortez l'aiguille en 1, plantez-la en 2 et ressortez-la en 3, à la moitié du point. Plantez-la en 4, à la distance d'un point, et ressortez-la en 2; passez le fil par-dessus le point en laissant une boucle courte. Au point arrière suivant, ramenez le fil sous le point.

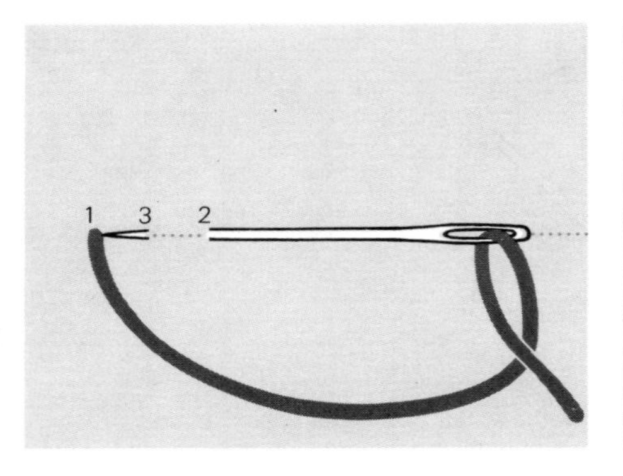

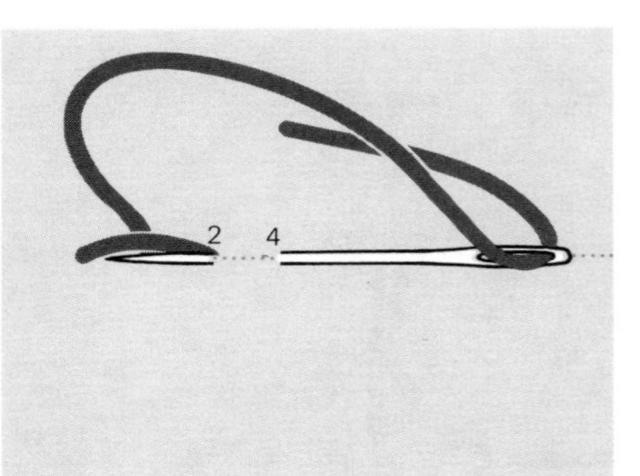

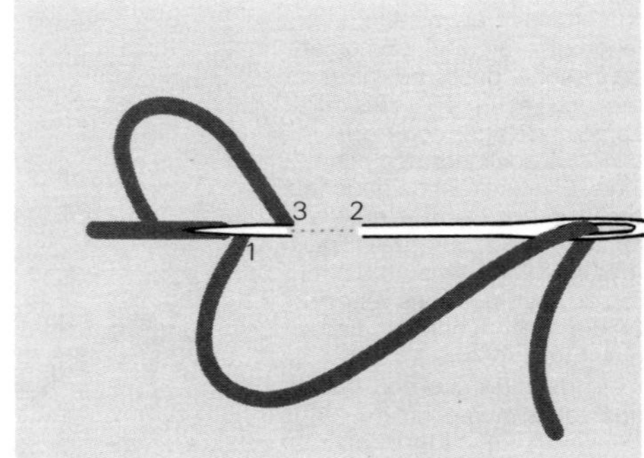

Tirez et continuez l'enchaînement avec un point bouclé et un point serré, jusqu'à la fin de la rangée. Brodez au point noué double tout l'espace du dessin, en procédant du haut vers le bas de l'ouvrage. Si les boucles déjà brodées vous gênent, épinglez-les. Pour obtenir un effet pelucheux, ouvrez les boucles à coups de ciseaux. Ne taillez pas individuellement chaque rangée, mais, au contraire, coupez en une seule fois tout l'espace brodé pour obtenir une hauteur égale.

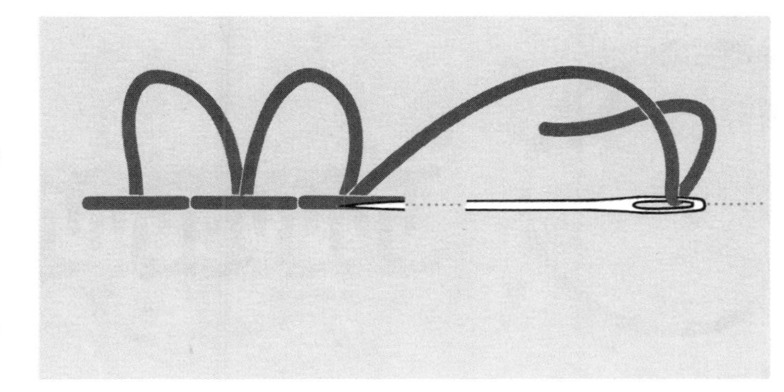

Points de grébiche

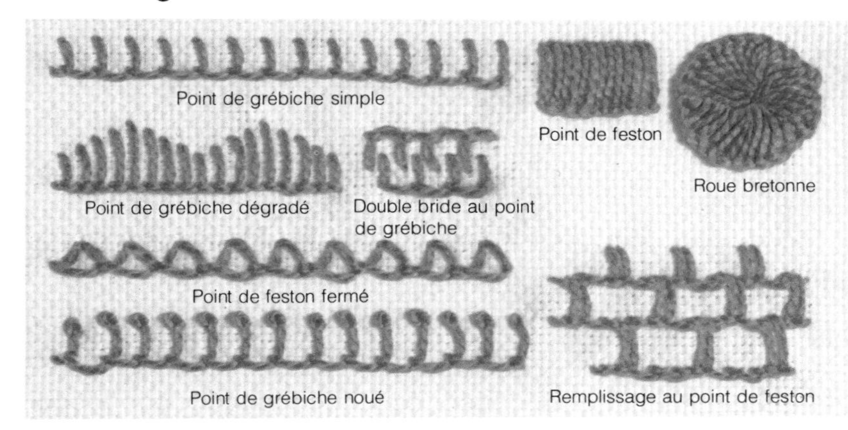

Les points de grébiche font l'objet du deuxième groupe de points. C'était ces points qu'on utilisait autrefois pour finir les bords des couvertures de laine. Aujourd'hui, ils servent à faire des bordures décoratives, mais également à souligner des contours. L'un d'eux, le *remplissage au point de feston*, est aussi employé pour recouvrir une surface entière, et permet d'obtenir un effet presque similaire à celui du crochet.

Les points de grébiche sont essentiellement des points plats. Ils peuvent varier en hauteur selon les impératifs du dessin et servent à toutes sortes de fins décoratives. Ils sont si faciles et si rapides à exécuter qu'on les retrouve dans beaucoup de motifs d'origine paysanne, et aussi dans le patch craquelé et l'appliqué. Ils sont particulièrement utiles dans les jours et sont également recherchés pour finir les bords des tissus non tissés, tels que le feutre, qui ne nécessitent pas d'ourlet.

Vous remarquerez que tous les points de grébiche ont une base qui ressemble à une torsade et d'où partent des languettes. Cette base se forme en passant le fil sous la pointe de l'aiguille avant de resserrer le point. Veillez à faire des points très réguliers et à tendre le fil également.

Le point de grébiche simple est très populaire dans la finition des bordures. S'il est brodé très petit, il peut aussi servir à souligner des contours. Il se travaille de gauche à droite. Sortez l'aiguille en 1 sur la ligne inférieure. Piquez en 2 vers la droite et ressortez en 3 perpendiculairement. Avant de tirer l'aiguille, passez le fil pardessous. Procédez de la même façon pour les points suivants en veillant à les faire réguliers. Notez que l'étape 3 d'un point devient 1 au point suivant.

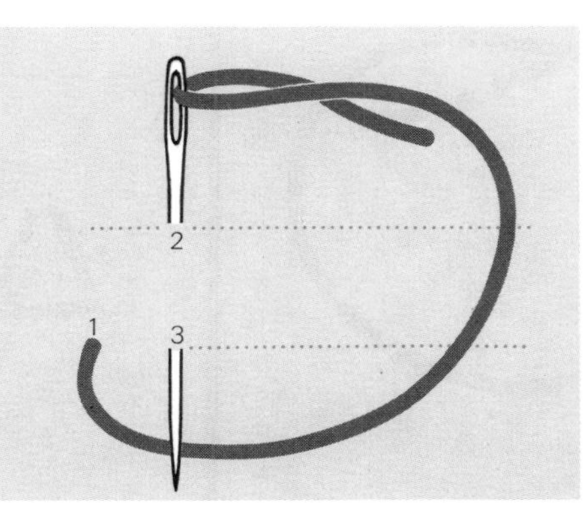

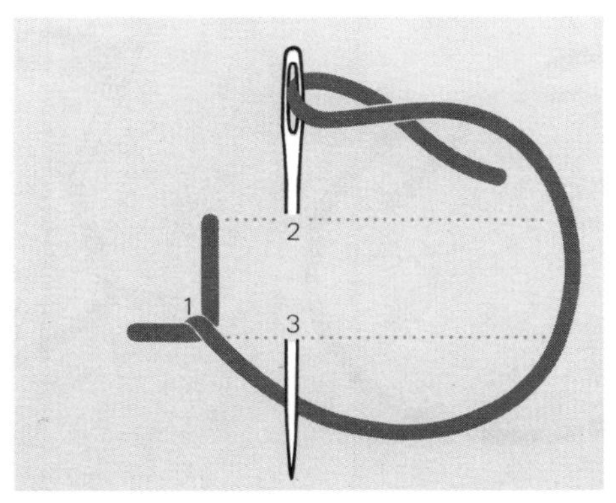

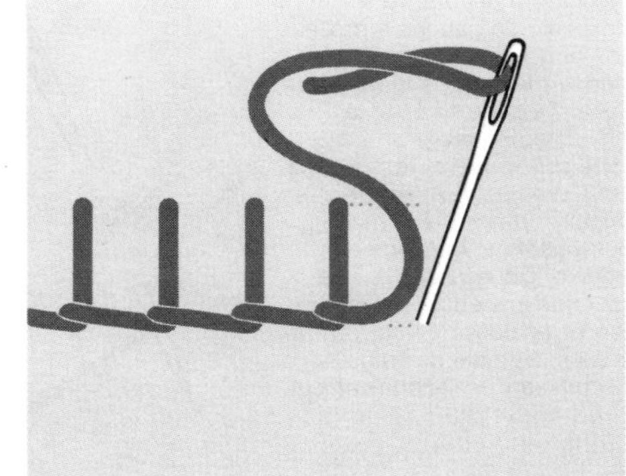

Points de grébiche

Variantes du point de grébiche : On appelle la première variante le *point de grébiche dégradé.* Il s'exécute comme le point de grébiche simple, avec la différence que les languettes vont en s'allongeant, puis en diminuant, créant ainsi un effet pyramidal. La *double bride au point de grébiche* n'est que la répétition en double du point simple. On renverse l'ouvrage, après avoir terminé la première rangée, et on exécute la seconde rangée en encastrant les nouvelles languettes dans les autres (il faut légèrement dépasser la ligne médiane).

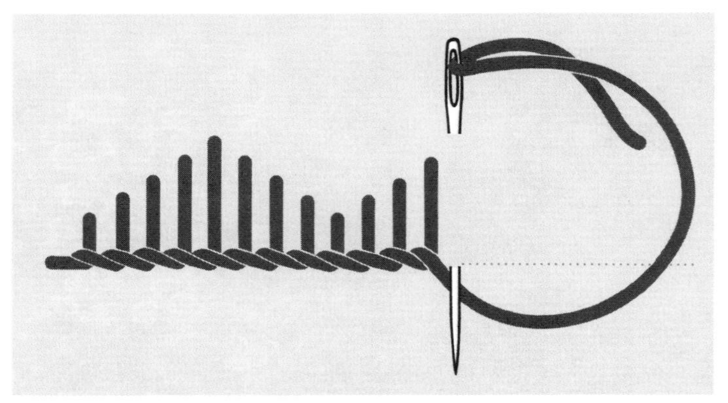

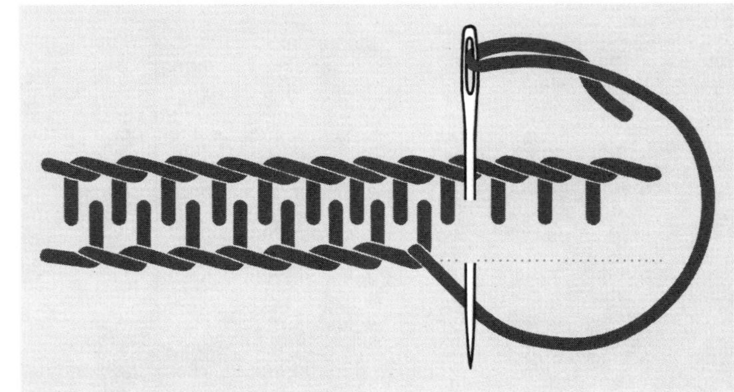

Le point de feston s'exécute comme le point de grébiche simple avec cette différence que les points sont collés pour former une bordure rigide. Cette bande serrée de points extrêmement réguliers s'utilise beaucoup dans la broderie blanche. Pour obtenir encore plus de rigidité, on peut, avant d'exécuter le point de feston, consolider le bord au point de tige fendu (p. 23). La *roue bretonne* est populaire dans les motifs de fleurs. Le point est travaillé en rond, en piquant chaque fois l'aiguille dans le même trou central.

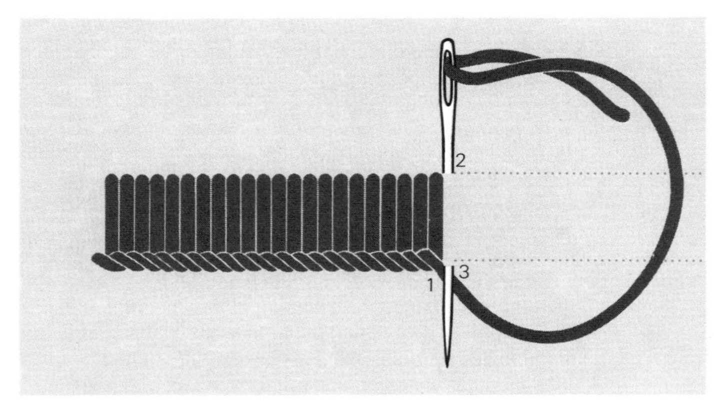

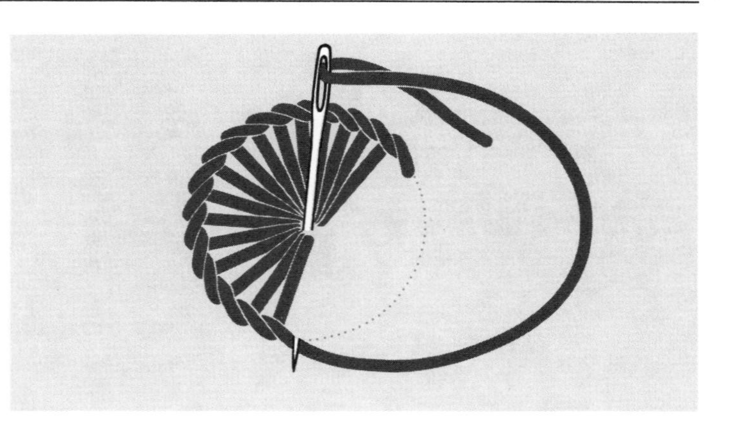

Le point de feston fermé sert en bordure décorative et s'exécute de gauche à droite. Les languettes forment de petits triangles le long de la rangée. Sortez l'aiguille en 1 sur la ligne inférieure. Piquez-la en 2 sur la ligne supérieure et ressortez-la en 3, près de 1. Avant de tirer l'aiguille, passez le fil par-dessous. Pour compléter le triangle, piquez l'aiguille une seconde fois en 2 et ressortez-la en 4, en passant à nouveau le fil sous la pointe de l'aiguille. Recommencez l'enchaînement.

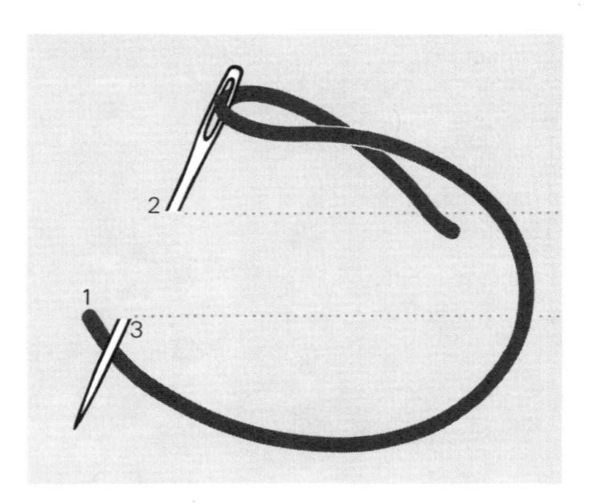

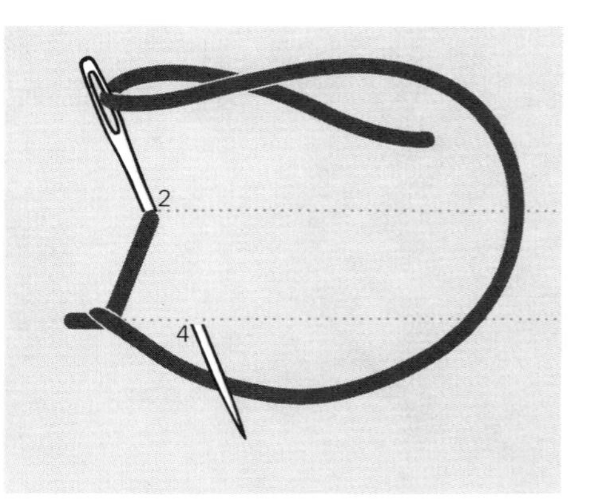

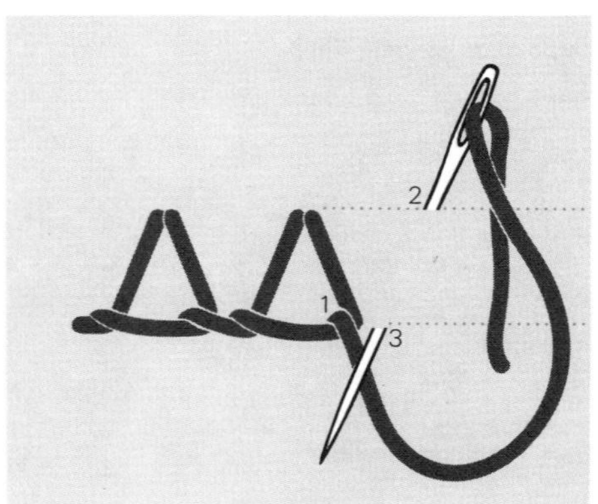

Le remplissage au point de feston produit un effet de dentelle. Les points peuvent être groupés deux par deux (comme dans notre exemple), trois par trois ou quatre par quatre. Exécutez la première paire de points de gauche à droite, en les serrant l'un contre l'autre; laissez deux espaces (la largeur de deux points) et brodez la deuxième paire. A la fin de la rangée, piquez l'aiguille dans la ligne inférieure et ressortez-la perpendiculairement sur la ligne de la rangée suivante.

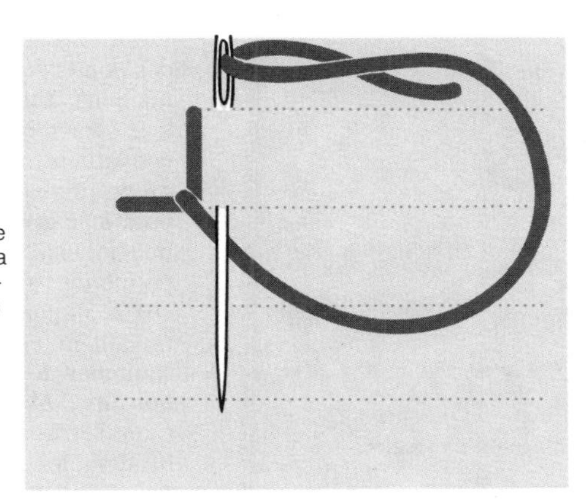

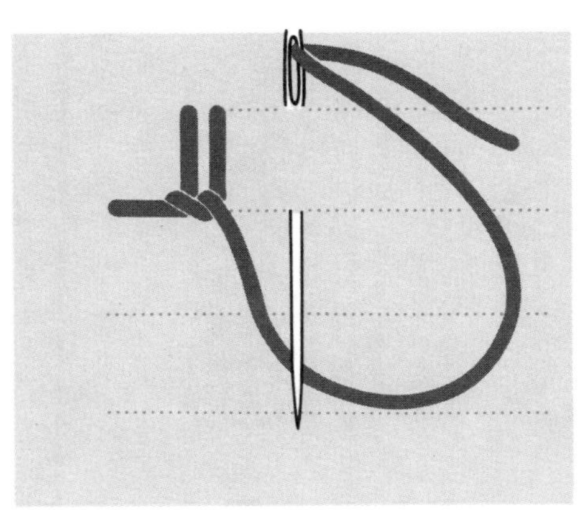

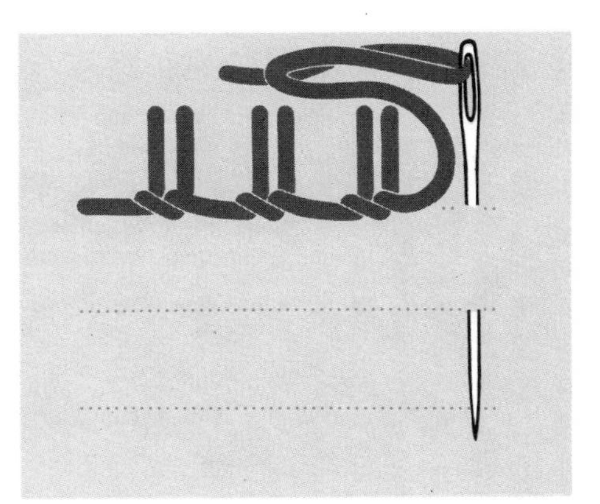

Exécutez la rangée suivante de droite à gauche en suivant le même enchaînement que pour le point de feston; il faut maintenant ramener le fil sous la pointe de l'aiguille de droite à gauche. Plantez l'aiguille dans les espaces laissés vides, juste au-dessus de la base de la rangée supérieure. Au bout de la deuxième rangée, piquez l'aiguille sur la ligne de base de cette rangée et ressortez-la sur la ligne de la rangée du dessous. Brodez de cette façon jusqu'à ce que votre espace soit rempli.

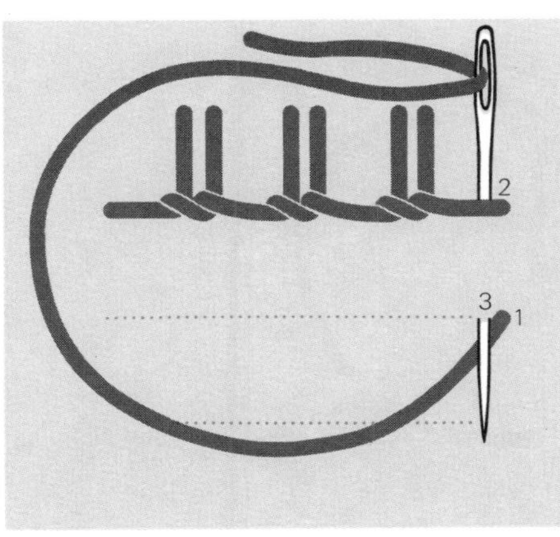

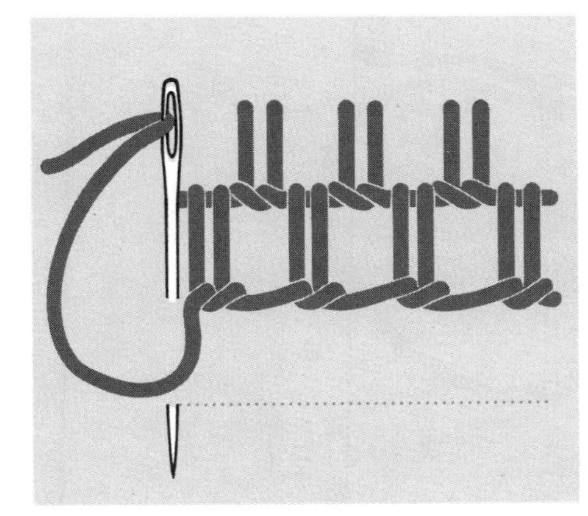

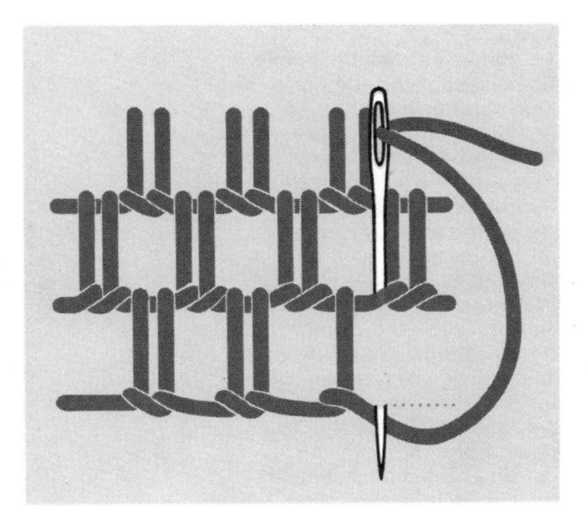

Le point de grébiche noué ressemble au point de grébiche simple, mais avec un nœud à l'extrémité de chaque languette. En allant de gauche à droite, sortez l'aiguille en 1. Enroulez le fil autour de votre pouce gauche et glissez l'aiguille dans la boucle. Piquez l'aiguille en 2 et ressortez-la en 3; ramenez le fil sous la pointe de l'aiguille en tirant pour resserrer la boucle; tirez votre aiguille, vous obtenez un nœud à l'extrémité supérieure du point. Exécuté dos à dos, le point de grébiche noué forme un motif d'arbre ou de feuille.

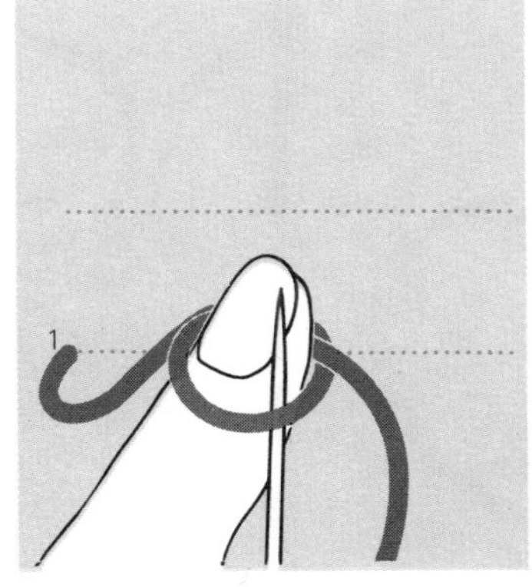

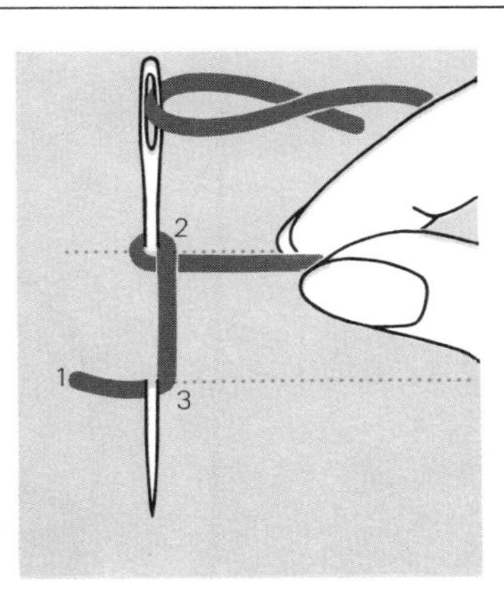

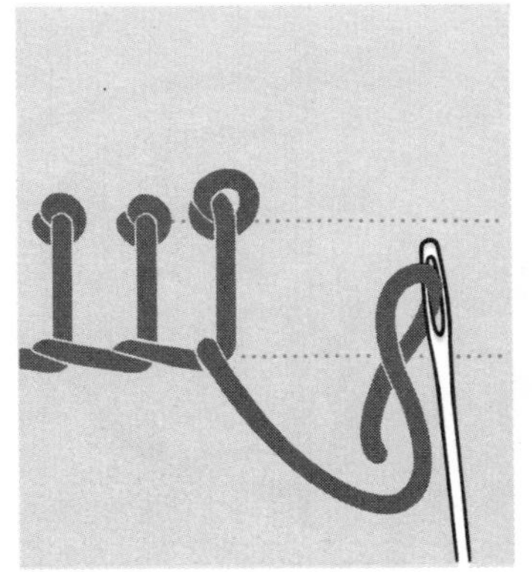

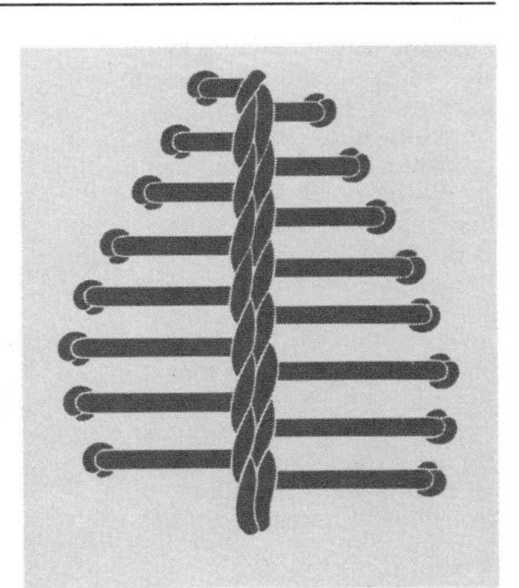

Points de broderie

Points de chaînette

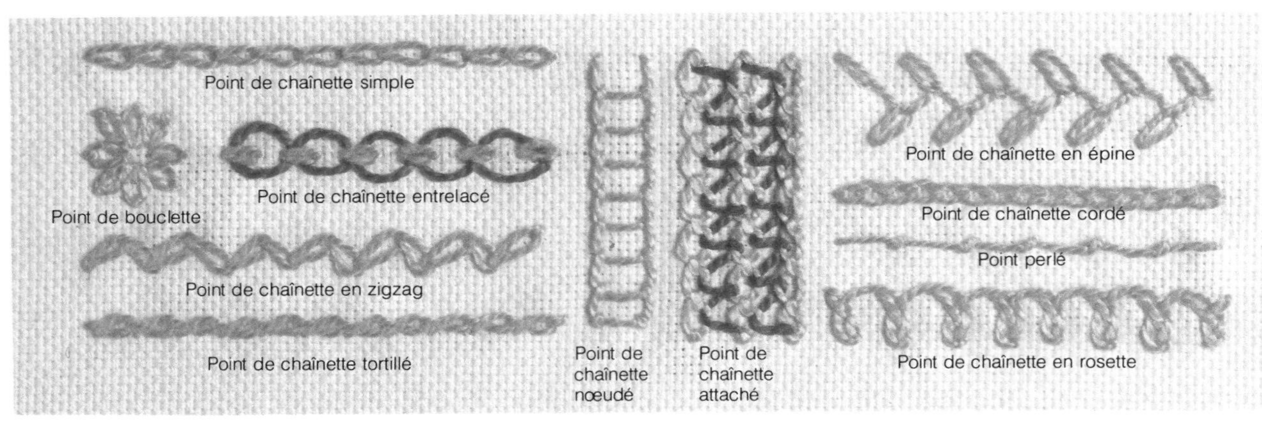

Comme leur nom l'indique, la plupart des points de ce groupe ressemblent aux maillons d'une chaîne. Ils ont chacun leur caractère propre, bien sûr, mais ils constituent ensemble l'un des groupes de points les plus utilisés. Comme les points de grébiche, ce sont des points à boucle; le fil est toujours ramené sous la pointe de l'aiguille.

La plupart du temps, ces points se travaillent verticalement. Ils servent à souligner des contours ou à décorer des bordures. Mais si on veut les exécuter en rangs serrés pour remplir un espace, on brodera les rangs dans le même sens pour obtenir un effet de tissage.

Le point de chaînette simple est un des points de broderie les plus populaires pour souligner un contour. On peut aussi l'exécuter en rangs serrés pour remplir un espace. Sortez l'aiguille en 1. Piquez-la dans le même trou en 1 et ressortez-la en 2 en ramenant le fil sous la pointe, puis tirez l'aiguille. Le repère 2 devient 1 au point suivant. Exécutez tous les points de la même manière, en piquant toujours l'aiguille dans le trou fait par le fil émergeant du point précédent. En fin de rang, faites un petit point à cheval sur le dernier chaînon pour l'arrêter.

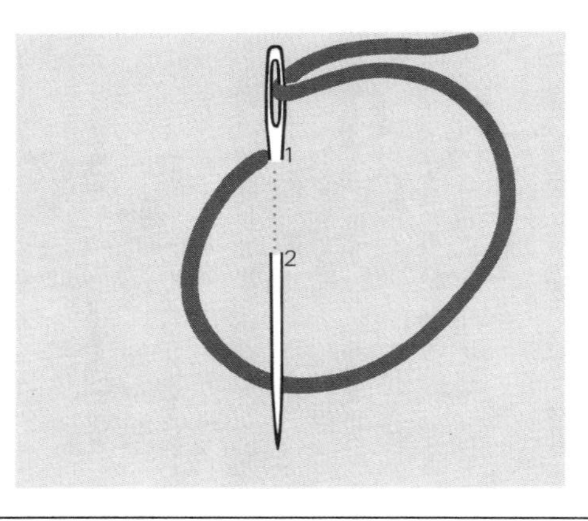

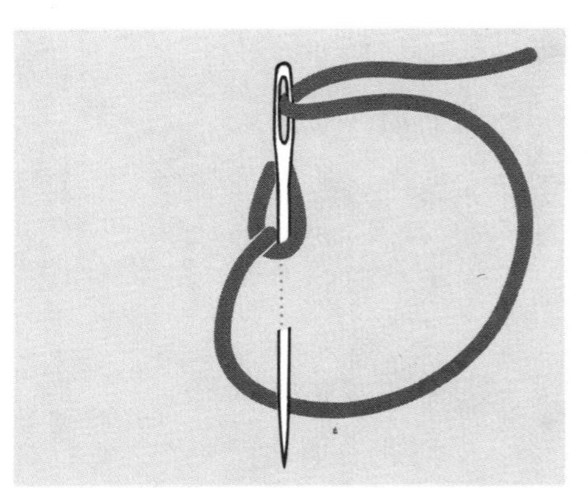

Le point de bouclette est formé d'un seul point détaché que l'on exécute en cercle pour donner l'impression de pétales. Sortez l'aiguille en 1, repiquez-la en 1 dans le même trou, et ressortez-la en 2; ramenez le fil sous la pointe et tirez l'aiguille. Piquez l'aiguille en 3, à cheval sur la boucle du chaînon, et ressortez-la en 1 pour le point suivant. Travaillez ainsi tous les pétales. Ce point peut aussi être éparpillé au gré de la fantaisie sur une surface, à condition que les bouclettes ne soient pas trop éloignées les unes des autres.

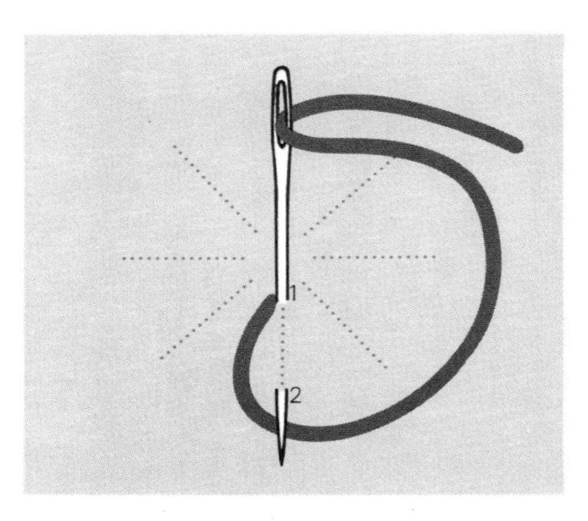

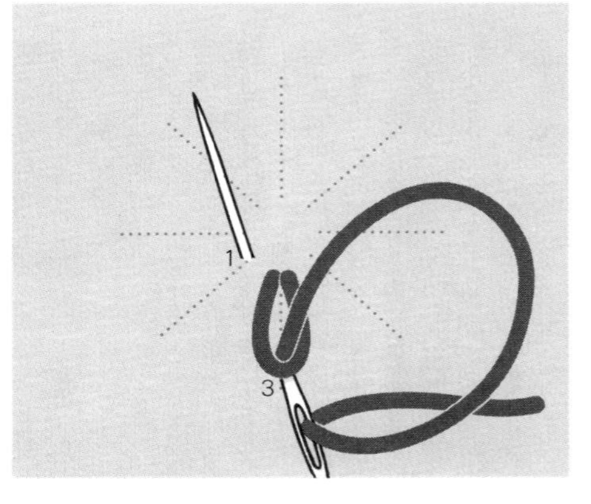

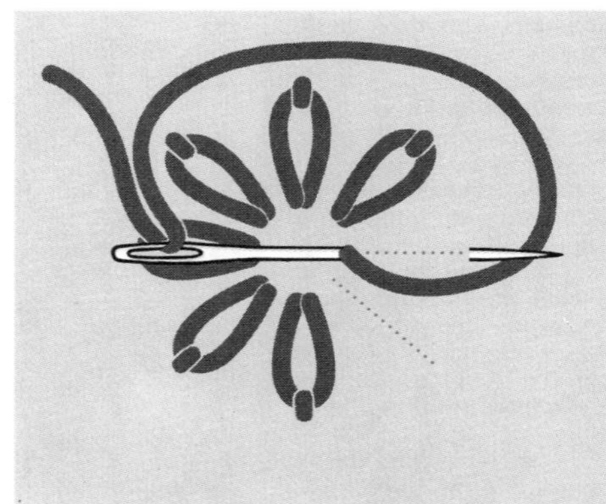

Le point de chaînette entrelacé donne l'effet d'une chaînette double. Pour faire ressortir cet effet, on utilise deux fils de couleurs différentes. Le point de chaînette entrelacé sert à orner des bords et à souligner des contours. Faites d'abord une rangée de points de bouclette; changez de fil et, avec une aiguille à bout rond, amenez le nouveau fil sous le dernier chaînon. Passez le fil d'un côté et de l'autre des chaînons, sans mordre dans le tissu. En fin de rangée, exécutez le même mouvement mais en sens inverse.

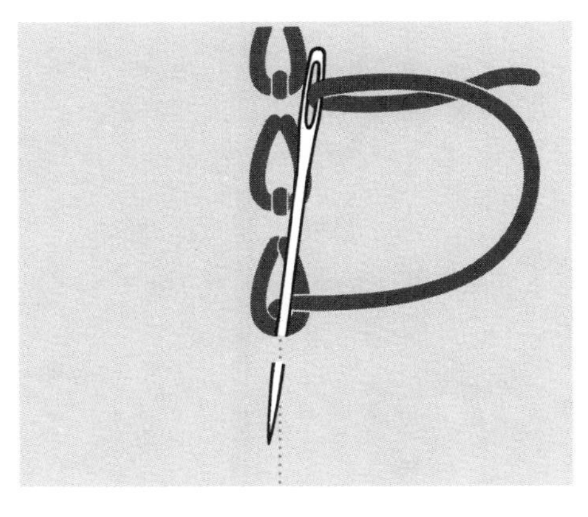

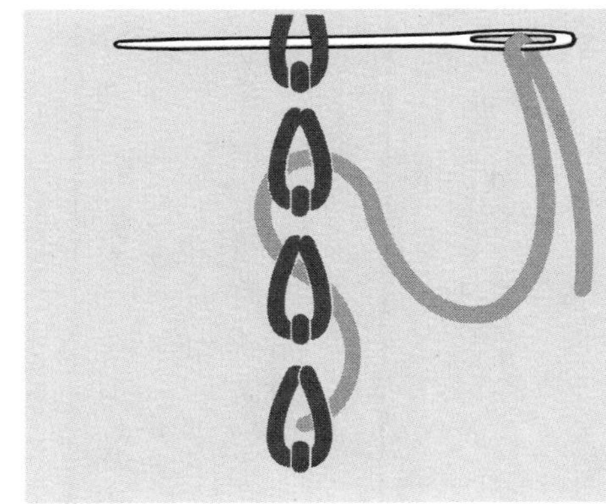

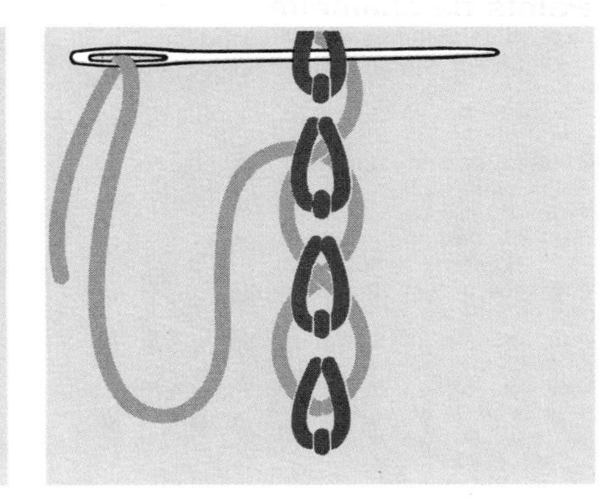

Le point de chaînette en zigzag fait alterner l'angle des chaînons et forme des dents. Il se brode entre deux lignes parallèles. Faites le premier point exactement de la même manière qu'un point de chaînette simple, mais en oblique entre les deux lignes. Le trou d'où émerge le fil devient l'étape 1 du point suivant. Piquez l'aiguille en 2, au milieu du fil qui forme l'extrémité de la boucle, et ressortez-la en 3; ramenez le fil sous la pointe et tirez. En fin de rang, faites un petit point à cheval sur le dernier chaînon.

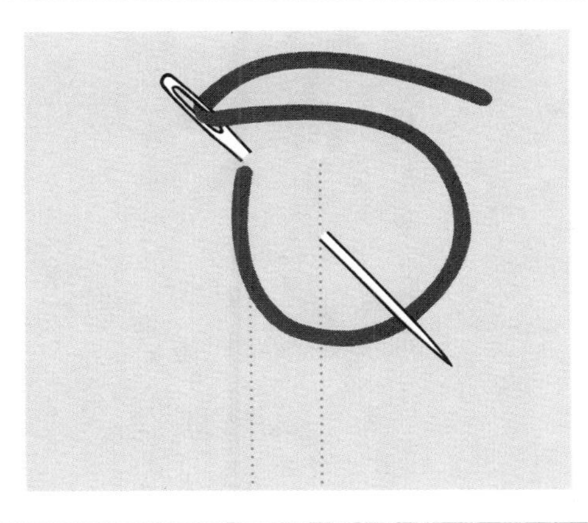

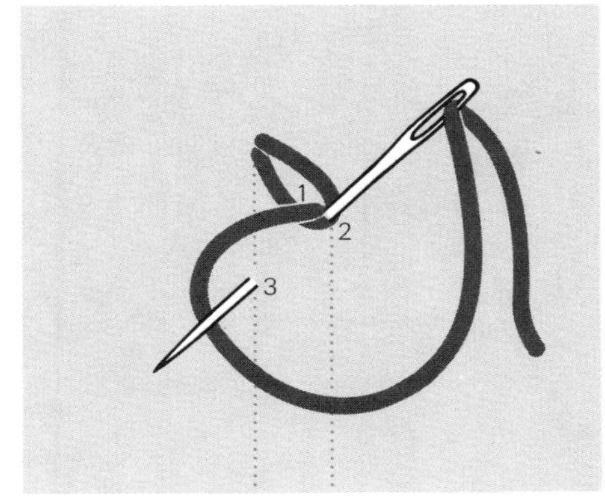

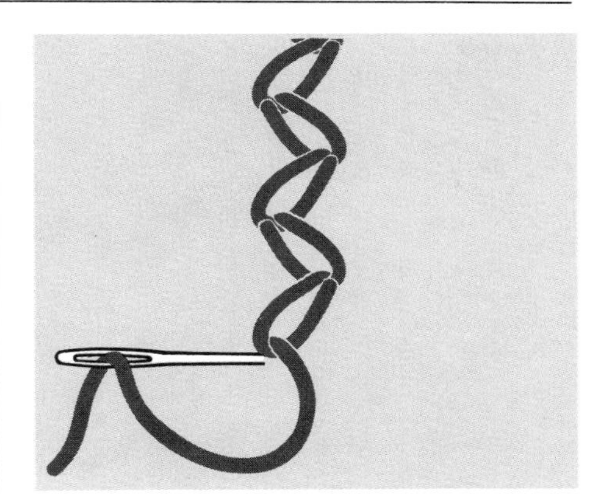

Le point de chaînette tortillé fait un contour original. Pour l'exécuter, sortez l'aiguille en 1, piquez-la en 2, c'est-à-dire un peu plus bas et à gauche de 1; puis ressortez-la en 3 sur la même ligne que 1, ramenez le fil sous la pointe et tirez. Exécutez les autres points de la même manière. Notez que l'étape 3 du point précédent devient 1 au point suivant. Pour arrêter l'ouvrage, faites un petit point à cheval sur le dernier chaînon.

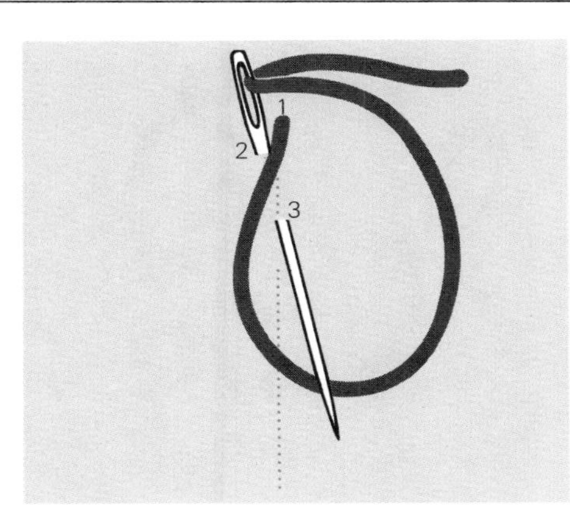

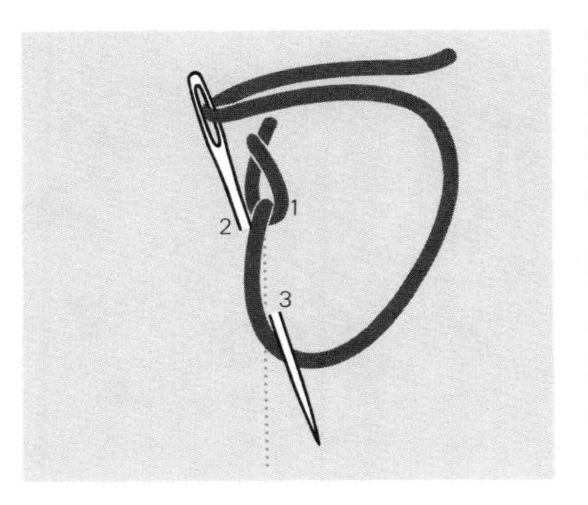

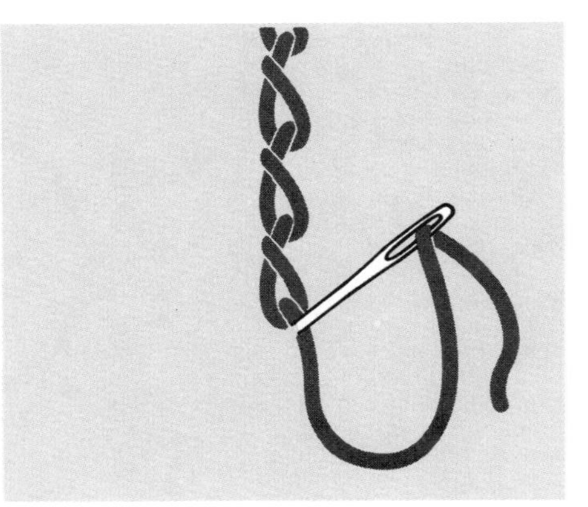

Points de broderie

Points de chaînette

Le point de chaînette nœudé dessine une échelle. On peut le remplir ou l'entrelacer avec de la laine ou du ruban. Il s'exécute entre deux lignes parallèles. Sortez l'aiguille en 1. Piquez-la en 2 et ressortez-la en 3; ramenez le fil sous la pointe de l'aiguille et tirez. Ne serrez pas trop le fil car il vous faut laisser du jeu pour le point suivant : en effet, l'aiguille doit être piquée à l'intérieur de la boucle, en face de l'endroit d'où elle vient de sortir. Pour arrêter, faites un petit point de cheval sur le côté gauche du dernier chaînon, puis sur le côté droit.

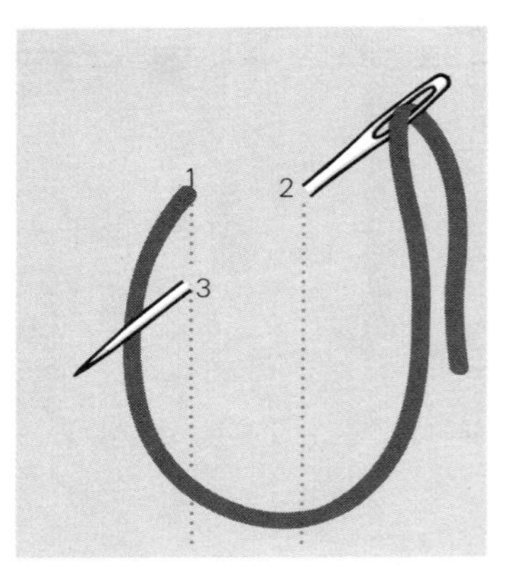

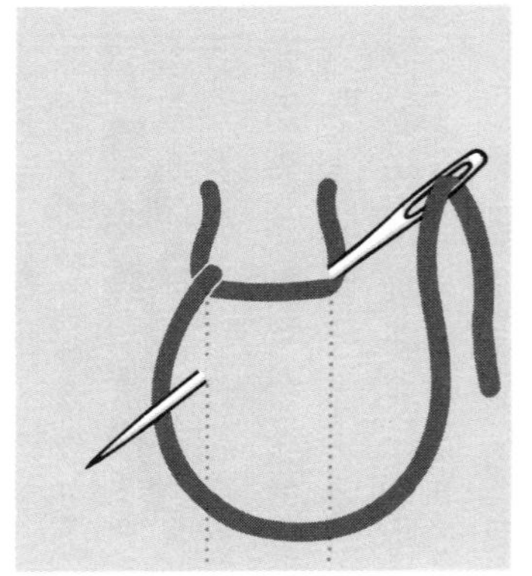

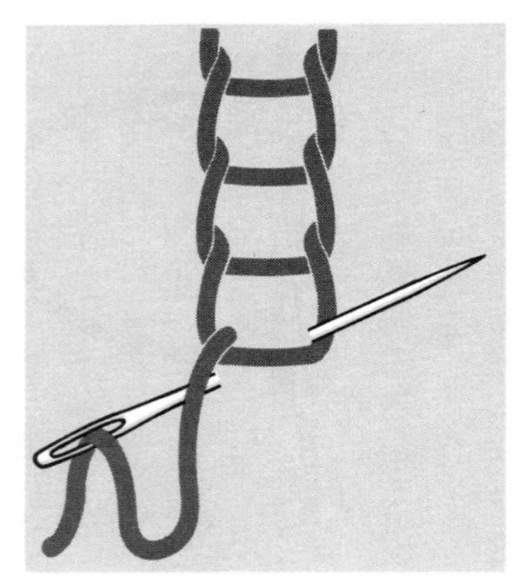

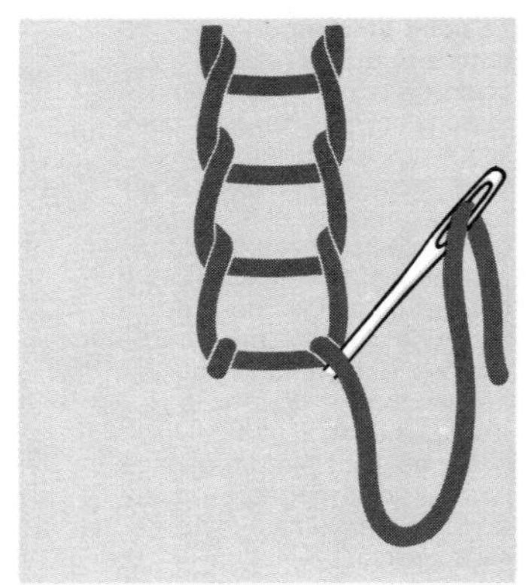

Le point de chaînette attaché ressemble à une résille. On peut l'utiliser pour souligner des contours, ou l'entrelacer. Sortez l'aiguille en 1. Enroulez le fil autour de l'aiguille comme sur l'illustration. Piquez l'aiguille en 2, juste au-dessous de 1, et ressortez-la en 3; ramenez le fil sous la pointe. En tirant l'aiguille, vous formerez à la fois le grand et le petit anneau. Continuez ainsi jusqu'à la fin de la rangée. Vous pouvez exécuter plusieurs rangées de point de chaînette attaché que vous entrelacerez avec un fil de couleur différente.

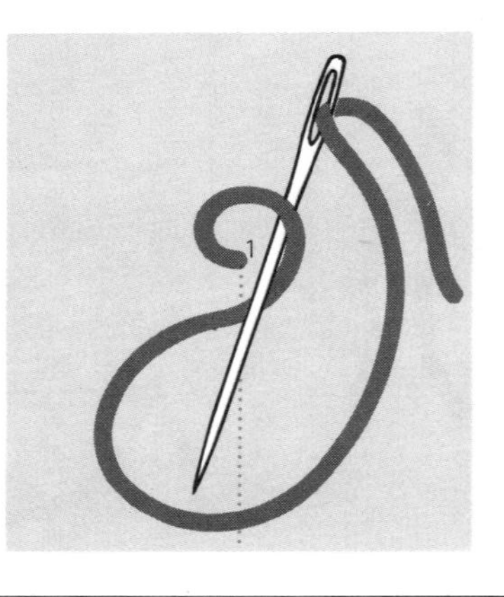

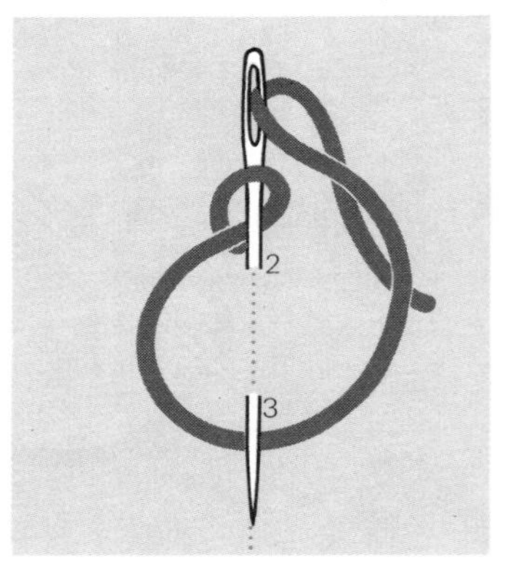

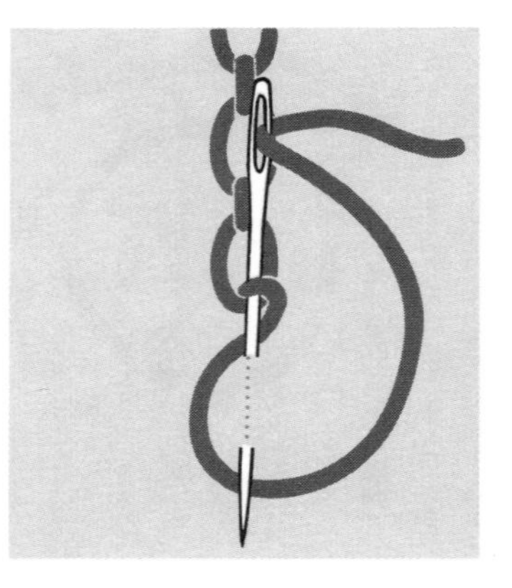

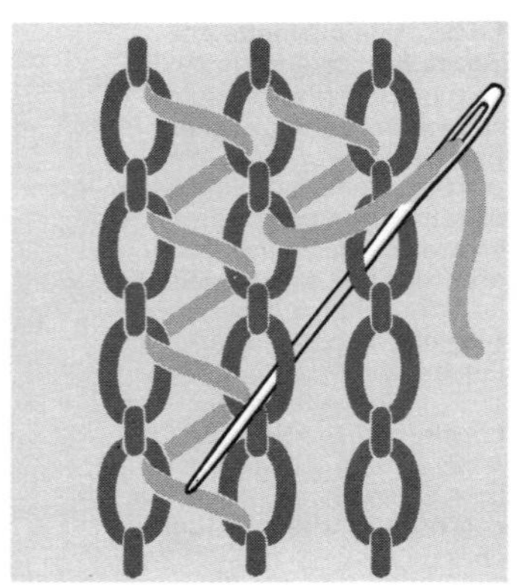

Le point de chaînette en épine est un point de bordure qui fait penser à une plante grimpante. Il s'exécute entre deux lignes parallèles. Commencez sur une des lignes en brodant en diagonale un point de chaînette de 1 en 2. Piquez l'aiguille en 3, dans le prolongement du chaînon précédent, et ressortez-la en 4, au même niveau que 2 : faites alors un point dans la direction opposée. Continuez ainsi en respectant toujours le même angle à chaque changement de direction.

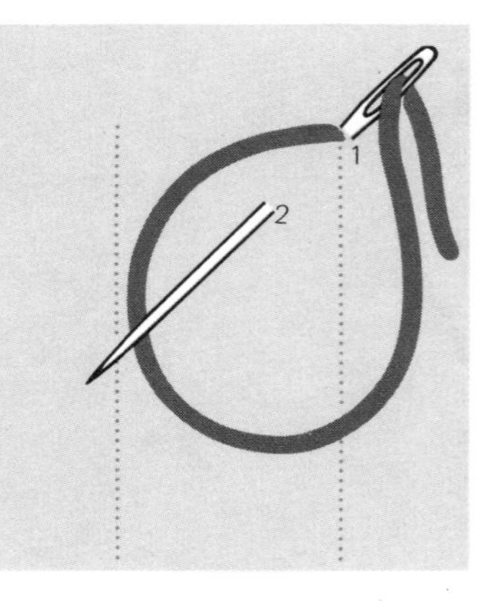

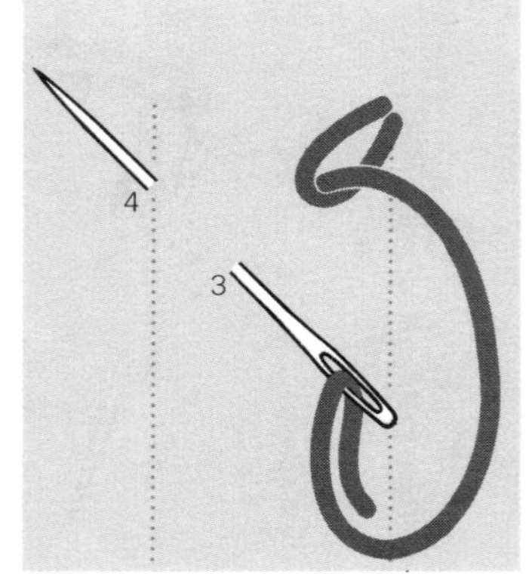

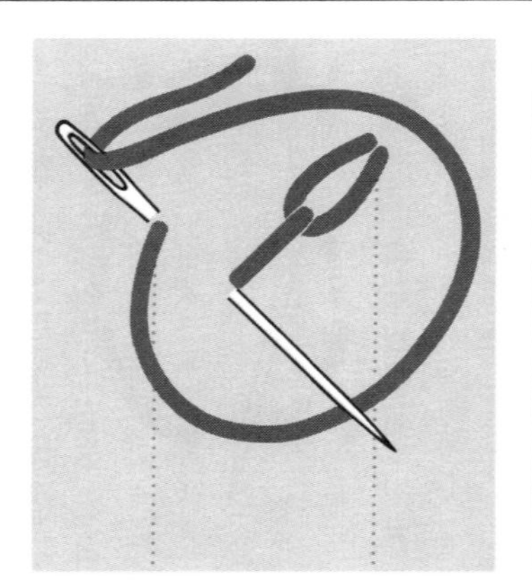

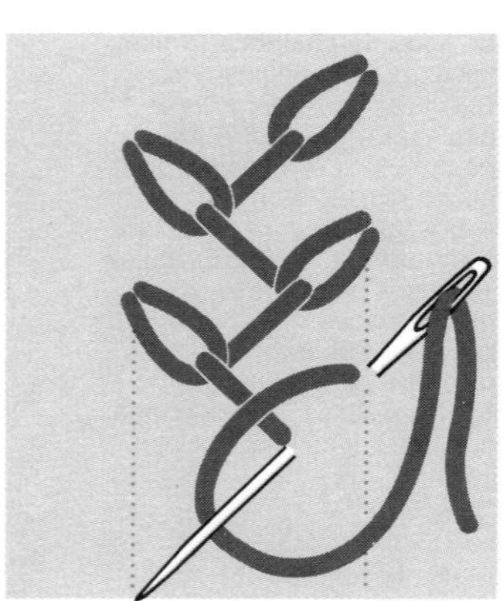

Le point de chaînette cordé est un joli point qui sert à souligner des contours. Son effet de tresse le rend tout indiqué pour les tiges, les ramilles et les feuilles étroites. Exécutez d'abord un point de chaînette simple : sortez l'aiguille en 1 et repiquez-la en 1 pour la ressortir en 2. Piquez ensuite l'aiguille en 3 par-dessus le maillon et ressortez-la en 4. La distance 2-4 doit être la même que 1-2. Glissez l'aiguille sous le premier maillon, de droite à gauche, sans mordre dans le tissu. Repiquez l'aiguille en 4 et ressortez-la en 5.

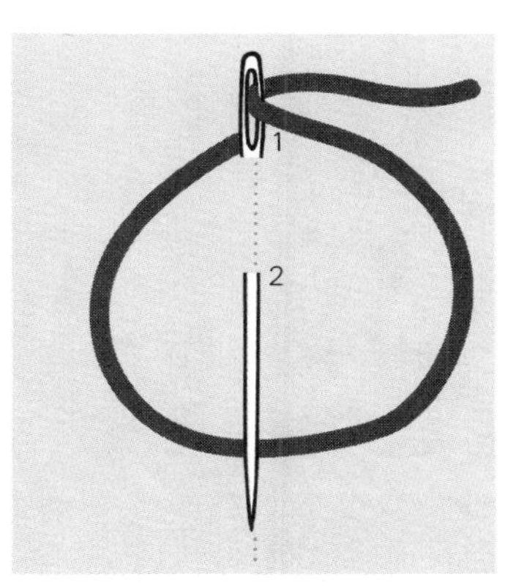

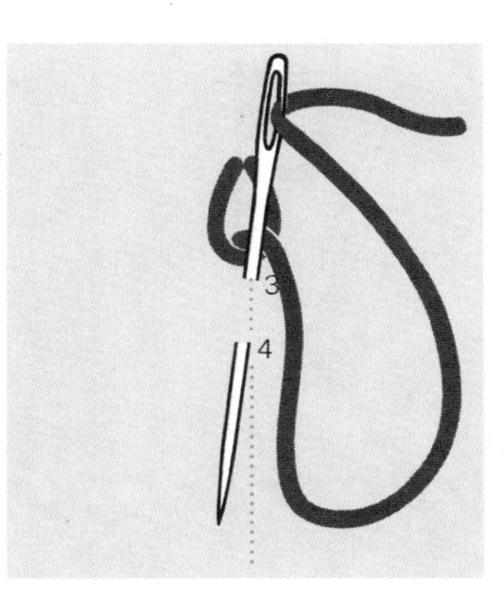

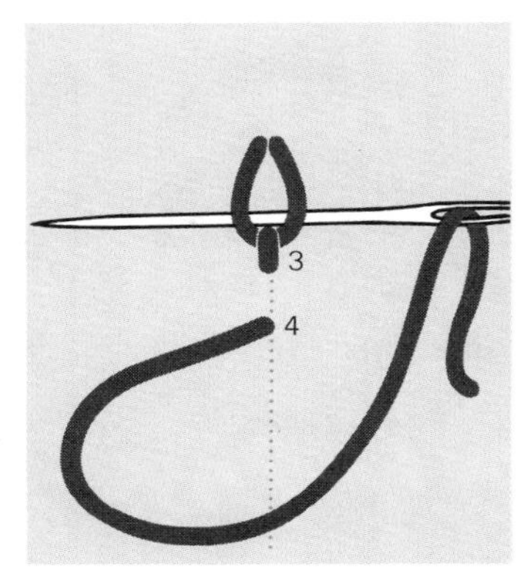

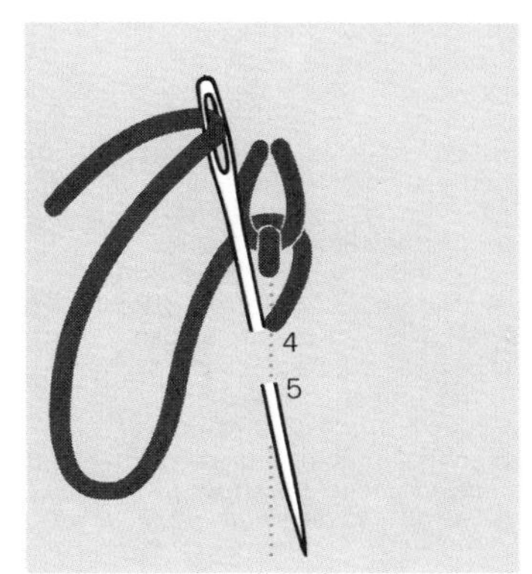

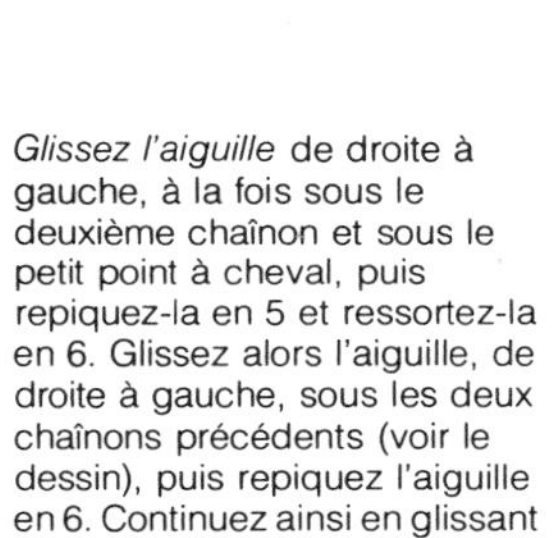

Glissez l'aiguille de droite à gauche, à la fois sous le deuxième chaînon et sous le petit point à cheval, puis repiquez-la en 5 et ressortez-la en 6. Glissez alors l'aiguille, de droite à gauche, sous les deux chaînons précédents (voir le dessin), puis repiquez l'aiguille en 6. Continuez ainsi en glissant toujours l'aiguille sous les deux derniers chaînons.

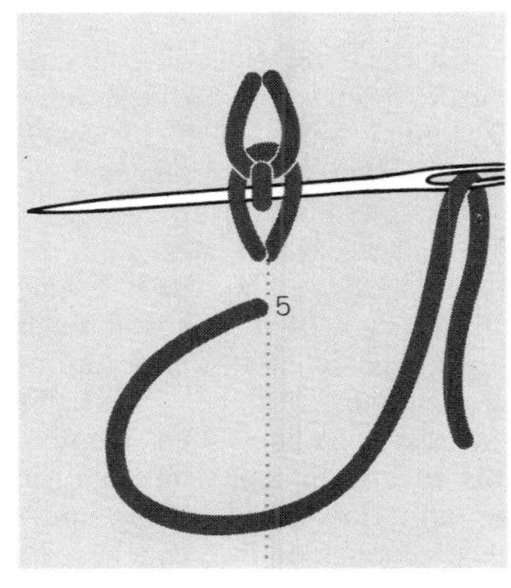

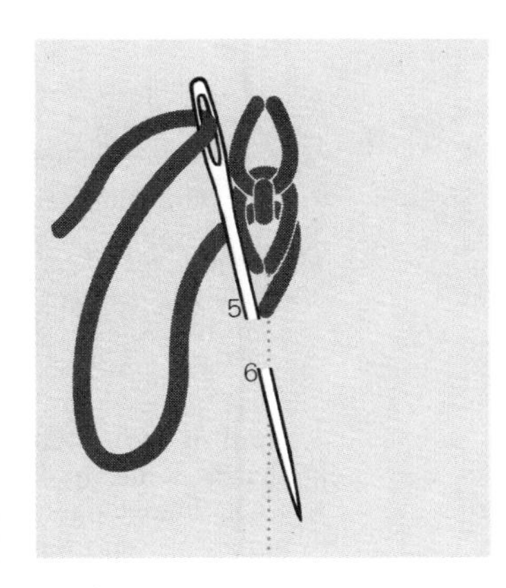

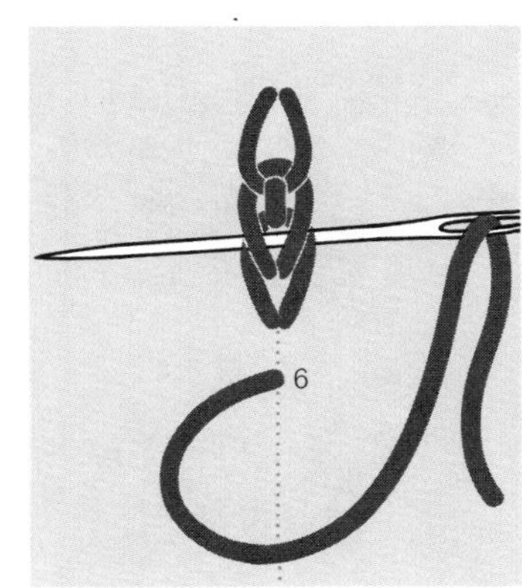

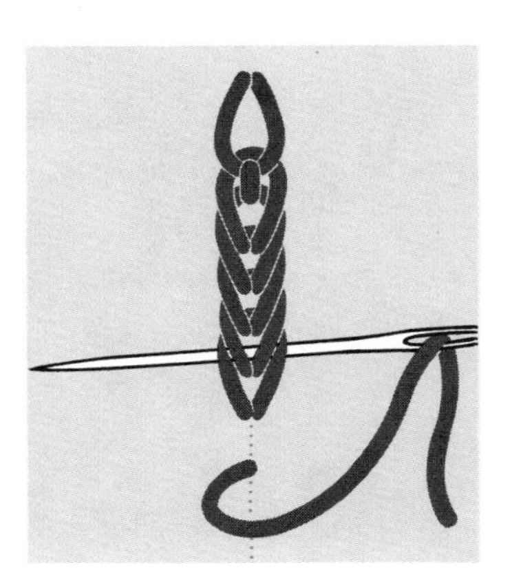

Le point perlé sert surtout à souligner des contours, mais il est du plus bel effet pour les tiges et les ramilles. Enfin, on peut l'utiliser en rangs serrés pour recouvrir une surface. Exécutez le point de droite à gauche. Sortez l'aiguille en 1. Piquez-la en 2, prenez quelques fils de tissu et ressortez-la immédiatement en 3. Enroulez le fil autour de l'aiguille en le passant d'abord par-dessus, puis tirez pour former un nœud. Continuez ainsi sur toute la rangée, en espaçant les points régulièrement ou non, selon votre fantaisie.

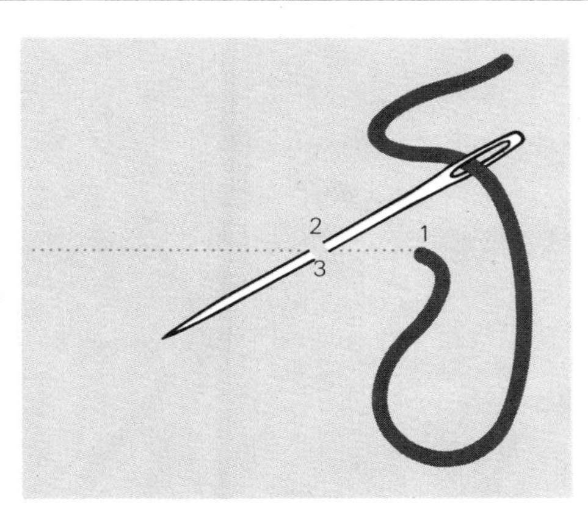

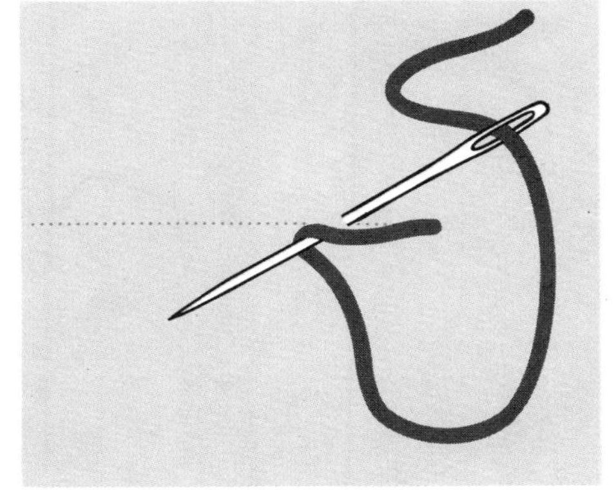

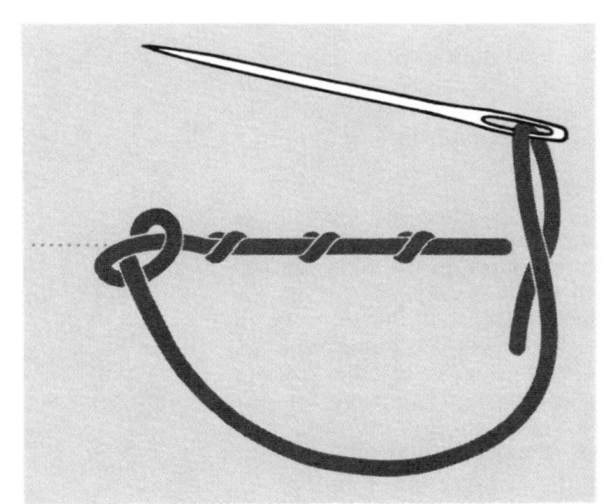

Points de broderie

Points de chaînette

Le point de chaînette en rosette fait de ravissantes bordures. Travaillez de droite à gauche entre deux lignes parallèles. Sortez l'aiguille en 1. Piquez-la en 2, légèrement à gauche de 1, puis ressortez-la en 3 perpendiculairement; ramenez le fil sous la pointe de l'aiguille et tirez. Glissez l'aiguille sous le fil en 1 et laissez ensuite un peu de jeu. Faites le point suivant un peu plus loin en piquant l'aiguille en 2 et en la ressortant en 3; puis glissez-la sous le fil lâche. Repiquez l'aiguille en 2 à la dernière rosette.

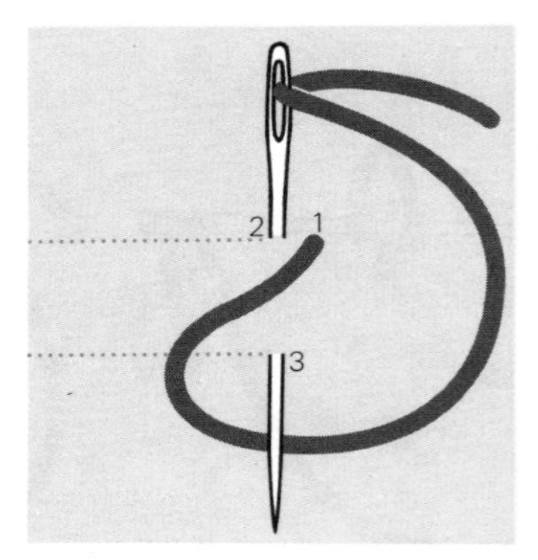

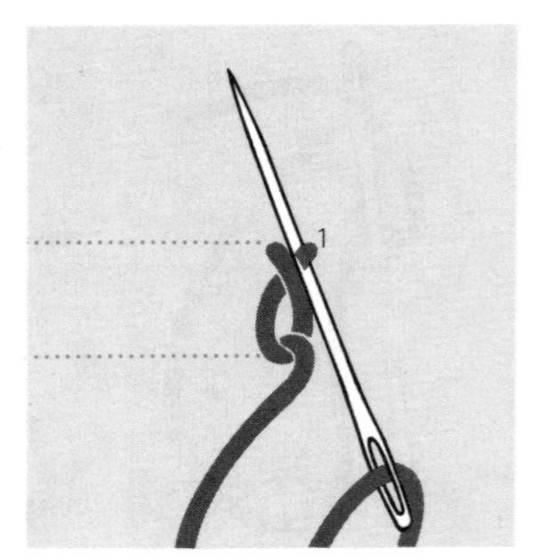

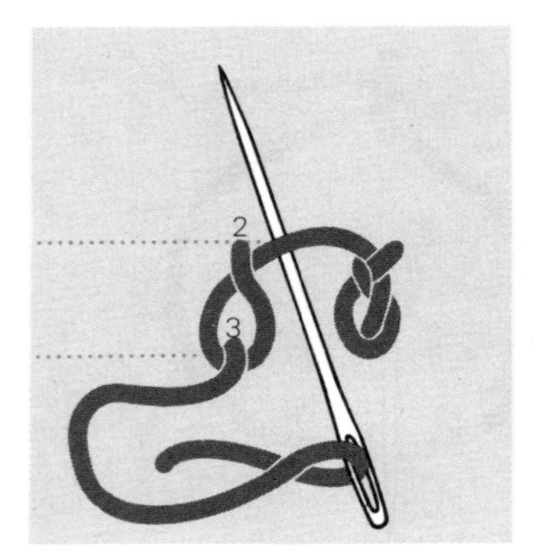

Points de broderie sur fils couchés

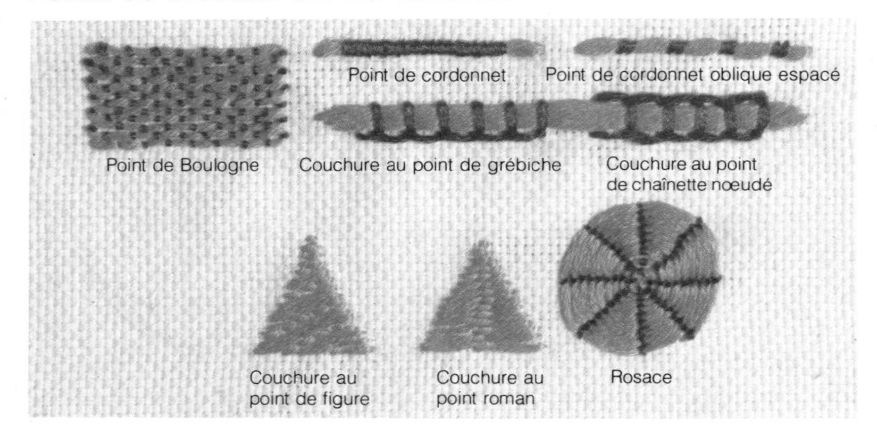

Les points de broderie sur fils couchés sont particulièrement utiles pour remplir un motif ou pour donner plus de relief à une ligne unique. Habituellement, le travail se fait avec deux fils : le premier est couché et le second est brodé par-dessus. Souvent, les deux fils sont de couleurs différentes.

L'effet produit par ce genre de broderie dépend du point utilisé et du nombre de fils couchés. Plus vous coucherez de fils, plus vous aurez d'épaisseur. Faites des essais afin de déterminer le nombre de fils à coucher pour obtenir l'effet voulu. Par ailleurs, vous pourrez varier la texture de l'ouvrage, en couchant les fils dans des directions différentes.

La *couchure au point de figure* et la *couchure au point roman* sont uniques en leur genre : toutes deux utilisent le même fil pour exécuter à la fois le fond de la broderie et le point d'attache. Les autres formes de broderie sur fils couchés font appel à deux fils différents.

Vous obtiendrez des effets originaux en recouvrant certaines parties d'un ouvrage de tapisserie à l'aiguille ou d'appliqué avec de la broderie sur fils couchés. Par ailleurs, ce genre de broderie se prête à l'utilisation de fils lamés.

Le point de Boulogne sert à souligner le contour d'un motif. Sortez du tissu le nombre de fils désirés et tendez-les vers la gauche. Maintenez-les couchés avec le pouce de la main gauche pendant que vous brodez par-dessus. Sortez le fil de travail sous les fils couchés, en 1. Piquez l'aiguille en 2 et ressortez-la en 3. Recommencez, l'étape 3 devenant alors 1, jusqu'à ce que les fils couchés soient fixés sur le tissu. Ramenez leur extrémité sur l'envers du tissu et arrêtez.

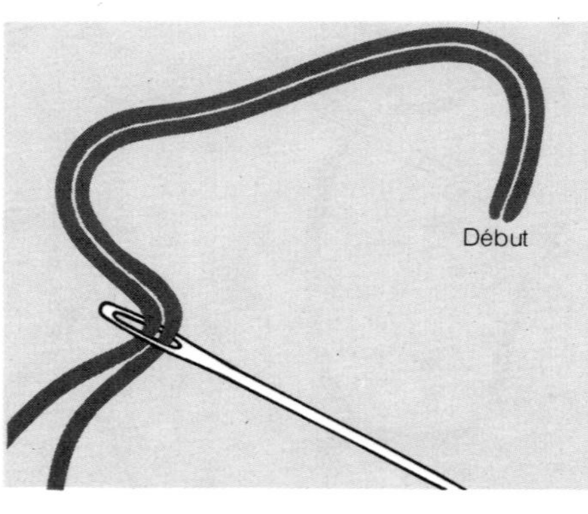

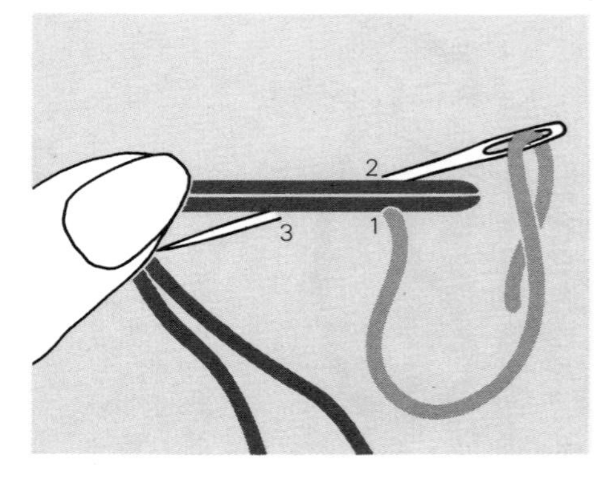

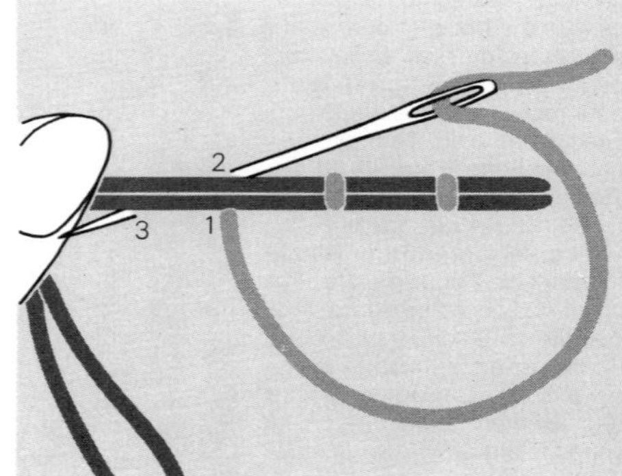

Pour remplir un espace, travaillez la première rangée comme dans le point de Boulogne. A la fin de la rangée, ramenez vers la droite les fils couchés libres. Faites un point horizontal dans l'arrondi obtenu. *Renversez l'ouvrage* et exécutez la seconde rangée en intercalant ses points avec ceux de la rangée précédente. En fin de rang, ramenez les fils libres vers la droite et faites encore un point horizontal avant de *renverser* à nouveau l'ouvrage. Remplissez ainsi tout l'espace voulu.

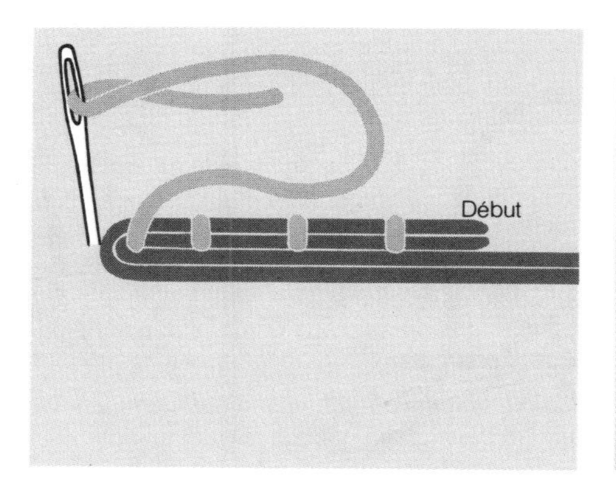

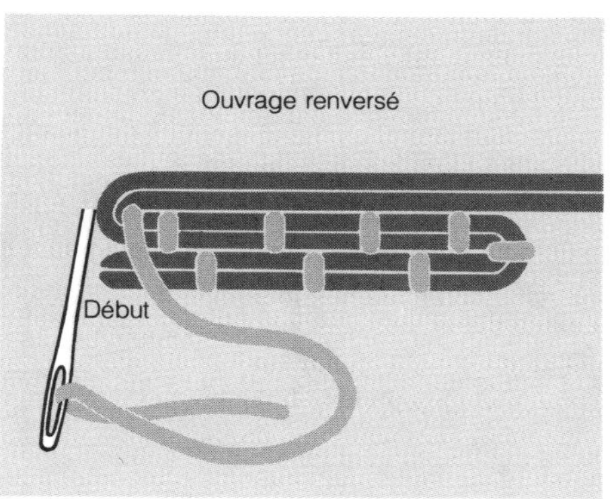

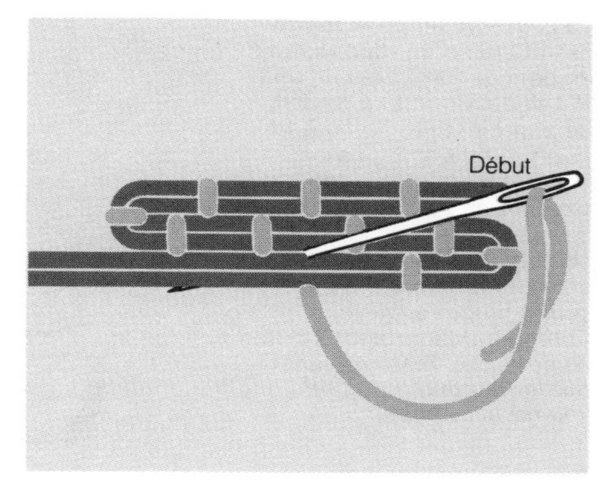

On peut exécuter toutes sortes de variantes en fixant les fils couchés avec différents points de broderie. Voici quatre exemples. Dans le premier, on obtient un *point de cordonnet* en brodant des points passés plats droits de sorte que les fils couchés soient entièrement recouverts. La variante suivante, le *cordonnet oblique espacé,* s'obtient en groupant deux par deux des points passés plats obliques. Dans les troisième et quatrième exemples, les fils couchés sont retenus au *point de grébiche* et au *point de chaînette nœudé.*

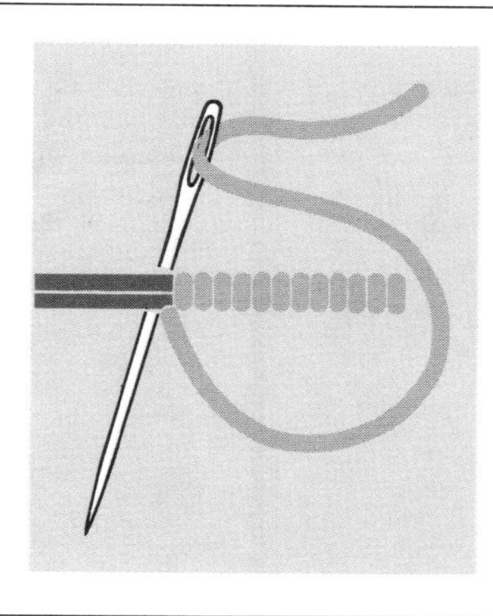

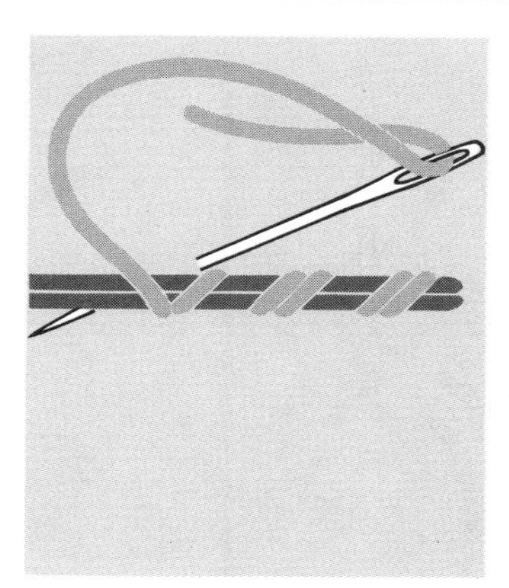

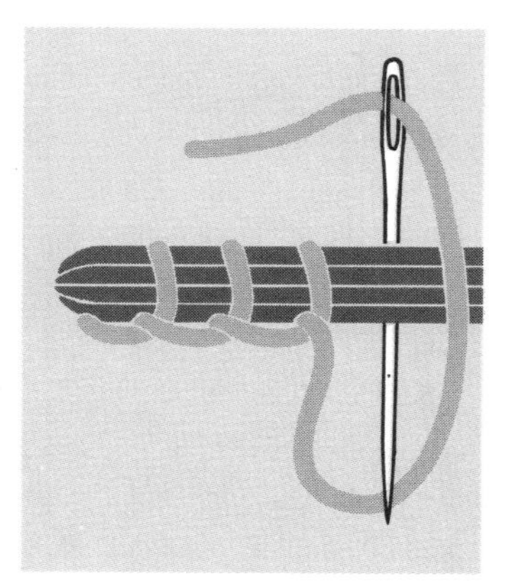

La couchure au point de figure donne un effet de tissage. Au contraire des exemples précédents, ici le fil couché et le fil de travail sont un seul et même fil qui est couché de gauche à droite, puis brodé de droite à gauche. Sortez le fil en 1. Piquez en 2 et ressortez en 3, au-dessus du fil couché. Piquez l'aiguille en 4 en passant par-dessus le fil couché et ressortez en 5 de l'autre côté. Brodez ainsi des points obliques jusqu'à la fin du rang. Sortez l'aiguille en 1 pour la rangée suivante. Brodez les points de telle sorte qu'ils se superposent en oblique.

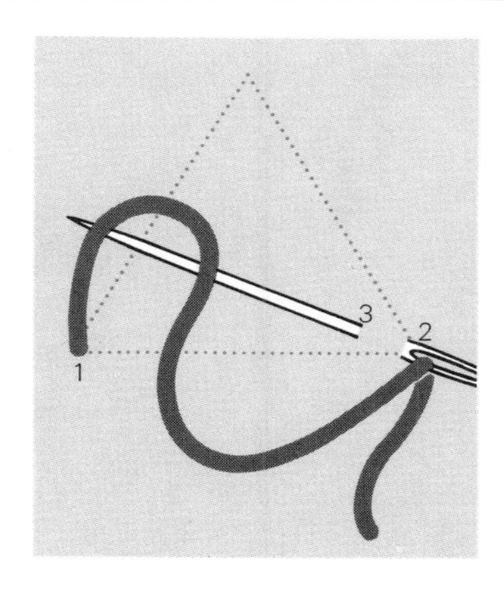

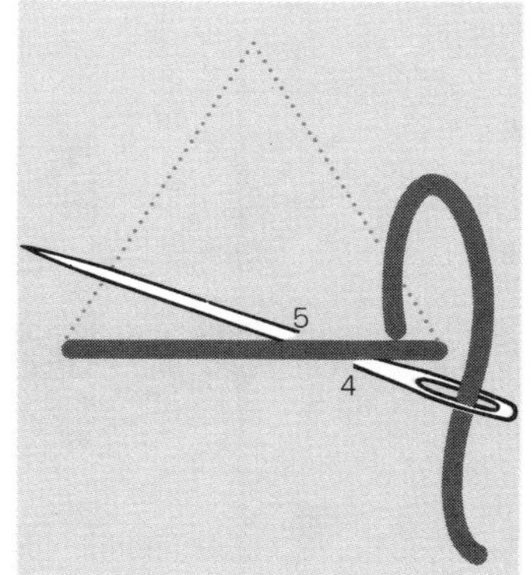

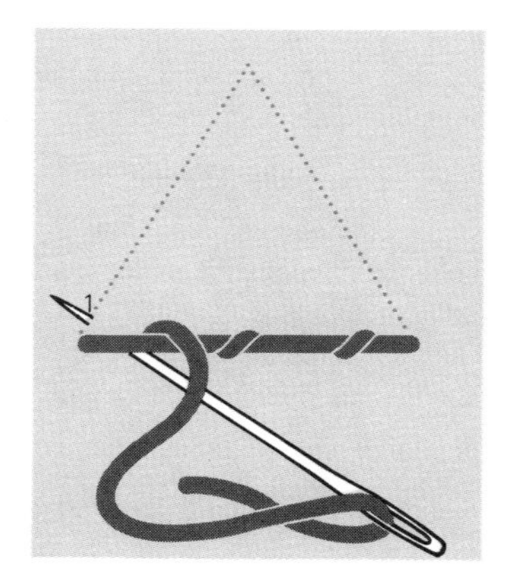

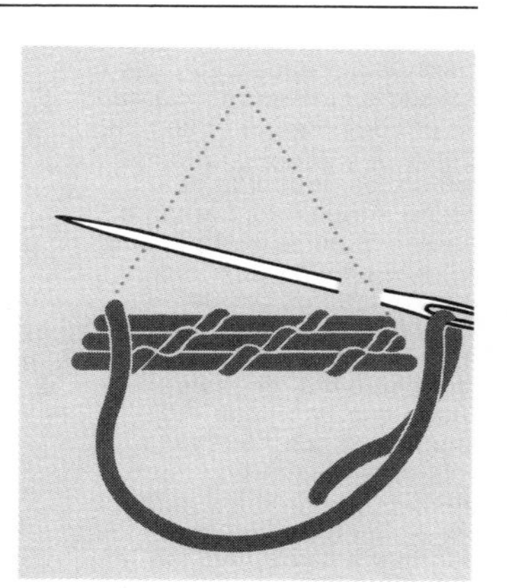

Points de broderie

Points de broderie sur fils couchés

La couchure au point roman se travaille comme la couchure au point de figure avec un seul fil. Les deux points se brodent de la même façon, sauf que les points romans sont plus longs. Sortez le fil en 1. Piquez en 2 et ressortez en 3 au-dessus du fil couché. Faites un long point oblique par-dessus le fil couché et rentrez en 4; ressortez en 1 pour la rangée suivante. Continuez ainsi en laissant le fil un peu lâche. Faites en sorte que les points obliques se trouvent superposés.

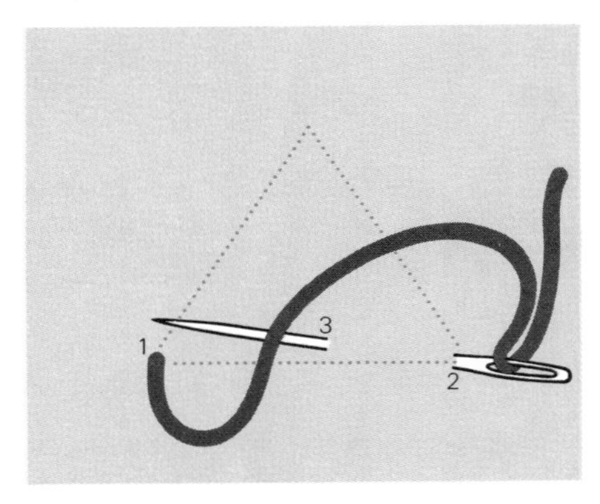

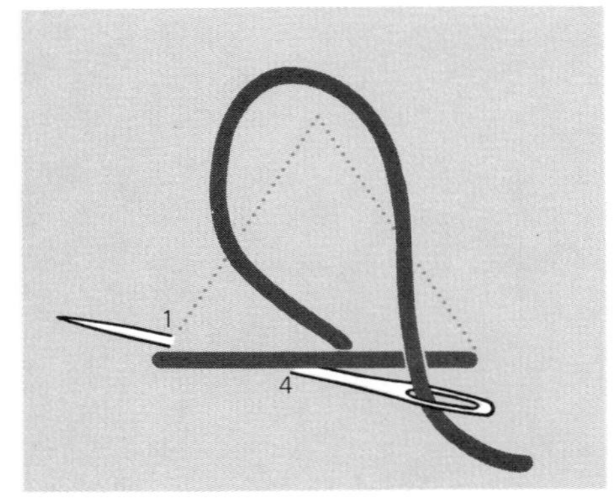

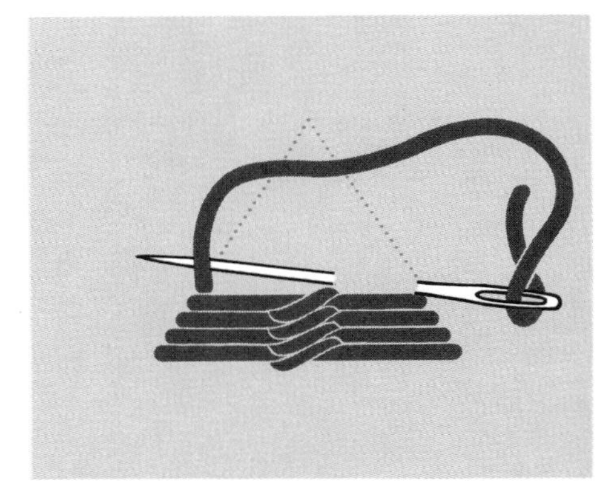

La rosace donne un effet de roue à rayons. L'effet est particulièrement heureux avec des fils de couleurs différentes. Sortez le fil de travail en 1 au centre du cercle. Passez le fil couché autour du fil de travail, comme sur l'illustration, et repiquez l'aiguille en 1 pour fixer le fil couché. Sortez l'aiguille en 2, sur un rayon, puis faites un petit point d'arrêt par-dessus les fils couchés en insérant l'aiguille en 3. Ressortez l'aiguille en 4, sur le rayon suivant. Faites un autre petit point d'arrêt en 5, par-dessus les fils couchés.

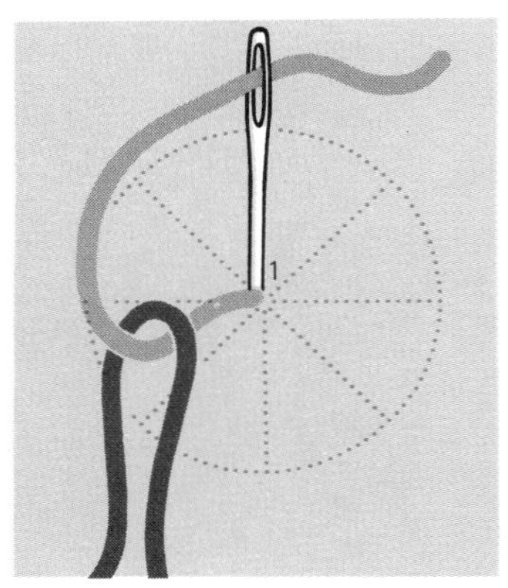

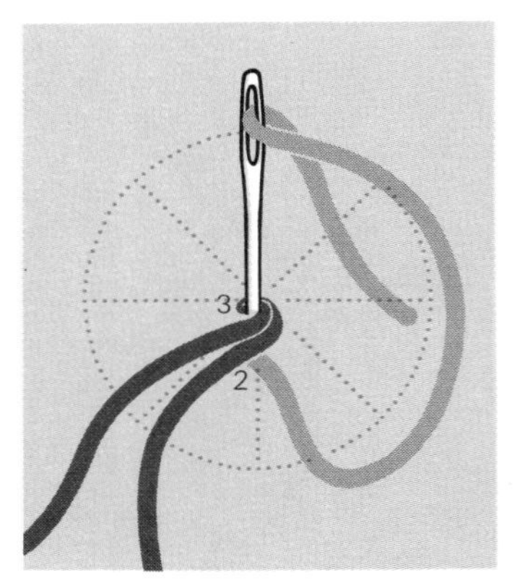

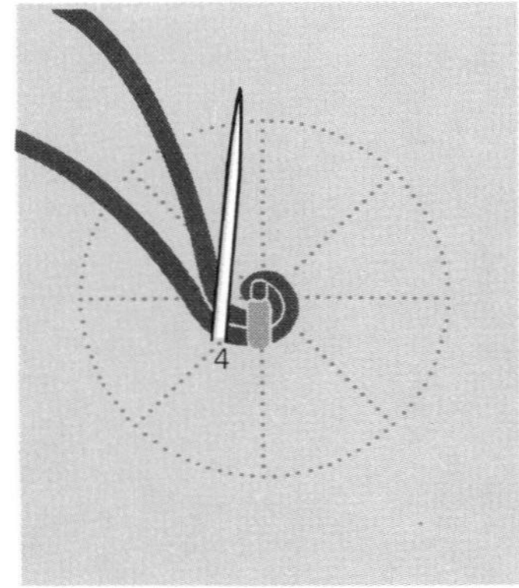

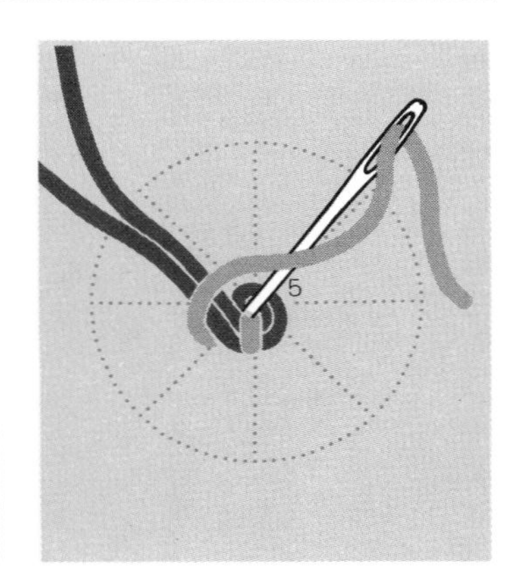

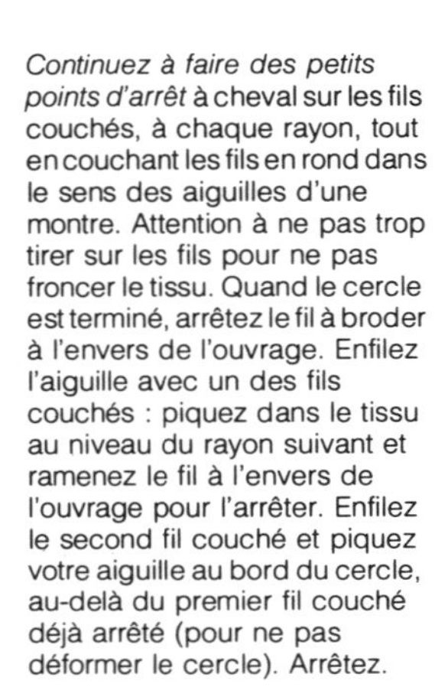

Continuez à faire des petits points d'arrêt à cheval sur les fils couchés, à chaque rayon, tout en couchant les fils en rond dans le sens des aiguilles d'une montre. Attention à ne pas trop tirer sur les fils pour ne pas froncer le tissu. Quand le cercle est terminé, arrêtez le fil à broder à l'envers de l'ouvrage. Enfilez l'aiguille avec un des fils couchés : piquez dans le tissu au niveau du rayon suivant et ramenez le fil à l'envers de l'ouvrage pour l'arrêter. Enfilez le second fil couché et piquez votre aiguille au bord du cercle, au-delà du premier fil couché déjà arrêté (pour ne pas déformer le cercle). Arrêtez.

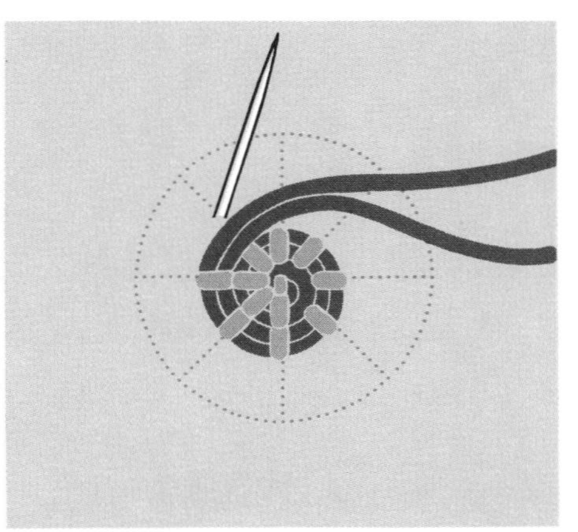

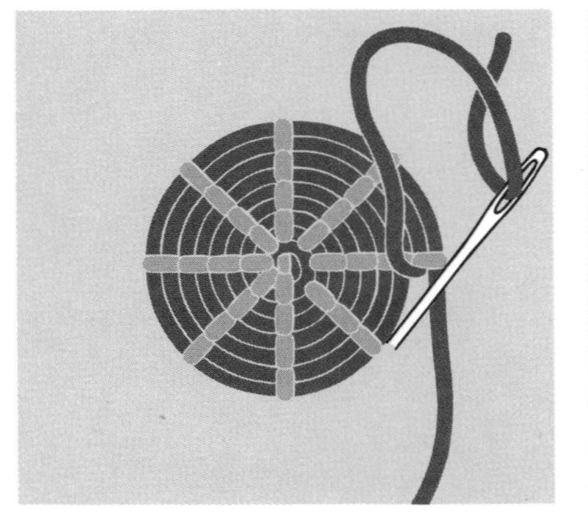

Points de croix

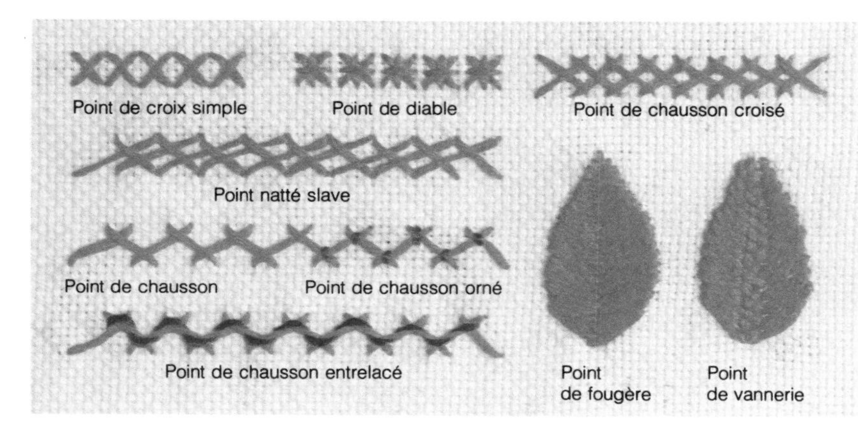

Les points de croix forment le groupe suivant. Comme leur nom l'indique, ils sont tous formés de barres en croix. Les emplois du point de croix sont nombreux; ils peuvent être utilisés pour souligner des motifs, faire des bordures ou remplir des surfaces. Parfois les points se chevauchent comme, par exemple, les *points de chausson*, le *point de fougère* et le *point de vannerie* qui sont particulièrement intéressants pour exécuter des motifs de feuilles.

Le point de croix simple est, bien entendu, le plus connu de ce groupe. A cause de sa formation très régulière, il est idéal pour la broderie sur des tissus à armure toile à contexture carrée ou sur des imprimés tels que le vichy (voir p. 68). Au contraire de ses différentes variantes, le point de croix simple peut se travailler en deux fois. La moitié du point est d'abord brodée d'un bout à l'autre de la rangée et, au retour, on ajoute la seconde barre de la croix. Cette technique permet de garder une tension uniforme à tous les points.

On peut utiliser le point de croix simple pour créer un effet d'intaille (voir la broderie d'Assise). Cette technique implique le remplissage de tous les fonds qui entourent les motifs, ceux-ci n'étant pas brodés.

Le point de croix simple est facile à exécuter et il est très populaire. Il se travaille habituellement en rangées : d'abord de droite à gauche, pour broder un bras de la croix, puis de gauche à droite, pour broder le second bras. Sortez l'aiguille en 1, piquez-la en 2 et ressortez-la en 3. Au bout du rang, revenez en arrière, en piquant l'aiguille en 4 et en la ressortant en 5. *Pour broder un seul point* à la fois, sortez l'aiguille en 1, piquez-la en 2 et ressortez-la en 3; puis piquez en 4 et arrêtez.

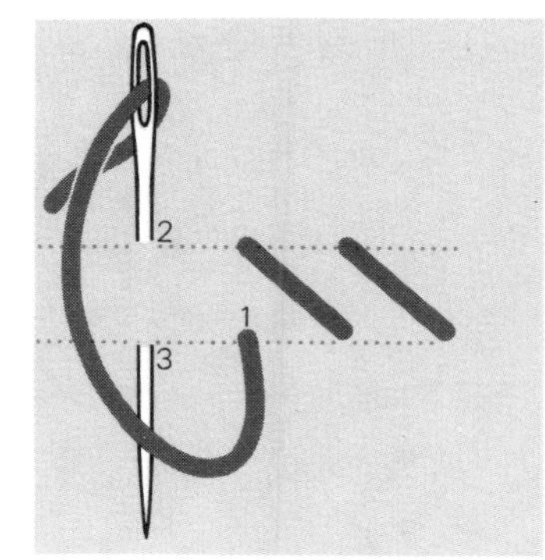

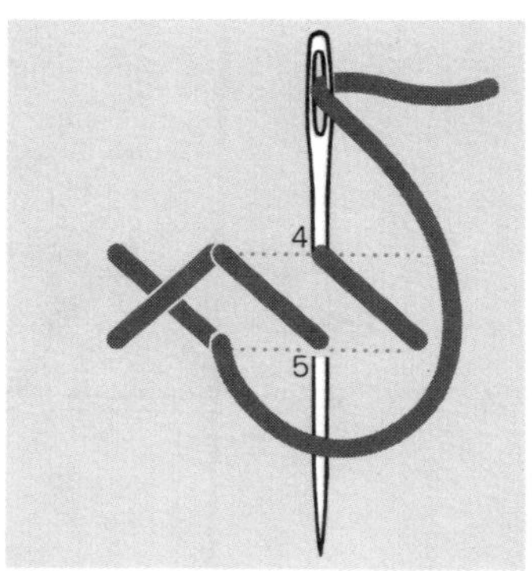

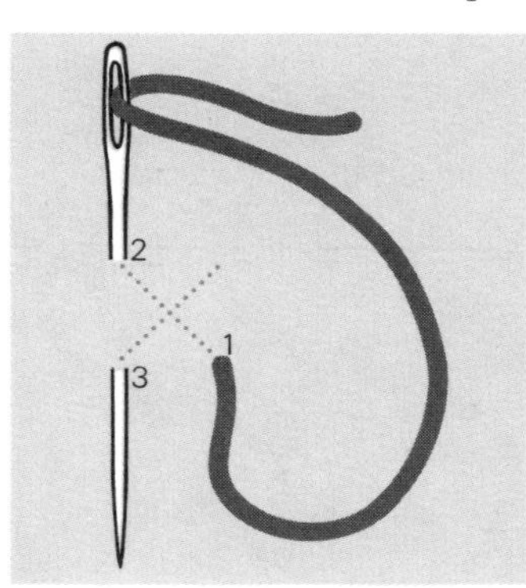

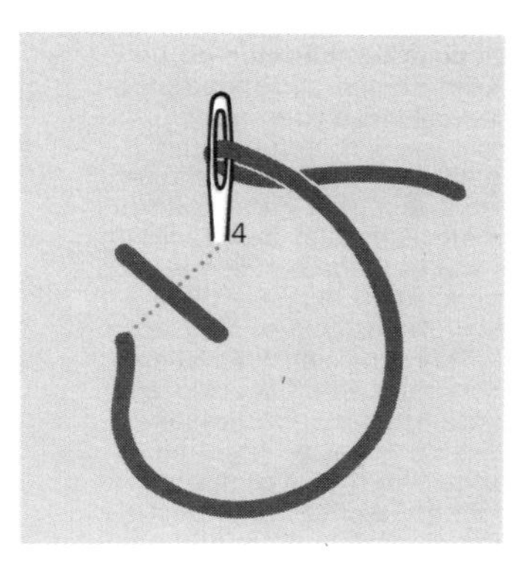

Le point de diable ressemble à une étoile; il peut être éparpillé pour remplir une surface ou travaillé en rang pour obtenir une bordure décorative. Il s'exécute comme un double point de croix. Sortez l'aiguille en 1. Piquez-la en 2 et ressortez-la en 3, perpendiculairement. Piquez-la en 4 et ressortez-la en 5 (à mi-chemin entre les repères 1 et 3), puis piquez-la en 6 à la verticale de 5. Ressortez-la en 7 (à mi-chemin entre 2 et 3). Piquez enfin l'aiguille en 8, directement en face de 7, pour compléter le point.

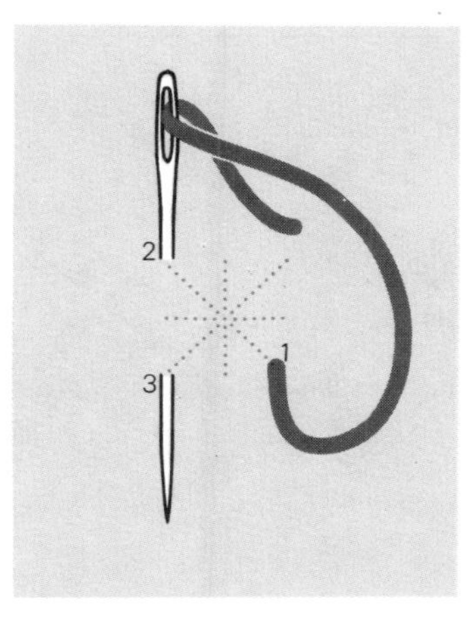

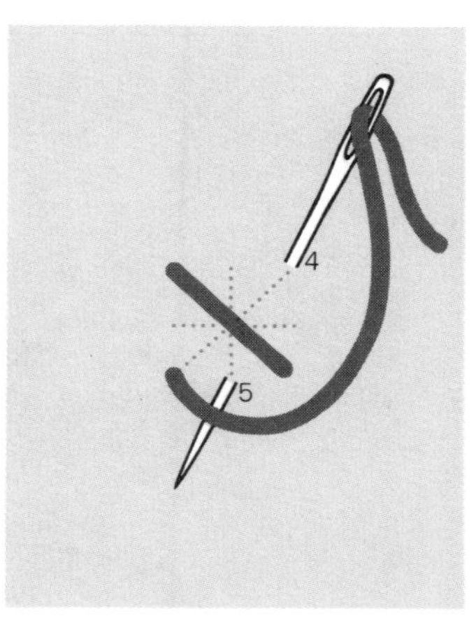

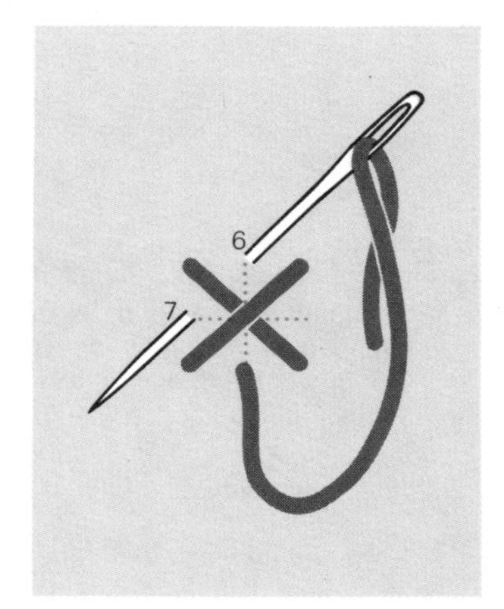

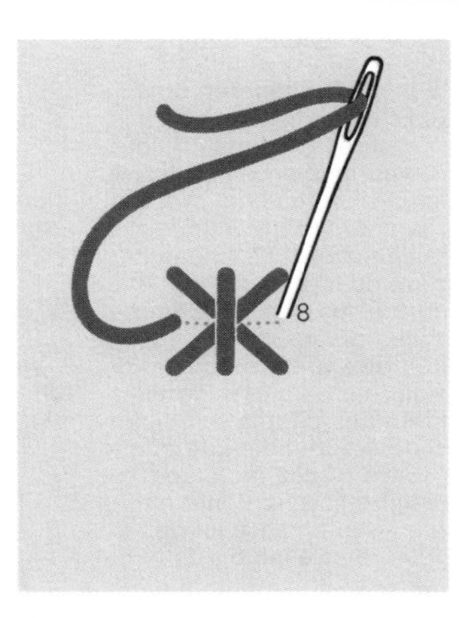

Points de broderie

Points de croix

Le point natté slave donne un effet de tresse parce que chaque point de croix empiète sur le précédent. La première barre de la croix est plus longue que la seconde et son inclinaison est plus prononcée. Sortez l'aiguille en 1. Faites un long point oblique vers la droite en piquant l'aiguille en 2; ressortez-la à mi-chemin en arrière, en 3. Piquez-la en 4, directement au-dessous de 2, puis ressortez-la en 1, directement au-dessous de 3. Répétez. Chaque point touche le sommet du point précédent et passe par-dessus sa base.

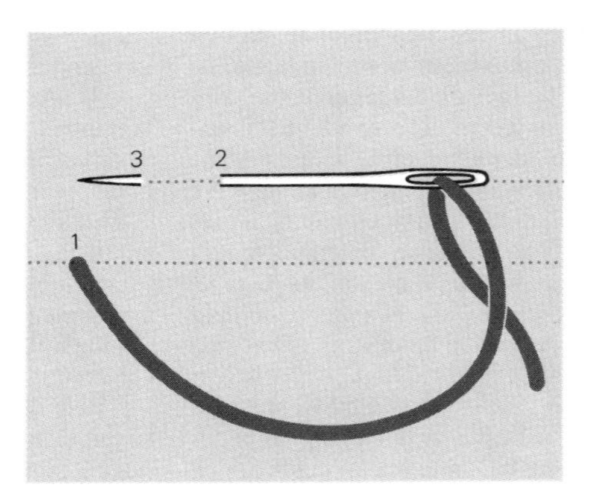

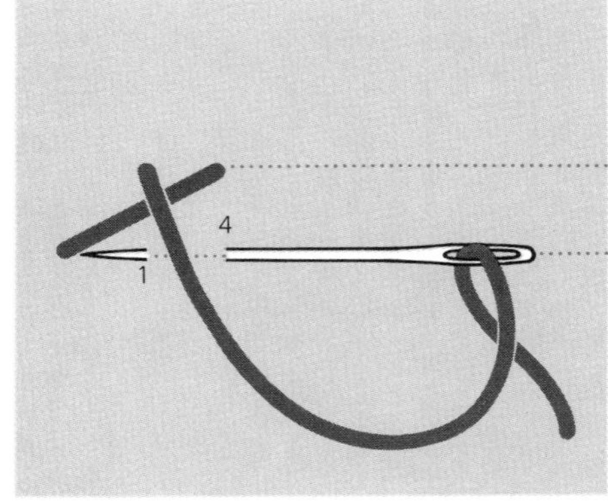

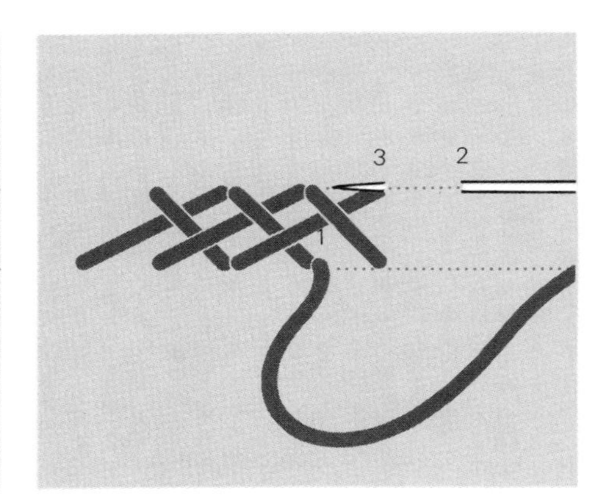

Le point de chausson est un point de broderie très populaire, souvent utilisé pour les bordures. Il constitue un fond que l'on peut agrémenter d'une seconde couleur. Faites en sorte que les espaces entre les points soient bien égaux et que les points soient réguliers. Travaillez de gauche à droite. Sortez l'aiguille en 1. Faites un point oblique vers la droite, en piquant l'aiguille en 2. Ressortez l'aiguille un peu en retrait, en 3; piquez-la en 4 pour compléter le point et ressortez-la en 1 pour le point suivant. Répétez cet enchaînement.

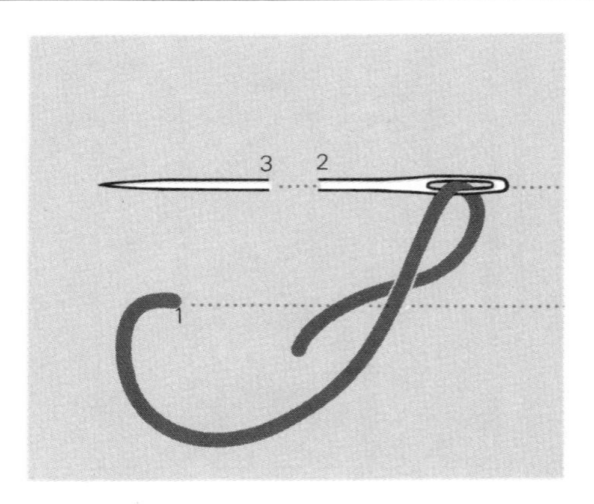

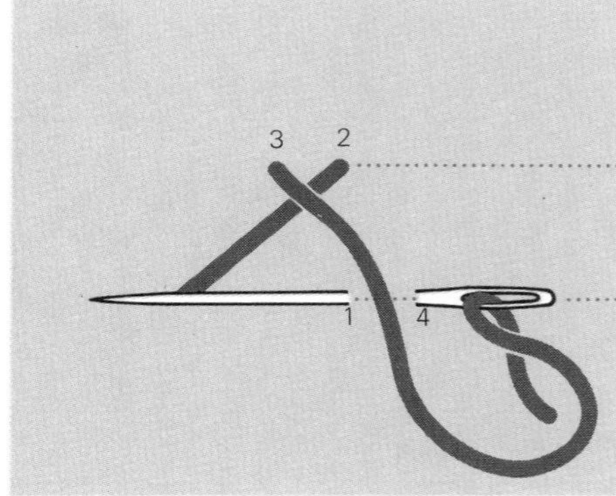

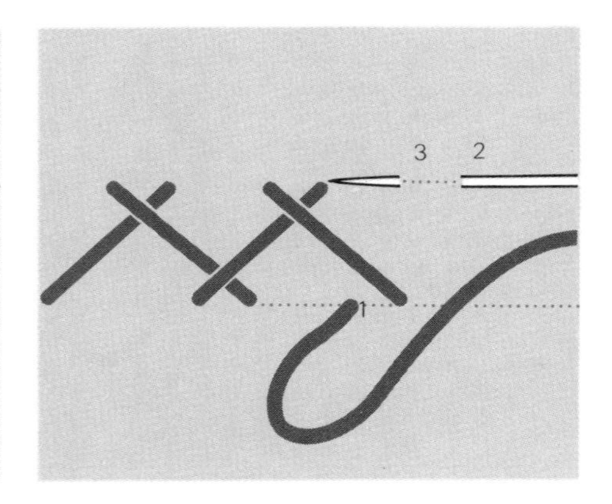

Le point de chausson orné ajoute une dimension au point de chausson de base. Chaque croix est maintenue par un petit point vertical que l'on exécute avec un fil de couleur différente. Faites d'abord une rangée de points de chausson. Pour rebroder les croix, travaillez de droite à gauche. Sortez l'aiguille en A, juste au-dessus du centre de la croix de droite. Piquez-la en B et ressortez-la en C, juste au-dessous du centre de la croix suivante. Piquez l'aiguille en D et ressortez-la en A. Continuez ainsi jusqu'à ce que toutes les croix aient été rebrodées.

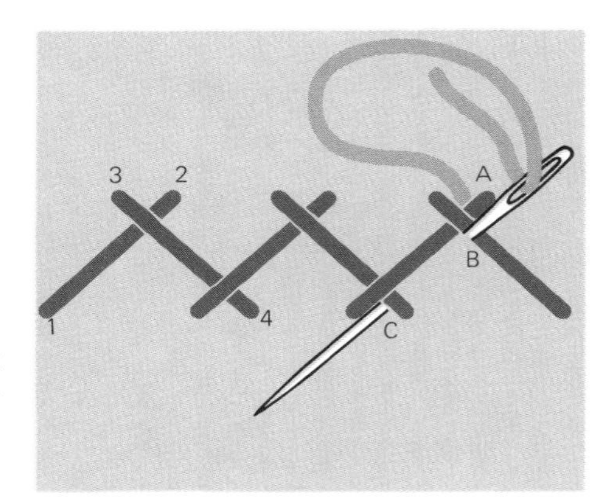

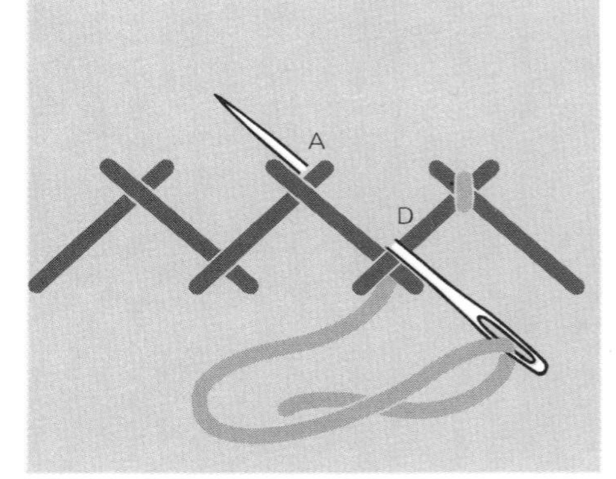

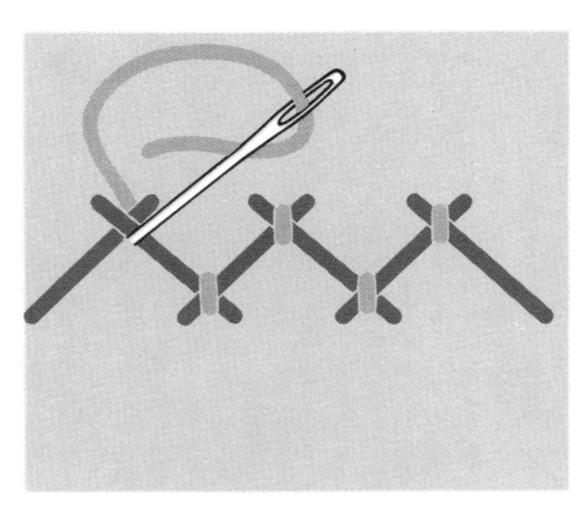

Le point de chausson entrelacé est une autre variante : on entrelace un fil de couleur différente autour des croix. Il ne faut pas que l'aiguille morde dans le tissu : utilisez donc une aiguille à bout rond pour faire les entrelacs. Commencez à gauche de l'ouvrage, de sorte que l'aiguille passe au-dessous des bras de chaque croix et par-dessus les points d'intersection, tel qu'indiqué sur l'illustration. Ne tirez pas trop sur le fil pour ne pas déformer le point de chausson.

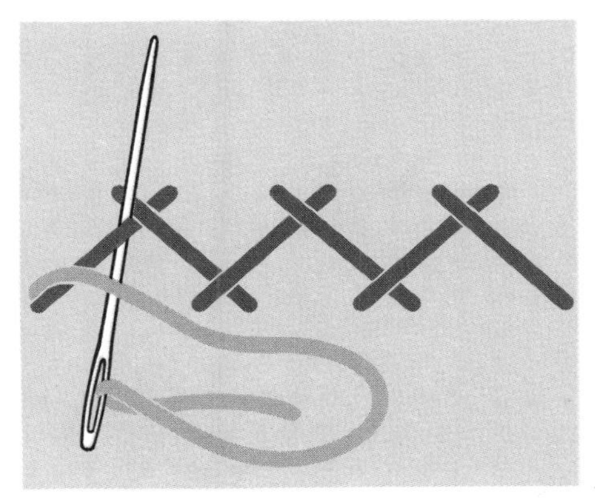

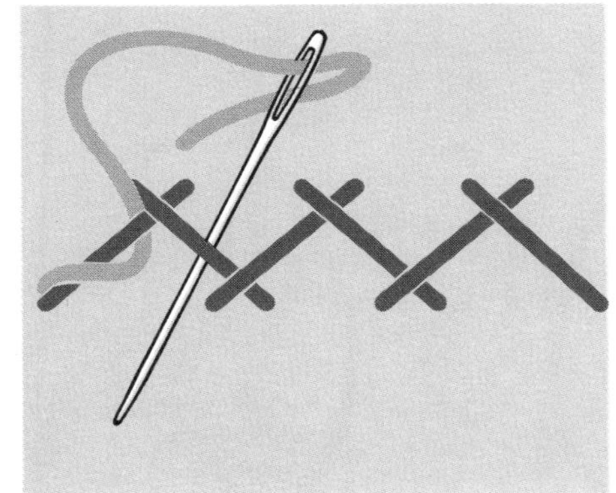

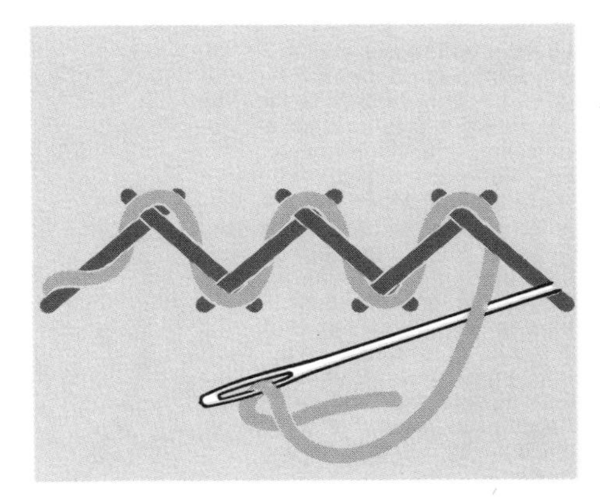

Le point de chausson croisé s'obtient en brodant deux rangées de points de chausson qui s'entrelacent. On recommande de travailler avec deux fils de tons contrastants. Chaque rangée est exécutée un peu différemment du point de chausson ordinaire et s'exécute de gauche à droite. Sortez l'aiguille en 1. Piquez-la en 2 et ressortez-la en 3. Glissez alors l'aiguille *sous le premier bras de la croix.* Repiquez en 4 pour compléter le point. Répétez l'enchaînement en glissant toujours l'aiguille sous le premier bras de chaque croix.

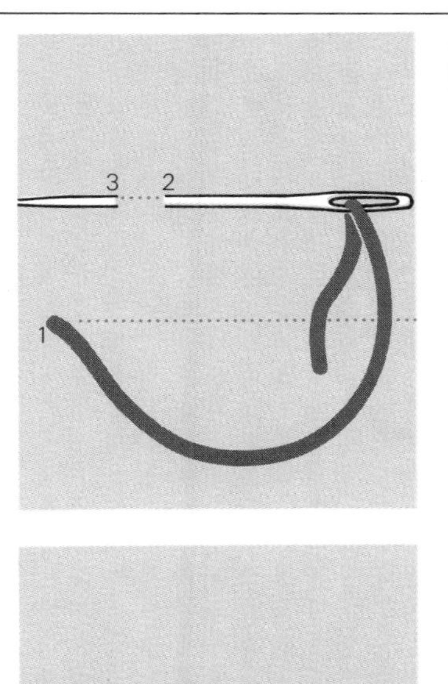

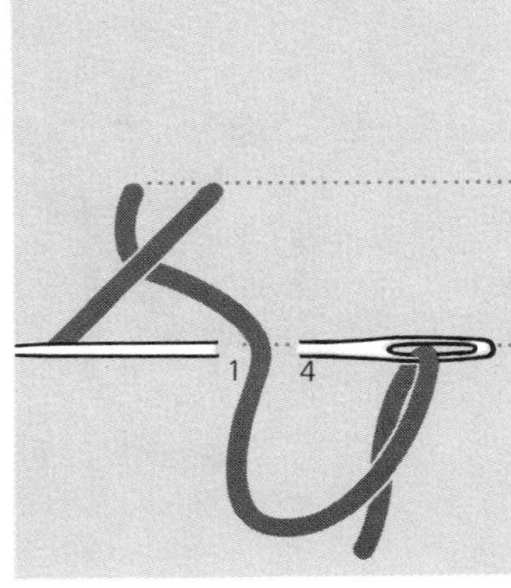

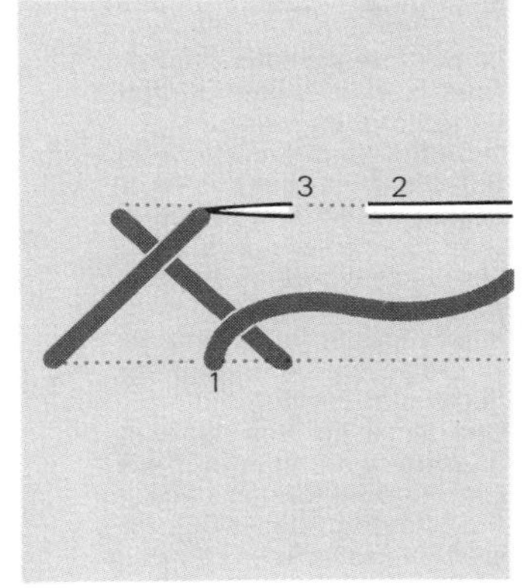

Changez alors de fil. Pour le second rang de points, sortez l'aiguille en A, au-dessus de 1, et plantez-la en B, directement au-dessous de 2, en passant par-dessus le bras 1-2 de la première couleur. Ressortez l'aiguille en C, au-dessous de 3, et glissez-la sous le bras 3-4 (première couleur). Piquez ensuite l'aiguille en D et ressortez-la en E. Glissez-la alors sous le bras C-D et piquez-la en F. Ressortez-la en C. Répétez l'enchaînement de C à F, en passant l'aiguille au-dessus et au-dessous des bras appropriés.

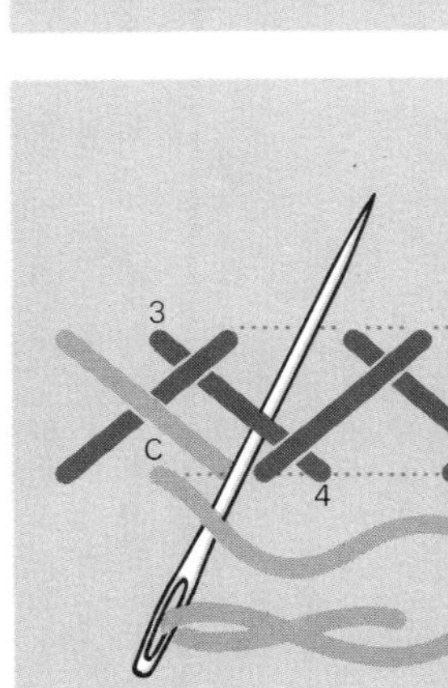

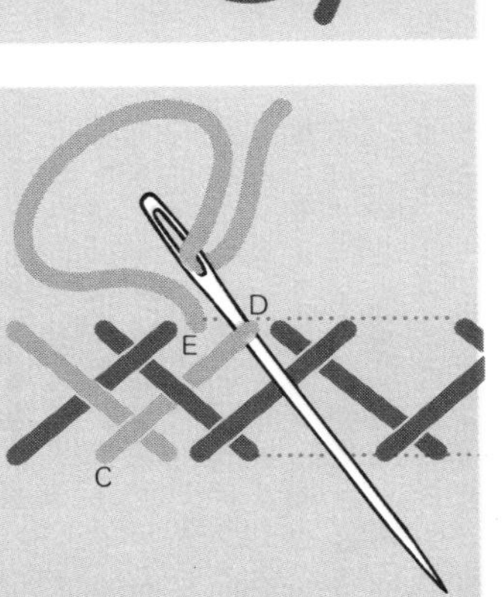

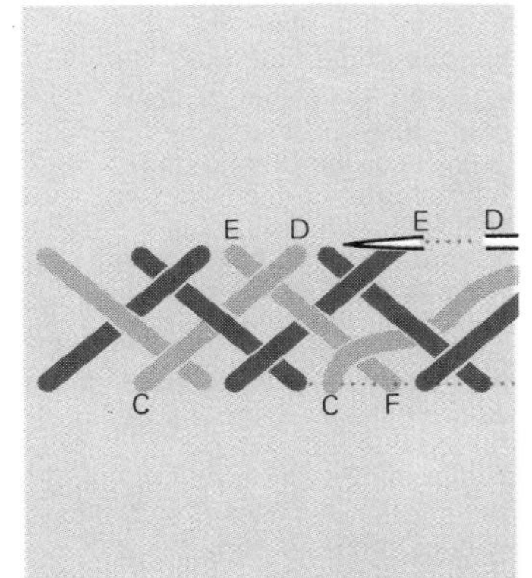

Points de broderie

Points de croix

Le point de fougère s'utilise principalement pour les motifs de feuilles. L'intersection se fait à la base des bras de chaque croix. Pour exécuter le sommet de la feuille, sortez l'aiguille en 1 et faites un petit point vers le bas en 2 sur la ligne médiane. Sortez l'aiguille en 3, tout près du sommet. Piquez-la en 4, juste à droite de la ligne médiane, et ressortez-la en 5, à l'opposé de 3. Piquez alors l'aiguille en 6, juste à gauche de la ligne médiane, et ressortez-la en 3. Répétez l'enchaînement de 3 à 6, jusqu'à ce que la feuille soit brodée.

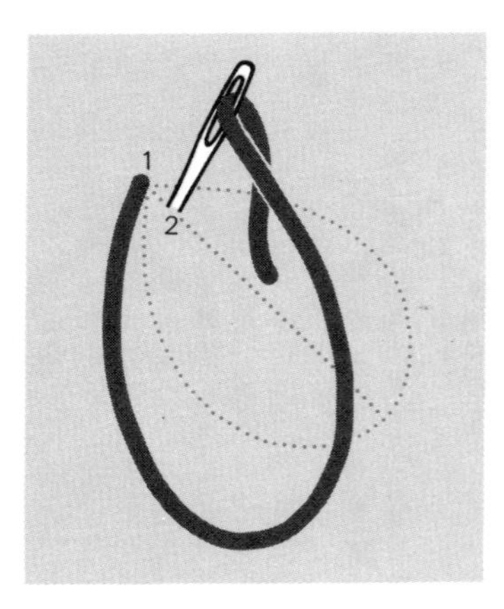

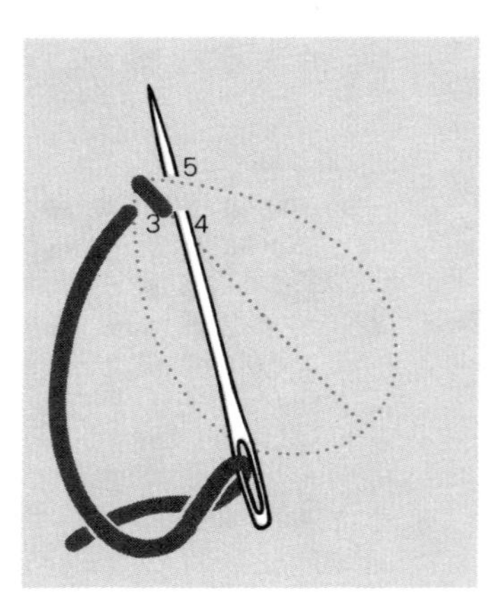

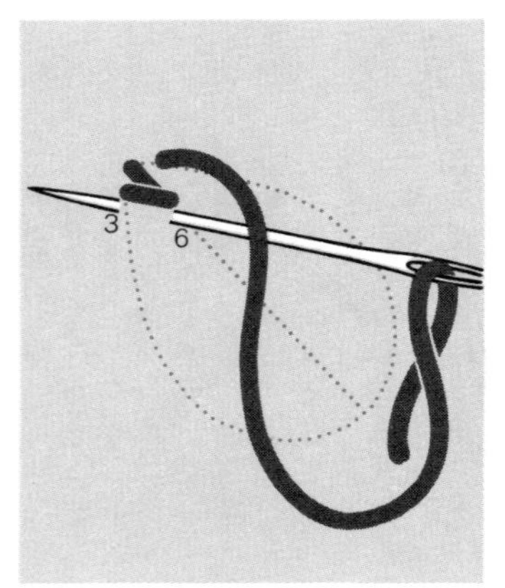

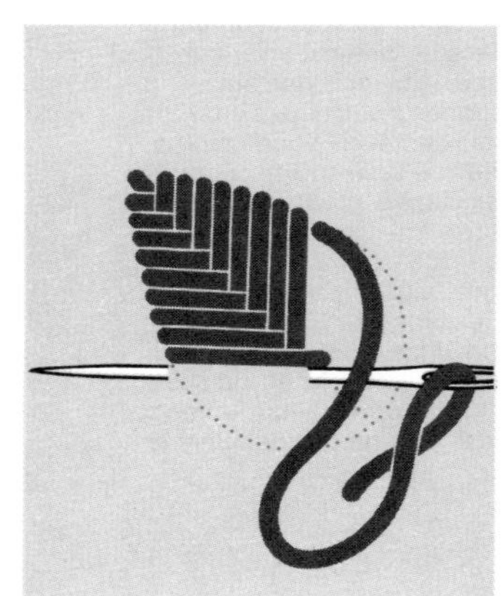

Le point de vannerie est une autre variante du point de croix utilisée pour les motifs de feuilles. A mesure que le travail se fait, une fine ligne tressée se dessine au centre, représentant la nervure médiane de la feuille. Les quatre premières étapes permettent d'ébaucher le dessin. Sortez l'aiguille en 1, sur le côté gauche de la feuille, au-dessous du sommet. Piquez l'aiguille en 2 et ressortez-la en 3, juste à côté. Piquez-la en 4, à l'opposé de 1, et ressortez-la en 5, à côté de 1. Glissez l'aiguille *sous l'intersection des bras* de la première croix.

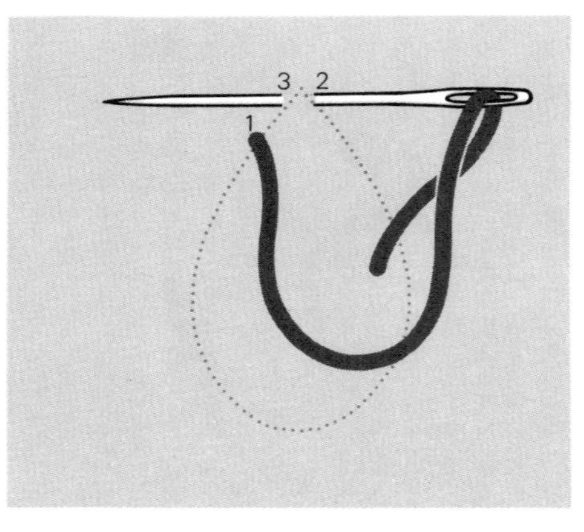

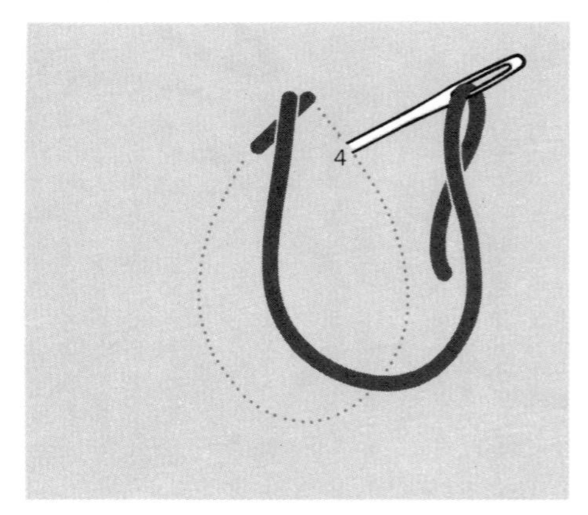

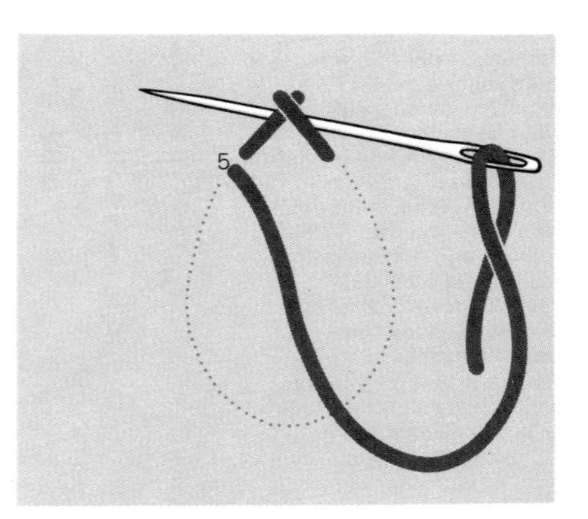

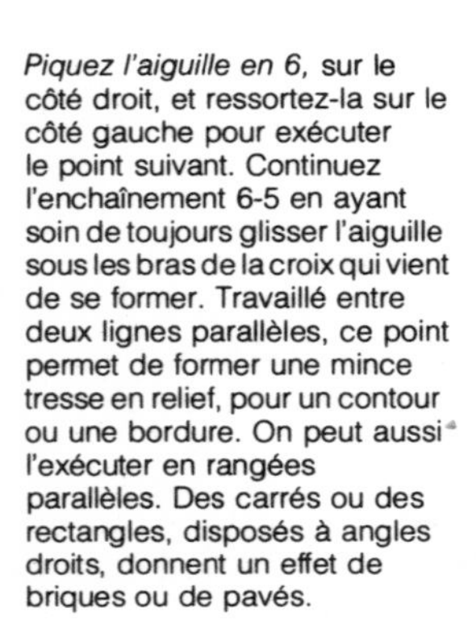

Piquez l'aiguille en 6, sur le côté droit, et ressortez-la sur le côté gauche pour exécuter le point suivant. Continuez l'enchaînement 6-5 en ayant soin de toujours glisser l'aiguille sous les bras de la croix qui vient de se former. Travaillé entre deux lignes parallèles, ce point permet de former une mince tresse en relief, pour un contour ou une bordure. On peut aussi l'exécuter en rangées parallèles. Des carrés ou des rectangles, disposés à angles droits, donnent un effet de briques ou de pavés.

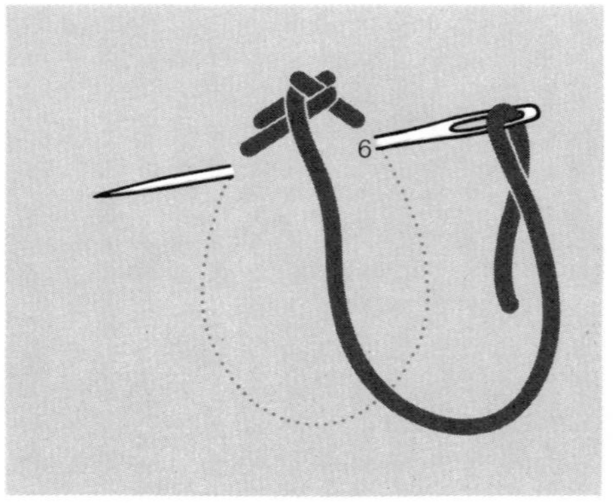

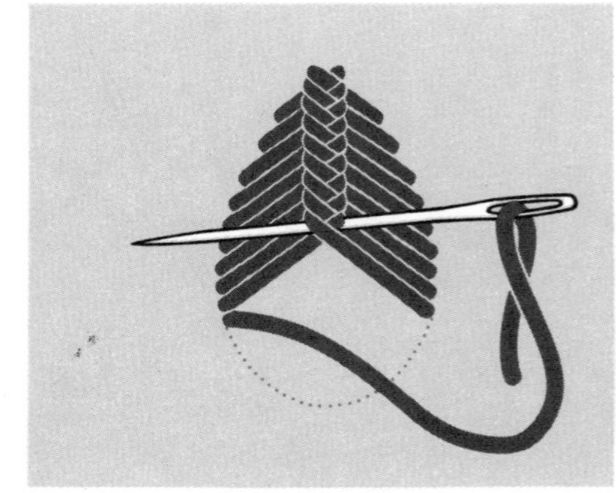

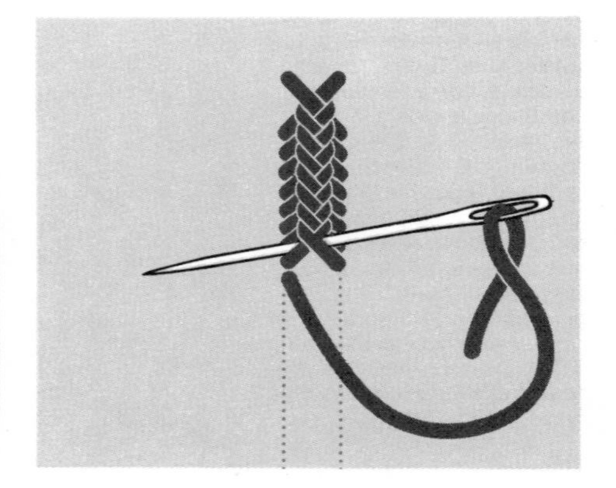

Points d'épine

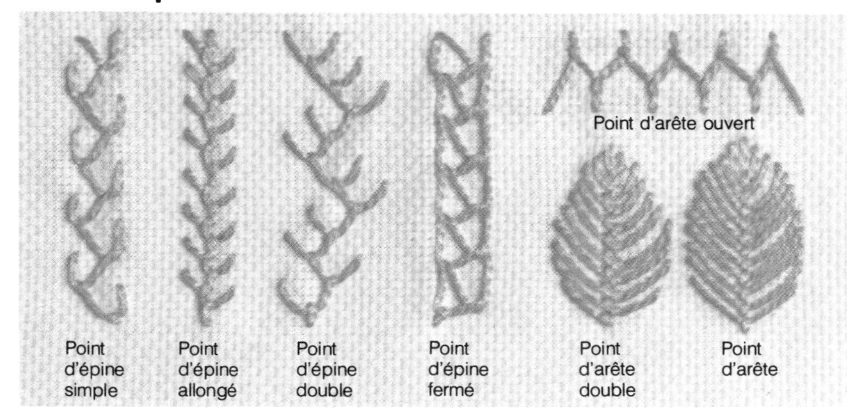

Les points d'épine forment la catégorie suivante des points de broderie. Au XIXe siècle, on les employait pour décorer les smocks; aujourd'hui, on les utilise pour les bordures et les ourlets. Leurs boucles évasées se travaillent alternativement à droite et à gauche d'une ligne centrale.

Deux variantes du point d'épine, le *point d'arête* et le *point d'arête double*, sont souvent utilisées pour broder des motifs de feuilles et de fougères, car elles permettent de reproduire la nervure médiane d'une feuille.

Le point d'épine simple et ses variantes se rencontrent souvent dans le patch craquelé (ils servent à retenir entre eux les morceaux du patchwork) et dans l'appliqué. A cause de leur finesse, ces points sont également employés pour broder de délicates bordures sur les vêtements d'enfants.

Comme les points de grébiche et les points de chaînette que nous avons déjà vus, les points d'épine sont des points à boucles, c'est-à-dire que le fil de travail doit être passé sous la pointe de l'aiguille avant d'être tiré. A cause du mouvement de va-et-vient de l'aiguille, il faut veiller à la régularité des points de chaque côté de la ligne centrale. Il sera peut-être plus prudent de tracer des lignes avant de commencer à broder.

Le point d'épine simple est un point bouclé. Il se travaille en alternance à gauche et à droite. Brodez du haut vers le bas. Sortez l'aiguille en 1, sur la ligne médiane. Piquez-la en 2, plus bas et à droite et ressortez-la en 3, sur la ligne centrale; passez le fil sous la pointe et tirez. Piquez l'aiguille en 4, plus bas et à gauche de 3, et ressortez-la en 5 sur la ligne médiane, après avoir ramené le fil sous la pointe. Continuez ainsi, une fois à droite, une fois à gauche. Pour arrêter, faites un petit point à cheval sur la dernière boucle.

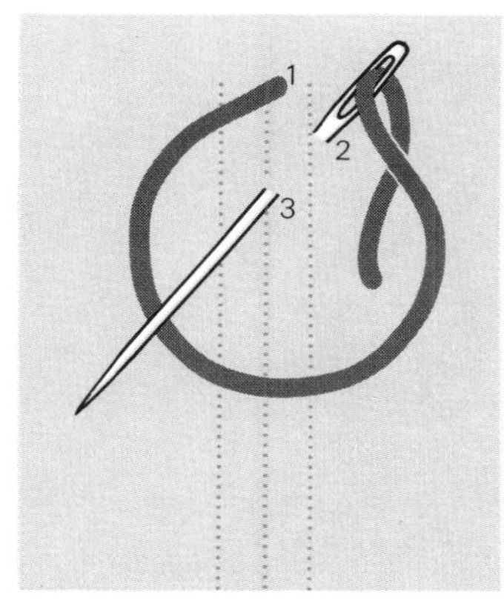

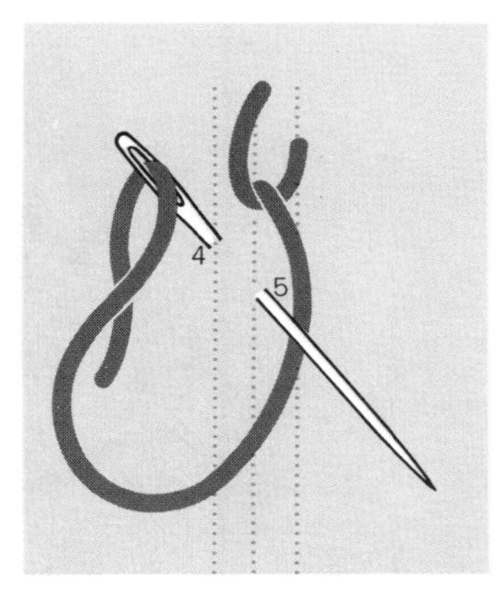

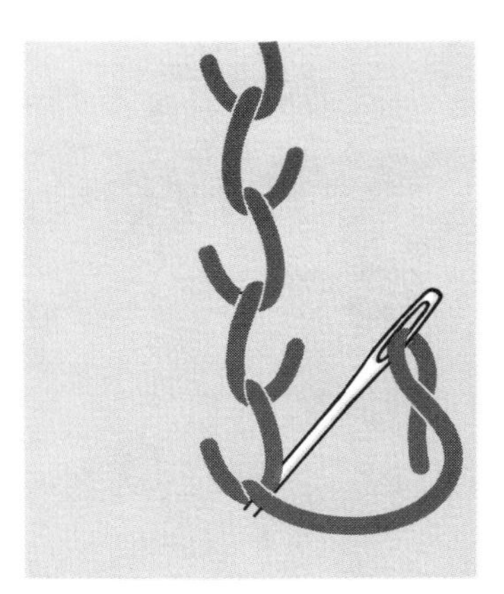

Le point d'épine allongé se travaille de la même manière que le point d'épine simple, avec cette différence que la moitié la plus longue de la boucle est dirigée vers l'extérieur. Sortez l'aiguille en 1, au centre. Piquez-la en 2, plus haut et à droite, et sortez-la en 3, au-dessous de 1; passez le fil sous la pointe et tirez. Piquez l'aiguille en 4, plus haut et à gauche de 3 (la distance entre 1-2 et 3-4 doit être identique), puis retirez-la en 5, sur la ligne centrale, après avoir passé le fil sous la pointe. Répétez l'enchaînement jusqu'à la fin.

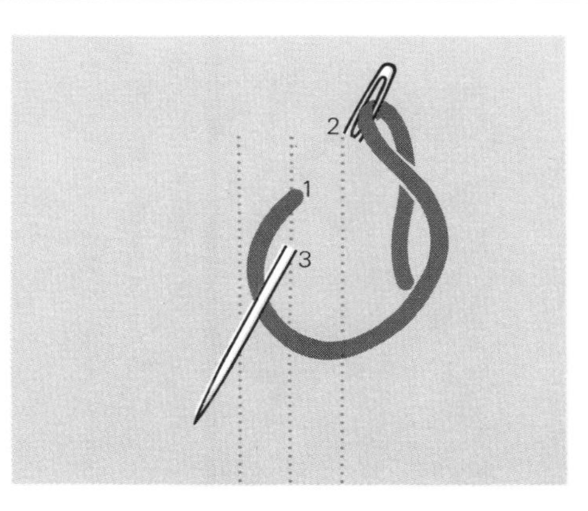

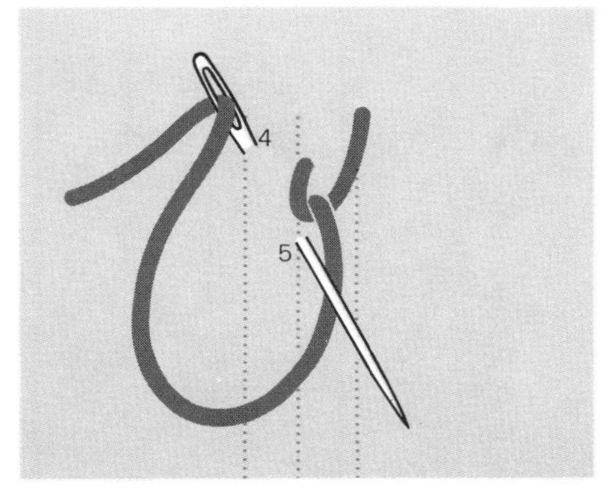

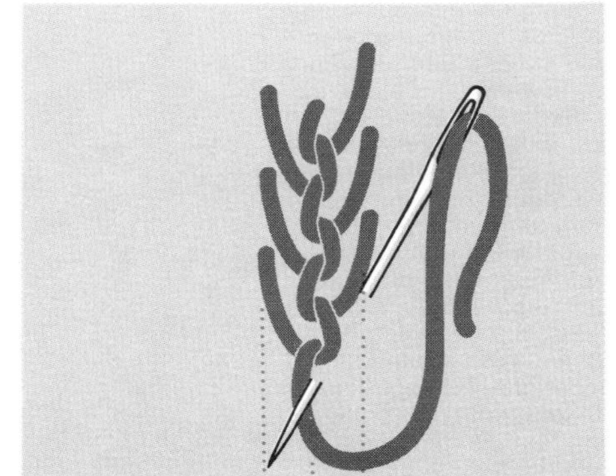

Points de broderie

Points d'épine

Le point d'épine double donne des bordures aérées, en zigzag. Au lieu de changer de sens à chaque point, on brode consécutivement deux points dans un sens, puis deux dans l'autre. Les boucles doivent être très régulières. Sortez l'aiguille en 1, au centre. Piquez en 2 et ressortez en 3, l'aiguille étant orientée de droite à gauche; passez le fil sous la pointe et tirez. Piquez en 4 et ressortez en 5, l'aiguille étant orientée cette fois de gauche à droite. Puis piquez en 6 et ressortez en 7, dans le même sens que pour le point précédent.

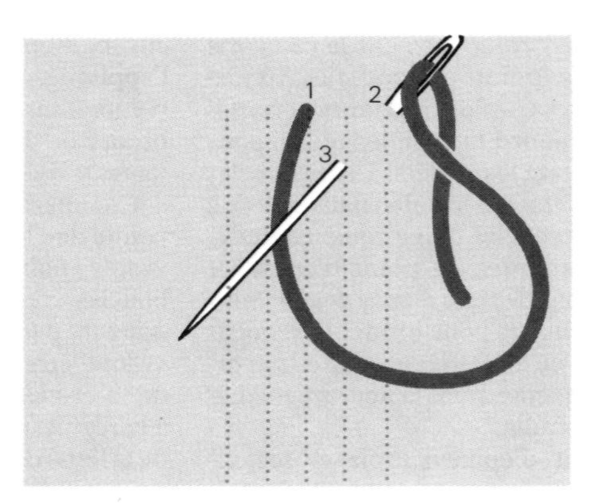

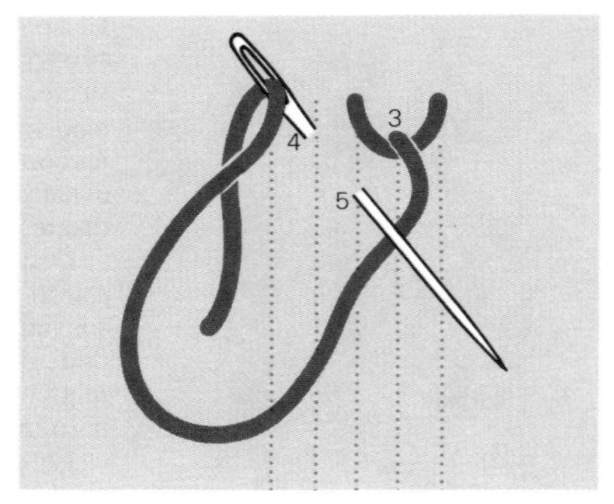

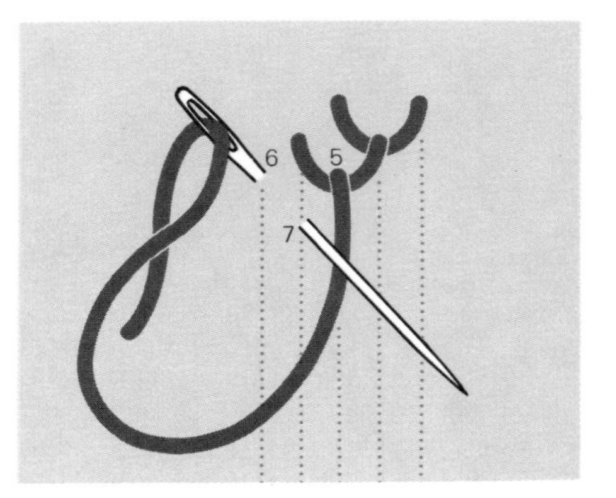

Pour terminer l'enchaînement, piquez l'aiguille en 8 (en face de 7 et au-dessous de 3) et sortez-la en 9, en l'inclinant de droite à gauche; passez le fil sous la pointe et tirez. Deux séries de points en boucles sont maintenant complétées. Répétez l'enchaînement depuis le début. Notez que le repère 9 d'un enchaînement devient 1 à l'enchaînement suivant. Continuez à travailler ainsi jusqu'à la fin de la rangée.

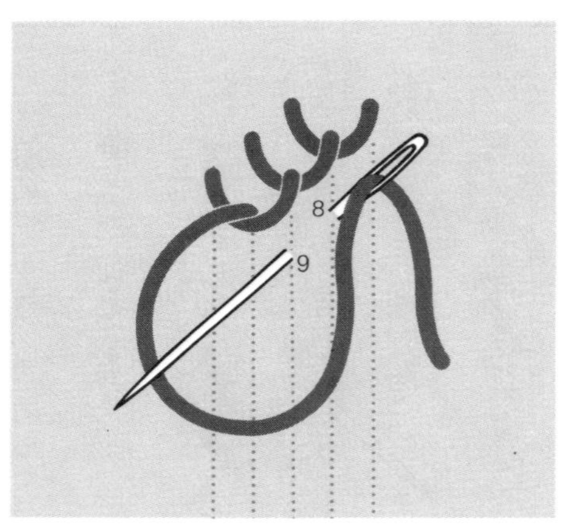

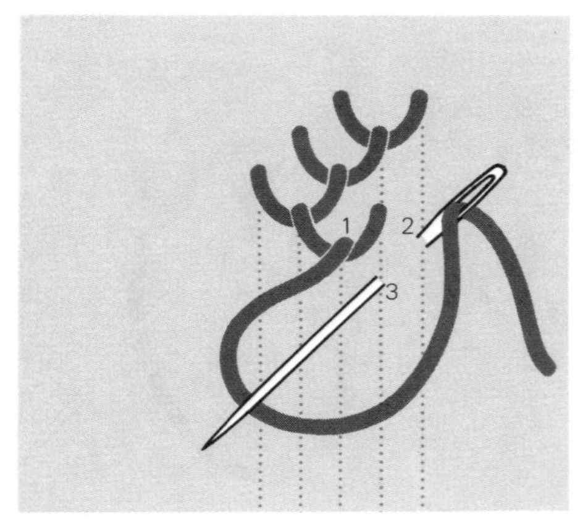

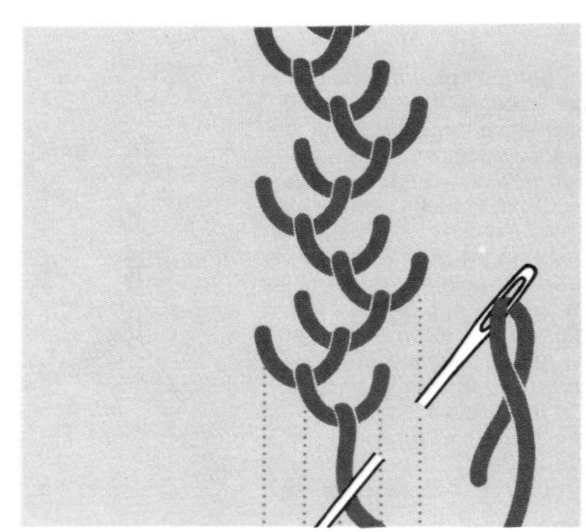

Le point d'épine fermé est une simple variante du point de base, dans laquelle chaque point *touche au précédent* sans laisser d'espace. Il se travaille *verticalement* plutôt que diagonalement. Sortez l'aiguille en 1. Piquez-la en 2 et ressortez-la en 3 (1 doit être à égale distance de 2 et de 3). Passez le fil sous la pointe et tirez. Piquez l'aiguille en 4, sous 1, et ressortez-la en 5 (3 est à égale distance de 4 et de 5). Répétez l'enchaînement, en piquant toujours l'aiguille juste au-dessous du point précédent.

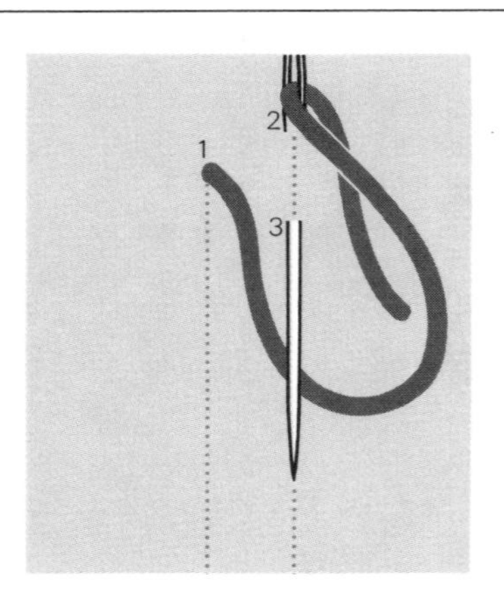

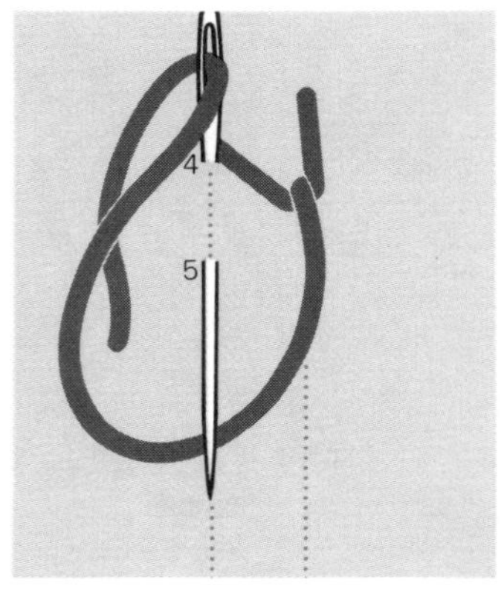

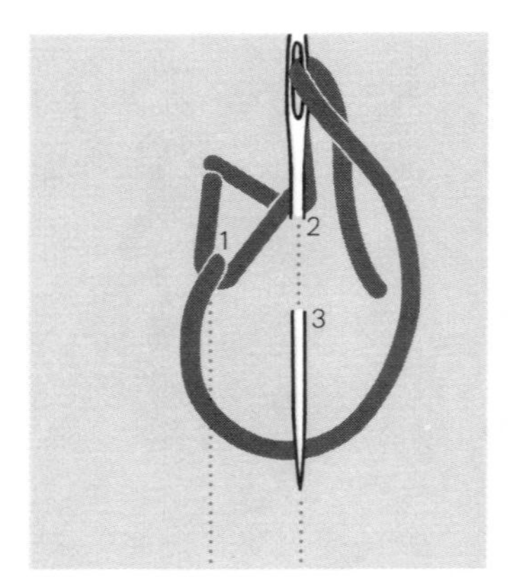

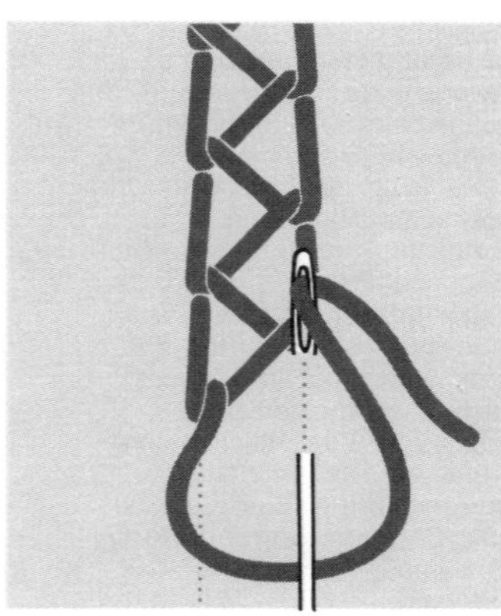

Le point d'arête, souvent employé pour représenter les feuilles, fait penser aux arêtes d'un poisson, arête dorsale comprise, d'où son nom. Sortez l'aiguille en 1; piquez-la en 2 sur la ligne médiane et ressortez-la en 3. Piquez-la ensuite en 4, à l'opposé de 3, et ressortez-la au trou déjà fait en 2; passez le fil sous la pointe et tirez. Recommencez l'enchaînement. Notez que le repère 2 d'un point devient 1 au point suivant. Continuez de la même façon jusqu'à ce que la feuille soit terminée.

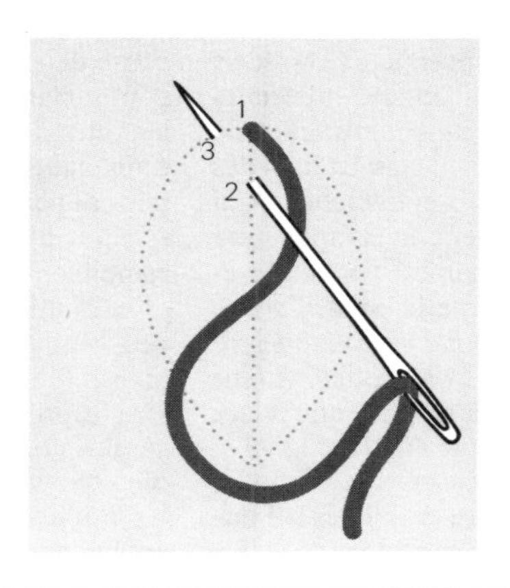

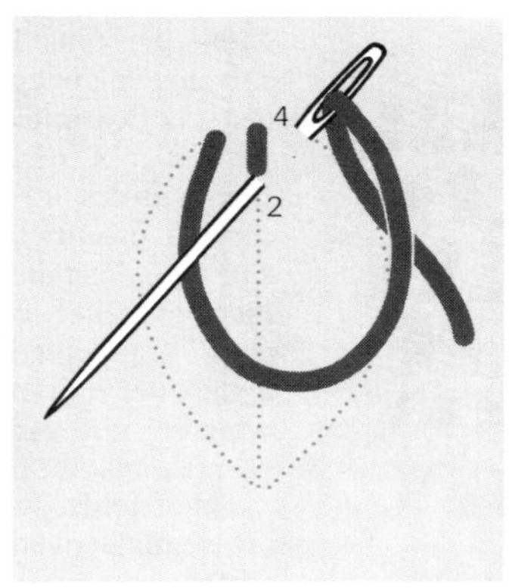

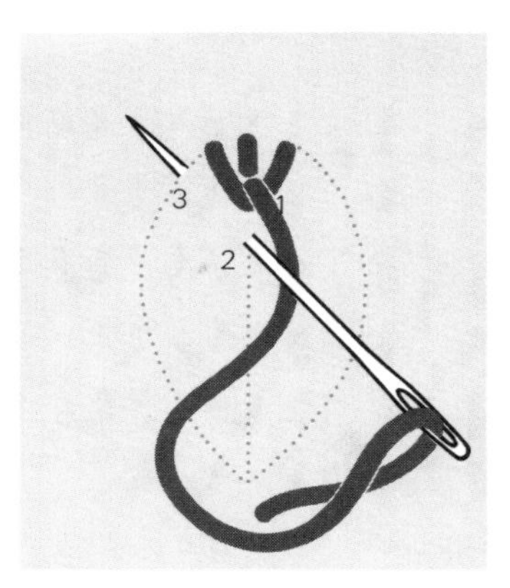

Le point d'arête double forme une natte naturelle et, pour cette raison, on l'utilise aussi beaucoup dans les motifs de feuilles. Sortez l'aiguille en 1, au sommet de la feuille. Piquez l'aiguille en 2 et ressortez-la en 3, légèrement à droite de la ligne médiane. Passez le fil sous la pointe et tirez. Piquez ensuite l'aiguille en 4 et ressortez-la en 5, en face de 3 et légèrement à gauche de la ligne médiane. Passez le fil sous l'aiguille et tirez. Continuez ainsi une fois à droite, une fois à gauche de la ligne médiane, pour obtenir l'effet de natte.

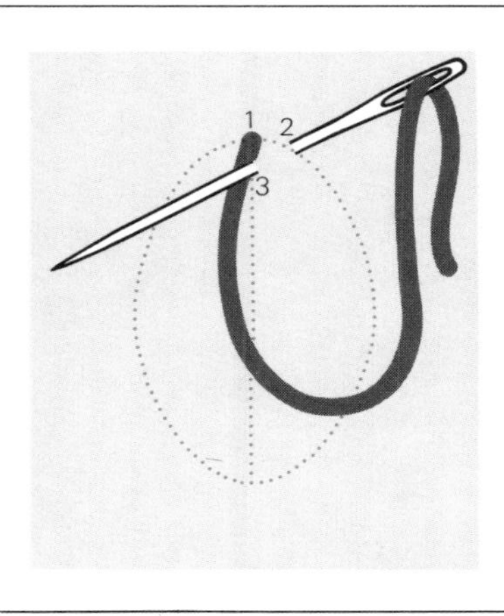

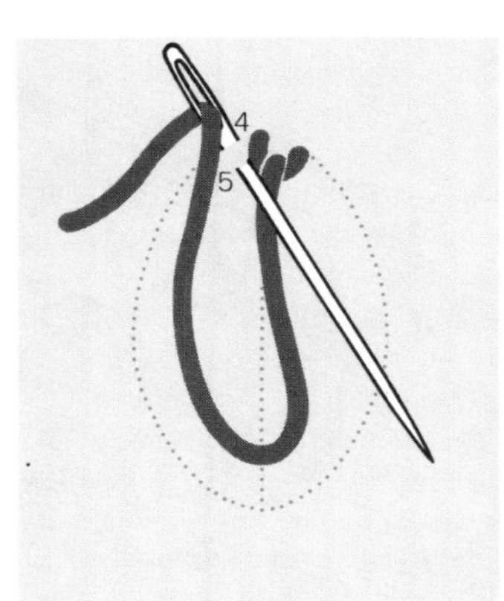

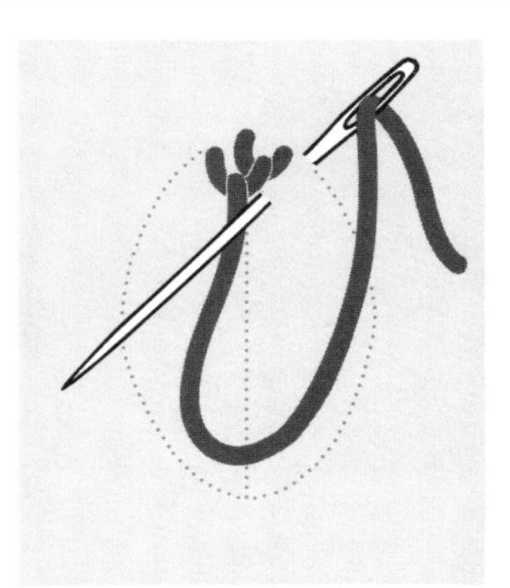

Le point d'arête ouvert donne des bordures très décoratives. A l'encontre de la plupart des points d'épine, il se travaille horizontalement. Sortez l'aiguille en 1. Piquez-la en 2, en haut et à droite, et sortez-la en 3, directement au-dessous. Passez le fil sous la pointe et tirez. Piquez ensuite l'aiguille en 4, en bas et à droite; ressortez-la en 5, directement au-dessus. Passez le fil sous la pointe et tirez l'aiguille. Continuez de la même façon, en gardant entre les points une distance égale.

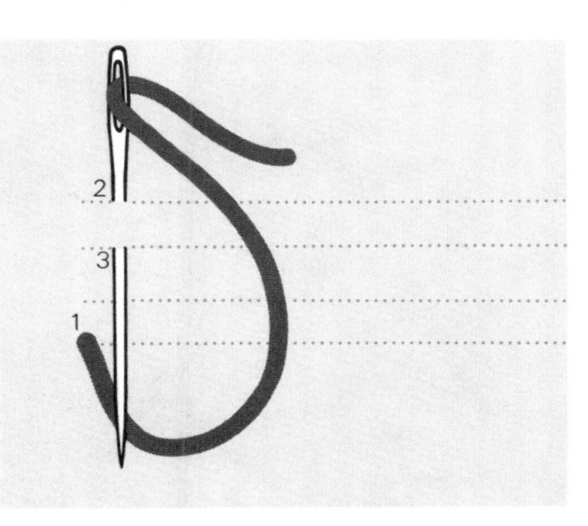

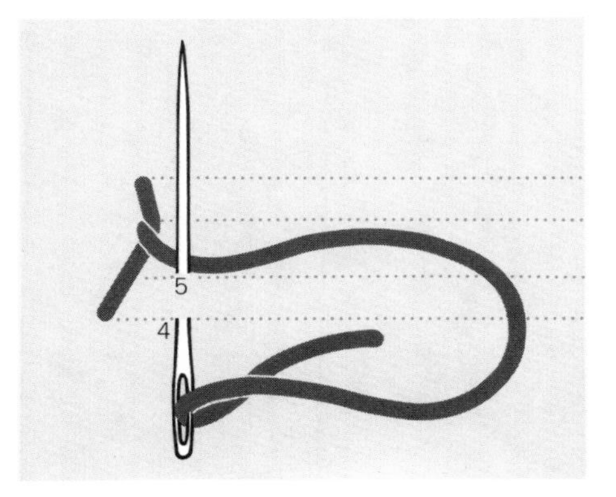

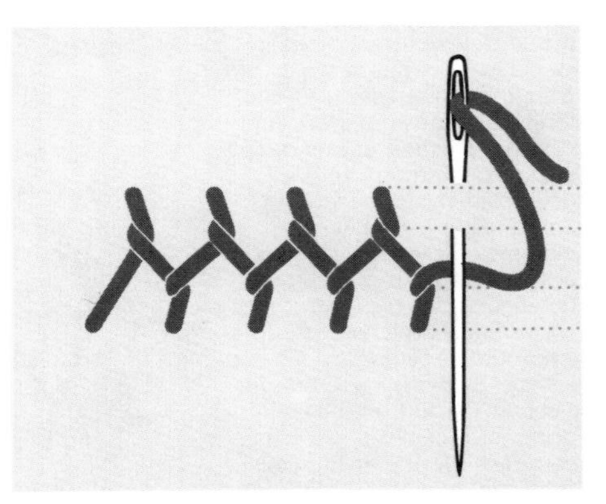

Utilisation du tambour à broder 18

Points de remplissage détachés

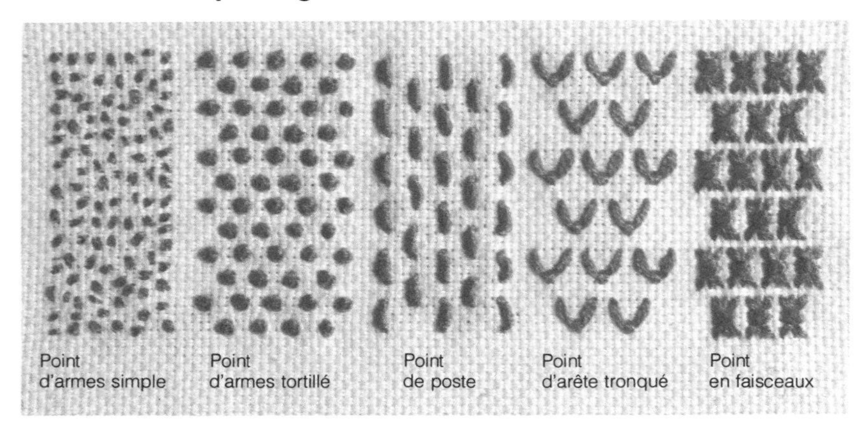

Bien que tous les points de la série suivante soient complètement différents les uns des autres, ils présentent une particularité commune : ce sont tous des points isolés ou encore détachés, qui servent essentiellement à remplir une surface. Certains points particulièrement en relief, comme le *point d'armes tortillé* et le *point de poste*, risquent d'être aplatis par un tambour à broder. Il faut donc prendre garde à ne pas écraser ces points dans le tambour (p. 18).

Selon leurs propres caractéristiques, ces points peuvent être employés à d'autres fins que le remplissage de motifs. Le point d'armes tortillé, par exemple, à cause de sa forme arrondie et en relief, peut servir à broder le cœur d'une fleur, les yeux d'un visage ou encore la toison d'un agneau. Le *point d'armes simple*, pour sa part, peut être éparpillé de façon plus ou moins serrée selon le genre de remplissage. Le *point d'arête tronqué* et le *point en faisceaux* exigent tous deux un peu plus de rigueur dans leur agencement. Travaillés en rangées, ils peuvent être utilisés pour une bordure. On peut aussi les broder séparément. Des points d'arête tronqués, éparpillés, ressemblent à des oiseaux en vol; et les points en faisceaux font penser à des gerbes de blé que l'on vient de nouer.

Le point d'armes simple est un des points de remplissage les plus simples. Il peut être utilisé groupé ou éparpillé. Sortez l'aiguille en 1 et faites un très petit point en 2. Pour renforcer l'effet, sortez l'aiguille en 3 et faites un autre petit point en 4, tout près du point précédent. Eparpillez les points d'armes selon la fantaisie, en changeant leur direction. Mais vous pouvez aussi les travailler dans la même direction pour obtenir un remplissage uniforme.

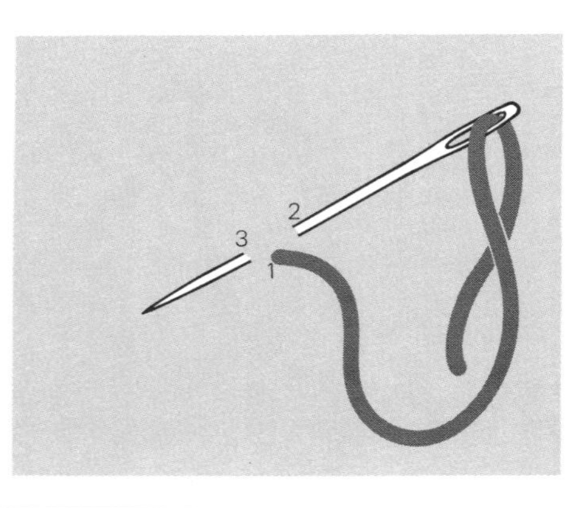

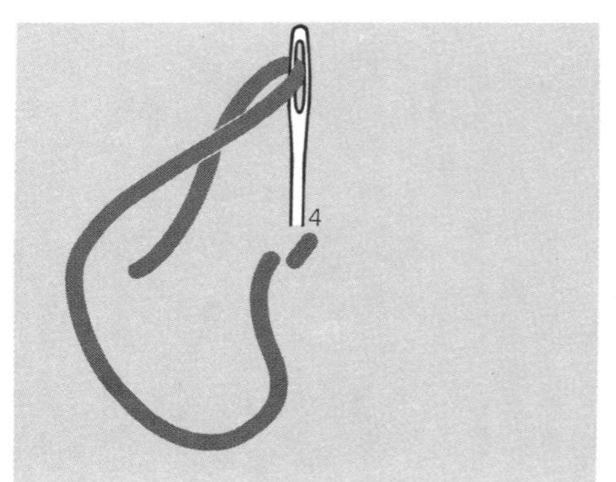

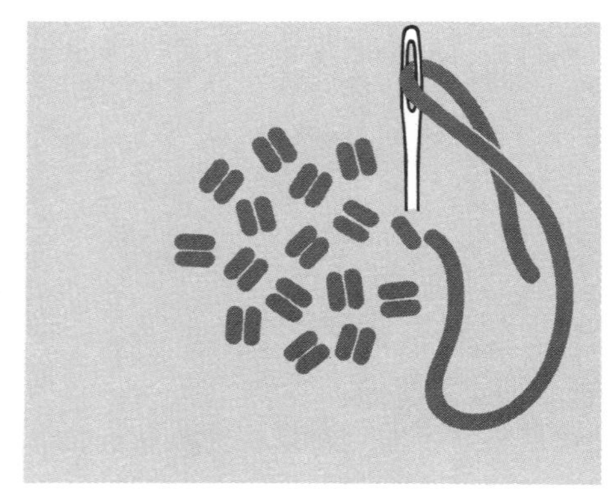

Le point d'armes tortillé ou **nœud double** est utilisé de la même manière que le point d'armes simple mais il a plus de relief. Les nœuds peuvent être travaillés proches les uns des autres pour remplir complètement une surface. Sortez l'aiguille en 1. Avec la main gauche, tendez le fil et enroulez-le deux fois autour de l'aiguille, comme sur l'illustration. Maintenez le fil tendu jusqu'à ce que le point soit terminé. Piquez l'aiguille près de 1 et tirez. On peut obtenir un point plus proéminent en enroulant le fil plus de deux fois autour de l'aiguille.

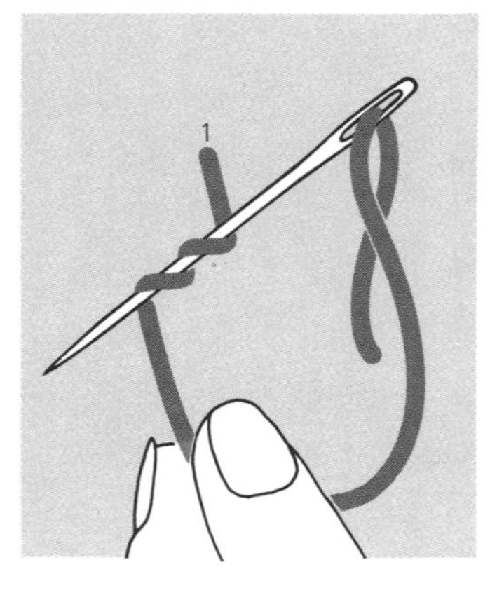

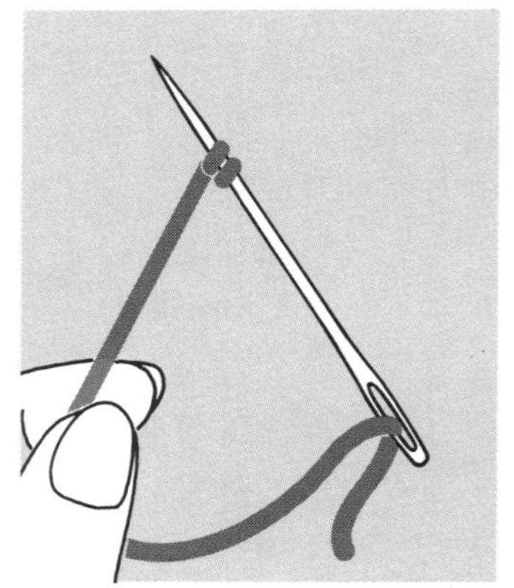

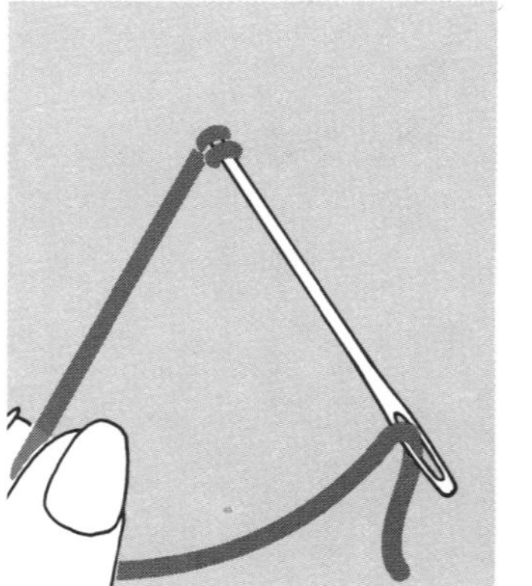

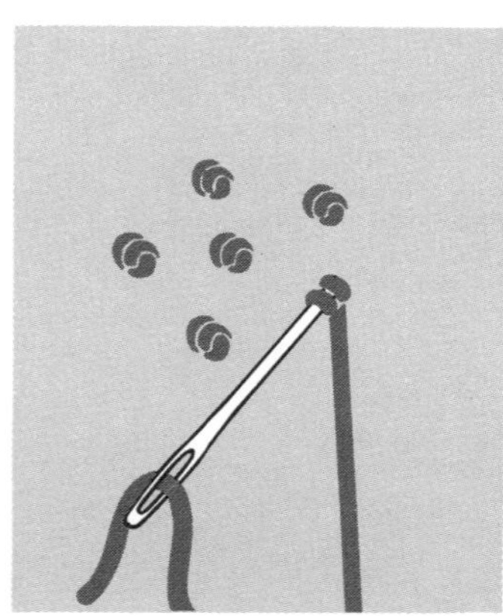

Le point de poste peut être utilisé comme point de remplissage ou comme point de contour. Sortez l'aiguille en 1. Piquez-la en 2 et ressortez-la de nouveau en 1, sans tirer l'aiguille. Enroulez le fil plusieurs fois autour de la pointe de l'aiguille selon la longueur du point. Puis tirez l'aiguille, à la fois à travers le tissu et les anneaux. Tirez le fil vers le repère 2 pour que le rouleau repose à plat, en utilisant la pointe de l'aiguille pour tasser les anneaux en un rouleau uniforme. Rentrez l'aiguille en 2.

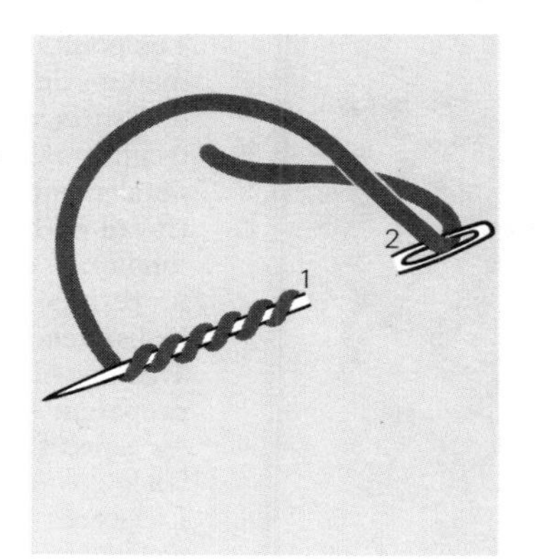

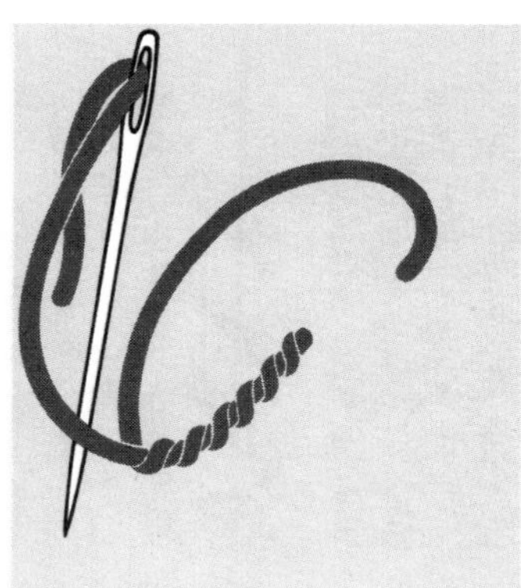

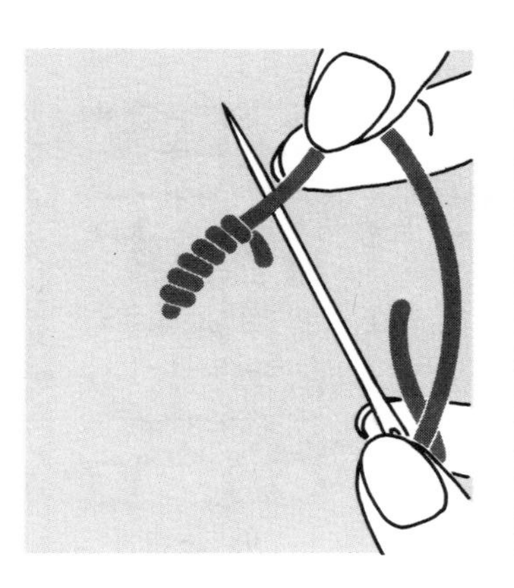

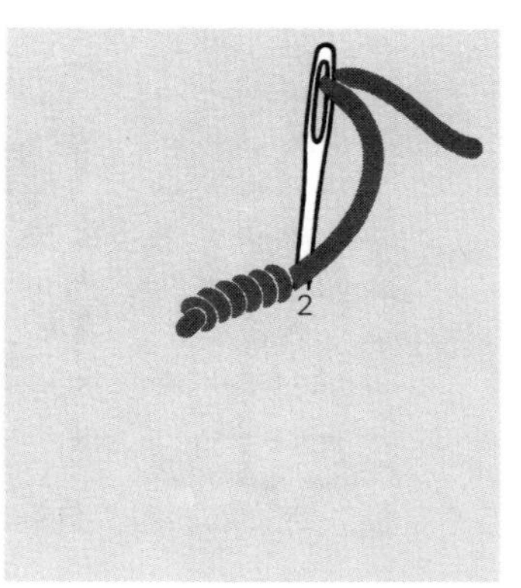

Le point d'arête tronqué est un point simple, à boucle. Le point terminé ressemble à un Y. Il peut être éparpillé pour remplir une surface, ou travaillé en rang pour une bordure. Sortez l'aiguille en 1. Piquez-la en 2, en face, puis ressortez-la à l'oblique en 3. Les repères 1, 2 et 3 doivent être équidistants. Passez le fil sous la pointe de l'aiguille et tirez. Complétez le point en piquant l'aiguille en 4, par-dessus la boucle. Disposez les points selon votre goût.

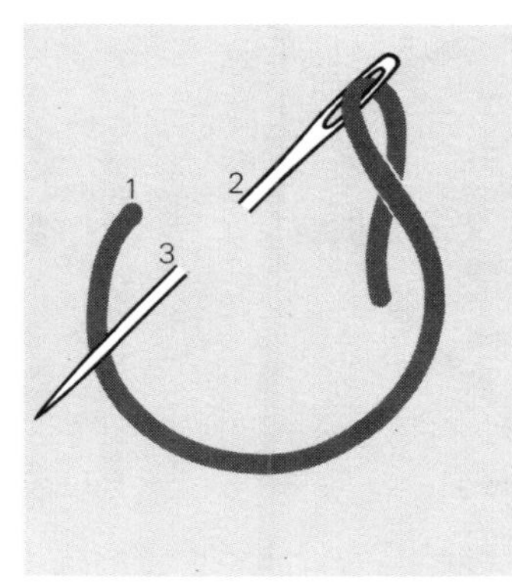

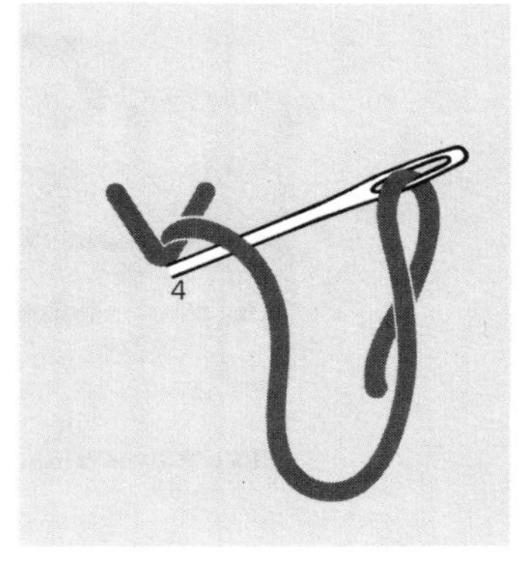

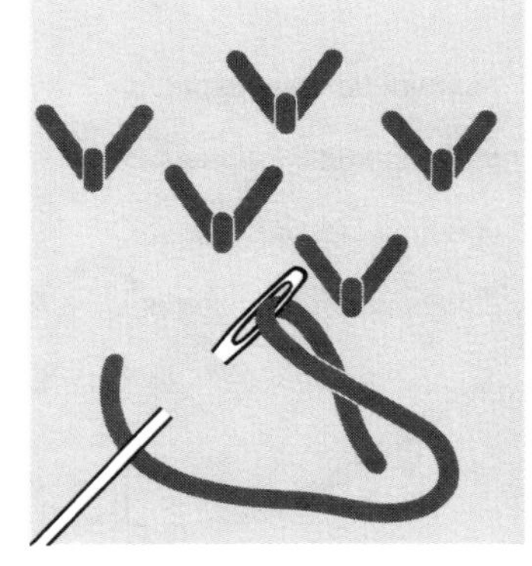

Le point en faisceaux ressemble à une gerbe de blé nouée. Les points peuvent être placés en rangées alternées ou brodés l'un juste au-dessous de l'autre. Sortez l'aiguille en 1. Faites trois points passés plats, en suivant l'enchaînement donné sur les illustrations. Sortez l'aiguille en 7, à mi-chemin entre 5 et 6. Glissez l'aiguille autour des points deux fois, sans mordre dans l'étoffe, et serrez le fil. Piquez l'aiguille sous la gerbe dans le tissu; arrêtez le fil sur l'envers de l'ouvrage. Vous pouvez faire les liens autour des gerbes dans un fil de couleur contrastante.

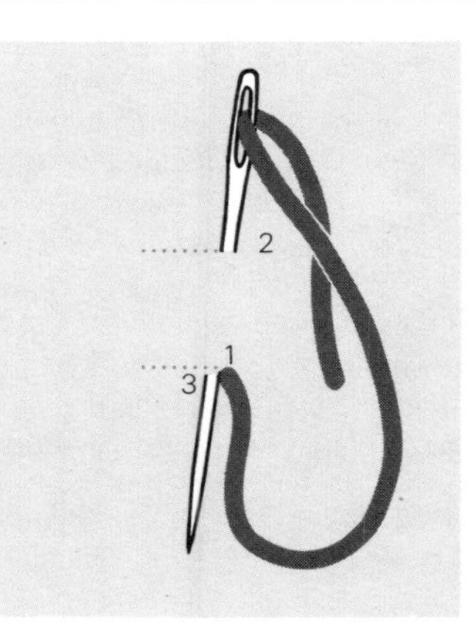

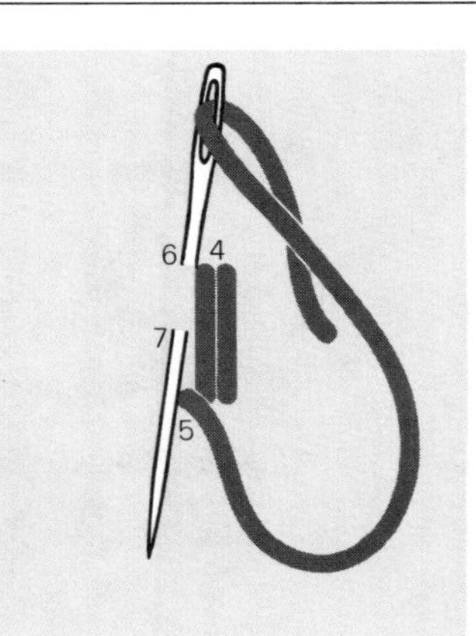

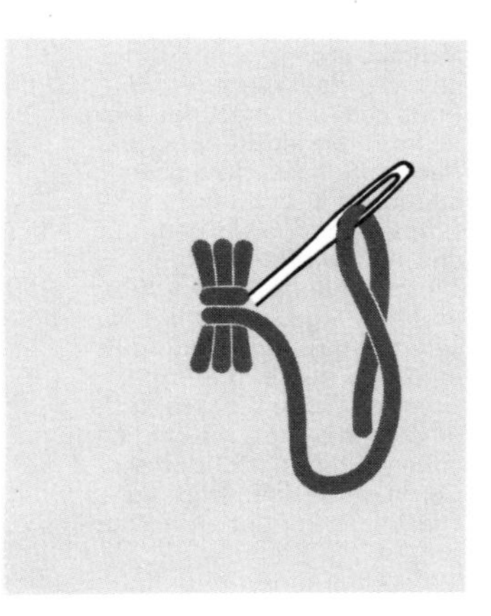

Points de broderie

Points de remplissage lancés

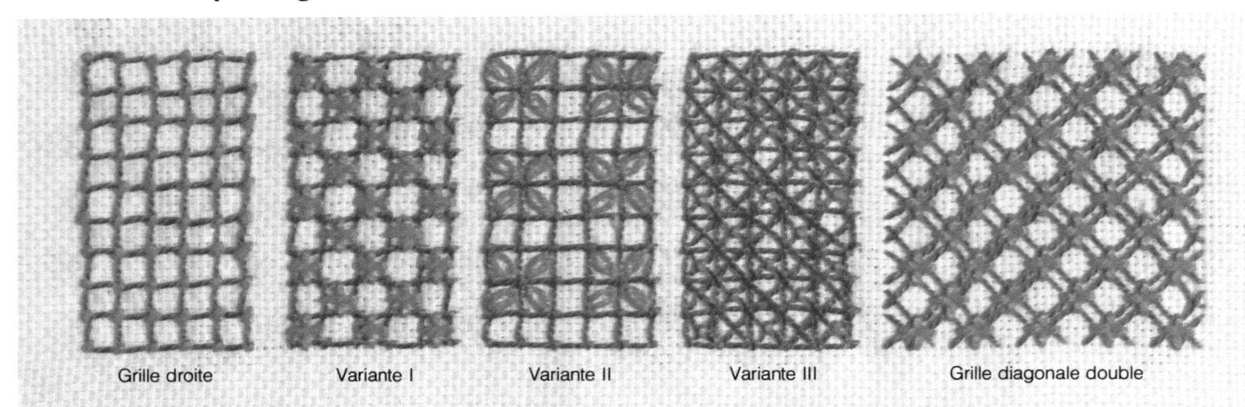

Les points lancés (ou points plats) permettent de couvrir rapidement de grandes surfaces. Ils donnent un effet de treillis ou de grillage. Le résultat est généralement ravissant. On prépare le travail en brodant d'abord le treillis de fond que l'on fixe aux intersections avec un petit point d'arrêt. On ajoute les embellissements, réalisés généralement avec des fils de couleurs différentes. En préparant le treillis, faites en sorte que les espaces compris entre chaque point lancé soient toujours égaux entre eux. La largeur de ces espaces est déterminée par la dimension de la surface à remplir et par l'effet que vous désirez obtenir.

La grille droite est formée de points lancés qui se croisent à angle droit. Cette structure de fond est retenue par des petits points en biais. Pour faire le treillis, sortez l'aiguille en 1. Piquez-la en 2 et ressortez-la en 3. Piquez-la en 4, etc., jusqu'à ce que votre surface soit recouverte. Lancez de la même façon des points à la verticale par-dessus les points horizontaux et faites un petit point en biais sur chaque intersection. Travaillez de gauche à droite, puis de droite à gauche, en sortant l'aiguille en A et en la rentrant en B.

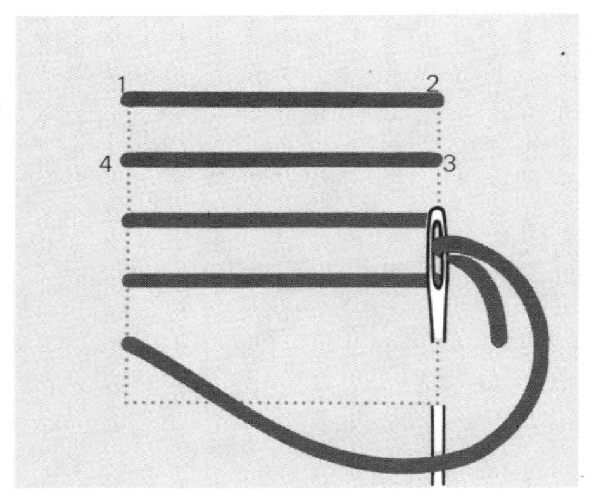

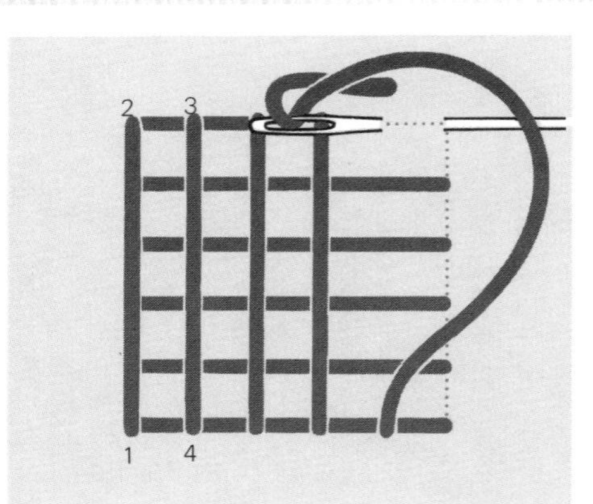

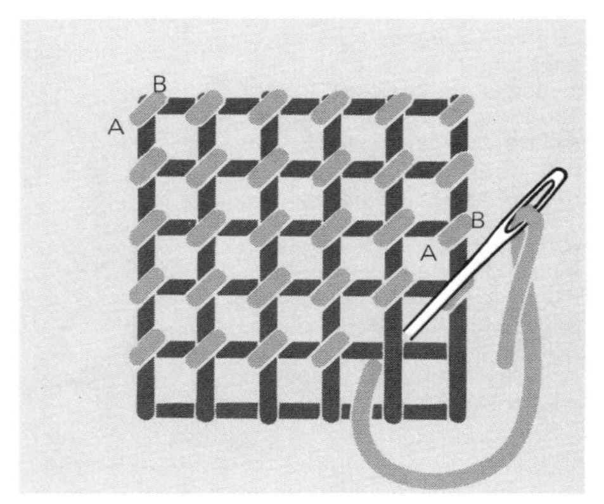

Variante I : dans cette variante, on brode des points de croix droits dans un carreau sur deux du treillis présenté ci-dessus. Bâtissez le treillis dans une couleur de fil, et travaillez les points de croix droits dans un ton de fil différent. En commençant par le carreau le plus haut à gauche de la grille, sortez l'aiguille en 1; piquez-la en 2 et retirez-la en 3; terminez le point en 4. Travaillez la seconde rangée de droite à gauche, en suivant le même enchaînement. Continuez de cette façon sur chaque rangée jusqu'à la fin de la grille.

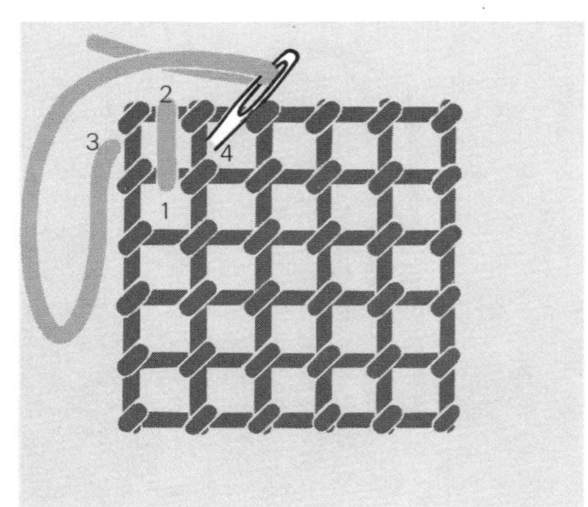

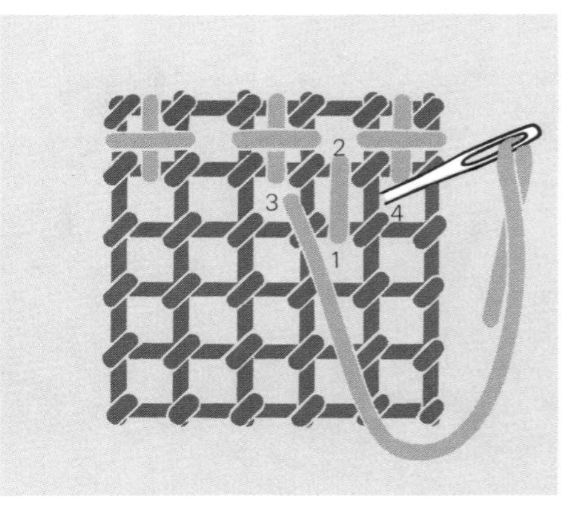

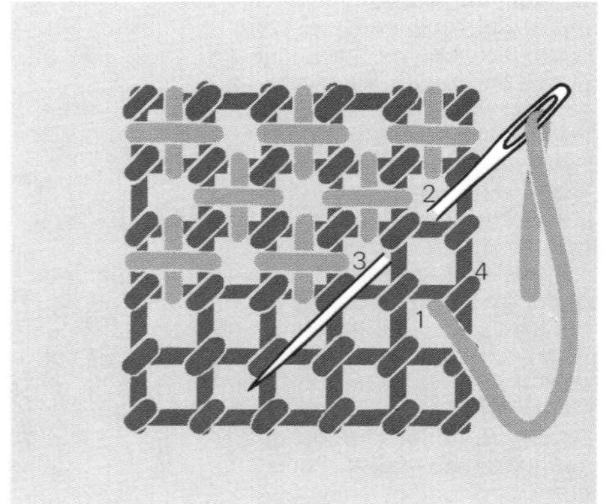

Variante II : on brode une série de quatre points de bouclette à l'intérieur d'un groupe de quatre carreaux de la grille. L'emplacement de ces carreaux variera selon la grille. Brodez les quatre points de bouclette de telle sorte que le petit point d'arrêt par-dessus la bouclette se situe au centre du groupe de carreaux. Sortez l'aiguille en 1; repiquez-la en 1 pour la ressortir en 2. Passez le fil sous la pointe de l'aiguille et tirez. Piquez-la en 3 par-dessus la boucle. Brodez les bouclettes dans le sens contraire des aiguilles d'une montre.

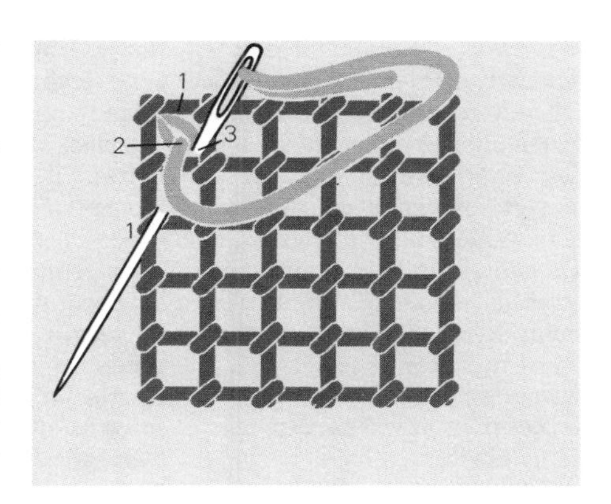

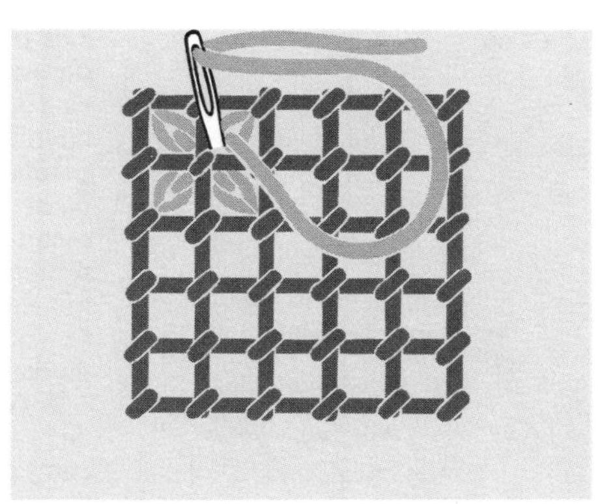

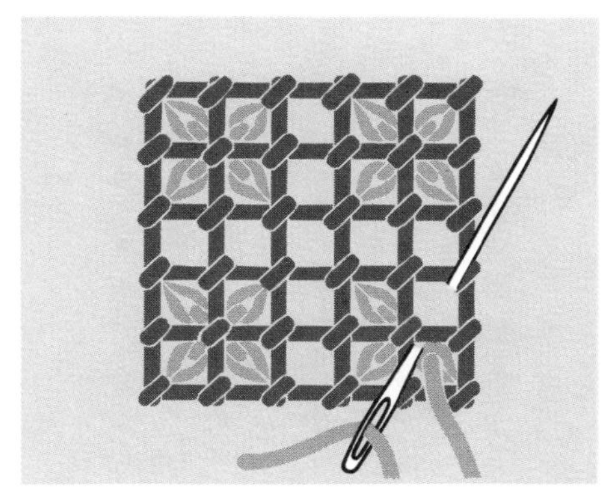

Variante III : des fils sont lancés en diagonale par-dessus les fils de la grille, puis arrêtés à chaque intersection. En commençant par le coin supérieur gauche, sortez l'aiguille en 1, piquez-la en 2 et ressortez-la en 3, deux carreaux plus loin. Faites un point lancé en 4, et ainsi de suite, en veillant à faire des espaces réguliers. Lancez des fils dans l'autre sens en commençant par le coin supérieur droit. Ensuite, à chaque intersection, faites un petit point d'arrêt vertical, de A en B.

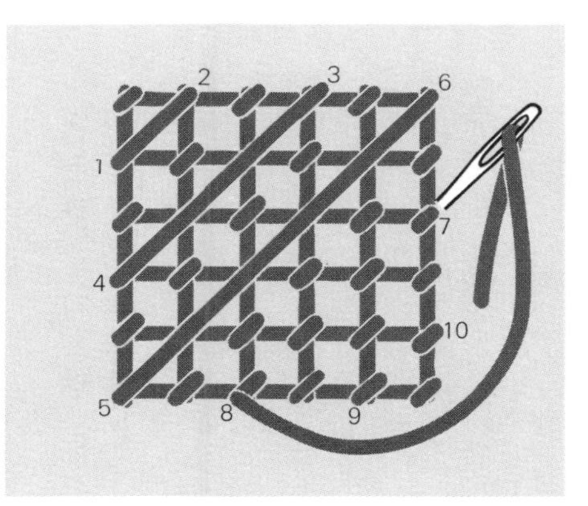

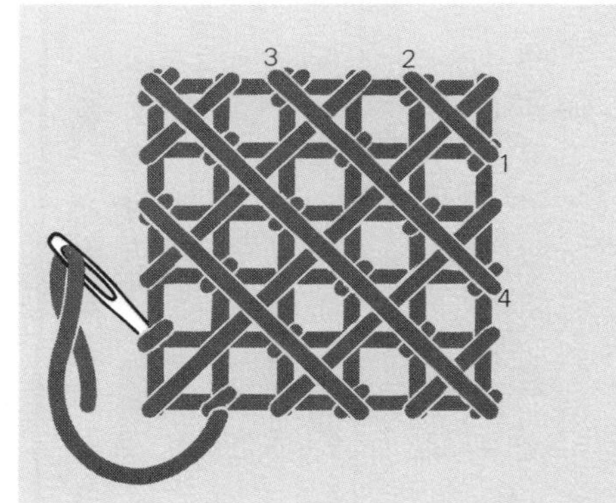

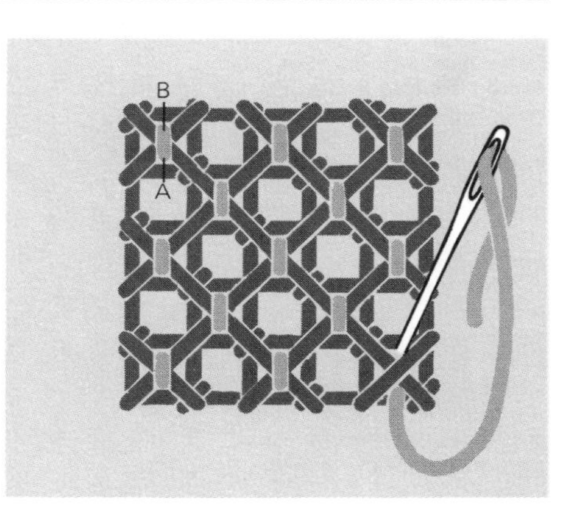

La grille diagonale double est composée de paires de fils lancés en diagonale. Chaque intersection est arrêtée par quatre points droits. Pour faire le treillis, sortez l'aiguille en 1. Piquez-la en 2 et ressortez-la en 3; lancez un autre point en 4. Travaillez ainsi les points lancés deux par deux, à intervalles réguliers. Lancez ensuite des fils en diagonale dans l'autre sens. Puis, à chaque intersection, faites quatre points droits, en sortant l'aiguille en A et en la rentrant en B, au centre.

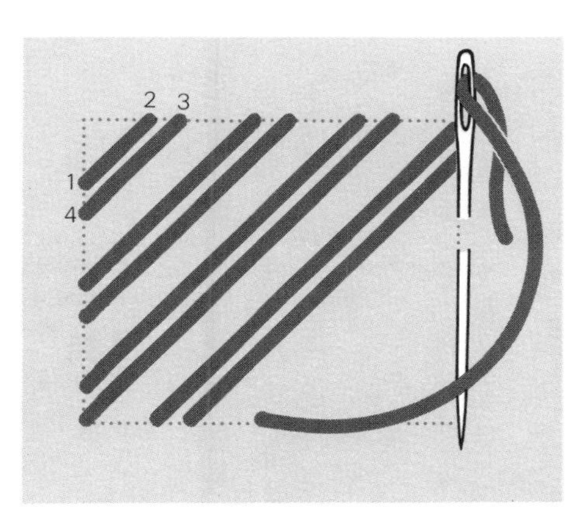

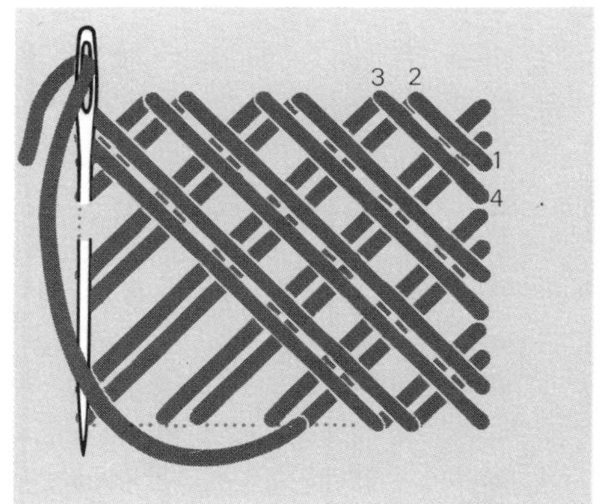

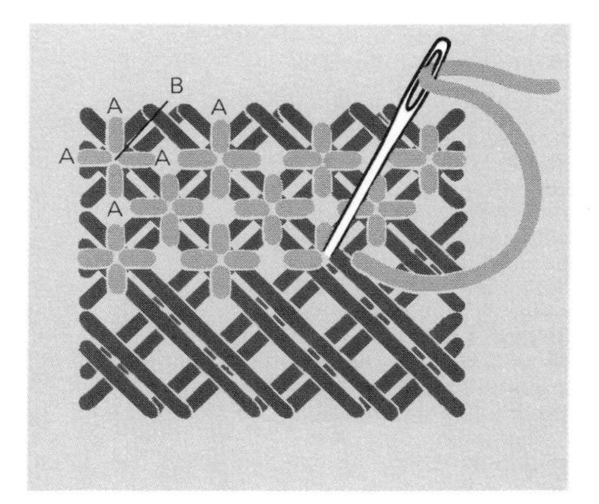

Points de broderie

Points glissés (ou points devant)

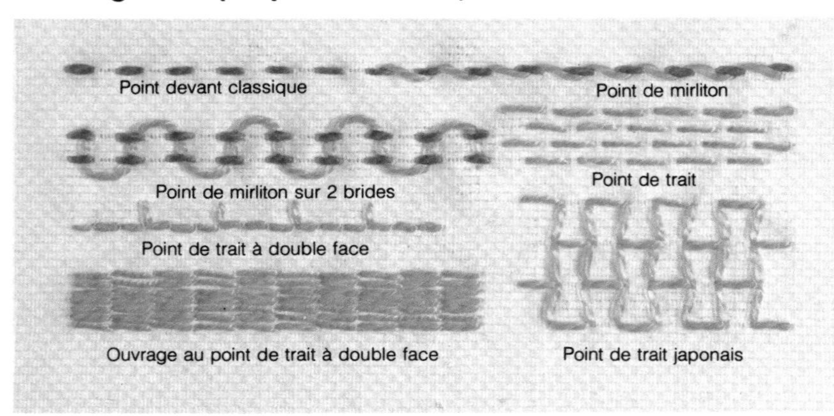

Les points glissés (appelés aussi points devant) sont particulièrement simples à exécuter. Il faut cependant porter une attention particulière à la régularité des points. C'est pour cette raison que le point devant et ses variantes sont fréquemment travaillés sur des tissus à armure toile à contexture carrée qui permettent d'établir à l'avance le nombre de fils que comportera chaque point et d'obtenir ainsi une grande régularité.

A l'encontre de la majorité des points de broderie, ces points peuvent être exécutés plusieurs à la fois.

Le *point devant classique* sert à souligner des contours. C'est lui que l'on utilise essentiellement dans le quilting, cette technique de matelassage et de surpiquage. Exécuté en rangées ou entrelacé de fils de couleurs contrastantes, il est aussi utilisé pour les bandes décoratives et les bordures. Le *point de trait* est habituellement employé pour remplir un espace. En variant la longueur des points et la disposition des rangées, il est possible d'obtenir différents effets (voir Broderie sur toile, p. 56). Le *point de trait à double face* est souvent utilisé pour les contours. Un ouvrage brodé avec ce point est réversible, car l'endroit et l'envers sont identiques.

Le point devant classique peut être de la même longueur sur l'endroit et l'envers, ou plus long sur l'endroit. Il se travaille de droite à gauche. Sortez l'aiguille en 1, piquez en 2 et glissez ensuite l'aiguille à plusieurs reprises dans le tissu avant de la tirer. Le *point de mirliton,* une variante, est un point devant entrelacé avec un fil de couleur différente (deuxième illustration). Pour le *point de mirliton sur 2 brides* (troisième illustration), faites deux rangées parallèles de points devant, puis entrelacez un fil d'une autre couleur.

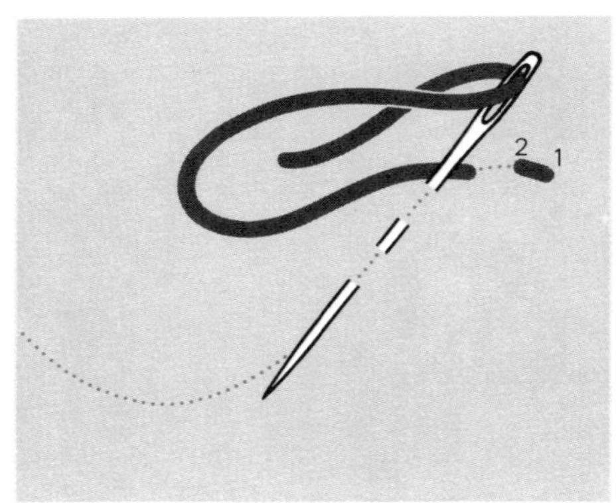

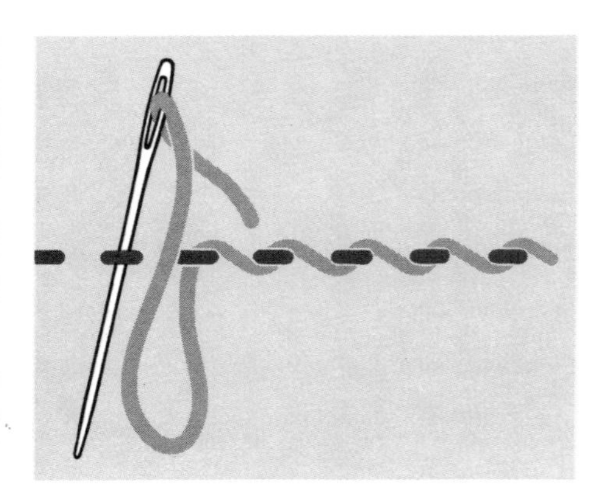

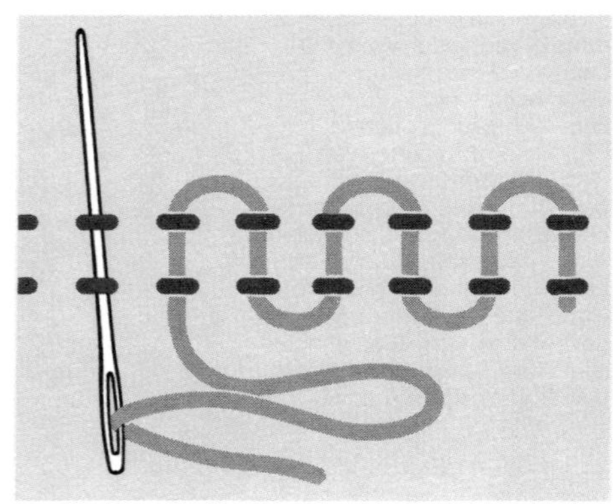

Le point de trait consiste en plusieurs rangées de points devant de la longueur de votre choix. Leur agencement rappelle la broderie sur toile (ici, disposition en mur de brique). Le premier rang est une suite de longs points entre lesquels on ne prend qu'une très petite quantité de tissu. Les autres rangs sont travaillés de telle sorte que chaque point se situe exactement au-dessous de l'espace compris entre deux points de la rangée précédente. Faites autant de rangées que nécessaire pour remplir la surface désirée.

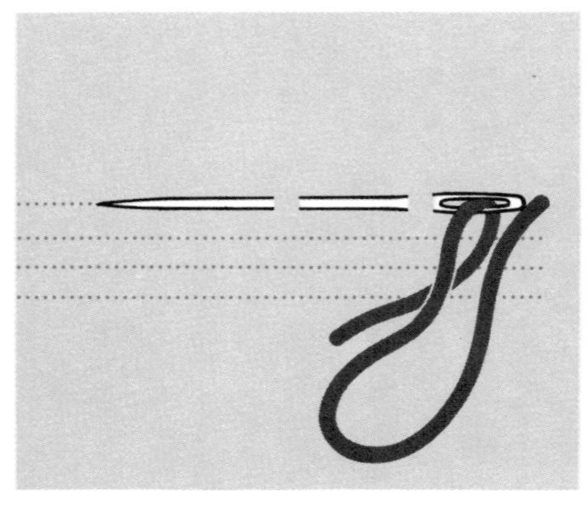

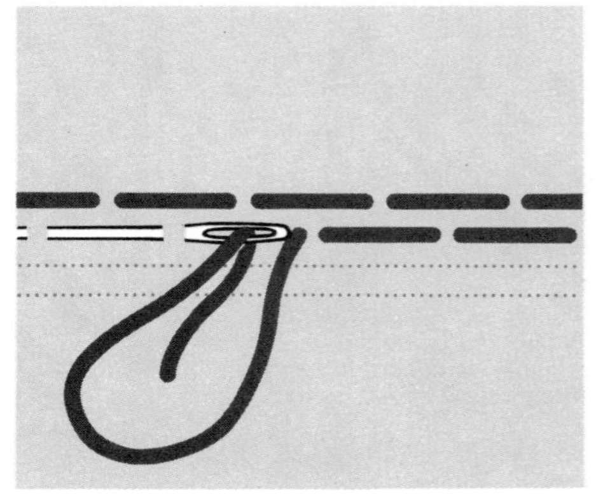

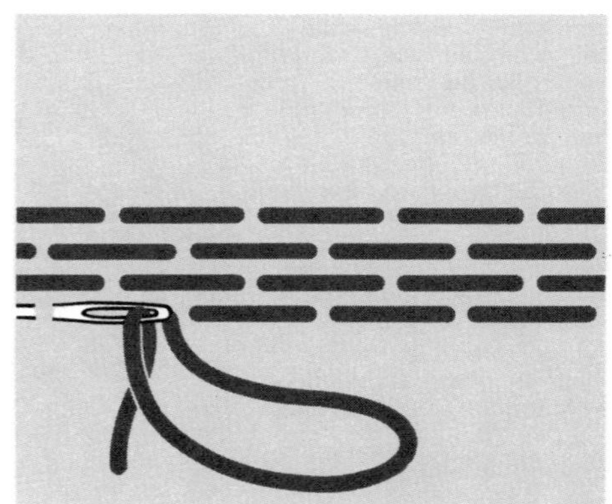

Le point de trait à double face est utilisé dans les contours et dans la broderie sur toile. On l'exécute en deux temps. Dans un premier temps, faites des points devant espacés. Retournez le travail et revenez en arrière, de sorte que les nouveaux points remplissent exactement les espaces. Travaillez en piquant l'aiguille et en la ressortant dans les trous déjà faits. *Si vous voulez ajouter des points lancés extérieurs,* brodez-les au cours de la première étape : sortez l'aiguille en 3, puis piquez-la en 4 et ressortez-la de nouveau en 3.

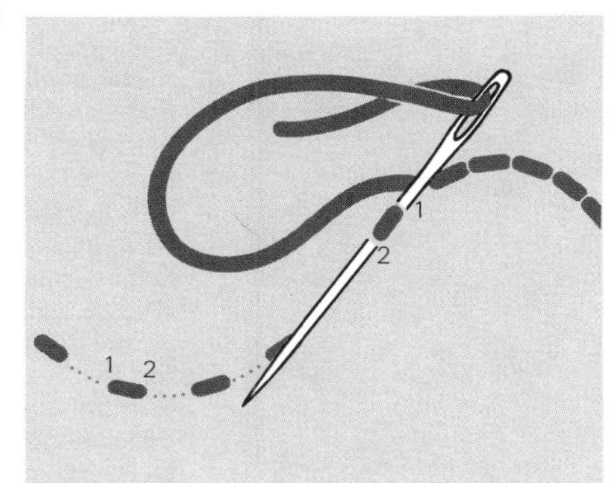

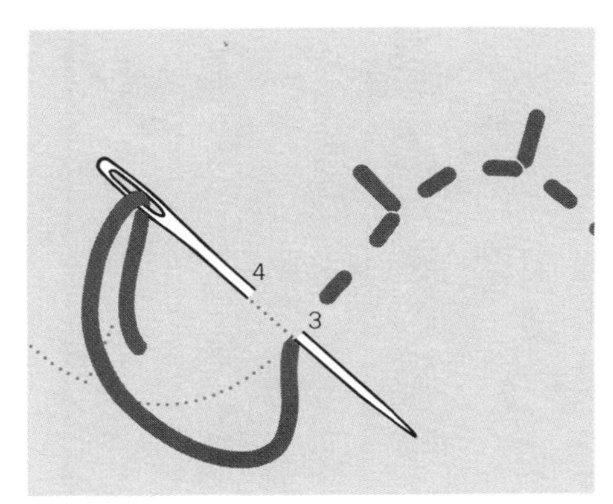

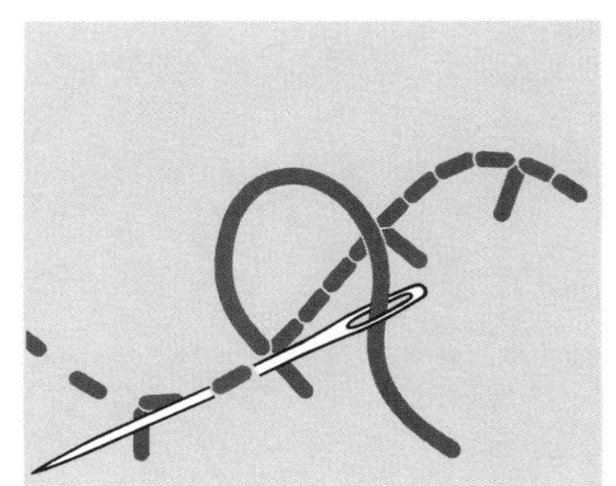

Le point de trait à double face peut aussi se travailler en plusieurs rangées serrées pour un remplissage. Dans un premier temps, brodez la première rangée avec des points devant régulièrement espacés. Retournez le travail et remplissez les espaces laissés libres à la première étape. Exécutez la rangée suivante de la même manière. Continuez ainsi en alignant les points de chaque rangée contre ceux de la rangée précédente.

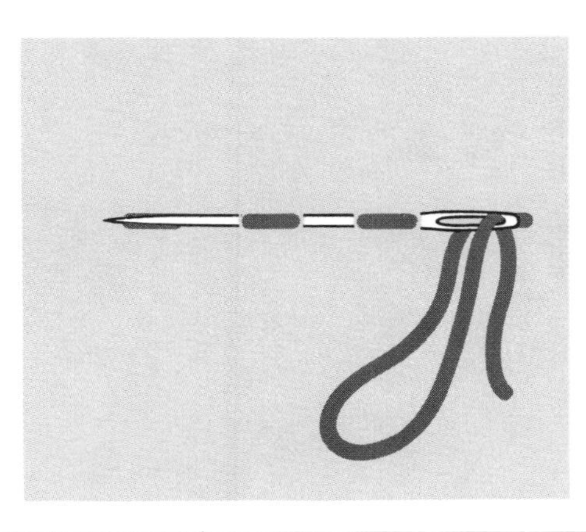

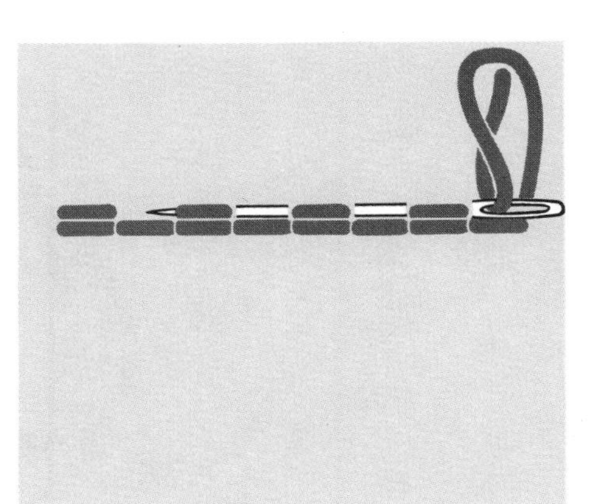

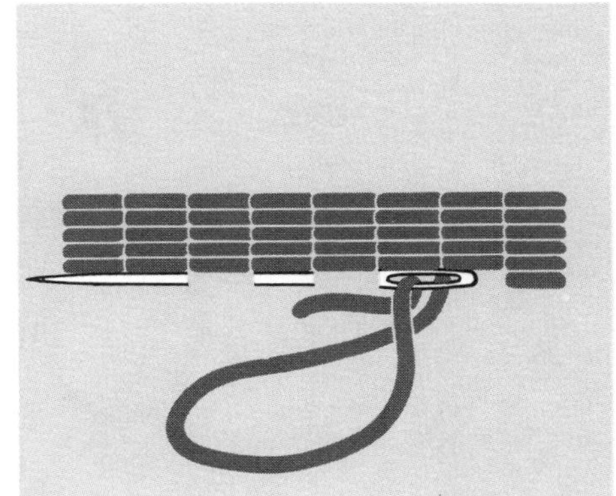

Le point de trait japonais peut servir au remplissage ou à faire des bordures. Brodez plusieurs rangées de points de trait, mais laissez un assez grand espace entre les rangées. Travaillez chaque rangée, de sorte que les points soient légèrement plus longs que l'espace compris entre eux. Pour réunir les rangées, sortez l'aiguille en 1. Piquez-la en 2 et ressortez-la en 3. Continuez, en travaillant une fois en haut, une fois en bas. Réunissez les rangées suivantes de la même manière.

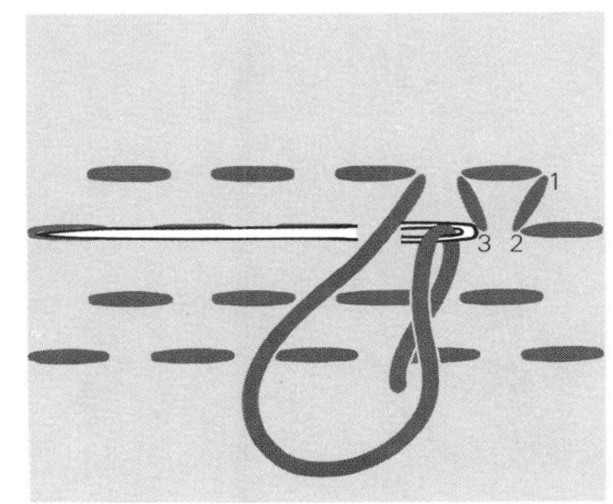

Points de broderie

Technique de la piqûre verticale 20
Broderie norvégienne 86

Points passés

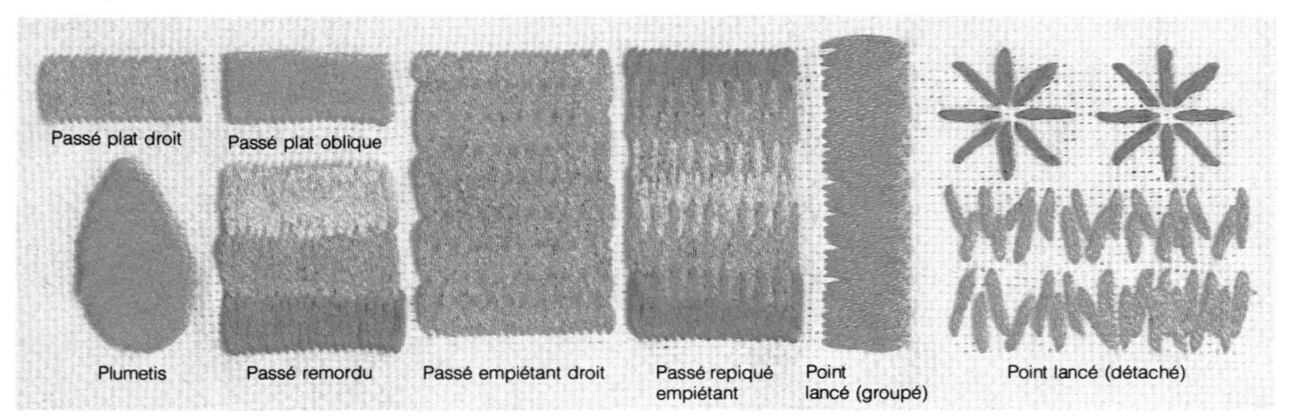

Ce groupe comprend les points de remplissage les plus populaires. Bien que le maniement de l'aiguille soit simple, il faut avoir acquis suffisamment de pratique pour aligner les points bien à plat sur le tissu, et avec une grande uniformité. Dans ce genre de broderie, veillez à ce que le fond du tissu n'apparaisse jamais entre les points. Par ailleurs, étudiez le sens des points; ce détail essentiel doit se décider à l'avance. En effet, la direction imprimée aux points a une influence capitale sur la manière dont la lumière s'accrochera sur la surface brodée, déterminant ainsi l'aspect final de l'ouvrage.

Le passé plat droit est un point de remplissage dense. Il permet de recouvrir une surface avec de longs points lancés, très rapprochés. Les points doivent présenter une tension égale. Le passé plat droit est le point de base de la broderie norvégienne. Ce point se travaille généralement de gauche à droite. Sortez l'aiguille en 1. Insérez-la en 2, directement au-dessus, et ressortez-la en 3. Remplissez ainsi tout l'espace. La méthode de la piqûre verticale (p. 20) vous aidera à garder la même tension de fil à chaque point.

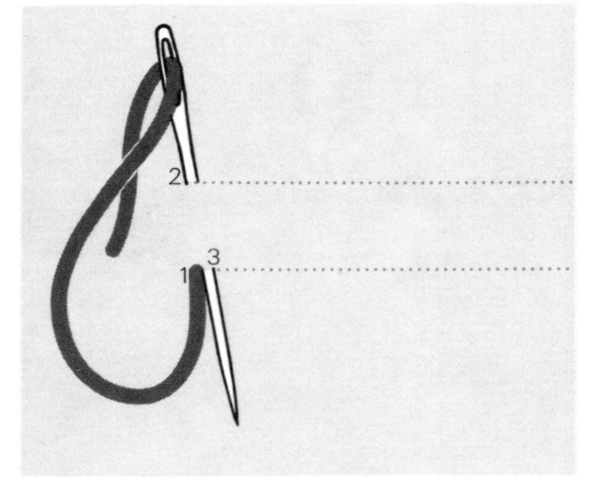

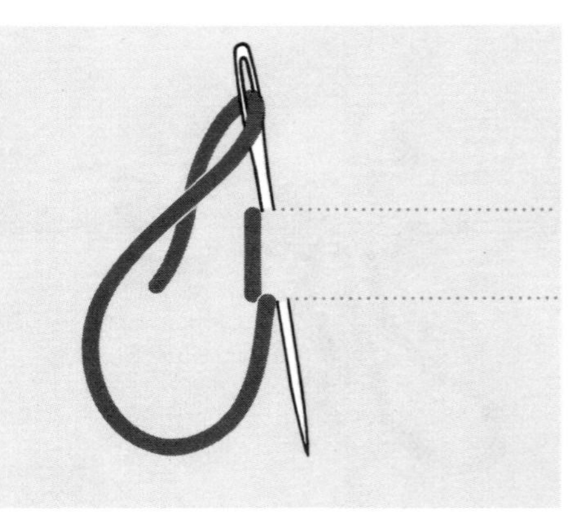

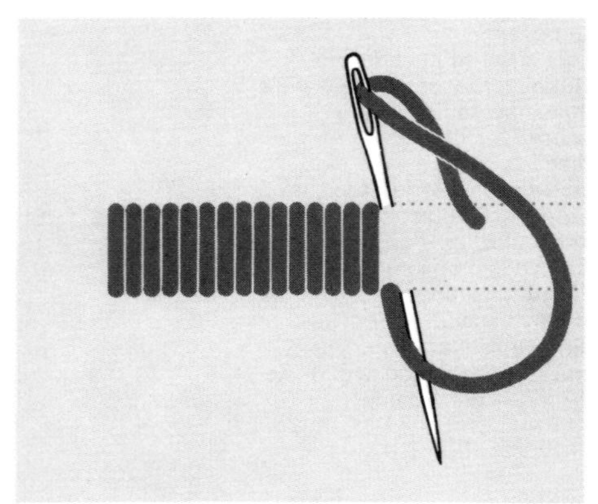

Le passé plat oblique se commence au centre du motif pour établir l'inclinaison voulue. Continuez le travail en ne remplissant qu'une moitié de la surface; puis reprenez à partir du centre, pour remplir l'autre moitié. Quand le motif est très gros, les points obliques ont tendance à devenir horizontaux. Pour éviter cela, insérez toujours l'aiguille (repère 2 sur la ligne supérieure) *très près* du point précédent, et ressortez-la par contre en 3, en laissant *un tout petit peu plus d'espace* entre 3 et la base du point précédent.

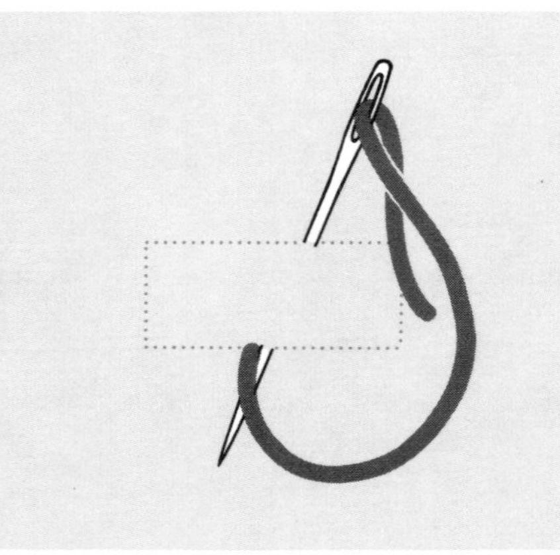

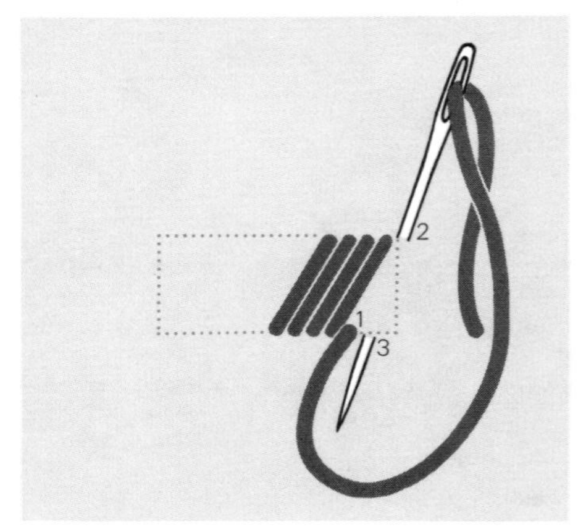

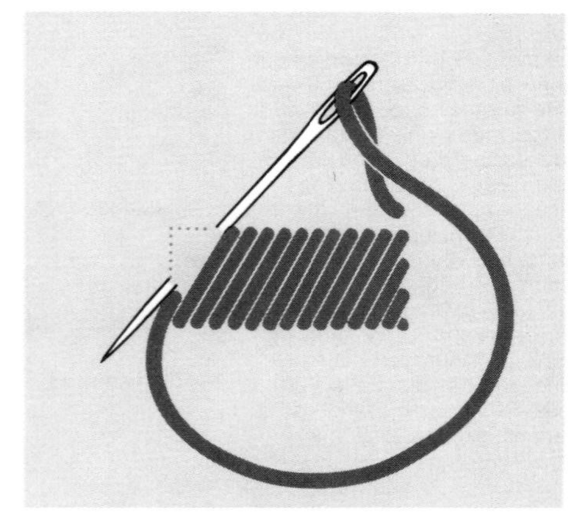

Le plumetis a la même apparence qu'un passé avec la différence qu'il est brodé légèrement en relief pour faire ressortir un détail. Le bourrage consiste en un contour de points de tige fendus que l'on recouvre de deux épaisseurs de points passés. Délimitez le contour au point de tige fendu (p. 23). Remplissez à l'horizontale avec un passé plat droit en recouvrant le point de tige fendu. Puis, brodez la deuxième épaisseur, dans le sens désiré, au passé plat oblique. Portez une attention toute particulière à la régularité du contour.

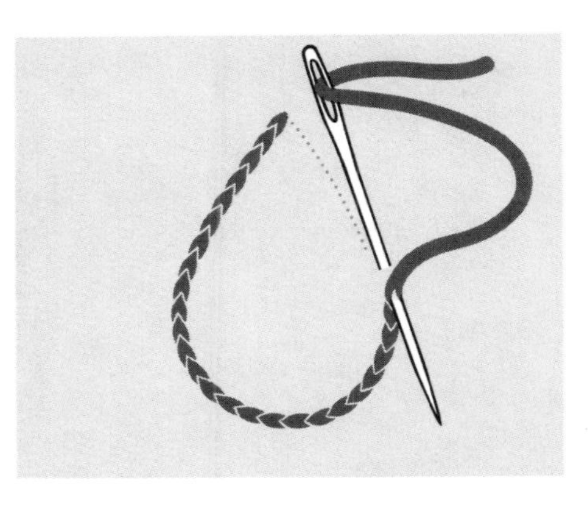

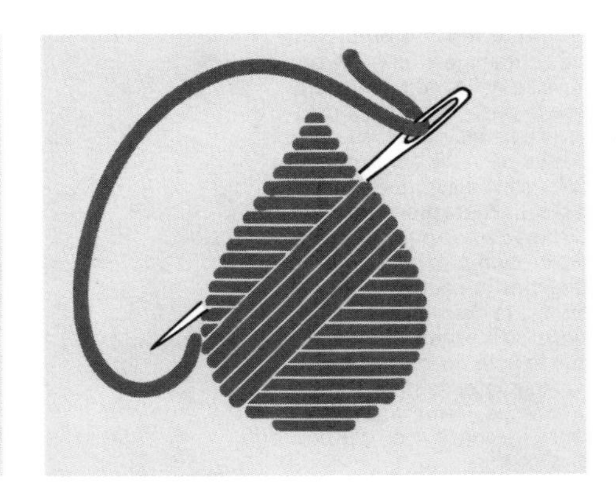

Le passé repiqué (ou **remordu**) permet de dégrader les coloris d'un dessin, du sombre au clair, par exemple. Exécutez la première rangée au passé plat droit. Commencez la seconde rangée, de sorte que le premier point soit placé entre les deux premiers points de la rangée précédente. Procédez de la même manière pour les rangées suivantes. Si vous utilisez un fil aux tons dégradés, et que vous désirez obtenir un dégradé précis, commencez chaque rangée en choisissant la même partie teintée du fil.

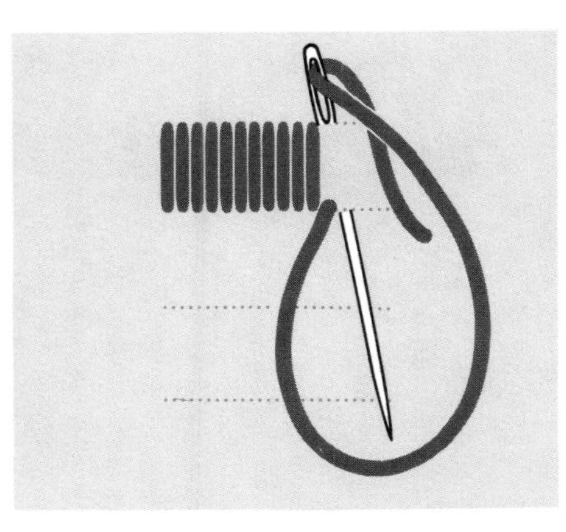

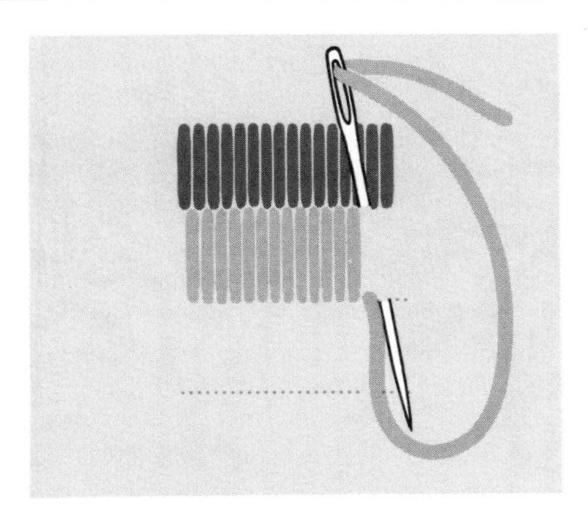

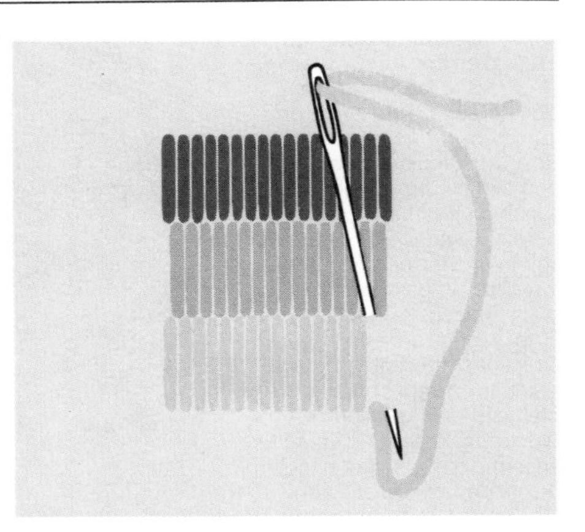

Le passé empiétant droit est également nommé **peinture à l'aiguille**. Il se travaille alternativement de gauche à droite, puis de droite à gauche. Pour la première rangée, alternez les points longs et les points courts, chaque point court devant être environ la moitié d'un point long. Pour les rangées suivantes, n'exécutez que des points longs. A la dernière rangée, remplissez les vides avec des points courts. L'extrémité supérieure de chaque point doit toujours toucher la base du point qui se trouve au-dessus.

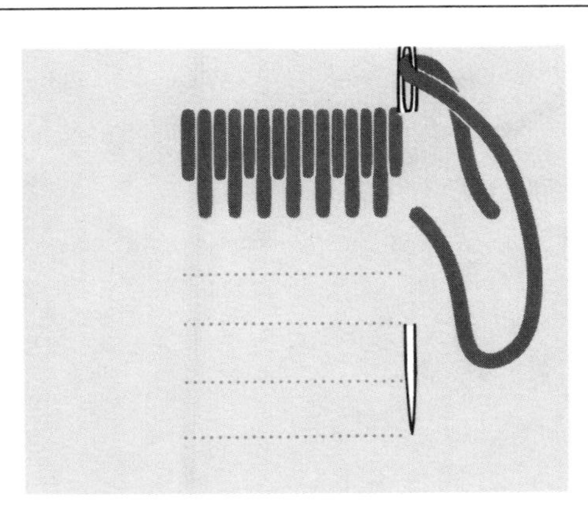

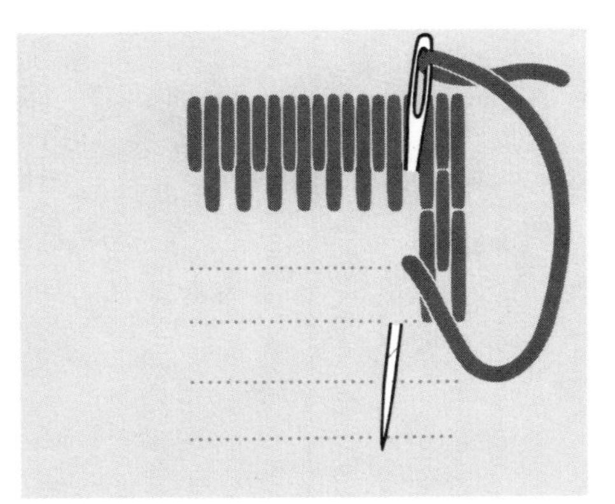

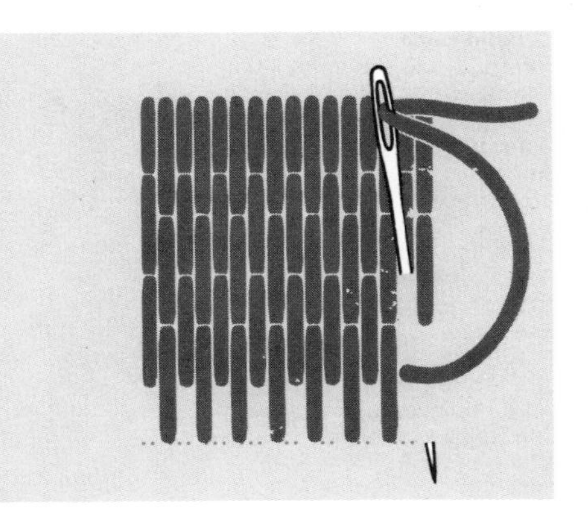

Points de broderie

Points passés

Le passé repiqué empiétant est couramment utilisé. Il se travaille de la même manière que le passé empiétant droit mais tous les points, sauf ceux du premier rang, transpercent le point situé juste au-dessus d'eux. Faites la première rangée comme dans le passé empiétant droit (page précédente). Changez la couleur du fil et brodez la deuxième rangée en longs points lancés, de sorte que le haut de chaque point traverse la base du point situé au-dessus. Remplissez la dernière rangée avec des points plus courts.

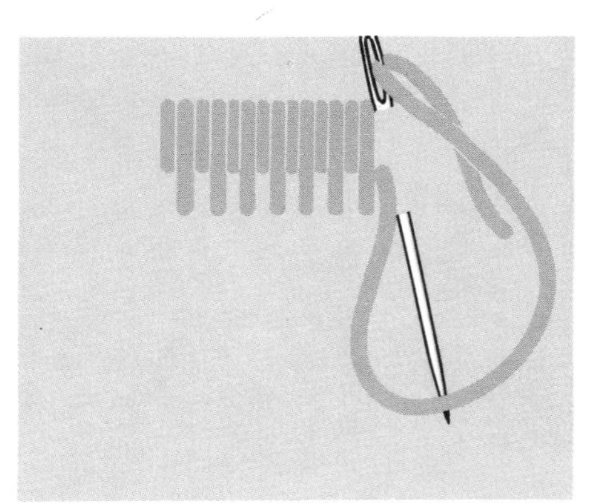

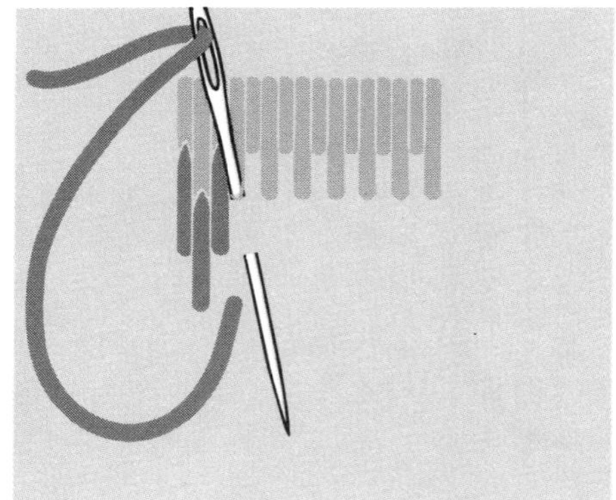

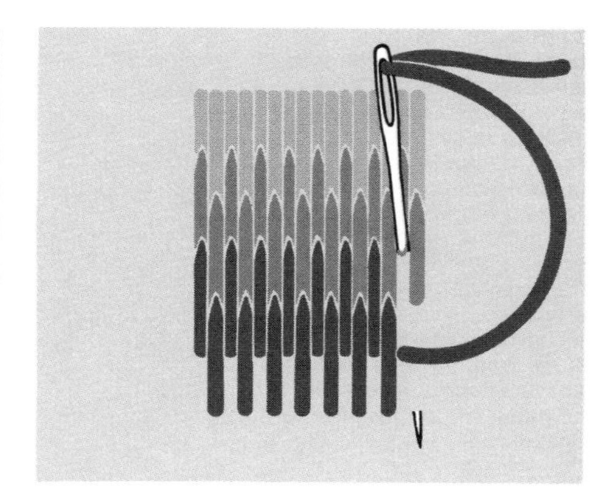

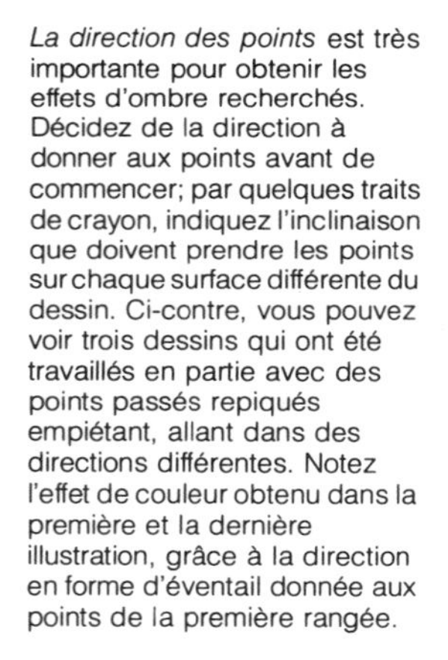

La direction des points est très importante pour obtenir les effets d'ombre recherchés. Décidez de la direction à donner aux points avant de commencer; par quelques traits de crayon, indiquez l'inclinaison que doivent prendre les points sur chaque surface différente du dessin. Ci-contre, vous pouvez voir trois dessins qui ont été travaillés en partie avec des points passés repiqués empiétant, allant dans des directions différentes. Notez l'effet de couleur obtenu dans la première et la dernière illustration, grâce à la direction en forme d'éventail donnée aux points de la première rangée.

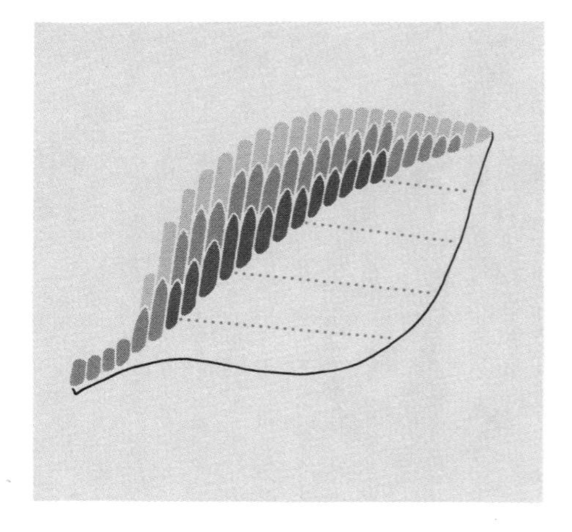

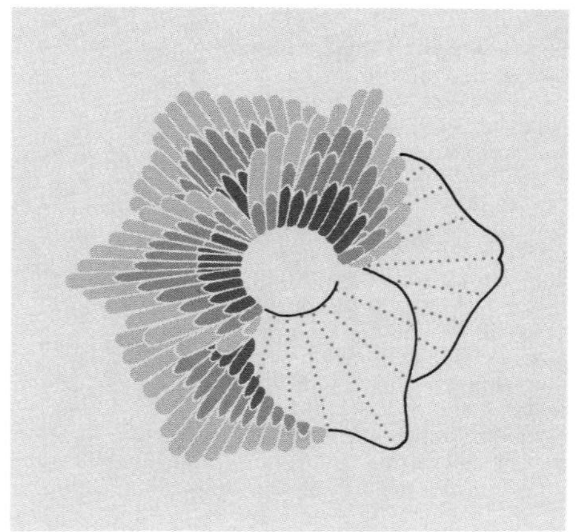

Le point lancé
l'effet du passé plat droit, tout en éliminant à l'envers de l'ouvrage les longues traînées de fil. Il faut le travailler avec beaucoup de précaution, cependant, pour que les points soient bien alignés. Utilisez la technique de piqûre verticale (voir p. 20). Sortez l'aiguille en 1; piquez-la en 2 et tirez sur l'aiguillée, ressortez-la en 3, aussi près que possible de 2, en ne laissant qu'un fil de tissu entre chaque point. Repiquez-la en 4, et ainsi de suite jusqu'à ce que l'espace à recouvrir soit entièrement brodé.

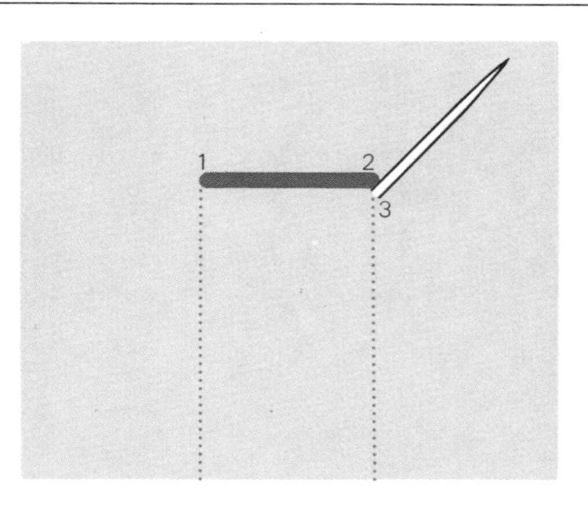

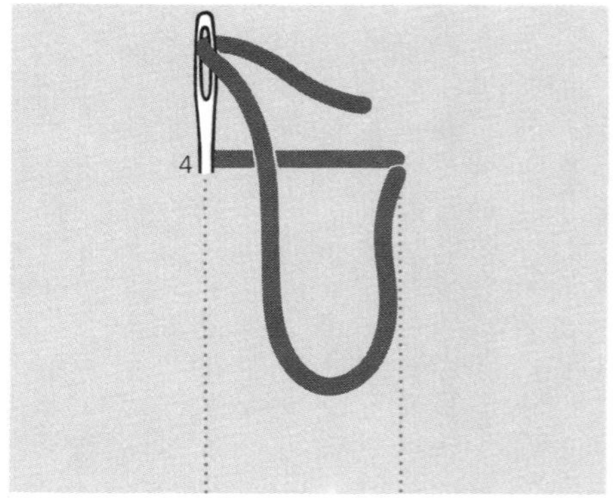

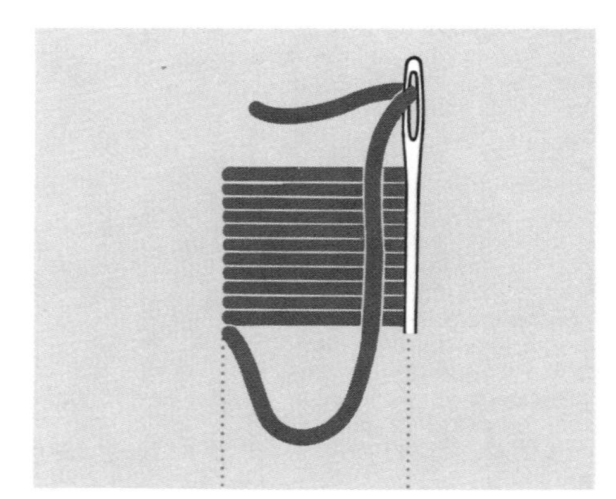

On peut aussi travailler le point lancé sans chercher à imiter le passé plat droit; il peut avoir alors n'importe quelle longueur et toutes sortes de directions. Pour exécuter le point, sortez l'aiguille en 1 et insérez-la en 2. Faites attention à ce que le fil ne traîne pas sur de trop longs espaces à l'envers du tissu. Quand on exécute le point lancé en cercle (dernière illustration), on obtient une fleur stylisée, dont on peut broder le cœur avec un point d'armes tortillé (p. 42).

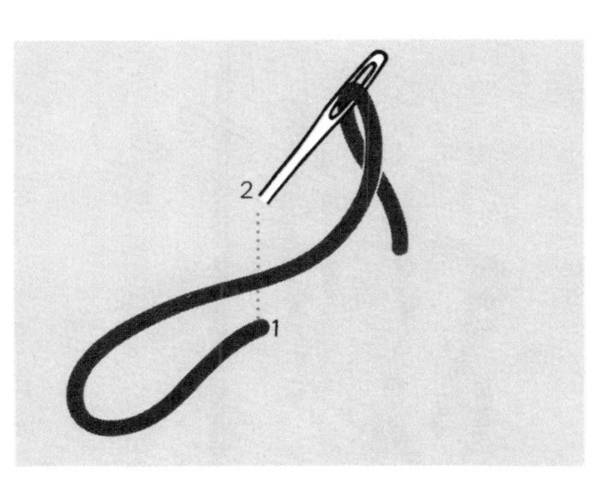

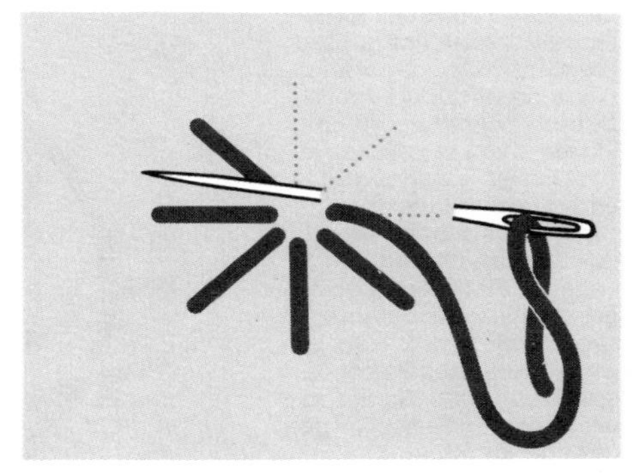

Points de reprise

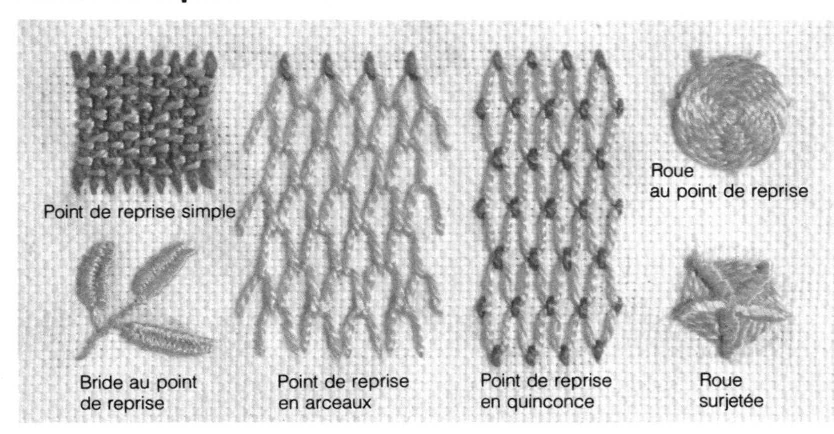

Tous les points de reprise se travaillent en deux étapes : dans un premier temps, on brode les points qui vont servir de base et, dans un deuxième temps, on entrelace des fils. Le fil utilisé pour les entrelacs peut être soit de la même couleur, soit d'une couleur différente. Les effets obtenus varient considérablement d'un point à l'autre.

Le *point de reprise simple*, par exemple, peut recouvrir entièrement une surface grâce à sa texture qui rappelle le tissage; par ailleurs, la *bride au point de reprise* peut servir à broder une feuille ou un pétale. Les *roues* ont ceci de particulier que l'ouvrage terminé adopte une forme circulaire. Les *points de reprise en arceaux* et *en quinconce* sont utilisés tous les deux pour remplir un dessin de façon aérée. Le remplissage peut cependant être serré ou espacé, selon la position des points de base. Le poids du fil a aussi beaucoup d'importance sur l'aspect final; le même point, exécuté avec deux fils de poids différents, donne des résultats très différents.

Une fois que vous avez brodé les points de fond, prenez une aiguille à tapisserie à bout rond pour exécuter les entrelacs; vous éviterez ainsi de mordre dans le tissu ou de piquer les fils couchés du fond.

Le point de reprise simple est un point de remplissage dense qui rappelle un panier tressé. Lancez d'abord les fils de base. Sortez l'aiguille en 1; piquez-la en 2 et ressortez-la en 3. Piquez l'aiguille en 4 et recommencez jusqu'à ce que tous vos fils de base soient brodés. Echangez votre aiguille à broder pour une aiguille à tapisserie. Sortez en A, puis entrelacez le fil en passant une fois par-dessus, une fois par-dessous les fils de base. Piquez l'aiguille en B et ressortez-la en C pour la rangée suivante.

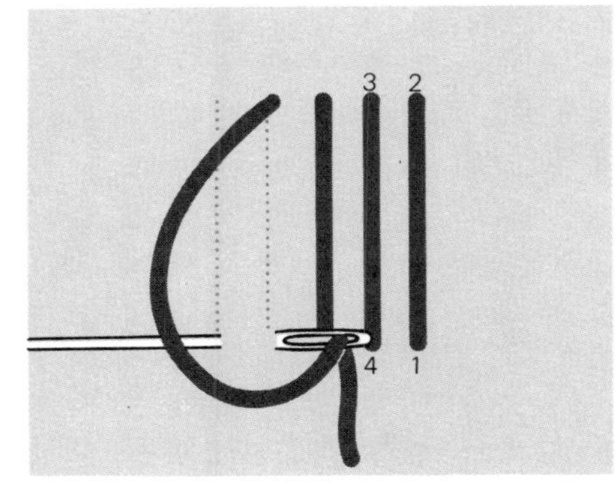

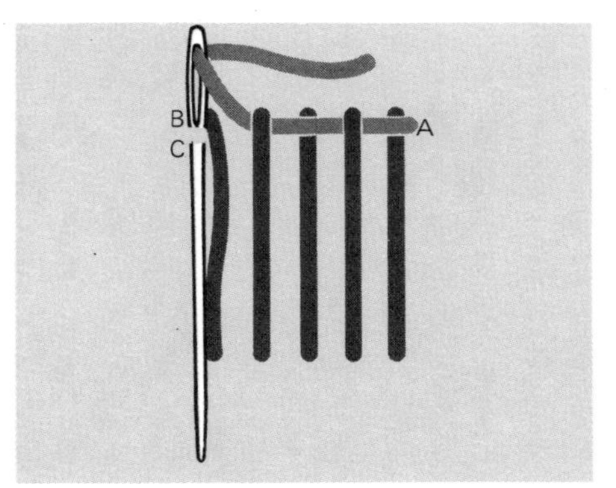

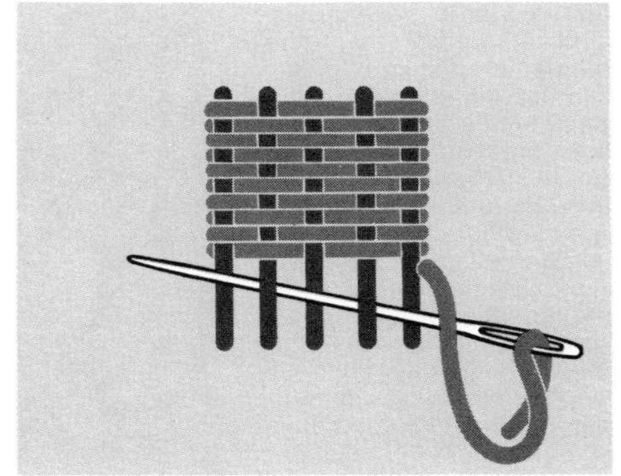

Points de broderie

Points de reprise

La bride au point de reprise repose sur la surface du tissu; elle n'y est fixée que par les points lancés qui lui servent de base. Sortez l'aiguille en 1. Piquez-la en 2 et ressortez-la en 1. Piquez-la de nouveau en 2 et refaites-la sortir en 1. Prenez alors une aiguille à tapisserie à bout rond. Entrelacez le fil alternativement par-dessus et par-dessous, sans mordre dans le tissu, jusqu'à ce que les fils lancés soient recouverts. Gardez au fil une tension égale pour ne pas déformer les points.

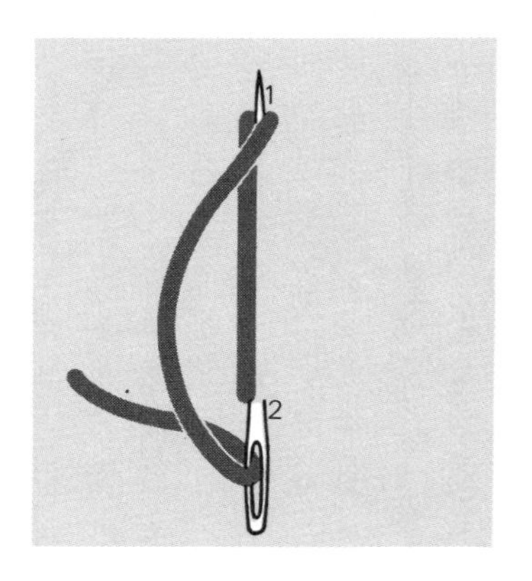

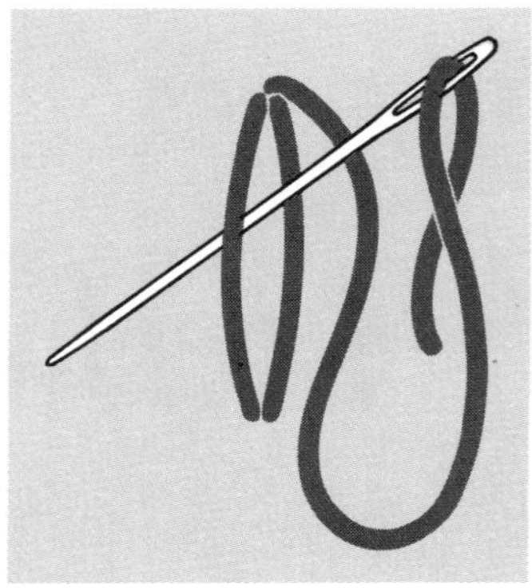

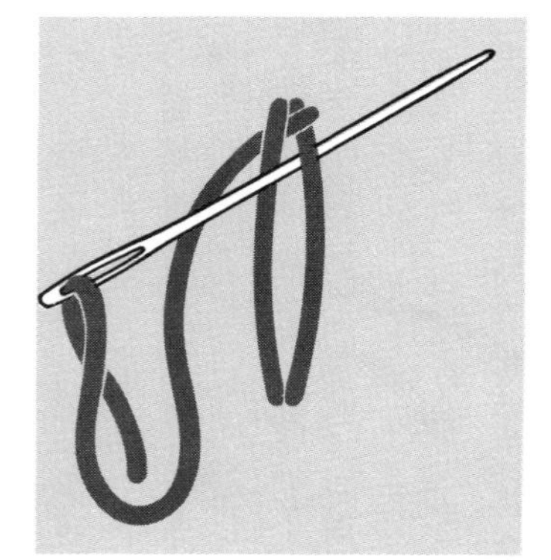

Le point de reprise en arceaux produit un effet d'alvéoles. Selon l'espace compris entre les points de base, les alvéoles peuvent paraître ouvertes ou fermées. Pour commencer, faites une rangée de petits points devant verticaux, régulièrement espacés. Travaillez de gauche à droite. Sortez l'aiguille en 1 et piquez-la en 2. A la fin de la rangée, ressortez l'aiguille en 3. Glissez alors l'aiguille, de droite à gauche, sous le point devant, sans mordre dans le tissu, et piquez-la en 4. Ressortez l'aiguille tout près de 4, et recommencez la séquence.

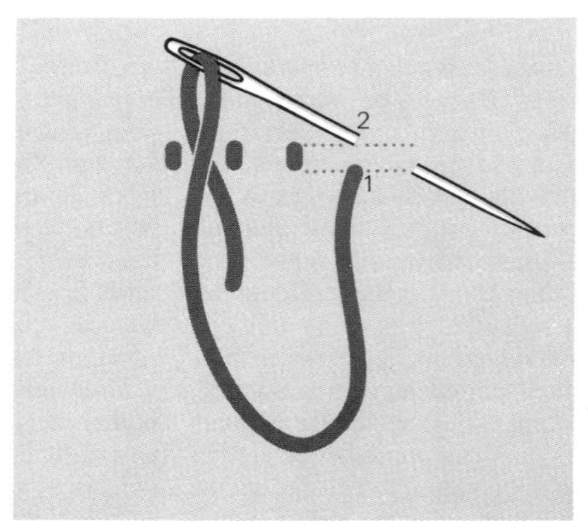

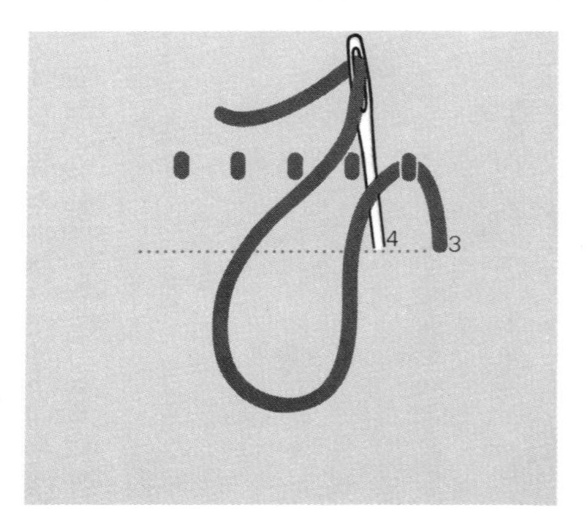

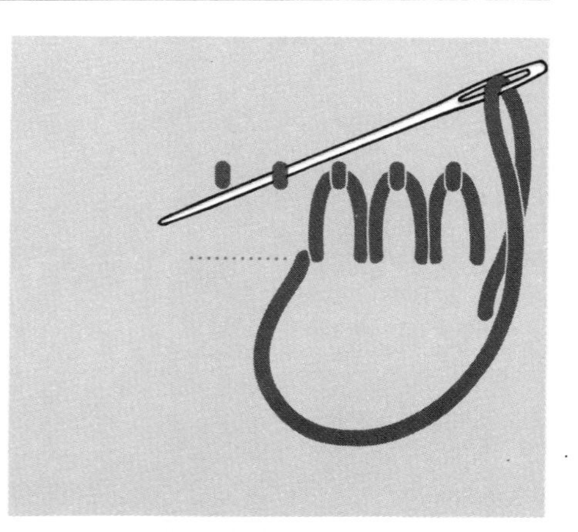

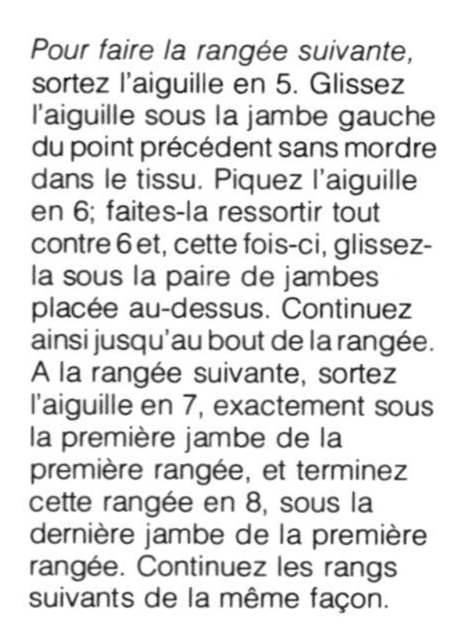

Pour faire la rangée suivante, sortez l'aiguille en 5. Glissez l'aiguille sous la jambe gauche du point précédent sans mordre dans le tissu. Piquez l'aiguille en 6; faites-la ressortir tout contre 6 et, cette fois-ci, glissez-la sous la paire de jambes placée au-dessus. Continuez ainsi jusqu'au bout de la rangée. A la rangée suivante, sortez l'aiguille en 7, exactement sous la première jambe de la première rangée, et terminez cette rangée en 8, sous la dernière jambe de la première rangée. Continuez les rangs suivants de la même façon.

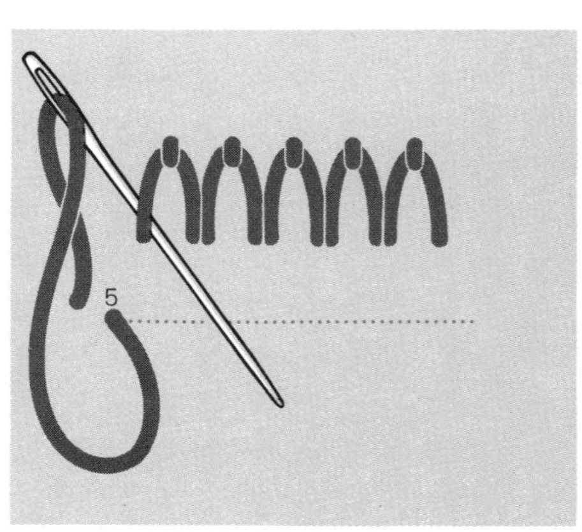

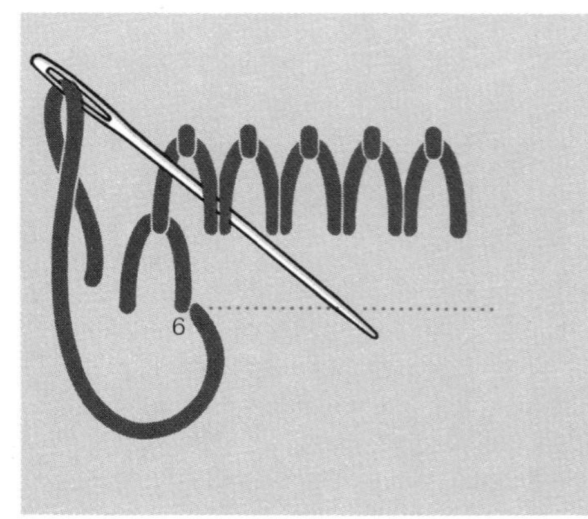

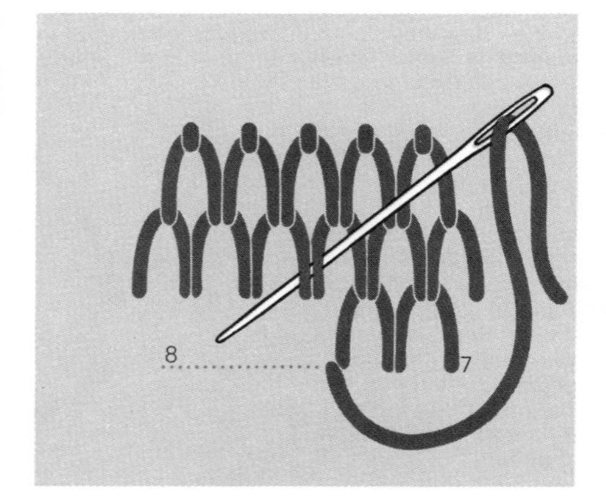

Le point de reprise en quinconce sert au remplissage. Brodez plusieurs rangées de petits points devant verticaux, en quinconce et également espacés. Puis prenez une aiguille à tapisserie et un fil d'une autre couleur. Sortez l'aiguille en A; entrelacez le fil à travers les points devant des deux premières rangées. En B, arrêtez le fil à l'envers de l'ouvrage. Entrelacez la deuxième et la troisième rangée (de C à D), et ainsi de suite. On peut obtenir divers effets en variant les espaces entre les points devant.

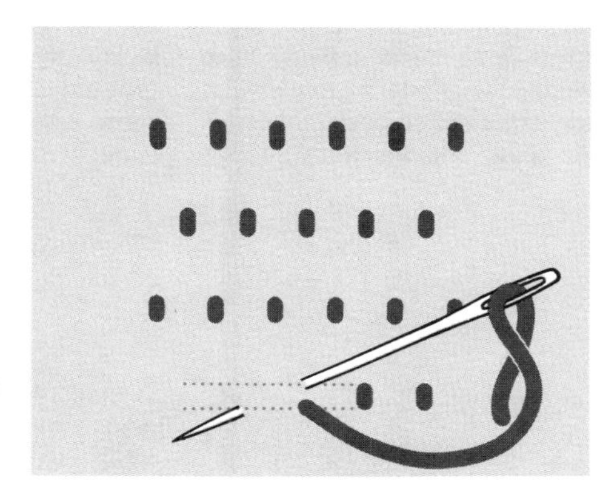

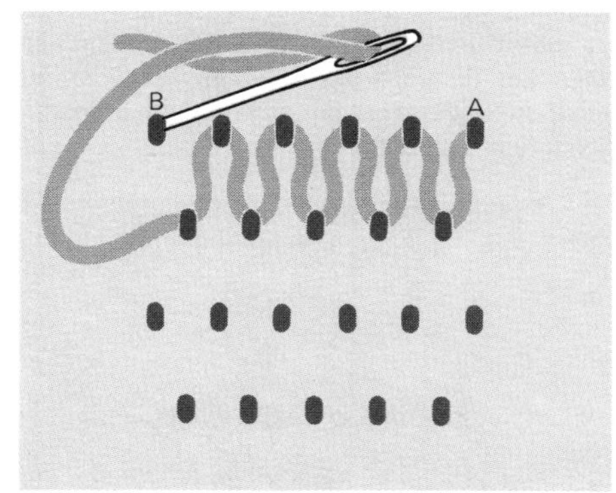

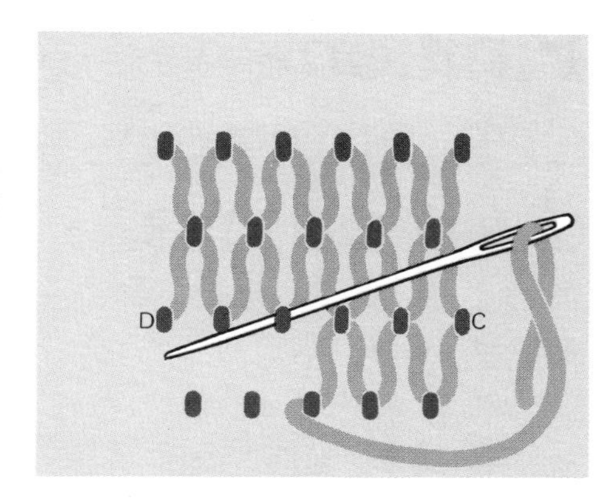

Les roues sont des motifs brodés circulaires qui sont employées pour rehausser l'effet d'un dessin ou représenter des fleurs stylisées. On brode d'abord les rayons de la toile. Avant de commencer, divisez le cercle en parties égales (nombre impair). Attribuez un nombre à chacune. Sortez l'aiguille au rayon 1. Piquez-la en 4, et ressortez-la au centre; passez le fil sous la pointe de l'aiguille et tirez. Puis piquez-la en 7 et ressortez-la en 9. Insérez-la en 3 et ressortez-la au centre en passant le fil sous la pointe. Insérez alors l'aiguille en 6 et ressortez-la en 8.

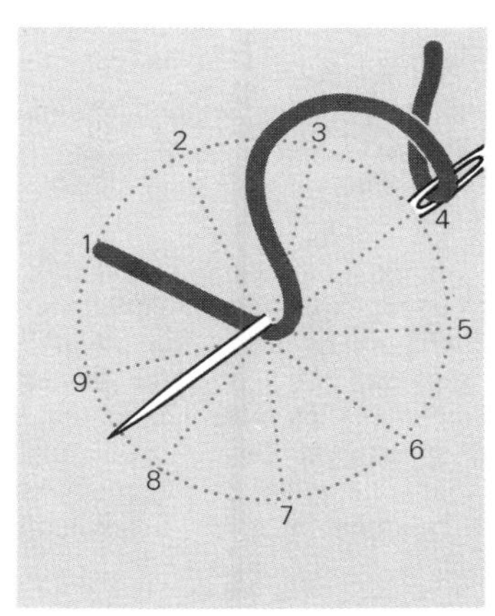

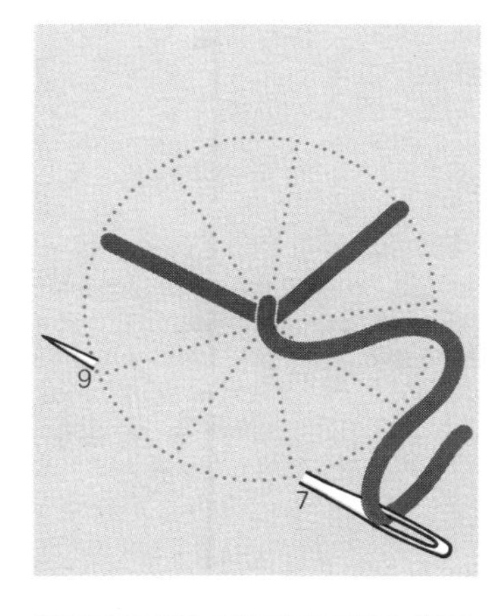

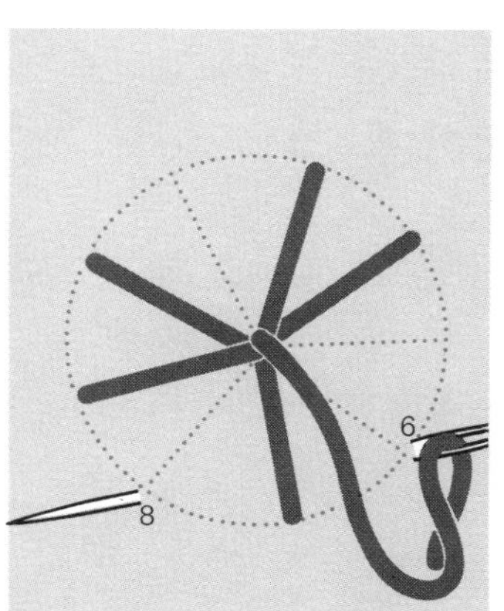

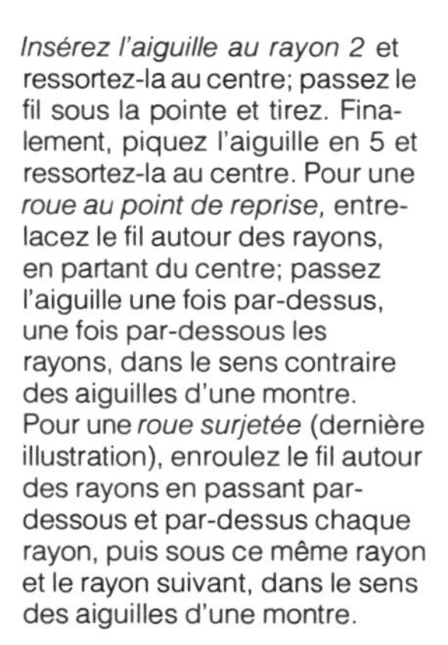
Insérez l'aiguille au rayon 2 et ressortez-la au centre; passez le fil sous la pointe et tirez. Finalement, piquez l'aiguille en 5 et ressortez-la au centre. Pour une *roue au point de reprise,* entrelacez le fil autour des rayons, en partant du centre; passez l'aiguille une fois par-dessus, une fois par-dessous les rayons, dans le sens contraire des aiguilles d'une montre. Pour une *roue surjetée* (dernière illustration), enroulez le fil autour des rayons en passant par-dessous et par-dessus chaque rayon, puis sous ce même rayon et le rayon suivant, dans le sens des aiguilles d'une montre.

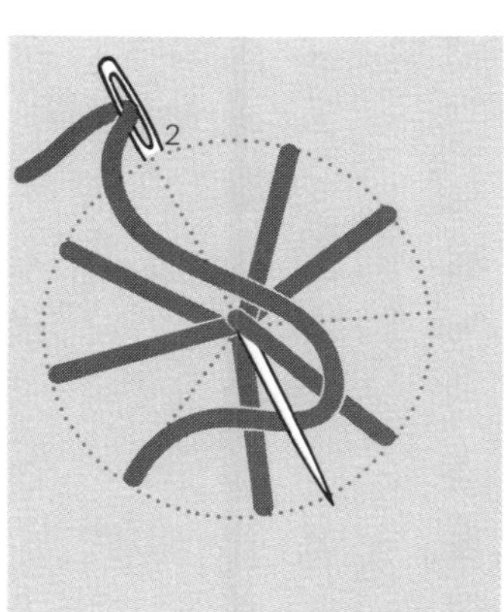

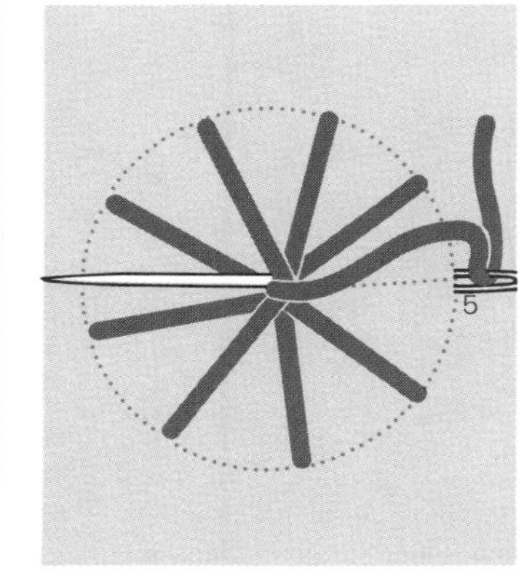

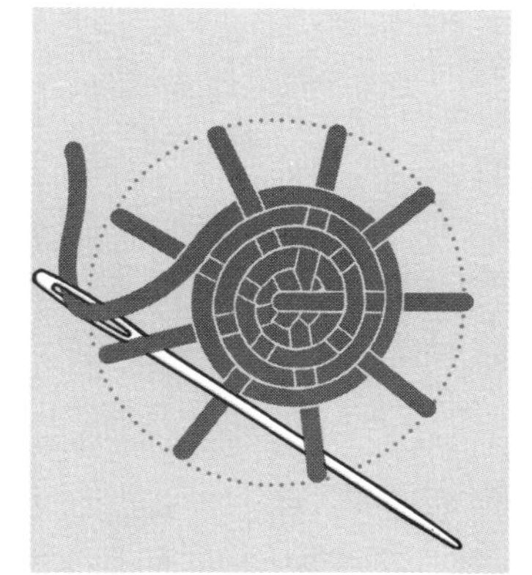

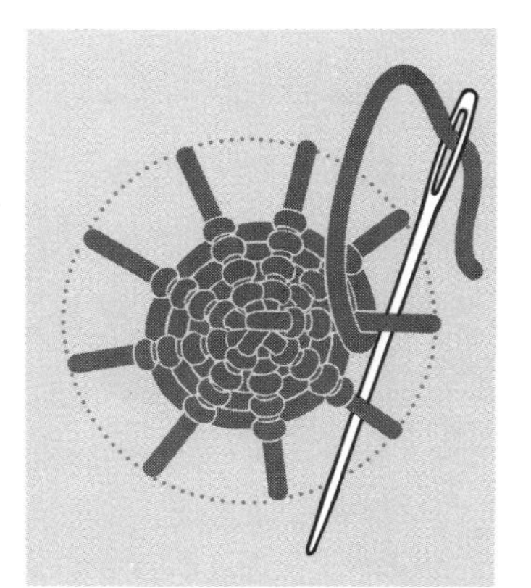

Finition des ouvrages de broderie

Nettoyage, repassage et mise en forme

Nettoyage

Au cours du travail, l'ouvrage peut se salir et avoir besoin d'un sérieux nettoyage avant d'être repassé ou mis en forme. Il suffit de laver dans un lavabo les broderies exécutées sur des tissus lavables avec des fils lavables. Plongez plusieurs fois la broderie dans de l'eau froide savonneuse (ne la frottez jamais rudement), rincez-la abondamment et enroulez-la dans une serviette éponge pour la sécher. Si la broderie n'est pas lavable, vous pouvez soit utiliser un bon produit de nettoyage à sec, que vous aurez essayé au préalable sur une retaille, soit la confier à un bon nettoyeur.

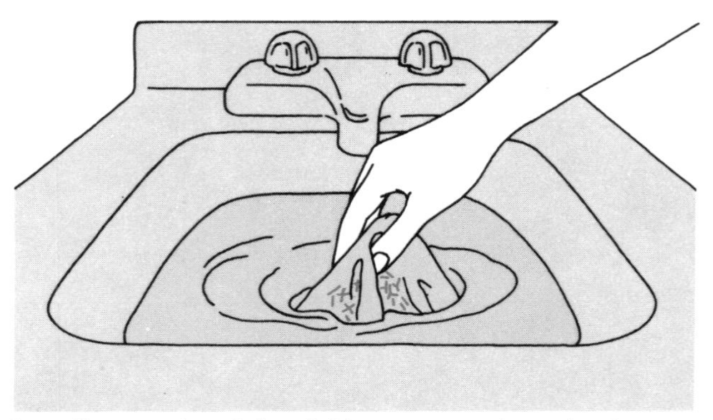

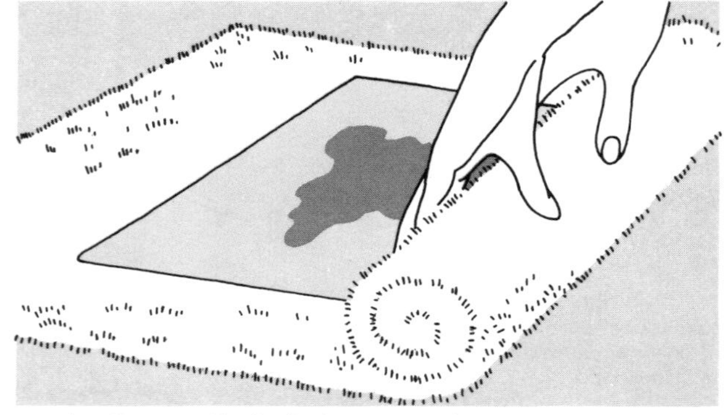

Lavez l'ouvrage dans de l'eau froide savonneuse; rincez abondamment, sans tordre ni essorer. **Roulez-le** dans une serviette.

Repassage

Quand une broderie est terminée, elle doit être soit **repassée**, soit **mise en forme**, pour supprimer toute espèce de plis. Si la broderie n'est pas trop déformée, le repassage est généralement suffisant. Le repassage est également recommandé pour les vêtements brodés. Avant de repasser, recouvrez la planche à repasser d'une serviette pliée en deux. Si votre planche à repasser est trop étroite et ne vous permet pas d'étendre toute la broderie, étalez une ou deux serviettes sur une planche de mise en forme. Placez-y votre broderie, envers vers vous, et couvrez-la d'une pattemouille. Si la broderie a été lavée et qu'elle est encore humide, employez un linge sec; si elle est sèche, employez un linge humide. Appliquez le fer sur les surfaces brodées, sans appuyer; repassez normalement les surfaces non brodées.

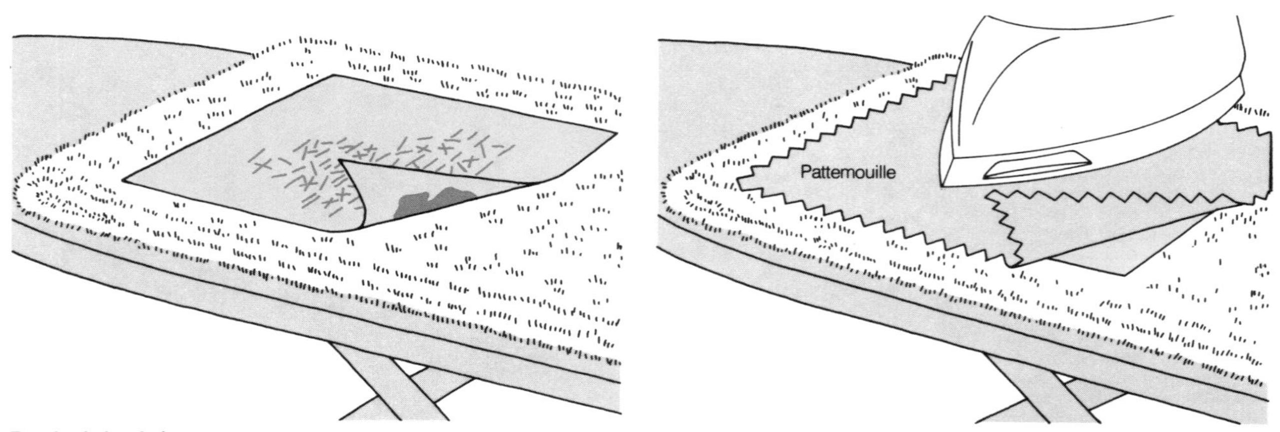

Etendez la broderie, envers vers vous, sur une planche à repasser molletonnée et recouvrez-la d'une pattemouille. **Repassez** sans appuyer.

Mise en forme

La mise en forme permet de corriger les déformations et les plis formés en cours de travail, en étirant l'ouvrage sur une surface plane. Molletonnez votre planche en taillant dans une couverture deux pièces de la même dimension que la planche et placez-les entre celle-ci et la toile qui recouvrira l'ensemble.

Trempez la broderie dans l'eau froide. Si elle est brodée de points plats, placez l'endroit de la pièce contre la planche; si elle comporte des points en relief, placez-la endroit vers vous, pour éviter de les aplatir. Etirez le tissu et fixez-le à la planche avec des punaises ou des clous de tapissier (semences). Les broderies qui ne peuvent pas être trempées doivent être étirées à sec. Humectez les espaces vides autour des espaces brodés et laissez sécher le tissu. Si la surface brodée tient dans un tambour ou que toute la pièce est montée sur un métier, aspergez d'eau et laissez sécher sur le tambour ou le métier.

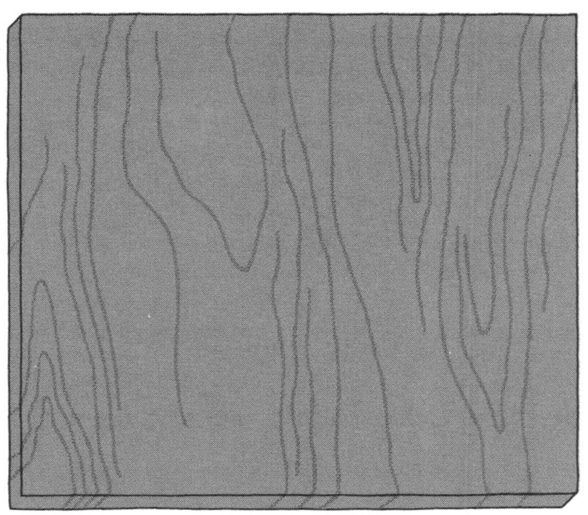

1. Pour fabriquer une planche de mise en forme, prenez un morceau de contre-plaqué de 60 cm × 60 cm (24″ × 24″).

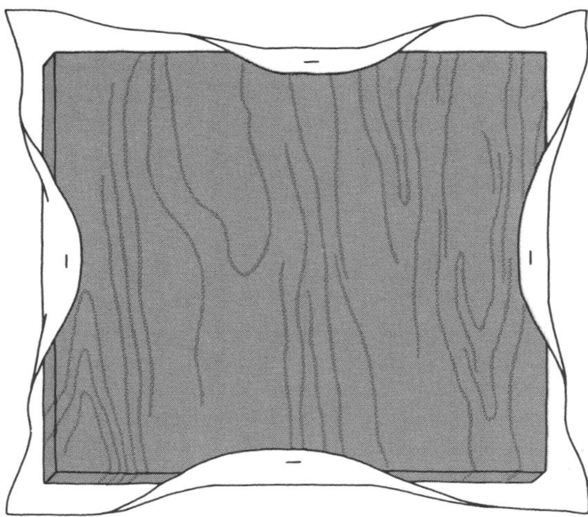

2. Taillez un morceau de mousseline de la taille de la planche plus 5 cm (2″) de chaque côté. Agrafez-le au milieu des quatre côtés.

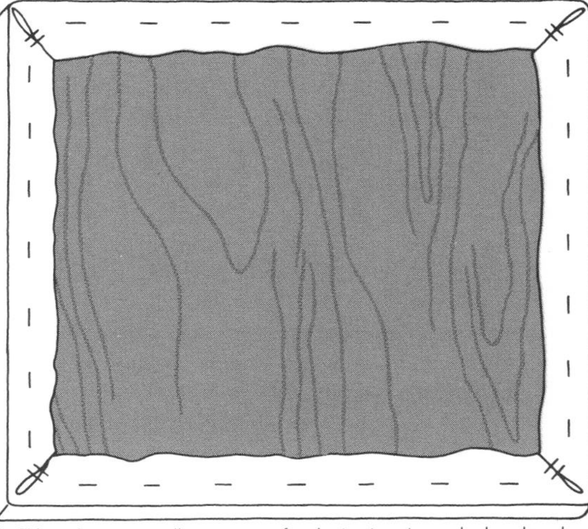

3. Etirez la mousseline et agrafez-la tout autour de la planche. Repliez l'excédent de tissu aux quatre coins et agrafez-le.

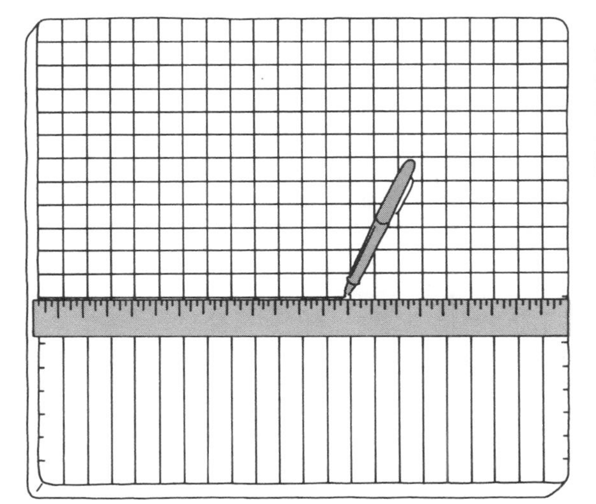

4. Tracez sur la mousseline une grille à l'encre indélébile, de sorte que les carrés (2 cm / ¾″) ne risquent pas de déteindre.

5. Trempez la broderie dans l'eau froide et placez-la sur la planche. Fixez les quatre coins avec des clous de tapissier.

6. Etirez les côtés, en utilisant la grille comme guide, et fixez-les. Laissez sécher complètement avant de retirer l'ouvrage.

Armure toile à contexture carrée 9
Point de feston 26
Broderie sur fils couchés 32
Point de chausson 36
Point d'armes tortillé 42
Broderie sur grille 44
Passé repiqué empiétant 50

Broderie sur toile

Introduction

Dans la broderie sur toile à fils comptés, on couvre la surface d'un dessin de motifs géométriques répétés.

A l'origine, ce genre de broderie s'exécutait avec des fils de soie noirs ou rouges, brodés sur un tissu de lin blanc. On pense que la broderie sur toile naquit en Espagne. Elle se répandit en Angleterre au XVIe siècle, quand Catherine d'Aragon épousa Henri VIII. C'est à cette époque qu'elle apparut sur les vêtements et la literie.

Le jeu d'un motif géométrique avec un autre permet d'obtenir trois nuances de couleur (sombre, claire ou moyenne) à l'intérieur d'un même dessin. Aujourd'hui, la broderie sur toile se travaille sous forme de **pavés** — on obtient alors des formes géométriques simples créées par le motif lui-même; ou sous forme de **fonds** — on brode un motif géométrique dans une surface déterminée.

On exécute la broderie sur toile sur des tissus à armure toile à contexture carrée (p. 9). Pour une exacte répétition du motif, les points sont comptés sur un nombre précis de fils. Plus il y a de fils par centimètre carré de tissu, plus le motif brodé sera petit et sombre.

Ordinairement, on utilise le coton floche pour la broderie sur toile; le nombre de brins à employer varie selon la trame du tissu. On peut aussi utiliser des cotons perlés fins. Bien que la tradition veuille qu'on exécute ce genre de broderie avec de la soie floche noire ou rouge sur de la toile de lin blanche, on peut utiliser d'autres teintes pour être plus moderne. De la soie floche brune sur de la toile de lin beige ou du brun sombre sur un tissu coquille d'œuf sont particulièrement heureux. Des fils lamés ajouteront une note de fantaisie.

Comme l'aiguille doit passer entre les fils, il est conseillé d'utiliser de fines aiguilles à tapisserie pour ce genre d'ouvrage. Le chas de l'aiguille doit correspondre à la taille du fil choisi.

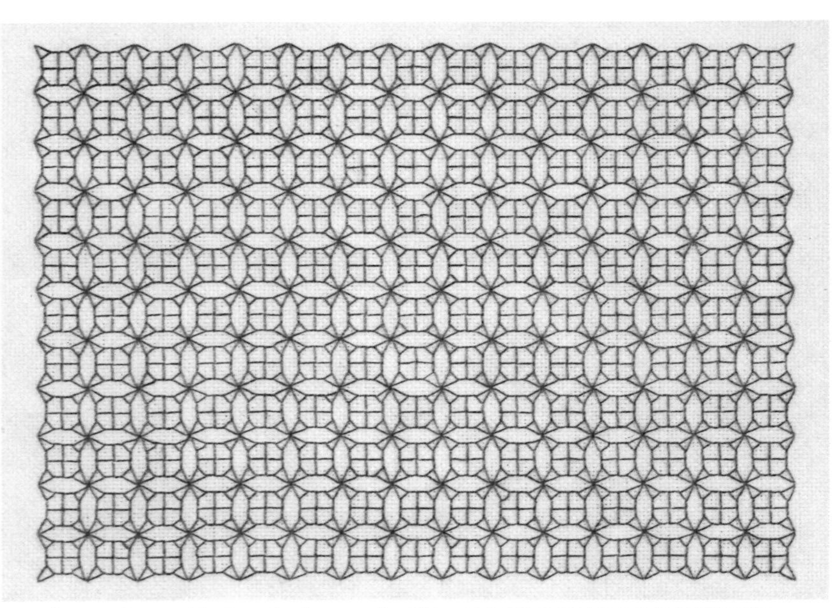

Les pavés consistent en des formes géométriques simples créées par le motif même.

Pour les fonds, on remplit une forme donnée de motifs géométriques.

Points de base

Les motifs de broderie sur toile sont conçus d'après quelques points de base qui se travaillent sur un nombre défini de fils. Les points les plus souvent employés sont expliqués ci-dessous. On y trouve le **point arrière**, le **point de trait à double face**, le **point de trait**, le **point de diable** et le **point d'étoile**.

En plus des points qui servent à construire les motifs, on en utilise souvent d'autres pour embellir l'ouvrage. Les fonds, sur la page d'en face, illustrent bien ces mariages. On obtiendra des contrastes en broderie sur toile, en remplissant entièrement certaines surfaces; les **points passés** sont idéaux là où un tel effet est désiré. Pour bien faire ressortir un fond, il faut en définir le contour avec un point de broderie linéaire; le **point de tige**, le **point de chaînette** et les **points de broderie sur fils couchés** sont tout indiqués.

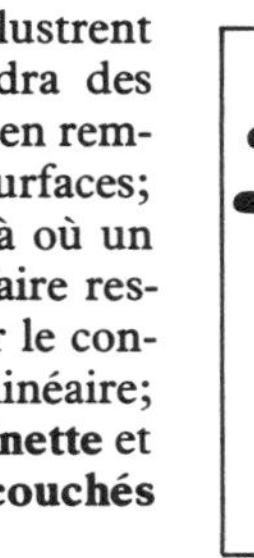

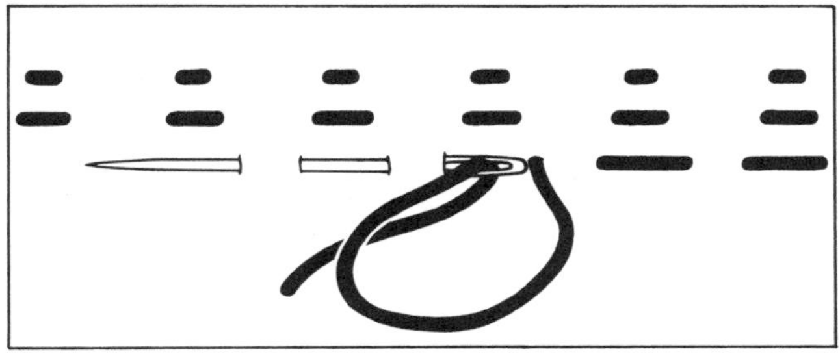

Le point de trait est souvent utilisé tout seul dans la broderie sur toile. Il se compose de points devant de différentes longueurs, exécutés en rangées parallèles. Le motif est créé par les rangées de points.

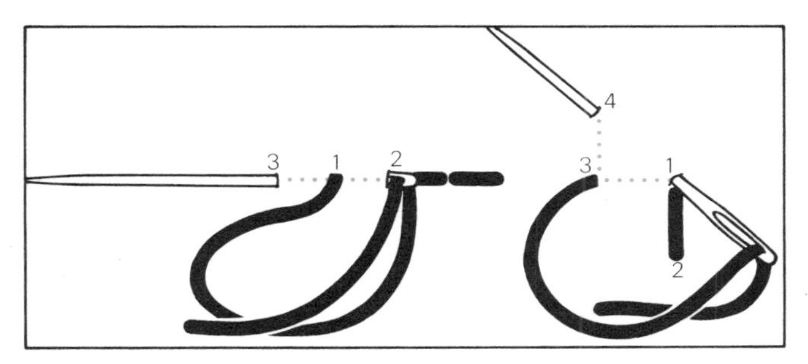

Le point arrière simple se travaille de droite à gauche. Sortez l'aiguille en 1, entrez-la en 2 et ressortez-la en 3. Pour faire les angles, sortez en 1; piquez en 2 et ressortez en 3. Piquez en 1 et ressortez en 4; piquez en 3 pour compléter le point.

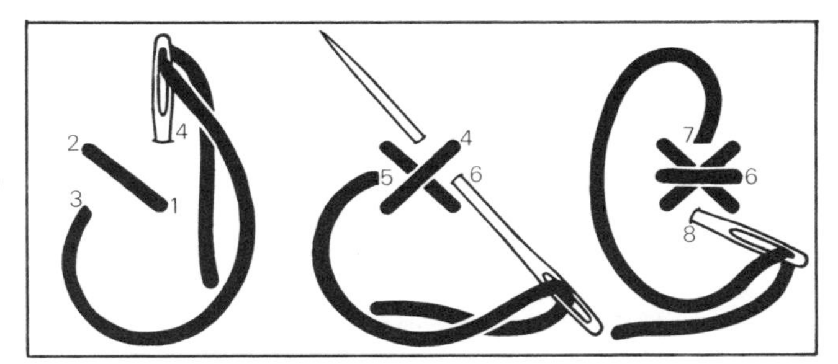

Le point de diable est comme une double croix. Sortez l'aiguille en 1, rentrez-la en 2 et ressortez-la en 3. Piquez-la en 4 et ressortez-la en 5. Piquez-la en 6 et ressortez-la en 7, entre 2 et 4. Enfin, rentrez l'aiguille en 8.

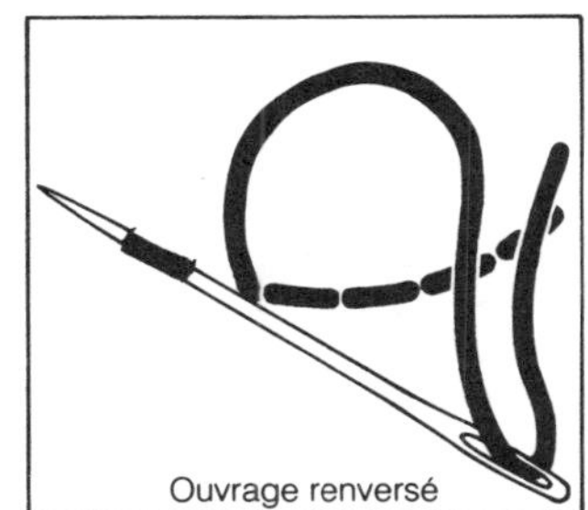

Le point de trait à double face se travaille en deux temps. On brode tout d'abord un simple point devant. Puis on revient le long de la même ligne de points, en remplissant les espaces laissés vides à la première étape.

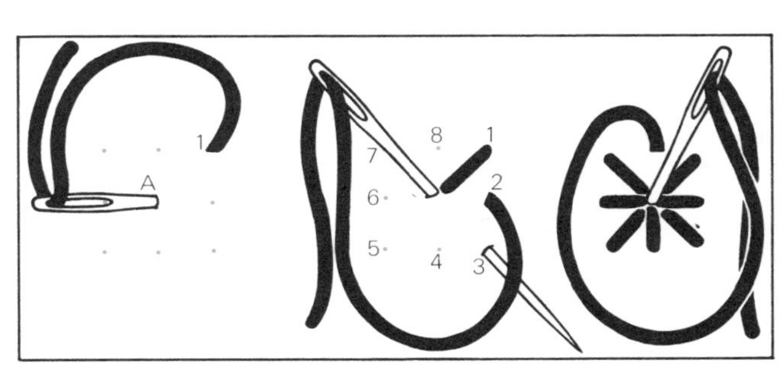

Le point d'étoile porte bien son nom. Sortez l'aiguille en 1 et piquez-la dans le centre A. Ressortez-la en 2 et repiquez-la en A. Continuez ainsi dans le sens des aiguilles d'une montre.

Autres points de base

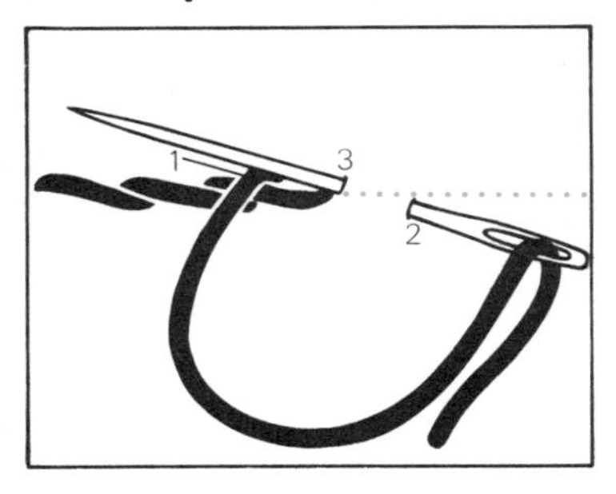

Le point de tige se travaille de gauche à droite. Sortez l'aiguille en 1. Piquez-la en 2 et ressortez-la en 3. La distance entre 1-3 et 3-2 doit être la même. Continuez ainsi pour les points suivants. Les points doivent être réguliers.

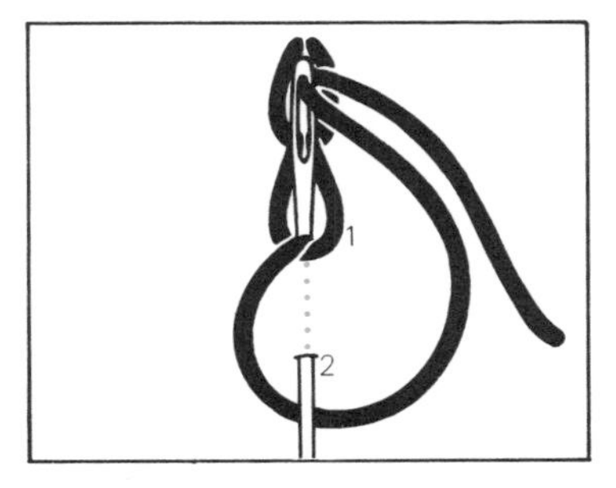

Le point de chaînette s'exécute comme suit : sortez l'aiguille en 1. Retenez le fil à gauche de 1 et repiquez l'aiguille en 1. Ressortez-la en 2 en passant le fil sous la pointe. Tirez l'aiguille et recommencez.

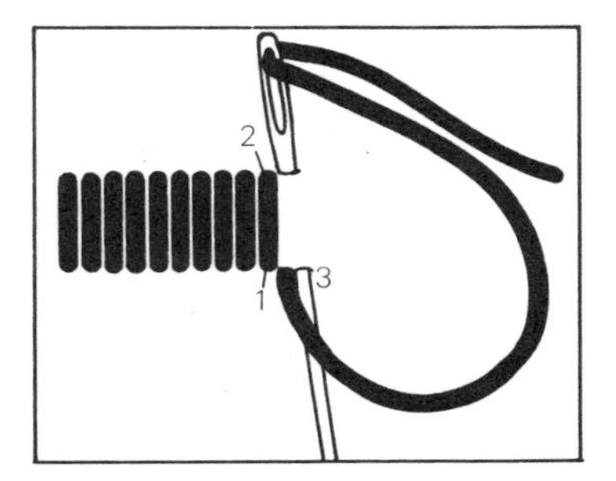

Le passé plat droit est utilisé pour remplir de petits espaces. Sortez l'aiguille en 1, rentrez-la en 2 et ressortez-la en 3, tout contre 1. Répétez jusqu'à ce que l'espace voulu soit complètement rempli.

Broderie sur toile

Exemples de motifs de broderie sur toile

La broderie sur toile consiste en une répétition de motifs géométriques composés avec des points de broderie de base. Les motifs originaux de broderie sur toile étaient probablement d'inspiration arabe. Plus tard, quand la broderie sur toile atteignit le sommet de sa popularité en Angleterre, elle subit l'influence du dessin anglais. A cette époque, on utilisait des fruits et d'autres formes réelles en motifs répétitifs; des tiges volubiles réunissaient les motifs, donnant une cohérence à la composition. Les portraits de l'époque élisabéthaine montrent ces broderies agrémentant les manches, les poignets et les cols. Certains motifs rappellent le travail du fer forgé.

Même au XVIe siècle, la broderie sur toile n'était pas toujours exécutée avec de la soie floche noire sur de la toile blanche ou crème. De temps en temps, on utilisait ensemble de la soie floche noire et des fils d'or.

Nous avons choisi de vous présenter 12 motifs. Cependant, leur nombre peut varier à l'infini. Ils sont simples à concevoir (p. 63) ou à adapter d'après un dessin déjà existant. Cherchez votre inspiration dans les dessins sur mosaïque ou les tissus imprimés. Ou choisissez n'importe quel motif de broderie sur toile qui vous séduise et contentez-vous de changer l'échelle du travail.

Chaque motif aura tendance à commander une nuance (sombre, claire ou moyenne), selon l'espace compris entre les lignes et la densité de l'ouvrage. Notez ces différences sur l'échantillonnage ci-contre. Tout motif peut être adapté soit aux pavés, soit aux fonds.

Pour mieux vous faire comprendre l'ordre des étapes à suivre pour élaborer les motifs, chaque séquence commence en noir et se continue en couleur. Sur les grilles, les espaces compris entre les points représentent les fils qui forment la trame du tissu.

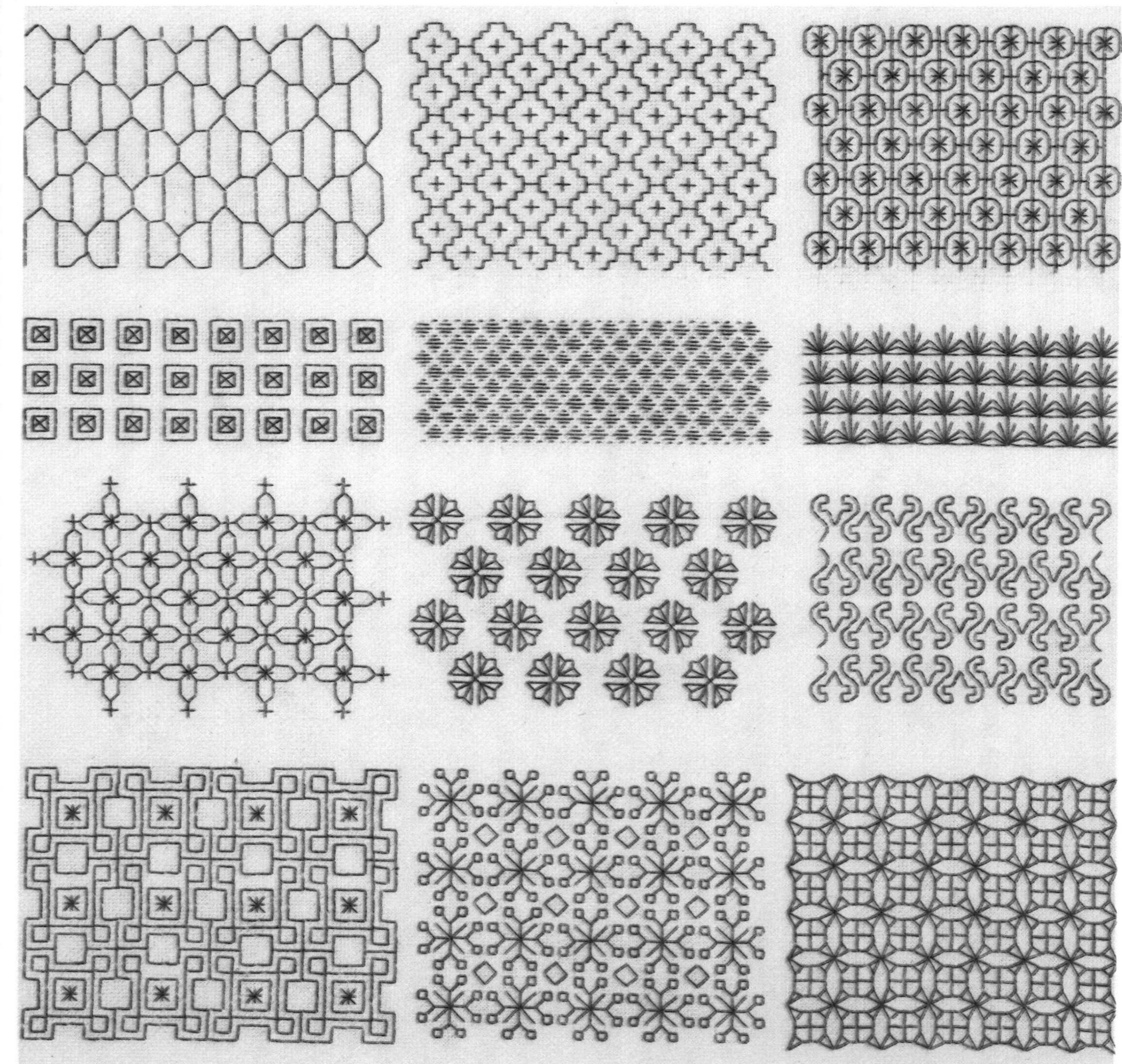

Echantillonnage de 12 motifs de broderie sur toile. On distingue bien les trois nuances : claire, moyenne et sombre.

Ce motif léger en alvéoles s'exécute entièrement au *point arrière* ou au *point de trait à double face*. Travaillez de gauche à droite, en brodant des rangées verticales. Pour la longueur des points, voyez la grille (seconde illustration). Exécutez la première ligne de haut en bas et la seconde (en couleur sur l'illustration), de bas en haut. Continuez de cette façon jusqu'à ce que la surface désirée soit complètement remplie.

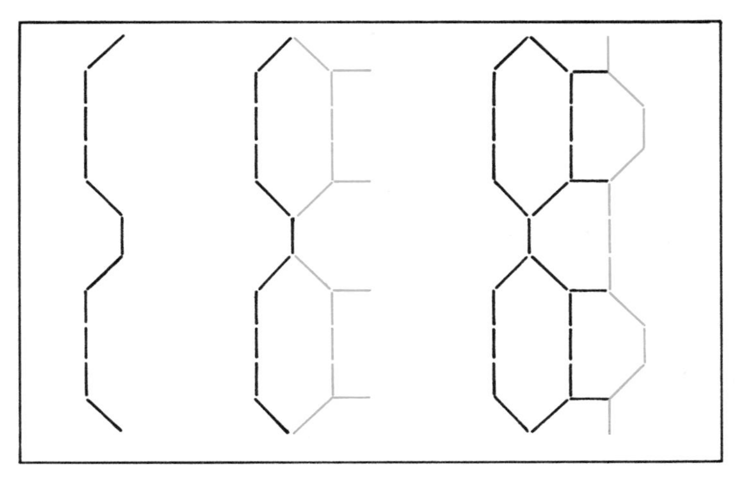

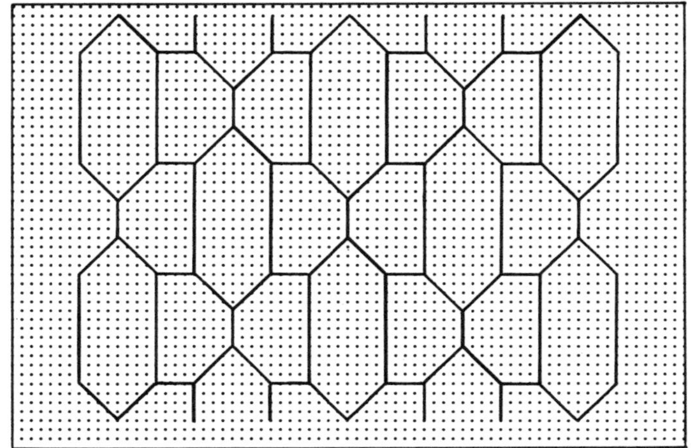

Le motif en escalier est plus sombre que celui en alvéoles parce que les lignes en sont plus rapprochées et les points plus petits. Exécutez le motif principal au *point arrière*, en suivant la séquence indiquée sur la première illustration. Puis remplissez les centres avec un seul *point de croix* vertical. Ce motif peut être employé pour une bordure ou pour un remplissage.

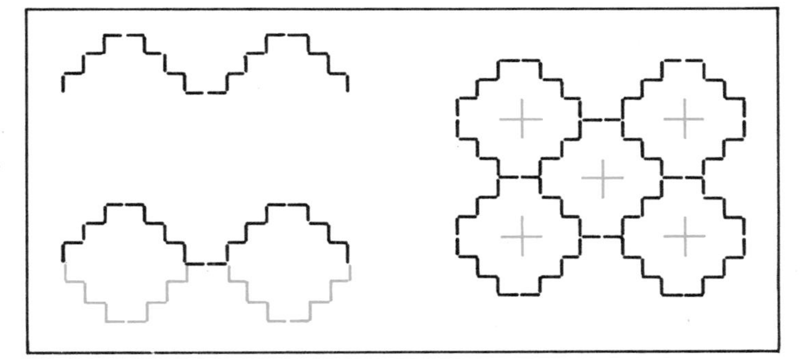

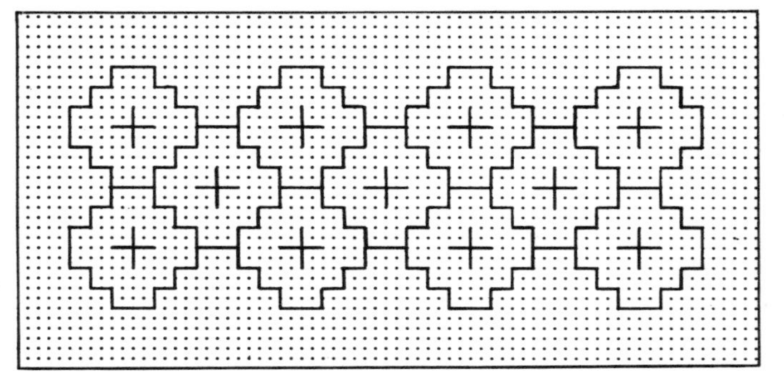

Le treillis octogonal est un motif compact travaillé au *point arrière* et au *point de croix*. Les lignes verticales, horizontales, et les octogones sont tous exécutés au point arrière. Les octogones sont ensuite remplis avec un point de croix. Des points horizontaux viennent compléter la croix et unir les octogones entre eux.

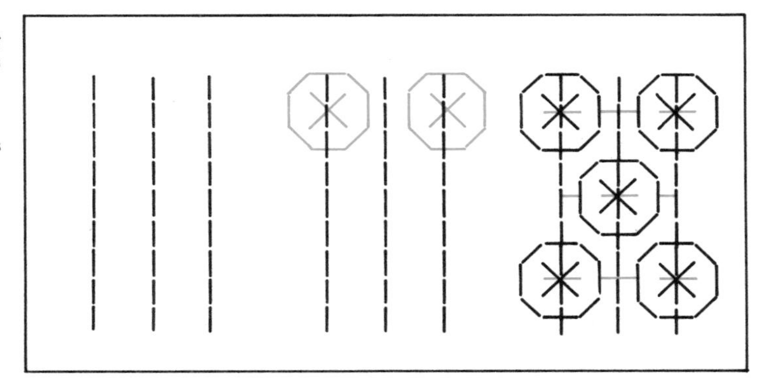

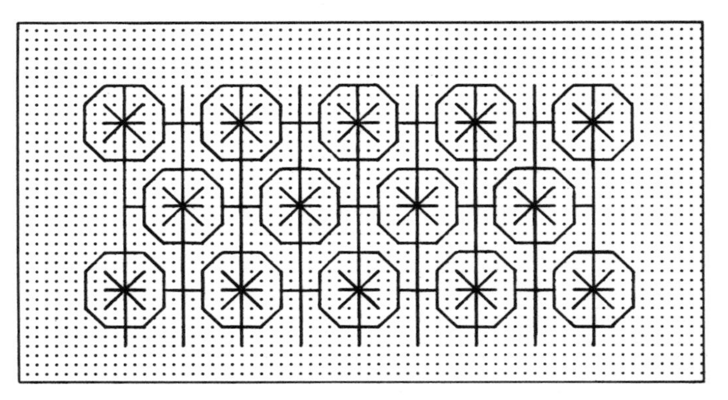

Exemples de motifs de broderie sur toile

De délicats losanges dans les tons moyens sont entièrement conçus au *point de trait*. C'est le point lui-même, travaillé dans différentes longueurs selon les rangées, qui crée les motifs. Commencez par la rangée supérieure de l'un ou l'autre motif de droite à gauche, en espaçant les points et en comptant les fils, tel qu'indiqué sur la grille. Travaillez les rangées suivantes, en respectant la longueur des points, jusqu'à ce que l'espace désiré soit rempli.

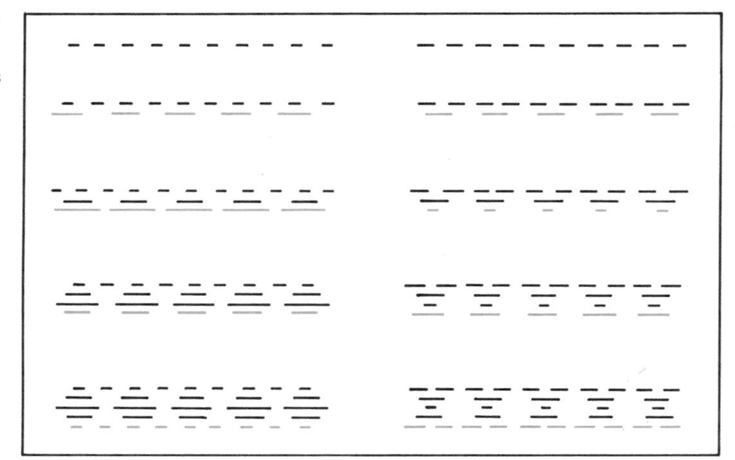

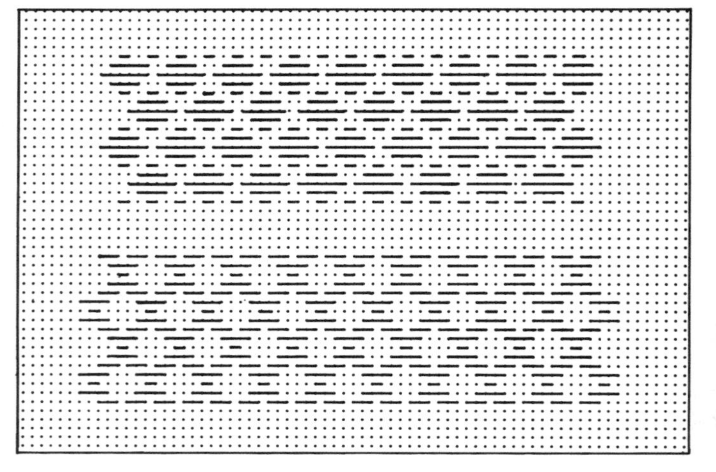

Les fougères stylisées sont faites de motifs très rapprochés. Chaque motif est travaillé comme le *point d'étoile* : l'aiguille sort du tissu à l'extrémité de chaque ligne et rentre dans le même trou au centre du motif. Travaillez une rangée dans un sens, l'autre dans le sens contraire, jusqu'à ce que la surface désirée soit complètement recouverte. La longueur des points est indiquée sur la grille.

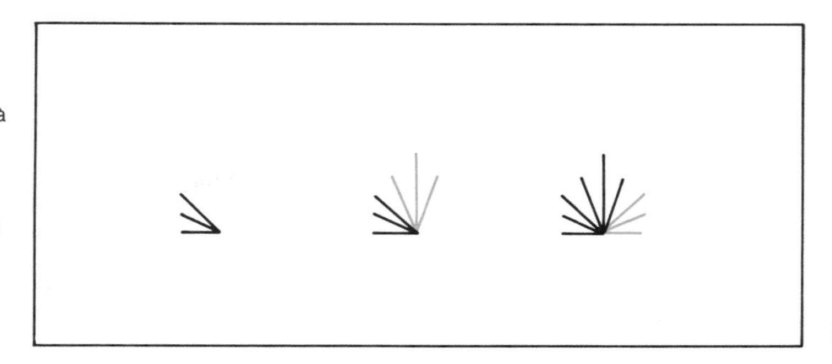

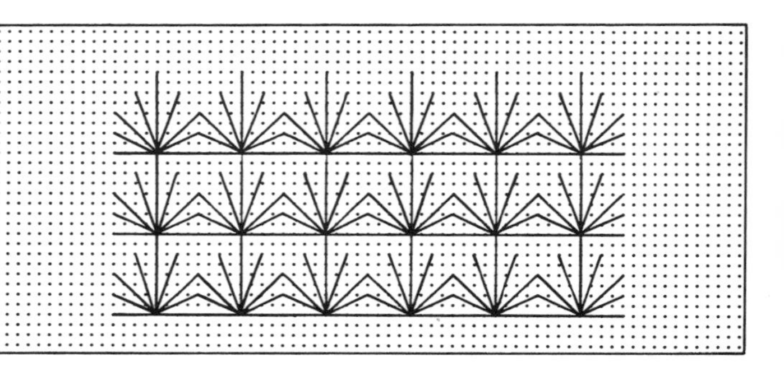

Un simple motif géométrique, comme ces deux carrés mis l'un dans l'autre, peut être clair ou sombre, selon le point que l'on brode au milieu. Pour exécuter ce motif, travaillez les carrés au *point arrière* et remplissez ceux du centre d'un *point de croix*. Si vous désirez obtenir un motif plus sombre, brodez dans le carré central un *point de diable*, ou encore rapprochez les blocs les uns des autres.

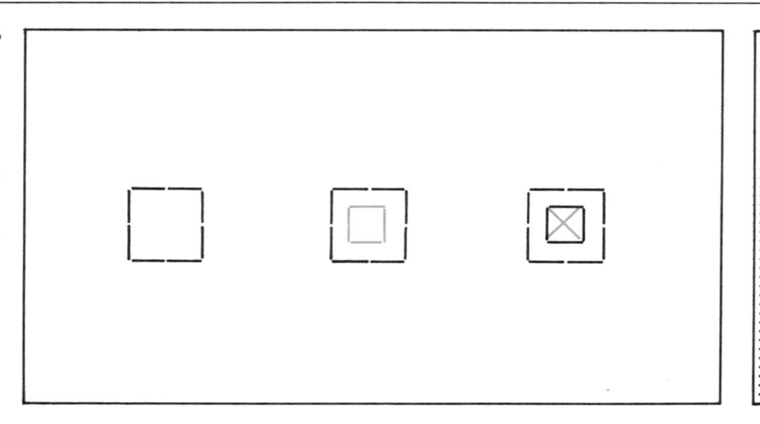

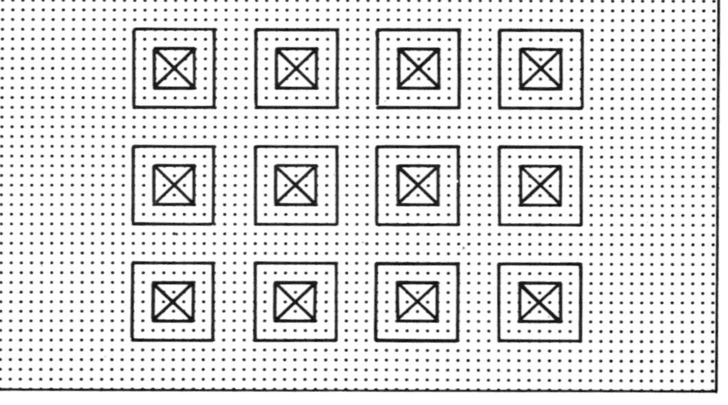

Cette volute en forme de chapiteau grec est facile à exécuter en dépit de son apparence compliquée. Elle se travaille au *point arrière* ou au *point de trait à double face*. Brodez la première rangée en suivant nos diagrammes. Pour la seconde rangée, inversez le motif pour créer une impression de réflection dans un miroir. Ce motif peut être utilisé pour une bordure ou un remplissage.

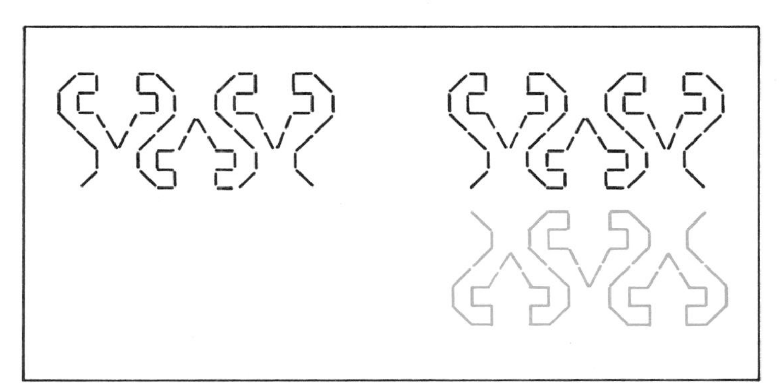

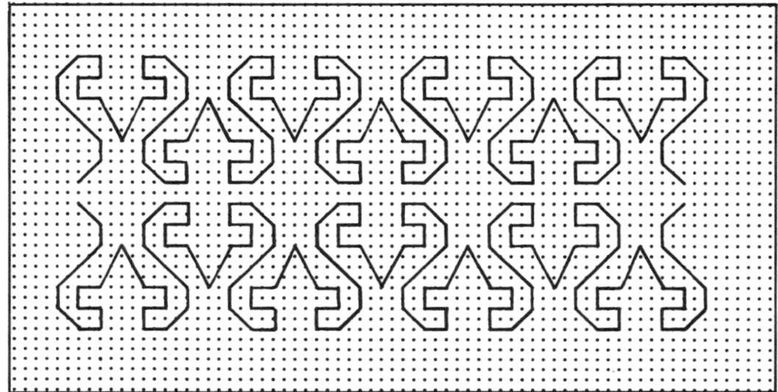

Ce motif d'étoiles croisées est composé d'un filet d'étoiles. Commencez par le centre de chaque étoile avec un *point de diable*. Ajoutez les pointes au *point arrière*; puis réunissez les étoiles entre elles en brodant un *point de croix* vertical à l'extrémité de chaque pointe.

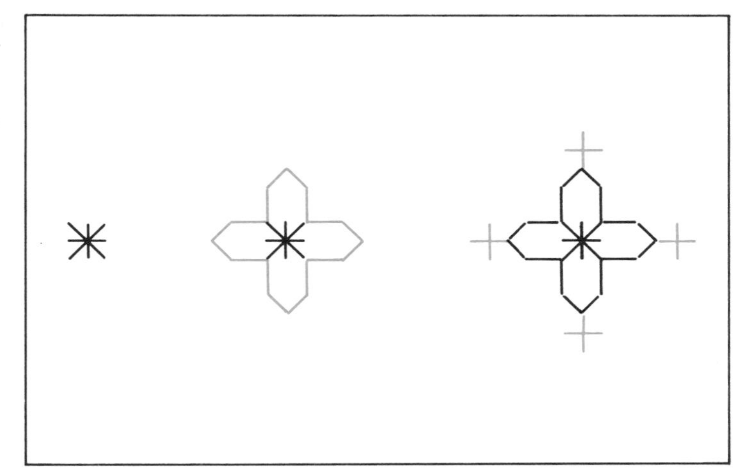

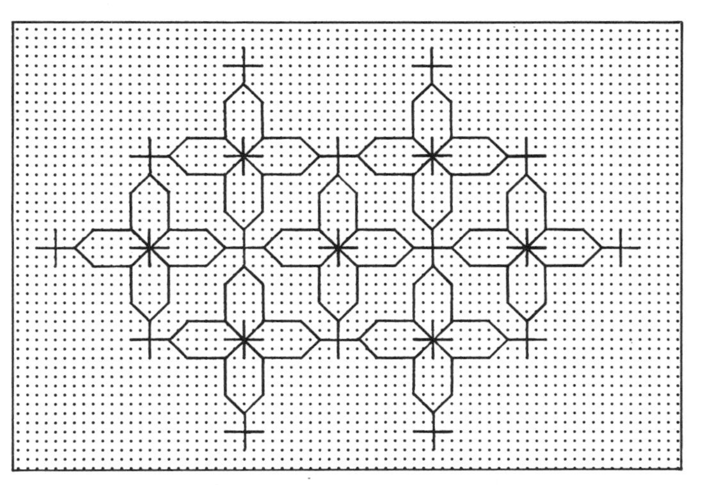

Cet arrangement floral donne des tons moyens lorsqu'on brode de larges motifs. Pour l'exécuter, commencez par le *point de croix* central de chaque groupe. Brodez au *point arrière* le contour de la première fleur, puis ajoutez les lignes du détail. Faites les trois autres fleurs de la même manière et passez au groupe suivant.

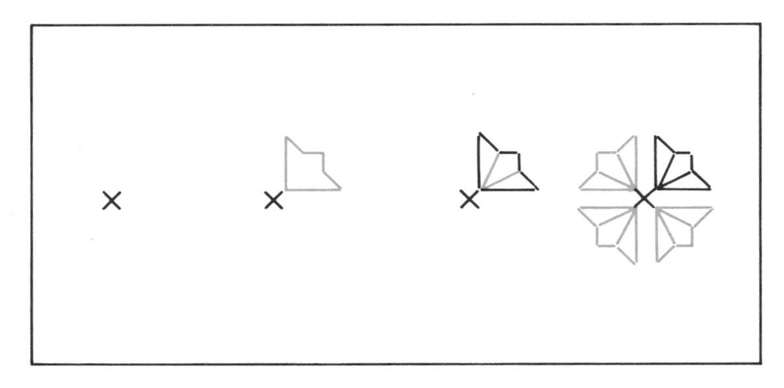

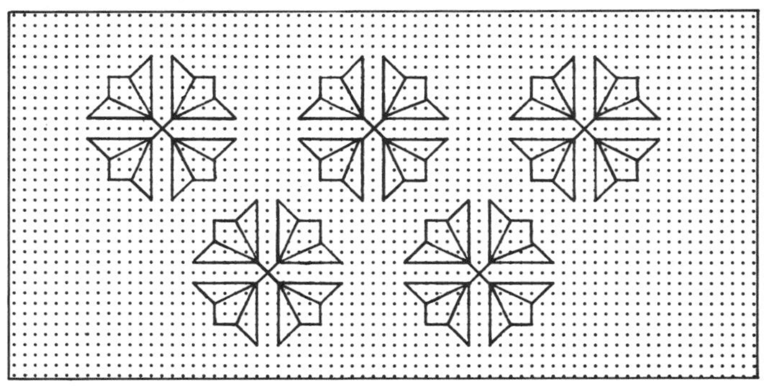

Broderie sur toile

Exemples de motifs de broderie sur toile

Des flocons de neige (ou **fleurs de givre**) donnent un effet dans les tons moyens. Brodez le centre des flocons de neige (ou fleurs de givre) au *point d'étoile*, puis faites au *point arrière* toutes les lignes et les formes contiguës. Quand toutes les rangées du motif ont été complétées, ajoutez les losanges au point arrière.

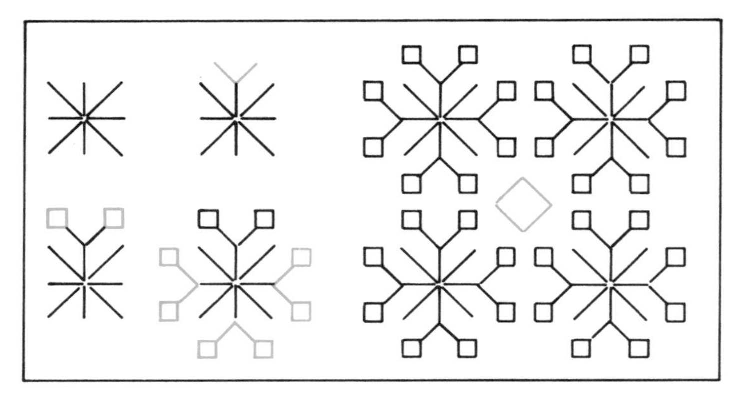

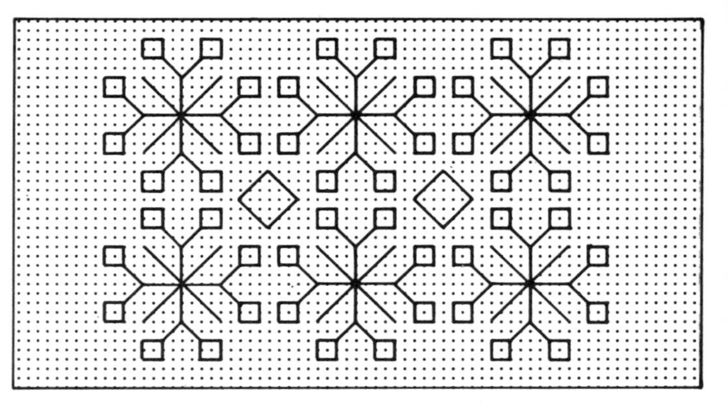

Ces formes en « H » se travaillent de l'extérieur vers l'intérieur. Les détails principaux sont exécutés au *point arrière* (voir p. 57 pour la manière de broder les angles). Remplissez les centres des « H » avec un *point d'étoile*.

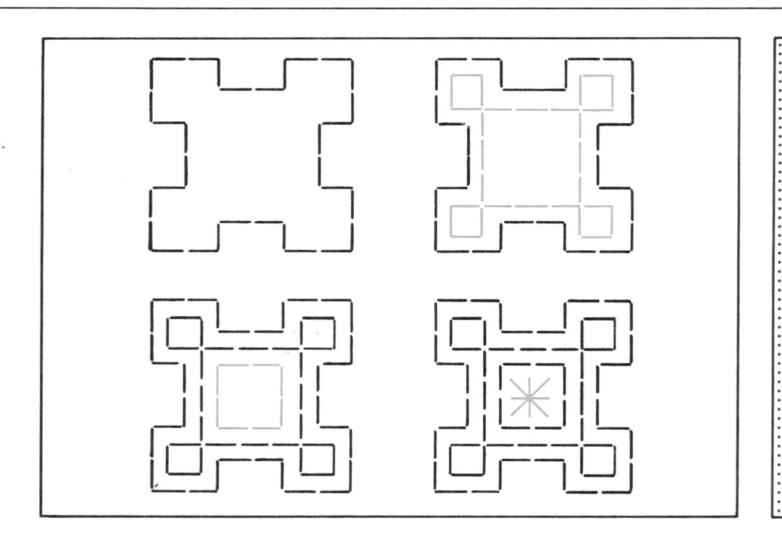

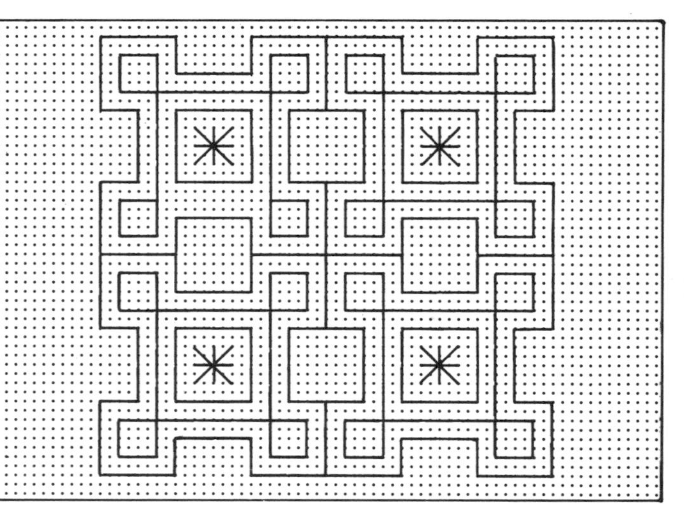

Un effet de vitrail est obtenu par ce délicat motif sombre. Bien que ses lignes paraissent compliquées, le motif est facile à exécuter. Commencez par faire une croix au *point arrière*. Brodez autour un octogone, puis les quatre petits triangles qui le surmontent (tout est fait au point arrière).

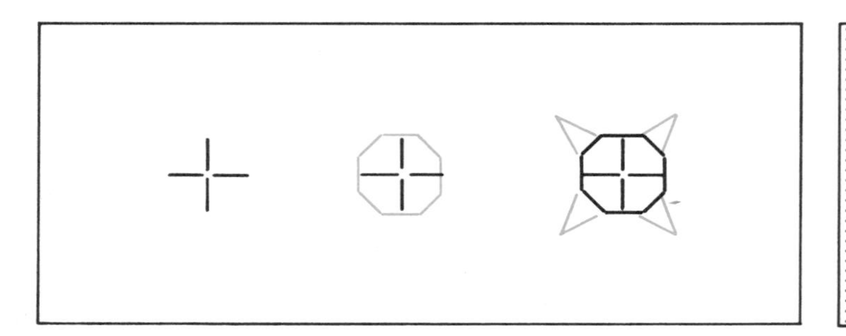

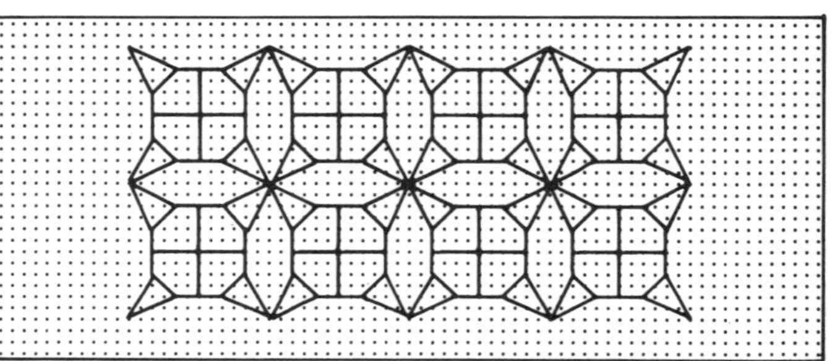

Création d'un motif de broderie sur toile

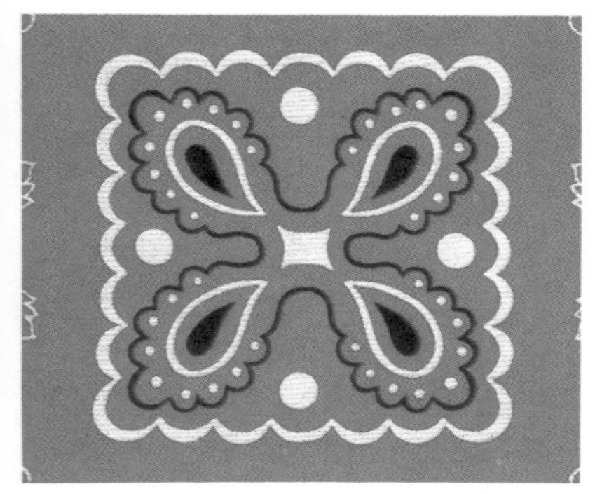

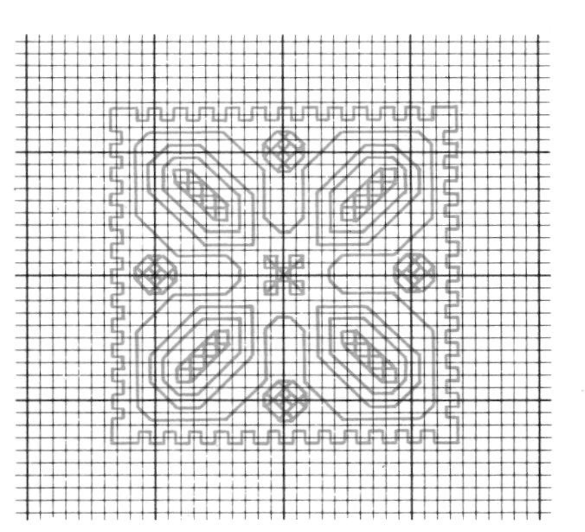

Un motif géométrique peut être emprunté à une céramique ou à un tissu imprimé. Reproduisez les lignes principales du motif sur du papier quadrillé, en les stylisant. Notre motif s'exécute au point arrière et au point de croix.

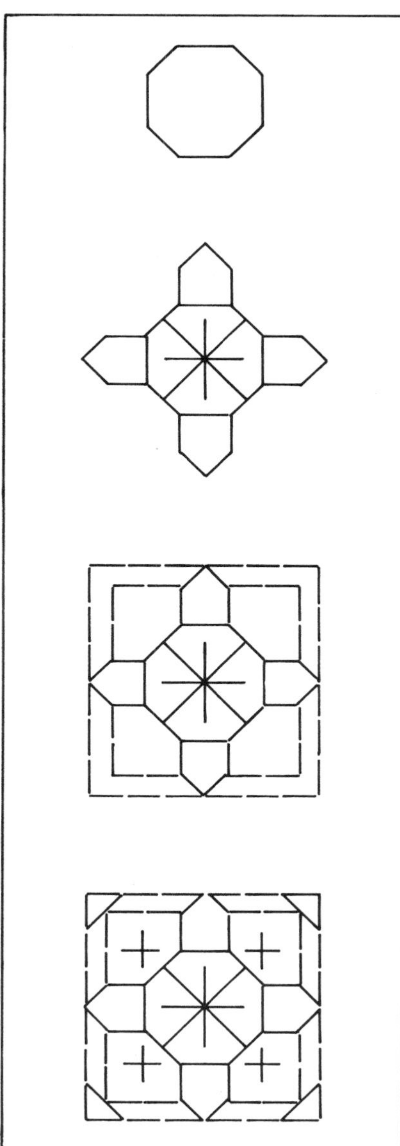

Créez votre propre motif à partir d'une forme géométrique simple, en y ajoutant des lignes qui le remplissent et l'agrandissent. Notre motif se travaille au point d'étoile, au point arrière et au point de croix.

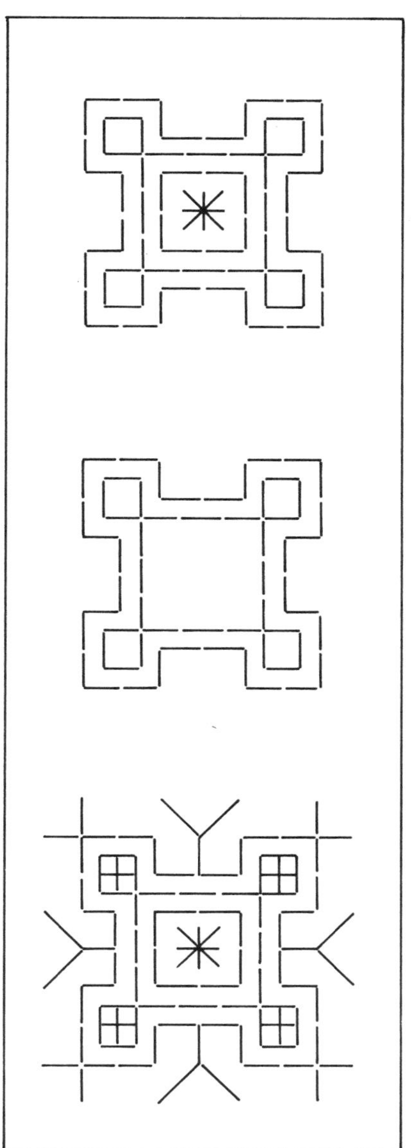

Modifiez un motif déjà existant. Simplifiez-le en supprimant quelques lignes. Ou, au contraire, compliquez-le et agrandissez-le en y ajoutant des lignes. Nos motifs se travaillent au point d'étoile, au point arrière et au point de croix.

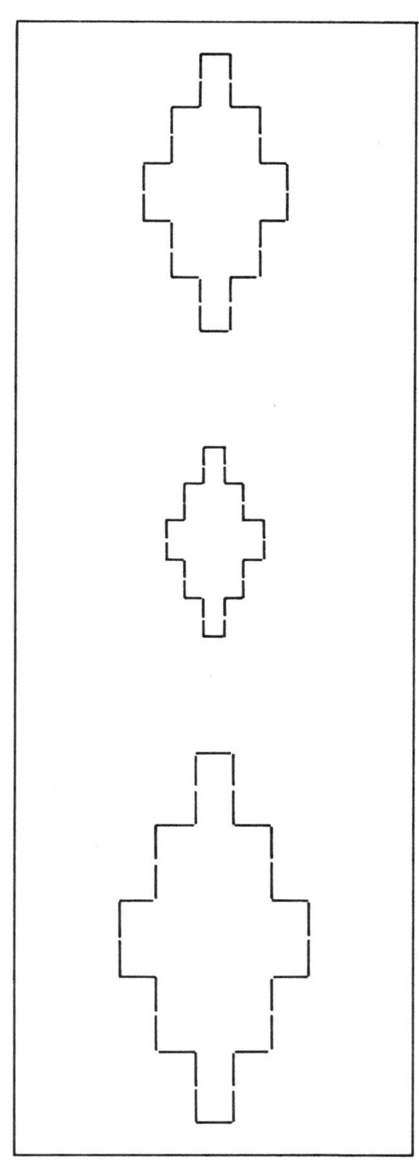

Changez l'échelle d'un motif existant pour l'adapter à vos besoins. Agrandissez le motif en allongeant les points. Rapetissez-le en raccourcissant les points. Notre motif est travaillé au point arrière, en comptant 2, 1 ou 3 fils.

Finition des bords 16

Exécution des pavés en broderie sur toile

Quand on veut exécuter un pavé dans la broderie sur toile (voir les pavés, p. 56), le motif doit être réalisé de façon bien symétrique. Pour ce faire, il faut soigneusement mesurer la surface de travail et la diviser en zones.

Décidez d'abord de la grandeur approximative de l'ouvrage terminé. Puis taillez le tissu à contexture carrée dans le sens du droit-fil, aux dimensions du dessin projeté plus 10 centimètres (4″) sur tous les côtés. Finissez les bords du tissu pour les empêcher de s'effranger et de s'effilocher pendant le travail (p. 16). Comptez les fils dans la surface à broder et délimitez-en le périmètre.

Puisque les motifs se travaillent à partir du centre vers l'extérieur, il faut localiser et marquer le point central du dessin. Placez le motif de base par rapport au point central, de sorte que le plus grand nombre possible de motifs entiers puissent être brodés sur la surface travaillée.

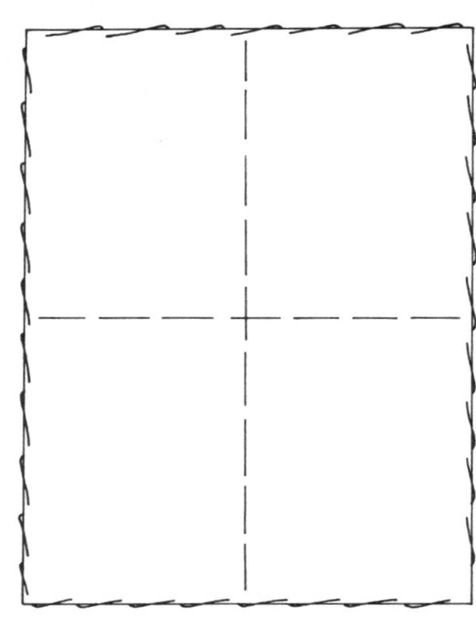

1. Pliez le tissu en deux dans la longueur et bâtissez le long de la ligne centrale. Faites la même chose dans la largeur. L'intersection des fils de bâti indique le centre du tissu.

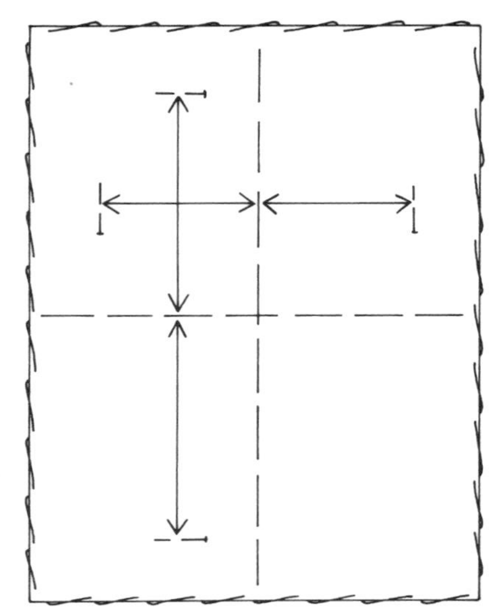

2. Marquez avec des épingles la largeur et la longueur désirées sur un côté de la ligne verticale centrale. Comptez le même nombre de fils sur le côté opposé et marquez.

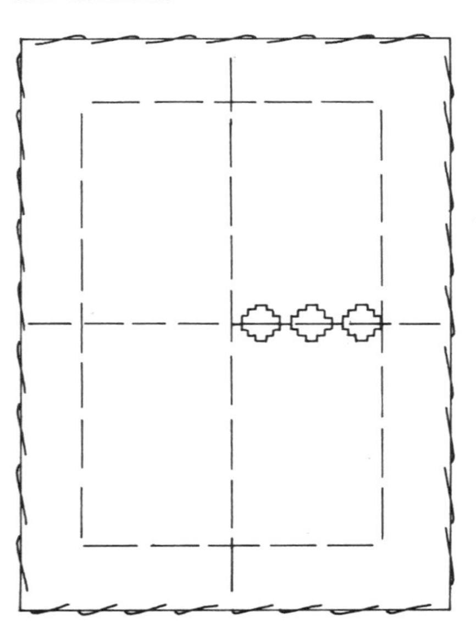

3. Passez un fil de bâti délimitant le périmètre du dessin. Travaillez le motif choisi à partir du centre vers l'extérieur, latéralement. Brodez l'autre moitié de la même manière.

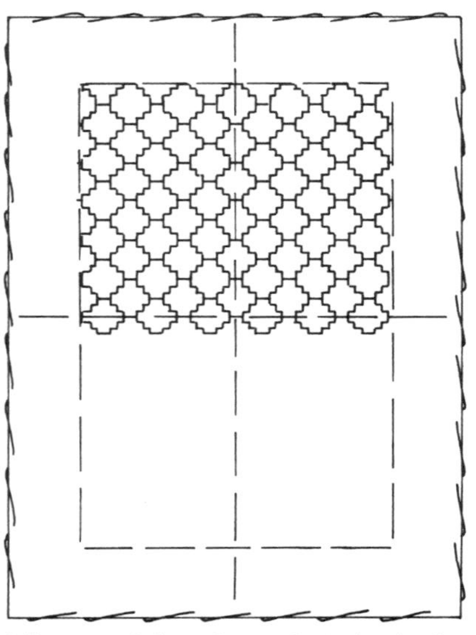

4. Pour remplir la surface restante, brodez des rangées du motif au-dessus et au-dessous de la première rangée, en utilisant celle-ci comme guide. Travaillez alors d'un côté à l'autre.

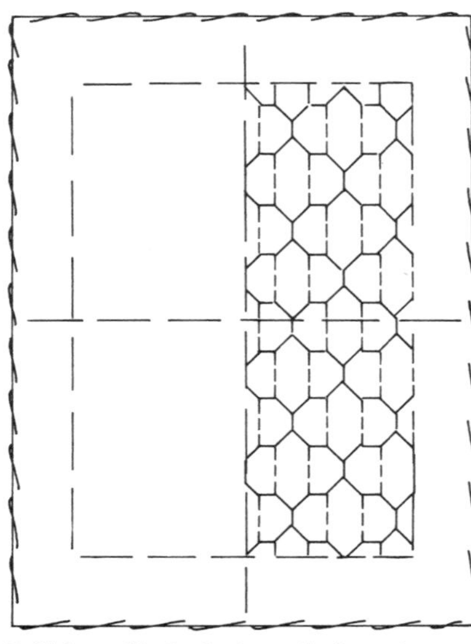

5. Si le motif s'exécute verticalement, commencez la première rangée à partir du centre, en montant puis en descendant. Guidez-vous sur cette rangée pour broder les autres.

MISE EN PLACE D'UN GROS MOTIF

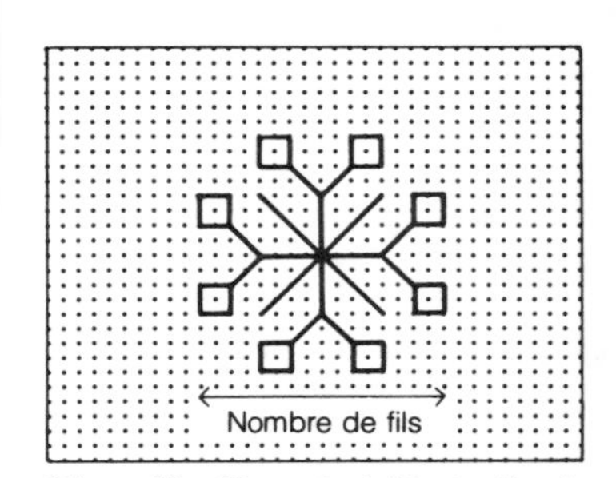

Si le motif est important, il faut qu'il y ait sur une même ligne autant de motifs que possible. Pour y parvenir, comptez les fils du tissu, puis le nombre de fils compris dans un seul motif. Divisez le nombre de fils du tissu par le nombre de fils compris dans un motif.

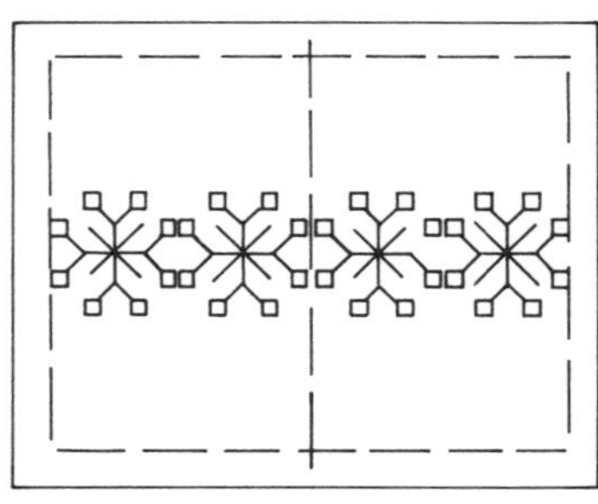

Si vous avez un nombre de motifs pair, commencez le premier motif *contre* la ligne centrale, à droite ou à gauche.

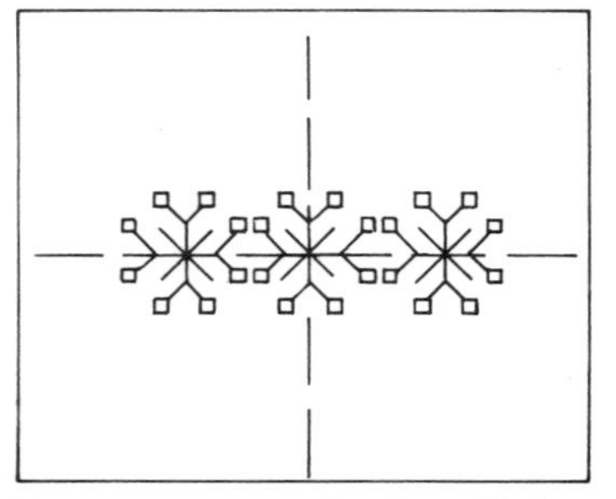

Si vous avez un nombre de motifs impair, exécutez une *moitié* du motif de chaque côté de la ligne centrale.

Reproduction des dessins 16-17
Broderie sur fils couchés 32-34

Exécution des fonds en broderie sur toile

Vous pouvez remplir un dessin avec des motifs de broderie sur toile (ce qui s'appelle broder des fonds). Choisissez alors plusieurs motifs assez tranchés sur le plan des nuances pour que les différentes parties du dessin ressortent. S'ils sont combinés avec soin, les effets clairs ou sombres de la broderie sur toile ajoutent une dimension de profondeur et de réalisme à l'ouvrage.

Prenez en considération la dimension de la forme à remplir relativement à l'échelle du motif choisi. Assurez-vous qu'il y a suffisamment d'espace pour que le motif soit répété plusieurs fois, pour paraître à son avantage. Pensez à la possibilité d'exécuter également des points, tels que le *point de chaînette*, le *point de tige* ou les *points de broderie sur fils couchés*, pour mettre en valeur et souligner des formes qui ont besoin d'être définies. Ou encore, foncez certaines parties du dessin en remplissant les petites surfaces de *points passés*.

1. Reproduisez le dessin sur du papier-calque épais. Colorez en différents tons de gris pour représenter les surfaces claires, moyennes et sombres. Efforcez-vous d'équilibrer les contrastes. Sélectionnez alors les motifs qui illustreront le mieux les différents tons de gris.

2. Coupez un morceau de tissu à armure toile à contexture carrée dans le sens du droit-fil. Prévoyez 10 cm (4") autour du dessin. Finissez les bords du tissu pour les empêcher de s'effranger ou de s'effilocher pendant le travail (p. 16). Reproduisez le dessin sur le tissu (pp. 16-17).

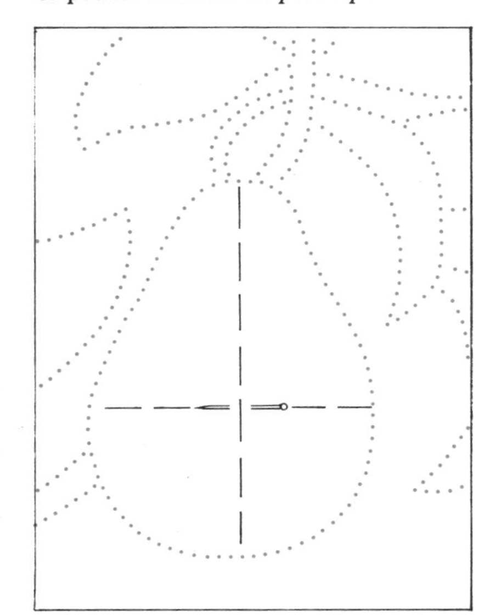

3. Déterminez approximativement le centre de chaque forme à remplir (ce qui peut se faire à l'œil). Les motifs doivent par contre être exactement centrés (en comptant les fils).

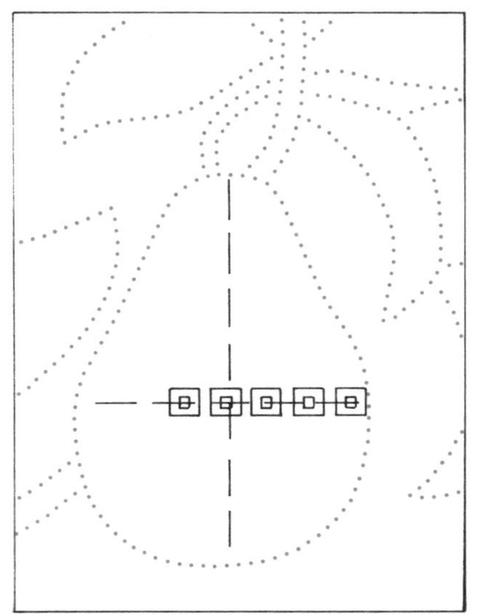

4. Commencez à broder le motif du centre, puis travaillez vers les bords. Quand un motif ne peut pas être exécuté en entier, n'en faites qu'une partie (en raccourcissant les points).

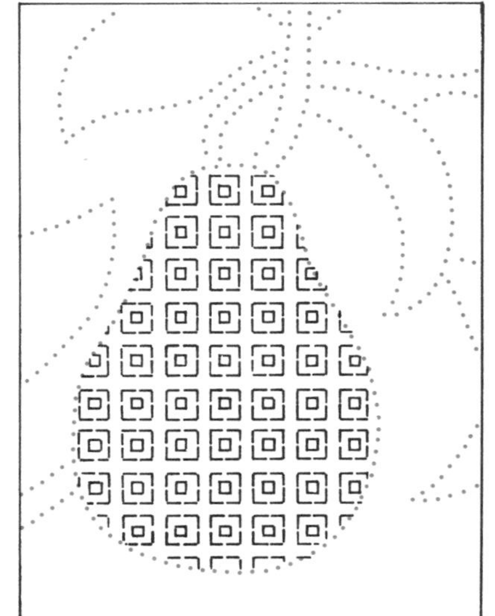

5. Répétez le motif en rangées, en vous guidant sur la première rangée. Quand un motif ne peut pas être exécuté en entier sur les bords du dessin, ne le faites qu'en partie.

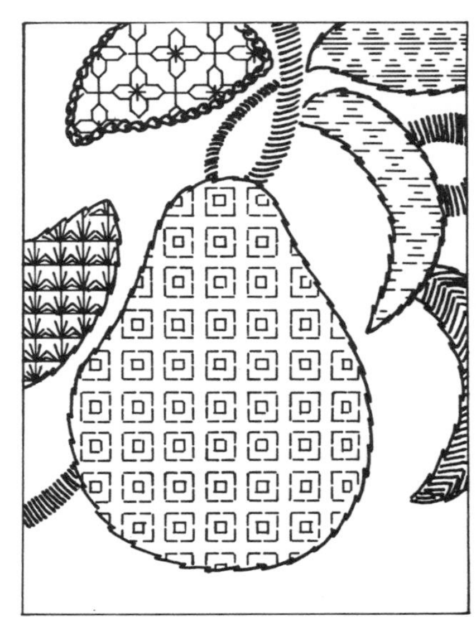

6. Quand tous les fonds ont été remplis, soulignez-en les contours au *point de tige*, au *point de chaînette* ou avec des *couchures*. Brodez les petites surfaces au *point passé*.

Broderie au point de croix

Introduction

La broderie au point de croix, une broderie traditionnelle, s'adapte aussi bien à des dessins simples qu'à des créations compliquées. Les ouvrages au point de croix s'exécutent souvent exclusivement au point de croix simple, même s'il est possible d'utiliser des variantes de ce point.

Le point de croix peut s'exécuter sur presque tous les tissus à broder; ceux à contexture carrée sont cependant les plus indiqués, parce qu'on peut en compter les fils. Le vichy est aussi très apprécié, ses carreaux constituant une grille naturelle (p. 9).

Pour broder le point de croix, on prend habituellement du coton floche. Choisissez l'aiguille selon le type de tissu : une aiguille à tapisserie à bout rond pour glisser entre les fils d'une étoffe à contexture carrée; une aiguille à tapisserie à bout pointu ou une aiguille à broderie pour les autres types de tissu. Il est recommandé de travailler sur un tambour, ou un métier.

Le point de croix peut servir à remplir des formes ou à souligner des contours.

Exécution du point de croix simple

On peut exécuter le point de croix simple de deux manières différentes : d'abord **en rangées** de points égaux lancés en oblique dans un sens à l'aller, et dans l'autre au retour; mais aussi en les brodant **un par un**. Travaillez les points de croix en rangées quand ils sont groupés; mais s'ils sont éparpillés, il vaut mieux les travailler un par un pour éviter les longues traînées de fil sur l'envers. Que vous employiez l'un ou l'autre système, faites des points réguliers. Ceci est très important pour bien rendre l'unité caractéristique de la broderie au point de croix.

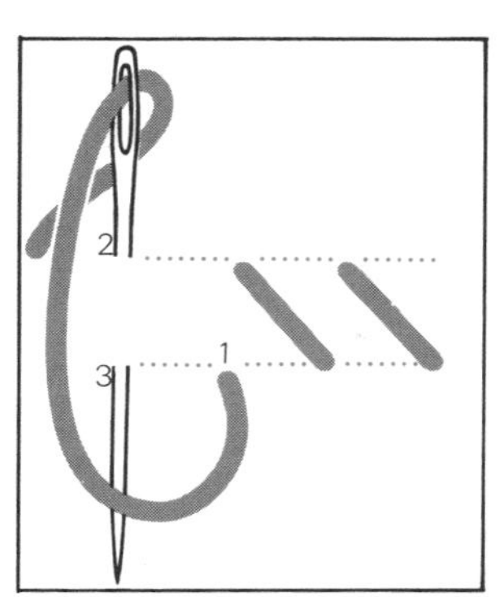

Pour exécuter des points de croix en rangées, commencez à droite de l'ouvrage (1-2-3). En fin de rang, revenez de gauche à droite (4-5).

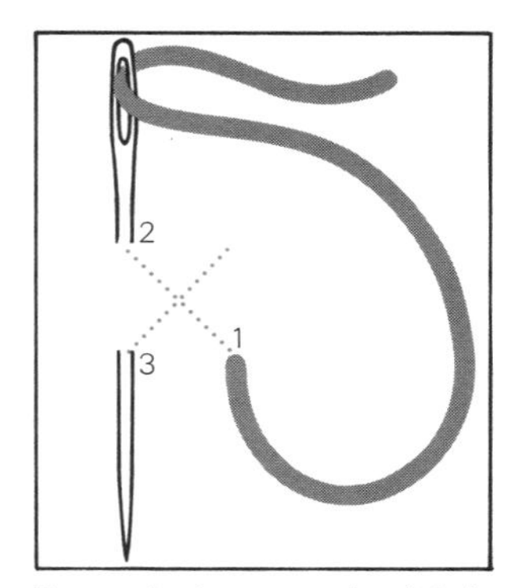

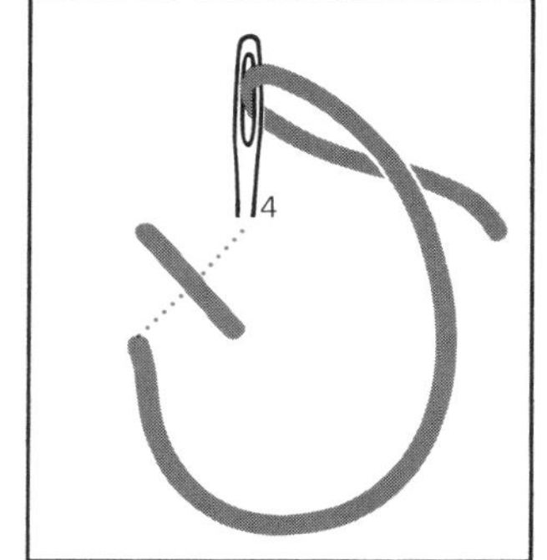

Pour exécuter un seul point de croix à la fois, sortez l'aiguille en 1, piquez-la en 2 et ressortez-la en 3. Terminez le point en 4.

Reproduction du dessin dans la broderie au point de croix

Pour exécuter un dessin au point de croix, on se sert d'un décalque au fer ou d'un schéma. Les décalques au fer peuvent s'appliquer à toutes sortes de tissus à tissage serré (pp. 16-17). Servez-vous de schémas sur les tissus qui présentent une grille naturelle (armure toile à contexture carrée, ou armure toile fantaisie avec un motif régulier, par exemple le vichy).

Avec un décalque au fer, votre dessin aura la même dimension que le décalque. Si vous utilisez un schéma, la dimension finale dépendra du nombre de fils du tissu ou de lignes imprimées sur lesquelles vous travaillerez. Les schémas sont toujours dessinés sur du papier quadrillé. Chaque carré de la grille représente un seul point de croix.

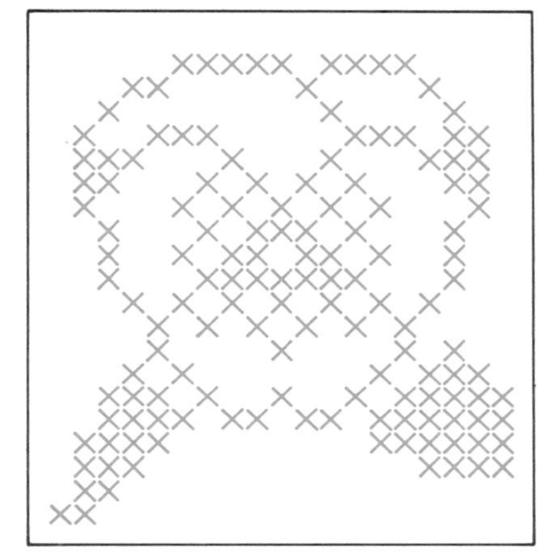

Avec des décalques au fer, chaque croix indique l'emplacement d'un point de croix.

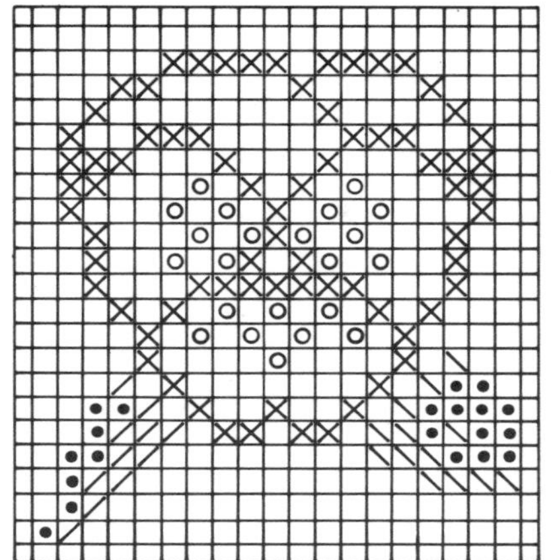

Sur les schémas à symboles, les symboles représentent les points et leur couleur.

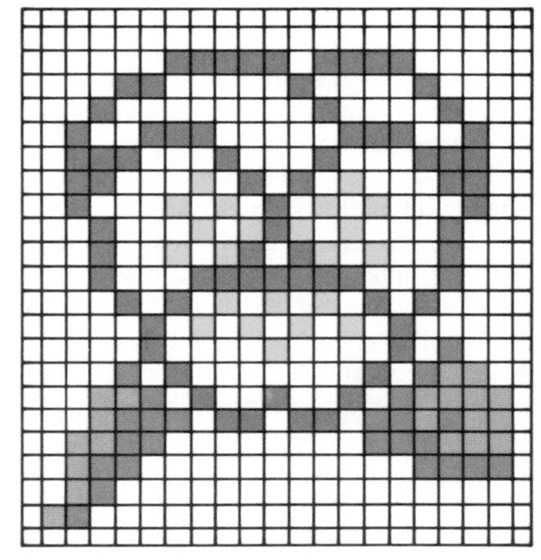

Les schémas à carrés coloriés indiquent aussi l'emplacement des points et leur couleur.

Grilles naturelles

Les tissus présentant des grilles naturelles (tissus à armure toile à contexture carrée et toiles fantaisies à motifs réguliers) sont parfaits pour l'exécution du point de croix. Si vous travaillez à partir d'un schéma, les étoffes de ce genre sont indispensables. Quand le tissage est lâche, chaque point de croix peut recouvrir une intersection de fils. Quand il est plus serré, chaque point peut recouvrir plusieurs fils ou intersections; l'essentiel est de s'assurer que chaque point recouvre bien le même nombre de fils.

Si le tissu ne présente pas de grille naturelle, on le recouvre d'un **canevas de tapisserie**. Prenez un morceau de canevas de la dimension de votre ouvrage et faufilez-le sur le tissu à broder. Exécutez ensuite le point de croix en suivant le schéma. Quand le dessin est terminé, enlevez les fils de bâti et coupez le canevas près des points de croix. Retirez alors les fils du canevas un à un, à l'aide d'une pince à épiler : d'abord tous les fils parallèles dans un sens, puis, sur l'autre côté, tous les fils restants.

Sur les étoffes à tissage lâche, chaque point est exécuté par-dessus une intersection de fils.

Sur les étoffes fines à tissage serré, chaque point est exécuté par-dessus plusieurs fils.

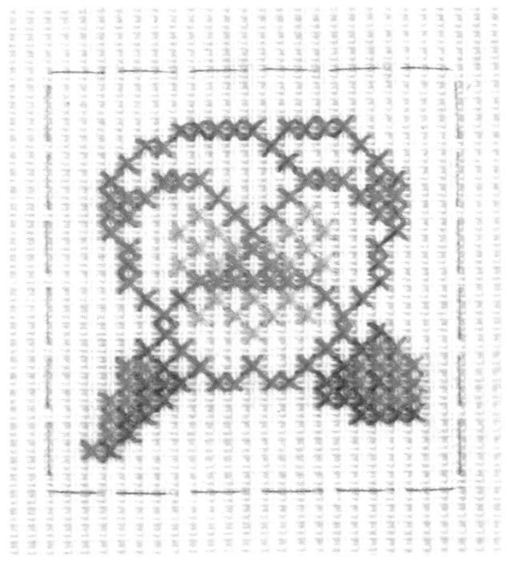

Un canevas de tapisserie, faufilé par-dessus le tissu à broder, remplace une grille naturelle.

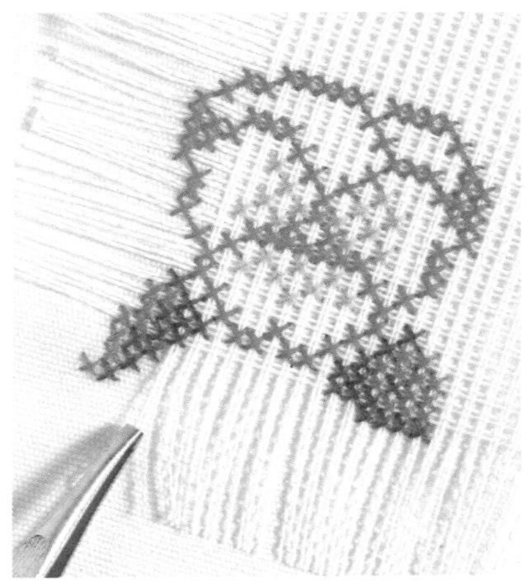

Une fois le dessin terminé, les fils du canevas sont retirés à l'aide d'une pince à épiler.

Broderie au point de croix

Point de diable 35 Point de chausson 36
Point devant 46

Point de croix sur vichy

Le vichy est un tissu très populaire pour le point de croix à cause de ses carreaux. On exécute une croix à l'intérieur de chaque carreau, ce qui assure une grandeur de point uniforme.

Tout dessin schématisé qui nécessite une grille naturelle peut être exécuté sur du vichy. Les trois tons du vichy (sombre, clair et blanc) peuvent être utilisés pour en tirer le maximum d'effet. Par exemple, un motif exécuté uniquement sur les carreaux sombres aura un aspect différent du même motif exécuté sur les carreaux en demi-tons.

Le vichy se fait en plusieurs couleurs et le nombre des carreaux peut varier de 1 à 4 par centimètre (3 à 10 par pouce). C'est la grosseur des carreaux qui détermine la dimension des croix.

Cette broderie au point de croix sur vichy est faite de motifs géométriques répétés (la répétition étant idéale pour les bordures décoratives).

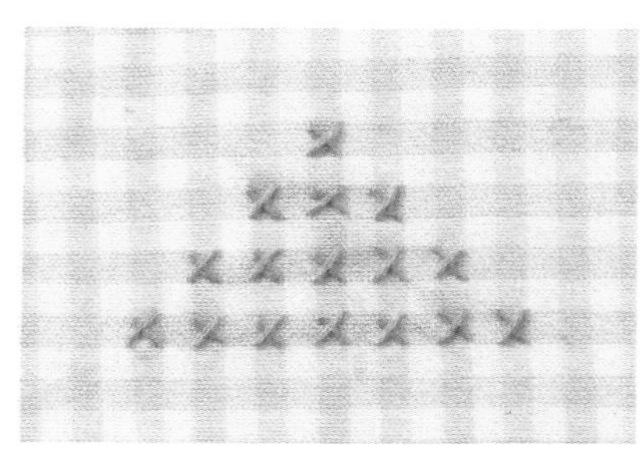

Les croix sur les carreaux sombres accentuent le contraste entre sombre et clair.

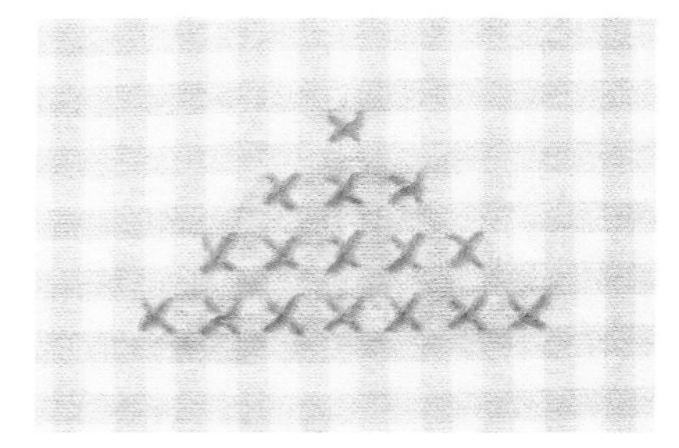

Les croix sur les carreaux blancs donnent au vichy un aspect plus monochrome.

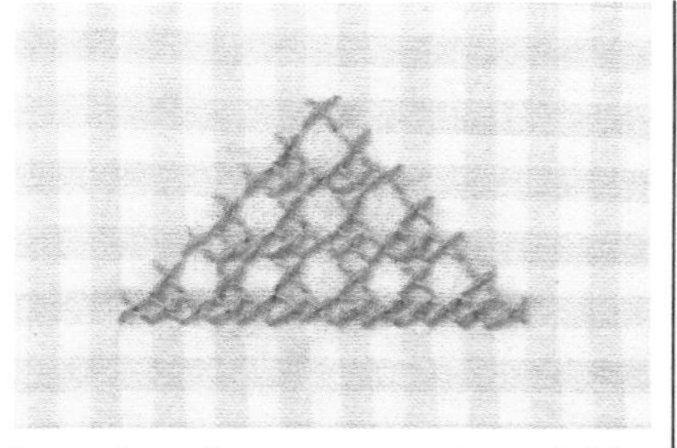

Les croix sur les carreaux sombres et clairs font ressortir les carreaux blancs.

Les variantes du point de croix peuvent être incorporées dans le dessin, ou utilisées pour rehausser un motif de bordure. Les variantes ci-dessus sont le *point de chausson* (p. 36) et le *point de diable* (p. 35).

Exécution du motif échantillon

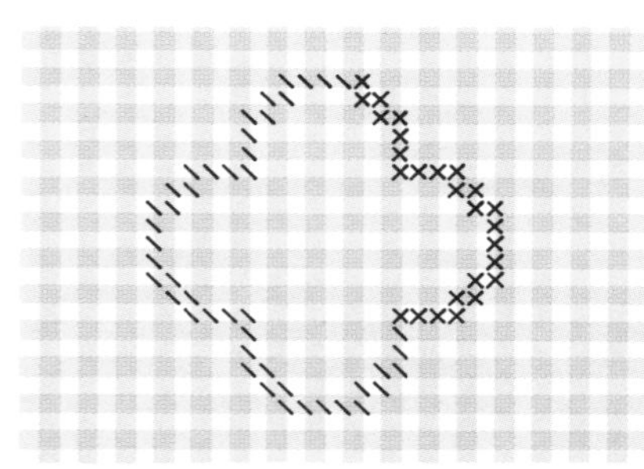

Les fleurs sont brodées séparément. Travaillez-en d'abord le contour en rangées.

Exécutez ensuite les pétales du centre, en travaillant chaque pétale en rangées.

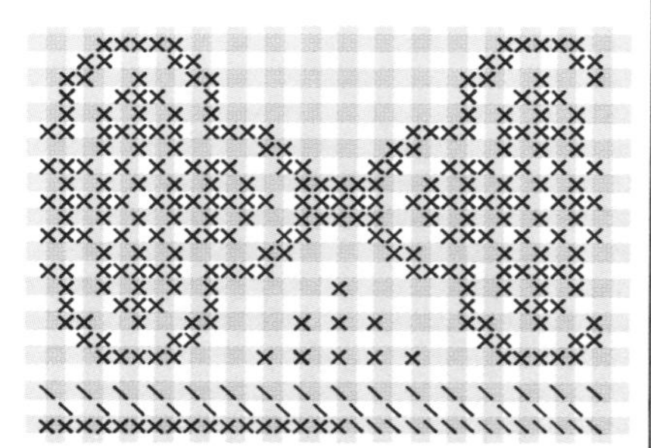

Exécutez les joints et la bordure en rangées, les points de croix en triangle un par un.

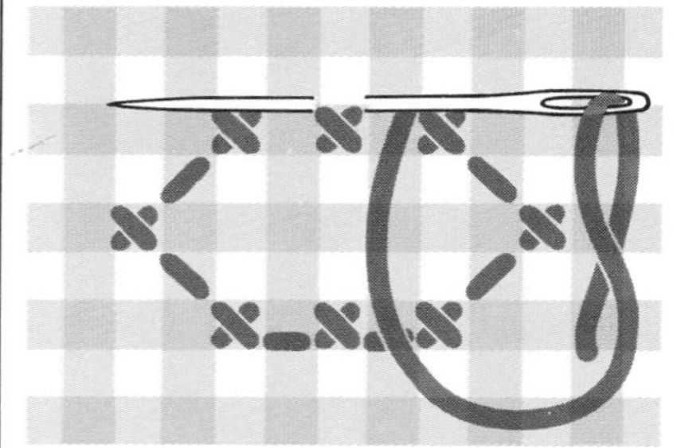

Exécutez un médaillon avec des points de croix que vous relierez par des points devant.

Broderie d'Assise

La broderie d'Assise est une variante de la broderie au point de croix dans laquelle les motifs sont laissés vides alors que le fond du dessin est rempli de points de croix simples. Les contours sont généralement soulignés au point de trait à double face (p. 47). Les détails à l'intérieur des motifs sont travaillés au point de trait à double face ou au point de croix.

Cette technique porte le nom de la ville d'Assise, en Italie du Nord, où elle a pris naissance. C'est au début de ce siècle que l'on a commencé à exécuter ce genre de broderie en adaptant les motifs des anciennes broderies italiennes soigneusement conservées dans les églises d'Assise depuis les XIIIe et XIVe siècles. Les motifs de cette époque représentaient généralement des formes animales. Mais avec la popularité grandissante de la broderie d'Assise, des motifs plus élaborés ont été adaptés à partir des sculptures géométriques et florales des églises d'Assise.

On utilisait traditionnellement un seul coloris de fil, mais aujourd'hui on n'hésite pas à mêler les couleurs : une teinte pour les fonds et une autre pour les contours et les détails.

La plupart des dessins de la broderie au point de croix peuvent s'adapter à la broderie d'Assise. Il s'agit simplement d'intervertir les pleins et les vides.

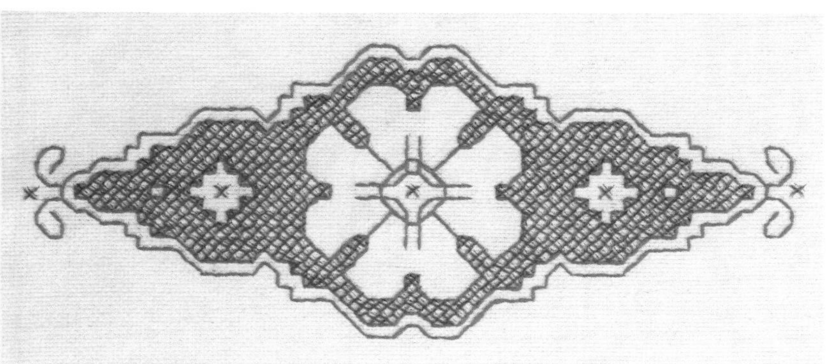

Les premiers motifs de la broderie d'Assise représentaient des formes animales stylisées. Par la suite, on a ajouté des fleurs stylisées, des formes géométriques et des figures entrelacées.

Pour exécuter une broderie d'Assise, soulignez d'abord le contour du motif au *point de trait à double face*, travaillé en deux étapes de points devant. A l'aller, exécutez des points devant à espaces égaux. Au retour, recouvrez les espaces libres entre chaque point au point devant, en faisant entrer et sortir l'aiguille par les mêmes trous qu'à l'aller. Une fois le contour terminé, remplissez le fond au point de croix que vous exécuterez par rangées, en deux étapes (p. 66).

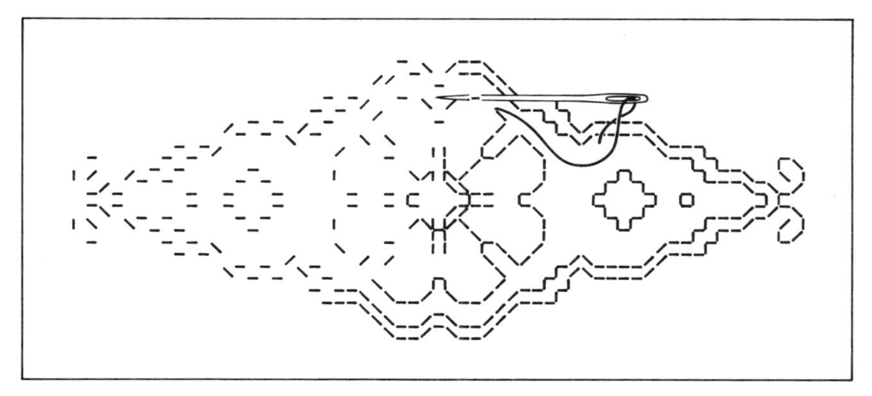

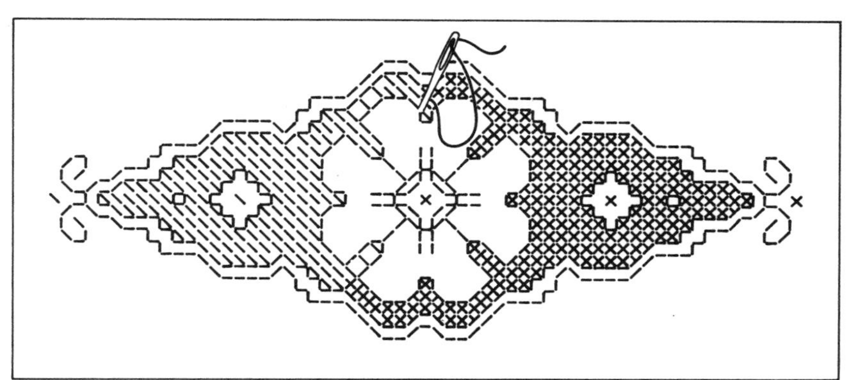

Broderie sur tissu œil-de-perdrix

Introduction

La broderie sur tissu œil-de-perdrix tient son nom du tissu sur lequel elle s'exécute : une toile à alvéoles en losanges qui sert à confectionner des serviettes de toilette. Sa particularité tient au grain du tissu qui comporte des fils « soulevés » sur l'endroit et sur l'envers, à intervalles réguliers. L'endroit du tissu ne comporte qu'**un seul fil soulevé, horizontalement**, alors que l'envers comporte **deux fils soulevés, verticalement**; c'est généralement sur cette deuxième face que la broderie est exécutée. (On peut également exécuter ce genre de broderie sur du tissu nid d'abeilles, une toile à alvéoles carrés.)

La plupart des motifs de broderie sur tissu œil-de-perdrix sont exécutés dans le sens de la largeur, sur l'envers; certains s'exécutent dans le sens de la longueur, sur l'endroit (ceci permet d'obtenir un dessin ininterrompu). Le choix de la surface dépendra du genre d'article qu'on a l'intention de broder. Les serviettes sont fréquemment brodées sur l'envers, là où l'on a deux fils soulevés, parce que la largeur du tissu (45 cm/18″) convient à la taille d'une serviette. Pour exécuter une broderie sur un brise-bise (demi-rideau), il faudra travailler sur l'endroit.

Les fils à employer pour ce type de broderie sont habituellement le coton perlé et le coton floche à 6 fils simples. Du fait que l'aiguille glisse sous le fil soulevé, on recommande d'utiliser une aiguille à tapisserie à bout rond.

Les motifs utilisés dans la broderie sur tissu œil-de-perdrix sont habituellement des dessins géométriques travaillés sous forme de *motif détaché*, de *bordure*, de *motif répétitif couvrant ou non l'ensemble de l'ouvrage* ou de *figures stylisées*. Nous vous en donnons des exemples sur la page suivante, accompagnés de dessins qui indiquent la façon de les exécuter. Voyez la page 72 pour l'exécution des points de base.

Utilisé dans le sens vertical sur l'envers, le tissu œil-de-perdrix est idéal pour la confection des essuie-mains. La broderie est exécutée sur les deux fils soulevés qui apparaissent à intervalles réguliers. Sur l'illustration, le grossissement à la loupe montre le nombre et la direction de ces fils, ainsi que la façon d'arrêter le fil de travail en le passant sous les points (p. 73).

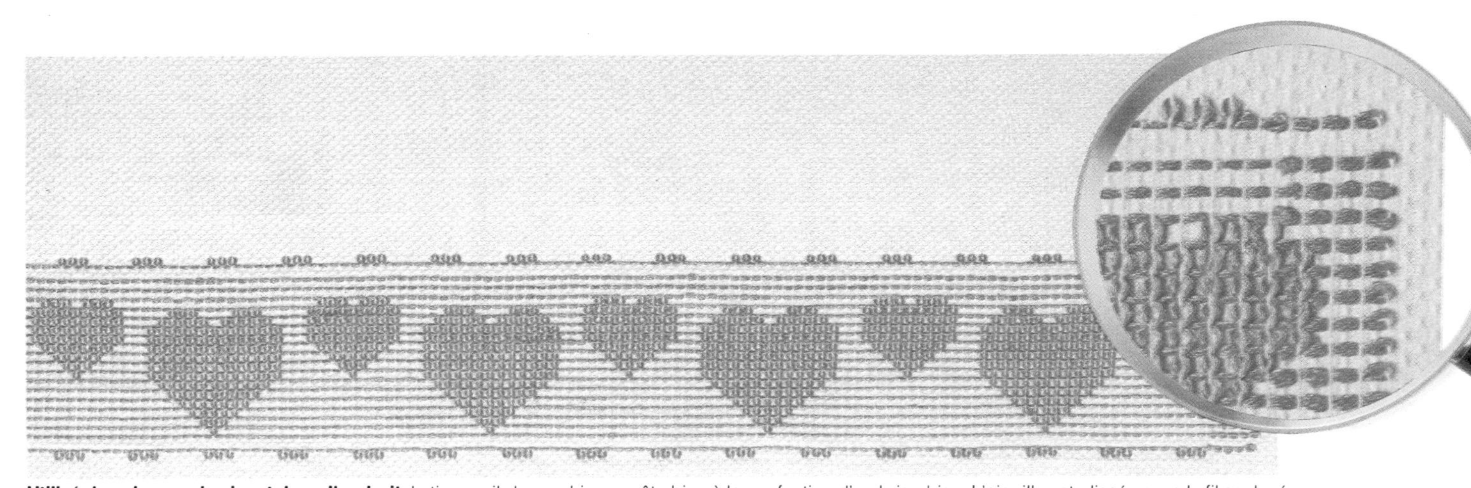

Utilisé dans le sens horizontal sur l'endroit, le tissu œil-de-perdrix se prête bien à la confection d'un brise-bise. L'aiguille est glissée sous le fil soulevé simple, comme le montre le grossissement à la loupe. On voit comment arrêter l'extrémité du fil en le repassant sous les points (p. 73).

Quatre motifs de broderie sur tissu œil-de-perdrix

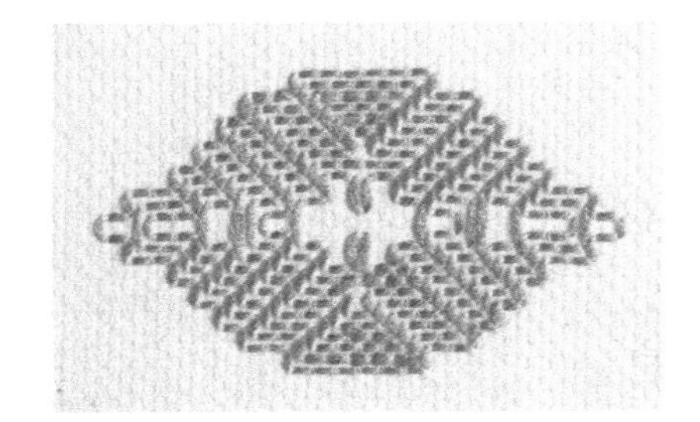

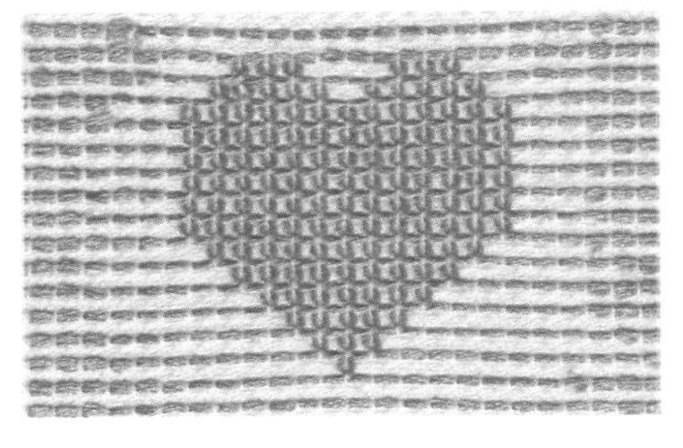

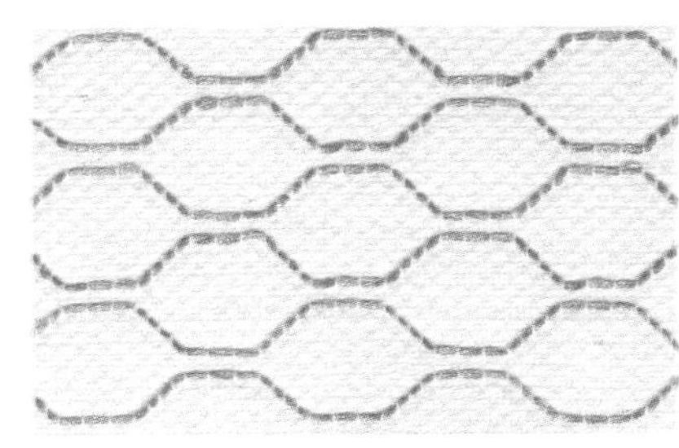

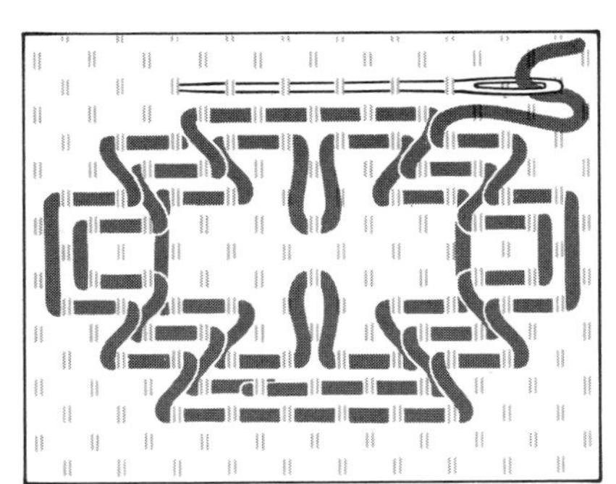

Motif détaché, exécuté du centre vers l'extérieur. Il s'exécute avec des points devant, des points en escalier et des boucles ouvertes.

Bordure exécutée de bas en haut, en rangées allant de droite à gauche. Les points employés sont des points devant et des points en huit.

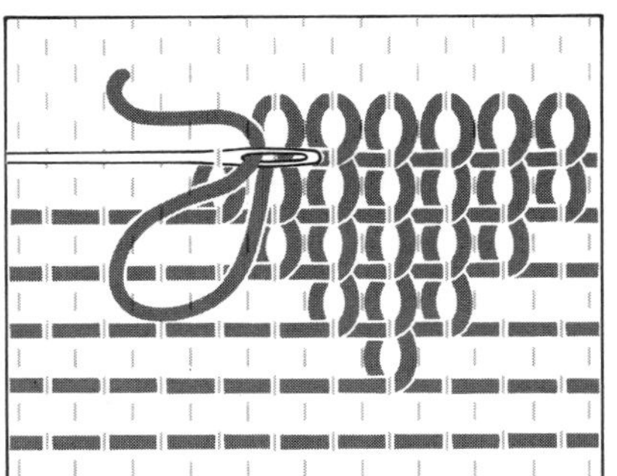

Figure stylisée travaillée en rangées de droite à gauche. Le motif du cœur s'exécute en rangées de boucles fermées et de points devant.

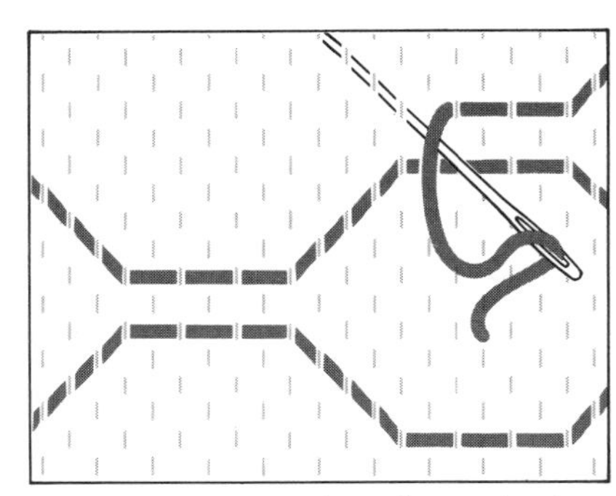

Motif recouvrant toute la surface, exécuté en rangées de droite à gauche jusqu'à ce que l'espace désiré soit rempli (ici, au point devant).

Voir la description des points, page suivante.

Broderie sur tissu œil-de-perdrix

Exécution des principaux points

Le point glissé (point devant) est le point le plus souvent utilisé pour la broderie sur tissu œil-de-perdrix. Travaillez de droite à gauche, en glissant l'aiguille sous les fils soulevés, en ligne droite ou en diagonale.

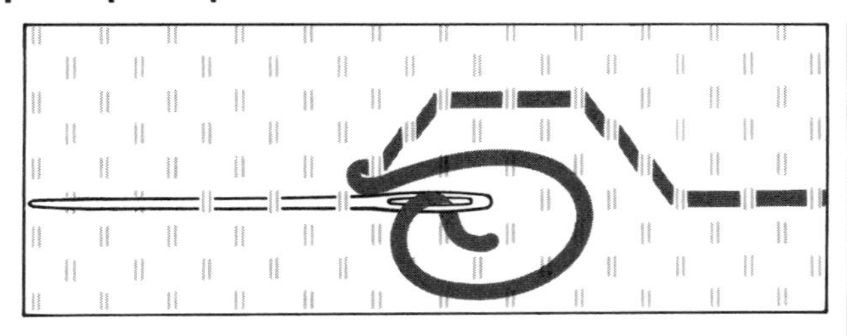

L'escalier s'exécute avec des points glissés. Travaillez de droite à gauche, et vers l'avant.

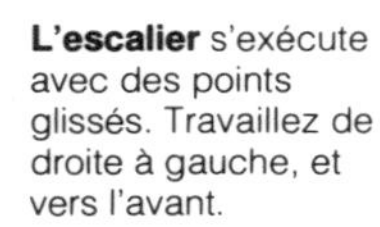

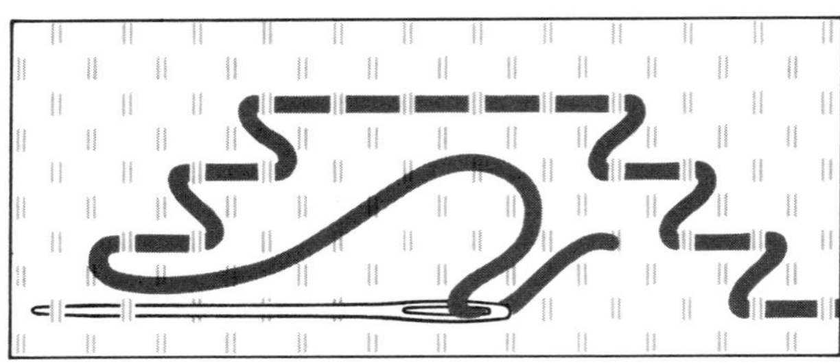

Les boucles ouvertes sont aussi exécutées avec des points glissés; elles sont bouclées vers le haut et ouvertes à la base. Travaillez de droite à gauche, et vers l'avant.

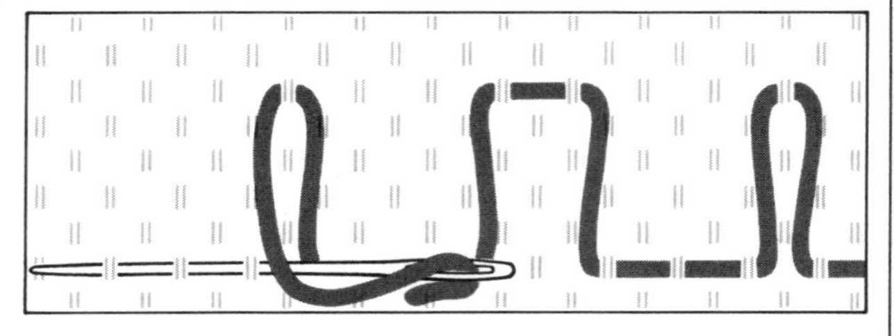

Pour les boucles fermées, travaillez la base de la boucle de droite à gauche, et le sommet de la boucle, de gauche à droite, puis *reglissez l'aiguille sous le même fil soulevé,* à la base, de droite à gauche.

Les huit sont une combinaison des deux boucles précédentes. Travaillez de droite à gauche le sommet et la base de la boucle. Le huit se forme en *reglissant l'aiguille sous le même fil soulevé,* à la base.

Exécution de la broderie sur tissu œil-de-perdrix

La plupart des motifs sont exécutés en rangées de points superposées. Cependant, la première rangée du motif s'exécute à partir du centre vers l'extérieur pour que le motif soit bien centré. Après cette première rangée, les suivantes sont exécutées de droite à gauche.

Très souvent, les motifs se répètent. Aussi pour être en mesure de placer dans la largeur du tissu autant de motifs complets que possible, le premier motif doit être centré avec soin.

Pour déterminer l'emplacement du premier motif par rapport au centre du tissu, comptez le nombre de fils soulevés dans un motif et le nombre de fils soulevés sur la largeur du tissu. Divisez le deuxième nombre par le premier : vous obtiendrez le nombre de motifs complets (ne tenez pas compte des fractions) qui logeront dans la largeur. Si ce nombre est pair, exécutez un motif complet de chaque côté de la ligne centrale. Si ce nombre est impair, centrez un motif sur la ligne centrale, en en brodant la moitié de chaque côté.

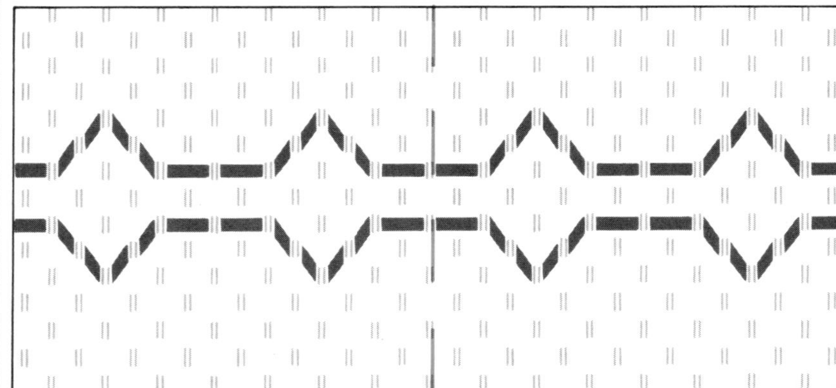

Pour un nombre pair de motifs de broderie sur tissu œil-de-perdrix, commencez avec deux motifs, un de chaque côté de la ligne médiane du tissu.

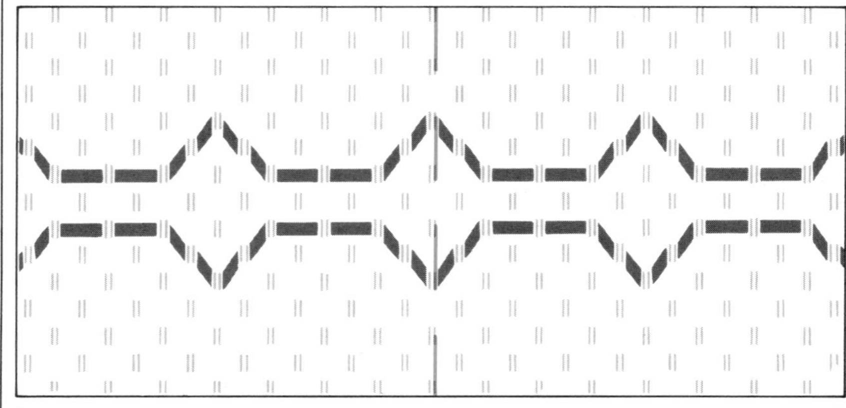

Pour un nombre impair de motifs de broderie sur tissu œil-de-perdrix, centrez le premier motif, exactement au milieu du tissu, en brodant une moitié du motif de chaque côté de la ligne médiane.

Commencez par plier le tissu en deux, dans la largeur, et marquez le pli. Prenez une aiguillée de 75 cm (30″) environ (quantité nécessaire pour une rangée complète). Ne nouez pas l'extrémité du fil. En laissant libre la moitié du fil, commencez la première rangée à partir du milieu vers la gauche.

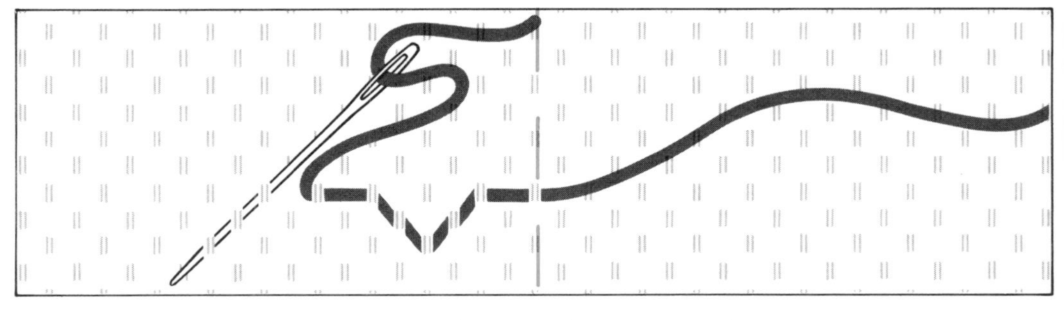

Renversez l'ouvrage et enfilez l'aiguille avec le fil laissé libre. Travaillez la seconde moitié de la rangée, en partant du milieu vers la gauche.

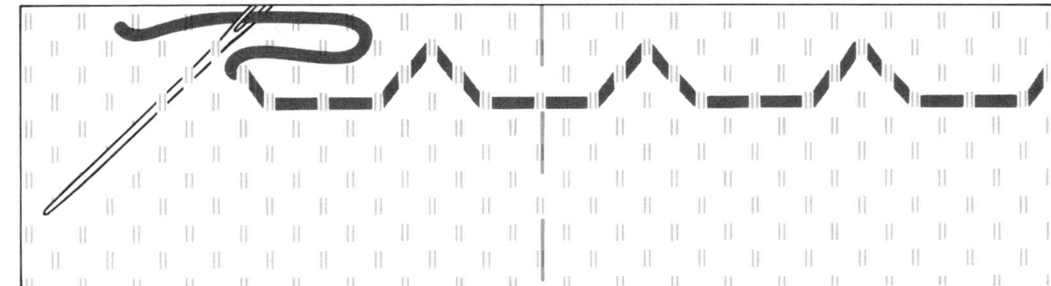

Retournez à nouveau l'ouvrage et exécutez la rangée suivante, de droite à gauche, en partant cette fois du bord extrême de la serviette et en travaillant avec une même longueur continue de fil.

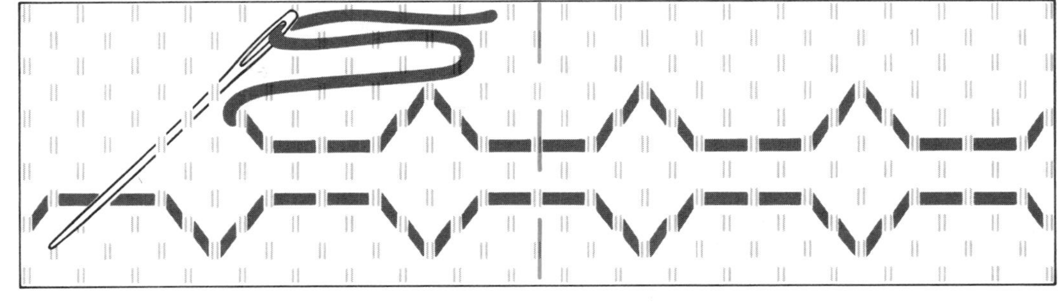

Exécutez les autres rangées de droite à gauche, avec une seule aiguillée. Travaillez avec soin en vous guidant sur les rangées déjà brodées.

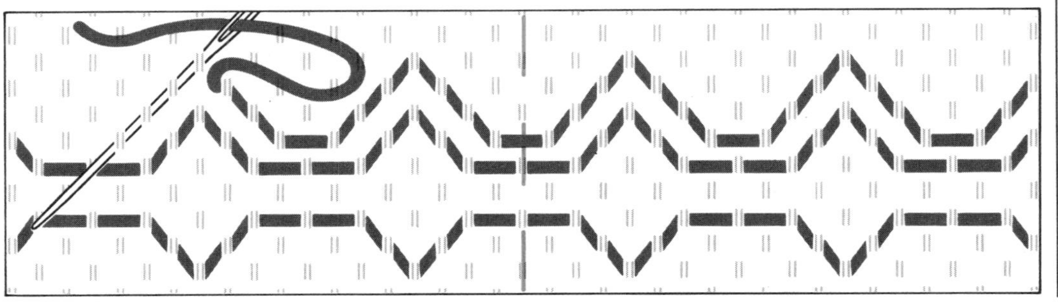

Arrêt des fils

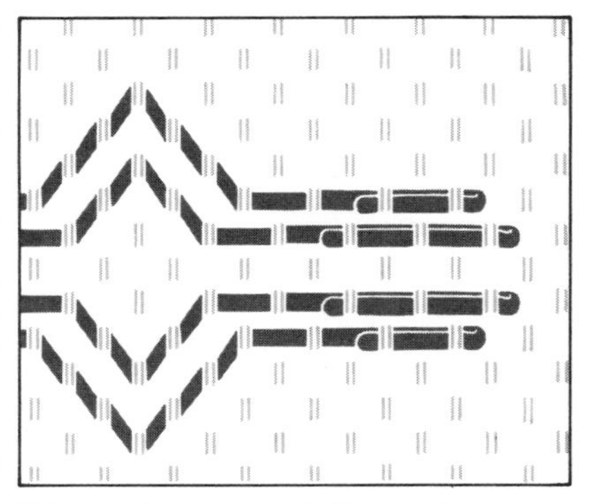

Si le dessin se trouve à découvert, ramenez l'extrémité du fil dans les derniers points.

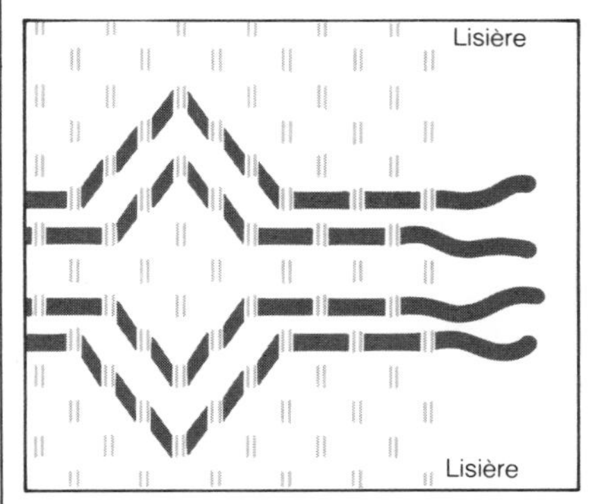

Si le dessin va jusqu'à une couture, laissez les fils libres; ils seront pris dans la couture.

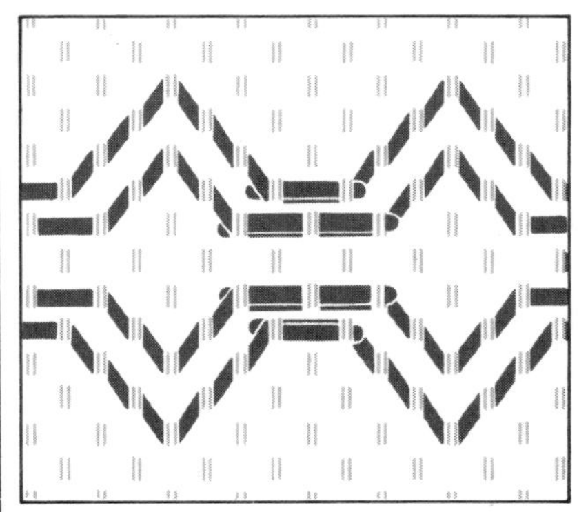

Pour raccorder deux fils dans un motif, superposez le nouveau fil au premier sur 3 cm.

Les jours/ Fonds ajourés

Introduction aux fonds ajourés
Exécution d'un fond ajouré
Exemples de fonds

Introduction

Les fonds ajourés sont un type de jours sans fils tirés, très souvent employés pour décorer la lingerie. Dans ce genre de broderie, chaque point resserre quelques fils du tissu, créant ainsi des vides et donnant à l'ensemble un aspect de dentelle. Souvent, on ajoutera d'autres points de broderie pour souligner un contour, par exemple.

Les fonds ajourés étant un genre de broderie à fils comptés, on les travaille habituellement sur des tissus à armure toile à contexture carrée. Choisissez un fil de même poids que les fils du tissu et une grosse aiguille à tapisserie à bout rond, capable toutefois de glisser entre les fils du tissu (ceci vous permettra d'accentuer les vides); travaillez sur un tambour ou un métier à broder.

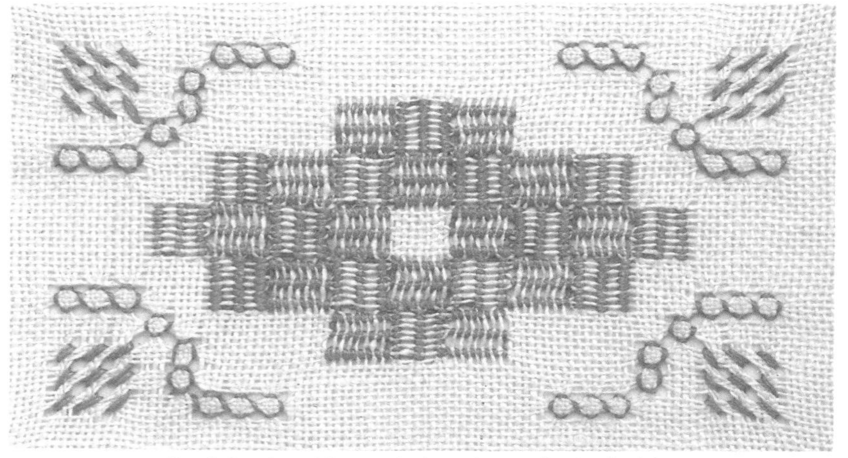

Fond ajouré combinant trois des points expliqués plus loin.

Exécution d'un fond ajouré

Pour commencer, situez d'abord exactement le centre de l'ouvrage et indiquez-le par un bâti. Ensuite, marquez la position des motifs en comptant les fils à partir du centre vers l'extérieur. Si les bords du motif doivent être soulignés avec un point de broderie, dessinez-les; autrement, bâtissez-les. Exécutez chaque motif en partant du centre vers l'extérieur et en travaillant par rangées (voir les trois pages suivantes). Terminez les fonds ajourés avant de broder les autres points.

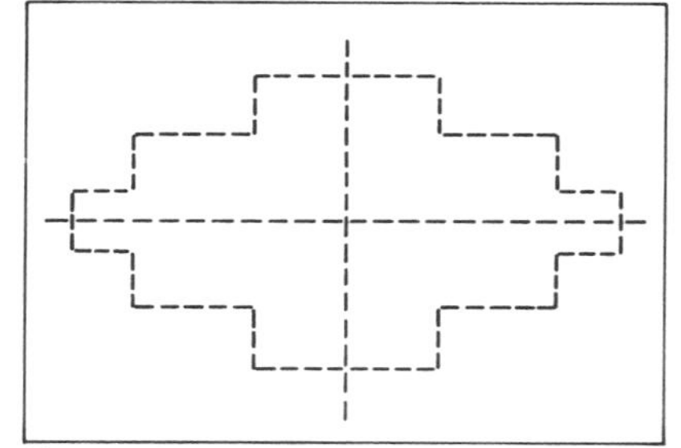

Marquez le centre du tissu; bâtissez les motifs en comptant les fils à partir du centre.

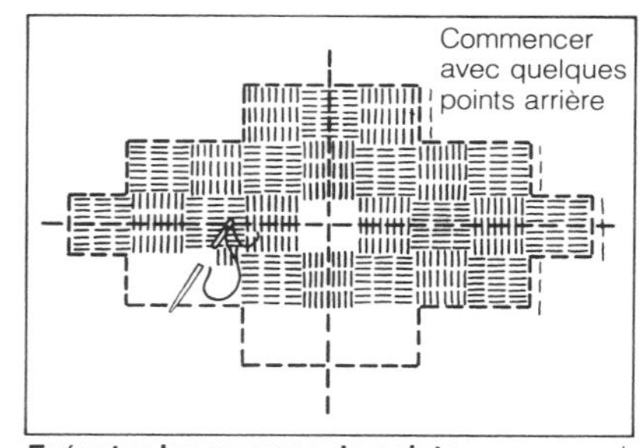

Exécutez les groupes de points un par un, du centre vers l'extérieur, et travaillez par rangées.

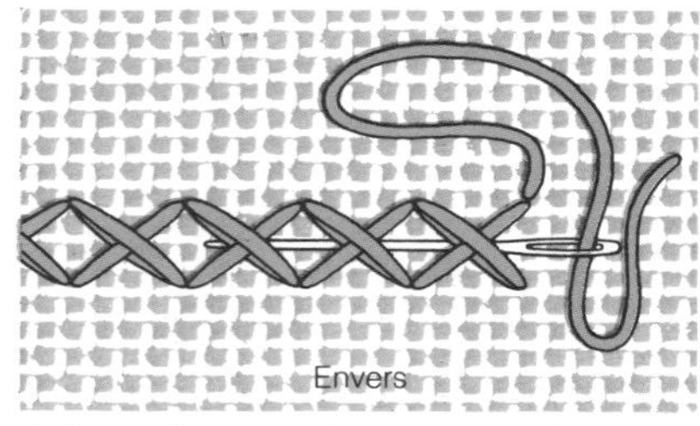

Arrêtez le fil au bout d'une rangée en le glissant sous les points, à l'envers du tissu. Puis défaites les points arrière exécutés en début de rangée et arrêtez-les de la même manière.

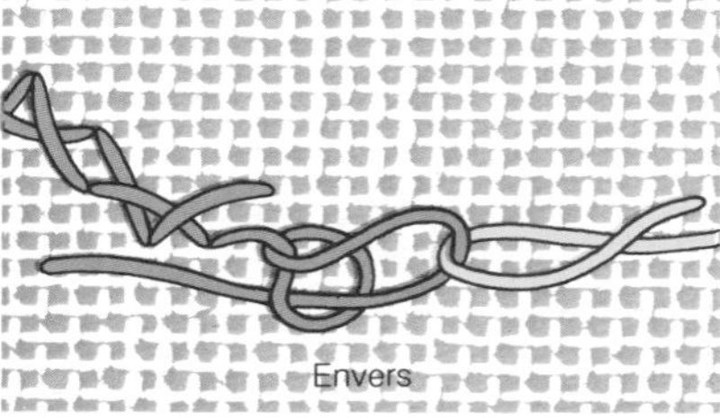

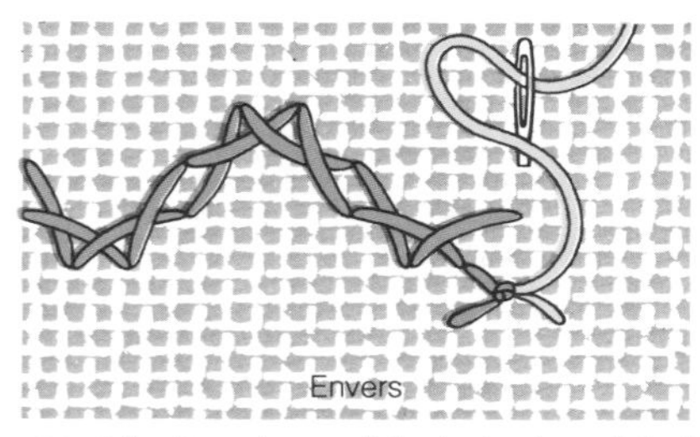

Pour commencer une nouvelle aiguillée, faites un nœud simple (avec le bout de l'aiguillée précédente) dans la boucle duquel vous passez le nouveau fil. Serrez le premier nœud, le plus près possible du dernier point, et faites un second nœud avec le nouveau fil de sorte que les deux boucles soient l'une sur l'autre. Coupez les extrémités des fils.

Exemples de fonds

Sur cette page et les deux suivantes, nous décrivons les six fonds (ou points ajourés) les plus courants. Chacun se travaille en rangées. Selon le fond, les rangées peuvent être horizontales ou verticales. Le maniement de l'aiguille est simple bien que le passage d'une rangée à l'autre semble plus compliqué. Suivez avec soin les instructions en notant bien les positions de l'aiguille et le sens dans lequel il faut tenir l'ouvrage. La dernière illustration de chaque série montre le résultat obtenu après avoir serré les fils. Commencez par quelques points arrière, à l'extérieur de la surface à broder, et terminez l'aiguillée en glissant le fil sous les points, à l'envers de l'ouvrage; défaites alors les points arrière et arrêtez cette extrémité du fil de la même façon.

Le point quadrillé ajouré s'exécute en rangées horizontales, de la droite vers la gauche. Sortez l'aiguille en 1. Piquez-la en 2 et ressortez-la en 3; puis rentrez-la en 1 et ressortez-la en 4; enfin, piquez-la en 2 et ressortez-la en 3. Resserrez chaque point en tirant fortement sur le fil. *Répétez* l'enchaînement jusqu'à la fin de la rangée. Pour la rangée suivante, renversez votre ouvrage et exécutez la deuxième rangée comme la première. A la fin de la rangée, retournez encore une fois l'ouvrage pour faire la troisième rangée.

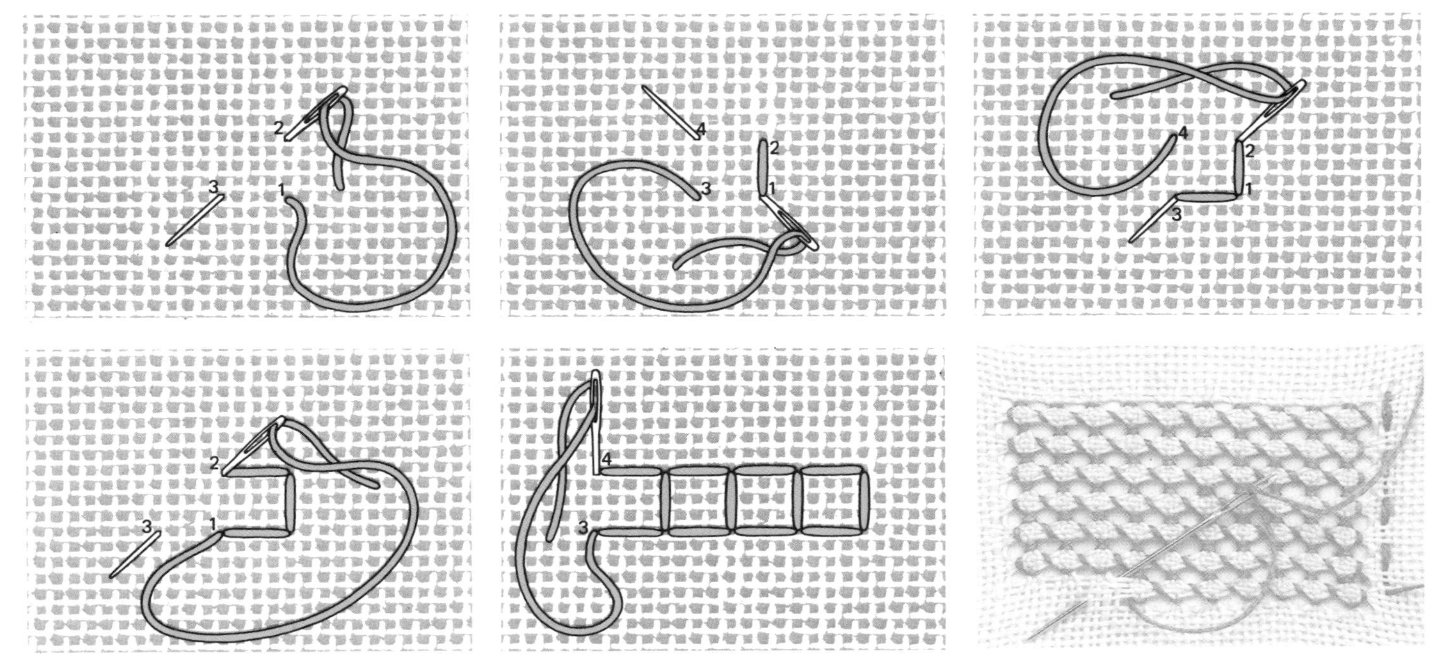

Le fond en grains d'orge est composé de groupes de points passés, exécutés en rangées horizontales. Sortez l'aiguille en 1 et faites trois points passés en piquant l'aiguille trois fois dans les deux mêmes trous. Exécutez le groupe suivant, quatre fils de tissu plus loin, à gauche. Répétez l'enchaînement de 1 à 6. A la fin de la rangée, sortez l'aiguille en 1 entre les deux derniers groupes de points et quatre fils au-dessous, pour la rangée suivante. Travaillez la deuxième rangée de gauche à droite, et la troisième de droite à gauche.

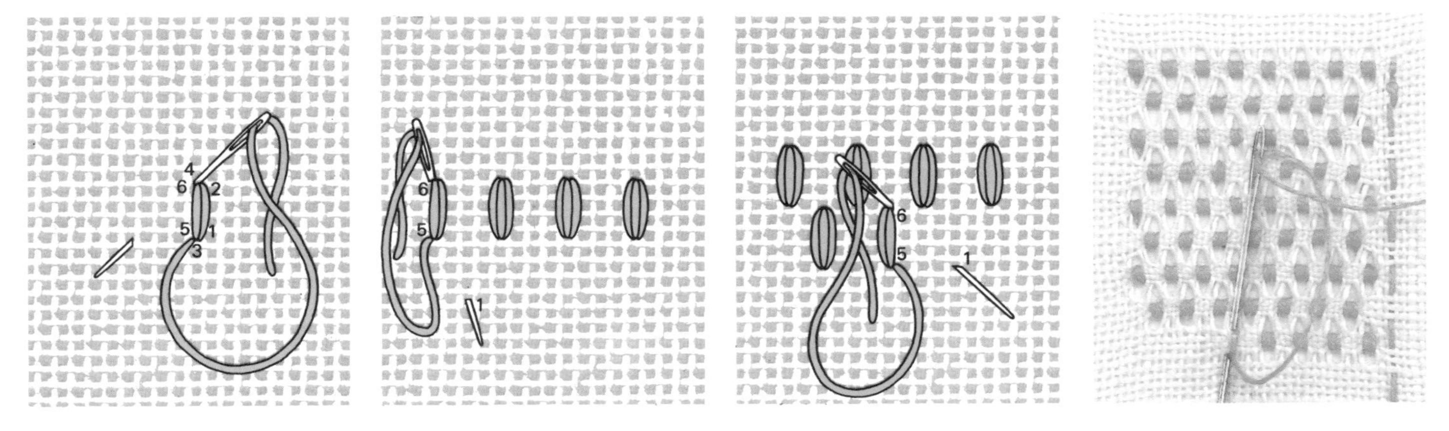

Les jours/Fonds ajourés

Exemples de fonds

Le fond en damier se travaille carreau par carreau. Chaque carreau se compose d'un groupe de trois rangées de huit points chacune; les rangées s'exécutent de droite à gauche, puis de gauche à droite. A la fin de la troisième rangée, tournez l'ouvrage dans le sens indiqué sur l'illustration, et ressortez l'aiguille en 1 pour le carreau suivant. *Exécutez tous les carreaux* comme le premier, en tournant l'ouvrage à chaque nouveau carreau.

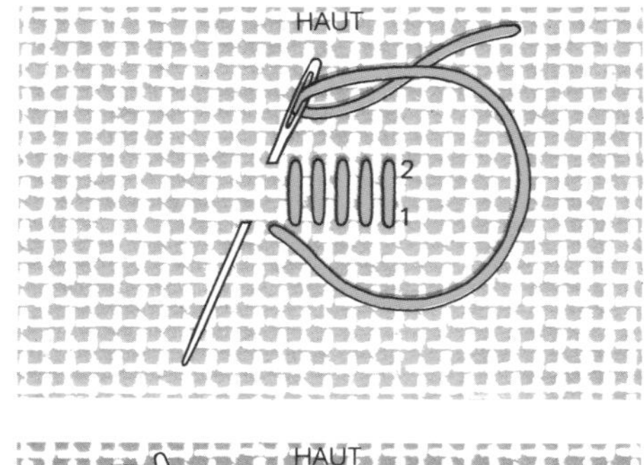

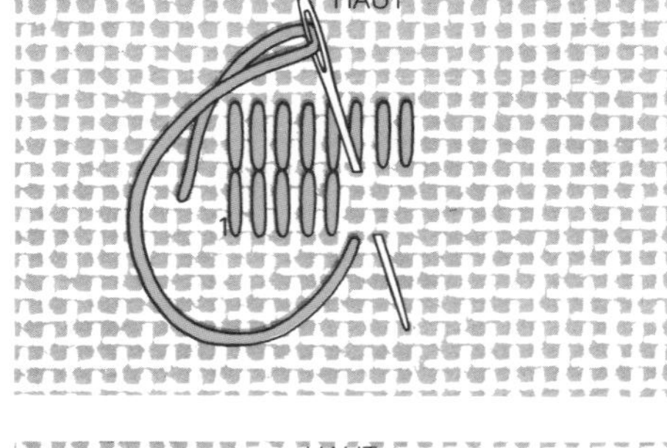

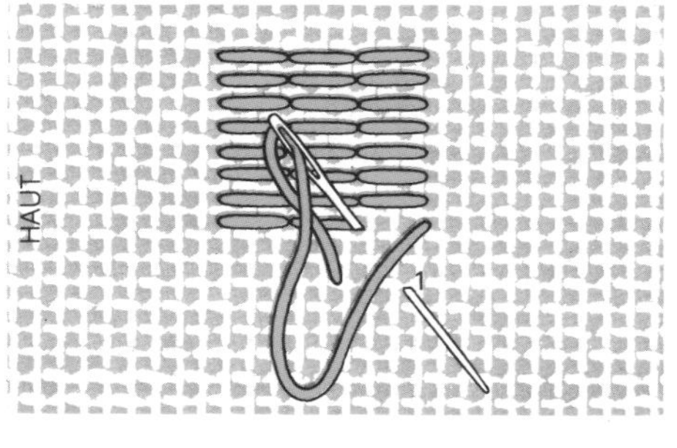

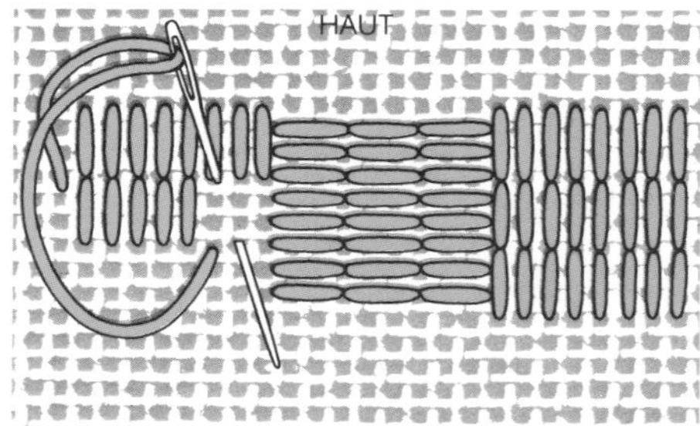

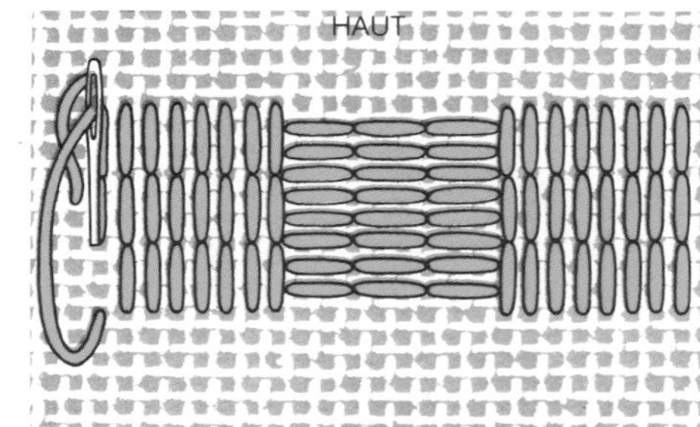

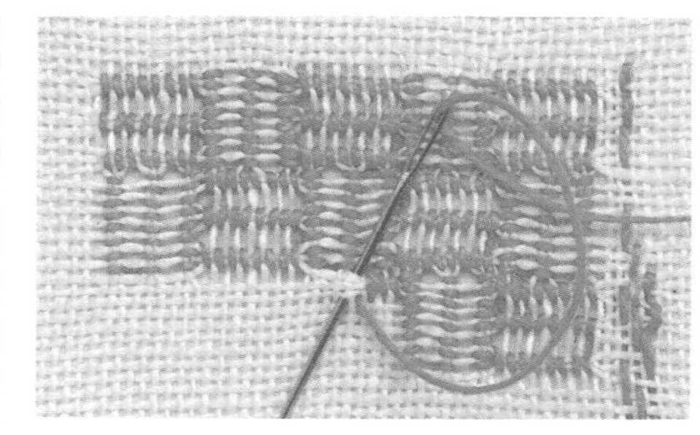

Le fond à fenêtres s'exécute en deux temps. Faites d'abord les rangées de points verticaux en travaillant de droite à gauche, puis de gauche à droite, jusqu'à ce que vous ayez le nombre de rangs voulus. *Puis tournez l'ouvrage* et faites des groupes de deux points perpendiculaires aux premiers, en travaillant alternativement de droite à gauche, puis de gauche à droite.

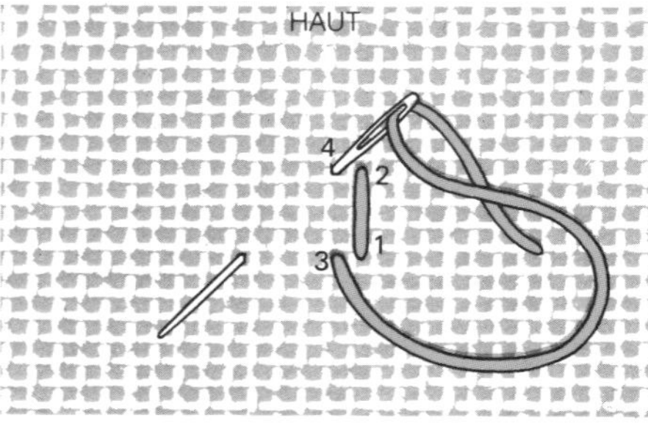

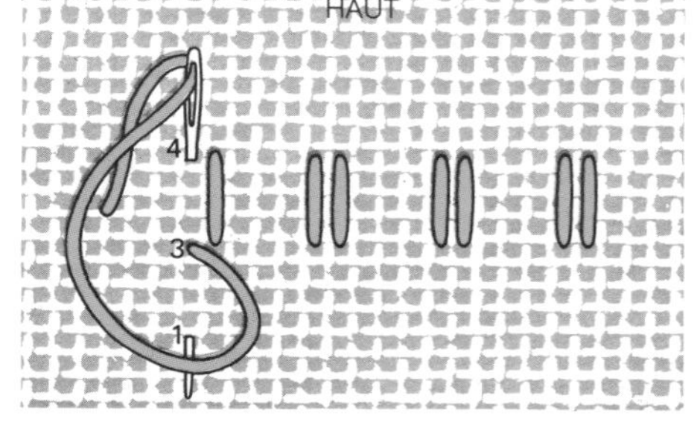

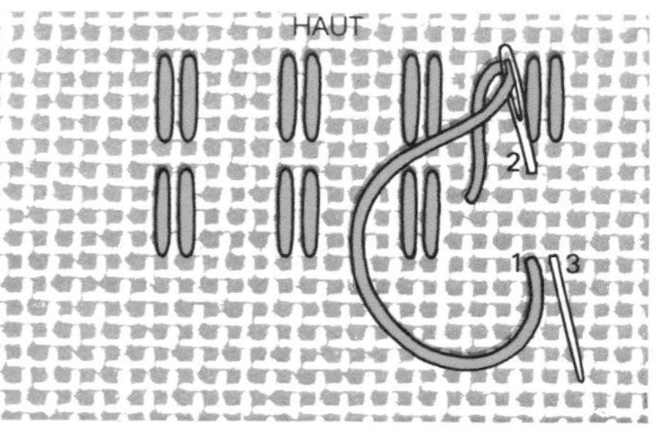

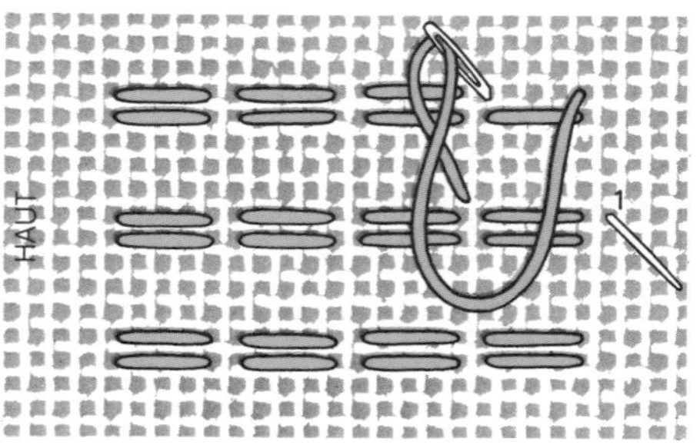

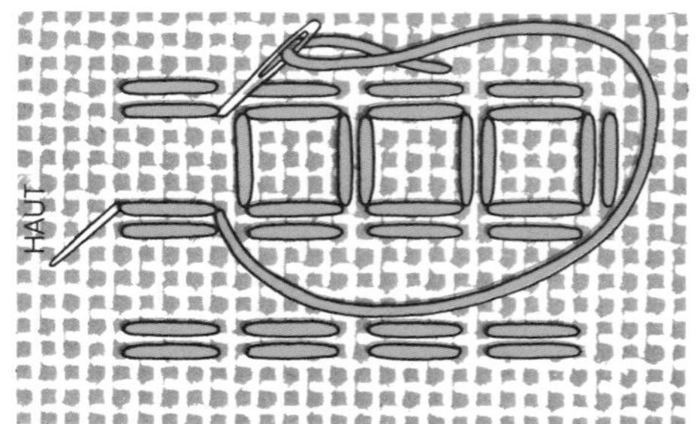

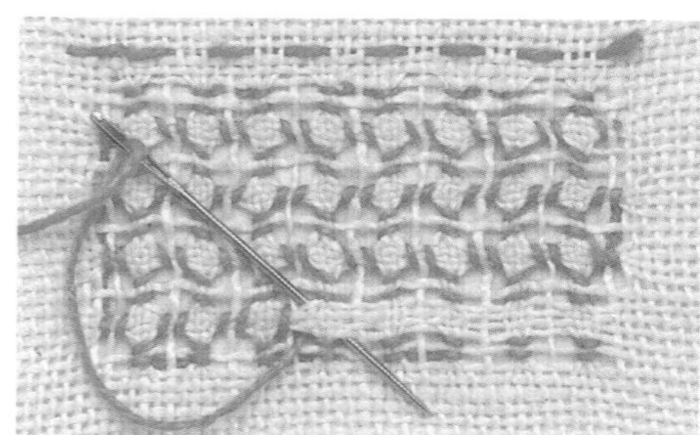

Le fond à anneaux se travaille en deux temps. On brode d'abord une série de demi-anneaux au point arrière, que l'on complète ensuite dans un second temps, toujours au point arrière. Sortez l'aiguille en 1; rentrez-la en 2 et ressortez-la en 3. Suivez l'enchaînement jusqu'en 9 (vous avez alors deux demi-anneaux en huit points arrière). *Répétez* jusqu'à ce que vous ayez le nombre désiré de demi-anneaux. A la fin de la rangée, renversez votre ouvrage et exécutez la seconde moitié des anneaux, comme l'indique l'illustration. Travaillez toujours de droite à gauche; pour ce faire, il faut renverser l'ouvrage.

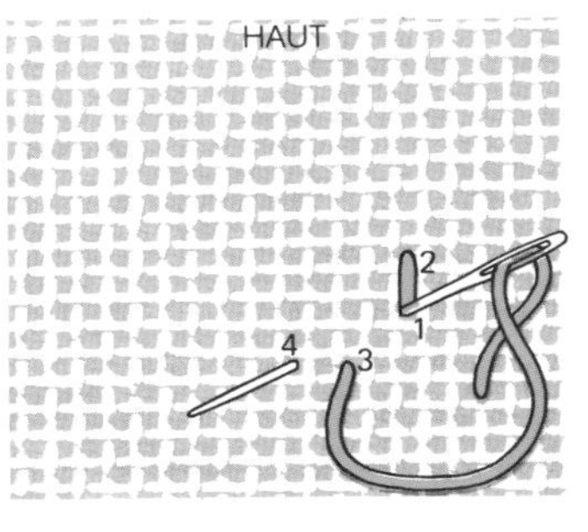

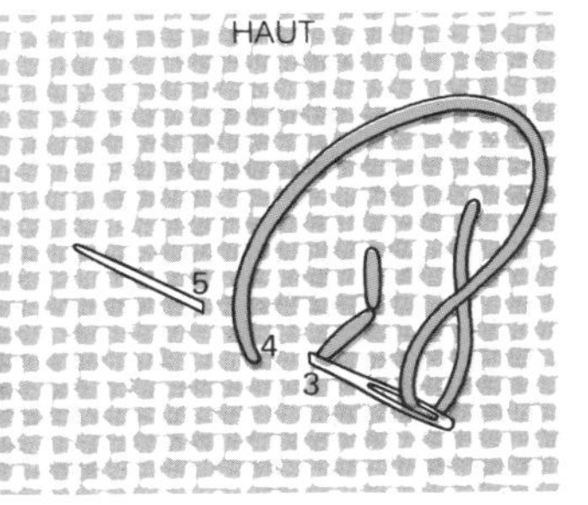

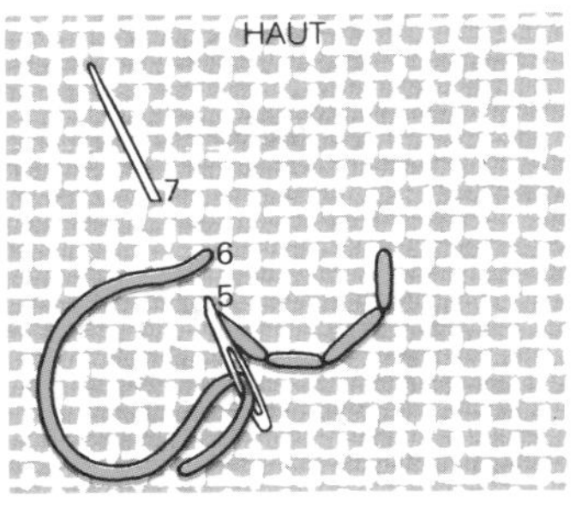

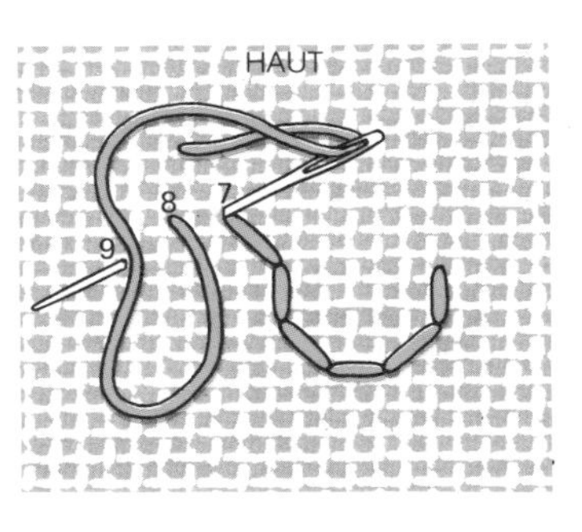

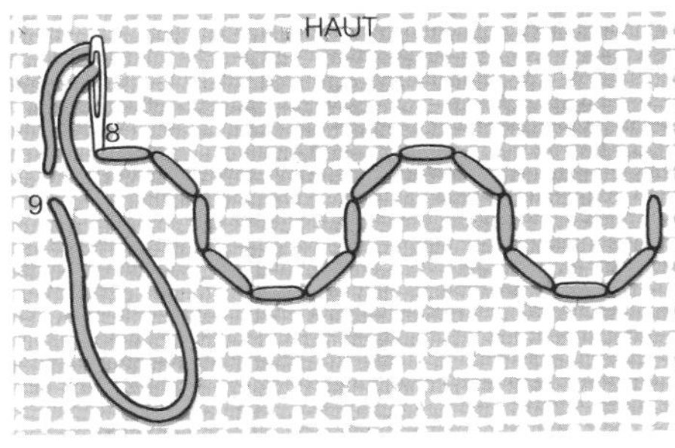

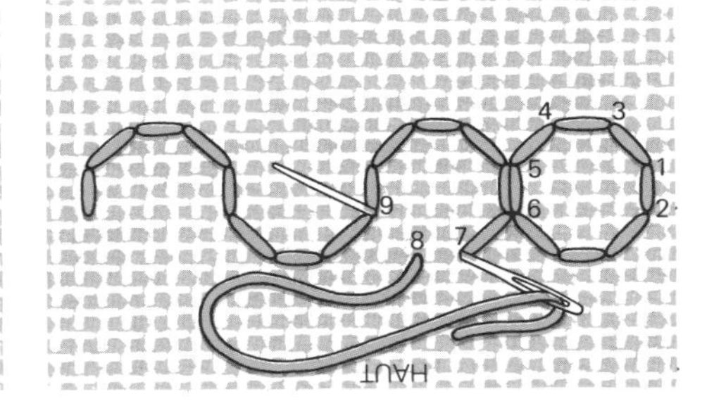

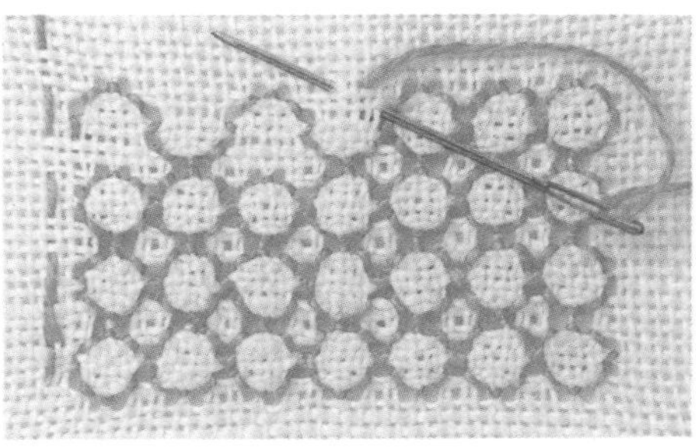

Le fond à ombres est formé de doubles rangées diagonales. Comme le montre l'illustration, il remplit un espace en carré. Ce carré se forme en deux temps. Sortez l'aiguille en 1. Rentrez-la en 2 et ressortez-la en 3, sous 1; puis rentrez l'aiguille en 4 et ressortez-la en 2. Répétez la séquence jusqu'à ce que vous ayez deux rangées ayant respectivement quatre et trois points. (Les rangées suivantes diminuent d'un point chaque fois.) *Renversez l'ouvrage* au début de chaque nouvelle rangée et suivez bien l'enchaînement de 1 à 4 (ce qui vous permettra de doubler automatiquement les points de chaque rangée). Puis brodez la deuxième partie du carré de la même façon.

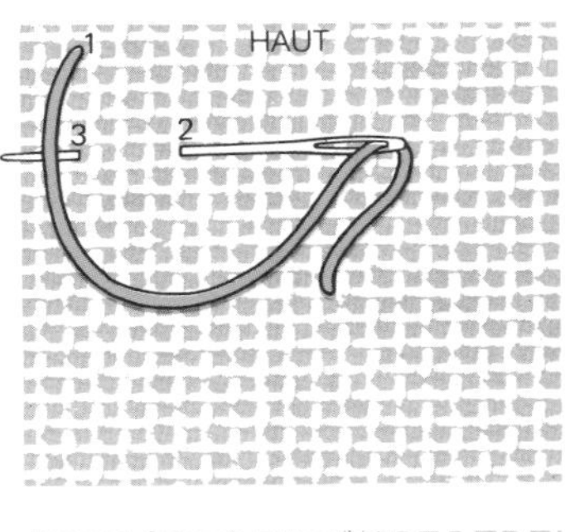

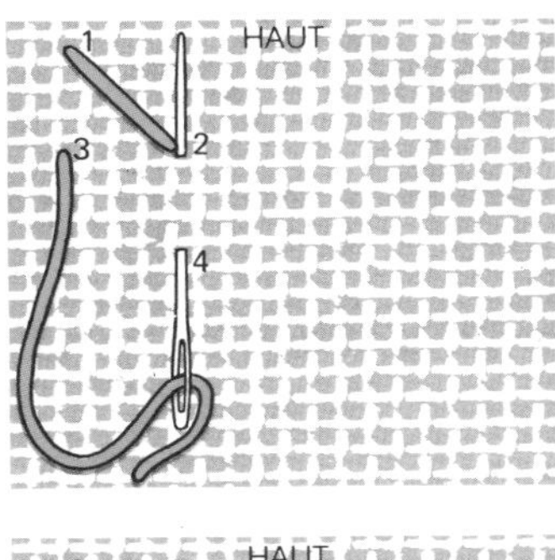

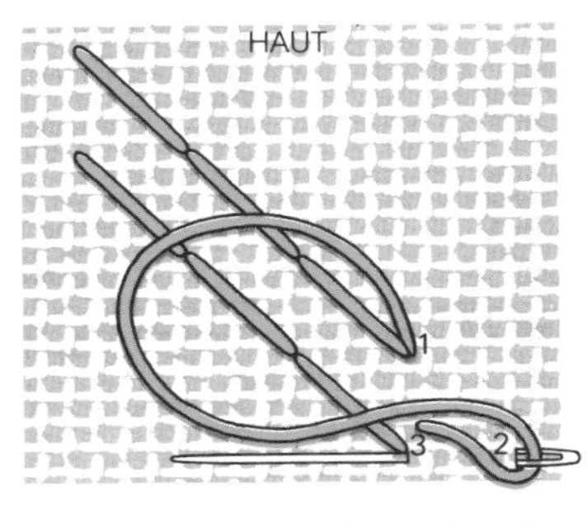

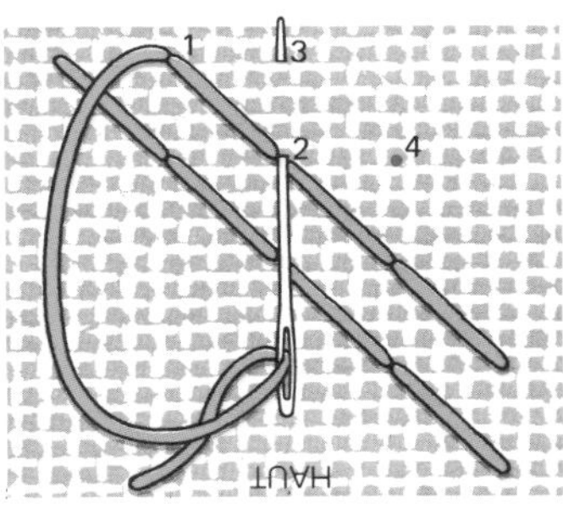

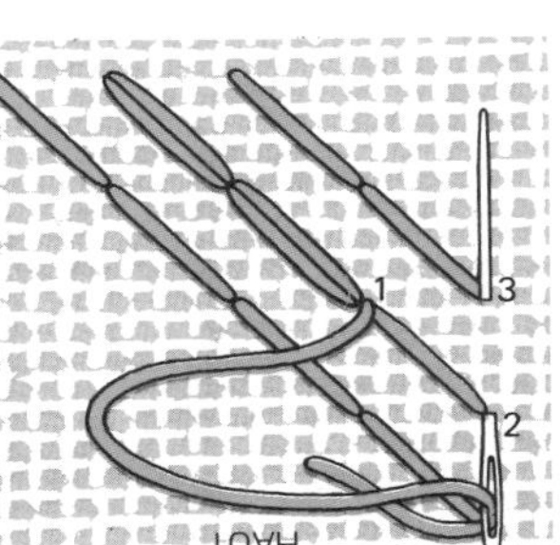

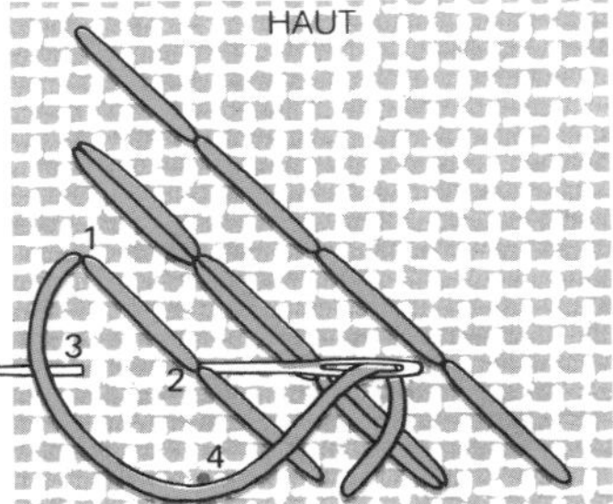

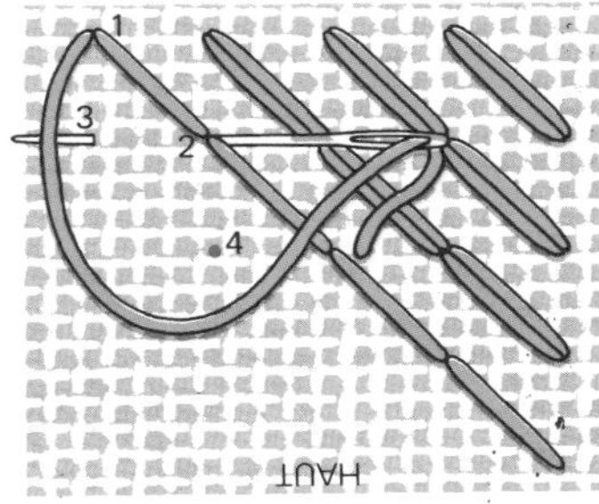

Les jours/ Jours à fils tirés

Technique des fils tirés

Les jours à fils tirés exigent le retrait de fils du tissu. Si on enlève les fils de chaîne ou les fils de trame, on obtient le jour dit **rivière**; si on enlève les fils de chaîne *et* les fils de trame, on obtient le jour dit **point coupé**. Dans la rivière, les fils restants sont regroupés à l'aide de différents points, créant ainsi des espaces ouvrés. Nous étudierons plus particulièrement le principe des jours simples et des jours à faisceaux surbrodés; les fils sont tirés de la même manière dans les deux cas, la différence se situant dans la façon dont les faisceaux sont travaillés.

Introduction

Les jours dits rivières sont les jours les plus courants. Ils servent non seulement à broder une rivière mais, souvent, ils en ourlent également le bord (ourlet à jour).

On peut se servir de presque n'importe quel genre de tissu pour les jours, mais étant donné qu'il faut compter les fils, une armure toile à contexture carrée est plus facile à travailler. Choisissez du coton floche ou du coton perlé fin de même épaisseur qu'un des fils du tissu.

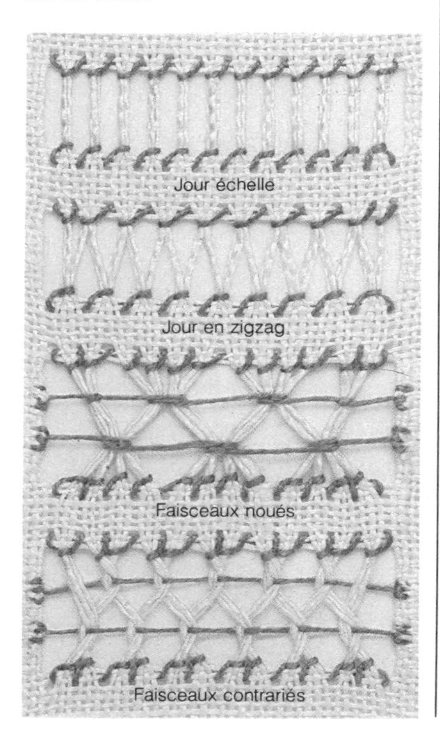

Préparation du tissu pour un ourlet à jour

Pour préparer un ourlet à jour ou une simple rivière, il faut d'abord décider quelles seront la longueur et la largeur de la rivière. Elles dépendront de la variante de points choisie (pp. 80-81).

Chaque point requiert le groupement d'un certain nombre de fils verticaux; en fait, la longueur de la rivière doit être un multiple du nombre de fils que l'on trouve dans un faisceau.

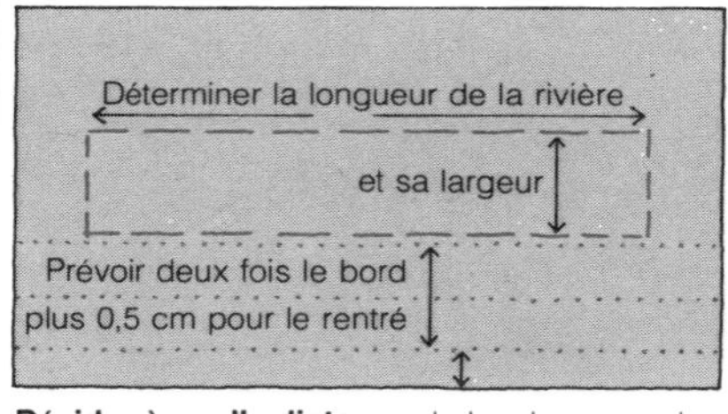

Décidez à quelle distance du bord vous voulez situer la rivière. Prévoyez deux fois la largeur de l'ourlet, plus 0,5 cm (½") pour le rentré.

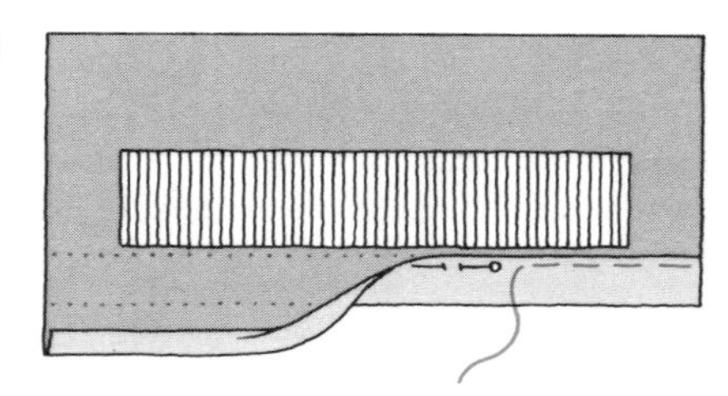

Après avoir tiré les fils, faites le rentré au fer, puis pliez le bord en l'amenant à la distance d'un fil de la rivière. Epinglez et faufilez.

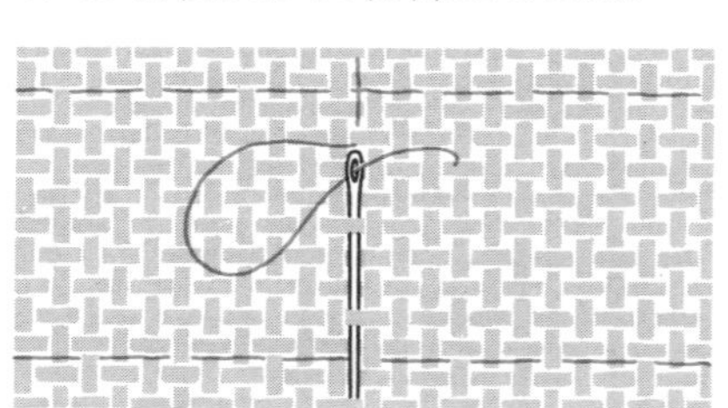

Pour tirer les fils : 1. Marquez la largeur, la longueur et le centre de la rivière avec un fil de bâti, en suivant le sens du tissu.

2. Avec des ciseaux à broder très pointus, coupez les fils horizontaux du tissu, le long de la ligne centrale, dans les limites de la rivière.

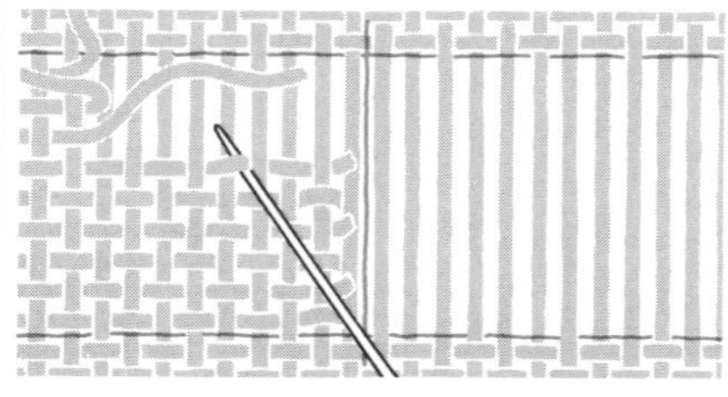

3. Retirez les fils avec une aiguille à bout rond, en laissant libre le nombre exact de fils verticaux nécessaires à l'exécution du point choisi.

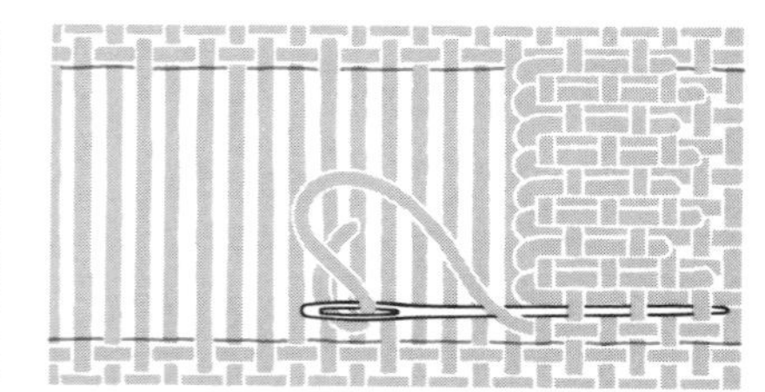

4. Aux extrémités de la rivière, repliez les fils tirés et glissez-les sur 3 cm (1") à l'envers du tissu; coupez les extrémités flottantes.

Exécution des jours simples

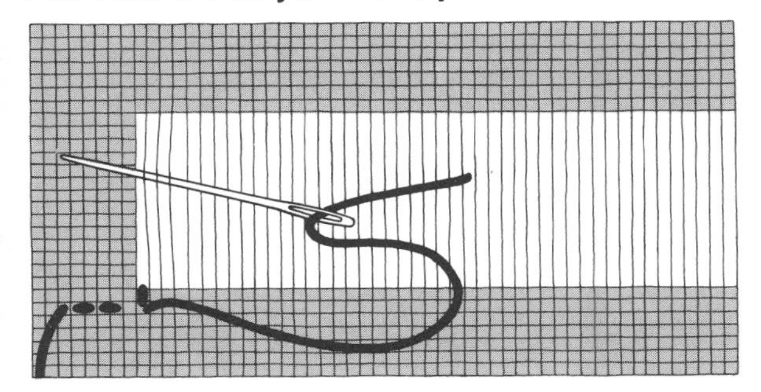

Sans ourlet, les jours se travaillent habituellement sur l'envers. Commencez en laissant 15 cm (6") de fil libre et faites quelques points arrière, à gauche de la rivière. Faites un petit point vertical sur le bord. Puis, glissez l'aiguille de droite à gauche sous le nombre choisi de fils verticaux (3 à 5) et réunissez-les en faisceaux.

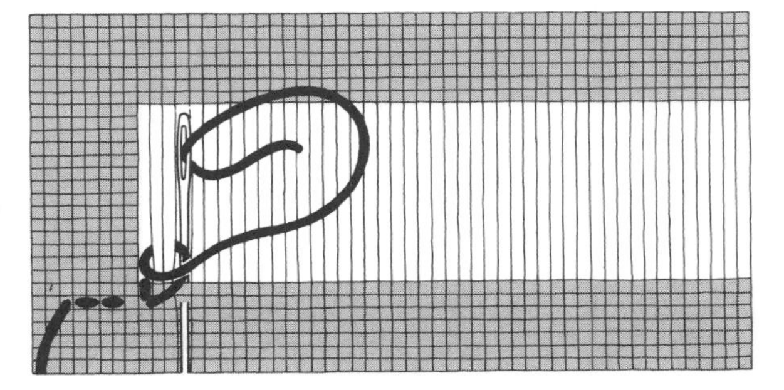

Faites un petit point vertical à droite du faisceau. Continuez à travailler de cette façon sur toute la longueur de la rivière, en veillant bien à faire tous les petits points verticaux à égale hauteur.

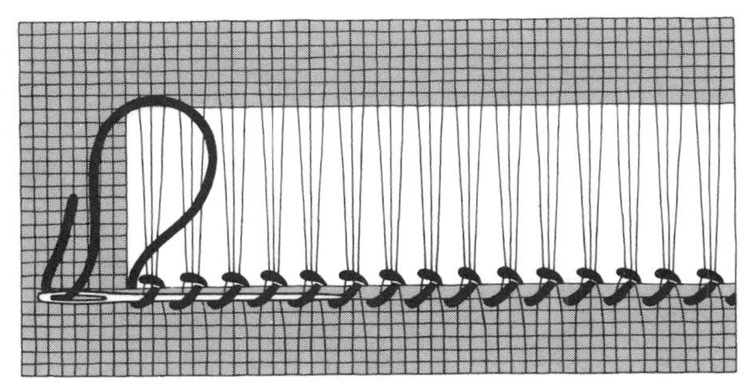

A la fin de la rivière, toujours sur l'envers de l'ouvrage, passez l'aiguille à travers les points verticaux pour arrêter le fil. Défaites les points arrière qui se trouvent sur la gauche de la rivière et arrêtez le fil de la même façon, en le passant sous les points verticaux de ce côté.

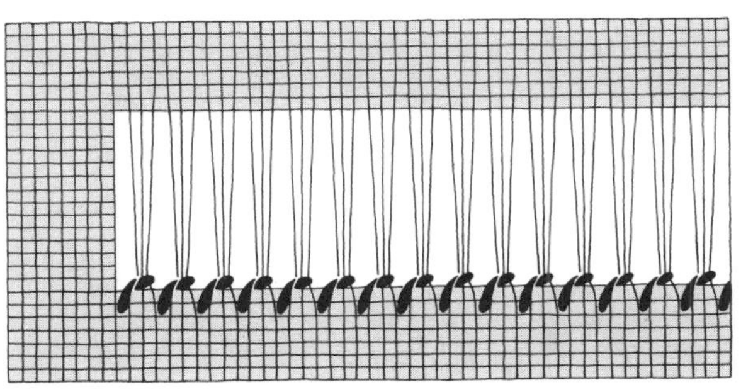

L'endroit de l'ouvrage (le travail ayant été exécuté sur l'envers) se présente de la façon illustrée à gauche. Si vous préférez avoir sur l'endroit les petites boucles qu'on voit sur l'envers du travail, à l'illustration précédente, exécutez les points sur l'endroit de l'ouvrage, mais arrêtez le fil sur l'envers pour qu'il ne se voie pas.

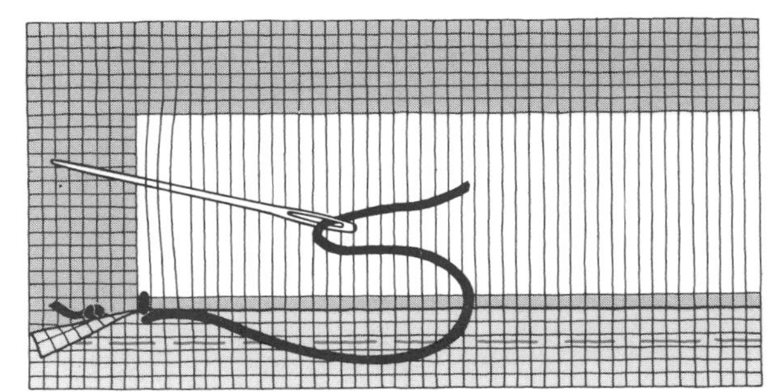

Avec un ourlet, les jours s'exécutent aussi sur l'envers de l'ouvrage. Faites un nœud et piquez l'aiguille sous le rentré de l'ourlet. Faites un petit point vertical au bord de la rivière, en prenant également le bord de l'ourlet. Puis, passez l'aiguille sous le nombre de fils verticaux choisis (3 à 5) et réunissez-les en faisceaux.

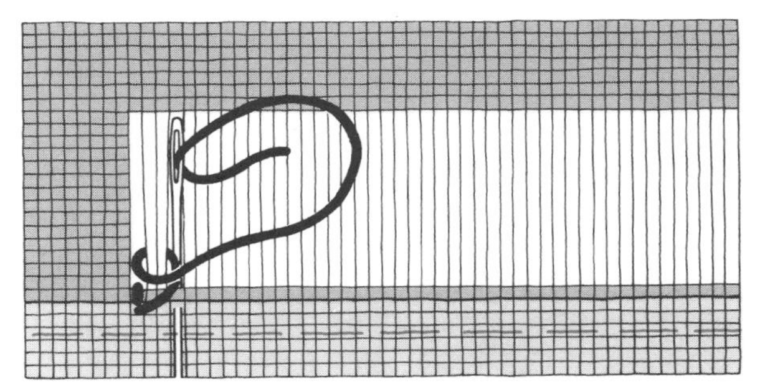

Faites un petit point vertical à droite du faisceau, en prenant également le repli de l'ourlet. Continuez ainsi jusqu'à la fin de la rivière.

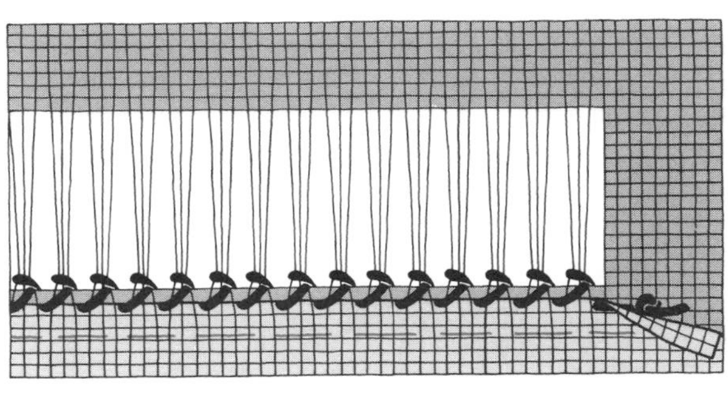

Quand le travail est terminé, arrêtez le fil en le passant dans le pli de l'ourlet et en faisant un nœud. Coupez l'excédent.

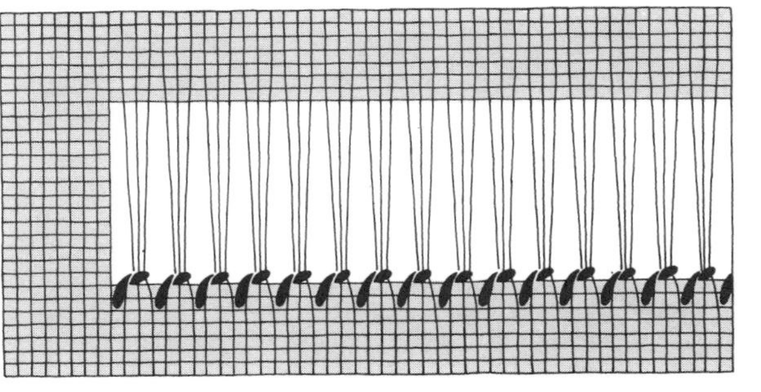

L'endroit de l'ouvrage (le travail ayant été exécuté sur l'envers) se présente comme sur l'illustration de gauche. Si vous préférez avoir sur l'endroit les bouclettes de l'illustration précédente, exécutez les points sur l'endroit, en vous assurant de prendre en même temps le pli de l'ourlet, que vous ne pourrez voir. Arrêtez les fils sur l'envers du tissu.

Variantes simples

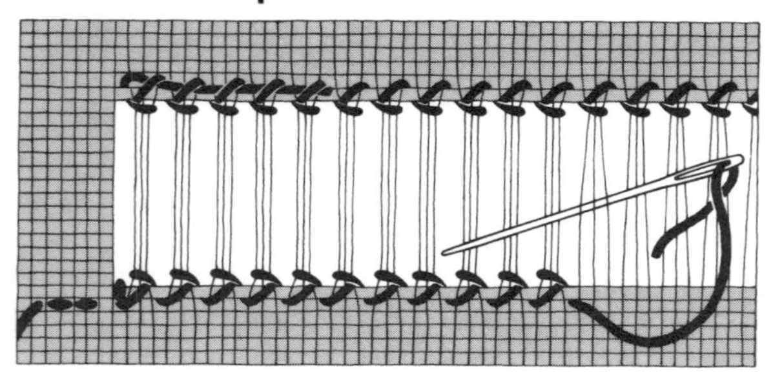

Jour échelle : pour l'exécuter, brodez une rangée de jours simples. Renversez le travail et faites une autre rangée de jours simples sur le bord opposé de la rivière. Travaillez de gauche à droite, en resserrant la base de chaque faisceau. Arrêtez le fil aux deux extrémités, comme pour les jours simples.

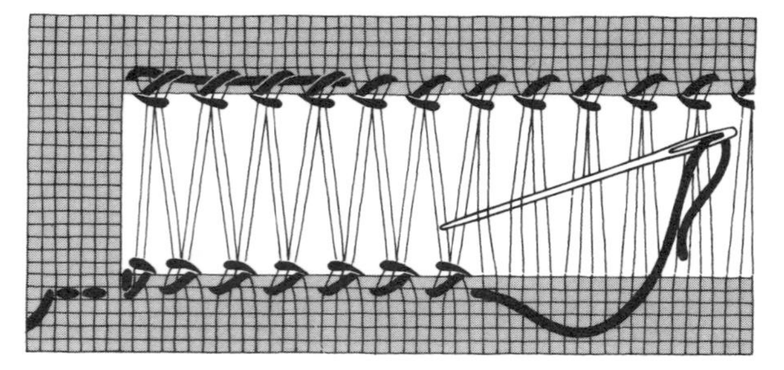

Jour en zigzag : brodez une rangée de jours simples. Les faisceaux doivent se composer d'un nombre *pair* de fils. Renversez l'ouvrage et faites une autre rangée de jours simples sur le bord opposé de la rivière, mais, cette fois, en prenant ensemble la moitié des fils de deux faisceaux adjacents.

Variantes à faisceaux noués

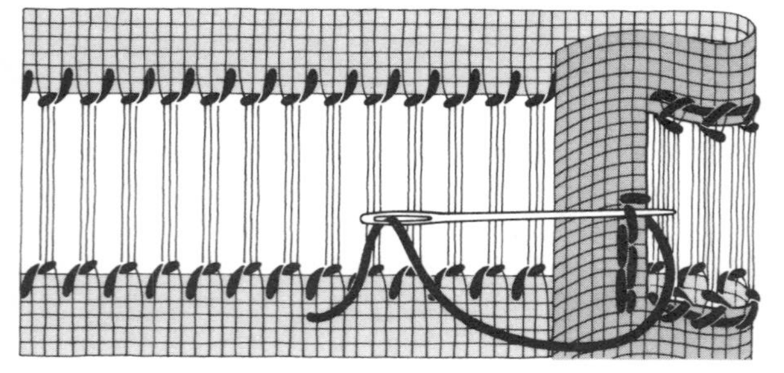

Faisceaux noués une fois : exécutez un jour échelle d'au moins 1,5 cm (½″) de large. (Le nombre de faisceaux doit être un multiple du nombre groupé au cours de la deuxième étape.) Puis faites quelques points arrière à droite de la rivière, exécutez deux points de surjet et sortez l'aiguille au centre de la rivière.

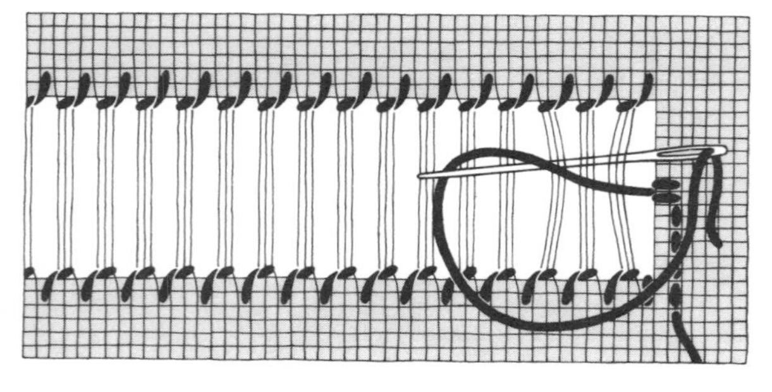

En travaillant sur l'endroit, groupez le nombre désiré de faisceaux (ici, trois) comme suit : faites une boucle en passant l'aiguille sous les faisceaux et en enroulant le fil autour de la pointe de l'aiguille.

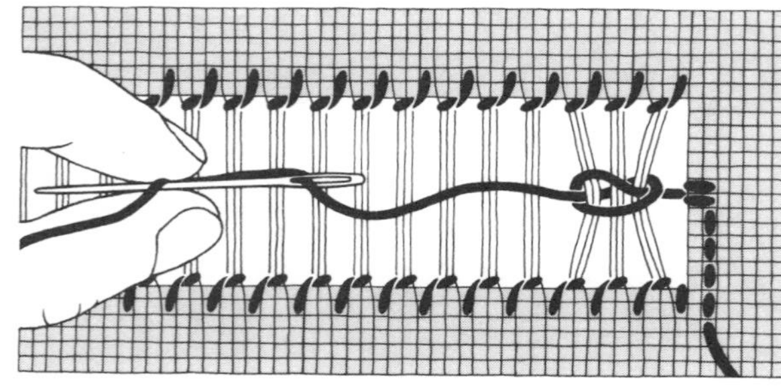

Tirez sur l'aiguille : un nœud se forme autour des faisceaux, au milieu de la rivière.

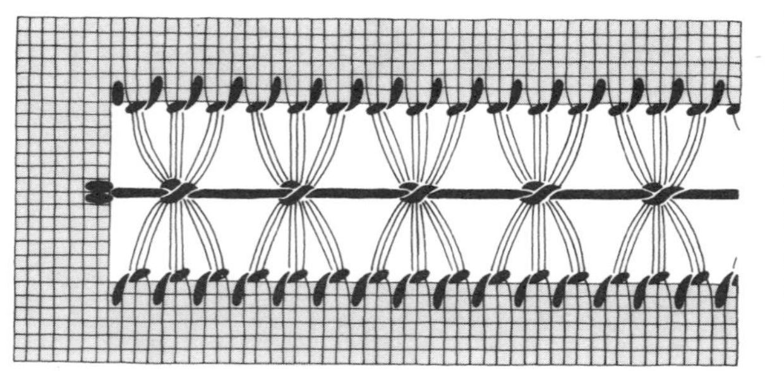

Travaillez les groupes de faisceaux restants. Pour arrêter le fil, faites quelques points de surjet sur l'extrémité gauche de la rivière et glissez le fil sur l'envers de l'ouvrage, de manière à ce qu'il reste invisible. Défaites les points arrière à l'extrémité opposée et arrêtez-les de la même façon.

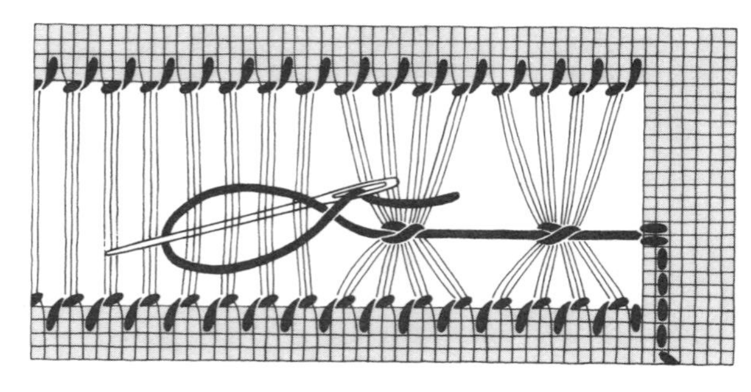

Faisceaux noués deux fois : préparez d'abord une rivière d'au moins 2 cm (¾″) de large. Brodez un jour échelle. (Le nombre de faisceaux doit être un multiple de 4.) Puis nouez les faisceaux quatre par quatre, à un tiers de la hauteur à partir du bas.

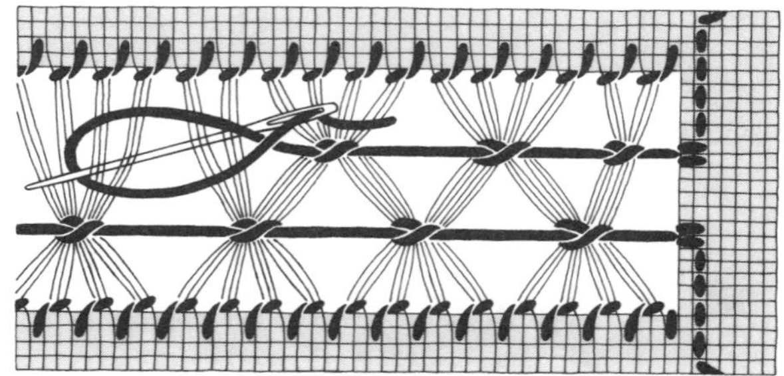

Faites ensuite des nœuds aux deux tiers de la hauteur à partir du bas, en prenant ensemble la moitié des faisceaux de deux groupes de faisceaux adjacents. Les premier et dernier groupes contiendront la moitié moins de faisceaux que les autres.

Variantes à faisceaux contrariés

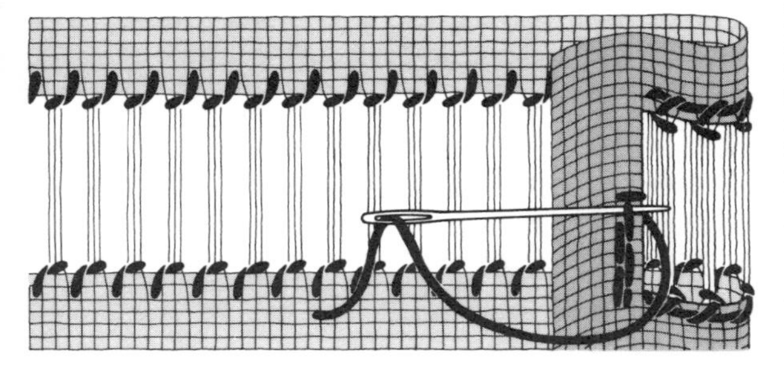

Faisceaux contrariés une fois : exécutez un jour échelle d'au moins 1,5 cm (½") de large (nombre pair de faisceaux). Puis, sur l'endroit du tissu, faites quelques points arrière le long de l'extrémité droite de la rivière. Faites des points de surjet, puis ressortez l'aiguille au centre de la rivière, sur l'envers de l'ouvrage.

Travaillez ensuite sur l'endroit de l'ouvrage. Passez l'aiguille au-dessus des deux premiers faisceaux et glissez-en la pointe, de gauche à droite, d'abord par-dessous le second faisceau, puis par-dessus le premier.

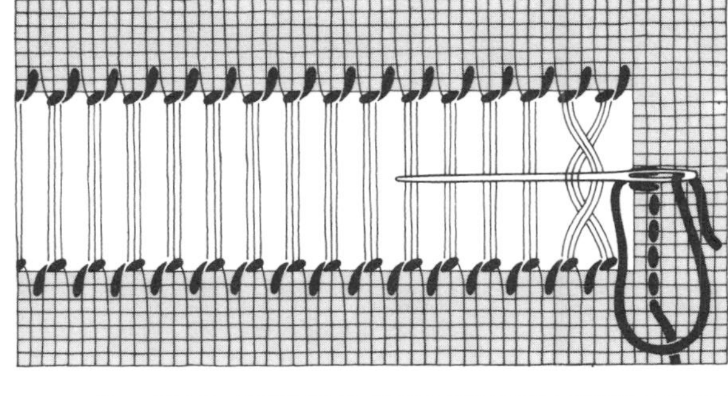

Appuyez la pointe de l'aiguille sur le premier faisceau et retournez vivement l'aiguille vers la gauche. Ce mouvement contrarie les faisceaux, le premier passant sous le second, comme le montre l'illustration.

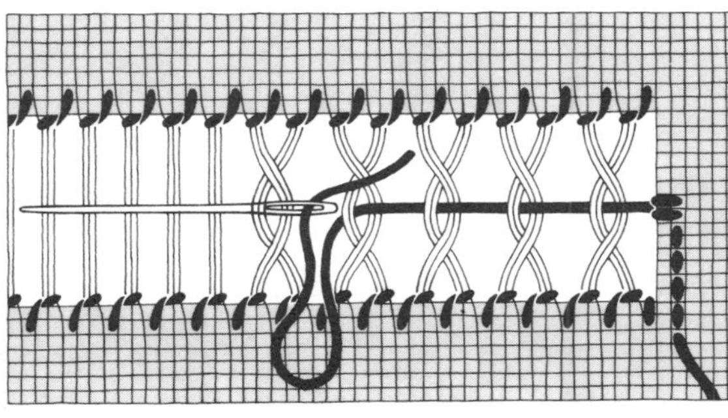

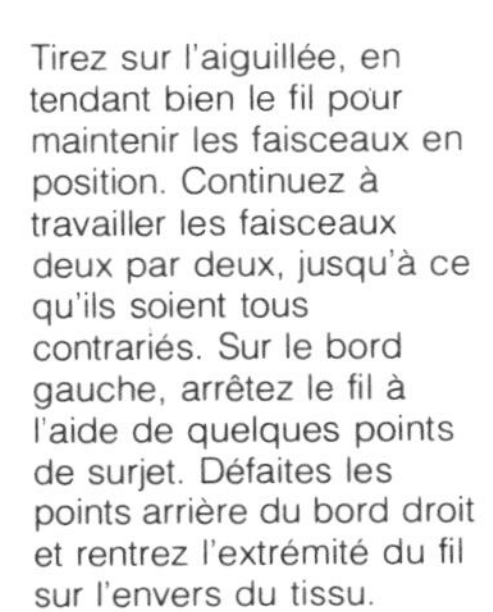

Tirez sur l'aiguillée, en tendant bien le fil pour maintenir les faisceaux en position. Continuez à travailler les faisceaux deux par deux, jusqu'à ce qu'ils soient tous contrariés. Sur le bord gauche, arrêtez le fil à l'aide de quelques points de surjet. Défaites les points arrière du bord droit et rentrez l'extrémité du fil sur l'envers du tissu.

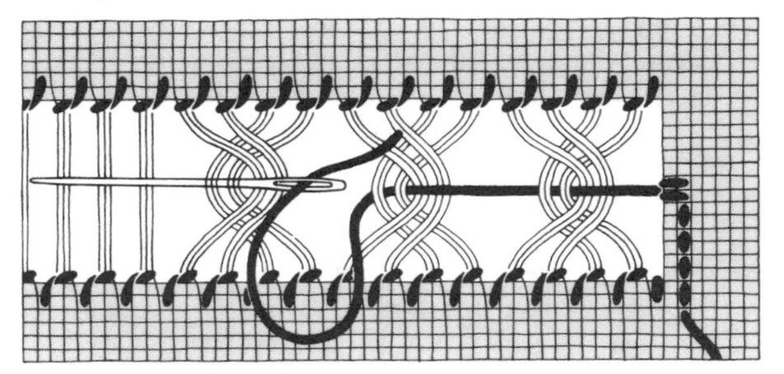

Faisceaux contrariés croisés : on obtient ce résultat en suivant les étapes des faisceaux contrariés une fois, mais en prenant deux faisceaux à la fois au lieu d'un. (Pour cette variante, le nombre total des faisceaux doit être un multiple de 4.)

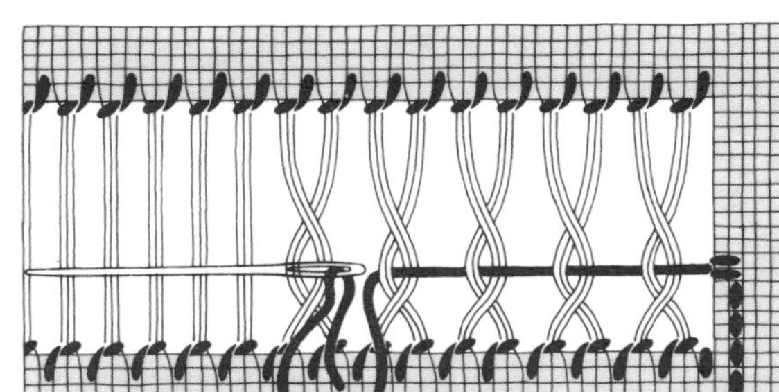

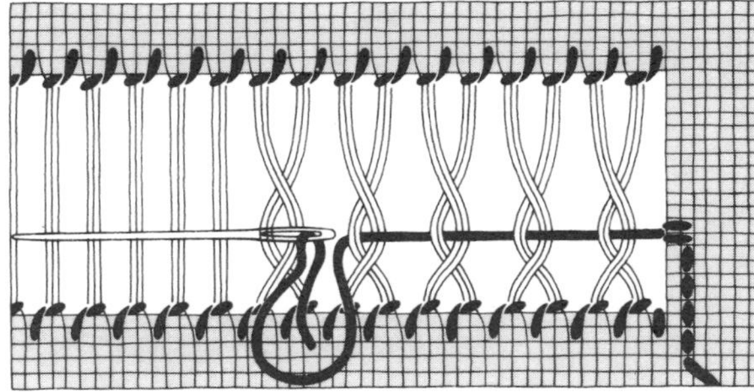

Faisceaux contrariés sur deux rangs : préparez une rivière d'au moins 2 cm (¾") de large et brodez un jour échelle. (Le nombre total des faisceaux doit être un multiple de 2.) Exécutez ensuite le mouvement des faisceaux contrariés une fois, au tiers de leur hauteur à partir du bas.

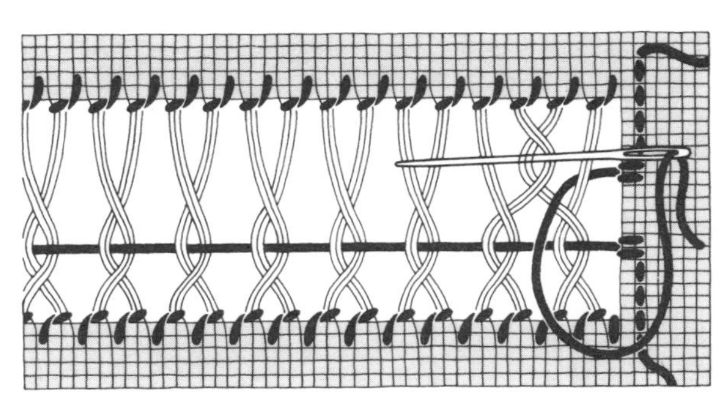

Exécutez le même mouvement aux deux tiers de la hauteur des faisceaux à partir du bas, mais sans contrarier le premier faisceau, pour que les deux rangées dessinent un zigzag.

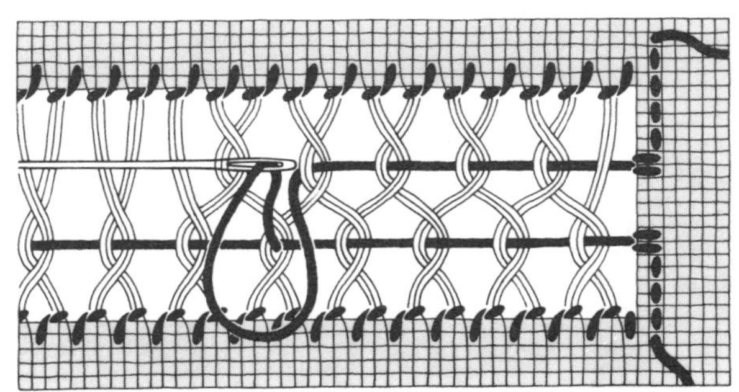

Continuez à travailler ainsi jusqu'à la fin de la rivière. Gardez le fil bien tendu pour maintenir en place les faisceaux. Arrêtez le fil sur le bord gauche de la rivière avec quelques points de surjet, puis passez-le sur l'envers de sorte qu'il soit invisible de l'endroit. Défaites les points arrière de l'autre côté et arrêtez le fil de la même manière.

Formation des angles

Souvent, lorsqu'on veut border un ouvrage carré, comme une serviette de table, une nappe ou un mouchoir, avec des jours, les quatre coins sont complètement vides, les fils de chaîne et les fils de trame ayant été tous deux tirés.

Selon leur dimension, les angles peuvent être laissés tels quels ou décorés de points de broderie (pour un jour dit **point coupé**). Un petit angle peut être laissé tel quel, un grand doit être rempli pour un meilleur équilibre de l'ouvrage.

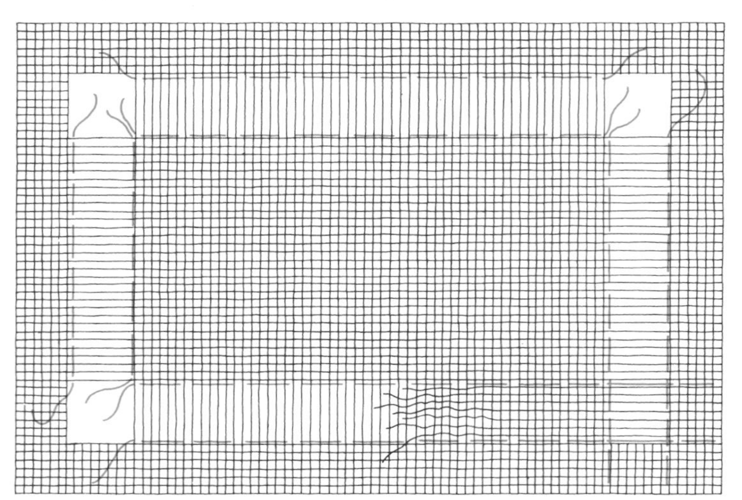

Préparation des angles : taillez le tissu dans la dimension désirée, en ajoutant ce qu'il faut pour l'ourlet (p. 78). Marquez le centre de la pièce, verticalement et horizontalement. Mesurez la largeur des quatre rivières et passez un bâti le long de leurs bords. Tirez les fils (p. 78). Faites l'ourlet en suivant les indications décrites à l'extrême droite de la page ci-contre.

Travail des jours dans les angles

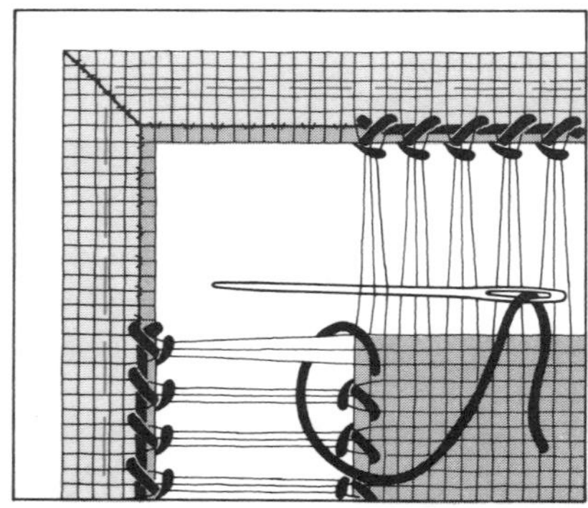

Brodez les jours, le long du bord externe de chaque rivière, en terminant par un petit point vertical à chaque coin. Pour arrêter le fil, passez-le sous les points brodés, sur l'envers. **Le long des**

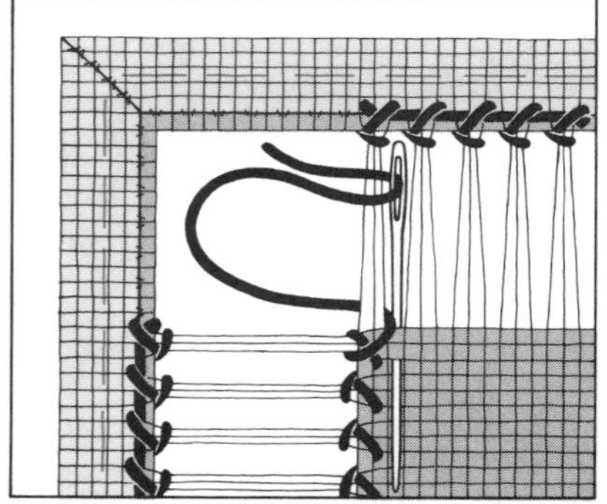

bords internes, les jours ne s'interrompent pas. Notez que le fil entoure le dernier faisceau à gauche et le premier faisceau supérieur avant le petit point vertical.

Décoration des angles

Si les rivières ont moins de 2 centimètres (¾") de large, les angles vides sont assez petits pour être laissés tels quels. Toutefois, leurs bords externes doivent être renforcés au **point de feston** ou au **point de feston tailleur.**

Si les rivières sont plus larges, les angles devront être non seulement renforcés au point de feston mais encore remplis de points décoratifs (qui permettent de les consolider). Deux sortes de points décoratifs sont décrits sur ces pages, le **point d'esprit** et la **roue**. Le point d'esprit forme un motif simple et peut être utilisé avec un jour échelle ou n'importe quelle variante qui se termine par un faisceau droit, non ouvré. La roue forme un X avec un centre circulaire et peut être utilisée avec n'importe quelle forme de jour.

POINTS DE FESTON

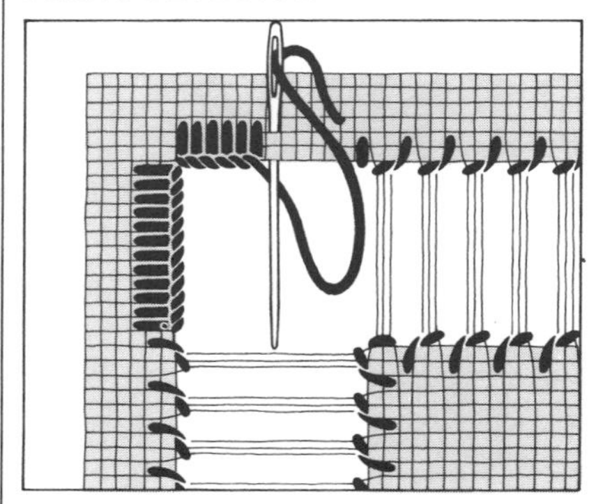

Le point de feston simple s'exécute sur les bords externes de tous les coins. Travaillez sur l'endroit en prenant deux ou trois fils du tissu et l'ourlet s'il y en a un.

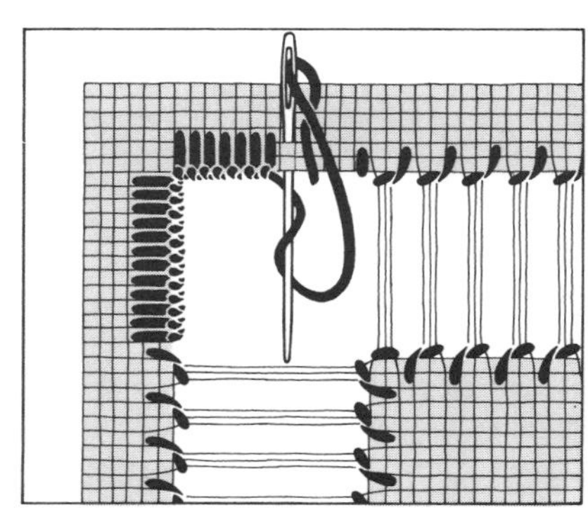

Le point de feston tailleur est une variante du précédent. Il s'exécute comme ce dernier, avec cette différence qu'il faut enrouler le fil autour de la pointe de l'aiguille avant de tirer.

LA ROUE

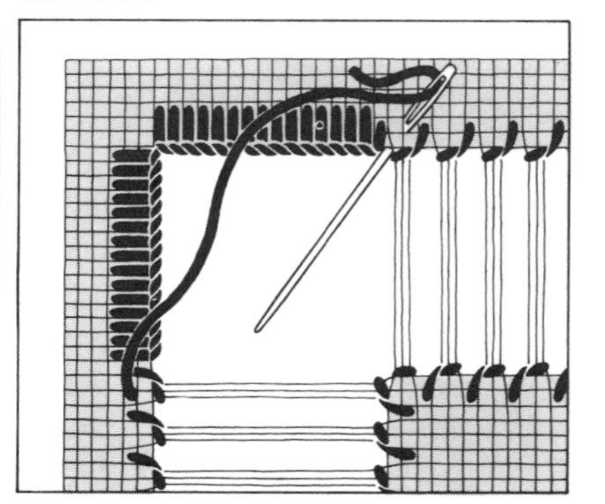

1. Renforcez d'abord les angles au point de feston. Amenez l'aiguille au coin inférieur gauche; insérez-la dans le coin supérieur droit et ressortez-la à l'angle du même coin.

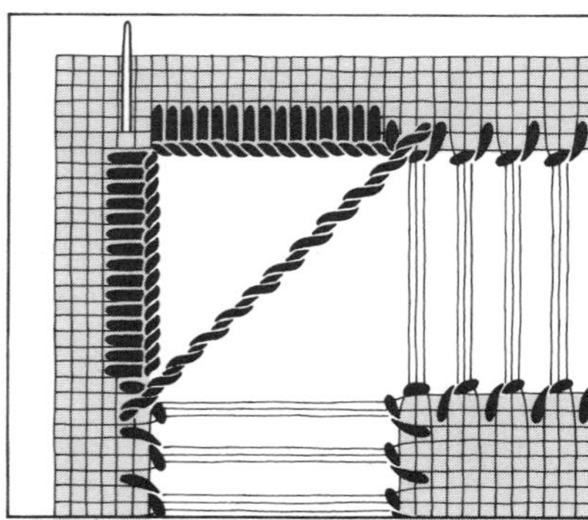

2. Surjetez le fil tendu de droite à gauche. Au coin inférieur gauche, passez l'aiguille sur l'envers du tissu; glissez-la sous les points de feston et ressortez-la dans le coin supérieur gauche.

Point de feston renforçant les angles

Le point d'esprit remplissant un angle

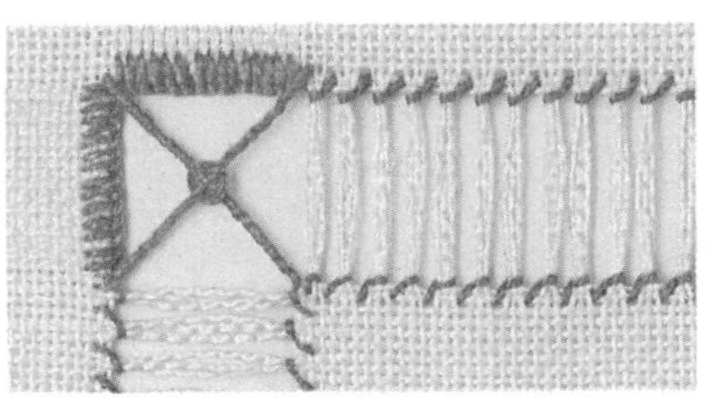

La roue remplissant un angle

LE POINT D'ESPRIT

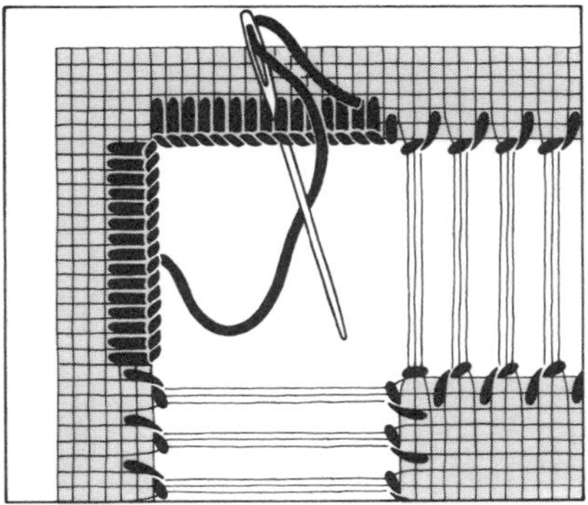

1. Brodez les bords externes au point de feston. Sortez l'aiguille au milieu du côté gauche. Faites un point au milieu du côté supérieur, en glissant le fil sous l'aiguille.

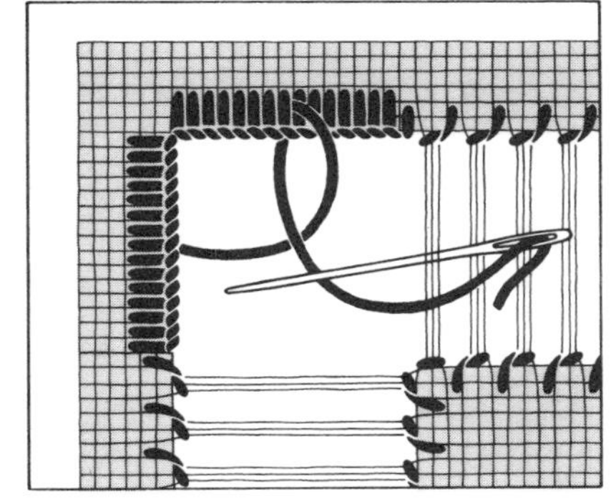

2. Passez l'aiguille autour du premier faisceau, à droite; gardez le fil sous l'aiguille. Le fil doit être lâche pour que les boucles restent souples et ne tirent pas sur le faisceau.

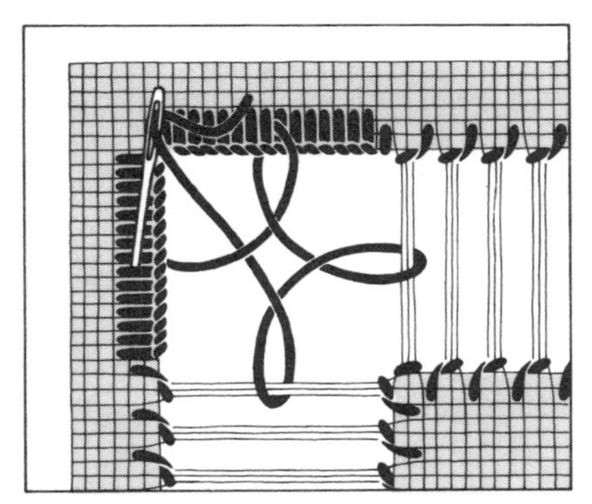

3. Passez l'aiguille autour du premier faisceau, en bas. Glissez l'aiguille sous le fil du côté gauche, et faites un point au centre pour terminer le motif. Arrêtez le fil sur l'envers.

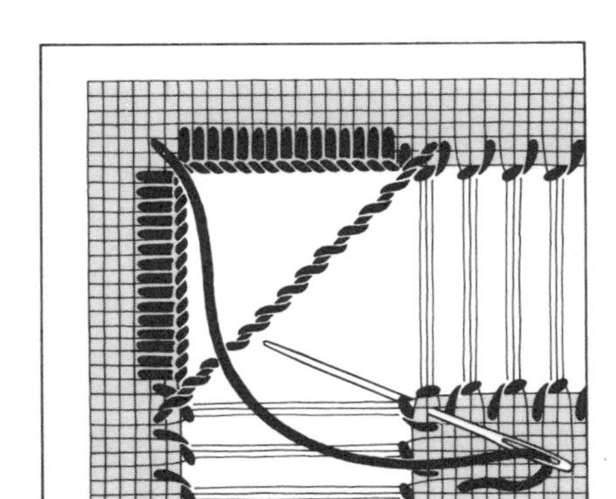

3. Ramenez l'aiguille par-dessus le fil tendu et surjeté, et piquez-la dans le tissu du coin inférieur droit. Ressortez-la dans l'angle du même coin, en tirant sur le fil pour former un X.

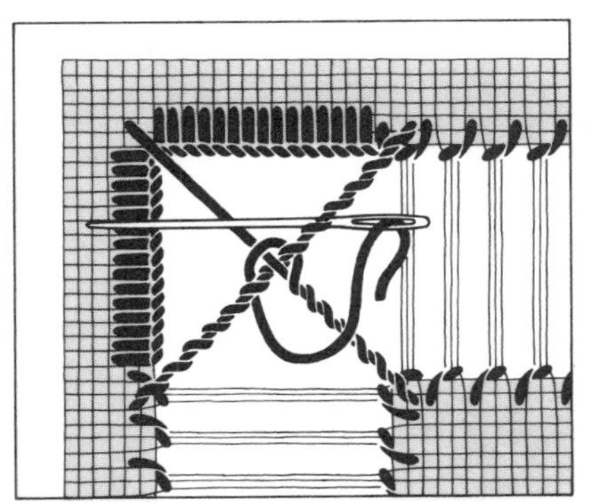

4. Surjetez le second fil tendu jusqu'au centre. Passez le fil de travail par-dessus et par-dessous les fils tendus dans le sens contraire des aiguilles d'une montre.

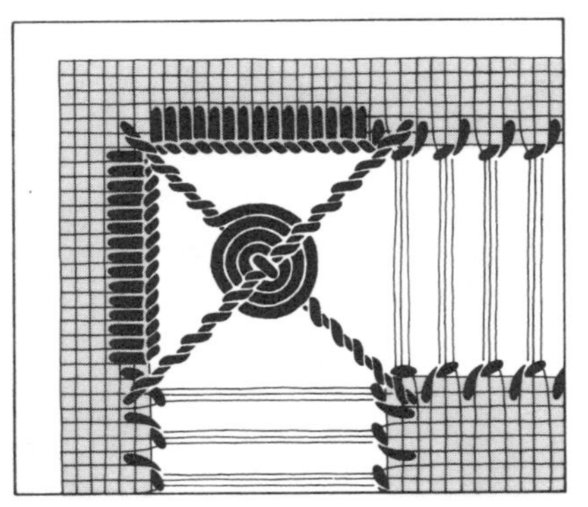

5. Surjetez le fil tendu resté nu jusqu'au coin supérieur gauche. Arrêtez le fil derrière l'ouvrage, en passant l'aiguille sous les points de feston qui couvrent le bord supérieur.

Comment ourler les angles

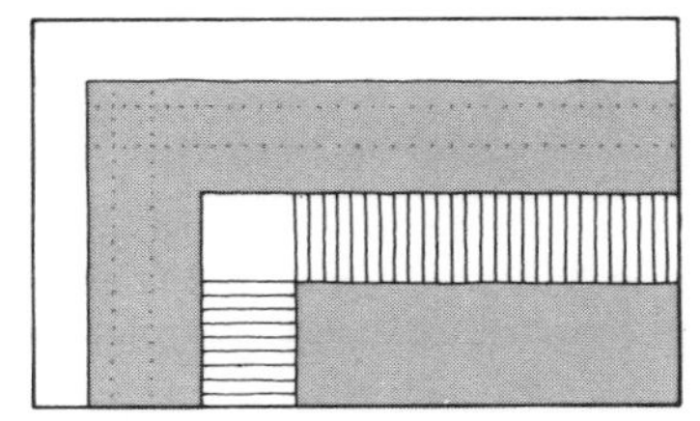

Pour ourler, rentrez 0,5 cm (¼") au fer. Alignez l'ourlet sur le bord de la rivière; repassez et dépliez.

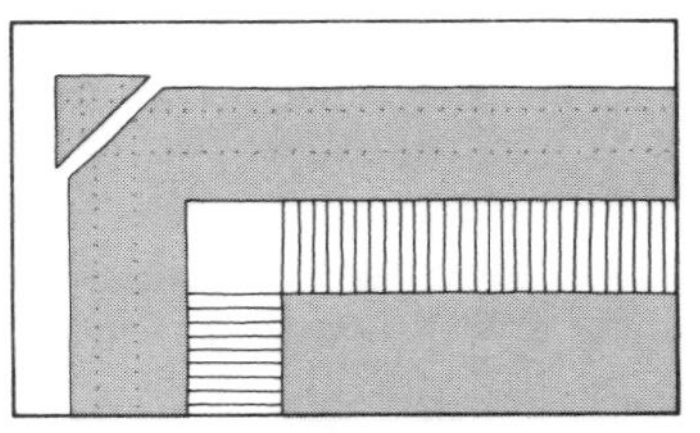

Coupez en biais chaque angle du carré, en taillant le long de la ligne diagonale formée par les cassures.

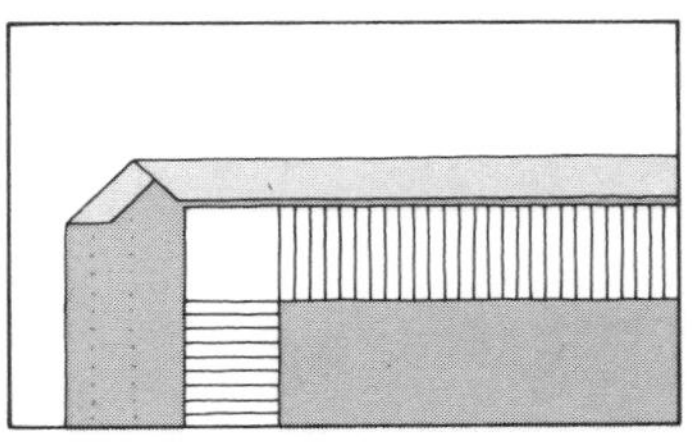

Repliez d'abord le coin coupé, puis les bords de l'ourlet, de façon à former des angles aux onglets bien nets.

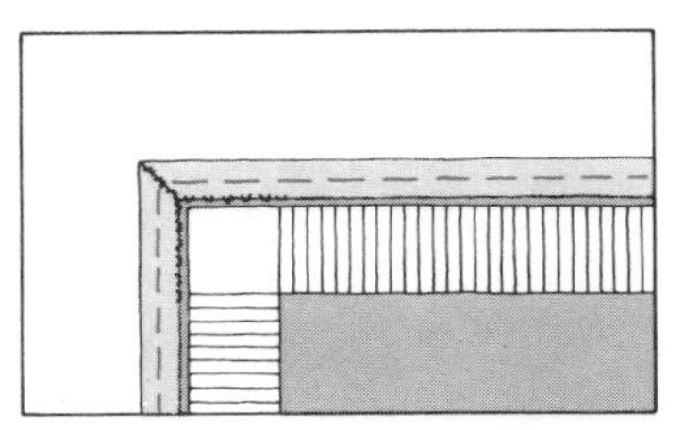

Epinglez et faufilez l'ourlet. Cousez les angles en onglets au point d'ourlet. Fixez l'ourlet en place avec les jours.

Faisceaux surbrodés

Cette technique permet, comme pour les jours simples, de décorer les fils d'une rivière. Toutefois, les faisceaux sont recouverts un par un et le fil est toujours arrêté sous l'espace couvert.

Les points de base sont le *point de surjet* et le *point de reprise*. Le point de surjet entoure les faisceaux, formant des barrettes verticales, alors que le point de reprise s'entrelace autour des faisceaux et leur donne un aspect tressé. Lorsque les faisceaux sont entièrement recouverts, on ne brode généralement pas de jours sur les bords de la rivière. S'il y a un ourlet, il est alors fixé au point d'ourlet.

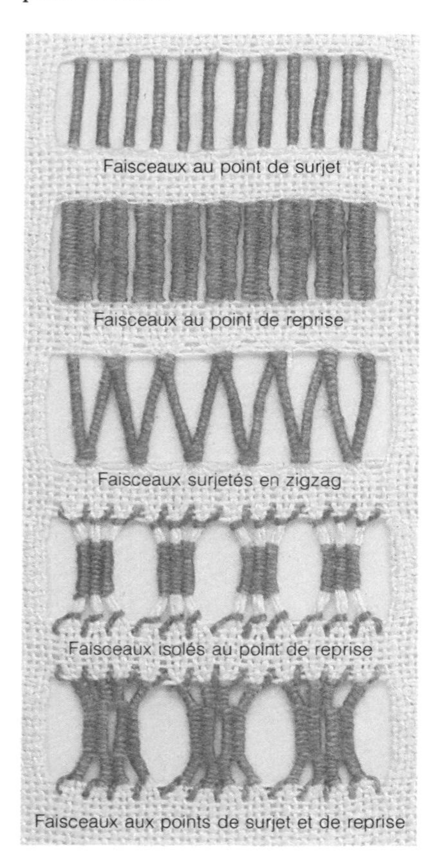

Faisceaux surbrodés simples

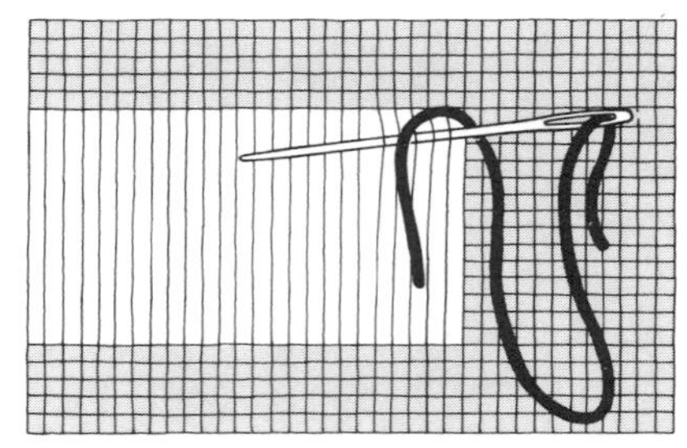

Faisceaux au point de surjet : placez l'extrémité du fil sur le faisceau à surjeter (3 à 5 fils). Enroulez le fil autour du faisceau.

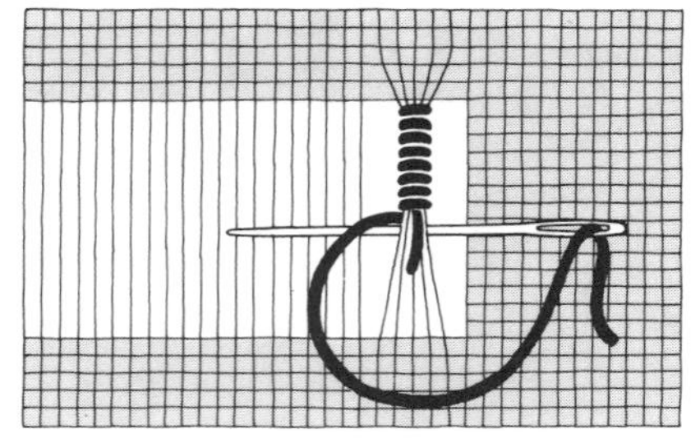

Serrez bien le fil autour du faisceau et, de temps en temps, tassez les rouleaux avec la pointe de l'aiguille sans qu'ils se chevauchent.

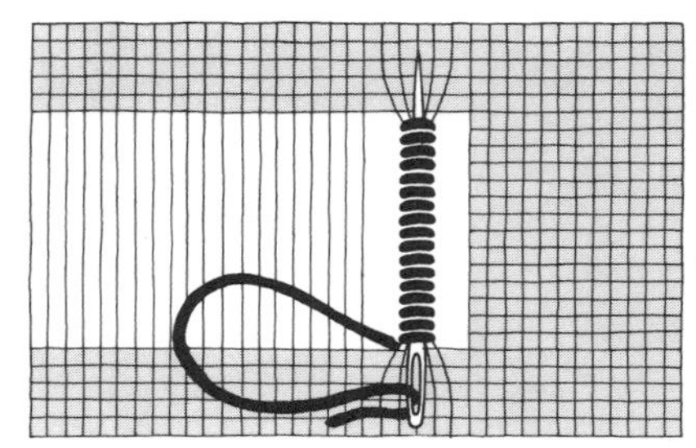

La bride terminée, passez l'aiguille à travers les rouleaux pour arrêter le fil. Si les rouleaux sont trop serrés, prenez une aiguille plus fine.

Variantes de faisceaux surbrodés

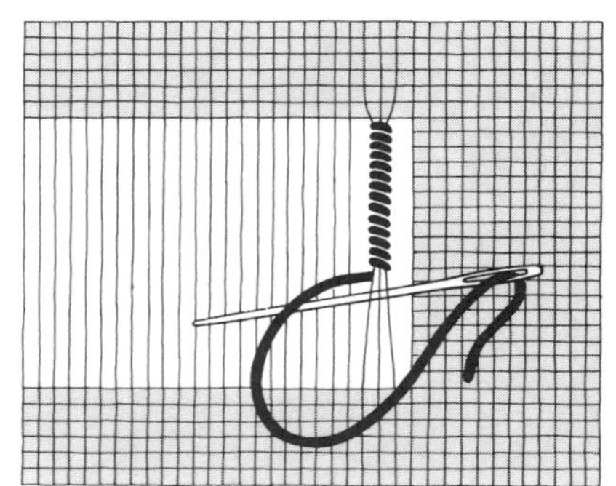

Faisceaux surjetés en zigzag : le nombre de fils de la rivière doit être un multiple de 3. **1.** Faites une bride sur un faisceau de 3 fils.

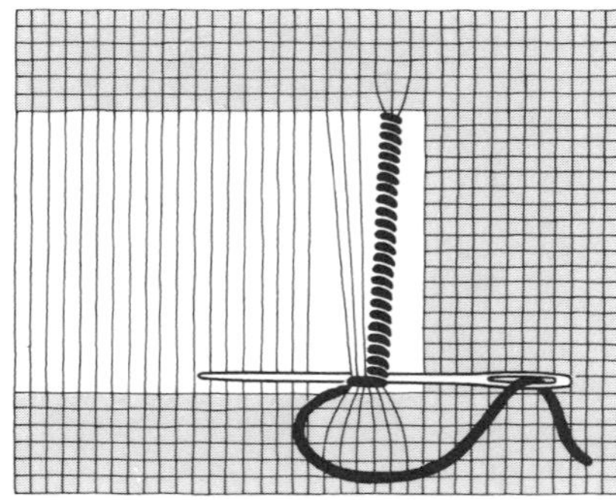

2. Au bord inférieur de la rivière, exécutez deux points de surjet par-dessus 6 fils, rassemblant ainsi les premier et deuxième faisceaux.

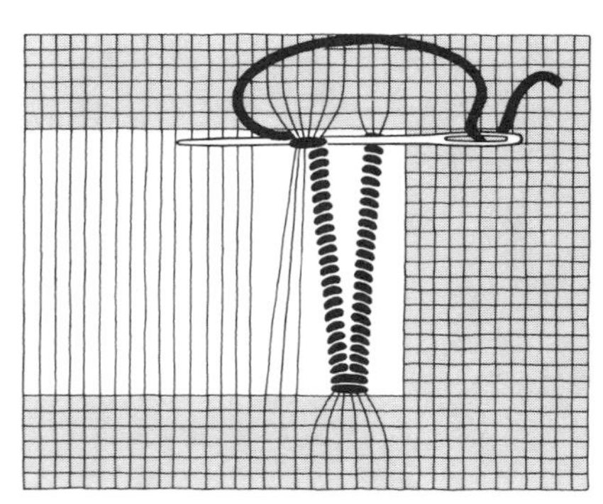

3. Surjetez ce faisceau. Au bord supérieur, surjetez deux fois par-dessus 6 fils, rassemblant ainsi les deuxième et troisième faisceaux.

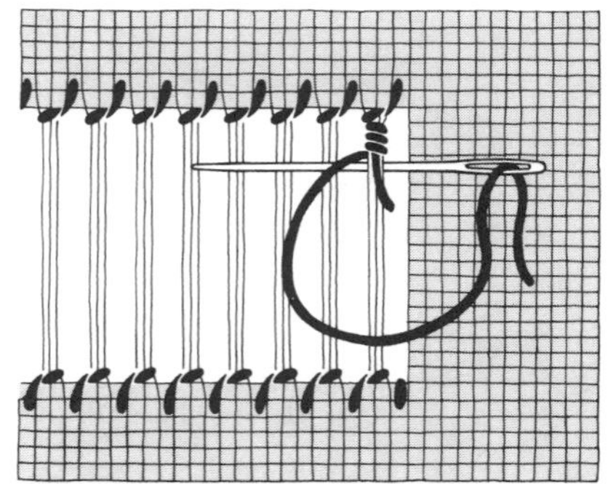

Faisceaux aux points de surjet et de reprise : brodez un jour échelle (faisceaux: multiple de 4). **1.** Surjetez un quart du premier faisceau.

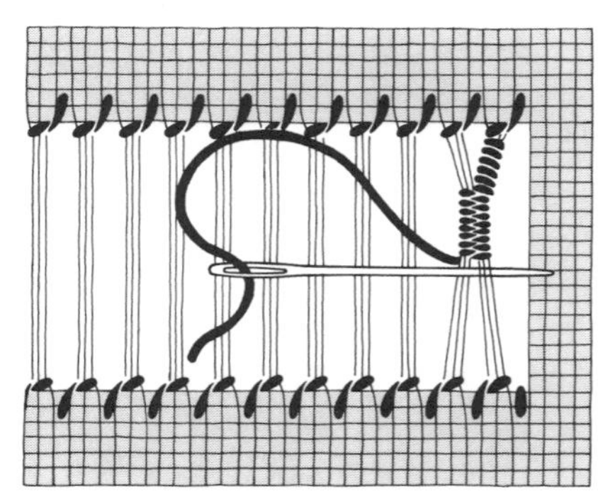

2. Travaillez alors les deux premiers faisceaux au point de reprise, jusqu'à ce que vous soyez parvenu aux trois quarts de la hauteur.

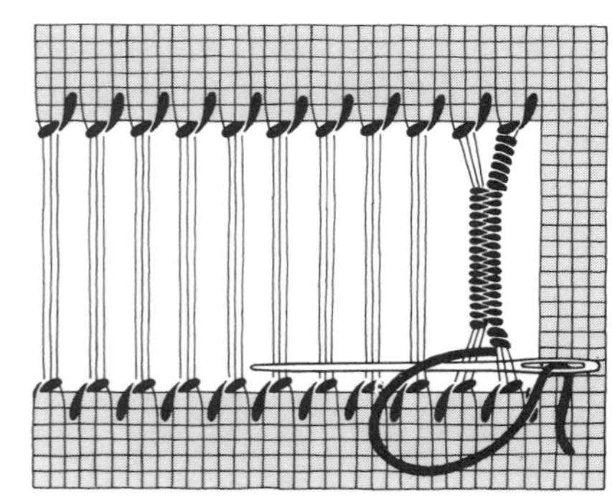

3. Changez de nouveau pour le point de surjet et recouvrez la partie encore nue du premier faisceau jusqu'au bord de la rivière.

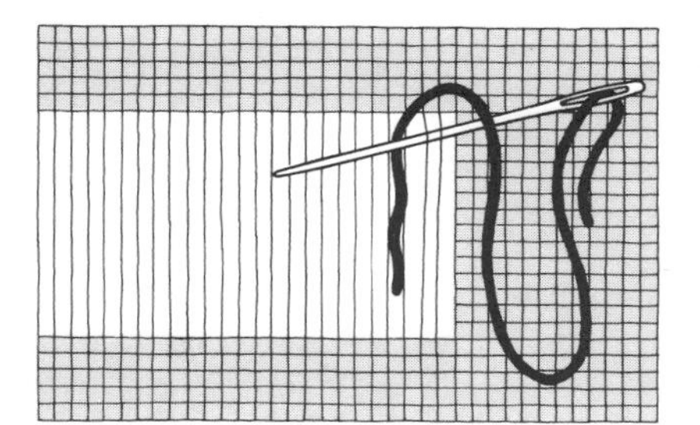

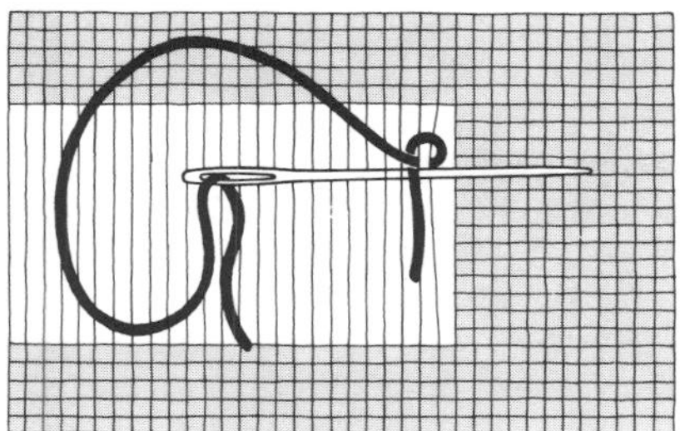

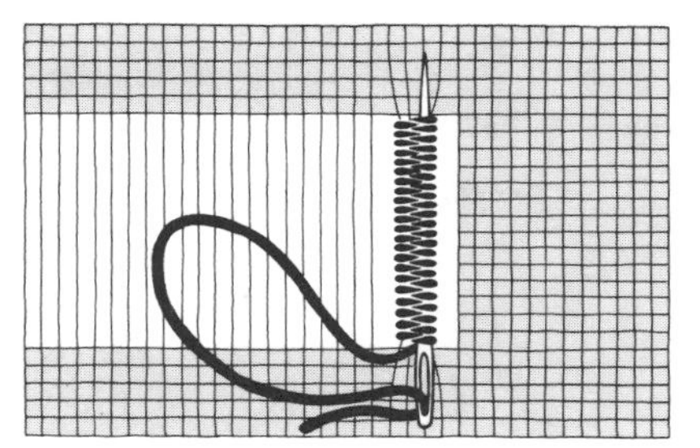

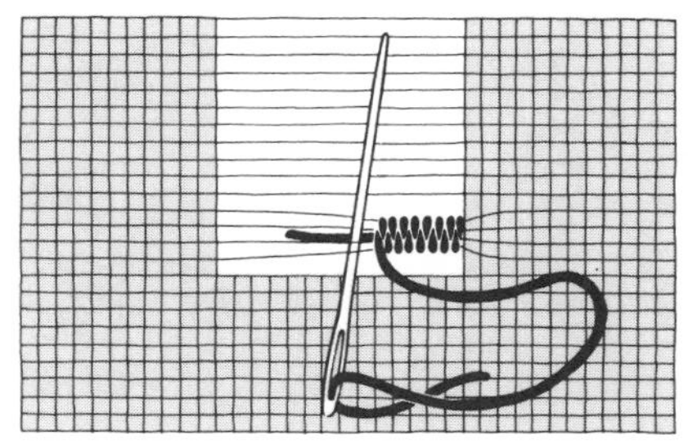

Faisceaux au point de reprise : placez l'extrémité du fil au-dessus du premier faisceau (4 fils). Glissez l'aiguille sous les deux premiers fils et tirez. Puis glissez-la sous les deux suivants dans l'autre sens (en passant par-dessus puis par-dessous l'extrémité flottante). Continuez ce mouvement de va-et-vient jusqu'à ce que la bride soit recouverte. Pour arrêter le fil, glissez-le sous la bride et coupez-le.

Si vous trouvez difficile d'exécuter des brides verticales, **renversez** le travail pour que la bride se trouve **à l'horizontale**.

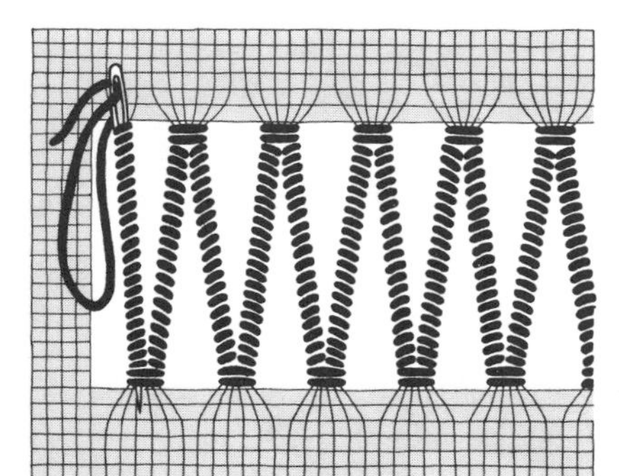

4. Continuez ainsi jusqu'à la fin de la rivière. Passez l'aiguille sous les points de la dernière bride pour arrêter le fil.

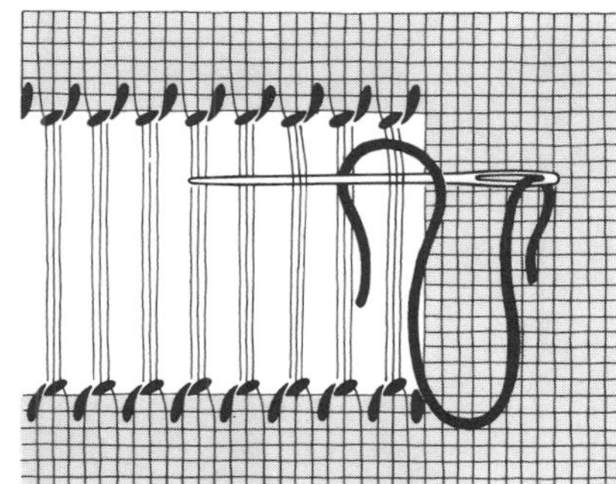

Faisceaux isolés au point de reprise : faites un jour échelle (faisceaux : multiple de 3). **1.** Placez l'aiguille et le fil comme sur l'illustration.

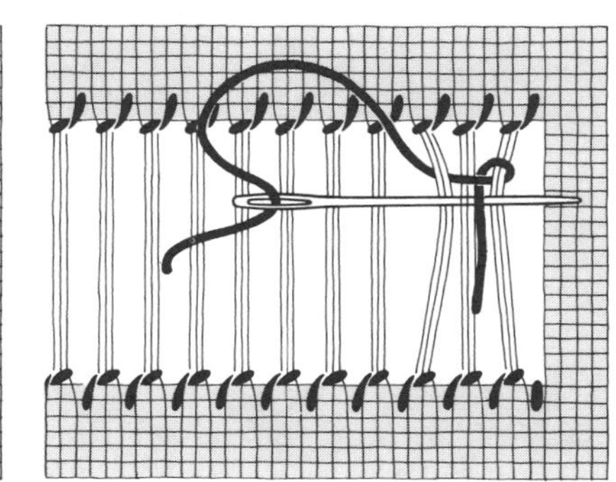

2. Liez au point de reprise trois faisceaux, en laissant un espace vide égal au quart de la largeur de la rivière de chaque côté.

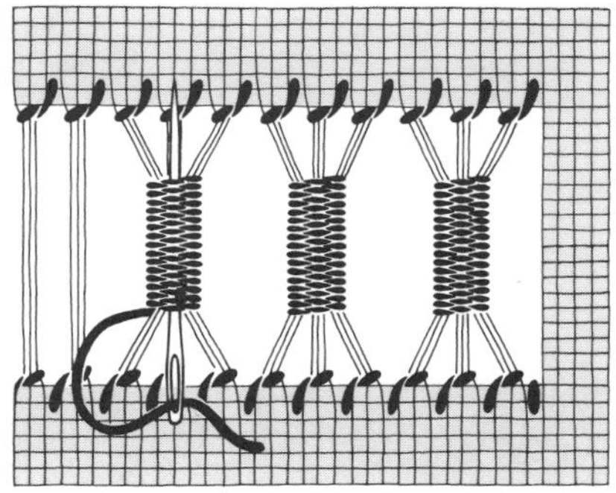

3. Chaque fois qu'une bride est terminée, glissez l'aiguille sous les points pour arrêter le fil; s'ils sont trop serrés, changez d'aiguille.

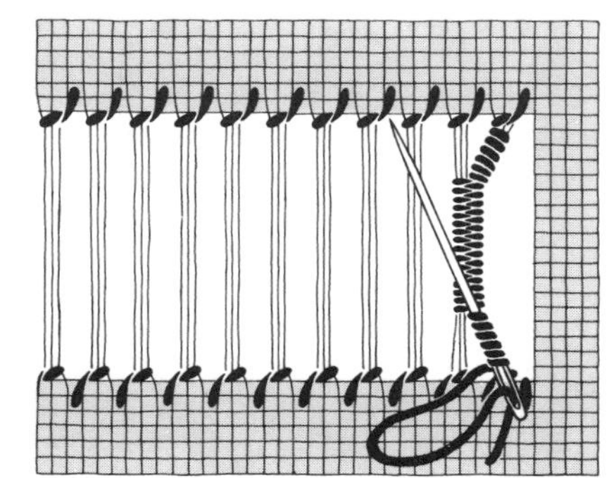

4. Glissez l'aiguille sous ces derniers points de surjet pour passer à l'étape suivante. Si les points sont trop serrés, changez d'aiguille.

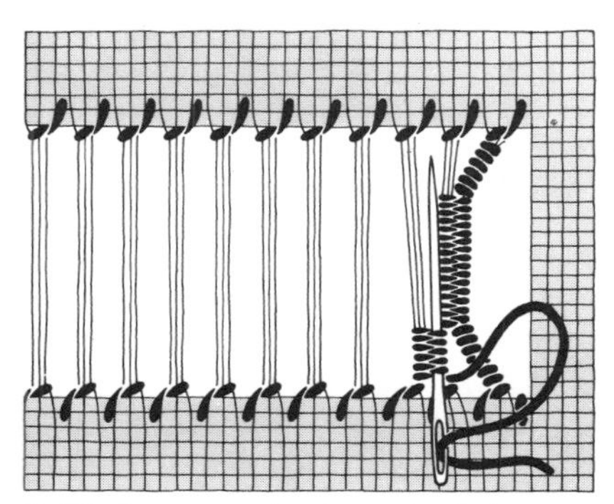

5. Réunissez au point de reprise le bas des deuxième et troisième faisceaux. Glissez le fil sous les derniers points et arrêtez.

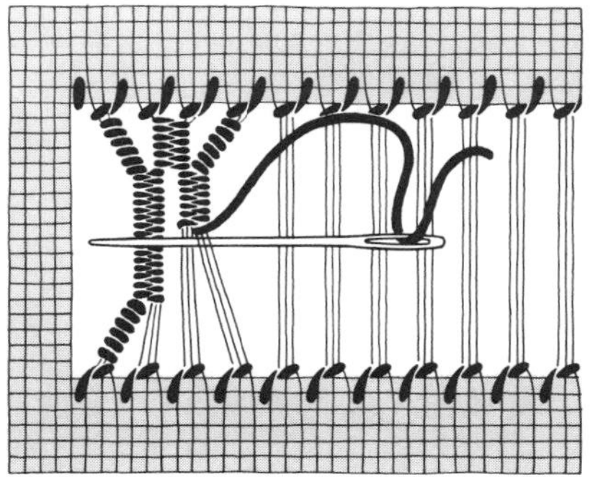

6. Retournez l'ouvrage et, avec une nouvelle aiguillée, répétez toutes les étapes précédentes pour exécuter la seconde moitié du travail.

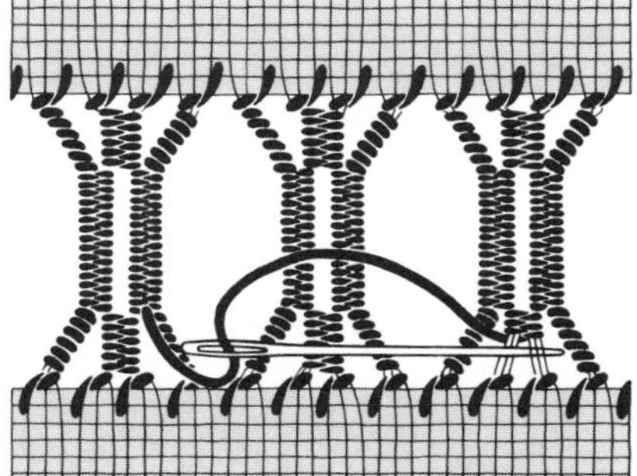

7. Continuez à broder les groupes de faisceaux par moitié; la première moitié, dans un sens, et la seconde, dans l'autre.

Les jours/ Broderie norvégienne

Introduction à la broderie norvégienne
Pavés au point passé
Exécution d'un motif
Brides brodées
Points de remplissage
Ornementation d'un motif

Introduction

La broderie norvégienne (dite Hardanger) a pris son essor dans le district de Hardanger, en Norvège; mais en fait, elle était déjà connue des Perses depuis plusieurs siècles.

La broderie norvégienne se compose de **pavés au point passé** encadrant une surface à jour. Les pavés sont disposés de manière à former un motif qui est ensuite enjolivé. Après avoir disposé les pavés autour d'espaces définis, on tire à l'intérieur de ces espaces des fils de chaîne et des fils de trame. Les fils restants forment des **brides** que l'on travaille **au point de surjet** ou **au point de reprise.** Les vides entre les brides sont garnis de points de remplissage.

Etant donné que la broderie norvégienne est un type de broderie à fils comptés, il est recommandé d'esquisser un plan général de l'ouvrage sur papier quadrillé — emplacement des pavés, brides, points de remplissage et points d'ornementation — et de bâtir le contour de chaque motif sur la toile.

Ce genre d'ouvrage se fait généralement sur un natté fin (44 paires de fils pour 5 cm); mais il est toutefois possible d'utiliser à peu près n'importe quel tissu à armure toile à contexture carrée. Comme les pavés doivent être exécutés par-dessus un nombre uniforme de fils, plus le tissu sera fin, plus le motif sera petit.

Pour obtenir de meilleurs résultats, il faut utiliser deux genres de fils. Celui qui doit servir à broder les pavés devrait être légèrement plus épais que les fils du tissu; nous suggérons un coton perlé de poids moyen. Le fil destiné à recouvrir les brides devrait être légèrement plus fin que le tissu — par exemple, un fin coton perlé ou un coton floche séparé en fils simples. A l'origine, la broderie norvégienne se travaillait avec du fil et du tissu blancs, mais aujourd'hui le fil et le tissu sont souvent colorés. Travaillez toujours avec un tambour ou un métier à broder.

Broderie norvégienne : brides surjetées ou au point de reprise, points d'esprit et roues.

Pavés au point passé

Le pavé se compose de cinq points passés, brodés par-dessus quatre fils du tissu. Dans un motif, les pavés peuvent être soit brodés en rangées, soit brodés en escalier. Au moment de décider de l'emplacement des pavés, il ne faut pas oublier que ceux-ci doivent être disposés avec symétrie de chaque côté d'un vide constitué par la suppression des fils de chaîne et de trame. Quand on a une disposition en escalier (voir les schémas ci-dessous), la direction des points change d'un pavé à l'autre.

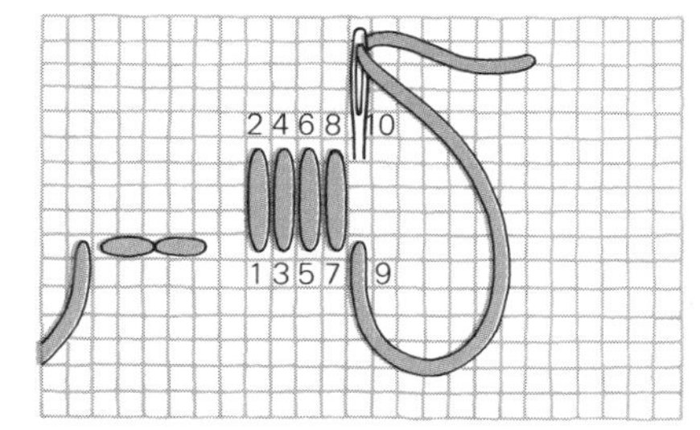

Pour faire un pavé au point passé, sortez l'aiguille en 1 et brodez cinq points passés par-dessus quatre fils de tissu.

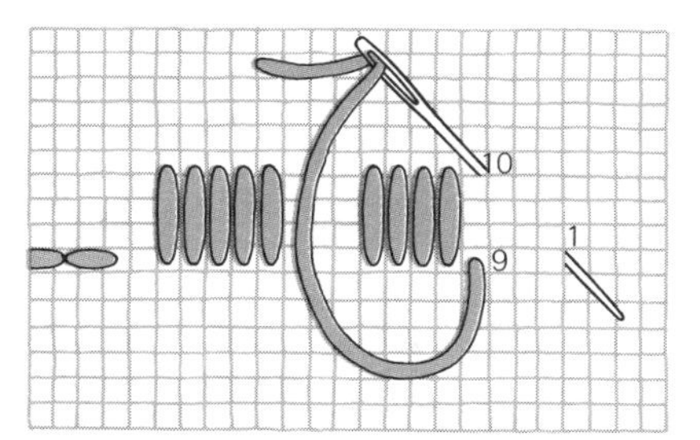

Pour exécuter des pavés en rangées, faites un premier pavé puis sortez l'aiguille en 1, à la droite de 9 et quatre fils de tissu plus loin.

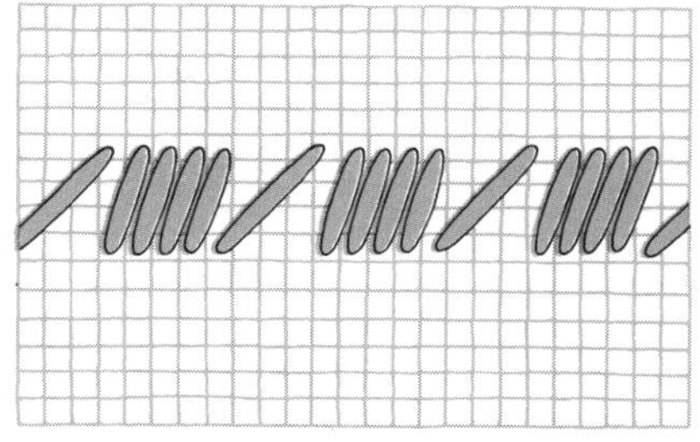

Quand les pavés sont exécutés en rangées, il doit y avoir, sur **l'envers** de l'ouvrage, un fil en oblique d'un pavé à un autre.

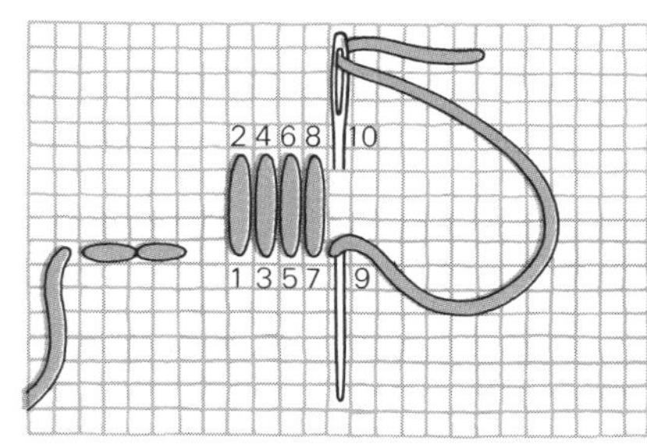

Pour exécuter des pavés en escalier, brodez le premier pavé comme précédemment, mais ressortez l'aiguille en 9, là où émerge le fil.

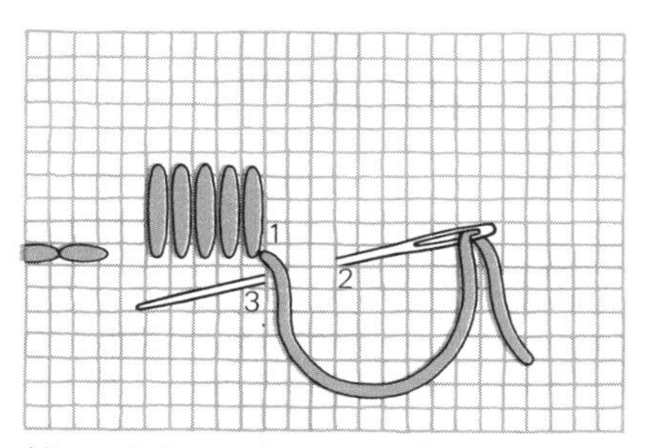

L'étape 9 du premier pavé devient l'étape 1 du deuxième pavé. Faites alors un point passé *horizontal* par-dessus quatre fils de tissu.

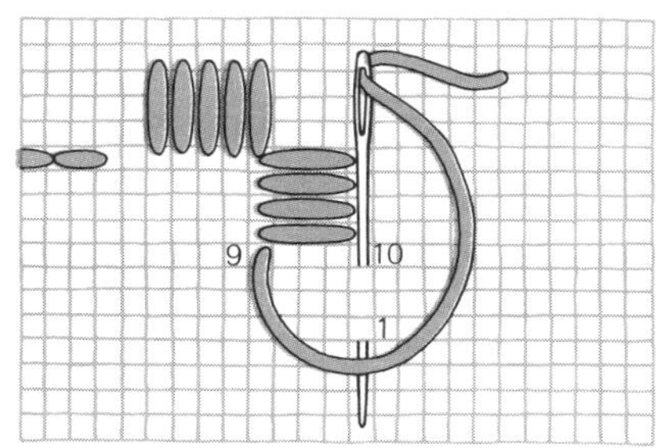

Terminez le deuxième pavé en 10 et ressortez l'aiguille quatre fils plus bas, pour broder le troisième pavé avec des points *verticaux*.

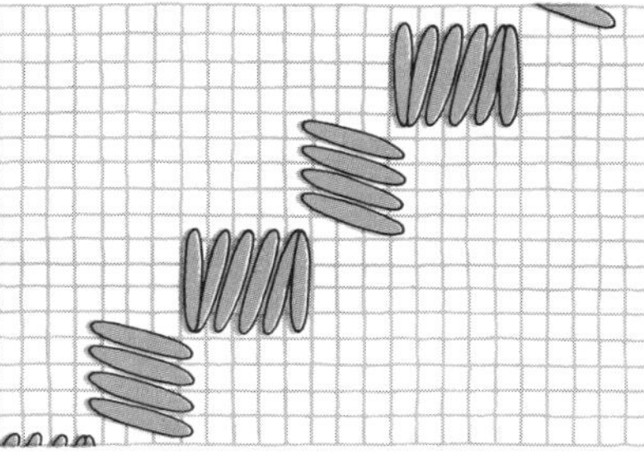

Quand les pavés sont exécutés en escalier, il ne doit pas y avoir de fils d'un pavé à un autre sur **l'envers** du tissu.

Exécution d'un motif

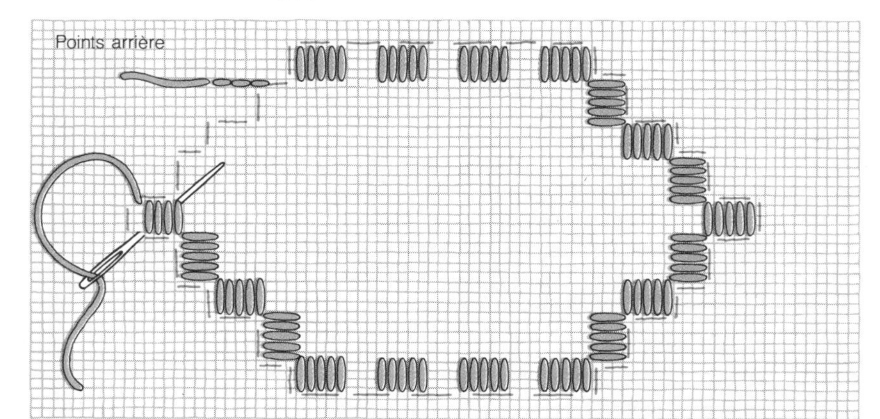

Pour exécuter un motif, bâtissez-en le contour. Faites quelques points arrière et exécutez les pavés dans le sens des aiguilles d'une montre. Chaque pavé qui commandera des fils coupés doit se trouver en face d'un autre pavé, brodé de la même façon. Le motif terminé, glissez le fil à l'envers de l'ouvrage sous cinq pavés. Défaites les points arrière et arrêtez le fil de la même manière.

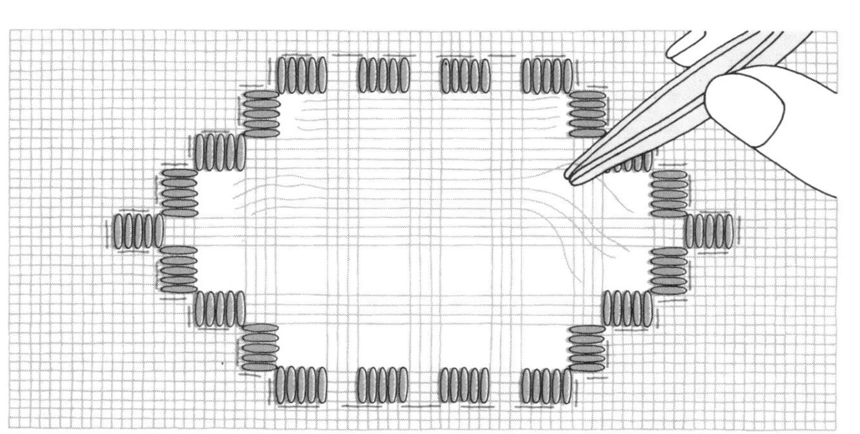

Pour retirer les fils, servez-vous de ciseaux à broder très pointus et coupez quatre fils à la base d'un pavé. Coupez également quatre fils à la base du pavé qui lui fait face. Ne coupez que les fils qui courent dans la même direction que les points passés et jamais ceux qui leur sont opposés. Retirez les fils à l'aide de pinces à épiler d'abord dans un sens, puis dans l'autre.

Décoration des angles 82-83
Début d'aiguillée dans une bride 84-85

Brides brodées

Après avoir terminé les pavés au point passé et tiré les fils, on rebrode généralement les motifs ainsi créés. Les fils à nu sont recouverts aux points de **surjet** ou de **reprise**. Les brides brodées au point de reprise peuvent être agrémentées de *picots* (dents). Les vides sont souvent ornés de points de remplissage (à droite). Arrêtez les extrémités du fil sous les points des brides.

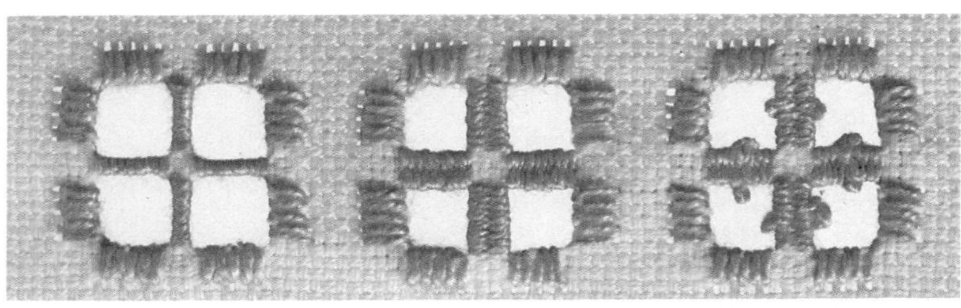

Brides surjetées **Brides au point de reprise** **Brides avec picots**

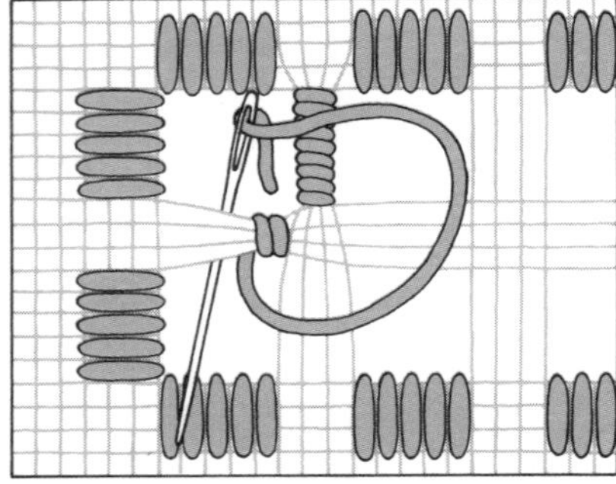

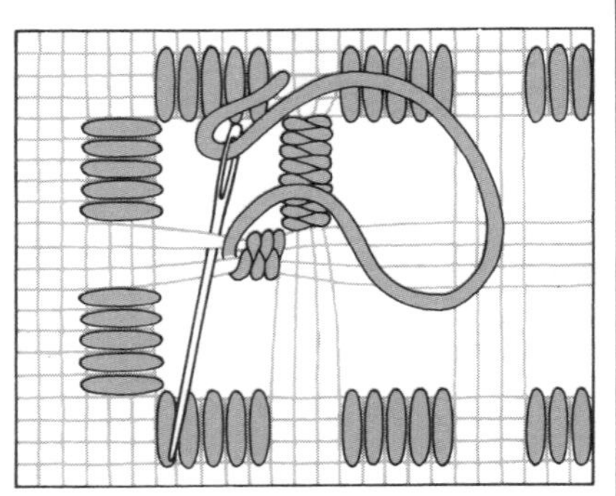

Pour surjeter une bride, enroulez le fil autour d'un faisceau, en tassant bien les rouleaux. Pour faire une **bride au point de reprise,** sortez l'aiguille au milieu du faisceau et passez le fil par-dessus et par-dessous deux fils à la fois. Passez d'une bride à l'autre en glissant le fil sous les brides ou les pavés.

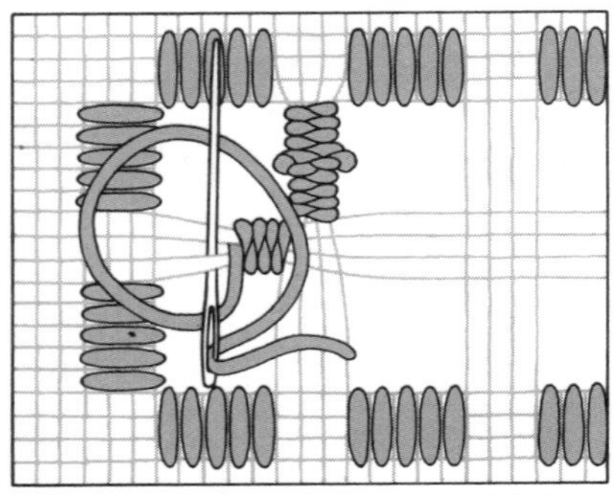

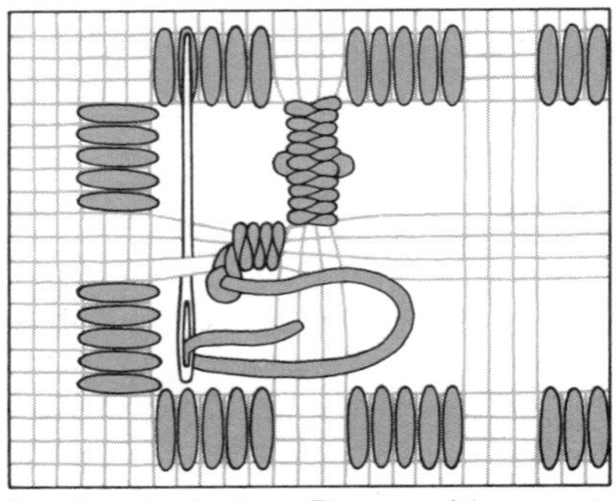

Bride avec picots : entrelacez au point de reprise la moitié de la bride et ressortez l'aiguille au milieu; puis passez le fil sous la pointe de l'aiguille, tel qu'indiqué. Tirez pour faire une petite boucle. Insérez l'aiguille sous la même paire de fils et tirez. Faites un picot de l'autre côté.

Points de remplissage

Les trois points de remplissage illustrés sur l'échantillon de droite sont le **point d'esprit oblique**, le **point d'esprit droit** et la **roue**.

Dans la broderie norvégienne, ces points de remplissage peuvent servir à combler tous les vides d'un motif ou seulement certains vides, d'une manière sélective. Les espaces vides peuvent aussi être remplis avec un seul ou plusieurs types de points.

Les recommandations données plus tôt sur la direction des points, entre autres, s'appliquent aussi à l'exécution des points de remplissage. La recommandation selon laquelle les brides et les points de remplissage doivent être exécutés en diagonale n'est donnée que parce qu'il est généralement plus simple de passer de cette manière d'une bride à une autre. Mais si un espace ne doit être recouvert que de brides, beaucoup de spécialistes recommandent de travailler les brides en rangées.

Quand un motif est terminé, passez le fil sur l'envers du tissu et glissez-le sous plusieurs pavés pour l'arrêter; défaites les points arrière du début et arrêtez le fil de la même façon. Commencez une nouvelle aiguillée en recouvrant l'extrémité du fil en même temps que vous brodez la bride suivante. Pour plus de détails sur cette manœuvre, consultez les pages 84-85.

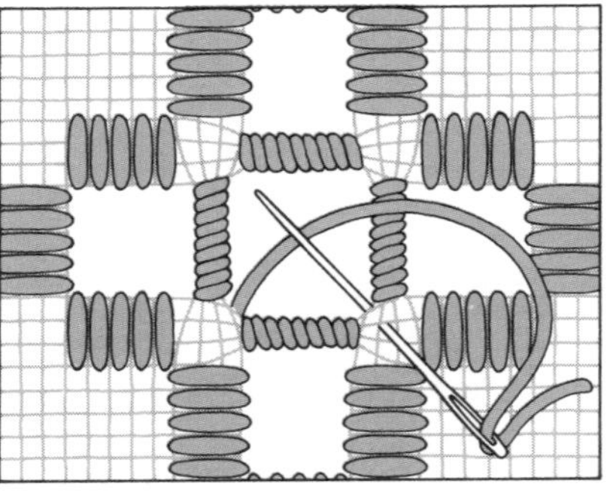

Point d'esprit oblique : sortez l'aiguille dans le coin inférieur gauche; piquez-la dans l'angle inférieur droit, passez le fil sous la pointe et tirez.

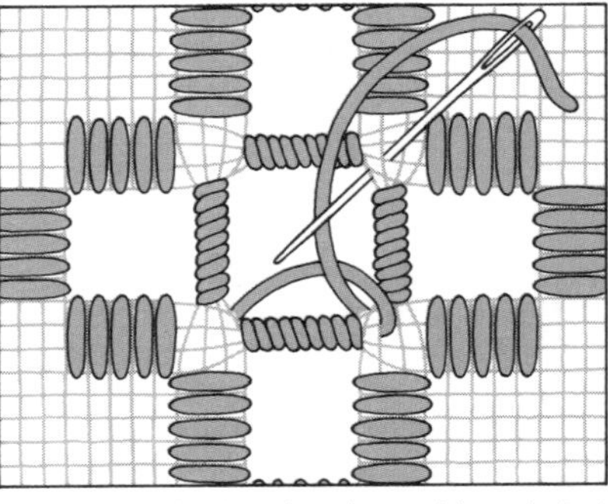

Insérez l'aiguille dans le coin supérieur droit et passez le fil sous la pointe. Tirez l'aiguille pour faire une autre boucle.

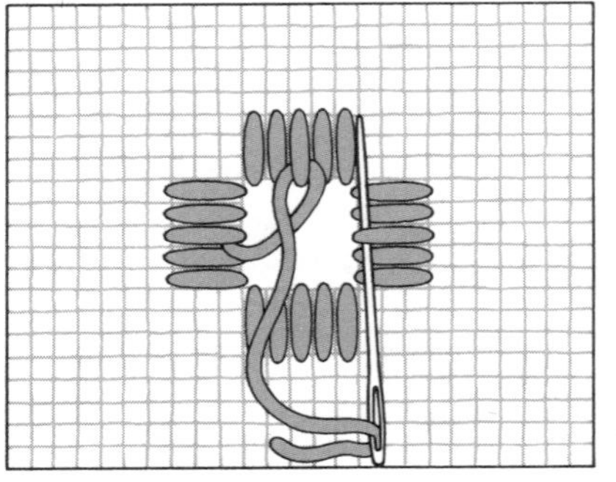

Point d'esprit droit entre des pavés. Sortez l'aiguille à gauche. Glissez l'aiguille de droite à gauche sous le point central du pavé supérieur.

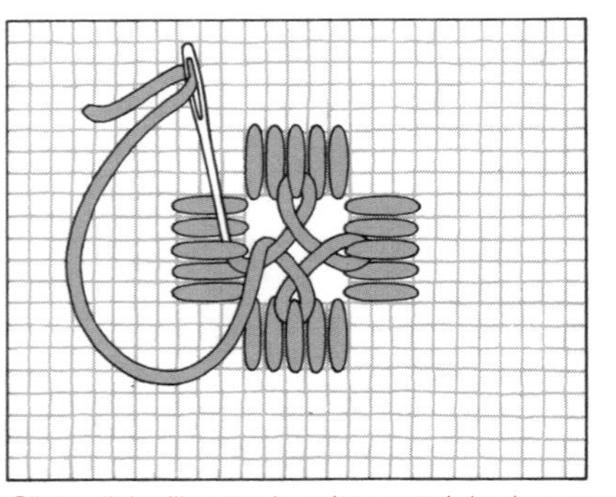

Glissez l'aiguille sous le point central de chaque pavé, sans omettre de passer le fil sous la pointe. Faites la dernière boucle comme sur l'illustration.

De gauche à droite : le **point d'esprit oblique**, la **roue** et le **point d'esprit droit**.

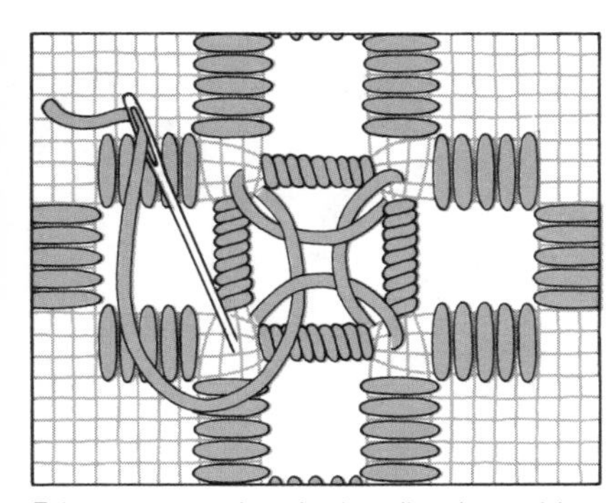

Faites une autre boucle dans l'angle supérieur gauche. Passez l'aiguille sous le premier fil et piquez-la dans le coin inférieur gauche.

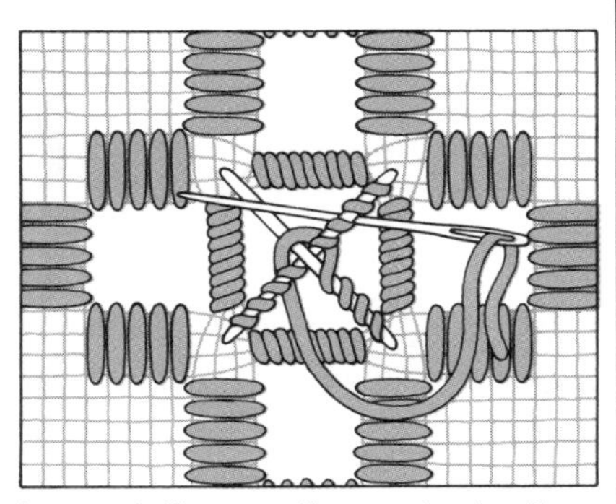

La roue : le fil est enroulé autour des deux fils en diagonale, puis entrelacé au centre du carré pour former une masse circulaire (pp. 82-83).

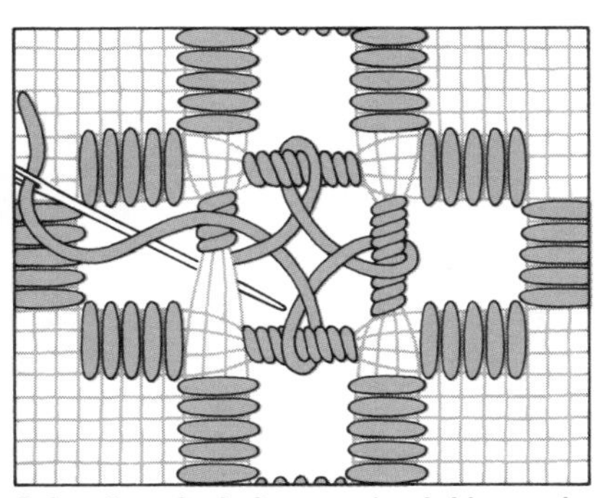

Point d'esprit droit entre des **brides surjetées :** exécutez les boucles après avoir surjeté la première moitié de la dernière bride.

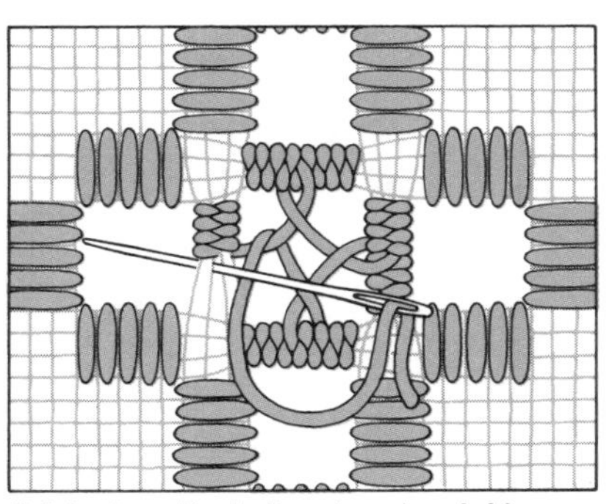

Point d'esprit droit entre des **brides au point de reprise :** faites les boucles après avoir brodé la première moitié de la dernière bride.

Ornementation d'un motif

Les dessins de broderie norvégienne sont extrêmement variés; il est donc difficile d'établir des règles qui s'appliquent à tous. Il sera toutefois utile pour les débutants de connaître certains principes généraux. Ajoutons à cela un peu d'expérience pratique et, très vite, les débutants pourront exécuter la broderie norvégienne avec toute la précision et la délicatesse voulues.

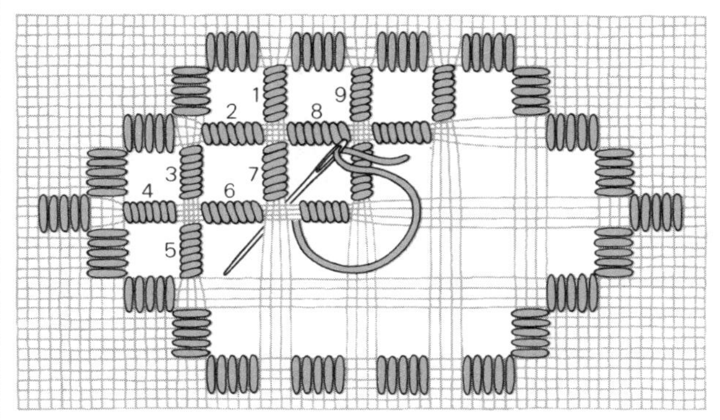

Pour recouvrir les brides, on recommande de descendre en diagonale du coin supérieur gauche (1-4), puis de remonter de la même façon (5-9) et de continuer ainsi jusqu'à ce que tous les groupes de fils soient recouverts. Mais on peut broder toutes les brides dans un sens puis, après avoir renversé l'ouvrage, toutes les autres.

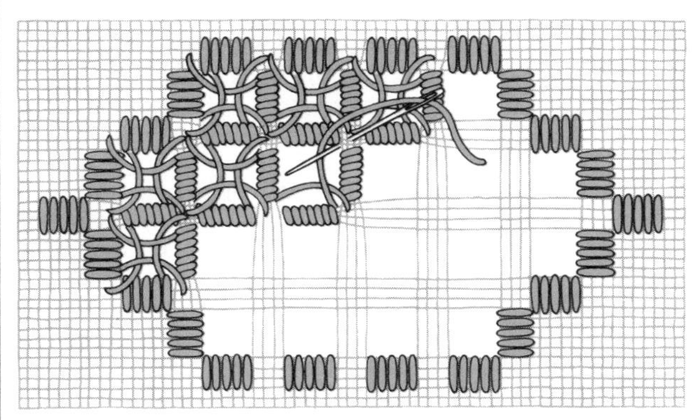

Les points d'esprit obliques, exécutés sur brides et pavés, se travaillent dans le même sens. On passe le fil de travail sous les fils du tissu vers l'ouverture la plus proche; il faut veiller à ce que ce fil ne se voie pas sur l'endroit. Pour commencer une nouvelle aiguillée, retenez l'extrémité du fil derrière la bride la plus proche.

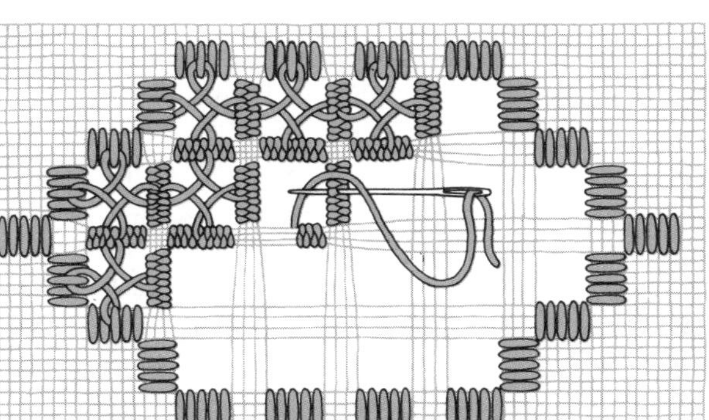

L'exécution des points d'esprit droits varie selon que le côté auquel ils sont retenus est une bride surjetée, une bride au point de reprise ou encore un pavé au point passé. Les illustrations de gauche vous rappelleront les différentes manières de broder ces points selon qu'il s'agit d'une bride ou d'un pavé.

Les jours/ Broderie blanche

Introduction à la broderie blanche
Principes de base
Exécution d'un ouvrage en broderie blanche

Introduction

La broderie blanche est une sorte de broderie à jour qui était en vogue au cours du XVIe siècle. Aujourd'hui, on l'emploie surtout pour décorer le linge de table et même les vêtements de dames. En dépit de son aspect délicat, la broderie blanche est solide parce que chaque ligne du dessin est brodée au point de feston. Après avoir souligné les contours du motif, certaines parties en sont découpées; les grands espaces découpés sont parfois renforcés de brides. On ajoute souvent certains points, comme le point d'armes tortillé, le point de tige et le point passé, pour rehausser la beauté de l'ensemble.

Les tissus serrés, peu susceptibles de s'effilocher, sont les plus indiqués pour la broderie blanche. Servez-vous de coton perlé ou de coton floche et d'une aiguille très pointue (voir Aiguilles, p.10); travaillez toujours sur un tambour ou un métier à broder.

Les motifs de la broderie blanche sont généralement des motifs floraux. Avant de fixer votre choix sur un dessin, étudiez d'abord les espaces à découper; de plus, si vous êtes l'auteur de votre modèle, pensez en termes de négatif et de positif selon qu'il s'agit des parties à découper ou à conserver, et essayez de garder un juste équilibre entre les deux.

Il y a trois façons d'établir cet équilibre entre les espaces négatif et positif. Dans la première, on découpe les principaux éléments du motif (fleurettes de l'échantillon). On peut aussi laisser le motif intact et découper le fond (tiges et feuilles de l'échantillon). Le point de feston accentue alors davantage les formes en donnant du relief à leurs contours. La troisième approche laisse intacte une grande partie du motif et ne découpe que de petits détails intérieurs; c'est celle-ci que l'on emploie pour border une découpe (grande fleur qui borde le coin de l'échantillon).

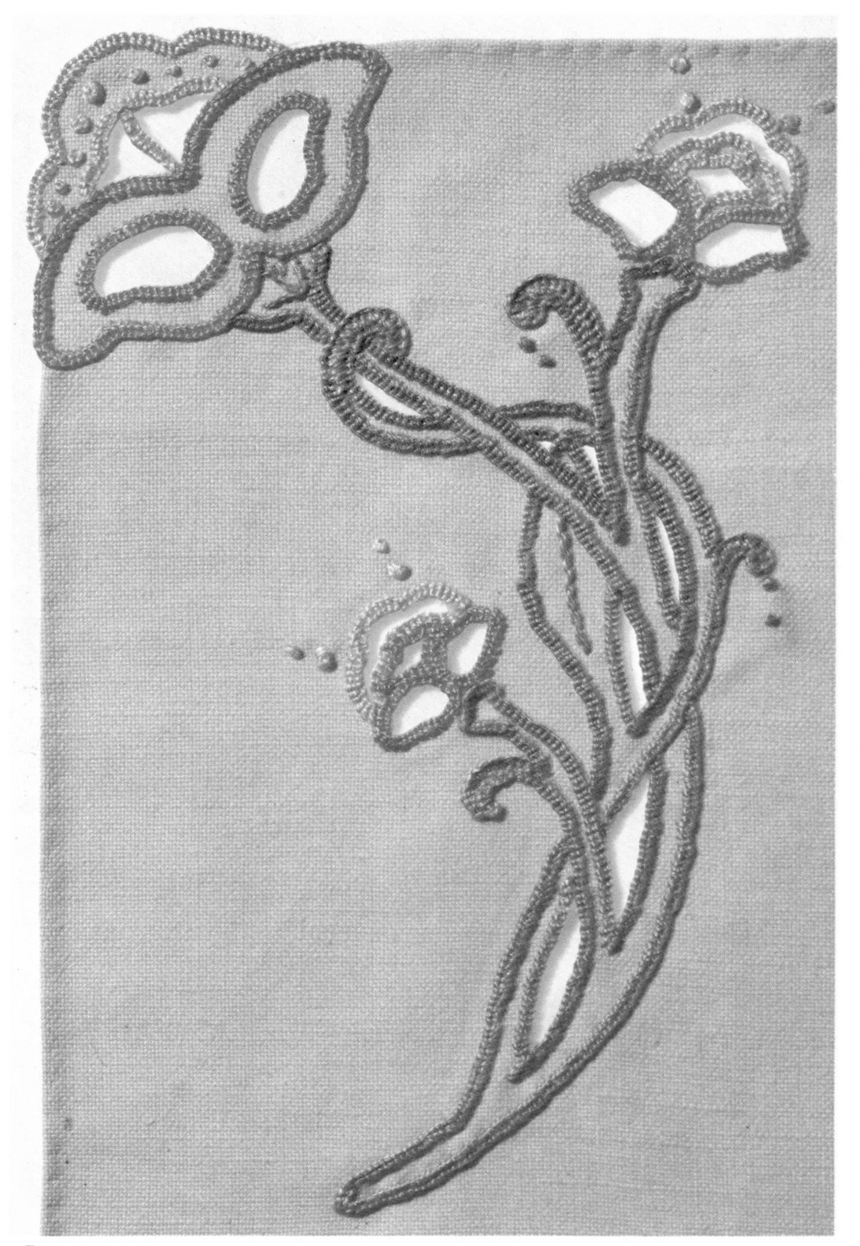

Broderie blanche : on souligne les contours au point de feston avant de découper.

Point de feston 26 Point devant 46
Point de feston tailleur 82

Principes de base

Les principes de base de la broderie blanche sont très simples, mais il faut scrupuleusement respecter l'ordre des étapes à suivre pour obtenir un travail parfait. Les deux principaux points de la broderie blanche sont le **point de feston** et le **point devant**. Il s'agit d'abord de « dessiner » le motif avec des points devant et de broder par-dessus des points de feston. Il faut savoir de quel côté l'ouvrage sera découpé et exécuter le point de feston en alignant son arête bouclée le long du bord à découper. Si l'ouvrage doit être découpé des deux côtés d'un même contour, il est possible d'exécuter une **double bride au point de feston.**

Pour bien reconnaître les espaces à découper, marquez-les avant de commencer à broder le point de feston. Sur certains décalques qu'on peut trouver dans le commerce, les espaces à découper sont souvent marqués d'un « X » qui est reproduit sur le tissu.

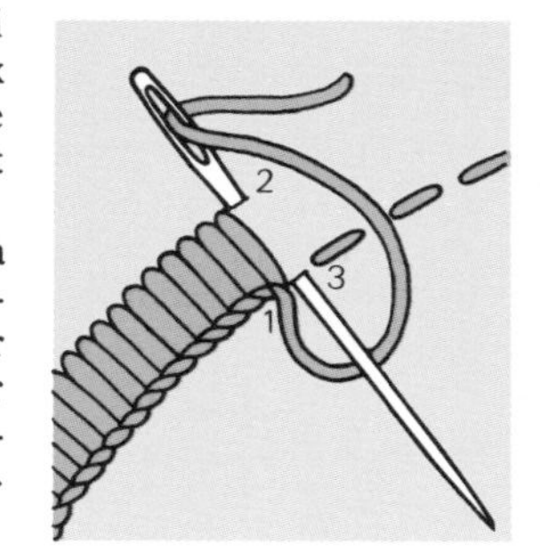

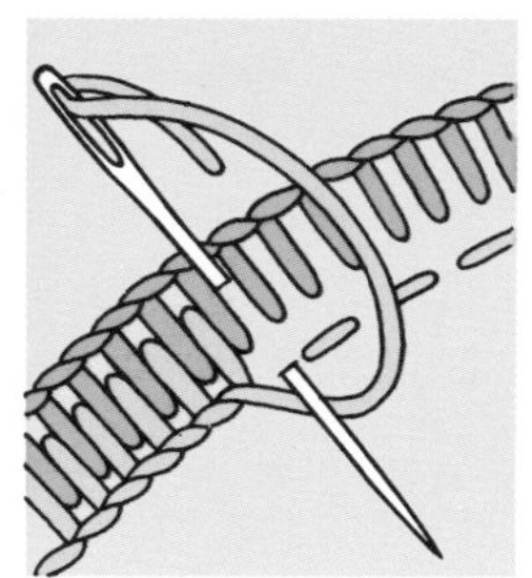

Le point de feston s'exécute de gauche à droite. Sortez l'aiguille en 1, piquez-la en 2 et ressortez-la en 3. Ramenez le fil sous la pointe de l'aiguille et tirez. Serrez les points.
La double bride au point de feston se compose de deux rangées de points de feston qui superposent chacune une rangée de points devant. Exécutez la première rangée de telle sorte que la seconde puisse s'y imbriquer.

Exécution d'un ouvrage en broderie blanche

Brodez d'abord le contour du dessin au *point devant* avec du coton floche ou du coton perlé.
Recouvrez ensuite ce contour avec un *point de feston* très serré, sans oublier de vous assurer que l'arête du point borde bien la ligne à découper. Vous pouvez aussi utiliser le point de feston tailleur si vous préférez.
Découpez ensuite les espaces désignés; faites le découpage sur *l'envers* de l'ouvrage, à la base des points, mais attention à ne pas entamer en même temps les points de feston.

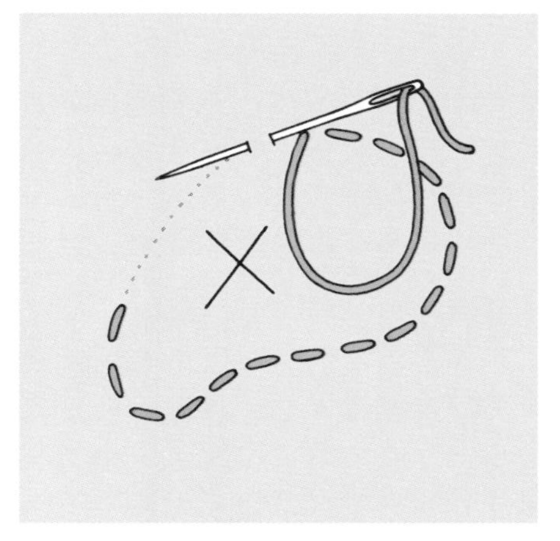

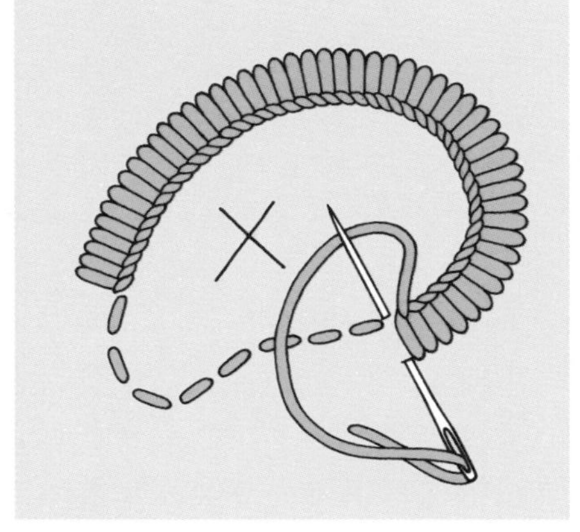

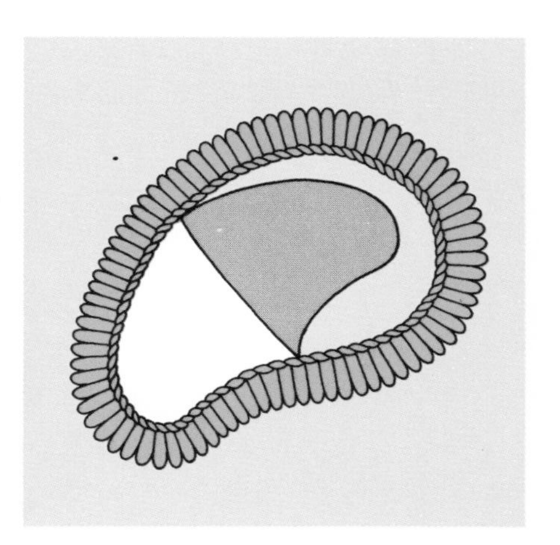

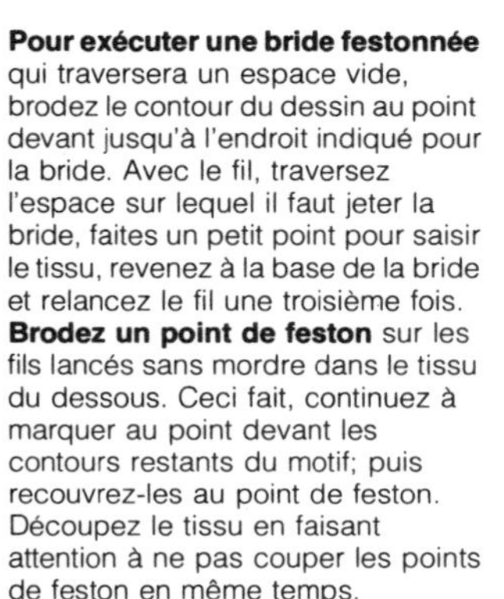

Pour exécuter une bride festonnée qui traversera un espace vide, brodez le contour du dessin au point devant jusqu'à l'endroit indiqué pour la bride. Avec le fil, traversez l'espace sur lequel il faut jeter la bride, faites un petit point pour saisir le tissu, revenez à la base de la bride et relancez le fil une troisième fois.
Brodez un point de feston sur les fils lancés sans mordre dans le tissu du dessous. Ceci fait, continuez à marquer au point devant les contours restants du motif; puis recouvrez-les au point de feston. Découpez le tissu en faisant attention à ne pas couper les points de feston en même temps.

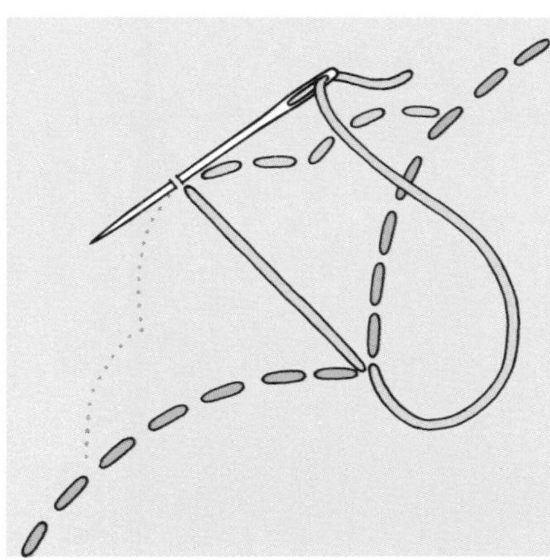

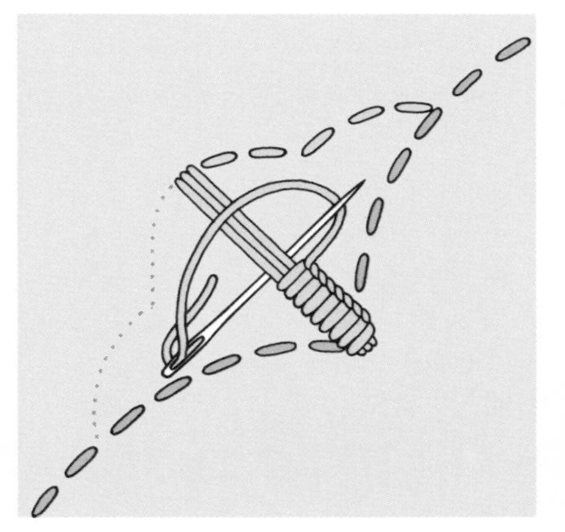

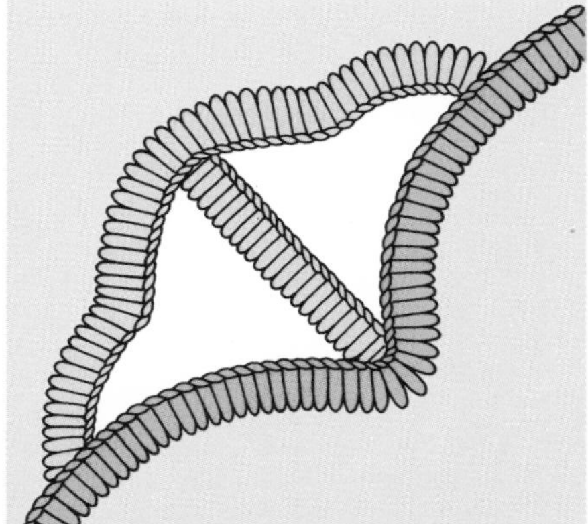

Décalques au fer 17
Point devant 46

Les smocks

Introduction

La broderie « smock » est un genre de broderie qui orne un tissu en même temps qu'elle le fronce. Les points de smocks se travaillent sur une grille marquée à l'avance sur le tissu sous forme de points également espacés. Vous pouvez acheter dans le commerce des grilles pointillées sur décalques au fer ou préparer vous-même votre grille.

Pour exécuter des smocks, il existe deux méthodes : la **méthode ordinaire** et la **méthode anglaise.** Dans la première, les pointillés sont marqués sur l'*endroit* du tissu et les smocks sont exécutés en travaillant point par point et en fronçant le tissu au fur et à mesure. Dans la méthode anglaise, les pointillés sont marqués sur l'*envers* du tissu. On exécute des rangées de points devant irréguliers qui forment ce qu'on appelle les fronces préliminaires. Des points de smocks sont alors brodés sur l'*endroit* à chaque pli formé par les fronces. La méthode anglaise est particulièrement efficace quand il faut combiner plusieurs points sur un seul ouvrage (p. 97).

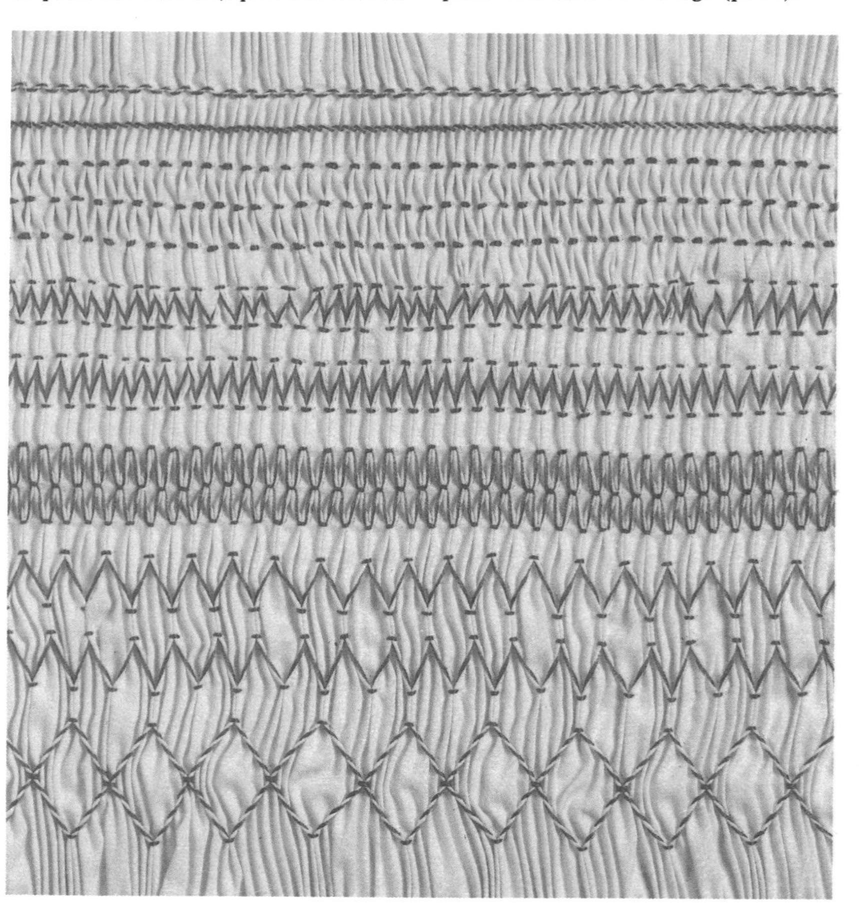

Smocks aux points : arrière, tige, nids d'abeilles, chevron, piqûre ornée, chevron allongé, zigzag.

Tissus et grilles

En règle générale, on brode les smocks sur des tissus doux, légers (coton, batiste, fine laine), avec du coton perlé ou floche et à l'aide d'une aiguille à broderie ou à tapisserie.

Le tissu doit être deux à trois fois plus large que la dimension finale de l'ouvrage. La proportion donnée est approximative car elle dépend du poids du tissu, de la tension du fil et de l'espace compris entre les pointillés.

On peut se servir d'une grille de smocks sur décalque au fer, composer

Coupez le décalque au fer aux dimensions de l'espace à froncer. Posez-le bien à plat sur le tissu en laissant toutefois assez d'espace pour une couture dans le haut. Repassez.

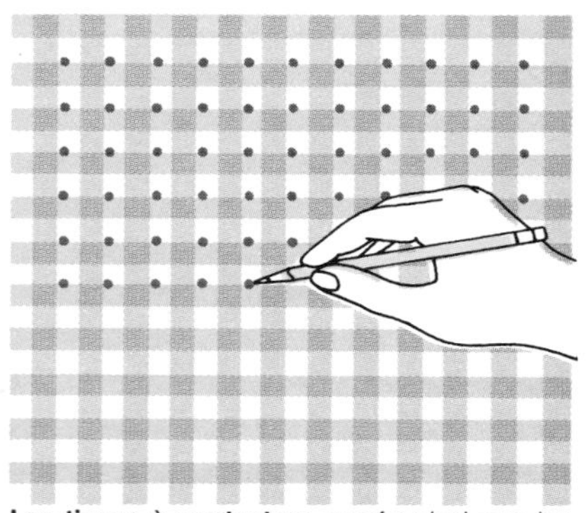

Les tissus à contexture carrée ainsi que les imprimés à pois ou le vichy peuvent être marqués directement sans qu'il soit nécessaire de préparer une grille.

une grille sur du papier quadrillé, ou encore se servir d'un tissu à contexture carrée ou même d'un imprimé en laissant un espace de 0,5 à 1 centimètre (¼″ à ⅜″) entre chaque point et chaque rangée. Plus les points sont rapprochés, plus les smocks gagnent en élasticité. Alors que la plupart des smocks peuvent être exécutés sur n'importe quelle grille, quelques points particuliers ont besoin d'être travaillés sur des grilles spécifiques qu'il vous faudra sans doute composer vous-même.

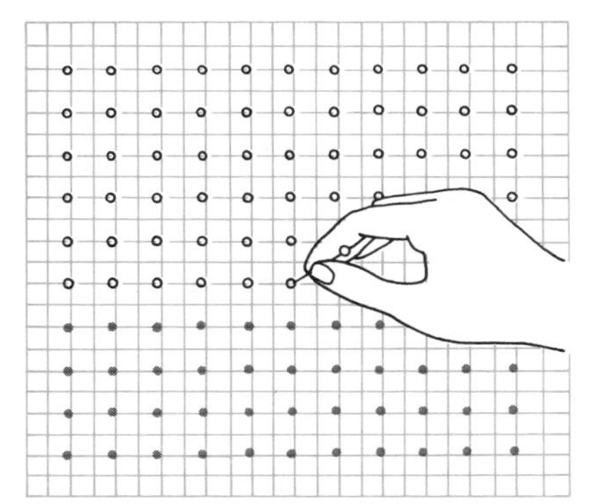

Coupez le papier quadrillé aux dimensions du tissu. Avec un poinçon ou une aiguille, perforez les pointillés. Placez la grille sur la surface à froncer et marquez chaque point au crayon.

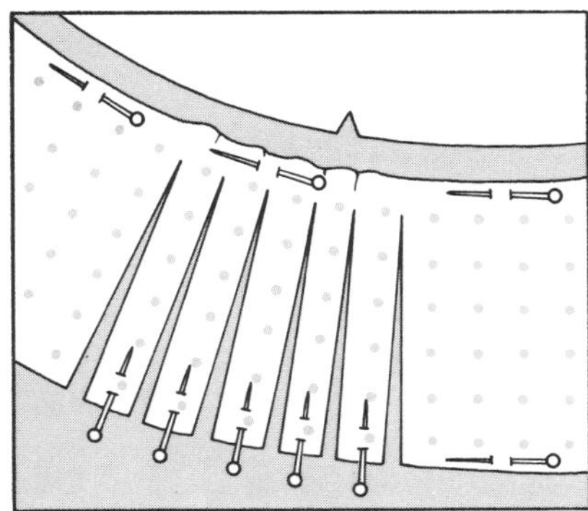

Pour les arrondis, prenez un décalque au fer ou du papier quadrillé. Incisez verticalement à égale distance entre les points, jusqu'à la rangée de points supérieure.

Garniture de smocks sur un vêtement

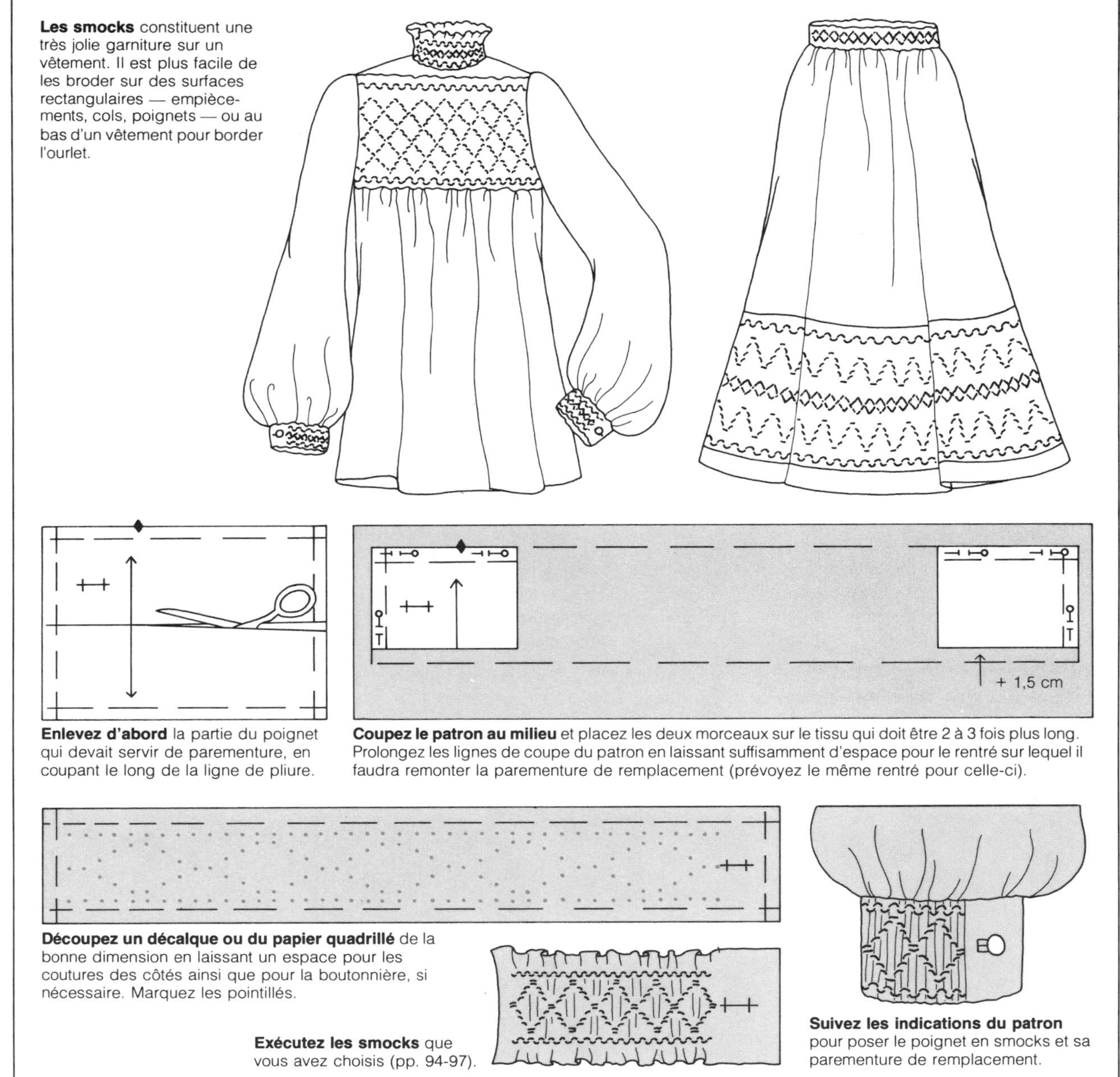

Les smocks constituent une très jolie garniture sur un vêtement. Il est plus facile de les broder sur des surfaces rectangulaires — empiècements, cols, poignets — ou au bas d'un vêtement pour border l'ourlet.

Enlevez d'abord la partie du poignet qui devait servir de parementure, en coupant le long de la ligne de pliure.

Coupez le patron au milieu et placez les deux morceaux sur le tissu qui doit être 2 à 3 fois plus long. Prolongez les lignes de coupe du patron en laissant suffisamment d'espace pour le rentré sur lequel il faudra remonter la parementure de remplacement (prévoyez le même rentré pour celle-ci).

Découpez un décalque ou du papier quadrillé de la bonne dimension en laissant un espace pour les coutures des côtés ainsi que pour la boutonnière, si nécessaire. Marquez les pointillés.

Exécutez les smocks que vous avez choisis (pp. 94-97).

Suivez les indications du patron pour poser le poignet en smocks et sa parementure de remplacement.

Les smocks

La méthode anglaise

On recommande aux débutants de commencer à travailler les smocks par la méthode anglaise parce que le rassemblement préliminaire des fronces rend l'exécution des points plus facile. Les rangées de points devant qui servent aux fronces préliminaires forment des plis égaux, bien réguliers, ce qui permet de contrôler la tension des points de smocks. Les fronces ne déterminent pas cependant de façon définitive la largeur de l'ouvrage. Quand les points devant sont retirés, la surface travaillée se relâche plus ou moins selon la tension des points de smocks.

Avant de faire les fronces, marquez d'abord les pointillés sur l'envers du tissu. Froncez le tissu à la main (voir ci-dessous), puis exécutez les points sur l'endroit du tissu.

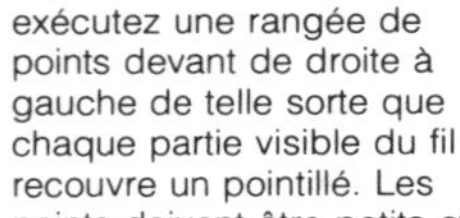

Pour froncer le tissu, exécutez une rangée de points devant de droite à gauche de telle sorte que chaque partie visible du fil recouvre un pointillé. Les points doivent être petits et réguliers. En fin de ligne, retirez votre aiguille et laissez pendre le fil. Exécutez les autres rangées de la même manière.

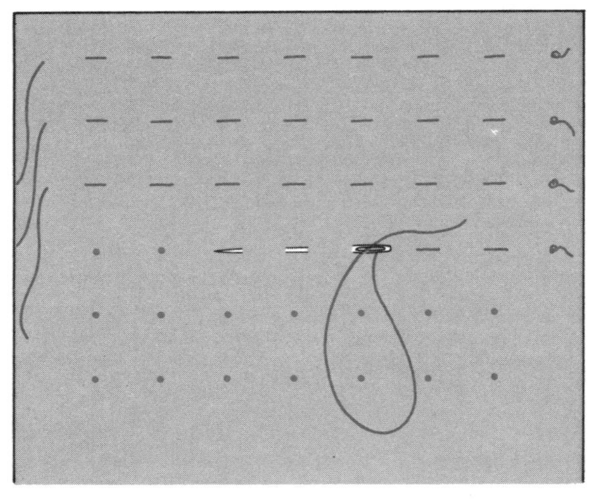

Tirez doucement ensemble tous les fils flottants de façon à obtenir des rangées égales et régulières. Laissez un peu d'espace entre chaque pli.

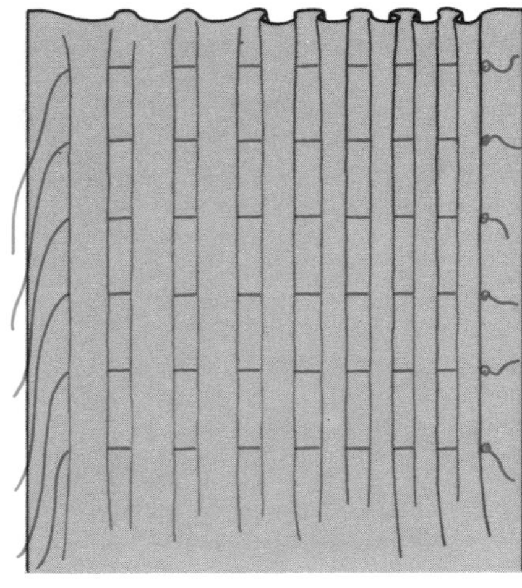

Nouez ensemble vos fils, deux par deux, à gauche de l'ouvrage.

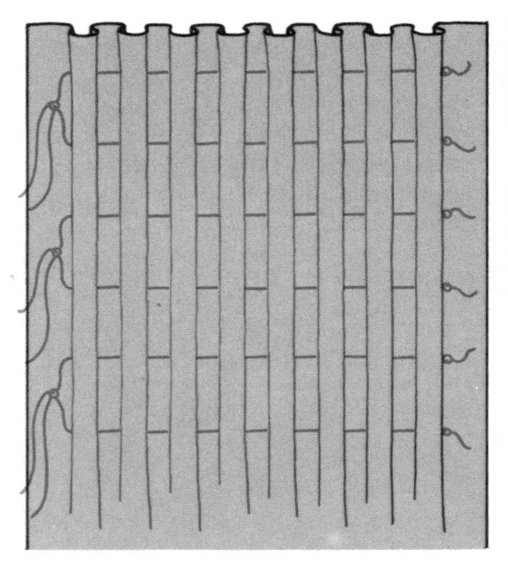

Points de smocks

Les instructions suivantes s'appliquent à la méthode ordinaire. Les cinq points de smocks illustrés sur ces deux pages peuvent être exécutés sur n'importe quel genre de grille à smocks. Les deux derniers points (Variantes, p. 96) requièrent des grilles spécifiques que nous décrivons dans la première étape du mode d'exécution de ces deux points.

Tous les points peuvent être aussi exécutés avec la méthode anglaise; la grille et les points sont les mêmes bien que le marquage s'effectue sur l'envers de l'ouvrage. Cependant, au lieu de faire un point sur une marque, faites un point sur chaque fronce formée par les points devant, en ne prenant dans l'aiguille que quelques fils du tissu, toujours au même endroit au sommet de chaque fronce. La dernière illustration de chaque séquence représente l'exécution de ces points selon la méthode anglaise.

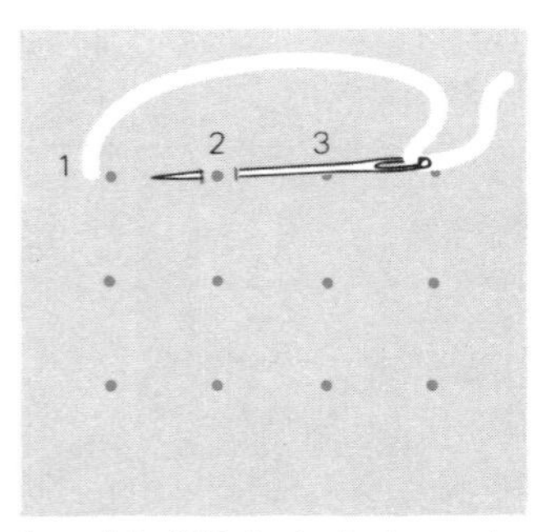

Le point câblé s'exécute de gauche à droite. Sortez l'aiguille en 1, puis faites un petit point en 2 en mettant le fil au-dessus de l'aiguille.

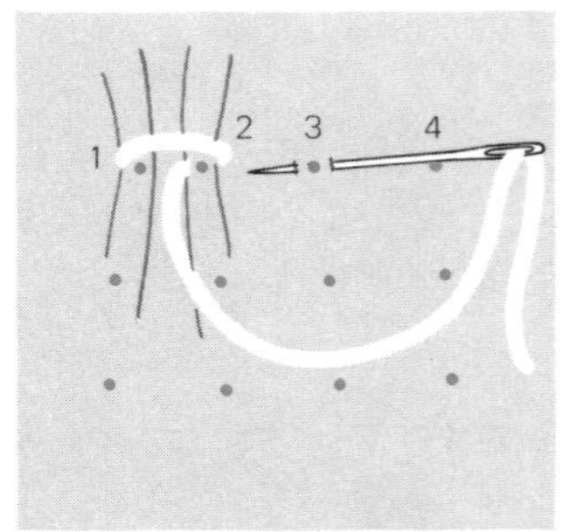

Tirez sur l'aiguillée pour rapprocher 1 et 2. Faites un autre petit point en 3 en mettant le fil au-dessous de l'aiguille.

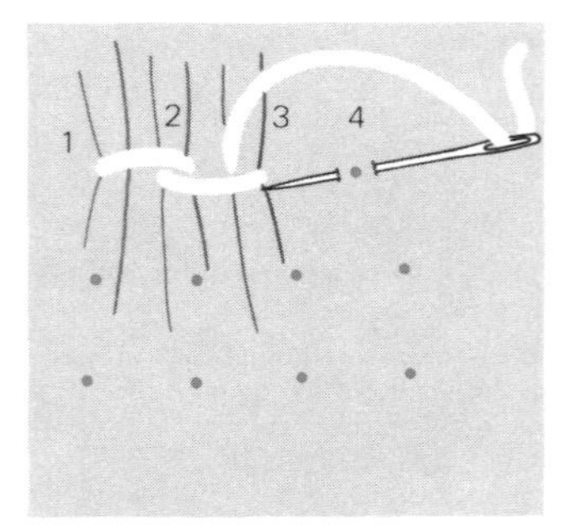

Faites un point en 4, en mettant le fil au-dessus de l'aiguille. Continuez en alternant la position du fil, au-dessus et au-dessous de l'aiguille.

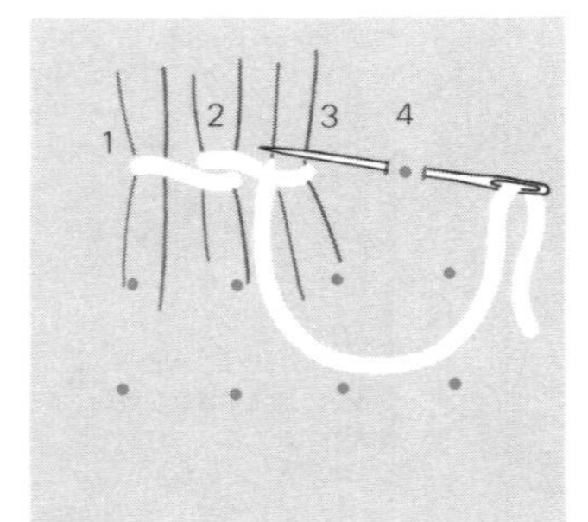

Le point de tige s'exécute comme le point câblé avec cette différence que le fil doit toujours rester au-dessous de l'aiguille.

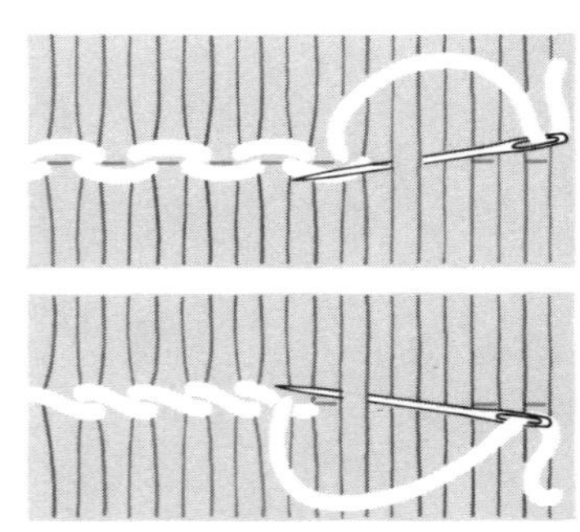

Méthode anglaise : exécutez les points par-dessus les fronces préliminaires en ne prenant que quelques fils au sommet de chaque pli.

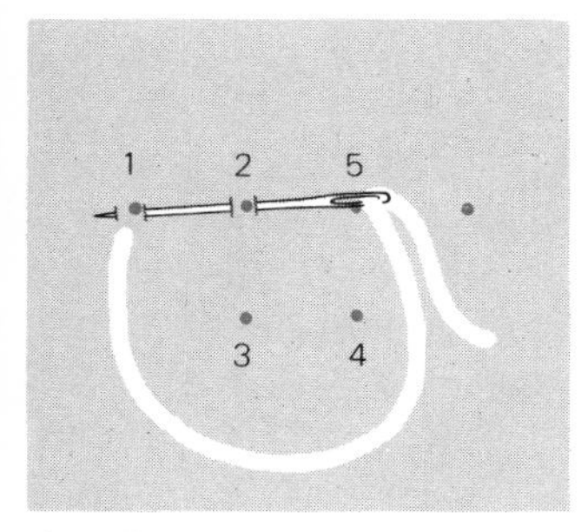

Les nids d'abeilles se travaillent de gauche à droite. Sortez l'aiguille en 1 et faites un premier point en 2 et un second en 1. Serrez le fil.

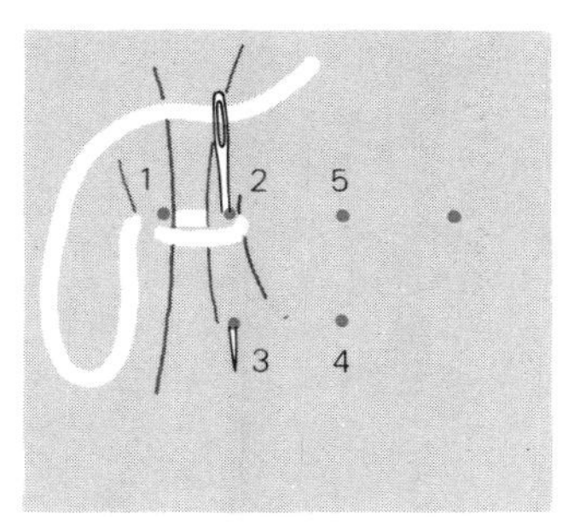

Piquez de nouveau l'aiguille en 2 et ressortez-la en 3 sur la rangée inférieure (ce point se travaille sur deux rangées de pointillés).

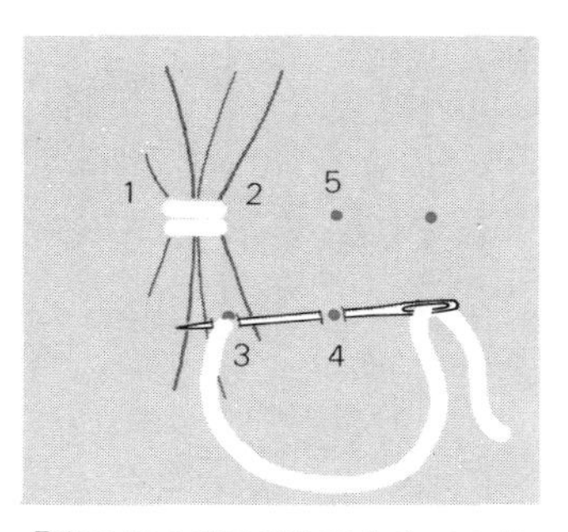

Faites un petit point en 4 et un autre en 3, en gardant l'aiguille pointée vers la gauche. Tirez sur le fil pour rassembler 3 et 4.

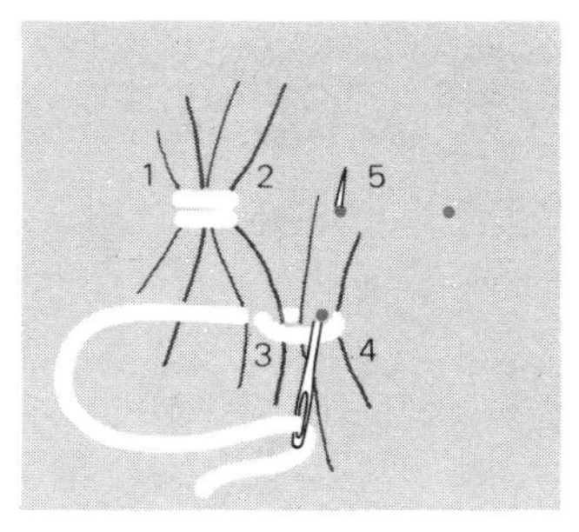

Piquez de nouveau l'aiguille en 4 et ressortez-la en 5, au-dessus de 4 sur la rangée supérieure; 5 devient 1 pour l'enchaînement suivant.

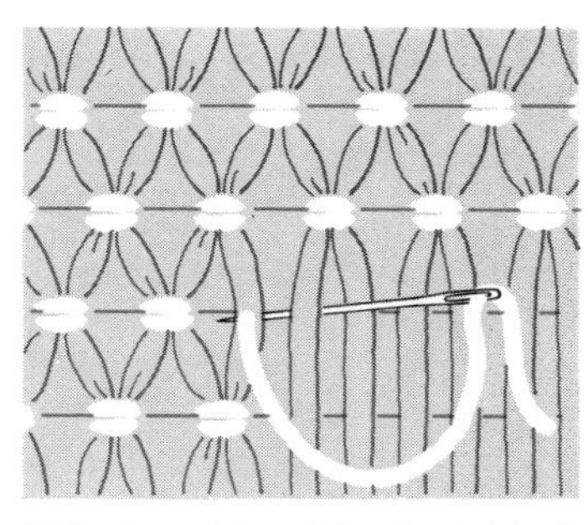

Méthode anglaise : faites les points de gauche à droite sur deux rangées de fronces, en ne prenant chaque fois que quelques fils au sommet des plis.

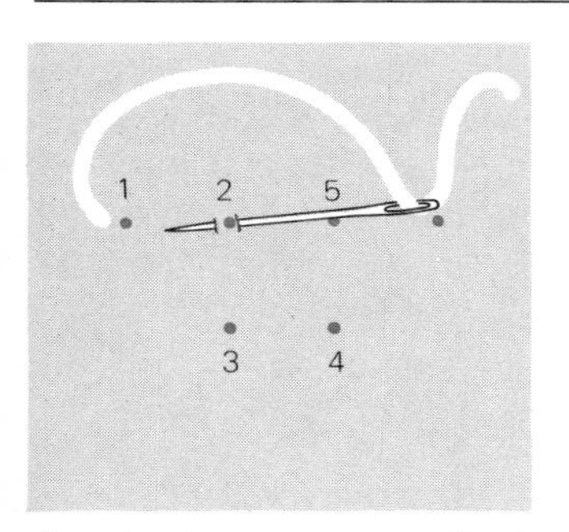

Le point de chevron se travaille de gauche à droite. Sortez l'aiguille en 1 et faites un point en 2, en maintenant le fil au-dessus de l'aiguille.

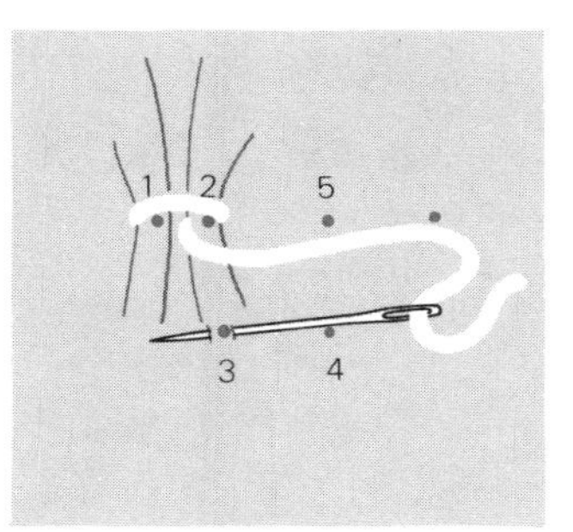

Tirez le fil pour rapprocher les pointillés 1 et 2, puis faites un point en 3, directement au-dessous de 2, sur la rangée suivante.

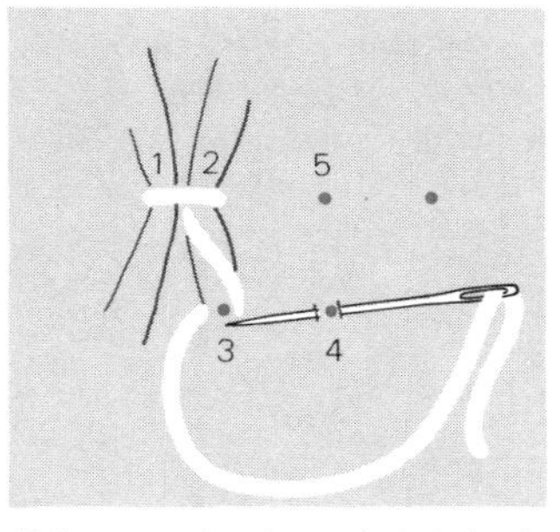

Faites un petit point en 4, à droite de 3, en maintenant le fil au-dessous de l'aiguille. Tirez sur le fil pour rapprocher 3 et 4.

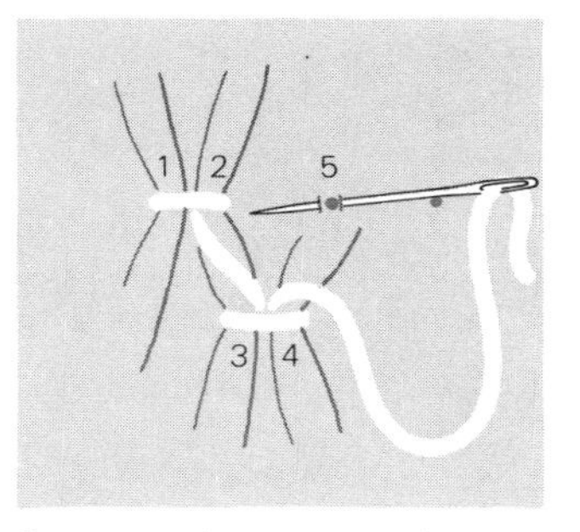

Revenez sur la rangée supérieure en faisant un point en 5, au-dessus de 4. L'étape 5 devient l'étape 1 de l'enchaînement suivant.

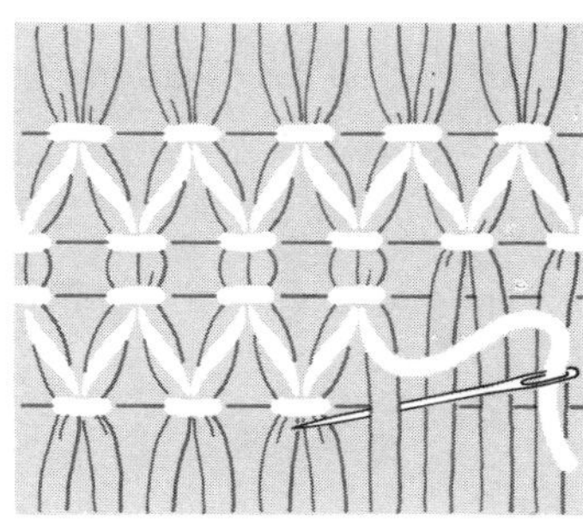

Méthode anglaise : travaillez sur deux rangs de fronces. Remarquez le motif créé par deux doubles rangées de ce point.

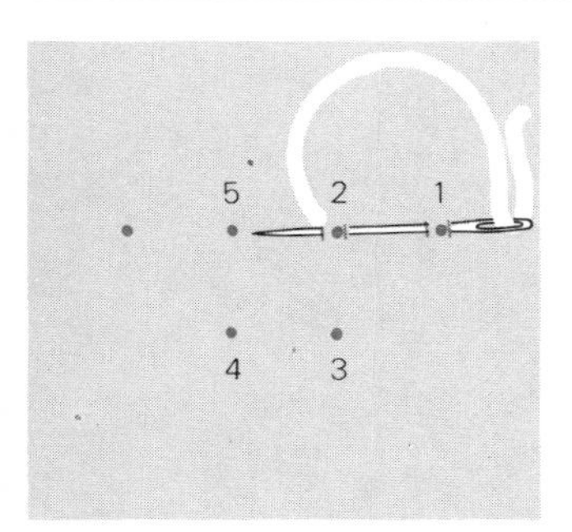

Le point de piqûre orné s'exécute de droite à gauche. Sortez l'aiguille en 2, et faites un point en 1 puis en 2, le fil au-dessus de l'aiguille.

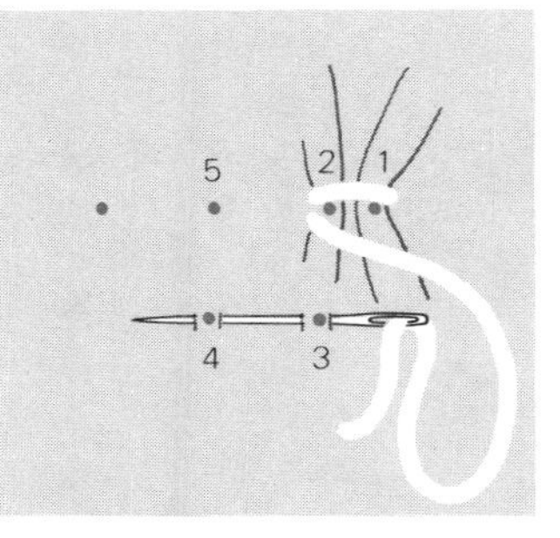

Serrez le fil pour rapprocher 1 et 2, puis faites un point en 3, au-dessous de 2, sur la rangée suivante, et un point en 4, à gauche de 3.

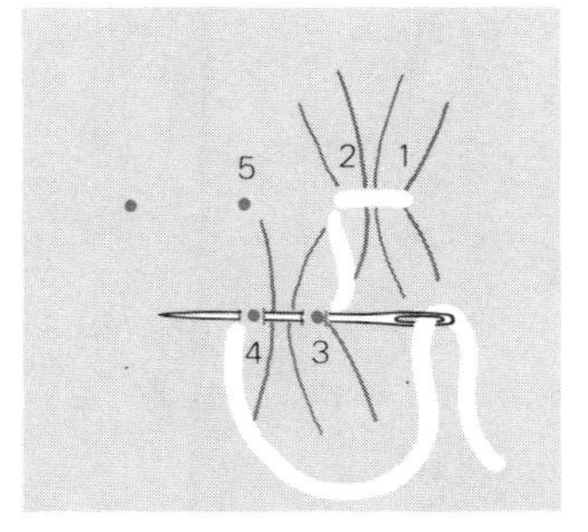

Faites un autre point en 3 puis en 4, en maintenant le fil au-dessous de l'aiguille. Tirez sur le fil pour rassembler 3 et 4.

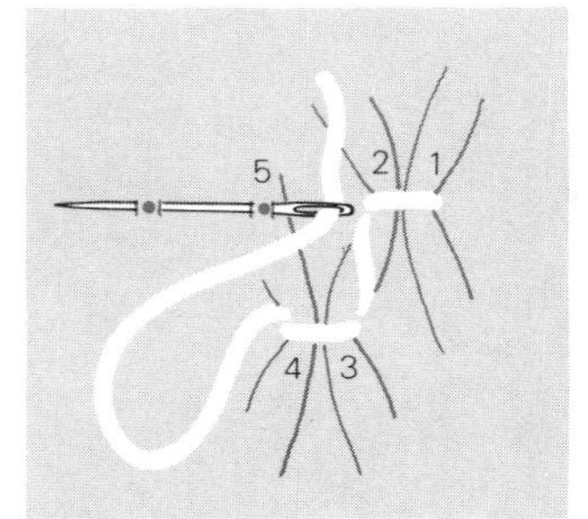

Revenez à la rangée supérieure en faisant un point en 5 (qui devient l'étape 1 de l'enchaînement suivant). Répétez jusqu'à la fin de la rangée.

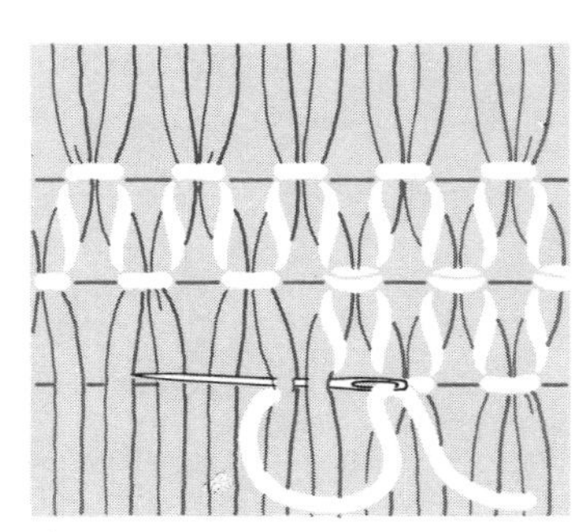

Méthode anglaise : exécutez le point de piqûre orné sur deux rangées de fronces. (Les points centraux des deux rangées se chevauchent.)

Point de chaînette 28
Point de bouclette 28
Point de croix 35
Passé plat 48

Variantes des points de smocks

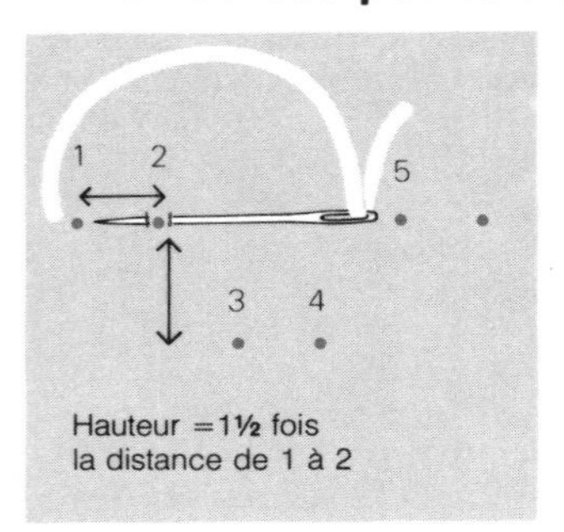

Point de chevron allongé : faites des marques *seulement* là où il y aura des points. Sortez l'aiguille en 1 et faites un point en 2.

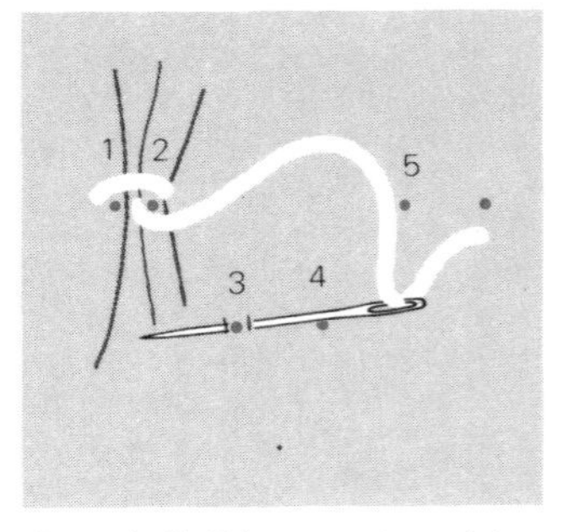

Serrez le fil. Faites un autre point en 3, au-dessous de 2 et un peu à droite, sur la seconde rangée. Ce point s'exécute sur deux rangs.

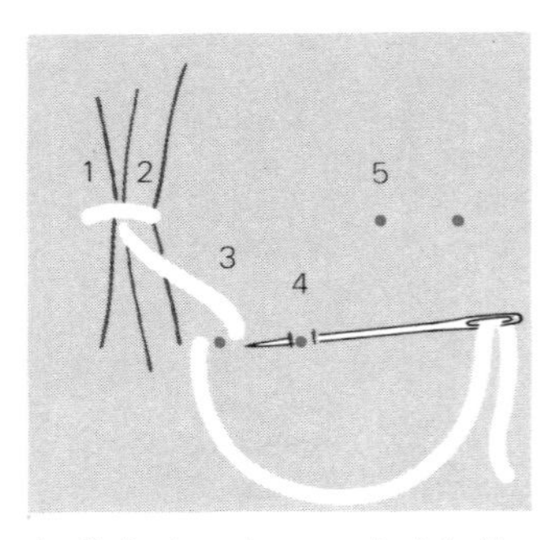

Le fil étant au-dessous de l'aiguille, faites un autre point en 4, à droite de 3. Tirez sur le fil pour froncer 3 et 4.

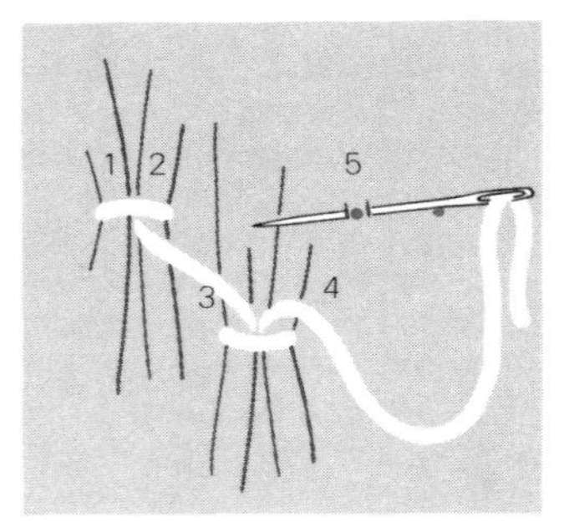

Revenez à la rangée supérieure et faites un point en 5; 5 est maintenant 1 du nouvel enchaînement. Continuez ainsi la rangée.

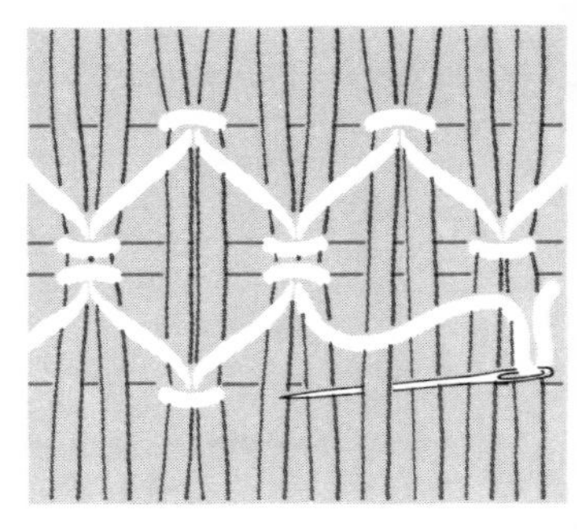

Méthode anglaise : vous pouvez utiliser une grille régulière; il n'y aura qu'à laisser de côté les marques qui ne sont pas nécessaires à l'exécution du point.

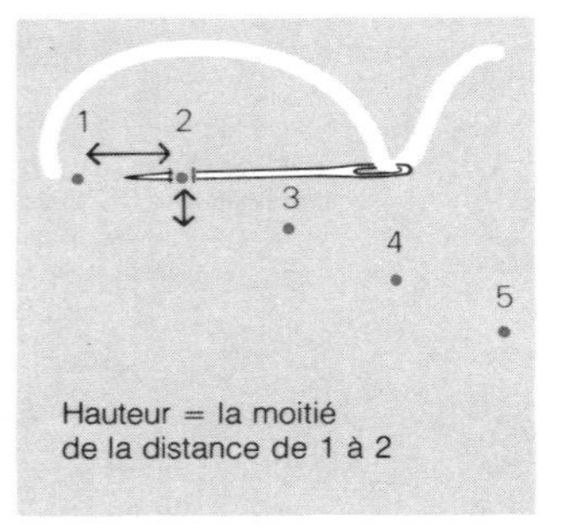

Point de zigzag : placez les pointillés en suivant les indications. Sortez l'aiguille en 1, et faites un point en 2, le fil au-dessus de l'aiguille.

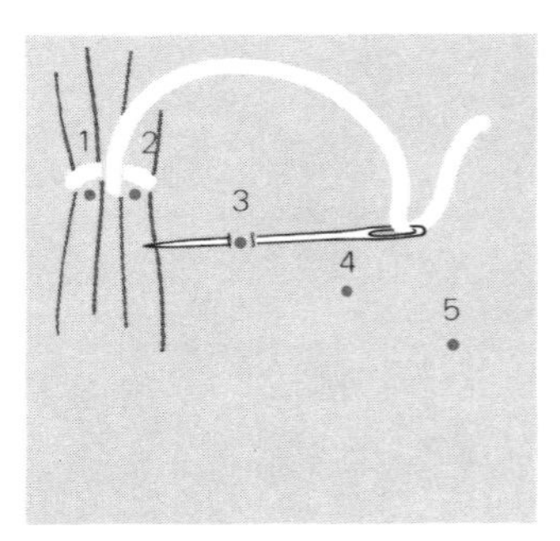

Tirez sur le fil; faites un point en 3, en maintenant toujours le fil au-dessus de l'aiguille. Les distances entre 2-3 et 1-2 sont égales.

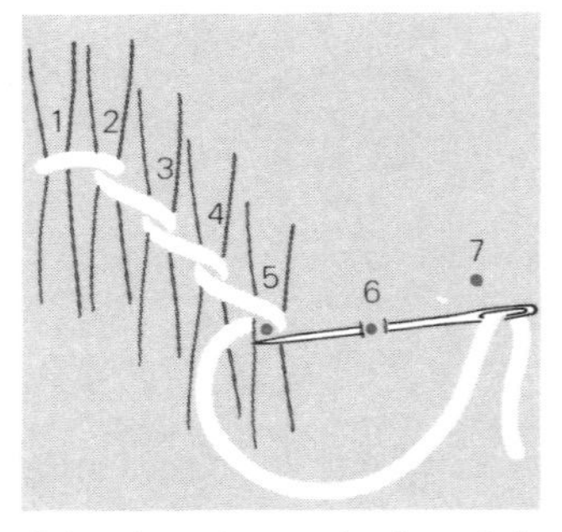

Faites des points en 4 puis en 5, le fil au-dessus de l'aiguille; faites un point en 6 en ramenant le fil au-dessous de l'aiguille.

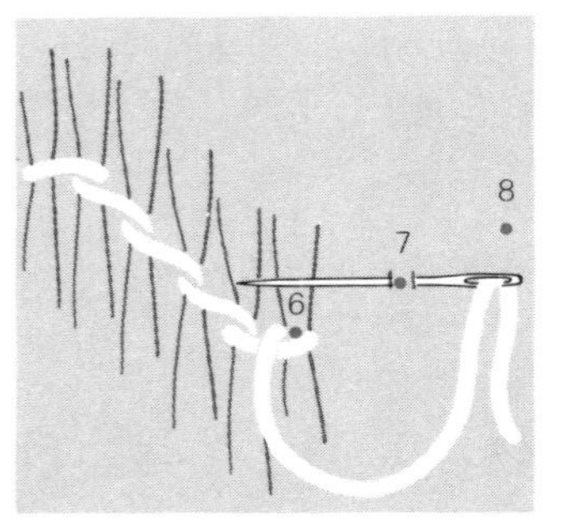

Faites un point en 7 et continuez à travailler en diagonale dans un mouvement ascendant, le fil restant au-dessous de l'aiguille. Répétez.

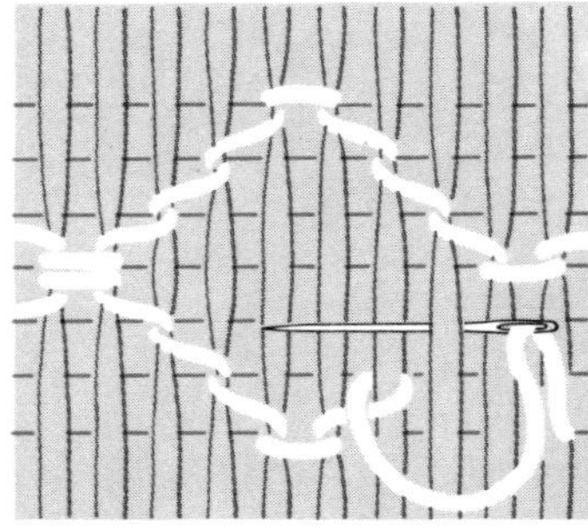

Méthode anglaise : vous pouvez travailler sur une grille régulière. Les marques non utilisées ne se verront pas puisqu'elles se trouvent sur l'envers.

Points d'ornementation

On surbrode souvent les smocks pour les embellir. Les quatre points illustrés ici (de gauche à droite: le point de bouclette, le point de croix, le passé plat droit et le point de chaînette) sont souvent exécutés entre les rangées de points de smocks ou sur les surfaces libres comprises entre certains points. Exécutez tous les points d'ornementation sur deux fronces ou davantage. Pour des instructions plus détaillées, consultez le chapitre des points de broderie, pages 22-53.

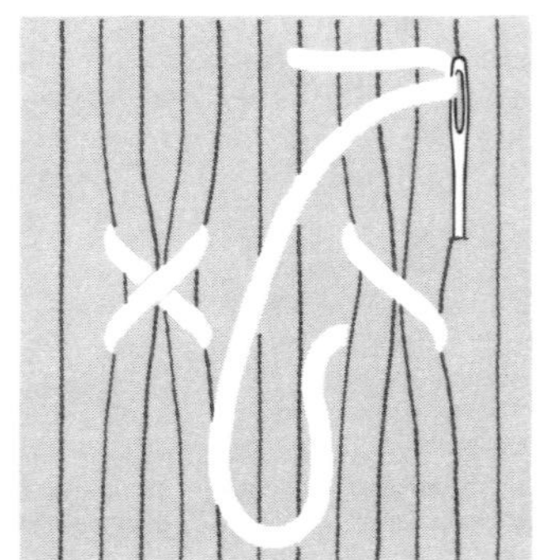

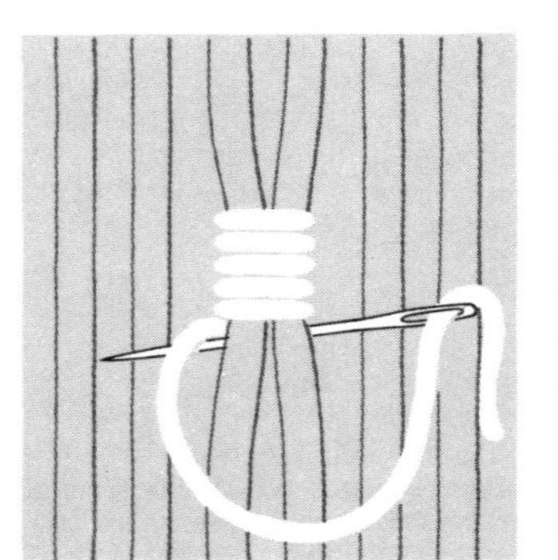

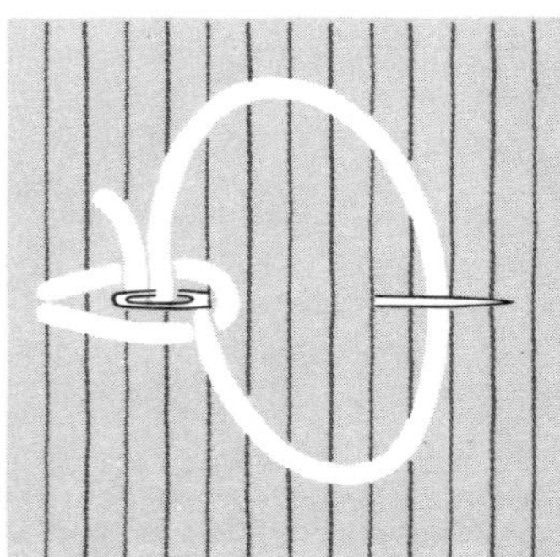

Les combinaisons de points de smocks

Les combinaisons de points donnent des ouvrages froncés très intéressants. Si tous les points à combiner s'exécutent sur une même grille, le travail en est simplifié et vous pouvez suivre la méthode ordinaire ou la méthode anglaise, au choix. Mais si les points à combiner exigent différents genres de grilles, comme dans la combinaison illustrée à droite, les smocks doivent alors être exécutés d'après la méthode anglaise. La combinaison à droite s'exécute comme suit : une rangée de points câblés, deux rangées de points de chevron allongés entrecroisés, une autre rangée de points câblés, pour les bordures; le centre se compose de six rangées de points de zigzag ornées de passés plats.

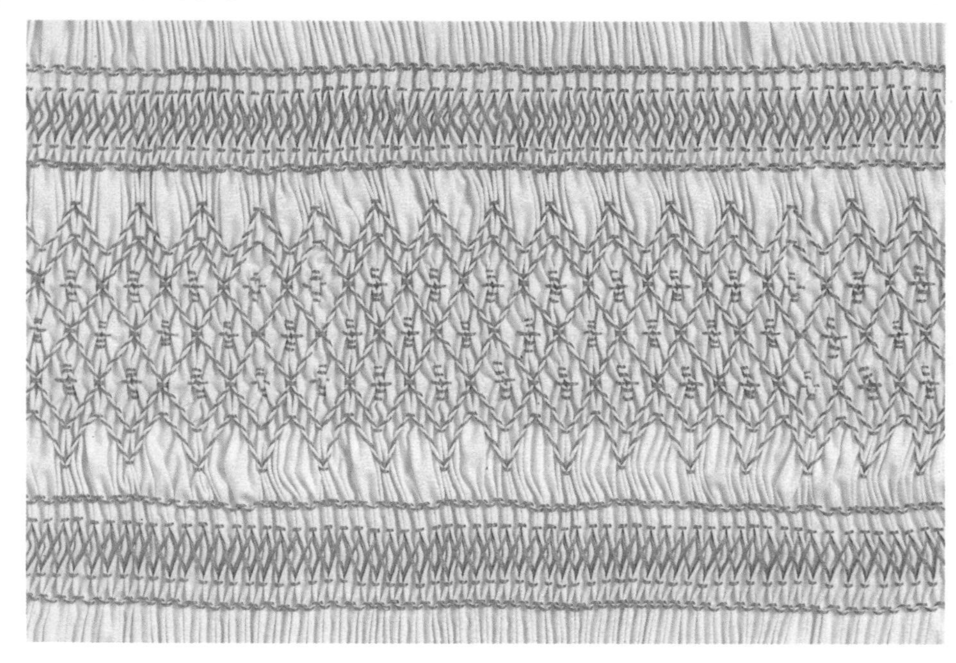

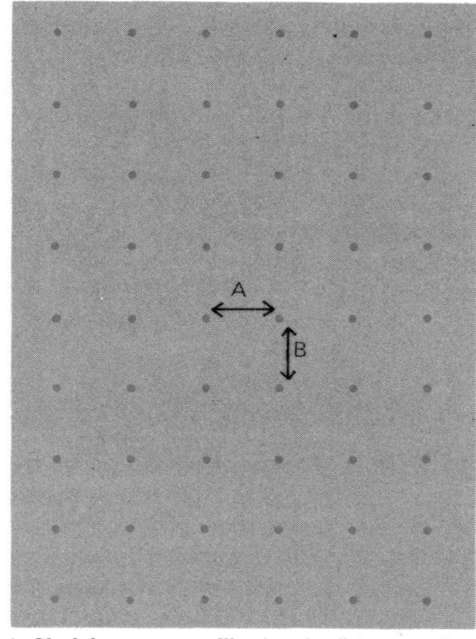

1. Choisissez une grille dont la distance entre les pointillés est la même que la distance entre chaque rangée (A=B). Marquez le tissu et froncez selon la méthode anglaise.

2. Pour faire les points que l'on voit sur l'échantillon, commencez à la rangée supérieure de pointillés et brodez une rangée de points câblés (p. 94) sur les fronces préliminaires.

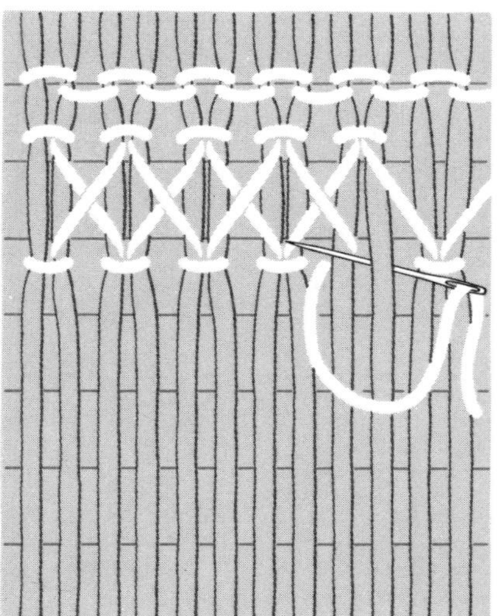

3. Brodez les points de chevron allongés entrecroisés de sorte qu'ils couvrent une fois et demie la distance comprise entre les rangées de fronces (la grille étant régulière).

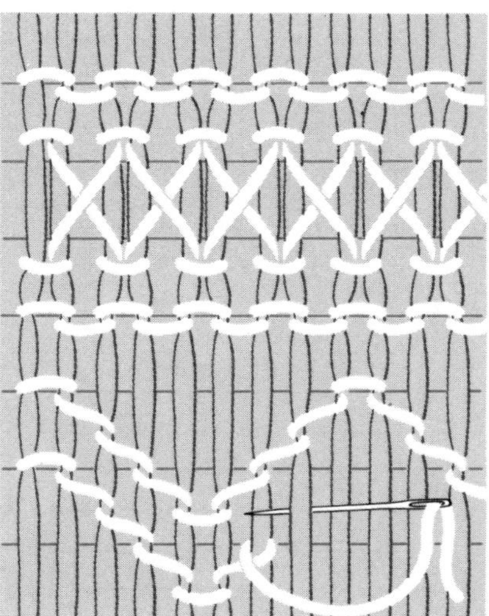

4. Pour le point de zigzag qui compose le motif central, chaque point lancé en diagonale doit couvrir la moitié de la distance comprise entre chaque rangée de fronces.

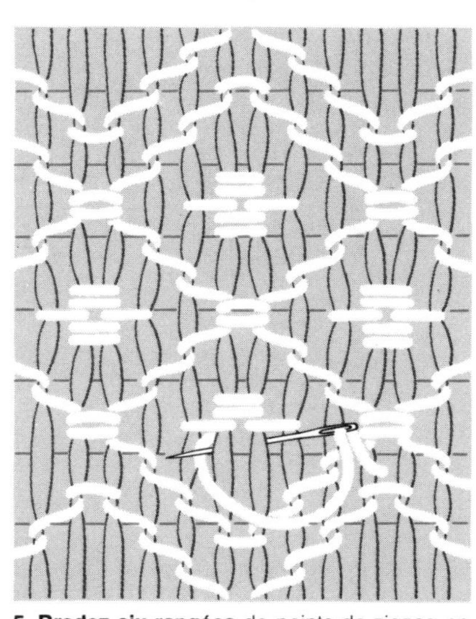

5. Brodez six rangées de points de zigzag en treillis. Répétez au-dessous le motif de bordure et ajoutez ensuite la garniture au passé plat (ou au point d'ornementation de votre choix).

Fils à broder 8 Points de broderie sur fils couchés 32
Broderie sur grille 44

Broderie à la machine

Introduction

La broderie à la machine s'inspire directement de la broderie à la main, mais les effets obtenus sont un peu différents. A l'exception de quelques formes de broderies qui exigent des machines hautement perfectionnées, toutes les autres peuvent être exécutées sur une machine au point de zigzag.

Même le *point de piqûre*, qui est le point de base de toutes les machines, peut permettre de réaliser de nombreuses broderies, y compris la broderie au point lancé (p. 100). Toutefois, la plupart des machines ont besoin d'être équipées d'un dispositif de *point de zigzag ordinaire*. La plupart des derniers modèles de machine ont à la fois le point de piqûre et le point de zigzag et peuvent donc broder sans difficulté. Par ailleurs, il existe maintenant une abondance de cames de *point de zigzag décoratif* qui ne peuvent être montées que sur les machines équipées des accessoires et dispositifs nécessaires.

La broderie à la machine s'exécute sur une grande variété de tissus. On utilise du fil à broder spécial machine ou, pour les effets spéciaux, du fil à coudre ordinaire et des fils lamés. Les aiguilles nº 11 et nº 14 sont recommandées.

Broderie au point de piqûre

Les motifs de bordure peuvent s'exécuter au point de piqûre sur toutes les machines. Choisissez un fil lourd, tournez le sélecteur de longueur de points à 3 ou 4 (6-8 points pour 1"). Tracez le dessin sur le tissu, réglez la tension du fil (exécutez d'abord un petit échantillon) et piquez. Pivotez dans les angles.

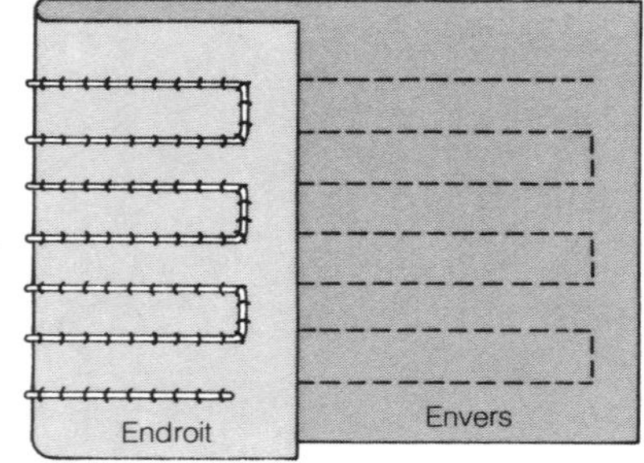

Une fausse couchure peut être obtenue avec des points de piqûre. Remplissez la canette à la main avec un fil lourd et relâchez la tension du fil de canette. Resserrez ensuite la tension du fil d'aiguille. Piquez sur l'envers du tissu pour avoir l'effet d'une broderie sur fils couchés, sur l'endroit.

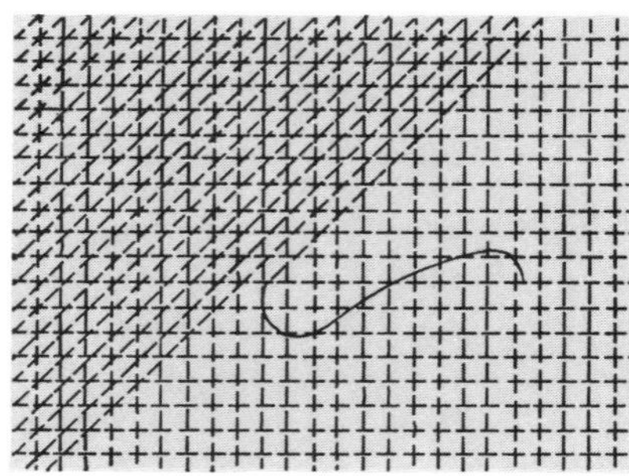

On peut remplir une surface en obtenant un effet de grille. Utilisez la méthode de contre-hachure illustrée ici. Piquez, dans l'ordre, les lignes horizontales, les lignes verticales, puis les lignes diagonales (en suivant la grille formée par l'entre-croisement des deux lignes précédentes).

Endroit
Envers

Pour ce point bouclé, il suffit de supprimer la tension du fil de canette. Enroulez autour de la canette un fil épais et piquez lentement sur l'envers du tissu; il se formera de petites boucles sur l'endroit. (Faites un essai; dans certaines machines, il faut aussi relâcher la tension du fil d'aiguille.)

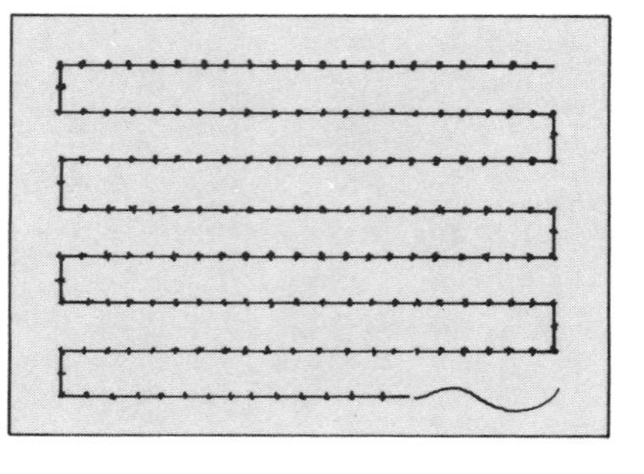

On obtiendra des perles en serrant un peu plus que nécessaire la tension du fil d'aiguille. Piquez le long des lignes du dessin. La tension exagérée du fil d'aiguille fait boucler le fil de canette à la surface de l'ouvrage.

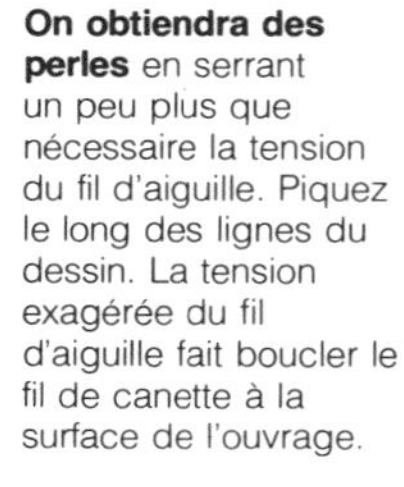

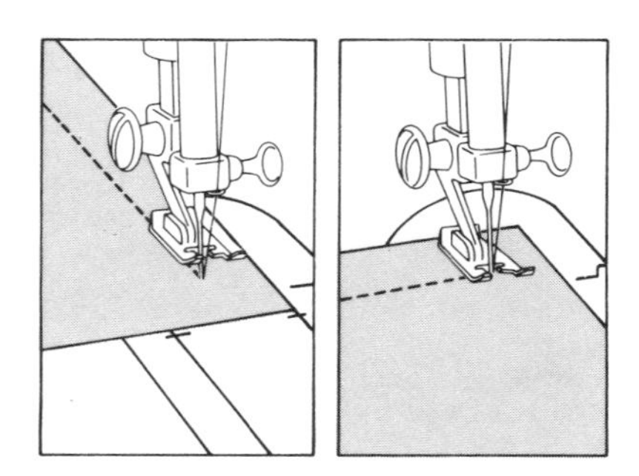

Pour faire les angles, arrêtez la machine au coin, l'aiguille étant piquée dans le tissu. Relevez le pied-de-biche et tournez l'ouvrage. Rabaissez le pied-de-biche et continuez à piquer en suivant le tracé.

Broderie au point de zigzag

Le passé plat s'obtient avec un point de zigzag ordinaire. La largeur des points peut varier pour produire soit de *larges bandes*, soit un *tracé étroit*.
Pour les angles, piquez jusqu'à un coin et arrêtez l'aiguille dans le tissu sur le bord extérieur de la broderie. Relevez le pied-de-biche et tournez l'ouvrage dans la direction désirée, baissez le pied et piquez.

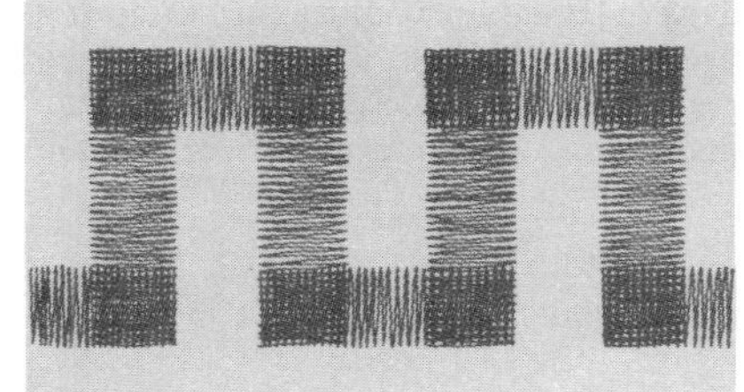

Motif de bordure exécuté au passé plat large.

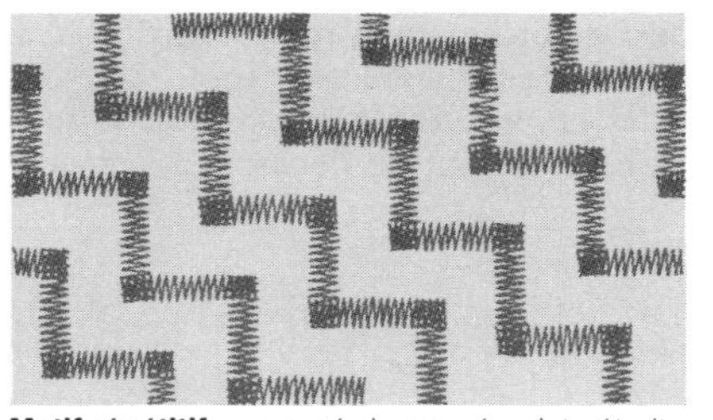

Motif répétitif composé de passés plats étroits.

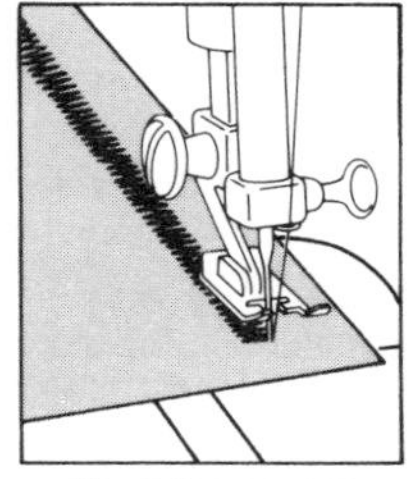

Dans les angles, arrêtez-vous et pivotez.

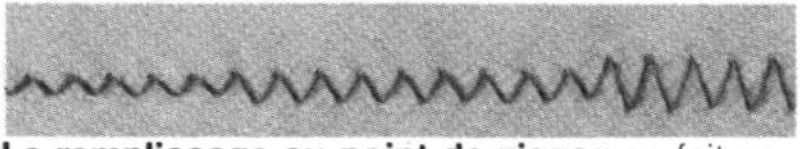

Le remplissage au point de zigzag se fait en contre-hachures (ci-contre). Brodez des lignes horizontales, verticales, puis diagonales.
L'effet de point d'arête ouvert s'obtient en resserrant la tension du fil d'aiguille.
Pour une broderie sur fils couchés, piquez en zigzag par-dessus une ganse. Réglez la largeur du point selon l'épaisseur de la ganse et couchez celle-ci à mesure que vous brodez.

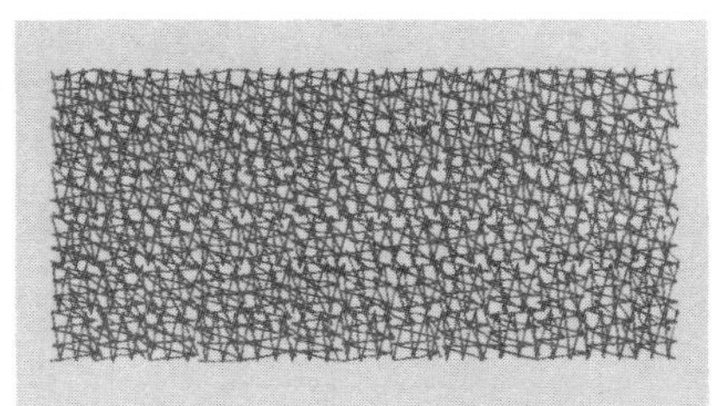

Contre-hachures au point de zigzag.

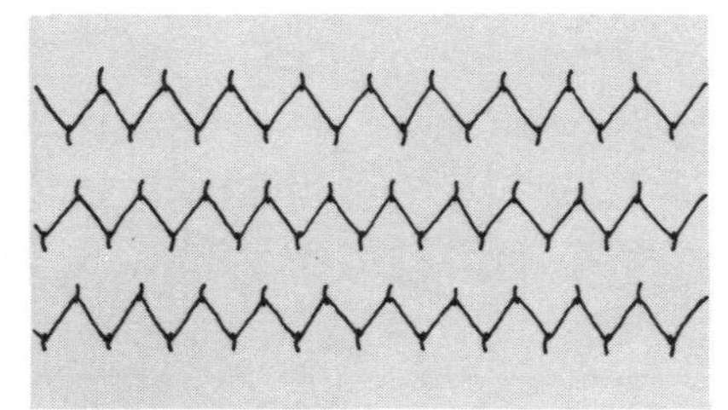

Point d'arête ouvert (fil d'aiguille plus tendu).

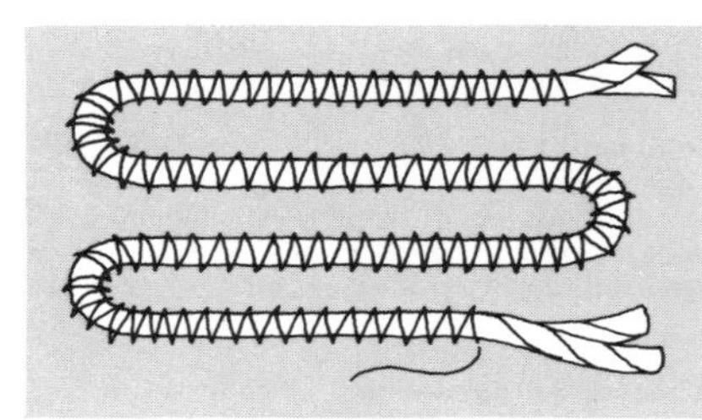

Couchure en zigzag sur une ganse.

Exemples de points décoratifs à la machine

Les machines très perfectionnées brodent au point de piqûre et au point de zigzag, et peuvent exécuter des motifs de fantaisie. Chaque machine offre une sélection de points décoratifs; quelques-uns des plus courants sont présentés ici. Comme nous vous l'expliquons, il est possible d'en varier l'effet. Par ailleurs, lisez les conseils du fabricant sur l'utilisation des cames et des pieds-de-biche spéciaux.

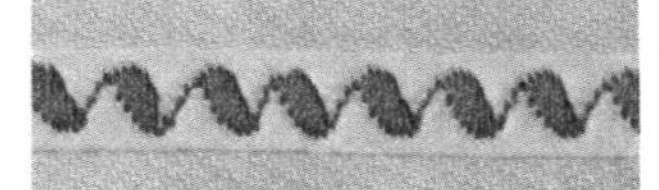

Broder par-dessus un ruban ou une tresse augmente l'impact de la couleur et de la texture. Choisissez un point de la largeur appropriée, centrez le ruban ou la tresse sous le pied-de-biche et piquez. Couchez le ruban avec soin pour que le travail soit très régulier.

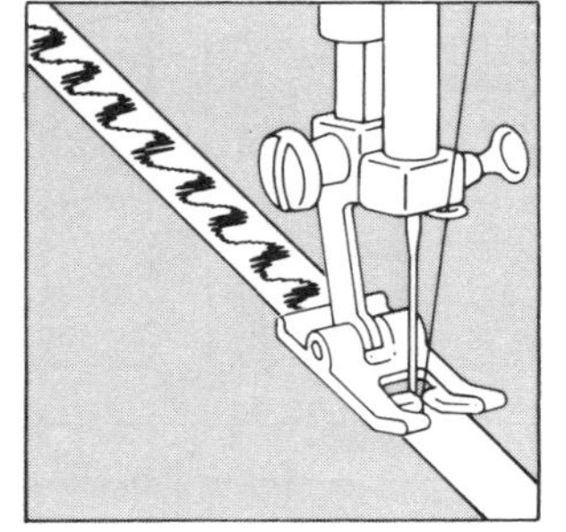

La broderie avec aiguilles jumelées permet d'obtenir en une fois deux rangées parallèles de points décoratifs. Réglez la largeur du point avec soin. Servez-vous de la même couleur de fil pour les deux rangées ou de deux couleurs différentes.

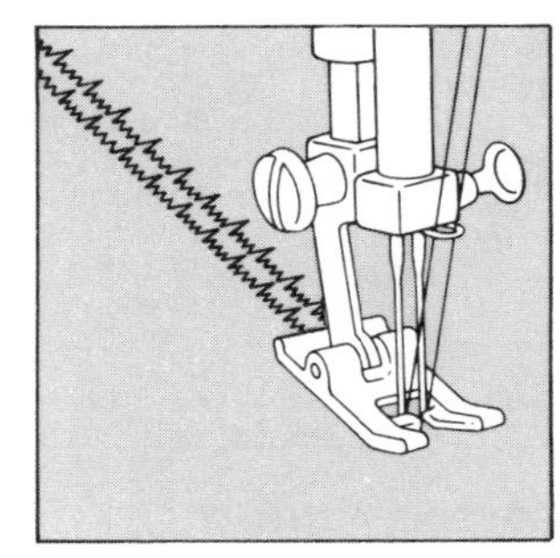

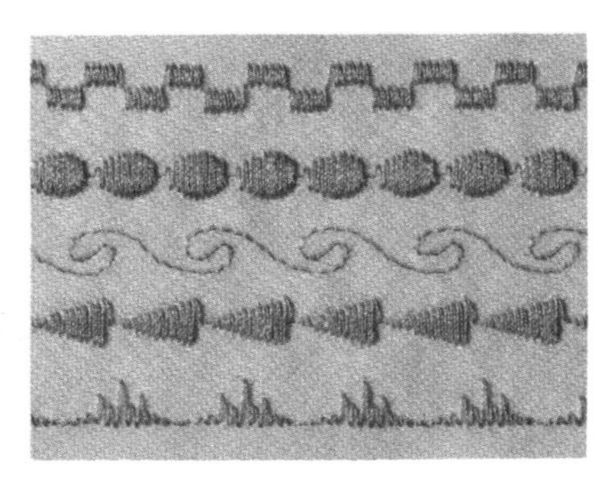

Broder par-dessus une ganse est un autre moyen d'ajouter de la texture. Choisissez pour la ganse du coton perlé ou une laine de couleur différente du fil à broder. Il existe des pieds-de-biche spéciaux qui servent à maintenir la ganse dans la bonne position.

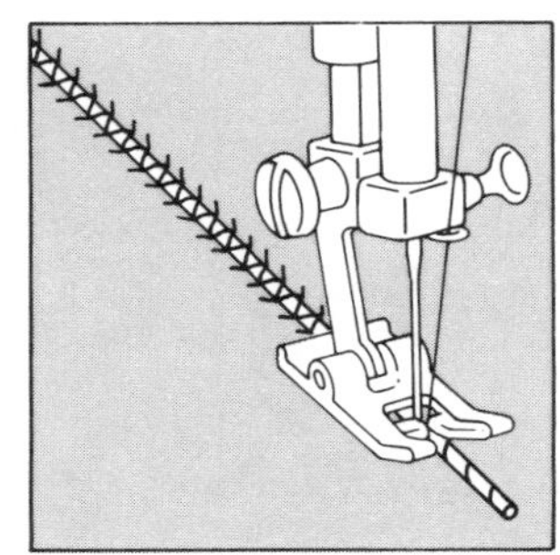

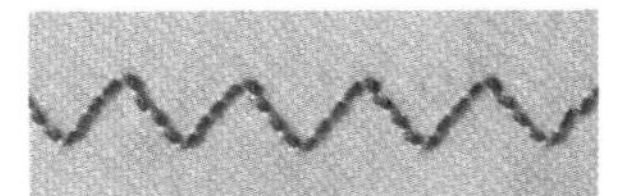

Pour obtenir une ligne plus marquée, piquez le point décoratif avec un fil de canette plus lourd. Relâchez la tension de la canette et resserrez légèrement la tension du fil d'aiguille. Brodez lentement sur l'envers du tissu avec un point simple.

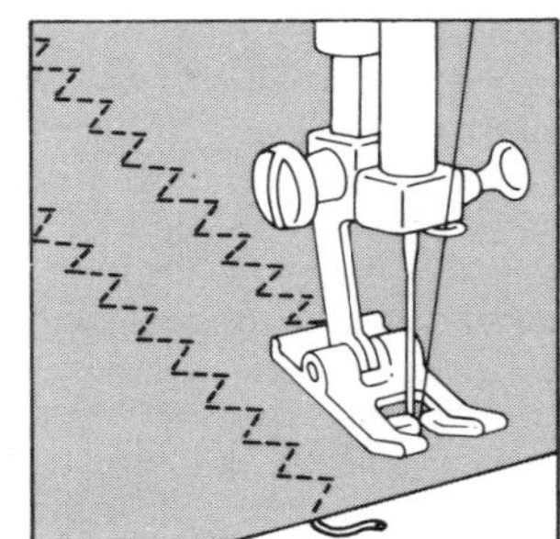

Fils lamés 8 Coton perlé 8
Tambour à broder 10

Broderie au point lancé

La broderie au point lancé ou broderie « à main levée » offre des possibilités de piqûres illimitées parce que le mouvement du tissu n'est pas retenu par le pied-de-biche (qui n'est pas utilisé) ou la griffe d'entraînement (qui est soit abaissée, soit recouverte, selon la machine). Il s'agit de déplacer à la main, dans la direction voulue, un tambour à broder dans lequel le tissu est solidement enserré. Mais il faut d'abord acquérir une certaine expérience avant d'être capable d'accomplir cette manœuvre avec la sûreté et le rythme requis. La broderie au point lancé se pratique sur tous les types de machines.

Retirez le pied-de-biche et son support. Dégagez la griffe d'entraînement ou recouvrez-la d'une plaque. Réglez la longueur du point à 0. Relâchez légèrement la tension du fil d'aiguille.

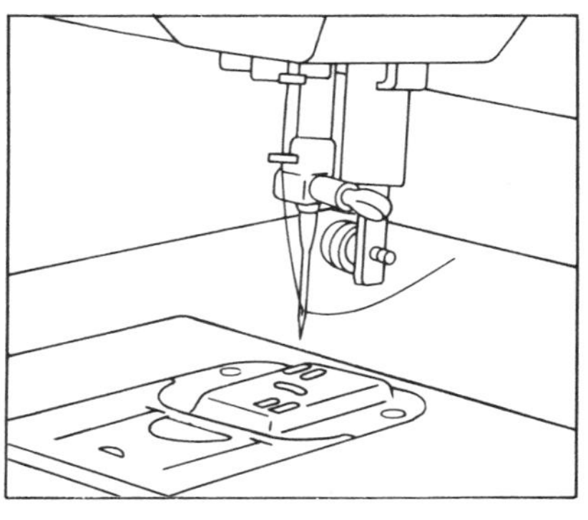

Placez le tissu et sa doublure dans un tambour à broder étroit, endroit vers le haut; posez-les sur le cercle le plus grand et enfoncez le cercle plus petit, de telle sorte que le tissu repose sur la plaque de la machine.

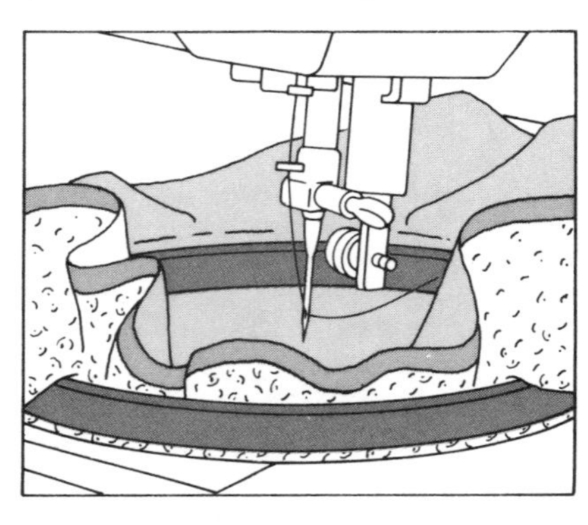

Pour piquer, abaissez le levier du pied pour que l'aiguille puisse piquer le tissu et enclencher la tension supérieure. Tendez le fil et tournez vers vous le volant à main pour que l'aiguille ramène à la surface la boucle du fil de canette.

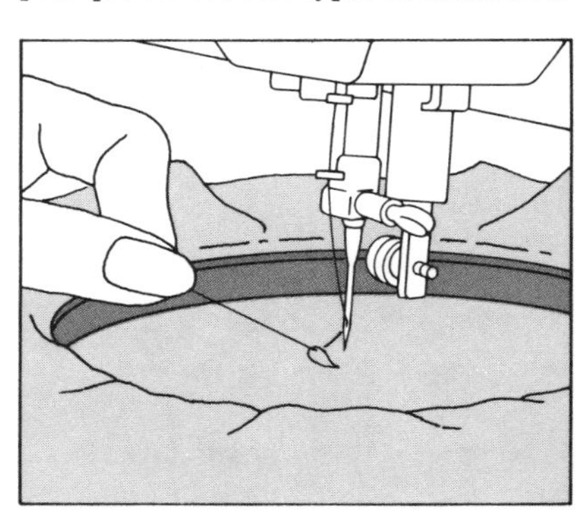

Tirez sur le fil de canette et sortez-en l'extrémité. Tendez les fils de canette et d'aiguille.

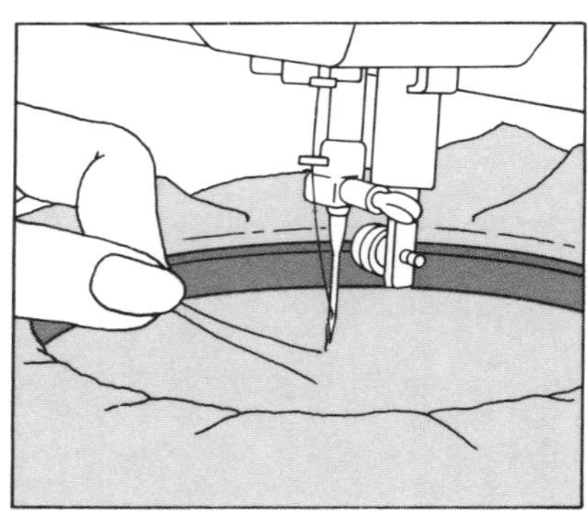

Faites quelques points et coupez les bouts, autant que possible à ras des points.

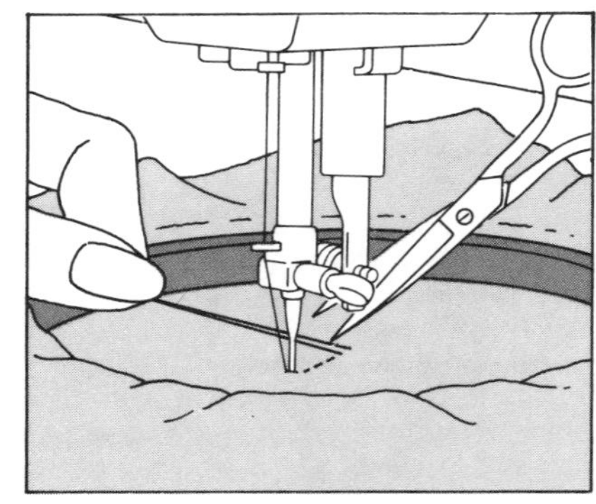

Tenez les bords du tambour avec le bout des doigts et soyez détendue. Mettez la machine en marche à vitesse modérée et déplacez doucement le tambour dans la direction voulue. Si la machine est équipée d'un sélecteur de vitesse automatique, fixez celui-ci au plus lent jusqu'à ce que vous ayez acquis suffisamment d'expérience. Il faut que le tambour soit toujours en mouvement pour empêcher que les points s'entassent et que le fil casse.

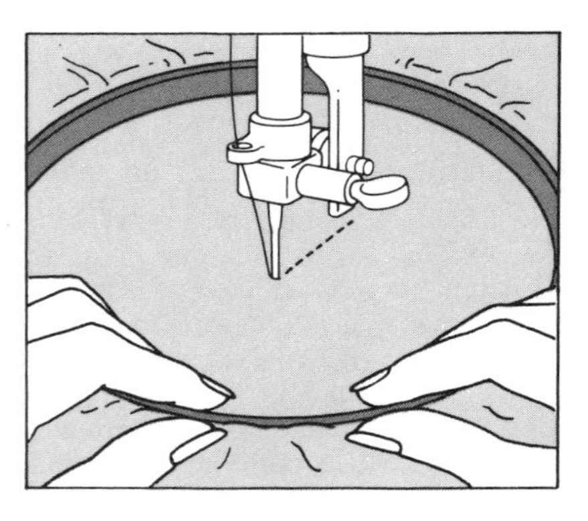

DESSINS AU TRAIT

Le dessin linéaire est un type de broderie au point lancé. Tracez seulement le contour du dessin sur le tissu; vous improviserez les détails en brodant. Vous pouvez obtenir toutes sortes d'effets, parfois très subtils, en modifiant la tension des fils et en utilisant différentes sortes de fils ou différentes couleurs. Des fils lourds (tels que les fils lamés) enroulés dans la canette produisent en surface des effets intéressants. (Remplissez la canette à la main en faisant attention à ne pas tirer sur le fil.)

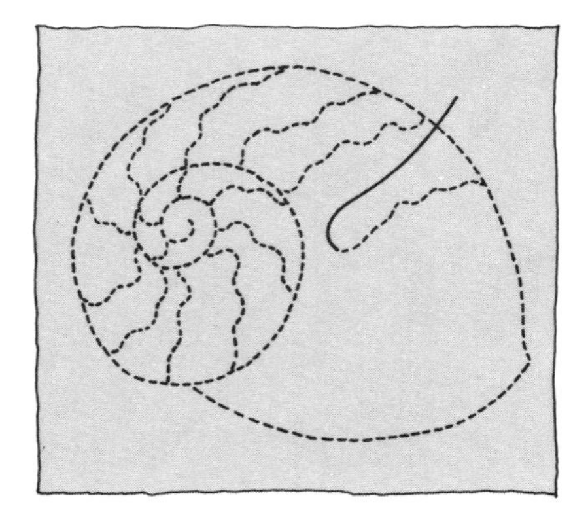

Des traits simples peuvent servir à délimiter les contours d'un motif. Une coquille est un excellent sujet d'étude pour ce genre de broderie. Piquez d'abord les lignes de contour et ensuite les lignes intérieures, en improvisant au fur et à mesure.

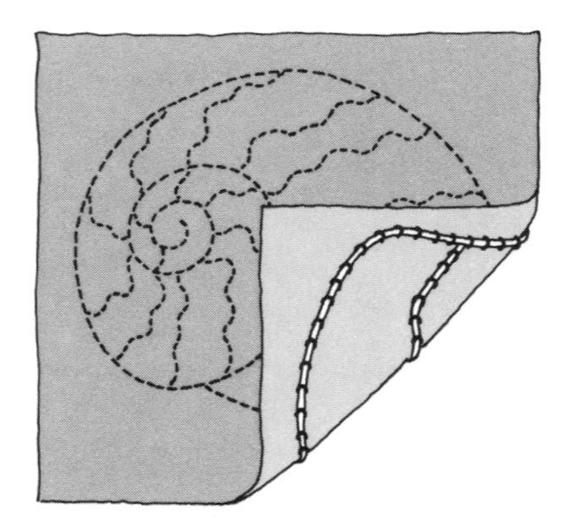

Un effet de broderie sur fils couchés peut être obtenu en brodant sur l'envers du tissu, avec un gros fil enroulé à la main dans la canette (attention à ne pas tirer sur le fil pendant le remplissage). Resserrez légèrement la tension du fil d'aiguille et travaillez en déplaçant le tambour lentement.

BRODERIE AU PASSÉ
Le passé plat, qui s'obtient avec un point de zigzag ordinaire, réglé à une très courte longueur de point, se prête admirablement à la broderie au point lancé. On varie la largeur du point selon l'endroit à broder. Cette mobilité de mouvement fait du point passé plat le point idéal pour souligner ou remplir des motifs, broder des monogrammes ou obtenir des dégradés. La direction donnée aux points permet de modifier l'aspect du contour ou du remplissage; l'impulsion donnée au tambour détermine la direction des points. N'arrêtez pas la machine au cours du travail.

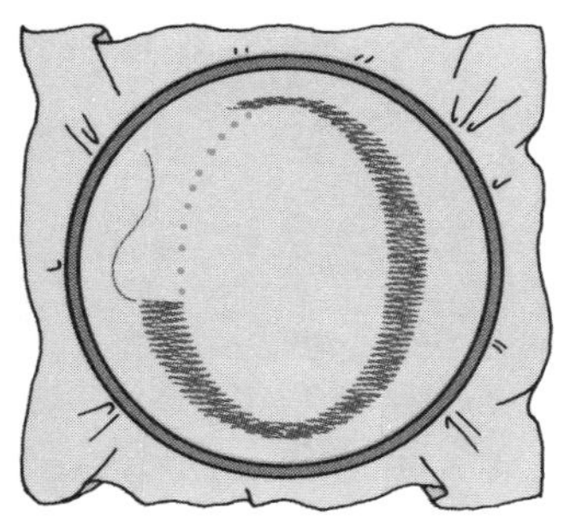

Pour souligner des contours au point passé, il faut suivre leurs lignes sans faire tourner le tambour. On obtient des pleins et des déliés.

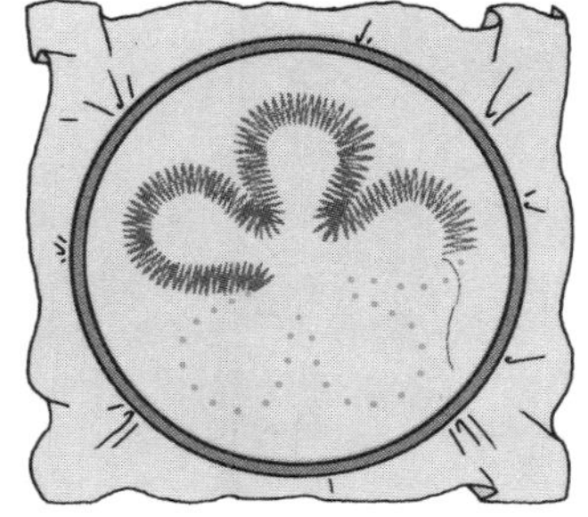

Dans les dessins à éléments multiples, faites tourner constamment le tambour pour obtenir une ligne d'épaisseur égale.

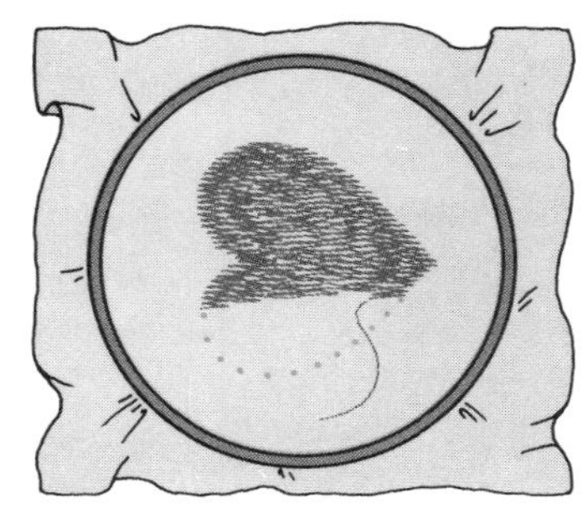

Pour remplir une forme, déplacez lentement le tambour dans un mouvement de va-et-vient. Si vous avez oublié un endroit, revenez en arrière.

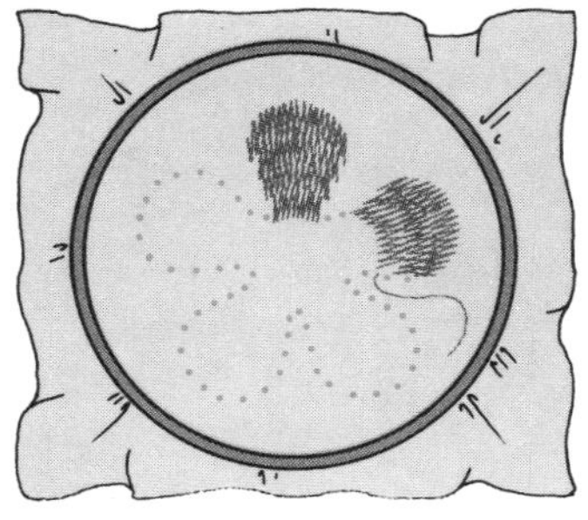

S'il y a plusieurs éléments dans le dessin, remplissez-les un par un, en faisant tourner le tambour pour passer d'un élément à l'autre.

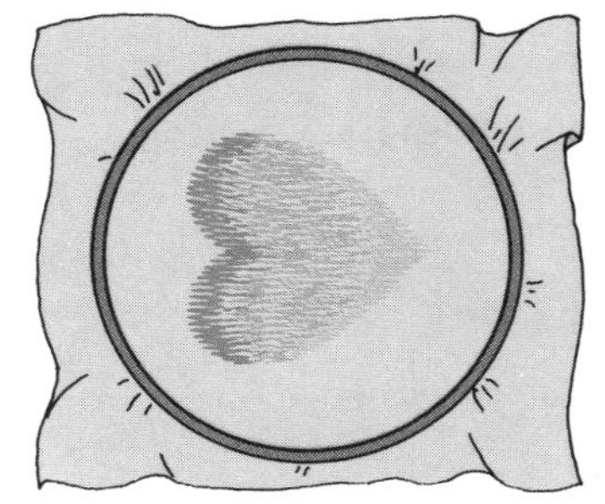

Pour obtenir un dégradé, exécutez plusieurs rangs serrés de points passés, dentelés pour que le nouveau coloris se fonde dans le précédent.

Jours brodés à la machine

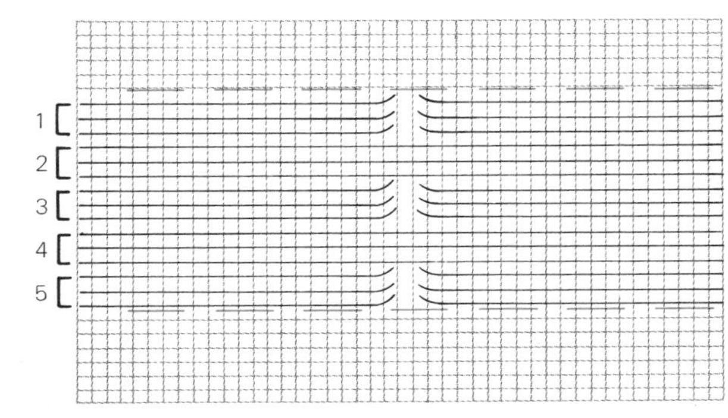

Les jours à la machine s'exécutent au point de zigzag simple, après avoir formé une rivière.

1. Faufilez à la main le bord supérieur de la rivière; comptez 10 ou 15 fils du tissu et faufilez le bord inférieur. Dans l'espace compris entre les deux bâtis, divisez les fils du tissu en 5 groupes (2 ou 3 fils par groupe). Coupez seulement les 1er, 3e et 5e groupes de fils.

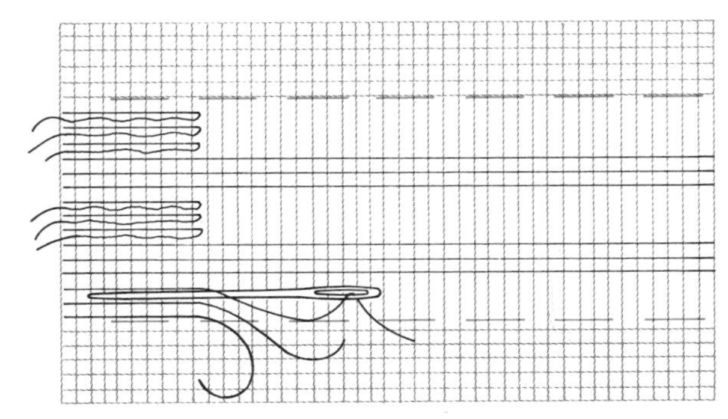

2. Tirez les fils coupés (groupes 1, 3 et 5) jusqu'aux extrémités de la rivière, et passez sur l'envers chaque fil tiré en le glissant dans le tissu, sur une longueur de 3 cm (1"), ce qui consolidera les bords de la rivière. Coupez l'excédent de fil.

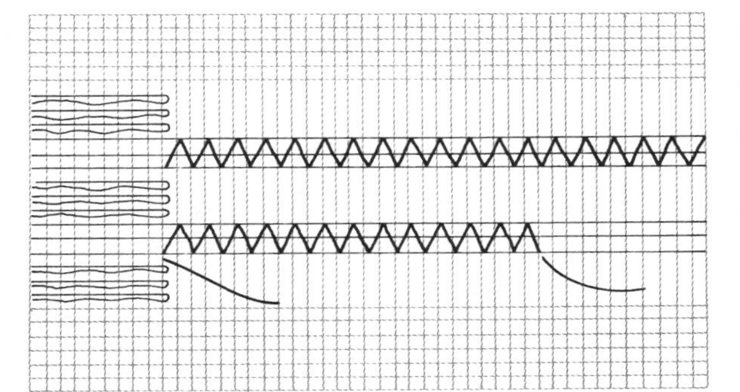

3. Brodez les fils intacts (groupes 2 et 4) situés à l'intérieur des zones de fils tirés; servez-vous d'un fil de la même couleur que le tissu ou d'une couleur différente. Il n'est pas nécessaire d'utiliser un tambour pour ce genre de broderie. Piquez au point de zigzag étroit sur le groupe 2, puis sur le groupe 4. Cette piqûre décore la rivière et fixe les fils de chaque groupe.

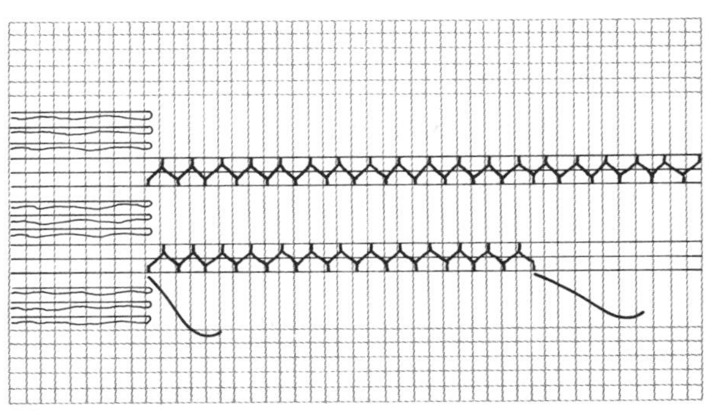

4. Pour un effet différent, resserrez la tension du fil d'aiguille de manière à déséquilibrer le point de zigzag (p. 99). Piquez ce point par-dessus les groupes de fils 2 et 4, comme pour le point de zigzag ordinaire décrit plus haut.

Ciseaux à broder 11 Reproduction des dessins 16-17 Découpage 90 Smocks 92-97 Point de zigzag dans les courbes 197

Broderie blanche

La broderie blanche peut être exécutée sur n'importe quelle machine au point de zigzag. Nous conseillons de travailler sur des dessins assez grands car les dessins petits et compliqués sont difficiles à exécuter. La première méthode de découpage est la plus recommandée.

Les contours sont brodés au point passé; on découpe ensuite le tissu à l'intérieur du dessin, à ras des points. Pour donner plus de tenue à l'ouvrage, il est conseillé de renforcer le tissu en le doublant d'une triplure thermocollante légère, par exemple. Brodez avec un fil mercerisé de même teinte que le tissu ou d'une autre couleur.

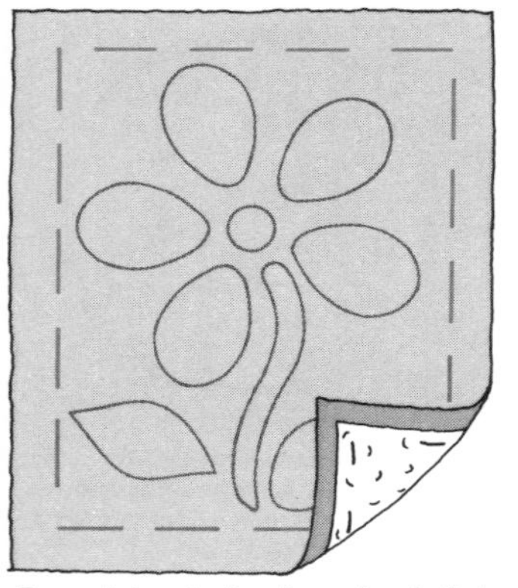

Reproduisez le dessin sur l'endroit du tissu. Découpez un morceau de triplure assez large pour recouvrir entièrement le dessin. Envers contre envers, faufilez ensemble le tissu et la triplure.

Réglez la longueur du point à 1½ (18) pour obtenir un petit point de piqûre. Piquez sur l'endroit du tissu en suivant exactement les lignes du dessin que l'on vient de reproduire.

Retirez le fil de bâti et coupez l'excédent de triplure, en ne laissant que 0,5 cm (⅛") environ autour du dessin. Pressez avec le fer ce qui reste de triplure; le dessin aura plus de corps.

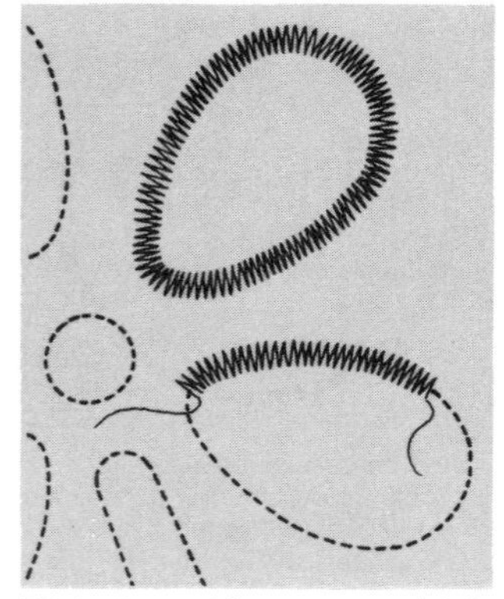

Réglez la machine pour un point de zigzag étroit (passé plat) et brodez par-dessus la première piqûre (voir l'Appliqué, pour les piqûres au point de zigzag dans les courbes).

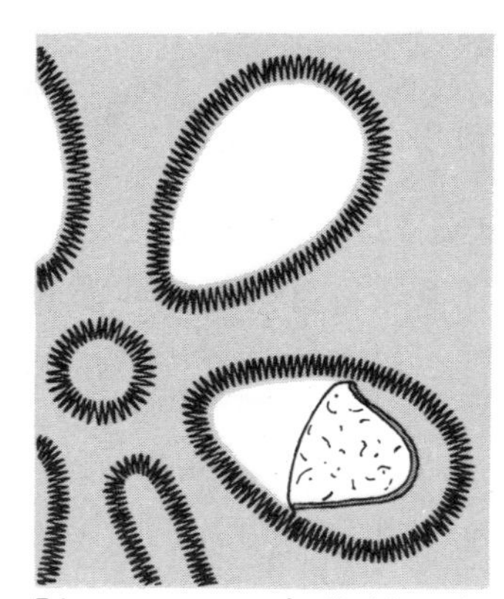

Découpez avec soin l'intérieur du dessin en vous servant de ciseaux à broder. Coupez le plus près possible des points sans les entailler. Repassez l'ouvrage fini sur l'envers.

Smocks

On peut réussir une sorte de smocks avec n'importe quelle machine, mais même s'ils ressemblent aux smocks brodés à la main, ils n'en ont pas l'élasticité. En conséquence, il vaut mieux se servir de la technique à la machine sur des ouvrages ou des surfaces qui n'exigent pas d'élasticité. Des smocks simples peuvent être obtenus avec le point de piqûre, le point de zigzag, et un ou plusieurs points décoratifs. Il faut d'abord froncer le tissu avec plusieurs rangées de longs points de piqûre, en réglant à 4 (6). Brodez l'imitation des points de smocks par-dessus les fils de fronces qui servent de guide.

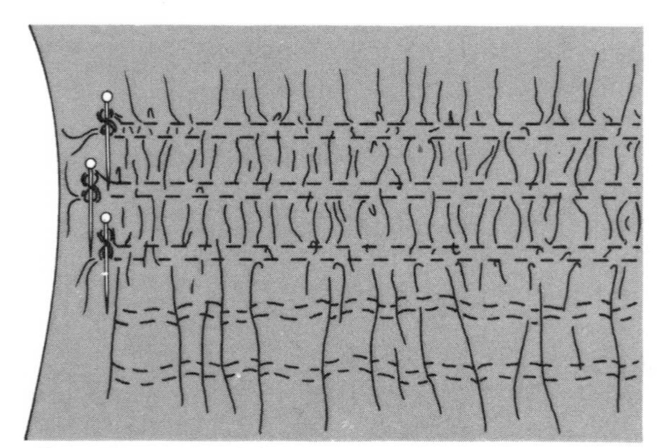

Piquez des rangées de fronces deux par deux, espacées de 1 cm (¼") au plus. Couvrez la surface à froncer en espaçant chaque groupe de rangées de 2 cm (¾"), et froncez le tissu.

Découpez un morceau de triplure un peu plus grand que la surface froncée pour pouvoir faire un rentré de 1,5 cm (½") de chaque côté; épinglez ou faufilez la triplure sur l'envers du tissu.

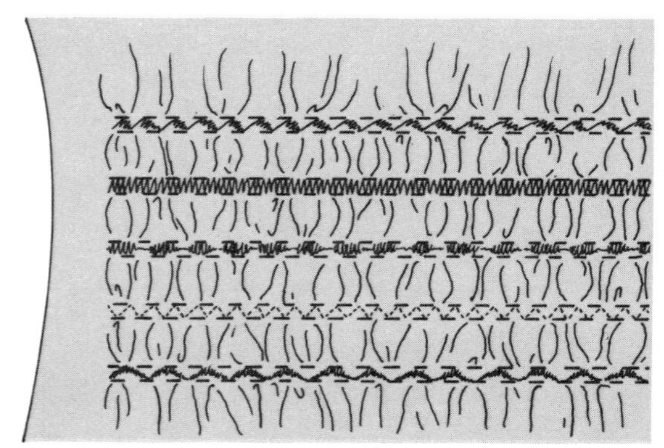

Exécutez des points de zigzag décoratifs, de zigzag simple ou de piqûre dans l'espace qui se trouve entre deux rangées jumelées.

Les initiales ajoutent une note personnelle à un vêtement ou à une housse d'oreiller.

Monogrammes/Broderie à la machine

Un monogramme ajoute une touche personnelle à une robe de chambre en tissu-éponge. Il s'exécute rapidement avec une machine à coudre au point de zigzag. Choisissez une couleur de fil qui contraste avec celle du vêtement.

Fournitures

Papier et crayons pour agrandir les initiales
Papier de soie
25 cm (¼ vg) de triplure
Fil à broder pour machine à coudre *ou* fil à coudre ordinaire
Ciseaux à broder

Agrandissement des initiales

Faites une grille quadrillée avec des carreaux de 2 à 2,5 centimètres (¾-1") de côté et recopiez les lettres, case par case (p. 14). Tracez les initiales sur du papier de soie, la seconde plus bas que la première, comme sur la photo, ou l'une près de l'autre. Enfilez la robe de chambre et épinglez le monogramme là où il vous semble le mieux placé.

Piqûre

Epinglez le morceau de triplure à l'intérieur de la robe de chambre, sous le monogramme. Faites le contour des lettres au point de piqûre, puis arrachez avec soin le papier. Avec des ciseaux à broder très aiguisés, coupez la triplure à ras des points. Brodez un point de zigzag (point passé plat) par-dessus le point de piqûre (p. 99) pour souligner le contour des initiales et les mettre en évidence. Ramenez l'extrémité des fils sur l'envers du vêtement, nouez-les ensemble et coupez les bouts.

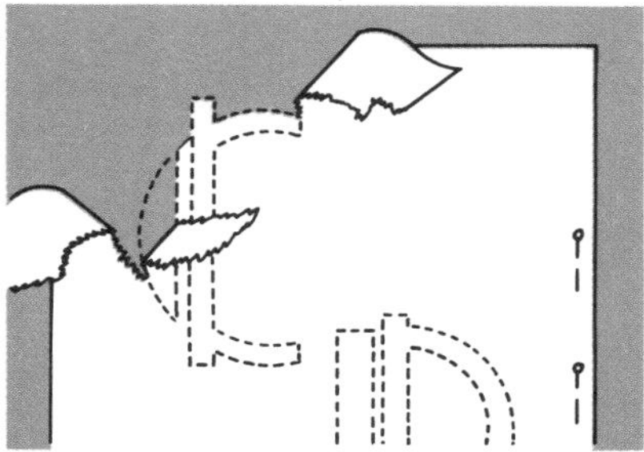

Tracez les lettres au point de piqûre par-dessus le papier de soie. Déchirez ensuite celui-ci et coupez la triplure à ras des points.

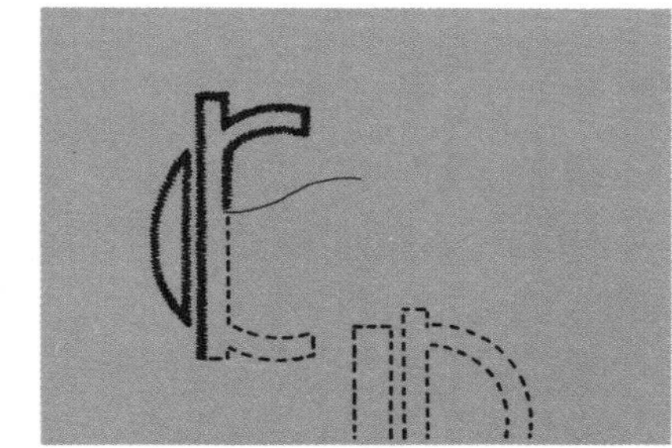

Piquez au point de zigzag par-dessus le point de piqûre, ce qui fait ressortir le contour des initiales et le contraste des couleurs.

2 ou 2,5 cm

Pour agrandir les initiales, préparez une grille de la grandeur voulue et recopiez les lettres, case par case (p. 14). Vous pouvez mettre une, deux ou trois initiales.

Broderie à encadrer

Le fil de laine fin et les tons pastel font le charme de cette broderie. Le dessin a été emprunté au tissu imprimé de la page 12.

L'encadrement d'une broderie ou d'un ouvrage à l'aiguille met en valeur votre travail tout en le protégeant.

Fournitures

50 cm (½ vg) de croisé en toile
Fil (voir tableau ci-dessous)
Aiguille à broderie
Crayon et papier-calque
Tambour à broder
Ruban adhésif
Faux passe-partout en papier dit « carte » : 40×60 cm (16″×24″) avec ouverture de 25×45 cm (10″×18″)
Carton : 40×60 cm (16″×24″)
Plaque de polystyrène de mêmes dimensions
Vitre (facultative) de mêmes dimensions
Cadre de mêmes dimensions
Epingles de couturière
2 pitons
Fil de fer pour suspendre

La broderie

Avant d'encadrer l'ouvrage, celui-ci a généralement besoin d'être tendu sur un support. Il faut donc prévoir 5 centimètres (2″) supplémentaires autour de la surface brodée. Si vous avez l'intention d'entourer la broderie d'un faux passe-partout, comme nous l'avons fait, il faudra que le tissu ait les dimensions suffisantes pour être tendu sur un carton qui ait les dimensions de la broderie plus celles du passe-partout.

Le dessin agrandi (p. 14) aura 25×40 centimètres (10″×16″); ajoutez 2,5 centimètres (1″) de chaque côté, sur la largeur, pour qu'il ait la même dimension que le passe-partout (25 cm×45 cm/ 10″×18″). Découpez un morceau de toile de 45×65 centimètres (18″×26″) qui puisse être tendu sur un carton de 40×60 centimètres (16″×24″). Reportez le dessin sur le tissu (pp. 16-17). Brodez avec un tambour. Lavez et mettez en forme (pp. 54-55).

Montage de la broderie

Les châssis de contre-plaqué ou de bois contiennent un acide susceptible de décolorer, tôt ou tard, le tissu et le fil;

Pour agrandir le dessin, voir page 14. Ajoutez 2,5 cm (1″) à gauche et à droite.

Quantité et couleurs des fils

Brun	1 écheveau
Vert foncé	1 écheveau
Vert clair	2 écheveaux
Mauve	1 écheveau
Rose mat	1 écheveau
Rose	1 écheveau
Fuchsia	1 écheveau
Mauve clair	1 écheveau
Rose clair	1 écheveau
Rouge sombre	1 écheveau
Vert émeraude	1 écheveau
Noir	1 écheveau

Note: il s'agit d'écheveaux de 30 m (30 vg).

Liste des points

A point de tige (p. 23)
B passé plat oblique (p. 48)
C passé repiqué empiétant (p. 50)
D point perlé (p. 31) par-dessus le point passé des pétales plus foncés
E grille droite (p. 44)
F plumetis (p. 49)
G point bouclé arrière (pp. 24-25)

aussi, prenez du polystyrène. Placez la broderie, côté face sur une surface plane. Centrez le châssis. Etirez toujours deux côtés opposés en même temps. Commencez par le milieu dans un des deux sens; repliez l'excédent de tissu au dos du châssis et fixez-le avec une épingle des deux côtés. Faites de même dans l'autre sens. Retournez le tout à l'endroit pour vérifier si la broderie est bien centrée. Si elle ne l'est pas, recommencez. Mais si elle l'est, continuez à étirer le tissu en allant vers les angles et en travaillant toujours en même temps les deux côtés en vis-à-vis. Retournez le tableau de temps en temps pour voir si le dessin est bien droit. Rempliez le tissu aux angles (étape 3 ci-dessous).

Assemblage du cadre
C'est à vous de décider si vous voulez recouvrir ou non votre ouvrage d'une vitre. Une vitre protégera le tableau de la poussière, mais elle aura aussi le désavantage de faire disparaître toute texture. Pour notre part, nous avons préféré ne pas en utiliser. Tournez le cadre, face vers le bas, et placez la vitre en premier. Si vous ne mettez pas de vitre, placez d'abord dans le cadre le faux passe-partout, puis l'ouvrage monté sur châssis; posez le grand carton sur le tout, et scellez-en les bords avec du ruban adhésif. Vissez les pitons au dos de l'encadrement, à un tiers de la distance à partir du haut, et fixez-y le fil de fer (étape 6 ci-dessous).

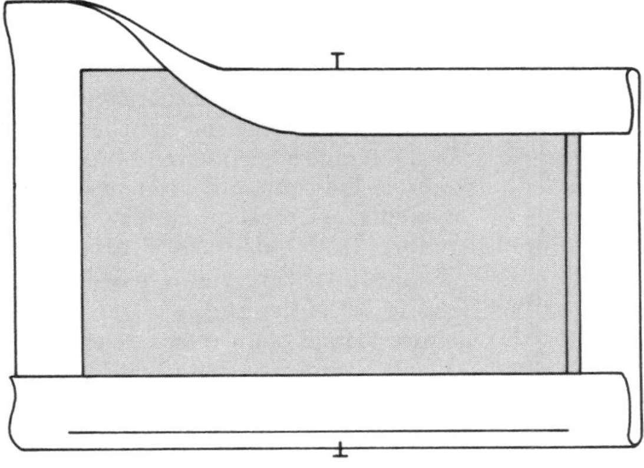
1. Tendez le tissu au milieu d'un des côtés et fixez-le avec une épingle sur le bord du châssis. Tendez le tissu au milieu du côté opposé. Répétez l'opération sur les deux côtés restants.

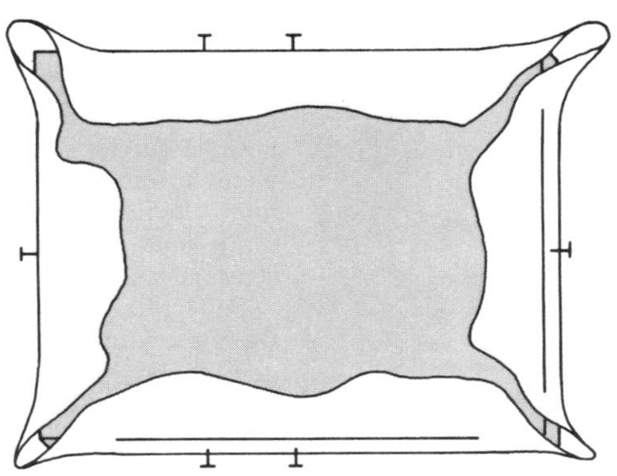
2. Après avoir fixé la toile au centre des quatre côtés, continuez à étirer le tissu en allant vers les coins, et en travaillant alternativement sur des côtés opposés.

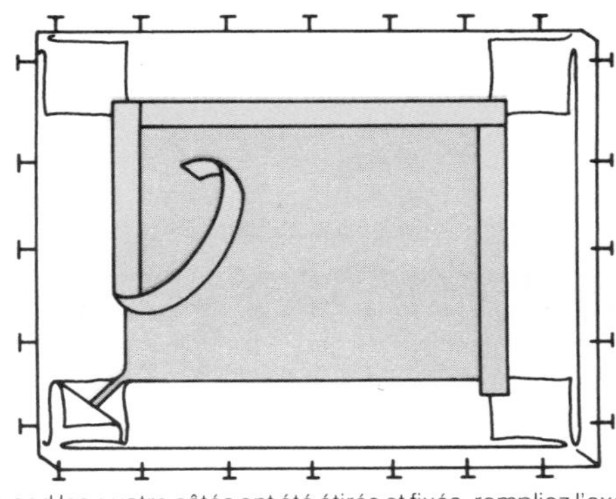
3. Quand les quatre côtés ont été étirés et fixés, rempliez l'excédent de tissu aux quatre coins, comme sur l'illustration. Agrafez le tissu au châssis; fixez ses bords avec du ruban adhésif.

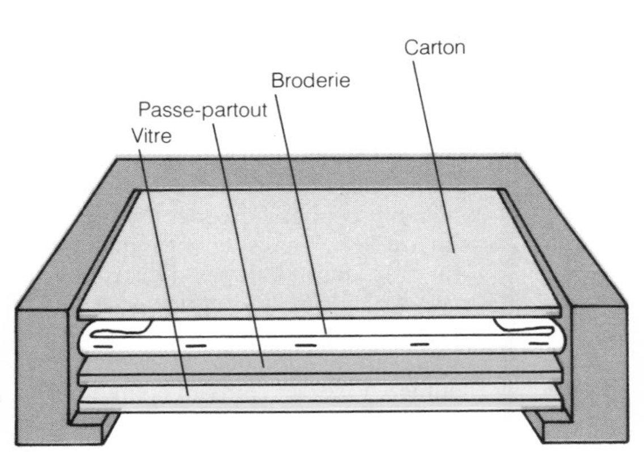

4. Pour l'assemblage, placez le cadre, côté face tourné vers le bas, placez-y dans l'ordre la vitre (si vous en utilisez une), le faux passe-partout, la broderie montée sur châssis, puis le carton.

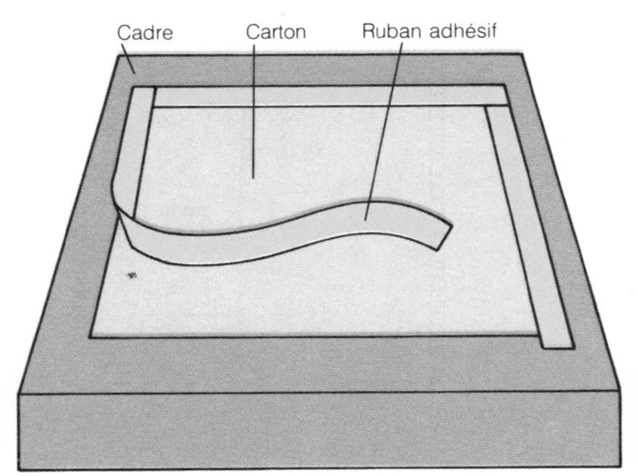

5. Retournez l'ensemble pour vérifier si tout est bien en place. Remettez le cadre face en bas et fixez les bords du carton sur le cadre avec du ruban adhésif.

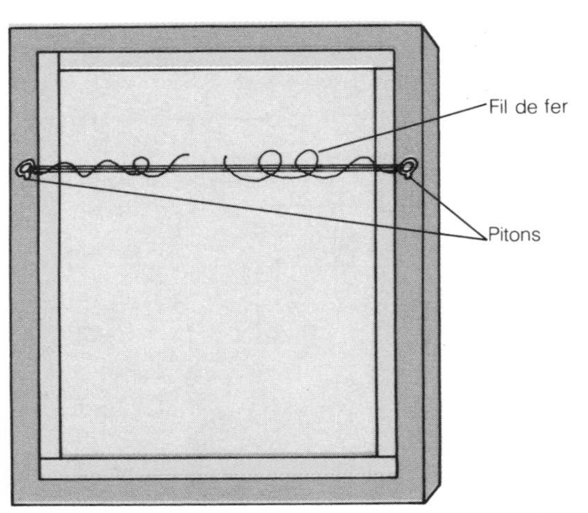

6. Vissez les pitons au tiers de la distance du haut du cadre. Passez le fil de fer plusieurs fois dans les pitons et enroulez-en les extrémités sur le fil tendu.

Napperon et serviette aux fonds ajourés

Le dessin du napperon et de la serviette a été emprunté à la broderie de la page 74.

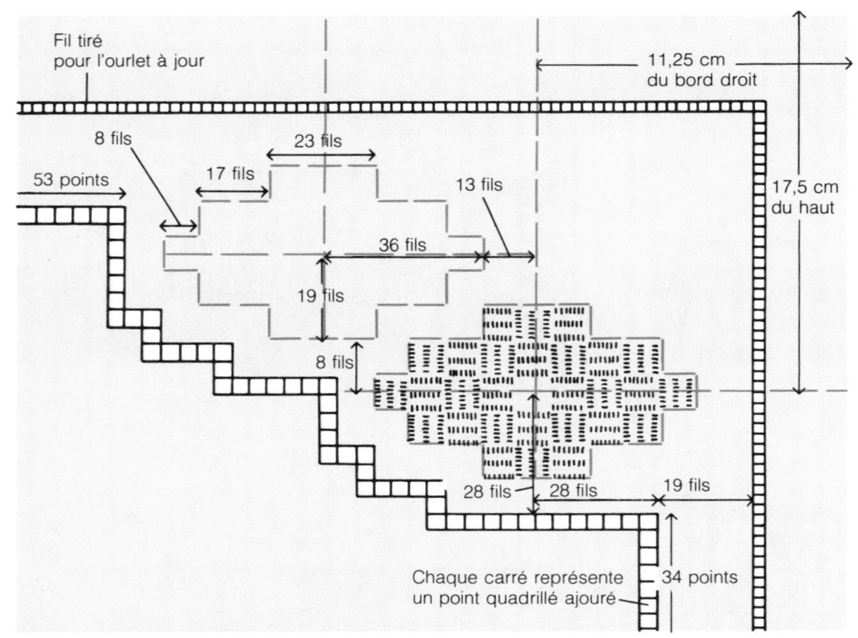

Pour les points ajourés, bâtissez deux lignes : l'une à 11,25 cm (4½″) du bord droit, l'autre à 17,5 cm (7″) du bord supérieur. Comptez les fils à partir du point d'intersection.

Le napperon et la serviette aux fonds ajourés sont bordés d'un ourlet à jour.

Fournitures

70 cm (¾ vg) de tissu armure toile à contexture carrée en 115 cm (45″) de large, comportant 8 à 9 fils au centimètre (20-22 fils pour 1″)
1 écheveau de coton perlé nº 8
Tambour à broder
Aiguille à tapisserie à bout rond
Aiguille à pointe fine et fil à coudre

Fonds ajourés

Découpez un rectangle de 60×45 centimètres (24″×18″) pour le napperon et un carré de 60 centimètres (24″) de côté pour la serviette. Indiquez sur la serviette le sens du droit fil. Une fois terminé, le napperon mesurera 47,5×33 centimètres (18¾″×13″) et la serviette 39 centimètres (15½″) de côté.

Pour placer les motifs dans le coin supérieur droit du napperon, bâtissez deux lignes perpendiculaires, l'une à 17,5 centimètres (7″) du haut, l'autre à 11,25 centimètres (4½″) du bord droit. L'intersection des deux fils de bâti indique le centre du motif inférieur. Faufilez le contour du motif, en suivant le compte de fils sur l'illustration de gauche. Indiquez le centre du second motif et faufilez son contour. Remplissez-les avec un fond en damier (p. 76).

Pour broder le point quadrillé ajouré (p. 75) qui entoure l'intérieur du napperon, comptez 28 fils à partir du centre du motif inférieur, puis 28 fils vers la droite. Chaque point prend 4 fils dans un sens, 4 fils dans l'autre; chaque carré du schéma représente un seul point. Exécutez la ligne en escalier de droite à gauche, en vous servant du schéma pour compter le nombre de points. A partir du haut de l'escalier, exécutez 53 points. Brodez 52 points sur le côté gauche du napperon et 83 points sur le côté inférieur, en tournant l'ouvrage à chaque fois. Brodez 34 points le long du côté droit jusqu'à la jonction avec l'escalier. Brodez un fond à ombres (p. 77) dans les autres angles.

Pour broder la serviette, passez un fil de bâti à 12 centimètres (4¾″) des bords. Commencez le point quadrillé ajouré à un coin. Brodez 64 points le long des deux côtés qui se trouvent dans le sens du droit fil, et 65 points sur les deux autres côtés (pour compenser la légère distorsion qui se fait à la longue). Brodez un fond à ombres sur un des coins.

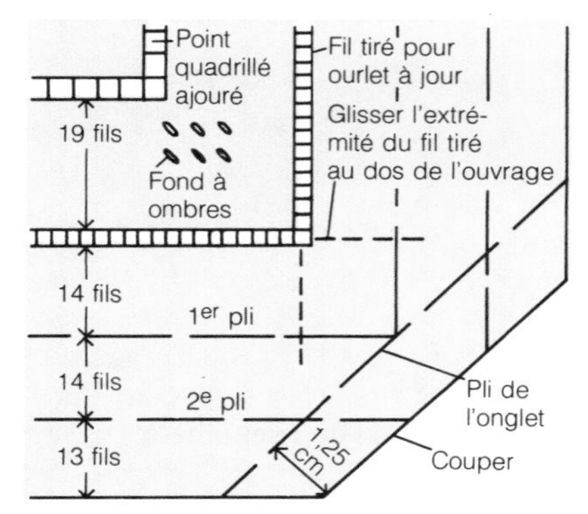

Ourlet à jour

Pour préparer la rivière du napperon et de la serviette, retirez le vingtième fil situé à l'extérieur des points quadrillés ajourés, sur les quatre côtés. Arrêtez l'extrémité des fils tirés sur l'envers du tissu. Avec les doigts, faites un pli sur les quatre côtés, à 14 fils du fil tiré (illustration de droite). Faites un pli en biais aux quatre angles, à l'intersection du premier pli; coupez l'excédent à 1,25 centimètre (½″). Faites un autre pli à 14 fils du précédent. Coupez l'excédent de tissu à 13 fils de là. Repliez deux fois le tissu le long des plis de sorte que le rentré arrive au bord de la rivière et faufilez. Fixez les coins au point d'ourlet (p. 83) et exécutez l'ourlet à jour en travaillant par-dessus deux fils (p. 79) et en prenant également le repli de l'ourlet. Retirez les fils de bâti.

Chemin de table/Broderie sur tissu œil-de-perdrix

Le motif du chemin de table est emprunté au motif qui se trouve page 71.

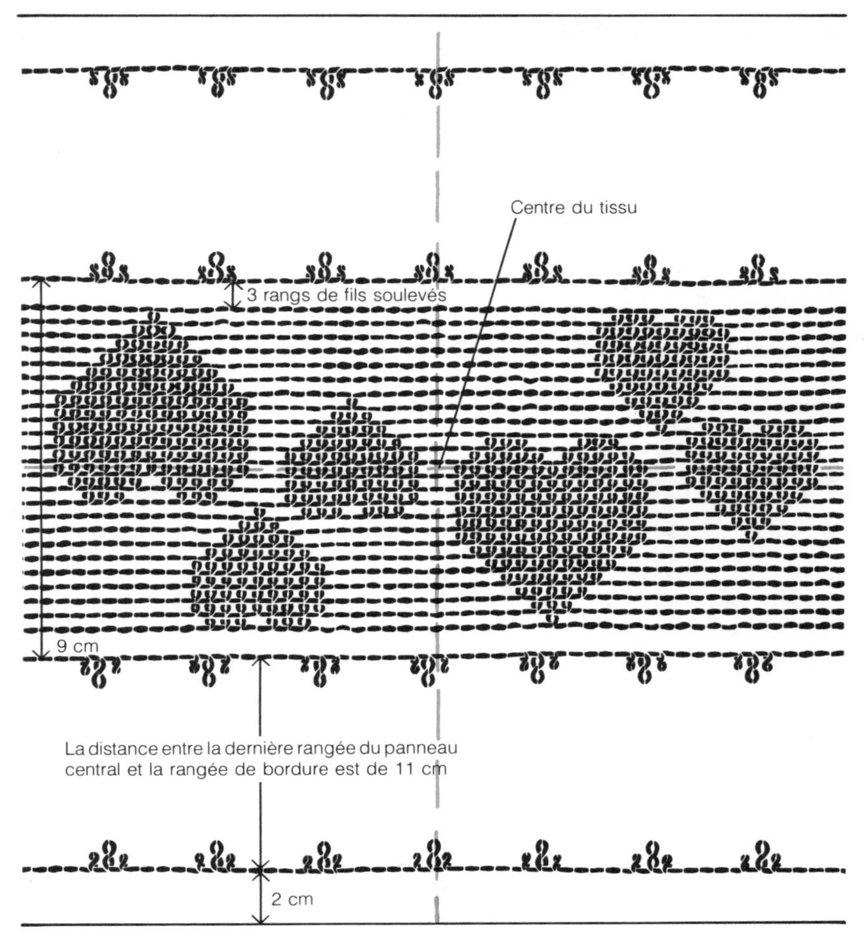

La broderie sur tissu œil-de-perdrix (ou sur tissu nid-d'abeilles) convient très bien aux chemins de table.

Fournitures

1 m (1 vg) de tissu
8 écheveaux de coton floche
Aiguille à tapisserie à bout rond
Aiguille à pointe fine et fil pour l'ourlet

Le tissu

Ce type de broderie peut être exécuté sur n'importe quelle longueur de tissu. Le seul problème est posé par les changements d'aiguillées, les raccords de fil se faisant sur l'endroit de l'ouvrage. Dans ce chemin de table de 84 centimètres (33″) de long, chaque rangée est exécutée avec une seule aiguillée, ce qui supprime le problème des raccords.

La broderie

Brodez les rangées une par une à partir du centre (on laisse libre la quantité de fil nécessaire pour broder la seconde moitié de la rangée). Commencez au centre de l'ouvrage, remontez vers la lisière supérieure, puis descendez vers l'autre lisière. Travaillez sur la surface du tissu où il n'y a qu'un fil soulevé. Pour marquer le centre de l'ouvrage, pliez le tissu en deux dans la longueur, puis dans la largeur. Le motif de cœurs combine des points glissés avec des boucles fermées (pp. 71-72). Prenez une aiguillée de 115 centimètres (45″) de long, soit une fois et demie plus longue que le chemin de table. Brodez d'abord du centre vers la gauche (p. 73), puis renversez l'ouvrage; enfilez l'aiguille avec le fil libre et brodez la seconde moitié de la rangée.

Exécutez toutes les rangées de la même façon. Si vous brodez un chemin de table plus long, préparez des aiguillées de tailles différentes pour que les raccords ne se situent pas toujours au même endroit. Pour l'exécution des bordures, étudiez le schéma de droite.

L'ourlet

Faites un repli de 1 centimètre (½″) aux deux lisières, repassez et ourlez. Sur les deux autres côtés, coupez tout ce qui se trouve à plus de 2 centimètres (1″) de la surface brodée. Repliez deux fois, puis ourlez.

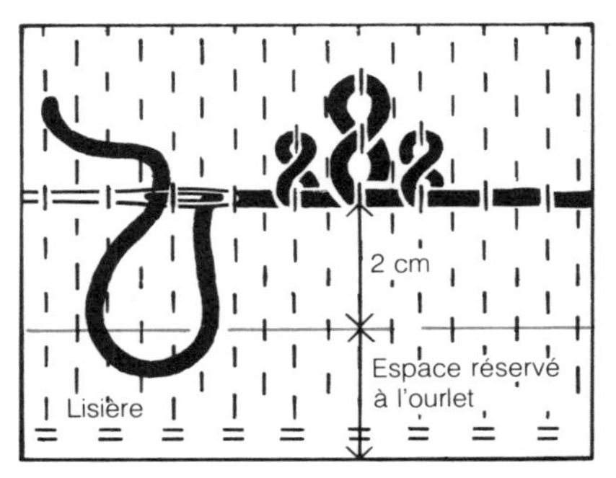

Le schéma ci-dessus illustre les composantes du dessin et leurs proportions. Le dessin consiste en des cœurs placés tête-bêche de part et d'autre du milieu de l'ouvrage en une bande centrale. Chaque groupe de motifs se compose d'un grand cœur et de deux petits et occupe un espace de près de 9 cm (3½″) de large. Laissez entre chaque groupe trois fils de tissu soulevés.

Le schéma de gauche illustre la façon de broder les huit (p. 72) de la bordure et du panneau central. Réservez un espace pour les ourlets et exécutez les huit à 2 cm (¾″) de distance du pli de l'ourlet.

Caftan orné de broderie blanche

La broderie qui se trouve sur le caftan est le motif de broderie blanche de la page 90.

La broderie blanche ajoute une note d'élégance à ce caftan.

Fournitures

Papier et crayon
Papier carbone de couturière
Roulette de couturière
Coton perlé nº 8 :
 1 écheveau bleu
 1 écheveau rouille
 1 écheveau vert
Aiguille à broderie
Tambour à broder
Ciseaux à broder

Préparation

Pour agrandir le dessin et lui donner la taille désirée, préparez une grille dont les carrés ont 1,25 centimètre (½″) de côté, et reportez le dessin, carré par carré (p. 14). Placez le dessin agrandi sous un des devants du patron choisi pour vous assurer que le motif ne déborde pas sur les coutures. Le cas échéant, ajustez les proportions du dessin. Dessinez-le ensuite directement sur le patron.

Pour reporter le dessin sur le tissu, épinglez le patron sur celui-ci, en glissant un papier carbone de couturière entre les deux, et passez la roulette de couturière sur toutes les lignes du dessin (p. 17). Reportez le dessin sur le deuxième panneau du caftan en retournant le patron. La broderie s'exécute sur le tissu avant qu'il soit coupé.

Broderie

Suivez les instructions données sur les pages 90 et 91 pour exécuter la broderie. Avant de découper le tissu dans les motifs, repassez la surface brodée en la posant face en bas sur une serviette-éponge et en utilisant une pattemouille. Découpez les motifs sur l'envers du tissu; repassez de nouveau. Taillez alors le caftan et montez les pièces en suivant les instructions du patron.

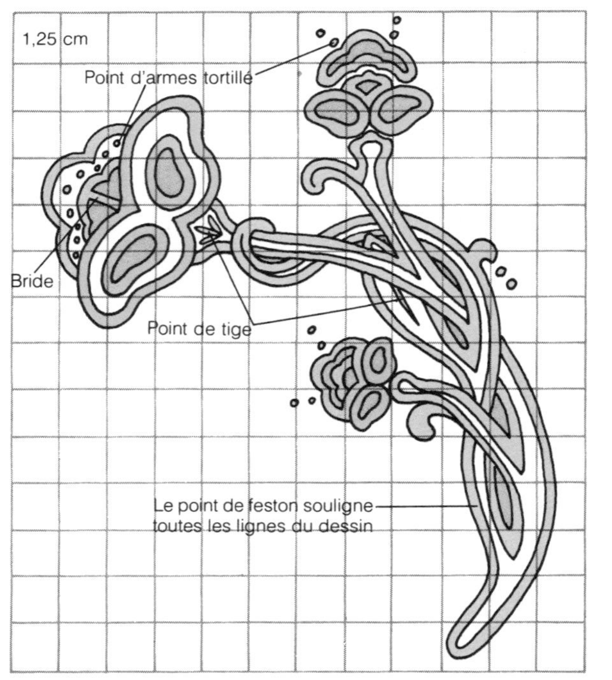

Pour agrandir le dessin, préparez une grille dont les carrés ont 1,25 cm (½″) de côté et recopiez le dessin, carré par carré (p. 14).

Pour exécuter la broderie, consultez la section de la broderie blanche, pages 90-91. Les contours du dessin sont brodés au point de feston; les embellissements sont brodés au point d'armes tortillé et au point de tige. Pour l'exécution de la bride festonnée qui enjambe et consolide un large espace découpé, reportez-vous à la page 91. Les surfaces grises du schéma indiquent l'emplacement des espaces à découper une fois la broderie achevée.

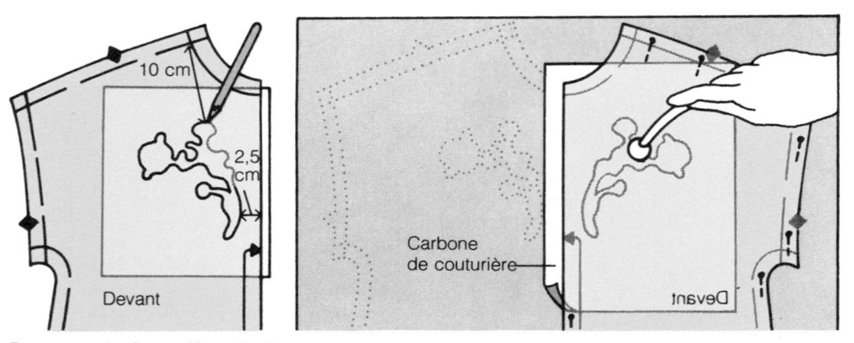

Pour reporter le motif sur le tissu, dessinez-le d'abord sur le patron. Epinglez celui-ci au tissu, en plaçant entre les deux un papier carbone de couturière, et passez la roulette sur toutes les lignes du dessin. Retournez le patron, placez-le sur le second panneau et passez de nouveau la roulette.

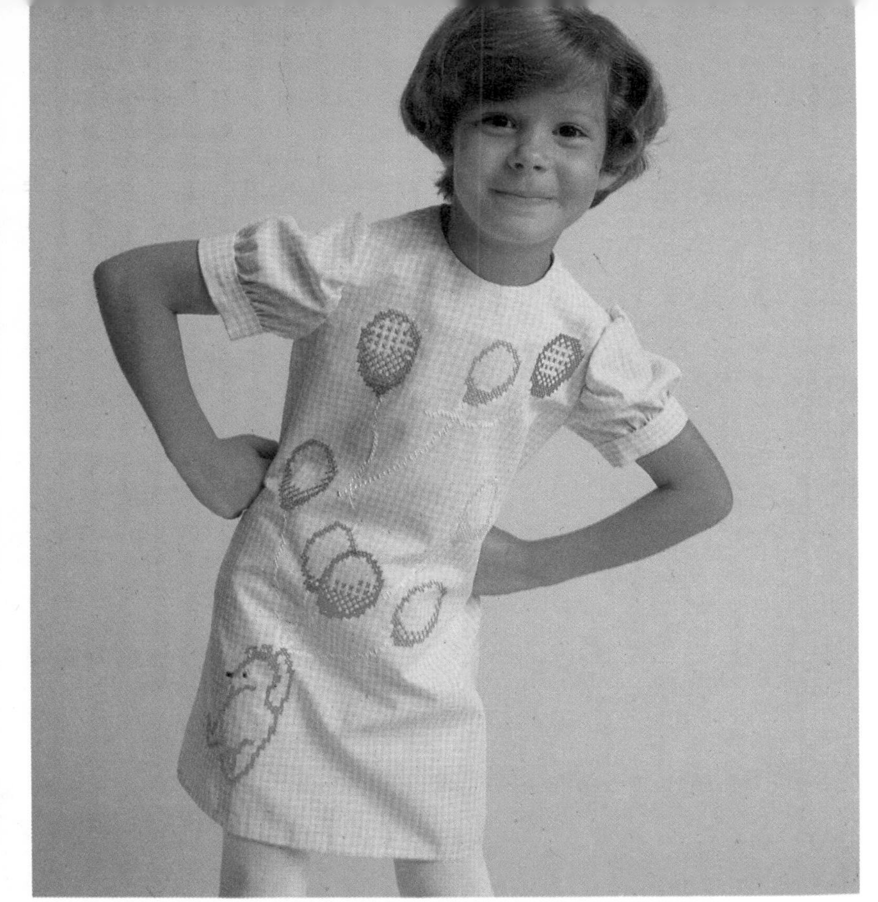
Exécutez le point de croix sur du vichy (pp. 66-68), tissu très populaire pour les enfants.

Robe d'enfant décorée au point de croix

Du vichy rehaussé de points de croix fait un ravissant vêtement d'enfant.

Fournitures

Vichy à carreaux: quantité indiquée sur le patron

1 écheveau de coton floche dans chacune des couleurs suivantes : rouge, bleu, jaune, vert, orange pour les ballons; blanc pour les ficelles; brun clair, brun foncé et noir pour l'ours.

Tambour à broder

Aiguille à broderie

Craie de tailleur

Mise en place du dessin

Le motif de droite mesure environ 26,5×43 centimètres (10½″×17″) sur du vichy qui a 3 carreaux au centimètre (8 pour 1″). Celui-ci a été brodé sur une robe d'enfant, taille 4 ans; cependant, il peut s'adapter à n'importe quel patron à devant droit. Pour exécuter le motif sur un modèle qui a une couture devant, brodez la moitié de chaque motif sur le panneau devant correspondant, en vous assurant que les deux moitiés du motif se rejoindront exactement au milieu. Pour être sûr que le dessin est de la bonne taille, mesurez la longueur du patron une fois et la largeur du devant deux fois.

La broderie

Marquez à la craie de tailleur l'emplacement des coutures et des ourlets sur le tissu. Brodez alors les motifs au point de croix (p. 35) en utilisant un tambour à broder. Taillez seulement ensuite le vêtement; assemblez et cousez selon les instructions données sur le patron.

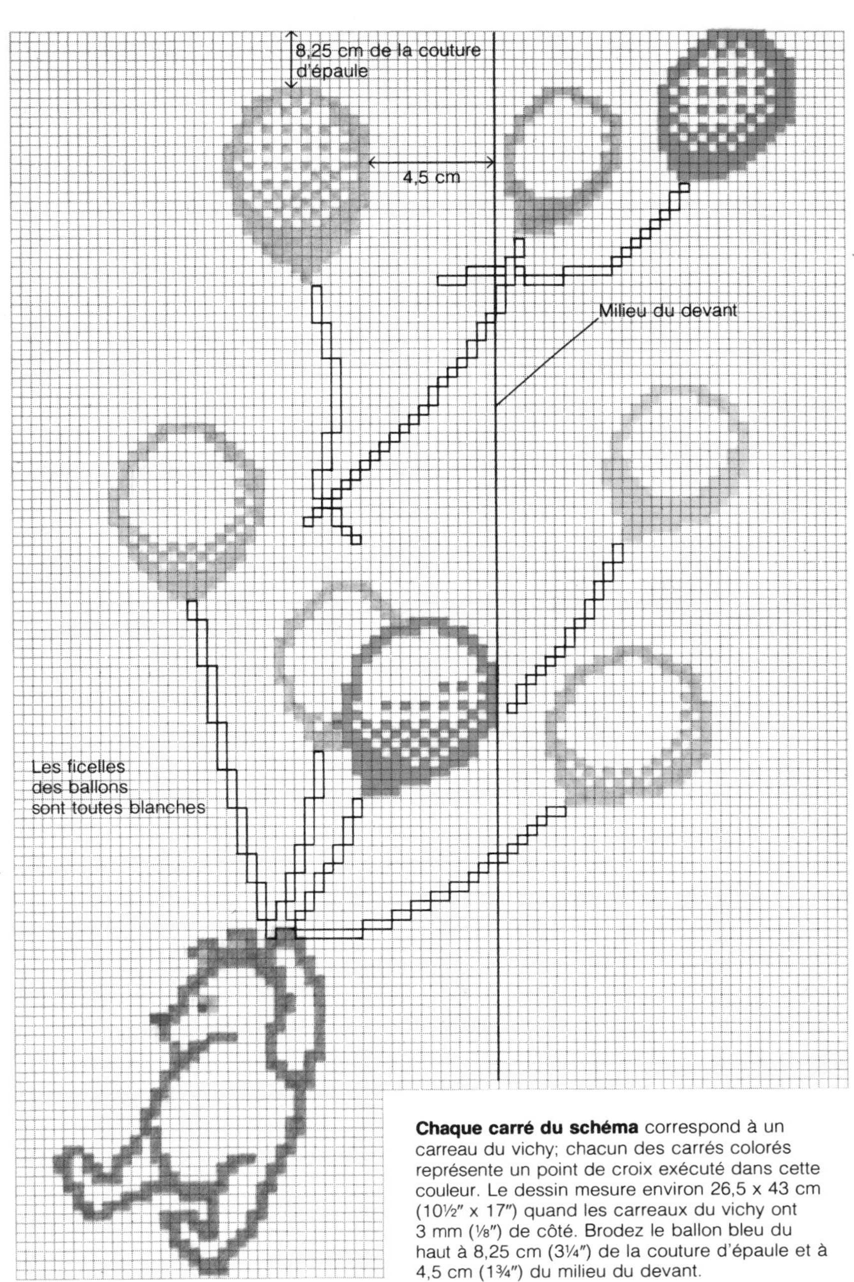

Chaque carré du schéma correspond à un carreau du vichy; chacun des carrés colorés représente un point de croix exécuté dans cette couleur. Le dessin mesure environ 26,5 x 43 cm (10½″ x 17″) quand les carreaux du vichy ont 3 mm (⅛″) de côté. Brodez le ballon bleu du haut à 8,25 cm (3¼″) de la couture d'épaule et à 4,5 cm (1¾″) du milieu du devant.

Coussin gansé en broderie sur toile

Le dessin de ce coussin gansé s'inspire de la broderie sur toile de la page 56.

Le coussin permet de mettre en valeur une broderie, une tapisserie à l'aiguille, un appliqué ou un patchwork.

Fournitures

45 cm (½ vg) de tissu à contexture carrée
6 écheveaux de coton floche
Aiguille à tapisserie à bout rond
1 m (1 vg) de tissu pour la doublure et la ganse
2 m (2 vg) de ganse de 6 mm (¼")
Fermeture à glissière de 30 cm (12")
Coussin carré de 35 cm (14") de côté

Préparation du dessin

Pour agrandir le dessin, préparez une grille quadrillée dont les carrés ont 2,5 centimètres (1") de côté et recopiez le dessin, carré par carré (p. 14). Taillez un carré de toile de 45 centimètres (18") de côté et marquez-en le centre avec un bâti. Reproduisez le dessin sur le tissu (pp. 16-17).

La broderie

Brodez le dessin en suivant les indications du schéma sur les types de points et leur emplacement. L'ouvrage terminé, mettez-le en forme (pp. 54-55). Coupez l'excédent de tissu pour obtenir un carré de 38 centimètres (15") de côté.

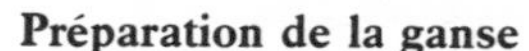

Préparation de la ganse

Dans le tissu de doublure, taillez deux rectangles de 20×38 centimètres (8"× 15"). Pour faire la ganse, taillez dans le tissu restant des biais de 5 centimètres (2") de large (p. 199) et raccordez-les ensemble pour obtenir une bande de 148 centimètres (58") de long. Pliez le biais en deux, envers contre envers; insérez la ganse dans le pli. Piquez et coupez l'excédent de tissu à 1,5 centimètre (½") de la couture. Faufilez la ganse sur l'endroit de la housse, l'excédent de tissu de la ganse et de la housse étant du même côté (étape 1 ci-dessous). Raccordez les extrémités de la ganse (étape 2).

Doublure

Epinglez les deux rectangles ensemble, endroit sur endroit. Pour la fermeture à glissière, suivez les indications de l'étape 3. Ouvrez les coutures au fer et posez la fermeture à glissière. Assemblez la doublure et le tissu brodé, endroit contre endroit (étape 4). Dégagez les coins pour réduire les épaisseurs de tissu. Ouvrez la fermeture à glissière, retournez la housse sur l'endroit et insérez-y le coussin.

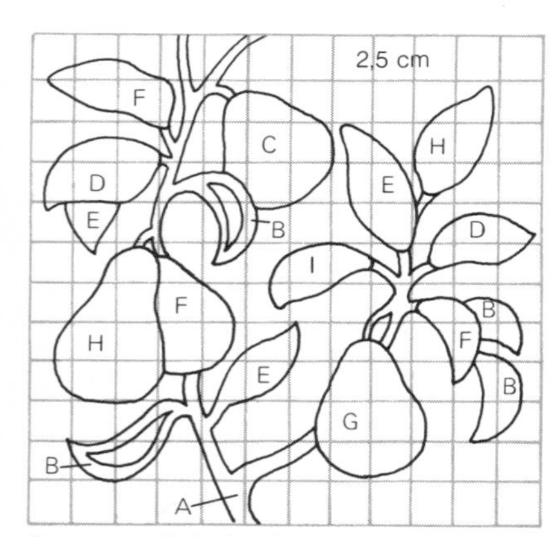

Pour agrandir le dessin, suivez les instructions page 14. Il y a deux points de base : le point de tige (A), expliqué en page 23, le point passé (B), en page 48. Pour les sept points de broderie sur toile à fils comptés, voir : C et D, page 59; E, F, G, page 60; H, page 61; I, page 62.

Assemblage du coussin : 1. Coupez les bords de la ganse à 1,5 cm (½"); épinglez-les sur la couture, sur l'endroit du tissu. Coupez les bords de la ganse aux quatre coins pour qu'elle épouse bien les angles. Faufilez. Pour raccorder les deux bouts de la ganse, voir étape 2.

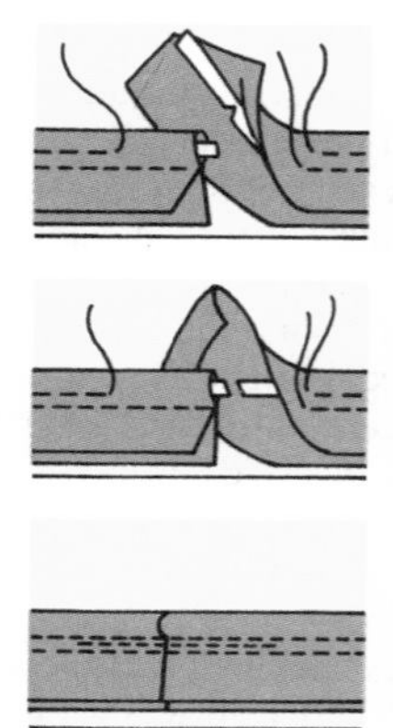

2. Coupez les bouts pour qu'ils se rejoignent. Faites un rentré et rabattez le tissu par-dessus l'autre bout. Piquez.

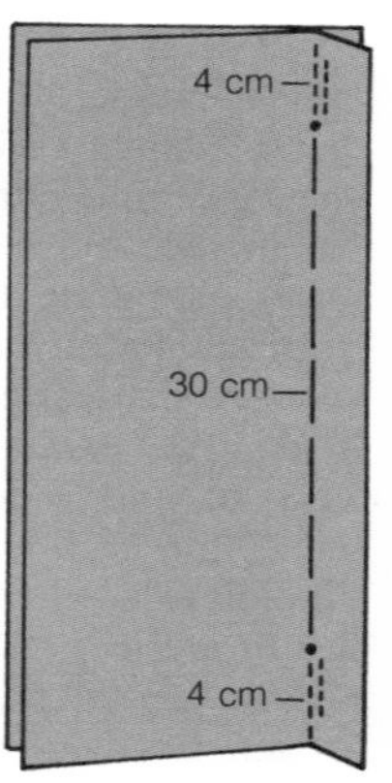

3. Placez les deux pièces de doublure endroit contre endroit. Piquez sur 4 cm (1½"), faufilez sur 30 cm (12") et cousez jusqu'à la fin.

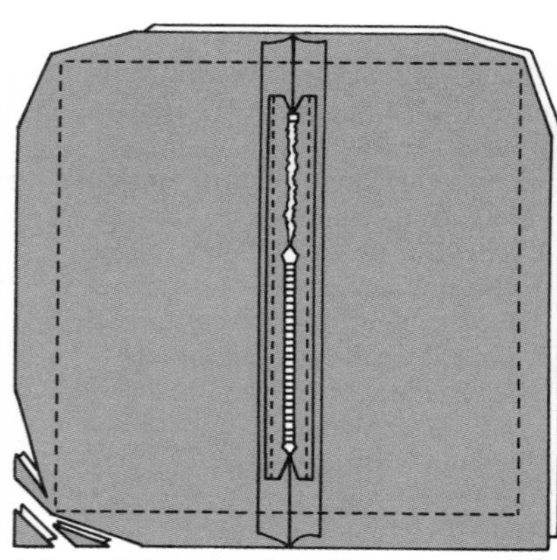

4. Posez la fermeture à glissière au centre de la doublure. Ouvrez la fermeture à moitié, et placez le tissu et la doublure l'un sur l'autre, endroit contre endroit; faufilez. Cousez les quatre côtés, à 1,25 cm (½") du bord. Retirez les fils de bâti et dégagez les coins.

Tapisserie à l'aiguille

Principes de la tapisserie à l'aiguille

Illustration de la page précédente : la fleur de cornouiller, emblème floral de Colombie-Britannique, détail de la tapisserie à l'aiguille «Fleurs de mon pays», subventionnée par le musée des Beaux-Arts de Montréal, Québec, Shirley Brickenden

Introduction

La tapisserie à l'aiguille est une forme de broderie qui se fait sur un tissu spécial appelé canevas. Dans le canevas, les *fils de trame* et les *fils de chaîne* sont entrelacés de manière à laisser des ouvertures également espacées, les *mailles*. Les intersections des fils sont appelées *croisements*.

Quel que soit le point de tapisserie, le fil ne peut être dirigé que dans deux directions : parallèlement aux fils du canevas ou diagonalement, par-dessus les croisements (notez la direction des points sur l'échantillon ci-dessous). Plusieurs types de points vont se travailler dans une seule et même direction; les autres se travaillent dans plusieurs directions ou même s'entrecroisent.

La taille des points dépend de deux facteurs : d'abord du type de point choisi. Certains n'enjambent qu'un seul fil ou qu'un seul croisement du canevas, alors que d'autres en enjambent deux ou davantage. Mais la taille du point dépend également de la jauge du canevas sur lequel le point est exécuté : la jauge d'un canevas est le nombre de fils compris dans «un pouce»* (2,5 cm) du canevas. Plus il y a de fils dans un pouce et plus les points sont petits. Il existe de nombreuses tailles de canevas (p. 114). On les divise en deux groupes : fins ou gros. Un canevas fin comprend 16 fils au moins par pouce, alors qu'un gros canevas en comprend moins. En conséquence, chaque point exécuté sur un canevas fin sera plus petit que le même point exécuté sur un gros canevas. Vous pouvez voir ci-dessous à droite, en grandeur nature, deux échantillons de ces deux sortes de canevas. Le même point, dans ce cas-ci le petit point, est utilisé sur les deux échantillons et il couvre le même espace. Le premier échantillon est exécuté sur un canevas nº 24 (24 fils par pouce) et le second échantillon, sur un canevas nº 12 (12 fils par pouce).

La taille du point joue un rôle important dans le temps consacré au travail et également dans la solidité de l'ouvrage. En général, plus les points sont petits et plus on mettra de temps à exécuter l'ouvrage, mais plus celui-ci sera résistant. Si le temps consacré est plus long quand le point est petit, c'est évidemment parce qu'il faut davantage de points pour couvrir un centimètre de canevas. Les petits points sont plus durables parce qu'ils sont moins susceptibles d'être accrochés ou arrachés quand le produit fini est enfin utilisé. Tout dépend au fond de l'utilisation finale de l'ouvrage : un coussin, par exemple, s'use plus vite qu'une tapisserie encadrée, et le point employé devra donc être plus résistant.

*Les numéros de canevas correspondent partout au nombre de fils par pouce.

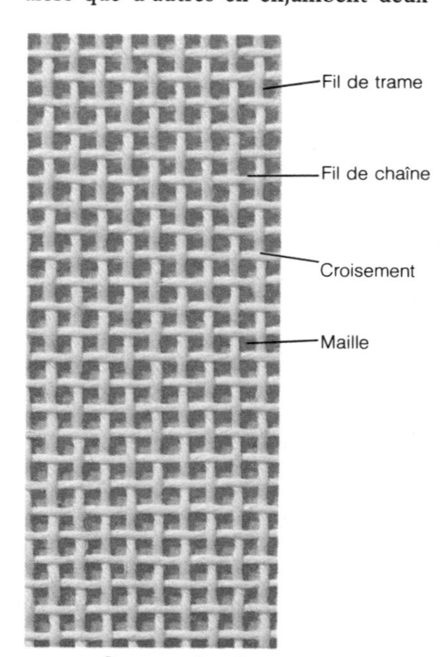

Composantes d'un canevas

Directions des points sur un canevas

Petit point sur un canevas fin

Petit point sur un gros canevas

Les trois aspects de la tapisserie à l'aiguille

L'aspect définitif d'une tapisserie à l'aiguille dépend du genre de points avec lequel celle-ci a été exécutée, car le choix de points peut modifier le dessin de deux façons. En premier lieu, certains points altèrent les lignes du dessin parce qu'il s'établit une différence entre la ligne brodée et le tracé; les points d'une tapisserie à l'aiguille, on s'en souvient, doivent être exécutés en suivant la structure grillagée du canevas alors que, bien entendu, la ligne dessinée n'est pas soumise à de tels impératifs. L'importance de cet écart dépend du type du point et de sa taille. La deuxième façon qu'a le point de modifier l'aspect général d'un dessin dépend de sa structure et du motif qu'il donne. Des points différents pour un même dessin changent l'aspect de chaque élément brodé et modifient sensiblement l'impact visuel du dessin. Vous trouverez la description complète des points de tapisserie à l'aiguille, et des textures et motifs qu'ils créent, dans les pages 118-161.

Au moment de fixer votre choix sur les points que vous allez utiliser, souvenez-vous que trois impressions visuelles distinctes peuvent être obtenues selon le point choisi (voir ci-dessous les trois échantillons). Le premier échantillon montre l'effet produit sur un dessin par le **petit point**, un point en diagonale qui n'enjambe qu'un seul croisement du canevas. Bien qu'il existe trois manières d'exécuter le petit point, elles produisent toutes le même effet. Ce point étant petit, comme son nom l'indique, il peut coller avec précision à la ligne dessinée. On l'utilisera donc pour un dessin détaillé et pour obtenir des tons dégradés.

Tous les autres points de tapisserie sont des **points de fantaisie**, ayant chacun leur propre texture et donnant un motif précis. Un dessin exécuté avec ces points a tendance à être moins précis qu'un dessin au petit point, parce qu'il souligne généralement les éléments de structure plutôt que les détails. Il y a deux raisons à cela : d'abord, presque tous les points de fantaisie sont de grands points et, par conséquent, moins adaptés au tracé d'un dessin; ensuite, les points de fantaisie permettent d'interpréter et de relever de manière exceptionnelle la réalité physique des éléments dessinés, ce qui fait que la précision des détails peut devenir tout à fait secondaire. Ainsi, le deuxième échantillon ci-dessous reproduit le même dessin que le premier, mais avec des points de fantaisie. Remarquez combien les éléments majeurs du dessin sont en relief, plutôt que les détails, et comme le point noué (p. 145) suggère la texture du bois dans la cabane, le point d'œillet (p. 153) représente bien la fenêtre, et le point palmier (p. 154) l'arbre.

On comprend le **Bargello**, qui produit le troisième aspect de la tapisserie à l'aiguille, dans la catégorie des points de fantaisie. Les points de Bargello sont des points droits, placés parallèlement aux fils du canevas. On peut obtenir de nombreux motifs avec les points de Bargello, mais le plus populaire et le plus classique est le motif donné par le point florentin (voir troisième échantillon ci-dessous). Le point florentin est fait de points droits, placés en zigzag sur le canevas; il permet de nombreuses variations. Avec la plupart des points de Bargello, l'aspect final du dessin est déterminé par la structure du point elle-même plutôt que par le choix d'un point particulier pour remplir une forme déterminée à l'avance. Pour plus de détails concernant le Bargello, consultez la page 173.

Dessin de tapisserie à l'aiguille, fait au petit point

Même dessin avec des points de fantaisie

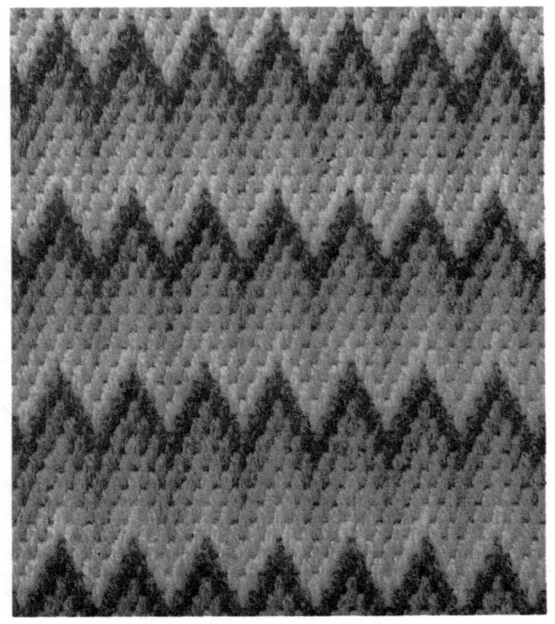

Exemple d'ouvrage au point florentin

Principes de la tapisserie à l'aiguille/Matériel et fournitures

Canevas

Le choix du canevas est très important. Assurez-vous qu'il ne comporte ni cassure, ni nœuds. La plupart des canevas sont en coton, mais quelques-uns, de conception plus moderne, sont faits de fils synthétiques, comme le nylon; certains canevas très fins sont faits de fils de soie. La grosseur du canevas doit convenir à la fois au style de l'ouvrage envisagé et au dessin (pp. 162-163).

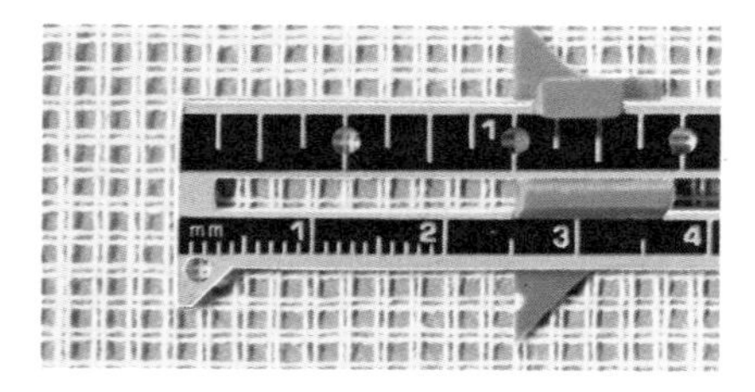

Pour déterminer la jauge d'un canevas, prenez une règle et comptez le nombre de fils par pouce (2,5 cm). Sur la photo ci-dessus, on a un canevas unifil simple nº 10 (10 fils par pouce).

Il existe plusieurs genres de canevas. Les plus utilisés sont les deux sortes de canevas treillis et le canevas Pénélope. Le canevas **unifil simple** et le canevas **unifil torsadé** sont tous deux tissés fil à fil. Toutefois, dans le canevas unifil simple, le croisement est formé par l'intersection d'un seul fil de chaîne et d'un seul fil de trame, alors que dans le canevas unifil torsadé, le fil de chaîne est en fait formé de deux fils plus fins torsadés qui viennent s'entrecroiser autour du fil de trame simple. L'avantage de cette construction est qu'elle est plus solide et plus stable que la première. Tous les points de la tapisserie à l'aiguille peuvent s'exécuter sur un canevas unifil torsadé, alors que le canevas unifil simple ne convient pas à certains points, comme le demi-point de croix (p. 120). Ces deux types de canevas existent dans un large éventail de numéros.

Dans le canevas **Pénélope**, les fils sont tissés deux à deux. Mis à part sa robustesse, le canevas Pénélope présente un second avantage : on peut exécuter dessus des points de différentes tailles (photo ci-dessous). On peut faire un seul point sur un croisement de canevas Pénélope ou on peut séparer les fils de croisement et broder quatre points plus petits. La facilité d'adaptation du canevas Pénélope présente un sérieux avantage quand votre dessin

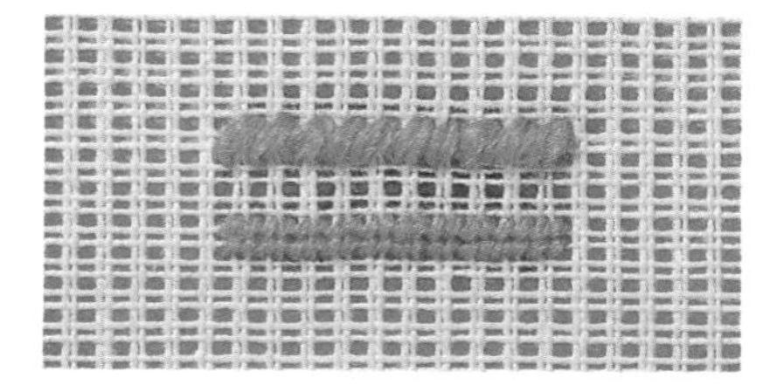

exige que certaines surfaces soient brodées avec des points plus petits et plus fins. On établit la jauge (ou numéro) du canevas Pénélope avec deux chiffres accolés, séparés par une barre médiane, par exemple 10/20. Le premier chiffre désigne le nombre de croisements par pouce (2,5 cm), le second chiffre indique le nombre de fils par pouce, quand les fils doubles sont séparés. Les tailles de canevas Pénélope vont de 5/10 à 14/28.

Dans le **canevas de Smyrne**, chaque maille est formée de deux fils de chaîne torsadés qui s'entrecroisent autour de deux fils de trame simples. On utilise ce type de gros canevas dans la confection des tapis.

Le canevas de fantaisie fournit un modèle à suivre, tissé à même le canevas, de sorte qu'il apparaît aussi bien sur l'endroit que sur l'envers, les sombres et les clairs y étant inversés.

Le canevas en plastique est moulé, et non pas tissé, de jauge moyenne. A l'encontre des autres canevas, qui se vendent au mètre, celui-ci se vend en pièces déjà taillées et on l'utilise principalement pour confectionner des fourre-tout et des dessous de bouteille.

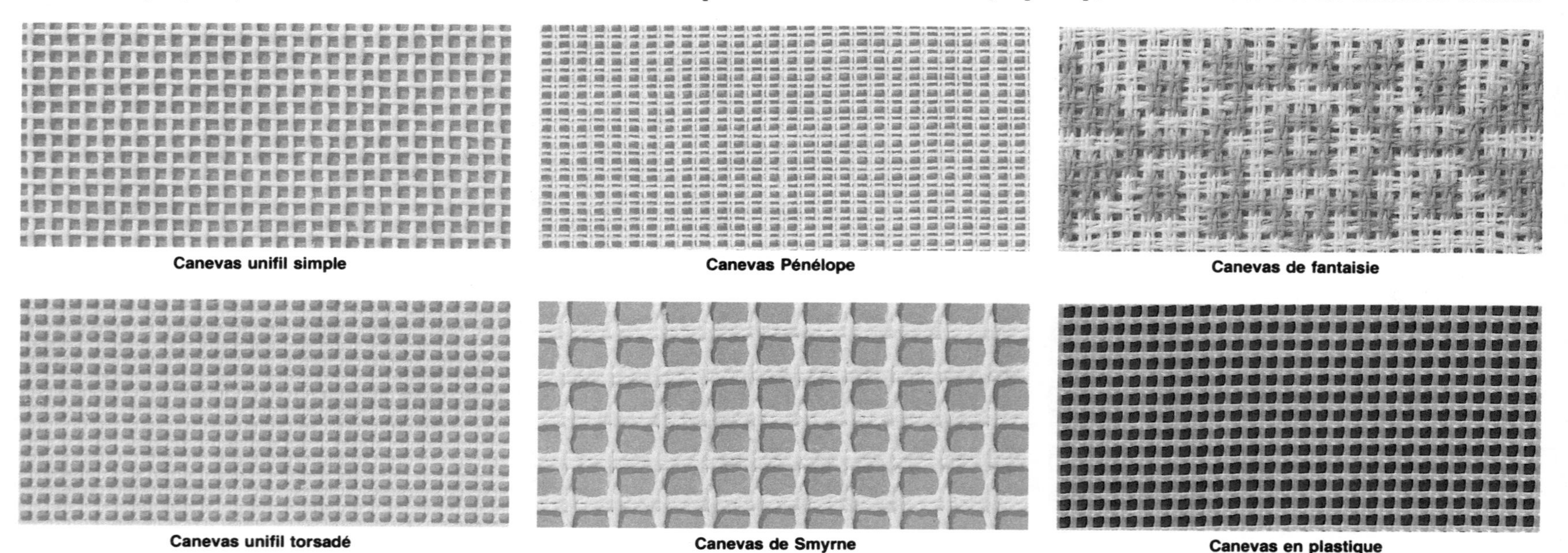

Canevas unifil simple

Canevas Pénélope

Canevas de fantaisie

Canevas unifil torsadé

Canevas de Smyrne

Canevas en plastique

Fils

Les fils destinés à la tapisserie à l'aiguille se font en plusieurs sortes de fibres, épaisseurs et textures, et en de nombreux coloris (ci-dessous, les types de fils les plus souvent utilisés).

Un des principaux critères de choix des fils est leur poids (ou épaisseur) qui varie : le fil à tapisserie, par exemple, est plus fin que le fil à tapis. Le fil doit être assez fin pour passer à travers les mailles du canevas et, en même temps, assez épais pour bien couvrir la surface de celui-ci, qui doit rester invisible. En règle générale, plus le canevas est gros et plus le fil doit être épais et lourd. La grosseur et le poids du fil dépendent aussi du point employé (p. 118). Les mots *fils simples* et *brins* décrivent la structure du fil : un fil simple est, comme son nom l'indique, l'unité de fil, et le brin est partie du fil simple. Prenons un exemple : la laine floche est composée de trois fils simples, chacun composé de deux brins. On peut facilement séparer les fils simples, ce qui permet de diminuer ou d'augmenter l'épaisseur du fil de travail. Par contre, on ne peut pas séparer facilement les brins.

Les fils à tapisserie sont faits de différentes fibres, comme la laine, le coton, la soie, l'acrylique, la rayonne; il existe aussi des fils lamés; mais c'est la laine qu'on emploie le plus souvent, parce que l'expérience a prouvé que la laine est une fibre très solide et particulièrement durable. Mais si la tapisserie ne doit pas être soumise à de multiples manipulations, des fibres moins résistantes peuvent être employées, telles que la rayonne, par exemple. Il est un autre facteur de résistance qui joue dans la fabrication des fils, c'est la longueur des fibres utilisées. Les fibres avec lesquelles on fabrique les laines à tapisserie sont plus longues, donc plus solides que les fibres dont on tire les laines à tricoter.

Aiguilles

Le type d'aiguille recommandé est l'aiguille à tapisserie à bout rond. Elle est munie d'un chas assez large pour laisser passer le fil sans l'abîmer et d'une pointe arrondie qui l'empêche de transpercer les fils du canevas. On trouve ces aiguilles en différentes grosseurs allant du nº 13, la plus grosse, au nº 26, la plus fine. Choisissez la taille de l'aiguille selon l'épaisseur du canevas, en prenant en considération qu'elle doit passer facilement à travers les mailles sans causer de distorsion. L'aiguille la plus employée est l'aiguille nº 18 parce qu'elle convient particulièrement aux canevas nºs 14 et 16 et aux canevas Pénélope nºs 10/20 et 11/22, qui sont les plus populaires. Avant d'utiliser l'aiguille, essayez-la sur un échantillon du canevas pour vous assurer qu'elle a bien la taille appropriée. Les aiguilles à tapisserie sont vendues en paquets de plusieurs aiguilles d'une seule taille ou de plusieurs tailles.

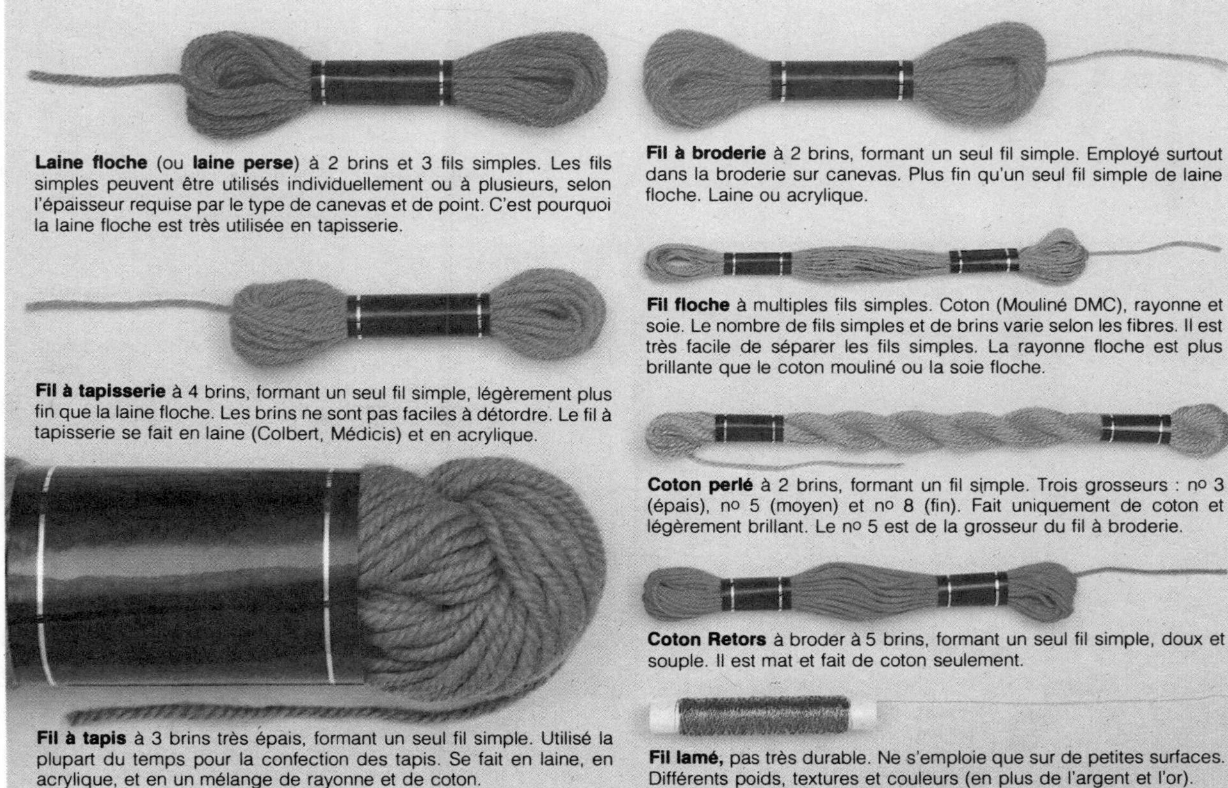

Laine floche (ou **laine perse**) à 2 brins et 3 fils simples. Les fils simples peuvent être utilisés individuellement ou à plusieurs, selon l'épaisseur requise par le type de canevas et de point. C'est pourquoi la laine floche est très utilisée en tapisserie.

Fil à tapisserie à 4 brins, formant un seul fil simple, légèrement plus fin que la laine floche. Les brins ne sont pas faciles à détordre. Le fil à tapisserie se fait en laine (Colbert, Médicis) et en acrylique.

Fil à tapis à 3 brins très épais, formant un seul fil simple. Utilisé la plupart du temps pour la confection des tapis. Se fait en laine, en acrylique, et en un mélange de rayonne et de coton.

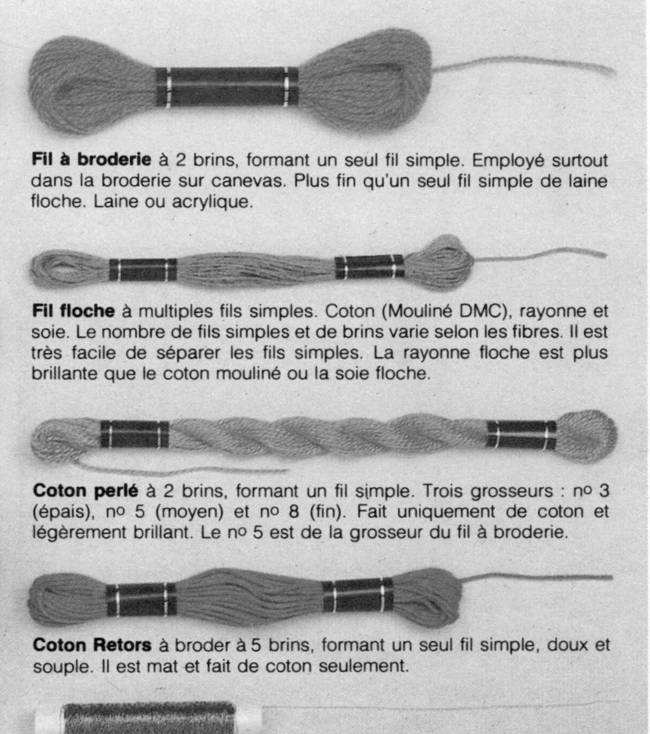

Fil à broderie à 2 brins, formant un seul fil simple. Employé surtout dans la broderie sur canevas. Plus fin qu'un seul fil simple de laine floche. Laine ou acrylique.

Fil floche à multiples fils simples. Coton (Mouliné DMC), rayonne et soie. Le nombre de fils simples et de brins varie selon les fibres. Il est très facile de séparer les fils simples. La rayonne floche est plus brillante que le coton mouliné ou la soie floche.

Coton perlé à 2 brins, formant un fil simple. Trois grosseurs : nº 3 (épais), nº 5 (moyen) et nº 8 (fin). Fait uniquement de coton et légèrement brillant. Le nº 5 est de la grosseur du fil à broderie.

Coton Retors à broder à 5 brins, formant un seul fil simple, doux et souple. Il est mat et fait de coton seulement.

Fil lamé, pas très durable. Ne s'emploie que sur de petites surfaces. Différents poids, textures et couleurs (en plus de l'argent et l'or).

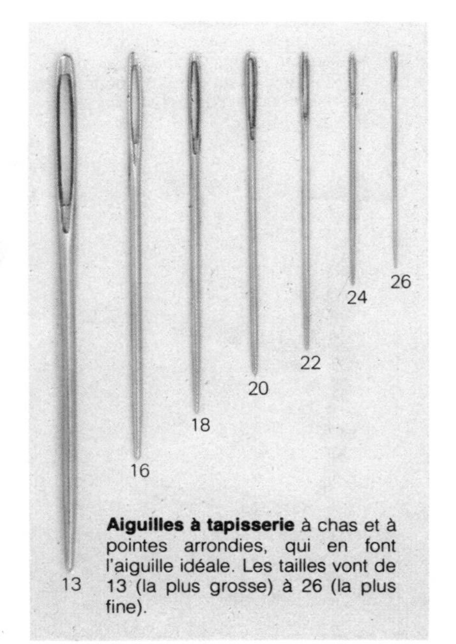

Aiguilles à tapisserie à chas et à pointes arrondies, qui en font l'aiguille idéale. Les tailles vont de 13 (la plus grosse) à 26 (la plus fine).

Principes de la tapisserie à l'aiguille/Matériel et fournitures

Métiers et supports

Un métier à tapisserie, ou tout autre support, est très utile dans les ouvrages de tapisserie. Il permet de travailler sans déformer le canevas. Le meilleur système est un métier sur pied qui libère les deux mains. La plupart des métiers sont à rouleaux. Le haut et le bas du canevas sont d'abord cousus à des coutisses (bandes) fixées sur les rouleaux. Puis, pour tendre le canevas, on l'enroule autour des rouleaux et on fixe ces derniers aux montants latéraux du métier. Le canevas peut être plus étroit mais jamais plus large que les coutisses, et pas beaucoup moins long que les deux montants latéraux du métier; il peut cependant être plus long puisqu'on peut enrouler le surplus autour des rouleaux. Le métier à lattes doit être assez grand pour contenir le canevas au complet; une fois que le canevas a été cloué en place, on ne doit plus en modifier la position. Le rouleau à tapisserie maintient le canevas en un rouleau compact, d'utilisation facile. On déroule le canevas, un peu à la fois, au fur et à mesure que l'on avance dans le travail. En ce qui concerne les tambours à broder, il vaut mieux les garder pour les canevas très fins, moins susceptibles d'être marqués par la pression des deux cercles.

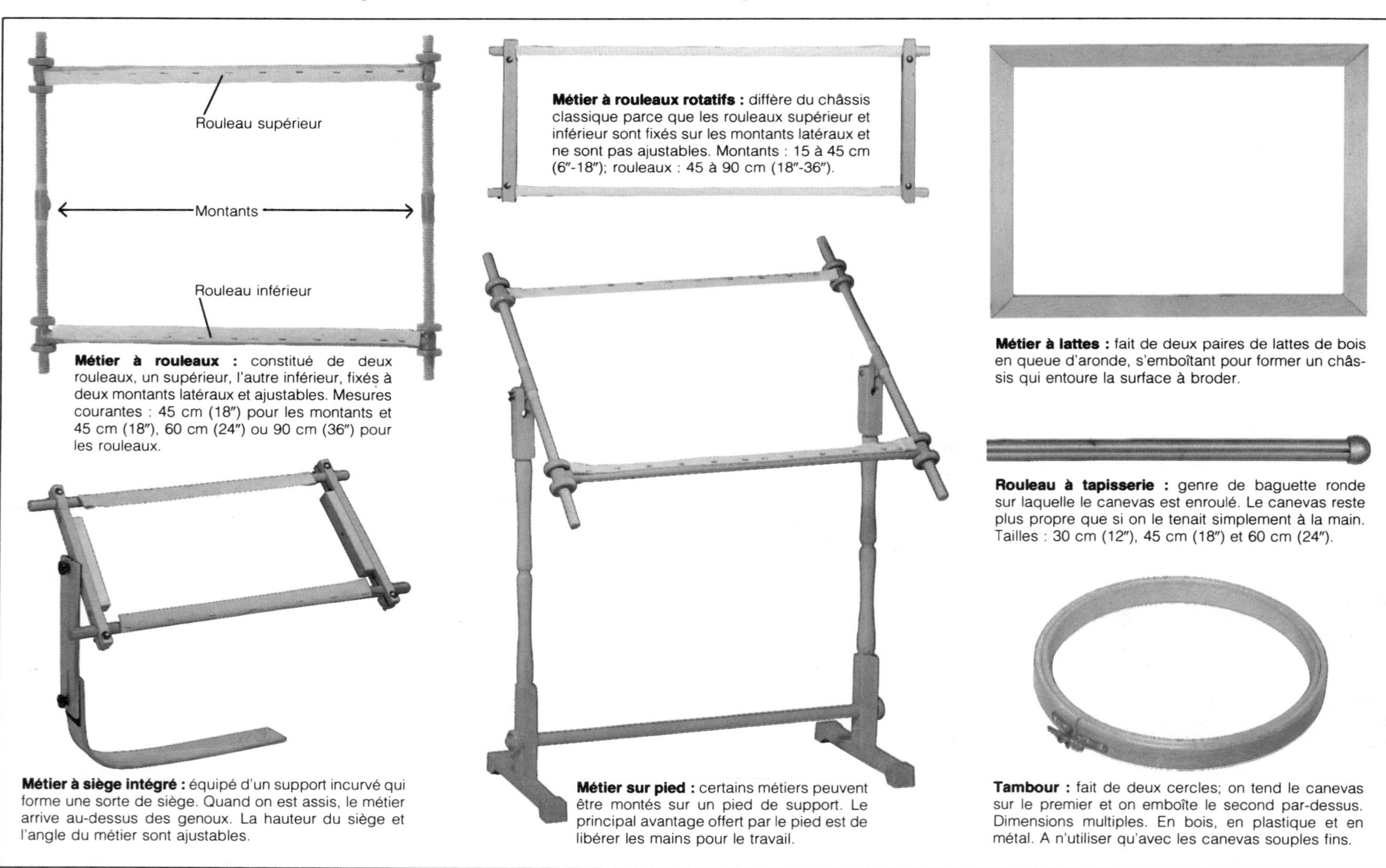

Métier à rouleaux : constitué de deux rouleaux, un supérieur, l'autre inférieur, fixés à deux montants latéraux et ajustables. Mesures courantes : 45 cm (18″) pour les montants et 45 cm (18″), 60 cm (24″) ou 90 cm (36″) pour les rouleaux.

Métier à rouleaux rotatifs : diffère du châssis classique parce que les rouleaux supérieur et inférieur sont fixés sur les montants latéraux et ne sont pas ajustables. Montants : 15 à 45 cm (6″-18″); rouleaux : 45 à 90 cm (18″-36″).

Métier à lattes : fait de deux paires de lattes de bois en queue d'aronde, s'emboîtant pour former un châssis qui entoure la surface à broder.

Rouleau à tapisserie : genre de baguette ronde sur laquelle le canevas est enroulé. Le canevas reste plus propre que si on le tenait simplement à la main. Tailles : 30 cm (12″), 45 cm (18″) et 60 cm (24″).

Métier à siège intégré : équipé d'un support incurvé qui forme une sorte de siège. Quand on est assis, le métier arrive au-dessus des genoux. La hauteur du siège et l'angle du métier sont ajustables.

Métier sur pied : certains métiers peuvent être montés sur un pied de support. Le principal avantage offert par le pied est de libérer les mains pour le travail.

Tambour : fait de deux cercles; on tend le canevas sur le premier et on emboîte le second par-dessus. Dimensions multiples. En bois, en plastique et en métal. A n'utiliser qu'avec les canevas souples fins.

Matériel de reproduction des dessins

Si vous avez l'intention de dessiner le motif de votre ouvrage, vous aurez besoin de certains instruments. Les outils les plus essentiels sont, bien entendu, le papier et les crayons. Si vous empruntez votre dessin à un livre, le papier-calque est indiqué. Le papier quadrillé est utile pour relever un motif à l'échelle, et le papier quadrillé transparent pour décalquer un schéma ou un dessin. Si vous avez besoin de colorer votre canevas, assurez-vous que la couleur ne déteindra pas au lavage. Choisissez de la peinture acrylique diluée à l'eau qui, une fois séchée, ne déteint pas.

Fournitures diverses

Nous avons énuméré ci-dessous quelques articles dont vous pourriez avoir besoin. La planche de mise en forme et les broquettes inoxydables vous seront nécessaires pour tendre votre ouvrage et lui rendre sa forme première. Les grands ciseaux serviront à tailler le canevas, les petits ciseaux à couper les fils de broderie. Le ruban adhésif est parfait pour border les côtés du canevas; un enfile-aiguille permet de passer le fil plus facilement dans le chas de l'aiguille. La loupe agrandira les détails de l'ouvrage qui y gagnera en délicatesse; quant au ruban à mesurer, vous vous en servirez sans cesse.

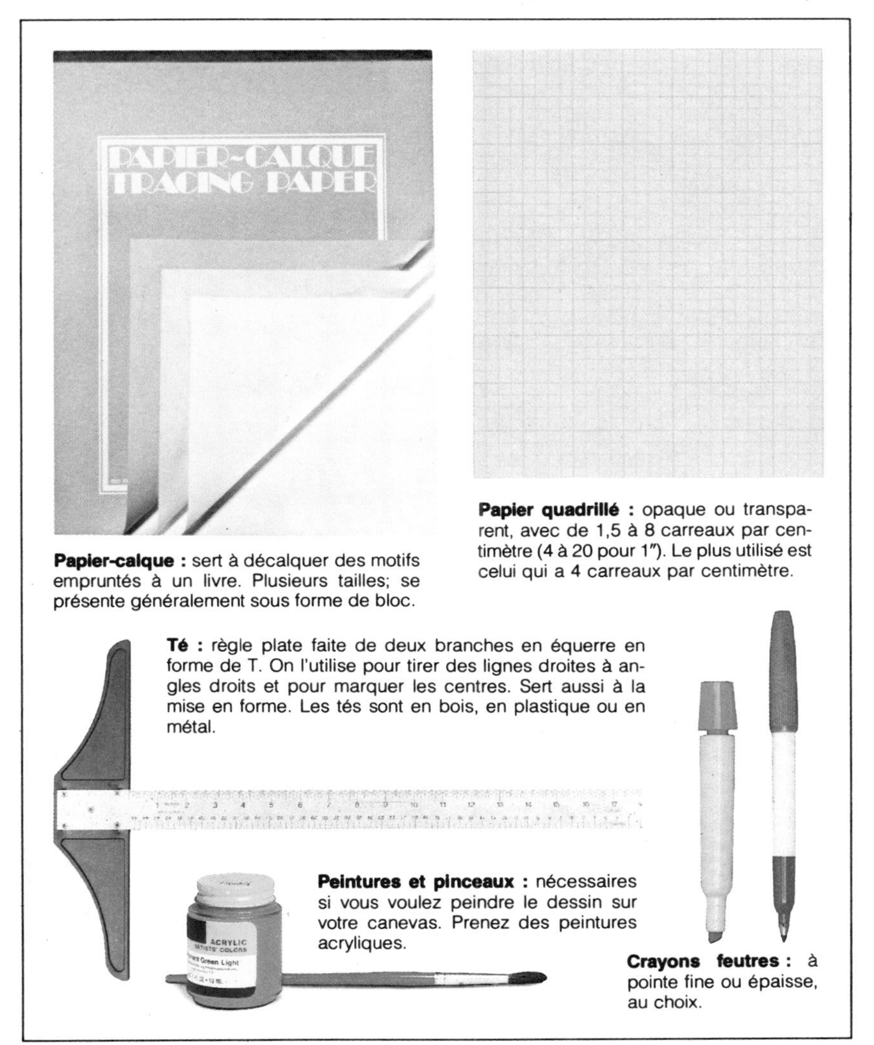

Papier-calque : sert à décalquer des motifs empruntés à un livre. Plusieurs tailles; se présente généralement sous forme de bloc.

Papier quadrillé : opaque ou transparent, avec de 1,5 à 8 carreaux par centimètre (4 à 20 pour 1"). Le plus utilisé est celui qui a 4 carreaux par centimètre.

Té : règle plate faite de deux branches en équerre en forme de T. On l'utilise pour tirer des lignes droites à angles droits et pour marquer les centres. Sert aussi à la mise en forme. Les tés sont en bois, en plastique ou en métal.

Peintures et pinceaux : nécessaires si vous voulez peindre le dessin sur votre canevas. Prenez des peintures acryliques.

Crayons feutres : à pointe fine ou épaisse, au choix.

Broquettes (inoxydables) : nécessaires pour maintenir le canevas tendu pendant la mise en forme.

Ruban à mesurer : flexible; 150 cm (60") de long; marqué des deux côtés.

Ruban adhésif : employé pour border le canevas. Nombreuses largeurs; celle de 2,5 cm (1") est très bien.

Planche de mise en forme : pièce de bois tendre, suffisamment grande pour contenir le canevas tendu et épinglé.

Ciseaux de couturière : nécessaires pour tailler le canevas. Il existe un modèle pour les gauchers.

Ciseaux à broder : ils sont petits avec les pointes aiguisées. Pour les travaux délicats.

Enfile-aiguille : facilite le passage du fil dans le chas.

Loupe : pour diminuer la tension oculaire si l'ouvrage est exécuté sur un canevas fin.

Points de tapisserie

Renseignements généraux
Tension du point et épaisseur du fil
Exécution des points
Points en diagonale
Points droits
Points croisés
Points composés
Points fourrure
Techniques additionnelles

Renseignements généraux

Le point de tapisserie à l'aiguille le plus connu est le point en diagonale appelé petit point (premier échantillon ci-dessous). C'est aussi le point de base que tout amateur de tapisserie devrait connaître. Il existe un grand nombre d'autres points de tapisserie, qu'il peut être bon d'utiliser pour ajouter de l'originalité à un ouvrage. Dans les 40 pages qui viennent, vous trouverez la description illustrée d'un grand nombre de points de tapisserie. Nous les avons groupés d'après la direction que prend le fil au cours de la formation du point, et nous avons donc obtenu cinq groupes : les points **en diagonale,** les points **droits**, les points **croisés**, les points **composés** et les points **fourrure**. Un échantillon en dimension réelle de chaque point accompagne l'explication détaillée de celui-ci. Toutefois, la meilleure façon de se familiariser avec un point est encore de l'exécuter. Faites un échantillon de tous les points; ceci vous permettra de distinguer du même coup les points qui se font vite de ceux qui prennent plus de temps, ainsi que la quantité de fil nécessaire à chacun. De plus, si vous exécutez l'échantillonnage sous forme de tableau, il vous deviendra très utile par la suite et vous servira de référence permanente. Vous le trouverez à portée de la main quand vous voudrez choisir un point pour un projet particulier. Si vous décidez de faire votre propre tableau échantillon, un canevas unifil torsadé nº 10 et de la laine ou du coton floche conviendront à la plupart des points. Comme vous le constaterez, seuls quelques-uns doivent être exécutés sur un canevas Pénélope. L'épaisseur du fil, son poids et sa tension dépendront du type de point (voir ci-contre). A la page suivante, vous trouverez comment former les points. Enfin, il est important de noter que nos explications s'adressent à des droitiers. Si vous êtes gaucher, reportez-vous à la page 161.

Tension du point et épaisseur du fil

La tension du point et l'épaisseur du fil sont deux choses très importantes dans la tapisserie à l'aiguille. Une bonne tension du point permet au fil d'être bien tendu autour des fils du canevas et aux points, de rester uniformes; une tension trop lâche fait ressortir le point plus que nécessaire, ce qui affecte sa solidité car les points lâches courent le risque d'être accrochés quand la tapisserie est utilisée. Une trop grande tension des points déformera les fils du canevas et affinera les fils de la tapisserie, ce qui fera apparaître la trame du canevas (voir, ci-dessous, le second modèle de petit point).

La bonne épaisseur de fil est déterminée à la fois par le point à exécuter et la jauge du canevas. D'une manière générale, plus la jauge est large et le point allongé, plus le fil doit être épais. Pour combiner avec succès sur un même canevas des points de tailles différentes, il vous faudra très certainement vous servir de fils de différentes épaisseurs. Tous les points illustrés ci-dessous ont été exécutés sur un canevas unifil torsadé nº 10 avec de la laine floche. Les deux premiers échantillons sont exécutés au petit point. La surface du canevas est bien recouverte dans le premier parce que la tension du fil est bonne, mais dans le second, la tension est trop serrée. Les deux autres échantillons sont exécutés au point Gobelin et la tension du fil est correcte dans les deux. Toutefois, les deux fils simples de laine floche utilisés dans le second modèle étaient insuffisants pour recouvrir tout le canevas. Le premier exemple a été exécuté avec quatre fils simples de laine floche, la bonne épaisseur pour ce type de point et de canevas.

Petit point : tension et épaisseur correctes

Point Gobelin : tension et épaisseur correctes

Petit point : tension du point trop serrée

Point Gobelin : fil trop mince

Exécution des points

Il y a peu de techniques d'exécution communes à tous les points de tapisserie. Les plus élémentaires sont la séparation des fils simples et l'enfilage de l'aiguille, expliqués en détail dans le chapitre de la Broderie. Avant d'enfiler l'aiguille, prenez une aiguillée de 45 centimètres (18″) de long. Un fil plus long risque de s'érailler pendant le travail. Le nombre de fils simples à garder dans l'aiguillée dépend du type de point exécuté et du canevas (voir page ci-contre).

En matière de tapisserie, il existe une méthode spéciale pour **arrêter l'extrémité des fils**. Pour commencer une aiguillée, laissez 5 centimètres (2″) de fil flottant à l'envers de l'ouvrage, couchez ce fil contre le canevas et prenez-le dans les premiers points. Une fois le fil bien arrêté, coupez-en l'excédent et continuez à broder. Pour finir une aiguillée, piquez l'aiguille dans le canevas, ressortez-la sur l'envers, glissez-la sous quelques-uns des derniers points et coupez le fil. Evitez de commencer et de finir une aiguillée sur la même rangée car il pourrait se former une arête, visible sur l'endroit.

Ce qui rend les points de tapisserie différents les uns des autres est la manière dont le fil à tapisser est lancé par-dessus les fils du canevas; en conséquence, pour obtenir le résultat escompté, il faut **savoir tenir le canevas correctement** pendant le travail. Généralement, on tient le canevas de manière que les fils de chaîne soient perpendiculaires au corps (il suffit d'identifier par un signe le haut du canevas). Certains points demandent de tourner le canevas pendant leur exécution. Pour d'autres, comme le petit point à la verticale (p. 121), il faut renverser le canevas à chaque rangée mais, une fois l'ouvrage terminé, tous les points sont dirigés dans le même sens. Dans certains cas, on ne fait faire au canevas qu'un quart de tour, ce qui permet d'obtenir une texture particulière (p. 163). Dans d'autres, ce quart de tour sert uniquement à faciliter l'exécution d'un point particulier, comme le point de chaise (p. 155).

Presque tous les points décrits dans ce chapitre sont exécutés sur un canevas unifil simple; ceci n'exclut en rien la possibilité de les exécuter avec autant de bonheur sur un autre genre de canevas. A chaque fois qu'il vaut mieux utiliser un genre de canevas plutôt qu'un autre, nous avons souligné cette nécessité. Les illustrations montrent aussi comment former les points par la **méthode de couture**, c'est-à-dire en piquant l'aiguille et en la ressortant un peu plus loin dans un seul et même mouvement. Il existe une autre méthode, la **méthode de piqûre** (verticale), qui comprend deux mouvements séparés pour chaque point. Elle est particulièrement recommandée quand le canevas est monté sur un métier et que la tension du tissu rend difficile un seul et même mouvement de l'aiguille. Les deux méthodes sont illustrées ci-dessous. Mais que vous choisissiez l'une ou l'autre, le fil de l'aiguillée peut s'enrouler sur lui-même. Quand l'enroulement du fil devient excessif (il se tortille, fait des nœuds, etc.), laissez pendre l'aiguille; elle tournera toute seule sur elle-même dans le sens inverse de la vrille; puis reprenez votre travail.

ARRÊT DES FILS

En début d'aiguillée, laissez 5 cm (2″) de fil libre sur l'envers de l'ouvrage que vous prendrez dans les premiers points. Coupez l'excédent.

En fin d'aiguillée, amenez l'aiguille sur l'envers de l'ouvrage et glissez-la sous quelques-uns des derniers points. Coupez l'excédent de fil.

POSITION DU CANEVAS

Tenez le canevas avec le bord supérieur en haut pour la plupart des points de tapisserie. Mettez une marque au sommet du canevas.

Dans quelques points, on renverse le canevas en cours de travail; on le renverse à chaque rangée, pour le petit point à la verticale (p. 121).

MÉTHODE D'EXÉCUTION DES POINTS

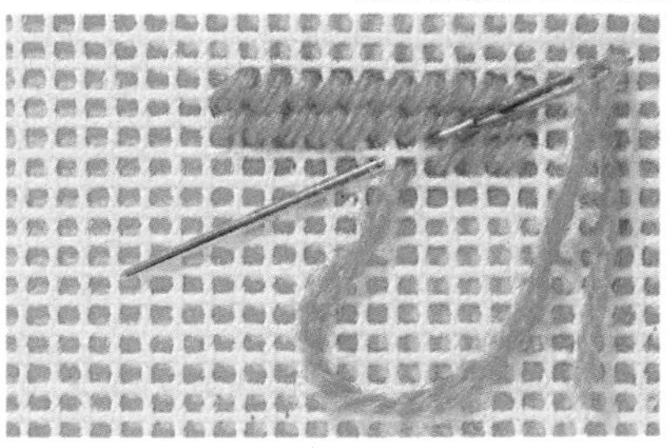

Selon la méthode de couture, l'aiguille rentre et sort du canevas en un seul et même mouvement pour chaque point.

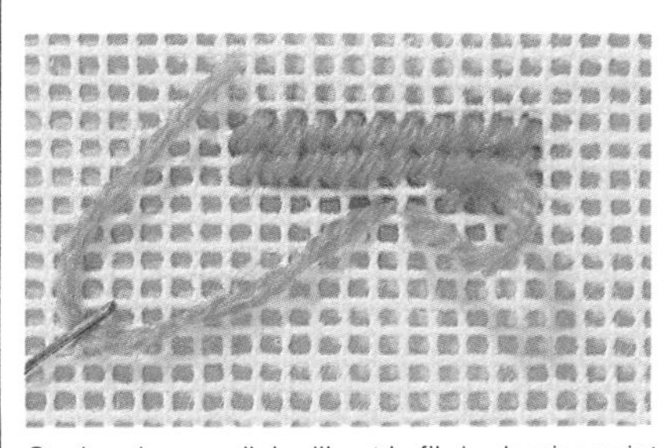

On tire alors sur l'aiguille et le fil du dernier point va se placer par-dessus les fils ou les croisements appropriés du canevas.

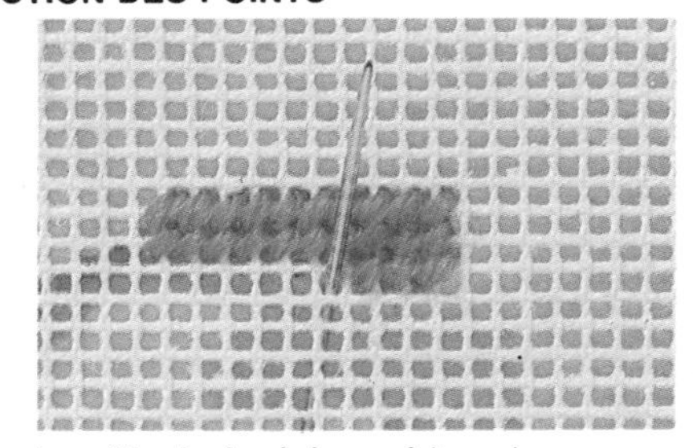

La méthode de piqûre se fait en deux mouvements pour chaque point. On sort d'abord l'aiguille sur l'endroit, perpendiculairement.

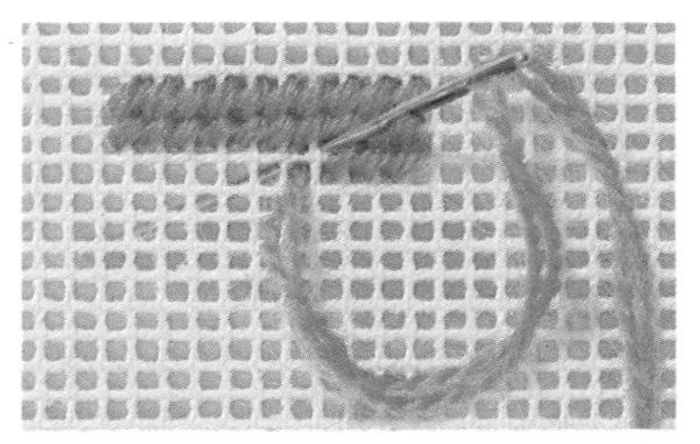

Puis l'aiguille et le fil sont rentrés en sens inverse, de l'endroit du canevas vers l'envers. Le point est formé après ce deuxième mouvement.

Points de tapisserie

Points en diagonale

Les points de tapisserie à l'aiguille de cette première catégorie sont appelés points en diagonale parce qu'ils enjambent tous diagonalement les fils du canevas. On comprend dans ce groupe le petit point, le plus populaire et aussi le plus employé de tous les points de tapisserie, dont la texture unie convient à n'importe quel genre de motif. Chacun des autres points en diagonale présente une texture ou un motif particulier. Votre choix d'un point en diagonale, de préférence à un autre, dépendra en premier lieu de l'attrait qu'il a pour vous et, en second lieu, des exigences du dessin de votre tapisserie.

Demi-point de croix (endroit et envers)

Petit point à l'horizontale (endroit et envers)

Petit point en diagonale (endroit et envers)

PETIT POINT

Le petit point est un point en diagonale lancé par-dessus un seul croisement du canevas. Nous expliquons ici les différentes façons d'exécuter le demi-point de croix et le petit point proprement dit. Ce dernier est plus résistant; en effet, il y a plus de surface recouverte à l'envers du canevas avec le petit point qu'avec le demi-point de croix. Par ailleurs, il vaut mieux ne pas exécuter le demi-point de croix sur un canevas unifil simple car ce point a tendance à déformer le canevas.

Demi-point de croix simple : il s'exécute à l'horizontale, de gauche à droite. Commencez dans le coin supérieur gauche de l'ouvrage. Formez chaque point en sortant l'aiguille en 1 et en la rentrant en 2. Au dernier point de chaque rangée, laissez l'aiguille au dos du canevas. Renversez complètement le canevas et exécutez une nouvelle rangée de points en les alignant sur ceux de la rangée précédente.

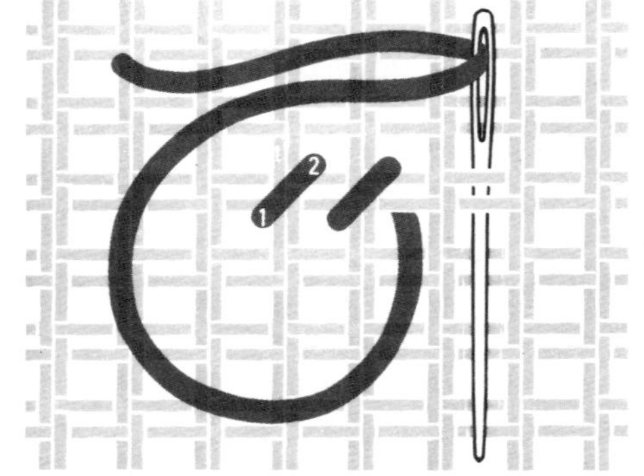

CANEVAS RENVERSÉ

Demi-point de croix (à la verticale) : commencez dans le coin inférieur droit et exécutez chaque rangée de points en montant. Pour former un point, sortez l'aiguille en 1, puis rentrez-la en 2. Au dernier point de chaque rangée, laissez l'aiguille au dos du canevas; renversez celui-ci complètement et exécutez la nouvelle rangée le long de la précédente.

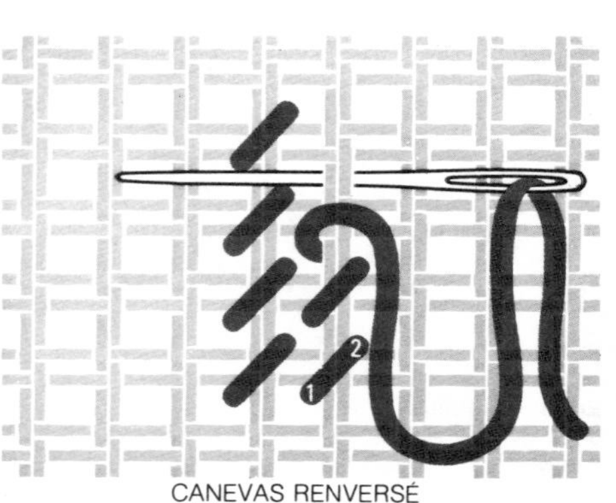

CANEVAS RENVERSÉ

Petit point (à l'horizontale) : commencez dans le coin inférieur droit et exécutez chaque rangée de droite à gauche. Pour former chaque point, sortez l'aiguille en 1 et rentrez-la en 2. Au dernier point de chaque rangée, laissez l'aiguille au dos du canevas. Renversez entièrement le canevas et exécutez les points de la nouvelle rangée parallèlement à ceux de la rangée précédente.

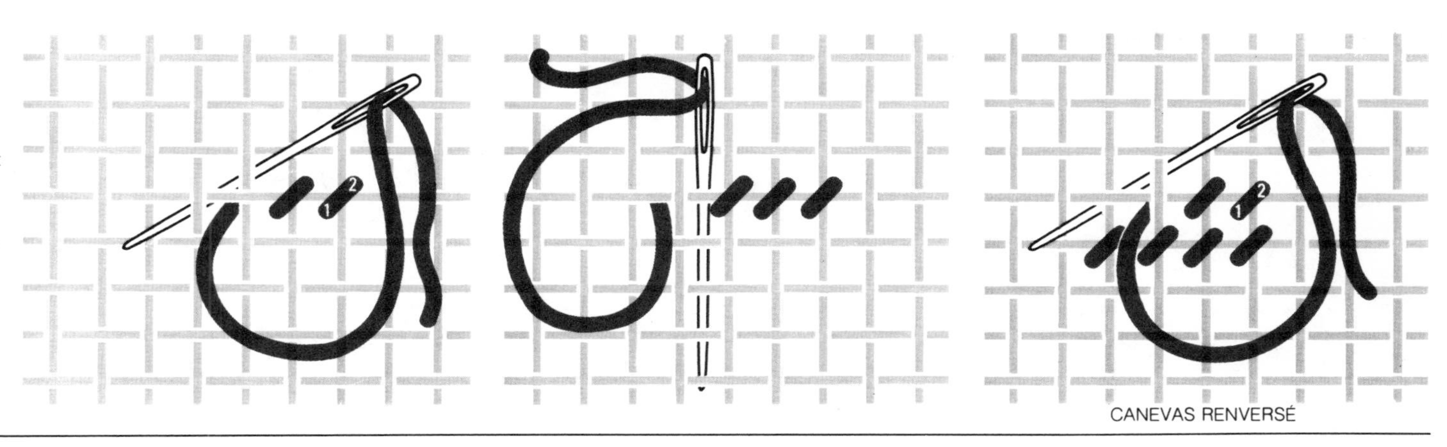

Petit point (à la verticale) : commencez dans le coin supérieur droit et exécutez chaque rangée de points du haut vers le bas du canevas. Pour former chaque point, sortez l'aiguille en 1 et rentrez-la en 2. Au dernier point de chaque rangée, laissez l'aiguille au dos du canevas. Renversez complètement le canevas et exécutez une nouvelle rangée de points parallèles à ceux de la rangée précédente.

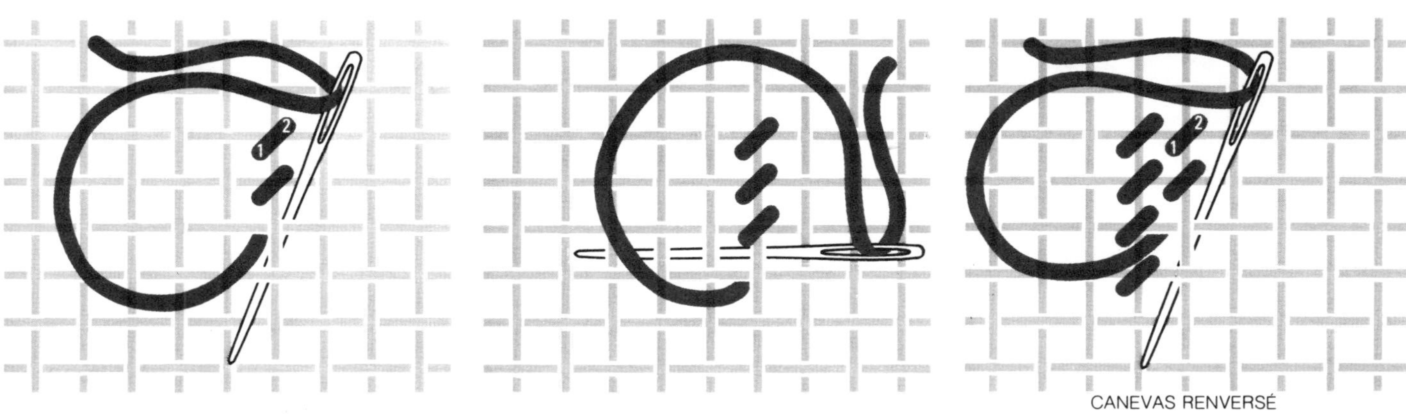

Petit point (en diagonale) : commencez à quelques croisements du coin supérieur droit et exécutez les rangées alternativement de haut en bas et de bas en haut. Pour chaque point, sortez l'aiguille en 1 et rentrez-la en 2. Quand vous descendez, tenez l'aiguille verticalement; quand vous montez, tenez-la horizontalement. Exécutez le premier point d'une rangée montante sous le dernier point de la rangée précédente, et le premier point d'une rangée descendante à côté du dernier point de la rangée précédente.

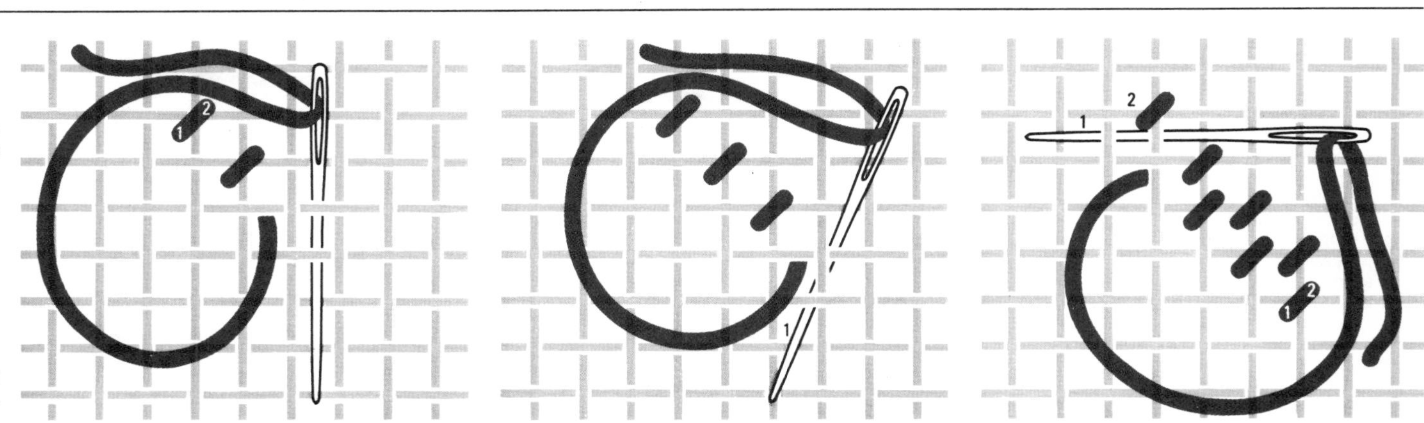

Points de tapisserie

Points en diagonale

Point Gobelin oblique classique

Point Gobelin oblique empiétant

POINTS GOBELIN OBLIQUES

Le point Gobelin oblique classique et le point Gobelin oblique empiétant se font de la même façon. Leur dissemblance provient de la façon dont les rangées sont disposées. On maintient une séparation entre les rangées exécutées au point Gobelin oblique classique, créant ainsi une délimitation visible. Par contre, les rangées exécutées au point Gobelin oblique empiétant se chevauchent, créant une texture uniforme. On peut adapter la dimension des deux points aux exigences d'un dessin pour remplir des surfaces délimitées.

Point Gobelin oblique classique : commencez dans le coin inférieur droit et exécutez les rangées alternativement de droite à gauche, puis de gauche à droite. Pour chaque point, sortez l'aiguille en 1, passez-la par-dessus un ou deux fils de chaîne et deux à cinq fils de trame, et rentrez-la en 2; sur l'illustration, le point couvre deux fils de trame et un fil de chaîne. A la fin de chaque rangée, changez de sens; exécutez les nouveaux points de manière que leur base (1) se situe à un point de la base des points de la rangée précédente.

Point Gobelin oblique empiétant : commencez dans le coin supérieur droit et exécutez les rangées alternativement de droite à gauche, puis de gauche à droite. Pour chaque point, sortez l'aiguille en 1 et rentrez-la en 2. L'espace entre 1 et 2 peut varier dans les mêmes proportions que pour le point classique; celui de l'illustration est de trois fils de trame et d'un fil de chaîne. Le haut (2) des points de chaque nouvelle rangée doit arriver une maille de canevas au-dessus et à droite de la base des points précédents.

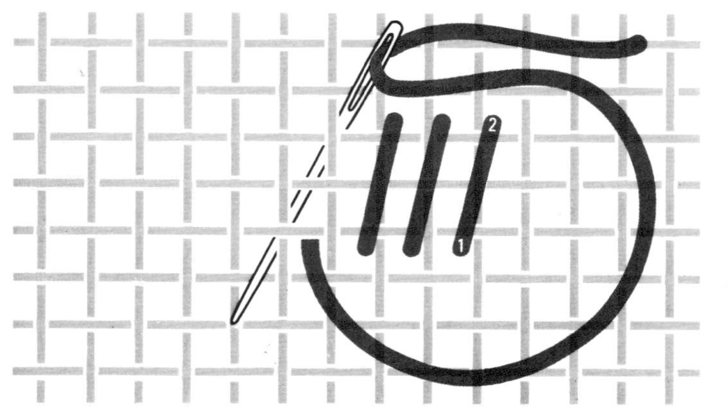

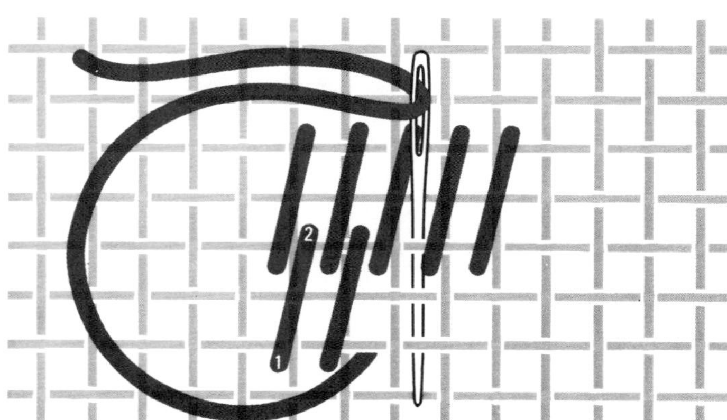

Point byzantin

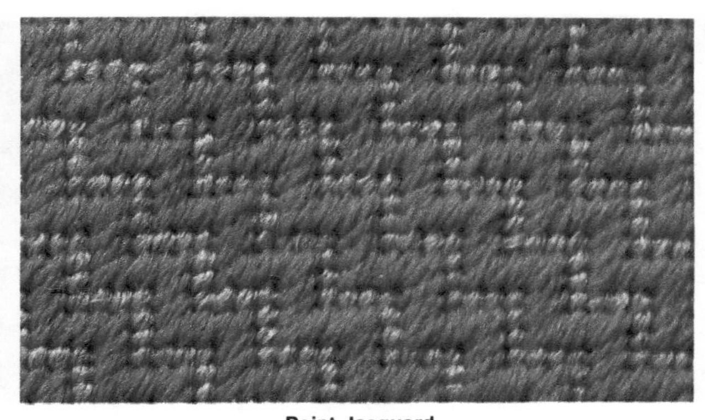

Point Jacquard

POINTS BYZANTINS

Le point byzantin et sa variante, le point Jacquard, créent de saisissants motifs en escalier. Le point byzantin est composé de points lancés obliques égaux; quant au point Jacquard, il fait alterner des rangées de point byzantin avec des rangées de petit point. La dimension des points byzantins, de même que celle des gradins, est variable. Les deux motifs conviennent très bien au remplissage des fonds. On peut facilement broder l'un ou l'autre avec deux couleurs de fil, en changeant de couleur à chaque rangée.

Point byzantin : commencez dans le coin supérieur gauche et exécutez la première rangée du haut vers le bas du canevas. Chaque gradin est constitué de six ou huit points (ici, six) : la première moitié des points est disposée horizontalement et la deuxième, verticalement. Exécutez les points (1-2) par-dessus deux ou quatre croisements du canevas (ici, deux). Les rangées suivantes sont exécutées alternativement de bas en haut, puis de haut en bas. On remplit d'abord l'espace supérieur puis l'espace inférieur du canevas.

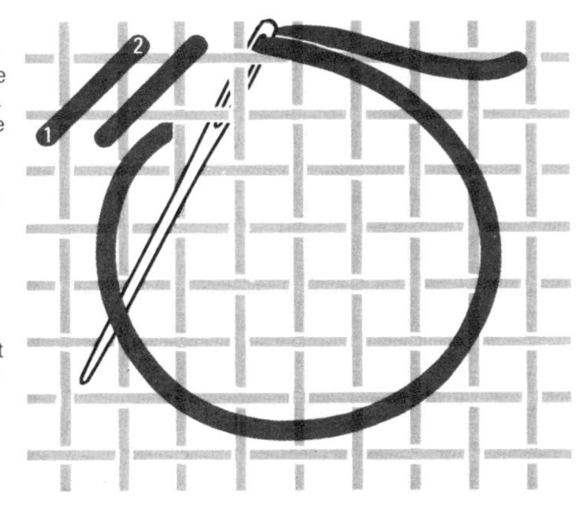

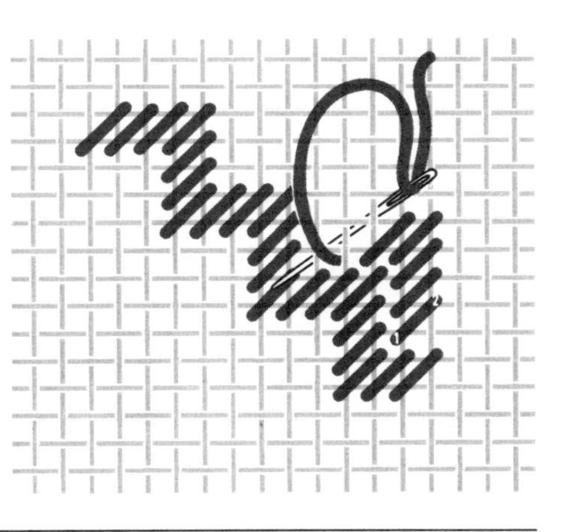

Point Jacquard : ici aussi le canevas est recouvert de rangées de points byzantins, entre lesquelles on laisse l'espace d'un croisement. Sur chacun de ces espaces, exécutez un petit point (p. 121). Faites les rangées de petit point de bas en haut, en renversant le canevas à chaque nouvelle rangée. Pour former la ligne horizontale des gradins, faites des petits points à l'horizontale, de 1 en 2. Pour former la ligne verticale des gradins, renversez le sens d'exécution des points en sortant l'aiguille en A et en la rentrant en B.

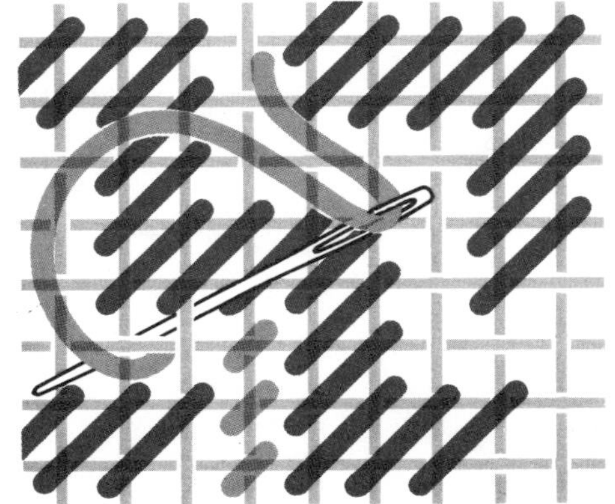

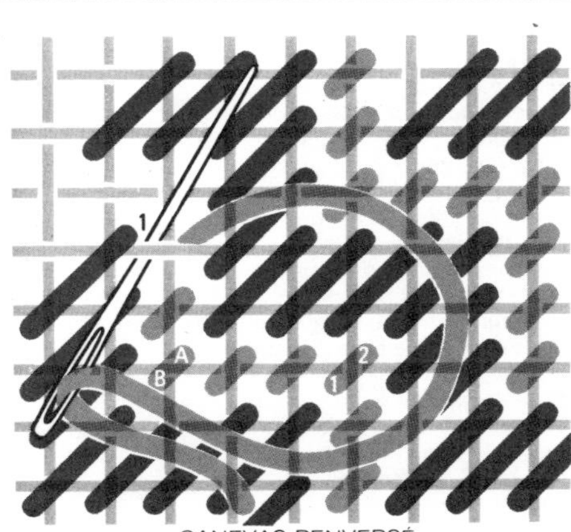

CANEVAS RENVERSÉ

Points de tapisserie

Points en diagonale

Point de mosaïque classique

Point de mosaïque fantaisie (ou **point de Florence**)

POINTS DE MOSAÏQUE

Le point de mosaïque produit un carré par la répétition d'un même groupe de trois points. Les rangées peuvent être exécutées à l'horizontale ou en diagonale, au choix. Quand on n'utilise qu'une seule couleur de fil, les deux méthodes donnent le même motif; mais si on se sert de deux couleurs, chacune d'elles se plaçant de manière différente, on a deux motifs distincts (p. 160). Le point de mosaïque fantaisie, qui n'est formé que de deux points, produit une texture uniforme; il s'exécute toujours en diagonale. Utilisez ces points pour les petites ou les grandes surfaces.

Point de mosaïque (à l'horizontale) : commencez dans le coin supérieur droit et travaillez tous les rangs de droite à gauche. Chaque rangée est la répétition d'un groupe de trois points dont l'ensemble forme un carré. Faites un petit point de 1 en 2, puis un point lancé par-dessus deux croisements, de 3 en 4; terminez par un deuxième petit point de 5 en 6. Commencez le deuxième carré au croisement qui se trouve à gauche de 3. A la fin de chaque rangée, laissez l'aiguille au dos du canevas et renversez celui-ci.

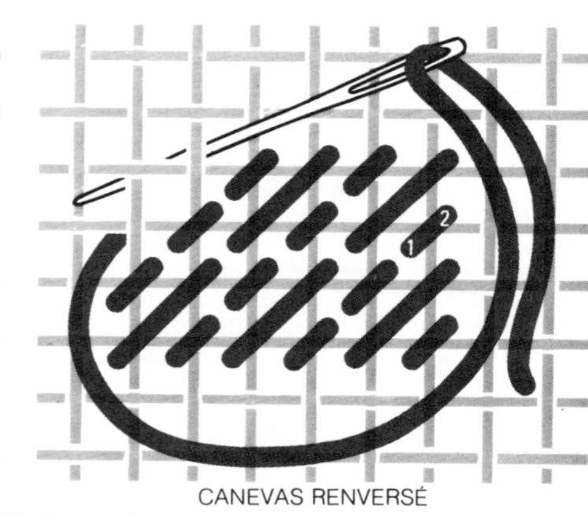

CANEVAS RENVERSÉ

Point de mosaïque (en diagonale) : commencez dans le coin supérieur gauche et exécutez la première rangée en diagonale vers le coin inférieur droit. Exécutez les rangées alternativement de haut en bas, puis de bas en haut, en recouvrant d'abord la surface supérieure puis la surface inférieure. Chaque rangée est constituée d'une suite de carrés en point de mosaïque (1-6), mais comme ils sont disposés en diagonale, il y a toujours une maille de canevas entre chaque carré. A la fin de la rangée, changez de sens.

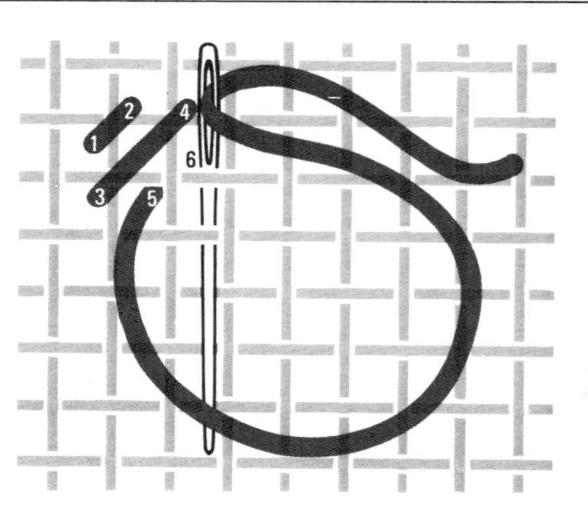

Point de mosaïque fantaisie (ou **point de Florence**) : commencez dans le coin supérieur gauche. Exécutez la première rangée en diagonale vers le bas, et les rangées suivantes alternativement vers le haut, puis vers le bas. Formez un petit point, de 1 en 2, puis un point en diagonale par-dessus deux croisements, de 3 en 4. Faites le petit point suivant par-dessus le croisement qui fait face au centre du point 3-4. Disposez les points de sorte que le petit point d'une nouvelle rangée soit à côté du point long de la rangée précédente.

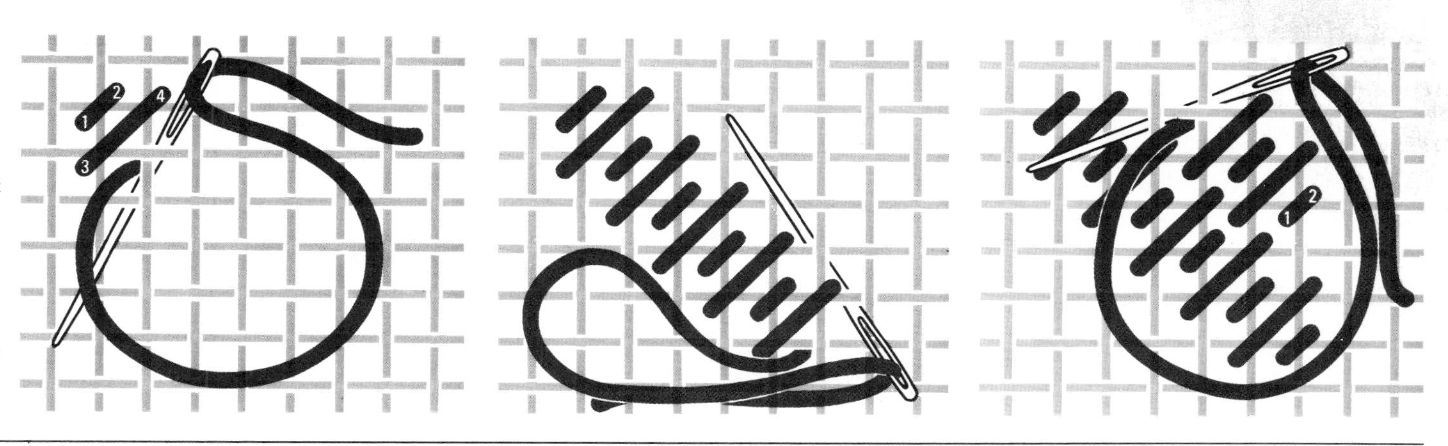

Point écossais classique

Point écossais fantaisie

Point en damier

POINTS ÉCOSSAIS

De même que le point de mosaïque, le point écossais s'exécute à l'horizontale ou en diagonale, au choix, et crée un motif à carreaux; chaque carreau est composé de cinq points. Le point écossais fantaisie, pour sa part, s'exécute toujours en diagonale mais par répétition de groupes de quatre points au lieu de cinq. Il existe aussi une variante du point écossais, appelée le point en damier, qui fait alterner des carreaux de point écossais avec des carreaux de même dimension au petit point. Le point écossais ne convient pas pour couvrir des petites surfaces.

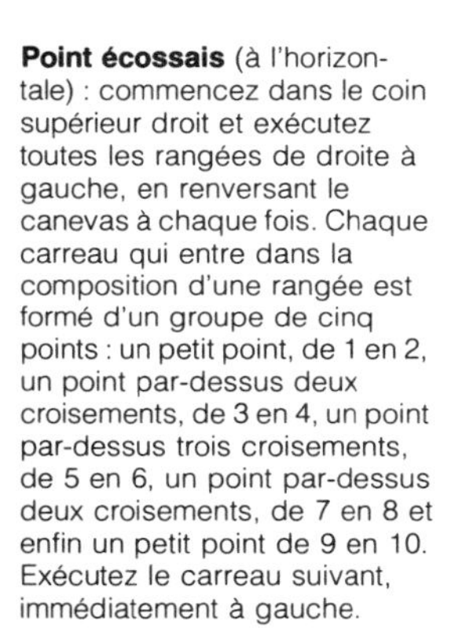
Point écossais (à l'horizontale) : commencez dans le coin supérieur droit et exécutez toutes les rangées de droite à gauche, en renversant le canevas à chaque fois. Chaque carreau qui entre dans la composition d'une rangée est formé d'un groupe de cinq points : un petit point, de 1 en 2, un point par-dessus deux croisements, de 3 en 4, un point par-dessus trois croisements, de 5 en 6, un point par-dessus deux croisements, de 7 en 8 et enfin un petit point de 9 en 10. Exécutez le carreau suivant, immédiatement à gauche.

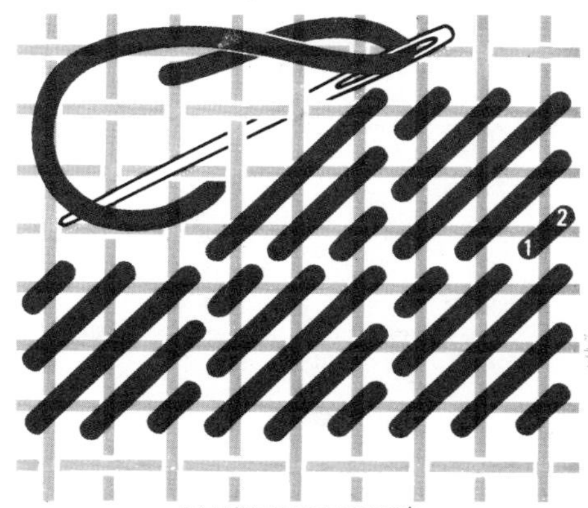

CANEVAS RENVERSÉ

Points de tapisserie

Points en diagonale

Point écossais (en diagonale) : commencez dans le coin supérieur gauche. Exécutez la première rangée en diagonale vers le bas, et les suivantes alternativement vers le haut puis vers le bas, en remplissant les espaces supérieur puis inférieur. Chaque rangée consiste en des carreaux de points écossais (1-10), placés en diagonale, de sorte qu'il y ait une maille d'espace entre chacun. A chaque nouvelle rangée, changez le sens d'exécution des points et imbriquez les nouveaux carreaux dans les dentelures précédentes.

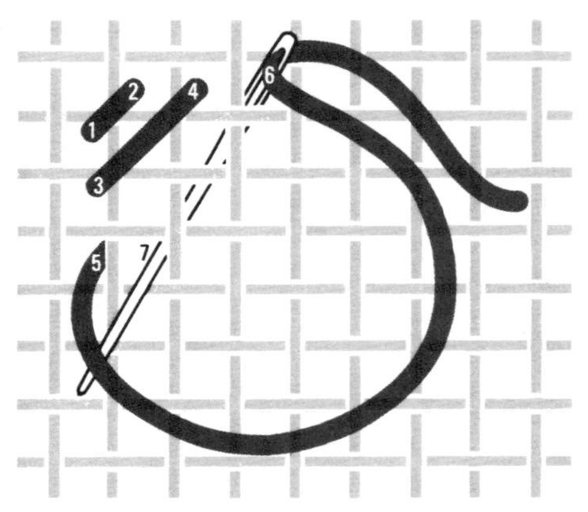

Point écossais fantaisie: commencez dans le coin supérieur gauche. Exécutez la première rangée en diagonale vers le bas et les suivantes alternativement vers le haut puis vers le bas. Répétez le groupe des quatre points suivants : un petit point, de 1 en 2, un point par-dessus deux croisements, de 3 en 4, un point par-dessus trois croisements, de 5 en 6 et un point par-dessus deux croisements, de 7 en 8. A chaque nouvelle rangée, changez le sens d'exécution des points.

Point en damier : commencez dans le coin supérieur droit et exécutez toutes les rangées de droite à gauche, en renversant à chaque fois le canevas. Brodez un carreau de points écossais; à côté de celui-ci, exécutez un carreau au petit point de manière à recouvrir la même surface (trois croisements sur trois croisements). Faites alterner les deux sortes de carreaux. Le petit point est exécuté ici en diagonale (A-I). Alignez les carreaux au petit point sur les carreaux au point écossais de la rangée précédente.

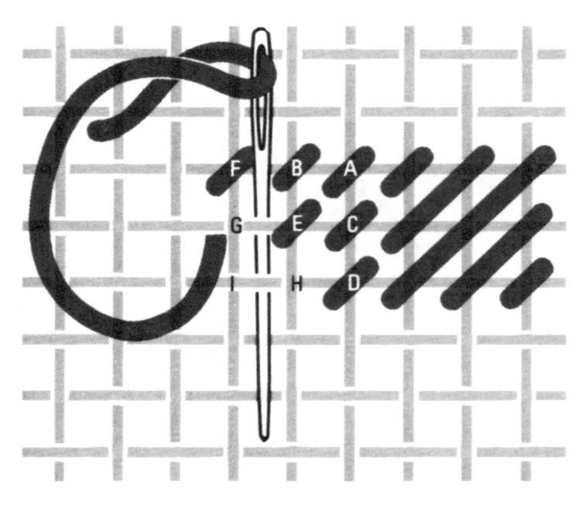

CANEVAS RENVERSÉ

CANEVAS RENVERSÉ

Point cachemire classique

Point cachemire fantaisie

POINTS CACHEMIRE

De même que le point de mosaïque et le point écossais, le point cachemire donne un motif à carreaux, avec cette différence que les carreaux sont rectangulaires au lieu d'être carrés. Chaque carreau de point cachemire est formé de quatre points et les rangées sont exécutées soit à l'horizontale, soit en diagonale. Dans le point cachemire fantaisie, les enchaînements sont constitués de trois points au lieu de quatre, et les rangées ne s'exécutent qu'en diagonale. Le point cachemire peut orner certains détails mais on l'utilise surtout pour les fonds.

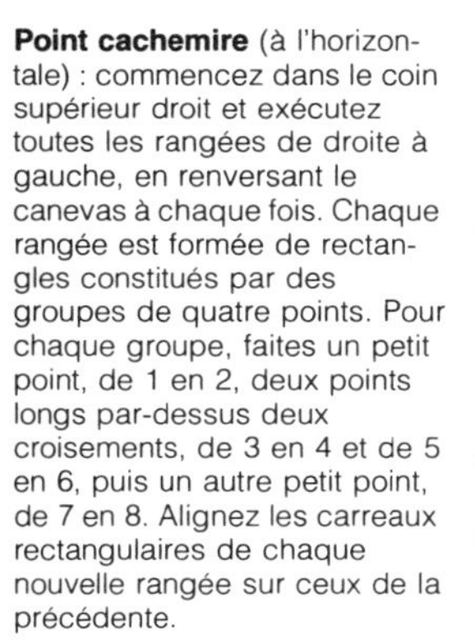

Point cachemire (à l'horizontale) : commencez dans le coin supérieur droit et exécutez toutes les rangées de droite à gauche, en renversant le canevas à chaque fois. Chaque rangée est formée de rectangles constitués par des groupes de quatre points. Pour chaque groupe, faites un petit point, de 1 en 2, deux points longs par-dessus deux croisements, de 3 en 4 et de 5 en 6, puis un autre petit point, de 7 en 8. Alignez les carreaux rectangulaires de chaque nouvelle rangée sur ceux de la précédente.

CANEVAS RENVERSÉ

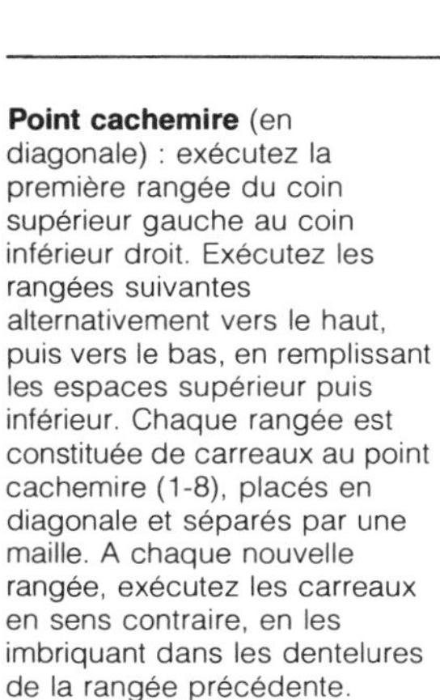

Point cachemire (en diagonale) : exécutez la première rangée du coin supérieur gauche au coin inférieur droit. Exécutez les rangées suivantes alternativement vers le haut, puis vers le bas, en remplissant les espaces supérieur puis inférieur. Chaque rangée est constituée de carreaux au point cachemire (1-8), placés en diagonale et séparés par une maille. A chaque nouvelle rangée, exécutez les carreaux en sens contraire, en les imbriquant dans les dentelures de la rangée précédente.

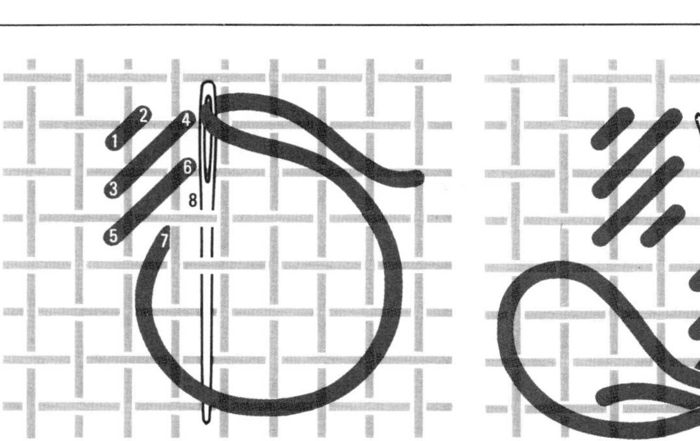

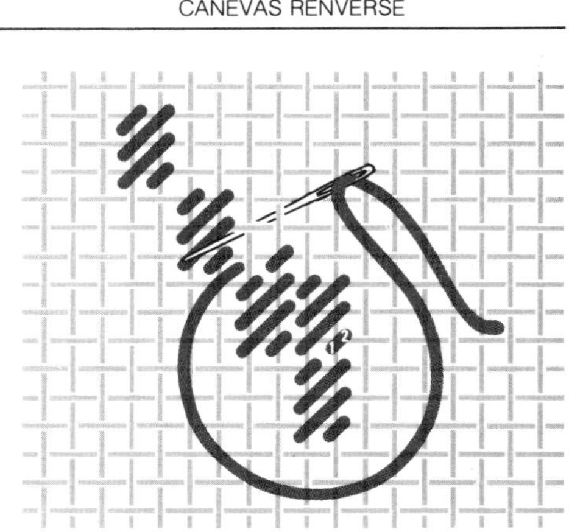

Points de tapisserie

Points en diagonale

Point cachemire fantaisie : commencez la première rangée dans le coin supérieur gauche; travaillez en diagonale vers le bas. Les rangées suivantes sont exécutées alternativement vers le haut, puis vers le bas. Chaque rangée est constituée de la répétition du même groupe de trois points : un petit point, de 1 en 2, et deux longs points qui enjambent deux croisements du canevas, de 3 en 4 et de 5 en 6. Imbriquez les groupes de points de chaque rangée dans les dentelures de la précédente.

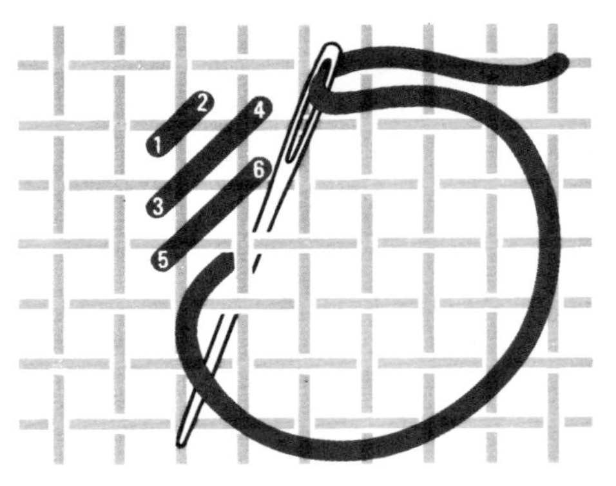

Point de Milan

Point d'Orient

POINTS DE MILAN

Le point de Milan et sa variante, le point d'Orient, forment de grands motifs; aussi, aucun d'eux ne convient aux petites surfaces. Le point de Milan est composé de rangées d'unités triangulaires de points. Le point d'Orient est formé de rangées de points de Milan, espacées de manière à permettre à des groupes de longs points égaux de s'y encastrer. Quand le point d'Orient est exécuté en une seule couleur, on a un effet d'escalier, mais quand il est exécuté en deux couleurs (notre illustration), les deux formations ressortent bien.

Point de Milan : exécutez la première rangée en diagonale du coin supérieur gauche au coin inférieur droit. Chaque rangée est la répétition d'un groupe de quatre points exécutés de manière à créer des unités triangulaires : un petit point, de 1 en 2, un point par-dessus deux croisements, de 3 en 4, un autre par-dessus trois croisements, de 5 en 6, et un dernier par-dessus quatre croisements, de 7 en 8. A chaque nouvelle rangée, changez de sens d'exécution, en inversant la direction des unités triangulaires : placez le petit point à côté du long point du rang précédent.

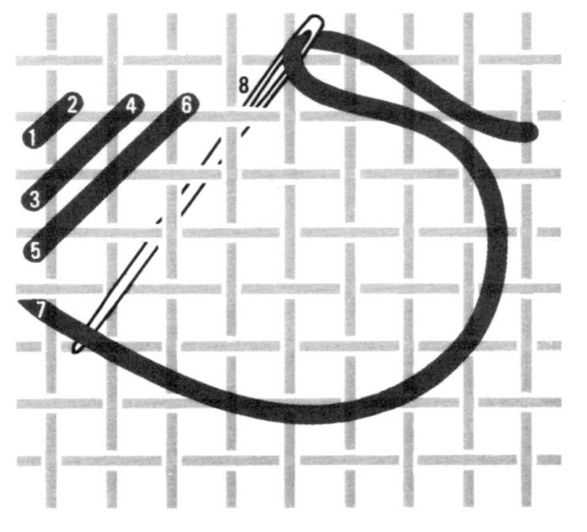

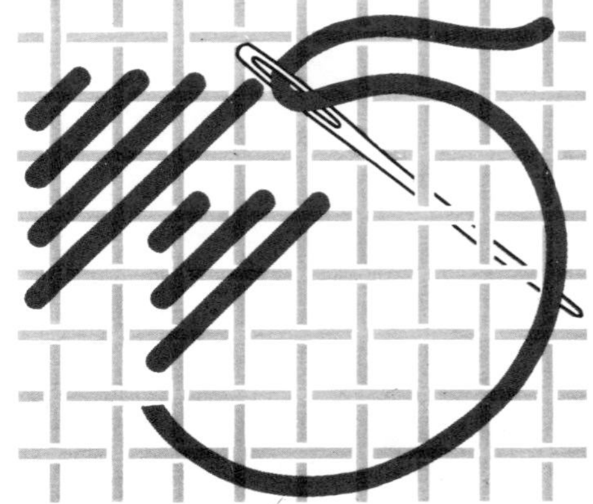

Point d'Orient : faites une rangée de points de Milan en partant du coin supérieur gauche vers le coin inférieur droit du canevas. Exécutez les rangées suivantes alternativement de haut en bas et de bas en haut, de façon à couvrir toute la surface des deux côtés de la rangée médiane. A chaque nouvelle rangée, inversez la direction des unités en triangle. Espacez ces rangées de telle sorte que les points les plus longs de toutes les unités se trouvent placés en ligne diagonale les uns près des autres. Cet arrangement particulier des unités laisse entre chaque rangée des espaces vides rectangulaires dont la direction alterne de la verticale dans une rangée à l'horizontale dans la suivante.

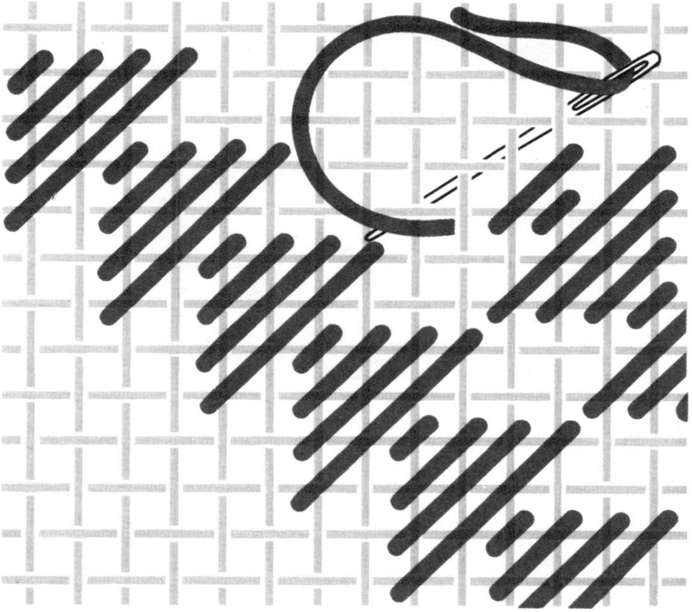

Remplissez les espaces vides comme suit : en commençant par le premier espace vide situé dans le coin supérieur gauche, exécutez les rangées d'unités rectangulaires, de haut en bas pour les points diagonaux à la verticale, et de bas en haut pour les points diagonaux à l'horizontale. Formez chaque rectangle avec trois points en diagonale enjambant chacun deux croisements, de 1 en 2. Dans les surfaces verticales, alignez les points les uns au-dessous des autres; dans les surfaces horizontales, alignez-les côte à côte. Tous les points doivent aller dans la même direction (de gauche à droite). Quand il faut utiliser des points de compensation (p. 161) pour remplir les bords externes de la surface brodée, respectez les séquences des rangées.

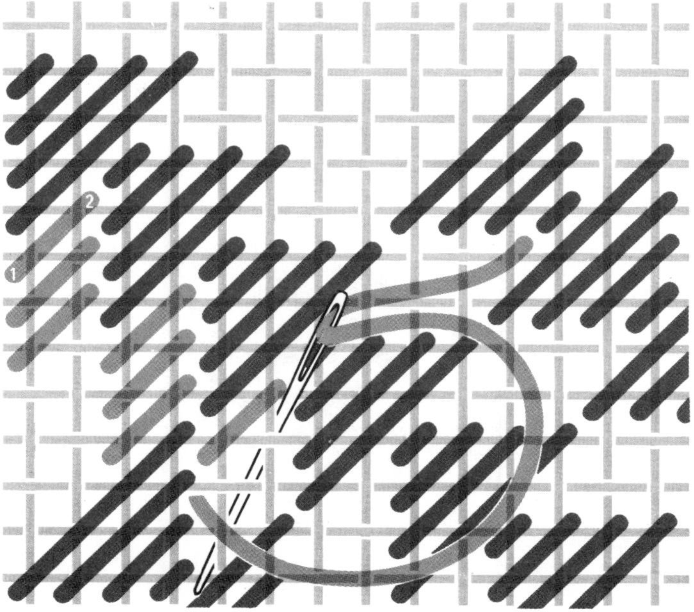

Points de tapisserie

Points en diagonale

Point natté espagnol

Point de tige

POINT NATTÉ ESPAGNOL/ POINT DE TIGE

Le point natté espagnol et le point de tige forment des motifs qui ont un aspect tressé. Le point natté espagnol traverse le canevas de droite à gauche, alors que le point de tige le traverse de haut en bas. Les deux motifs sont composés de rangées de points en diagonale dont l'orientation est contrariée à chaque nouvelle rangée. Le point de tige comprend de surcroît des points arrière. Si tous deux servent à recouvrir des surfaces petites ou grandes, le point natté espagnol convient particulièrement à la confection des tapis.

Point natté espagnol : commencez dans le coin supérieur droit et exécutez les rangées alternativement de droite à gauche, puis de gauche à droite. Chaque point se fait par-dessus un fil de trame et deux fils de chaîne. Pendant l'exécution des rangées de droite à gauche, sortez l'aiguille en 1, à la base du point, et rentrez-la en 2, au sommet du point. Quand le travail se fait de gauche à droite, inversez l'inclinaison des points en sortant l'aiguille au sommet du point, en 3, et en la rentrant à la base du point, en 4.

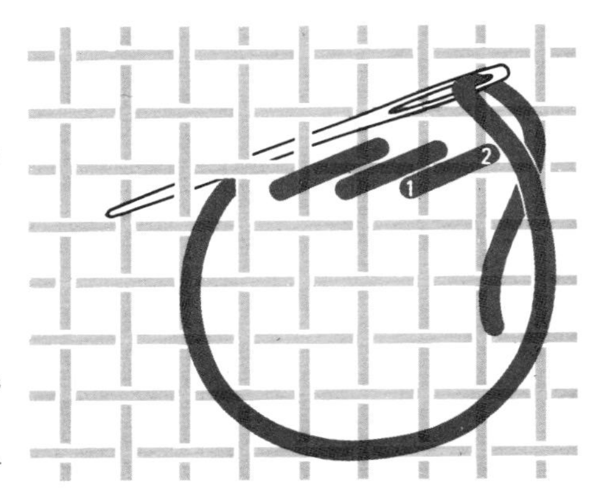

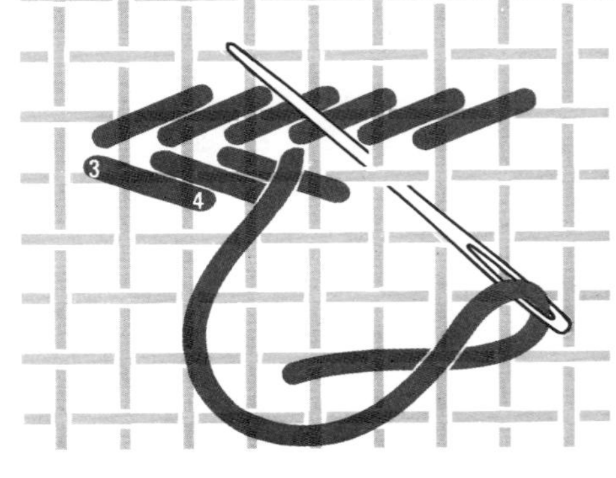

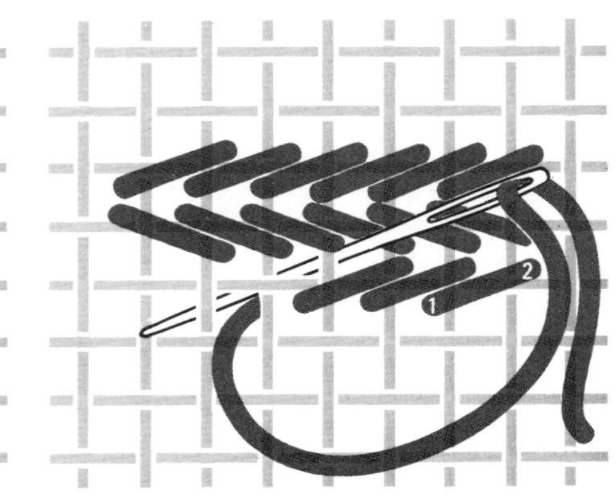

Point de tige : commencez dans le coin supérieur gauche et exécutez des groupes de trois rangées. La première rangée de points en diagonale s'exécute de haut en bas et la deuxième, de bas en haut; la troisième rangée, brodée de points arrière (p. 138), s'exécute de haut en bas entre les deux autres. Faites chaque point en diagonale par-dessus deux croisements; en descendant, travaillez de droite à gauche (1-2) et en montant, de gauche à droite (3-4). Faites chaque point arrière (A-B) par-dessus un fil de trame.

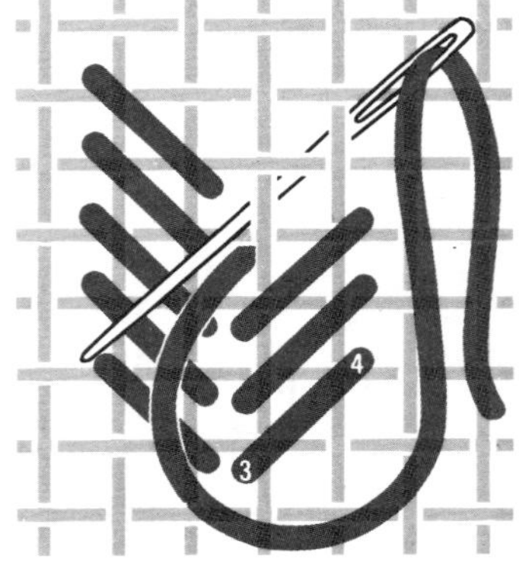

Points droits

On appelle les points de ce groupe les points droits, parce que tous, à l'exception du point arrière diagonal, sont des points qui s'exécutent parallèlement aux fils du canevas et, plus particulièrement, parallèlement aux fils de chaîne (verticaux). Le point de trait et le point arrière à l'horizontale sont les deux seuls points parallèles aux fils de trame (horizontaux). Le groupe des points droits comprend également le point florentin et ses variantes qui donnent ces motifs en zigzag connus sous le nom de Bargello. Le Bargello proprement dit est expliqué plus en détail à partir de la page 173.

Point Gobelin droit classique

Point Gobelin droit empiétant

POINTS GOBELIN DROITS

Si le point Gobelin droit et le point Gobelin droit empiétant se ressemblent par leur mode d'exécution, ils sont très différents dans leur aspect, à cause de la disposition de leurs rangées. En effet, le premier donne des lignes texturées bien démarquées parce que chaque rangée est séparée de la précédente. Par contre, le second forme une texture uniforme parce que ses rangées se chevauchent. Les deux types de points peuvent varier en longueur selon la surface de canevas à recouvrir.

Point Gobelin droit : commencez dans le coin supérieur droit. Exécutez les rangées alternativement de droite à gauche, puis de gauche à droite. Pour chaque point, sortez l'aiguille en 1 et rentrez-la en 2, en passant par-dessus deux à cinq fils de trame (ici, deux). Exécutez les points d'une nouvelle rangée de telle sorte que leur base (1) se situe à un point au-dessous de la base des points précédents.

Point Gobelin droit empiétant : commencez dans le coin supérieur droit. Exécutez les rangées alternativement de droite à gauche, puis de gauche à droite. Pour chaque point, sortez l'aiguille en 1 et rentrez-la en 2, en passant par-dessus deux à cinq fils de trame (ici, trois). A la fin de chaque rangée, changez de sens. Exécutez les nouveaux points de telle sorte que leur sommet (2) se trouve un fil au-dessus de la base des points de la rangée précédente, mais toujours à gauche ou à droite de ceux-ci (ici, à gauche).

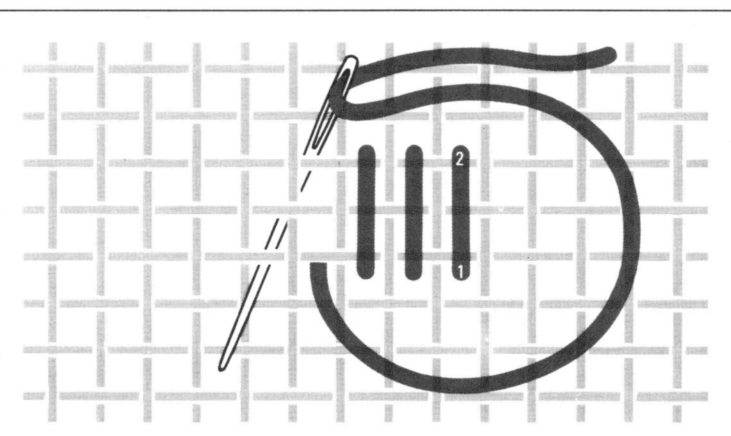

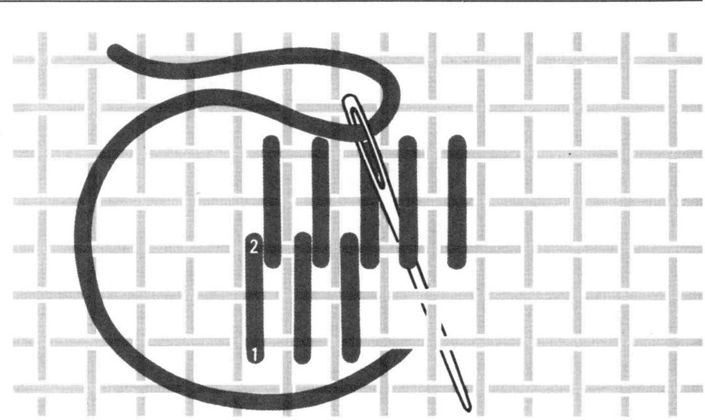

Points de tapisserie

Points droits

Petit point de brique

Grand point de brique

POINTS DE BRIQUE

Le petit et le grand points de brique créent tous deux le même motif, sauf que chaque petit point de brique ne recouvre que deux fils de trame du canevas alors que chaque grand point de brique en recouvre six. Une autre ressemblance entre les deux points est que leur méthode respective d'exécution (voir illustrations ci-dessous) est interchangeable. Avec la première méthode (illustrée d'abord), on obtient dès la première rangée un effet de zigzag, alors qu'avec la seconde (illustrée en bas), l'effet en zigzag ne devient visible qu'après que la deuxième rangée de points a été mise en œuvre.

Petit point de brique : commencez dans le coin supérieur droit. Exécutez les rangées alternativement de droite à gauche, puis de gauche à droite. Chaque rangée couvre la hauteur de trois fils de trame, mais chaque point (1-2) n'enjambe que deux de ces fils, le premier point passant par-dessus les deux fils supérieurs, le deuxième par-dessus les deux fils inférieurs. Placez la base des points de chaque nouvelle rangée à un point de la base de ceux de la rangée précédente.

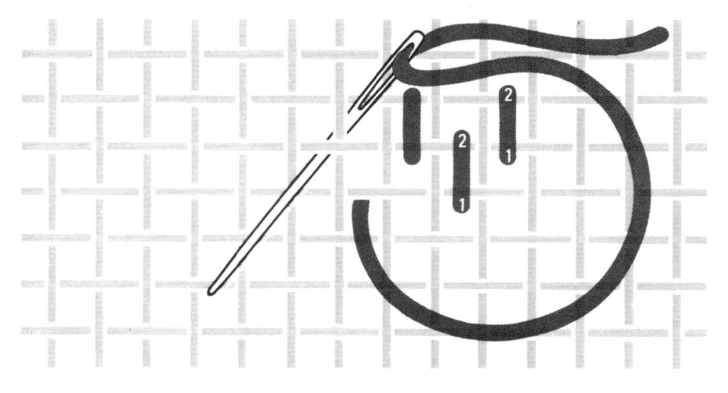

Grand point de brique : commencez dans le coin supérieur droit. Exécutez les rangées alternativement de droite à gauche, puis de gauche à droite. Pour former chaque point, sortez l'aiguille en 1 et rentrez-la en 2 par-dessus six fils de trame. Chaque point doit être séparé des autres par une rangée verticale de mailles du canevas. Placez les points de chaque nouvelle rangée entre ceux de la rangée précédente et de telle sorte que leur moitié supérieure empiète sur la moitié inférieure de ceux-ci.

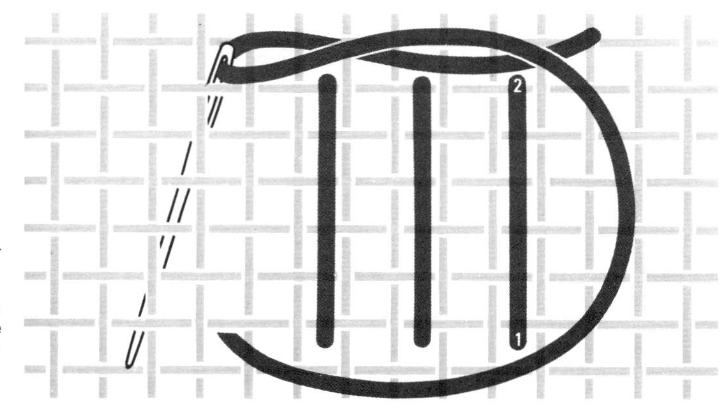

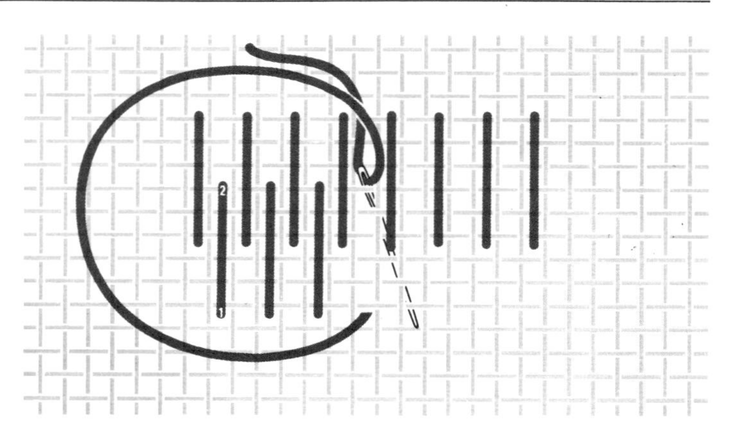

POINTS FLORENTINS

Le point florentin et ses variantes forment les motifs en zigzag qu'on utilise très souvent dans le Bargello. On nomme « pics » les points situés au sommet du zigzag, et « creux » ou « vallées » les points situés le plus bas. Chaque rangée est formée de points droits. On utilise le terme **gradin** pour désigner le nombre de fils de trame de canevas qui séparent les bases de points contigus. On utilise aussi un code pour indiquer la hauteur des points et des gradins : deux chiffres séparés par un point, par exemple 3.1. Le premier chiffre désigne la longueur du point, le second, le gradin. La quantité de fils pour un gradin doit toujours être inférieure à la longueur du point. On construit le modèle d'un point florentin en jonglant avec le nombre des points, leur longueur et leur gradin. Dans sa forme la plus commune, le point florentin suit un motif de pics et de creux uniformes mais ses variantes sont très nombreuses; nous ne vous en donnons ici que deux. Pour en savoir davantage, reportez-vous à la page 173.

Point florentin

Deux variantes du point florentin

Point florentin : exécutez la première rangée en deux temps; du centre vers la gauche, puis du centre vers la droite. Exécutez toutes les rangées suivantes en un seul mouvement, à partir du bord droit vers le bord gauche, ou inversement. Placez les rangées au-dessus ou au-dessous de la rangée centrale, en imbriquant les points de chaque nouvelle rangée dans les dentelures de la précédente. Dans chaque rangée, il peut y avoir trois à huit points entre les creux et les pics (ici, quatre). Les points peuvent couvrir de deux à huit fils de trame; le gradin doit compter au moins un fil de moins que le point. Tous nos points couvrent quatre fils de trame et les gradins entre les points comptent deux fils (rapport 4.2).

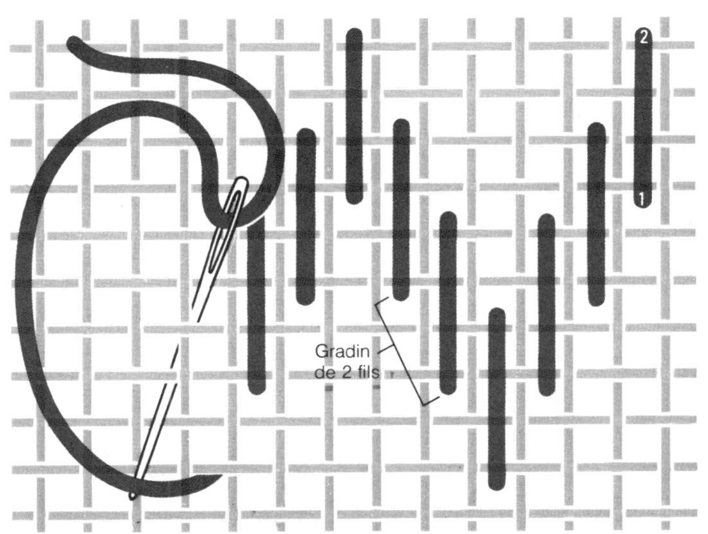

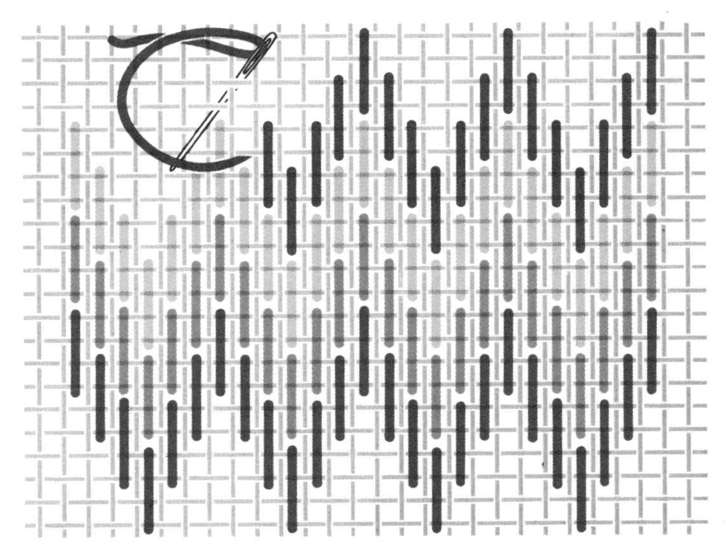

Points de tapisserie

Points droits

Une façon de varier le point florentin consiste à exécuter des pics et des vallées de tailles et de profondeurs différentes. On appelle cela le *point flamme*. Il n'existe pas de modèle stéréotypé de cette variante. D'une manière générale, on peut dire que plus il y a de points entre un pic et une vallée, plus ces points sont allongés, plus leur gradin est important, et plus le pic sera haut. Le gradin peut varier à l'intérieur d'une rangée. Les points d'une même rangée sont tous de la même taille, alors que leur longueur peut varier d'une rangée à l'autre, les gradins restant exactement les mêmes que ceux de la première rangée. Sur l'illustration à l'extrême droite, la première rangée se trouve au centre du dessin. Notez comment l'écart entre les gradins reste constant même si la longueur des points change d'une rangée à l'autre.

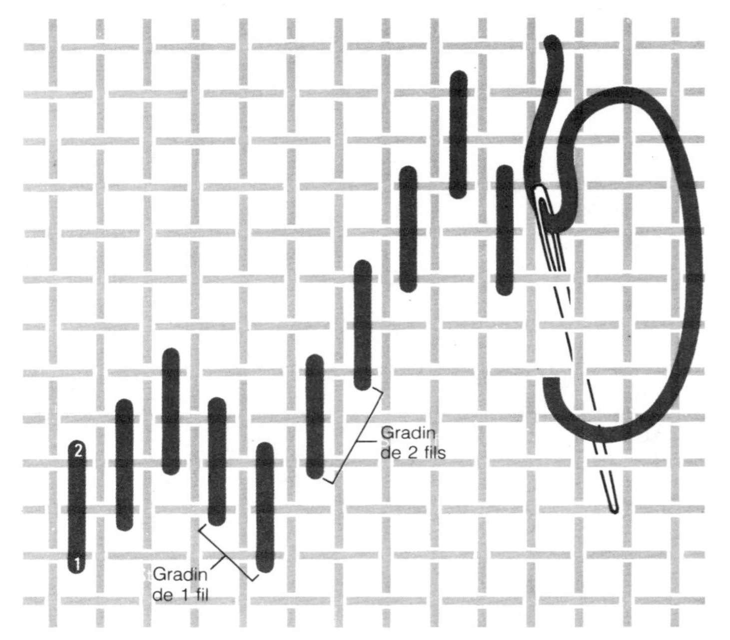

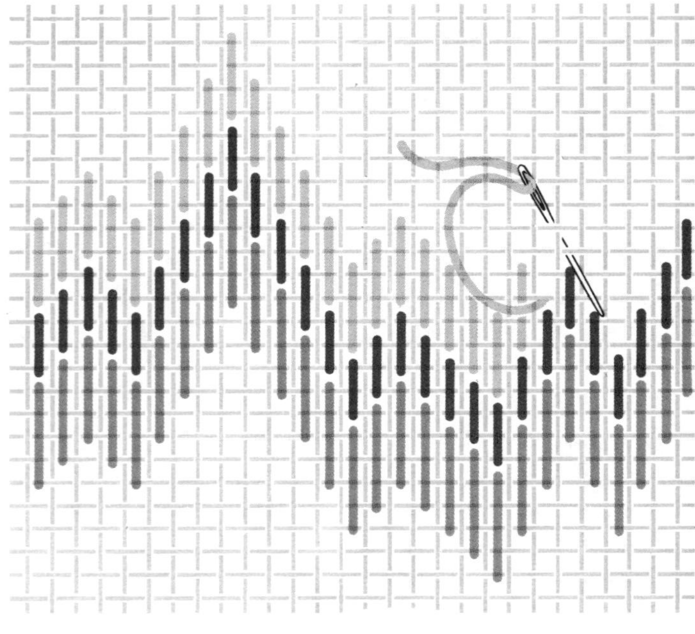

Une autre façon de varier le point florentin est d'arrondir les pics (et les vallées, non illustrées). Pour ce faire, on exécute des blocs de points. Ces blocs peuvent être constitués de deux à six points. Le nombre de blocs nécessaire pour arrondir un pic est variable. En général, plus il y a de blocs et de points compris dans chacun, plus le pic sera arrondi. Les points ont la même longueur dans chaque bloc, mais le gradin entre les blocs peut varier. Le modèle peut inclure sur une seule rangée des pics et des vallées pointus et arrondis. La disposition des blocs et des gradins de la première rangée (en haut, sur l'illustration de l'extrême droite) doit être respectée dans les autres rangées. Toutefois, la longueur du point peut changer dans chaque rangée.

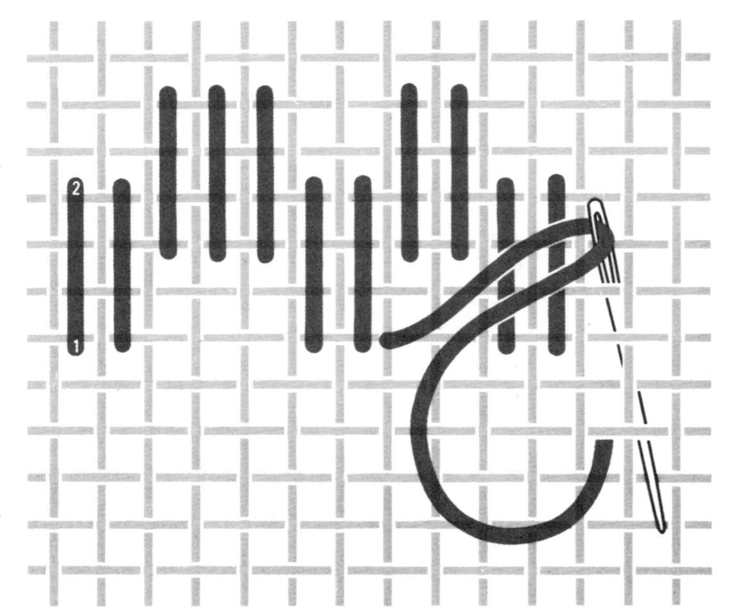

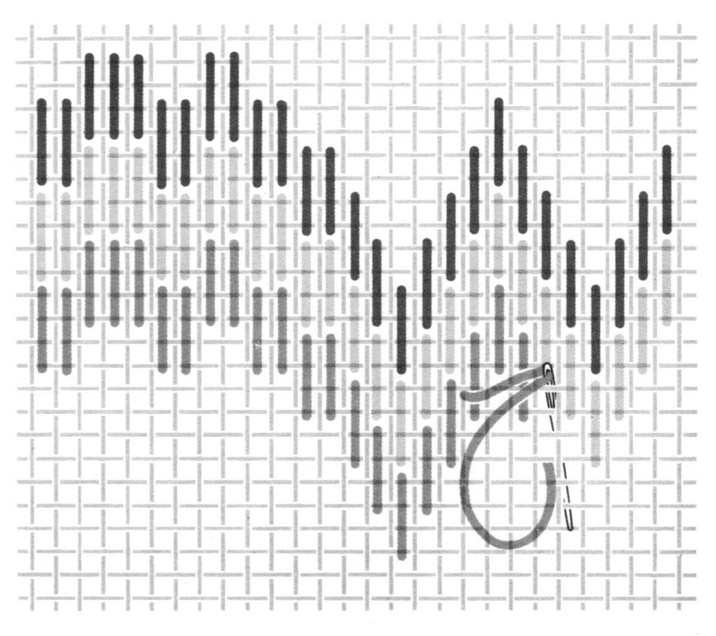

Point de Hongrie simple

Point de Hongrie en losanges

Fond au point de Hongrie

POINTS DE HONGRIE

Le point de Hongrie simple et le point de Hongrie en losanges créent tous deux des unités en forme de losange. Les losanges du point de Hongrie sont plus petits parce qu'ils ne sont composés que de trois points alors que ceux du point de Hongrie en losanges sont composés de cinq points. Le motif du fond au point de Hongrie s'exécute en faisant alterner les points de Hongrie avec des points florentins. Chacun de ces points est parfait pour remplir des fonds ou couvrir de grandes surfaces dans un ouvrage de tapisserie.

Point de Hongrie : commencez dans le coin supérieur droit; exécutez les rangées alternativement de droite à gauche et de gauche à droite. Chaque rangée est constituée de la répétition d'un groupe de trois points: un point par-dessus deux fils de trame (1-2), un point par-dessus quatre fils (3-4) et un autre par-dessus deux fils (5-6). Sautez une maille et commencez l'unité suivante. A la fin de chaque rangée, changez de sens.

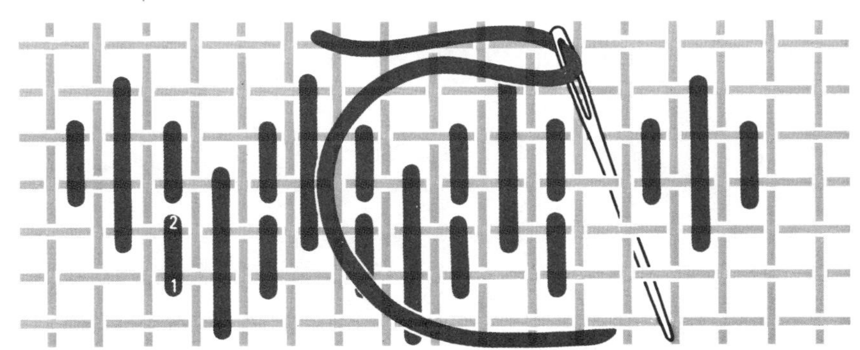

Point de Hongrie en losanges: commencez dans le coin supérieur droit. Exécutez les rangées alternativement de droite à gauche, puis de gauche à droite. Chaque rangée est la répétition d'un ensemble de cinq points : un point droit par-dessus deux fils de trame (1-2), un point plus long par-dessus quatre fils (3-4), un autre par-dessus six fils (5-6), suivi d'un point par-dessus quatre fils (7-8) et d'un dernier point par-dessus deux fils (9-10). Sautez une maille de canevas avant de commencer l'unité suivante. A la fin de chaque rangée, changez de sens et intercalez les nouveaux losanges entre les précédents.

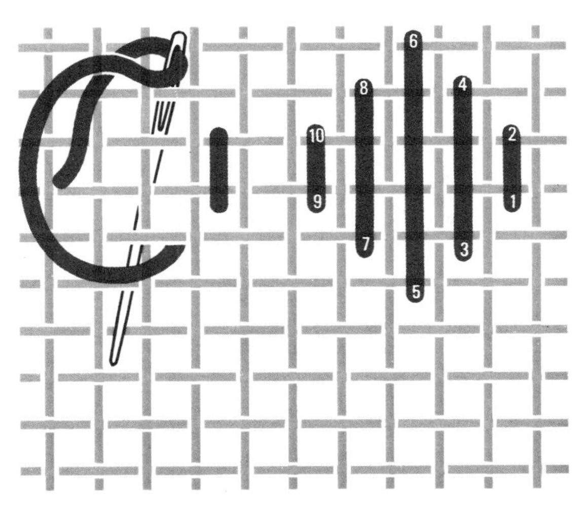

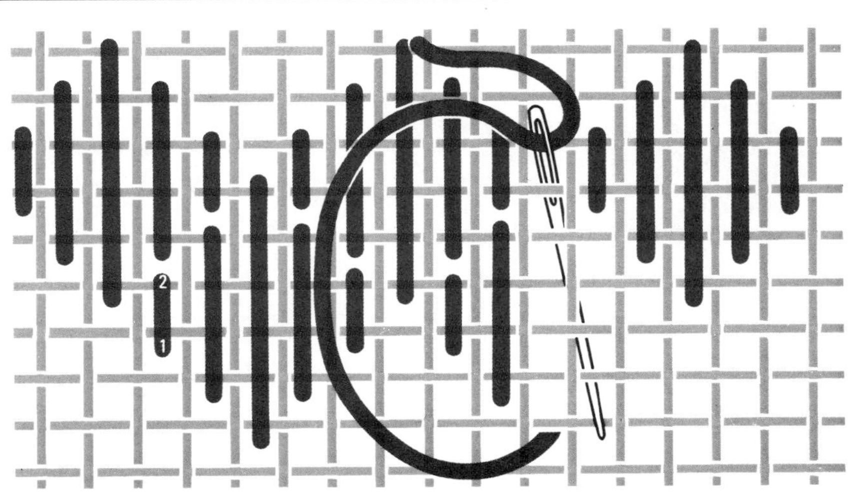

Points de tapisserie

Points droits

Fond au point de Hongrie : exécutez d'abord une rangée de points florentins (p. 133); formez des pics et des vallées de trois points de profondeur, avec des points de quatre fils de long et des gradins d'un fil. Exécutez ensuite par-dessous une rangée de points de Hongrie, en plaçant le point le plus long de chaque losange au-dessous d'un pic du point florentin. Sous cette rangée, exécutez une nouvelle rangée de points florentins, en plaçant ses vallées au-dessous des points les plus longs des unités du point de Hongrie, etc.

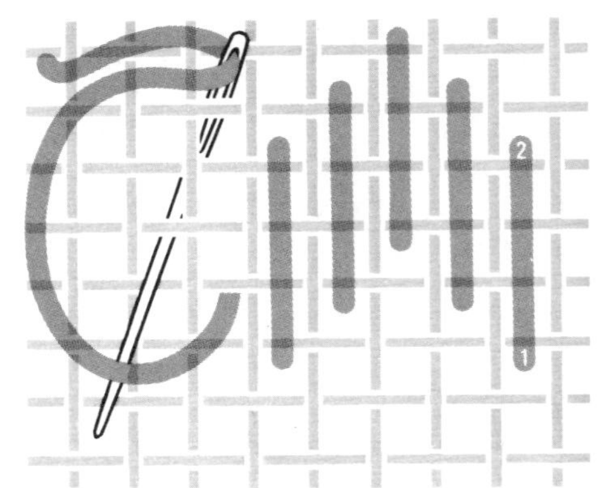

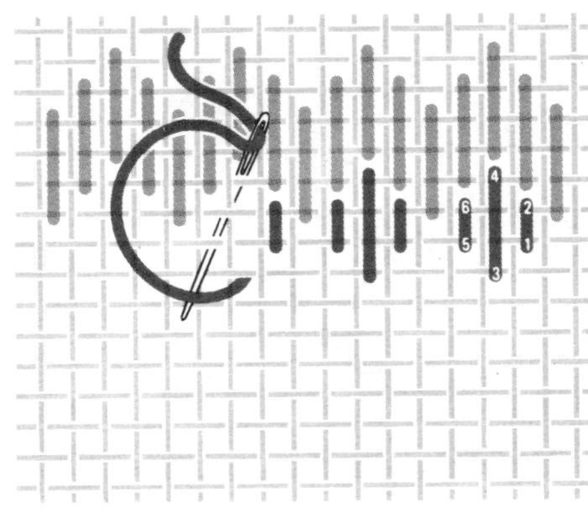

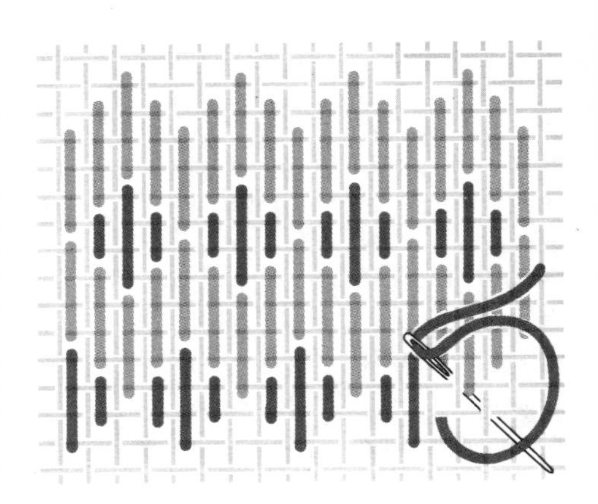

Petit point de Paris

Grand point de Paris

POINTS DE PARIS

Le petit et le grand points de Paris recouvrent le canevas d'une texture irrégulière qui fait penser à un panier tressé. La différence de taille entre les deux provient de la dimension respective de chacun de leurs points, le petit point de Paris étant plus court que le grand. Par ailleurs, la structure linéaire des deux points est très similaire (voir ci-dessous et page suivante); chaque rangée du petit point de Paris fait alterner un point court et un point long, alors que chaque rangée du grand point de Paris fait alterner deux points courts et deux points très longs.

Petit point de Paris : commencez dans le coin supérieur droit. Exécutez les rangées alternativement de droite à gauche, puis de gauche à droite. Alternez un point court par-dessus deux fils de trame, de 1 en 2, et un point long par-dessus quatre fils, de 3 en 4. A chaque nouvelle rangée, travaillez dans le sens contraire de la précédente. Placez les nouveaux points de telle sorte que les sommets des points courts (2) se trouvent dans les mêmes mailles que les bases des points longs de la rangée précédente.

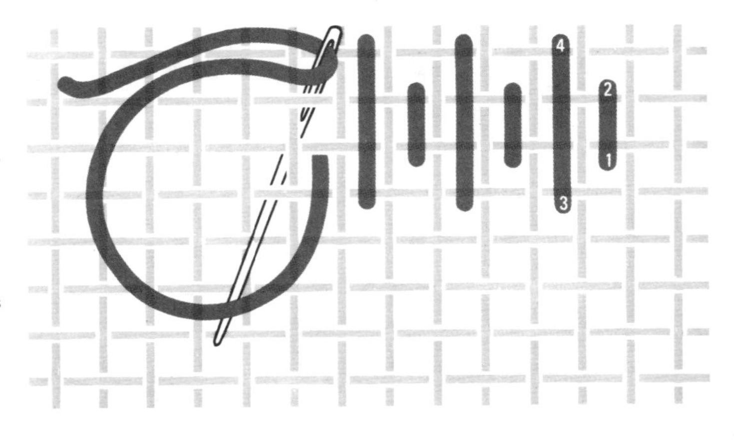

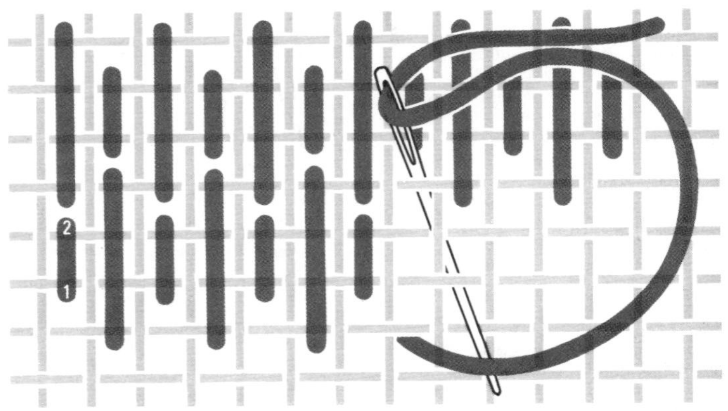

Grand point de Paris : commencez dans le coin supérieur droit. Exécutez les rangées alternativement de droite à gauche, puis de gauche à droite. Pour faire chaque rangée, formez alternativement deux points courts, par-dessus trois fils de trame (1-2 et 3-4), puis deux points longs, par-dessus neuf fils (5-6 et 7-8). A chaque nouvelle rangée, travaillez dans le sens contraire de la précédente. Placez les nouveaux points de telle sorte que les sommets des points courts (2 et 4) se trouvent dans les mêmes trous de canevas que les bases des points longs de la rangée précédente.

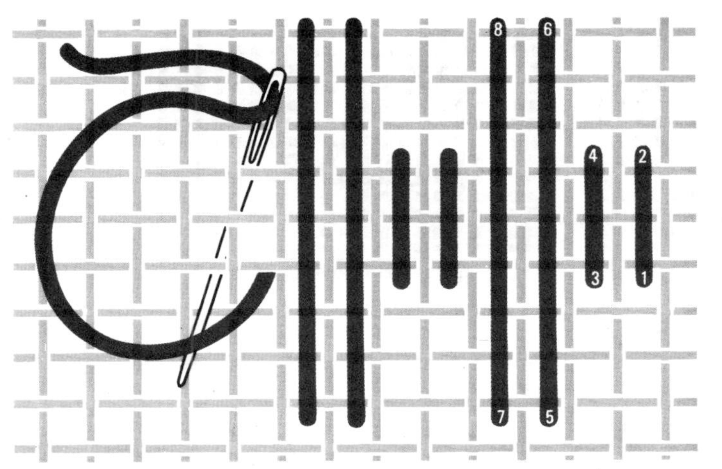

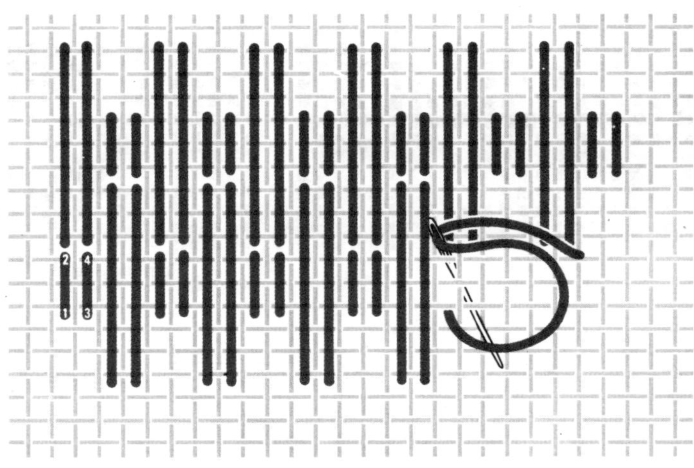

Point de trait double face

Agrandissement du point de trait double face

POINT DE TRAIT DOUBLE FACE

Le point de trait double face recouvre la surface du canevas d'une texture très serrée. A chaque rangée, le fil est glissé d'un côté à l'autre du canevas, en deux aller-retour, de façon à former des points longs et des points courts, entrelacés à l'intérieur d'un espace compris entre deux fils de trame (horizontaux) du canevas.

Point de trait double face : exécutez chaque rangée en quatre temps, à l'intérieur de l'espace compris entre deux fils de trame. Commencez dans le coin supérieur gauche; exécutez le premier aller, vers la droite, avec des points longs : sortez l'aiguille en 1, passez-la par-dessus quatre fils de chaîne (1-2), puis par-dessous deux fils (2-1). Au bout de la rangée, revenez en sens contraire; exécutez le premier retour, vers la gauche, avec des points courts : sortez l'aiguille en 1, passez-la par-dessus deux fils de chaîne (1-2), puis par-dessous quatre fils (2-1). Exécutez le deuxième aller-retour comme le précédent.

PREMIER ALLER

PREMIER RETOUR

DEUXIÈME ALLER

DEUXIÈME RETOUR

Points de tapisserie

Points droits

Point arrière (à l'horizontale)

Point arrière (à la verticale)

Point arrière (en diagonale)

POINTS ARRIÈRE
Dans la tapisserie à l'aiguille, les points arrière ne sont jamais utilisés pour couvrir complètement la surface du canevas. On les emploie plutôt en rangées individuelles de points pour souligner le contour d'un motif ou recouvrir les fils de canevas laissés à découvert par un autre point de tapisserie, comme le point d'œillet (p. 153).

Point arrière (à l'horizontale) : il s'exécute indifféremment en rangées de droite à gauche ou de gauche à droite. De droite à gauche, on pointe l'aiguille vers la gauche; de gauche à droite, on la pointe vers la droite. Pour chaque point, sortez l'aiguille en 1, ramenez-la en arrière par-dessus un fil de chaîne et piquez-la en 2.

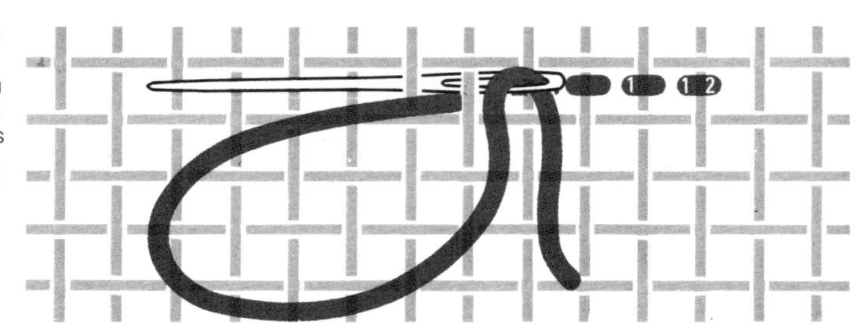

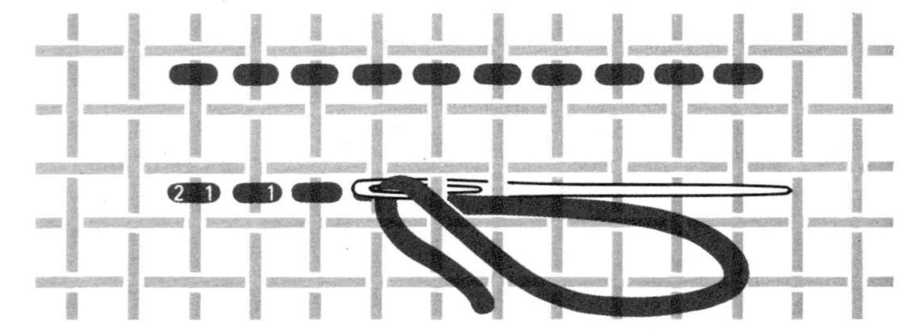

Point arrière (à la verticale) : il s'exécute indifféremment de haut en bas ou de bas en haut. Quand le travail se fait en descendant, on pointe l'aiguille vers le bas, en montant, on la pointe vers le haut. Pour former chaque point, sortez l'aiguille en 1, ramenez-la en arrière par-dessus un fil de trame et rentrez-la en 2. Glissez l'aiguille sous deux fils pour commencer le point suivant.

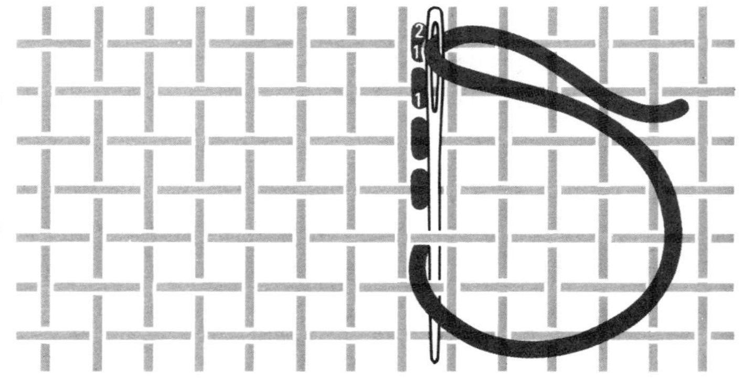

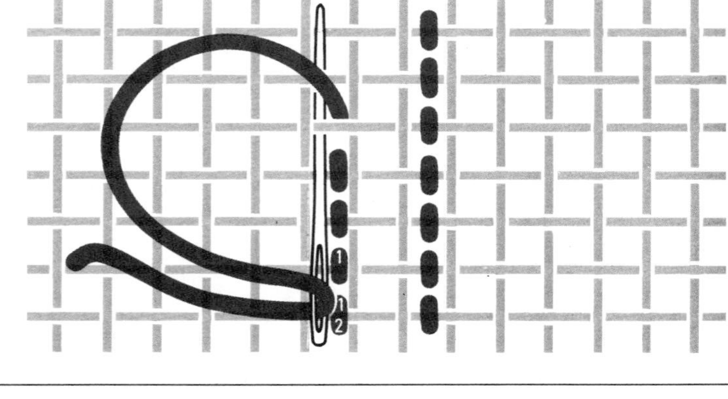

Point arrière (en diagonale) : il s'exécute en rangées diagonales qui traversent le canevas de part en part, de droite à gauche (nos illustrations) ou de gauche à droite. En descendant, pointez l'aiguille vers le bas; en montant, pointez-la vers le haut. Pour former chaque point, sortez l'aiguille en 1, ramenez-la en arrière par-dessus un croisement et piquez-la en 2.

Points croisés

Tous les points de ce groupe se croisent, soit en diagonale, par-dessus des croisements, soit perpendiculairement aux fils du canevas. Certains de ces points, comme le point de croix, sont formés d'unités de deux points seulement; les autres, d'unités de plus de deux points : le point de croix de Smyrne, par exemple, en comprend huit. Le croisement des points survient la plupart du temps à l'intérieur de chaque unité ou à l'intérieur d'une rangée d'unités. Il y a des exceptions pour le point de natte horizontal et le point de chevron illusion : le croisement survient entre deux rangées de points en diagonale.

Point de croix (point supérieur incliné à droite)

Variante du point de croix (point supérieur incliné à gauche)

POINTS DE CROIX

Un point de croix est formé de deux points en diagonale se croisant en leur milieu et n'enjambant en général qu'un seul croisement du canevas. Le point de croix s'exécute de deux manières différentes; vous pouvez utiliser l'une ou l'autre sur un canevas unifil torsadé ou un canevas Pénélope; mais pour broder des points de croix, par-dessus un seul croisement, sur un canevas unifil simple, il vous faut suivre absolument la méthode I, expliquée ci-dessous.

Point de croix (méthode I, à l'horizontale) : commencez dans le coin supérieur gauche. Exécutez les rangées alternativement de gauche à droite, puis de droite à gauche. Faites chaque point de croix en brodant d'abord le point inférieur, de 1 en 2. Brodez ensuite le point supérieur en sortant l'aiguille en 3, passez par-dessus 1-2, puis rentrez en 4. Exécutez la rangée suivante dans le sens contraire, en plaçant les nouveaux points exactement au-dessous des précédents.

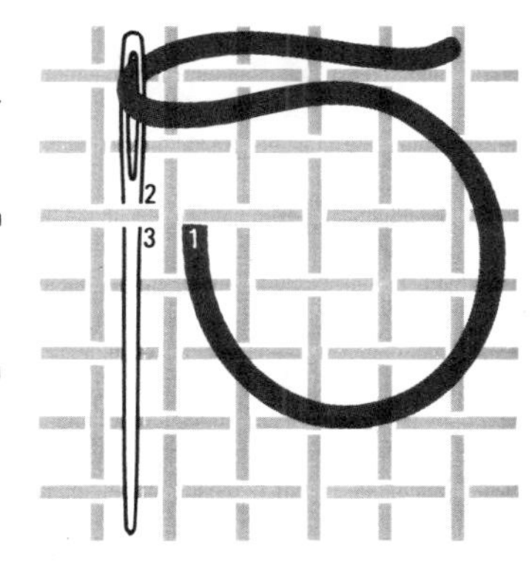

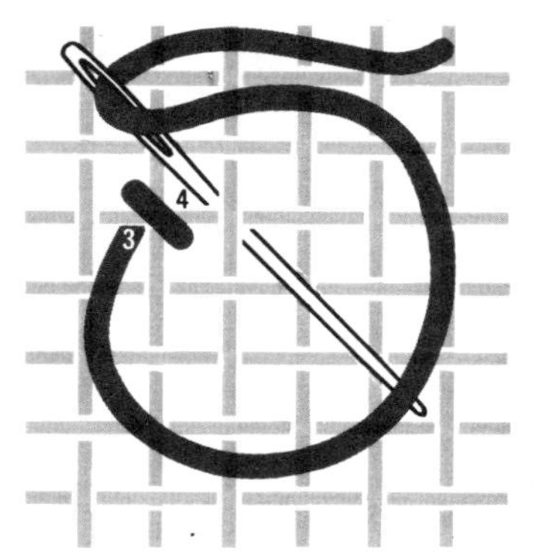

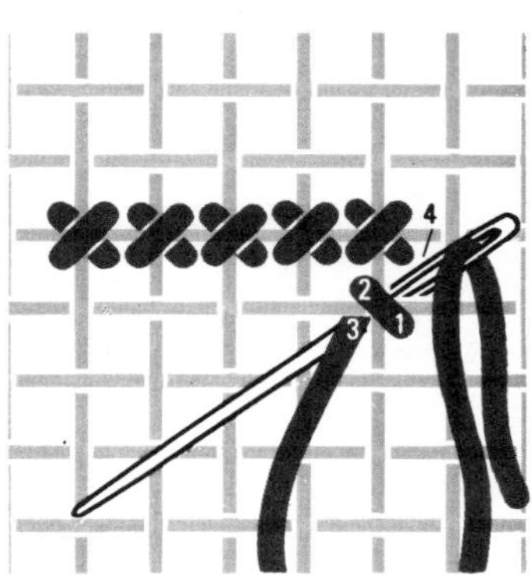

Point de croix (méthode I, à la verticale) : commencez dans le coin supérieur gauche et brodez chaque rangée de haut en bas. Faites chaque point de croix en brodant d'abord le point inférieur, de 1 en 2. Exécutez ensuite le point supérieur en sortant l'aiguille en 3, passez par-dessus le point 1-2 et rentrez en 4. Renversez ensuite le canevas et brodez une nouvelle rangée de points le long de celle que vous venez d'exécuter.

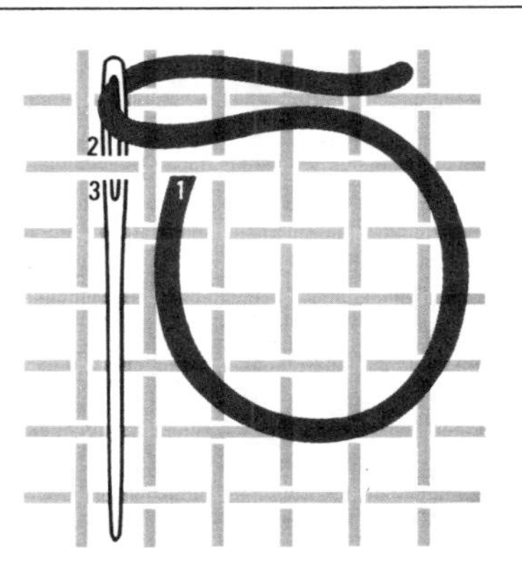

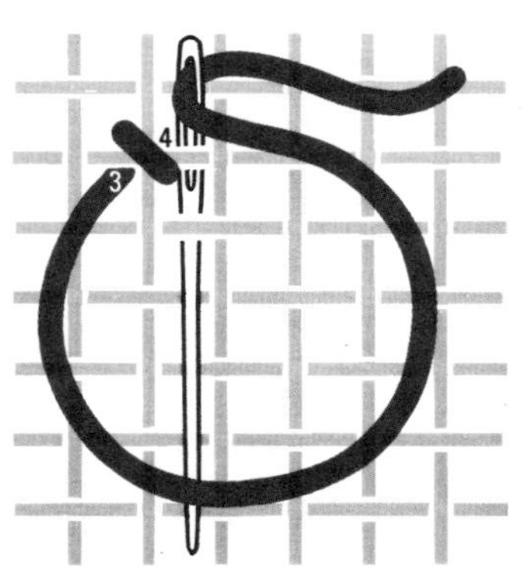

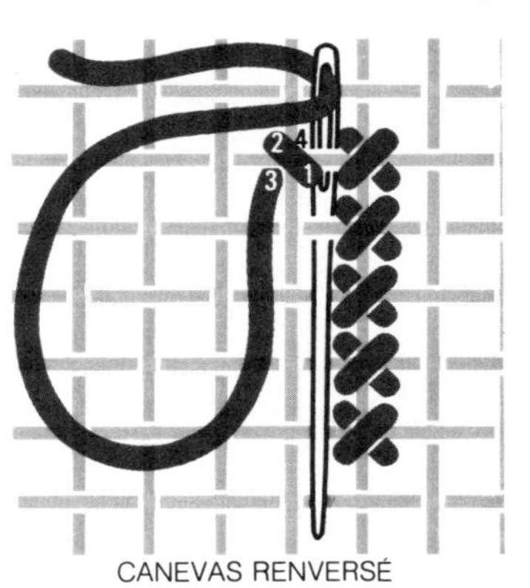

Points de tapisserie

Points croisés

Point de croix (méthode II, à l'horizontale) : commencez dans le coin supérieur droit; faites chaque rangée de points en aller-retour, d'abord de droite à gauche, puis de gauche à droite. Dans le premier temps, brodez les points inférieurs des croix, en sortant l'aiguille en 1 et en la piquant en 2. Au bout de la rangée, revenez en sens inverse et formez les points supérieurs de gauche à droite; sortez en 3, passez par-dessus 1-2 et rentrez en 4. Exécutez la rangée suivante immédiatement au-dessous.

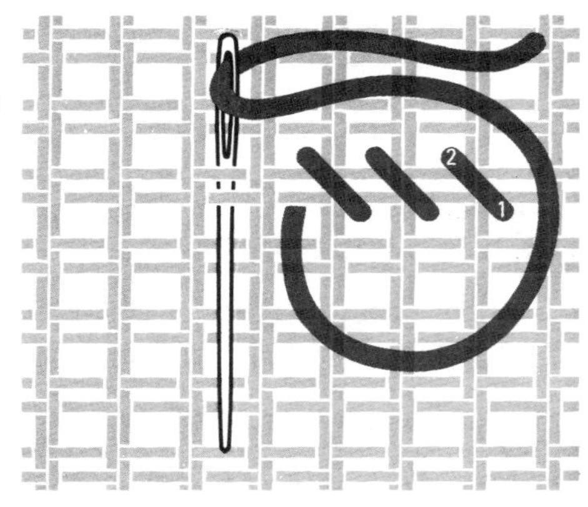

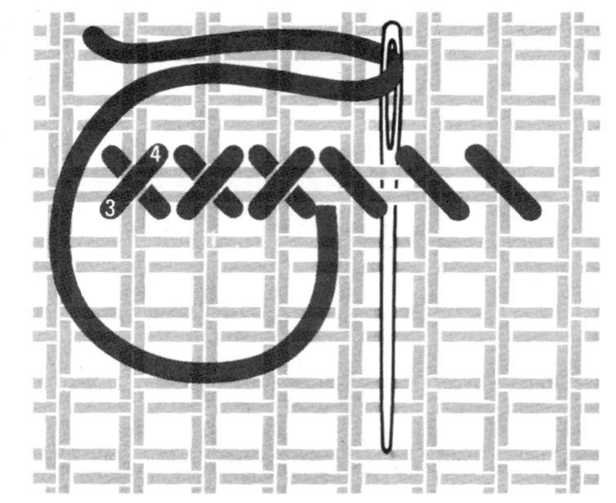

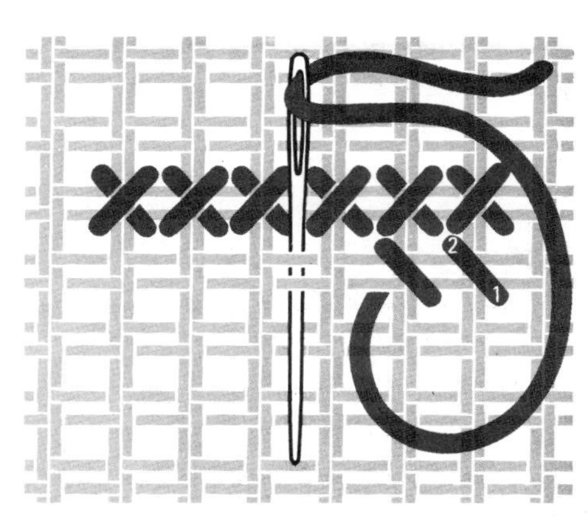

Point de croix (méthode II, à la verticale) : commencez dans le coin supérieur droit. Exécutez chaque rangée de points en aller-retour, d'abord de haut en bas, puis de bas en haut. Dans le mouvement descendant, faites les points inférieurs des croix, en sortant l'aiguille en 1 et en la piquant en 2. Dans le mouvement ascendant, formez les points supérieurs : sortez l'aiguille en 3, passez par-dessus 1-2, puis rentrez en 4. Exécutez chaque nouvelle rangée immédiatement à gauche de la précédente.

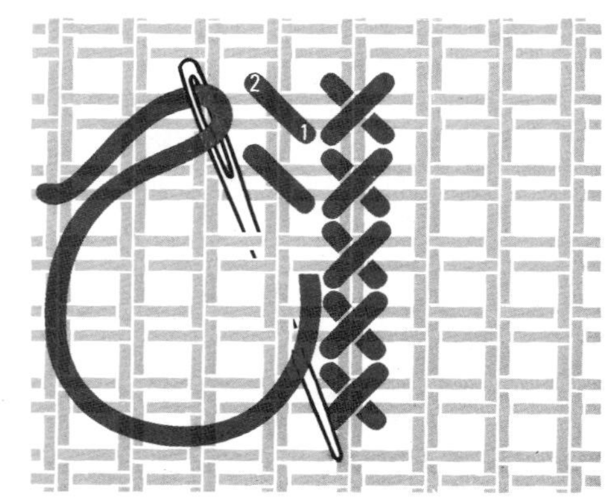

Pour changer l'inclinaison du point supérieur, il faut changer l'inclinaison du point inférieur de la croix, comme vous pouvez le constater en comparant les étapes 1-2 (point inférieur) et 3-4 (point supérieur) illustrées à droite avec les étapes 1-2 et 3-4 illustrées avant. Si vous appliquez la méthode I, le sens du travail reste le même. Mais si vous appliquez la méthode II, vous devez commencer dans le coin supérieur gauche, pour les rangées horizontales, et dans le coin inférieur gauche, pour les rangées verticales.

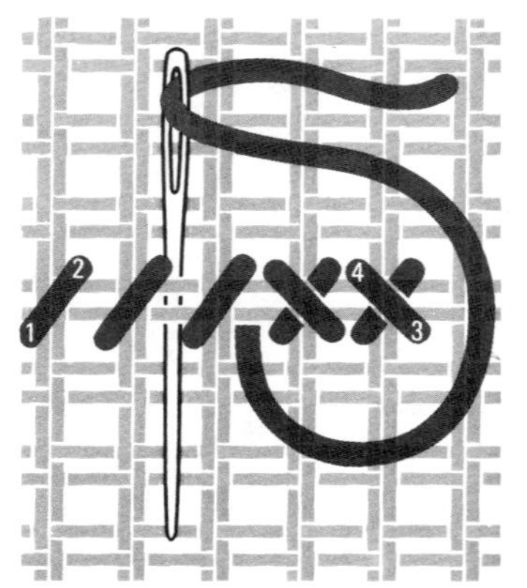

Point de croix allongé simple

Point de croix allongé avec piqûre

Point de croix double

POINTS DE CROIX ALLONGÉS

Le point de croix allongé consiste en deux points lancés en diagonale qui se croisent pour recouvrir une surface rectangulaire du canevas. Notre premier échantillon montre des points de croix allongés simples; l'échantillon du centre, des points de croix allongés avec piqûre (arrêtés par un point arrière); le dernier échantillon, des points de croix doubles (les points de croix allongés alternent avec des points de croix exécutés sur un seul croisement du canevas). Pour exécuter une version en deux couleurs du point de croix double, consultez la page 160.

Point de croix allongé : commencez dans le coin supérieur droit. Exécutez chaque rangée en aller-retour. Travaillez d'abord de droite à gauche pour former le point inférieur, de 1 en 2, puis de gauche à droite pour former le point supérieur, de 3 en 4. 1-2 et 3-4 couvrent le même espace de canevas, c'est-à-dire deux fils de trame sur un fil de chaîne. A chaque nouvelle rangée, placez les bases des nouveaux points (1 et 3) à la distance d'un point de ceux de la rangée précédente.

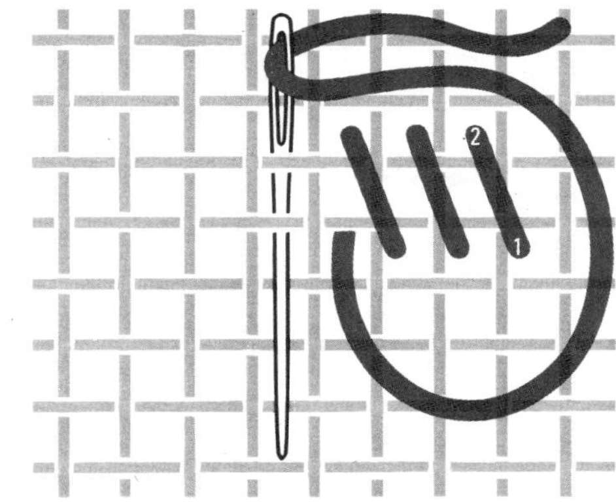

Point de croix allongé avec piqûre : commencez dans le coin supérieur droit. Exécutez alternativement les rangées de droite à gauche, puis de gauche à droite. Pour former chaque point, brodez un point de croix allongé, de 1 en 2 et de 3 en 4, puis un point de piqûre sur un seul fil de chaîne, de 5 en 6, par-dessus l'intersection des deux points croisés. Quand vous brodez une rangée de gauche à droite, inversez l'orientation du point de piqûre (5-6) par rapport à la rangée précédente.

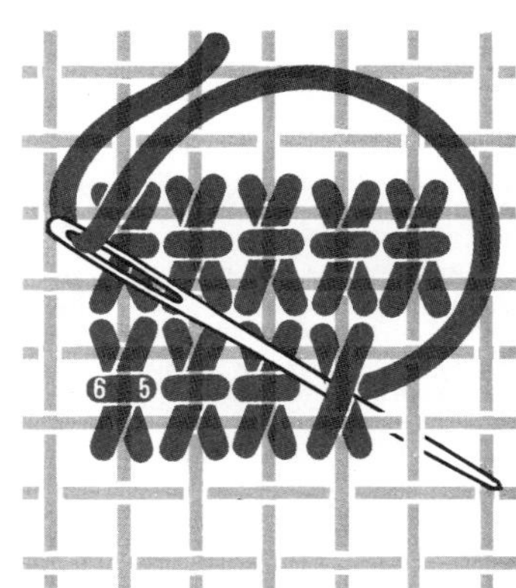

Points de tapisserie

Points croisés

Point de croix double : commencez dans le coin supérieur gauche. Exécutez les rangées alternativement de gauche à droite, puis de droite à gauche. Faites alterner un point de croix allongé et un point de croix ordinaire. Exécutez chaque croix allongée par-dessus trois fils de trame et un fil de chaîne, de 1 en 2 et de 3 en 4. Exécutez chaque point de croix ordinaire par-dessus un croisement, de 5 en 6 et de 7 en 8. Disposez les points de croix allongés d'une nouvelle rangée sous les points de croix ordinaires de la précédente.

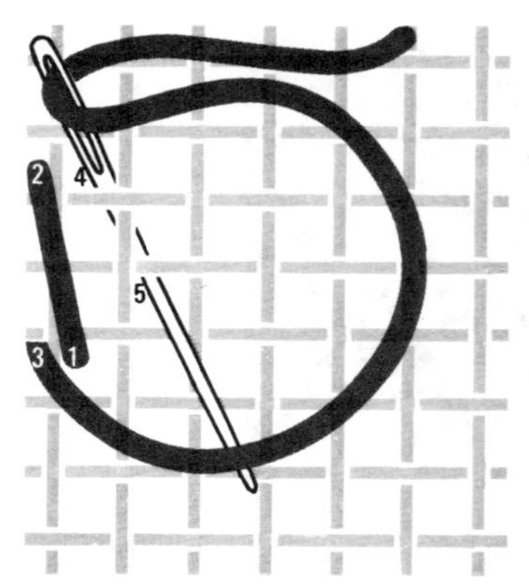

Point de croix droit

Treillis au point de croix

POINTS DE CROIX DROITS

Chaque point de croix droit est composé de deux points droits qui se croisent en leur milieu. Le point inférieur est parallèle aux fils de trame du canevas; le point supérieur est parallèle aux fils de chaîne. On peut les utiliser tout seuls (illustration de gauche) ou combinés avec de larges points de croix ordinaires : on a alors un treillis au point de croix (illustration de droite). On peut rehausser l'effet du treillis en l'exécutant avec deux couleurs de fil. Pour plus de détails sur les techniques d'exécution en deux couleurs, reportez-vous à la page 160.

Point de croix droit : commencez dans le coin supérieur gauche. Exécutez les rangées alternativement de gauche à droite, puis de droite à gauche. Pour chaque point, sortez l'aiguille en 1, piquez-la en 2, puis ressortez-la en 3 et rentrez-la en 4. Le point peut recouvrir deux ou quatre fils de chaîne et le même nombre de fils de trame (ici, deux). Placez les points des nouvelles rangées de sorte que le sommet des points verticaux (2) partage la même maille que les extrémités de deux points horizontaux de la rangée précédente.

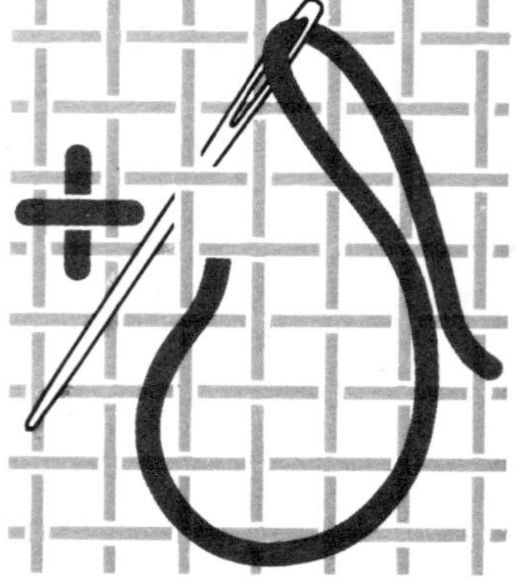

Treillis au point de croix : commencez dans le coin supérieur gauche. Exécutez les rangées alternativement de gauche à droite, puis de droite à gauche. Pour chaque rangée, formez alternativement un grand point de croix couvrant quatre fils de trame sur quatre fils de chaîne, de 1 en 2 et de 3 en 4, et un point de croix droit de deux fils sur deux, de 5 en 6 et de 7 en 8. On peut aussi exécuter tous les grands points de croix à la fois, puis remplir les carrés ainsi formés de points de croix droits (A-B et C-D).

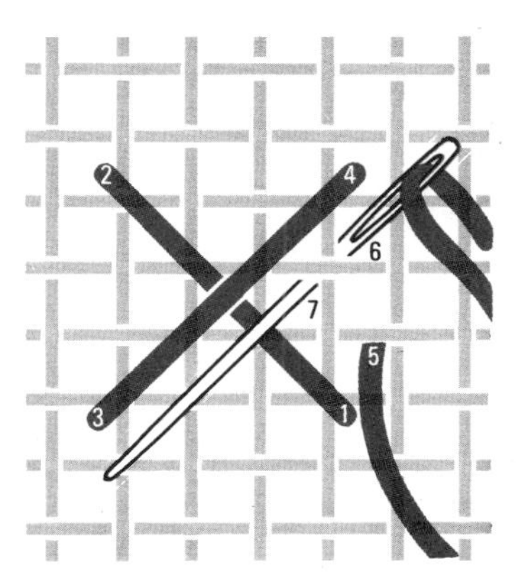

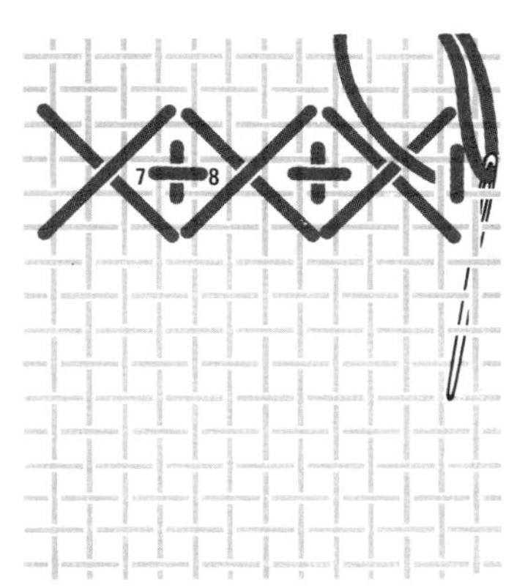

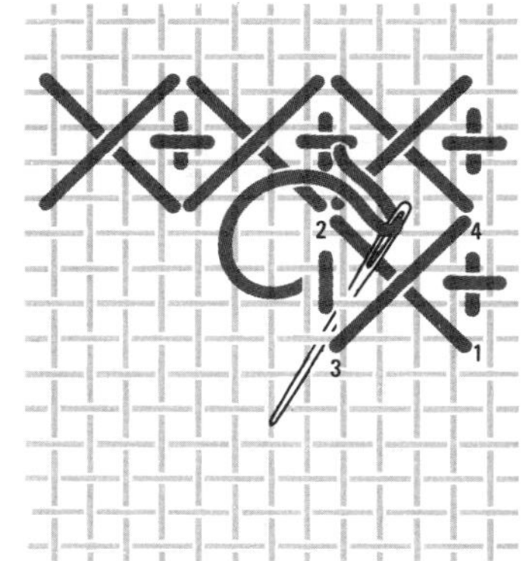

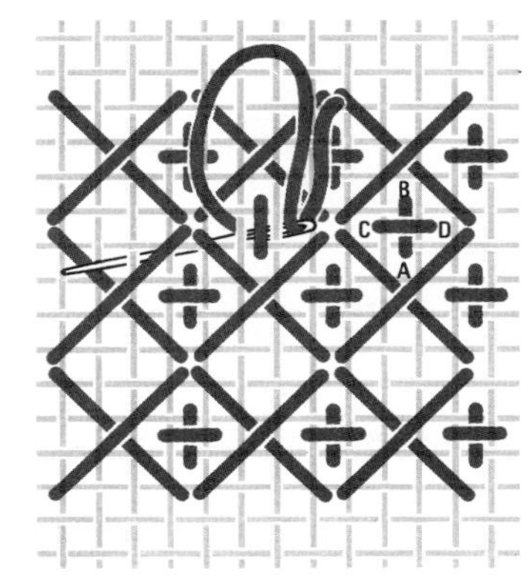

Point de diable contrarié

Croix de Smyrne

Point de diable double

POINTS DE DIABLE

Les trois points de ce groupe forment de grandes unités en relief, dont chacune est faite de multiples couches de points qui se croisent par-dessus quatre fils de chaîne et quatre fils de trame du canevas. Et pourtant, les motifs qui en résultent donnent des effets différents. Les unités créées par le point de diable contrarié sont en losange; celles de la croix de Smyrne et du point de diable double sont carrées. Il faut attirer votre attention sur le fait que ces points exigent une extrême précision et qu'il faut respecter les étapes de leur exécution avec beaucoup de soin.

Point de diable contrarié : commencez dans le coin supérieur gauche. Exécutez les rangées alternativement de gauche à droite, puis de droite à gauche. Formez chaque point comme suit : d'abord un grand point de croix droit par-dessus quatre fils de canevas (1-2 et 3-4), surmonté d'un grand point de croix par-dessus deux croisements (5-6 et 7-8). Laissez trois mailles entre la base (1) des points. Leur sommet (2) doit partager la même maille que l'extrémité des deux points horizontaux de la rangée du dessus.

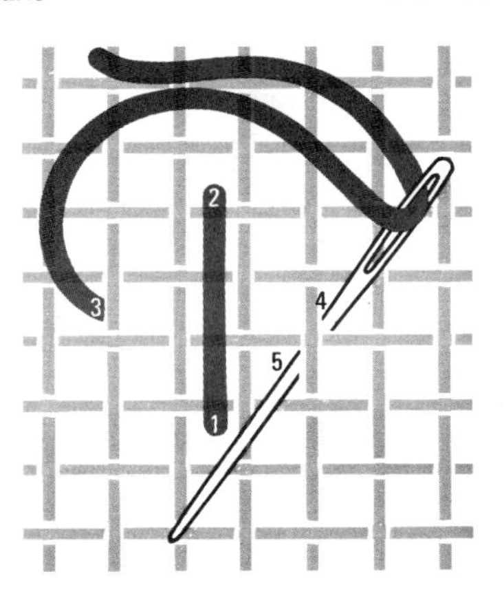

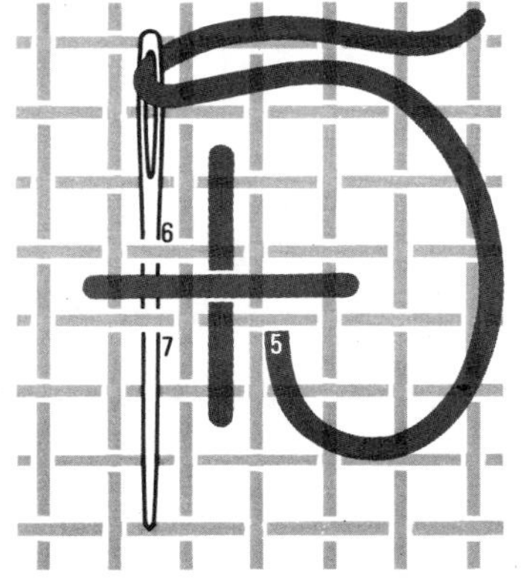

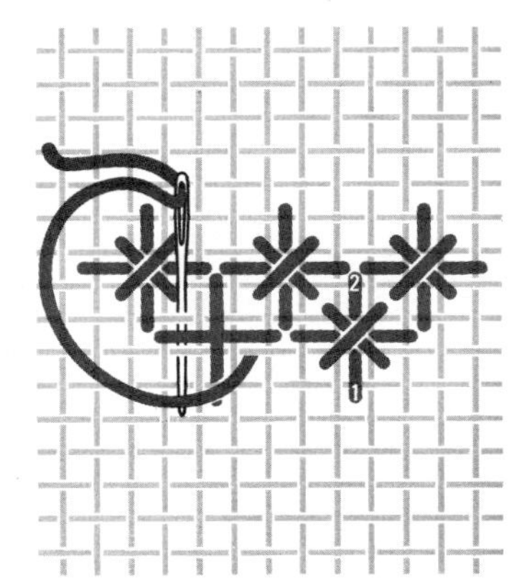

Points de tapisserie

Points croisés

Croix de Smyrne : commencez dans le coin supérieur gauche. Exécutez les rangées alternativement de gauche à droite, puis de droite à gauche. Formez chaque point comme suit : d'abord un grand point de croix, couvrant quatre fils de trame sur quatre fils de chaîne, de 1 en 2 et de 3 en 4; puis un grand point de croix droit couvrant le même nombre de fils et se croisant au centre du grand point de croix, de 5 en 6 et de 7 en 8. Placez les points des différentes rangées les uns sous les autres.

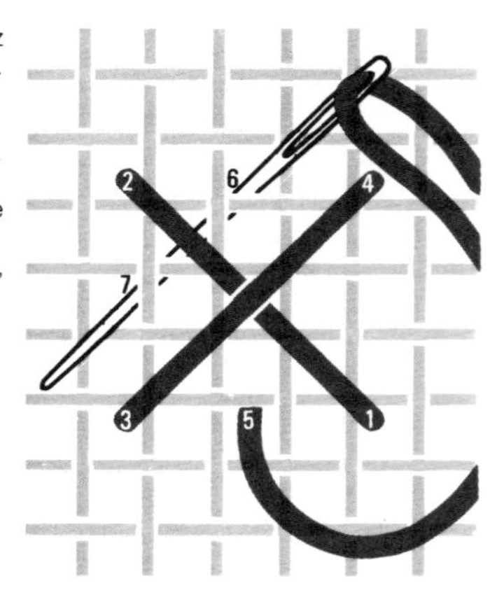

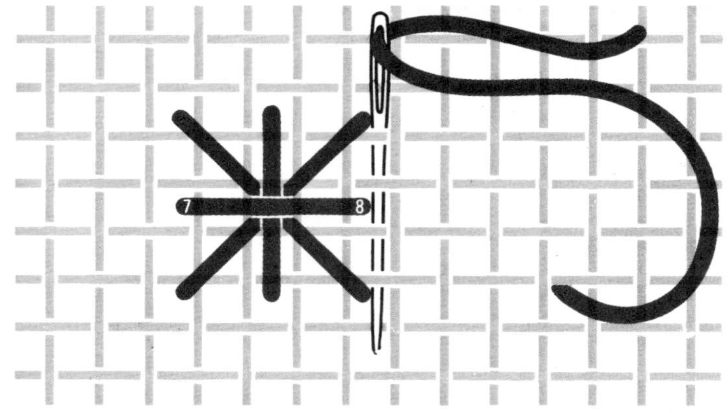

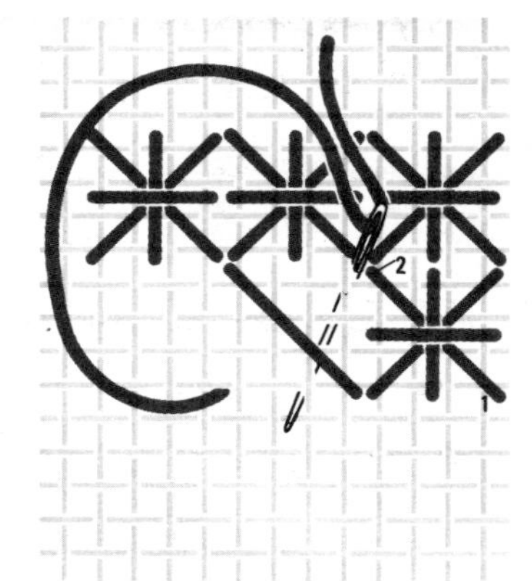

Point de diable double : commencez dans le coin supérieur gauche. Exécutez les rangées alternativement de gauche à droite, puis de droite à gauche. Formez chaque point comme suit : brodez d'abord un grand point de croix couvrant quatre fils de trame sur quatre fils de chaîne, de 1 en 2 et de 3 en 4. Puis sortez l'aiguille en 5, piquez-la en 6 et ressortez-la en 7; piquez-la en 8 et ressortez-la en 9; piquez-la en 10 et ressortez-la en 11; piquez-la en 12.

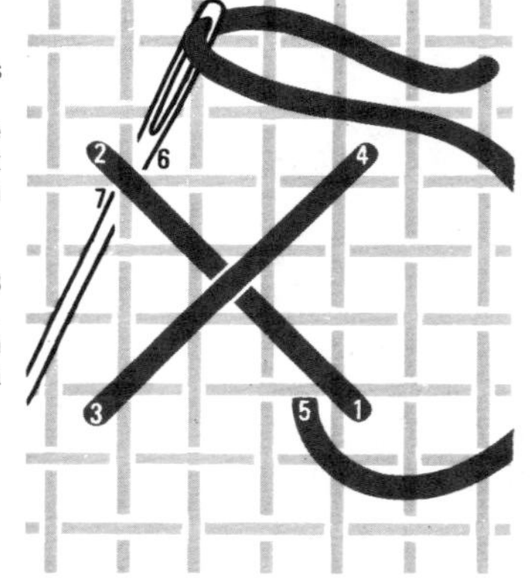

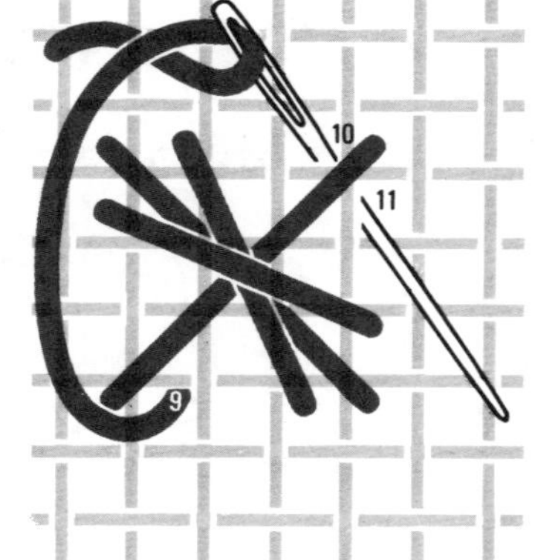

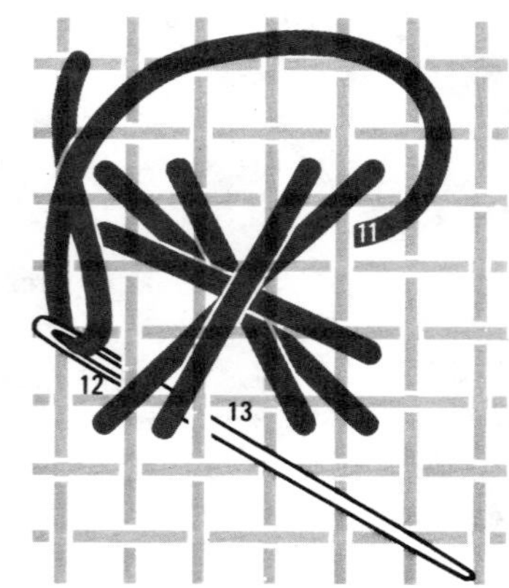

Pour terminer le point, brodez un grand point de croix droit comme suit : sortez l'aiguille en 13; piquez-la en 14 et sortez-la en 15; rentrez-la finalement en 16. Travaillez chaque nouvelle rangée dans le sens contraire de la précédente, en plaçant les sommets (2, 6, 14, 10 et 4) de chaque nouveau point dans les mêmes trous de canevas que les bases du point de la rangée du dessus.

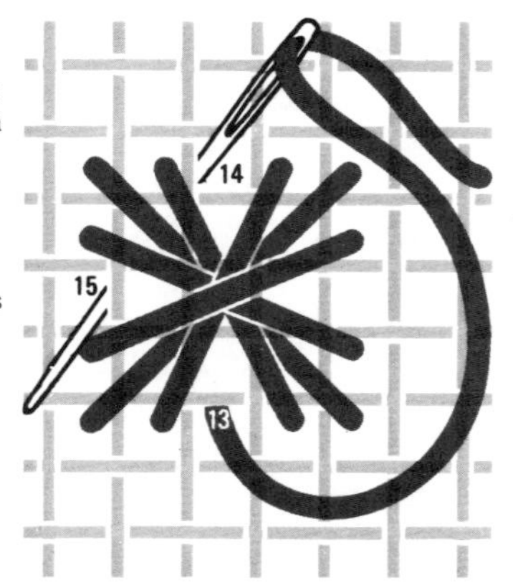

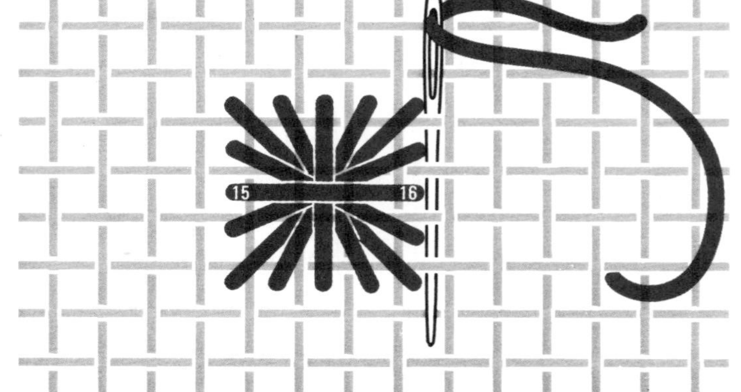

Point noué

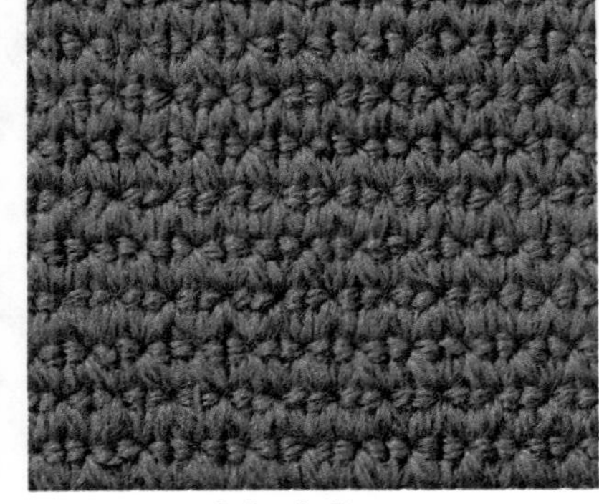

Point de France

Point rococo

POINTS NOUÉS

Le point noué, le point de France et le point rococo sont formés tous trois de longs points, « noués » (retenus) au canevas par un petit point de piqûre transversal. Dans le point noué, le point long et le point court se croisent en diagonale en même temps qu'ils croisent le canevas. Dans le point de France et le point rococo, les longs points comme les petits points qui les croisent sont droits, mais les points courts obligent les points longs à s'incurver légèrement quand ils viennent les fixer aux fils du canevas. C'est le point rococo qui est le plus texturé des trois.

Point noué : commencez dans le coin supérieur droit. Exécutez les rangées alternativement de droite à gauche et de gauche à droite. Pour former chaque point, sortez l'aiguille en 1 et rentrez-la en 2, à trois fils de trame et un fil de chaîne de là. Ressortez-la en 3, passez pardessus 1-2 et rentrez en 4. Quand les rangées sont exécutées de droite à gauche, brodez le point 3-4 de haut en bas; mais quand vous travaillez de gauche à droite, faites ce point de bas en haut. Attention à la position des points des nouvelles rangées.

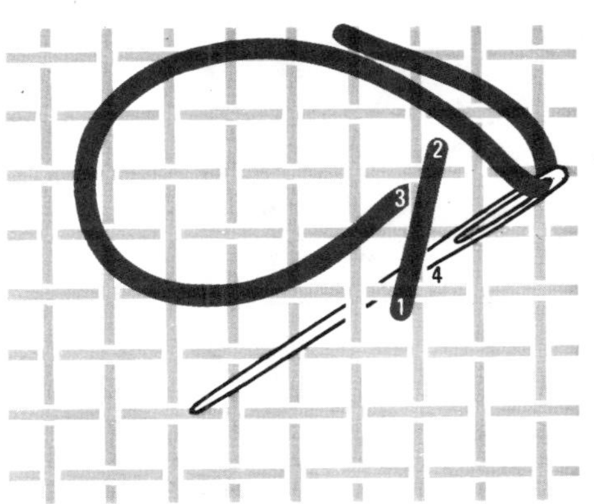

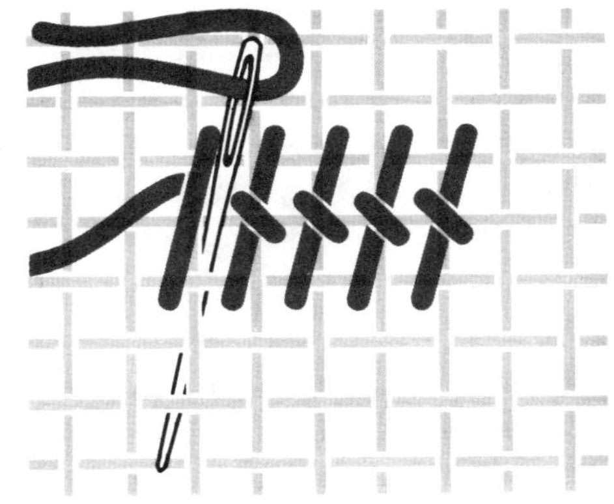

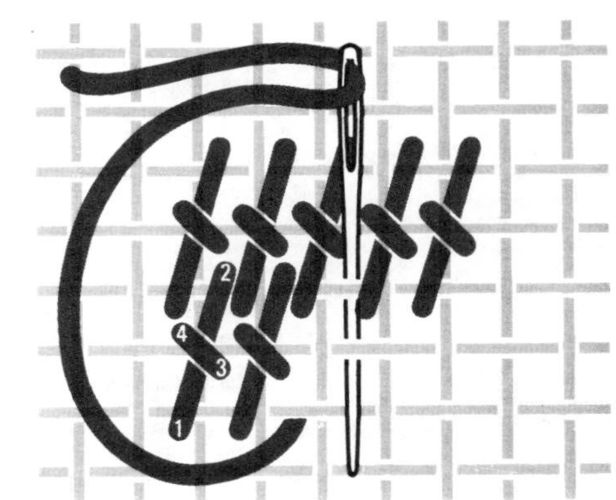

Point de France : commencez dans le coin supérieur droit. Exécutez les rangées alternativement de droite à gauche, puis de gauche à droite. Il vous faut broder deux longs points droits, fixés chacun par un court point transversal; les deux longs points doivent être placés entre les deux mêmes fils verticaux de canevas. Exécutez le premier point, de 1 en 2 et de 3 en 4, puis le second, de 5 en 6 et de 7 en 8. Pour le suivant, sautez une maille. L'enchaînement des points est inversé d'une rangée à l'autre (dernière illustration).

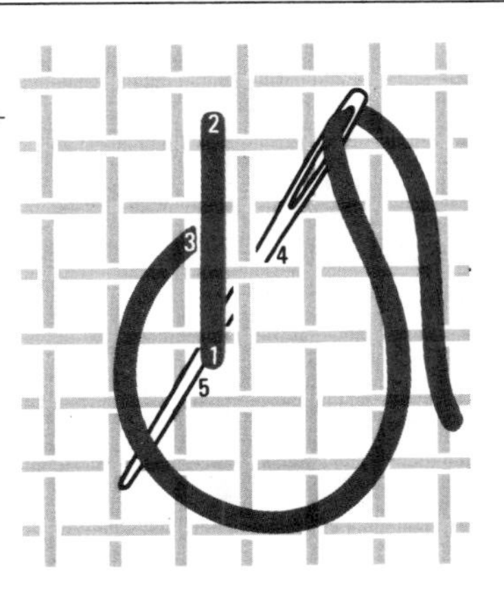

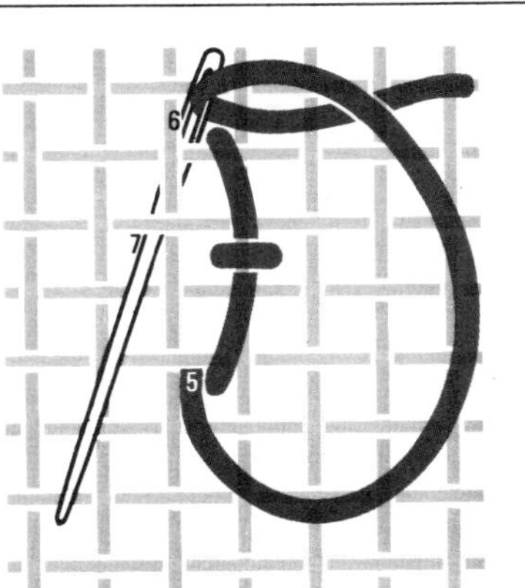

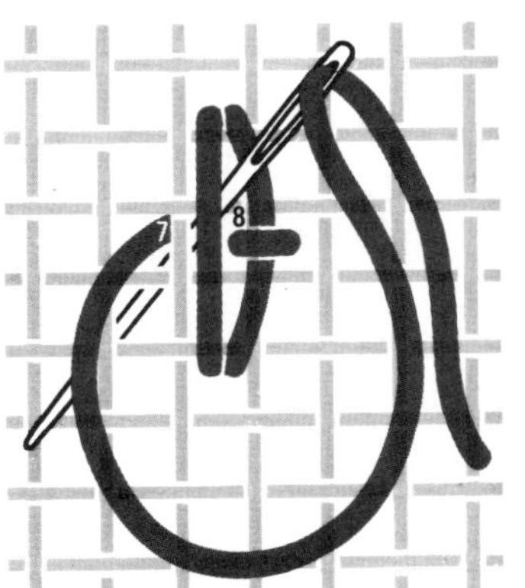

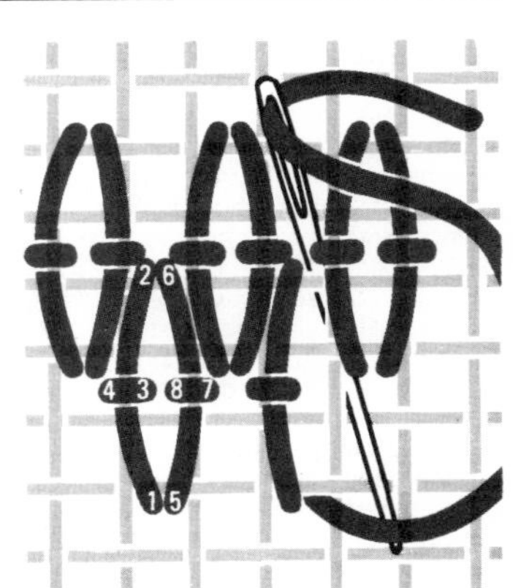

Points de tapisserie

Points croisés

Point rococo : commencez dans le coin supérieur droit. Exécutez les rangées alternativement de droite à gauche, puis de gauche à droite. Chaque unité se compose de quatre points droits retenus transversalement au canevas par un point court. Les quatre points droits partent des deux mêmes mailles de canevas, mais ils sont écartés en éventail de manière à recouvrir quatre fils de chaîne de canevas. Suivez bien l'enchaînement illustré en commençant par le premier point (1-2 et 3-4), puis faites les suivants.

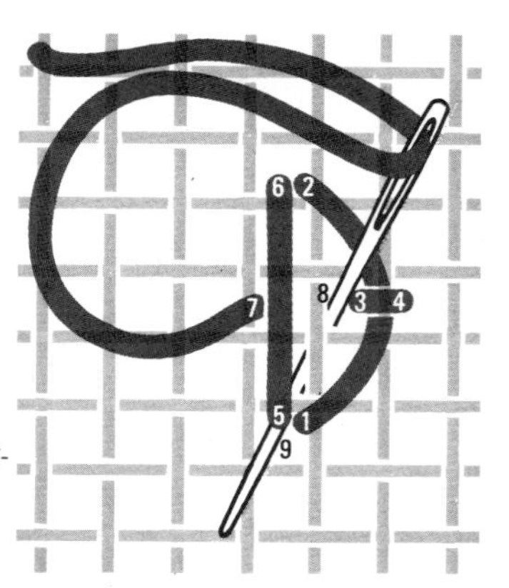

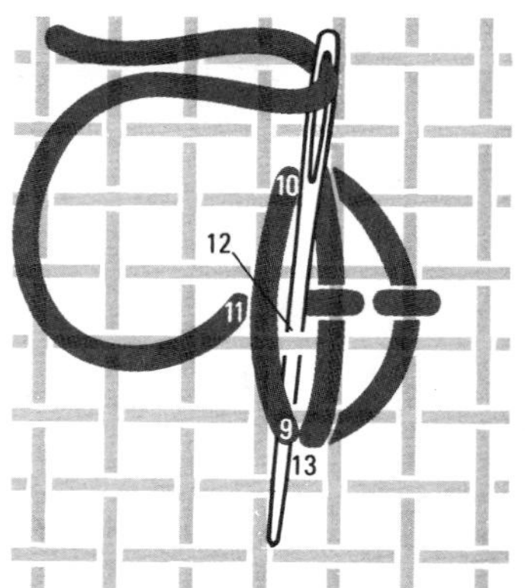

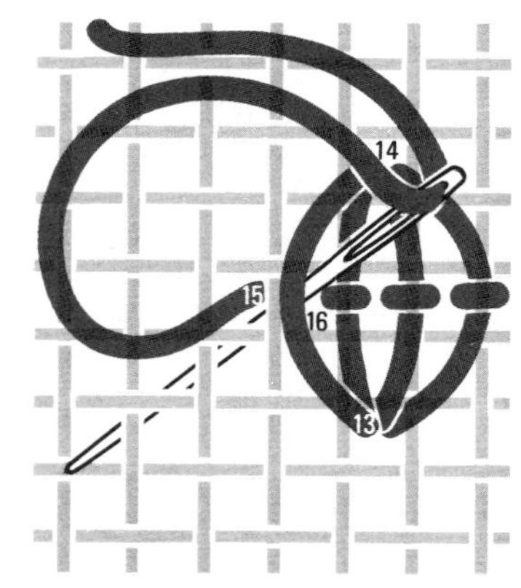

Point de riz

Agrandissement du point de riz

POINT DE RIZ

Le point de riz a une texture très serrée et il recouvre parfaitement la surface d'un canevas. Chaque unité de points se compose d'un grand point de croix ordinaire et de quatre petits points en diagonale qui croisent chacun l'extrémité d'une branche de la grande croix. L'échantillon à l'extrême gauche montre l'effet du point de riz sur un canevas. L'agrandissement, à droite, permet de distinguer tous les détails. Si vous le souhaitez, ce point peut s'exécuter en deux couleurs : la grande croix dans une couleur et les petits points croisés dans une autre (p. 160).

Point de riz : commencez dans le coin supérieur droit. Exécutez les rangées alternativement de droite à gauche, puis de gauche à droite. Pour chaque point de riz, faites d'abord un grand point de croix par-dessus deux fils de chaîne et deux fils de trame (1-2 et 3-4). Croisez quatre petits points par-dessus l'extrémité de chaque branche de la croix, de 5 en 6, de 7 en 8, de 9 en 10 et de 11 en 12. Travaillez chaque nouvelle rangée dans le sens contraire de la précédente en brodant les nouvelles unités exactement au-dessous des autres.

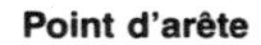
Point d'arête

Point de fougère

POINT D'ARÊTE/POINT DE FOUGÈRE

Bien qu'ils aient un aspect différent, leur technique d'exécution est assez similaire. Tous les deux s'exécutent en rangées verticales; les points de chaque rangée sont croisés mais le croisement est décalé par rapport au centre. Les rangées du point d'arête se travaillent alternativement de haut en bas et de bas en haut, alors que le point de fougère s'exécute uniquement de haut en bas. Chaque point d'arête est composé d'un long point en diagonale, croisé à une des extrémités par un point court. Le point de fougère est composé de deux points qui se croisent à leur base.

Point d'arête : commencez dans le coin supérieur gauche et exécutez les rangées alternativement de haut en bas, puis de bas en haut. Chaque point d'arête est formé d'un point long, par-dessus trois fils de trame et deux fils de chaîne, et d'un point court, par-dessus un croisement du canevas. En mouvement descendant, brodez le point long de bas en haut (1-2) et croisez son extrémité supérieure (3-4). En mouvement ascendant, brodez le point long de haut en bas (5-6) et croisez son extrémité inférieure (7-8).

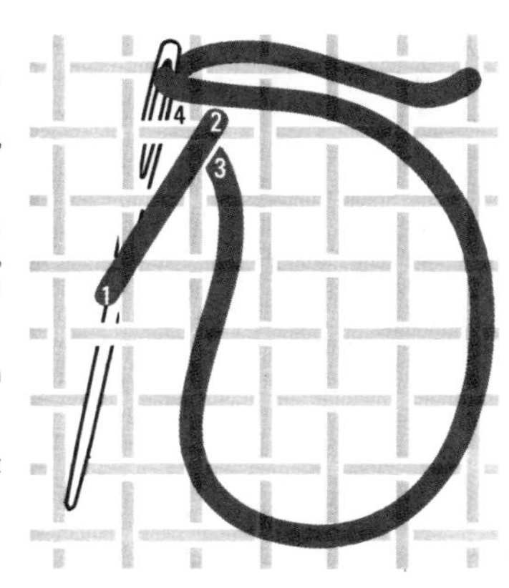

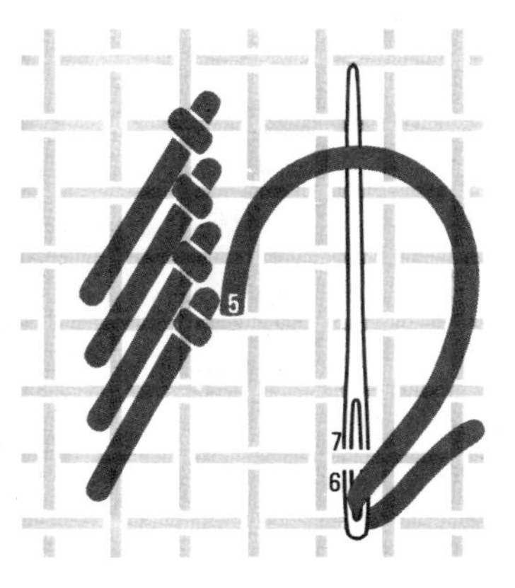

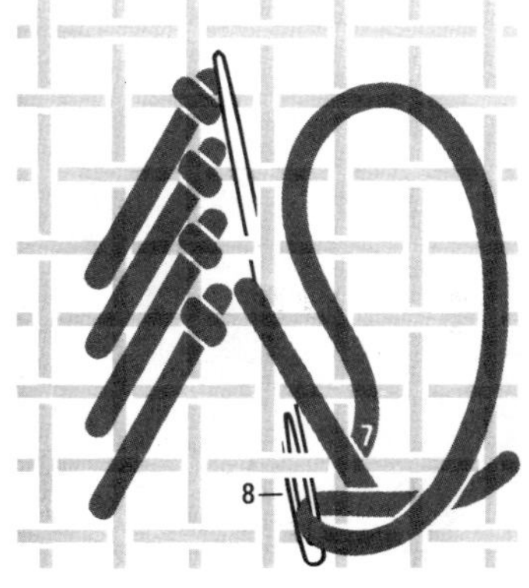

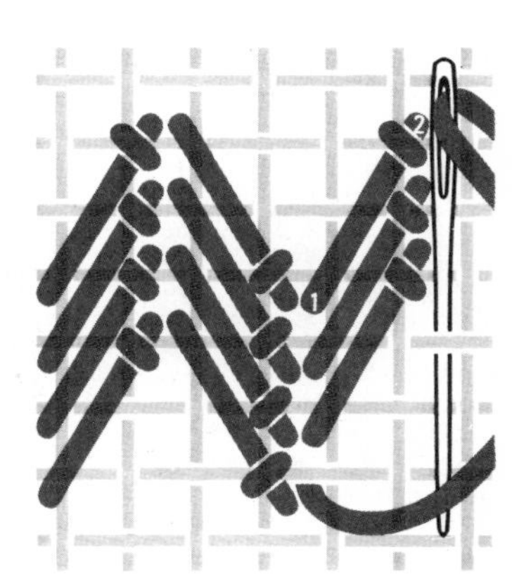

Point de fougère : commencez dans le coin supérieur gauche et exécutez toutes les rangées de haut en bas. Pour chaque point, sortez l'aiguille en 1 et descendez en 2, par-dessus deux croisements du canevas; passez sous un fil de chaîne du canevas et sortez en 3; montez en 4, par-dessus deux croisements. Suivez le même enchaînement pour le point suivant en partant de la maille du canevas située au-dessous de 1. Brodez chaque nouvelle rangée immédiatement à droite de la précédente.

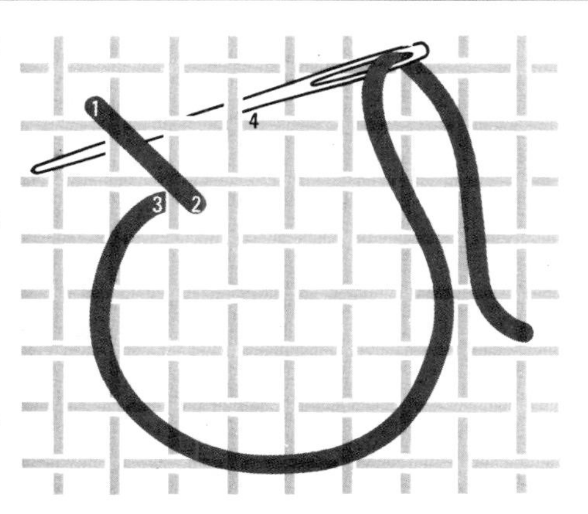

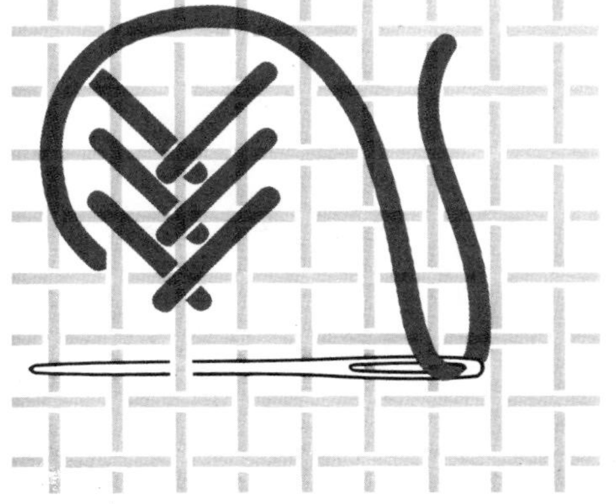

Points de tapisserie

Points croisés

Point de chausson simple

Point de chausson croisé

Point grec

POINTS DE CHAUSSON/POINT GREC

Les deux points de chausson forment sur le canevas une texture étroitement serrée. Le point grec, pour sa part, donne un effet de tresse. Tous trois s'exécutent en rangées horizontales et se composent de points qui se croisent; mais les intersections ne sont pas centrées. Les deux points de chausson sont assez solides pour entrer dans la confection des tapis, mais le point grec est moins résistant. Le point de chausson croisé s'exécute habituellement en deux couleurs différentes, comme nous l'illustrons à gauche et comme nous l'expliquons ci-dessous.

Point de chausson simple : commencez dans le coin supérieur gauche et exécutez toutes les rangées de gauche à droite. Pour former un point, sortez l'aiguille en 1 et descendez en 2, par-dessus deux croisements du canevas; glissez ensuite l'aiguille sous un fil de chaîne et sortez-la en 3; montez en 4 par-dessus deux croisements. Pour le point suivant, glissez de nouveau l'aiguille sous un fil de chaîne. Commencez chaque nouvelle rangée dans la maille située juste au-dessous de 1 (rangée précédente).

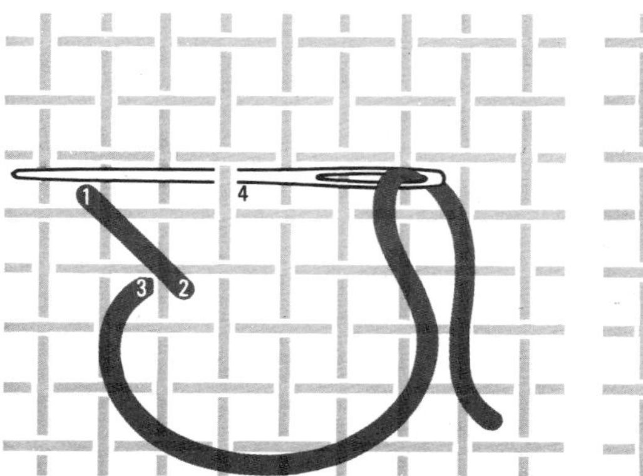

Point de chausson croisé : commencez dans le coin supérieur gauche et exécutez toutes les rangées de gauche à droite. Couvrez le canevas de points de chausson (ci-dessus) en laissant une maille d'espace entre chaque rangée. Puis, prenez un fil d'une autre couleur et recouvrez chaque rangée avec une nouvelle rangée de points de chausson « tête-bêche ». Sortez l'aiguille en A et rentrez-la en B, puis ressortez-la en C et rentrez-la en D. Glissez l'aiguille sous un fil de chaîne pour commencer le point suivant.

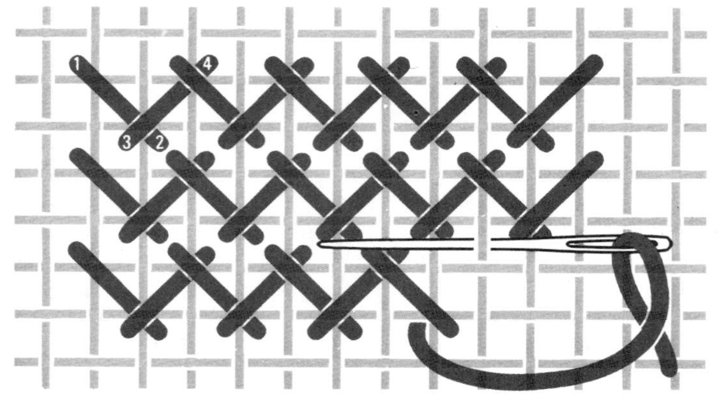

Point grec : commencez dans le coin supérieur gauche; exécutez toutes les rangées de gauche à droite. Pour chaque point, sortez l'aiguille en 1, montez en 2 par-dessus deux croisements du canevas; glissez l'aiguille sous deux fils de trame et sortez-la en 3; descendez en 4, dans la quatrième maille à droite de 1. Chaque rangée doit se terminer par le point 1-2. Renversez ensuite l'ouvrage pour exécuter la rangée suivante. Commencez chaque rangée avec le point 1-2.

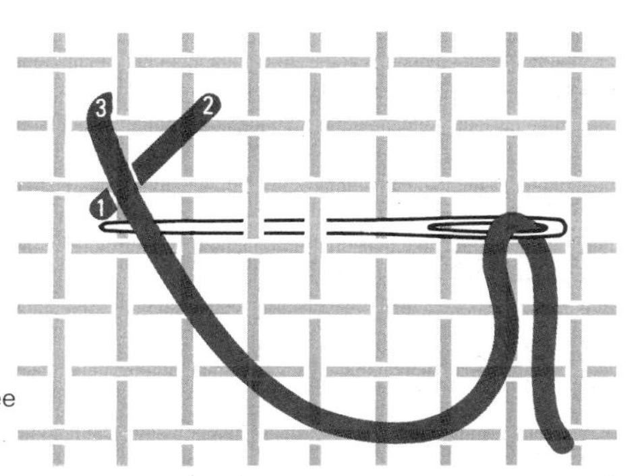

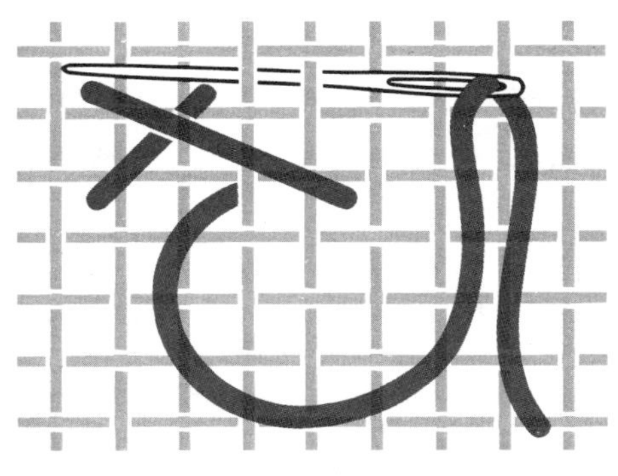

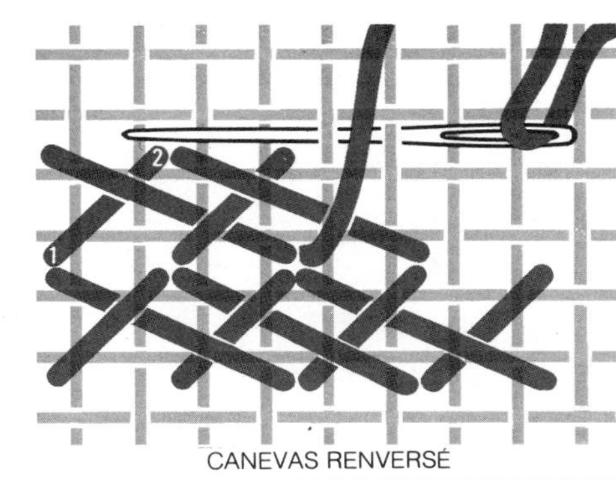

CANEVAS RENVERSÉ

Point natté horizontal

Point de chevron illusion

POINT NATTÉ HORIZONTAL/ POINT DE CHEVRON ILLUSION

Le point natté horizontal et le point de chevron illusion sont tous deux uniques en leur genre, en ce sens que ce sont les points d'une rangée qui s'entrecroisent avec ceux d'une autre rangée et non pas les points eux-mêmes à l'intérieur d'une unité. Le point natté horizontal donne un effet de grosse étoffe tissée; le point de chevron illusion crée un motif à trois dimensions dont l'effet est encore plus prononcé si les rangées sont exécutées en deux couleurs (notre illustration) ou en plusieurs nuances d'une même couleur.

Point natté horizontal : commencez dans le coin supérieur droit. Exécutez les rangées alternativement de droite à gauche, puis de gauche à droite. Pour chaque point, sortez l'aiguille en 1 et montez-la en 2, par-dessus quatre fils de trame et deux fils de chaîne. Laissez une maille entre chaque point. Quand les rangées sont exécutées de droite à gauche, inclinez les points vers la droite; de gauche à droite, inclinez-les vers la gauche. Travaillez chaque nouvelle rangée en sens contraire de la précédente, en croisant l'extrémité de ses points.

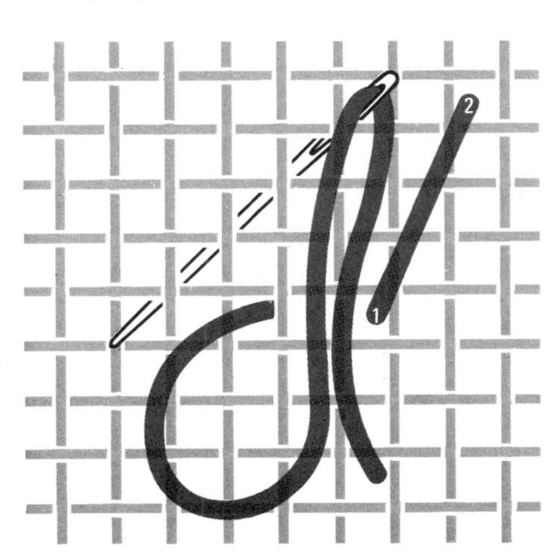

Points de tapisserie

Points croisés

Point de chevron illusion : il s'exécute par série de quatre rangées, chacune d'elles étant formée de groupes verticaux de trois points en diagonale. Chaque point passe par-dessus deux croisements; la position de l'aiguille et l'inclinaison des points changent d'un groupe à l'autre.

Pour la première rangée, exécutez le premier groupe vertical de trois points diagonaux (1-2), en descendant; inclinez le sommet des points vers la droite. Ensuite, faites le deuxième groupe (3-4) en remontant; inclinez le sommet de ces points vers la gauche. Répétez l'enchaînement. A la fin de la rangée, renversez le canevas.

Commencez la deuxième rangée avec un groupe de points (1-2 ou 3-4, selon le cas) inclinés dans la direction opposée à celle du dernier groupe de la rangée précédente. Placez les points de telle sorte qu'ils chevauchent les groupes de la rangée précédente, comme nous l'illustrons. A la fin de cette rangée, qui *chevauche* la précédente, renversez le canevas.

Commencez la troisième rangée avec un groupe de points inclinés dans le même sens que le dernier groupe de la rangée que vous venez de terminer (3-4 ou 1-2, selon le cas). Placez tous les points de chaque groupe *parallèlement* à ceux de la rangée précédente. A la fin de la rangée, renversez le canevas.

Pour la quatrième rangée, commencez avec un groupe incliné dans la direction opposée à celle du dernier groupe de la rangée qui vient d'être terminée (3-4 ou 1-2, selon le cas), de façon qu'il le chevauche. A la fin de la quatrième rangée, renversez le canevas et recommencez tout l'enchaînement.

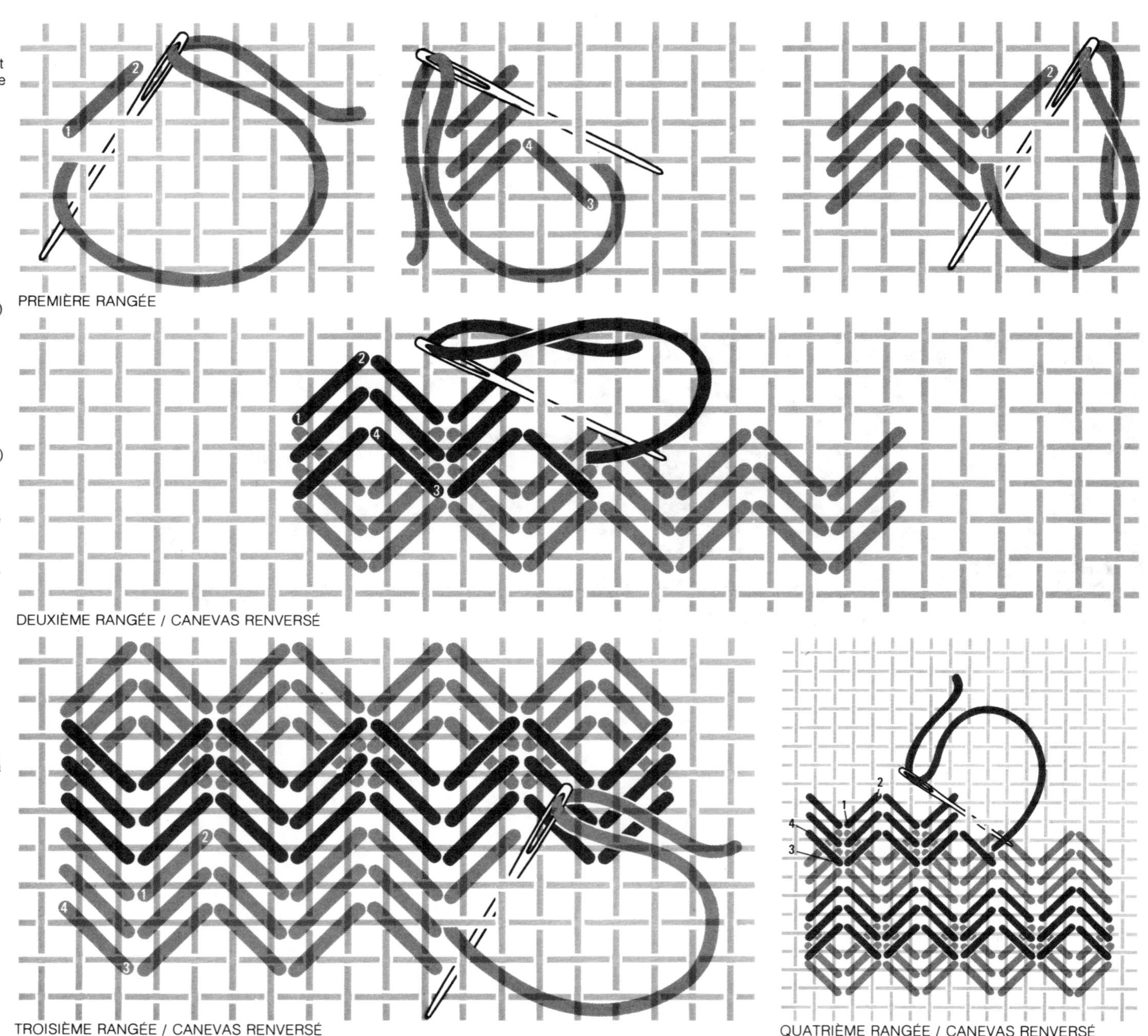

PREMIÈRE RANGÉE

DEUXIÈME RANGÉE / CANEVAS RENVERSÉ

TROISIÈME RANGÉE / CANEVAS RENVERSÉ

QUATRIÈME RANGÉE / CANEVAS RENVERSÉ

Points composés

Les points de ce groupe sont tous composés de plusieurs autres points de tapisserie à l'aiguille, d'où leur nom. Par exemple : le point étoilé (ci-dessous) est formé de points droits et de points en diagonale; et le point de chaise (p. 155), de points droits combinés avec des points de croix. A l'exception du petit point étoilé, les points composés sont de grands points qui présentent chacun une forme particulière. Comme c'est le cas avec tous les grands points, il arrive que le fil ne recouvre pas entièrement le canevas; pour éviter cela, ne tendez pas trop le fil en brodant le point mais laissez-lui plutôt du jeu.

Petit point étoilé

Grand point étoilé encadré de points arrière

POINTS ÉTOILÉS

Les points étoilés forment sur le canevas des unités en forme d'étoiles. Chacune de ces unités consiste en huit petits points lancés autour d'une maille de canevas. En choisissant le fil, il faut donc tenir compte du fait que celui-ci doit passer huit fois dans la même maille sans déformer l'ouvrage. Si le fil choisi ne recouvre pas entièrement tous les fils du canevas, ajoutez des points arrière autour de chaque étoile (illustration ci-contre).

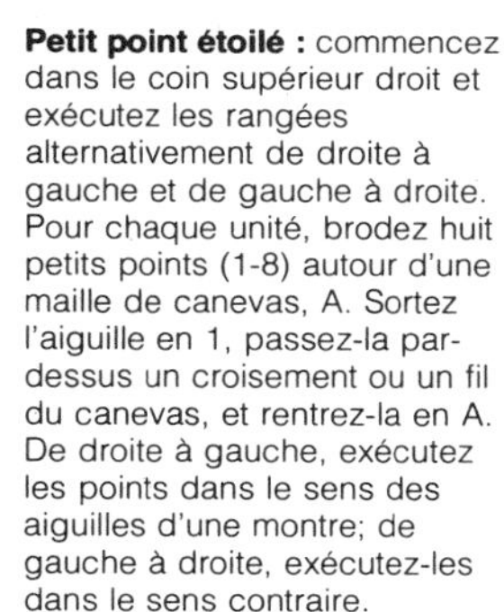

Petit point étoilé : commencez dans le coin supérieur droit et exécutez les rangées alternativement de droite à gauche et de gauche à droite. Pour chaque unité, brodez huit petits points (1-8) autour d'une maille de canevas, A. Sortez l'aiguille en 1, passez-la par-dessus un croisement ou un fil du canevas, et rentrez-la en A. De droite à gauche, exécutez les points dans le sens des aiguilles d'une montre; de gauche à droite, exécutez-les dans le sens contraire.

Grand point étoilé : ce point est tout simplement une version agrandie du précédent. La formation d'une rangée et l'exécution d'une unité de points sont identiques; la seule différence réside dans le fait que chaque point passe par-dessus deux fils ou deux croisements, au lieu d'un. Il est souvent difficile de recouvrir entièrement le canevas; aussi, exécutez des points arrière (p. 138) autour des unités de point étoilé, avec du fil de même couleur ou de couleur différente, comme ici.

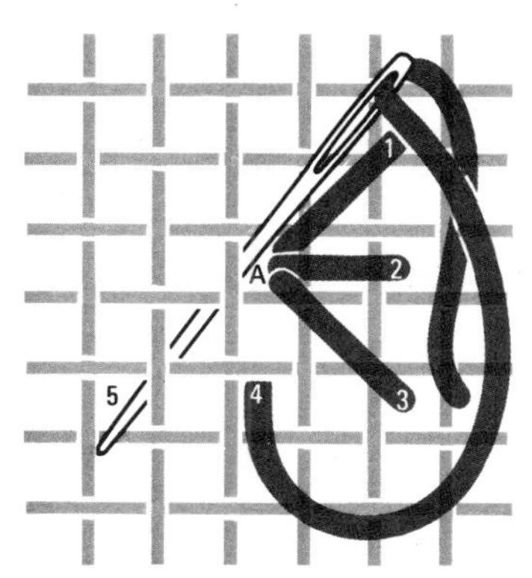

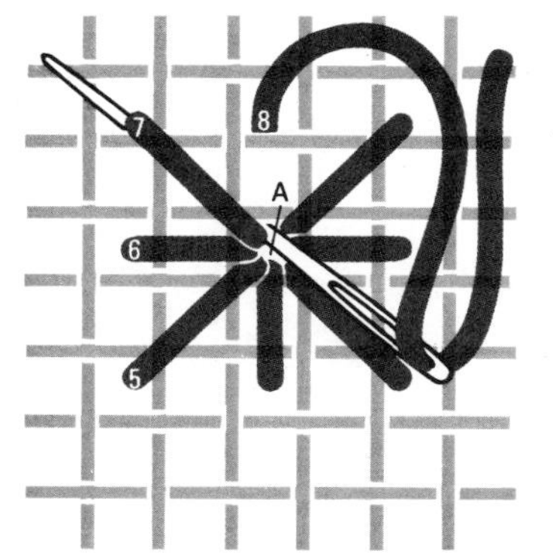

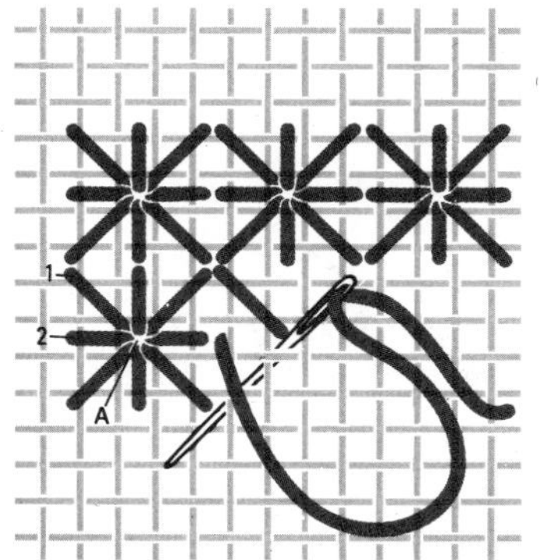

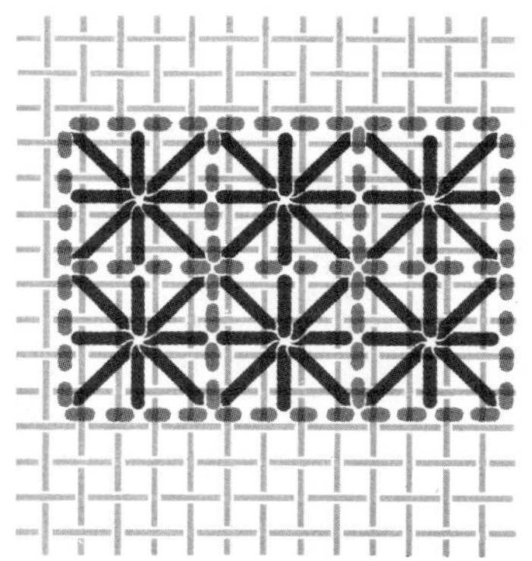

Points de tapisserie

Points composés

Point rayonnant

Point déployé

POINTS RAYONNANTS

Chacun de ces points est constitué de plusieurs points qui irradient à partir d'une même maille de canevas. Le point rayonnant est composé de 7 points formant un carré; le point déployé est fait de 13 points formant un rectangle. Le choix du fil pour l'exécution de ces deux points est très important; il faut le prendre assez fin pour qu'il passe plusieurs fois à travers la même maille sans la déformer. Une recommandation importante : ne tirez pas sur le fil en travaillant. Pour ajouter de la variété, changez la couleur du fil avec chaque unité, ou rangée d'unités.

Point rayonnant : commencez dans le coin supérieur gauche et exécutez les rangées alternativement de gauche à droite, puis de droite à gauche. Chaque unité est composée de sept points disposés en éventail autour d'une maille de canevas recouvrant une surface de trois fils de trame sur trois fils de chaîne. Travaillez dans le sens contraire des aiguilles d'une montre (1-7). Rentrez toujours l'aiguille en A. Placez les points en éventail. A chaque nouvelle rangée, changez de sens et placez les nouvelles unités au-dessous des précédentes.

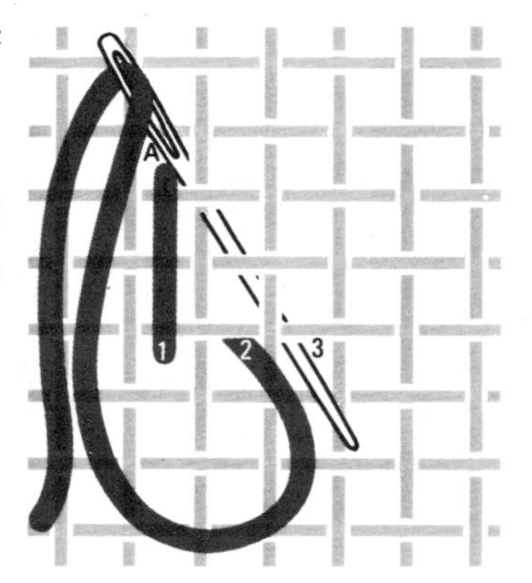

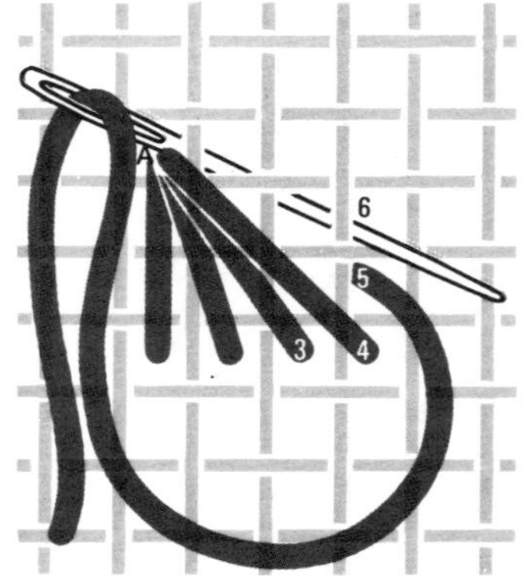

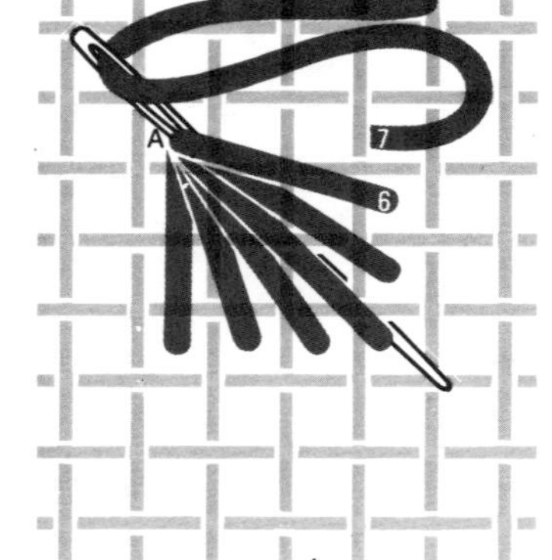

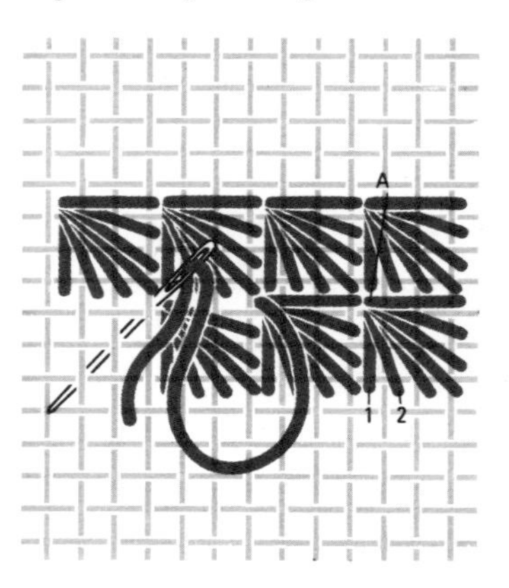

Point déployé : commencez dans le coin supérieur gauche et exécutez les rangées alternativement de gauche à droite, puis de droite à gauche. Chaque unité est composée de 13 points disposés en éventail autour d'une seule maille (A), et recouvre six fils de chaîne sur trois fils de trame. Quand vous exécutez les rangées de gauche à droite, travaillez les points dans le sens contraire des aiguilles d'une montre; de droite à gauche, travaillez-les dans le sens des aiguilles d'une montre.

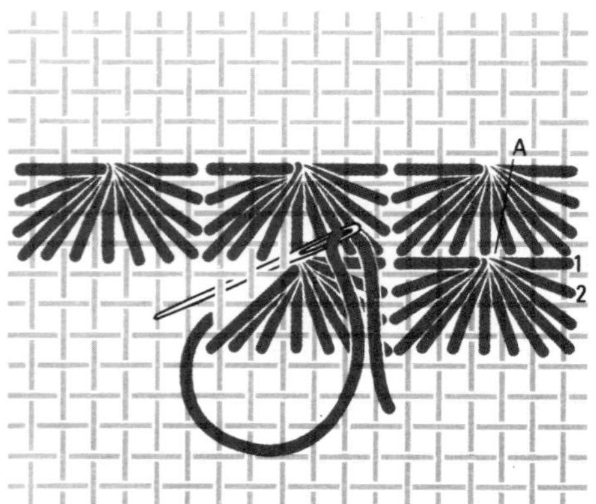

POINT D'ŒILLET

Le point d'œillet est un point joli mais plutôt grand. En fait, ce point peut être utilisé pour broder un seul élément d'une tapisserie à l'aiguille. Chaque unité est composée de 16 points qui partent tous d'une même maille de canevas. Choisissez avec soin le fil, qui doit passer 16 fois dans la même maille sans la déformer. Si les points ne recouvrent pas entièrement le canevas, vous pouvez les encadrer de points arrière. A cause de ses longs points qui peuvent s'accrocher facilement, le point d'œillet n'est pas recommandé pour les articles soumis à des manipulations fréquentes.

Point d'œillet

Point d'œillet encadré de points arrière

Point d'œillet : commencez dans le coin supérieur gauche et exécutez les rangées alternativement de gauche à droite, puis de droite à gauche. Chaque unité se compose de 16 points disposés en losange, et recouvrant une surface de huit fils de chaîne sur huit fils de trame. Commencez le premier point en 1, à quatre mailles de A. Puis, dans le sens des aiguilles d'une montre, exécutez les points de 2 à 16. Rentrez toujours l'aiguille en A. Commencez chaque unité de nouveaux points à huit mailles du premier point (1) de l'unité qui vient d'être terminée.

Avec chaque nouvelle rangée, changez de sens. Disposez les nouvelles unités de telle sorte que le premier point (1) partage la même maille de canevas que les points horizontaux de deux unités de la rangée précédente. Si besoin est, ajoutez des points arrière (p. 138) pour couvrir les fils découverts du canevas entre les unités de points. Utilisez des fils de même couleur ou de couleur contrastée.

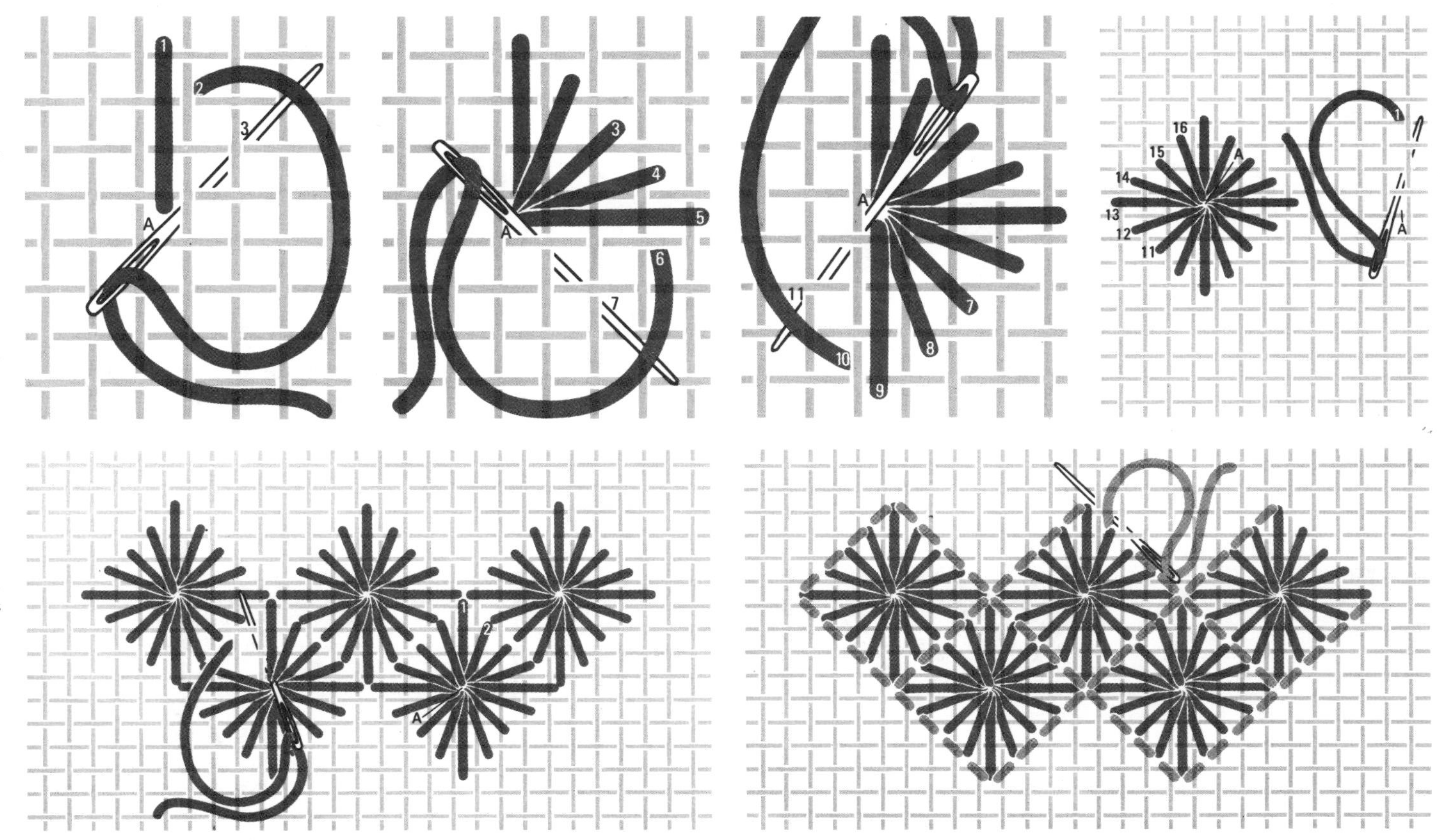

Points de tapisserie

Points composés

Point palmier

Point palmier avec points arrière

POINT PALMIER

Le point palmier (une version du point de tige) est un autre grand point qui peut être utilisé par unité ou par groupes d'unités. Chaque unité comprend 11 points disposés en forme de palme. Si vous désirez allonger la palme, augmentez le nombre de points sur les côtés de celle-ci, mais laissez tels quels les cinq points en éventail qui dessinent le sommet de la palme. Vous pouvez donner plus de relief au motif en ajoutant quelques points arrière sur la ligne centrale de chaque unité, avec un fil de même couleur ou de couleur différente.

Point palmier : sortez l'aiguille dans le coin supérieur gauche, en 1. Exécutez les rangées alternativement de gauche à droite, puis de droite à gauche. Chaque unité présentée ici se compose de 11 points : trois points parallèles (1-6), cinq points lancés en éventail au sommet (7-16), et trois autres points latéraux (17-22). Sortez toujours l'aiguille-la à un chiffre impair et rentrez-la à un chiffre pair. Quand vous travaillez les rangées de gauche à droite, exécutez les points dans le sens des aiguilles d'une montre; de droite à gauche, exécutez-les dans le sens contraire des aiguilles d'une montre. Le point de départ de chaque nouvelle unité doit se situer à six mailles de celui (1) de l'unité précédente.

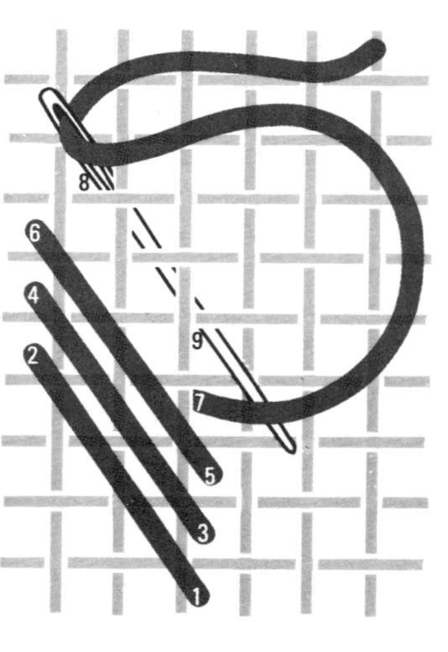

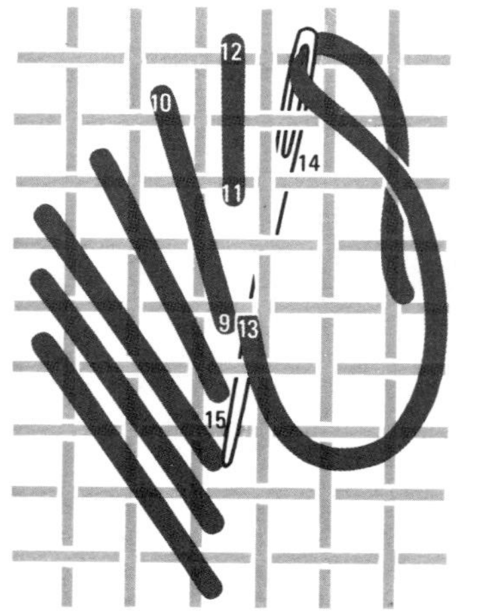

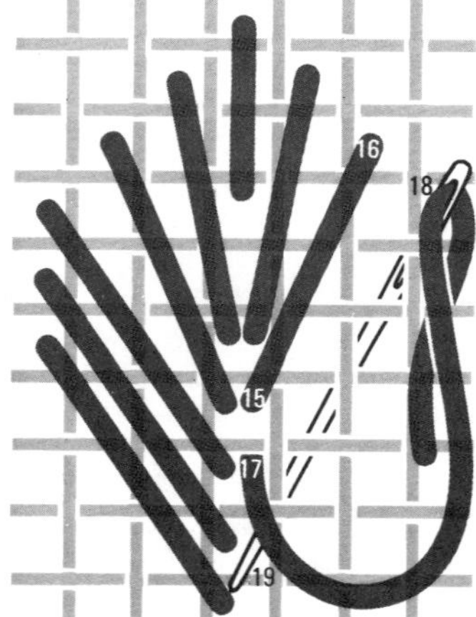

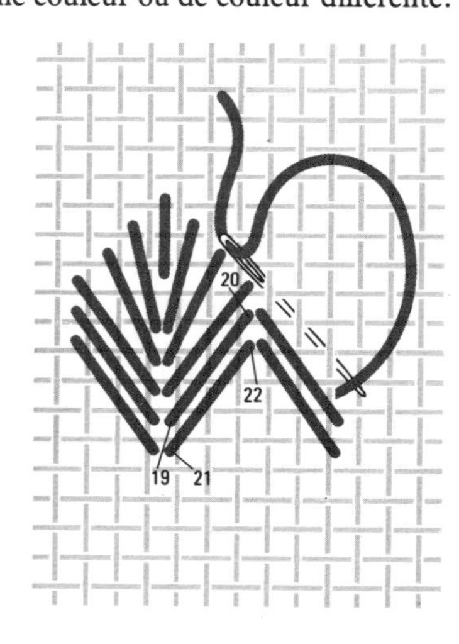

A chaque nouvelle rangée, inversez le sens de l'exécution des rangées et des unités. Disposez celles-ci de telle sorte que leur partie supérieure s'imbrique dans l'angle formé par les deux côtés inférieurs de deux unités de la rangée précédente. Vous pouvez exécuter des points arrière le long de la ligne centrale de chaque unité, avec un fil de même couleur ou de couleur contrastante.

Point de chaise (une couleur)

Point de chaise (deux couleurs)

POINT DE CHAISE

Le point de chaise, dont le motif fait penser à un fond de chaise paillée, est composé de quatre unités triangulaires placées sommet contre sommet. Un grand point de croix à chaque coin complète le motif. Les motifs produits par le groupement de plusieurs points sont très intéressants : quand les points sont exécutés dans la même couleur, le motif de base s'estompe, laissant ressortir les formes secondaires créées par les triangles juxtaposés. L'emploi d'une seconde couleur augmentera l'éventail des effets visuels qu'on peut obtenir.

Point de chaise : chaque unité de points (quatrième illustration) est formée de quatre triangles et de quatre points de croix. Commencez dans le coin supérieur gauche et travaillez les rangées alternativement de gauche à droite, puis de droite à gauche.

Pour former chaque unité triangulaire, exécutez sept points, de 1 à 14, en sortant toujours l'aiguille à un chiffre impair et en la rentrant à un chiffre pair. Commencez par le triangle du haut et exécutez toutes les unités et tous les points dans le sens contraire des aiguilles d'une montre. Placez les triangles, comme nous le montrons sur l'illustration, en rentrant l'aiguille dans la même maille de canevas pour les quatre points 7.

Complétez les unités en triangle par un grand point de croix (p. 139) par-dessus deux croisements, aux quatre coins. Commencez par celui du coin supérieur droit, de A en D. (Notez que l'ordre d'exécution du premier point de croix est différent de celui des trois suivants.) Commencez le point de chaise suivant dans la huitième maille libre à partir de l'unité précédente.

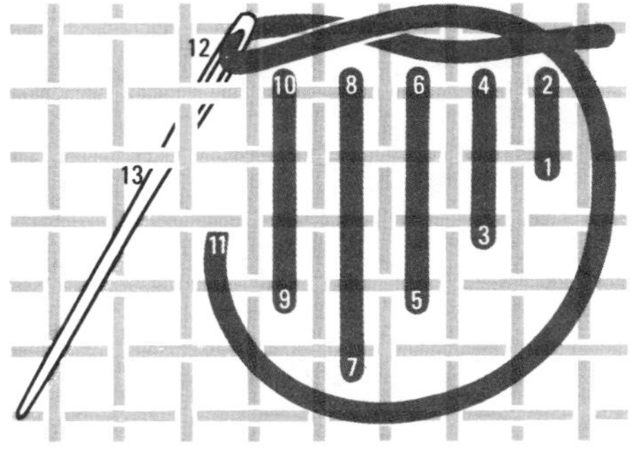

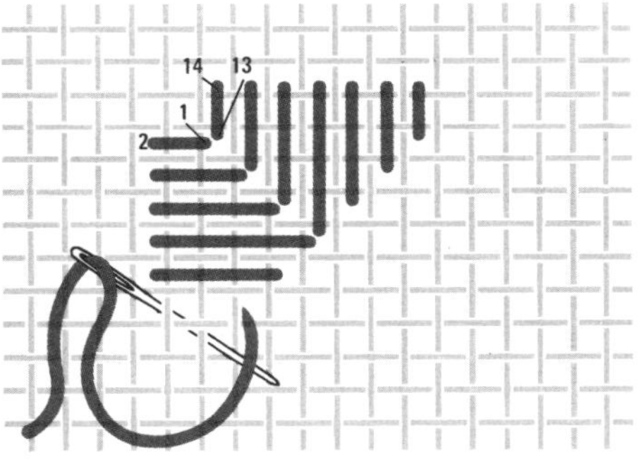

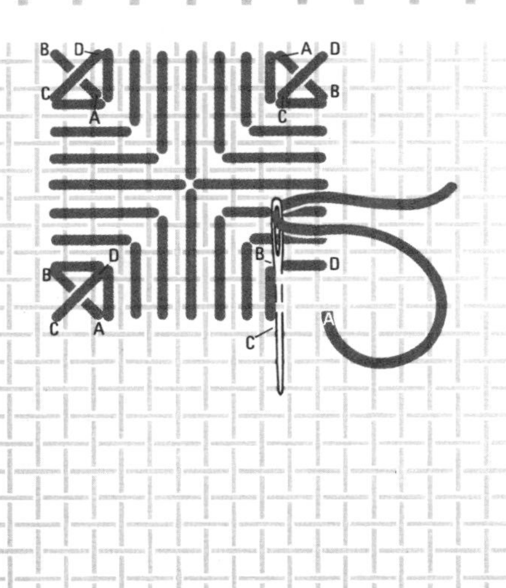

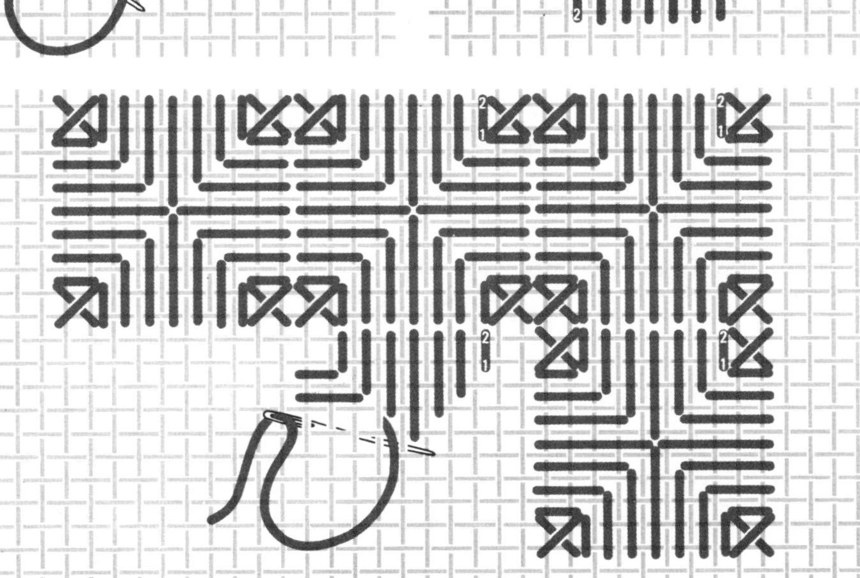

Points de tapisserie

Points composés

Point papillon (une couleur)

Point papillon (deux couleurs)

POINT PAPILLON

Ce point s'obtient avec des rangées de points en diagonale, groupés cinq par cinq, l'inclinaison des points variant d'un groupe à l'autre. Chaque nouvelle rangée est la réflection de la rangée précédente, qui se trouve ainsi inversée, comme dans un miroir. On remplit chaque vide créé entre quatre groupes de points d'un point de croix droit. Ces points de croix peuvent être exécutés dans la même couleur de fil, ou dans une couleur différente.

Point papillon : les rangées sont formées de groupes de cinq points en diagonale. L'inclinaison des points alterne d'un groupe à l'autre. Un point de croix droit décore le centre de chaque carré de quatre groupes.

Partez dans le coin supérieur gauche. Travaillez toutes les rangées de gauche à droite. Commencez la première rangée avec un groupe de cinq points, de 1 en 10, en inclinant les points de gauche à droite. Puis, brodez le groupe suivant, de 11 en 20, en inclinant les points de droite à gauche. Continuez ainsi la rangée en faisant alterner les groupes 1-10 avec les groupes 11-20. A la fin de chaque rangée, laissez l'aiguille à l'arrière du canevas et renversez l'ouvrage.

Commencez chaque nouvelle rangée avec un groupe de points incliné en sens contraire du dernier groupe de la rangée précédente : 1-10 ou 11-20, selon le cas.

Recouvrez toute la surface du canevas avec ces points en diagonale. Pour terminer le travail, brodez un point de croix droit (p. 142), de A en D, au centre de chaque «carré» de quatre groupes de points en diagonale.

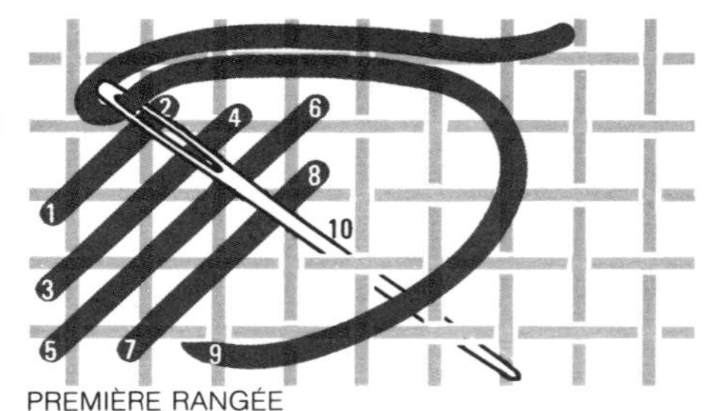

PREMIÈRE RANGÉE

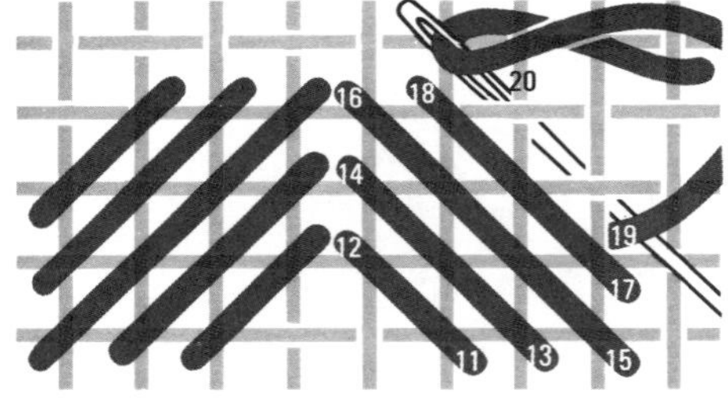

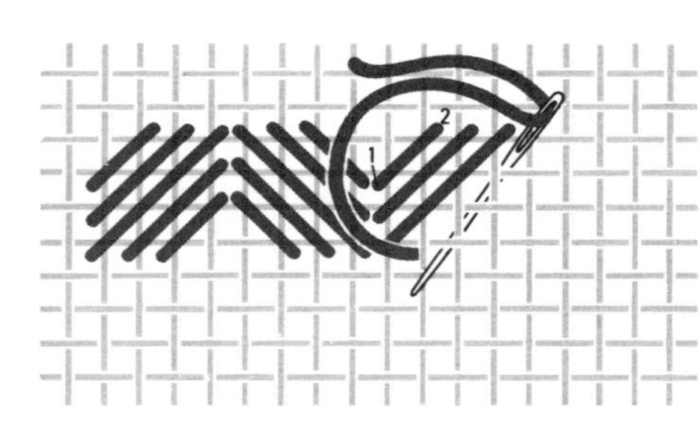

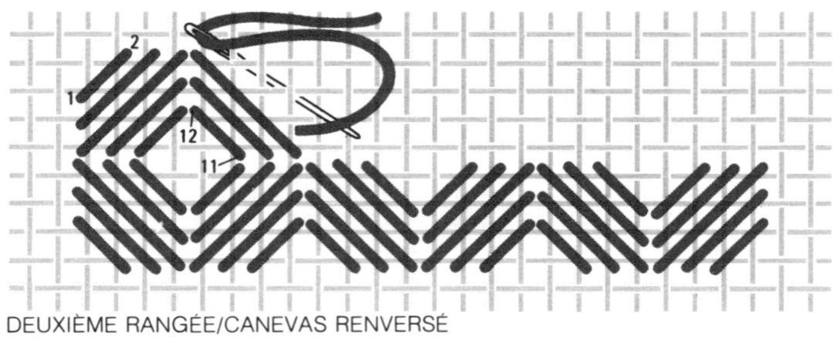

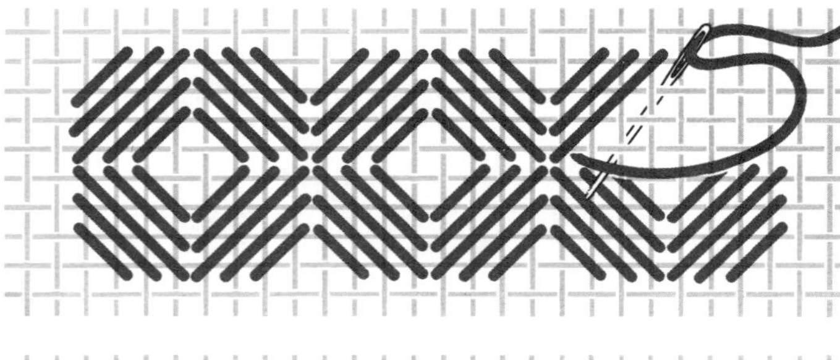

DEUXIÈME RANGÉE/CANEVAS RENVERSÉ

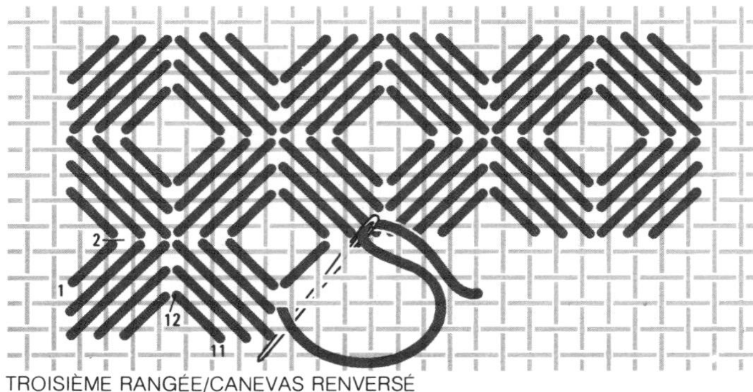

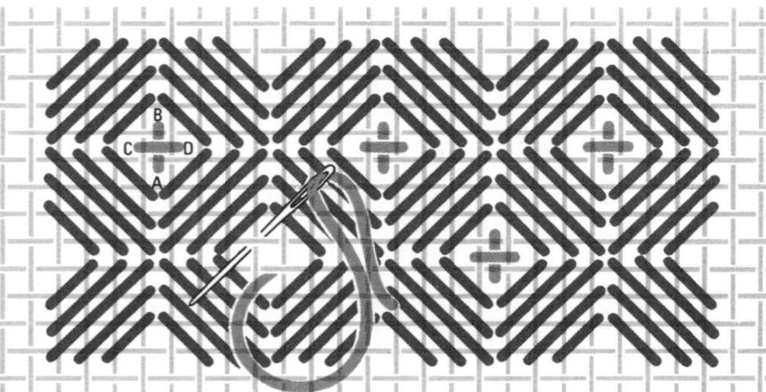

TROISIÈME RANGÉE/CANEVAS RENVERSÉ

Points fourrure

Les trois points de ce groupe servent à imiter les tapis d'Orient. Ils donnent un effet de relief à cause des boucles lâches de fil dont ils sont formés. Ces boucles peuvent être laissées telles quelles (point de velours épinglé) ou coupées, donnant une sorte de tapisserie à poils longs (point de velours rasé). Cette dernière technique est expliquée à la page suivante avec le point Astrakan I; elle peut cependant être utilisée pour les autres points. Les points fourrure s'emploient surtout dans la fabrication de tapis, mais ils conviennent aussi à toute tapisserie à l'aiguille qui a besoin d'une surface surélevée.

Point de Rya

Point Astrakan I

Point Astrakan II

POINT DE RYA/POINTS ASTRAKAN

Bien que ces points produisent un résultat à peu près identique, ils diffèrent dans leur construction individuelle, construction qui peut elle-même varier selon que l'on choisit de travailler sur un canevas unifil, un canevas Pénélope ou un canevas de Smyrne. Tout ceci vous est expliqué ici. Pour plus de détails concernant les canevas, reportez-vous à la page 114.

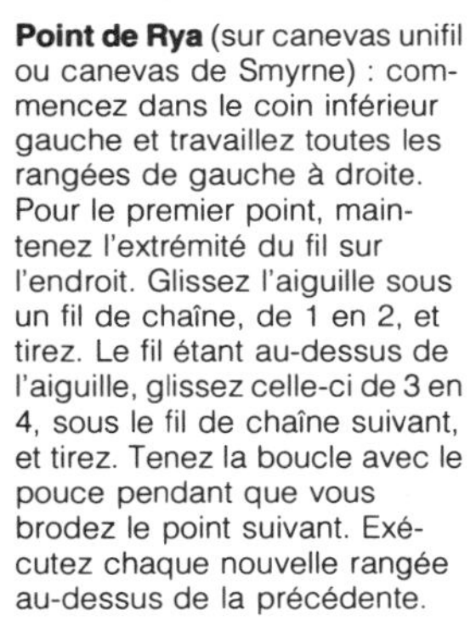

Point de Rya (sur canevas unifil ou canevas de Smyrne) : commencez dans le coin inférieur gauche et travaillez toutes les rangées de gauche à droite. Pour le premier point, maintenez l'extrémité du fil sur l'endroit. Glissez l'aiguille sous un fil de chaîne, de 1 en 2, et tirez. Le fil étant au-dessus de l'aiguille, glissez celle-ci de 3 en 4, sous le fil de chaîne suivant, et tirez. Tenez la boucle avec le pouce pendant que vous brodez le point suivant. Exécutez chaque nouvelle rangée au-dessus de la précédente.

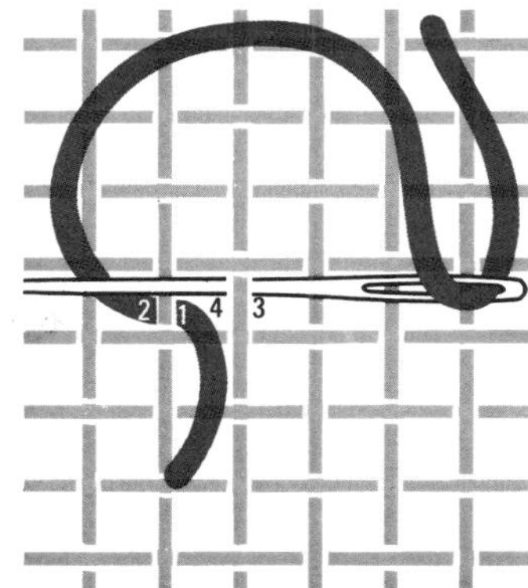

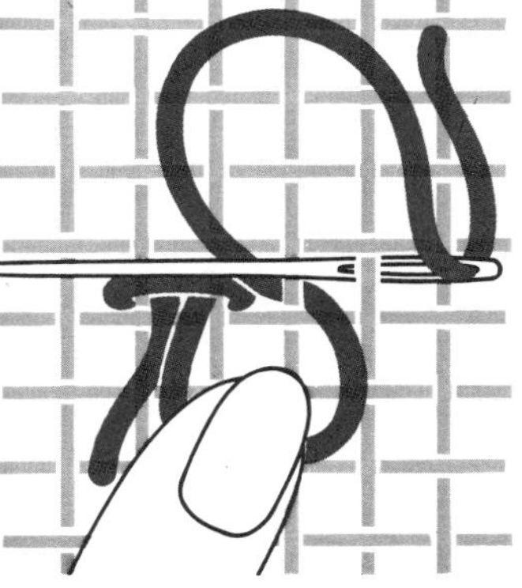

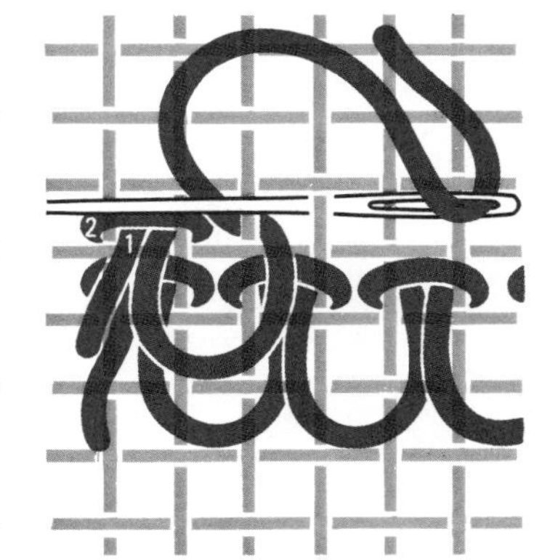

Point de Rya (sur canevas Pénélope) : la construction du point et de la rangée est identique à ce que nous avons décrit plus haut, mais la position du point peut changer. En effet, sur un canevas Pénélope, chaque point peut être formé de chaque côté d'une maille, comme ci-dessus, ou au bord d'une maille, comme ci-contre. Dans ce dernier cas, écartez les deux fils de chaîne et utilisez chacun d'eux comme une unité séparée pour former le point : piquez de 1 en 2, puis de 3 en 4.

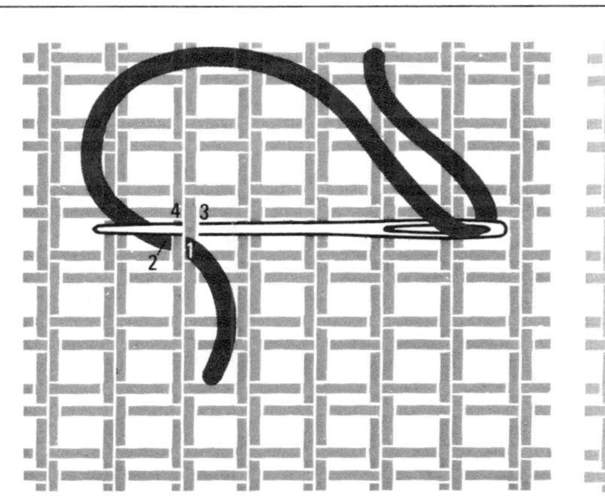

Points de tapisserie

Points fourrure

Point Astrakan I (sur canevas unifil et canevas de Smyrne) : partez du bord inférieur gauche, et travaillez toutes les rangées de gauche à droite. Sortez l'aiguille en 1, piquez-la en 2, par-dessus deux croisements, ressortez-la en 3 (même maille que 1) et tirez. Formez alors une boucle que vous tenez avec un doigt. Rentrez l'aiguille en 4 (même maille que 2) et ressortez-la en 5, sous deux fils de trame (la pointe de l'aiguille doit rester sous la boucle). Amenez ensuite l'aiguille en 6. Commencez le point suivant dans la même maille que 5.

Commencez chaque nouvelle rangée à gauche, au-dessus de la précédente. Quand vous avez terminé toutes les rangées, vous pouvez, si vous le désirez, ouvrir toutes les boucles aux ciseaux — *point de velours rasé* — ou au contraire les garder telles quelles — *point de velours épinglé*.

Pour ouvrir les boucles, écartez les lames des ciseaux et passez une des lames à travers quelques boucles (illustration à l'extrême droite). Coupez les boucles en tirant un peu avec la lame des ciseaux.

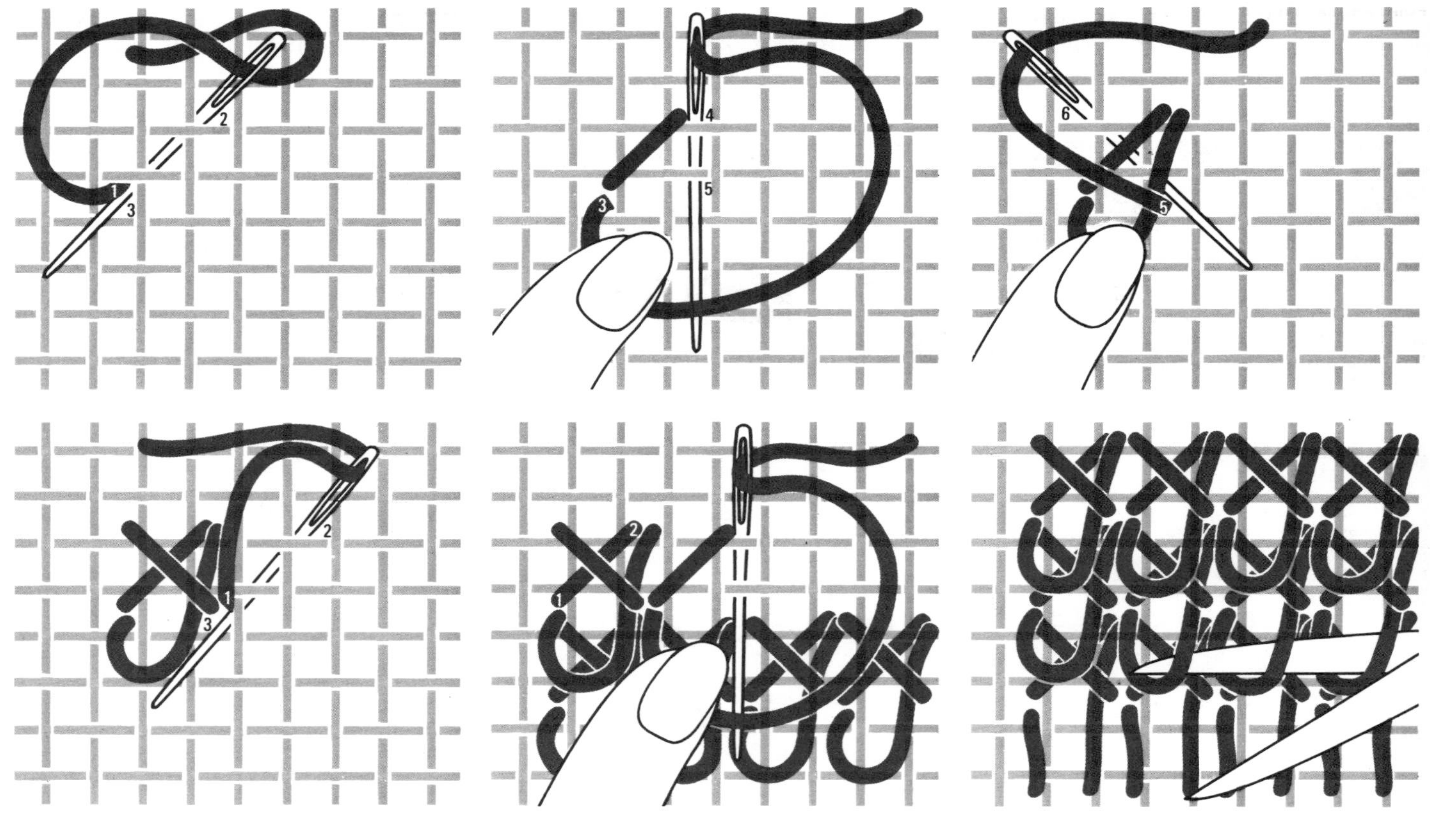

Point Astrakan I (sur canevas Pénélope) : la construction de la rangée et du point est la même que ci-dessus, mais le point peut être placé par-dessus une maille, comme ci-dessus, ou par-dessus un seul croisement, comme ci-contre. Dans ce dernier cas, sortez l'aiguille en 1, passez-la par-dessus un croisement et rentrez-la en 2. Ressortez-la en 3, passez-la par-dessus le même croisement et rentrez-la en 4, en laissant une boucle de fil lâche que vous tenez avec le doigt. Sortez l'aiguille en 5, passez-la par-dessus le croisement et rentrez-la en 6.

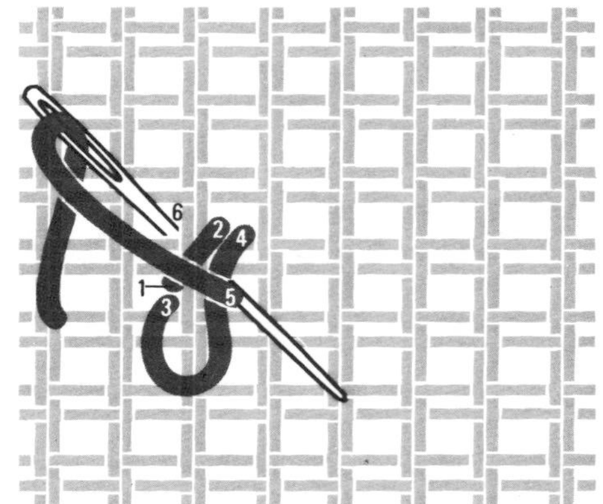

Point Astrakan II (sur canevas unifil ou canevas de Smyrne) : partez du bord inférieur gauche et travaillez toutes les rangées de gauche à droite. Pour faire le premier point de chaque rangée, retenez l'extrémité du fil sur l'endroit du canevas. Insérez l'aiguille en 1, glissez-la sous deux fils de trame (ou deux paires de fils de trame, dans le cas du canevas de Smyrne) et sortez-la en 2. Tirez. Le fil au-dessus de l'aiguille, rentrez l'aiguille en 3, par-dessus deux croisements, et sortez-la en 4, sous deux fils de chaîne. (La pointe de l'aiguille doit passer par-dessus la courbe que forme l'aiguillée.) Tirez. Formez une boucle de la taille désirée que vous tiendrez avec le doigt pendant que vous brodez le point suivant. Commencez chaque nouveau point dans la même maille de canevas que l'étape 3 du dernier point exécuté. A chaque point, assurez-vous que l'aiguille passe bien par-dessus la boucle quand elle sort en 2.

Commencez chaque nouvelle rangée à gauche, au-dessus de la précédente. Quand toutes les rangées sont terminées, on peut ouvrir les boucles aux ciseaux (page ci-contre).

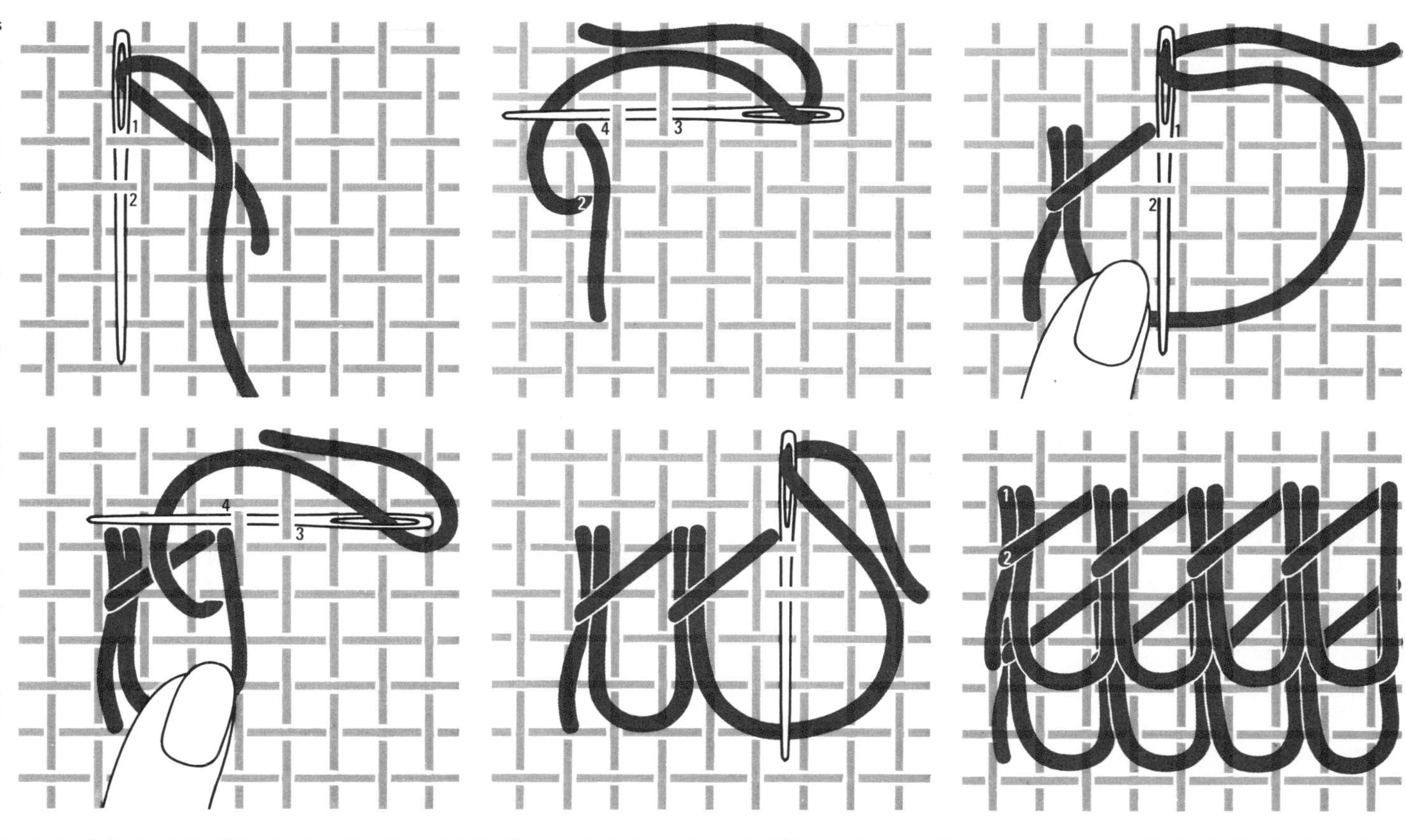

Point Astrakan II (sur canevas Pénélope) : la construction du point et de la rangée est la même que ci-dessus, la seule différence résidant dans la possibilité de placer les points différemment. Avec le canevas Pénélope, chaque point peut être exécuté par-dessus une maille, comme ci-dessus, ou par-dessus un croisement, comme ci-contre. Dans ce dernier cas, il faut travailler sur les deux fils réunis du canevas, de 1 en 2 et de 3 en 4.

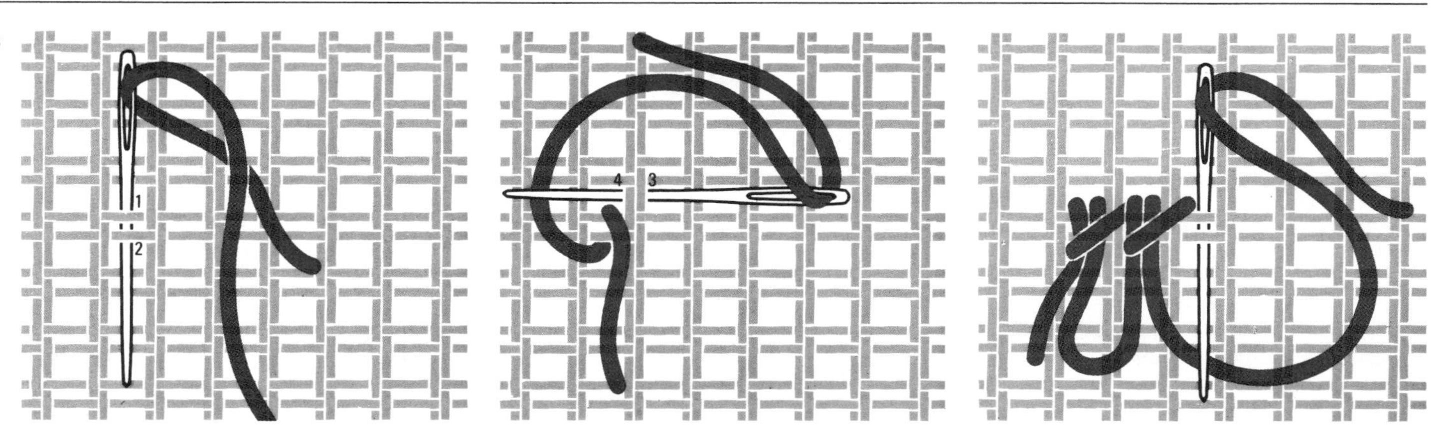

Techniques complémentaires

L'utilisation de **plusieurs couleurs** dans l'exécution d'un point permet de transformer l'aspect de l'ouvrage en créant un motif de couleur parallèle au motif du point. On peut soit changer la couleur du fil à chaque rangée, soit la changer à l'intérieur d'une même rangée. Nous expliquons les deux méthodes ci-dessous. La technique des **points de compensation**, illustrée page ci-contre, traite de la manière de compléter un motif le long d'une bordure. Enfin, nous expliquons aux **gauchers** comment interpréter et adapter les instructions et les illustrations concernant tous les points de cette section.

UTILISATION DE DEUX COULEURS

Il y a deux façons de travailler avec des fils de couleurs différentes : rangée par rangée (méthode I) ou à l'intérieur d'une rangée (méthode II). Les points s'exécutent de la même façon.

Dans la **méthode I**, le nouveau fil de couleur sert à exécuter une rangée complète de points et les rangées sont travaillées en unités, chaque unité consistant d'autant de rangées qu'il y a de couleurs. Lorsque vous n'utilisez qu'une seule couleur, vous changez le sens d'exécution des points ou vous renversez le canevas à chaque rangée. Lorsque vous travaillez avec plusieurs couleurs, ce changement se produit avec la première rangée de chaque nouvelle unité. Avec la méthode I, on utilise une aiguille différente pour chaque nouveau fil de couleur. S'il reste du fil à la fin d'une rangée, on ne l'arrête pas : on plante l'aiguille sur l'endroit du canevas, en dehors de la surface de travail; dès qu'on est prêt à exécuter une nouvelle rangée dans cette même couleur, on reprend l'aiguillée et on l'amène à l'envers du canevas, là où commence la nouvelle rangée.

Avec la **méthode II**, on utilise les différentes couleurs dans une même rangée de points. Cette méthode est la meilleure lorsqu'on n'utilise que deux fils de couleur et que le modèle est formé de deux points différents, comme par exemple le point de croix double dans lequel des points de croix allongés alternent avec des points de croix sur un seul croisement. En premier lieu, on exécute toutes les rangées du même type de point et de la première couleur en laissant des espaces pour le second type de point et la seconde couleur (que l'on travaille ensuite).

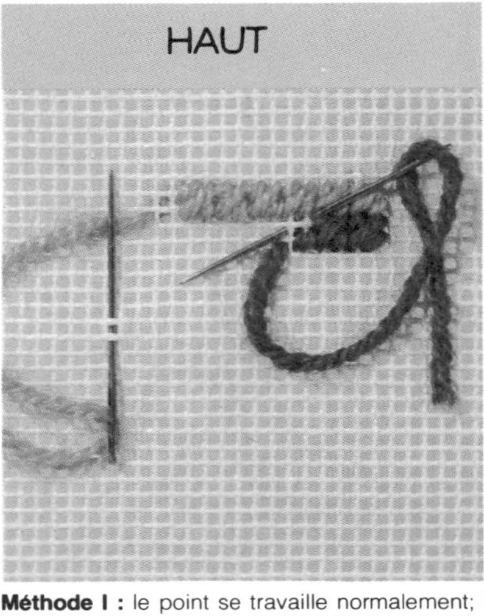

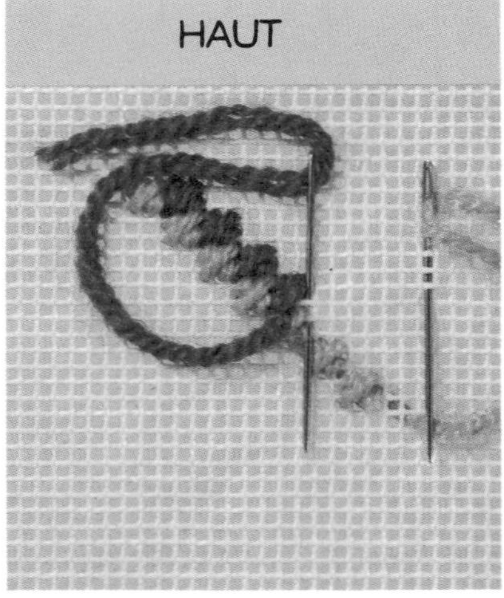

Méthode I : le point se travaille normalement; les couleurs changent à chaque rangée. Nos deux exemples (au point de mosaïque) sont exécutés en deux couleurs. A gauche, les deux rangées sont travaillées de droite à gauche, tandis qu'à droite, elles sont exécutées en diagonale vers le bas.

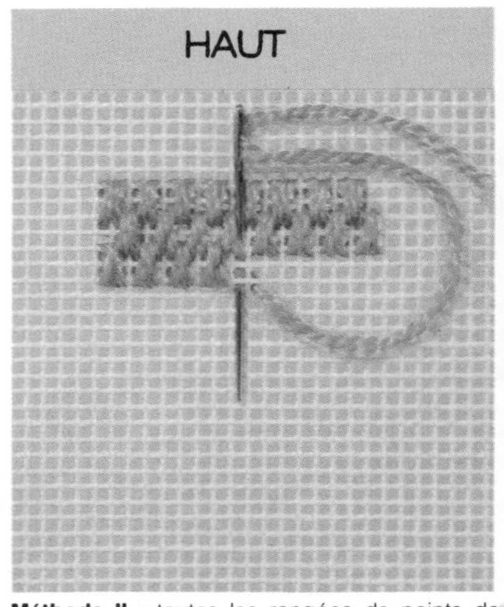

Méthode II : toutes les rangées de points de croix allongés se travaillent normalement, en laissant des espaces pour la deuxième couleur.

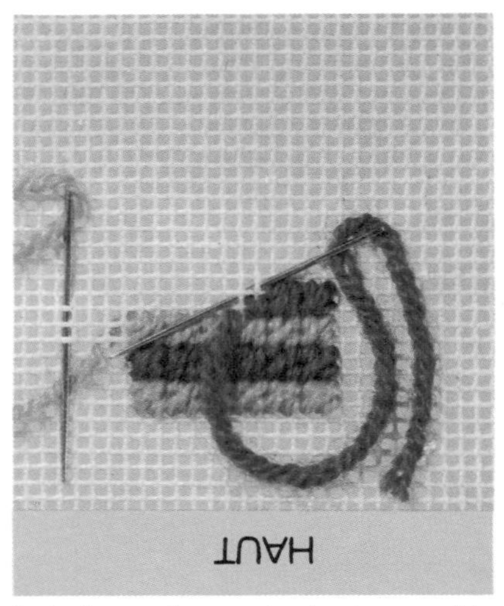

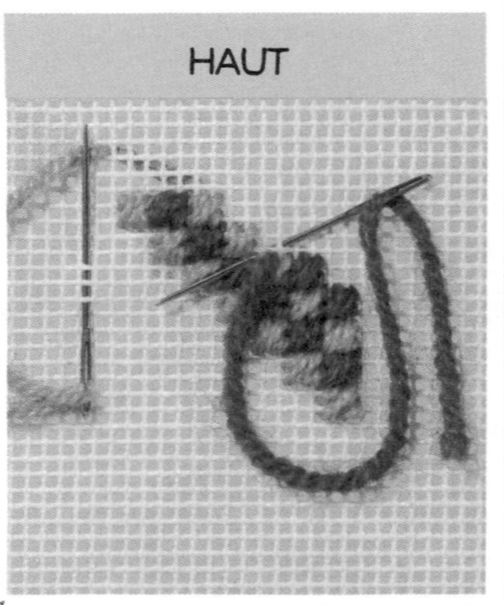

Après la première rangée de chaque unité, on renverse le canevas ou on change de sens d'exécution. Le choix de la méthode dépend de la façon dont s'exécutent les rangées. A gauche, le canevas a été renversé; à droite, on a exécuté les rangées en sens inverse.

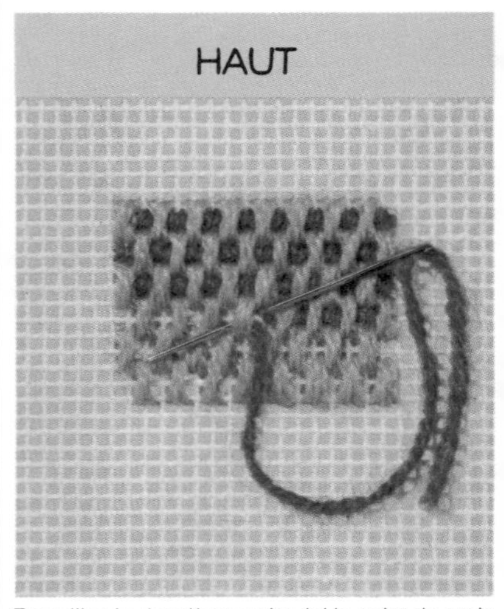

Travaillez le deuxième point, ici le point de croix, avec la deuxième couleur, dans les espaces laissés entre les premiers points.

POINTS DE COMPENSATION

Les photos ci-dessous, qui montrent certains détails de la grange en points de fantaisie située à la page 113, illustrent l'utilisation des points de compensation. Ces points sont destinés à la finition des bordures. Ils recouvrent les vides du canevas trop petits pour recevoir des points complets. Leur but est de maintenir le style du motif (ainsi que la couleur) sur toute la surface jusqu'aux bordures. Ils se forment en même temps que les autres points du motif, mais leur longueur est égale à l'espace vide du canevas entre la bordure et le point complet.

INSTRUCTIONS POUR LES GAUCHERS

Tous les points de la section de la tapisserie à l'aiguille sont illustrés et expliqués pour les droitiers. Mais ces explications et ces illustrations peuvent être adaptées aux gauchers.

Tout d'abord, familiarisez-vous avec la technique habituelle pour droitiers. Lorsque vous êtes prêt à passer à l'action, *renversez le livre et renversez votre canevas*. Commencez dans le coin qui apparaît sur l'illustration renversée et exécutez la rangée de points dans la direction indiquée. Suivez l'ordre des chiffres pour former les points. Renversez le canevas à chaque rangée, ou travaillez les rangées alternativement dans un sens puis dans l'autre, si les instructions l'indiquent ainsi. Suivez la direction montrée dans le dessin renversé, si les instructions indiquent que toutes les rangées doivent être exécutées dans le même sens. A droite, nous avons illustré trois points de tapisserie à l'aiguille : les trois illustrations du haut montrent l'exécution de ces points pour un droitier, telle que vous la trouverez dans ce livre; au-dessous, on retrouve les mêmes illustrations, mais renversées à l'usage des gauchers.

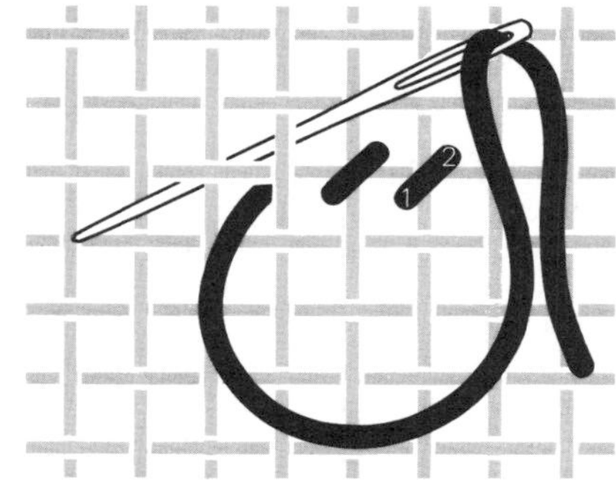

Petit point à l'horizontale : travaillez de droite à gauche; renversez le canevas à chaque rangée.

Point de mosaïque en diagonale : travaillez les rangées vers le bas, puis vers le haut.

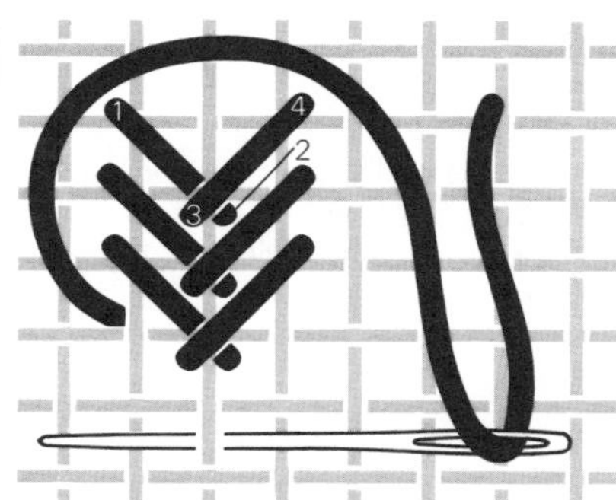

Point de fougère : commencez en haut à gauche et travaillez les rangées de haut en bas.

Si vous êtes gaucher, travaillez de gauche à droite; renversez le canevas à chaque rangée.

Si vous êtes gaucher, travaillez les rangées alternativement vers le haut, puis vers le bas.

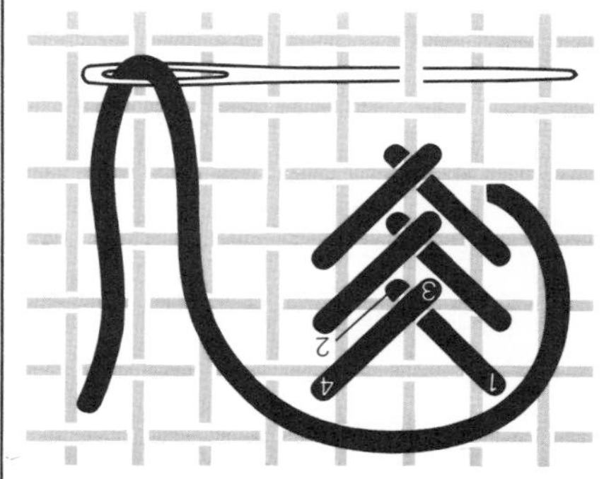

Si vous êtes gaucher, commencez en bas à droite et exécutez les rangées vers le haut.

Conception et exécution d'une tapisserie

Eléments de la conception

Le dessin d'une tapisserie à l'aiguille peut être affecté par plusieurs éléments. Avec un motif commercial, tous ces éléments sont déjà étudiés et il ne reste plus qu'à exécuter le dessin en suivant les instructions. Mais si vous dessinez vous-même votre motif, il vous faudra prendre en considération plusieurs facteurs. Premièrement, vous devez connaître les trois aspects différents que peut prendre une tapisserie (p. 113). Il est aussi important que vous vous familiarisiez avec les fournitures de base de la tapisserie à l'aiguille, telles que le canevas et le fil (pp. 114-115), et avec les points (pp. 118-161). L'aisance avec laquelle vous pourrez combiner les éléments de conception traités dans ces deux pages dépendra de la connaissance que vous avez de tout cela. (Le Bargello sera expliqué à la page 173.)

L'élément le plus important de la conception est le **dessin** qui doit être proportionné à la forme et à la dimension du projet. Un dessin peut être formé d'un motif sur fond uni ou d'une composition qui occupe tout l'espace disponible (de nombreuses compositions se forment par la répétition d'un seul motif; pp. 170-171). La plupart des dessins de tapisserie sont asymétriques, c'est-à-dire que leurs composantes sont différentes d'une surface à l'autre (la grange, p. 113). Quelques dessins sont symétriques, en ce sens que leurs parties (moitiés ou quarts) sont des images réfléchies les unes des autres (pp. 168-169). Si vous êtes bon en dessin, vous pouvez créer un motif; sinon empruntez votre dessin à un livre, à un morceau de vaisselle ou à un tissu. Vous pourrez agrandir ou réduire votre dessin plus tard, lorsque vous serez prêt à le reproduire sur le canevas (voir le chapitre de la *Broderie* pour plus de renseignements sur la composition du dessin et son agrandissement ou sa réduction).

Vous devrez aussi tenir compte des détails du motif, car ils déterminent la **jauge du canevas** à utiliser. Un dessin simple ou avec de grandes masses de couleur peut être exécuté sur un gros canevas (moins de 10). Une forme simple, avec des courbes, quelques détails et des dégradés, peut être exécutée sur un canevas de taille moyenne (10-14). Un dessin très détaillé et avec de nombreux dégradés devrait être exécuté sur un canevas fin (16-20). Un dessin extrêmement délicat ou petit devrait se faire sur un canevas encore plus fin (plus de 20). La jauge du canevas déterminera le temps requis pour broder le dessin ainsi que la durabilité du produit fini. En général, un dessin brodé sur un canevas fin prend plus de temps à être exécuté mais est plus durable. Si vous ne voulez pas utiliser la jauge suggérée, vous pourrez choisir un autre dessin qui convient au canevas de votre préférence, ou bien adapter le dessin choisi aux limitations imposées par la jauge du canevas que vous voulez utiliser.

Le nombre de détails de votre dessin dépend de la dimension et de la texture des **points** de tapisserie choisis. Il y a deux catégories de points : le petit point et les points de fantaisie. Le petit point comprend les plus petits points de la tapisserie à l'aiguille, donc ceux qui souligneront le mieux les détails. Si vous utilisez le petit point, le motif sera aussi détaillé que la jauge du canevas le permet. Les points de fantaisie (à l'exception du point de croix sur un croisement) sont plus grands que les petits points, et ils s'adaptent moins facilement à l'exécution de détails. Cependant, la beauté des points de fantaisie repose sur leur texture et la manière dont cette texture interprète les motifs du dessin. Lorsque vous voulez utiliser ces points, tracez des lignes simples et évitez les petits détails. Certains des plus petits points de fantaisie peuvent produire des dégradés. Les exemples et les illustrations de la section des points vous aideront à déterminer l'espace requis pour chacun. Souvenez-vous qu'il est possible d'utiliser à la fois le petit point et des points de fantaisie dans un même dessin. Lorsque vous dessinez un motif, déterminez-en les lignes le mieux possible; vous les modifierez plus tard,

Dessin d'une feuille

Petit point sur canevas no 18

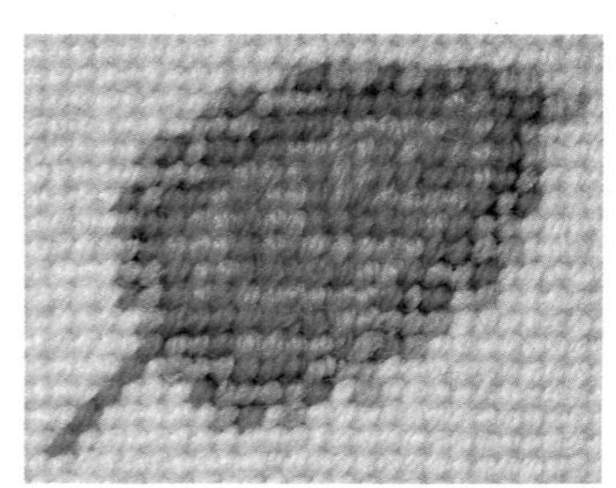
Petit point sur canevas no 12

si nécessaire, pendant l'exécution. Si vous voulez placer votre dessin avec précision, dessinez-le sur du papier quadrillé (p. 172). Si le dessin est symétrique ou répétitif, établissez-en la grille.

Vous voyez ci-dessous une feuille brodée sur quatre canevas de jauges différentes. Les trois premiers modèles sont exécutés au petit point, sur des canevas nos 18, 12 et 7, tandis que le quatrième est travaillé au point byzantin, un point de fantaisie, sur un canevas no 10. Le même dessin a été utilisé pour les quatre échantillons qui occupent le même espace linéaire de canevas. Remarquez comment la forme de la feuille devient moins détaillée et ses lignes plus simples à mesure que la jauge et le point grossissent. Pour un autre exemple des changements que les points choisis produisent sur le même modèle, comparez les différences des deux granges illustrées à la page 113. Toutes les deux ont été exécutées à partir du même dessin.

Une partie de l'effet produit par un point de tapisserie à l'aiguille vient de la façon dont la lumière tombe sur le canevas. Si la direction du point est changée, la manière dont la lumière tombe sur l'ouvrage change aussi. Le changement de la direction du point est une technique très simple, expliquée à l'extrême droite de la page. Cette technique peut s'appliquer à tous les points, sauf ceux qui, comme le point d'œillet, vont dans toutes les directions. Elle peut aussi changer la direction de certains motifs de points. Par exemple, lorsque le point de fougère est exécuté normalement (p. 147), il produit des zébrures verticales. Lorsqu'il est exécuté tel qu'expliqué à droite, les zébrures deviennent horizontales.

Le type de **fil** utilisé pour l'exécution d'un point affectera aussi la texture de celui-ci. Les fils lâches, comme la laine floche, produisent une surface plus douce que les fils serrés, comme la laine à tapisserie. Les fils naturellement brillants, comme le coton perlé et les fils lamés, ajouteront un peu d'éclat aux points. En choisissant le fil, tenez compte de sa durabilité. Les fils en coton, en laine ou en acrylique sont plus résistants que ceux en rayonne ou que les lamés.

Lors du choix des **couleurs** pour votre dessin, cherchez une combinaison qui vous plaise et qui mettra en valeur le dessin. L'agencement des couleurs est traité au chapitre de la *Broderie*. Une fois les couleurs choisies, colorez le dessin pour voir son effet. Si vous ne l'aimez pas, changez les couleurs jusqu'à ce que vous obteniez une combinaison qui vous plaise. Lorsque vous achetez les fils, utilisez votre dessin comme guide.

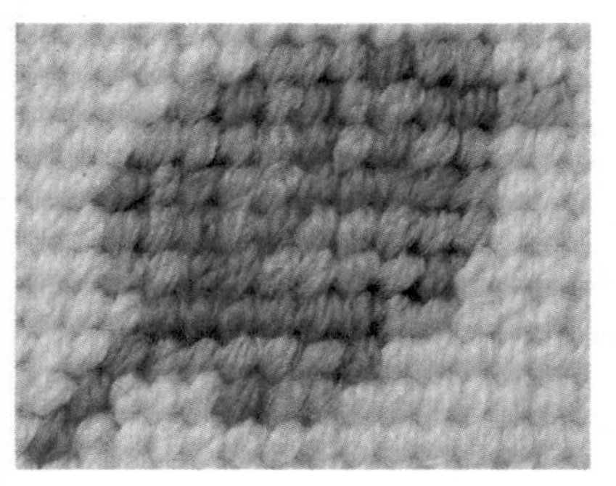

Petit point sur canevas no 7

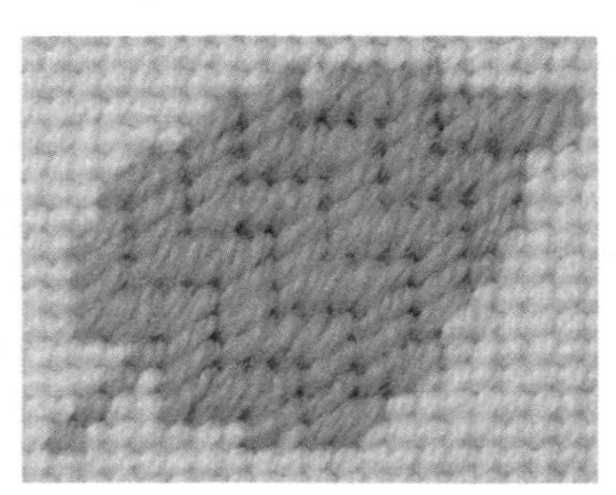

Point byzantin sur canevas no 10

Changement de direction du point

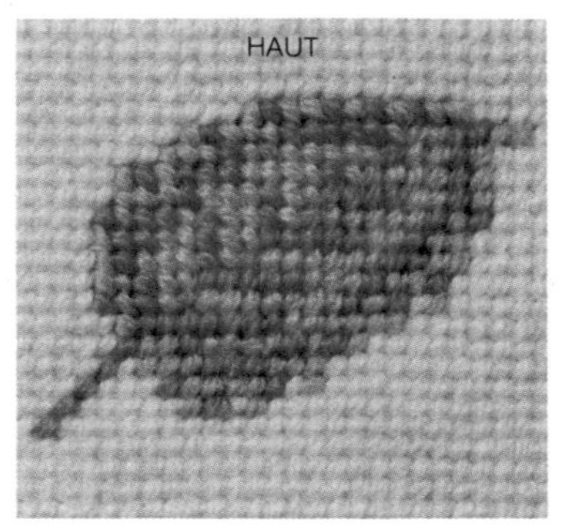

Pour changer la direction d'un point ou de son motif sur le canevas, exécutez le point normalement mais tenez le canevas de manière à ce que son bord supérieur soit sur le côté. Si vous devez renverser le canevas à chaque rangée, faites-le de façon que le haut du canevas se trouve tantôt à droite, tantôt à gauche. La feuille brodée à gauche comporte des petits points inclinés dans deux directions. La première illustration ci-dessous montre le canevas avec son bord supérieur en position normale, pendant l'exécution des petits points en inclinaison normale (moitié inférieure de la feuille). La deuxième montre le canevas avec son bord supérieur sur le côté pour obtenir les petits points en direction inverse.

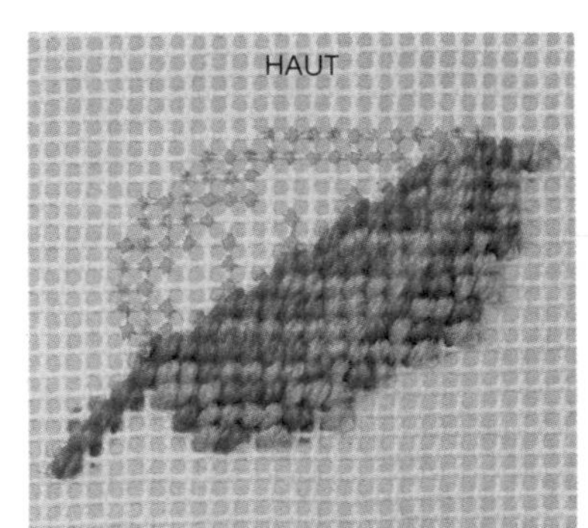

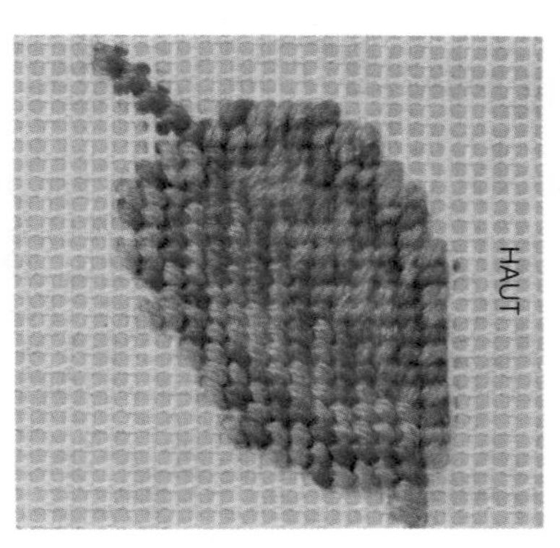

Choix de la technique de travail

Il y a plusieurs techniques différentes pour exécuter une tapisserie à l'aiguille; c'est à vous de déterminer celle qui vous convient. Plusieurs techniques dépendent de la manière dont le dessin est reporté sur le canevas, selon qu'il s'agit d'un dessin reproduit sur une grille (pp. 166-171) ou pas (pp. 164-165). La technique relative au Bargello, un autre type de dessin sur grille, commence à la page 173. Lisez toutes ces pages et adoptez la technique recommandée pour le type de dessin que vous avez choisi. Avant de transférer un dessin sur le canevas, celui-ci doit être préparé (p. 164). Les techniques générales de travail sont traitées dans les dernières pages de ce chapitre. Les indications concernant la manière d'évaluer la quantité de fil de travail nécessaire vous permettent de calculer ce qu'il vous faudra pour exécuter n'importe quel sujet, et donc celui que vous aurez conçu vous-même. Les autres techniques, comme la suppression de points, la réparation du canevas et la mise en forme, vous permettront de parfaire encore plus votre ouvrage. Consultez également les projets qui se trouvent à la fin de ce chapitre.

Préparation du travail

Le travail de tapisserie nécessite tout d'abord la préparation d'une pièce de canevas assez grande pour contenir le dessin; autrement dit, le canevas doit avoir la dimension du dessin fini, plus une marge de 5 centimètres (2″) de chaque côté. Lorsque vous travaillez avec un dessin sans grille, la dimension finale est celle du dessin. Lorsque le dessin est établi sur une grille, la dimension finale dépend du nombre de fils de canevas exigés par la grille et la jauge. Si le canevas est trop étroit, on peut joindre ensemble des pièces pour obtenir la quantité nécessaire (à droite, au milieu). Avant de reproduire le dessin, faites un patron du canevas (dernière illustration à droite).

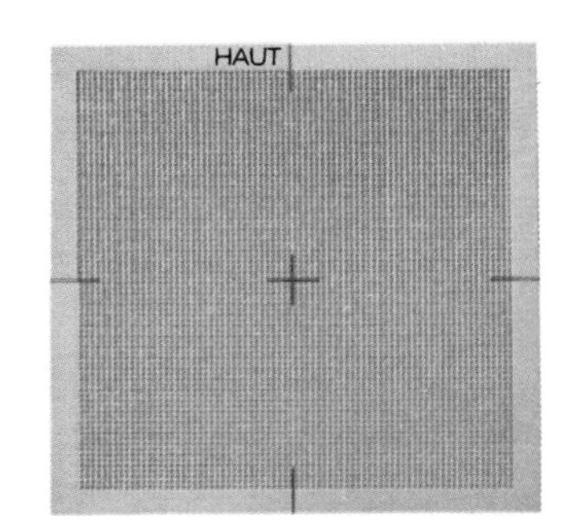

Préparation du canevas : coupez le canevas aux dimensions du dessin fini, plus une marge de 5 cm (2″) de chaque côté. Arrêtez les bords avec du ruban adhésif; marquez le centre en hauteur et en largeur. Si le centre est sur des fils, marquez avec un crayon, comme ci-dessus. Si le centre est entre des fils, faufilez (p. 167).

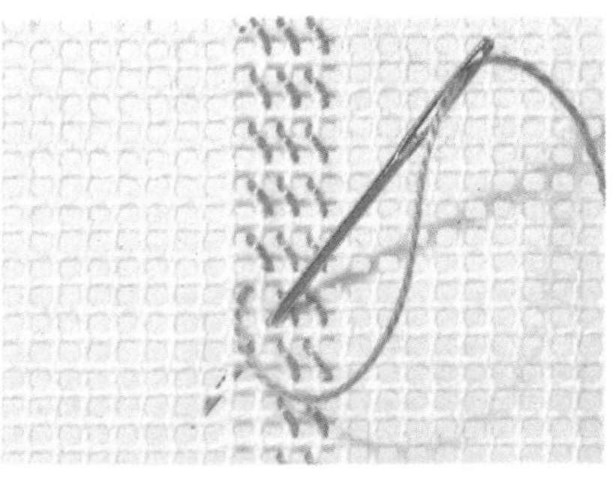

Pour agrandir une pièce de canevas, coupez deux morceaux qui atteignent ensemble la dimension requise, et placez-les côte à côte. Enlevez les lisières. Faites se chevaucher les bords coupés sur une largeur de 3 ou 4 fils de canevas. Attachez ensemble les fils correspondants en surjetant un croisement sur deux.

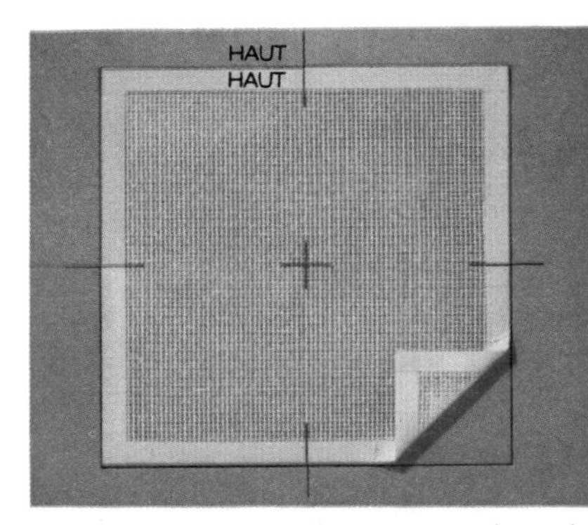

Pour faire un patron du canevas, placez le canevas sur du papier d'emballage et tracez-en les contours. Marquez sur le papier le bord supérieur ainsi que le centre de chaque côté. Gardez le patron pour la mise en forme.

Reproduction du dessin sur le canevas/méthode I

Cette méthode permet de reproduire sur le canevas la forme du dessin et ses couleurs. Les points sont alors exécutés directement sur le canevas peint. Nous recommandons l'usage de cette méthode lors de l'exécution d'un dessin sans grille, particulièrement s'il est exécuté seulement au petit point. Avant de procéder à la reproduction, il faut vous assurer que la dimension du dessin correspond bien à celle de l'article auquel il est destiné. Pour reproduire le dessin sur le canevas, utilisez uniquement des colorants indélébiles. Si vous n'êtes pas certain de la qualité de vos colorants, ne les utilisez pas, car ils pourraient tacher l'ouvrage pendant sa mise en forme. Utilisez le canevas peint comme guide pour déterminer la quantité de fil nécessaire à l'exécution du dessin.

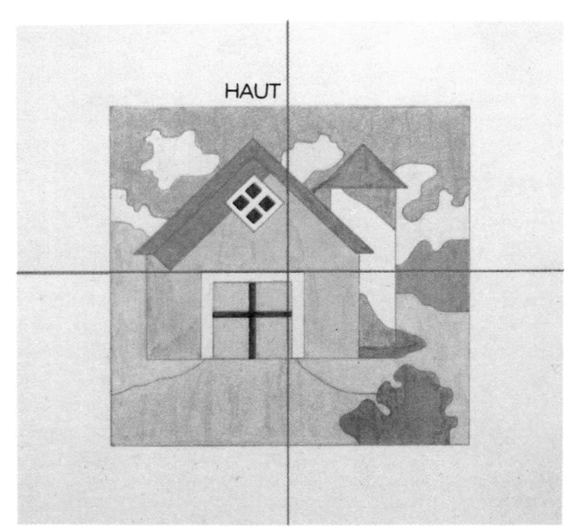

1. Tracez une ligne verticale et une autre horizontale au milieu du dessin. Si nécessaire, marquez le haut et délimitez les lignes extérieures de la surface du dessin. Préparez le canevas.

2. Placez le canevas préparé sur le dessin et faites coïncider les lignes centrales; fixez les deux couches ensemble et peignez le dessin sur le canevas.

3. Lorsque le canevas est sec, exécutez les points directement dessus. Travaillez sur une surface ou sur une couleur. Placez les points aussi près que possible des bords peints.

Points de compensation 161 Lecture des grilles 166
Montage du canevas sur un métier 184

Reproduction du dessin sur le canevas/méthode II

Cette méthode assure la reproduction sur le canevas des lignes du motif mais non de ses couleurs. On la recommande dans le cas d'un dessin sans grille, particulièrement s'il requiert des points de fantaisie. La préparation du canevas et du dessin se fait comme avec la méthode I. Si des points de fantaisie sont utilisés, on les indique sur les surfaces appropriées du dessin. Pour reproduire les lignes sur le canevas, utilisez des crayons feutre indélébiles. Lorsque vous voulez exécuter un point de fantaisie, modifiez la dimension ou la forme de la surface à remplir selon le point choisi. Si vous désirez contrôler une surface en points de fantaisie, avant d'en reporter les lignes sur le canevas, faites une grille de cette surface et du point concerné (en bas).

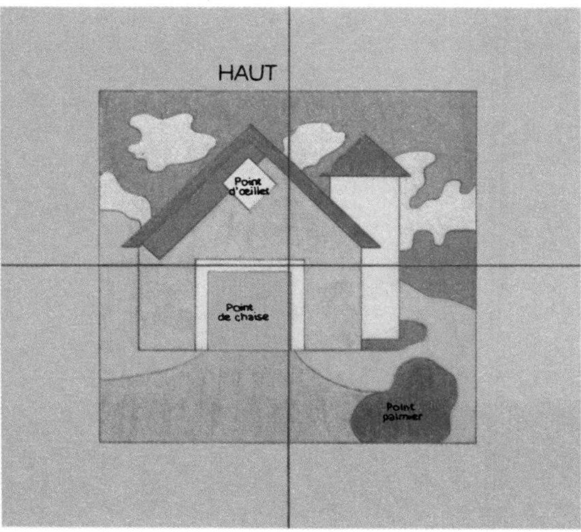

1. Tracez les médianes horizontale et verticale du dessin. Indiquez le nom de chaque point de fantaisie dans sa surface. Préparez le canevas comme il est expliqué à la page précédente.

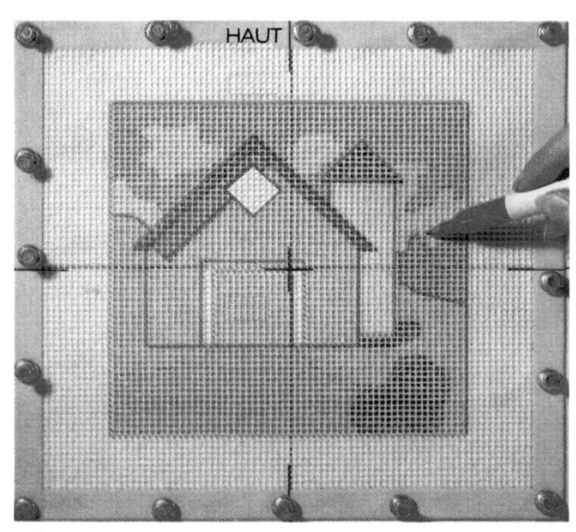

2. Placez le canevas par-dessus le dessin et faites coïncider les marques centrales. Fixez les deux couches l'une à l'autre et reportez les lignes du dessin sur le canevas.

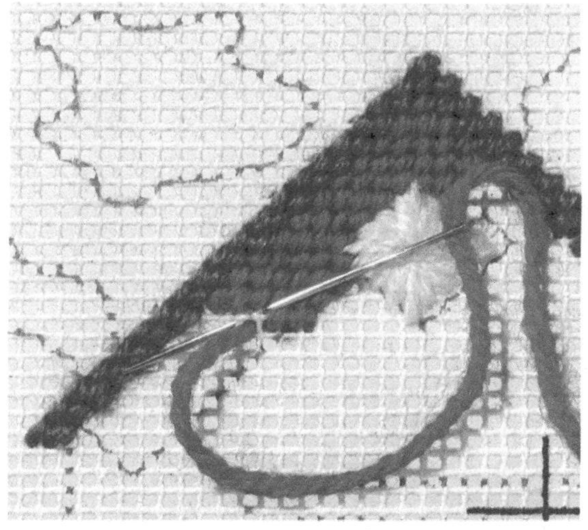

3. Le canevas sec, exécutez les points. Gardez le dessin comme référence. Si vous exécutez des points de fantaisie, utilisez des points de compensation ou modifiez les surfaces.

COMMENT ÉTABLIR LA GRILLE D'UNE SURFACE

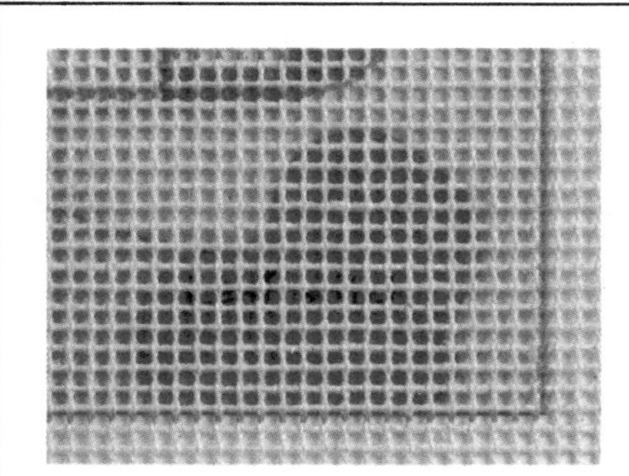

1. Le dessin étant en position sous le canevas, comptez le nombre de fils du motif, dans la hauteur et dans la largeur. La superficie contrôlée ici est le buisson situé dans le coin inférieur droit du dessin. Le point proposé est le point palmier.

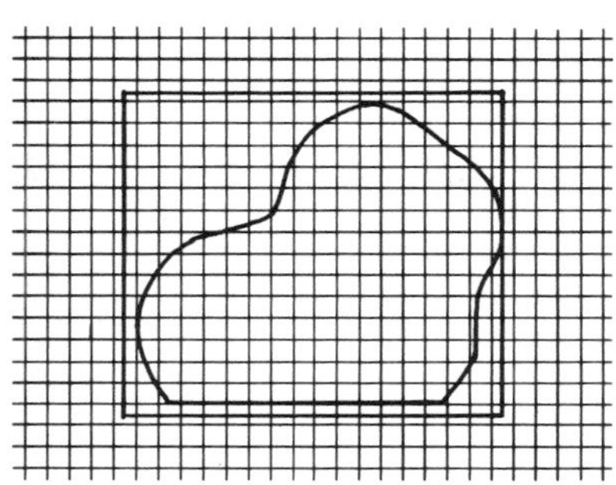

2. Sur une feuille de papier quadrillé, tracez un rectangle dont les côtés comportent le même nombre de lignes qu'il y a de fils du canevas dans le motif. Ensuite, dessinez le contour du motif sur le papier quadrillé en en reproduisant exactement les détails.

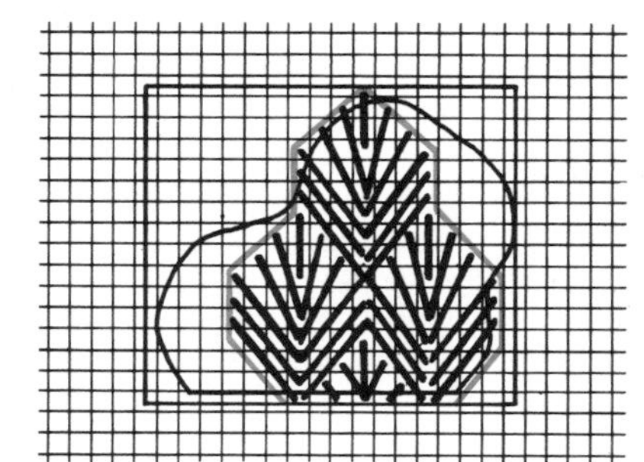

3. Esquissez le motif du point sur la surface dessinée. Si les points remplissent presque toute la surface, les espaces vides peuvent être comblés avec des points de compensation; autrement, modifiez le contour de manière à ce qu'il s'adapte au point (ci-dessus).

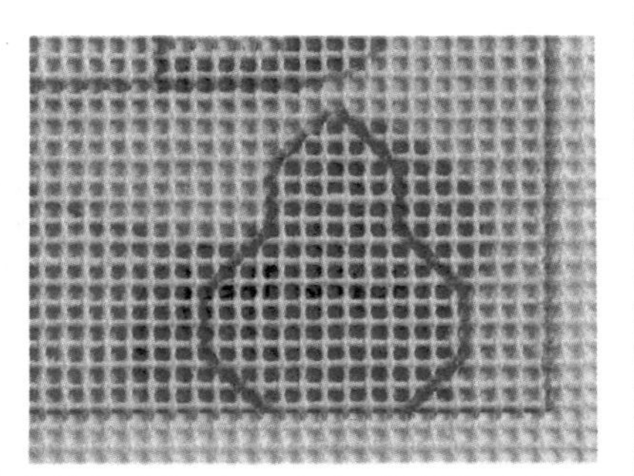

4. Reproduisez le contour qui se trouve sur le papier quadrillé (avec les changements, s'il y a lieu) sur le canevas. Assurez-vous que les lignes traversent les fils du canevas de la même manière qu'elles traversent les lignes du papier quadrillé.

Conception et exécution d'une tapisserie

Lecture des grilles

Quelques dessins de tapisserie à l'aiguille sont établis sous forme de grille (ou diagramme), c'est-à-dire que l'emplacement de chaque point du dessin est illustré sur papier quadrillé. On utilise le papier quadrillé parce que sa structure est similaire à celle du canevas. Ses lignes correspondent aux fils du canevas. On trouve l'un et l'autre en plusieurs grosseurs. Il y a deux façons d'utiliser ces similitudes, et chacune produit un type de grille différent.

Avec un **carton**, les carrés du papier quadrillé représentent les fils et/ou les croisements du canevas. Dans le cas du petit point, un carré représente un croisement; dans le cas des points droits ou des points de fantaisie, un carré représente un fil ou un croisement de l'espace total occupé par le point. Un point Gobelin droit sur quatre fils est ainsi représenté par une rangée de quatre carrés. Un grand point étoilé qui couvre quatre croisements sur quatre est représenté par un carreau de quatre carrés sur quatre.

Les **diagrammes linéaires** indiquent l'orientation des points sur les fils et les croisements du canevas. Le petit point est représenté par une ligne oblique passant par-dessus l'intersection de deux lignes. Le point Gobelin droit sur quatre fils est représenté par une ligne droite qui passe par-dessus quatre lignes. Un grand point étoilé est représenté par huit lignes tracées sur un même groupe d'intersections et de lignes.

Dans une grille comme dans l'autre, la couleur du point est indiquée avec des couleurs réelles ou avec des symboles noirs et un camaïeu de gris. Avec un carton, le carré est rempli soit de la couleur, soit du symbole. Avec un diagramme linéaire, les indications sont incorporées à la ligne tracée; si le diagramme est en couleurs, la ligne est tracée dans la couleur choisie; si des symboles sont utilisés, ils font partie de la ligne tracée. Les symboles pourront être différents d'une grille à une autre parce qu'il n'y a pas de généralisation possible. Il arrive que les symboles de couleur indiquent parfois aussi le genre de fil à utiliser. Autrement, les couleurs, les points et les fils sont représentés par des lettres ou des numéros.

Une partie intégrante de la grille est la légende qui explique la signification des symboles. Il peut y avoir une ou plusieurs légendes. En plus de la grille, on peut schématiser certaines parties du dessin qui ne sont pas autrement indiquées dans la grille. Pour des exemples de légendes et de symboles utilisés sur des cartons ou des diagrammes linéaires, consultez les illustrations de droite.

Pour calculer la quantité de fils de canevas nécessaire à l'exécution du dessin, comptez d'abord les fils exigés par la grille. Ensuite, comptez-en le même nombre sur le canevas, en hauteur et en largeur. La première grille ci-dessus représente 10 fils sur 10 d'un carton, la deuxième 10 fils sur 10 d'un diagramme linéaire. La surface du canevas, à droite, est de 10 fils sur 10.

Pour exécuter sur un canevas un dessin sous forme de grille, vous aurez besoin d'un canevas qui ait au moins le nombre de fils nécessaire pour broder le dessin au complet. Ce nombre de fils est basé sur le nombre de fils indiqués sur la grille, en hauteur et en largeur, et sur le nombre de fois qu'il faudra répéter la grille pour que le dessin soit complet. Si la grille représente un *dessin complet*, il ne faudra l'exécuter qu'une fois, et le nombre total de fils nécessaires est le nombre indiqué sur la grille. Mais si elle ne représente qu'un *dessin partiel*, celui-ci devra être répété autant de fois que nécessaire pour produire le dessin entier, et le nombre total de fils nécessaires sera, en conséquence, un multiple du nombre exigé par la grille (pp. 168-171).

Quand la quantité nécessaire de fils de canevas a été calculée, taillez et préparez celui-ci. Assurez-vous d'ajouter au moins 5 centimètres (2") sur tous les côtés avant de le tailler. La grandeur du canevas préparé dépendra de sa jauge. Par exemple, 30 fils occupent 7,5 centimètres (3") sur un canevas nº 10, mais seulement 6 centimètres (2½") sur un canevas nº 12.

TYPES DE SYMBOLES

CARTONS		Légende des points	Légende des couleurs
Avec couleurs		□ = petit point = Gobelin droit sur 4 fils E = grand point étoilé	Pas nécessaire
Avec symboles		□ = petit point = Gobelin droit sur 4 fils E = grand point étoilé	= rouge = ve B = bleu

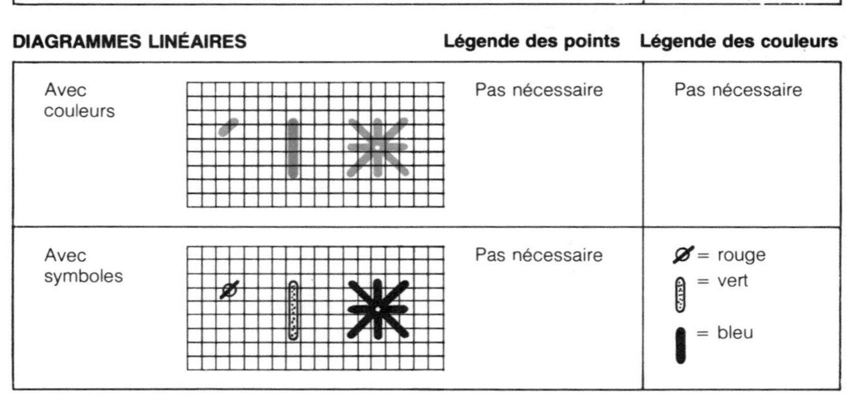

Grilles complètes

Une grille complète représente toute la surface du dessin. Une grille partielle (pp. 168-171) ne représente qu'une fraction de la surface que l'on répète pour constituer le dessin au complet. Si le dessin choisi est asymétrique, c'est-à-dire que toutes ses surfaces sont différentes, il devient nécessaire d'établir une grille complète. Lorsqu'on utilise une grille complète, le nombre de fils du canevas indispensable pour l'exécution du dessin est égal au nombre de carrés ou de lignes de la grille. Avec un modèle commercial ou une grille non accompagnés du canevas, il vous faudra évaluer vous-même la quantité de canevas nécessaire. Pour cela, déterminez d'abord si vous vous trouvez devant un carton ou devant un diagramme linéaire, et ensuite étudiez la façon dont les fils sont représentés (voir page précédente). Ceci fait, comptez le nombre de fils de la grille dans les sens vertical et horizontal. Ensuite calculez la quantité de canevas nécessaire pour obtenir ce même nombre de fils et ajoutez au moins 5 centimètres (2″) sur tous les côtés. Les dimensions totales du canevas dépendent de sa jauge; un canevas fin donne un produit fini plus petit. La jauge du canevas doit convenir aussi bien au dessin (pp. 162-163) qu'à l'article auquel il est destiné. Si la jauge choisie donne un résultat trop petit ou trop grand, vous avez le choix entre plusieurs solutions : tout d'abord, vous pouvez changer de jauge et obtenir l'article fini dans la dimension souhaitée. Ensuite, si le dessin comporte un arrière-plan, celui-ci peut être agrandi ou réduit. Enfin, si un dessin sans arrière-plan doit être agrandi, vous pouvez lui en composer un si le dessin s'y prête. Il est impossible de réduire ce genre de dessin à moins de changer la jauge du canevas. Si cette dernière possibilité ne vous convient pas, vous devrez choisir une autre grille.

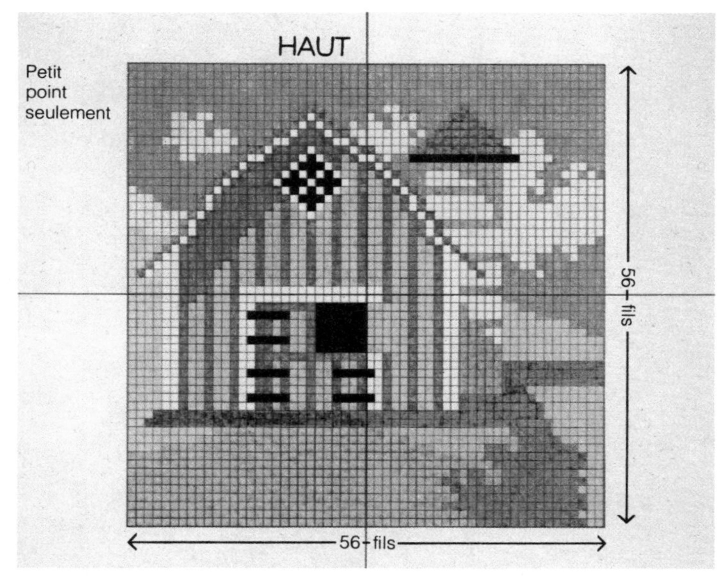

1. Commencez par tracer une ligne horizontale et une ligne verticale passant par le centre de la grille. Si nécessaire, indiquez où se trouve le haut du dessin. Comptez le nombre de fils que demande la grille, à l'horizontale et à la verticale.

2. Préparez le canevas : vérifiez ses dimensions en comptant les fils dans les deux sens et ajoutez une marge d'au moins 5 cm (2″) sur chaque côté. Taillez le canevas d'après ces mesures. Bordez-le de ruban adhésif pour l'empêcher de s'effilocher. Marquez les médianes horizontale et verticale du canevas. Si la grille indique qu'un nombre impair de fils est nécessaire, le milieu du canevas sera localisé sur un fil (p. 164). Si la grille fait appel à un nombre pair de fils, le milieu se trouvera entre deux fils; indiquez-le alors par un bâti fait avec du fil de couleur claire. Brodez les points par-dessus le bâti, ou enlevez celui-ci au fur et à mesure que votre travail progresse.

3. Brodez le dessin sur le canevas. Suivez la grille (et les légendes, si nécessaire). Utilisez le centre de la grille et du canevas comme points de repère pour localiser les surfaces. Exécutez le dessin en partant du centre vers les bords, une surface ou une couleur à la fois. Ne brodez l'arrière-plan ou le fond qu'en dernier lieu.

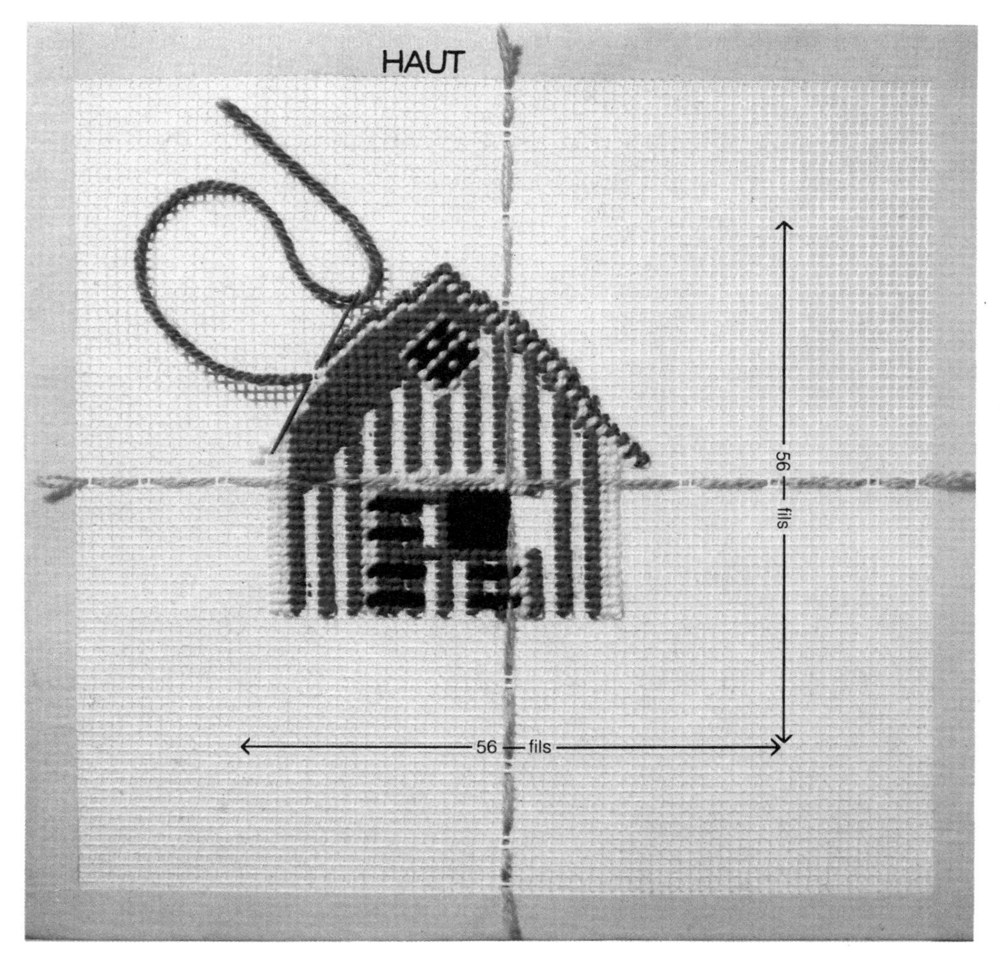

Grilles partielles

Une grille partielle représente seulement une fraction de l'ensemble d'un dessin, parce que celui-ci, dans son entier, est constitué de répétitions de cette même fraction. Vous trouverez dans ces pages plusieurs types de grilles partielles. Voici tout d'abord les demi-grilles et les quarts de grilles qui servent à former des dessins symétriques.

Un dessin symétrique consiste en deux ou quatre répétitions d'un motif comme réfléchies par un miroir, de chaque côté d'un ou de deux axes. S'il y a deux répétitions, on aura une demi-grille. Si les deux parties du dessin sont situées de part et d'autre de l'axe horizontal, comme pour le poisson, la grille utilisée sera une **demi-grille horizontale**. Si elles sont situées de part et d'autre de l'axe vertical, comme pour le papillon, la grille utilisée sera une **demi-grille verticale**.

Quand on doit reproduire une section d'un dessin quatre fois pour obtenir le dessin complet, on se trouve devant une symétrie par rapport à l'axe vertical *et* à l'axe horizontal (dessin, page ci-contre). Il faut alors établir un **quart de grille**.

Le nombre total de fils de canevas dont on a besoin pour broder un dessin symétrique est égal à deux (demi-grille) ou quatre (quart de grille) fois le nombre de carrés qui composent la grille. Tous ces calculs sont expliqués au fur et à mesure, avec chaque grille. Quand vous exécutez sur le canevas la surface représentée par la grille, disposez-la de la même façon que sur la grille. Quand vous exécutez une surface non représentée par la grille, disposez-la de telle sorte qu'elle ait l'air d'être la réflection dans un miroir du dessin qui se trouve de l'autre côté de l'axe (ou des axes). Il n'est pas nécessaire de commencer et d'arrêter les points au niveau des médianes, sauf dans les cas où il faut changer la direction des points à chaque nouvelle répétition du motif (voir au bas de la page ci-contre).

Demi-grille horizontale

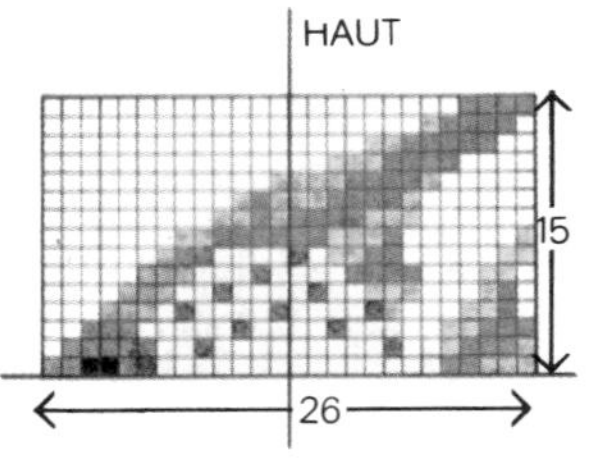

1. Indiquez où se trouve le haut de la grille. Tracez la médiane verticale et la médiane horizontale du dessin. Le nombre total de fils de canevas nécessaires pour reproduire le dessin dans son entier est le *même* que celui demandé par la grille dans la largeur, mais le *double* de celui demandé par la grille dans la hauteur. Préparez le canevas, c'est-à-dire marquez-en le haut et tracez ses médianes (p. 167).

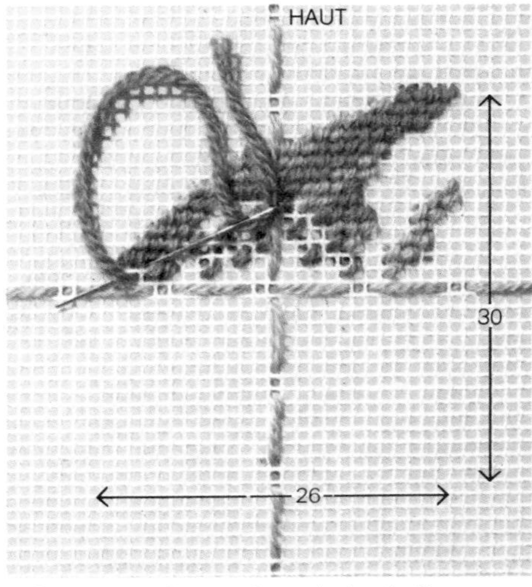

2. Brodez la moitié supérieure du dessin. Servez-vous des médianes de la grille pour localiser les différentes surfaces et reportez-les sur le canevas en vous repérant sur les médianes de celui-ci.

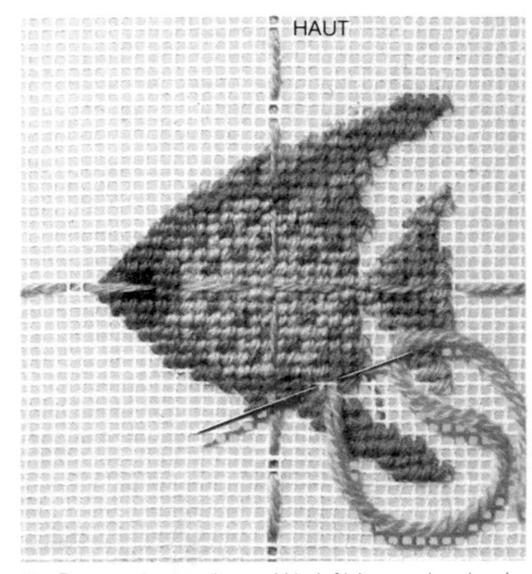

3. Pour exécuter la moitié inférieure du dessin, servez-vous de la grille pour localiser les surfaces; placez-les exactement vis-à-vis de la moitié supérieure, de l'autre côté de l'axe horizontal.

Demi-grille verticale

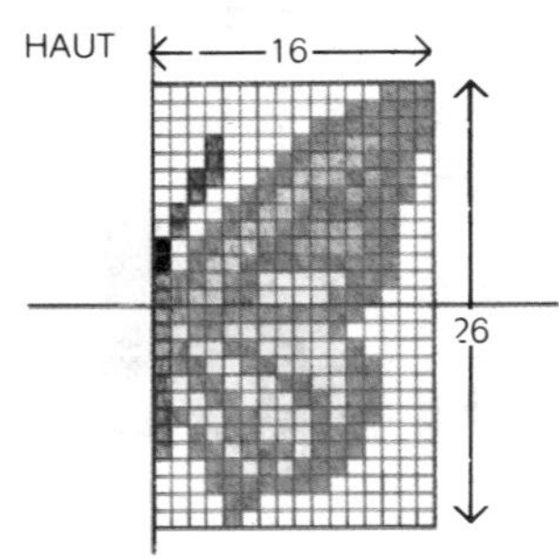

1. Indiquez où se trouve le haut de la grille. Tracez la médiane verticale et la médiane horizontale du dessin. Le nombre de fils de canevas nécessaires pour reproduire le dessin dans son entier est le *même* que celui demandé par la grille dans la hauteur, mais le *double* de celui demandé par la grille dans la largeur. Préparez le canevas : marquez son bord supérieur et tracez ses médianes (p. 167).

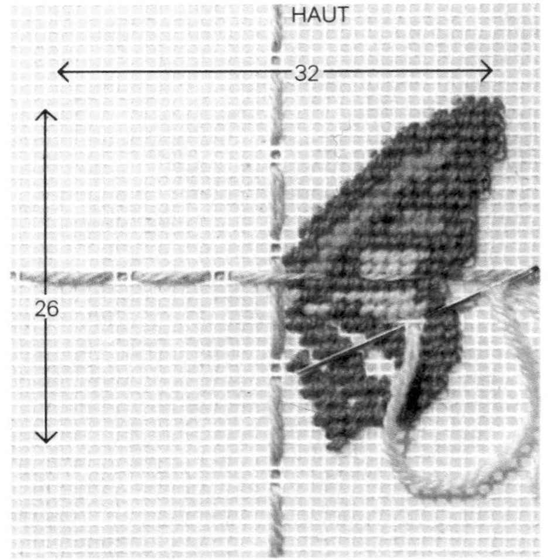

2. Brodez la moitié droite du dessin. Servez-vous des médianes de la grille pour localiser les surfaces et les disposer de la même manière sur le canevas, en vous repérant sur les médianes de celui-ci.

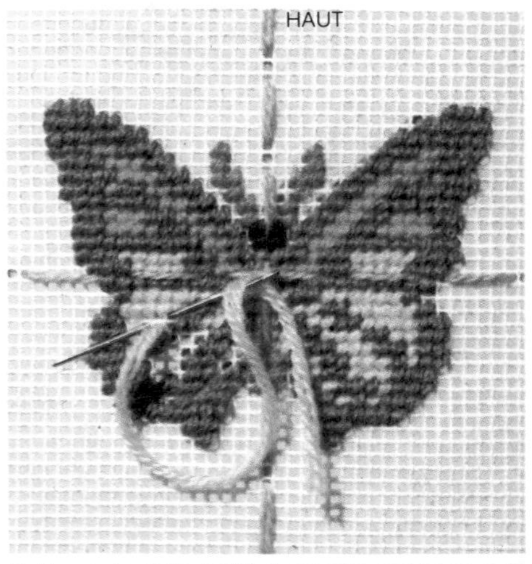

3. Pour exécuter la moitié de gauche, servez-vous de la grille pour localiser les surfaces; placez-les exactement vis-à-vis de la moitié droite, de l'autre côté de l'axe vertical.

Quarts de grille

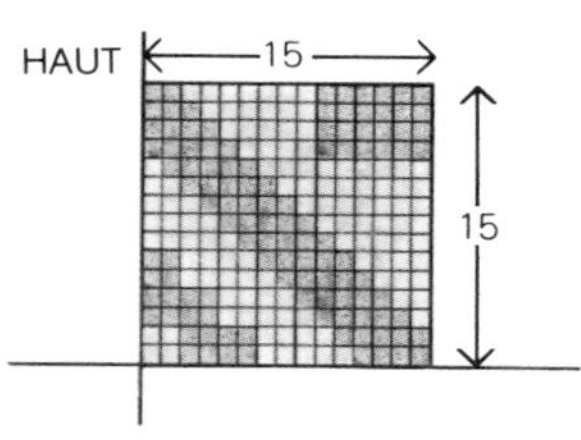

1. Indiquez où se trouve le haut de la grille. Tracez l'axe vertical et l'axe horizontal du dessin. Le nombre de fils de canevas nécessaires pour reproduire le dessin entier est le *double* de celui demandé par la grille en hauteur et en largeur. Préparez le canevas en marquant son bord supérieur et en indiquant ses médianes verticale et horizontale (p. 167). Pour exécuter les quarts supérieurs, placez la grille, le bord supérieur vers le haut, et guidez-vous dessus pour broder le dessin.

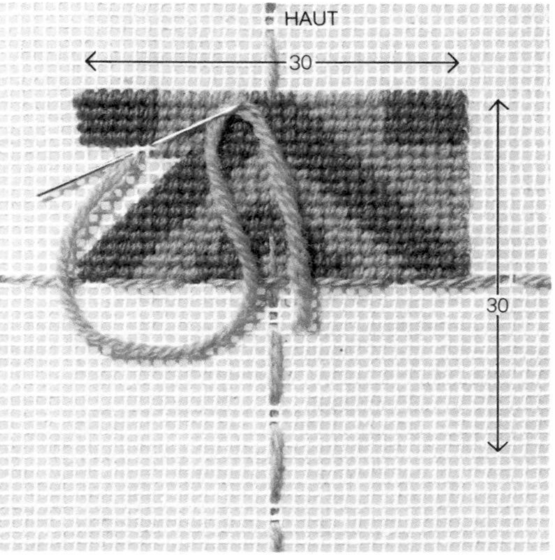

2. Brodez le quart supérieur droit, en reproduisant exactement la grille. Brodez le quart supérieur gauche immédiatement vis-à-vis, de l'autre côté de l'axe vertical.

3. Pour exécuter les quarts inférieurs, renversez la grille, en lui faisant faire un demi-tour à gauche (illustration ci-dessous) et servez-vous-en pour localiser l'emplacement des surfaces situées au-dessous de l'axe horizontal.

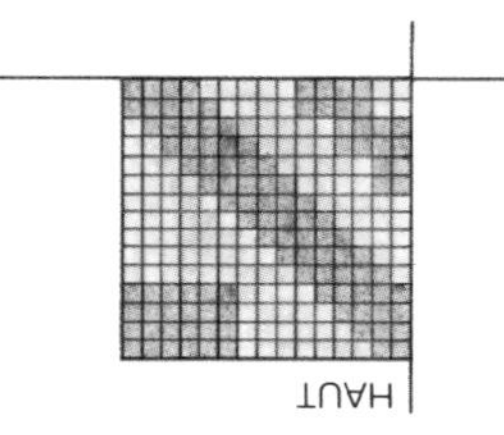

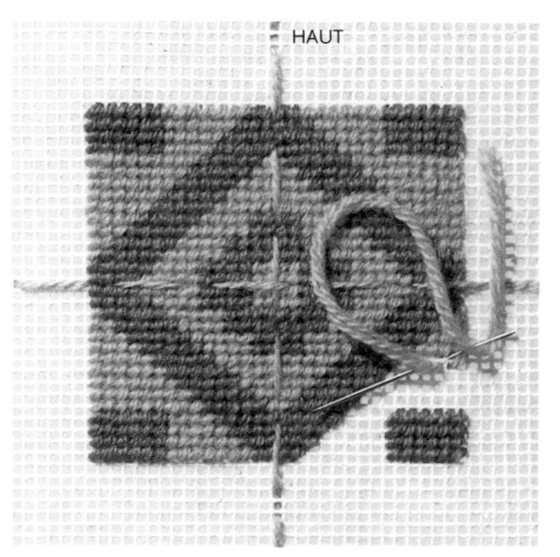

4. Commencez par broder le quart inférieur gauche, en reproduisant exactement la grille renversée. Brodez le quart inférieur droit vis-à-vis, de l'autre côté de l'axe vertical.

POUR CHANGER LA DIRECTION DES POINTS À CHAQUE QUART

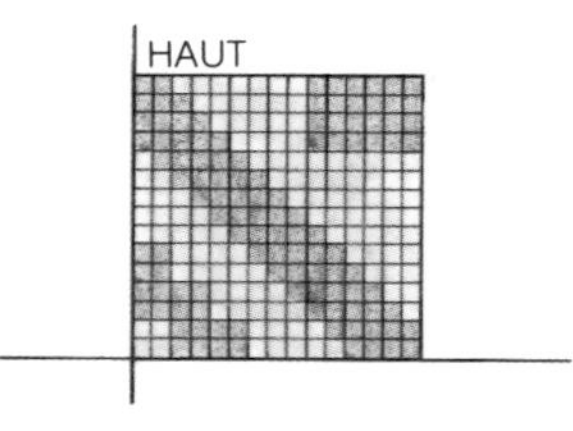

1. Exécutez le quart supérieur droit en suivant exactement la grille qui doit avoir son bord supérieur vers le haut.

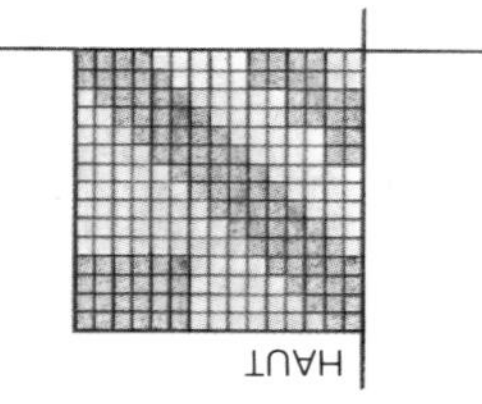

2. Renversez la grille pour exécuter le quart inférieur gauche, mais sans renverser le canevas. Suivez exactement le dessin.

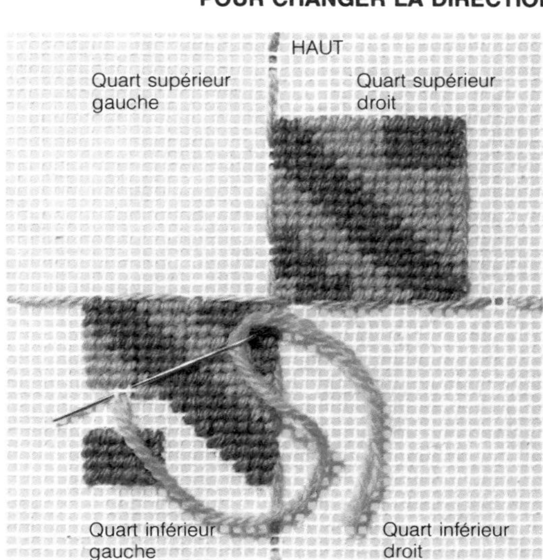

3. Pour exécuter le quart supérieur gauche du dessin, faites faire un quart de tour à droite au canevas (le haut du canevas se trouve alors sur le côté). Recommencez à reproduire exactement la grille, dans le même sens où vous l'avez fait pour le quart supérieur droit (étape 1).

4. Pour exécuter le quart inférieur droit du dessin, gardez le canevas dans la même position qu'à l'étape 3; par contre, renversez la grille et reproduisez son dessin exactement, comme vous l'avez fait à l'étape 2.

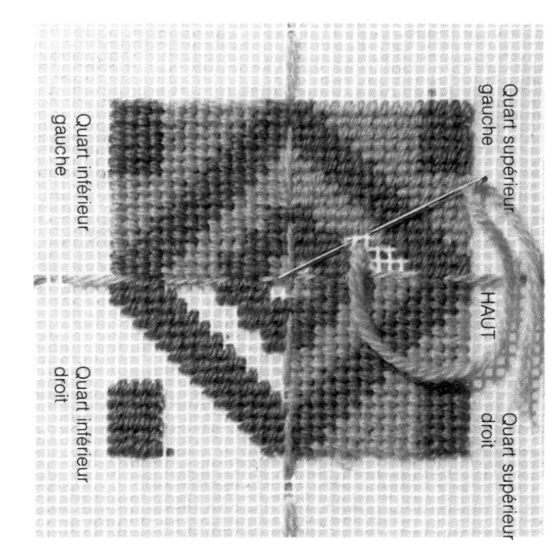

Conception et exécution d'une tapisserie

Dessins répétitifs

Un motif répété un certain nombre de fois, selon un plan, donne un dessin répétitif. Ce motif peut représenter n'importe quel sujet que vous aimez, pourvu qu'il produise un dessin intéressant et agréable à l'œil quand il est répété. Avant d'exécuter le dessin, il faut d'abord dessiner le sujet et faire une grille du motif de base. Cette grille doit tenir compte de la taille de l'ouvrage terminé. Sur la page ci-contre, vous apprendrez comment calculer en termes de grille la taille du motif.

Ce motif peut être votre création, une reproduction ou un dessin sur grille. S'il s'agit d'une demi-grille ou d'un quart de grille, suivez les explications à droite pour obtenir le dessin complet. Faites plusieurs exemplaires du motif que vous découperez, et essayez-vous à les placer dans diverses positions jusqu'à ce que vous trouviez l'agencement qui vous plaît le mieux.

Bien qu'il existe un grand nombre d'agencements possibles, les trois qui sont illustrés au bas de cette page sont les plus courants. D'abord l'agencement **régulier** : les répétitions s'alignent à la verticale et à l'horizontale. Dans le second et le troisième agencement, les répétitions sont décalées. Pour obtenir un agencement **décalé à l'horizontale,** alignez le centre vertical des motifs de chaque rangée horizontale sur les bords des motifs de la rangée du dessus. Pour un agencement **décalé à la verticale,** alignez le centre horizontal des motifs de chaque rangée verticale sur les bords des motifs de la rangée qui se trouve à sa gauche. Préparez-vous à avoir parfois des motifs partiels, ce qui peut arriver surtout avec les agencements décalés.

Lorsque vous avez enfin obtenu l'agencement qui vous satisfait, posez dessus du papier-calque et dessinez-en tous les motifs et les lignes. Utilisez ce décalque pour calculer la dimension des motifs et les exécuter sur le canevas.

Conception du motif de base

Un motif complet peut être votre propre création ou une reproduction empruntée à un livre ou même à une grille toute prête.

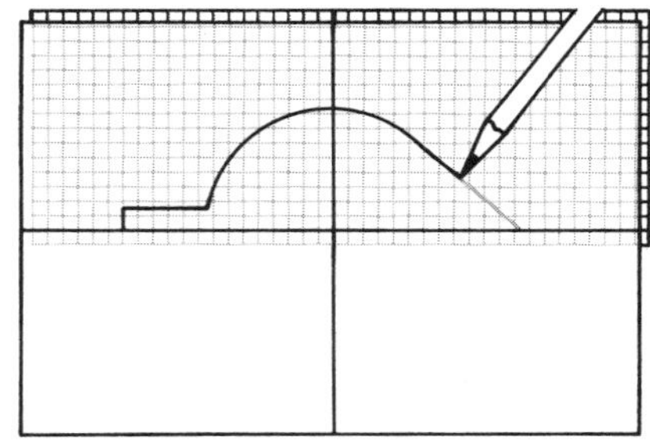

Si le motif est sous forme d'une demi-grille, tracez deux lignes perpendiculaires sur le papier-calque et décalquez le motif.

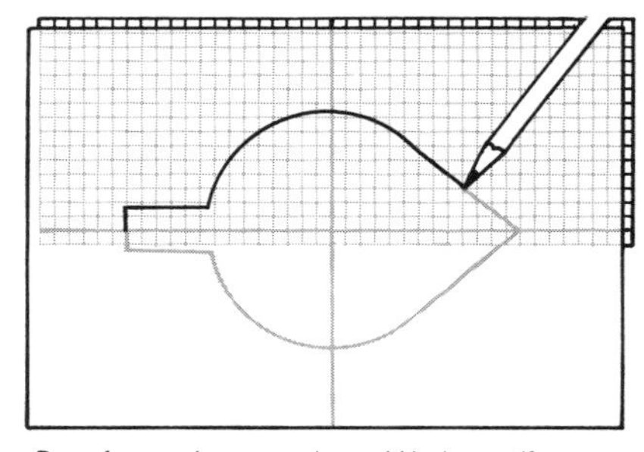

Pour former la seconde moitié du motif, renversez le papier-calque en posant la partie vierge sur la grille; redécalquez le motif.

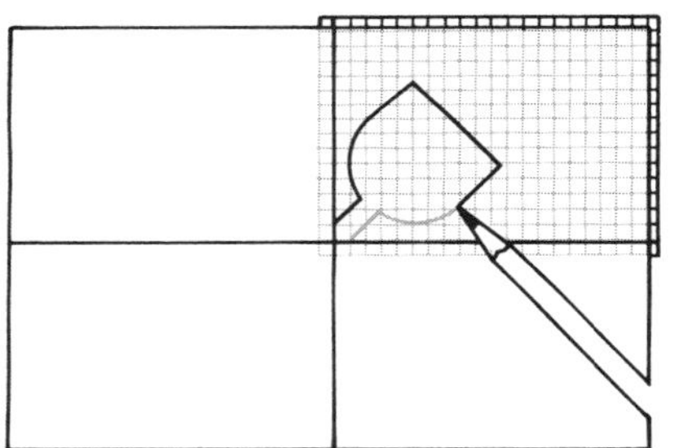

Si le motif est sous forme de quart de grille, tracez deux lignes perpendiculaires sur le papier-calque et décalquez le motif.

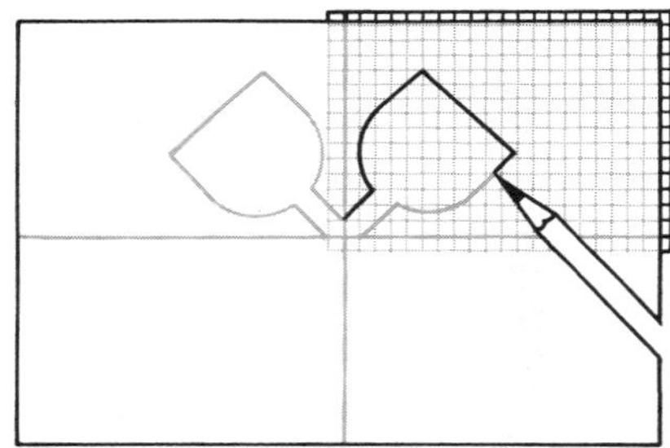

Pour dessiner le second quart, renversez le papier-calque en posant un quart vierge sur la grille; redécalquez le motif.

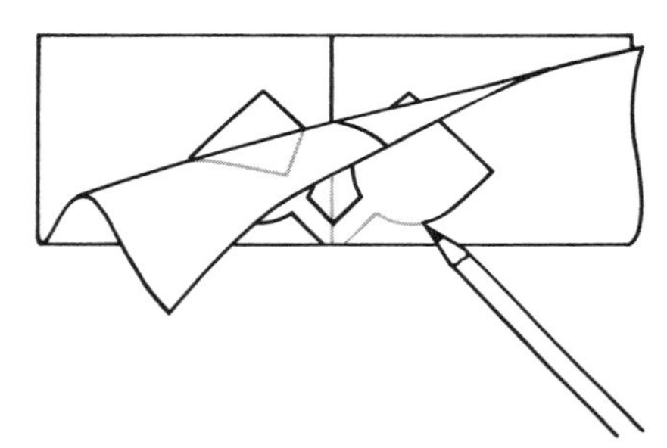

Pour former la seconde moitié, pliez le calque en deux de sorte que la moitié vierge se trouve au-dessus de l'autre. Décalquez et ouvrez.

Types d'agencements

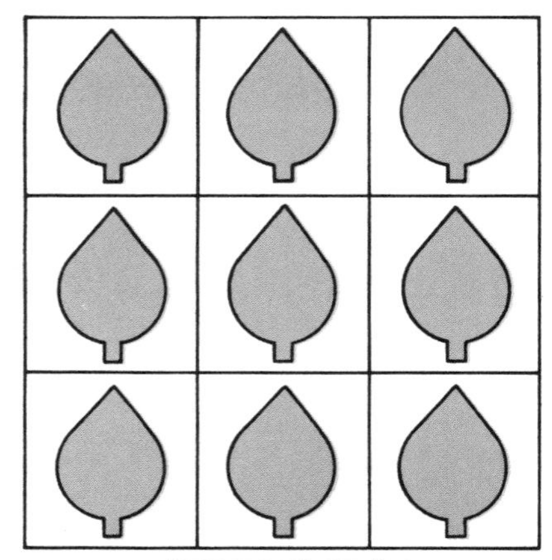

Agencement régulier

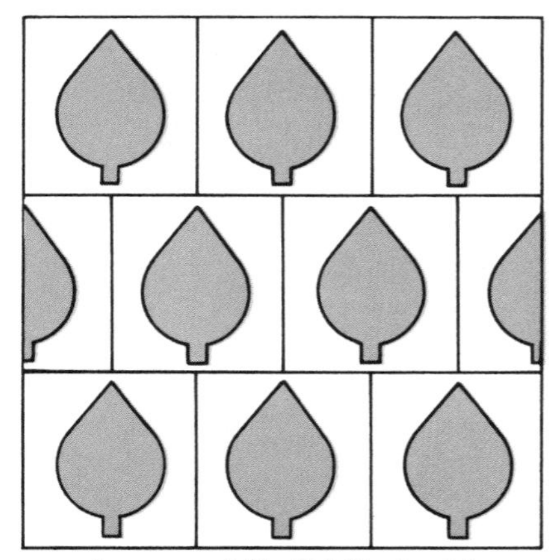

Agencement décalé à l'horizontale

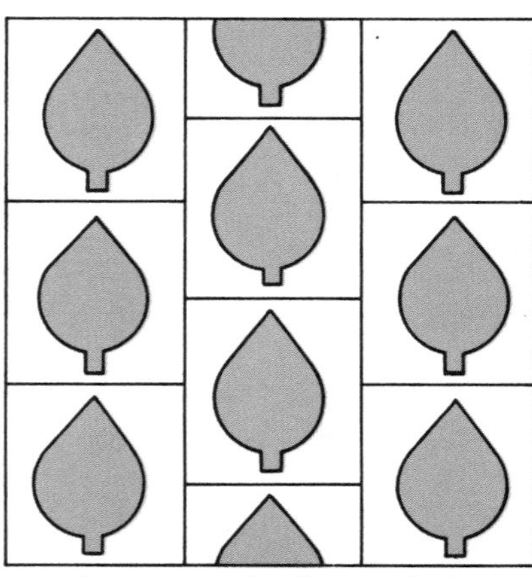

Agencement décalé à la verticale

Calcul de la dimension des motifs répétitifs

Pour établir la grille d'un motif de dessin répétitif, vous devez d'abord déterminer les dimensions linéaires (hauteur et largeur) du motif, puis le nombre de fils qu'il recouvre. Pour calculer la hauteur du motif, divisez la hauteur totale du canevas par le nombre de répétitions verticales; pour la largeur, divisez la largeur totale du canevas par le nombre de répétitions horizontales. Pour trouver le nombre de fils à l'intérieur d'un motif, multipliez la hauteur puis la largeur de celui-ci par le numéro du canevas (pp. 112, 162-163). Quand vous connaissez le nombre de fils de canevas que recouvre un motif, vous pouvez préparer la grille de celui-ci (page suivante). L'exemple A est une leçon de calcul très simple. Si vous avez décalqué le motif d'une grille toute faite, le nombre de fils peut correspondre exactement à votre agencement. Si ce n'est pas le cas, vous pouvez peut-être modifier la taille de votre projet ou changer le nombre de fils de la grille. Si le motif sous forme de grille ne prévoit pas de fond, essayez de modifier la dimension finale de l'agencement ou prenez un canevas de jauge différente (exemple B) pour obtenir le nombre de fils nécessaires à la répétition du motif. Si la grille prévoit un fond, essayez d'augmenter ou de diminuer le nombre de fils de ce fond pour arriver au nombre total de fils nécessaires à l'exécution du projet (exemple C; le fond a été augmenté). Il arrive parfois que vous ne puissiez trouver de solution à votre problème. Dans ce cas, il ne vous reste qu'une chose à faire : changer de motif.

Avant de commencer le travail, découpez un canevas contenant le nombre de fils nécessaires pour l'agencement prévu, plus un minimum de 5 centimètres (2") de marge tout autour. Bordez le canevas de ruban adhésif et indiquez-en le haut. Marquez les médianes horizontale et verticale. Servez-vous de la grille pour faire au moins le premier motif; pour les suivants, basez-vous sur la grille ou sur un motif déjà terminé. En cas de motif partiel, exécutez seulement la partie requise par l'agencement (exemple B).

EXEMPLE B

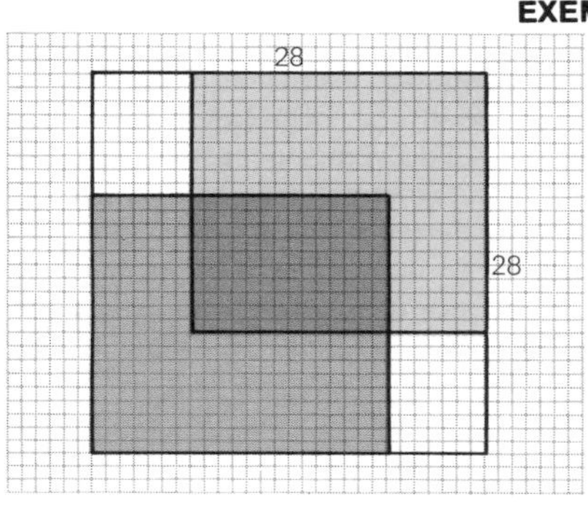

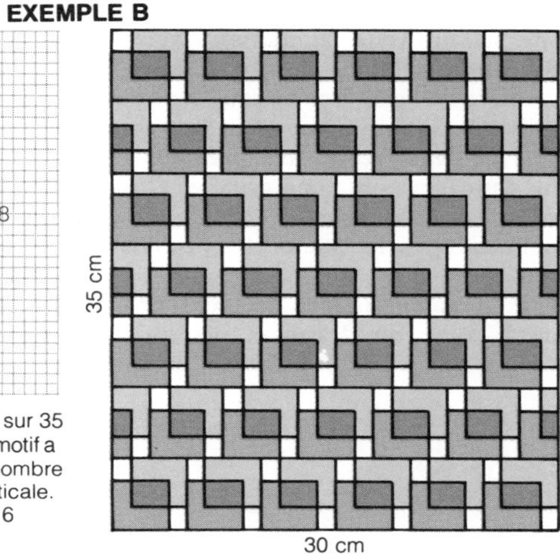

Problème : le dessin doit mesurer 30 cm sur 35 (12"×14"), sur un canevas no 12 ou 14. Le motif a été emprunté à un diagramme tout fait : le nombre de fils est de 28 à l'horizontale et 28 à la verticale. On a prévu un décalage horizontal avec 6 répétitions horizontales et 7 verticales.

Solution : étant donné que chaque motif requiert 28 fils sur 28, l'agencement planifié, soit 6 répétitions horizontales sur 7 verticales, nécessite un total de 168 fils à l'horizontale sur 196 à la verticale. Un morceau de canevas no 12 de 30 cm sur 35 (12"×14") contient 144 fils horizontaux et 168 fils verticaux, ce qui est insuffisant pour les exigences de la grille. Un morceau de canevas no 14 de 30 cm sur 35 (12"×14") contient 168 fils à l'horizontale et 196 à la verticale, ce qui représente le nombre exact de fils nécessaire pour contenir les motifs. Il tombe donc sous le sens que le canevas à choisir est le second. Pendant l'exécution des motifs partiels dans les rangées décalées, assurez-vous que vous reproduisez bien la moitié droite de la grille sur le côté gauche de la rangée, et la moitié gauche de la grille sur le côté droit de la rangée.

EXEMPLE A

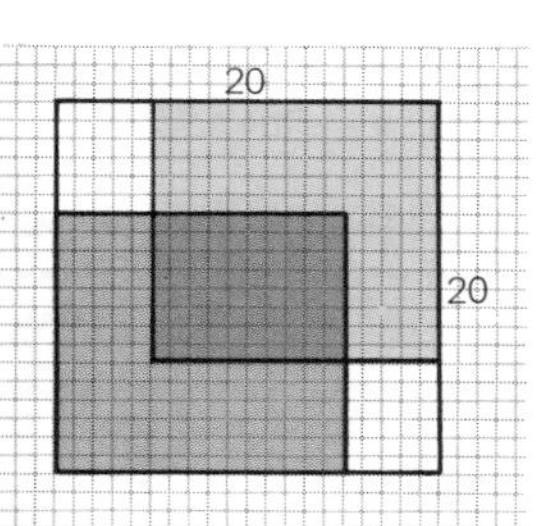

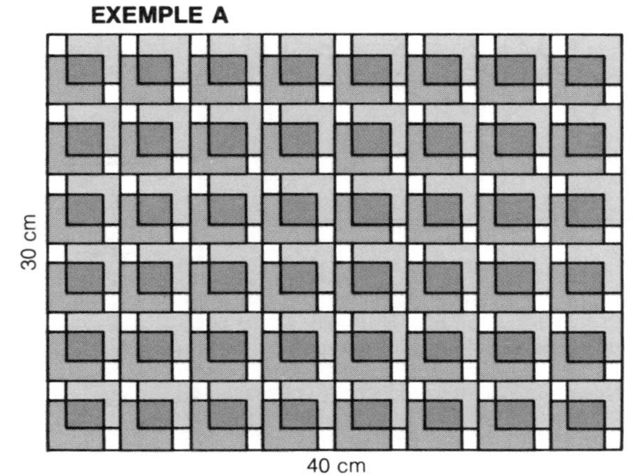

Problème : l'article doit mesurer 40 cm (16") de large sur 30 cm (12") de haut, sur un canevas no 10 ou 12. On veut 8 répétitions horizontales et 6 répétitions verticales.

Solution : pour obtenir le résultat souhaité, soit 8 répétitions horizontales et 6 verticales couvrant 40 cm (16") de largeur sur 30 cm (12") de hauteur, chaque motif doit mesurer 5 cm sur 5 (2"×2"). Si l'on utilise un canevas no 10, chaque motif couvrira 20 fils sur 20; si l'on a un canevas no 12, chaque motif couvrira 24 fils sur 24. Dessinez la grille en tenant compte de la jauge du canevas sur lequel le dessin sera réalisé. Pour les instructions concernant l'établissement de la grille, voir page suivante.

EXEMPLE C

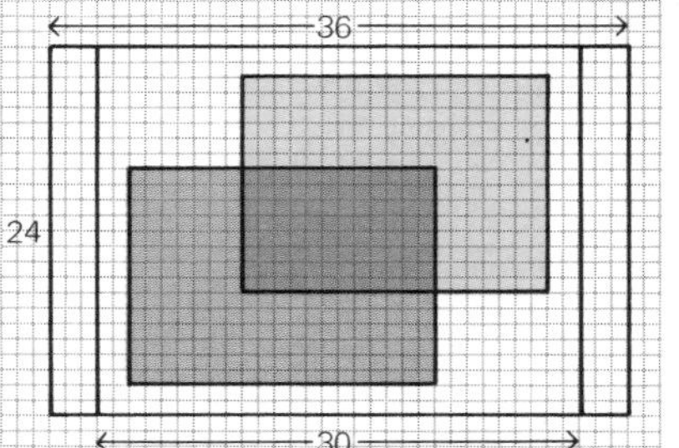

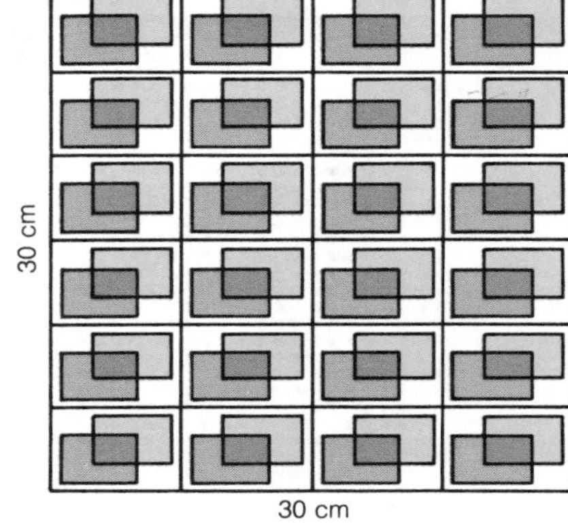

Problème : le motif sur grille présente un fond. Le nombre de fils est de 30 à l'horizontale et 24 à la verticale. Le dessin doit mesurer 30 cm (12") de côté sur un canevas no 12. Le motif se répète 4 fois à l'horizontale et 6 fois à la verticale.

Solution : le canevas de la taille voulue contient 144 fils sur 144. Si on utilise la grille (30 fils à l'horizontale et 24 à la verticale) pour exécuter l'agencement (4 répétitions horizontales sur 6 verticales), on couvrira 120 fils horizontaux sur 144 fils verticaux, soit 24 fils de moins que la largeur totale. Si on agrandit le fond des motifs en largeur (3 fils de plus à chaque extrémité), on obtiendra le nombre total de 144 fils dont on avait besoin dans le sens de la largeur.

Conception et exécution d'une tapisserie

Elaboration de la grille

Avant d'exécuter la grille de votre dessin, il faut vous familiariser avec les différents styles de dessins et avec la manière de les présenter sous forme de grille. Il faut aussi que vous ayez compris les deux façons de représenter les fils du canevas sur une grille et l'utilisation des symboles et des légendes pour indiquer les points et les couleurs (pp. 166-171).

Pour établir la grille, décidez d'abord de la taille du dessin et déterminez ensuite le nombre de fils de canevas nécessaire pour contenir le dessin entier ou les parties à répéter. Nous avons déjà expliqué ce procédé pour les dessins répétitifs (p. 171). Les dessins à motif unique doivent souvent être agrandis ou réduits pour s'adapter à la dimension finale requise (voir *Broderie*). Tracez les médianes verticale et horizontale du dessin, et indiquez-en le haut. Choisissez le canevas le mieux adapté aux besoins du dessin (pp. 162-163) et découpez-le en ajoutant 5 centimètres (2") de marge tout autour. Bordez-le avec du ruban adhésif; faites une marque sur le haut du canevas et indiquez les médianes verticale et horizontale (p. 167).

Centrez le dessin préparé sous le canevas et comptez les fils de canevas recouvrant la surface totale du dessin, ou la partie du motif à répéter. Si le dessin est *asymétrique*, calculez le nombre de fils en largeur et en hauteur sur l'ensemble du dessin. S'il est *symétrique par rapport à l'axe horizontal*, calculez le nombre de fils de la moitié supérieure. S'il est *symétrique par rapport à l'axe vertical*, calculez le nombre de fils de la moitié droite. S'il est *symétrique par rapport aux deux axes*, calculez le nombre de fils contenus dans le quart supérieur.

Quand vous aurez établi la taille du dessin entier ou de la partie à répéter en terme de nombre de fils, faites-en une reproduction sur le même nombre de carrés ou de lignes de papier quadrillé. Pour un dessin répétitif, placez le motif sous le canevas préparé et passez à l'étape 2 (ci-dessous).

1. Centrez le dessin sous le canevas. Comptez le nombre de fils recouverts par le dessin, ou par la partie du dessin à répéter, en hauteur et en largeur.

2. Reportez ce nombre sur du papier quadrillé. Sur un carton, un carré correspond à un fil; sur un diagramme linéaire, le fil est représenté par une ligne. Tracez le périmètre de la grille ainsi que les médianes : les deux pour un dessin complet, comme ci-dessus, la médiane verticale (côté gauche du périmètre) ou horizontale (bas du périmètre) pour une demi-grille. Pour un quart de grille, les médianes sont représentées par le côté gauche et le bas du périmètre.

3. En vous référant au dessin placé sous le canevas, tracez les lignes du dessin en vous assurant qu'elles traversent les lignes du papier quadrillé de la même manière que les fils du canevas. Dessinez une surface à la fois, en vous guidant sur les médianes du canevas et du papier quadrillé.

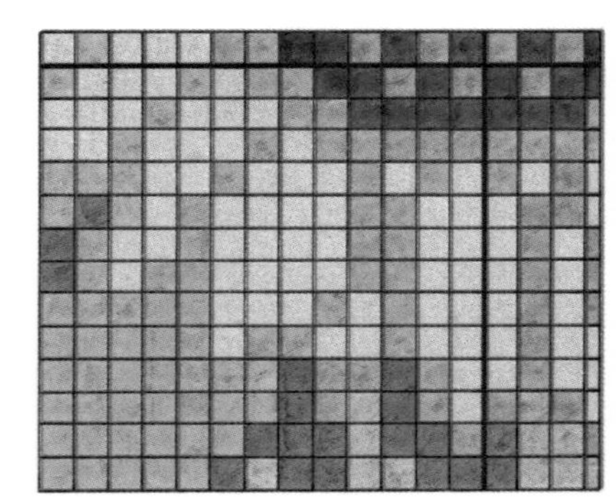

Faites un carton si vous avez l'intention de n'employer que des petits points. Représentez les croisements du canevas par les carrés de la grille. Coloriez-les ou utilisez des symboles.

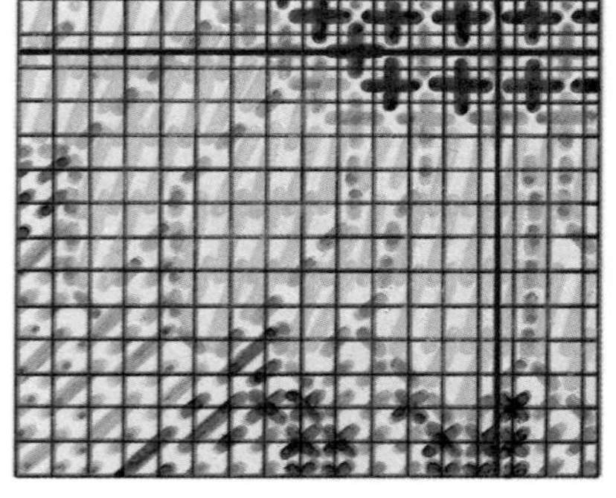

Préparez un diagramme linéaire si vous utilisez des points de fantaisie. Représentez les points et modifiez les lignes du dessin pour qu'elles s'adaptent à ceux-ci (p. 165). Coloriez les points ou utilisez des symboles.

Conception et exécution du Bargello

Types de Bargello
Motifs de points florentins
La couleur
Matériel
Motifs linéaires
Motifs clos
Motifs quadridirectionnels

Types de Bargello

Le Bargello est un genre de broderie exécuté sur canevas avec des points verticaux. Il est certain qu'avec une définition aussi large, n'importe quel dessin, même le tournesol page ci-contre, peut devenir un motif Bargello si on l'exécute avec des points verticaux. Toutefois le Bargello est une forme unique de tapisserie qui fait appel au point florentin ou à une de ses variantes, produisant des motifs tout à fait typiques. C'est ce Bargello traditionnel que nous vous décrivons dans les pages qui suivent.

Il y a trois types de motifs Bargello basés sur le point florentin; ils sont représentés sur les trois illustrations de cette page. Chacun de ces dessins est formé par la répétition d'une même unité (entourée dans chacune des illustrations). Pour s'assurer que l'unité est répétée avec exactitude, on en établit d'abord la grille. Les trois dessins présentent chacun une caractéristique. Dans un **motif linéaire** (premier exemple), la répétition consiste en de nombreuses rangées de points florentins qui reproduisent le premier groupe de rangées. Pour de plus amples explications sur la conception et l'exécution d'un motif linéaire, consultez les pages 176-177. Dans un **motif clos** (deuxième exemple), les rangées du haut et du bas se renvoient l'image renversée l'une de l'autre; le motif est brodé avec des points florentins ou d'autres points verticaux adaptés aux différentes surfaces. Les motifs clos sont expliqués pages 178-179. Le troisième exemple est un **motif quadridirectionnel** : on obtient le dessin entier en brodant chaque quart triangulaire du dessin à angle droit des autres. Bien qu'un motif linéaire constitue l'unité de base de notre motif quadridirectionnel, on peut aussi utiliser un motif clos pour ce type de Bargello. Le dessin et l'exécution des motifs quadridirectionnels sont expliqués pages 180-182.

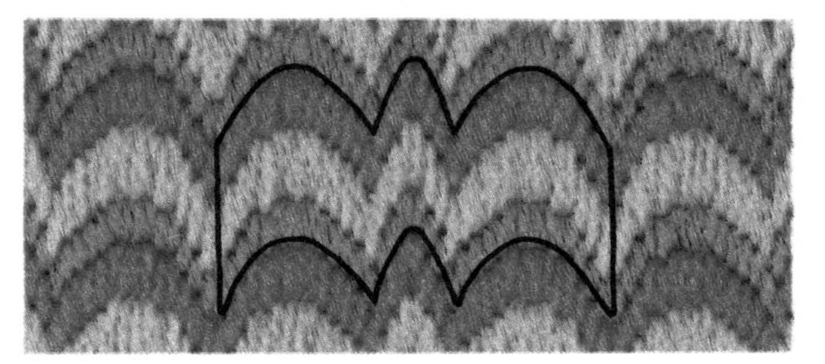

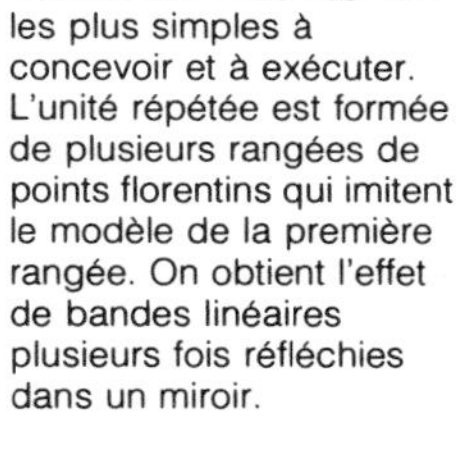

Les motifs linéaires sont les plus simples à concevoir et à exécuter. L'unité répétée est formée de plusieurs rangées de points florentins qui imitent le modèle de la première rangée. On obtient l'effet de bandes linéaires plusieurs fois réfléchies dans un miroir.

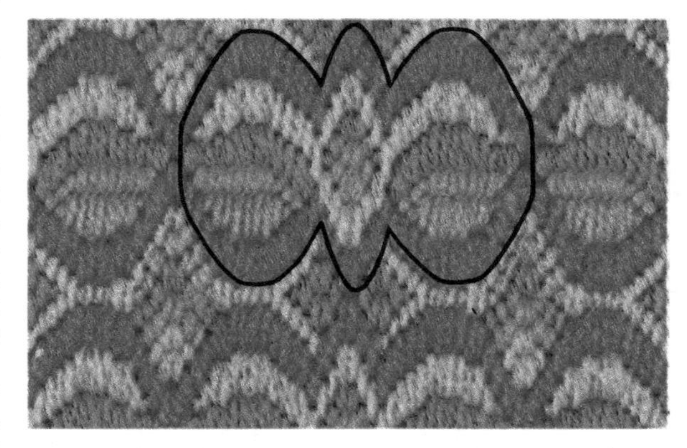

Les motifs clos forment des sortes de médaillons. Ces répétitions sont constituées par la réflection des rangées supérieures dans les rangées inférieures, dans un espace fermé. Chaque médaillon est brodé avec des points florentins et d'autres points verticaux.

Les dessins quadridirectionnels s'obtiennent en travaillant les quarts triangulaires du dessin à angles droits les uns des autres. Pour former un dessin de ce genre, on peut utiliser le principe des motifs linéaires ou celui des motifs clos, décrits plus haut. L'exemple ci-contre est basé sur le premier.

Conception et exécution du Bargello

Formation des motifs de points florentins

Bien qu'il y ait seulement trois types de dessins de Bargello basés sur le point florentin, le nombre possible de motifs à réaliser est presque illimité. La raison en est que le point florentin peut varier de toutes sortes de façons. En sachant le principe de ces variations, vous pourrez concevoir vous-même votre modèle de Bargello ou, en tout cas, exécuter plus facilement un dessin à partir d'un diagramme déjà existant.

Le motif en zigzag du point florentin est formé par la combinaison de deux éléments : le point Gobelin droit et le *gradin* (le décalage compris entre chaque point). Le gradin permet aux points de se trouver en diagonale les uns par rapport aux autres de telle sorte qu'ils s'élèvent pour former les sommets ou descendent pour former les vallées du motif en zigzag. Les illustrations ci-dessous montrent les effets de la

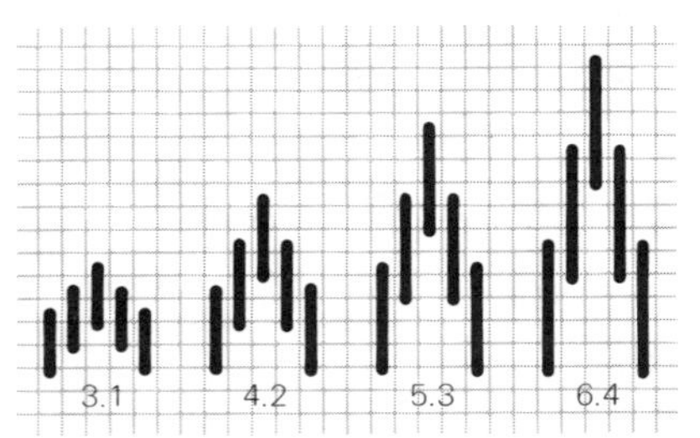

Effets de la longueur du point et du gradin.

longueur du point et du gradin sur la hauteur d'un pic. Sous chaque exemple, il y a deux chiffres : le premier indique la longueur du point, le second indique le gradin, c'est-à-dire l'intervalle entre les points. Les points peuvent avoir deux à huit fils de long. Le gradin, qui est le nombre de fils compris entre les bases de deux points adjacents, doit être inférieur d'un fil au moins à la longueur du point. Comme les exemples le prouvent, plus le point et le gradin sont grands et plus le pic est haut (ou plus la vallée est profonde).

On obtient une rangée de point florentin en combinant des pics et des vallées. Si les pics et les vallées sont de la même dimension, on a un motif en zigzag régulier, soit le motif florentin le plus élémentaire. Si on combine des pics et des vallées de différentes tailles, on obtient une variante connue sous le nom de *point flamme*. On peut aussi arrondir les points d'un motif, une autre variante, en utilisant des blocs de points Gobelin droits : il peut y avoir deux à six points dans un bloc et il est possible de les placer soit au faîte d'un sommet, soit au creux d'une vallée, soit aux deux.

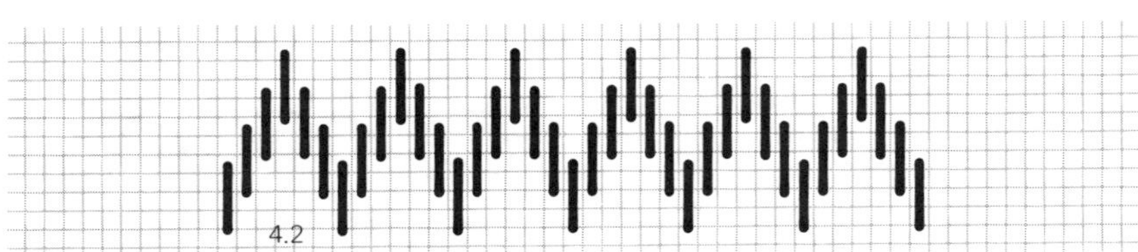

Le point florentin de base produit un motif en zigzag régulier. Les pics et les vallées sont tous de la même taille. Il est très facile d'accentuer l'écart entre les pics et les vallées ou, au contraire, de le diminuer, en allongeant ou en raccourcissant les points et les gradins.

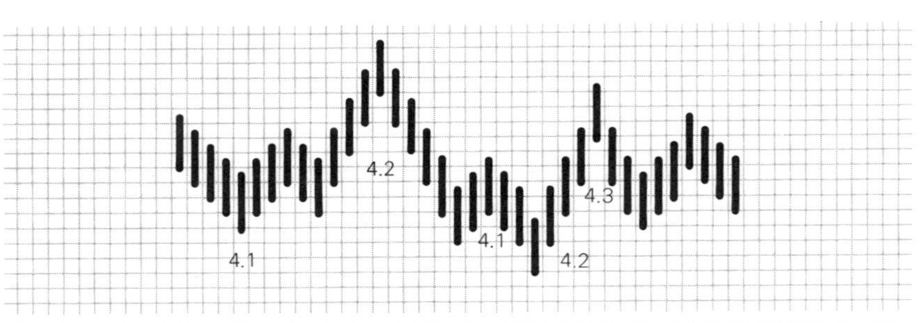

Pour obtenir un point flamme (zigzag irrégulier), faites des pics et des vallées de différentes tailles. Tous les points ci-dessus ont quatre fils de long, mais la hauteur et la profondeur des pics et des vallées varient parce que le gradin change.

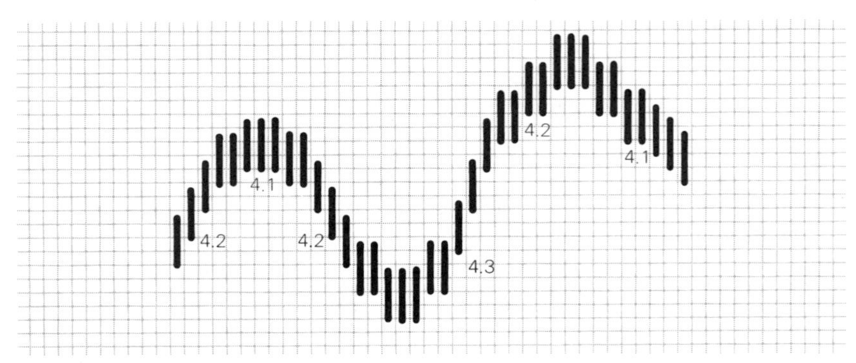

On peut arrondir les pics et les vallées en brodant des blocs de points Gobelin à leur extrémité ou entre eux. Les gradins peuvent varier entre les blocs.

La couleur

La couleur joue un rôle très important dans le Bargello, car elle permet d'identifier les rangées et les répétitions. Quand elle est bien choisie et bien placée, la couleur ajoute de l'éclat et du mouvement à l'ensemble du dessin. Le choix de la couleur varie selon qu'on veut donner plus ou moins de relief ou de profondeur à une rangée ou à une surface. Pour choisir les couleurs de manière à ce qu'elles remplissent leur rôle à votre satisfaction, il est bon d'exposer en grandes lignes la théorie des couleurs.

Il y a six couleurs de base dans l'éventail des couleurs : rouge, jaune, orange, bleu, vert et violet. Les trois premières (rouge, jaune et orange) ont tendance à ressortir davantage que les trois dernières (bleu, vert et violet). Chacune de ces couleurs présente différentes valeurs, selon qu'elle est plus claire ou plus sombre. Une valeur claire, ou *lavée*, tend vers le blanc; une valeur sombre, ou *rabattue*, tend vers le noir. En règle générale, les valeurs claires ressortent plus que les valeurs foncées. Mais il faut aussi tenir compte de la couleur dont elles sont dérivées; par exemple, le rose (qui dérive du rouge, une couleur dominante) ressortira toujours plus que le bleu ou le vert pâle.

Toute couleur est affectée par les couleurs qui l'entourent. Une combinaison douce sera composée de couleurs voisines, produisant un effet visuel reposant. Une combinaison contrastante, où les couleurs sont opposées, excite l'œil. La combinaison la plus douce est celle qui comprend des variations d'une couleur unique en dégradés. Sont aussi très douces les combinaisons de couleurs secondaires, telles que le bleu combiné avec le bleu-vert et le vert. Enfin, on peut obtenir des combinaisons contrastées de valeurs opposées (très clair contre très sombre) ou de couleurs complémentaires (violet, vert et orange, par exemple).

VALEURS

Valeurs rabattues (on ajoute du noir)

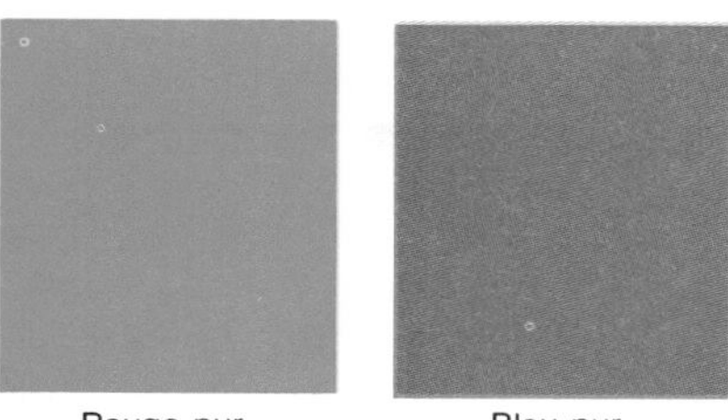

Rouge pur — Bleu pur

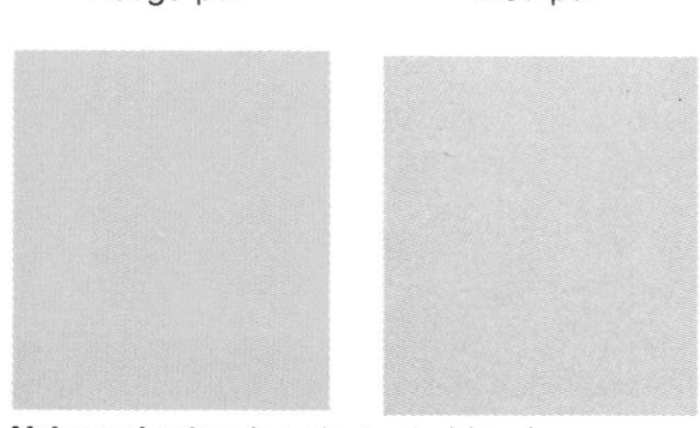

Valeurs lavées (on ajoute du blanc)

TYPES DE COMBINAISONS DE COULEURS

Combinaison douce de couleurs : pour une harmonie monochromatique, combinez plusieurs valeurs d'une même couleur, comme dans le premier exemple ci-dessus. Pour une harmonie analogue, combinez plusieurs couleurs secondaires, comme dans le deuxième exemple ci-dessus.

Combinaison de couleurs contrastantes : on peut tout simplement prendre des valeurs très différentes d'une même couleur, comme dans le premier exemple ci-dessus, ou allier des couleurs complémentaires, comme dans le deuxième exemple.

ÉVENTAIL DES COULEURS

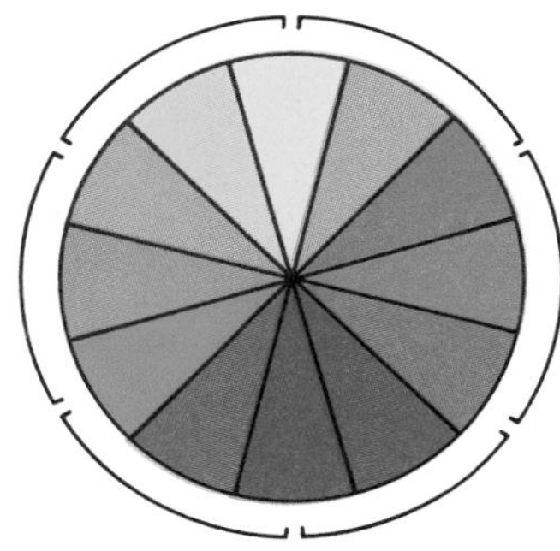

Les couleurs secondaires sont celles qui se trouvent proches les unes des autres (vert, turquoise et bleu, ou rouge, mauve et violet).

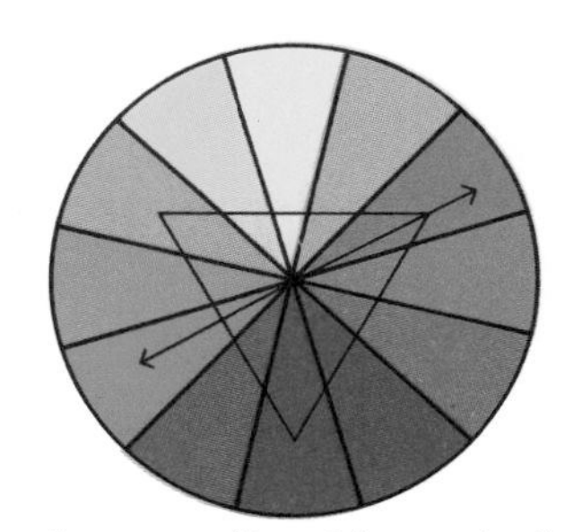

Les couleurs complémentaires sont celles qui sont à l'opposé les unes des autres (rouge et vert; vert, orange et violet).

Matériel

Pour broder un motif Bargello, vous aurez besoin d'un diagramme du dessin et de suffisamment de canevas et de fil pour l'exécuter. Etant donné que le Bargello est un genre de dessin répétitif, la quantité de canevas nécessaire à son exécution sera un multiple du nombre de fils exigé pour la grille (pages suivantes). Si vous êtes l'auteur de votre modèle, il vous faudra du papier quadrillé et des crayons de couleurs. Un instrument très pratique est une glace à deux faces. Vous pouvez en fabriquer une (à droite) avec du feutre, de la colle et deux miroirs de poche.

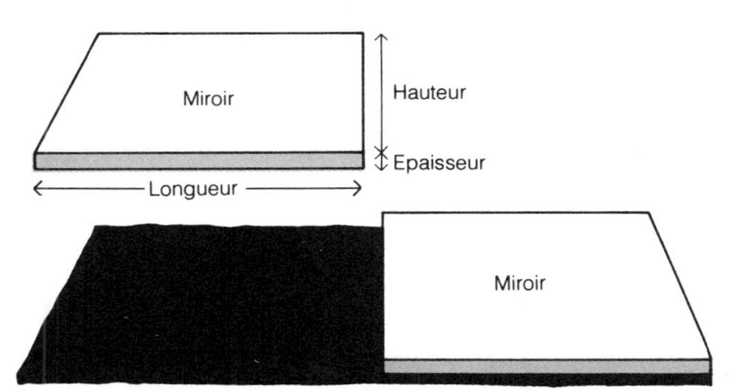

Pour fabriquer une glace à deux faces, procédez comme suit : découpez un morceau de feutre d'une largeur égale à la hauteur d'une glace et d'une longueur égale à deux fois sa longueur et son épaisseur.

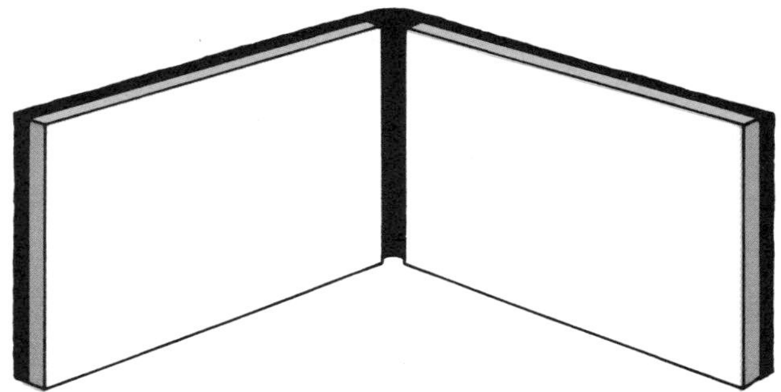

Etalez de la colle sur l'envers des deux glaces. Placez-en une à chaque extrémité du morceau de feutre. Collez bien les deux glaces en pressant, enlevez le surplus de colle et laissez sécher.

Lecture des grilles 166

Grille des motifs linéaires

La première étape consiste à définir le modèle sur lequel on basera l'unité de répétition. Le moyen le plus simple est de glisser une glace à deux faces (p. 175) le long d'une rangée de points florentins (photographie ou échantillon). Mais vous pouvez augmenter vos chances de découvrir un motif unique en faisant ce genre d'expérience avec une rangée de points que vous aurez dessinée vous-même (p. 174).

Pour planifier une unité de motif linéaire, vous devez établir le modèle de la première rangée. Pour ce faire, glissez simplement un miroir le long d'une rangée de points sur grille (étapes 2 et 3, ci-dessous). Glissez le miroir de droite à gauche et de gauche à droite : les motifs obtenus seront différents dans les deux sens. En retournant la rangée tête-bêche, vous obtiendrez encore d'autres motifs très intéressants. Quand vous aurez trouvé le motif de votre première rangée, établissez-en le diagramme linéaire (p. 166) sur une nouvelle feuille de papier quadrillé; puis dessinez sur la grille les rangées subséquentes qui forment le motif (étapes 4, 5 et 6). Chaque nouvelle rangée peut avoir une longueur de points différente, aussi longtemps que l'on maintient le même écart de gradins que pour la première rangée. Quand vous établirez la grille, utilisez des couleurs différentes pour chaque rangée, autant que possible les mêmes que celles qui seront brodées par la suite sur le canevas. Lorsque vous établissez la grille d'un motif linéaire que vous avez conçu vous-même, il est recommandé que vous fassiez la grille d'une rangée complète ainsi que des rangées subséquentes de couleurs différentes : ceci vous permettra d'embrasser d'un coup d'œil l'ensemble du motif tel qu'il sera représenté sur le canevas. De nombreuses grilles vendues dans le commerce illustrent seulement la moitié du modèle.

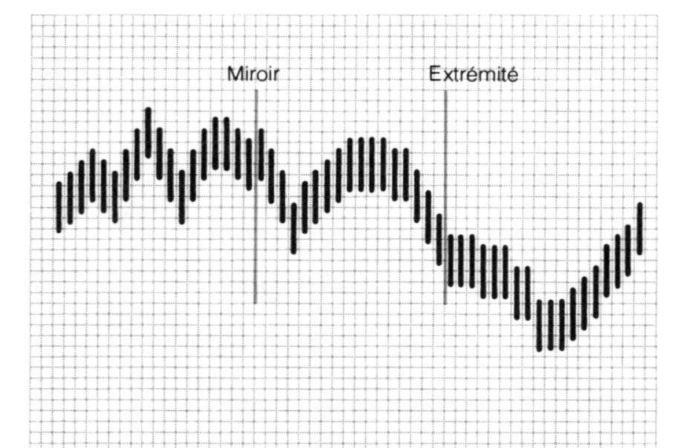

1. Faites une grille d'une rangée de points florentins, suffisamment longue pour comprendre des pics et des vallées de tailles et formes différentes. Les lignes rouges indiquent la position du miroir et les limites du modèle établi à l'étape 3.

2. Placez un des miroirs parallèlement aux points schématisés. Glissez le miroir le long de la rangée, en étudiant en même temps la grille et l'image réfléchie dans le miroir. Arrêtez-vous quand vous arrivez à une section qui forme un motif attrayant.

3. Sans cesser de tenir le miroir et de regarder la grille des points et sa réflection, glissez votre doigt le long des points jusqu'à ce que vous arriviez à un endroit qui vous semble convenable pour marquer la fin du motif. Tracez les lignes qui le délimitent.

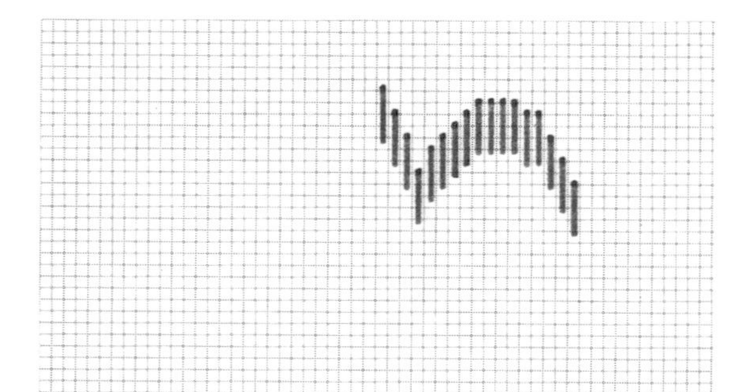

4. Sur une nouvelle feuille de papier quadrillé, relevez les points qui se trouvent entre les deux lignes (étape 3). Faites bien attention à dessiner des points de la même dimension, du même gradin et dans la même position que dans la grille originale.

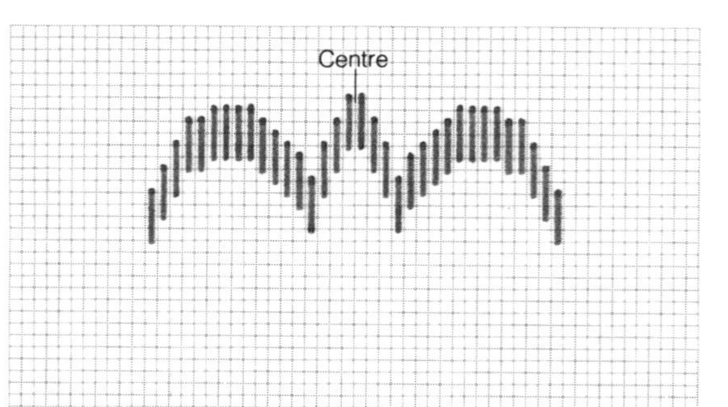

5. Etablissez la grille de la seconde partie du dessin. Les points doivent être placés symétriquement aux points de l'étape 4. Ils doivent être de la même longueur et du même gradin que leur réflection. Marquez le centre du motif ainsi obtenu.

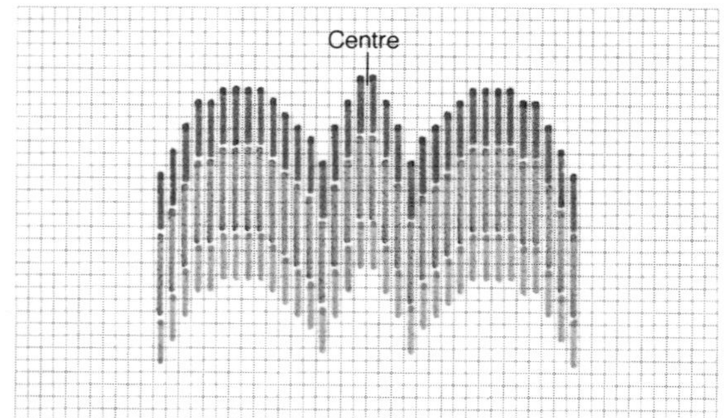

6. Coloriez les autres rangées du motif. Quelle que soit la longueur des points choisis, il faut respecter l'agencement des gradins de la première rangée (un point de 3 fils serait trop court pour le pic central dont le gradin est de 3 fils).

Préparation et exécution d'un motif linéaire

Vous pouvez centrer un motif linéaire de Bargello, en plaçant le milieu d'une unité au centre du canevas (A), ou en plaçant une unité de chaque côté du centre du canevas (B). A cause de l'irrégularité des pics et des vallées, il n'est pas toujours possible d'aligner l'unité sur la médiane horizontale.

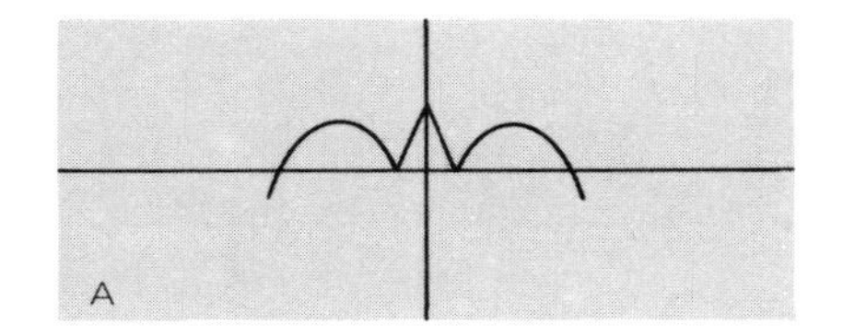

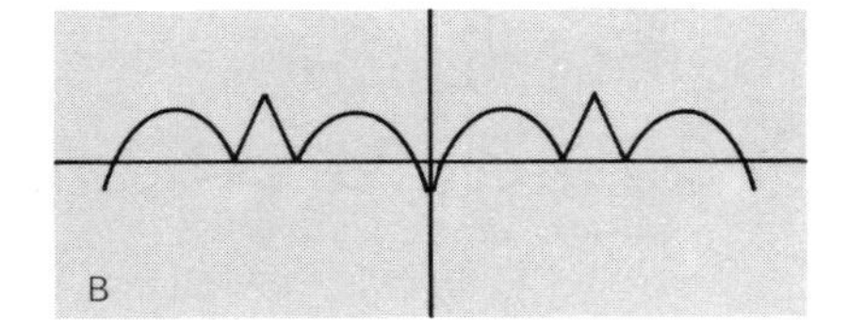

L'emplacement central précisé, décidez du nombre de répétitions que vous voulez avoir en travers du canevas et de haut en bas, puis calculez le nombre de fils nécessaire à l'exécution du dessin. Pour obtenir ce nombre dans la largeur, multipliez le nombre de répétitions transversales par le nombre de fils verticaux compris dans une unité. Pour trouver ce nombre en hauteur, multipliez le nombre de groupes de rangées à répéter par le nombre de fils horizontaux compris dans chaque groupe. Divisez le total obtenu par le numéro de votre canevas et multipliez par 2,5, vous obtiendrez les mesures du canevas terminé (en centimètres). Si les dimensions obtenues sont trop insuffisantes, ajoutez des motifs entiers ou partiels. Mais si le résultat dépasse la taille désirée, réduisez le nombre de répétitions ou prenez un canevas plus petit. Taillez le canevas à la dimension voulue, plus une marge de 5 centimètres (2").

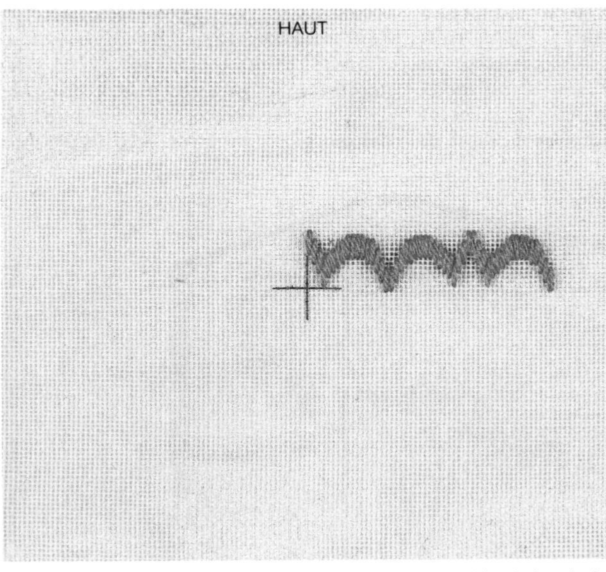

1. Commencez au centre du canevas; exécutez la moitié droite de la première rangée en consultant la grille.

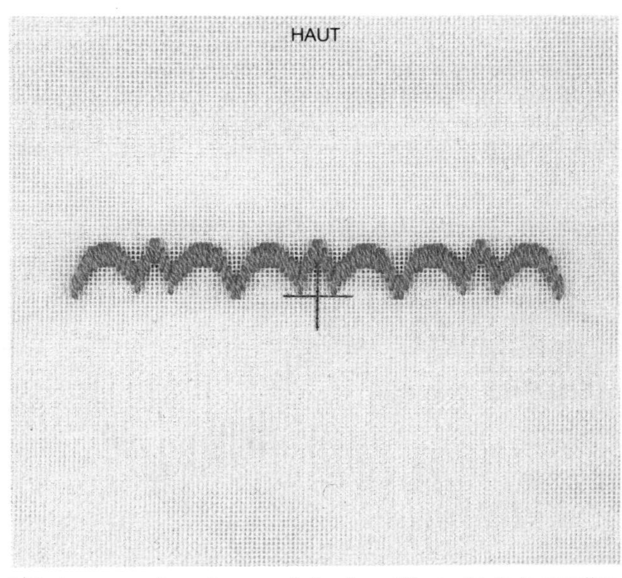

2. Partez encore du centre pour réaliser la moitié gauche de la première rangée. Veillez à ce que les unités soient parfaitement symétriques.

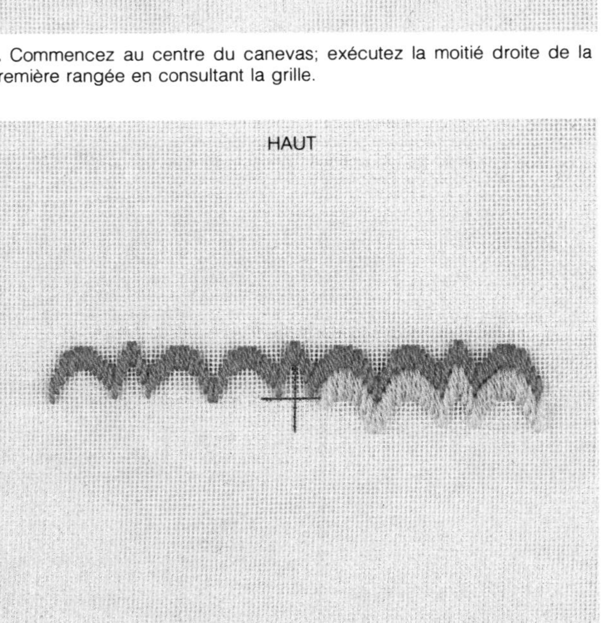

3. En vous guidant sur la première rangée, exécutez la suivante en une fois, d'un côté à l'autre du canevas. Voyez la grille pour la couleur.

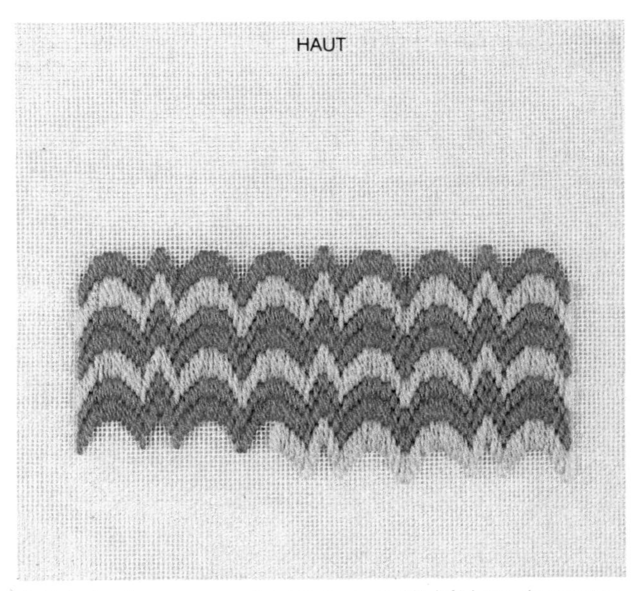

4. Exécutez les rangées suivantes sur la moitié inférieure du canevas, puis sur la moitié supérieure, en suivant toujours le même principe.

Conception et exécution du Bargello

Lecture des grilles 166

Grille d'un motif clos

Pour dessiner une unité de motif clos, il faut d'abord établir le dessin de la rangée supérieure et de la rangée inférieure qui encadrent chaque motif et qui sont identiques. Pour cela, placez la glace à deux faces (p. 175) à angle droit d'une rangée de points florentins, les deux miroirs étant eux-mêmes à angle droit. Comme vous pouvez le constater en étudiant l'étape 2 ci-dessous, un motif complet apparaît. Les deux rangées du haut et du bas étant ainsi placées, il se forme entre elles un espace vide que l'on recouvre de points florentins ou d'autres points verticaux. Dans de nombreux motifs, les vides entre les deux rangées peuvent servir à former des motifs secondaires. Si vous dessinez votre propre motif, nous vous recommandons d'établir la grille de plusieurs motifs (étape 4), de sorte que vous puissiez mieux concevoir les motifs secondaires. Les grilles toutes faites ne montrent que la moitié des motifs.

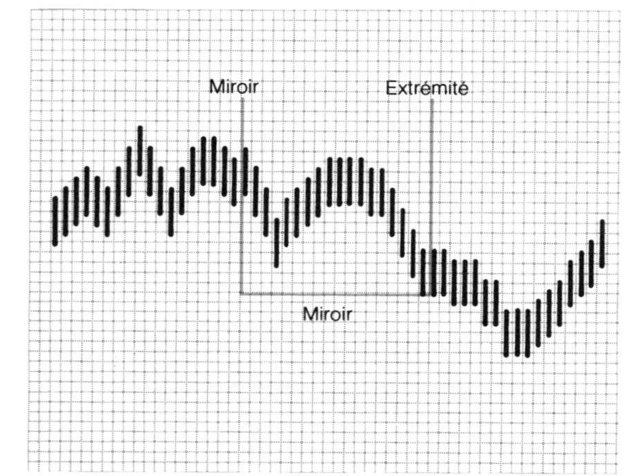

1. Etablissez la grille d'une rangée de points florentins suffisamment longue pour avoir un choix de pics et de vallées (p. 174). Les lignes rouges indiquent la position des miroirs et l'extrémité du motif utilisé (étape suivante).

2. Placez les deux miroirs à angle droit l'un de l'autre et de la rangée de points florentins; glissez-les le long de la rangée jusqu'à ce que vous ayez trouvé un motif qui vous plaise. Marquez l'extrémité du motif et tracez les deux lignes de l'angle droit.

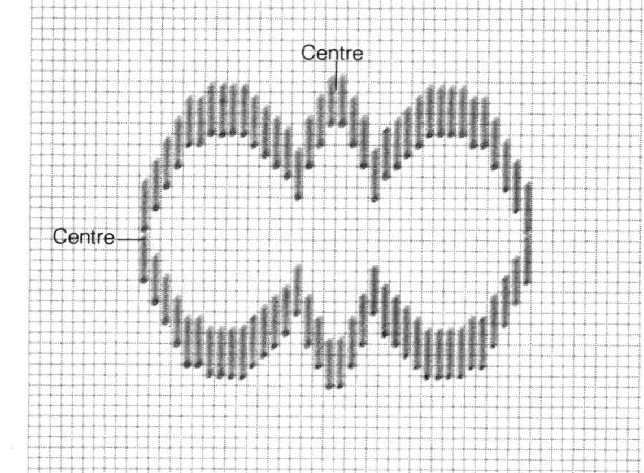

3. Etablissez une nouvelle grille des points situés entre les marques. Dessinez la seconde moitié de la première rangée (p. 176). Enfin, dessinez la rangée inférieure, telle que réfléchie par le miroir; dessinez les médianes du motif.

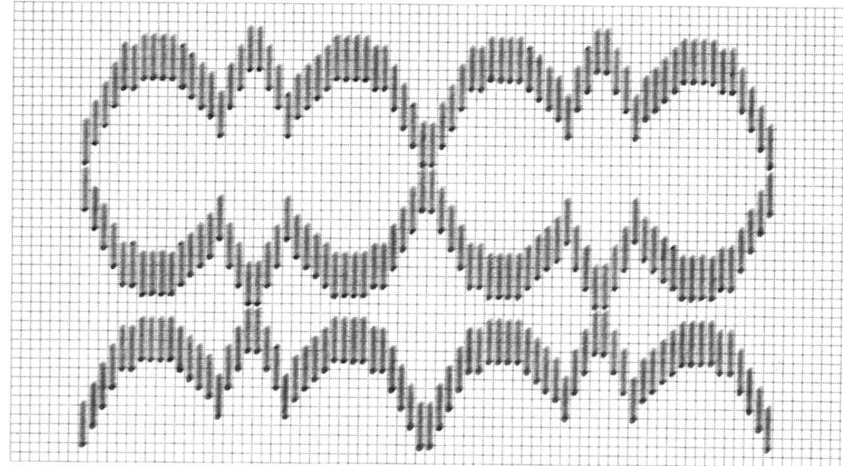

4. Pour savoir si les espaces vides entre les rangées de motifs formeront des motifs secondaires, établissez le diagramme du motif adjacent au premier et celui de la moitié des deux motifs du dessous, en faisant se toucher les points extrêmes de deux motifs.

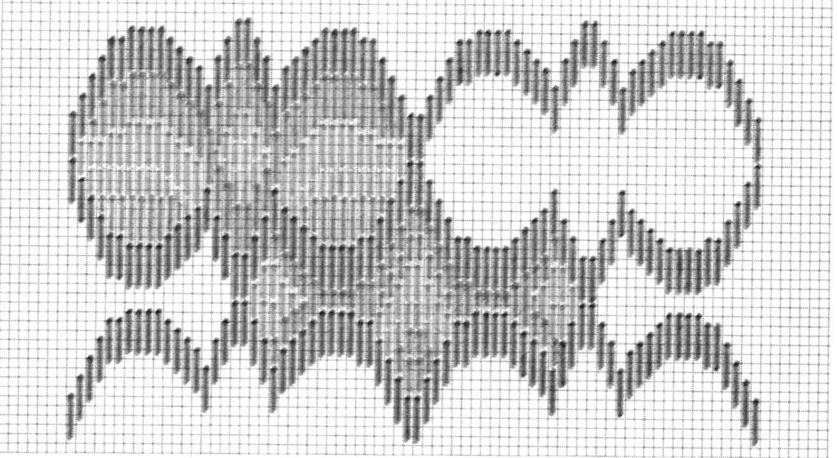

5. Comblez sur votre diagramme les espaces laissés vides par les motifs principaux et secondaires avec des points florentins ou d'autres points verticaux qui s'adaptent aux formes des espaces vides. Utilisez une couleur différente pour chaque rangée ou chaque espace.

Préparation et exécution d'un motif clos

Pour centrer les motifs clos, on peut soit placer un motif exactement au centre du canevas (A), soit placer des motifs complets de chaque côté des médianes horizontale et verticale (B).

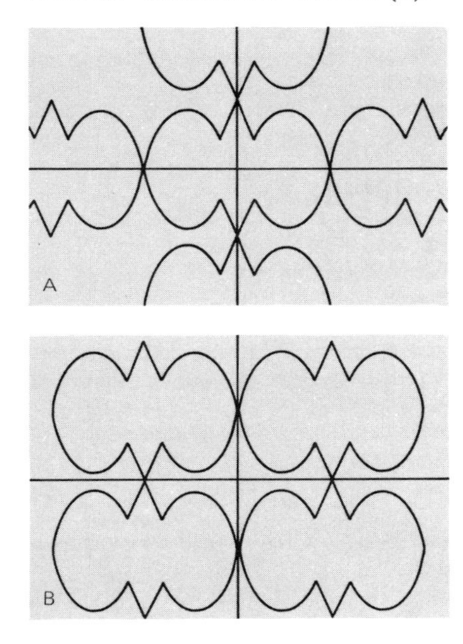

On peut aussi combiner ces deux possibilités, comme à droite : les motifs sont centrés par rapport à l'horizontale, mais on a un motif complet de chaque côté de la médiane verticale. Quand vous saurez comment centrer vos motifs, décidez du nombre de répétitions que vous voulez avoir en largeur et en hauteur. Calculez ensuite la quantité de canevas nécessaire (p. 177).

A l'étape 1 ci-contre, on exécute tout d'abord la rangée supérieure des premiers motifs. Et c'est toujours cette rangée supérieure que l'on brode en premier, quelle que soit la disposition choisie. Pour cette première rangée, partez du centre vers la droite, puis du centre vers la gauche. Par contre, les rangées suivantes seront travaillées d'un côté à l'autre.

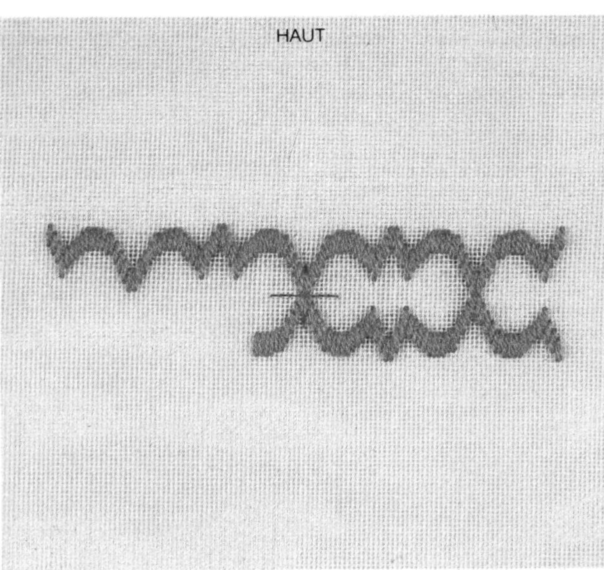

1. Exécutez la rangée supérieure des motifs, du centre vers chaque bord; exécutez la rangée inférieure en une fois, d'un bord à l'autre.

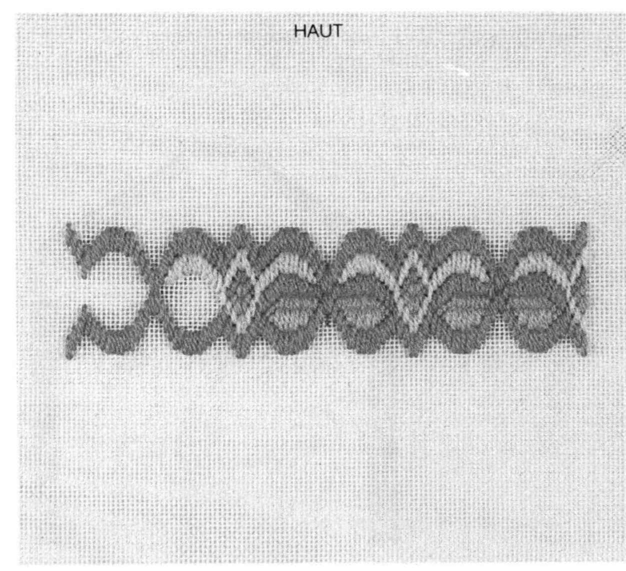

2. En vous référant à la grille pour la couleur et l'emplacement des points, comblez les espaces du milieu, un motif ou une couleur à la fois.

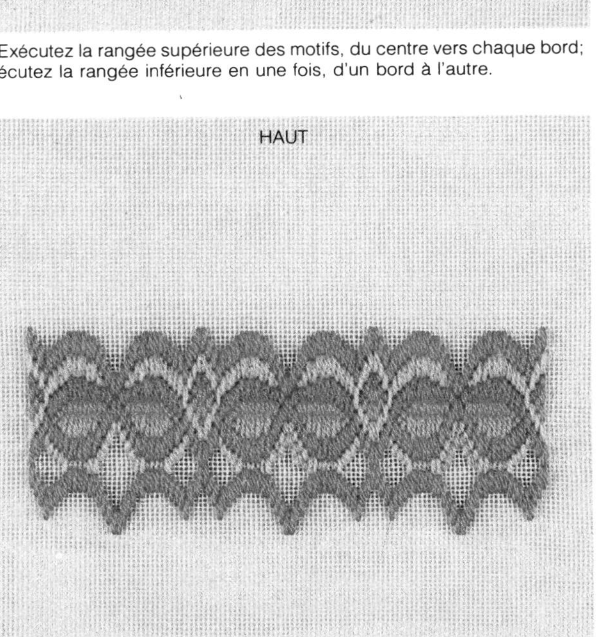

3. Exécutez la rangée supérieure de la nouvelle série d'un côté à l'autre du canevas. Comblez les espaces vides avec des motifs secondaires.

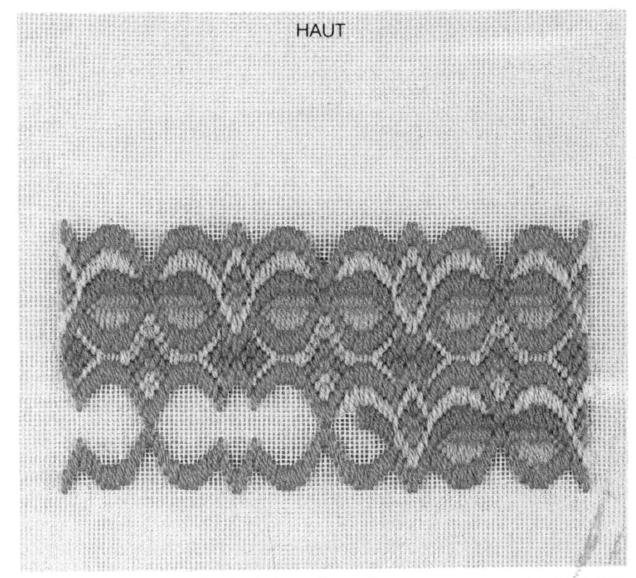

4. Continuez à couvrir ainsi la surface du canevas en exécutant une rangée après l'autre, puis en remplissant les espaces vides.

Conception et exécution du Bargello

Points de compensation 161
Lecture des grilles 166

Grille d'un motif quadridirectionnel/linéaire

Un Bargello quadridirectionnel consiste en quatre quartiers de forme triangulaire qui se rencontrent le long de lignes diagonales. Les points changent de sens à chaque quartier. Si vous voulez dessiner vous-même votre modèle, il vous suffit d'établir la grille d'un quart du motif complet. Le dessin de ce quart de motif peut suivre le principe des motifs linéaires, comme sur cette page, ou des motifs clos (page ci-contre). La différence entre les deux sortes de dessin consiste dans la façon de faire la conception et dans la façon de centrer l'unité dans le quartier. L'exécution est identique pour les deux (p. 182).

1. Dessinez une rangée de points florentins (la rangée ci-dessus est la même qu'à la page 176). Placez un des miroirs parallèlement aux points, et l'autre à 45° du premier. Déplacez les miroirs le long de la rangée jusqu'à ce que vous découvriez un motif. Tracez un angle de 45° le long des miroirs pour délimiter la première moitié de la rangée et sa distance par rapport au centre.

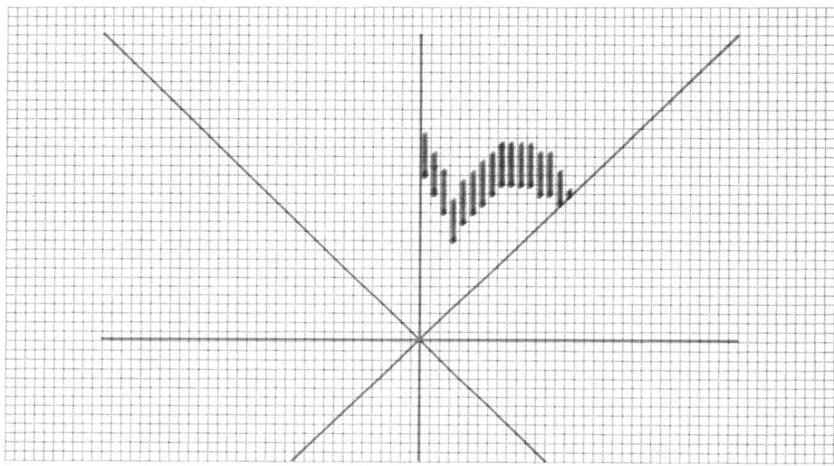

2. Sur une nouvelle feuille de papier quadrillé, dessinez les médianes et les quartiers en triangles. S'il y a un point central, tracez les médianes *entre* les lignes quadrillées; s'il y a le même nombre de points de chaque côté de la ligne centrale, tracez les médianes *sur* les lignes quadrillées. Etablissez d'abord la grille de la première moitié de la rangée.

3. Etablissez la grille de la seconde moitié de la rangée (p. 176). En suivant le motif de la première rangée, dessinez les rangées suivantes. Si l'espace compris entre les diagonales devient trop court pour en faire un dessin florentin, remplissez-le de petits points ou de points de fantaisie; faites la grille du centre au complet. Pour un autre traitement de cet espace, voir page ci-contre.

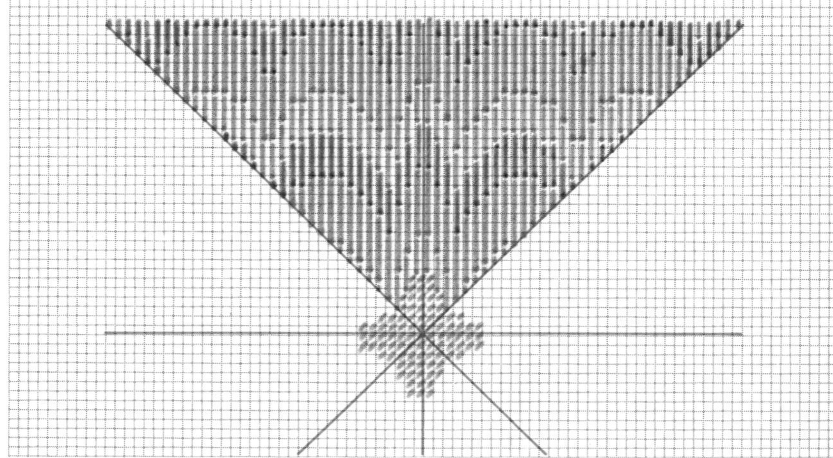

4. Remplissez la partie la plus large du triangle de manière à former un bord droit. Utilisez pour ce faire des petits points ou des points de fantaisie (page ci-contre), ou encore des points florentins en rangées de plus en plus grandes (comme ici). Utilisez des points de compensation ou des tronçons de rangées pour former des bords droits.

Grille d'un motif quadridirectionnel/clos

Pour établir la grille d'un motif quadridirectionnel, il faut penser d'abord à centrer le motif dans un triangle. Avec un motif linéaire, le dessin est automatiquement centré (étape 1, page ci-contre). Si vous voulez utiliser un motif clos, dessinez d'abord les rangées supérieure et inférieure du motif (étape 1, ci-dessous), puis centrez-le dans le triangle (étape 2). Ceci doit être accompli en deux temps car il n'existe aucune manière de tenir les miroirs de sorte qu'ils reflètent simultanément les rangées supérieure et inférieure d'un motif, et l'agencement de ce motif en un dessin quadridirectionnel.

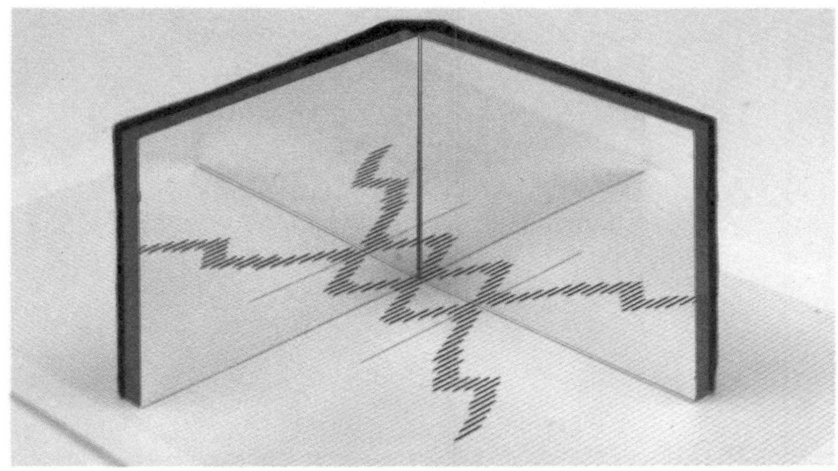

1. Dessinez une rangée de points florentins (la rangée ci-dessus est différente de celle des pages 176 et 178). Placez les miroirs à angle droit l'un de l'autre et de la rangée de points, et glissez-les le long des points jusqu'à ce que vous trouviez un motif qui vous plaise. Marquez la limite du motif et l'angle droit formé par les miroirs.

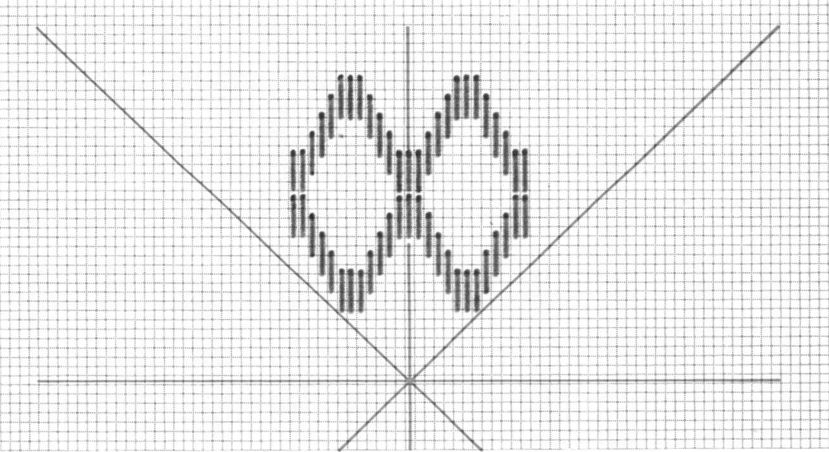

2. Etablissez la grille des rangées supérieure et inférieure du motif (p. 178); tracez une ligne le long de son centre vertical; faites passer exactement sous le motif les diagonales à angle droit qui délimitent un quartier. Tracez la médiane horizontale passant par le point de rencontre de la ligne verticale et des diagonales.

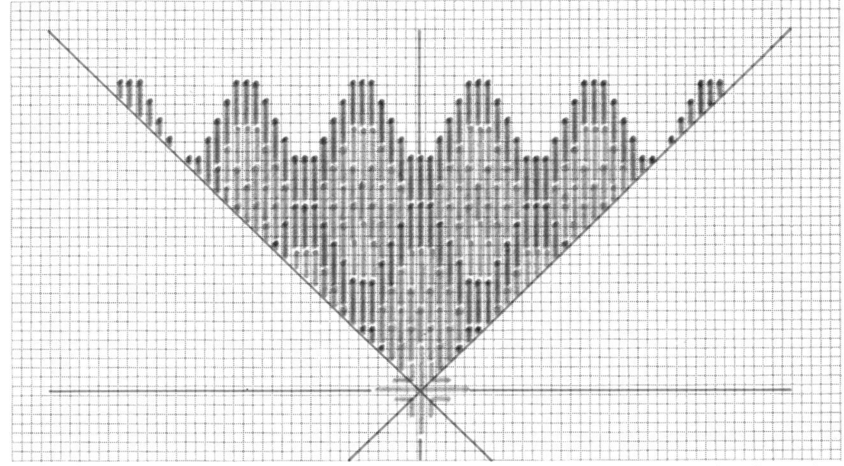

3. Si la partie supérieure du motif ne recouvre pas exactement l'espace compris entre les diagonales, établissez alors la grille de motifs partiels pour combler les vides. Dessinez le centre du motif, puis les rangées plus proches de la pointe du triangle. Remplissez l'espace vide (s'il y en a un) entre le motif et le centre du dessin. Ici, le centre est brodé de points de fantaisie.

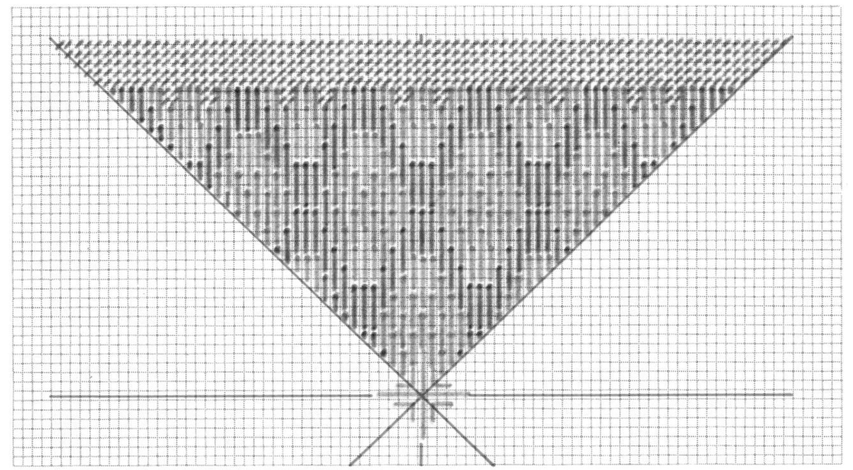

4. Remplissez la partie la plus large du triangle de manière à former un bord droit. Selon l'effet que vous désirez obtenir, dessinez des rangées pleines ou partielles au-dessus du motif ou remplissez l'espace au-dessus du motif avec des petits points ou des points de fantaisie, ou encore combinez des rangées partielles avec d'autres points, comme il a été fait ici.

Conception et exécution du Bargello

Lecture des grilles 166

Préparation et exécution d'un motif quadridirectionnel

Dans un dessin Bargello quadridirectionnel, on centre les unités de répétition au moment de l'établissement du diagramme qu'il faut suivre exactement pendant l'exécution de chaque quartier du dessin. Avant de commencer à travailler, il faut calculer la quantité de canevas nécessaire pour contenir l'ensemble du dessin. Procédez de la manière suivante : comptez d'abord le nombre de fils à la base du triangle, puis divisez ce nombre par le numéro de jauge de votre canevas. Cette mesure est la seule dont vous avez besoin, les bases des triangles étant toutes les mêmes. Certains diagrammes tout faits représentent deux moitiés adjacentes de triangles, séparées par une ligne diagonale (illustration ci-dessous). Si vous

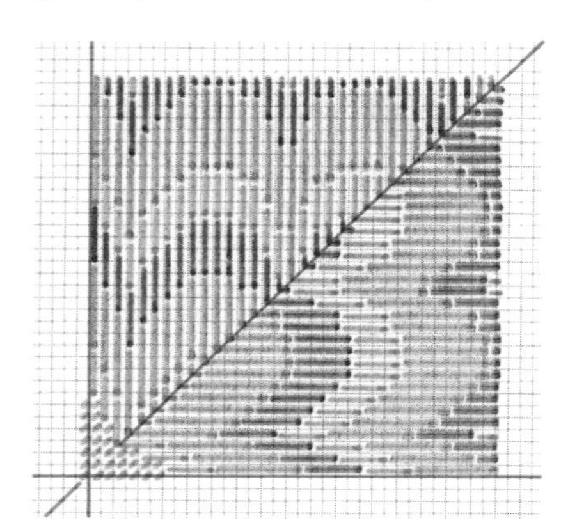

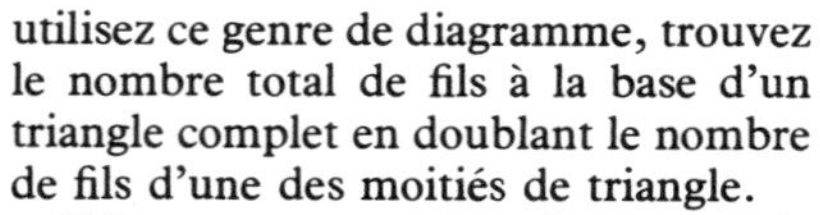

utilisez ce genre de diagramme, trouvez le nombre total de fils à la base d'un triangle complet en doublant le nombre de fils d'une des moitiés de triangle.

Découpez un morceau de canevas de la hauteur et de la largeur voulues, plus une marge de 5 centimètres (2″) pour l'ourlet. Indiquez le centre du canevas (p. 167). Passez un fil de bâti le long des diagonales pour les marquer. Bien que ce soit un motif linéaire qui soit représenté ci-contre, on se sert du même procédé pour un motif clos.

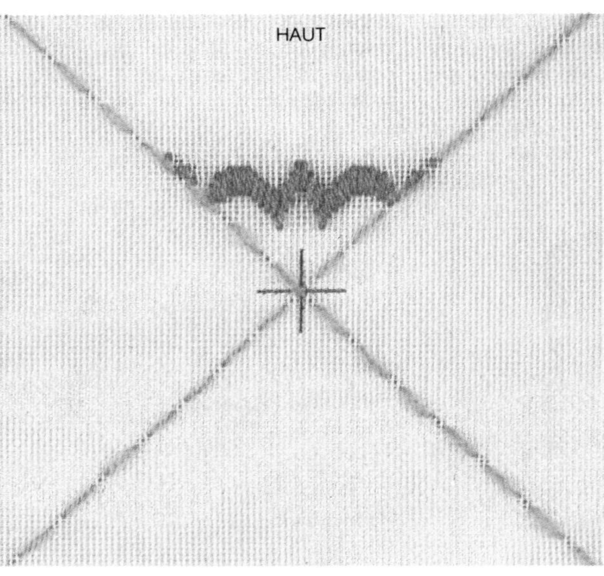

1. Commencez par le quartier supérieur et exécutez la rangée du milieu, en partant du centre vertical vers chaque diagonale.

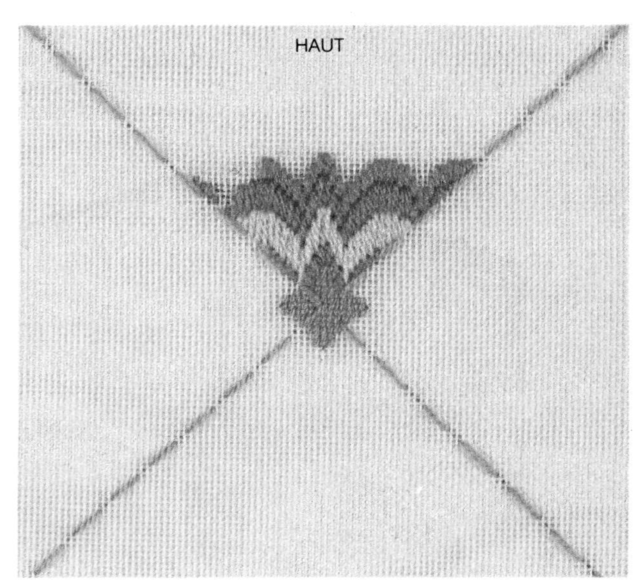

2. Exécutez les rangées suivantes, d'une diagonale à l'autre; brodez les rangées inférieures, puis le centre et les rangées supérieures.

3. Imprimez un quart de tour au canevas, dans le sens des aiguilles d'une montre, et exécutez les rangées du quartier suivant.

4. Exécutez le troisième et le quatrième quartier du dessin comme le second : en exécutant les rangées dans l'ordre que vous voulez.

Techniques générales de travail

Calcul de la quantité de fil nécessaire

La quantité de fil nécessaire à l'exécution d'un dessin dépend autant des points et de la jauge du canevas que des dimensions de l'ouvrage fini. Pour faire une évaluation des besoins en fil, il faut calculer la quantité de fil nécessaire pour couvrir un carré de canevas de 3 centimètres (1"-2") de côté. Si vous avez l'intention de n'utiliser qu'un seul point pour tout l'ouvrage, un seul essai est nécessaire; mais si vous voulez en utiliser plusieurs, il faut que vous fassiez un essai pour chaque point. Chacun des essais doit être effectué sur un canevas de même jauge que celui de la tapisserie à exécuter. Il faut aussi choisir une grosseur de fil appropriée au point et à la jauge du canevas (p. 118).

Pour effectuer les essais, procédez comme suit : coupez plusieurs longueurs de fil de 50 centimètres (20") chacune et exécutez le point sur une surface de 3 centimètres de côté (1"-2"). Notez combien d'aiguillées vous avez utilisées et convertissez ce nombre en mètres; si vous n'avez employé qu'une partie d'une aiguillée, comptez-la comme une aiguillée complète. Calculez le nombre de carrés de 3 centimètres (1"-2") de côté que vous aurez à exécuter avec ce point particulier et multipliez ce nombre par le nombre de mètres obtenu plus tôt.

Faites de même avec chaque point et chaque couleur. Pour ne pas manquer de fil, car les inexactitudes de calcul et les erreurs d'exécution sont toujours possibles, ajoutez à chaque total 10 ou 15 pour cent de marge d'erreur.

Suppression de points

En cours de travail, vous pouvez faire des erreurs dans la construction des points, et il n'y a pas lieu de s'en alarmer. Si vous vous en apercevez aussitôt, et qu'il ne s'agit que de deux ou trois points, voici comment il faut vous y prendre : désenfilez l'aiguille, défaites les points mal faits et refaites-les correctement avec la même aiguillée. Si l'erreur affecte plus de points ou si vous la découvrez plus tard, le processus est différent. Il vous faudra alors couper les points en question, puis, avec une nouvelle aiguillée, broder à nouveau cette surface.

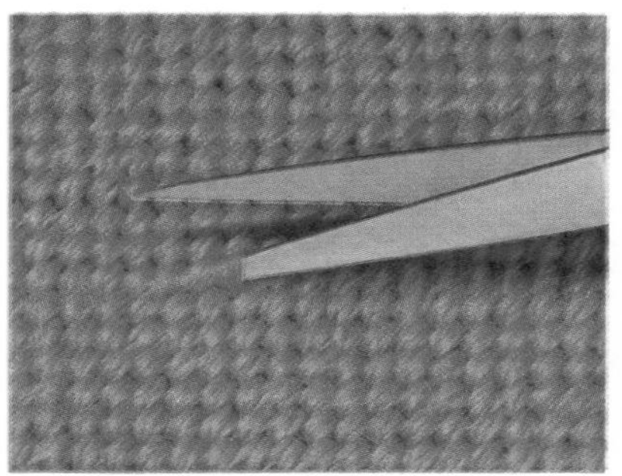

1. L'endroit de l'ouvrage vers vous, glissez la lame des ciseaux sous les mauvais points et coupez-les, un petit nombre à la fois.

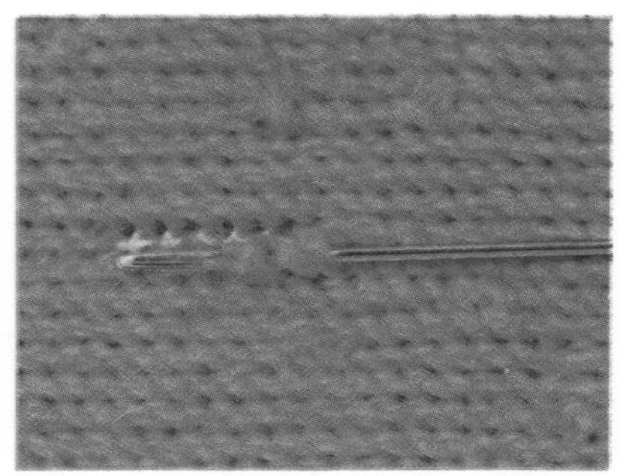

2. De l'envers, retirez les fils. Pour arrêter les points intacts, défaites-en quelques-uns; vous glisserez le fil sous les nouveaux points.

Réparation d'un canevas déchiré

En coupant des points, il peut arriver que vous coupiez en même temps les fils du canevas. Pour réparer l'accident, il suffit de poser une pièce de même type et de même jauge sur le canevas. Préparez la surface à réparer en défaisant suffisamment de points autour de l'endroit abîmé pour avoir assez d'espace pour la nouvelle pièce. Celle-ci doit déborder de quelques mailles de chaque côté de l'entaille. Recouvrez cette dernière de la pièce, en suivant les explications ci-contre. Brodez à nouveau la surface, par-dessus les deux épaisseurs, et coupez les fils qui dépassent.

1. Placez la pièce de canevas sous la déchirure. Alignez les fils et faufilez ensemble.

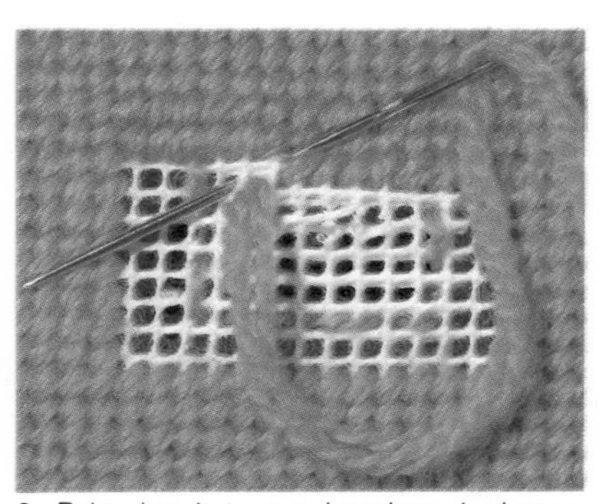

2. Rebrodez à travers les deux épaisseurs. Coupez les fils de canevas qui dépassent.

Utilisation d'un tambour à broder 18

Installation du canevas sur un métier

Il vaut mieux exécuter un ouvrage de tapisserie sur un métier ou un autre support. La tapisserie reste propre et est moins déformée. Il existe différents types de métiers et supports (p. 116). Vous trouverez ci-dessous les instructions concernant l'installation du canevas sur la plupart des dispositifs que nous avons décrits. Un canevas fin peut être monté sur un tambour à broder (voir le chapitre *Broderie*). Comme il y a de légères variantes entre les différents types de métiers, ces instructions vous serviront de guide, et vous pourrez les adapter à vos besoins particuliers. Si votre métier est muni d'un pied, montez celui-ci sur le châssis avant de commencer à travailler.

Les métiers à rouleaux sont les plus pratiques pour la tapisserie à l'aiguille. Ils comportent deux traverses parallèles, l'une en haut et l'autre en bas, encadrées par deux montants (illustration ci-dessous). Le canevas est cousu sur la bande de coutil qui est fixée aux traverses; on emboîte ensuite les traverses sur les montants.

Pour fixer des bandes de tissu sur les traverses, coupez deux bandes de coutil ou de biais de 2,5 centimètres (1″) de large et un peu plus longues que les traverses (quand elles sont rentrées dans les montants). Fixez un côté de chaque bande à une des traverses avec des agrafes ou du ruban adhésif. Laissez l'autre côté libre.

MÉTIER À ROULEAUX CLASSIQUE

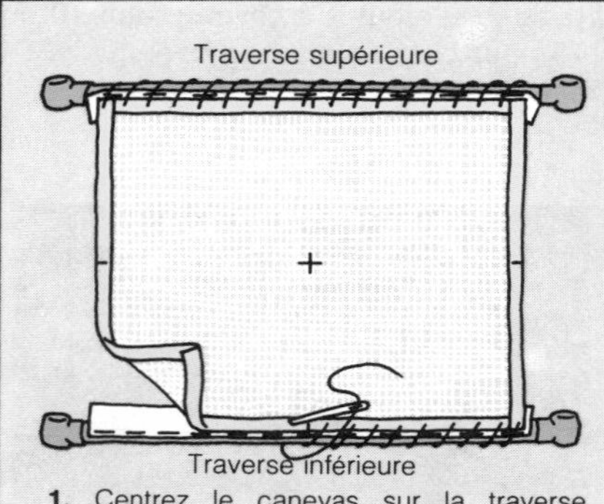

1. Centrez le canevas sur la traverse supérieure au niveau de la bande de coutil. Faites un nœud à l'extrémité du fil et cousez ensemble le canevas et le coutil en passant chaque fois l'aiguille et le fil autour de la traverse. Arrêtez avec plusieurs points arrière. Fixez le bord inférieur du canevas de la même façon sur la traverse du bas.

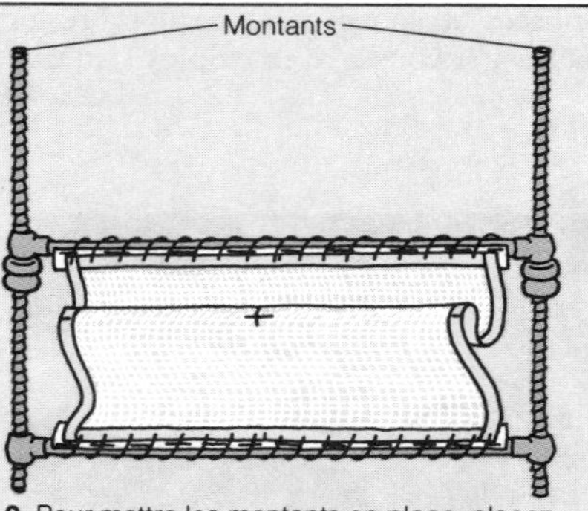

2. Pour mettre les montants en place, placez un écrou à chacune de leurs extrémités et amenez les écrous au centre. Emboîtez les montants dans les extrémités de la traverse supérieure, puis emboîtez l'autre extrémité des montants dans la traverse inférieure. (Si le canevas est trop long, enroulez-le autour d'une des traverses ou des deux.)

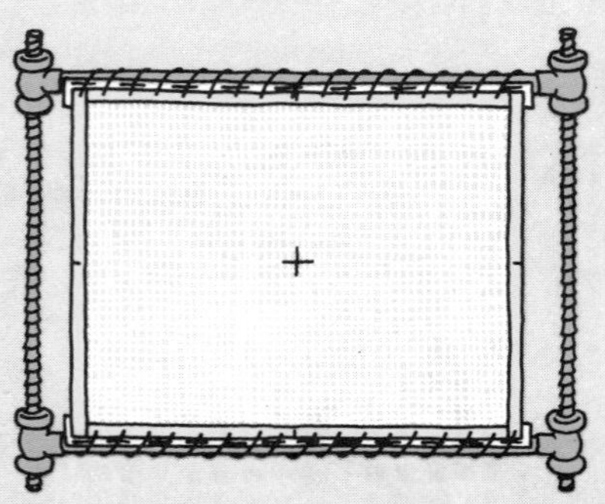

3. Coulissez les traverses le long des montants pour bien centrer le canevas. Placez un écrou à chaque extrémité des montants et serrez les écrous autour des traverses.

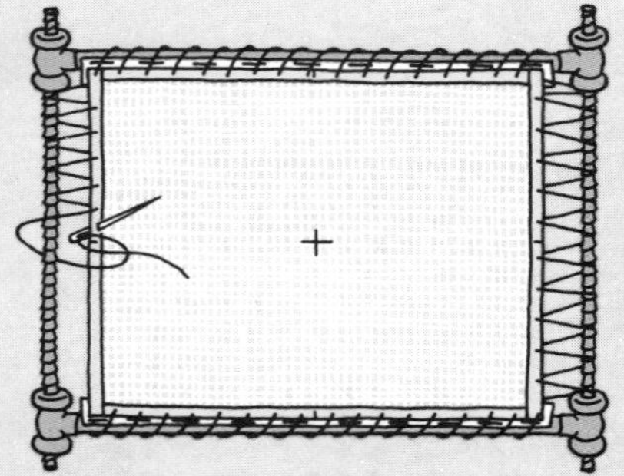

4. Pour maintenir le canevas tendu, surjetez chaque côté à un montant. (Pour dégager une partie de canevas enroulée, enlevez les points de surjet et recommencez de 2 à 4.)

MÉTIER À ROULEAUX ROTATIFS

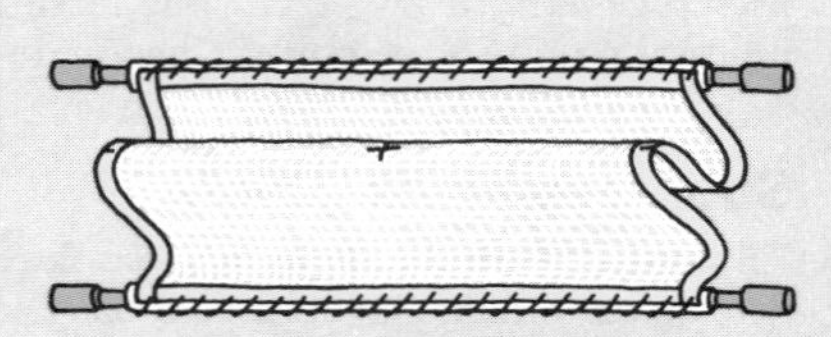

1. Attachez le haut et le bas du canevas aux traverses supérieure et inférieure (étape 1, à gauche). Desserrez les écrous à oreilles aux extrémités des montants et placez les traverses dans les trous des montants.

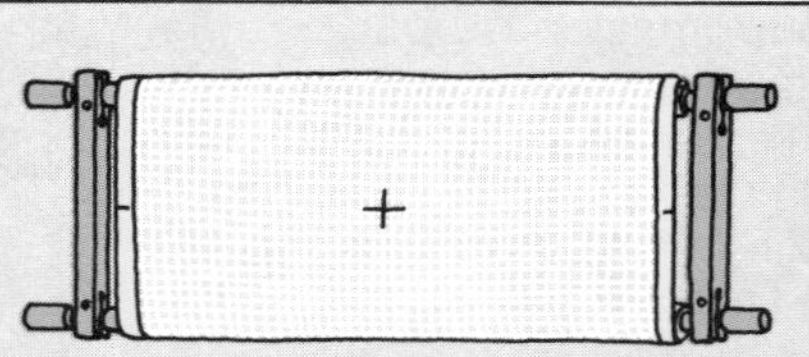

2. Tournez les montants pour tendre le canevas et serrez les écrous. Vous pouvez surjeter les côtés du canevas aux montants. Pour recentrer le canevas, défaites les points de surjet et desserrez les écrous.

MÉTIER À LATTES

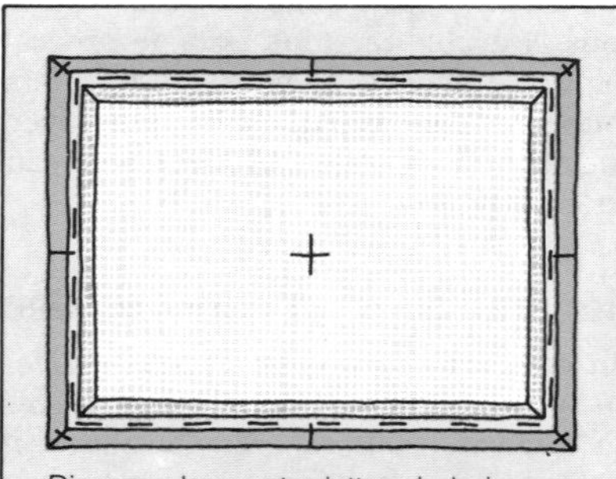

Disposez les quatre lattes de bois avec leur côté le plus court dirigé vers l'intérieur. Enfilez-les l'une dans l'autre et fixez-les avec des agrafes. Indiquez le centre de chaque latte. Centrez bien le canevas sur le cadre, en vous assurant que celui-ci n'empiète pas sur la surface de travail. Fixez chaque côté du canevas sur le cadre avec des agrafes ou des punaises. Le canevas ne devrait pas être bougé après le commencement du travail, ce qui entraînerait d'agrafer des surfaces travaillées.

ROULEAU À TAPISSERIE

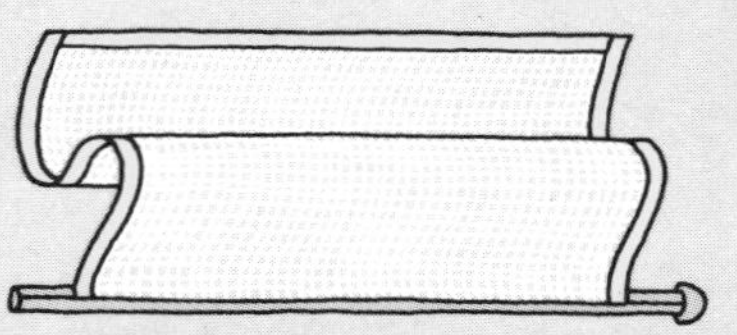

1. Insérez le coin du canevas dans la fente du rouleau, puis glissez le bord du canevas dans cette fente.

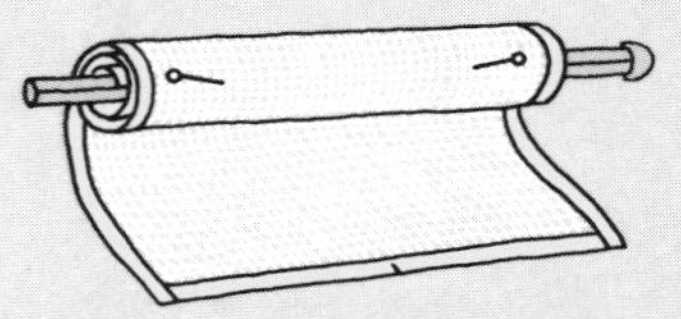

2. Enroulez le canevas autour du rouleau en le serrant bien et laissez pendre la surface de travail. Pour empêcher que le canevas bouge, plantez deux épingles à chapeau dedans. Pour changer la position du canevas, retirez les épingles et déroulez le canevas.

Mise en forme d'une tapisserie à l'aiguille

La mise en forme est un procédé qui permet de rendre à une tapisserie à l'aiguille que l'on vient d'achever sa dimension et sa forme normales. Ceci est indispensable parce qu'il est presque impossible d'empêcher la tapisserie de se déformer en cours de travail, la première cause de déformation étant le point lui-même (les points en diagonale et les points de croix déforment plus la tapisserie que les points droits); ceci se produit souvent si le point est trop serré ou si le fil est trop épais pour le canevas.

Selon que le canevas est plus ou moins déformé, on utilisera l'une des trois méthodes suivantes. S'il y a peu ou pas de déformation, utilisez la méthode 1 (ci-dessous) : un léger repassage à la vapeur pour stabiliser la forme du canevas et égaliser la surface brodée. La méthode 2, en haut à droite, est destinée aux canevas qui montrent une certaine déformation; la méthode 3, ci-contre, à ceux qui sont très déformés. Avec chacune de ces deux dernières méthodes, il faut étirer le canevas jusqu'à ce qu'il retrouve la forme et la dimension voulues (p. 164). Avec ces deux méthodes, il est important de laisser le canevas sécher entièrement avant de l'enlever. S'il est toujours déformé après avoir complètement séché, étirez-le de nouveau en utilisant la même méthode ou une autre.

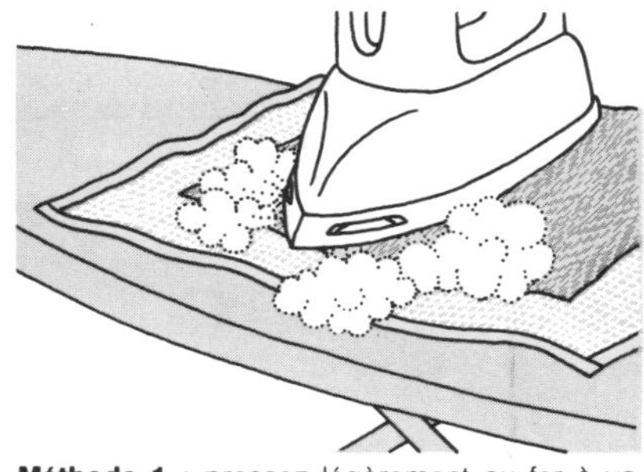

Méthode 1 : pressez légèrement au fer à vapeur, sur l'envers du canevas. Laissez sécher.

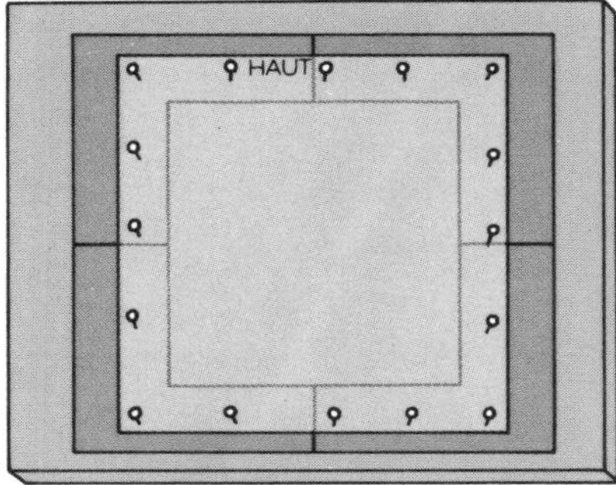

Méthode 2 : 1. Etendez le patron du canevas sur la planche de mise en forme, endroit vers vous, et recouvrez de papier de soie.

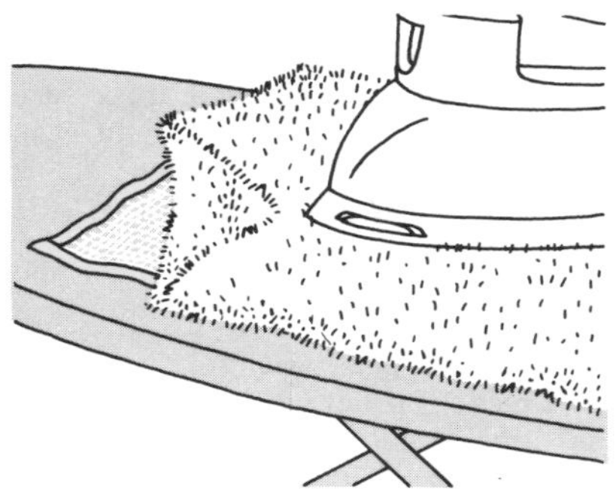

2. Posez la tapisserie sur la planche à repasser, envers vers vous. Humidifiez une serviette éponge et servez-vous-en comme pattemouille.

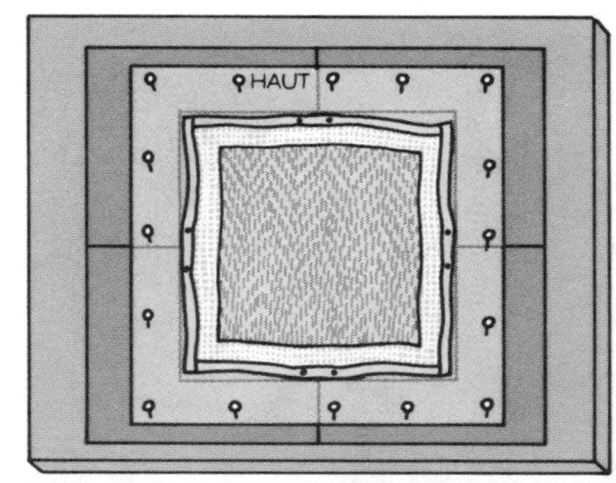

3. Etendez la tapisserie, endroit dessous, sur le patron, et étirez-la jusqu'à ce que ses bords correspondent à ceux du patron. Laissez sécher.

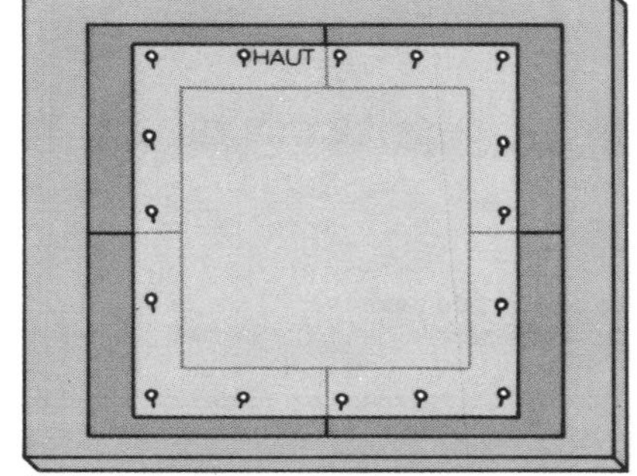

Méthode 3 : 1. Placez le patron du canevas sur la planche de mise en forme, endroit vers vous, et recouvrez-le d'une feuille de papier de soie.

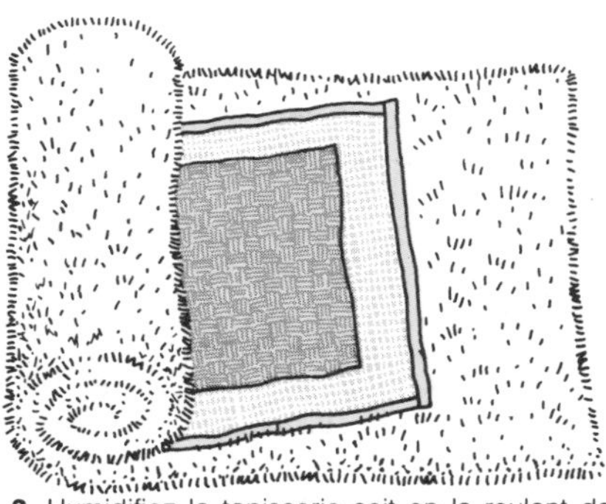

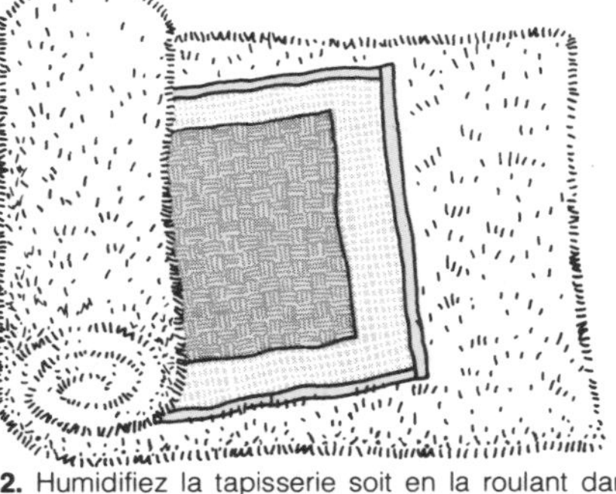

2. Humidifiez la tapisserie soit en la roulant dans une serviette éponge mouillée jusqu'à ce que l'humidité ait bien pénétré à la fois le fil et le canevas (à gauche), soit en l'aspergeant ou en l'humidifiant avec une éponge suffisamment imbibée d'eau tiède (à droite).

3. Etirez le canevas dans la direction opposée à la déformation. Commencez en tirant sur les coins opposés, puis sur les côtés opposés.

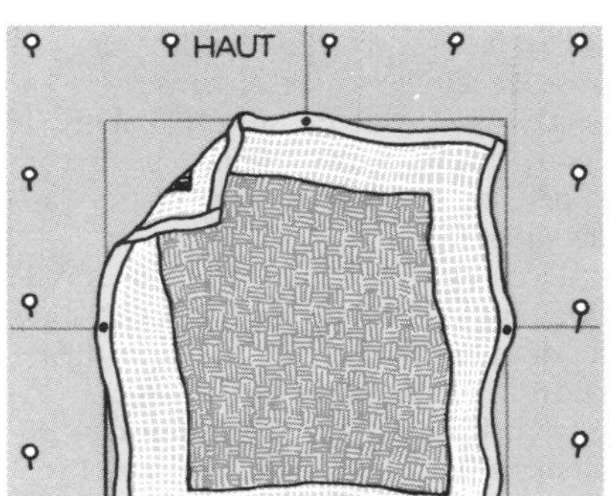

4. Etendez la tapisserie, endroit dessous, sur le patron. Etirez le canevas pour que le centre de ses bords corresponde à ceux du patron. Fixez.

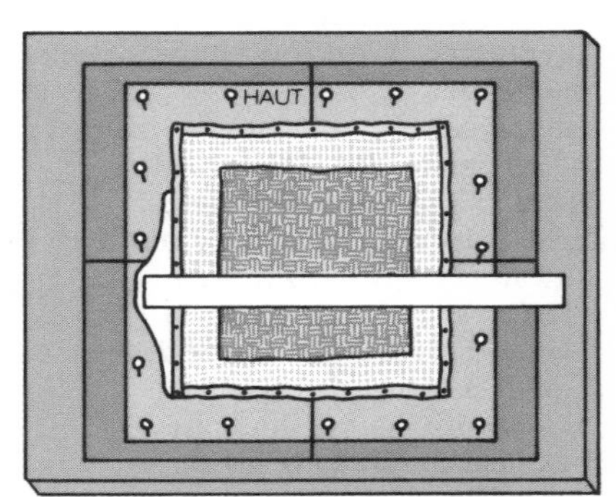

5. Etirez le canevas pour aligner ses côtés avec ceux du modèle. A l'aide d'une équerre en T, contrôlez si les fils du canevas sont droits.

Etui à lunettes en Bargello

Personnalisez cet étui en brodant votre initiale.

Cet étui à lunettes se réalise au point florentin (pp. 176-177) et au petit point.

Fournitures

Canevas n° 14; 28 cm de haut sur 29,5 cm de large (11″×11½″)
20 cm (8″) de doublure légère
Laine perse : 32 m (35 vg), vert d'eau; 19 m (21 vg), bleu moyen; 17,50 m (19 vg), bleu roi; 15,50 m (17 vg), jaune d'or; 3 m (3 vg), terre de Sienne
Aiguille à tapisserie n° 20
Fil à coudre pour la doublure
Aiguille à coudre (à la main)

Préparation

Bordez le canevas avec du ruban adhésif; indiquez le sommet. Marquez le centre du canevas entre les fils (p. 167). Tracez deux lignes sur le cinquantième fil au-dessus et au-dessous du centre horizontal, pour indiquer le haut et le bas de l'étui et tracez une ligne sur le cinquante-troisième fil de chaque côté du centre vertical, pour les côtés.

Exécution

En suivant les indications du diagramme linéaire, page ci-contre, exécutez deux pics sur le devant de l'étui, en partant du centre vertical et en faisant passer la base du premier point pardessus le vingtième fil à partir du centre horizontal. Ensuite, du centre vers le côté gauche, exécutez deux pics sur le dos. Répétez autant de rangées que nécessaire pour recouvrir l'étui et formez un bord droit à la base. Brodez l'initiale au petit point, entre les deux pics du devant de l'étui. Centrez l'initiale dans la surface encadrée en rouge sur la grille. Remplissez les espaces vides entre les pics au petit point. Mettez la tapisserie terminée en forme (p. 185).

Finition

Coupez le canevas à 1,5 centimètre (⅝″) du bord de la tapisserie. Rentrez le bord supérieur le long des petits points; rentrez les trois autres bords en laissant un fil de canevas le long des points florentins. Rabattez les coins en onglets et cousez. Pliez le canevas envers sur envers au niveau de la ligne verticale centrale; faites correspondre les fils à la base et sur les côtés et cousez-les ensemble au point de surjet; d'abord le fond, ensuite le côté. Renforcez le coin supérieur en cousant trois points dans les mêmes trous.

Découpez une pièce de 20 cm de large sur 21,5 cm de long (8″×8½″) dans la doublure. Pliez le tissu en deux, endroit sur endroit, sur la largeur. Piquez à 1,5 cm (⅝″) du bord et coupez. Rentrez le bord supérieur sur 1 cm (⅜″). Glissez la doublure dans l'étui. Fixez-les ensemble le long du bord supérieur.

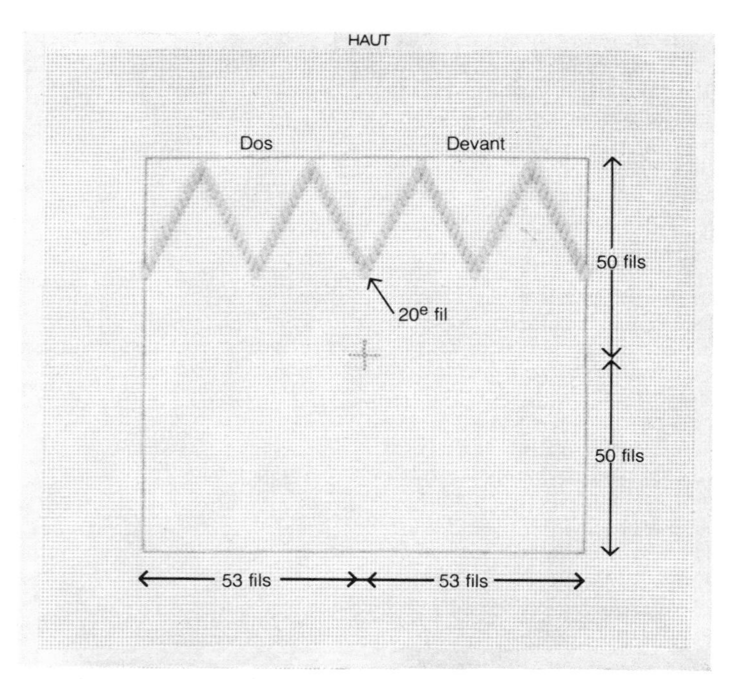

Le canevas doit mesurer 28 cm de haut sur 29,5 cm de large, ce qui laisse 5 cm de marge autour de la tapisserie. On compte les fils pour déterminer le point de départ et les dimensions de l'étui.

L'excédent de canevas est coupé à 1,5 cm des bords avant de faire le rentré. Rabattez le bord supérieur le long des points; rabattez les trois autres côtés à 1 fil des points. **Pour faire un onglet,** coupez le coin en biais (A), repliez (B), rentrez les bords de chaque côté et fixez (C).

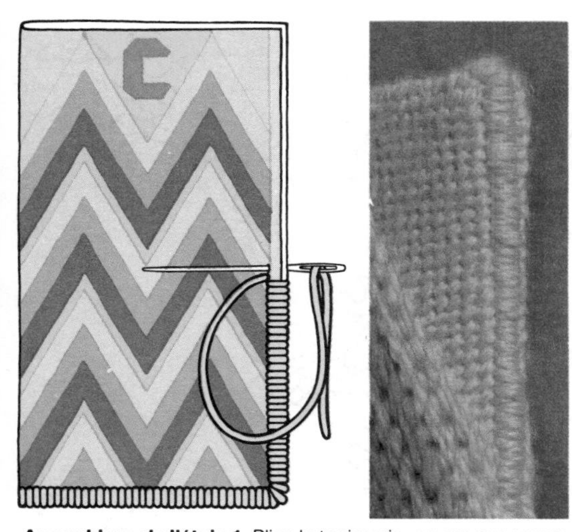

Assemblage de l'étui : 1. Pliez la tapisserie, envers sur envers, le long de la médiane verticale en faisant coïncider les lignes du dessin; surjetez les bords ensemble. Commencez la couture à la pliure, cousez le fond et continuez le long du bord. Renforcez le coin supérieur en exécutant trois points dans les mêmes trous que vous étalerez en éventail autour du coin.

2. Pliez la doublure, endroit sur endroit, le long de la médiane verticale. Piquez à 1,5 cm de la base et du côté; coupez. Rabattez le bord supérieur sur 1 cm. Glissez la doublure dans l'étui.

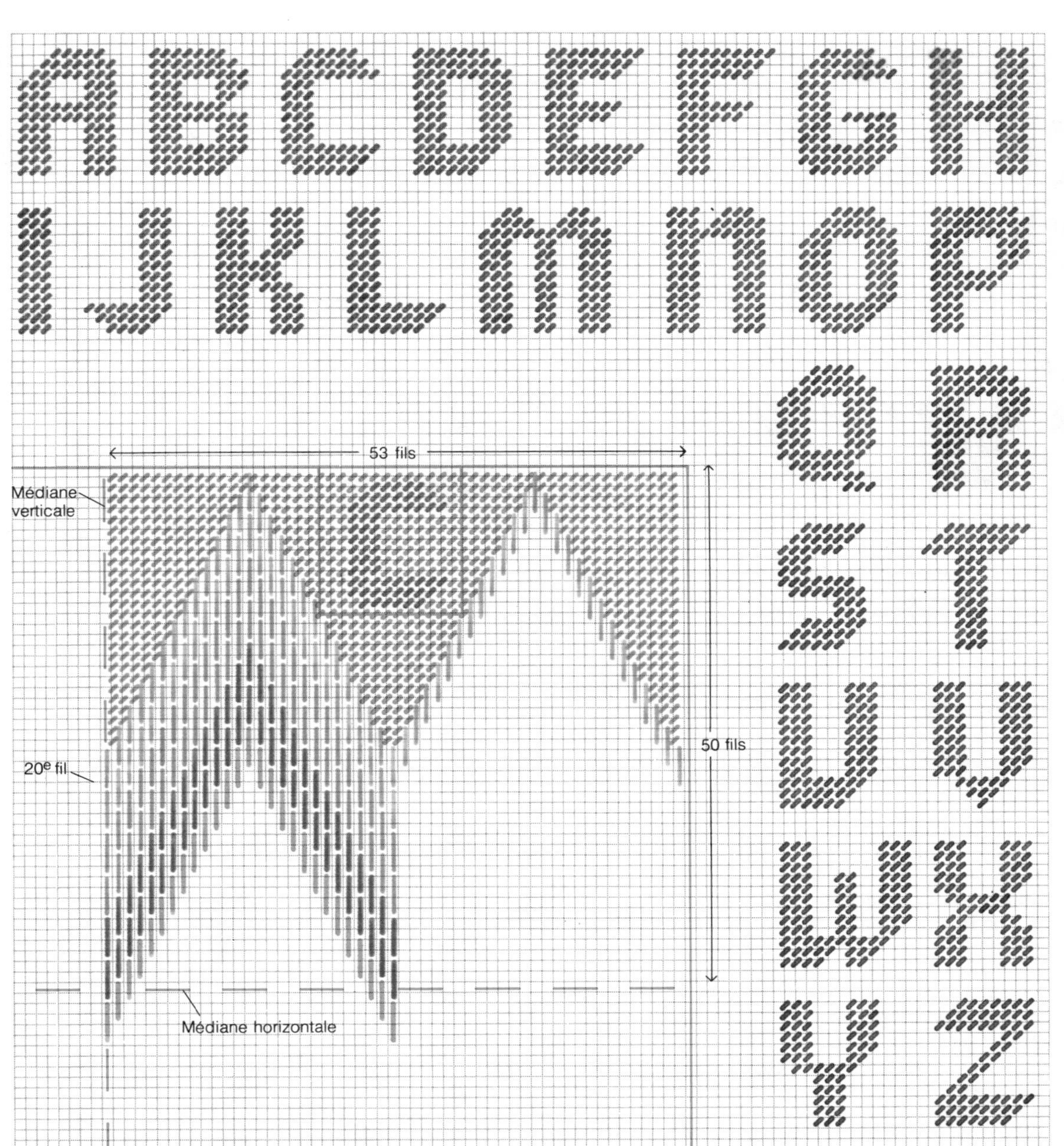

Nous avons utilisé ici un diagramme linéaire (p. 166); les points sont dessinés dans la couleur du fil avec lequel ils seront exécutés.

Dessus de tabouret à motif oriental

Ce dragon chinois a d'abord été peint sur le canevas, puis brodé au petit point.

Pour agrandir le motif (20 cm × 30 cm), utilisez des carrés de 1,25 cm et copiez le dessin (p. 14).

Pour faire un dessus de tabouret en tapisserie comme celui que vous voyez ci-dessus, le tabouret doit avoir un siège amovible. Le dessin s'exécute au petit point à la verticale ou en diagonale. Le siège du tabouret que nous illustrons mesure 23 cm × 35,5 cm × 5 cm. Si les mesures de votre meuble sont différentes, il vous faut recalculer la quantité de canevas et de fil (à droite et p. 183).

Fournitures

Tabouret avec un siège amovible de 23 cm × 35,5 cm × 5 cm (9″×14″×2″)
60 cm (⅔ vg) de canevas nº 14
Laine perse : 128 m (140 vg), gris clair; 9 m (10 vg), moutarde clair; 14,50 m (16 vg), rouille; 8 m (9 vg), vert foncé; 5,50 m (6 vg), turquoise; 5,50 m (6 vg), moutarde foncé
Aiguille à tapisserie à bout rond nº 22
Pistolet à agrafes
Papier, crayons, couleurs pour dessiner et reproduire le dessin
Mousseline écrue, rembourrage et ruban adhésif si le siège a besoin d'être rembourré

Préparation

Retirez le siège (habituellement vissé sur le tabouret). S'il faut refaire le rembourrage, étendez plusieurs couches de molleton sur la planche du siège, enlevez l'excédent dans les coins et agrafez sous la planche. Recouvrez de mousseline que vous agrafez sous la planche, en fronçant l'excédent de tissu dans les coins. Mesurez le siège : hauteur, longueur et hauteur, d'un côté; hauteur, largeur et hauteur, de l'autre. Ajoutez 2,5 cm (1″) aux deux dimensions pour arriver au total de la surface nécessaire au dessin et au fond, plus un rentré de 1,25 cm (½″) de chaque côté. Coupez le canevas selon ces dimensions, plus une marge de 7,5 cm (3″) sur chaque côté, ce qui donne pour notre siège un rectangle de 50,5 cm sur 63 cm (20″×25″). Pour déterminer l'emplacement du dessin et ses dimensions, mesurez le dessus du siège. Agrandissez le dessin (p. 14), en utilisant pour guide la grille ci-dessus. Pour avoir un dessin couvrant 20 cm sur 30 cm (8″×12″), la bonne dimension pour notre siège, utilisez une grille dont les carrés ont 1,25 cm de côté. Pour adapter le dessin à une surface carrée, ou à une circonférence, changez la position des motifs en coin ou éliminez-les. Centrez le dessin sur le canevas (pp. 164-165).

Exécution

Brodez le dessin sur le canevas au petit point (à la verticale ou en diagonale, p. 121). Utilisez deux fils simples de laine perse (p. 118). Mettez la tapisserie terminée en forme (p. 185) et retirez-la de la planche de mise en forme pendant qu'elle est encore humide.

Montage

Centrez la tapisserie sur le siège, endroit vers vous. Repliez les bords sous le siège en étirant les bords opposés. Agrafez au pistolet. Répartissez l'ampleur aux coins. Coupez l'excédent de canevas et laissez sécher la tapisserie.

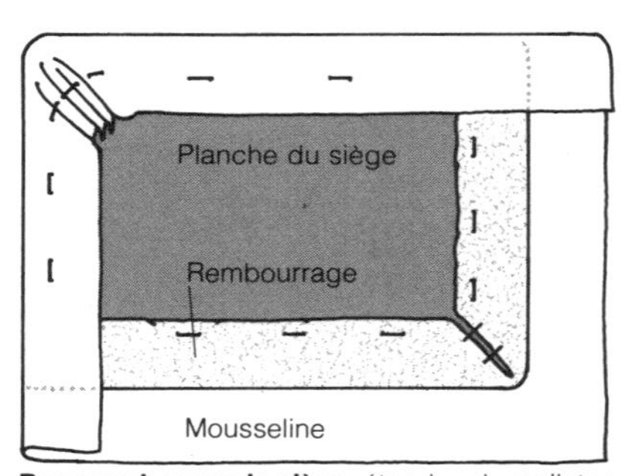

Pour rembourrer le siège, étendez du molleton sur la planche et agrafez-le dessous. Recouvrez de mousseline et répartissez l'ampleur.

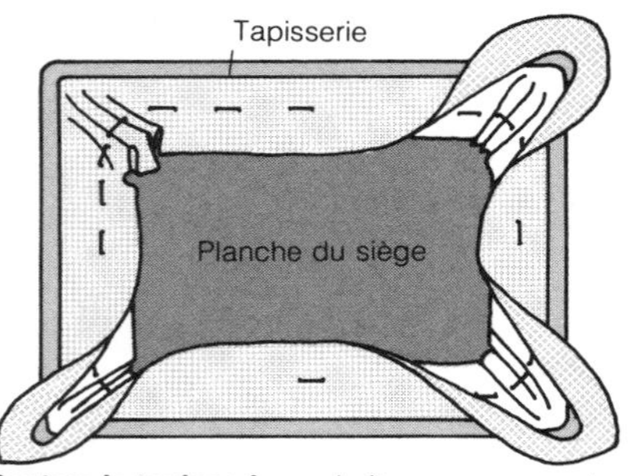

Centrez la tapisserie, endroit vers vous, sur le siège. Repliez ses bords sous le siège et agrafez en répartissant l'ampleur dans les coins.

Ceinture d'homme

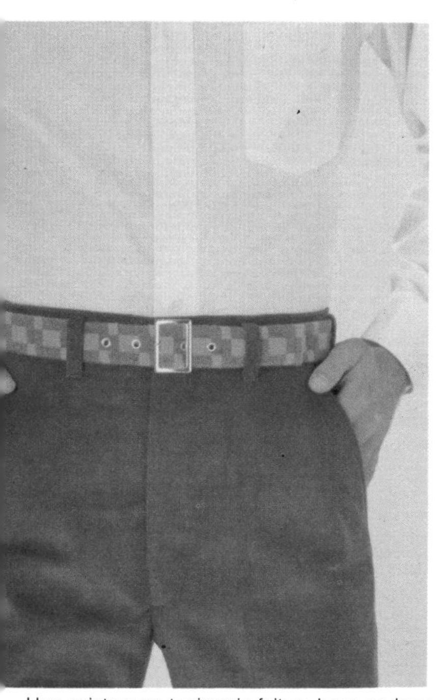
Une ceinture en tapisserie fait un beau cadeau.

Le dessin de cette ceinture en tapisserie est formé de la répétition d'un même motif. Le nombre de répétitions dépend du tour de taille, ici 83 (#33).

Fournitures

Bande de canevas nº 14 de 14 cm (5½″) de haut sur la mesure du tour de taille, plus 25 cm (10″)

Ruban de gros-grain de 4 cm (1½″) de large sur la mesure du tour de taille, plus 15 cm (6″)

Fil perse : 35 m (38 vg), rouille; 35 m (38 vg), olive; 18 m (20 vg), vert amande; 23 m (25 vg), chameau

Aiguille à tapisserie à bout rond nº 22

Fil à coudre pour le gros-grain

Aiguille à coudre (à la main)

Poinçon

Boucle de 4 cm (1½″)

Œillets de métal et pince à œillets

Préparation

Pour obtenir la longueur de canevas voulue, n'hésitez pas à raccorder plusieurs morceaux (p. 164) ou à couper en suivant la lisière. Bordez le canevas avec du ruban adhésif. Tracez une ligne sur le canevas à 5 cm (2″) du bord supérieur; tracez une autre ligne parallèle à la première, 20 fils plus bas. Ces deux lignes délimitent le haut et le bas de la ceinture. Indiquez l'extrémité de la ceinture en traçant un trait vertical à 5 cm (2″) du bord droit du canevas; pour l'extrémité gauche, faites un trait vertical à la distance du tour de taille plus 16,5 cm (6½″) du trait vertical de droite. Faites des marques au centre de la ceinture : la première, à 4 cm (1½″) de l'extrémité de gauche, pour l'ardillon; la seconde, celle de l'œillet central, à la dimension du tour de taille moins la taille de l'ardillon; les autres, à 2,5 cm (1″) les unes des autres, pour les œillets.

Exécution

Exécutez le dessin sur le canevas au petit point, en suivant la grille du modèle A de la page 171. Un fil perse à deux brins doit suffire pour couvrir les fils du canevas (p. 118). Exécutez le premier motif à droite de l'emplacement de l'ardillon, puis répétez-le jusqu'à l'extrémité droite de la ceinture, en laissant quatre croisements non brodés à l'emplacement de chaque œillet. Exécutez la dernière répétition du motif à gauche de l'emplacement de l'ardillon, en laissant quatre croisements non brodés pour celui-ci. Mettez la tapisserie en forme selon les indications données en page 185.

Finition

Coupez les bords du canevas à 1,25 cm (½″) des points. Rabattez le canevas le long de ceux-ci; faites des onglets aux coins (p. 186). Pour attacher la boucle, servez-vous d'un poinçon pour écarter d'abord les croisements non brodés, puis glissez une extrémité de la ceinture autour de la barre de la boucle et poussez l'ardillon dans le trou préparé à cet effet. Repliez le bout de la ceinture et fixez-le à celle-ci. Coupez le gros-grain aux mêmes dimensions que la ceinture et faites un rentré de 1,25 cm (½″) à chaque extrémité. Posez le gros-grain sur l'envers de la ceinture et cousez-le à celle-ci. Sur l'endroit de la ceinture, écartez avec un poinçon les croisements non brodés à l'emplacement de chaque œillet et agrandissez le trou. Posez les œillets avec une pince.

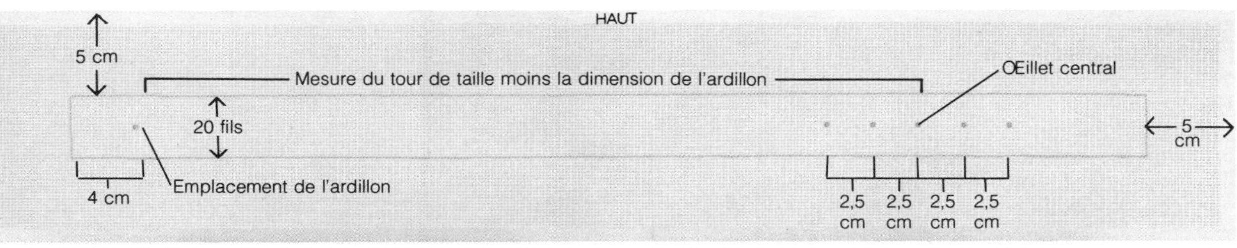

La bande de canevas mesure 14 cm sur le tour de taille plus 25 cm. Les marques indiquent l'emplacement de l'ardillon et des œillets.

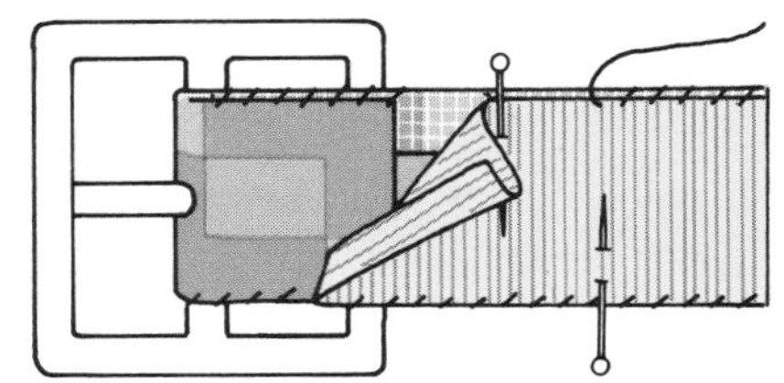
Le gros-grain a la longueur de la ceinture; ses extrémités sont rentrées sur 1,25 cm. Une des extrémités chevauche le rempli gauche.

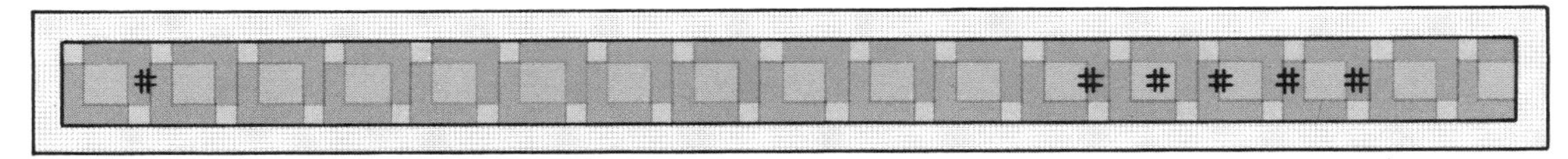
Les répétitions sont exécutées au petit point, de l'ardillon vers la droite, puis à gauche. Ne pas broder autour de l'ardillon et des œillets.

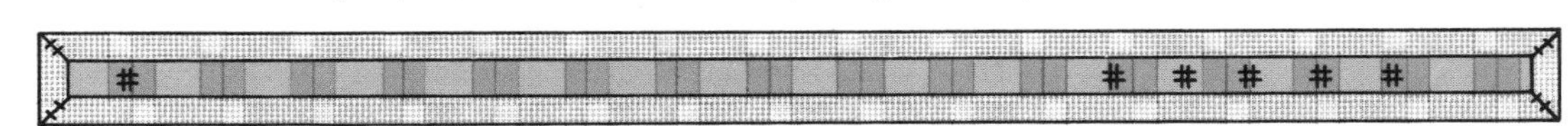
La tapisserie terminée, le surplus de canevas est rentré le long de la dernière rangée de points; des onglets sont formés aux coins (p. 186).

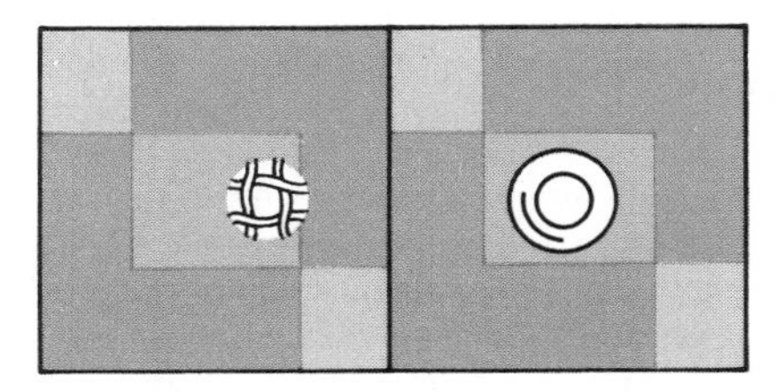
Pour préparer les œillets, écartez avec un poinçon les quatre croisements vierges et trouez le gros-grain. Posez les œillets avec une pince.

Couverture de carnet d'adresses

Une grange est un beau motif pour un carnet.

La grange couvre 56 fils de côté, soit 14 cm (5½″) sur un canevas nº 10.

Fournitures

Reliure : ici, 23 cm × 18 cm (9″×7″), avec un dos de 4,5 cm (1¾″)

Canevas nº 10 : hauteur de la reliure plus 15 cm (6″), multipliée par le double de la largeur, plus le dos, plus 15 cm (6″)

Fil perse : 145 m (160 vg), brun taupe; 11 m (12 vg), bleu moyen; 10 m (11 vg), orange; 9 m (10 vg), rouge sombre; 8 m (9 vg), saumon; 6,50 m (7 vg), bleu clair et vert clair; 5,50 m (6 vg), blanc; 4,50 m (5 vg), vert foncé et brun-jaune; 3,50 m (4 vg), noir, vert moyen, bleu-vert et crème

Aiguille à tapisserie à bout rond nº 18

Doublure : longueur de la reliure plus 2,5 cm (1″), multipliée par le double de la largeur, plus la largeur du dos, plus 6,5 cm (2½″)

Fil à coudre assorti à la doublure

Aiguille à coudre (à la main)

Préparation

Le canevas doit avoir la hauteur de la reliure plus 15 cm (6″) sur deux fois sa largeur, plus le dos, plus 15 cm (6″), ce qui donne un canevas de 38 cm de long sur 55,5 cm de large (15″×21¾″). Ouvrez la reliure et centrez-la sur le canevas. Tracez une ligne à 0,5 cm (¼″) du haut et du bas de la reliure; tracez une ligne le long de chaque côté. Marquez la largeur du dos, en haut et en bas. Reliez en pointillés les marques qui indiquent le début du dos. Marquez le centre du plat supérieur (à droite).

Coupez une bande de tissu de doublure de la hauteur de la reliure plus 2,5 cm (1″) et de la largeur du dos plus 6,5 cm (2½″). Cette bande sera utilisée pour renforcer le dos; ici, elle mesure 25,5 cm sur 11 cm (10″×4¼″). Coupez deux bandes dans le tissu de doublure, chacune mesurant 2,5 cm (1″) de plus que la hauteur de la reliure, mais de la même largeur. Ces deux morceaux seront utilisés pour doubler les plats supérieur et inférieur; ici, ils mesurent 25,5 cm sur 18 cm (10″×7″). Faites un rentré de 0,5 cm (¼″) sur tous les bords de ces pièces.

Exécution

Brodez la grange au petit point, au centre du plat supérieur. Suivez la grille de la page 167. Recouvrez le fond avec un point de fantaisie (ici, le point de Hongrie); si nécessaire, changez de fil si celui que vous avez ne recouvrira pas bien toute la surface de travail (p. 118). Mettez la tapisserie finie en forme.

Finition

Coupez le canevas à 2,5 cm (1″) de la tapisserie. Rentrez les bords le long des points; faites les coins en onglets (p. 186). Ajoutez les doublures. Pour entrer la reliure dans la couverture, repliez en arrière les plats de la reliure et glissez chaque plat de la reliure sous une doublure de la couverture.

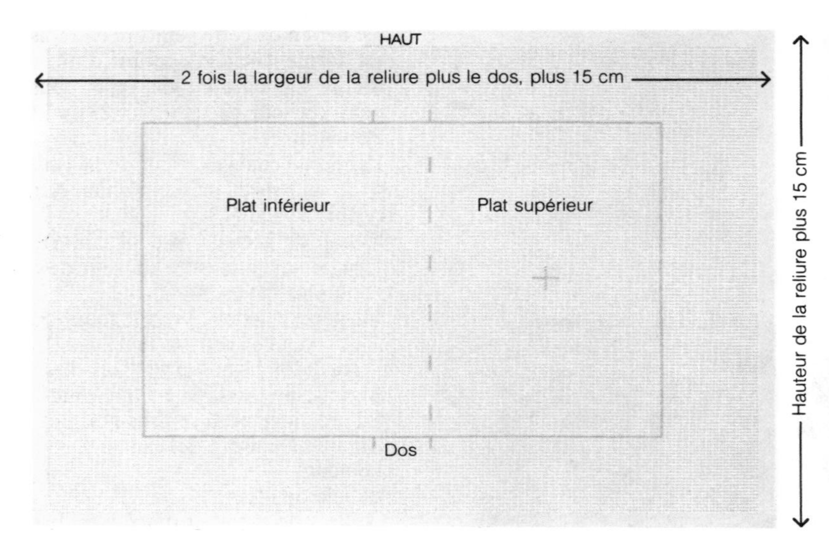

Le canevas est coupé et préparé tel que nous l'illustrons ci-dessus et que nous l'expliquons à gauche. Le plat supérieur se trouve à droite du dos et le plat inférieur, à gauche.

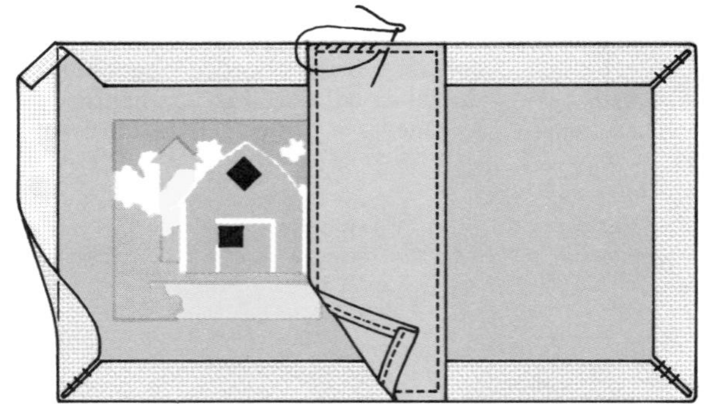
Assemblage des doublures : posez la doublure du dos sur la reliure, envers contre envers. Alignez ses bords supérieurs et inférieurs avec les bords supérieurs et inférieurs de la tapisserie, et cousez ensemble le long de ces bords.

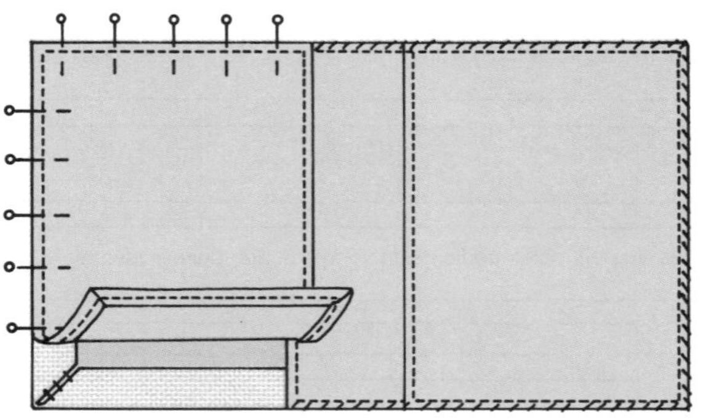
Placez une doublure sur le plat supérieur de la tapisserie, envers sur envers. Alignez le haut, le côté et le bas avec les bords correspondants de la tapisserie. Cousez ensemble sur ces trois côtés. Procédez de la même façon avec la doublure du plat inférieur.

Appliqué

L'ABC de l'appliqué

Illustration de la page précédente : «Landscape with Mountain», murale en appliqué de 90 cm × 115 cm,

Equipement et fournitures

L'appliqué étant essentiellement un travail de couture, il se réalise avec le même équipement et les mêmes fournitures qu'un ouvrage de couture. Le choix des **tissus** prend une grande importance dans les projets d'envergure, mais les chutes et les retailles conviennent bien aux petits projets. Les tissus les plus faciles à travailler sont les tissus à surface lisse. Prenez des tissus de même qualité si votre ouvrage doit être lavable. Evitez les tissus à texture lâche, parfois difficiles à travailler. Si, malgré tout, vous tenez à utiliser un tissu à texture lâche, doublez-le d'une toile thermocollante (p. 199). Repassez tous vos tissus avant de les utiliser.

Prenez du **fil** tous usages (nº 50) pour coudre l'appliqué. Choisissez du coton floche ou du coton perlé pour les piqûres décoratives. Les **aiguilles** fines mi-longues sont idéales pour la couture à la main. Elles existent en diverses grosseurs appropriées à l'épaisseur du tissu employé. D'autres types d'aiguilles, à chas plus large, comme l'aiguille à broderie et l'aiguille à tapisserie pointue, permettent d'utiliser des fils plus gros.

L'équipement de base comprend aussi des **ciseaux** bien affûtés. L'idéal serait d'en avoir deux paires : des ciseaux de couturière, de grandeur moyenne, pour la coupe et des ciseaux à broder, pointus, pour les travaux de finition.

Parmi les autres fournitures de couture utiles, mentionnons les **épingles** de couturière pour maintenir les appliqués en place, la **craie tailleur** ou un crayon à mine de plomb pour marquer le tissu. Le **dé** à coudre est pratique pour protéger le doigt. Les **tambours** et les **métiers** sont facultatifs; on ne devrait y recourir que pour se faciliter la tâche. Le **papier-calque** fort et le **papier dessin** de couleur sont utiles pour reproduire ou découper les motifs. Enfin, au lieu de coudre vos appliqués, vous pouvez utiliser des motifs ou des **tissus thermocollants** (p. 197).

Suggestions de motifs

Livres à colorier, cartes de souhaits, objets courants sont autant de sources d'inspiration pour qui veut réaliser un appliqué. Les dessins sont traditionnellement très naïfs et enfantins. Un dessin tout simple peut se composer d'un motif central comprenant une seule pièce, deux pièces ou davantage. Une composition, par contre, est plus difficile puisqu'elle résulte de l'assemblage de plusieurs motifs. Les débutants devraient commencer par des dessins qui ne comprennent qu'une ou quelques grandes pièces.

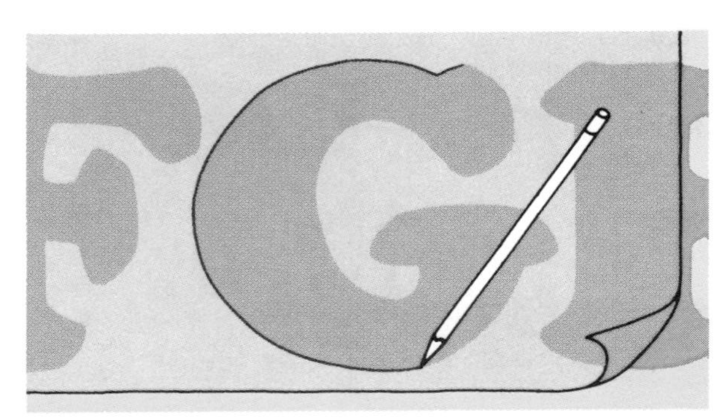

Le monogramme est un dessin d'une seule pièce. Pour le reproduire, la méthode la plus simple consiste à le *calquer*; si votre dessin n'a pas les dimensions souhaitées, vous pouvez l'agrandir ou le réduire selon les méthodes décrites au chapitre de la Broderie.

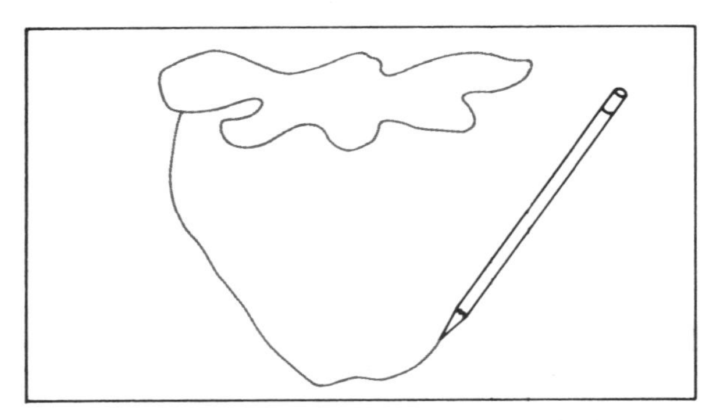

La fraise est un bon exemple de motif simple formé de deux grandes pièces. On la dessine *à main levée*—une autre façon d'exécuter un dessin. Imaginez vous-même votre motif ou inspirez-vous d'un modèle. Il n'est pas nécessaire que la représentation soit fidèle; en fait, un dessin stylisé s'exécute mieux.

Les moutons : pour réaliser cette composition, il faut d'abord *découper des formes libres* dans du papier dessin et les disposer ensuite pour illustrer une scène champêtre.

Fabrication des gabarits

Pour réaliser le dessin, vous avez découpé des formes dans du papier fort ou vous avez découpé votre modèle dans un livre ou dans un patron; ces pièces constituent vos gabarits. Cependant, si votre motif a été calqué ou dessiné à main levée, vous devez fabriquer un gabarit pour chacun de ses éléments (voir ci-dessous). Quand l'appliqué est employé en patchwork, un motif peut être reproduit plusieurs fois. Les gabarits devant alors être réutilisés, il vaut mieux les redécouper dans du papier fort afin d'éviter qu'ils se défraîchissent (voir *Patchwork*).

Pour fabriquer un gabarit à partir d'un calque ou d'un dessin, découpez celui-ci en suivant ses contours. Si le gabarit doit être réutilisé, retaillez-le dans du papier fort.

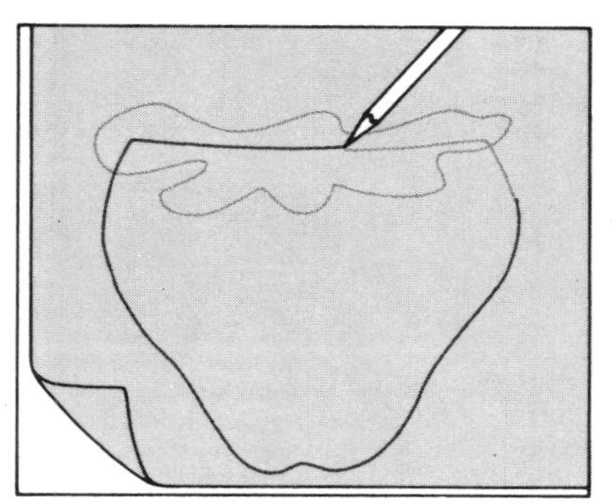

Si votre dessin comprend plus d'une pièce, retracez chaque pièce séparément. Tracez les contours de chaque morceau au lieu d'essayer de les imbriquer les uns dans les autres.

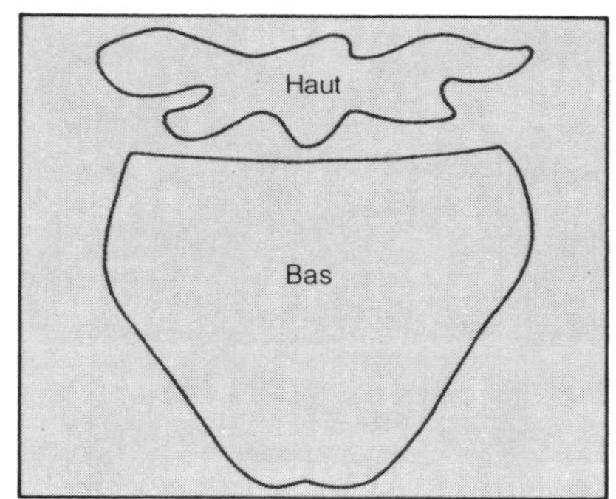

Découpez chaque pièce séparément en suivant les traits. Pour éviter toute erreur au moment du découpage du tissu, identifiez chacune des pièces, côté endroit, au moyen d'un symbole.

Reproduction des motifs

Avant de reproduire le motif, coupez le tissu de fond (un carré de patchwork ou une partie de vêtement) aux dimensions désirées. Afin de centrer votre motif avec précision, marquez le centre du tissu en traçant ses deux médianes, horizontale et verticale. Les médianes sont particulièrement utiles dans le patchwork parce qu'elles permettent de fixer l'appliqué exactement au même endroit sur chaque carré. On ne reporte pas toujours le dessin des appliqués uniques sur le fond; pour une plus grande précision, il est toutefois recommandé de le faire.

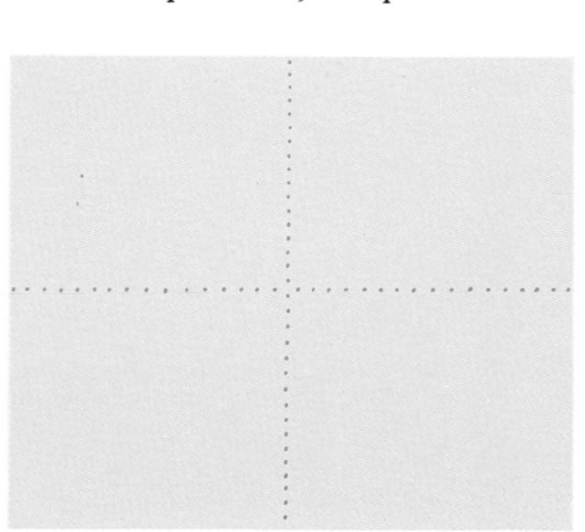

Pour déterminer les médianes, pliez le tissu de fond en deux, puis en quatre. Ouvrez l'étoffe; l'intersection des deux plis indique le centre. Bâtissez si vous voulez un guide précis.

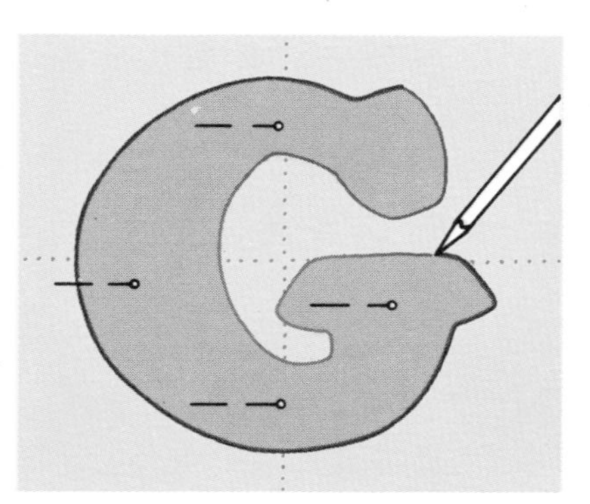

Pour reporter votre motif, placez votre gabarit, envers contre endroit, sur le tissu de fond; épinglez. Dessinez le pourtour du gabarit avec une craie tailleur ou un crayon à mine de plomb.

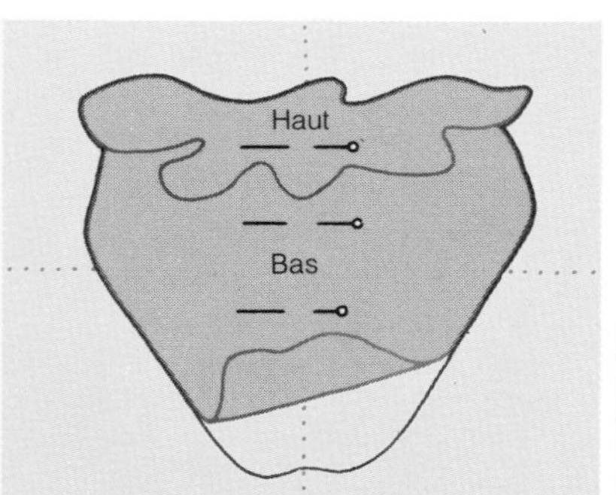

Si le motif comporte plus d'une pièce, assemblez-les avec soin et mettez-les à leur place exacte; épinglez sur le fond. Tracez les contours du dessin formé par l'assemblage.

Autres idées de motifs

Les découpages peuvent aussi servir de motifs. Ce flocon de neige se voit souvent dans les quilts hawaïens traditionnels (Tifaifai). Il est recommandé de le coudre à la main; il s'accompagne d'un surpiquage en échos (p. 200).

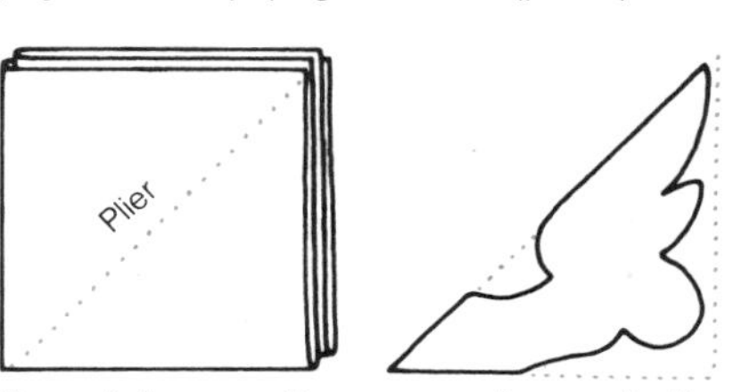

Pour réaliser un découpage, pliez une feuille de papier en quatre, puis en diagonale. Découpez toutes les épaisseurs et ouvrez.

Un tissu imprimé donne un motif tout trouvé. Découpez le motif en laissant une marge de 2 cm (⅜") tout autour et cousez l'appliqué à la machine sur le tissu de fond (p. 196).

L'ABC de l'appliqué

Coupe des appliqués

Si vous devez couper plusieurs appliqués, commencez par réunir toutes vos chutes de tissu afin de décider où et comment les utiliser dans chaque pièce. Essayez d'harmoniser les couleurs ainsi que les imprimés, les tons unis et les textures. Si vous avez un imprimé ou un tissu dominant parmi vos étoffes, réfléchissez à la façon dont vous le poserez dans chaque appliqué. Par exemple, un tissu rayé peut donner des rayures verticales, horizontales ou diagonales, selon la façon dont on le place. Tenez également compte des tissus environnants.

Pour en faciliter l'entretien, les tissus appliqués et l'étoffe de fond devraient être de même nature. En règle générale, toutes les combinaisons sont possibles dans un article que vous ne laverez pas. Mais s'il doit être lavé, assurez-vous que tous les tissus qui le composent s'entretiennent de la même façon.

Coupez votre appliqué en suivant les explications de droite. Il est recommandé de faire une piqûre de soutien pour rentrer les bords plus aisément. Si l'appliqué présente des courbes et des angles, il faut cranter ou entailler les marges pour les retourner plus facilement.

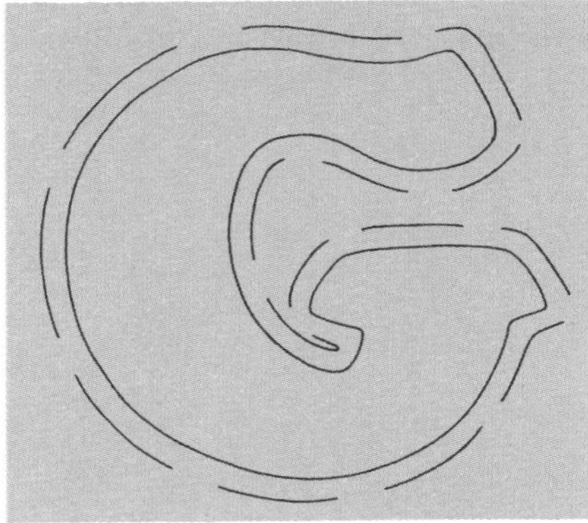

1. Epinglez le gabarit sur l'endroit du tissu. Tracez son contour avec une craie tailleur. Retirez le gabarit. Tracez une deuxième ligne, la marge, à 0,5 cm environ (⅛" à ¼") à l'extérieur de la ligne de couture.

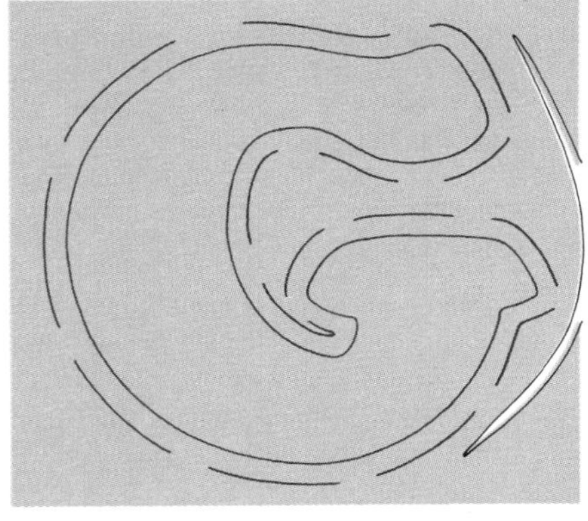

2. Coupez le tissu de l'appliqué à bonne distance des lignes que vous avez tracées afin d'avoir amplement de tissu. Cette marge supplémentaire facilitera la piqûre de soutien à l'étape suivante.

3. Faites une piqûre de soutien le long du bord externe de la ligne de couture pour faciliter le rentré des bords. Réglez la longueur du point selon la nature du tissu.

4. Enlevez l'excédent de tissu en coupant le long de la ligne extérieure du dessin. Crantez les marges dans les courbes et les angles pour que les rentrés soient bien nets (voir ci-dessous).

Courbes et angles

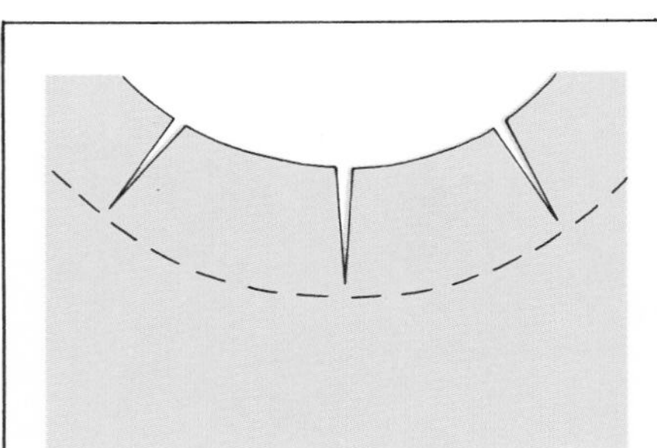

Dans les courbes concaves, entaillez la marge jusqu'à la piqûre de soutien. Rapprochez les entailles dans les courbes prononcées.

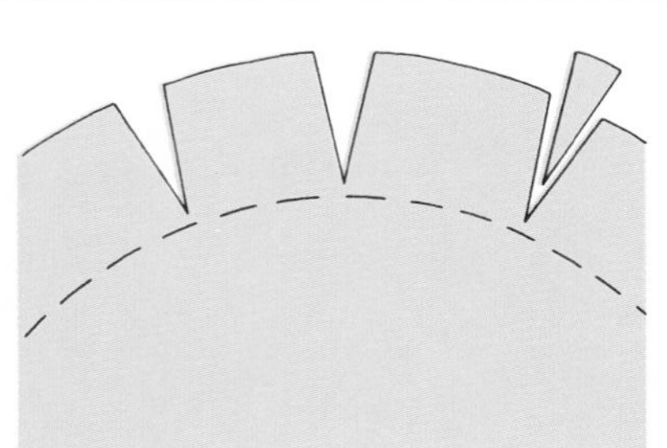

Dans les courbes convexes, crantez la marge de couture pour empêcher que des plis épais se forment sur le rentré.

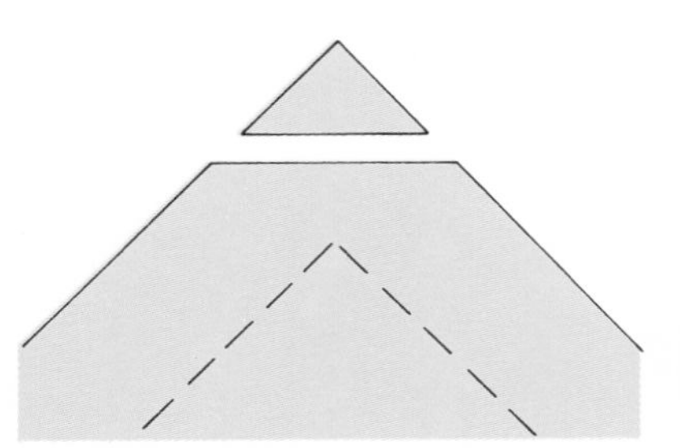

Aux angles saillants, tronquez la pointe de la marge afin de réduire l'épaisseur des bords à onglets (page ci-contre).

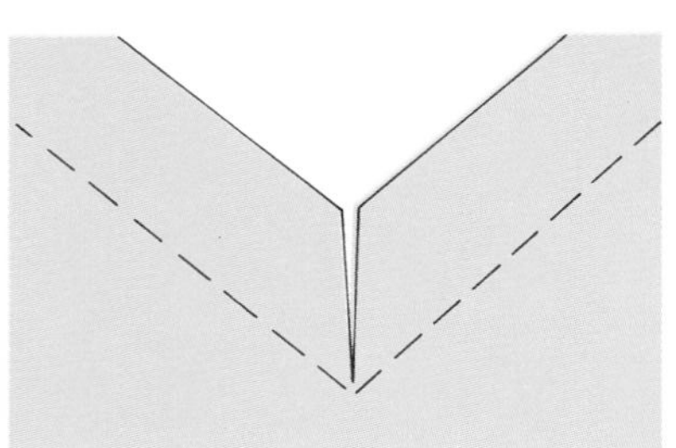

Aux angles rentrants, faites une seule entaille dans la pointe de l'angle jusqu'à la piqûre de soutien, pour le rentré.

Pose des appliqués à la main

On peut coudre les appliqués à la main selon l'une des deux méthodes illustrées ci-dessous. La première, bien que plus longue, est recommandée aux débutants; elle consiste à faufiler d'abord le rentré, ce qui permet de fixer l'appliqué plus aisément sur le tissu de fond. La seconde omet l'étape du faufilage; on épingle l'appliqué sur le tissu et on rentre les bords à mesure que l'on coud.

Il est recommandé de coudre les appliqués au point d'ourlet; exécuté avec soin, il est solide et presque invisible. On devrait employer le point de surjet dans les endroits qui ont tendance à s'effilocher; ces petits points droits peuvent empêcher les fils du tissu de ressortir (voir ci-dessous). On peut aussi choisir des points de broderie comme le point devant, le point de croix, le point d'épine, le point de grébiche et le point de Paris. Rappelez-vous qu'il s'agit là de points décoratifs qui doivent paraître; ils feront partie du dessin (p. 200).

L'utilisation des tambours et des métiers à broder est facultative. Certains préferent ne pas s'en servir; d'autres les trouvent indispensables. Essayez les deux et jugez par vous-même.

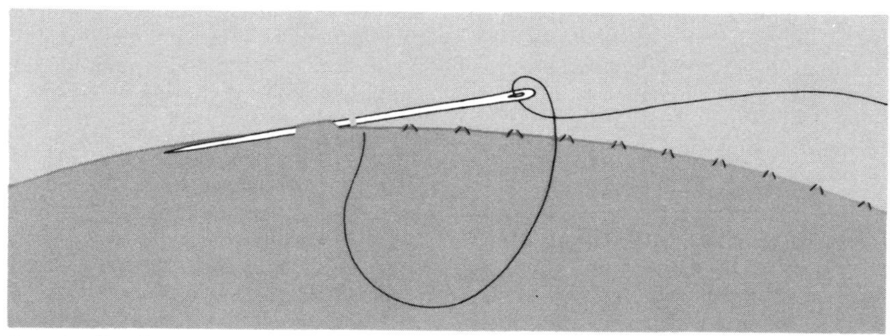

Le point d'ourlet s'exécute de droite à gauche. Amenez l'aiguille dans le bord rentré de l'appliqué. Prenez un fil ou deux de l'étoffe de fond, juste en face, puis repiquez l'aiguille dans le rentré. Glissez-la dans celui-ci et ressortez-la 0,5 cm (1/8") plus loin en tirant le fil.

Comment coudre l'appliqué

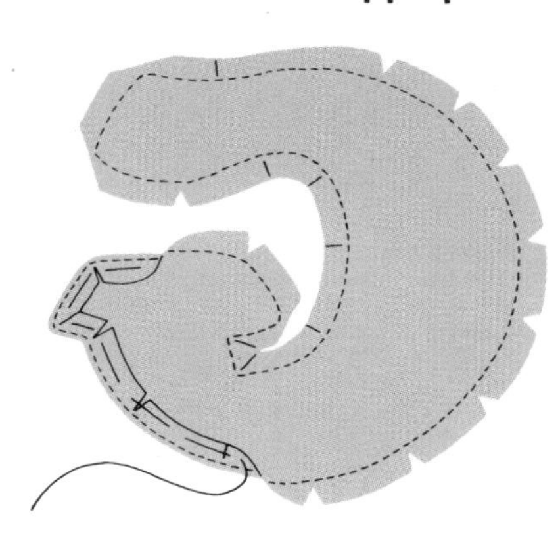

Première méthode : repliez la marge de couture sur l'envers en suivant la ligne de couture et aplatissez-la avec les doigts. Faufilez à mesure. Maintenez la piqûre de soutien sur l'envers.

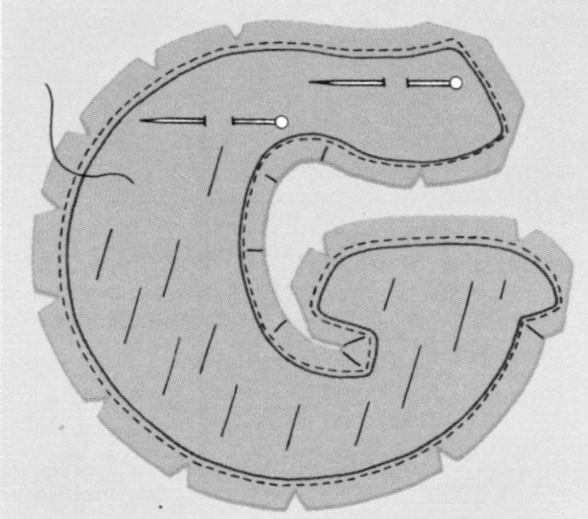

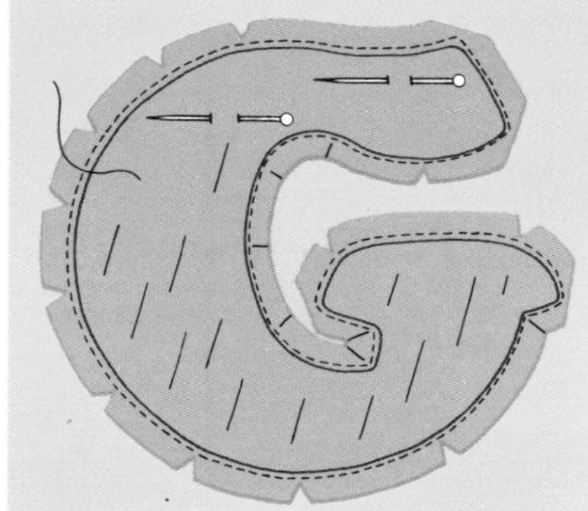

Deuxième méthode : épinglez l'appliqué sur le tissu de fond (les bords ne sont pas encore rentrés). Au besoin, maintenez l'appliqué au moyen de points de bâti verticaux. Assurez-vous que ces points n'empiètent pas sur la marge de couture puisqu'il faut encore rentrer les bords.

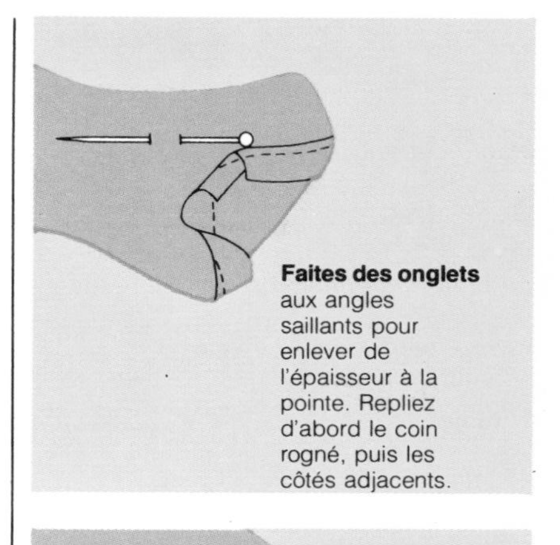

Faites des onglets aux angles saillants pour enlever de l'épaisseur à la pointe. Repliez d'abord le coin rogné, puis les côtés adjacents.

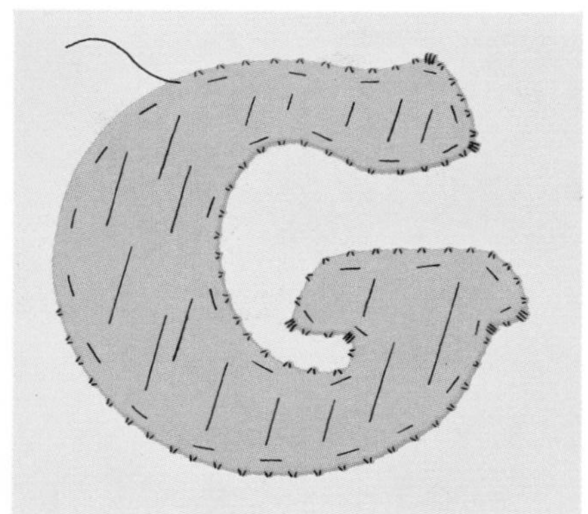

Epinglez l'appliqué sur le fond. Fixez-le au besoin avec des points de bâti verticaux. Cousez l'appliqué avec un fin point d'ourlet le long du rentré. Otez les fils de bâti.

Avec la pointe de l'aiguille, roulez la marge par-dessous et cousez à points d'ourlet au fur et à mesure. La piqûre de soutien doit être aussi rentrée. Continuez à rentrer et à coudre ainsi jusqu'à ce que l'appliqué soit entièrement fixé. Otez les fils de bâti.

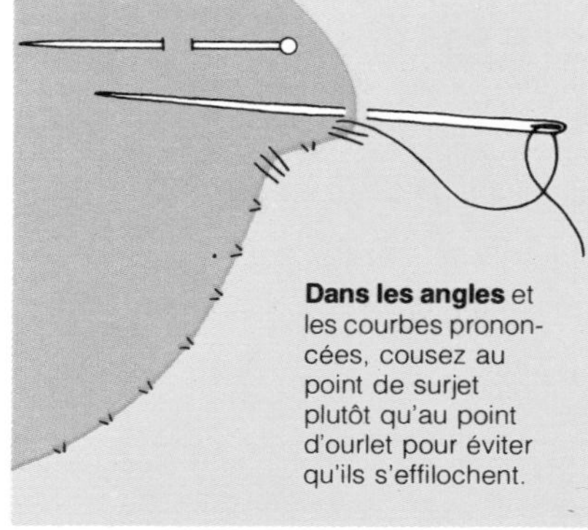

Dans les angles et les courbes prononcées, cousez au point de surjet plutôt qu'au point d'ourlet pour éviter qu'ils s'effilochent.

L'ABC de l'appliqué

Pose des appliqués à la machine

De nos jours, pour fixer les appliqués, on se sert couramment de la machine à coudre qui permet de réaliser un projet deux fois plus vite qu'à la main. Le choix de l'une ou l'autre méthode dépend de plusieurs facteurs. D'abord, si vous préférez les tissus épais aux tissus fins et délicats, vous les travaillerez plus facilement à la machine. Ensuite, il faut tenir compte de l'emploi final de l'appliqué. S'il est destiné à être porté fréquemment, une salopette d'enfant par exemple, la pose à la machine est sans aucun doute plus pratique. Il y a essentiellement deux façons d'appliquer des motifs à la machine. La première consiste à coudre entièrement au point de piqûre; la seconde, beaucoup plus rapide, combine le point de piqûre et le point de zigzag.

Avant de commencer, réglez la tension et la pression de votre machine en fonction des tissus employés. La longueur de point habituelle pour la couture au point de piqûre est de 2,5 millimètres (10 à 12 points au pouce). La couture au point de zigzag doit se faire à points serrés.

Méthode du point de piqûre

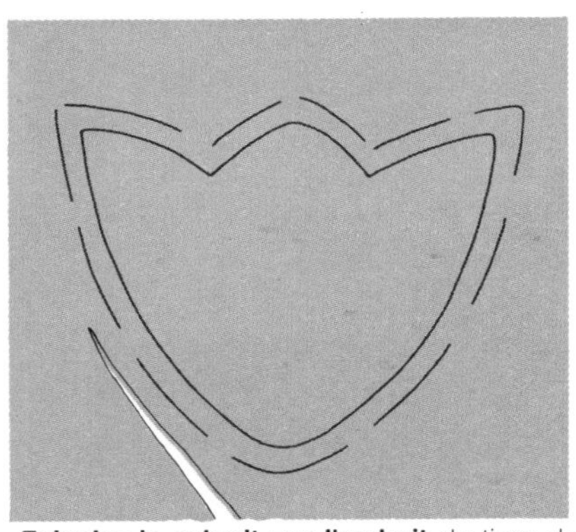

Epinglez le gabarit sur l'endroit du tissu de l'appliqué. Tracez-en le contour et retirez-le. Ajoutez une marge de 0,5 cm (¼"). Coupez à l'extérieur des lignes en laissant de l'espace.

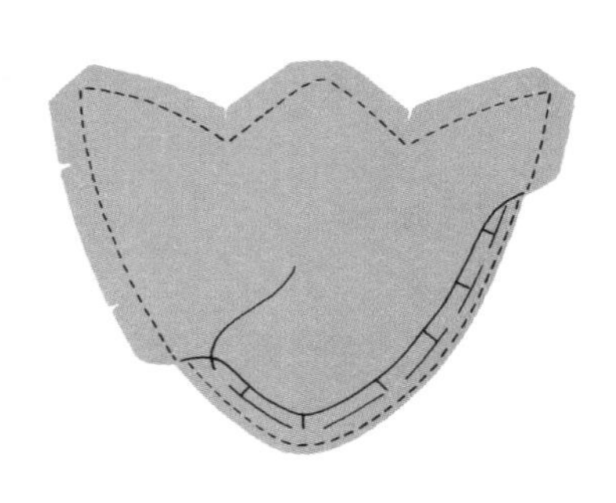

Piquez juste en dehors de la ligne de couture intérieure. Coupez alors le long de la ligne extérieure. Entaillez et crantez courbes et angles. Repliez la marge sur l'envers. Bâtissez.

Epinglez l'appliqué sur l'endroit du tissu de fond; au besoin, bâtissez verticalement comme nous le montrons pour empêcher l'appliqué de se déplacer pendant que vous cousez.

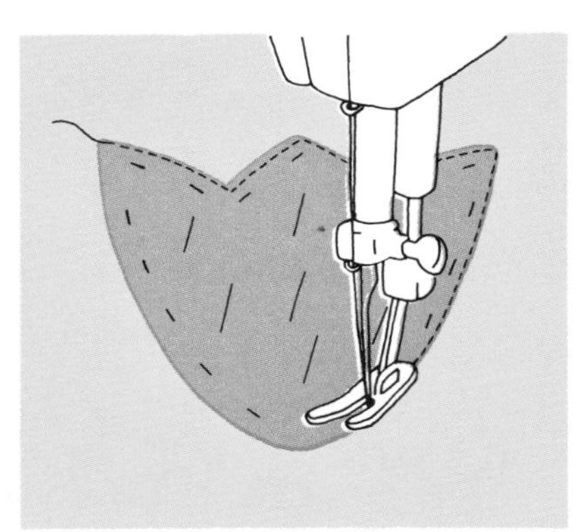

Choisissez une longueur de point moyenne (2,5/10-12). Piquez soigneusement le long des bords rentrés de l'appliqué. Tirez les fils sur l'envers et nouez. Otez les bâtis.

Méthode du point de zigzag

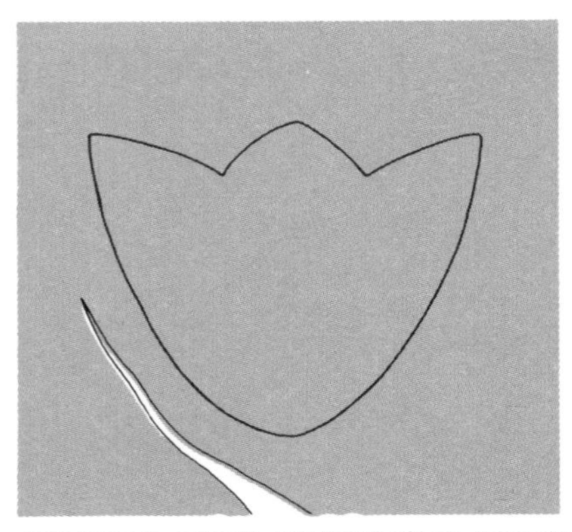

Epinglez le gabarit sur l'endroit du tissu de l'appliqué. Tracez-en le contour, puis retirez-le. Coupez l'appliqué à l'extérieur de la ligne en laissant une marge généreuse (2 à 2,5 cm /1").

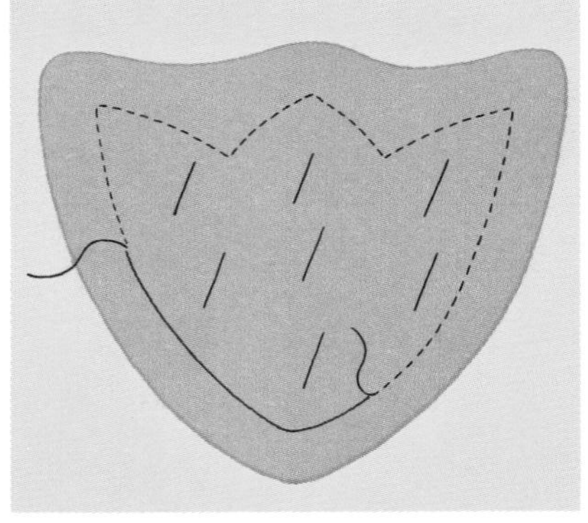

Epinglez l'appliqué en place sur l'endroit du tissu de fond; au besoin, bâtissez verticalement comme il est illustré. Cousez au point de piqûre sur la ligne de couture.

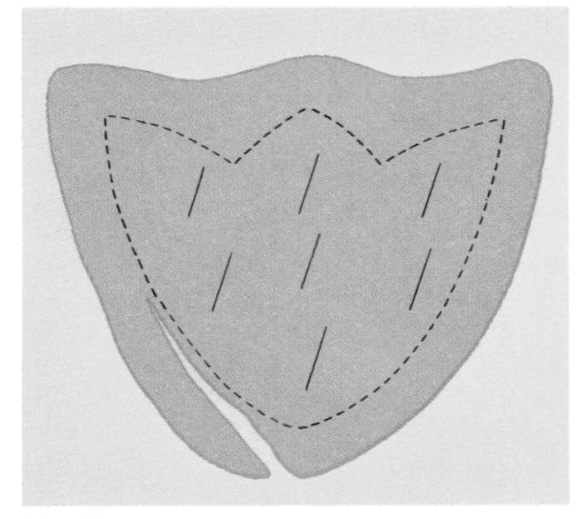

Avec des ciseaux à broder pointus, coupez la marge aussi près que possible de la couture. Veillez à ne couper ni les points ni le tissu de fond.

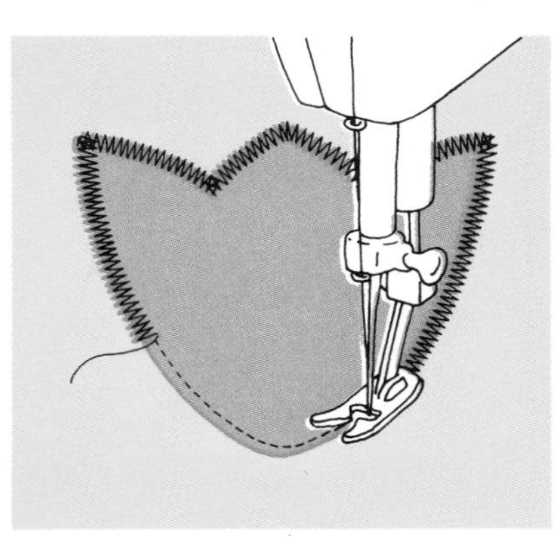

Piquez au point de zigzag étroit et court (point de bourdon) sur les bords francs et le point de piqûre. Otez les bâtis. Pour le zigzag dans les courbes et les angles, voir la page ci-contre.

Point de zigzag dans les courbes et les angles

Coins à angle droit : cousez au point de zigzag sur un côté du coin; arrêtez à l'endroit indiqué par le point rouge. Pour un *angle saillant*, amenez l'aiguille à l'extérieur de la pointe de l'angle. Pour un *angle rentrant*, placez-la à l'intérieur. Pivotez et cousez l'autre côté du coin.

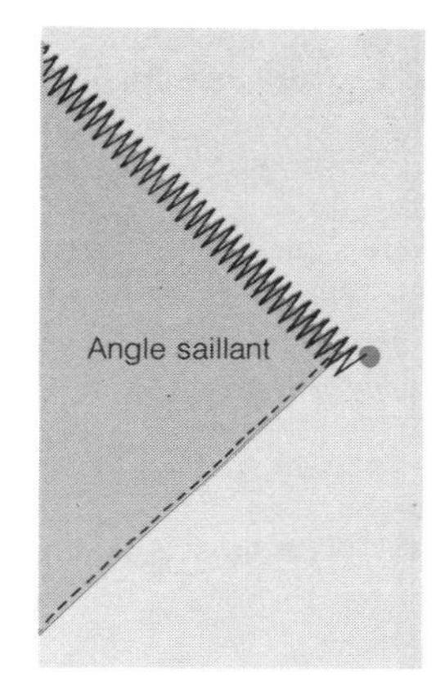

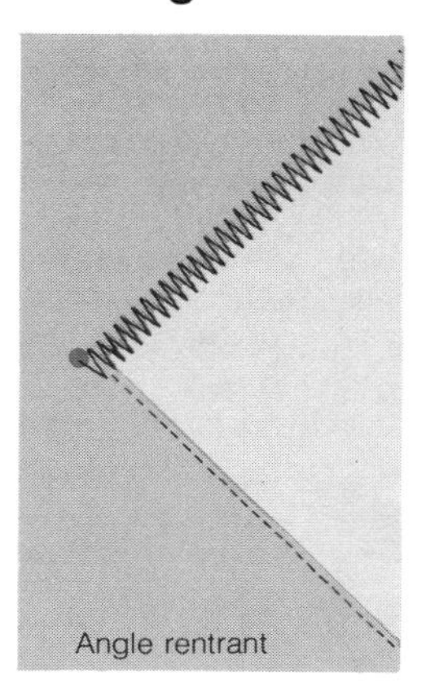

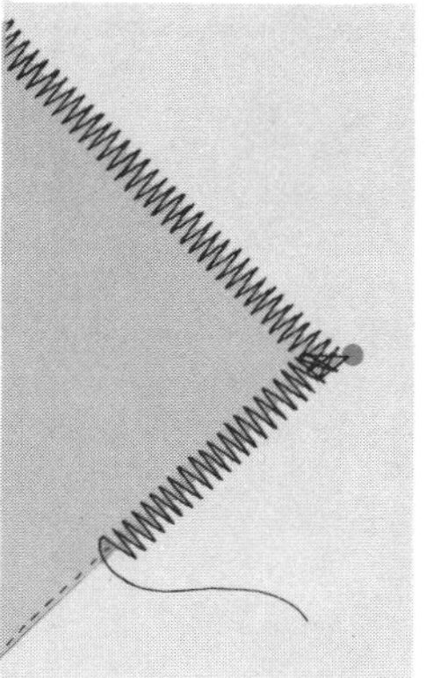

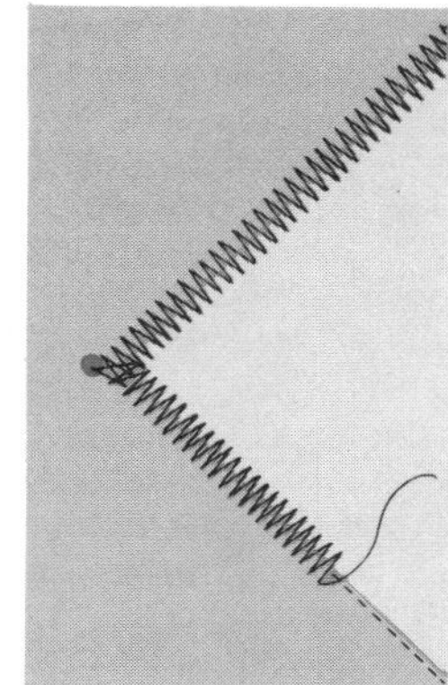

Coins à angle obtus : imaginez une ligne qui traverse le centre du coin et arrêtez quand l'aiguille atteint cette ligne imaginaire, au point rouge. Pour un *angle saillant*, placez l'aiguille sur le point à l'extérieur du coin. Pour un *angle rentrant*, placez l'aiguille à l'intérieur. Pivotez et cousez l'autre côté.

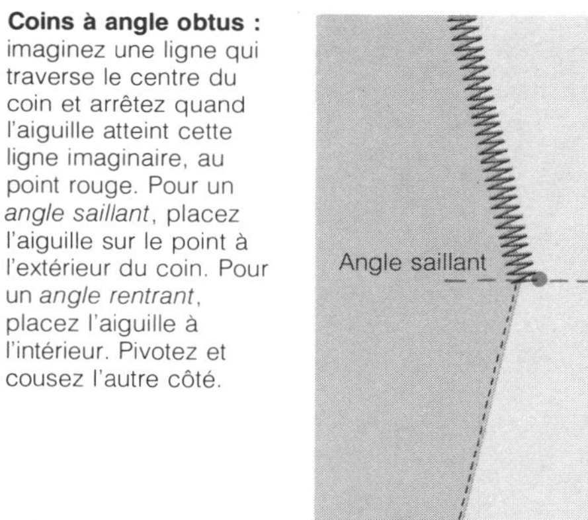

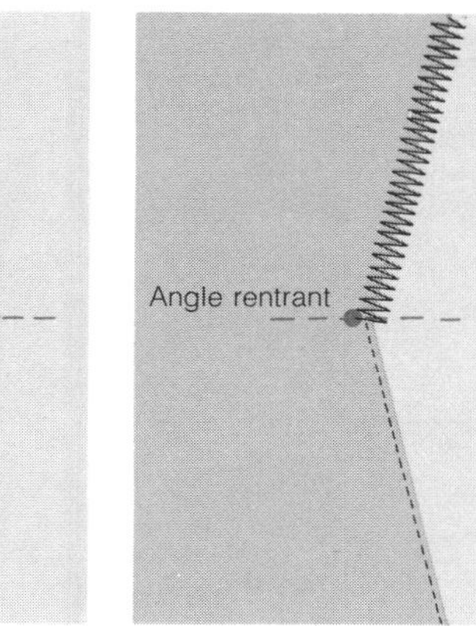

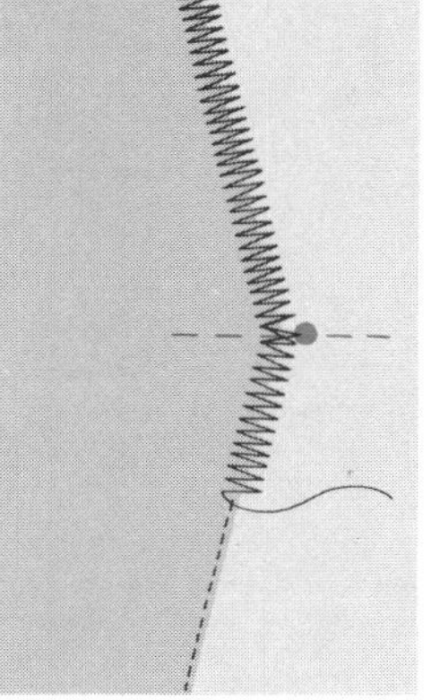

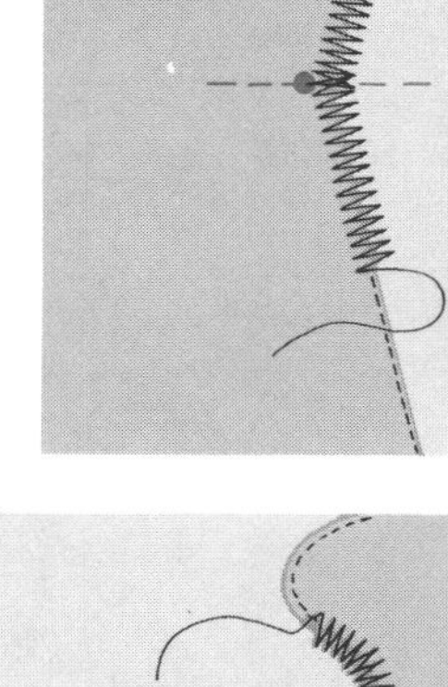

Coins à angle aigu : cousez au point zigzag sur un côté du coin. A proximité de la pointe, commencez à rétrécir votre point de zigzag. Continuez à coudre un peu au-delà du coin (le zigzag sera alors très étroit). Pivotez et cousez l'autre côté en élargissant graduellement votre zigzag à la grandeur du début. La technique est la même pour les angles aigus saillants et rentrants.

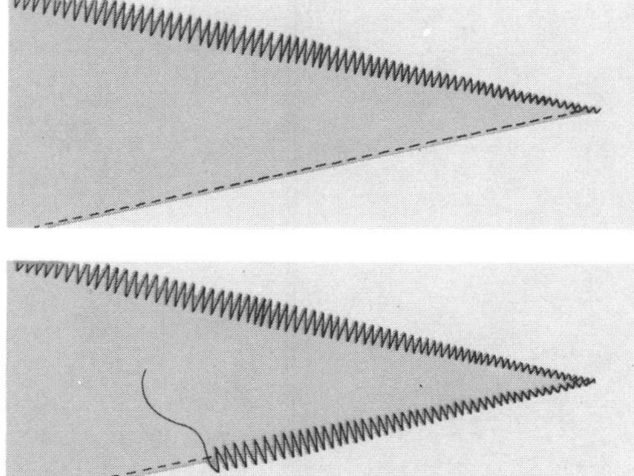

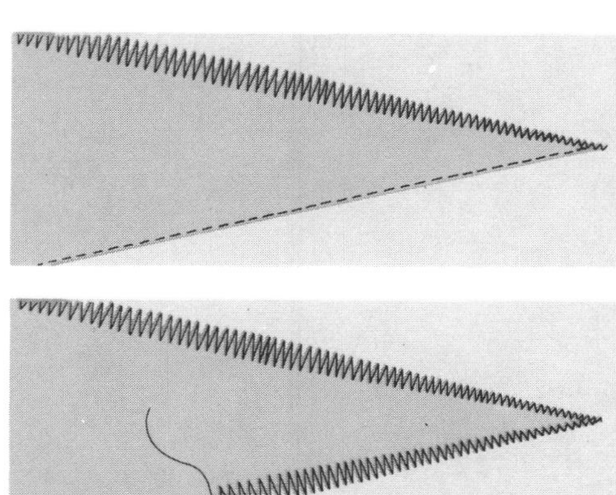

Courbes serrées : cousez un côté au point de zigzag en direction de la courbe. Pour faire le tour de l'arrondi, arrêtez et faites pivoter votre travail aussi souvent que nécessaire, en replaçant l'aiguille du côté plus étroit de l'arrondi à chaque fois que vous tournez le travail. La technique est la même pour les arrondis concaves et convexes.

Pose des thermocollants

On peut fixer les appliqués avec un tissu autocollant, sorte d'adhésif qui amalgame deux tissus en fondant entre eux. Il est plus facile de poser de grandes pièces; il devient difficile d'ajuster l'appliqué et le thermocollant si les formes sont petites et complexes. Suivez les directives du fabricant pour que les pièces tiennent au nettoyage.

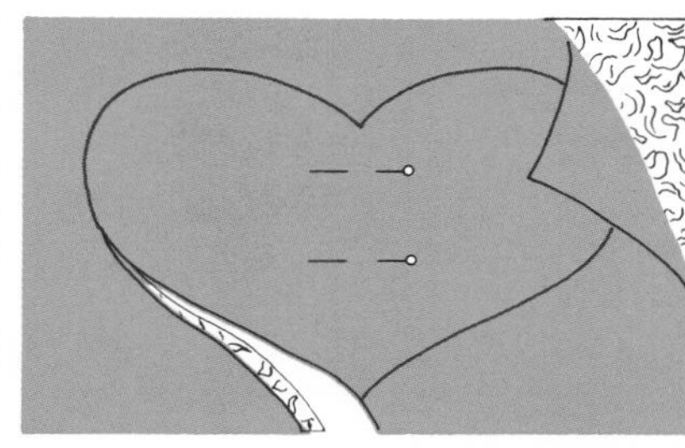

Epinglez le tissu thermocollant sur l'envers du tissu de l'appliqué. Epinglez le gabarit sur l'endroit; tracez. Coupez le long de la ligne.

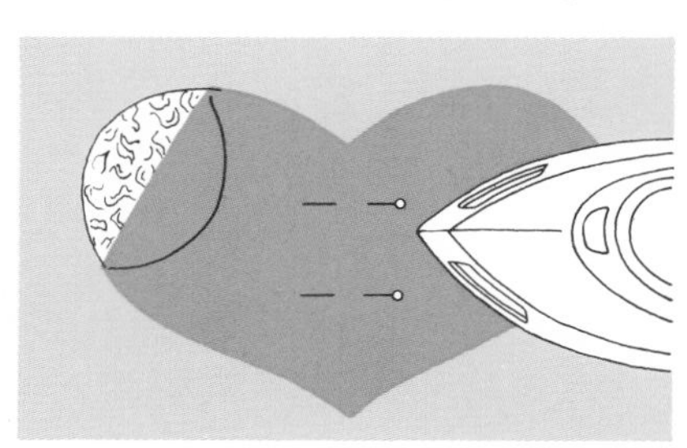

Epinglez l'appliqué et le thermocollant sur l'endroit du tissu de fond. Bâtissez au fer de chaque côté des épingles.

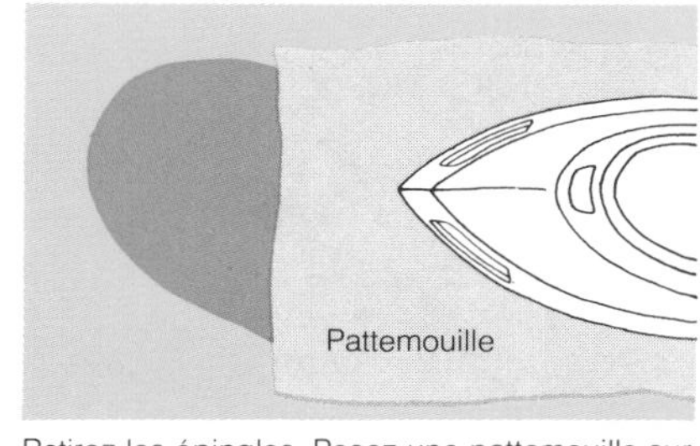

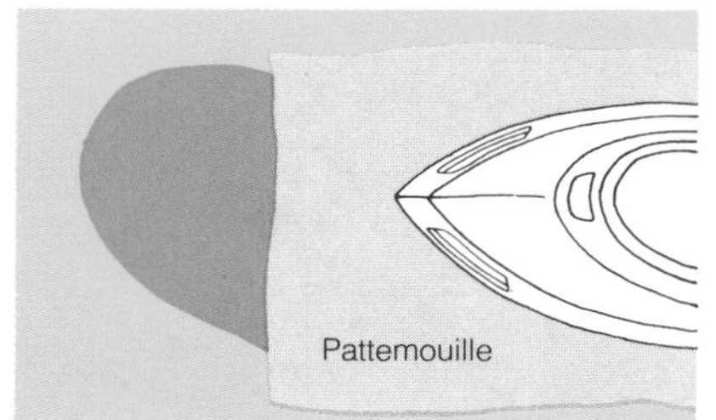

Retirez les épingles. Posez une pattemouille sur l'appliqué; appuyez le fer sur une petite section jusqu'à ce que la pattemouille soit sèche.

Appliqué en patchwork 226-229

Comment superposer les parties de l'appliqué

Si votre dessin se compose de deux pièces ou plus, vous devez organiser la superposition de ces pièces selon un *ordre numérique*, l'ordre dans lequel seront posées les pièces de l'appliqué pour que les éléments qui doivent se trouver sous les autres soient bien à leur place. Planifiez ainsi votre travail si votre dessin comprend plusieurs pièces (voir l'exemple ci-dessous à droite).

Etablissez l'ordre de superposition sur un croquis de votre dessin. Numérotez chaque pièce selon l'ordre dans lequel vous les disposerez. Les éléments du dessous portent le numéro 1 et les épaisseurs suivantes les numéros 2, 3, etc. Procédez ensuite à la couture des pièces selon l'ordre que vous avez établi. Cousez d'abord les pièces numéro 1, puis les pièces 2, 3, etc. jusqu'à ce que vous ayez achevé votre dessin.

Si vous faites plusieurs appliqués du même dessin, vous pouvez renoncer à la couture en séquence. Dans ce cas, épinglez toutes les pièces selon l'ordre de superposition et cousez au fur et à mesure que les motifs se présentent. Le résultat n'est pas aussi net ni aussi solide puisque les bords cachés ne sont pas cousus, mais c'est plus rapide. Si vous surpiquez ensuite l'ouvrage, il n'y paraîtra rien.

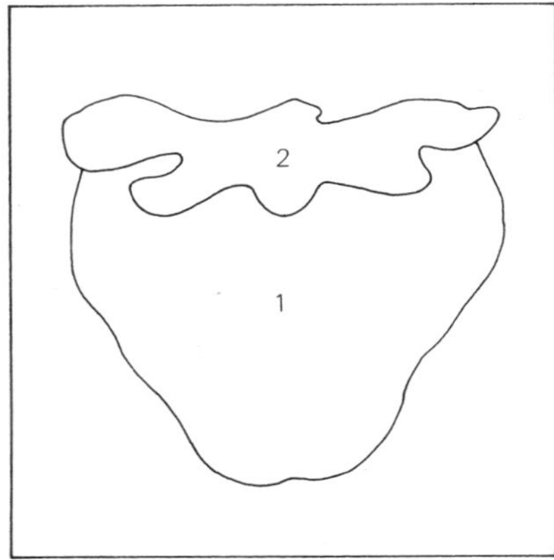

1. Etablissez l'ordre de superposition sur un croquis en numérotant chaque pièce à partir du dessous. Placez les pièces dans l'ordre sur le fond pour vérifier si tout va bien.

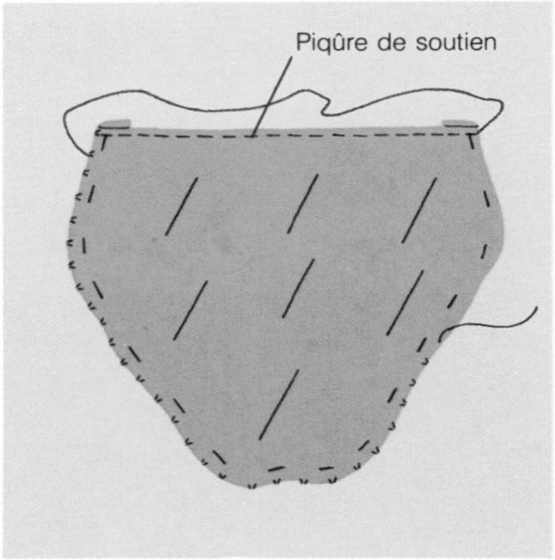

2. Retirez toutes les pièces sauf celles qui portent le numéro 1 que vous fixez en place; ne rentrez pas les bords qui seront entièrement recouverts par une autre pièce.

Le plan de superposition est particulièrement important dans le cas des compositions complexes, comme cette scène de moutons. Le dessin compte quatre épaisseurs distinctes.

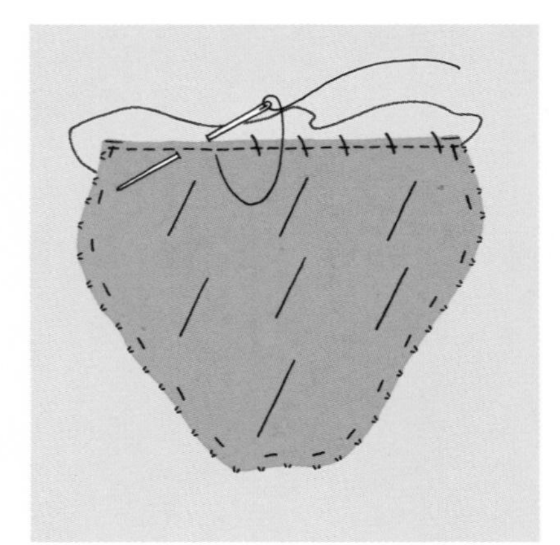

3. Après avoir fixé les bords rabattus, surjetez les bords non retournés, comme il est illustré, afin d'éviter les bourrelets là où les tissus se superposent.

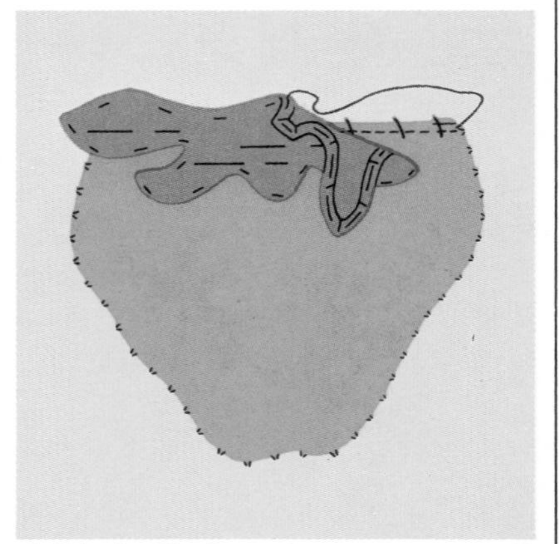

4. Epinglez l'épaisseur 2 en couvrant complètement les bords francs de l'épaisseur 1. Si le dessin a plusieurs épaisseurs, continuez à superposer les différentes pièces.

Sur cette illustration, les épaisseurs 1 (nuage, montagne et pattes) ont été appliquées; l'épaisseur 2 (corps des moutons) est épinglée. Notez la construction de cette composition.

Emploi du biais dans l'appliqué

Dans votre dessin, s'il vous faut une mince bande de tissu légèrement incurvée (pour une tige, par exemple), utilisez un biais plutôt qu'une bande de tissu courbe, difficile à travailler. L'élasticité du biais permet d'obtenir une forme courbée. Les galons de biais que l'on trouve dans le commerce sont pratiques et le choix des coloris est très vaste.

Pour faire vous-même une bande de biais, trouvez le plein biais du tissu en pliant celui-ci en diagonale de sorte que le droit-fil de trame soit parallèle au droit-fil de chaîne (1). Pressez le tissu sur le pli diagonal; ouvrez-le et prenez le pli comme guide pour tracer des bandes parallèles de la largeur désirée plus 1 cm (½") pour les marges de couture (2).

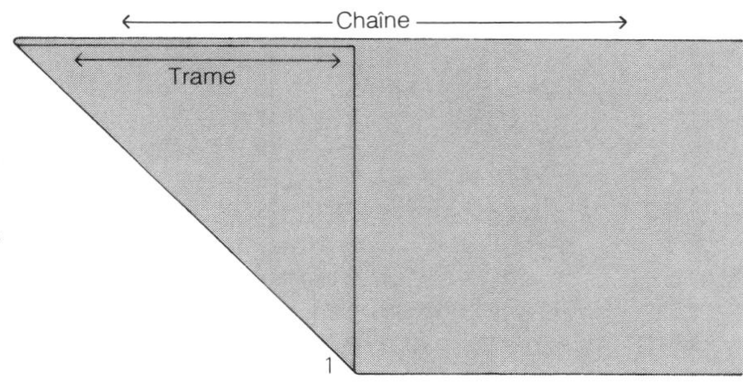

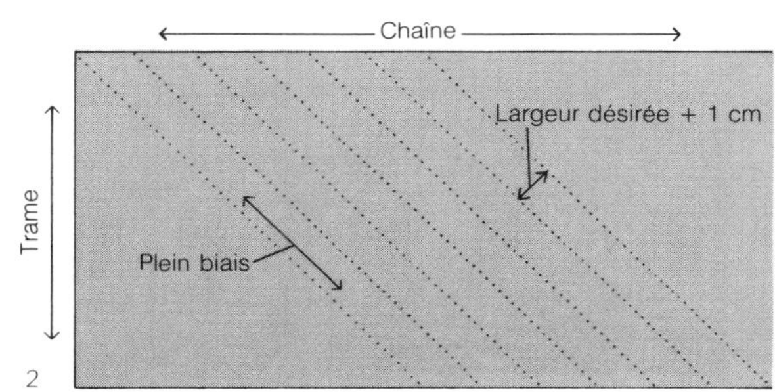

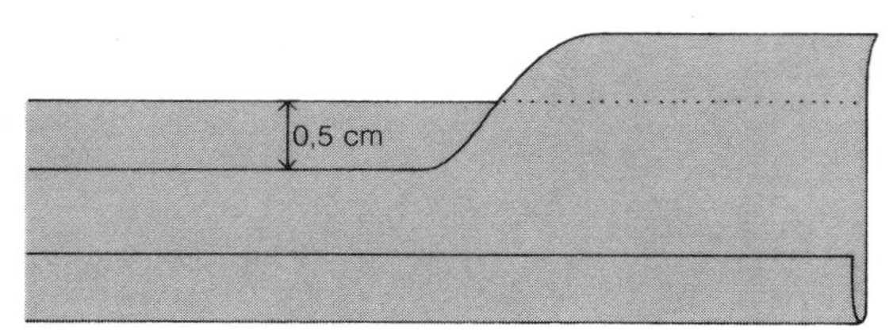

Coupez les bandes de biais le long des lignes. Rentrez et pressez une marge de 0,5 cm (¼") de chaque côté du biais.

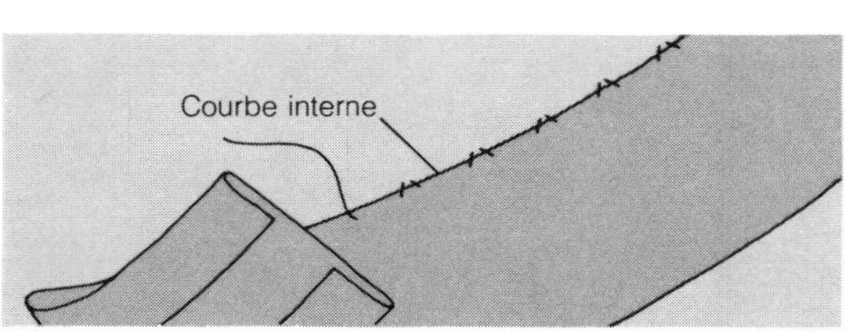

Epinglez le biais sur le tissu de fond en l'étirant au besoin pour obtenir la courbe désirée. Fixez d'abord la courbe intérieure.

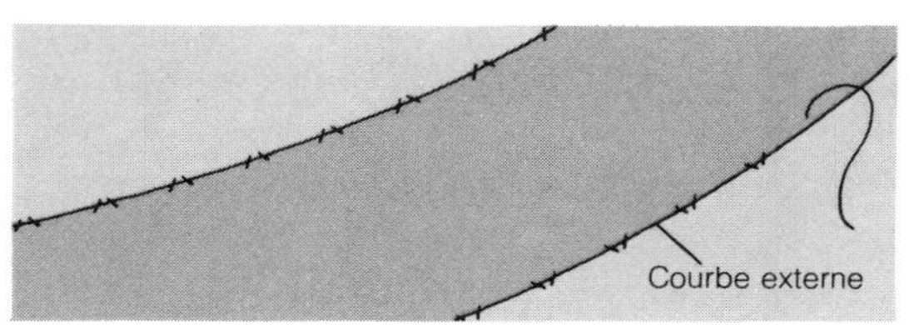

Etirez légèrement le bord extérieur du biais pour former la courbe. Fixez-le au tissu. Une fois que le biais est cousu, repassez-le.

Entoilage de l'appliqué

Les tissus mous ou lâches ont généralement besoin d'un entoilage qui leur donne une meilleure tenue et facilite le travail. Les plus pratiques sont les entoilages thermocollants légers qui se vendent au mètre. L'envers de l'entoilage est recouvert d'un adhésif spécial qui fond au repassage et fait coller l'entoilage au tissu.

Pour entoiler un appliqué, taillez-le comme à l'ordinaire (p. 194). Placez le gabarit sur l'*envers* de l'entoilage et tracez. Coupez l'entoilage le long des contours sans laisser de marge.

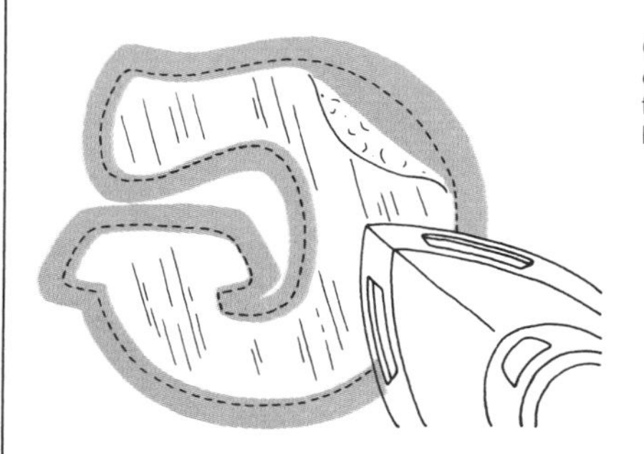

Centrez l'entoilage sur l'appliqué, envers contre envers, puis repassez selon les directives du fabricant. L'appliqué ainsi doublé se travaille de la même façon qu'un appliqué ordinaire.

Bourrage de l'appliqué

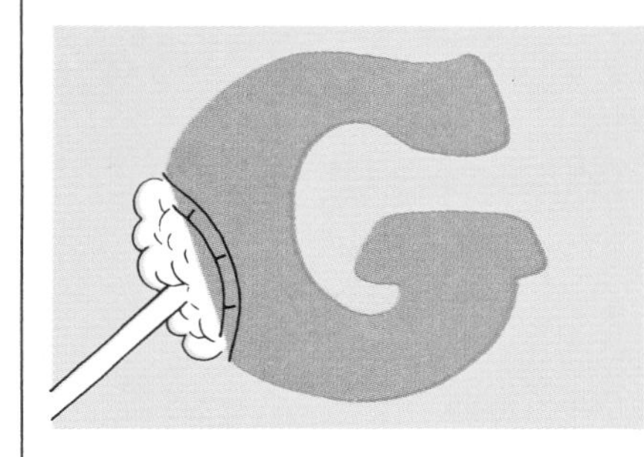

Pour donner du relief aux compositions, vous pouvez insérer une bourre souple (molleton de coton ou de polyester) dans l'appliqué ou certains de ses éléments.

Pour bourrer un appliqué, il faut d'abord le couper et le mettre en place de la façon décrite aux pages 194-195. Au lieu de le coudre complètement, laissez une petite ouverture à un endroit propice et introduisez-y soigneusement la bourre avec une aiguille ou une baguette à bout rond. Répartissez la bourre également sans trop en mettre car vous déformeriez l'appliqué.

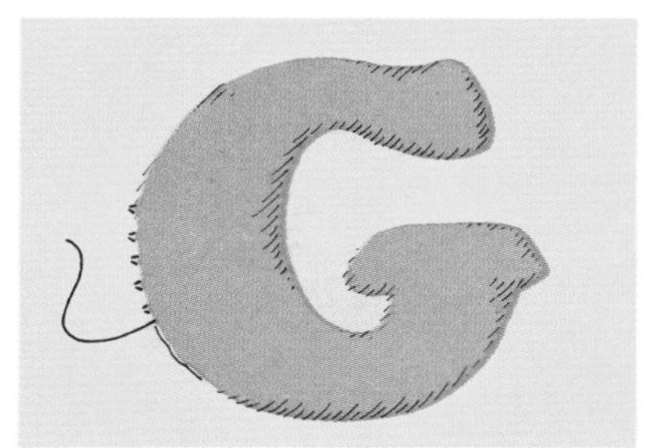

Une fois le bourrage terminé, cousez l'ouverture. Replacez la bourre avec les doigts si elle s'est aplatie à cet endroit.

Points de broderie 22-53
Techniques de surpiquage 239

Garnitures

Des garnitures brodées ou surpiquées peuvent grandement embellir un appliqué. Et on peut toujours décorer ainsi l'ouvrage, une fois l'appliqué terminé. Tout un éventail de points de **broderie** s'offre à vous; ils peuvent servir à créer des détails originaux ou des effets spéciaux, ou simplement à fixer les appliqués de façon décorative.

Le **surpiquage** est un autre procédé de décoration qui met en valeur un appliqué; on y recourt particulièrement pour les appliqués utilisés en patchwork. Avant de procéder au surpiquage, on place sur l'envers de l'appliqué une épaisseur de molleton et un morceau de mousseline. La méthode de surpiquage la plus simple s'appelle le *surpiquage de contour*. Elle consiste en une simple rangée de points devant tout autour du dessin ou de certains de ses éléments. Plusieurs lignes de surpiquage concentriques à l'extérieur du motif sont connues sous le nom de *surpiquage en échos*. Enfin, les surpiqûres peuvent même constituer un élément de la composition (voir la pluie, en bas à droite).

Les garnitures brodées ajoutent une touche de réalisme à une simple fraise appliquée.

La grappe de raisin brodée apporte charme et originalité au monogramme appliqué.

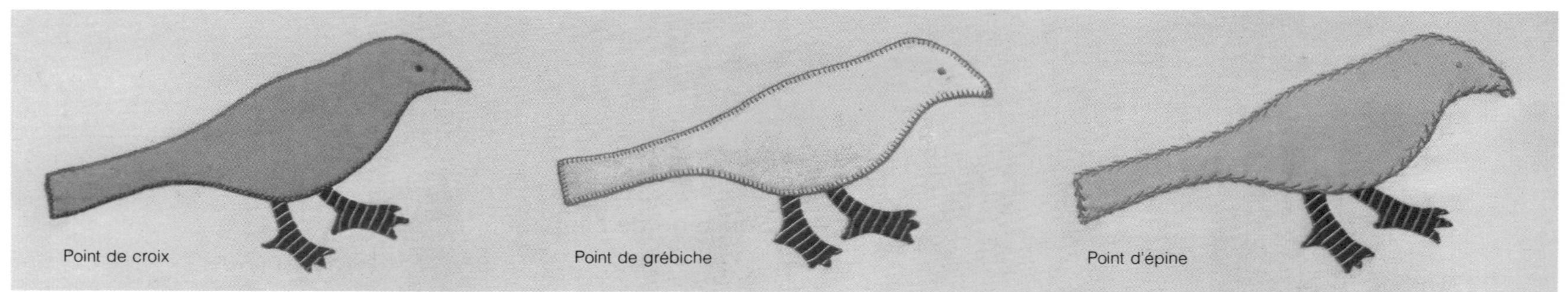

On utilise un point de broderie différent pour chacun de ces oiseaux appliqués. Les points décoratifs tiennent les appliqués en place et leur apportent couleur et texture.

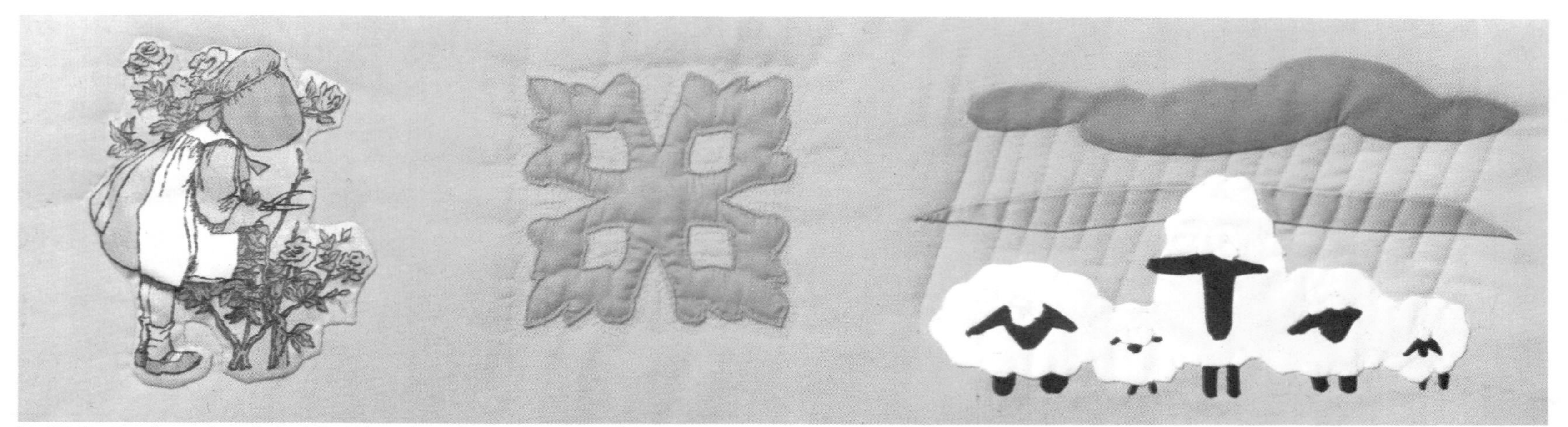

Le surpiquage de contour, juste à l'extérieur du motif, souligne l'appliqué découpé dans un imprimé.

Le surpiquage en échos rayonne autour du motif appliqué (technique des quilts hawaïens).

On introduit parfois des surpiqûres comme éléments d'une composition. Ici les surpiqûres simulent la pluie qui tombe.

Appliqué inversé

Introduction

L'appliqué inversé se compose de plusieurs épaisseurs de tissus, comme l'appliqué classique, mais il se travaille différemment : on superpose les épaisseurs et on y pratique des découpes qui font apparaître les couches du dessous. On coud ensuite les bords coupés aux couches inférieures.

L'appliqué inversé dans sa forme traditionnelle est connu sous le nom d'**appliqué San Blas** en l'honneur de ceux qui excellent dans cet art, les Indiens Cunas des îles San Blas. Ces dessins colorés ornent encore aujourd'hui les blouses, ou *molas*, des femmes de San Blas. Les motifs habituels sont des représentations d'êtres humains, de plantes ou de petits animaux. Les ajours (fentes) font des traits de couleur, donnant à cette forme d'appliqué son aspect unique.

La technique traditionnelle a été en partie adaptée pour créer une forme moderne d'appliqué inversé, connue sous le nom d'**appliqué découpé**. Les dessins en sont généralement plus grands et plus audacieux.

La différence fondamentale entre les procédés traditionnel et moderne d'appliqué inversé est l'ordre dans lequel les couches sont découpées et cousues. Pour réaliser les cannelures du San Blas, vous devez travailler à partir du dessous, coupant et cousant à mesure que s'ajoute une épaisseur. Les appliqués découpés sont plus simples à exécuter : on bâtit ensemble, en une seule fois, toutes les couches de tissu; puis on découpe les formes à partir de la couche supérieure. Des variantes permettent d'obtenir des effets de couleur spéciaux, comme nous l'expliquerons dans les pages suivantes.

Quelle que soit la technique utilisée, prenez des tissus à texture serrée, légers et opaques. Quand vous aurez choisi une combinaison agréable de tons unis, trouvez les fils qui s'harmoniseront à chaque coloris.

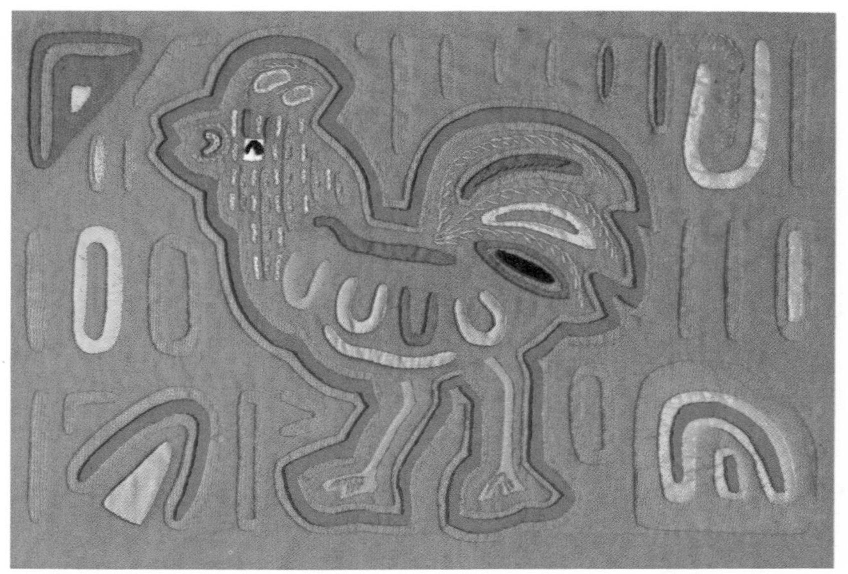

L'appliqué San Blas se distingue par ses formes rayonnantes et ses ajours de formes libres. On le travaille à partir du dessous. Les appliqués classiques et la broderie peuvent aussi en faire partie.

L'appliqué découpé fait penser à un pochoir; il a presque l'apparence d'une sculpture. Ce soleil fantaisiste a été méthodiquement cousu et coupé à partir du dessus.

Appliqué inversé/San Blas

Technique San Blas

L'appliqué San Blas peut être improvisé mais il faut bien comprendre la technique de base et l'égale importance des surfaces qui se trouvent à l'*intérieur* et à l'*extérieur* de la forme dessinée. Si vous ne travaillez qu'avec deux couches de tissu, la forme est découpée dans la couche du dessus; vous pouvez obtenir trois effets différents selon la méthode de découpage (à droite). Vous n'avez qu'à interchanger ces trois effets pour obtenir différentes images linéaires, que vous ayez deux épaisseurs ou que vous en ajoutiez une troisième. Même les dessins les plus complexes en comptent rarement plus de trois.

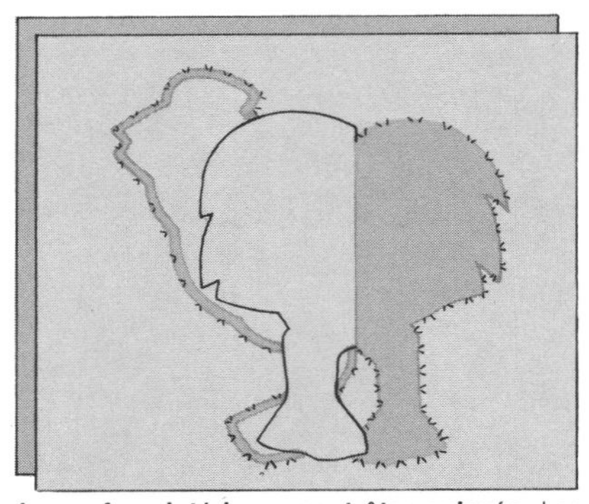

La surface intérieure peut être enlevée. Les bords coupés de la surface extérieure sont rentrés et cousus à la couche du dessous.

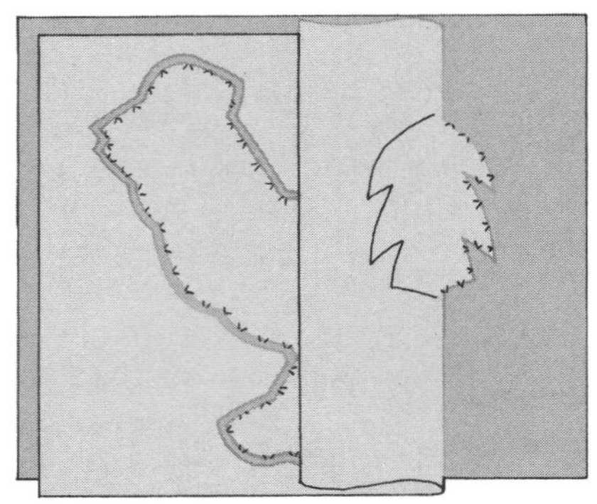

On peut aussi enlever la surface extérieure. Ce sont les bords coupés de la surface intérieure qui sont rentrés et cousus au dessous.

La troisième possibilité est de **conserver les surfaces intérieure et extérieure,** de rentrer et de coudre les deux bords, créant ainsi un sillon.

Ouvrage à deux épaisseurs

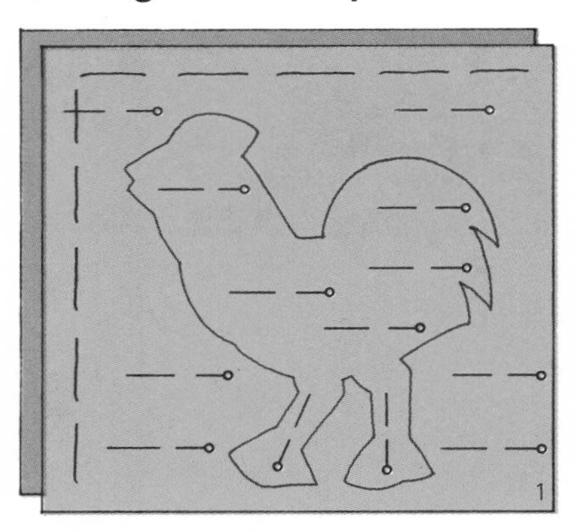

Avec seulement deux épaisseurs de tissu, vous pouvez obtenir cet effet linéaire particulier à l'appliqué San Blas.

1. Placez les deux couches l'une sur l'autre; bâtissez-les ensemble sur deux côtés adjacents. Dessinez la forme principale sur la couche du dessus; épinglez les deux couches à l'intérieur et à l'extérieur des contours.

2. Coupez sur les contours, en prenant soin de ne pas couper la couche du dessous. Avec la pointe de l'aiguille, rentrez les bords coupés de la forme intérieure et fixez-les au dessous à points d'ourlet; crantez les courbes au besoin. Retirez les épingles de la surface intérieure.

3. Rentrez et cousez le bord coupé de la surface extérieure de la même façon, pour former le sillon coloré qui définit la forme. Retirez les épingles.

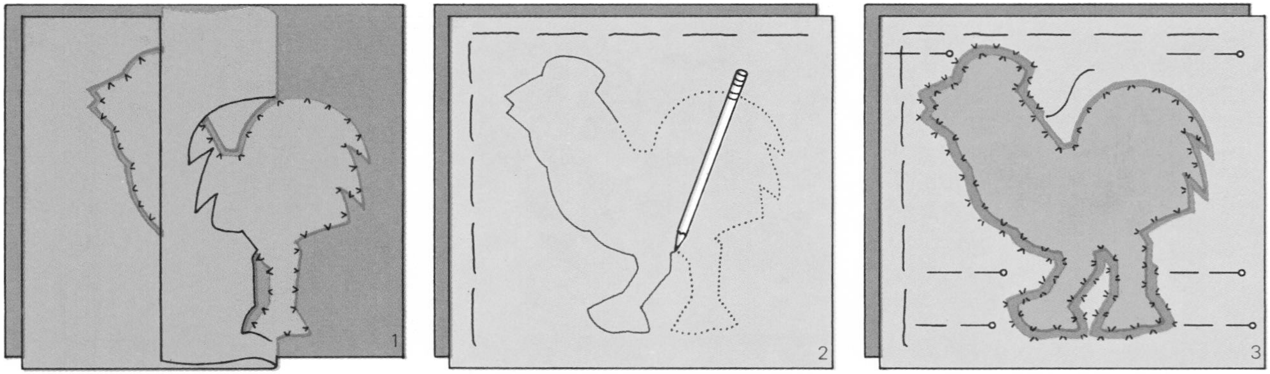

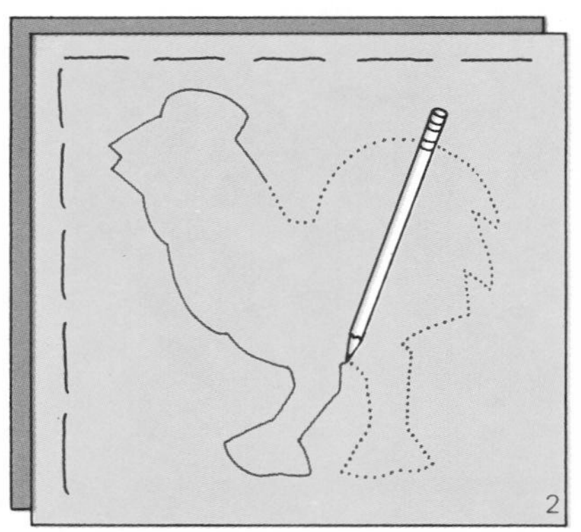

Comme variante, on peut introduire une troisième couleur sans ajouter une troisième épaisseur complète. La nouvelle couleur peut recouvrir soit l'intérieur, soit l'extérieur de la forme dessinée (notre exemple).

1. Suivez les étapes 1 et 2 de la marche à suivre précédente. Otez les bâtis et enlevez les parties du dessus qui ne sont pas cousues.

2. Placez la troisième couche de tissu sur les deux premières; bâtissez les tissus ensemble sur deux côtés. Repérez les contours de la forme du dessous et tracez-les. Epinglez les épaisseurs à l'extérieur de la ligne ainsi tracée.

3. Coupez la nouvelle couche sur cette ligne. Retirez la surface intérieure pour exposer la seconde couleur dessous. Rentrez et cousez les bords à la couche du fond.

Ouvrage à trois épaisseurs

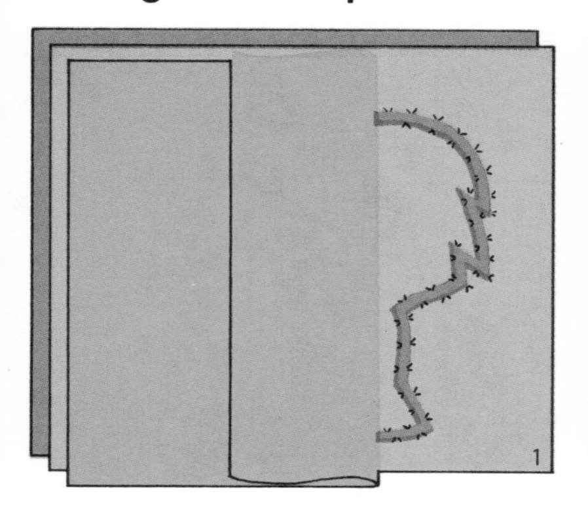

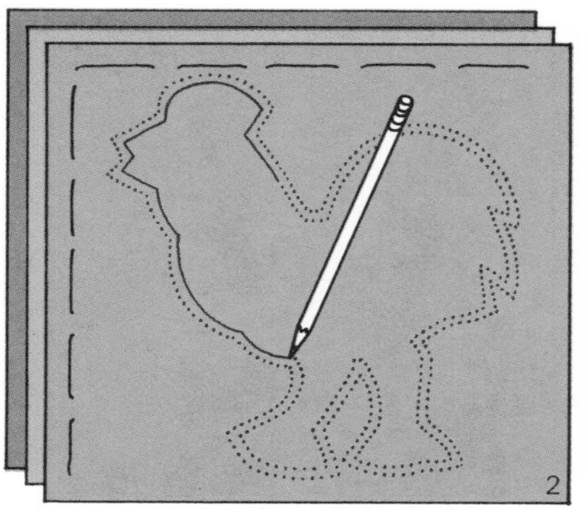

Avec trois épaisseurs de tissu, vous pouvez créer des effets linéaires plus élaborés.
1. Après avoir travaillé les deux premières couches (page ci-contre), placez la troisième par-dessus et bâtissez-la sur les autres.
2. Repérez les bords du sillon du dessous et tracez-en les contours. Epinglez les trois épaisseurs à l'intérieur et à l'extérieur du sillon. Vous devez maintenant décider quelle partie de l'épaisseur couper et laquelle conserver : notre exemple n'illustre qu'une des trois possibilités.
3. Coupez d'abord sur la ligne interne. Rentrez les bords coupés de la forme intérieure et cousez-les. Coupez sur la ligne externe; rentrez et cousez les bords coupés en retournant suffisamment le tissu pour exposer trois sillons distincts.

Utilisation des ajours dans l'appliqué San Blas

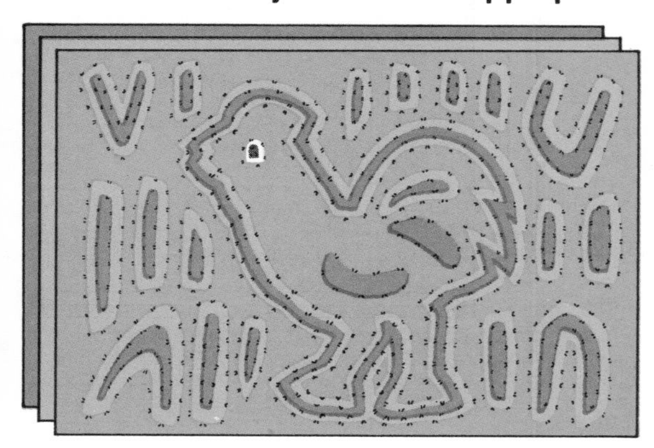

Les ajours (fentes) pratiqués dans le motif principal et sur le fond sont un trait caractéristique des appliqués San Blas. Les ajours sont *droits*, *angulaires* ou *incurvés*, et ils sont placés au hasard selon la configuration du dessin. On peut les exécuter sur la seconde couche aussi bien que sur la troisième.

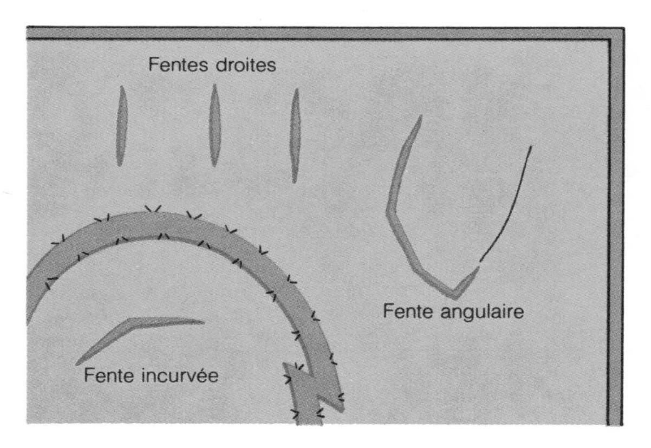

1. Dessinez les lignes des ajours sur la couche supérieure. Les ajours peuvent être placés dans n'importe quelle direction. Fendez la couche du dessus seulement, le long des lignes tracées.

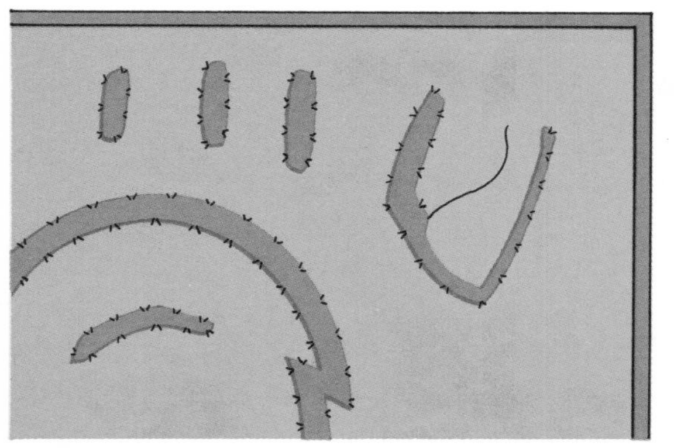

2. Avec la pointe de l'aiguille, rentrez les bords coupés et cousez-les à l'épaisseur du dessous, crantant les courbes et les angles au besoin.

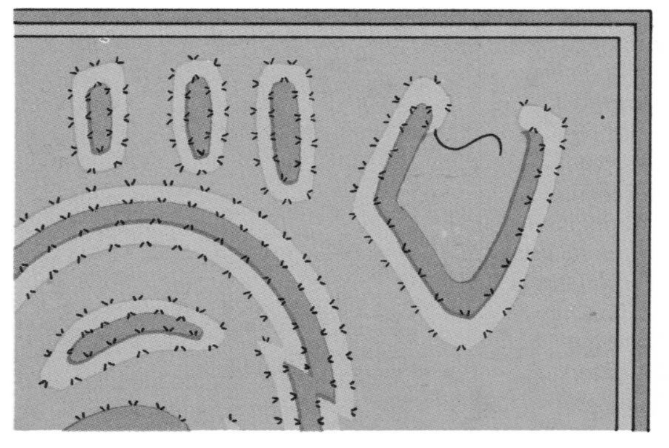

Si une troisième épaisseur de tissu s'ajoute à un ouvrage qui comprend déjà des ajours, commencez par faire les sillons de la forme principale, comme il est décrit ci-dessus. Puis tracez les contours des ajours. Coupez sur les lignes ainsi tracées puis rentrez et cousez les bords coupés à l'épaisseur inférieure. Un autre sillon de couleur apparaîtra, comme sur l'illustration. Des ajours peuvent aussi être ajoutés sur la troisième épaisseur.

Appliqué inversé/San Blas

Utilisation de pièces de couleur

Les pièces de tissu colorées permettent de mettre encore plus de variété dans votre appliqué San Blas, sans avoir à ajouter des couches entières de tissu. Cette technique s'emploie dès que l'on désire une nouvelle touche de couleur. Faufilez les pièces de la grandeur et de la couleur désirées entre deux des couches de tissu; découpez ensuite de petites formes ou des fentes pour laisser voir la nouvelle pièce de couleur placée dessous. Nos exemples montrent des pièces appliquées à la première et à la deuxième épaisseur. Veillez à choisir des couleurs fortement contrastantes.

1. Coupez et fixez le motif principal (p. 202). Bâtissez les pièces aux endroits voulus.

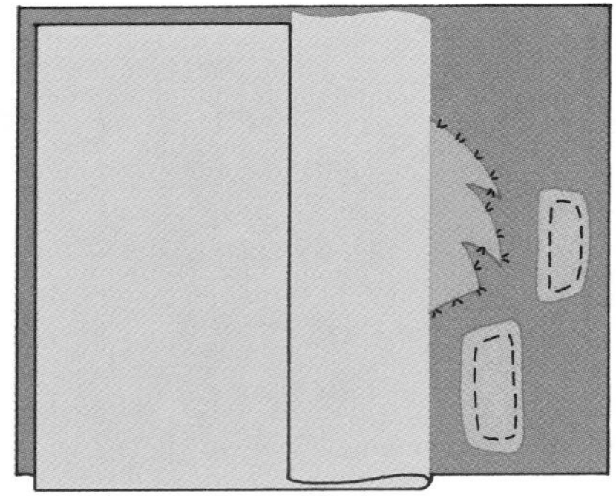

2. Placez l'épaisseur suivante sur les premières et bâtissez ensemble sur deux côtés.

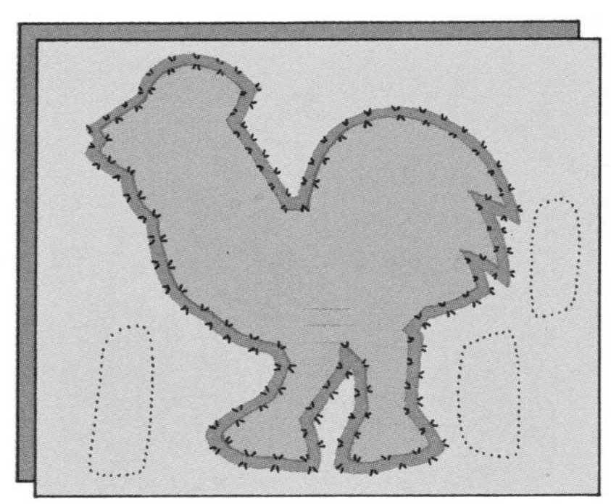

3. Achevez le sillon du motif principal comme nous l'avons décrit à la page 202.

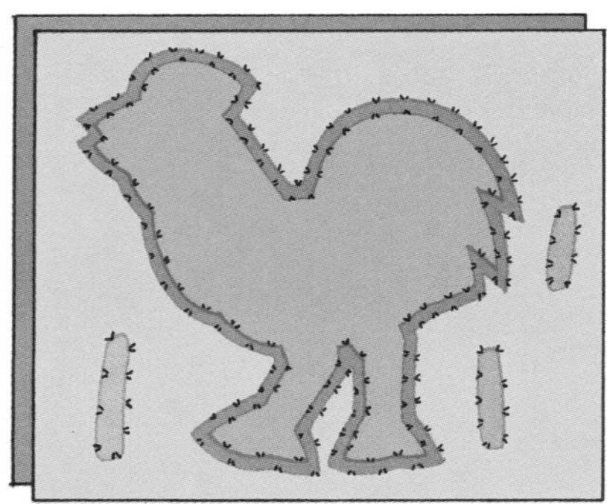

4. Localisez les pièces qui se trouvent dessous; coupez et cousez des ajours par-dessus.

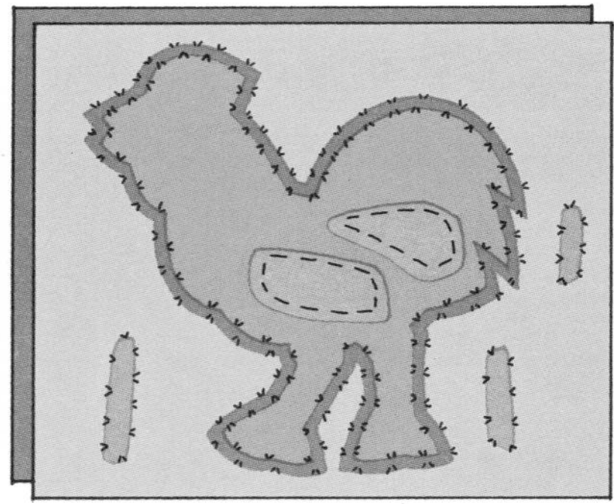

5. Placez d'autres pièces sur la nouvelle couche et faufilez-les en place.

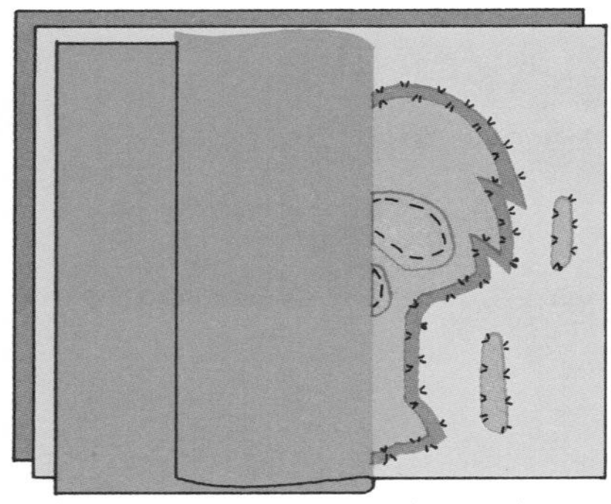

6. Posez une autre couche de tissu sur les premières et bâtissez sur deux côtés.

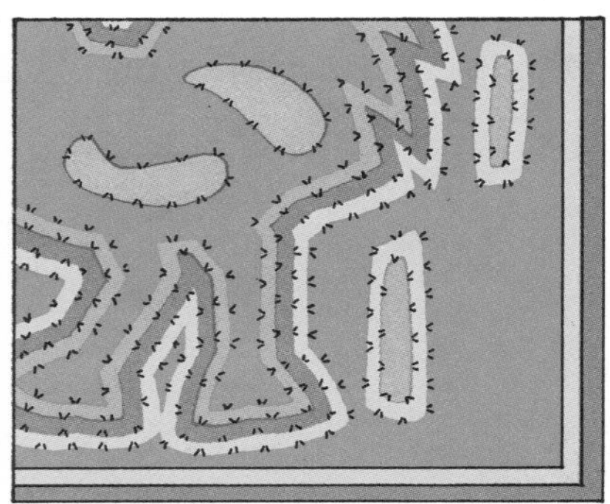

7. Terminez les sillons du motif principal, puis ceux des ajours situés au-dessus des pièces.

Utilisation de pièces taillées

On peut aussi faire entrer dans un appliqué San Blas des pièces taillées; elles ressemblent aux pièces de couleur ordinaires, mais leurs bords sont coupés de façon à créer des contours précis. Il s'agit donc de donner à la pièce une forme définie et d'en bien rentrer les bords avant de poser l'épaisseur suivante. Une pièce taillée qui se juxtapose au motif principal en changera la silhouette générale, comme dans notre exemple. Dans celui-ci, la pièce est ajoutée à la première épaisseur alors que le motif principal est déjà découpé et cousu (p. 202).

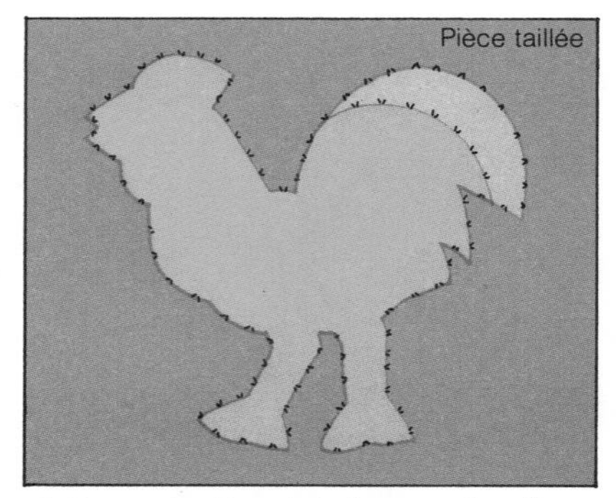

1. Coupez la pièce de la forme voulue. Placez-la à l'endroit désiré; rentrez et cousez les bords.

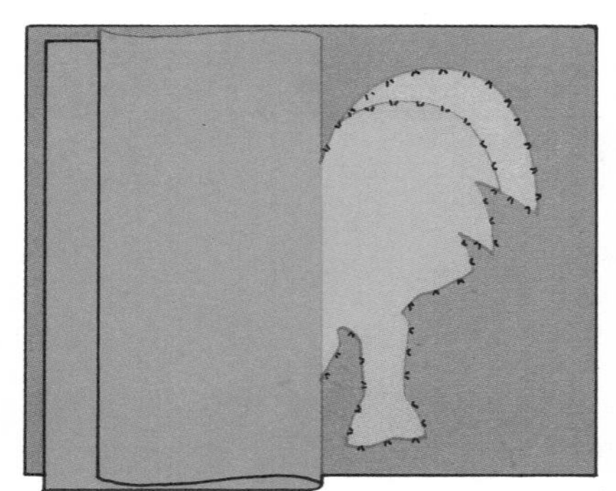

2. Posez la couche de tissu suivante sur les premières et bâtissez sur deux côtés.

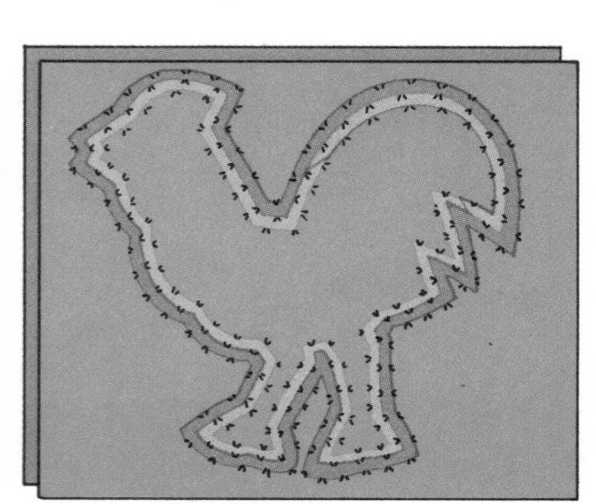

3. Tracez le contour du motif et achevez les sillons en révélant les bords de la pièce taillée.

Appliqué inversé/découpé

Introduction à l'appliqué découpé

Pour réaliser un appliqué découpé, il faut d'abord bâtir toutes les épaisseurs ensemble, puis découper des formes qui laissent voir l'épaisseur du dessous; on utilise cinq couches au maximum. La première forme taillée dans la couche supérieure doit être assez grande pour permettre de découper d'autres formes à l'intérieur. Liberté et audace sont l'apanage des dessins découpés. Ces dessins étant plus grands, on peut aussi les exécuter à la machine (page suivante). Parfois, on montrera une épaisseur directement, sans exposer celles qui la superposent. On peut aussi ajouter des pièces de couleur.

Technique de l'appliqué découpé

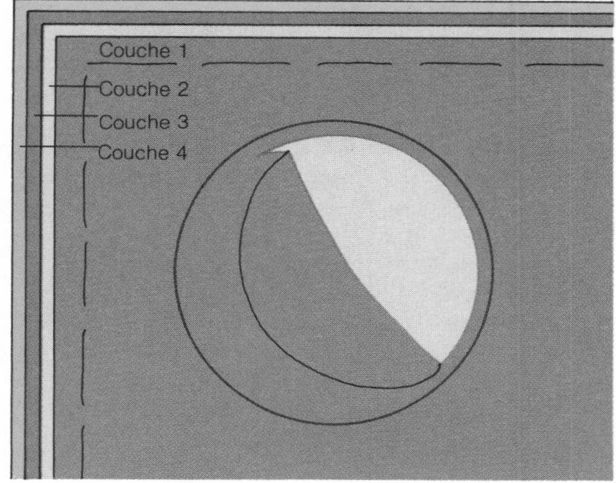

Taillez le nombre désiré de couches et faufilez ensemble leurs bords. Dessinez la forme principale sur la couche supérieure. Coupez à 0,5 cm (1/8") à l'intérieur de la ligne.

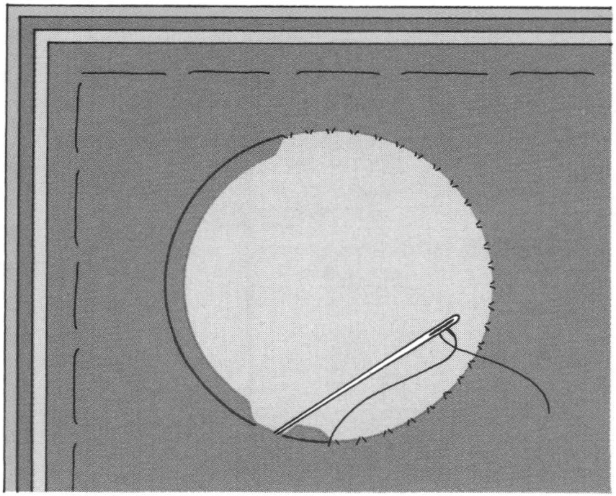

Rentrez les bords coupés avec l'aiguille, crantant au besoin la marge. A points d'ourlet, cousez le bord rentré à l'épaisseur du dessous, en piquant parfois toutes les épaisseurs.

Dessinez les parties plus petites qui se trouvent à l'intérieur de la forme principale. Choisissez les formes qui laisseront voir la troisième couche (ici, la bouche). Coupez et cousez.

Techniques particulières

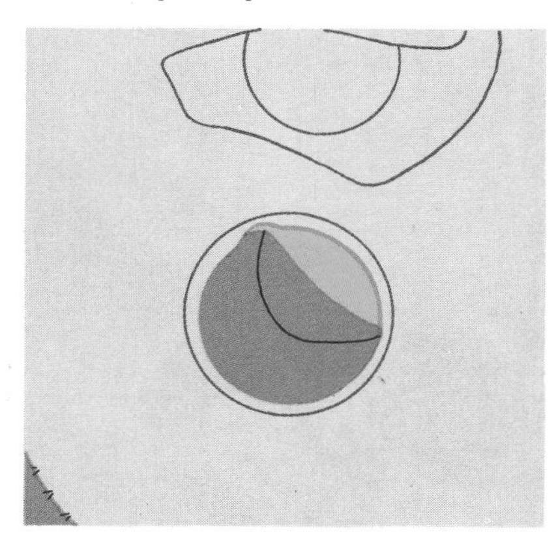

Pour sauter une épaisseur, découpez la forme (joue) dans deux couches. Faites la découpe du dessous plus grande pour que les bords en soient cachés par la couche précédente.

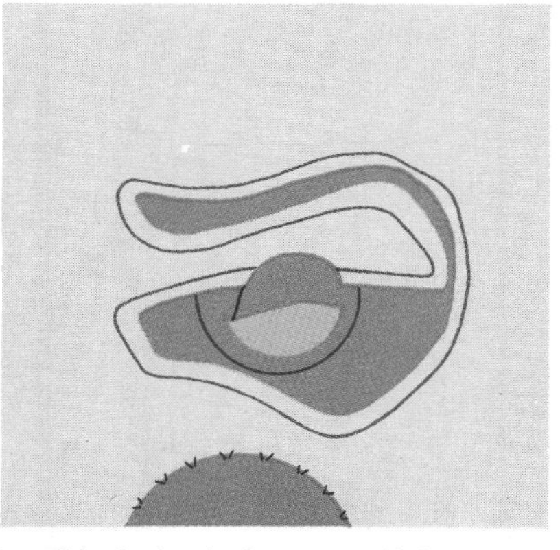

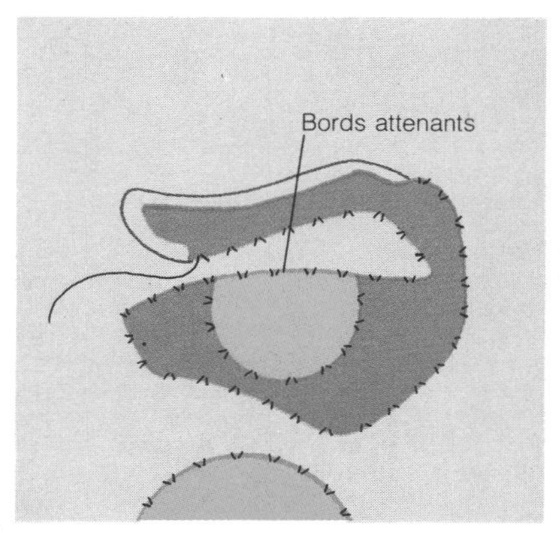

La méthode des épaisseurs multiples permet de travailler un détail de façon à ce que deux formes se joignent. Coupez d'abord la plus grande forme (œil) dans la couche supérieure, puis la forme plus petite (pupille) dans la couche qui vient d'être exposée. Rentrez et cousez les bords de la petite forme d'abord, puis de la grande.

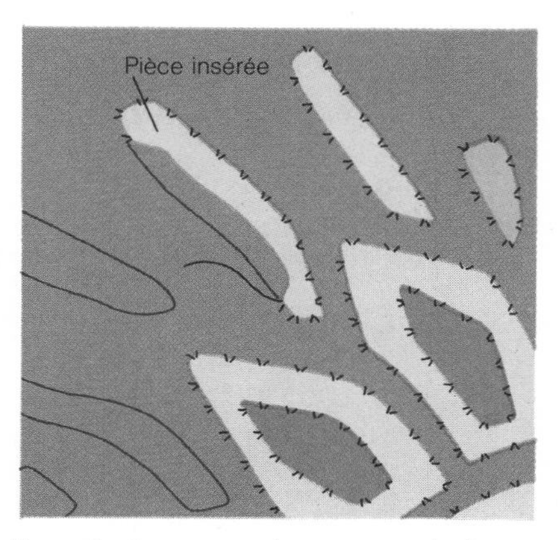

Pour ajouter une couleur, coupez la forme (rayon de soleil) dans la couche supérieure. Taillez une pièce un peu plus grande que la forme coupée. Insérez-la dessous et cousez.

Appliqué inversé/découpé

Technique de l'appliqué découpé à la machine

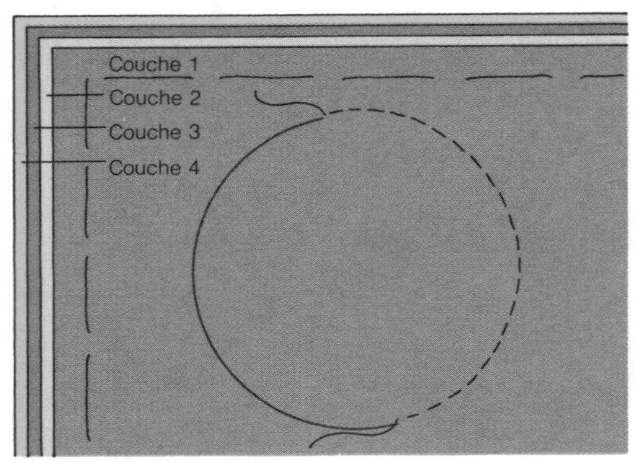

Taillez le nombre désiré d'épaisseurs et faufilez-les ensemble. Dessinez la forme principale (visage) sur la couche supérieure. Cousez au point de piqûre sur la ligne du dessin.

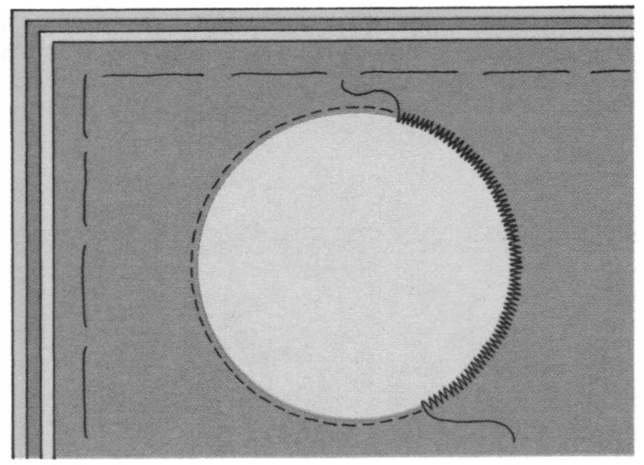

Coupez la couche supérieure juste en deçà de la couture. Réglez la machine au point zigzag étroit et court (point de bourdon); cousez sur le contour pour couvrir la piqûre et les bords francs.

Dessinez les petites parties du dessin qui se trouvent dans la forme principale. Choisissez les formes qui laisseront voir la troisième couche (ici, la bouche). Coupez-les et cousez-les.

Techniques particulières à la machine

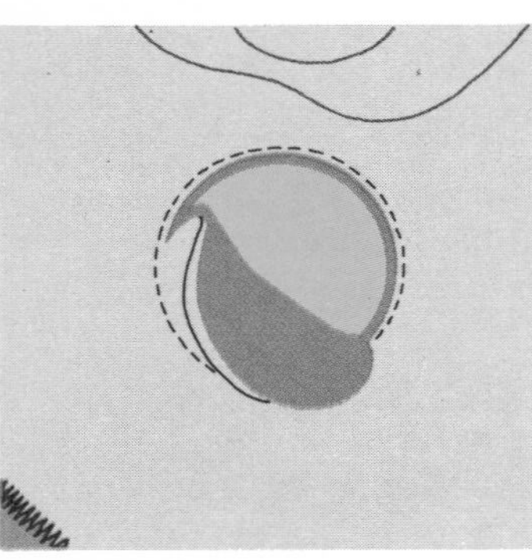

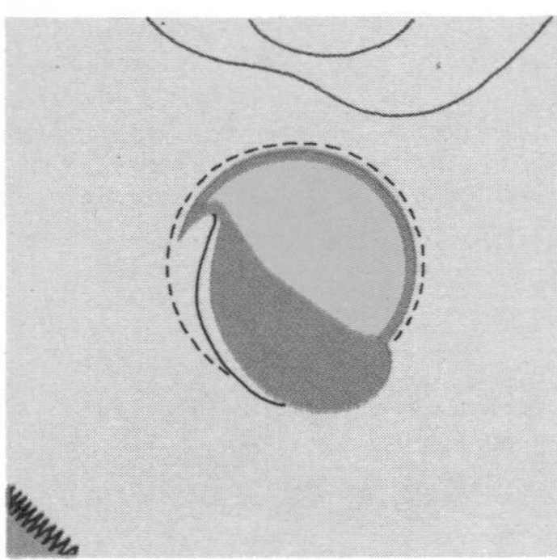

Pour sauter une couche, faites un point de piqûre sur les contours de la forme. Coupez la forme (joue) dans les deux couches supérieures afin de laisser voir la quatrième couche, au-dessous.

Cousez au point de zigzag en suivant le contour de la forme, de façon à couvrir le point de piqûre et les bords francs.

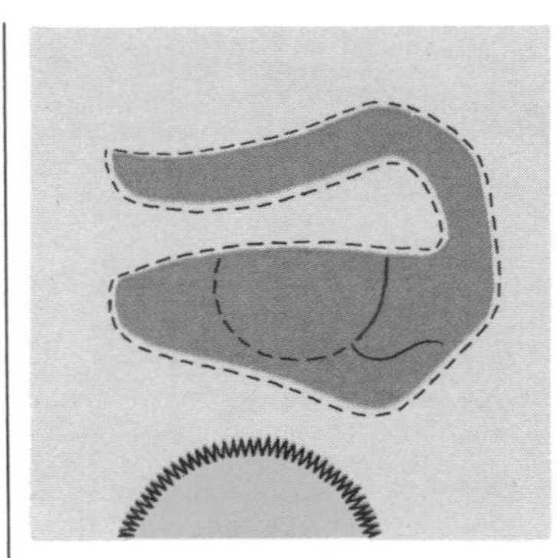

Pour appliquer la méthode des épaisseurs multiples de façon à joindre deux formes, soulignez les contours de la forme la plus grande (œil) au point de piqûre. Découpez la forme juste à l'intérieur de la piqûre. Tracez et piquez la forme plus petite (pupille) sur l'épaisseur maintenant visible.

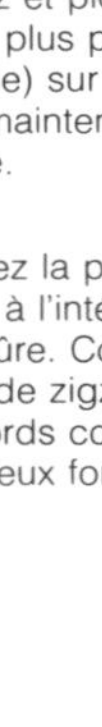

Bords attenants

Coupez la petite forme à l'intérieur de la piqûre. Cousez au point de zigzag sur les bords coupés des deux formes.

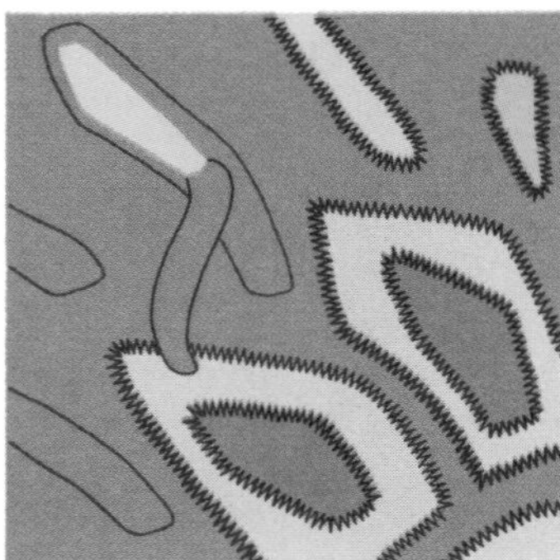

Pour ajouter une pièce de couleur, dessinez la forme (rayon de soleil) sur l'épaisseur du dessus. Coupez à 0,5 cm (⅛″) à l'intérieur des contours. Taillez une pièce qui aura 1 cm (¼″) de plus que la découpe.

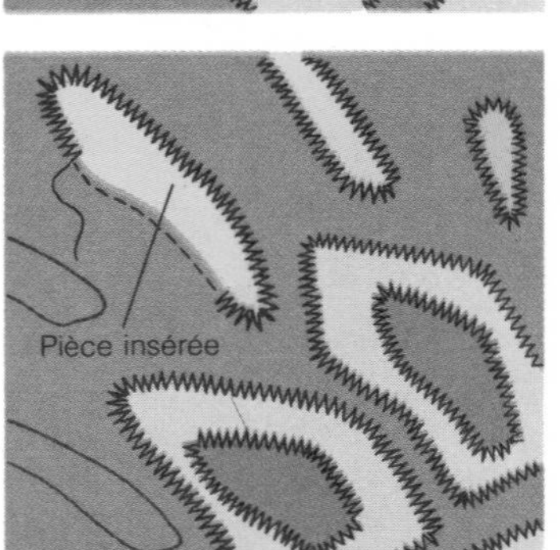

Insérez la pièce sous les bords coupés de la couche supérieure. Soulignez les contours au point de piqûre. Amincissez la marge de couture tout près de la piqûre. Cousez les bords francs au point de zigzag.

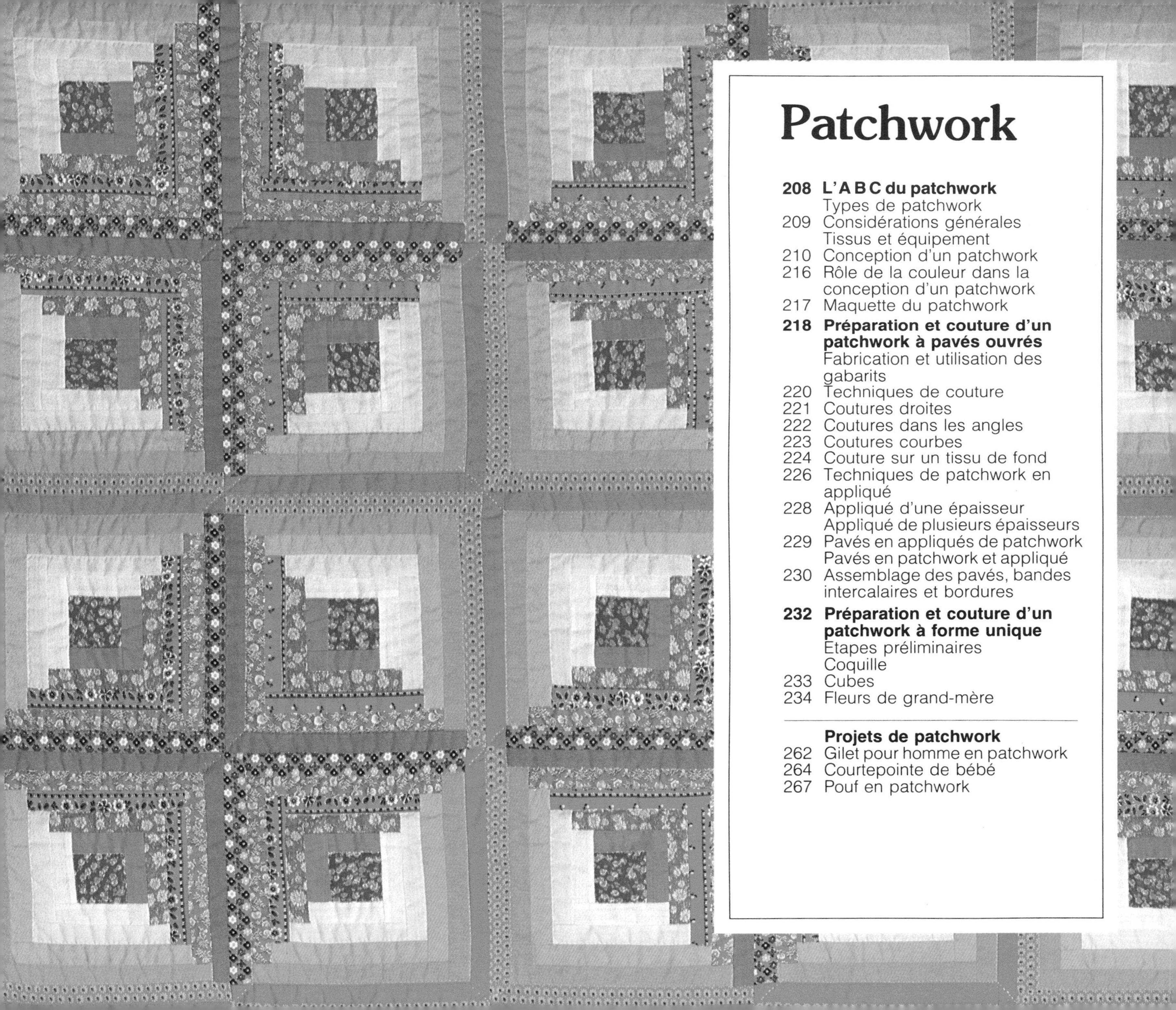

Patchwork

L'ABC du patchwork

Types de patchwork
Considérations générales
Tissus et équipement
Motifs à lignes droites
Motifs à lignes courbes
Conception des appliqués
Patch craquelé
Bandes intercalaires et bordures
Rôle de la couleur dans la conception d'un patchwork
Maquette du patchwork

Types de patchwork

Le patchwork est l'assemblage de morceaux de tissu en vue de réaliser un ouvrage. L'intérêt du patchwork tient dans le dessin créé par la juxtaposition des éléments de tissu, dessin qui peut être très simple ou très compliqué.

Le patchwork le plus simple est le patchwork **à forme unique** dans lequel toutes les pièces sont de taille et de dimension identiques. Ce patchwork peut avoir beaucoup de charme s'il est traité dans un seul coloris; réalisé en plusieurs teintes bien agencées, il forme un ensemble attrayant. La coquille est un exemple typique de patchwork à forme unique.

Tous les autres patchworks entrent dans la catégorie du patchwork **à pavés ouvrés,** qui tient son nom du fait que les morceaux sont d'abord assemblés en un motif de base, le pavé. Le pavé lui-même peut être réalisé en patchwork ou en appliqué. Un pavé en patchwork se compose généralement de pièces de formes précises créant un dessin qui s'inscrit dans un carré; l'assemblage de plusieurs pavés produit un nouveau dessin : l'Etoile simple en est un exemple. Le patch craquelé (crazy patchwork) est aussi à pavés ouvrés, même s'il ne respecte pas la précision dont nous venons de parler; les morceaux sont irréguliers, sans unité de forme ni de couleur. Un pavé en appliqué comporte un appliqué et le tissu de fond sur lequel il est cousu. Les appliqués représentent généralement des objets stylisés; le fond est habituellement carré. Vous trouverez d'autres exemples de dessins de patchwork et des conseils pour les réaliser dans les pages 210 à 215.

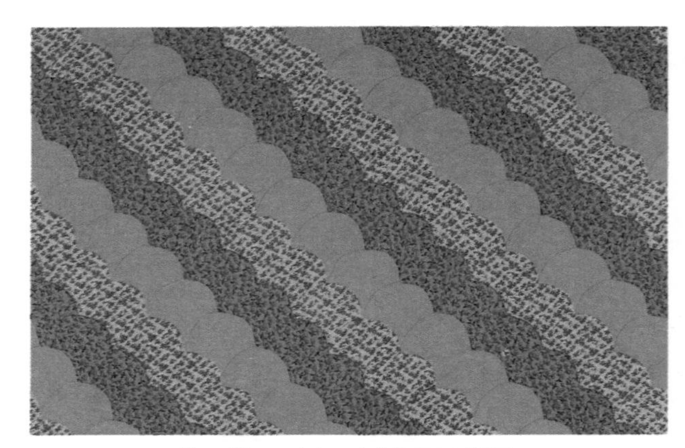

Coquille : patchwork à forme unique

Etoile simple : patchwork à pavés ouvrés avec formes géométriques

Patch craquelé : patchwork à pavés ouvrés avec morceaux irréguliers

Rose : patchwork à pavés ouvrés en appliqué

Illustration de la page précédente : « Cabane de rondins » québécoise de Louise Fleury Bourassa, la Courtepointe du Québec, 1978

Considérations générales

Avant d'entreprendre un patchwork, il faut décider à la fois de sa destination (jupe, courtepointe, etc.) et de son dessin. Ces choix dépendront de certaines considérations. Tenez compte d'abord de vos compétences. Si vous êtes débutant, il vaut mieux commencer par un petit projet et choisir un dessin simple ne comprenant pas trop de pièces. Il vous sera plus facile de copier un modèle existant que d'en créer un.

Les techniques d'assemblage recommandées pour chaque type de patchwork peuvent aussi influencer votre choix. Il en existe deux, selon que vous voulez exécuter un patchwork à forme unique ou un patchwork à pavés ouvrés; elles sont brièvement expliquées à droite. Dans le cas du patchwork à forme unique, on recommande la couture à la main plutôt que la couture à la machine, car elle se prête mieux aux variations éventuelles dans la préparation et l'assemblage des morceaux (pp. 232-234). Dans le cas du patchwork à pavés ouvrés, la couture peut se faire à la main ou à la machine. Les formes qui s'assemblent avec des coutures droites seront plus faciles à coudre que les formes qui présentent des arrondis ou des angles (voir explications plus détaillées, pp. 220-231).

Vous devez également prendre en considération la dimension des pièces nécessaires à la réalisation de l'ouvrage et leur nombre. Vous déterminerez l'une et l'autre lorsque vous ferez la maquette du patchwork (p. 217). En général, plus un dessin compte d'éléments, plus il sera long à exécuter : au fond, ce n'est pas la taille de l'ouvrage fini qui compte mais le nombre d'éléments qui entrent dans sa composition. Un seul pavé Etoile simple peut être réalisé aux dimensions d'une courtepointe ou d'un coussin. Qu'il soit grand ou petit, le motif de base comprend toujours le même nombre d'éléments : dans ce cas-ci, dix-sept.

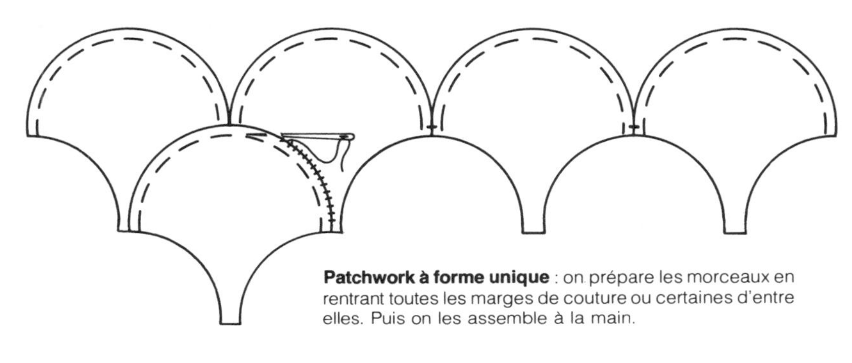

Patchwork à forme unique : on prépare les morceaux en rentrant toutes les marges de couture ou certaines d'entre elles. Puis on les assemble à la main.

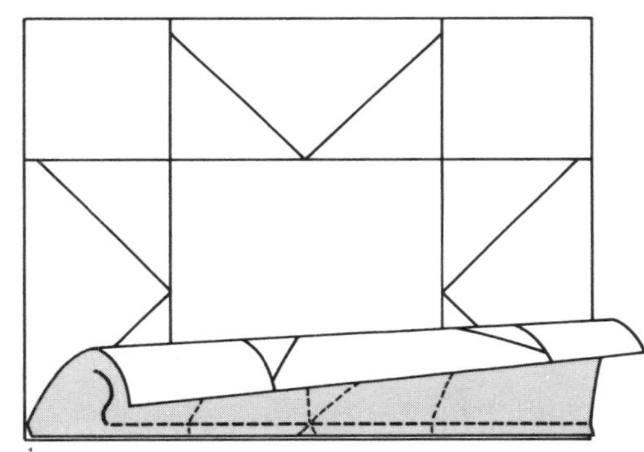

Patchwork à pavés ouvrés : on peut coudre ce type de patchwork à la main ou à la machine. On assemble d'abord les composants de chaque pavé (illustration 1) : s'il s'agit d'un pavé en patchwork, les éléments sont cousus ensemble; pour un pavé en appliqué, on coud l'appliqué sur le tissu de fond. Les pavés sont ensuite assemblés en bandes (illustration 2); puis les bandes sont réunies (illustration 3).

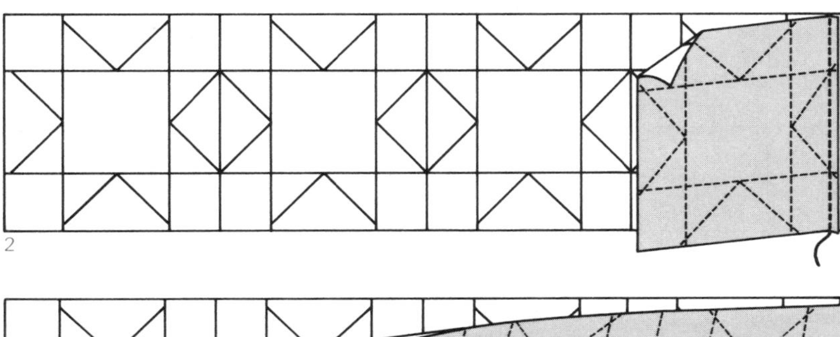

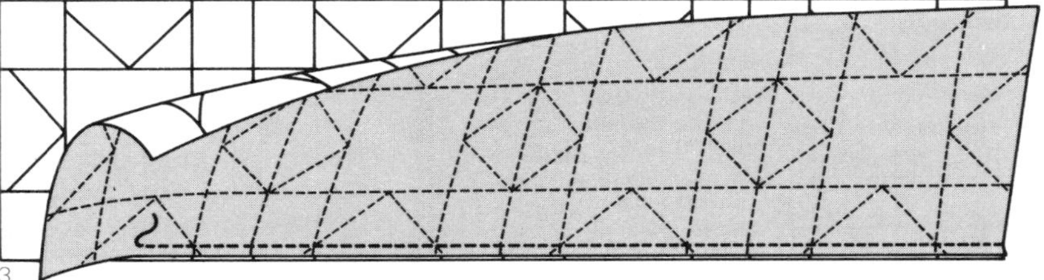

Tissus et équipement

On devrait faire entrer dans un patchwork des tissus de texture, de poids et d'entretien comparables, car ils s'assemblent plus facilement et donnent un résultat équilibré; nous recommandons des tissus de poids moyen. On peut laver ou nettoyer sans crainte de l'abîmer un article composé de tissus qui s'entretiennent de la même manière.

Avant d'acheter les tissus, faites une maquette de votre patchwork (p. 217). Elle vous donnera une bonne idée du résultat final et vous permettra d'étudier l'agencement des coloris et des imprimés. De plus, vous pourrez déterminer la dimension exacte de chaque morceau et préparer les gabarits (modèles); ces derniers serviront aussi à calculer la quantité de chaque tissu nécessaire à la réalisation du patchwork (p. 219). Quand vous achèterez vos tissus, recherchez les couleurs et les imprimés qui se rapprochent le plus de ceux que vous avez indiqués sur la maquette. Si vous hésitez sur l'agencement des couleurs et des imprimés, achetez de petites quantités de tissu et faites des essais, jusqu'à ce que le résultat vous plaise.

Vous aurez aussi besoin de certains accessoires de dessin et de couture. Pour la conception de la maquette, il vous faudra des crayons, du papier quadrillé, une gomme, une règle et des crayons de couleur. Un compas vous aidera à tracer les courbes et les cercles; un rapporteur servira à diviser les cercles. Faites les gabarits dans du papier fort ou du papier sablé fin. Pour la coupe et la couture, il vous faudra des ciseaux, des épingles, des aiguilles pour coudre à la main ou à la machine et du fil. Utilisez du fil blanc ou d'une couleur assortie à chaque tissu. Marquez les contours et les lignes de couture à la craie tailleur; il est conseillé de prendre une craie blanche pour les tissus foncés, et colorée pour les tissus clairs.

L'ABC du patchwork

Motifs à lignes droites

De toutes les formes traditionnelles de patchwork, le **carré** est la plus courante. On peut dessiner un carré parfait sur du papier quadrillé.

Quand vous faites l'esquisse de votre motif, les dimensions du carré importent peu, mais à l'étape des gabarits, il vous faut dessiner le motif à sa grandeur réelle (p. 218). Le carré doit être alors subdivisé en un nombre égal de petits carrés de mêmes dimensions; ces carrés intérieurs forment la grille qui servira de base aux éléments du dessin. La division la plus simple est la division en quatre : deux carrés en hauteur sur deux en largeur (2×2). Mais il peut y en avoir beaucoup plus. Et plus il y a de carrés dans une grille, plus il y a de possibilités de varier le nombre et la forme des éléments. Les pavés présentés sur ces deux pages illustrent une gamme de motifs des plus simples aux plus complexes. Nous avons fait ressortir la grille sous-jacente à chaque motif afin d'en laisser « voir » la structure.

Certains motifs se composent uniquement des carrés de la grille, par exemple le Damier (1). Dans d'autres motifs, les carrés sont regroupés en rectangles ou en carrés plus grands, comme dans le Coin de patience (9).

Les diagonales permettent de créer des formes plus complexes. Une diagonale peut traverser un rectangle ou un carré; c'est une ligne droite tracée entre deux angles opposés. La diagonale d'un carré forme deux triangles isocèles (ou demi-carrés). La diagonale d'un rectangle forme deux triangles scalènes (ou demi-rectangles). Les triangles peuvent être utilisés tels quels ou groupés avec d'autres triangles, des carrés ou des rectangles, créant ainsi de nouvelles formes. Des triangles isocèles sont à la base du Moulin à vent (2). Deux triangles isocèles dont les bases se rejoignent au sommet constituent chacun des quatre grands triangles de l'Etoile simple (4). Des triangles isocèles dont les bases sont parallèles produisent les « chutes » du Panier de chutes (6). Le morceau central du motif Anne la Folle (14) résulte de l'assemblage de deux triangles scalènes à un carreau de la grille. La forme inusitée que l'on retrouve aux angles de la Tribune de Lincoln (15) regroupe trois carreaux de base et deux triangles isocèles.

L'effet produit par un motif dépend grandement de l'agencement des couleurs (p. 216).

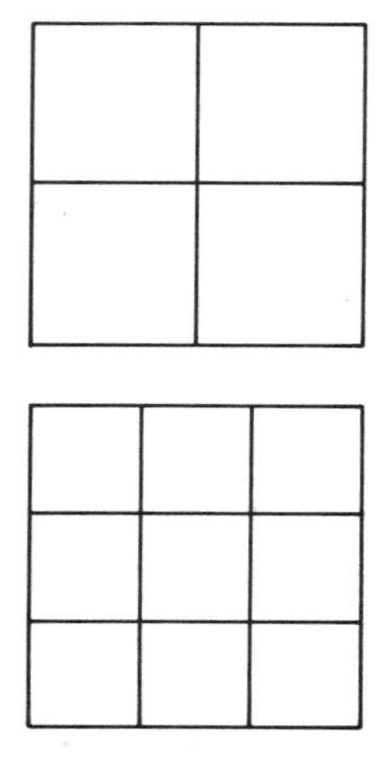

Une grille s'obtient par la division d'un carré en carrés égaux plus petits. Pour ce faire, mesurez les côtés du carré et indiquez sur chacun les divisions par des points. Reliez les points par des lignes : vous obtiendrez une grille. A gauche, en haut, une grille de 2 x 2; en bas, une grille de 3 x 3. A droite, en haut, une grille de 4 x 4; et en bas, une grille de 5 x 5.

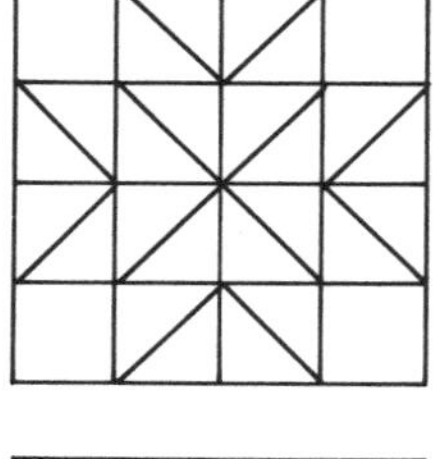

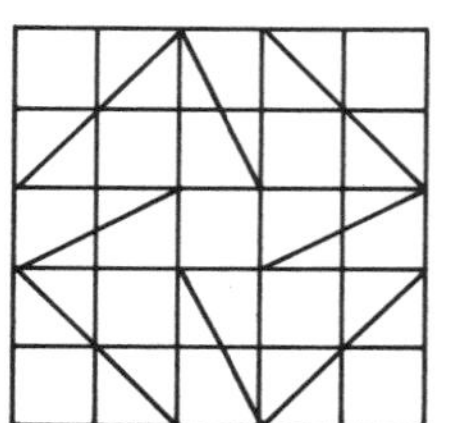

Une diagonale tracée entre deux angles opposés d'un carré ou d'un rectangle formera deux triangles. Les triangles peuvent être utilisés tels quels ou groupés avec d'autres formes pour en créer de nouvelles. La première illustration montre les diagonales de l'Etoile à huit branches (p. 222); la seconde, celles du motif Anne la Folle (n° 14, page ci-contre).

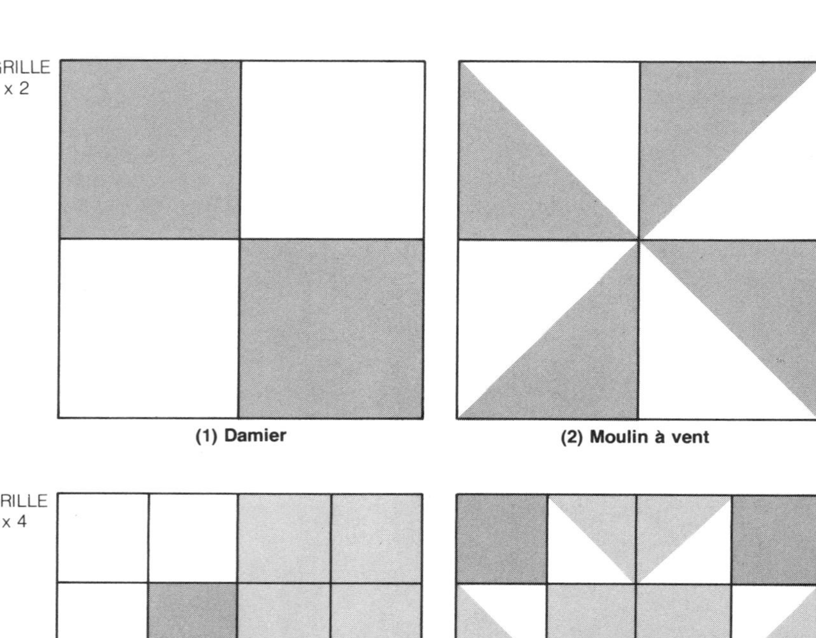

(1) Damier

(2) Moulin à vent

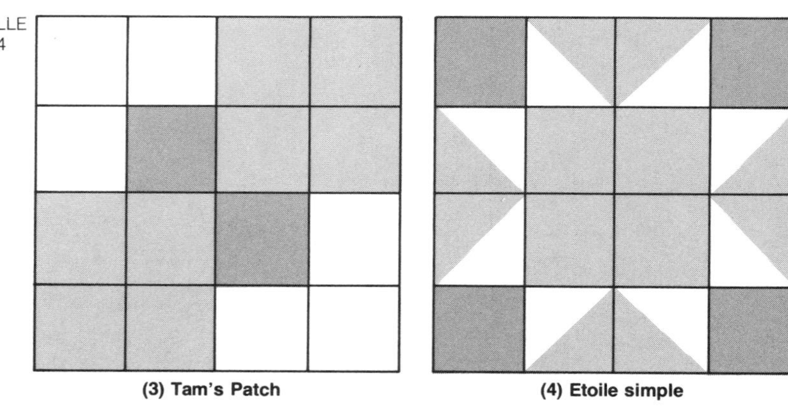

(3) Tam's Patch

(4) Etoile simple

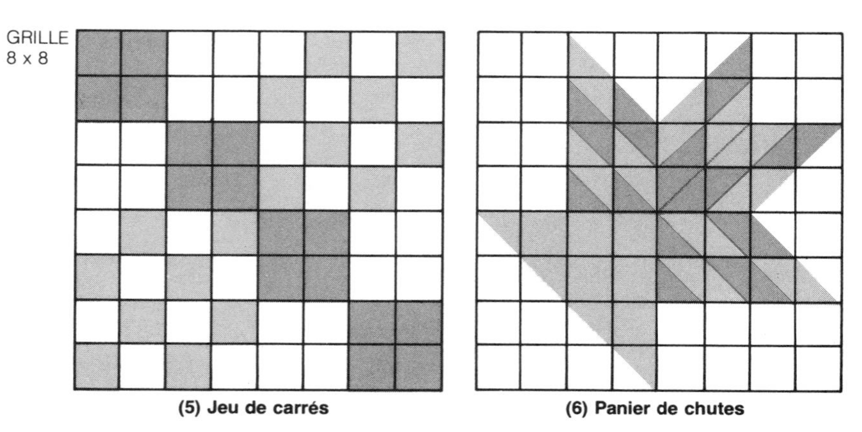

(5) Jeu de carrés

(6) Panier de chutes

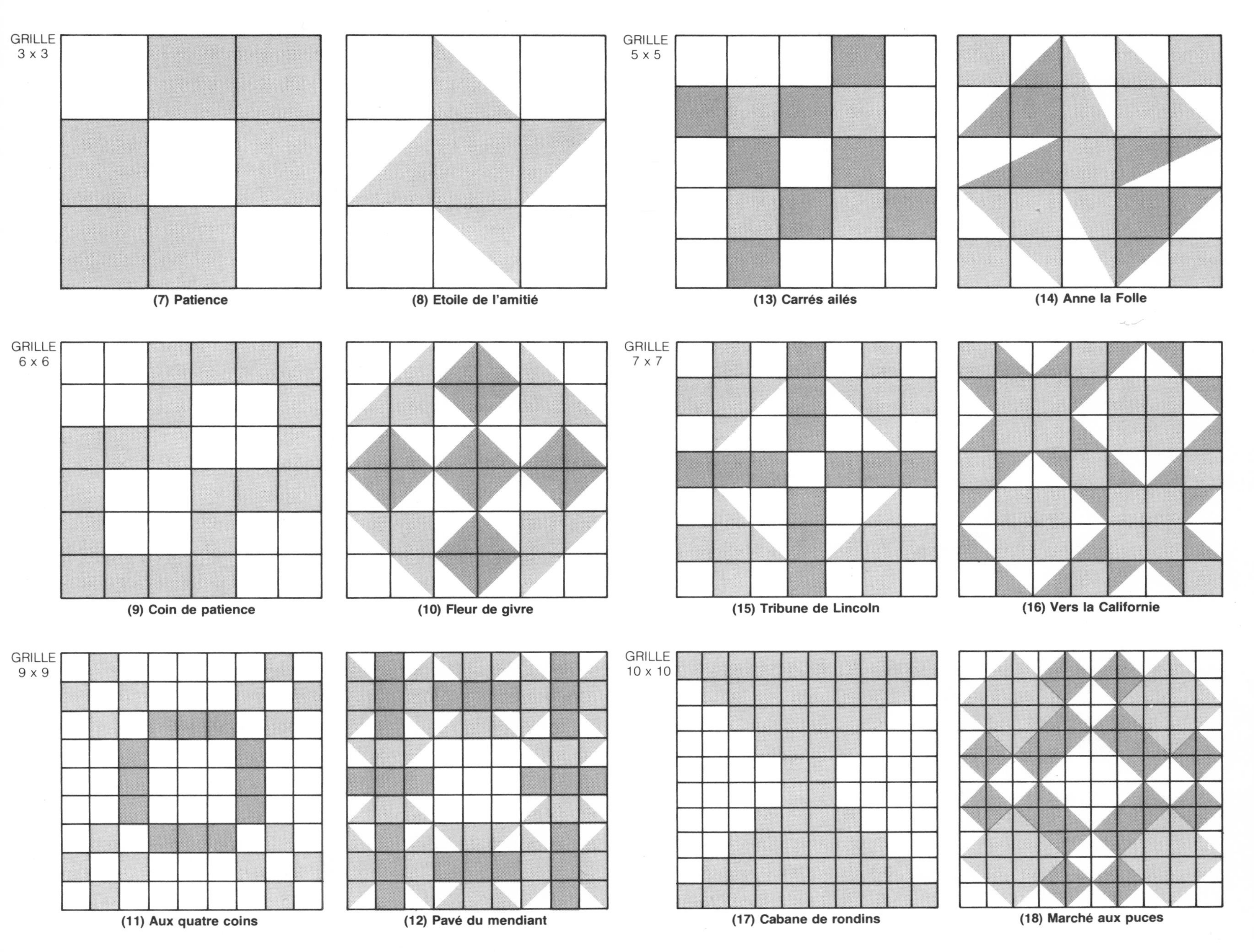

(7) Patience

(8) Etoile de l'amitié

(13) Carrés ailés

(14) Anne la Folle

(9) Coin de patience

(10) Fleur de givre

(15) Tribune de Lincoln

(16) Vers la Californie

(11) Aux quatre coins

(12) Pavé du mendiant

(17) Cabane de rondins

(18) Marché aux puces

Motifs à lignes courbes

Les motifs de patchwork que l'on voit sur ces pages illustrent l'utilisation de courbes (cercles ou parties de cercles). Les techniques de réalisation, qui font appel à des notions fondamentales sur le cercle, sont expliquées pour chacun des motifs.

Un *cercle* est une courbe fermée dont tous les points sont à égale distance du centre : son périmètre s'appelle la *circonférence*. La distance entre un point quelconque de la circonférence et le centre du cercle se nomme le *rayon*. Le *diamètre* est égal au double du rayon; c'est la droite qui relie deux points d'un cercle en passant par son centre. Tout cercle a 360°.

Pour tracer un cercle, on utilise un compas. Pour obtenir un cercle d'une dimension donnée, il vaut mieux le dessiner dans un carré. La dimension du carré et du cercle qu'on y inscrit dépend du motif choisi (voir le Soleil, les Fleurs de grand-mère). Leur centre commun est fixé par des perpendiculaires qui agissent comme diamètres et rayons.

Une portion de la circonférence appelée *arc* entre aussi dans la composition des formes. Une division en six parties reliées par des droites forme un hexagone. Un arc et deux rayons délimitent une partie de cercle appelée *secteur*. Un arc égal à la moitié de la circonférence est un demi-cercle de 180° (la Coquille). Un arc égal au quart de la circonférence et limité par deux rayons formant un angle droit est un quart de cercle de 90° (la Coquille et le Chemin de l'ivrogne). Pour obtenir un secteur inférieur à 90°, utilisez un rapporteur (le Soleil).

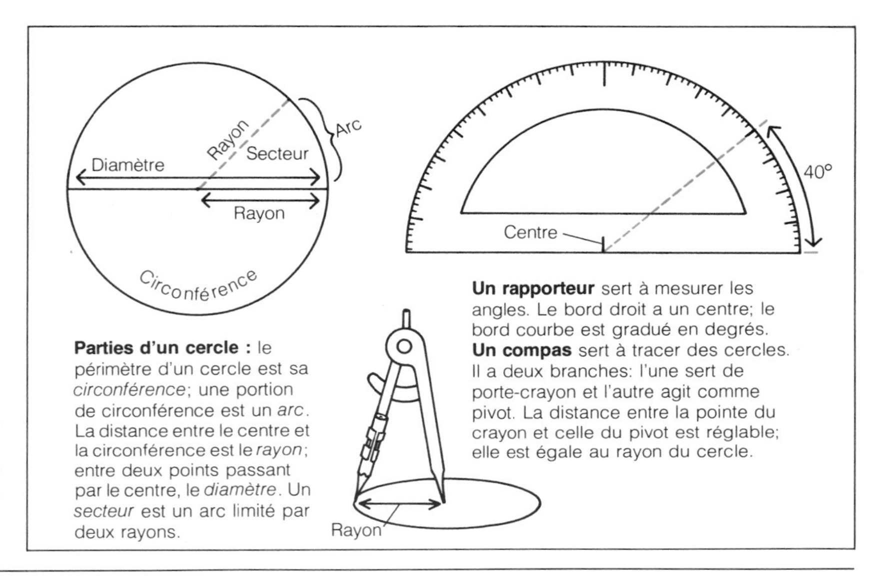

Parties d'un cercle : le périmètre d'un cercle est sa *circonférence*; une portion de circonférence est un *arc*. La distance entre le centre et la circonférence est le *rayon*; entre deux points passant par le centre, le *diamètre*. Un *secteur* est un arc limité par deux rayons.

Un rapporteur sert à mesurer les angles. Le bord droit a un centre; le bord courbe est gradué en degrés. **Un compas** sert à tracer des cercles. Il a deux branches: l'une sert de porte-crayon et l'autre agit comme pivot. La distance entre la pointe du crayon et celle du pivot est réglable; elle est égale au rayon du cercle.

Cercle/petits secteurs

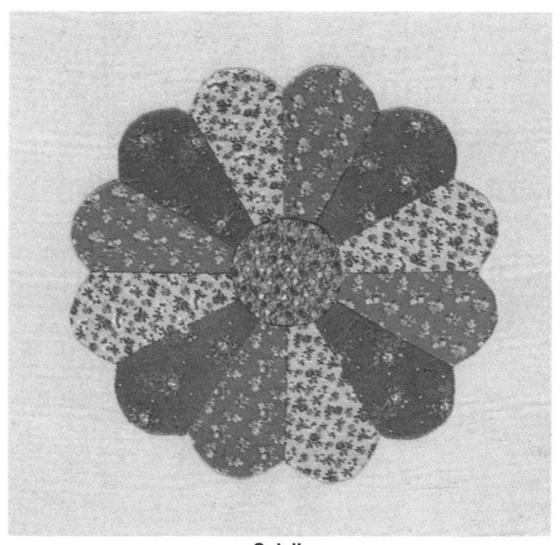

Soleil

Des cercles concentriques constituent les formes de ce pavé en appliqué. Un carré délimite le fond et sert de guide pour le grand cercle. Celui-ci est divisé en secteurs qui forment les morceaux en pointe de tarte. La pièce centrale est un petit cercle.

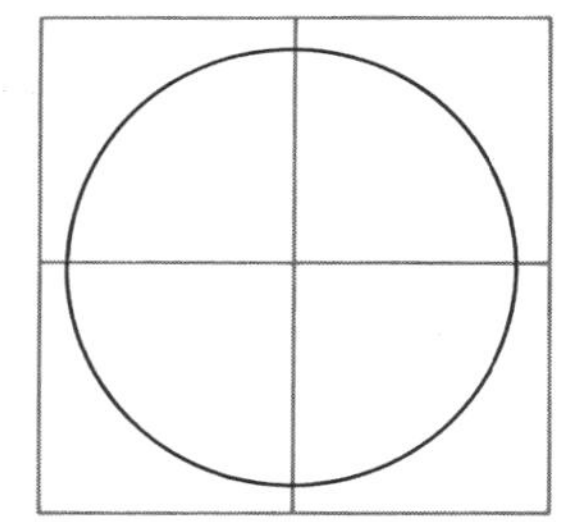

1. Dessinez un carré (si vous faites des gabarits, donnez-lui sa taille réelle). Marquez le centre de chaque côté. Reliez les marques du haut et du bas par une ligne verticale, celles des côtés par une ligne horizontale. Le point d'intersection de ces droites est le centre du cercle. Placez le pivot du compas sur le centre du cercle. Ecartez la pointe du crayon jusqu'à un point assez rapproché du côté du carré; si vous dessinez un gabarit, ce point se situera à environ 4 cm (1½") du côté. Tracez le cercle.

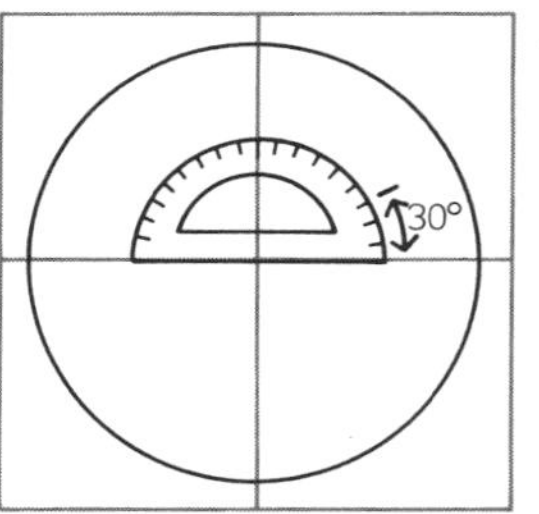

2. Pour évaluer en degrés chacun des secteurs, commencez par déterminer le nombre des pointes; divisez 360 (un cercle a 360°) par ce nombre. L'appliqué à gauche a 12 pointes de 30° chacune. Pour obtenir un secteur qui aura l'angle désiré, procédez de la façon suivante : alignez le bord droit du rapporteur sur la ligne centrale horizontale; alignez le centre du rapporteur sur la ligne verticale. Choisissez la graduation désirée sur le côté courbe du rapporteur; marquez d'un trait (dans ce cas, 30°).

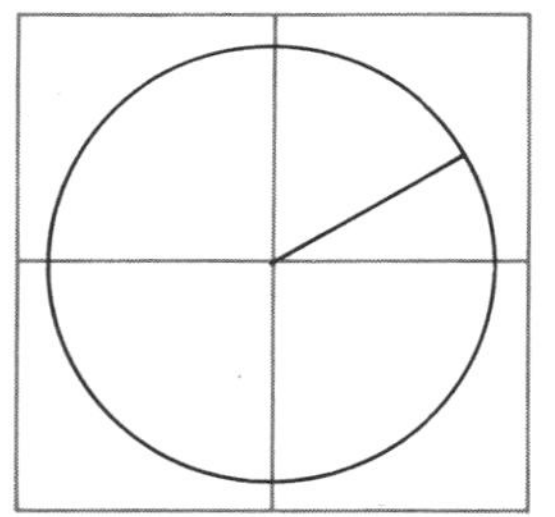

3. Retirez le rapporteur. Avec une règle, alignez le centre du carré et la marque de l'angle. Tracez alors le rayon joignant le centre et la circonférence en passant par la marque de l'angle. Retirez la règle. La ligne horizontale constitue le deuxième rayon du secteur.

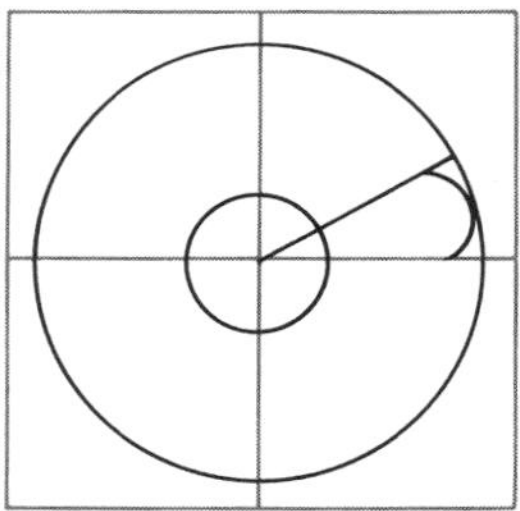

4. A main levée, arrondissez le bord du secteur. Placez ensuite le pivot du compas sur le centre du carré; écartez suffisamment la pointe du crayon pour dessiner un petit cercle. Le petit cercle est la forme définitive du morceau central de l'appliqué. Le secteur, de son nouveau bord arrondi au petit cercle, représente la forme réelle de chacune des pointes de l'appliqué. Pour les gabarits, vous n'avez besoin que de ces deux formes. Mais vous pouvez dessiner à grands traits les autres pointes.

Cercle/petits arcs

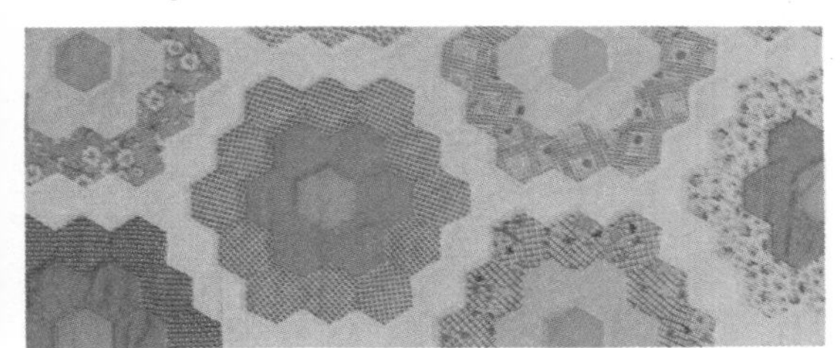
Fleurs de grand-mère

Cubes

Un cercle divisé en six arcs est à la base de l'**hexagone** qui se retrouve dans ces deux patchworks. Les *Fleurs de grand-mère* se composent simplement de petits hexagones. Les *Cubes* sont formés de grands hexagones composés chacun de trois **losanges** égaux. Pour construire un hexagone, on doit d'abord dessiner un carré dont les côtés seront égaux à la hauteur de l'hexagone. L'hexagone achevé aura la même hauteur que le carré, mais sera plus étroit. En général, les hexagones des Fleurs de grand-mère ont 4 cm (1½″) de haut sur un peu plus de 3,25 cm (1¼″) de large et ceux des Cubes, 15 cm (6″) de haut sur 13 cm (un peu plus de 5″) de large.

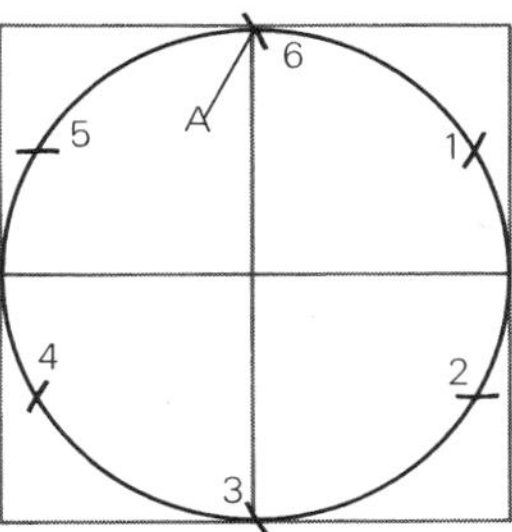

Pour dessiner un hexagone, tracez un carré et inscrivez-y un cercle. Le compas étant toujours au même écartement que pour le rayon, divisez la circonférence en six arcs égaux. Tracez le premier arc en plaçant le pivot du compas sur A; tracez les arcs suivants en plaçant le pivot à l'intersection de l'arc précédent et de la circonférence.

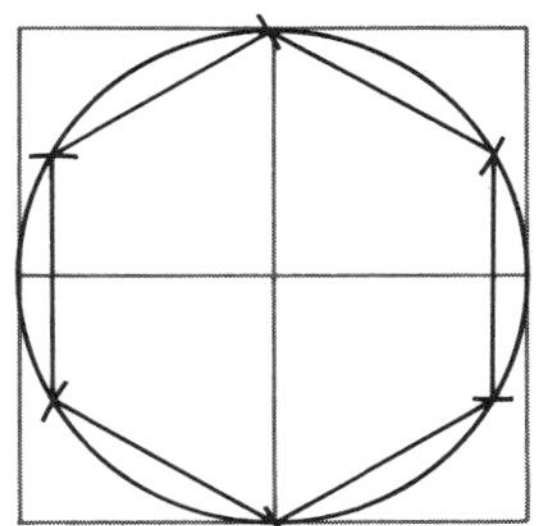

Tracez ensuite les six côtés de l'hexagone en alignant les points d'intersection de deux arcs voisins et en les reliant avec une règle par une ligne droite.

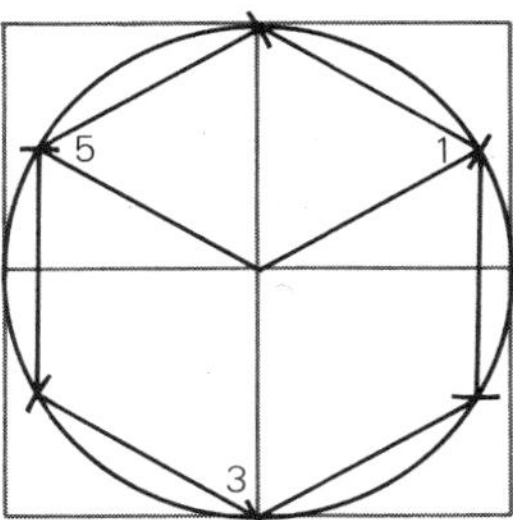

Pour les Cubes, commencez par tracer un hexagone. Divisez-le ensuite en trois losanges égaux, comme ceci : joignez par une droite le point d'intersection 1 et le centre, puis le point d'intersection 5 et le centre. La partie inférieure de la médiane verticale, du centre au point d'intersection 3, constitue l'autre ligne de démarcation.

Demi-cercle/quarts de cercle

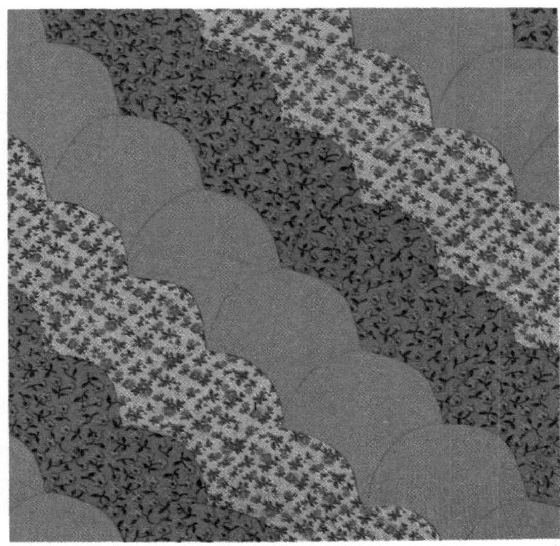
Coquille

Un demi-cercle et deux quarts de cercle entrent dans la composition de la *Coquille*. Pour réaliser une coquille aux dimensions voulues, tracez un carré de la hauteur et de la largeur de la coquille. La dimension la plus courante est de 7,5 cm (3″) de côté.

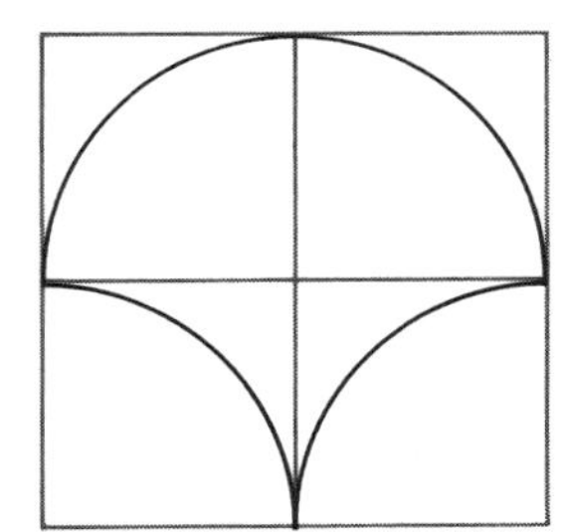

Tracez un carré et indiquez-en le centre (étape 1, page ci-contre). Placez le pivot du compas sur le centre. Ecartez la branche porte-crayon le long de la médiane horizontale jusqu'au côté du carré; tracez un demi-cercle dans la partie supérieure du carré. Conservez le même écartement et placez le pivot sur l'angle inférieur gauche; tracez le premier quart de cercle; tracez l'autre, en plaçant le pivot sur l'angle inférieur droit.

Chemin de l'ivrogne

Un quart de cercle plus petit qu'un carré est l'élément répétitif de ce pavé en patchwork. Au départ, on divise le pavé selon une grille de 4 x 4; on trace ensuite au compas des quarts de cercle identiques dans chacun des 16 carrés de la grille.

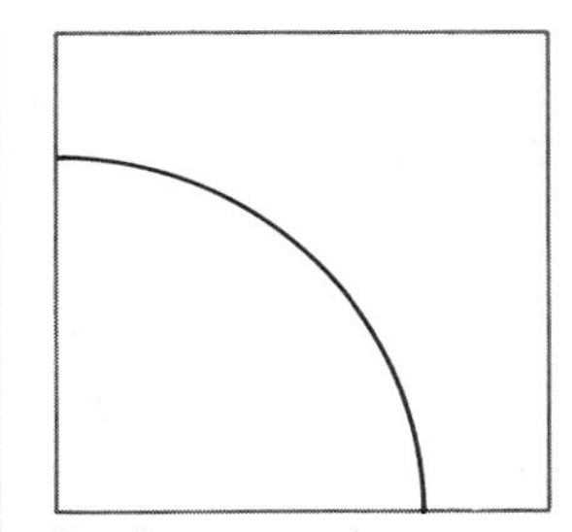

Dessinez un carré; inscrivez-y une grille de 4 x 4 (p. 210). Placez le pivot du compas sur un angle d'un carré de la grille; écartez la branche porte-crayon jusqu'aux trois quarts environ du côté du carré. Dessinez un quart de cercle en faisant pivoter le crayon jusqu'au côté adjacent. Pour les gabarits, il suffit de dessiner un seul quart de cercle. A l'étape de la conception, tracez-en un dans chaque carré; répartissez les quarts de cercle en vous guidant sur l'illustration de gauche.

Conception des appliqués

Les pavés en appliqué les plus courants se composent d'un appliqué d'une ou de plusieurs épaisseurs et d'un carré de tissu pour le fond. Dans le cas d'une seule épaisseur, les appliqués n'ont qu'une seule couleur et leur forme est généralement celle d'un objet simple, facilement identifiable, que l'on peut calquer ou dessiner à main levée. La Feuille d'érable est un motif en appliqué d'une épaisseur. Un motif plus complexe comme le Flocon de neige s'obtient par le découpage d'un papier plié (p. 193). Dans les appliqués de plusieurs épaisseurs, on peut utiliser plus d'un coloris et les motifs (calqués ou dessinés) seront plus élaborés. La Rose et les fleurs de la Corbeille de fleurs en sont des exemples.

A l'étape de la conception, les dimensions du carré et de l'appliqué importent peu; à celle des gabarits, il faut toutefois les dessiner à la grandeur réelle. L'appliqué doit entrer dans le carré sans nécessairement le recouvrir en entier. Pour faire vos motifs à leurs dimensions réelles, reportez-vous aux pages 14-15; pour un motif à partir d'un découpage, prenez une feuille de papier de la grandeur de l'appliqué.

Il y a deux autres sortes de pavés ouvrés en appliqué; la première se compose d'un appliqué en patchwork sur un fond. On dessine un appliqué qui est centré dans le carré; on subdivise ensuite l'appliqué en ses éléments constituants. Le Soleil en est un exemple (les détails de réalisation se trouvent à la page 212). La seconde méthode consiste à combiner un appliqué d'une ou de plusieurs épaisseurs et un motif en patchwork; c'est le cas de la Corbeille de fleurs. Pour réaliser ce motif, dessinez un carré que vous subdiviserez en carrés plus petits (grille de 6×6); composez le motif de patchwork (pp. 210-211), puis dessinez l'appliqué qui recouvrira la partie supérieure.

Feuille d'érable

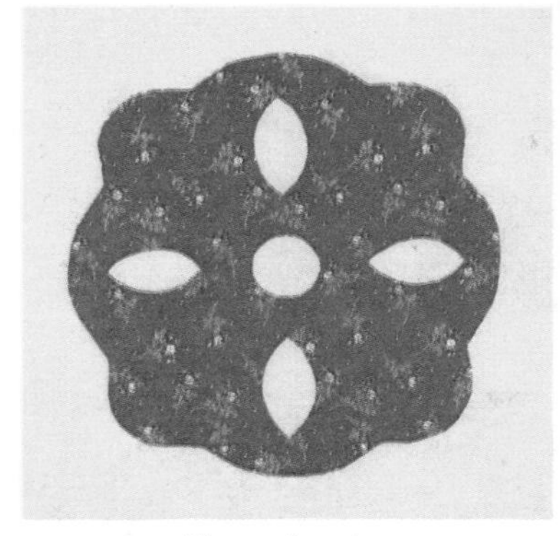
Flocon de neige

Rose

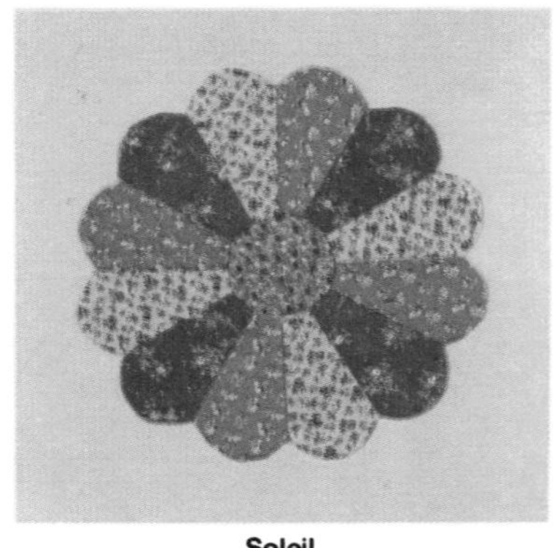
Soleil

Corbeille de fleurs

Patch craquelé (ou crazy patchwork)

Les motifs de patch craquelé se distinguent des autres motifs de patchwork par l'irrégularité des formes, des dimensions et des teintes utilisées. A l'origine, le patch craquelé formait un seul grand pavé. Il est plus simple de former des petits pavés qui seront ensuite assemblés. Le carré de fond sur lequel on coud les morceaux est le seul élément qui doit avoir des dimensions précises, que vous lui donnerez lorsque vous ferez votre maquette (p. 217). A droite, nous vous suggérons un agencement des morceaux d'un pavé.

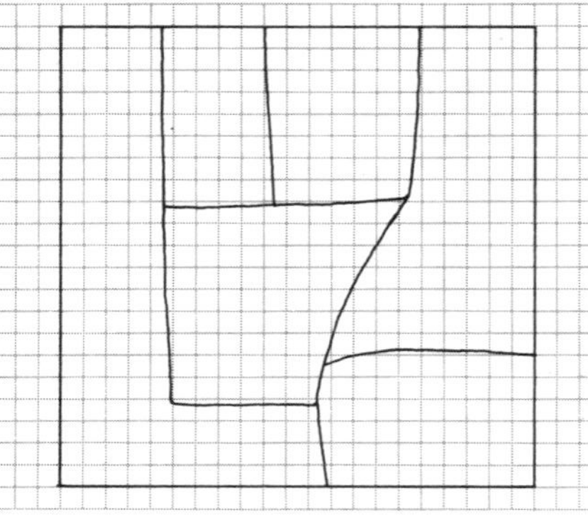

Une esquisse de l'agencement des formes peut être utile tant pour la conception que pour la réalisation d'un patch craquelé. Imaginer l'agencement de formes irrégulières constitue la principale difficulté du patch craquelé. L'esquisse vous permet de concrétiser le dessin que donne l'agencement des formes et de modifier celles-ci, au besoin, avant la coupe. Vous pouvez aussi colorer les formes afin d'étudier l'harmonie des tons. Si vous le désirez, vous pouvez agrandir l'esquisse sur un papier aux dimensions réelles de l'ouvrage; ensuite vous découperez les morceaux qui vous serviront à tailler vos tissus. Prévoyez une marge de 0,5 cm (¼") autour de chaque pièce.

Bandes intercalaires et bordures

Outre les motifs de base, un patchwork comprend deux autres éléments : les bandes intercalaires et les bordures. Faites de bandes de tissu et jointes aux autres éléments du patchwork, elles font partie intégrante de l'ouvrage. Les bandes intercalaires sont cousues entre les pavés et les bandes de pavés; les bordures sont assemblées autour des pavés. Il faut penser à la place que vous leur accorderez quand vous faites la maquette de votre patchwork (p. 217). Vous pouvez alors juger des éléments nécessaires à votre ouvrage; l'addition de bandes intercalaires ou de bordures peut lui donner des dimensions plus équilibrées.

Selon l'effet que vous voulez obtenir, les bandes peuvent être faites de pièces d'un seul tenant ou de plusieurs morceaux de tissu (en patchwork). Pour les bandes d'un seul tenant vous n'aurez pas besoin de gabarits; il suffit de calculer la longueur et la largeur de la pièce et d'ajouter une marge de couture de 0,5 centimètre (¼") de chaque côté. Au besoin, mettez bout à bout plusieurs longueurs pour obtenir la dimension voulue. Vous pourrez décorer ces bandes avec des appliqués; choisissez alors bien le motif et la place que vous lui accorderez. Pour les appliqués, il faudra confectionner des gabarits.

Les bandes formées de morceaux de tissu se composent de motifs de patchwork simples. Il faut d'abord choisir le motif approprié à l'ouvrage et prévoir combien de fois on devra le répéter pour former une bande. Nous présentons plusieurs motifs à l'extrême droite; pour plus de détails, revenez aux pages 210-211. Quand vous élaborez votre projet, faites attention aux coins et aux points d'intersection des bandes : il peut arriver que les motifs n'aillent pas ensemble; on remédie à ce problème en utilisant des carrés unis dans les angles et les intersections. Dans d'autres cas, il suffira de modifier les couleurs.

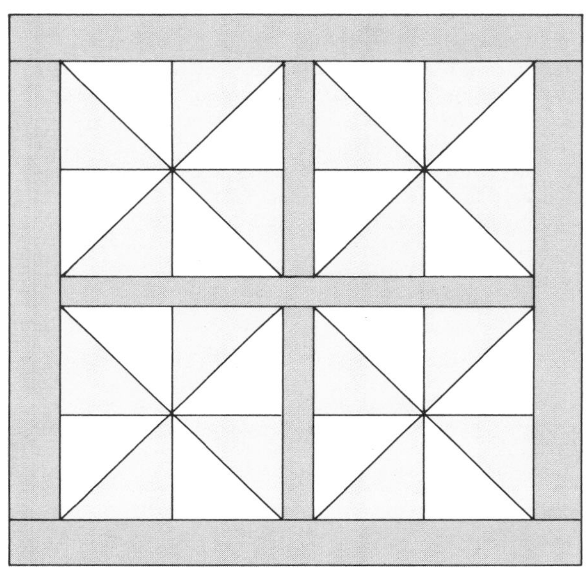

Les bandes intercalaires et les bordures d'un seul tenant peuvent être laissées telles quelles ou être décorées d'appliqués. Nous présentons ci-dessous quelques modèles de bandes en appliqué.

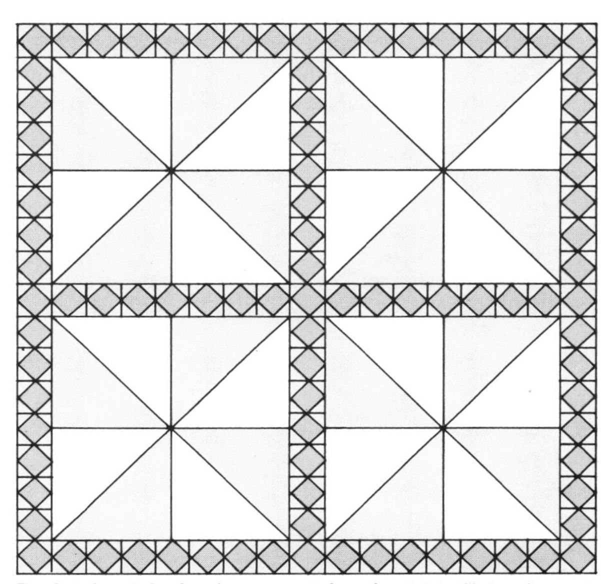

Des bandes et des bordures en patchwork ont été utilisées dans cet ouvrage. Leur dessin est la répétition d'un petit motif de base. Remarquez les motifs de pavés pour bandes, illustrés ci-dessous.

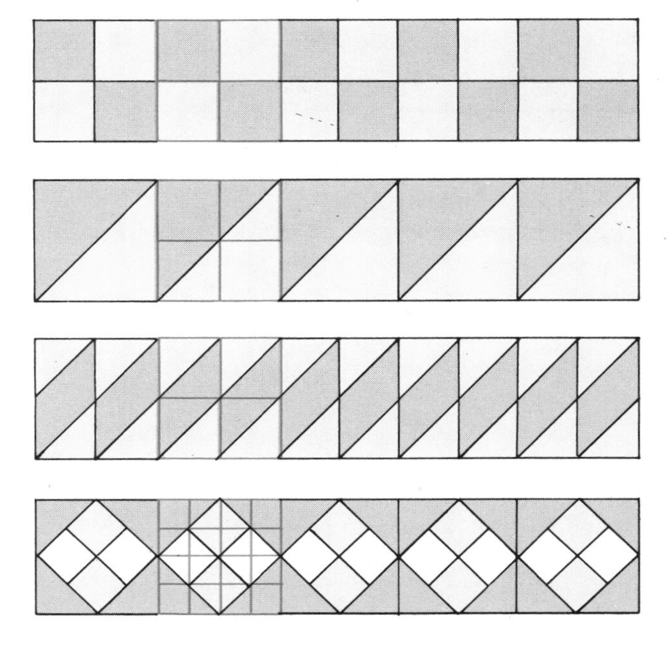

Rôle de la couleur dans la conception d'un patchwork

Le choix des coloris et leur répartition sont primordiaux : l'impression d'ensemble qui se dégage du patchwork dépend d'eux. Il est simple d'agencer les couleurs d'un seul pavé ouvré; par contre, si l'on exécute un patchwork composé de plusieurs pavés ouvrés, on doit penser à l'interaction des couleurs une fois l'assemblage terminé.

Le choix des couleurs est une question de goût personnel. Leur disposition dépend de la partie de l'ouvrage que vous désirez souligner : ou vous choisirez de mettre l'accent sur le *motif de base*, ou vous préférerez accorder plus d'importance à la *composition résultant de l'assemblage* des motifs. Supposons que l'idée d'une composition d'ensemble vous plaise, désirez-vous que celle-ci fasse plus d'effet que ses composantes? Ou bien voulez-vous créer un effet de réciprocité?

Il vous faut étudier les coloris et leur répartition; une bonne façon de le faire consiste à esquisser divers projets de couleurs sur une maquette de votre patchwork. Voici quelques principes généraux sur la couleur.

Les couleurs dominantes — rouges, jaunes et oranges — ressortent plus que les bleus, les verts et les violets. Ainsi dans une combinaison de rouge et de vert, le rouge sera placé là où l'on veut mettre l'accent.

Les tons clairs se détachent plus que les tons foncés. La dominance d'un ton clair dépend toutefois de la couleur dont il dérive : ainsi un rose, dérivé du rouge, ressort davantage qu'un bleu de valeur comparable. L'impact d'une couleur est d'autant plus grand qu'elle recouvre une surface plus vaste.

Si vous voulez mettre le motif en évidence, placez l'accent à l'*intérieur* du motif, et *sur les bords*, si vous désirez faire valoir la composition d'ensemble. Vous leur donnerez une importance égale en équilibrant les divers éléments.

La disposition des éléments peut également modifier l'apparence du dessin. Voyez ci-dessous l'effet saisissant d'un montage diagonal.

Les imprimés : les imprimés à petits motifs font merveille dans un patchwork. Ils n'affectent que très peu la qualité de la couleur.

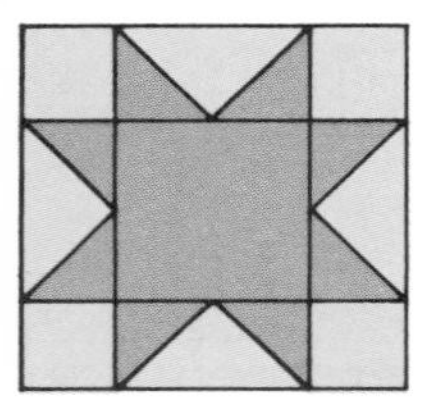

Une même teinte sur toute la surface de l'étoile accentue suffisamment le motif pour qu'il demeure l'élément dominant de la composition. La couleur, de valeur moyenne, mais contenant du jaune et du rouge (des couleurs à forte dominance), met en valeur le motif.

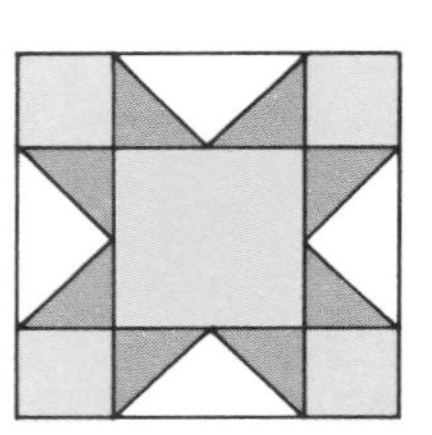

Ici, les masses de couleur et les contrastes s'équilibrent, les coloris étant répartis également sur l'ensemble. Examinez le dessin en laissant votre œil se déplacer naturellement dessus; vous passerez facilement de la perception du motif de base à la composition d'ensemble.

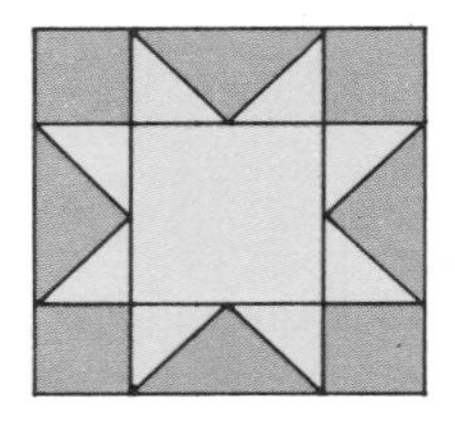

Les pavés montés en diagonale et bordés par une couleur forte montrent à quel point l'assemblage peut transformer le motif. L'œil est entraîné en diagonale, ce qui donne plus d'importance à la composition d'ensemble qu'au motif de base; on doit faire un effort pour repérer celui-ci.

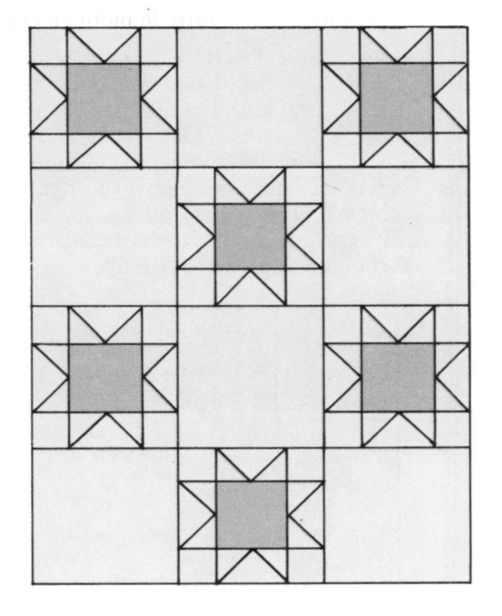

L'alternance des pavés unis et ouvrés est sans aucun doute la façon la plus efficace et la plus simple de mettre en valeur le motif de base, si c'est ce que vous désirez. Les pavés unis séparent les pavés en patchwork, les faisant ressortir. C'est une solution à envisager lorsqu'on fait ses premières armes dans le choix et l'agencement des coloris, car elle évite d'avoir à se heurter aux modifications importantes du dessin au moment de l'assemblage. Les pavés unis pourraient être d'une tout autre couleur que celles qui sont utilisées dans les pavés ouvrés, mais il est plus simple et plus efficace de reprendre une des teintes du motif.

Les bandes intercalaires soulignent les motifs comme le ferait le cadre d'un tableau. Elles sont faites de bandes de tissu d'un seul tenant, mais peuvent aussi être travaillées en patchwork (p. 215). On introduit souvent les bandes dans un patchwork pour agrandir ses dimensions. Si vous préférez assembler vos motifs bord à bord, vous pouvez recourir aux bordures plutôt qu'aux bandes pour agrandir l'ouvrage. Vous pouvez aussi combiner les deux solutions. Vous trouverez à la page 215 des renseignements sur les diverses utilisations des bandes intercalaires et des bordures. Les techniques d'assemblage des pavés et des bandes sont expliquées aux pages 230-231.

Maquette du patchwork

Avant de faire le schéma de votre patchwork, fixez les dimensions de ses éléments et voyez les dimensions totales que cela vous donne; modifiez la taille et le nombre des éléments, si nécessaire. Supposons que vous vouliez un patchwork de 200×240 centimètres (80″×96″) et que vous projetiez d'utiliser cinq pavés Etoile simple en largeur et six en hauteur, ainsi que des bandes intercalaires entre les pavés et les rangées. Si vos pavés ont 30 centimètres (12″) de côté, vous aurez au total 150×180 centimètres (60″×72″); si les bandes ont 7,5 centimètres (3″) de large, le total sera de 180×217,5 centimètres (72″×87″); ajoutez une bordure de 10 centimètres (4″) et les dimensions finales de l'ouvrage seront de 200×237,5 centimètres (80″×95″), presque la grandeur projetée. Un autre plan, ci-dessous, permet d'arriver exactement à 200×240 centimètres (80″×96″), avec des pavés plus grands (40 cm/16″) mais moins nombreux (4 en largeur et 5 en hauteur), et une bordure de 20 centimètres (8″).

Si les éléments ainsi combinés forment une agréable composition, dessinez-les à l'échelle sur du papier quadrillé et notez les dimensions réelles de chacun. Fixez ensuite votre choix de couleurs. Placez un papier de soie sur la maquette et colorez les éléments. Changez de papier à chaque nouveau plan de couleur. Laissez le plan définitif sur la maquette. Achetez des tissus dont les coloris s'apparentent à ceux de la maquette. Consultez celle-ci quand vous fabriquerez les gabarits (pp. 218-219).

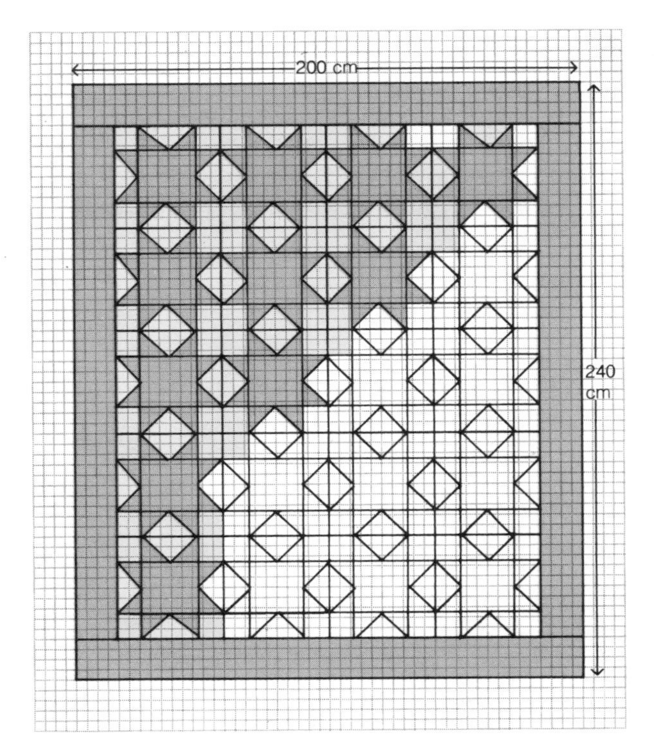

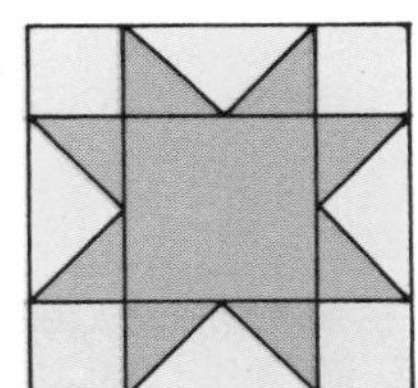

Grandeur réelle :
200 cm de large sur 240 cm de long (80″ x 96″)
Eléments :
20 pavés Etoile simple de 40 cm (16″) de côté, colorés comme sur l'illustration

4 bandes de bordure brunes mesurant chacune 21 cm sur 201 cm (8½″ x 80½″); la mesure comprend une marge de couture de 0,5 cm (¼″) de chaque côté.

Patchworks à pavés ouvrés

Fabrication des gabarits

La première étape de l'exécution d'un patchwork consiste à fabriquer un gabarit de coupe et un gabarit de pliure pour chacune des formes du dessin. Pour fabriquer des gabarits de la bonne dimension et de la forme voulue, dessinez d'abord les contours exacts de chaque élément du patchwork, dans leurs dimensions définitives. (Les gabarits sont indispensables sauf pour le patch craquelé, et pour les bandes intercalaires et les bordures d'un seul tenant, pp. 214-215.) Vous trouverez des conseils pour le dessin des divers éléments aux pages 210-215. Etudiez ensuite la combinaison des formes qui entreront dans votre pavé. Prenons l'Etoile simple; on a d'abord l'impression que c'est une étoile d'un seul morceau entourée de divers triangles et carrés. Si on y regarde de plus près, on constate que l'étoile est composée de plusieurs pièces, notamment un grand carré central et des petits triangles formant les pointes. Malgré les apparences, il sera plus facile d'assembler l'étoile en petits morceaux qu'autrement (voir la séquence d'assemblage, p. 220). **Fabriquez des gabarits dans du papier fort ou du papier de verre fin.**

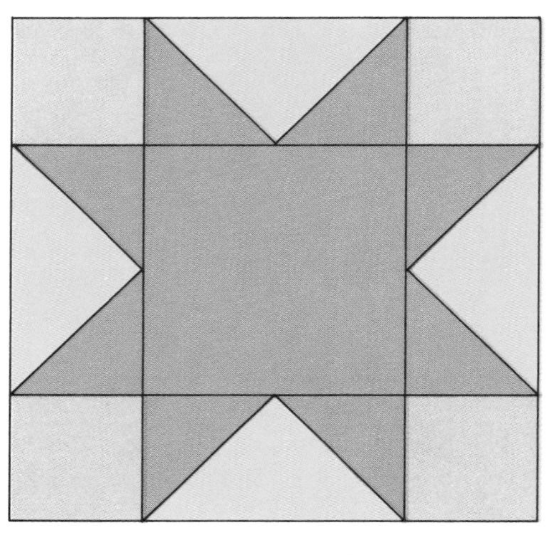

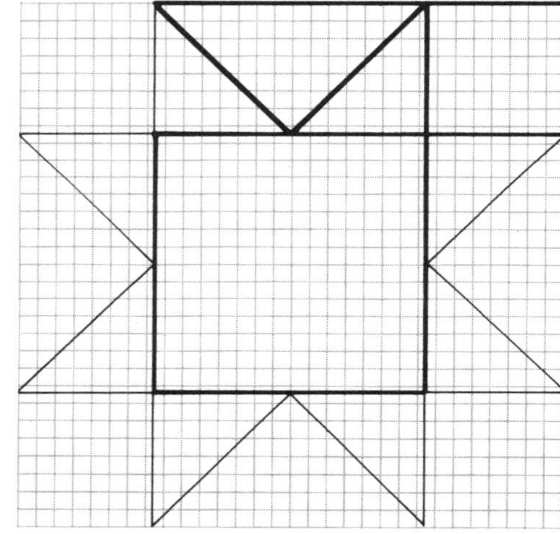

Pour confectionner les gabarits, procédez de la façon suivante :

1. Dessinez le motif à ses dimensions exactes sur du papier quadrillé.

2. Etudiez le motif pour déterminer les formes qui nécessiteront un gabarit.

3. Découpez chaque forme nécessaire à même le dessin du motif. Par exemple, pour le motif Etoile simple, les formes requises sont un grand et un petit carré, puis un grand et un petit triangle. Ces formes sont soulignées à gauche par des traits gras.

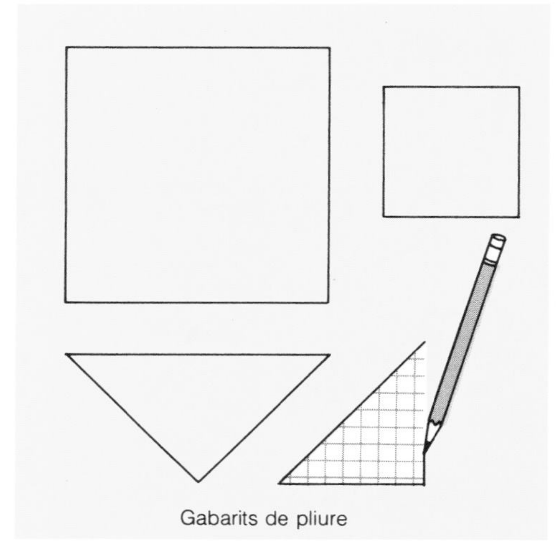

Gabarits de pliure

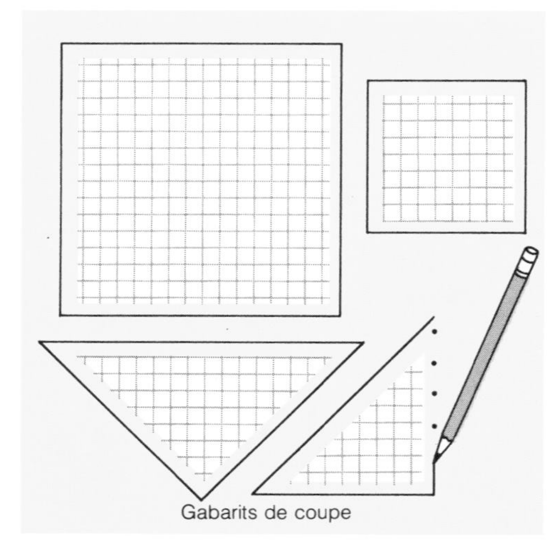

Gabarits de coupe

4. Placez les formes découpées sur du papier fort ou du papier de verre fin. Tracez les contours et découpez : voici vos *gabarits de pliure*.

5. Replacez les formes de papier quadrillé sur le papier fort, en laissant entre elles de l'espace; fixez avec un ruban adhésif. Faites des pointillés à 0,5 cm (¼") de chaque forme. Reliez ces points par des lignes et coupez le long de celles-ci : voici vos *gabarits de coupe*. L'espace de 0,5 cm (¼") entre la forme de papier quadrillé et le bord du deuxième gabarit représente la marge de couture.

Utilisation des gabarits de coupe

Les gabarits de coupe servent d'abord à déterminer la quantité de tissu nécessaire, puis à découper les morceaux. **Pour calculer le métrage** nécessaire, consultez la maquette et notez le nombre de fois qu'une forme se présente dans chaque couleur; prenez alors le gabarit de coupe correspondant et voyez combien de fois il peut se répéter dans la largeur du tissu. Divisez le premier nombre par le deuxième et multipliez le résultat par la hauteur d'une forme : vous obtiendrez la longueur de tissu nécessaire. Additionnez les sommes obtenues par couleur pour connaître la quantité de tissu totale requise dans chaque couleur. Prévoyez une marge d'erreur et achetez toujours un peu plus de tissu qu'il est nécessaire.

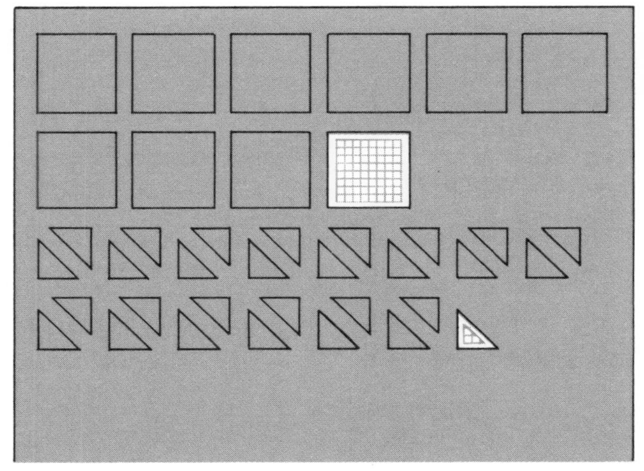

Placez le gabarit de coupe sur l'envers du tissu et dessinez-en les contours avec une craie tailleur. Recommencez et dessinez le nombre de morceaux nécessaires. Coupez les morceaux le long des lignes; rangez les formes de mêmes dimensions et de même couleur ensemble.

Disposition et coupe particulières

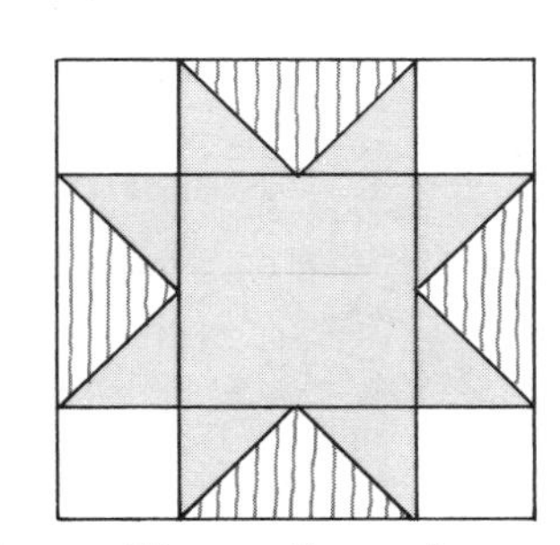

Si vous utilisez un tissu qui a un sens, un tissu à rayures par exemple, tracez les formes en tenant compte du sens. Pour qu'ils se présentent comme dans le motif illustré ci-dessus, les triangles ont été posés sur le tissu comme ci-dessous.

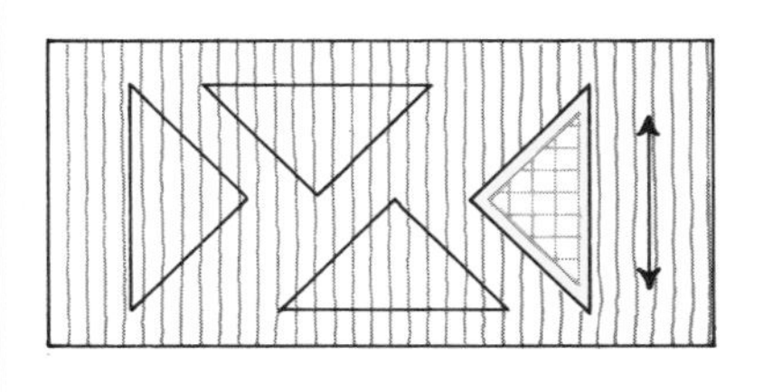

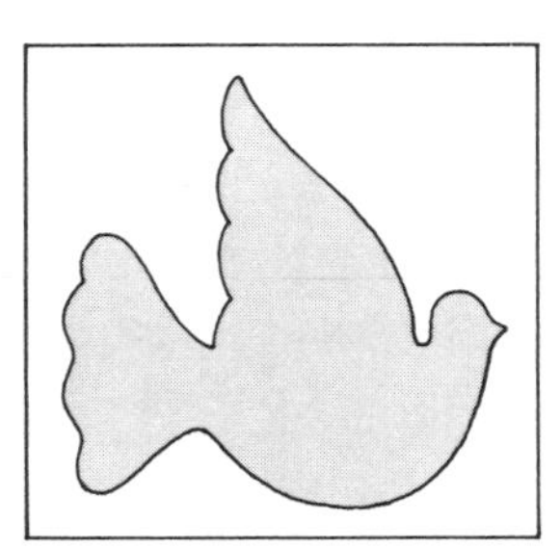

Les formes peuvent aussi avoir un sens. C'est le cas de la Colombe en appliqué (ci-dessus, à gauche) et des losanges de l'Etoile à huit branches (ci-dessus, à droite). Pour dessiner ces formes sur le tissu, placez les gabarits correspondants sur l'envers, mais dans le sens opposé à leur sens réel. La découpe, une fois retournée à l'endroit, sera dans le bon sens. Les illustrations ci-dessous montrent les formes tracées sur l'envers du tissu et la découpe, lorsqu'elle est retournée à l'endroit.

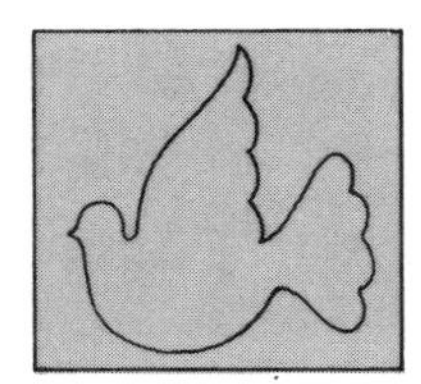

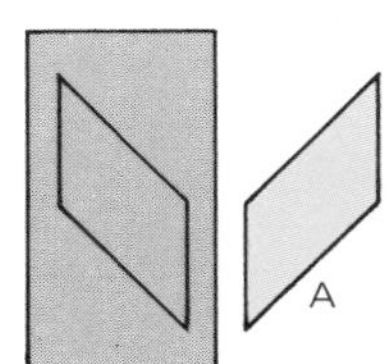

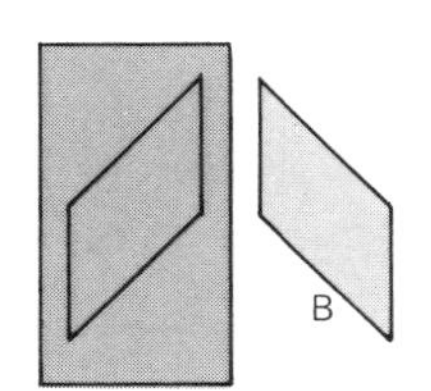

Les gabarits de pliure

Les gabarits de pliure servent à préparer les morceaux découpés pour la couture; leur utilisation dépend de la méthode de couture. Comme la plupart des éléments sont assemblés par couture droite, ces gabarits ne servent qu'à indiquer les lignes de couture (ci-dessous). Dans le cas des appliqués, les lignes de couture servent de guide pour les piqûres de soutien et les rentrés; le gabarit de pliure sert au repassage du rentré (p. 227). Dans les patchworks à forme unique, il sert à faire des renforts de papier (p. 233).

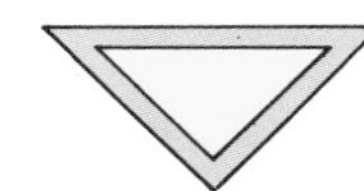

Pour marquer les lignes de couture, centrez le gabarit de pliure sur l'envers du morceau découpé : avec une craie tailleur, tracez-en les contours.

Patchworks à pavés ouvrés

Choix d'une séquence d'assemblage

Avant de commencer à coudre, vous devez établir une séquence d'assemblage. S'il s'agit d'un pavé en appliqué, vous devez préparer un ordre de superposition (p. 226). Dans le cas d'un pavé en patchwork, il vous faut suivre une séquence pour assembler les éléments d'une façon ordonnée. Isolez d'abord les petites unités où se répètent des formes identiques. Ajoutez ensuite les formes adjacentes qui peuvent également faire l'objet d'un assemblage répétitif. Montez-les en bandes pour former chaque pavé. L'Etoile simple et le Chemin de l'ivrogne en sont des exemples. Certains motifs se construisent à partir du centre (Etoile à huit branches, ci-dessous).

Vérifiez la justesse de votre séquence en cousant un premier motif. Si le résultat n'est pas satisfaisant, modifiez la séquence d'assemblage jusqu'à ce que vous trouviez celle qui convient; dès lors, cousez tous les pavés simultanément, en assemblant tous leurs éléments par bandes; puis assemblez les bandes ainsi formées, pavé par pavé.

Techniques de couture

On peut assembler les composantes des pavés à la main ou à la machine. En règle générale, un motif appliqué va être piqué à la main sur le carré de fond (pp. 226-229). On assemble habituellement les morceaux d'un pavé en patchwork par simples piqûres droites (exceptions : la Cabane de rondins et le patch craquelé, pp. 224-225). **Pour exécuter une couture droite,** placez les deux pièces à assembler endroit contre endroit; épinglez et cousez sur la ligne de couture en retirant les épingles au fur et à mesure. Cousez à la main à petits points devant, ou à la machine, en mettant le règle-point à 2 (10-12). Assortissez la couleur du fil à celle du tissu. La couture dépend de la forme des morceaux : pour les coutures droites, voir ci-dessous et page ci-contre; pour les coutures dans les angles et les courbes, voir les pages 222-223. Aplatissez les marges de couture au fer, d'un seul côté (sauf pour certaines marges dans les angles que l'on ouvre). Là où les coutures se croisent, alternez le sens du repli de la marge pour éviter les bourrelets.

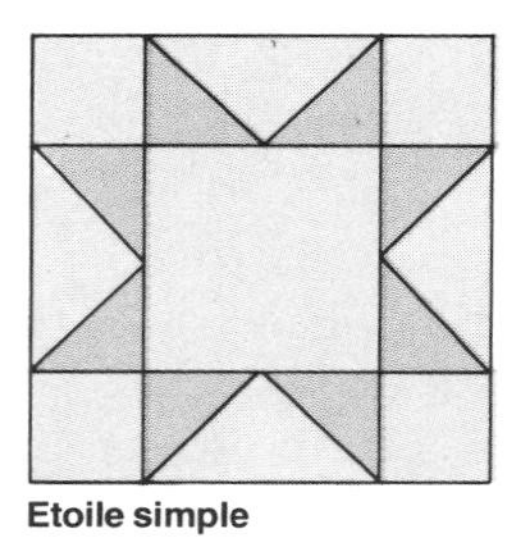

Etoile simple

Couture à la machine : vérifiez la longueur du point (2mm/10-12), la tension et la pression avant de vous mettre à coudre. Cousez sur la ligne de couture sans faire de points arrière pour arrêter : nouez plutôt les fils, si nécessaire (p. 222).

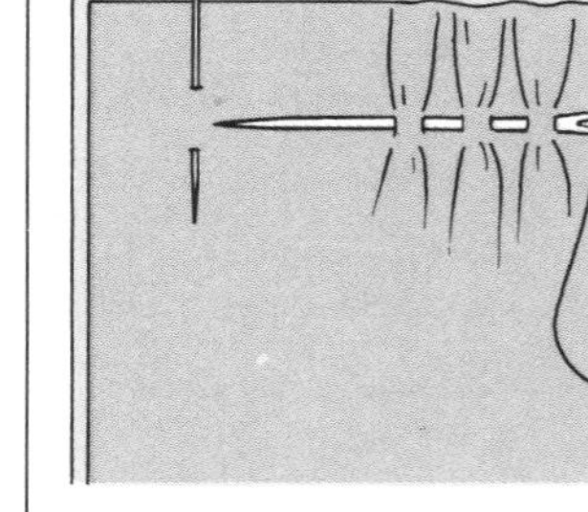

Chemin de l'ivrogne

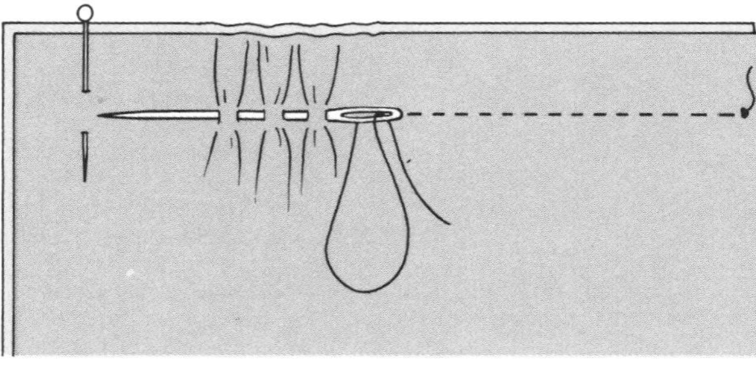
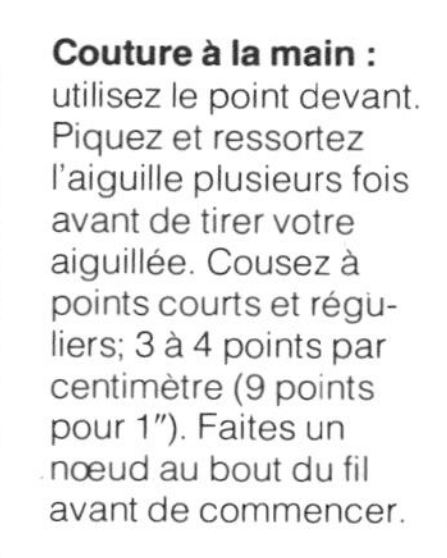

Couture à la main : utilisez le point devant. Piquez et ressortez l'aiguille plusieurs fois avant de tirer votre aiguillée. Cousez à points courts et réguliers; 3 à 4 points par centimètre (9 points pour 1"). Faites un nœud au bout du fil avant de commencer.

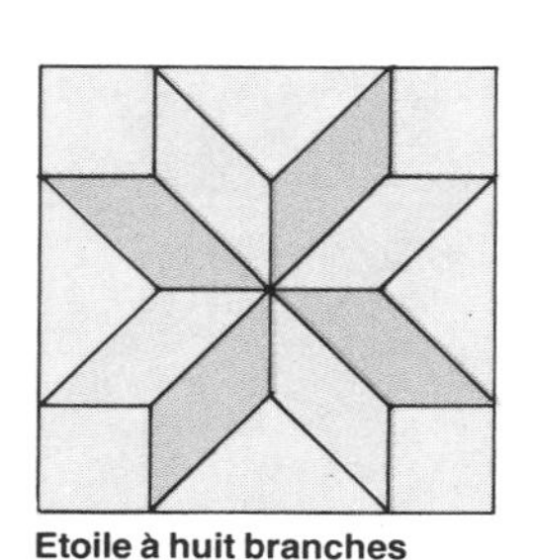

Etoile à huit branches

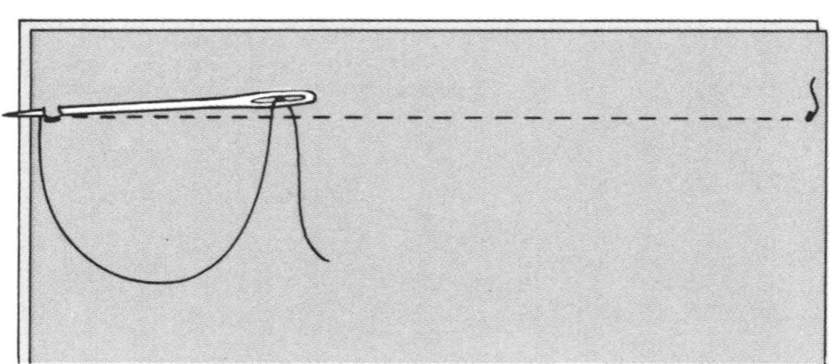

Pour arrêter la couture, faites quelques points arrière au-dessus des derniers points.

Coutures droites

Comme une bonne partie des éléments d'un pavé ont des bords droits, on les assemble par de simples coutures droites. L'Etoile simple est un exemple de motif de base dont tous les éléments sont assemblés par des coutures droites. Ce motif de base compte 17 pièces : un grand carré central, quatre petits carrés de coins, quatre grands triangles et huit petits triangles. On les assemble dans l'ordre indiqué à droite.

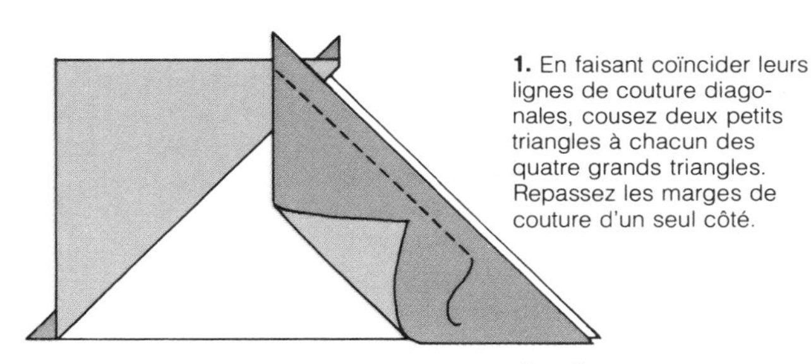

1. En faisant coïncider leurs lignes de couture diagonales, cousez deux petits triangles à chacun des quatre grands triangles. Repassez les marges de couture d'un seul côté.

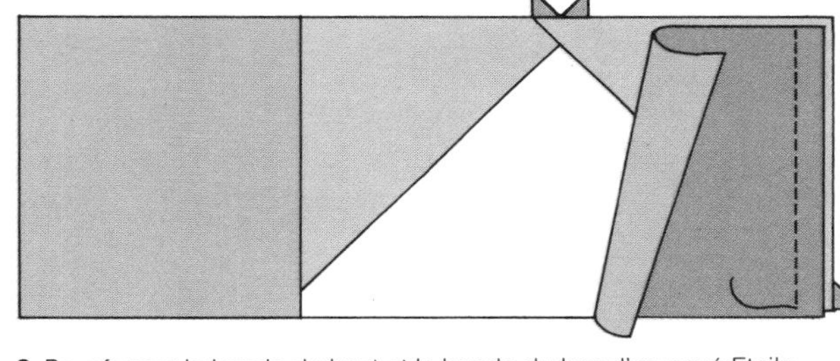

2. Pour former la bande du haut et la bande du bas d'un pavé Etoile simple, cousez un petit carré à chaque extrémité de deux des groupes de triangles que vous venez de monter (étape 1).

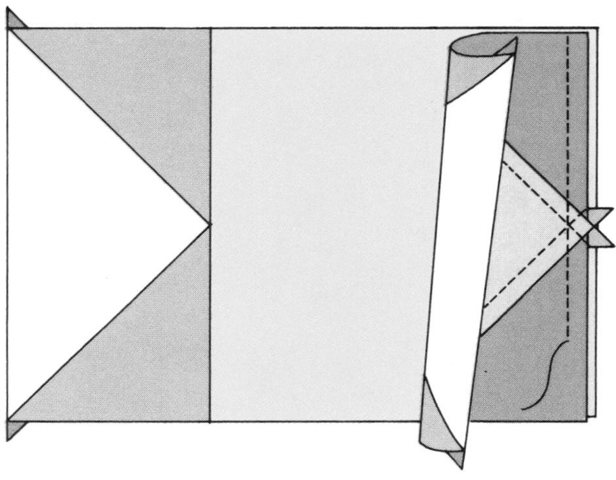

3. Pour former la bande centrale du pavé, fixez les deux autres groupes de triangles fabriqués lors de la première étape à deux côtés opposés du grand carré. Placez les grands triangles avec grand soin et cousez-les en traversant exactement leur sommet, comme nous le montrons. Ceci permettra d'obtenir une pointe nette, bien orientée vers le centre du pavé.

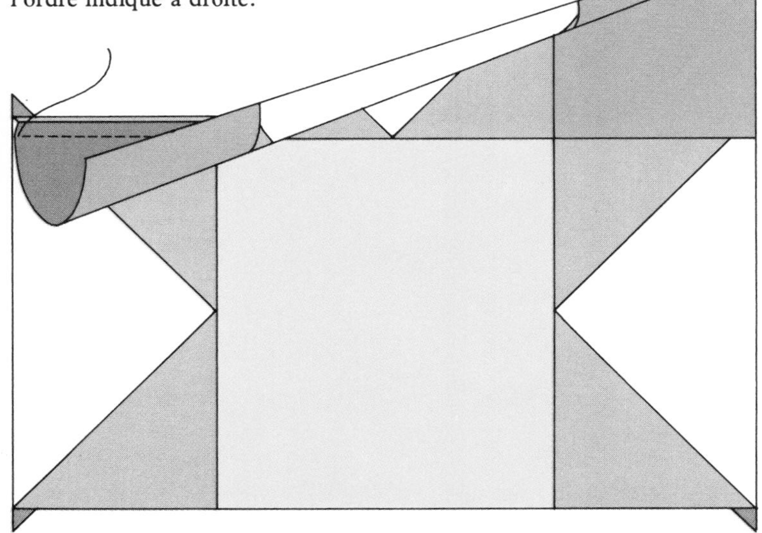

4. Assemblez la bande du haut à celle du centre en faisant coïncider les lignes de couture qui se croisent et en mettant en place le grand triangle avec tout le soin voulu (étape 3).

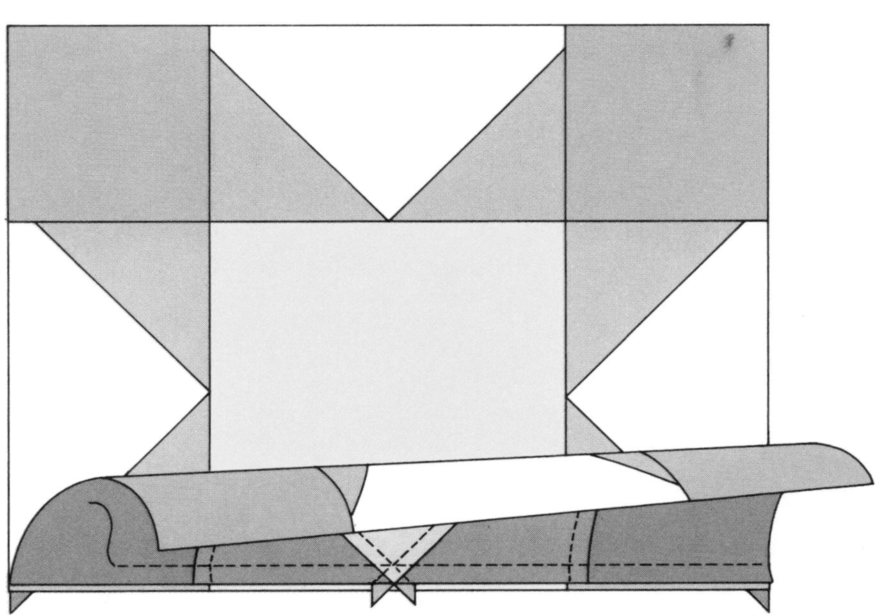

5. Terminez le pavé en cousant la bande du bas au bord libre de la bande centrale. Veillez à faire coïncider toutes les lignes de couture et centrez la pointe du triangle avec attention.

Patchworks à pavés ouvrés

Coutures dans les angles

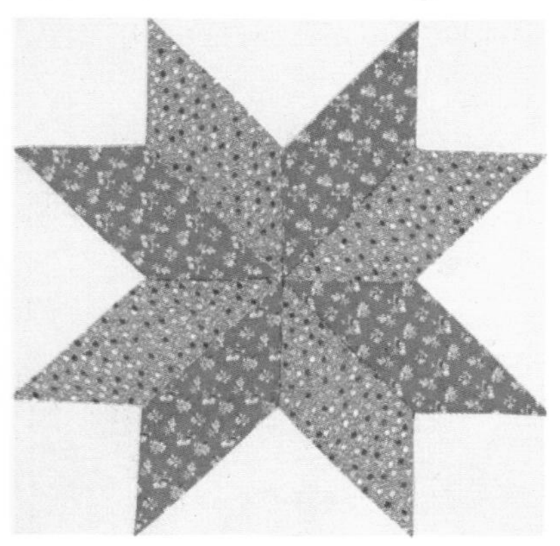

Ce genre de couture sert à réunir deux morceaux dont l'un présente un angle saillant et l'autre, un angle rentrant. Il en faudra une pour assembler chacun des triangles et des carrés qui se trouvent à l'extérieur de l'étoile, ainsi que tous les autres éléments de l'Etoile à huit branches, illustrée sur cette page. Avant d'entreprendre la couture, il faut faire une piqûre de soutien et cranter l'angle rentrant s'il est fait d'*une seule pièce*; on pourra ainsi étirer le morceau afin de faire correspondre ses bords et ceux du morceau pourvu d'un angle saillant (page ci-contre, première colonne). Si le morceau qui présente un angle rentrant est formé de deux éléments, il suffira d'arrêter la couture de ceux-ci au niveau de la pointe de l'angle rentrant pour permettre d'ouvrir le tissu (étapes 1, 2 et 3).

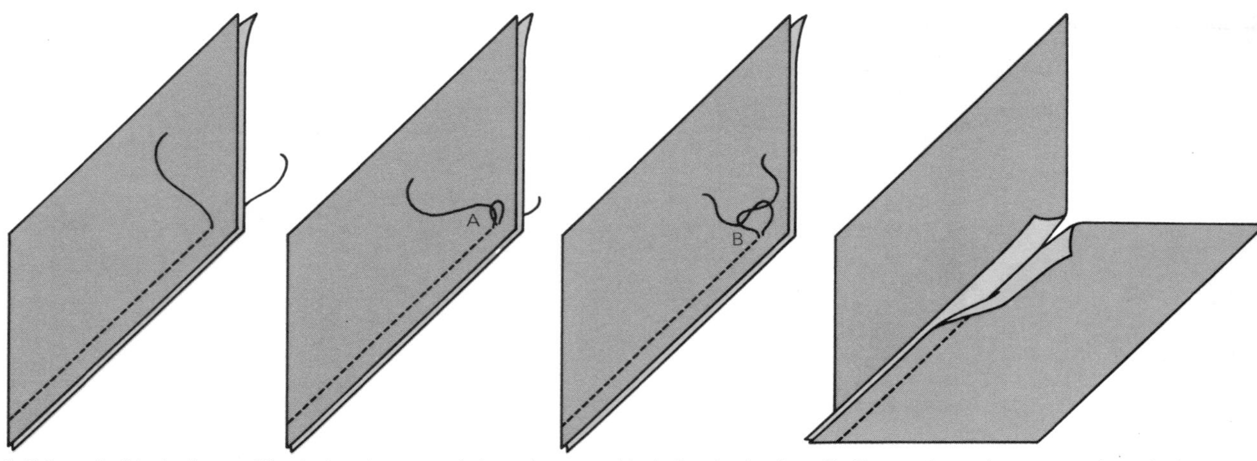

1. Faites coïncider les longs côtés de deux losanges et piquez-les ensemble de l'angle aigu à l'angle obtus. Tirez le fil du dessus pour faire sortir le fil de canette (A); nouez (B).

2. Formez les trois autres paires de losanges, comme à l'étape 1. Ouvrez et repassez les marges.

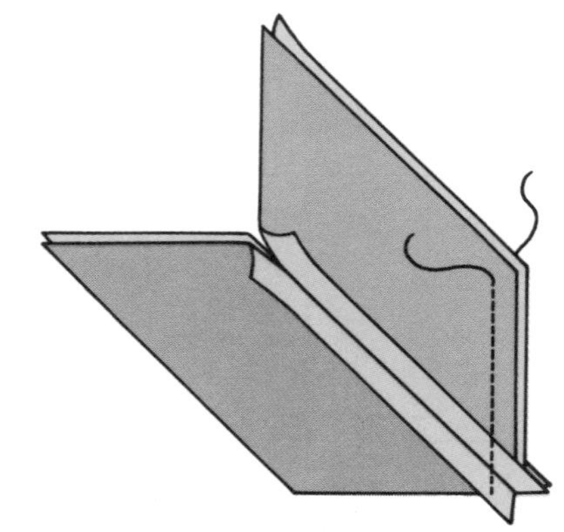

3. Cousez ensemble deux paires de losanges; arrêtez en nouant les fils. Ouvrez la couture au fer. Cousez les deux autres de la même manière.

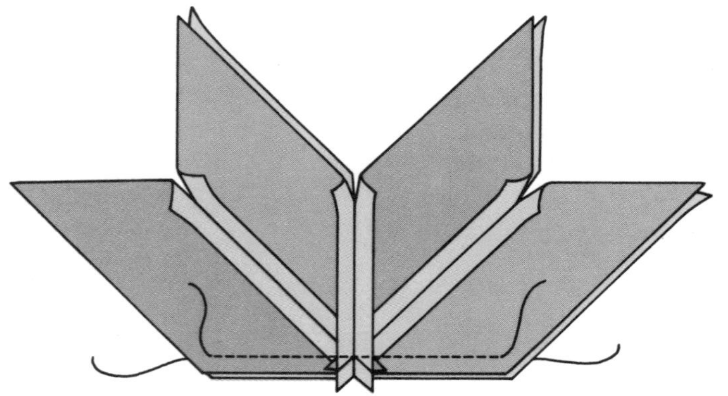

4. Endroit contre endroit, alignez les bords inférieurs des éléments assemblés à l'étape 3 en faisant coïncider les lignes de couture. Epinglez; cousez en commençant et en arrêtant aux intersections des coutures, à chaque extrémité. Nouez les fils; ouvrez la couture au fer.

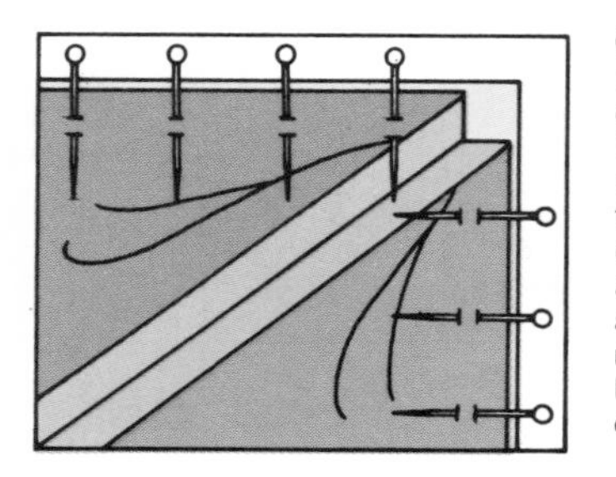

Carrés et triangles sont épinglés et cousus aux pointes de l'étoile : dépliez l'angle rentrant de l'étoile de façon que les bords des pièces à assembler soient bien alignés. Epinglez les morceaux, en laissant les marges de l'étoile ouvertes.

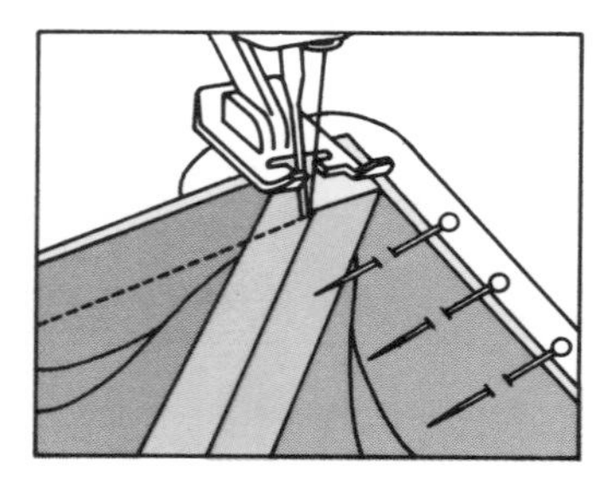

Pour faire la première moitié de la couture, cousez un côté jusqu'à l'angle; laissez l'aiguille dans le tissu. Levez le pied-de-biche, faites pivoter le tissu autour de l'aiguille, de façon à la mettre en position pour la seconde moitié de la couture.

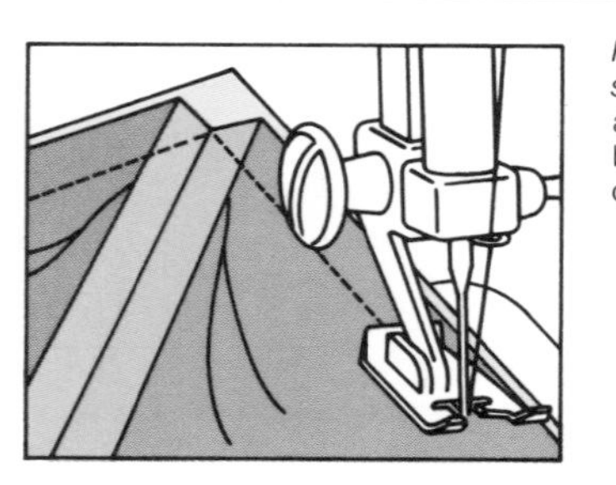

Pour coudre la seconde moitié, abaissez le pied-de-biche et cousez l'autre côté à partir de l'angle.

Si un seul morceau de tissu forme l'angle rentrant, faites une piqûre de soutien et crantez l'angle afin de donner plus de souplesse au tissu, comme il est illustré et expliqué ci-dessous.

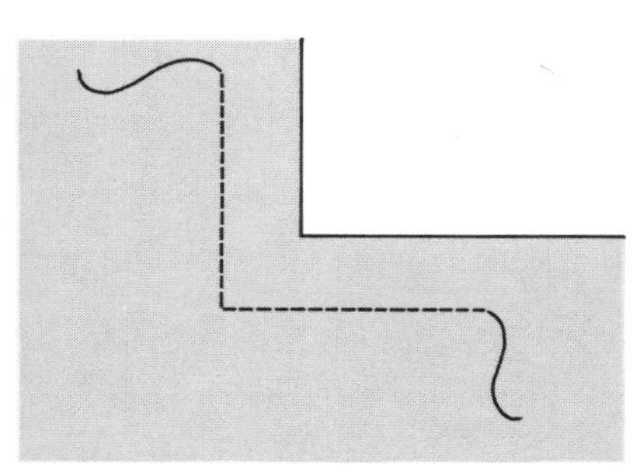

Renforcez l'angle rentrant par une piqûre de soutien, sur 3 cm (1¼") de chaque côté, juste à l'intérieur de la ligne de couture.

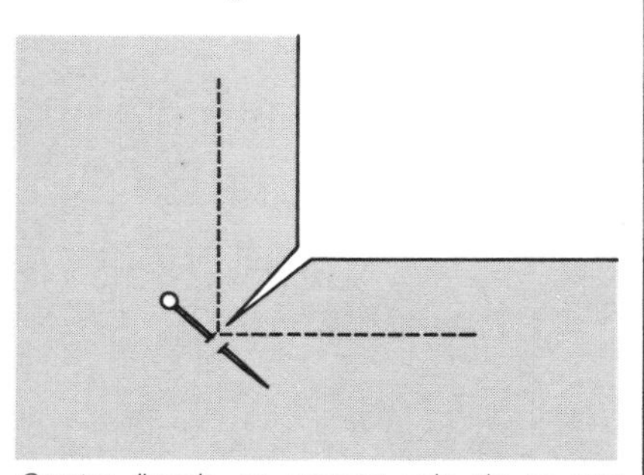

Crantez l'angle en prenant soin de ne pas couper la piqûre de soutien. Pour éviter cela, placez une épingle à la pointe de l'angle.

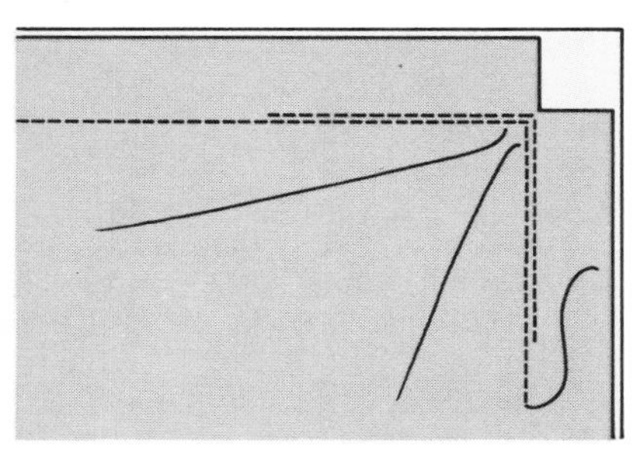

Etalez le morceau que vous avez entaillé pour que ses bords coïncident avec ceux de l'autre morceau à assembler. *Epinglez et cousez.*

Coutures courbes

Une couture courbe sert à assembler deux morceaux, comportant l'un une courbe convexe et l'autre, une courbe concave. Pareille couture forme chacun des 16 éléments du Chemin de l'ivrogne, illustré ici. Pour le réaliser, il faut d'abord faire une piqûre de soutien sur le bord concave et le cranter (étape 1). Etirez ensuite ce morceau pour le faire correspondre au morceau à bord convexe; cousez les deux épaisseurs ensemble sur la ligne de couture (étape 2). Pour aplatir les coutures arrondies, pressez la marge de couture du côté de la courbe concave. Assemblez ensuite les éléments en quatre bandes (étape 3); puis assemblez les bandes entre elles au moyen de coutures droites (étape 4).

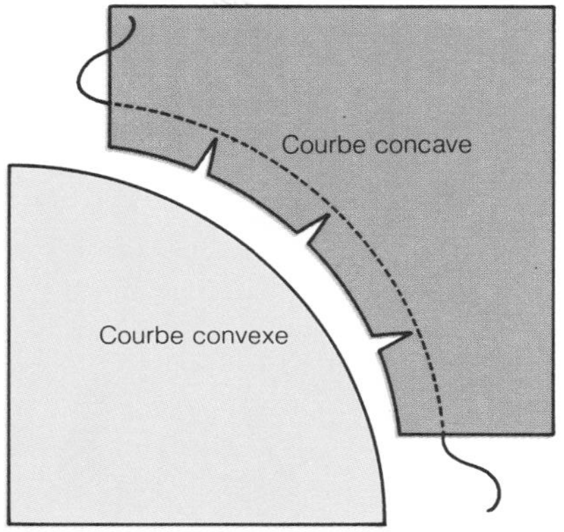

1. Préparez chaque bord à courbe concave de la façon suivante : faites une piqûre de soutien juste à l'intérieur de la ligne de couture. Crantez la marge plusieurs fois sans entailler les points.

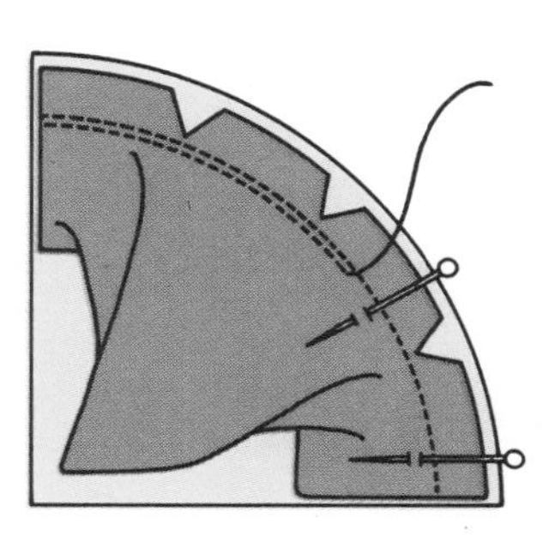

2. Placez les morceaux endroit contre endroit, la pièce crantée sur le dessus : ajustez le bord cranté à la courbe convexe. Epinglez et cousez. Faites de même pour les 15 autres morceaux.

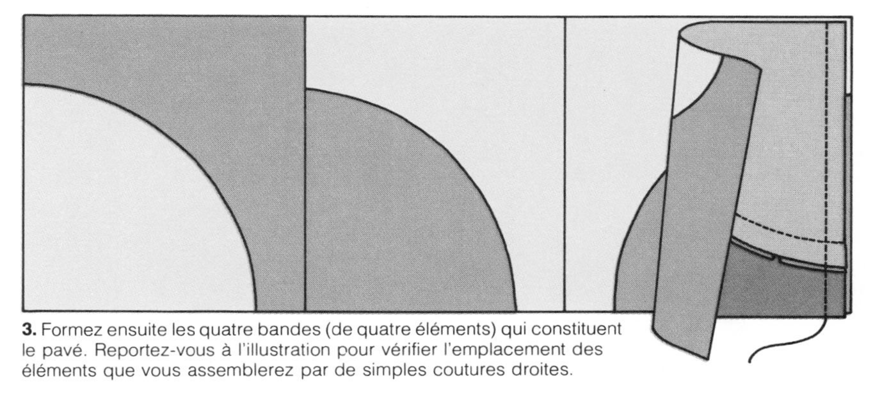

3. Formez ensuite les quatre bandes (de quatre éléments) qui constituent le pavé. Reportez-vous à l'illustration pour vérifier l'emplacement des éléments que vous assemblerez par de simples coutures droites.

4. Assemblez les quatre bandes les unes aux autres par des coutures droites, en vous référant à leur position dans l'illustration. Faites bien coïncider les lignes de couture qui se croisent avant de coudre les bandes ensemble.

Patchworks à pavés ouvrés

Couture sur un tissu de fond/Cabane de rondins

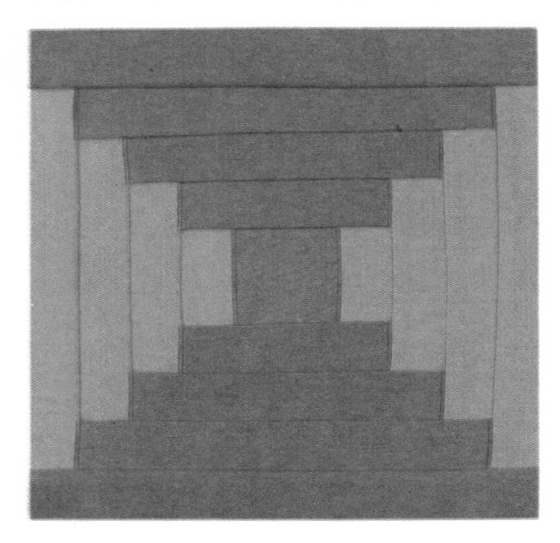

Les morceaux qui entrent dans la composition de la Cabane de rondins sont cousus sur un tissu de fond en même temps qu'ils sont assemblés entre eux. Le pavé se construit à partir du centre; l'ordre dans lequel sont cousus les morceaux dépend du dessin que l'on choisit (ici, on pense à un sablier).

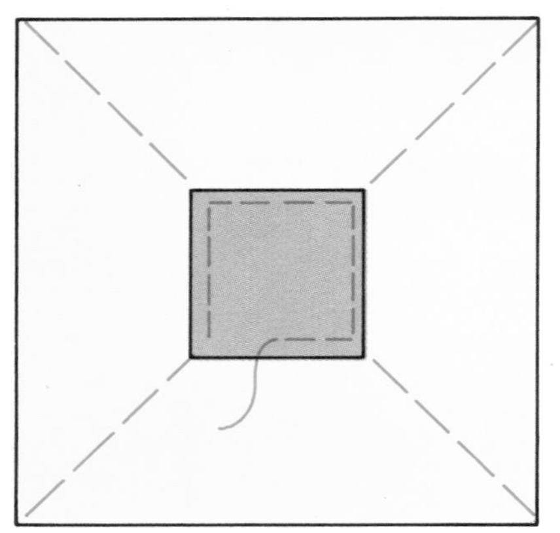

1. Pliez le tissu de fond diagonalement, en deux, puis en quatre; repassez légèrement les plis. Ouvrez, faufilez sur les plis puis aplatissez le fond au fer. Centrez alors le carré central du motif, côté endroit sur le dessus; guidez-vous sur les faufils diagonaux. Epinglez et bâtissez le carré sur le fond.

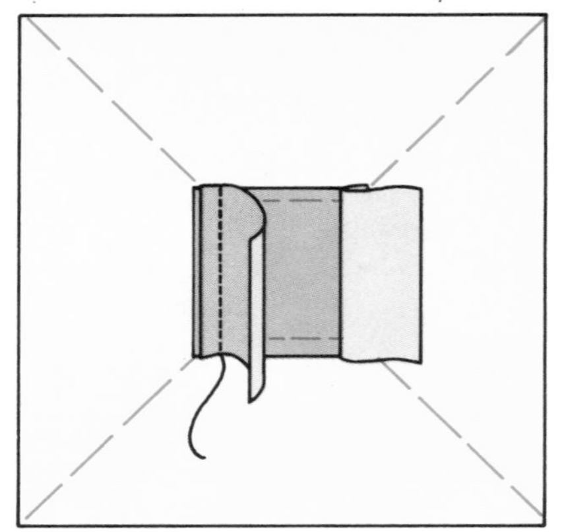

2. Cousez les deux plus petites bandes sur deux côtés opposés du carré central. Placez une bande sur le côté droit du carré, endroit contre endroit; épinglez et cousez. Retournez la bande sur l'endroit et aplatissez-la au fer. Cousez l'autre petite bande sur le côté gauche du carré; retournez-la sur l'endroit et aplatissez-la au fer.

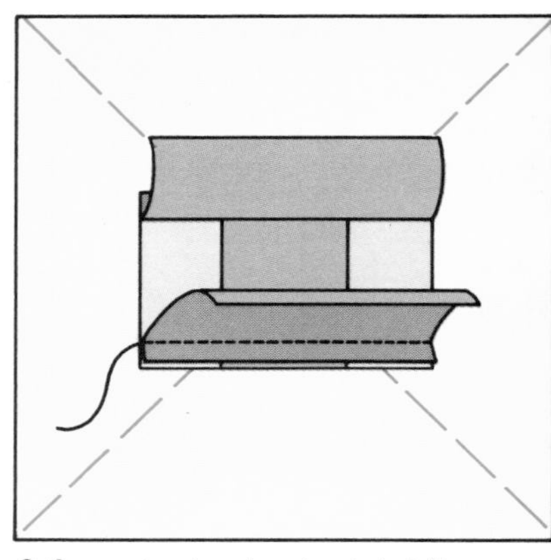

3. Cousez les deux bandes de la taille au-dessus sur le haut et le bas du carré, ainsi que sur le bord des bandes mises en place à l'étape précédente. Retournez-les à l'endroit et repassez-les. Continuez à coudre des bandes de plus en plus grandes en alternant leur disposition : à gauche et à droite, puis en haut et en bas. Lorsque vous avez fini de coudre toutes les bandes, bâtissez sur le tissu de fond les bords francs des dernières bandes

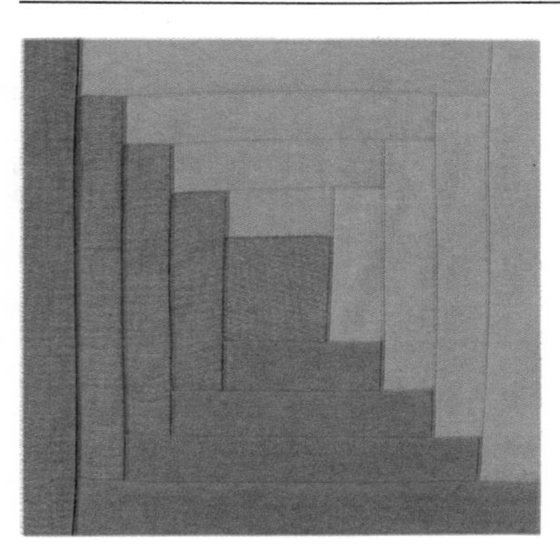

Dans un autre dessin populaire de la Cabane de rondins, les bandes claires et foncées s'opposent en diagonale. La différence principale entre cette composition et celle qui est illustrée ci-dessus se trouve dans la séquence d'assemblage (à droite).

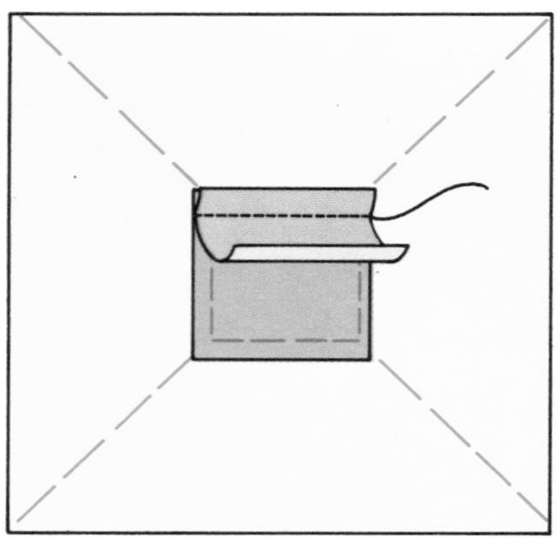

1. Marquez le tissu de fond et faufilez le carré central comme il a été expliqué à l'étape 1 ci-dessus. Epinglez et cousez la plus petite bande claire sur le haut du carré central, endroit contre endroit. Retournez la bande sur l'endroit et aplatissez-la au fer.

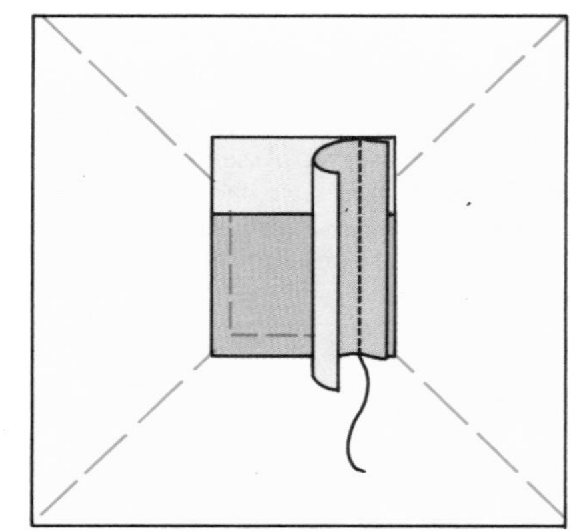

2. Epinglez et cousez, endroit contre endroit, la bande claire suivante (de la taille au-dessus) au côté droit du carré central et à la bande cousue à l'étape précédente. Retournez la bande sur l'endroit et aplatissez-la au fer.

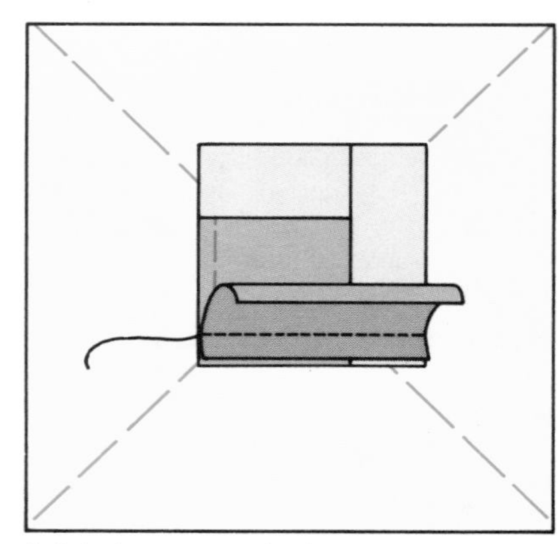

3. Epinglez et cousez la plus courte des bandes foncées (de même taille que la bande claire précédente) au bas du carré central et à la deuxième bande. Retournez-la à l'endroit et repassez-la. Assemblez dans le sens des aiguilles d'une montre des bandes de plus en plus longues. Rabattez et repassez chaque bande avant d'en coudre une autre. Faufilez sur le fond les bords francs de la dernière série.

Coutures sur un tissu de fond/Patch craquelé

Le patch craquelé diffère des autres motifs de patchwork parce que le découpage des morceaux se fait à partir d'une simple esquisse du motif (p. 214). Ce type de patchwork se distingue aussi par la méthode d'assemblage des morceaux entre eux et au tissu de fond (voir les détails à droite).

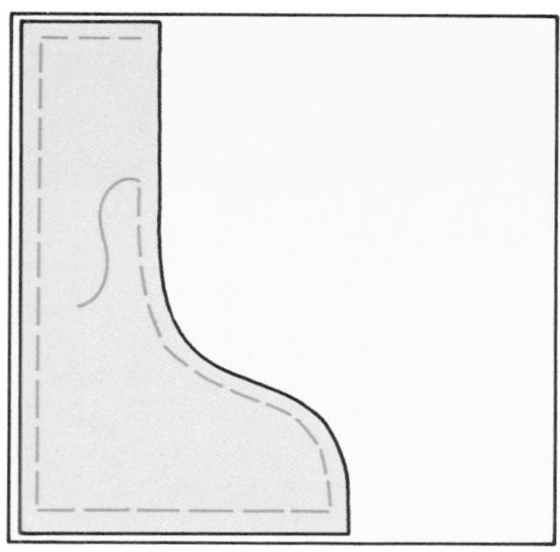

1. Reportez-vous à l'esquisse (voir l'explication de la page 214) que vous avez ébauchée et décidez du morceau à fixer en premier. Il est habituellement préférable de commencer par un morceau qui longe un côté du pavé (ici, le bord gauche). Découpez le morceau d'après la forme dessinée en ajoutant une marge de couture de 0,5 cm (¼") tout autour. Placez le morceau, endroit sur le dessus, sur le tissu de fond; épinglez et faufilez.

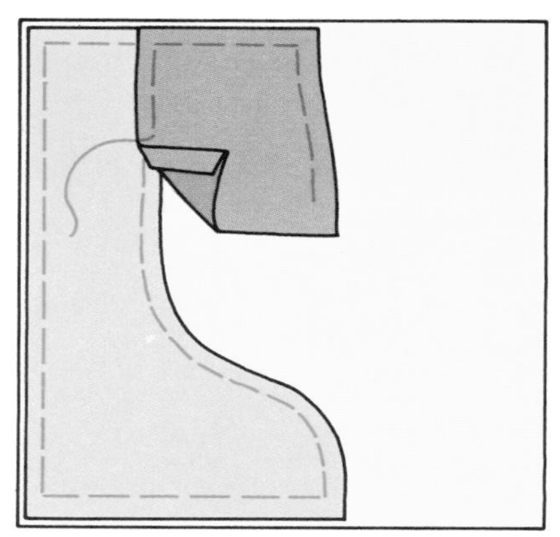

2. Choisissez le morceau suivant et découpez cette nouvelle forme en prévoyant toujours une marge de 0,5 cm (¼"). Placez le morceau, endroit sur le dessus, sur le tissu de fond de façon qu'il chevauche le premier morceau. Rentrez la marge du bord qui chevauche l'autre morceau et qui restera visible; faufilez la pièce sur ses quatre côtés. Pour rentrer les bords courbes ou les angles, consultez la page 227.

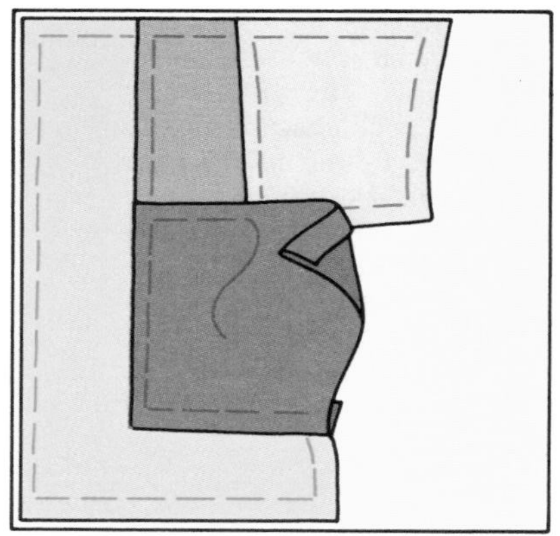

3. Continuez à découper et à faire chevaucher les morceaux en fonction de leur position dans le pavé. Prévoyez toujours une marge de couture de 0,5 cm (¼"); avant de bâtir un morceau, rentrez la marge de tout bord qui sera visible une fois le montage terminé. Lorsque vous aurez bâti tous les morceaux, coupez tout ce qui dépasse les bords du tissu de fond.

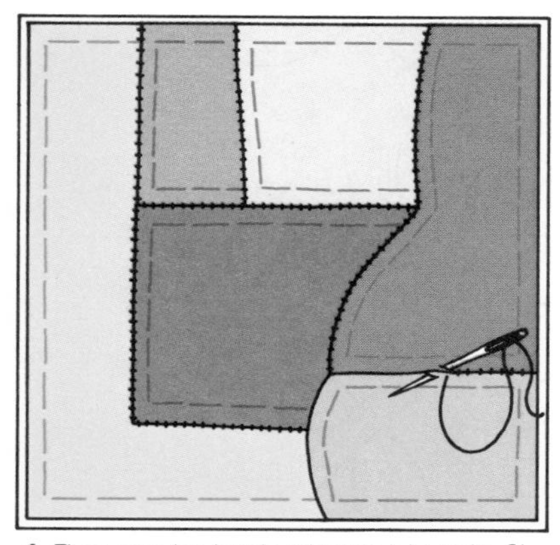

4. Fixez tous les bords rabattus à la main. Si vous désirez que les points soient presque invisibles, faites des points d'ourlet ou des points perdus (à droite). Si vous préférez une finition décorative, brodez à points d'épine (en bas à droite), ou à tout autre point de broderie à cheval sur la ligne de couture. Otez tous les fils de bâti sauf ceux des bords du pavé.

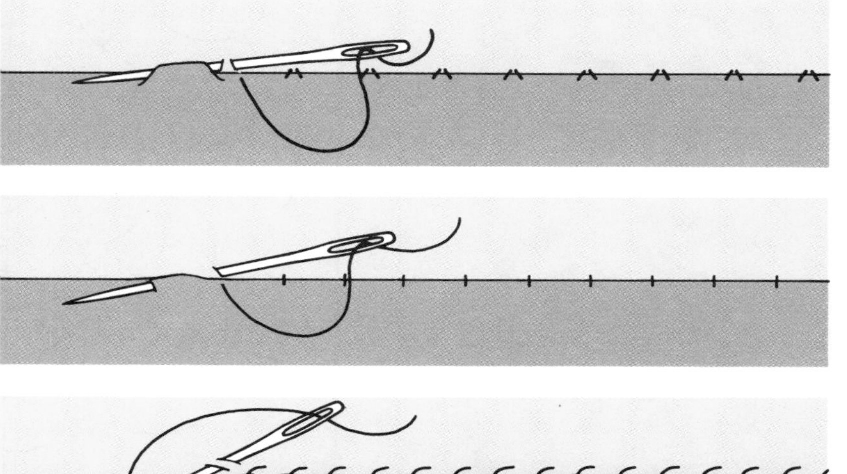

Point d'ourlet : il se travaille de droite à gauche. Commencez par sortir l'aiguille dans le pli formé par le rentré; piquez-la dans le pavé, un peu à gauche, en ne prenant que quelques fils, puis, dans le même mouvement, piquez-la dans le rentré; ressortez-la à 0,5 cm (¼") de là. Recommencez.

Point perdu : il se travaille de droite à gauche. Sortez l'aiguille à travers le rentré. Piquez-la dans le pavé juste vis-à-vis de l'endroit où vous l'avez sortie et ressortez dans le rentré environ 0,5 cm (¼") plus à gauche. Tirez votre aiguillée et recommencez.

Point d'épine : les points s'exécutent de part et d'autre de la ligne de couture. Sortez l'aiguille d'un côté de la ligne de couture. Faites un petit point de l'autre côté, la pointe de l'aiguille dirigée vers la ligne de couture, en maintenant le fil dessous. Tirez votre aiguillée en laissant le fil former un léger arrondi. Passez de l'autre côté et ainsi de suite.

Patchworks à pavés ouvrés

Techniques de patchwork en appliqué

La première étape de la construction d'un pavé en appliqué est la fabrication de gabarits aux dimensions réelles (p. 218) pour chacune des formes de l'appliqué, de même que pour le pavé lui-même s'il comprend du patchwork (Corbeille de fleurs). Il n'est pas nécessaire de fabriquer le gabarit du fond s'il est dans un seul morceau d'étoffe; les mesures exactes suffisent. Il y a d'autres exceptions, notamment les tiges (Rose) et l'anse de la corbeille (Corbeille de fleurs) que l'on peut réaliser dans des bandes de biais (p. 199).

La seconde étape consiste à établir une **séquence de superposition**, c'est-à-dire l'ordre dans lequel seront fixées les unes par-dessus les autres les diverses parties de l'appliqué. Dans le cas d'un appliqué d'une seule épaisseur, c'est inutile. Pour les appliqués de plus d'une épaisseur, comme la Rose, ou certains appliqués en patchwork, comme le Soleil, posez les morceaux de la façon suivante : fixez d'abord l'épaisseur inférieure, puis travaillez du centre vers les bords. Remarquez la séquence prévue ci-dessous pour la Rose.

D'autres exemples de superposition de même que les techniques d'assemblage traditionnelles des pavés en appliqué sont donnés aux pages 228-229. Reportez-vous aux pages 192-206, si vous voulez en connaître plus sur l'appliqué.

Lorsque vous établissez une séquence de superposition, identifiez les bords qui seront recouverts par d'autres éléments et ceux qui seront visibles et que vous devrez par conséquent rentrer. Les lignes pointillées dans le schéma de la Rose (ci-dessous) représentent les bords recouverts; tous les autres doivent être rentrés. Il est plus facile de rentrer les bords avant que les éléments soient fixés au pavé. **Faites le rentré** le long de la ligne de couture, avec les doigts ou au fer; vous pouvez faire une piqûre de soutien ou utiliser le gabarit de pliure comme guide de repassage (page suivante). Crantez ou entaillez les bords courbes et les angles. Lorsque tous les éléments sont faufilés sur le pavé, cousez l'appliqué à la main au point d'ourlet ou au point perdu (p. 225), ou avec un point décoratif.

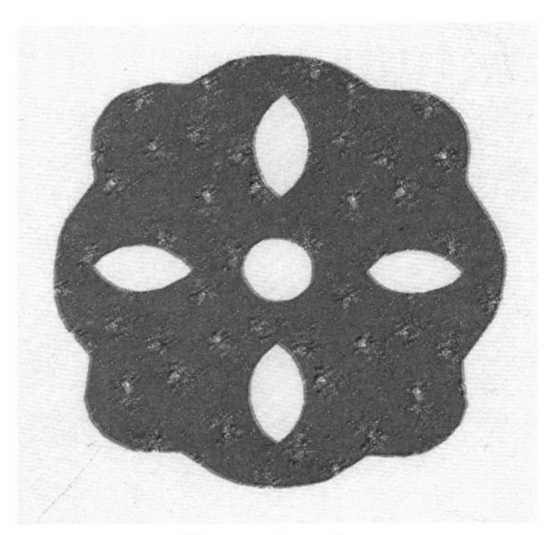

Flocon de neige

Rose

Soleil

Corbeille de fleurs

Etablissez une séquence de superposition (l'ordre dans lequel vous fixerez les morceaux). Déterminez ensuite les bords *recouverts* (lignes pointillées) et les bords *rentrés* (tous les autres).

Comment faire les rentrés

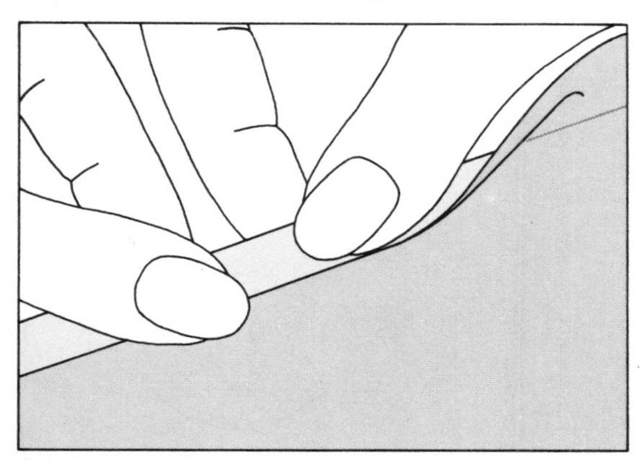

Aplatir avec les doigts est une façon de faire un rentré. Rabattez le bord sur sa ligne de couture et pressez le pli entre vos doigts, comme sur le croquis.

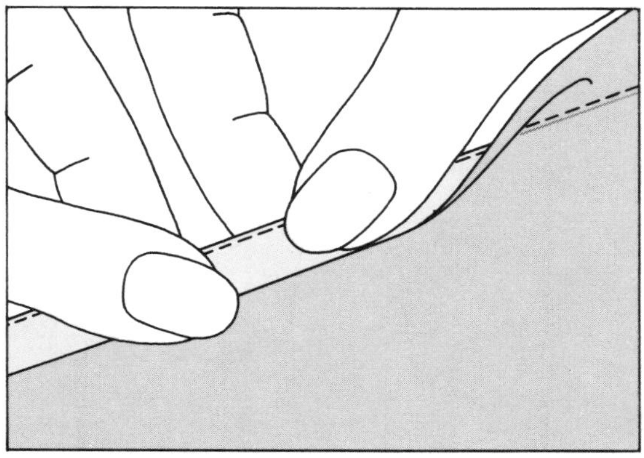

Une piqûre de soutien juste à l'intérieur de la ligne de couture permettra de faire le rentré plus facilement, soit avec les doigts, soit en utilisant le fer à repasser.

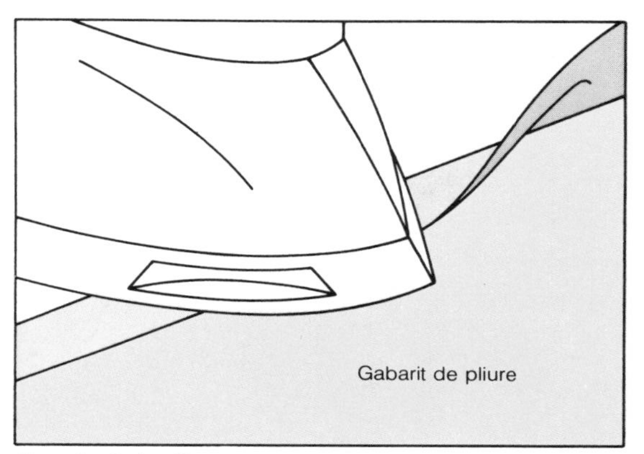

Un gabarit de pliure peut aussi servir de guide pour rentrer un bord. Centrez le gabarit sur l'envers du tissu et maintenez-le en place. Avec le fer, rabattez le bord sur le gabarit.

Travail dans les courbes et les angles

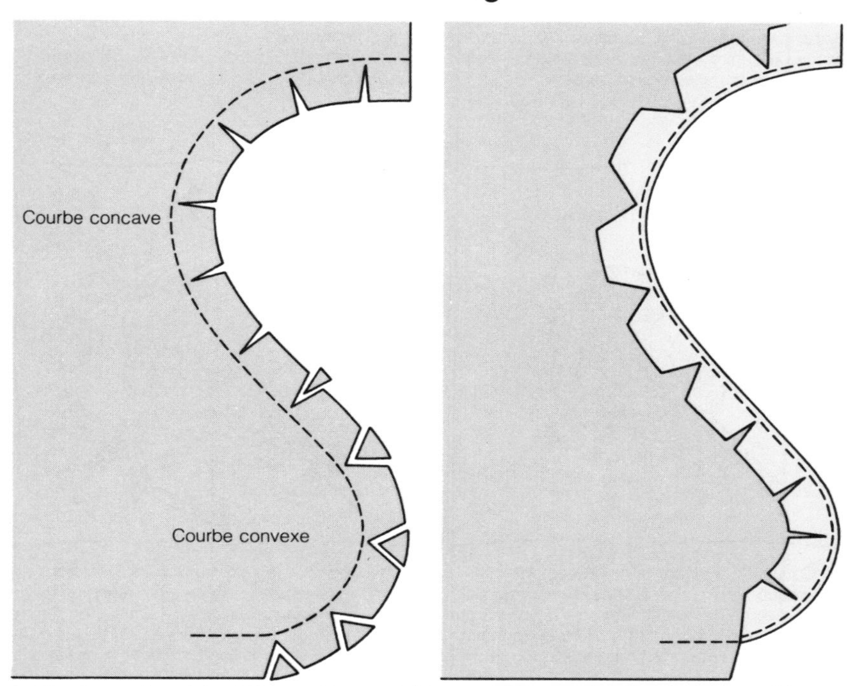

Les bords courbes doivent être crantés ou entaillés avant d'être rentrés. Il faut également y faire une piqûre de soutien. S'il s'agit d'une *courbe concave*, entaillez la marge de couture afin de pouvoir l'étirer; s'il s'agit d'une *courbe convexe*, crantez-la pour l'empêcher de goder.

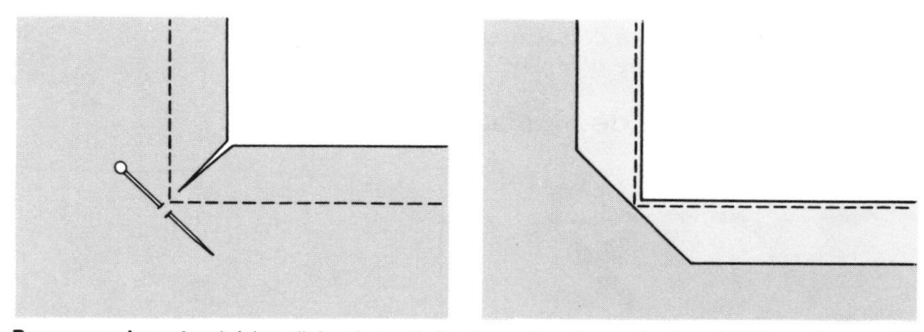

Pour un angle rentrant, faites d'abord une piqûre de soutien d'au moins 3 cm (1¼″) sur chaque côté de l'angle. Placez une épingle à l'angle de la piqûre et faites une entaille jusqu'à celle-ci. L'épingle empêche de couper les points; l'entaille permet d'étirer les marges de couture pour le rentré.

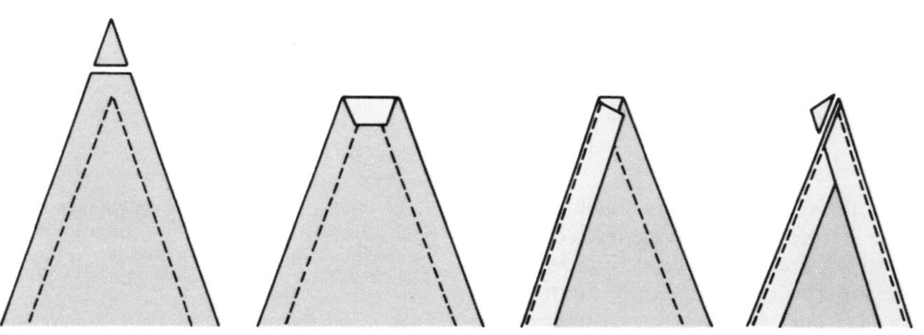

Pour un angle saillant, faites d'abord une piqûre de soutien d'au moins 3 cm (1¼″) de chaque côté. Coupez la pointe de la marge de moitié; rabattez le reste de la marge sur la pointe de l'angle. Rentrez ensuite les marges des côtés l'une après l'autre; coupez tout excédent.

Patchworks à pavés ouvrés

Pavés en appliqué d'une épaisseur

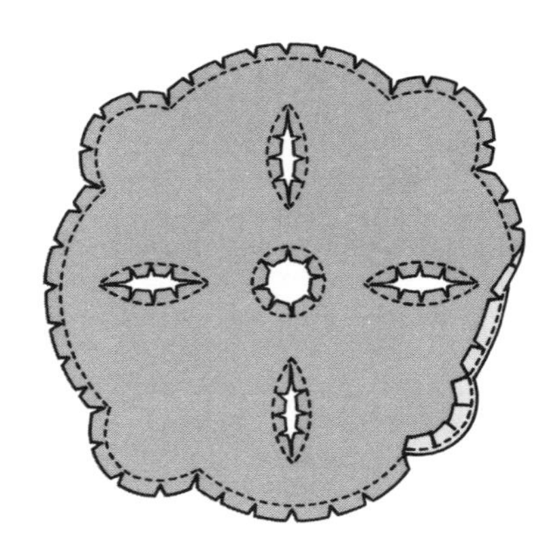

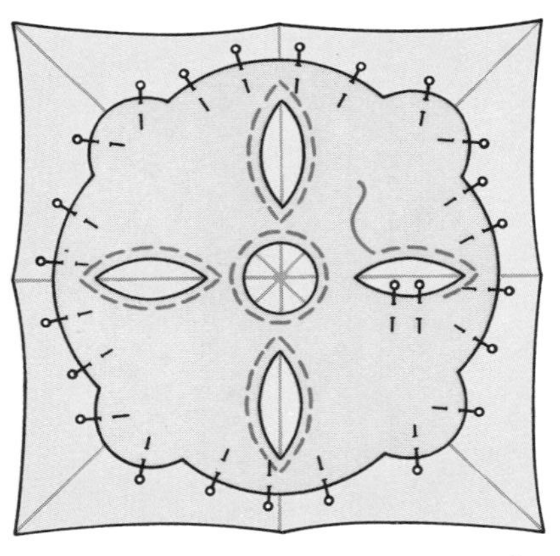

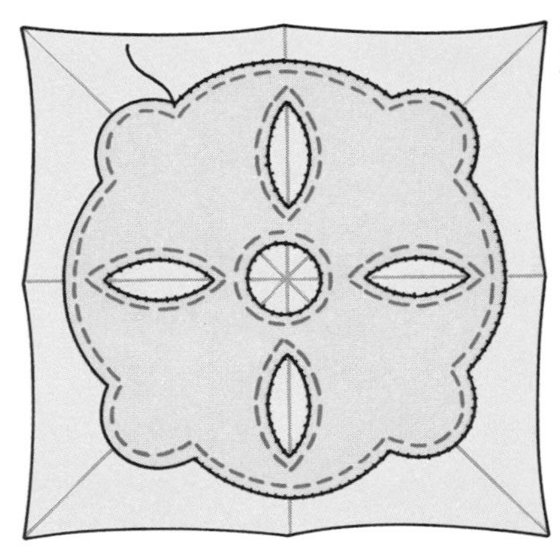

Les pavés en appliqué qui ne comportent qu'une épaisseur de tissu, comme le Flocon de neige, sont faciles à construire. Vous n'avez besoin que de deux morceaux d'étoffe, un pour l'appliqué et l'autre pour le fond. On doit rentrer tous les bords de ce genre d'appliqué.

1. Selon les méthodes décrites à la page 227, rentrez tous les bords de l'appliqué. Puisqu'il s'agit ici de bords courbes, il serait préférable de faire une piqûre de soutien; il faudra entailler les bords à courbes concaves et cranter les bords à courbes convexes.

2. Pliez le morceau de fond en quatre et même en huit si certaines parties de l'appliqué, les quatre coins par exemple, doivent être centrées sur les diagonales. Repassez légèrement les plis et ouvrez le morceau de tissu. Servez-vous des plis comme repères pour centrer l'application. Epinglez et faufilez l'appliqué à partir du centre. Assurez-vous de bien prendre les rentrés dans les points de bâti.

3. Cousez l'appliqué à la main sur le tissu de fond, en travaillant du centre vers les côtés. Si vous voulez que vos points soient presque invisibles, cousez au point d'ourlet ou au point perdu (p. 225), et utilisez du fil de la même couleur que l'appliqué. Un point de broderie vous permettra de faire une finition plus décorative; dans ce cas, utilisez un fil assorti ou contrastant. Otez les fils de bâti et repassez.

Pavés en appliqué de plusieurs épaisseurs

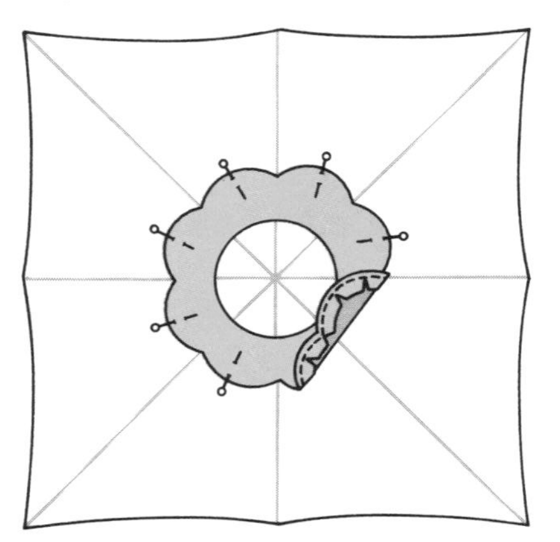

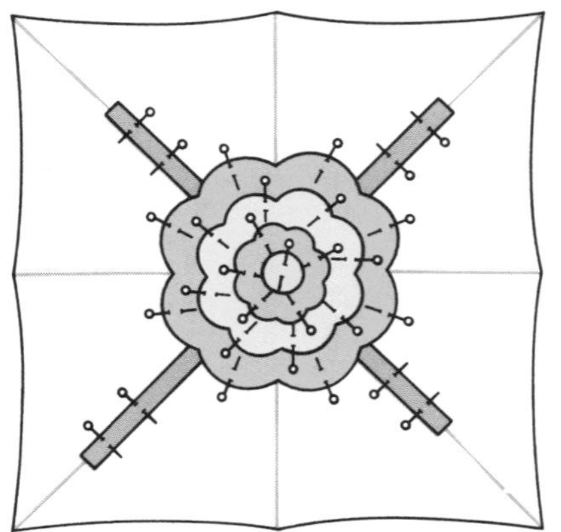

Avant de construire un pavé en appliqué de plusieurs épaisseurs, comme la Rose ci-dessus, établissez une séquence de superposition. Ensuite, identifiez les bords qui vont être recouverts par d'autres éléments et les bords qu'il vous faut rentrer.

1. Préparez toutes les pièces de l'appliqué. Référez-vous à la séquence de superposition (p. 226) et servez-vous des méthodes décrites à la page 227 pour rentrer seulement les bords visibles. Formez les lignes qui serviront à centrer les éléments en pliant le tissu de fond en quatre ou en huit, selon le cas (voir étape 2, ci-dessus). Commencez à poser et à épingler les morceaux sur le tissu en suivant l'ordre préétabli.

2. Continuez à placer les morceaux de l'appliqué, selon la séquence de superposition, en les épinglant. Au besoin, soulevez un bord de façon à en glisser un autre dessous (comme cela se produit pour chaque tige qui part de la rose centrale).

3. Quand tous les éléments sont épinglés, faufilez-les en place. Retirez les épingles à mesure que vous bâtissez. Travaillez du centre vers les bords. Ensuite, cousez l'appliqué à la main sur le tissu de fond, comme nous l'avons expliqué à l'étape 3, ci-dessus.

Pavés en appliqué de patchwork

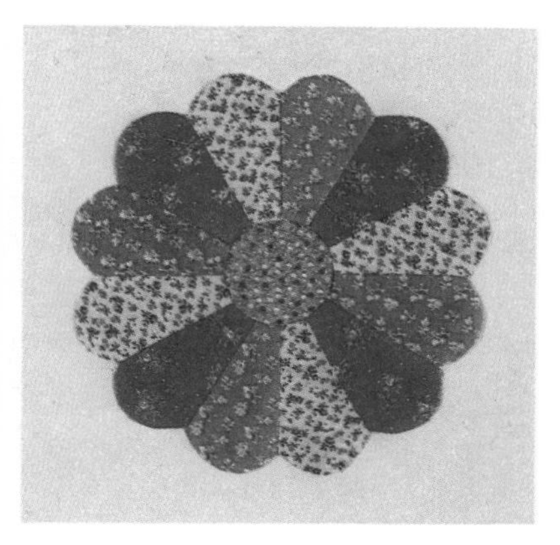

Dans certains pavés en appliqué, comme le Soleil, on emploie la technique du patchwork pour réaliser l'appliqué ou certaines de ses parties. S'il y a plus d'une épaisseur, établissez une séquence de superposition et déterminez les bords à rentrer.

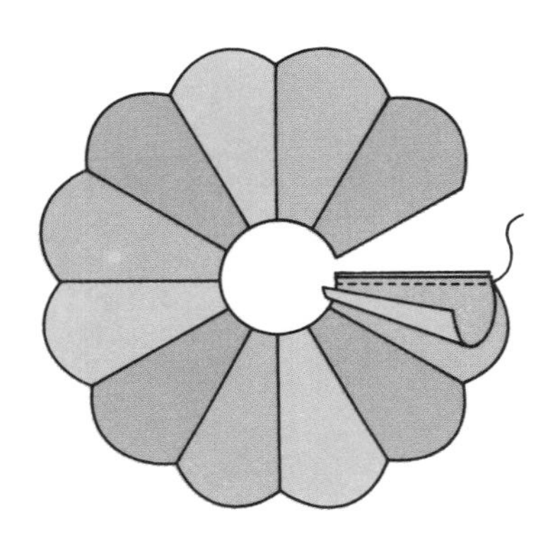

1. Construisez l'appliqué de patchwork selon les techniques du pavé en patchwork (pp. 220-225). Suivez les techniques de couture qui conviennent à la forme des morceaux à assembler; ouvrez les coutures au fer autant que possible. La partie en patchwork du Soleil se réalise au moyen de simples coutures droites, que l'on ouvre au fer.

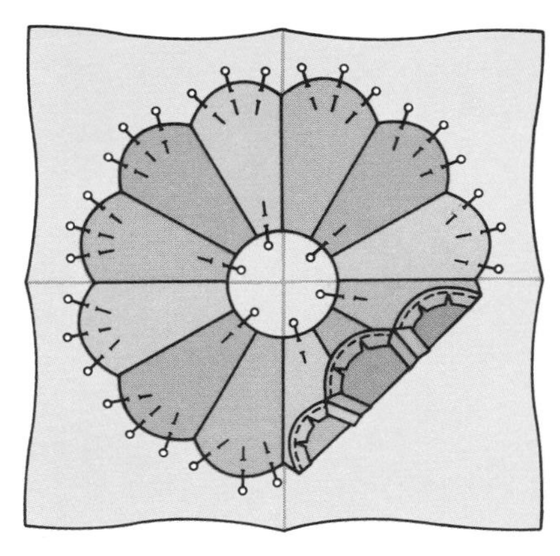

2. Utilisez les techniques expliquées à la page 227 pour rentrer les bords qui doivent l'être. Dans le Soleil, il faut rentrer la circonférence du cercle central et celle du cercle extérieur en patchwork. Avant de rentrer, faites une piqûre de soutien, puis crantez et entaillez les marges. Pliez le tissu de fond pour obtenir les lignes de centrage (étape 2, page ci-contre). Mettez en place les pièces et repassez-les.

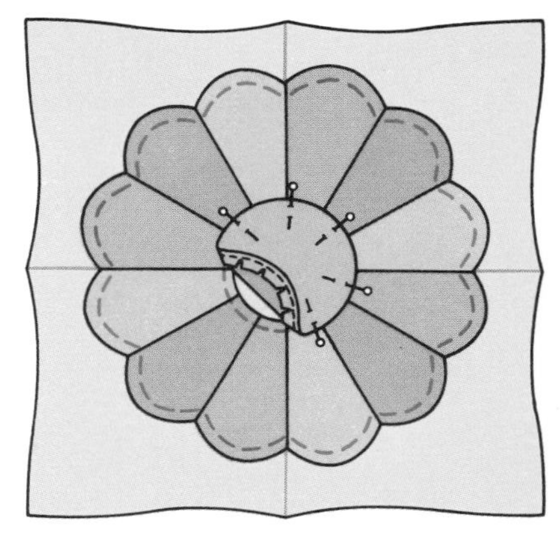

3. Quand toutes les pièces ont été épinglées au tissu de fond, passez un fil de bâti en enlevant les épingles au fur et à mesure, et en s'assurant que les rentrés sont bien pris dans le bâti. Cousez ensuite l'appliqué à la main (étape 3, au haut de la page ci-contre). Otez les fils de bâti et repassez.

Pavés en patchwork et appliqué

Certains motifs combinent le patchwork et l'appliqué à une ou plusieurs épaisseurs. La Corbeille de fleurs en est un exemple. La partie du pavé qui comprend la base de la corbeille est faite d'un assemblage de morceaux; les fleurs et l'anse sont appliquées.

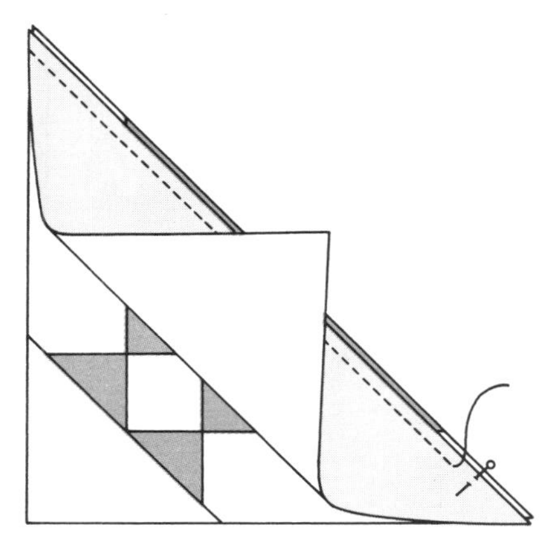

1. Construisez le motif en patchwork selon les techniques appropriées (pp. 220-225). Les divers éléments du motif sont assemblés ici au moyen de simples coutures droites; des paires de triangles constituent le plus petit élément répétitif. La partie inférieure du pavé est montée en premier, puis elle est cousue à la moitié supérieure qui est un grand triangle.

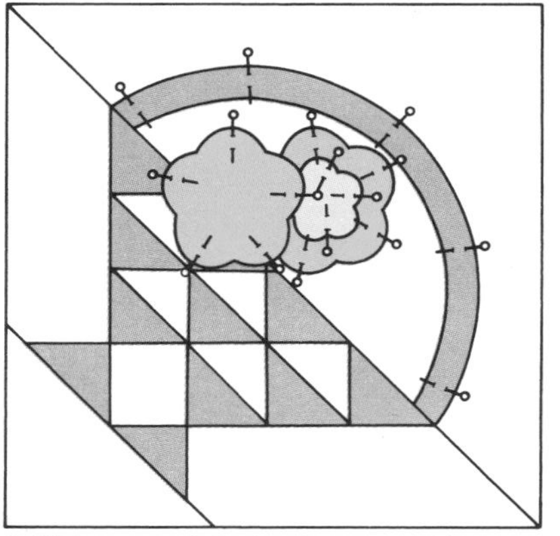

2. Référez-vous à l'ordre de superposition (p. 226) et rentrez les bords voulus de l'appliqué selon les méthodes décrites à la page 227. Au besoin, pliez l'étoffe pour former les lignes de centrage (étape 2 en haut, page ci-contre). Commencez à placer les éléments de l'appliqué et épinglez-les à leur place. L'anse de la corbeille est une bande de biais (p. 199).

3. Terminez la pose et l'épinglage des éléments de l'appliqué. Passez alors un fil de bâti en retirant les épingles au fur et à mesure; piquez bien les rentrés en faisant le faufil. Cousez l'appliqué à la main sur le fond (voir étape 3, au haut de la page ci-contre). Otez les fils de bâti et repassez.

Assemblage des pavés, bandes intercalaires et bordures

Cousez les éléments en bandes; assemblez les bandes les unes aux autres; ajoutez les bordures en dernier. Pour déterminer la composition du patchwork, étudiez-en la maquette et imaginez le regroupement des divers éléments en bandes. Dans la plupart des cas, les bandes sont assemblées dans la *largeur* (à droite). Si le modèle comprend des bandes intercalaires verticales, les pavés seront assemblés en bandes verticales (page ci-contre, en haut à gauche); dans un montage diagonal (page ci-contre, à droite), ils seront assemblés en bandes diagonales.

La réalisation d'une bande dépendra des éléments qui la composent et de leur position. Les bandes seront identiques si le patchwork est un simple assemblage de pavés. Si vous y ajoutez des bandes intercalaires, votre patchwork sera formé de bandes de pavés, séparées par des bandes intercalaires. Si vous faites entrer dans votre ouvrage des bandes intercalaires *à la fois* verticales et horizontales (page ci-contre, en bas à gauche), vous aurez une série de bandes formées de pavés et de bandes verticales, et une série de bandes horizontales.

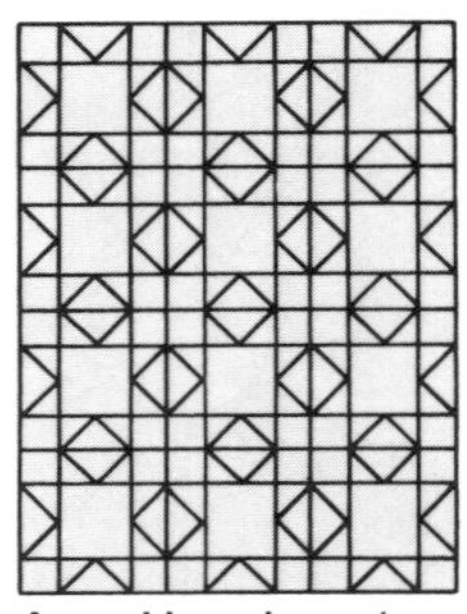
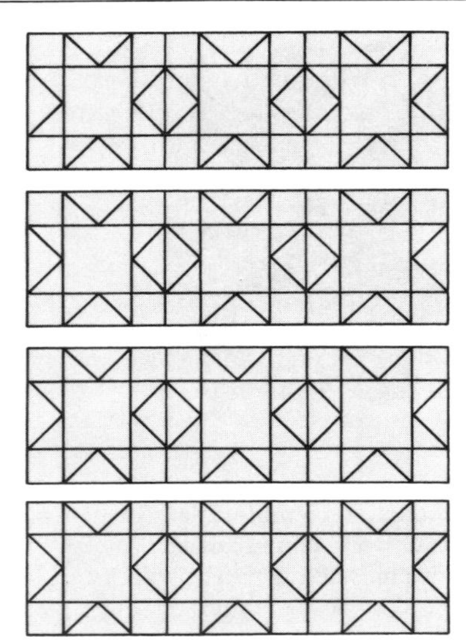

Assemblage de pavés seulement : assemblez les pavés en bandes horizontales. Cousez les bandes les unes aux autres. Si le dessin comprend des *bandes intercalaires horizontales* (non illustrées), cousez-les entre chaque paire de bandes de pavés.

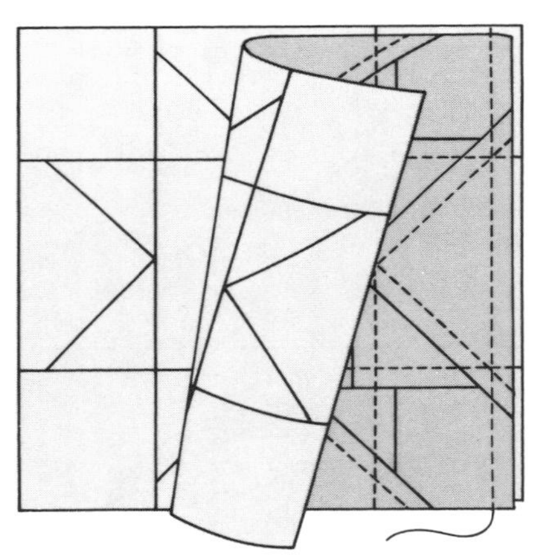

1. Assemblez les éléments en bandes. Le nombre d'éléments contenus dans une bande et le nombre de bandes dépendront de l'ouvrage. Prévoyez des marges de 0,5 cm (¼").

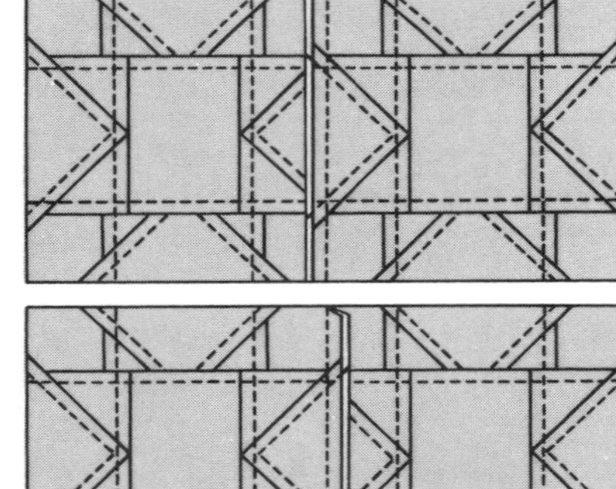

2. Repassez les marges de coutures d'un côté; changez le sens du repassage d'une bande à l'autre : aplatissez les marges d'une bande à gauche et celles de la suivante à droite.

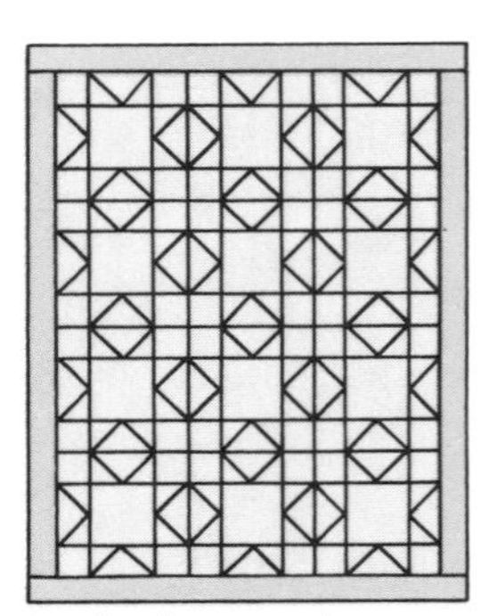
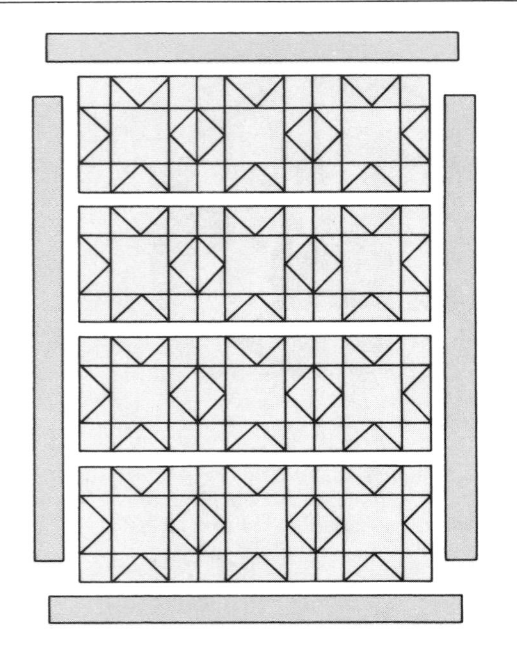

Les bordures sont les dernières bandes que l'on ajoute à un patchwork. Lorsque tous les autres éléments ont été assemblés, cousez une bordure de chaque côté du patchwork en commençant par les bords gauche et droit et en terminant par ceux du haut et du bas.

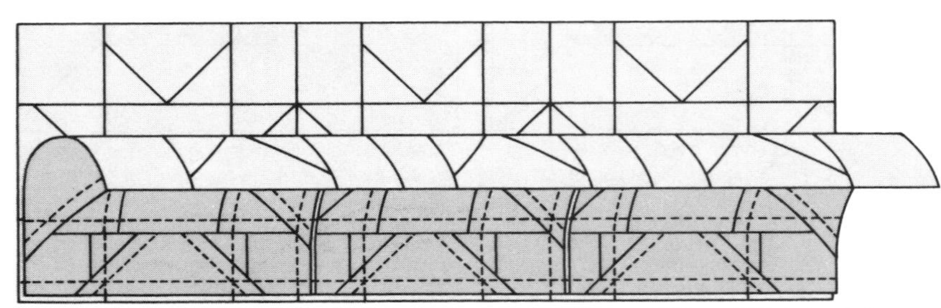

3. Assemblez les bandes entre elles selon votre maquette. Piquez à 0,5 cm (¼") du bord et prenez soin de bien faire correspondre les coutures opposées. Repassez les marges de couture d'un côté.

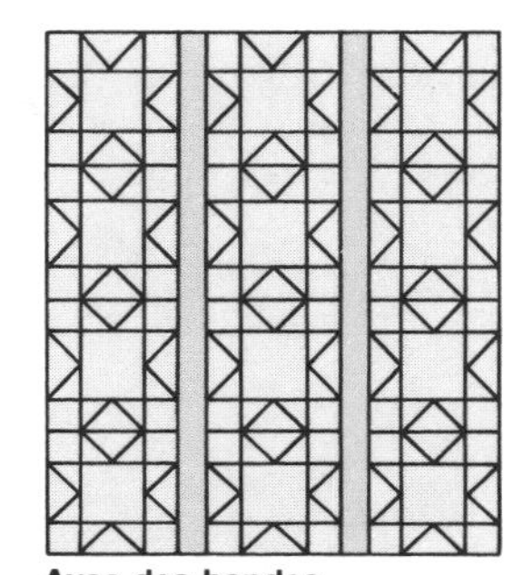

Avec des bandes intercalaires verticales, assemblez les pavés en bandes verticales. Cousez les bandes de pavés aux bandes intercalaires, à raison d'une bande intercalaire entre deux bandes de pavés.

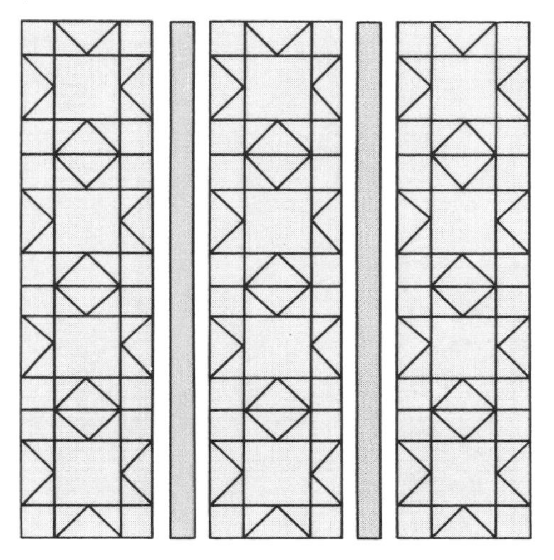

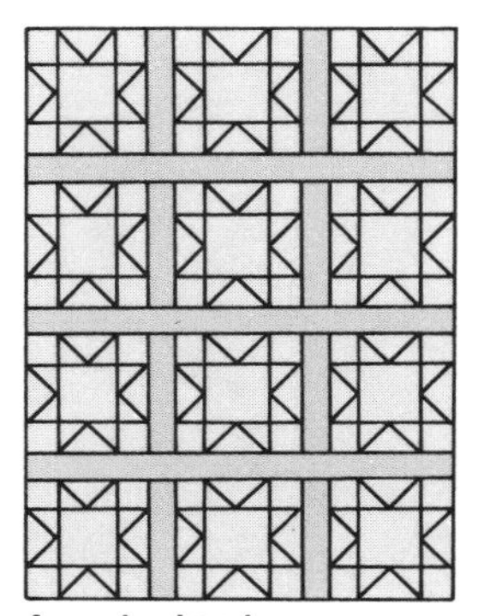

Avec des bandes intercalaires verticales et horizontales, assemblez les pavés et les petites bandes intercalaires verticales à raison d'une bande entre deux pavés, de façon à former des bandes horizontales. Formez ensuite les bandes intercalaires horizontales que vous assemblerez aux bandes horizontales de pavés en les alternant.

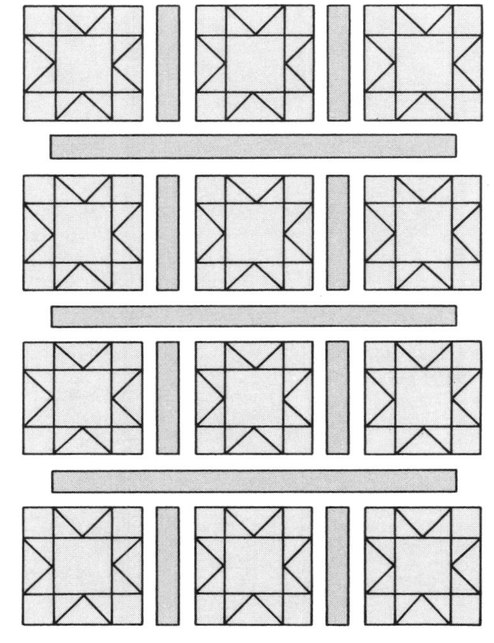

Montage diagonal : ici, les éléments sont assemblés en bandes qui seront montées en diagonale. Le nombre d'éléments dans une bande dépendra de la position de cette bande dans le patchwork. On n'utilisera que des éléments partiels aux extrémités des bandes pour obtenir des bords droits, une fois l'assemblage terminé; certaines bandes ne contiendront que des parties d'éléments. Le croquis ci-dessous montre la décomposition du patchwork illustré à droite. Remarquez que chaque bande diffère des autres et que le coin supérieur droit se compose d'un quart de motif alors que le coin inférieur gauche se compose de deux demi-motifs coupés en diagonale. Les numéros indiquent la séquence d'assemblage des bandes que nous suggérons.

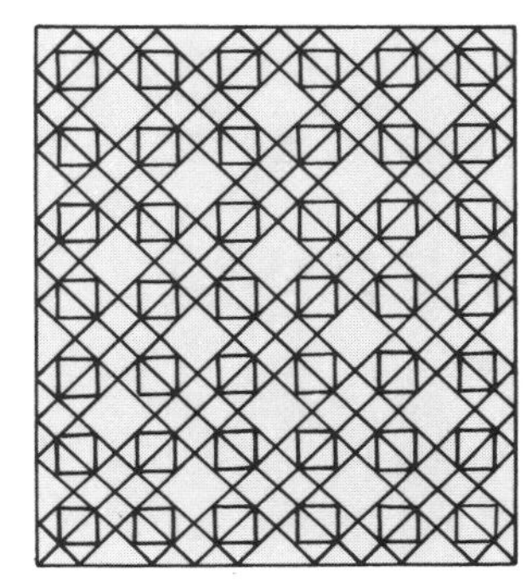

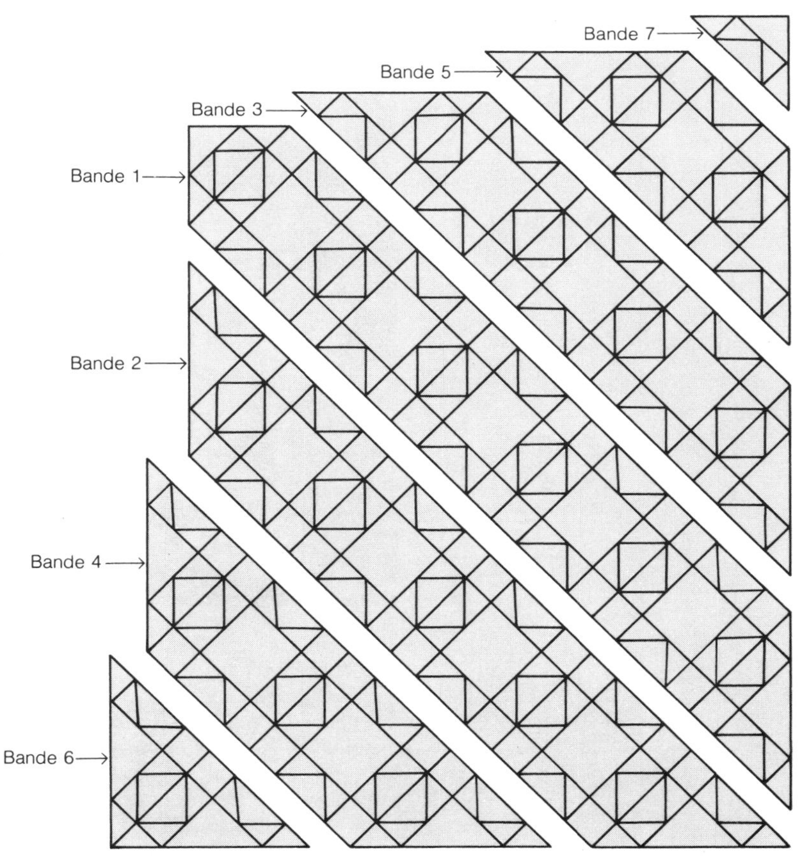

Patchworks à forme unique

Etapes préliminaires
La Coquille
Les Cubes
Les Fleurs de grand-mère

Etapes préliminaires

La Coquille, les Cubes et les Fleurs de grand-mère sont les patchworks à forme unique les plus populaires; les détails d'exécution des formes sont donnés à la page 213. La plupart des étapes à suivre pour préparer un patchwork à forme unique sont les mêmes que pour un patchwork à pavés ouvrés. Il faut faire une maquette et un plan d'agencement des coloris (pp. 216-217). Quand la maquette est terminée, on fabrique des gabarits de pliure et des gabarits de coupe; on taille ensuite les morceaux dans des tissus de couleurs (pp. 218-219). Si vous voulez réaliser la **Coquille** (ci-dessous), utilisez le gabarit de pliure pour marquer les lignes de couture de chaque forme. Pour les **Cubes** et les **Fleurs de grand-mère**, utilisez le gabarit de pliure pour découper des formes de papier (pp. 233-234).

La Coquille

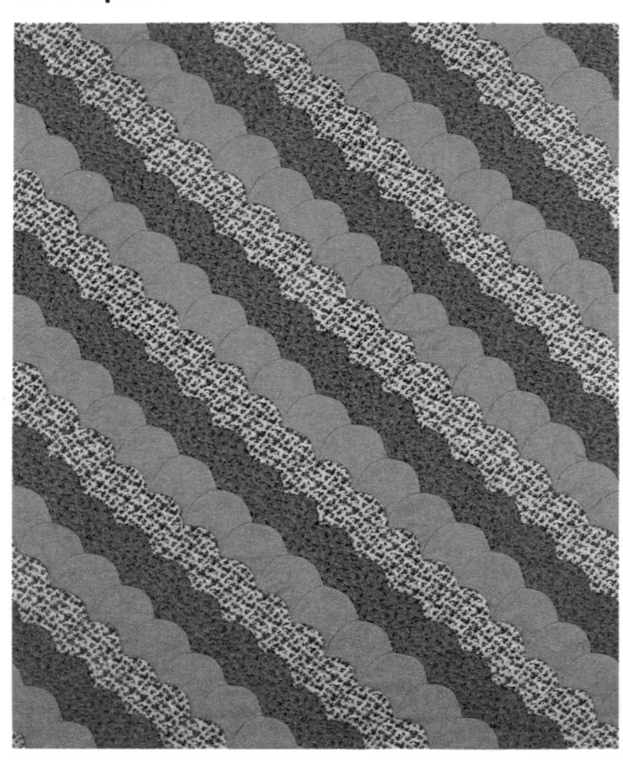

On peut traiter le patchwork Coquille dans différents agencements de coloris; ici, on obtient des rayures diagonales. Si vous désirez que les contours du patchwork soient droits, mettez des motifs partiels sur les bords (vous devrez aussi leur fabriquer des gabarits de pliure et de coupe). Rentrez les marges des formes qui se trouvent sur les bords du patchwork (étape 3).

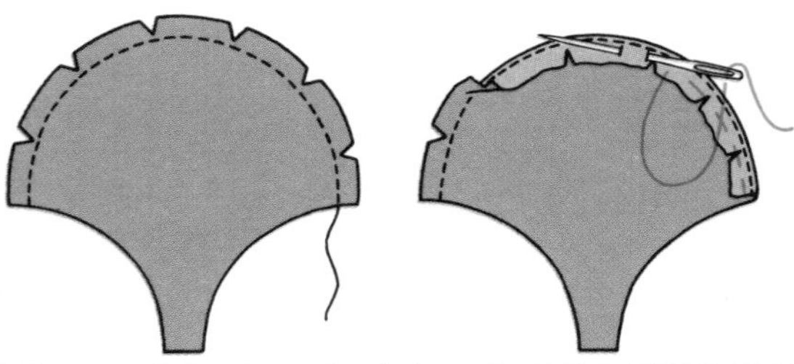

1. Faites une piqûre de soutien le long du bord supérieur de chaque coquille et crantez (p. 227). Rentrez cette marge sur l'envers et bâtissez-la.

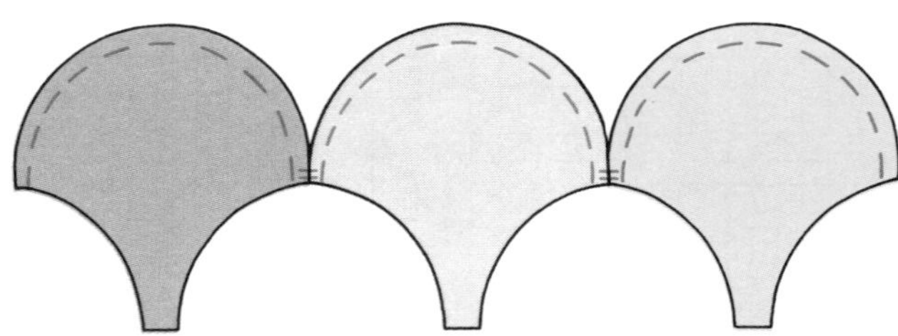

2. Formez la rangée supérieure de coquilles en alternant les couleurs selon votre maquette. Attachez les coquilles par quelques points dans le bas.

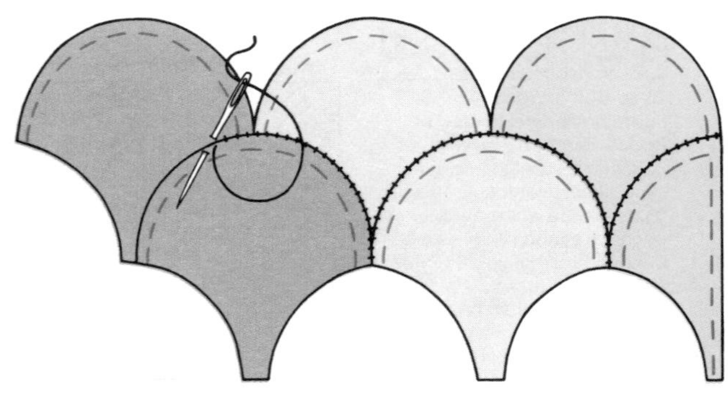

3. Fixez à points perdus (p. 225) chaque rangée en chevauchant les bords inférieurs de la rangée précédente; respectez l'agencement des couleurs.

Les Cubes

Quand les coloris sont convenablement choisis et disposés, le patchwork Cubes produit un effet tridimensionnel. On obtiendra facilement cet effet en utilisant trois nuances d'une même couleur, placées au même endroit dans chaque cube (étape 2). Nos Cubes combinent trois nuances de bruns : le ton le plus clair en haut, le plus foncé à gauche et le ton moyen à droite. Si vous voulez que les contours de l'ouvrage soient droits, utilisez des motifs partiels sur les bords (page ci-contre).

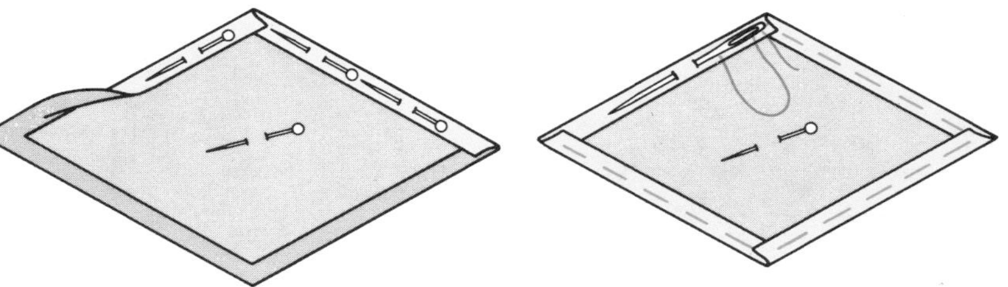

1. En utilisant le gabarit de pliure comme patron, découpez autant de losanges de papier que vous avez de losanges de tissu. Renforcez chaque losange de tissu avec un losange de papier. Rentrez les marges de couture et bâtissez.

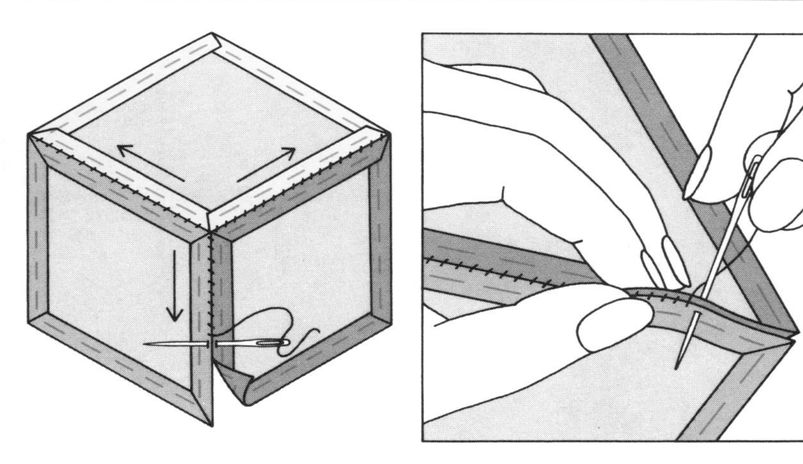

2. Confectionnez chaque cube de la façon suivante : mettez en place un groupe de trois losanges, comme nous le montrons à l'extrême gauche, et assemblez-les en cousant du centre vers les bords du cube. Maintenez les losanges endroit contre endroit et réunissez les bords à petits points de surjet, comme nous l'illustrons ci-contre.

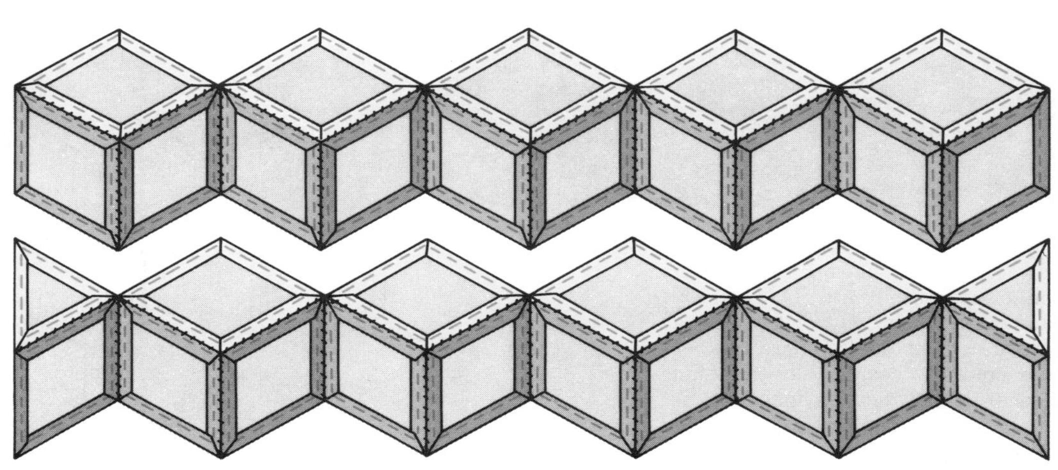

3. Toujours à points de surjet, assemblez les cubes entre eux de manière à former des bandes. Consultez votre maquette pour connaître le nombre de bandes et le nombre de cubes par bande. La couture terminée, retirez les renforts de papier.

Patchworks à forme unique

Les Fleurs de grand-mère

Dans la composition la plus populaire de ce type de patchwork, les couleurs sont disposées en rosettes et le blanc représente les allées entre elles. Chaque rosette se compose d'un hexagone central, entouré de six hexagones d'une couleur puis de douze d'une autre couleur. Les diverses rosettes peuvent être de couleurs identiques ou non. Si vous désirez un patchwork à bords droits, utilisez des formes partielles (p. 232).

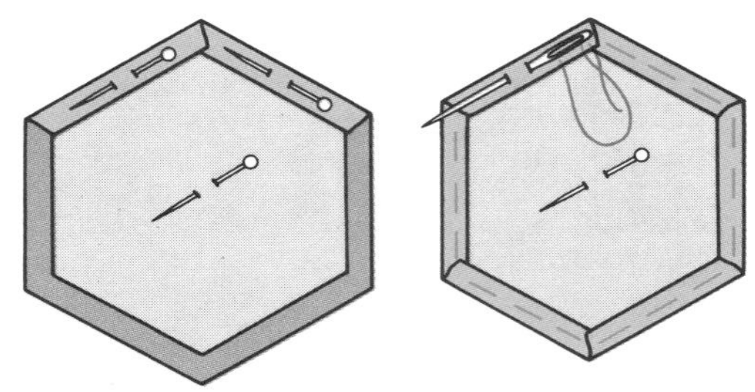

1. Avec le gabarit de pliure comme patron, découpez autant d'hexagones de papier que vous en avez en tissu. Renforcez chaque hexagone de tissu avec un hexagone de papier. Rentrez les marges et bâtissez.

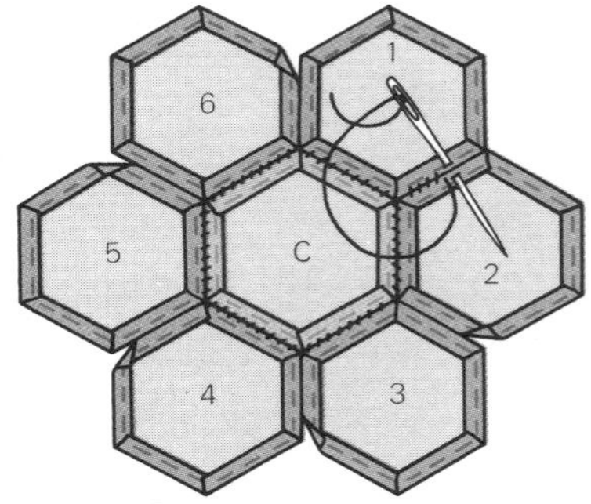

2. Pour confectionner les rosettes de fleurs, placez d'abord six hexagones autour de l'hexagone central. A petits points de surjet (étape 2, p. 233) fixez chacun d'eux à l'hexagone central; ensuite, cousez-les les uns aux autres.

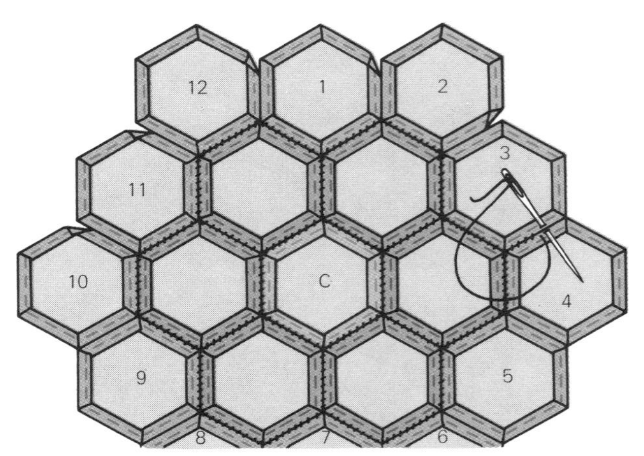

3. Complétez chaque rosette de fleurs avec douze hexagones de couleur. Assemblez-les à la rangée précédente puis les uns aux autres. Si le patchwork contient des *rosettes partielles,* formez-les selon la même séquence.

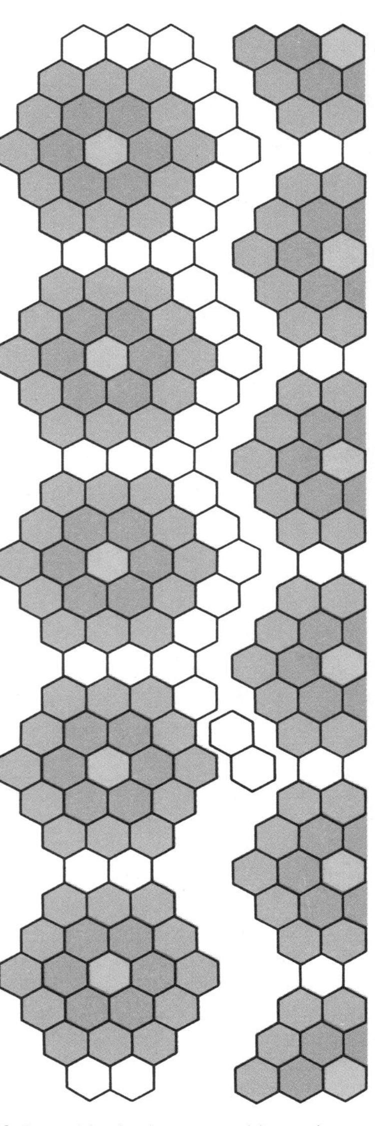

4. Assemblez les hexagones blancs deux par deux, au point de surjet. Constituez les bandes de rosettes en intercalant entre chacune une paire d'hexagones blancs. Réunissez les bandes de rosettes en intercalant des paires d'hexagones blancs entre elles. Faites des rosettes partielles, si nécessaire. Puis retirez les renforts.

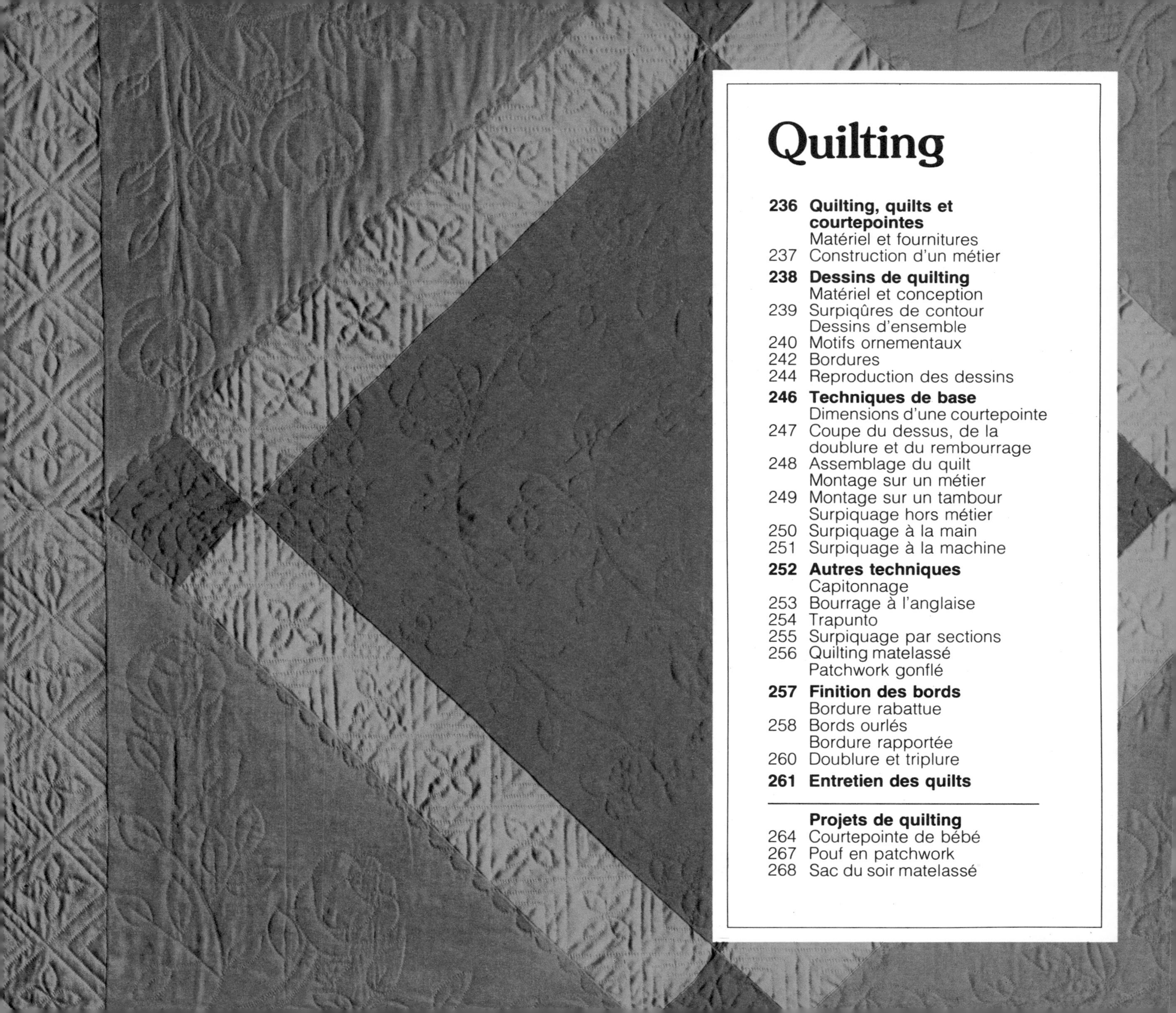

Quilting

Quilting, quilts et courtepointes

Introduction au quilting
Matériel et fournitures
Construction d'un métier pour le quilting

Illustration de la page précédente : quilt américain/Amish, fin du XIXe, comté de Lancaster, Pennsylvanie, E.-U., America Hurrah Antiques

Introduction

Le quilting est une technique séculaire. Sous forme de vêtements ou de courtepointes, le quilt a toujours été reconnu comme une excellente source de chaleur. La technique de base du quilting consiste à fixer un rembourrage léger entre deux épaisseurs de tissu par de simples points devant. Ces points reproduisent généralement un dessin précis tout en donnant au tissu un délicat relief. Les motifs de quilting (pp. 239-243) peuvent constituer la seule ornementation d'un article, en être l'élément décoratif principal ou encore venir rehausser certaines parties d'un patchwork ou d'un appliqué.

Même si l'on associe généralement la technique de base du quilting à la confection des courtepointes, on l'applique souvent à l'ornementation de certains vêtements, comme les vestes et les gilets. Le quilting convient aussi à la décoration d'accessoires de maison, comme les coussins et les murales.

Motif ornemental surpiqué sur un fond uni.

Surpiquage de contour rehaussant le motif principal en patchwork.

Matériel et fournitures

Tissus et rembourrages : le *dessus* ou côté décoratif d'un projet de quilting peut être un tissu imprimé ou uni, ou encore un patchwork, un appliqué ou une broderie. Quel que soit l'article, on devrait choisir des tissus opaques, légers ou mi-lourds. Les plus utilisés sont la popeline, la percale, la mousseline et la batiste bien que les toiles fines et les flanelles conviennent aussi très bien. Les tissus riches, comme le velours, le satin et la soie, peuvent servir à des projets spéciaux. On obtient un effet délicat en superposant un tissu diaphane léger (voile, organdi) à un tissu opaque. Evitez les tissus lourds ou raides : ils se prêtent difficilement aux dessins de quilting. Les draps de lit sont pratiques car ils offrent une vaste gamme de coloris et d'imprimés; par ailleurs, leur largeur permet de réaliser de grandes pièces sans couture.

L'épaisseur du *dessous*, la doublure, était autrefois un tissu ordinaire léger, comme la mousseline. De nos jours, la tendance est aux doublures décoratives réalisées dans des tissus colorés et imprimés qui s'apparentent à l'étoffe du dessus. Si la doublure doit aussi servir de bordure (p. 257), elle devra être plus grande que le dessus.

Le rembourrage moderne le plus courant est le molleton de coton cardé ou de polyester, en feuilles. Le molleton de coton cardé, qui est le rembourrage traditionnel, est lavable, léger, chaud et facile à surpiquer. Quant au molleton de polyester, il possède en plus de ces qualités une meilleure stabilité qui permet un surpiquage plus lâche sans formation de nodosités. Le molleton de polyester donne aussi plus de volume; il existe en plusieurs épaisseurs. Un molleton de polyester de bonne qualité aura une épaisseur et une densité uniformes, ce qui en facilitera la manipulation lors de l'assemblage. Les deux sortes de molleton existent en diverses grandeurs; achetez si possible une pièce d'un seul tenant. Autrement, assemblez deux pièces (p. 247). On peut utiliser d'autres rembourrages : ouatine de laine ou de polyester, couvertures ou finette.

Certaines techniques de quilting requièrent une bourre en vrac plutôt qu'un rembourrage en feuilles. Là encore, on peut choisir entre le coton et le polyester, ou employer du kapok ou du caoutchouc mousse déchiqueté.

Aiguilles, fil, accessoires de couture : on utilise généralement des *aiguilles* nos 8 ou 9, mais on peut prendre une aiguille plus grosse (no 7) pour les tissus épais, et une plus fine (no 10) pour les tissus délicats. Les aiguilles longues de modiste peuvent s'avérer utiles.

Le *fil* utilisé pour le quilting doit être solide. Le fil de coton glacé, parfois appelé *fil à quilting*, convient parfaitement. On peut aussi utiliser du fil à coudre n° 50 ou n° 40 (plus épais). Glissez chacune de vos aiguillées dans un gâteau de *cire d'abeille* pour éviter que le fil ne s'emmêle. Du cordonnet de soie lustré ou du fil de lin fin rehausseront le fini de l'ouvrage.

Un *dé à coudre* qui tient bien le doigt est très utile de même que des ciseaux à broder, pour couper le fil.

Métiers et tambours : un *métier* à quilting facilite le surpiquage des grandes surfaces. Comme il maintient solidement les trois épaisseurs ensemble, il empêche déplacement, plissage et tassement de l'étoffe, tout en laissant les mains libres. Tous les métiers du commerce s'appliquent sur le même principe, mais les dimensions et les modèles varient.

Un grand *tambour* maintient les épaisseurs du quilt bien en place et s'adapte à un projet de n'importe quelle dimension; pour un grand projet, déplacez le tambour d'une section à une autre. Choisissez un tambour d'au moins 45 centimètres (18″) de diamètre, afin de pouvoir piquer une bonne surface. Vous en trouverez sur pied, ce qui libère les mains.

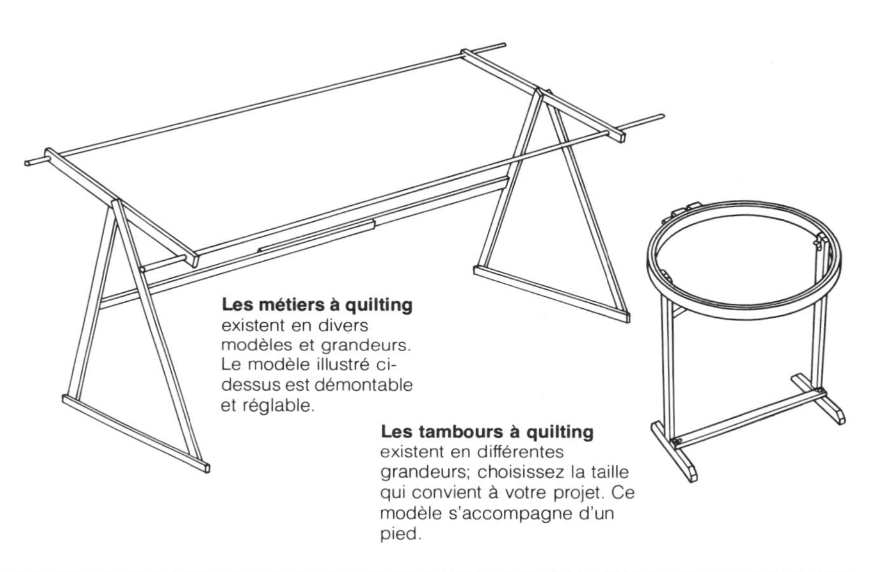

Les métiers à quilting existent en divers modèles et grandeurs. Le modèle illustré ci-dessus est démontable et réglable.

Les tambours à quilting existent en différentes grandeurs; choisissez la taille qui convient à votre projet. Ce modèle s'accompagne d'un pied.

Construction d'un métier pour le quilting

Vous pouvez facilement construire chez vous un robuste métier démontable en suivant les instructions ci-dessous.

Matériaux : vous aurez besoin, pour fabriquer le cadre, de quatre lattes de bois de 2,5 centimètres sur 5 (1″×2″) que vous aurez sablées pour qu'elles n'accrochent pas le tissu. Deux de ces lattes serviront de *supports* autour desquels on enroulera le quilt. Les supports doivent mesurer la largeur du quilt plus 30 centimètres (12″) pour l'espace occupé par les serre-joints aux quatre coins. Les deux autres lattes serviront de *tendeurs*; elles auront une longueur de 60 à 90 centimètres (2-3 pi) plus 30 centimètres (12″) pour les serre-joints; ces dimensions conviennent à la plupart des projets. Procurez-vous aussi huit *serre-joints* de 15 centimètres (6″) et deux bandes de *coutil* ou d'un autre tissu résistant d'au moins 5 centimètres (2″) de large et de la longueur des supports. Il faut des *agrafes* ou des *punaises* pour fixer le coutil sur les supports. Appuyez le cadre sur deux *tréteaux*.

Assemblage : agrafez d'abord une bande de coutil à chaque tréteau; les extrémités de la courtepointe seront cousues dessus. Placez les quatre lattes à angle droit en posant les supports sur les tendeurs; assemblez-les aux quatre coins au moyen de serre-joints. Posez le cadre sur les tréteaux de sorte que les tendeurs soient bien appuyés. Ajoutez quatre autres serre-joints. Installez la courtepointe sur le cadre selon la méthode décrite aux pages 248-249.

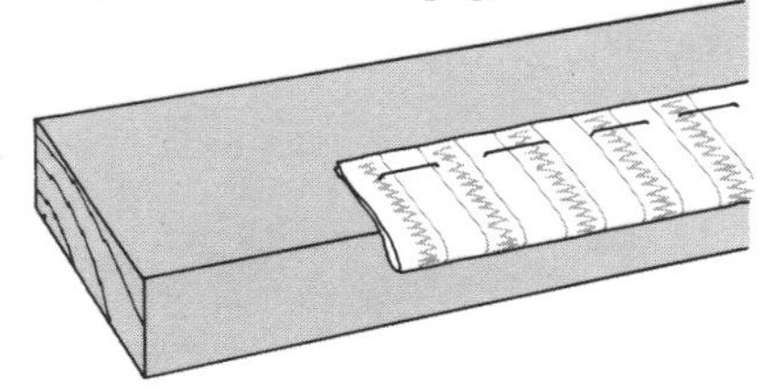

Pour fixer la bande de coutil, pliez-la en deux et agrafez-la le long d'un support.

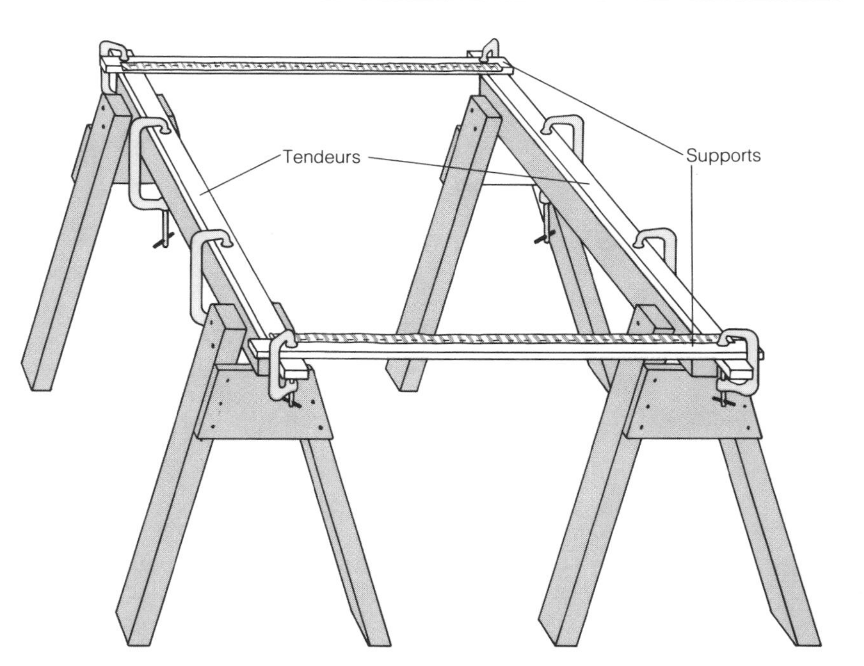

Pour assembler le cadre, posez les supports sur les tendeurs et fixez-les avec des serre-joints. Posez le cadre sur les tréteaux. Assujettissez les tendeurs aux tréteaux avec des serre-joints.

Dessins de quilting

Matériel de dessin

Il existe toute une gamme d'accessoires qui facilitent la conception et la reproduction des motifs. Votre choix dépendra à la fois du dessin et de la méthode de reproduction requise.

Un *pochoir*, un *gabarit* ou un *patron ajouré* sont simples à utiliser; le choix des modèles commerciaux est cependant assez restreint. Au besoin, vous pouvez fabriquer votre propre modèle (p. 245).

Il existe plusieurs sortes de papier utiles pour la conception et la reproduction. Le *papier quadrillé* sert à faire l'esquisse ou le plan d'un motif à l'échelle. Si vous réalisez un dessin de quilting ou un patron ajouré aux dimensions réelles, choisissez de préférence du *papier-calque*. Utilisez du papier rigide et résistant ou du carton pour fabriquer des gabarits et des pochoirs durables. Du *papier carbone de couturière* est utile pour le marquage. Une *règle* servira à tracer les lignes droites et à mesurer. Un *compas* ou un *objet rond* (une tasse, par exemple) peut servir à tracer les courbes. Une *lame de rasoir* ou une *pointe* permettra de couper gabarits et pochoirs avec précision. Pour marquer le tissu, utilisez un *crayon* à mine de plomb dure ou une *craie tailleur*. La *craie tailleur en poudre* s'utilise avec les patrons ajourés.

Conception d'un dessin de quilting

Il existe un grand nombre de dessins de quilting (pp. 239-243). D'abord, tenez compte du tissu utilisé pour le dessus avant de choisir un dessin. En règle générale, si le tissu se compose déjà d'un assemblage de motifs (en patchwork ou en appliqué, par exemple), un surpiquage simple et discret le rendra des plus attrayants. La pratique courante consiste à entourer les formes existantes de surpiqûres. Par contre, les dessins complexes ressortent magnifiquement sur les tissus unis. En fait, on trouve souvent les dessins les plus ouvragés sur des quilts blancs (quilts de mariage). Ces quilts traditionnels sont caractérisés par un motif central très orné, entouré de motifs plus petits sur un fond entièrement surpiqué.

On peut combiner ces deux techniques dans un même projet. Ainsi, une bordure unie aux surpiqûres complexes peut accompagner un dessus en patchwork surpiqué de façon simple.

Le rembourrage utilisé peut aussi influencer votre dessin. De tous les rembourrages dont nous avons déjà parlé (p. 236), le molleton de coton est le moins stable; il faut donc rapprocher les surpiqûres pour éviter qu'il glisse ou qu'il finisse par former des nodosités et ne laisser pas plus de 7 centimètres (2¾″) entre les surpiqûres. Il n'est pas nécessaire de surpiquer autant avec du molleton de polyester ou tout autre rembourrage plus stable que le coton; on peut alors laisser jusqu'à 25 centimètres (10″) d'espace entre les surpiqûres. Si vous désirez une surface assez plate, faites des surpiqûres rapprochées, que le molleton soit en coton ou en polyester. Les surpiqûres très espacées assurent le molleton moins solidement, ce qui permet d'obtenir une surface plus gonflée.

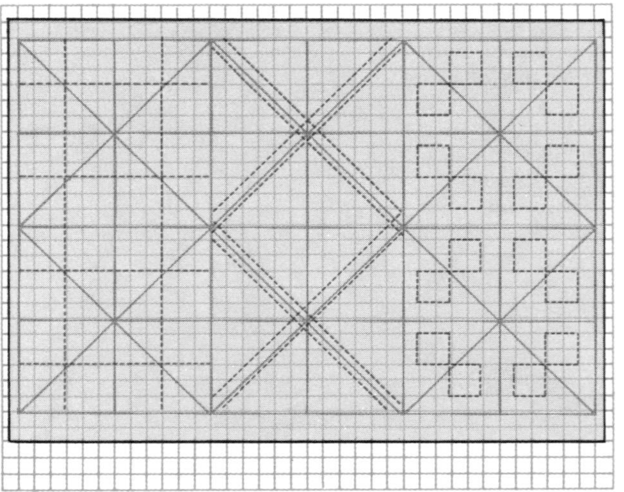

Esquissez sur du papier quadrillé le dessin de quilting d'une courtepointe ou de toute grande pièce de tissu. **Pour un patchwork,** faites d'abord le dessin du patchwork assemblé sur du papier quadrillé; placez par-dessus une feuille de papier-calque et esquissez les lignes de surpiqûres, comme sur notre illustration. Faites des essais jusqu'à ce que vous ayez choisi le dessin qui mettra le plus votre patchwork en valeur.

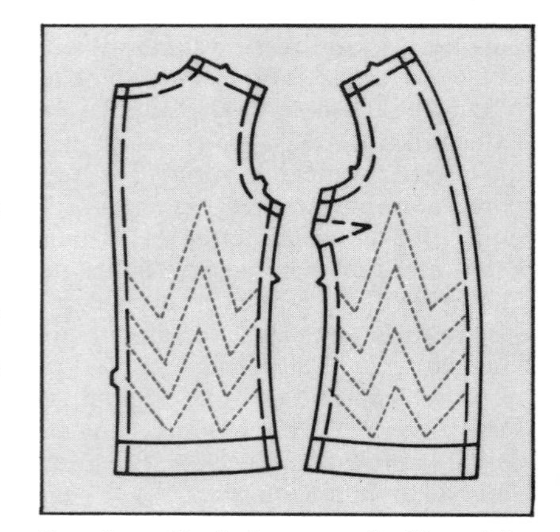

Pour les quilts de formes particulières, faites le dessin sur les pièces du patron. Faites coïncider les surpiqûres aux coutures d'assemblage.

Exemples de dessins de quilting/Surpiqûres de contour

Le surpiquage de contour suit le contour des formes qui composent déjà l'étoffe du dessus. Ce genre de surpiqûres accompagne le patchwork et l'appliqué. Placez-les à 0,5 cm (¼″) des coutures d'assemblage des formes.

On peut souligner chaque forme, comme dans la première illustration.

On peut surpiquer des surfaces particulières pour faire ressortir certains aspects du motif. Dans la deuxième illustration, on fait ressortir les branches de l'étoile.

Le surpiquage par écho consiste à répéter une forme par des surpiqûres concentriques. Cette technique s'emploie souvent avec des appliqués.

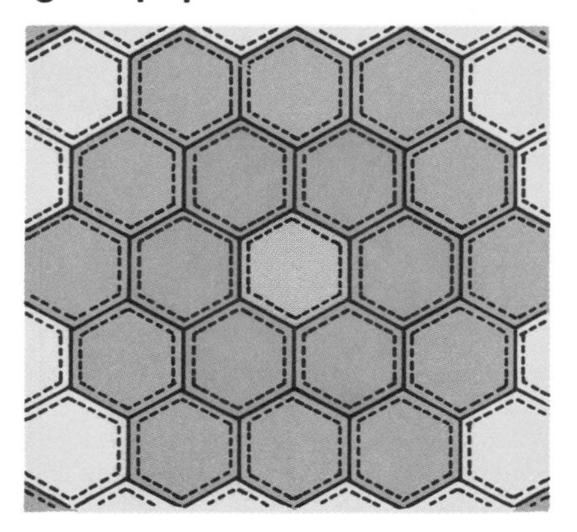

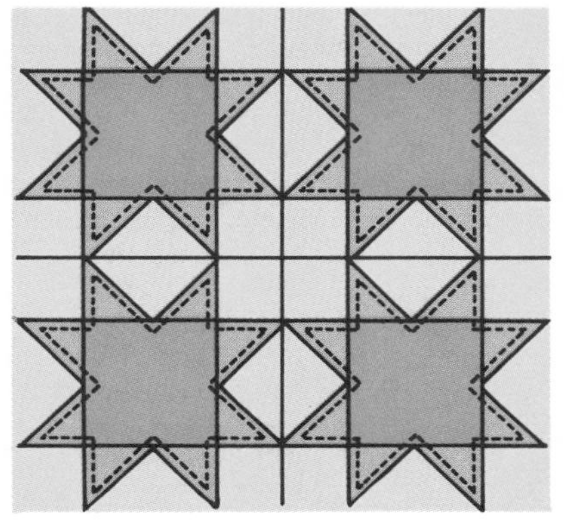

Exemples de dessins de quilting/Dessins d'ensemble

Le surpiquage d'ensemble produit un dessin régulier dans lequel se répètent une ou plusieurs formes. On peut y recourir pour garnir toute la surface d'un article, ou pour remplir les espaces entre des motifs surpiqués ou à l'intérieur des motifs.

La prison, notre premier motif, est un dessin rectiligne des plus faciles à réaliser; on le trace avec une règle.

Les pointes de diamant, notre deuxième croquis, sont formées de diagonales entrecroisées.

La plume sur pointes de diamant, notre troisième croquis, montre comment les losanges entourent le motif central.

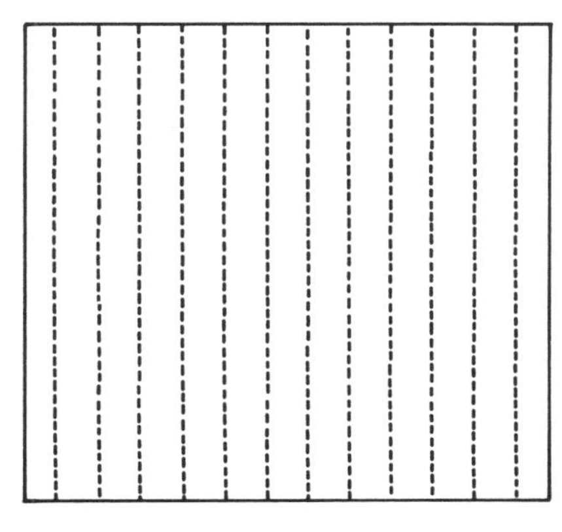

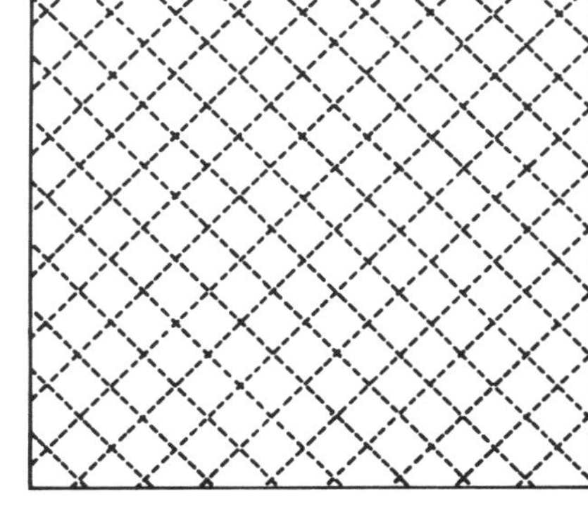

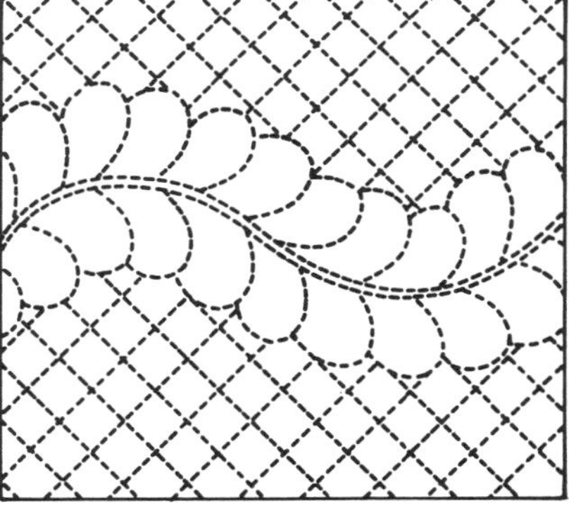

Les dessins d'ensemble à base de courbes nécessitent l'emploi de gabarits en papier rigide. Certains motifs s'obtiennent en faisant chevaucher un ou plusieurs gabarits; des crans découpés sur le pourtour de ceux-ci indiquent les points de superposition.

Les coquilles du premier croquis sont créées par la répétition d'un seul gabarit.

Les cercles à cheval du deuxième croquis se tracent au moyen d'un gabarit rond cranté aux endroits où les cercles se chevauchent.

Les croissants se réalisent avec deux gabarits ronds de dimensions différentes. Un arc marqué sur chacun des cercles sert à indiquer les extrémités de chaque croissant.

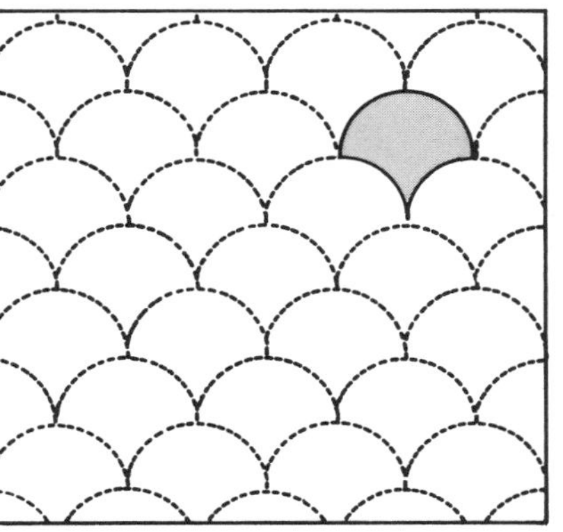

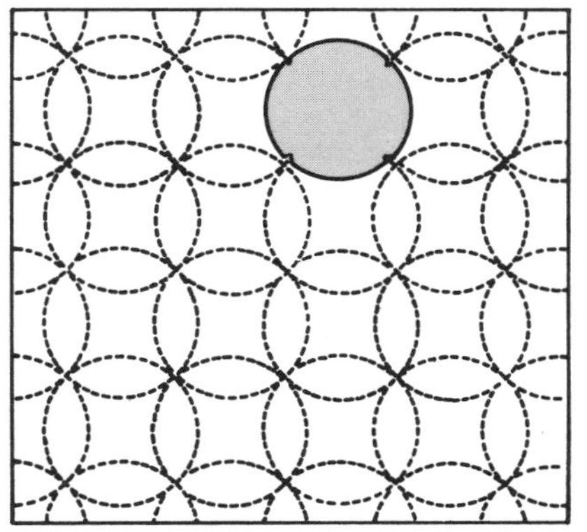

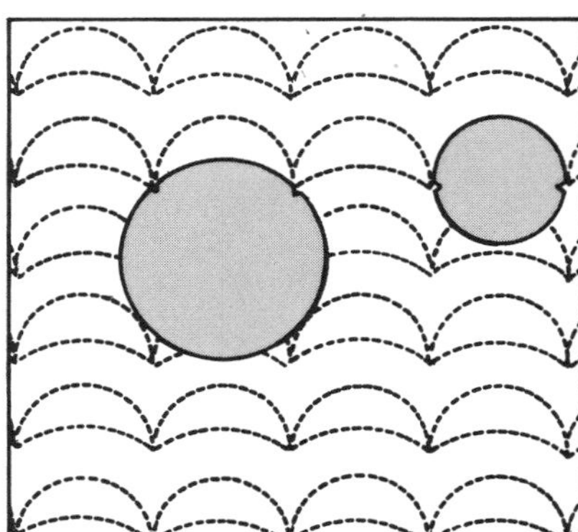

Dessins de quilting

Exemples de dessins de quilting/Motifs ornementaux

Le dessin de quilting peut aussi être un motif ornemental de style classique représentant un sujet traditionnel. Ces motifs contiennent des détails minutieux que l'on peut mieux distinguer et apprécier s'ils sont surpiqués sur un tissu uni. Dans bon nombre des plus élégantes courtepointes anciennes, les grands dessins complexes constituent le motif central; des motifs plus petits peuvent entourer le dessin central ou servir à décorer les angles. Si vous désirez combiner dans une même pièce deux motifs ou plus, faites d'abord quelques esquisses sur du papier quadrillé. Un motif ornemental unique fait une magnifique décoration sur un pavé de patchwork ou sur un coussin.

Vous pouvez acheter des patrons de ce genre de dessin ou fabriquer votre propre pochoir (p. 245). Faites des surpiqûres très fines afin de rendre exactement les courbes serrées qui caractérisent nombre de ces dessins.

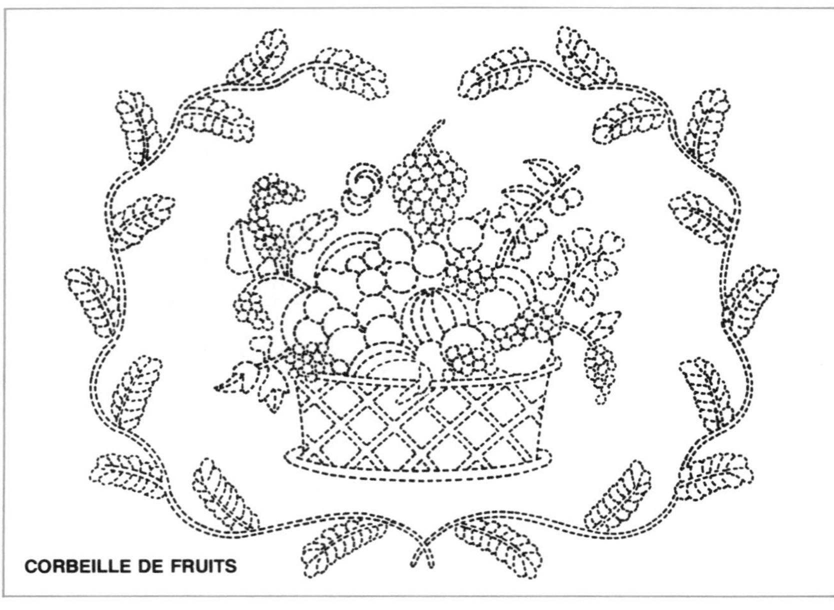
CORBEILLE DE FRUITS

BOUQUET DE FLEURS

ANANAS

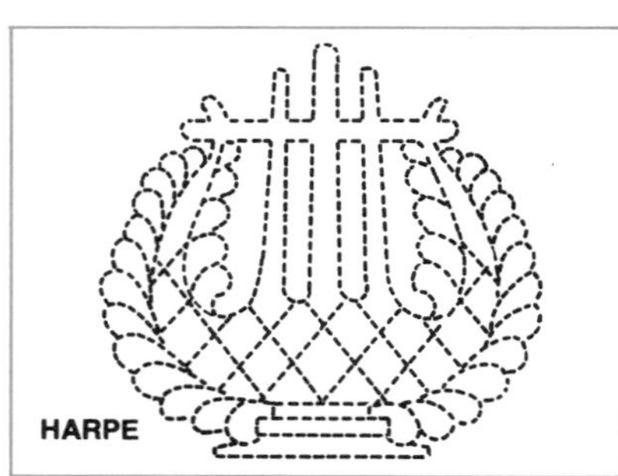
HARPE

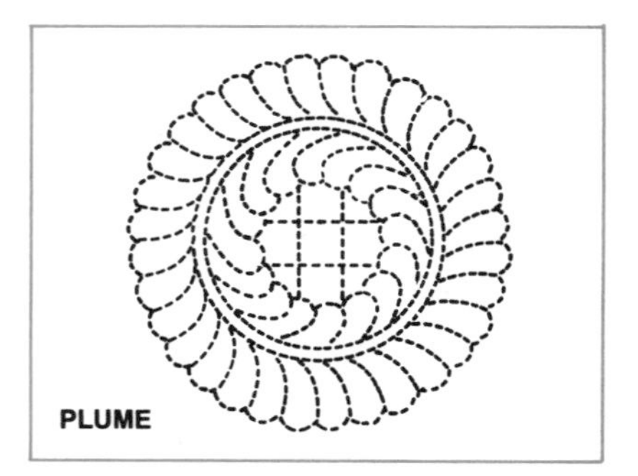
PLUME

PAPILLON

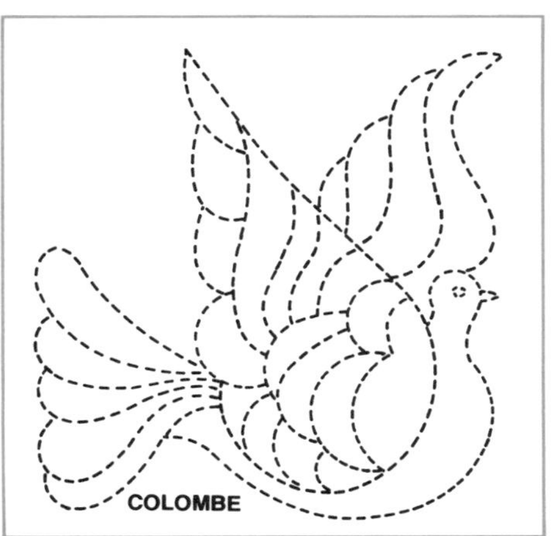
COLOMBE

TULIPE

AIGLE AMÉRICAIN

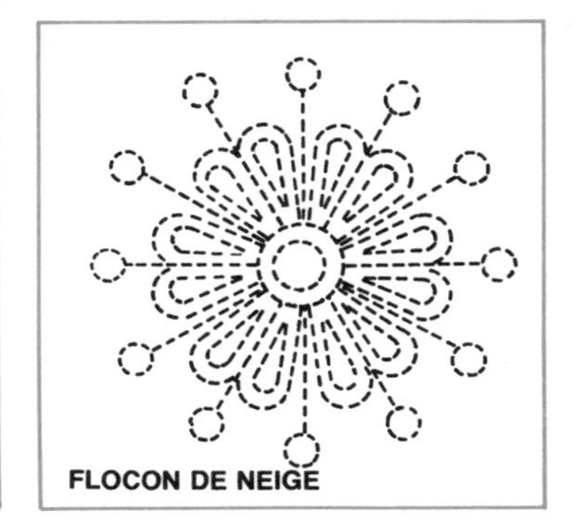
FLOCON DE NEIGE

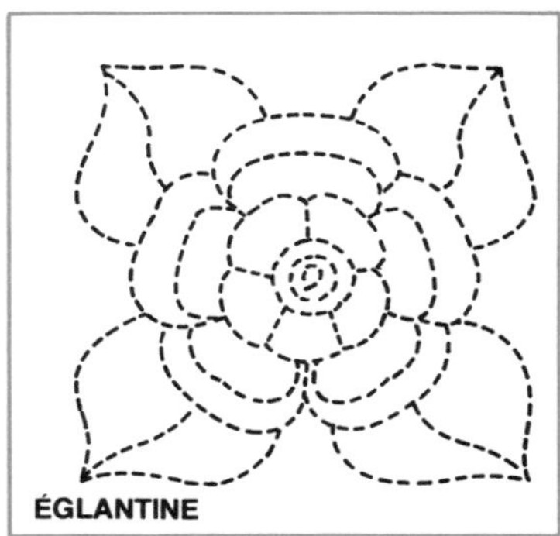
ÉGLANTINE

Exemples de dessins de quilting/Bordures

Les dessins de bordures se composent de motifs répétés qui encadrent et complètent le dessin principal d'un quilt (surpiqué ou travaillé d'une autre façon). Les bordures étaient traditionnellement ornées de gracieux dessins représentant des plumes ondulantes ou d'élégantes torsades. De nos jours, on peut choisir tout motif convenant à une surface étroite et longue; les dessins géométriques et certains dessins d'ensemble sont tout à fait appropriés. On doit préparer avec soin ceux dont la composition est très rigoureuse (voir page ci-contre). Dans les angles, vous devrez prévoir un dessin qui contournera le coin avec aisance et respectera la symétrie (voir ci-dessous).

Esquissez le dessin de la bordure sur du papier quadrillé. Décidez du dessin et de l'agencement des angles, puis dessinez à partir des coins jusqu'au centre des côtés; répétez les motifs régulièrement d'un angle à l'autre. Nous avons ici des tulipes reliées par de délicates volutes.

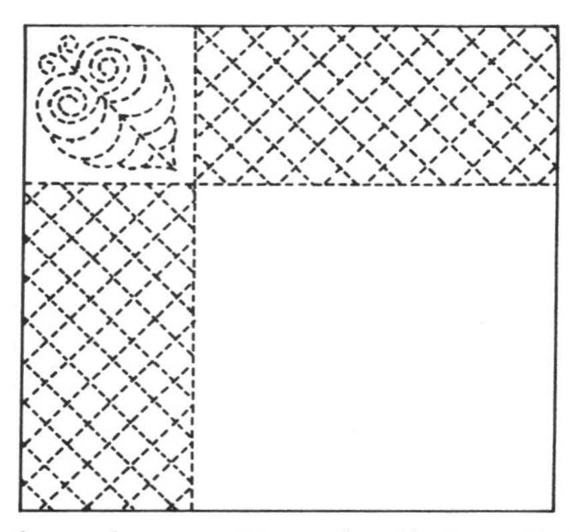

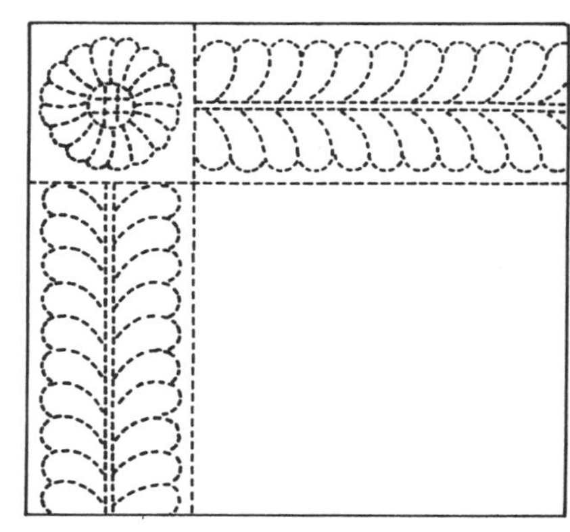

Les angles peuvent être agrémentés d'un *motif différent* pour autant que la symétrie est respectée.

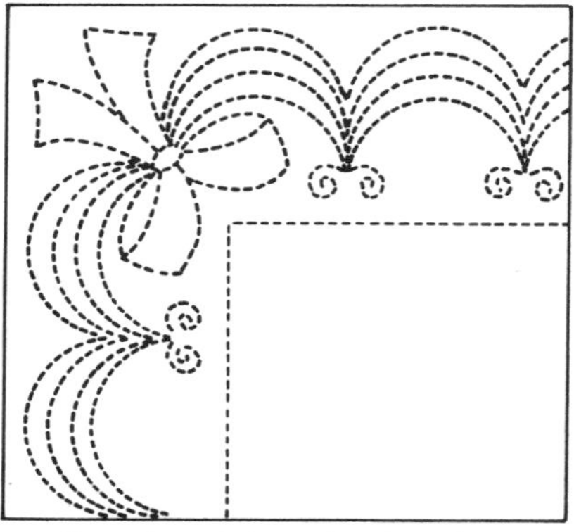

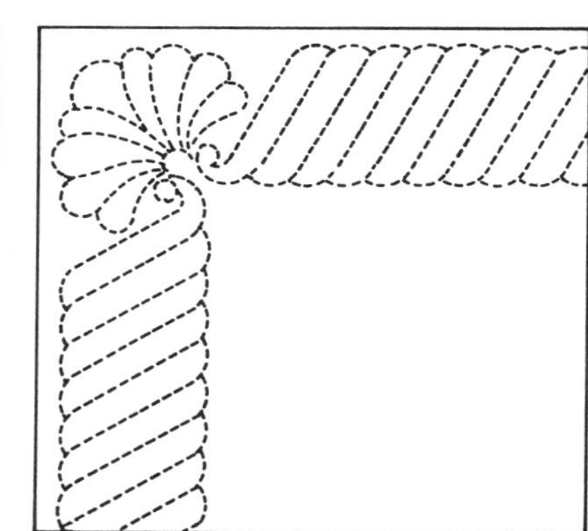

On peut aussi placer dans les coins un *motif complémentaire* qui parachève la bordure.

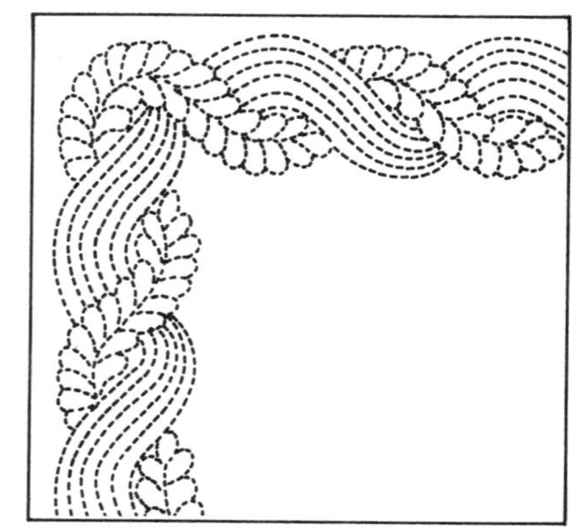

On peut enfin *modifier le motif* pour qu'il s'adapte aux angles sans briser la continuité des lignes.

Les motifs dont la composition est très rigoureuse se forment généralement à partir d'un carré; leur disposition dépend des dimensions de ce carré. Ces motifs sont utilisés avec bonheur si la bordure est assez longue et large pour permettre la répétition d'éléments complets; la continuité se verrait brisée par l'introduction d'éléments partiels.

Pour vous assurer d'avoir des motifs complets, dessinez la bordure sur du papier quadrillé et modifiez les dimensions de la courtepointe en conséquence. Comme votre bordure sera formée d'éléments complets, vous n'aurez aucune difficulté à réaliser les coins. L'alternance de motifs vous amènera à en choisir un pour les angles.

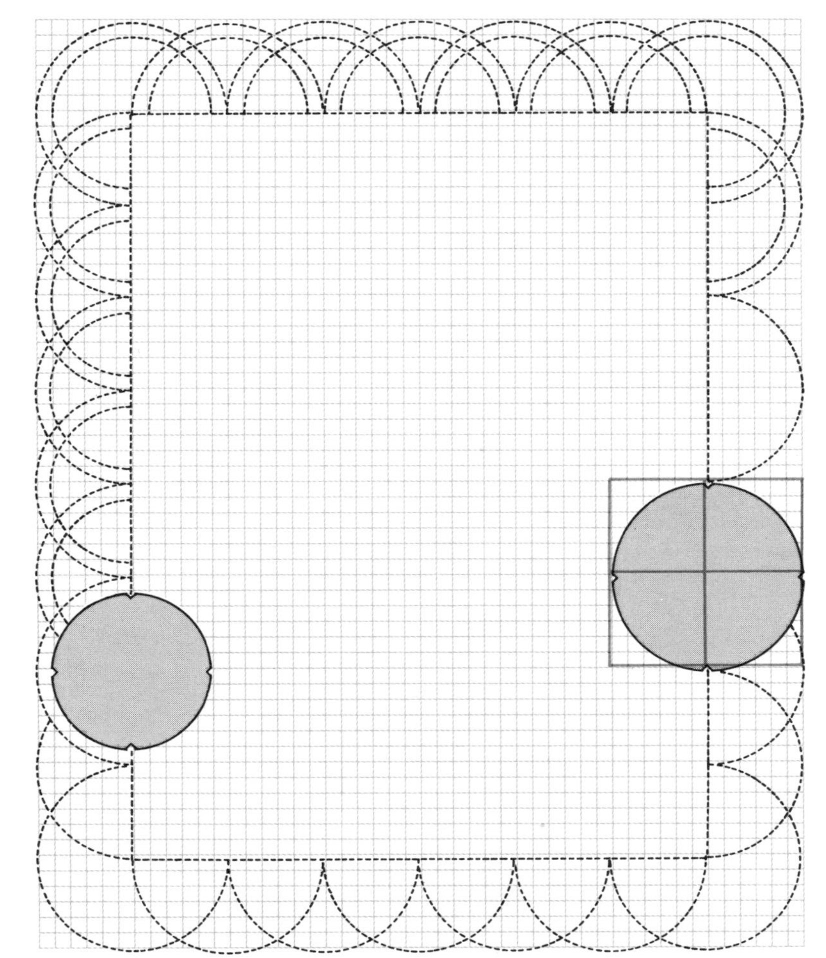

Pour établir la grille d'une bordure composée de formes géométriques, divisez la bordure en carrés égaux (qui peuvent constituer eux-mêmes la forme élémentaire). Ici, on a tracé des cercles à partir des carrés; les gabarits sont crantés pour indiquer la position des cercles et leurs intersections.

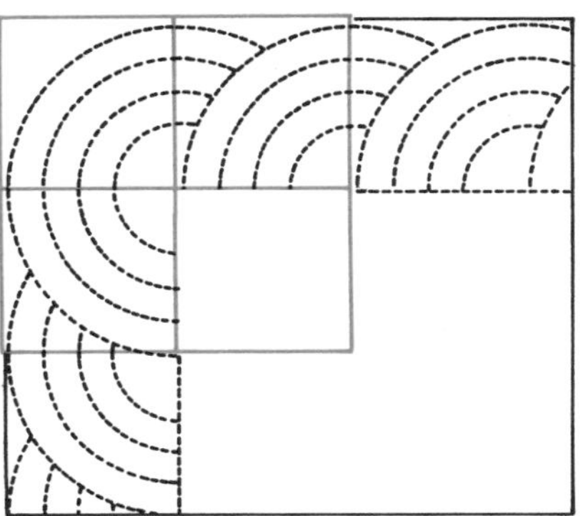

Les éventails sont semblables aux cercles de gauche; leur chevauchement diffère.

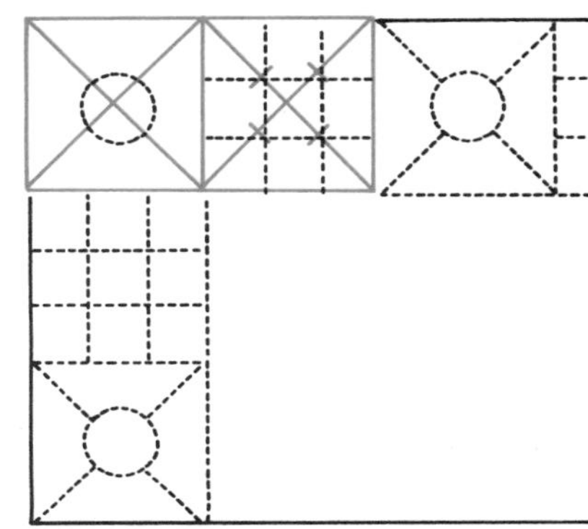

Carrés alternants : il en faut un nombre *impair* pour avoir un cercle croisé dans les angles.

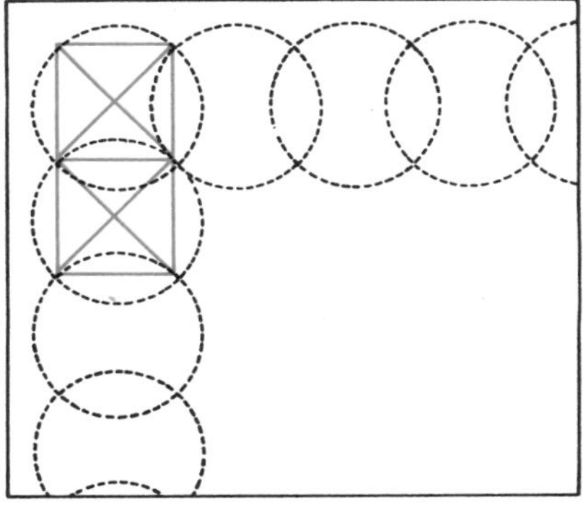

Les ronds sont faits à partir d'un cercle tracé *autour* du carré de base.

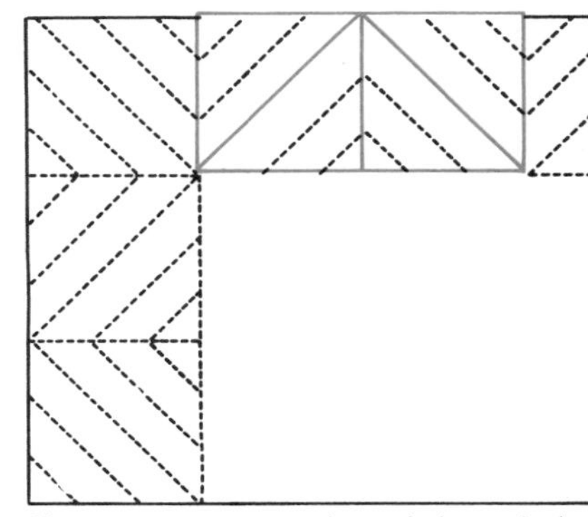

Chevrons : avec un nombre *pair* de carrés, les diagonales des angles iront vers le centre.

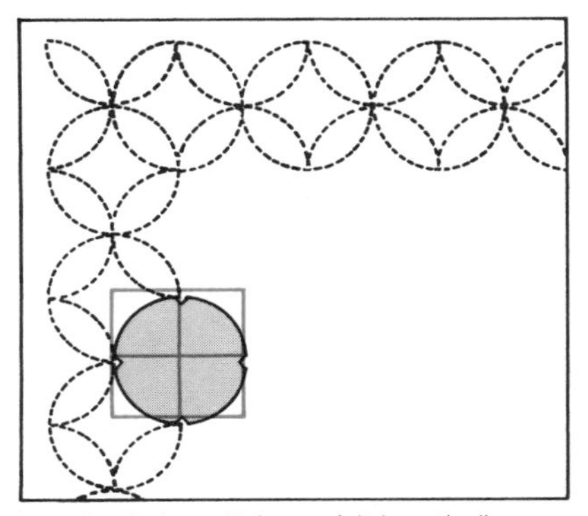

Le gabarit des pétales se fait à partir d'un cercle inscrit *dans* le carré.

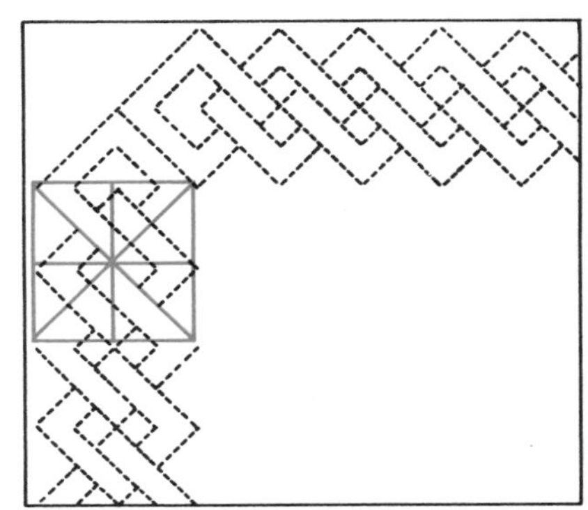

Chaîne : la forme et la position des maillons dérivent du carré de base.

Dessins de quilting

Reproduction des dessins de quilting

Il existe diverses façons de reproduire les motifs de quilting sur le tissu. Le procédé que vous choisirez dépendra de deux facteurs : la composition même du dessin et votre façon de procéder.

Sur métier, on reproduit le dessin une fois les trois épaisseurs assemblées et montées sur un métier ou un tambour. Les motifs sont reproduits par sections, la surface de travail étant limitée par les dimensions du métier. L'utilisation d'un métier permet de surpiquer chaque section tout de suite après le marquage; celui-ci étant temporaire, on évite ainsi les salissures.

Les méthodes hors métier sont plus souvent employées : le dessin est reproduit sur l'étoffe du dessus avant que celle-ci soit assemblée aux autres épaisseurs et montée sur un métier ou un tambour. Ces méthodes permettent de reproduire tout le dessin en une seule opération, ce qui présente un avantage certain si le dessin est très complexe.

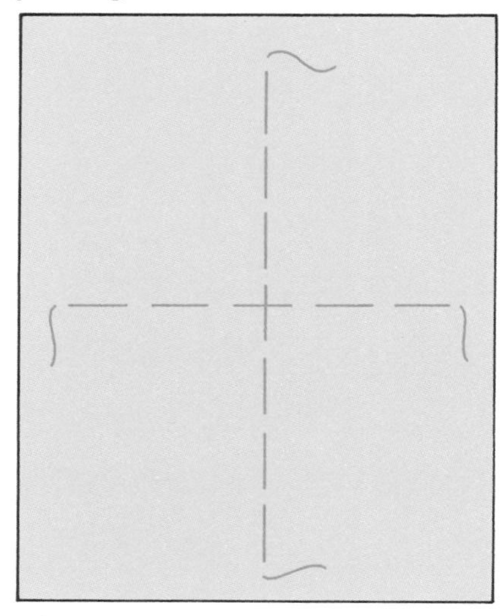

Repassez d'abord le tissu pour en enlever tout pli ou froissement. Puis, pour pouvoir centrer le dessin avec précision, marquez le centre de la pièce en bâtissant les médianes horizontale et verticale avec un fil.

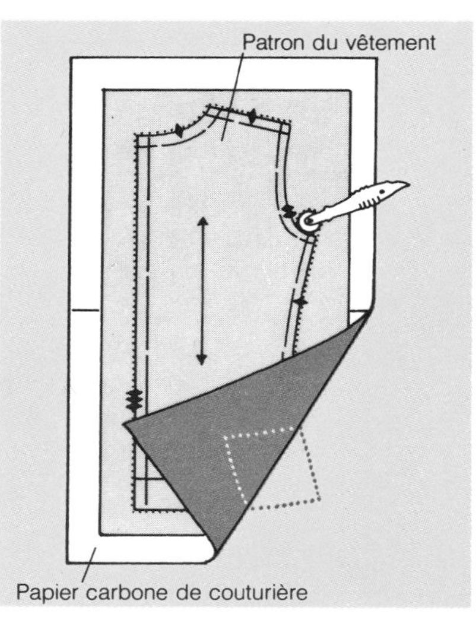

Pour les projets de forme particulière, tracez légèrement les contours de chaque section sur le tissu au moyen d'un papier carbone de couturière. Reproduisez le motif mais ne taillez qu'après avoir terminé le surpiquage.

Méthodes sur métier

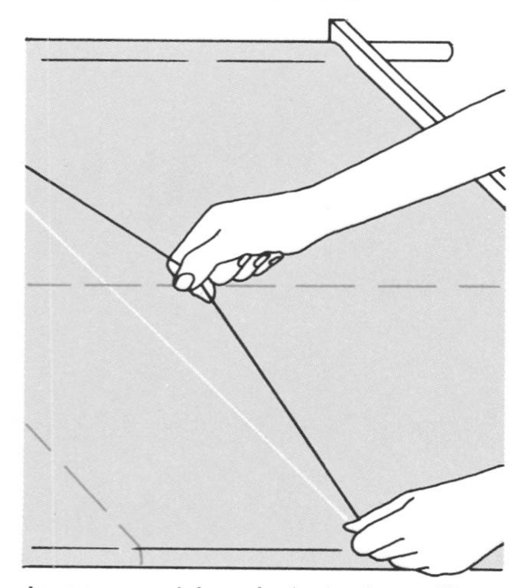

Le marquage à la craie de dessins rectilignes (carrés, diagonales) se réalise facilement en faisant claquer une ficelle bien tendue, enduite de craie, sur le quilt étiré. Il faut être deux pour tenir la ficelle à chaque extrémité.

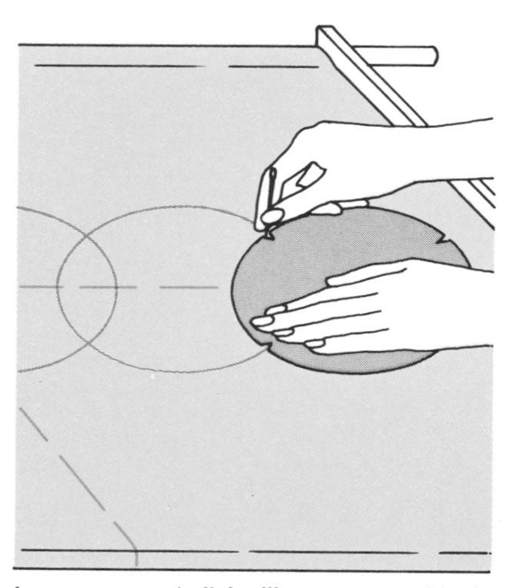

Le marquage à l'aiguille est une méthode pratique mais temporaire; il s'effectue à l'aide d'une règle, d'un gabarit ou d'un patron ajouré. Tenant l'aiguille à bout rond comme un crayon, suivez les bords du modèle.

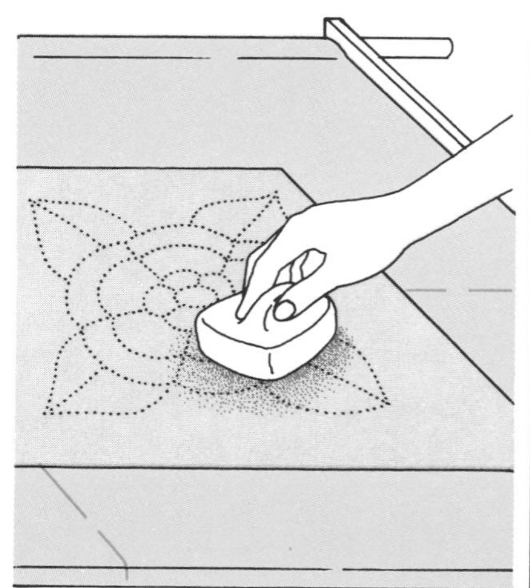

Les patrons ajourés servent généralement à la reproduction des motifs complexes. Fabriquez les vôtres et servez-vous-en uniquement avec de la craie tailleur en poudre, sans repasser avec un crayon.

Méthodes hors métier

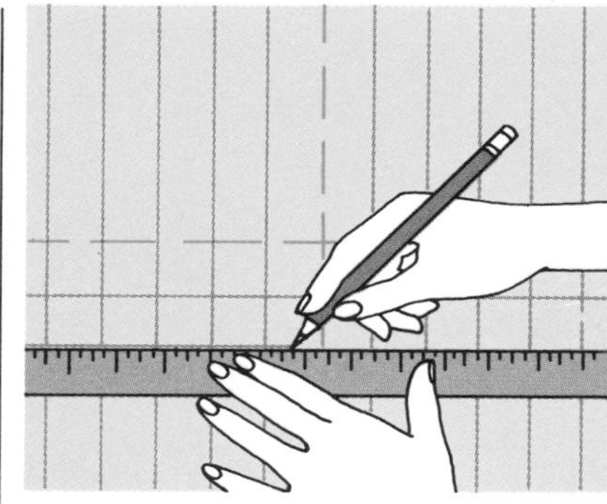

Les motifs linéaires sont tracés par rapport aux médianes. *Pour une grille,* tracez les parallèles aux faufils des médianes.

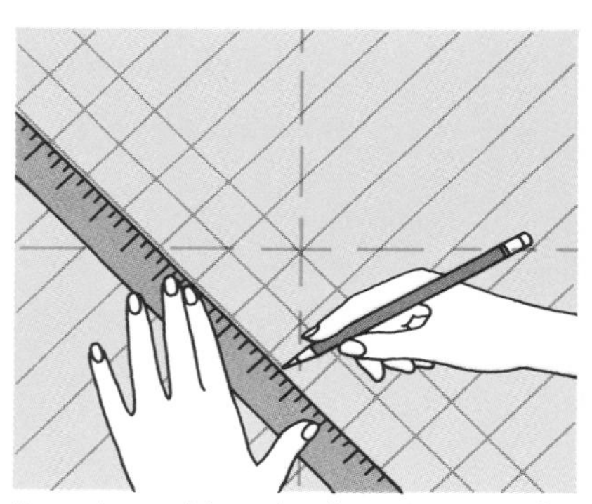

Pour des pointes de diamant, tracez les diagonales d'un coin à l'autre, puis les parallèles à celles-ci.

Le dessin ci-dessus combine les deux sortes de motifs. Remarquez la composition amusante produite par la rencontre des différentes lignes.

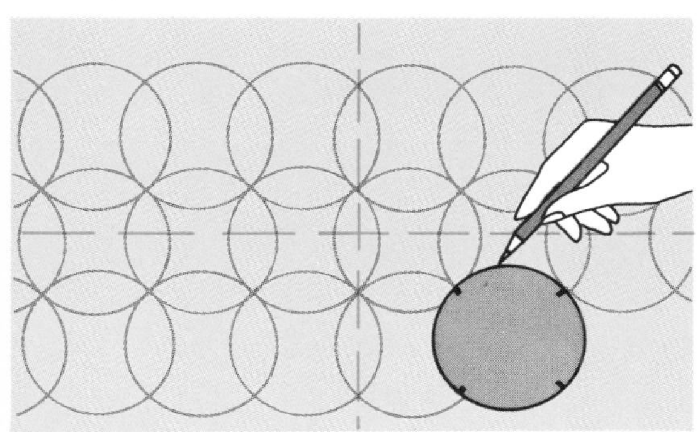

Les gabarits sont des patrons découpés dans du papier fort qui servent à tracer les motifs. Des crans pratiqués sur le pourtour du gabarit indiquent les endroits où les motifs doivent se superposer.

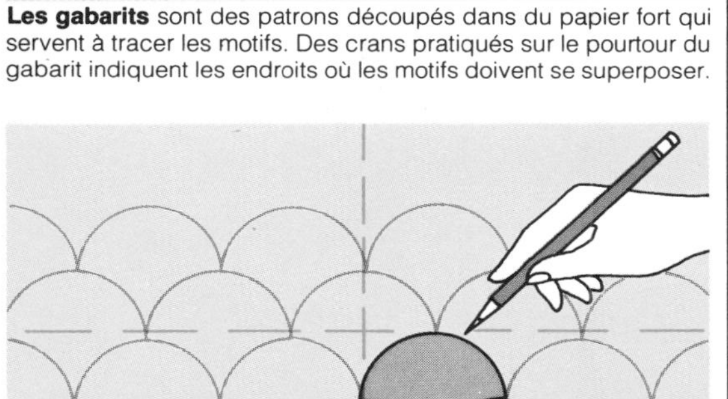

Les gabarits permettent de répéter plusieurs fois le même motif pour créer une composition d'ensemble, comme ces coquilles. Travaillez du centre vers l'extérieur.

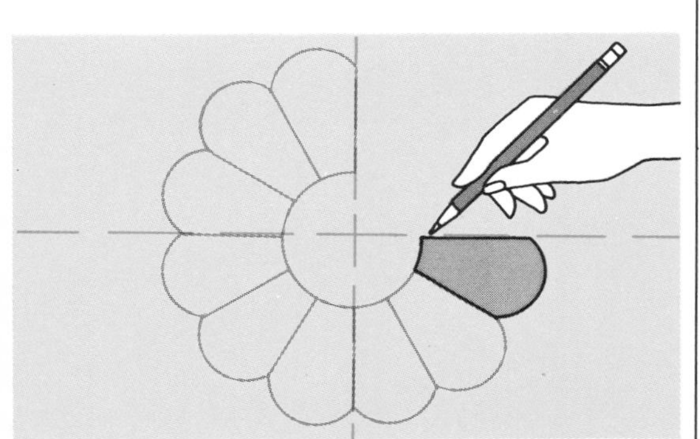

Un gabarit peut aussi servir à dessiner la forme élémentaire d'un motif. Ici, le gabarit a la forme d'une pointe de tarte. Le petit cercle central se construit au fur et à mesure du dessin.

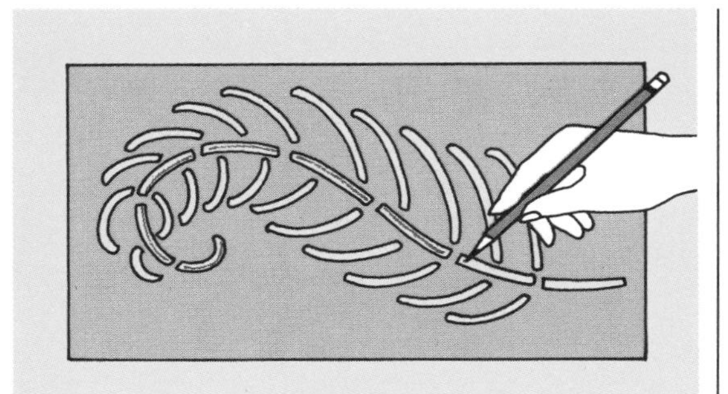

Les pochoirs sont des patrons de marquage dans lesquels les lignes du motif se présentent sous forme de fentes. Il s'agit de tracer un trait avec un crayon dur dans chaque fente.

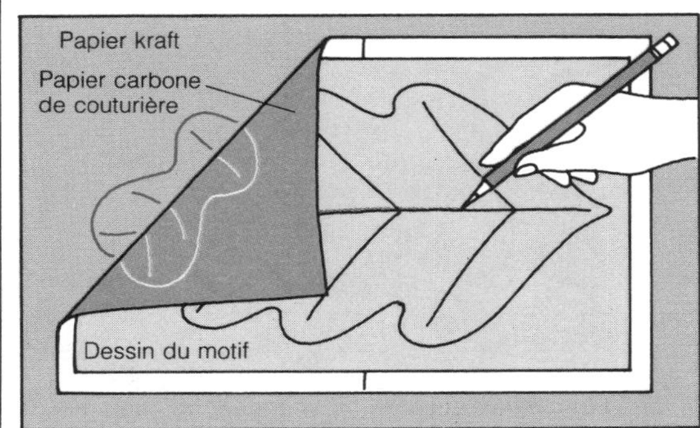

Pour fabriquer vous-même un pochoir, tracez votre dessin sur une feuille de papier en simplifiant les détails; reportez-le sur du papier kraft ou du papier bristol avec un carbone de couturière.

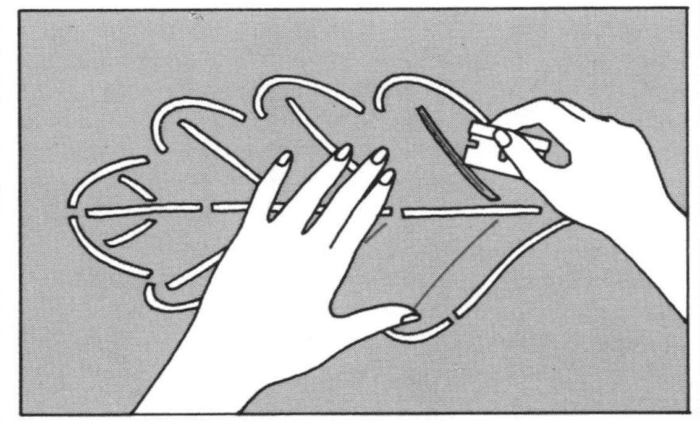

Découpez de petits sillons sur les lignes du dessin avec une lame de rasoir ou une pointe. Ménagez des espaces pleins entre les lignes pour que votre pochoir ne se déchire pas.

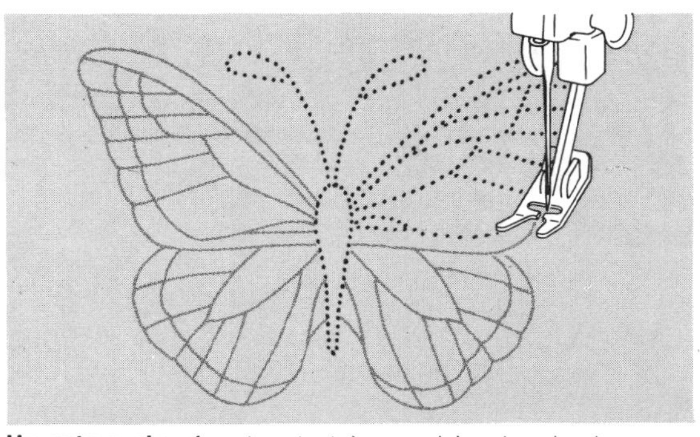

Un patron ajouré sert surtout à reproduire des dessins complexes. On peut piquer les contours du motif sur le patron de papier à la main ou à la machine, avec une aiguille non enfilée.

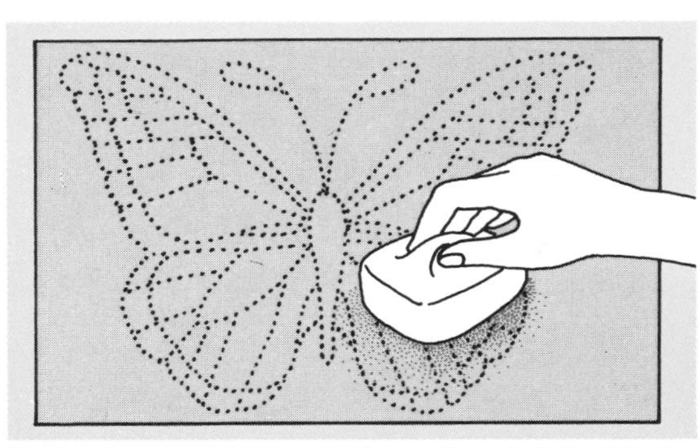

On place le patron ajouré sur le tissu, puis on le frotte délicatement avec de la craie tailleur en poudre; les contours du dessin se trouvent reproduits en pointillés sur le tissu.

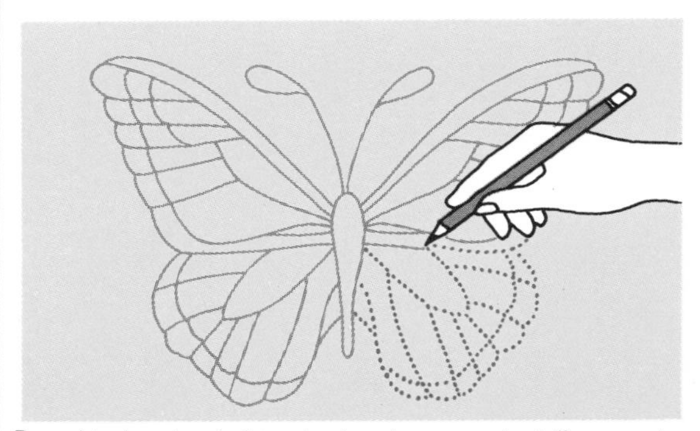

Pour obtenir un tracé plus net qui ne risque pas de s'effacer ou de se répandre sur le tissu, reliez les pointillés avec un crayon dur ou un crayon de craie tailleur.

Techniques de base du quilting

Evaluation des dimensions d'une courtepointe

Les dimensions d'une courtepointe dépendent avant tout de la grandeur du lit auquel vous la destinez. Mesurez le lit garni de ses draps, couvertures et oreillers avec un ruban à mesurer (voir ci-dessous). Pensez ensuite à la manière dont vous voulez que la courtepointe couvre le lit; vous pourrez alors déterminer la longueur qui sera nécessaire pour la retombée sur les côtés et au pied du lit et pour un éventuel rabat sous les oreillers. Par exemple, si la courtepointe doit servir de couvre-lit, elle devra retomber jusqu'au sol et il faudra 38 centimètres (15″) de plus sur la longueur pour le rabat sous les oreillers. Par ailleurs, un dessus-de-lit court ne doit retomber qu'à la hauteur du sommier et un rabat sous les oreillers n'est pas nécessaire. La hauteur de la retombée est souvent une question de goût personnel. Si vous hésitez, étendez un drap sur le lit et pliez-le et épinglez-le jusqu'à ce que vous ayez trouvé les proportions souhaitées. Les dimensions totales de la courtepointe se calculent de la façon suivante : longueur du lit, plus hauteur de la retombée, plus rabat (s'il y a lieu), pour la longueur de la courtepointe; largeur du lit, plus deux fois la hauteur de la retombée, pour la largeur de la courtepointe.

Pour évaluer la quantité de tissu requise, commencez par calculer les dimensions totales de l'étoffe avant la coupe (page ci-contre) et faites votre évaluation en conséquence. Si vous avez un dessus en patchwork, le métrage dépendra évidemment du motif choisi (voir *Patchwork*). Si tel n'est pas le cas, vous calculerez votre métrage selon la laize et la largeur de la courtepointe. Par exemple, si la courtepointe est plus étroite que la laize, vous n'aurez besoin que d'une longueur de tissu. Si la largeur de la courtepointe dépasse celle de la laize (jusqu'à deux fois la largeur de la laize), vous devrez compter deux longueurs d'étoffe. Si vous pensez utiliser le même tissu comme bordure, tenez-en compte dans votre calcul.

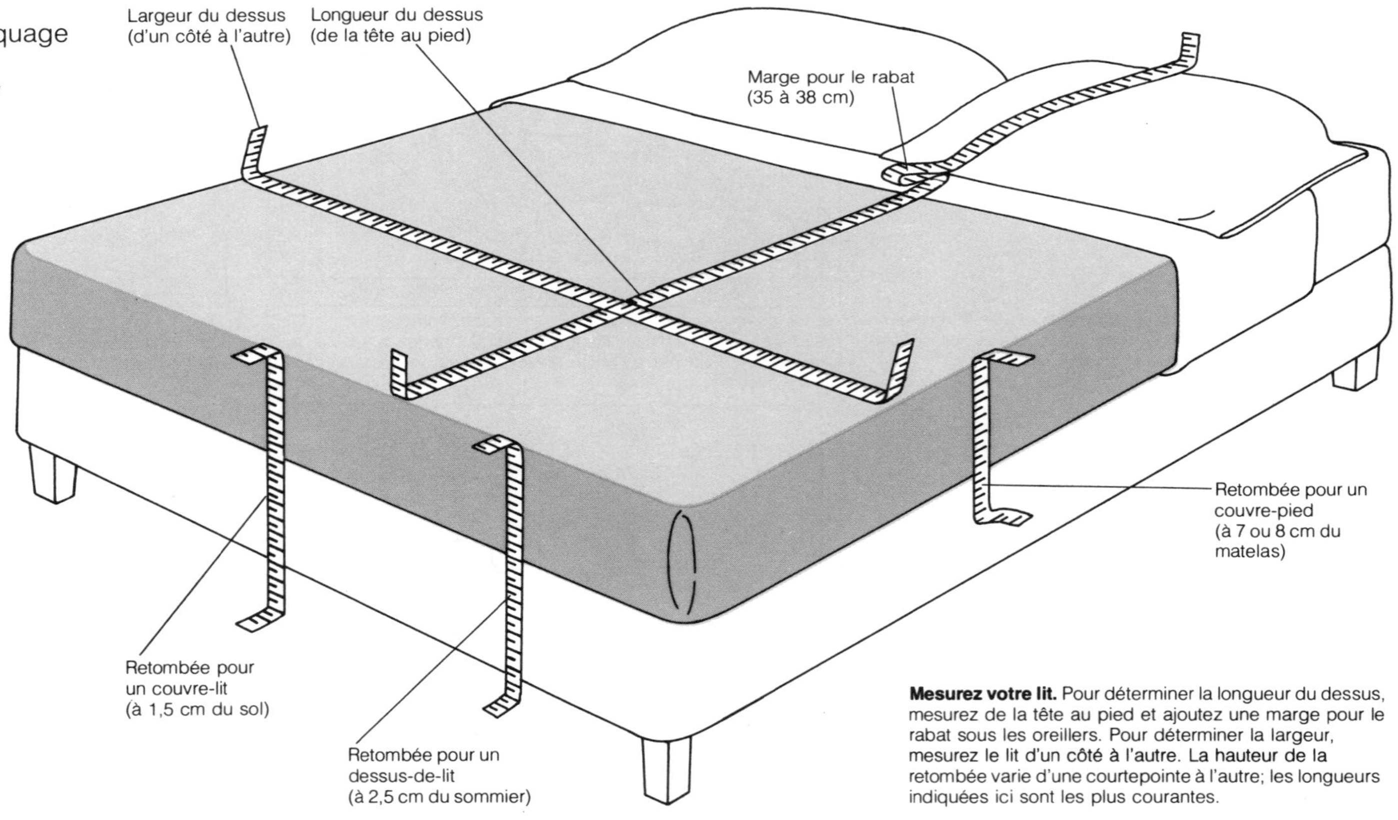

Mesurez votre lit. Pour déterminer la longueur du dessus, mesurez de la tête au pied et ajoutez une marge pour le rabat sous les oreillers. Pour déterminer la largeur, mesurez le lit d'un côté à l'autre. La hauteur de la retombée varie d'une courtepointe à l'autre; les longueurs indiquées ici sont les plus courantes.

Coupe du dessus et de la doublure

Le calcul des dimensions des pièces à tailler dépendra de vos estimations et d'autres considérations, comme le genre de bordure utilisée et le rétrécissement occasionné par le surpiquage. Selon la bordure choisie, il vous faudra ajouter de 1 à 10 centimètres (½"-4") autour; quant au rétrécissement, il sera compensé par l'addition de quelques centimètres aux dimensions totales. Un quilt peut rapetisser d'une dizaine de centimètres (4") après le surpiquage; en général, plus le rembourrage est épais et le quilt lourd, plus le rétrécissement est important. Ces calculs faits, taillez le dessus et la doublure. Marquez le dessus et la doublure. Marquez les milieux des côtés de chacune des pièces pour simplifier leur alignement au moment de l'assemblage.

Si le tissu n'est pas assez large pour qu'on y taille le dessus ou la doublure, vous pouvez joindre deux laizes pour obtenir la dimension totale voulue. Evitez autant que possible de faire une couture au centre de la courtepointe; utilisez plutôt un panneau central (habituellement une laize entière) assemblé à deux panneaux latéraux. Ouvrez les coutures au fer. De toute manière, vous pouvez toujours agrandir une courtepointe si elle est en patchwork, en appliqué ou en broderie, en ajoutant une bordure de la dimension nécessaire.

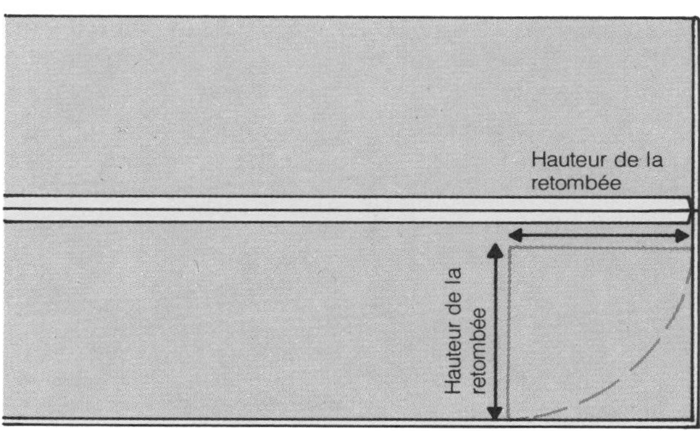

Pour arrondir les coins d'une courtepointe, placez-la envers vers vous et tracez un carré (dont les côtés égalent la hauteur de la retombée) sur un des coins du pied. Tracez un arc à partir de l'angle intérieur. Reportez l'arc sur l'autre coin. Passez un fil de bâti et coupez en suivant l'arc, une fois le surpiquage terminé.

Hauteur de la retombée
Hauteur de la retombée

Pour enlever les coins d'une courtepointe destinée à un lit à colonnes, tracez un carré (dont les côtés égalent la hauteur de la retombée) sur l'endroit d'un des coins du pied. Faites de même pour l'autre coin. Découpez les coins sur ces lignes après l'opération de surpiquage.

Coupe du rembourrage

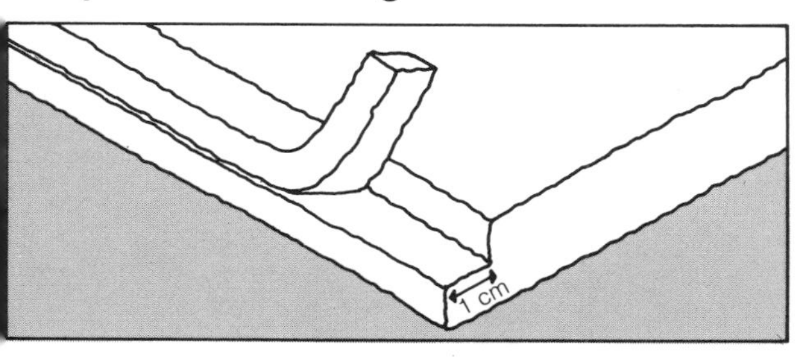

Taillez le molleton aux mêmes dimensions que le dessus. Pour mettre plusieurs pièces bout à bout, coupez à une extrémité de la première pièce une languette ayant la moitié de l'épaisseur du molleton et 1 cm (½") de large; faites de même pour la pièce rapportée.

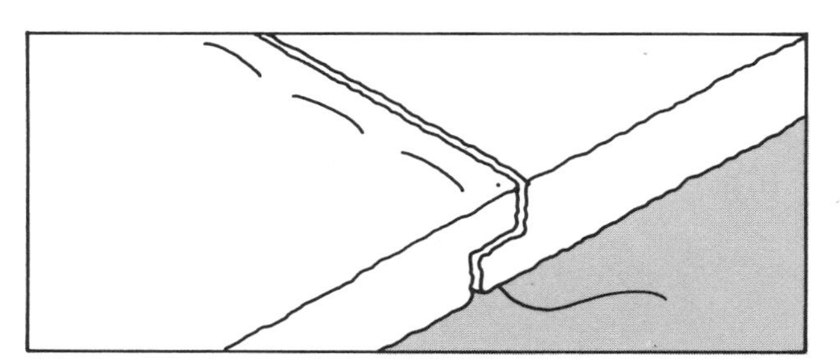

Faites chevaucher les deux bords ainsi découpés, comme nous le montrons, et bâtissez les deux épaisseurs ensemble. L'assemblage sera parfaitement invisible.

Assemblage du quilt

Avant d'assembler l'article que vous désirez surpiquer, superposez avec soin la doublure, le rembourrage et le dessus; bâtissez ensuite les trois épaisseurs ensemble bien solidement pour qu'elles ne plissent pas pendant le surpiquage. Prenez tout votre temps pour faire cette opération car c'est la clé de votre réussite. L'étape du faufilage est importante même si vous utilisez un métier ou un tambour; les faufils maintiennent les épaisseurs ensemble, évitant un glissement ou un tassement des matériaux. Un épinglage peut suffire pour un petit projet, comme un coussin. Mais le faufilage est encore plus important si vous devez travailler sans métier (page ci-contre) ou à la machine (p. 251).

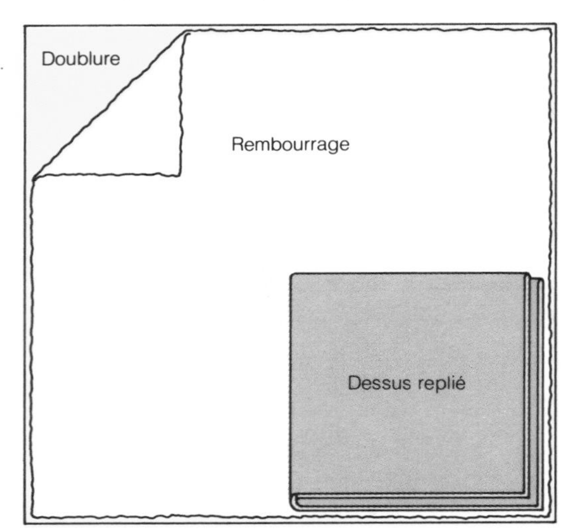

Pour assembler les épaisseurs, posez la doublure, envers sur le dessus, sur une surface plane et dure. Etendez le rembourrage. Posez sur ces deux épaisseurs le dessus du quilt, endroit sur le dessus.
Pour un grand quilt, étendez la doublure sur le plancher. Placez le rembourrage par-dessus; aplatissez-le avec une baguette de bois sans l'étirer car il pourrait se déchirer. Pliez le dessus en quatre, l'endroit à l'intérieur, et placez-le sur un coin du rembourrage. Faites coïncider les repères marquant le milieu des côtés afin de bien superposer dessus et doublure. Dépliez l'étoffe et lissez-la avec la baguette. Il ne faut pas s'appuyer sur le tissu pour en atteindre le centre, car on pourrait faire des faux plis.

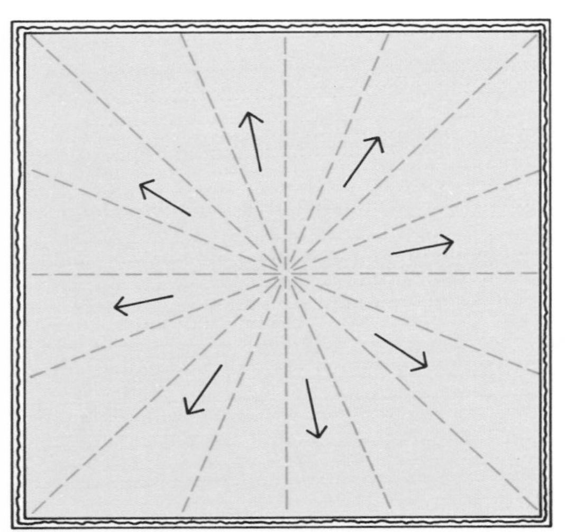

Bâtissez les trois épaisseurs ensemble selon un dessin rayonnant afin d'éviter que le rembourrage ne s'amasse au centre. Faufilez à longs points devant, en allant du centre vers les côtés. Bâtissez toujours sur le dessus en veillant bien à ne pas faire glisser les épaisseurs. En principe, les faufils devraient être espacés d'environ 15 cm (6″) sur les bords. Posez davantage de fils de bâti si vous devez surpiquer sans métier ni tambour. Vous pouvez couper et enlever les fils de bâti à mesure que le surpiquage progresse.

Montage du quilt sur un métier

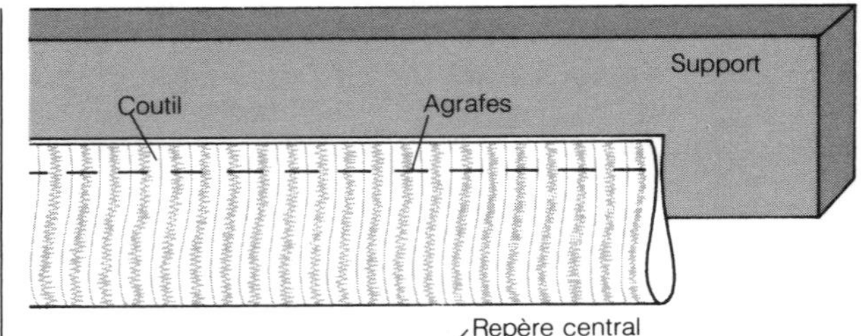

Agrafez le coutil à matelas ou tout autre tissu résistant sur les supports (p. 237). Marquez le milieu de chaque support afin de bien centrer le quilt.

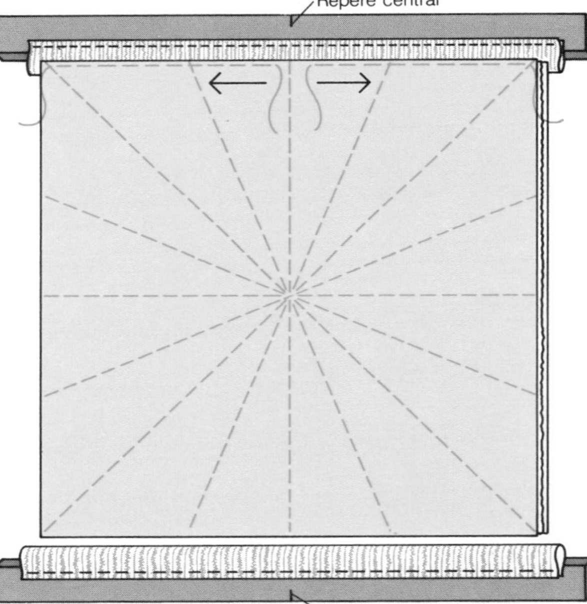

Pour fixer le quilt sur les supports, étendez-le sur le plancher et placez les supports aux extrémités. Faites coïncider les repères centraux des supports et du quilt; faufilez le quilt sur la bande de coutil fixée à chaque support, en allant du milieu vers les bords.

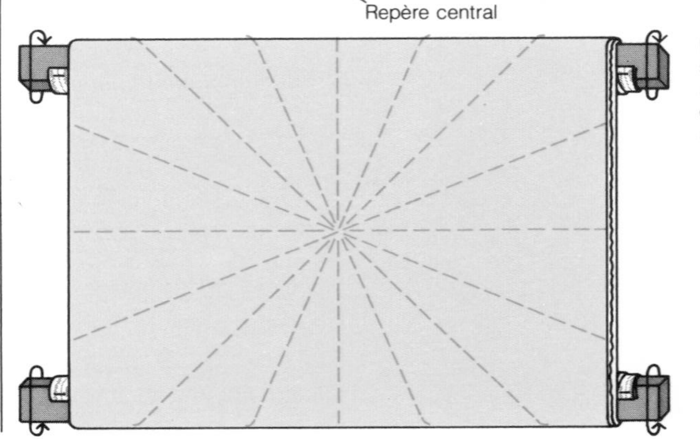

Enroulez le quilt en serrant autour des supports de façon à exposer le centre de la surface à surpiquer.

Attachez les supports et les tendeurs pour que le quilt se maintienne bien tendu et qu'il ne s'affaisse pas. Enlevez les plis éventuels sur le dessus ou le dessous de la surface de travail.

Maintenez les côtés du quilt en place en épinglant sur les bords un galon de biais qui sera enroulé en même temps autour des tendeurs; placez les épingles à 7 ou 8 cm (3") d'intervalle. Quand vous aurez fini de surpiquer la surface exposée, retirez les épingles et enroulez l'ouvrage sur un des supports de façon à découvrir une nouvelle section.

Montage du quilt sur un tambour

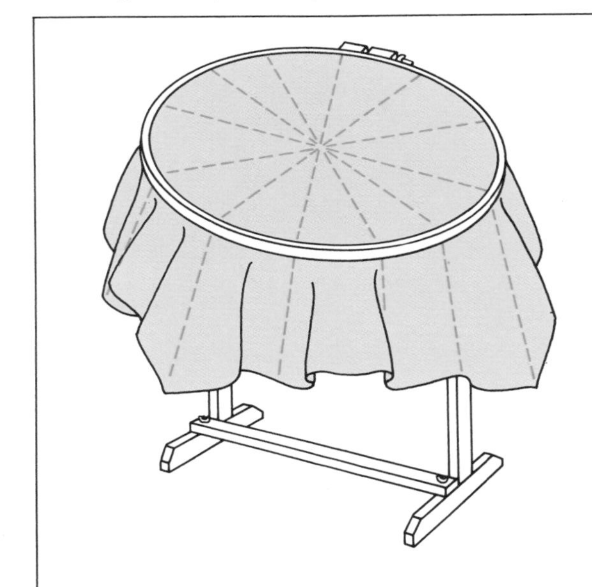

Pour installer un quilt sur un tambour, placez le centre de l'article (faufilé) sur le cercle intérieur. Lissez l'étoffe avec la main pour supprimer toute ampleur. Enfoncez le cercle extérieur et resserrez la vis de réglage afin de maintenir les épaisseurs bien tendues. Après avoir surpiqué la partie centrale, retirez le tambour; replacez-y une nouvelle section. Surpiquez toujours du centre vers les bords. Servez-vous d'un tambour plus petit pour travailler sur les bords.

Surpiquage hors métier

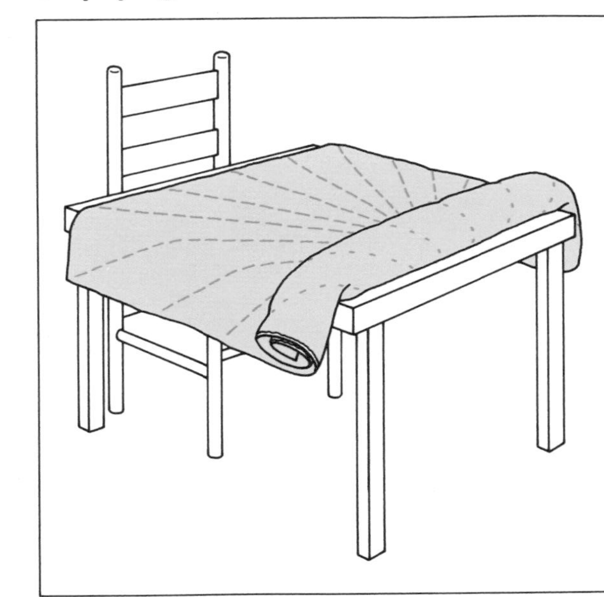

Pour surpiquer sans métier ni tambour, placez le projet faufilé sur une table ou une planche à repasser pour que le poids de l'article soit bien supporté. Ne laissez pas une grande partie de la surface retomber lourdement sur les côtés car le quilt risquerait de tirailler et de se déformer. Roulez et repliez les côtés si cela est nécessaire. Si vous confectionnez un petit projet, étalez-le simplement sur vos genoux.

Techniques de base du quilting

Surpiquage à la main

Le surpiquage à la main s'exécute au point devant; les points doivent être petits, réguliers, sur le dessus et le dessous, et rapprochés afin de créer l'illusion d'une ligne continue. On emploie habituellement du fil blanc, mais vous pouvez fort bien prendre un fil de couleur assortie ou contrastante si vous le désirez. Pour éviter que le fil s'emmêle, faites des aiguillées d'au plus 45 centimètres (18″). Avec l'expérience, vous pourrez augmenter votre vitesse de travail en piquant plusieurs points à la fois avant de pousser l'aiguille; vous acquerrez un certain rythme en imprimant à l'aiguille un mouvement de va-et-vient pour exécuter les points. Ce mouvement rythmique sera plus facile si le quilt n'est pas tendu sur le métier comme une peau de tambour; il vous paraîtra plus simple et naturel si vous commencez à surpiquer au bout de votre bras en revenant vers vous; changez de position selon les impératifs du travail. Les rembourrages très épais peuvent rendre le surpiquage difficile; vous devriez donc les éviter, surtout si vous réalisez un motif complexe.

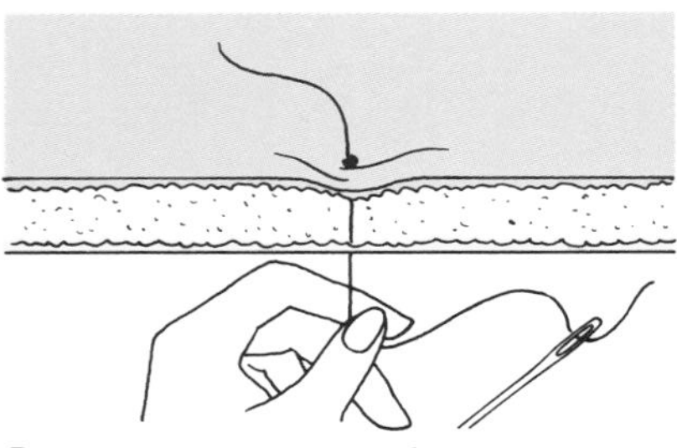

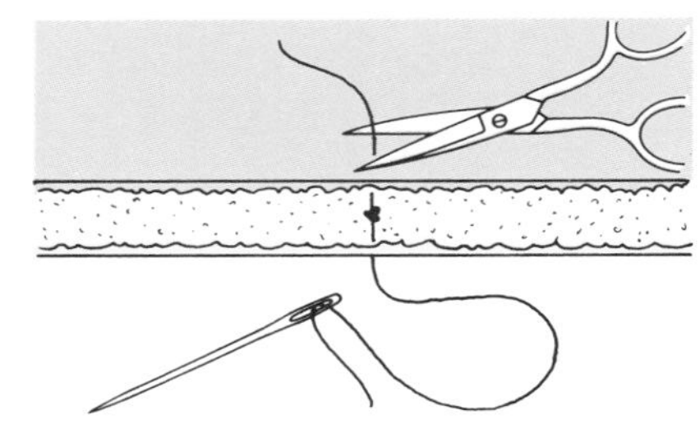

Pour commencer une surpiqûre, nouez l'extrémité du fil, piquez l'aiguille sur le dessus dans les trois épaisseurs, tirez le fil doucement mais fermement pour que le nœud traverse le dessus et se loge dans le rembourrage; coupez tout excédent de fil qui paraîtrait à la surface.

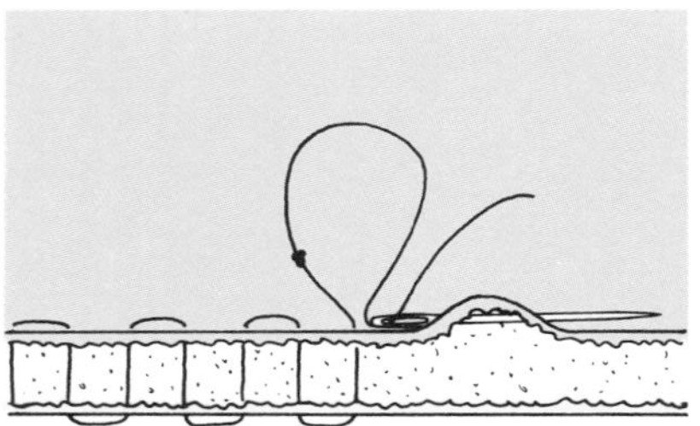

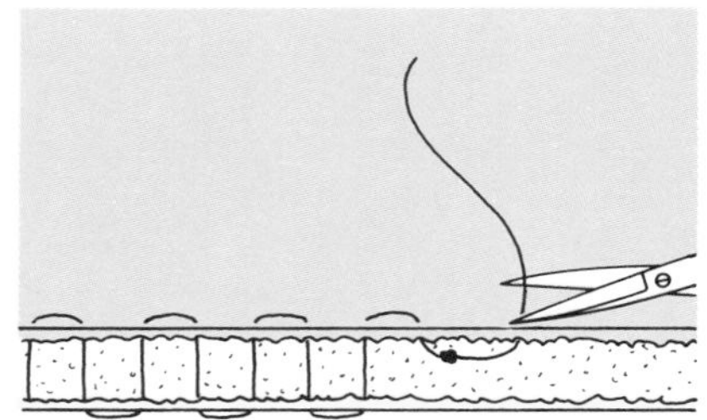

Pour arrêter une surpiqûre, nouez le fil sur le dessus du quilt; faites un point et glissez l'aiguille dans le rembourrage; ressortez-la un peu plus loin sur le dessus et tirez doucement le fil pour que le nœud traverse le dessus. Coupez l'extrémité du fil au ras de la surface.

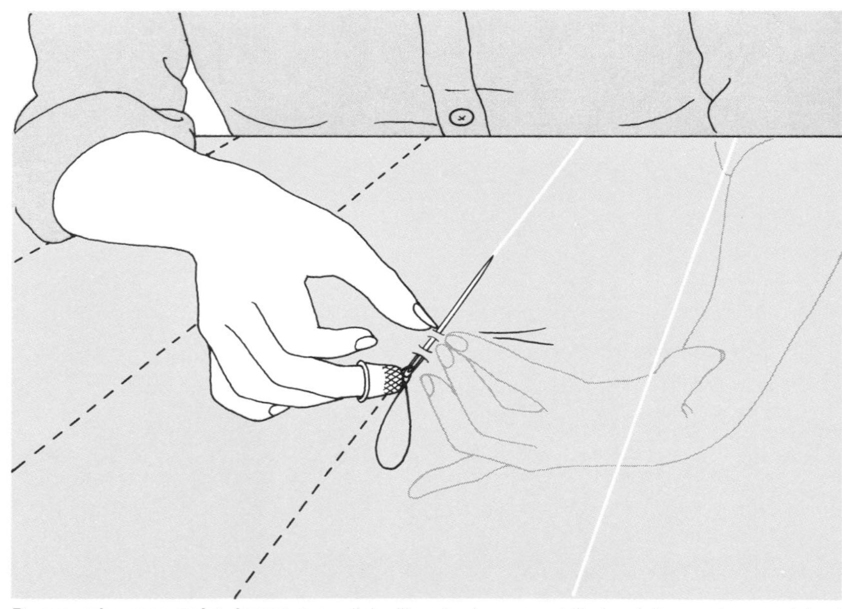

Pour surpiquer au point devant, tenez l'aiguille entre le pouce et l'index; faites quelques points et poussez l'aiguille avec le majeur. Placez l'autre main sous le quilt; vous vous assurerez ainsi que l'aiguille a bien traversé les trois épaisseurs en la palpant du bout des doigts.

Petits trucs pour le surpiquage à la main

Si vous surpiquez des motifs arrondis ou circulaires, utilisez une aiguillée deux fois plus longue; commencez à surpiquer à la position 2 heures; travaillez à partir de ce point dans un sens puis dans l'autre, de façon à toujours vous diriger vers vous.

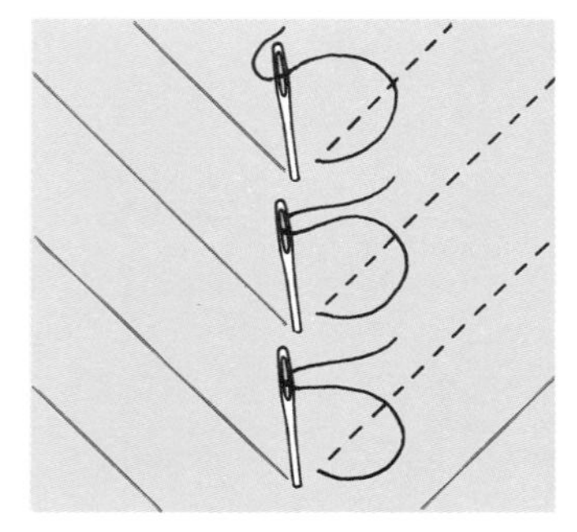

Laissez plusieurs aiguillées en attente. Surpiquez une ligne du dessin jusqu'à ce qu'elle commence à s'éloigner de vous ou encore jusqu'à ce que vous arriviez au bout de la surface exposée. Laissez les aiguilles plantées sur le dessus et reprenez-les plus tard.

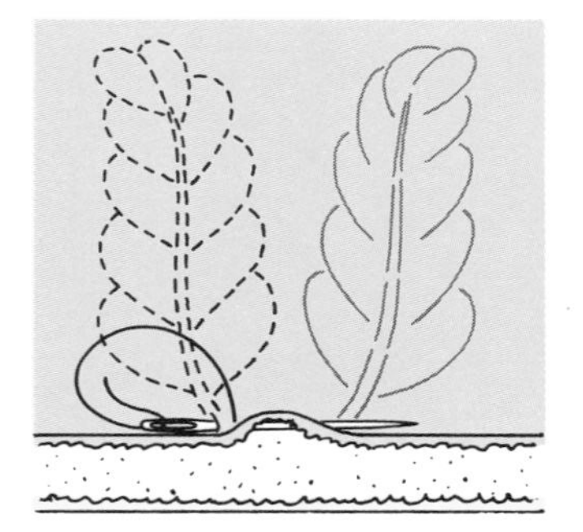

Evitez d'arrêter inutilement une aiguillée et d'en recommencer une autre, si les motifs sont rapprochés. Quand vous avez terminé un motif, glissez l'aiguille dans le rembourrage pour rejoindre le motif voisin, au lieu d'arrêter votre fil.

Surpiquage à la machine

Le surpiquage à la machine permet d'investir beaucoup moins de temps que la méthode traditionnelle; il produit des points réguliers et solides. Le surpiquage à la machine convient particulièrement aux petits projets, comme les couvre-pieds de bébé, les pièces de vêtements et les petits articles de maison, parce qu'ils passent facilement sous l'aiguille et peuvent se placer sous le bras de la machine. (Pour les tissus difficiles à surpiquer, c'est ce qu'il y a de mieux.) La réalisation de grands projets comme les courtepointes oblige à modifier la surface de couture et à planifier le surpiquage avec précision pour tenir compte du volume du projet. Evitez d'avoir une trop grande pièce à surpiquer; séparez le projet en sections, que ce soient les panneaux d'une courtepointe ou les pavés d'un patchwork. Les sections peuvent être surpiquées individuellement pour être ensuite assemblées (voir le surpiquage par sections, p. 255).

L'utilisation de la machine à coudre restreint cependant le choix des motifs. Evitez les dessins délicats ou arrondis qui obligent à tourner le tissu sous l'aiguille. Choisissez de préférence des motifs simples, composés de lignes droites; vous pouvez les exécuter rapidement et facilement surtout quand les lignes vont d'un côté à l'autre du projet. C'est pour cette raison que l'on choisit souvent des dessins d'ensemble en forme de grille tout à fait appropriés à un surpiquage à la machine.

Prenez soin de passer plusieurs fils de bâti sur un projet que vous désirez surpiquer à la machine afin que les épaisseurs ne se déplacent pas en cours d'opération. Relâchez la tension du fil et diminuez la pression du pied pour empêcher l'étoffe de grigner. Réglez la machine à 2,5 (10 à 12 points pour 1") et vérifiez vos réglages sur un échantillon comprenant les trois épaisseurs faufilées ensemble.

Pour agrandir la surface de travail, dans le cas des grands projets, transportez votre machine dans un endroit dégagé. Posez une grande planche de bois ou de carton sur des tréteaux ou des chaises au même niveau que la machine; accolez les deux surfaces. La rallonge fournira le support nécessaire à un projet lourd, facilitant aussi les manœuvres.

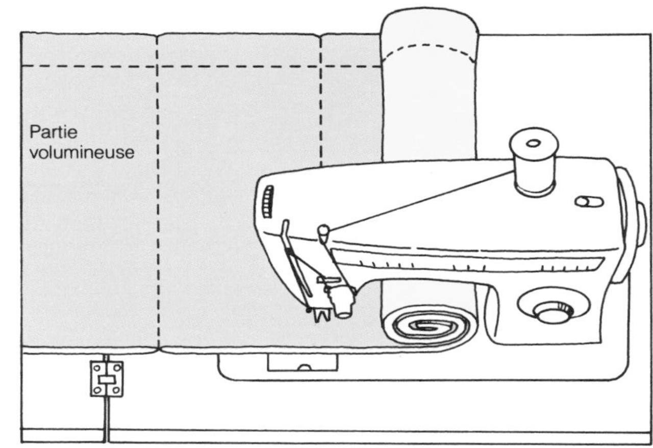

Quand vous surpiquez à la machine, veillez à planifier le sens et l'ordre des surpiqûres de sorte que la partie volumineuse de l'article se trouve toujours à gauche de l'aiguille. Si vous confectionnez un grand projet, agrandissez la surface de travail; roulez le projet assez serré pour qu'il tienne sous le bras de la machine, au besoin.

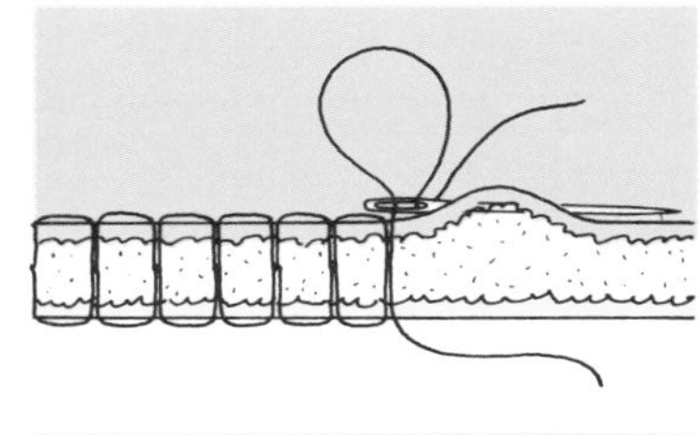

Pour arrêter les fils loin des bords, en début ou en fin d'une surpiqûre, coupez-les assez longs, des deux côtés. Enfilez l'un des bouts; glissez l'aiguille dans le rembourrage et ressortez-la un peu plus loin.

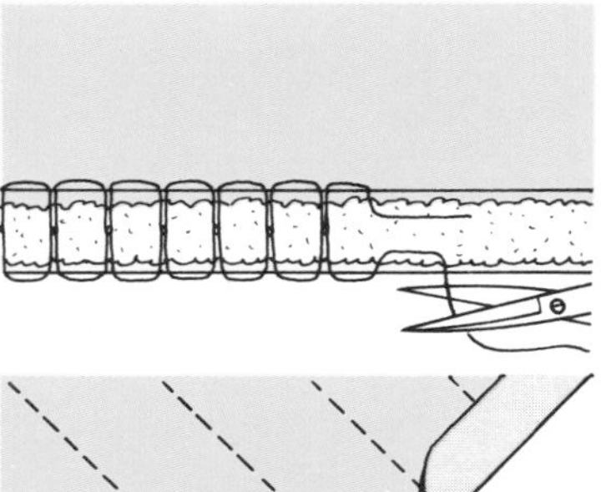

Coupez l'excédent de fil au ras de la surface du quilt. Procédez de la même manière avec l'autre bout de fil.

Si la surpiqûre commence ou se termine sur les bords, il n'est pas nécessaire de rentrer les fils; la finition (une bordure, par exemple) empêchera les points de se défaire.

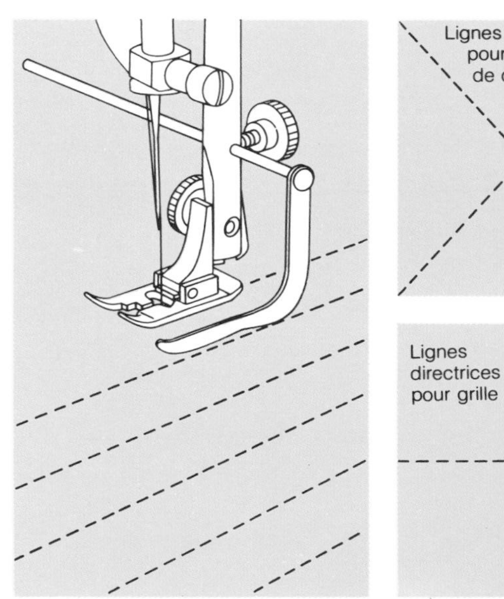

Utilisez un guide-ouateur pour les dessins rectilignes. La tige réglable permet de placer les surpiqûres à égale distance. Commencez par les lignes directrices (comme le montrent les deux petits croquis), puis servez-vous du guide-ouateur pour surpiquer parallèlement à ces lignes.

Patch craquelé 214
Préparation du tissu pour le marquage 244

Autres techniques de quilting

Capitonnage (ou quilting noué)

Le capitonnage est une méthode d'assemblage qui permet d'assujettir les trois épaisseurs sans faire de surpiqûres. Pour capitonner un quilt, on fait un point simple à travers les trois épaisseurs, à intervalles réguliers, en laissant les fils assez longs pour les nouer sur le dessus. Plus rapide que le surpiquage, cette technique se révèle aussi plus pratique lorsque le rembourrage est épais ou difficile à manipuler. Les quilts en patch craquelé qui n'ont pas de rembourrage sont aussi généralement capitonnés. Les accessoires nécessaires au capitonnage sont une aiguille à broderie à gros chas et du fil décoratif solide, comme du coton floche, du coton perlé, du ruban étroit ou du fil à tricoter.

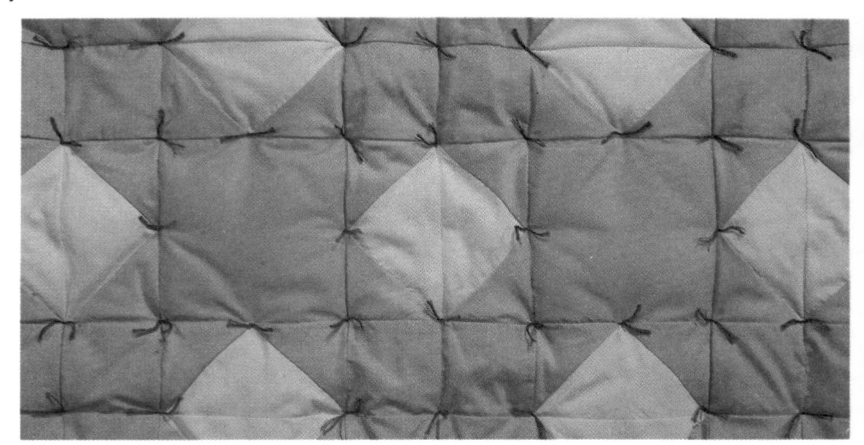

Le dessus du quilt est fixé au rembourrage et à la doublure par des nœuds.

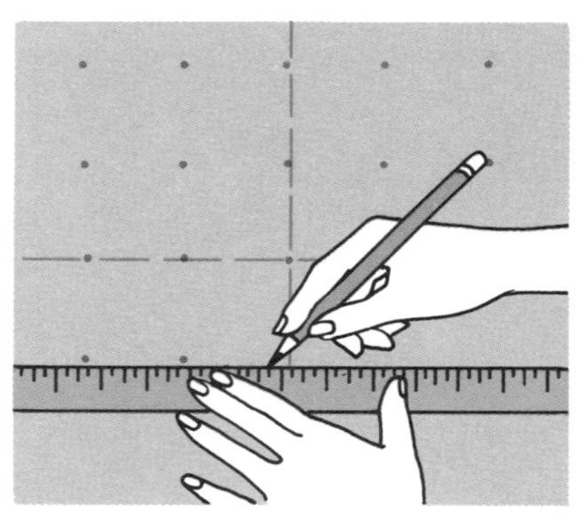

Préparation du quilt à capitonner : indiquez les médianes par des fils de bâti. Puis indiquez la position de chaque nœud, de part et d'autre de ces lignes, avec une règle et un crayon ou de la craie tailleur. Les points doivent être à égale distance les uns des autres et espacés d'environ 10 à 15 cm (4″ à 6″).

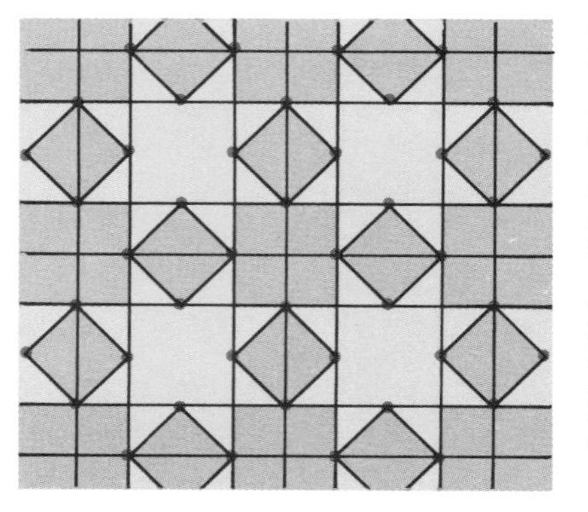

Si le dessus est en patchwork, les nœuds peuvent suivre le dessin. Placez-les à intervalles aussi réguliers que possible et veillez à ne pas laisser libres de trop grandes surfaces.

Après avoir indiqué l'emplacement des nœuds, bâtissez ensemble le dessus, le rembourrage et la doublure (p. 248).

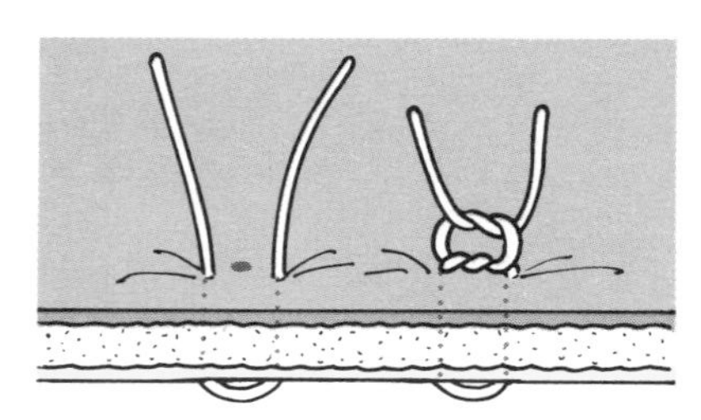

Faites un noeud sur les marques : piquez de haut en bas à travers les trois épaisseurs et ressortez sur le dessus; laissez les fils assez longs pour faire un double nœud. Coupez les bouts à 2 ou 3 cm (1″).

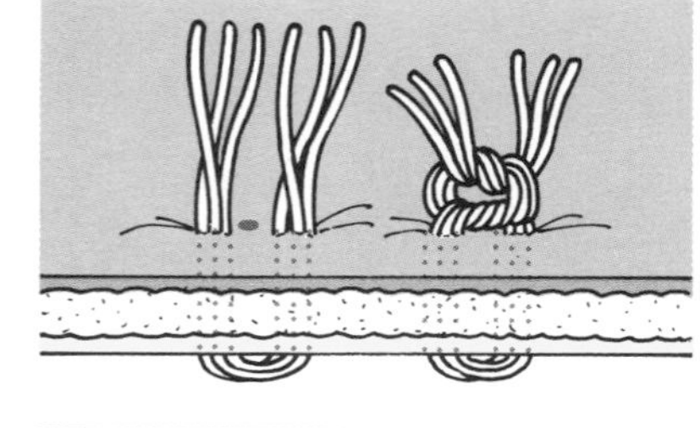

Pour faire des touffes, enfilez l'aiguille avec deux ou trois longueurs de coton floche ou perlé. Faites un point de la même façon que ci-dessus et faites un double nœud avec tous les bouts. Coupez.

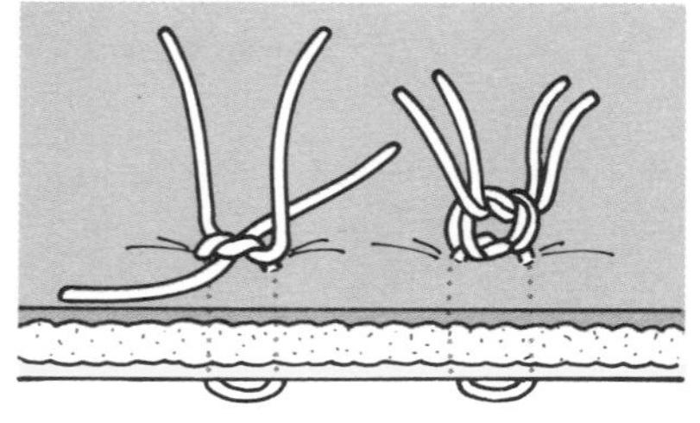

Quand il est difficile de traverser les trois épaisseurs avec plusieurs brins, on peut faire le point avec une seule longueur de fil, puis ajouter deux ou trois brins en faisant le nœud, comme nous l'illustrons.

Bourrage à l'anglaise

Dans le bourrage à l'anglaise, on ne rembourre que certaines parties du motif surpiqué afin de les mettre en relief. L'effet est particulièrement joli sur un tissu uni. Pour réaliser ce type de quilting, vous surpiquez le dessin dans deux épaisseurs de tissu (dessus et doublure), puis vous insérez le rembourrage (molleton de polyester ou de coton) par des fentes pratiquées dans la doublure. En règle générale, on utilise pour le dessus un tissu à tissage serré, comme la popeline ou la satinette. La bourre étant introduite par la doublure, celle-ci doit être dans un tissu à tissage lâche, comme la mousseline. On devrait aussi prévoir une doublure de finition dans un tissu semblable au dessus, afin de protéger le dessous du quilt et de dissimuler les bords effilochés après le bourrage. Exécutez les surpiqûres avec du fil à quilting, un fil synthétique ou du cordonnet de soie.

Les dessins qui conviennent le mieux à cette forme de quilting sont des motifs géométriques incurvés ou des motifs composés de plusieurs petits éléments comme l'illustre la photo de droite. Il est difficile de bourrer uniformément de grandes surfaces. Si vous voulez réaliser ce travail rapidement et de façon plus moderne, procurez-vous un tissu imprimé qui présente un motif composé de petites surfaces incurvées et donnez-lui du relief en utilisant les techniques décrites ci-dessous.

Les feuilles et les pétales sont mises en relief par du molleton inséré dans la doublure.

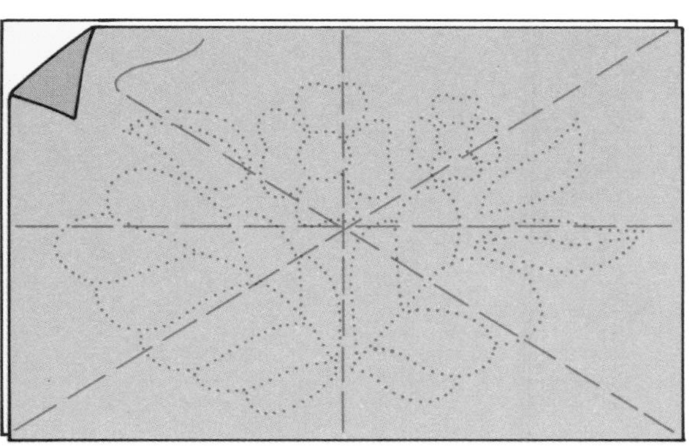

1. Reportez le motif de quilting sur le tissu (craie tailleur en poudre et piquage, par exemple). Alignez les bords coupés et le droit-fil du dessus et de la doublure; bâtissez-les ensemble selon le dessin suivant : les médianes horizontale et verticale et les deux diagonales reliant les angles opposés (voir croquis).

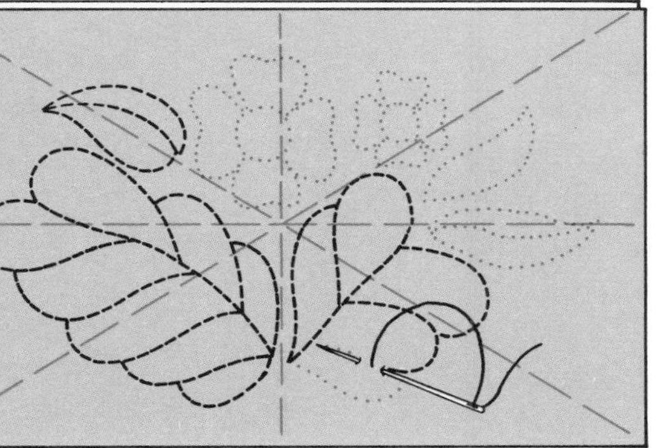

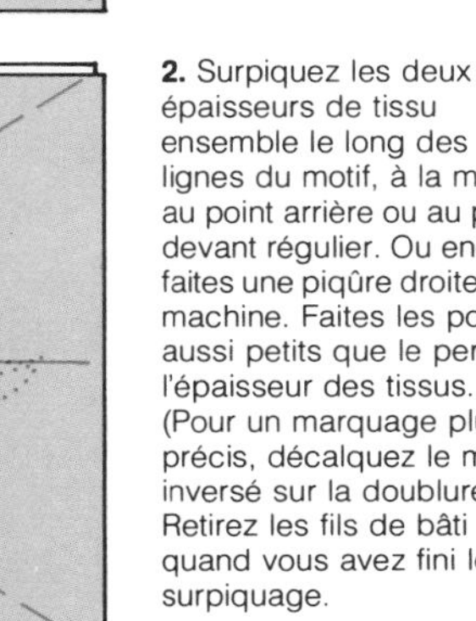

2. Surpiquez les deux épaisseurs de tissu ensemble le long des lignes du motif, à la main, au point arrière ou au point devant régulier. Ou encore faites une piqûre droite à la machine. Faites les points aussi petits que le permet l'épaisseur des tissus. (Pour un marquage plus précis, décalquez le motif inversé sur la doublure.) Retirez les fils de bâti quand vous avez fini le surpiquage.

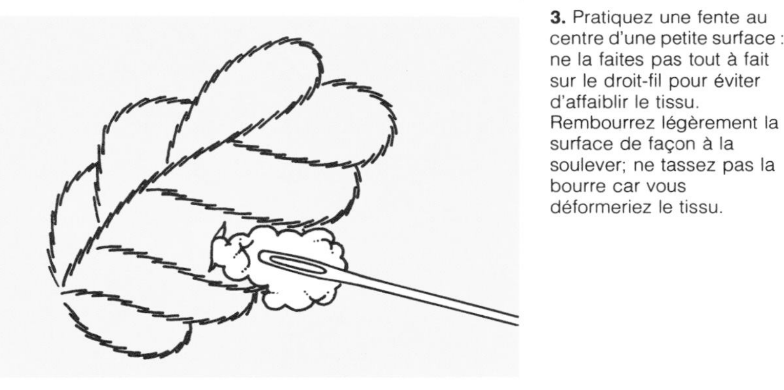

3. Pratiquez une fente au centre d'une petite surface : ne la faites pas tout à fait sur le droit-fil pour éviter d'affaiblir le tissu. Rembourrez légèrement la surface de façon à la soulever; ne tassez pas la bourre car vous déformeriez le tissu.

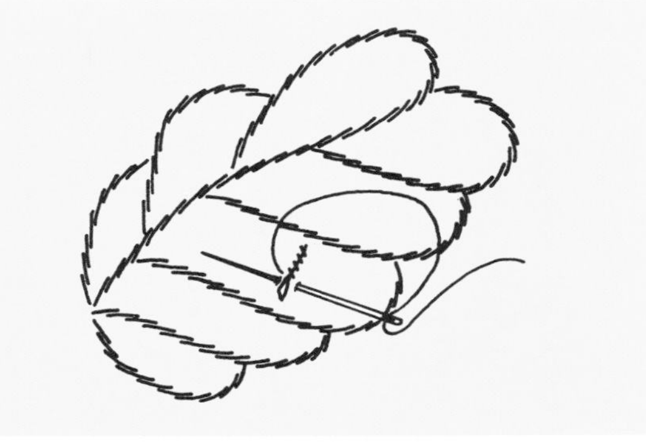

4. Refermez la fente au point de surjet. Répétez les mêmes opérations (pratiquer une fente, rembourrer la partie voulue et refermer l'ouverture) pour chacune des parties du dessin que vous voulez rembourrer.

Autres techniques de quilting

Métiers et tambours 237
Reproduction des dessins de quilting 244

Trapunto (ou quilting cordé)

Le trapunto consiste à soulever certains éléments linéaires du motif au moyen de cordonnets. Il se combine souvent au bourrage à l'anglaise afin d'accentuer à la fois les lignes et les formes du dessin. Il y a deux méthodes de trapunto. La première, qui est aussi la plus courante, consiste à surpiquer ensemble deux épaisseurs de tissu en traçant le motif en lignes parallèles. On enfile ensuite dans les sillons ainsi formés un cordonnet ou un cordon de passepoil. Prérétrécissez le cordon pour qu'il ne gode pas au lavage. L'étoffe du dessus doit être à tissage serré; celle du dessous, à tissage lâche. Surpiquez avec un fil à quilting

de coton ou synthétique, ou un cordonnet de soie pour une riche garniture. L'article doit être doublé afin de protéger les ouvertures et de les dissimuler.

La seconde méthode suppose l'utilisation d'une seule couche de tissu. Le cordon est posé sous le tissu et fixé à celui-ci pendant le surpiquage. Cette méthode ne convient qu'aux projets non doublés. Dans les deux cas, utilisez un cordon de passepoil de coton ou un cordonnet pour remplir les sillons. Son épaisseur doit correspondre à l'espace entre les lignes parallèles, et il doit remplir cet espace de façon à soulever le sillon sans faire grigner le tissu.

MÉTHODE I

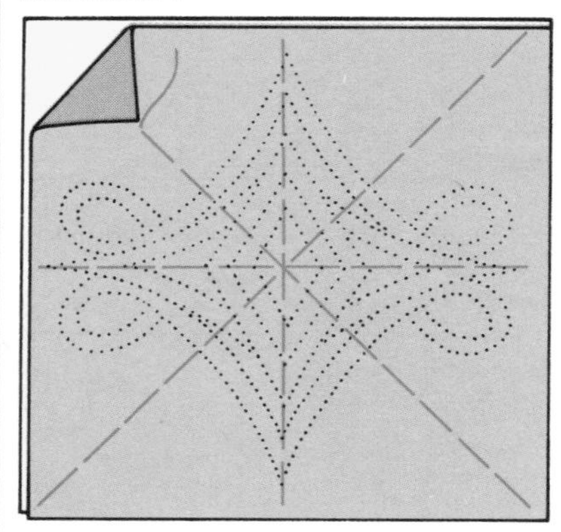

1. Reportez le motif de quilting sur le tissu (craie tailleur en poudre et piquage, par exemple). Alignez les bords francs et le droit-fil des tissus; bâtissez le dessus et la doublure ensemble selon le dessin suivant : les médianes verticale et horizontale et les deux diagonales reliant les angles opposés (voir croquis).

2. Surpiquez les deux épaisseurs ensemble en suivant les lignes tracées sur le tissu, avec un petit point devant ou un petit point arrière. Ou encore faites une piqûre droite à la machine.

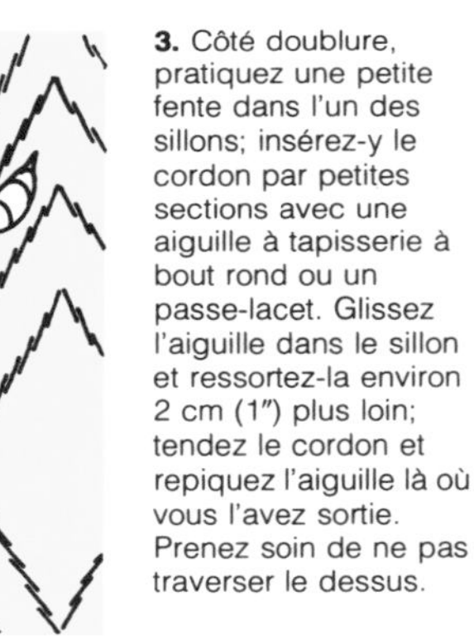

3. Côté doublure, pratiquez une petite fente dans l'un des sillons; insérez-y le cordon par petites sections avec une aiguille à tapisserie à bout rond ou un passe-lacet. Glissez l'aiguille dans le sillon et ressortez-la environ 2 cm (1") plus loin; tendez le cordon et repiquez l'aiguille là où vous l'avez sortie. Prenez soin de ne pas traverser le dessus.

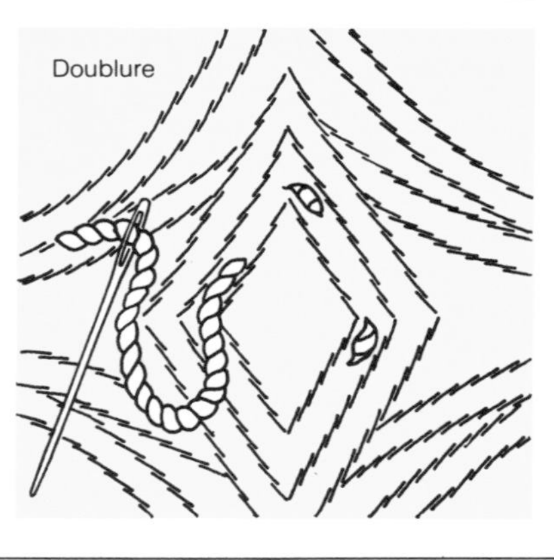

4. Lorsque vous vous trouvez dans un angle, procédez comme à l'étape 3 mais sans tendre le cordon. Laissez le cordon lâche pour qu'il remplisse bien tout l'espace. Cela empêchera le tissu du dessus de grigner.

MÉTHODE II

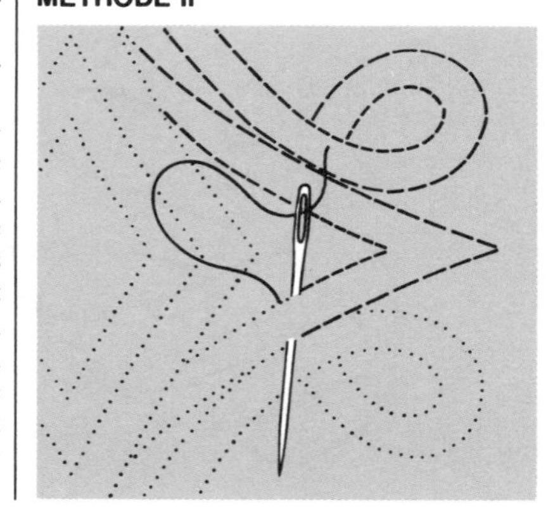

1. Reportez le motif de quilting sur l'endroit du tissu. Placez le tissu sur un métier ou un tambour pour vous libérer les mains. Prenez une aiguille pointue et du coton floche. Maintenez le cordon en place sur l'envers avec une main, tandis qu'avec l'autre vous surpiquez au point arrière le long des lignes, en passant d'un côté à l'autre du sillon à chaque point.

2. Les fils qui se croisent sur l'envers du tissu maintiennent le cordon en place, bien plat entre les lignes parallèles du motif. Cousez à points réguliers en gardant toujours la même tension.

Quilting par éléments/Surpiquage par sections

Le quilting par éléments simplifie la confection des courtepointes et d'autres quilts, l'article étant divisé en petites pièces qui se manipulent plus aisément. Le **surpiquage par sections** permet de surpiquer un motif ou un panneau à la fois. Cette technique, adaptée des méthodes traditionnelles, convient aux projets que l'on désire transporter avec soi ou à ceux que l'on veut réaliser à la machine. Le **quilting matelassé** et le **patchwork gonflé,** des techniques récentes, permettent aussi de rembourrer et de surpiquer chaque motif avant l'assemblage.

Même si ces méthodes ne sont en général employées que pour les dessins de quilting élémentaires et les patchworks simples, elles présentent divers avantages : elles réclament peu d'espace et n'exigent ni métier ni tambour; la couture peut être exécutée en totalité ou en partie à la machine, ce qui fait progresser le travail beaucoup plus vite.

Le surpiquage par sections s'applique à des projets de toutes grandeurs mais il se révèle bien utile pour les grands projets qu'il serait autrement impossible de piquer à la machine.

Servez-vous des coutures existantes pour diviser le projet en sections. Ainsi, vous pouvez surpiquer les pavés d'un quilt en patchwork ou en appliqué soit un à un, soit par groupe. Quant à la bordure, elle sera surpiquée séparément. Cette opération terminée, vous n'aurez plus qu'à joindre les diverses sections.

Cette technique est tout aussi valable pour le surpiquage et l'assemblage d'un vêtement. Par exemple, vous pouvez surpiquer l'un après l'autre le devant et le dos d'une veste, puis les assembler ensuite sur les côtés. Lorsque vous choisirez un tissu pour l'envers, rappelez-vous qu'avec la technique du surpiquage par sections, cette deuxième couche de tissu agit comme doublure, puisque tous les bords coupés sont rentrés. Il ne faut donc ajouter ni doublure ni triplure pour achever la finition du vêtement.

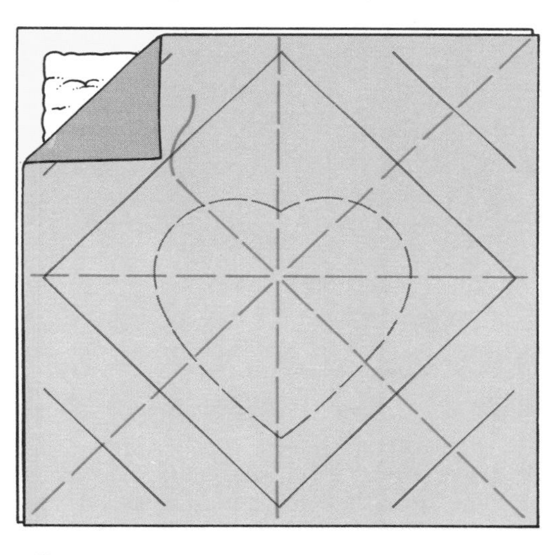

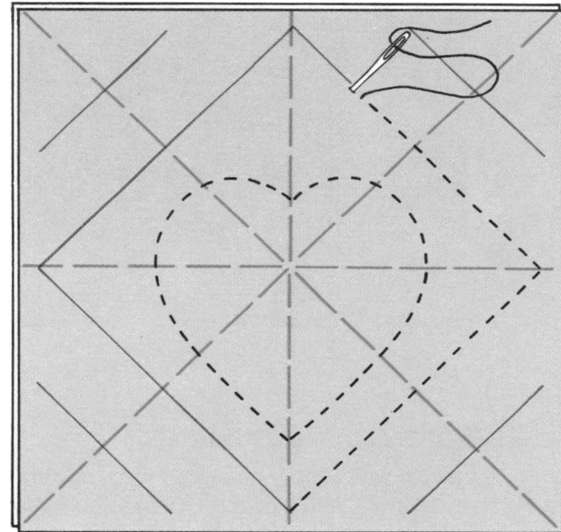

1. Coupez le dessus et la doublure de même grandeur pour chaque section, en comptant une marge de couture de 0,5 cm (¼") de chaque côté. Taillez le rembourrage aux mêmes dimensions sans toutefois ajouter de marge. Reproduisez le dessin sur le tissu. Superposez les épaisseurs et bâtissez-les ensemble à partir du centre (voir croquis).

2. Surpiquez la section en faisant attention à laisser les marges libres pour l'assemblage. Retirez les fils de bâti.

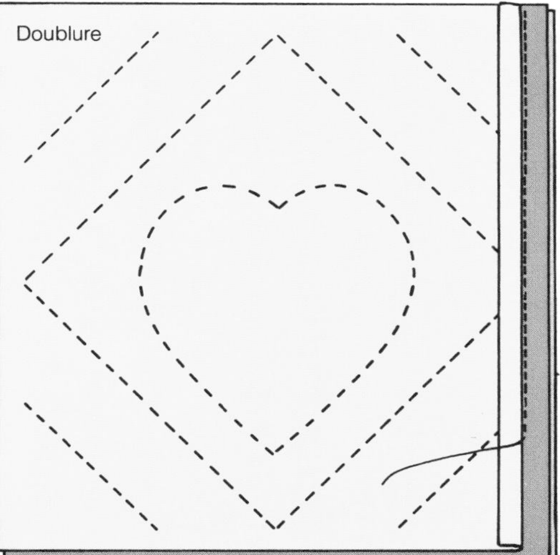

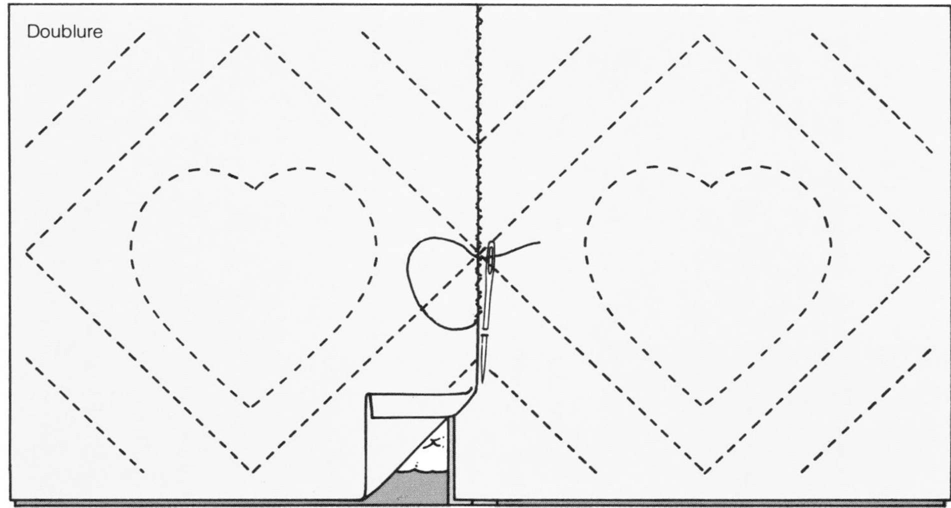

3. Pour l'assemblage, placez deux sections contiguës endroit sur endroit, mais *n'assemblez que l'étoffe du dessus* à la main ou à la machine.

4. Pour fixer l'envers, placez les sections, côté endroit dessous, sur une surface plane. Ouvrez la couture du dessus avec les doigts. Les bords du rembourrage doivent être bout à bout; s'ils se chevauchent, coupez l'excédent. Rentrez la marge de couture d'une des sections de la doublure et fixez-la à points d'ourlet à la section contiguë.

Fabrication des gabarits 218
Surpiqûres de contour 239

Quilting par éléments/Matelassé

Le matelassé consiste à doubler, rembourrer et finir chacune des pièces du patchwork avant de les assembler. On obtient un résultat semblable aux surpiqûres de contour puisque chaque forme prérembourrée est mise en évidence. Cette méthode convient au patchwork à forme unique et aux pavés géométriques à bords droits. Si vous utilisez la même étoffe pour le dessus et le dessous, les deux côtés du quilt seront identiques; pour confectionner un quilt réversible présentant deux aspects différents, choisissez pour l'envers un tissu contrastant. Vous pourriez aussi vous servir de chutes de tissu.

On coud et on rembourre avant l'assemblage.

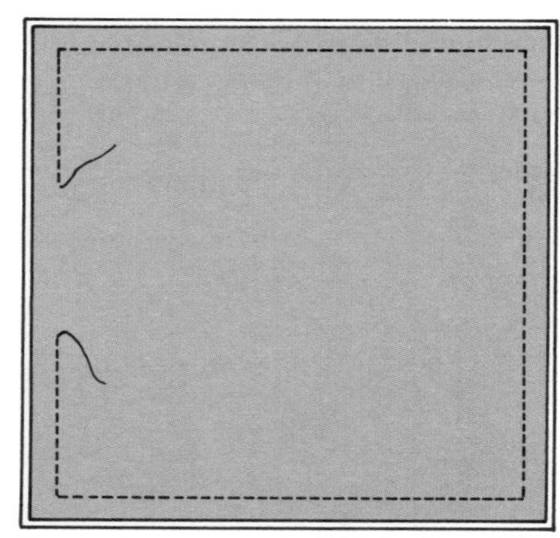

Coupez le dessus et le dessous à partir du même gabarit. Endroit contre endroit, piquez-les en laissant une ouverture pour les retourner.

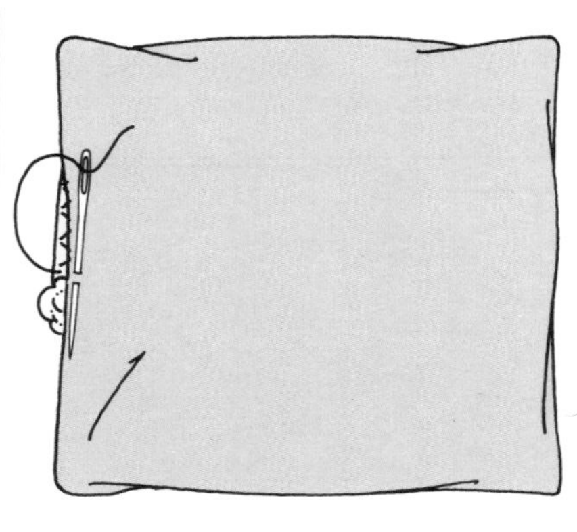

Retournez la pièce sur l'endroit. Insérez le rembourrage par l'ouverture; répartissez-le sans tasser. Refermez l'ouverture au point d'ourlet.

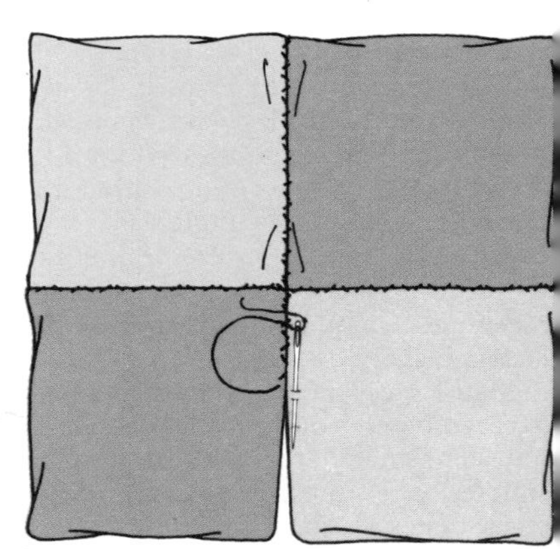

Lorsque les pièces sont terminées, juxtaposez-les, puis assemblez-les à la main, au point d'ourlet, ou à la machine, au point de zigzag.

Quilting par éléments/Patchwork gonflé

Dans le patchwork gonflé, une pièce de dessus ample ou froncée est montée sur un dessous plus petit; on la rembourre alors généreusement pour lui donner un aspect bouffant. Comme les bords seront cachés par une doublure, le dessous peut être de mousseline ou d'un autre tissu peu coûteux. Choisissez comme rembourrage du molleton de coton ou du polyester. En raison de son aspect, ce genre de quilting ne convient qu'aux courtepointes. La méthode peut s'appliquer à tous les patchworks à forme unique, mais il est plus facile de travailler avec des formes à bords droits. Il faut deux gabarits : un pour la pièce du dessus et un autre plus petit pour la pièce du dessous. En général, la mesure du dessus est une fois et demie celle du dessous.

Les pièces sont rembourrées généreusement.

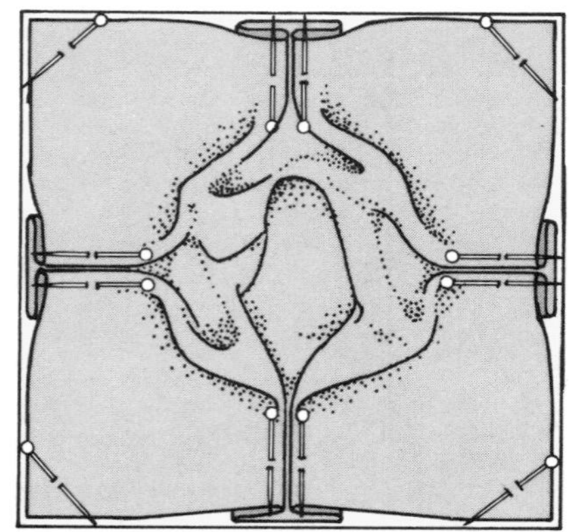

Epinglez le dessus et le dessous envers contre envers, aux quatre coins. Repliez le surplus de tissu au centre et épinglez.

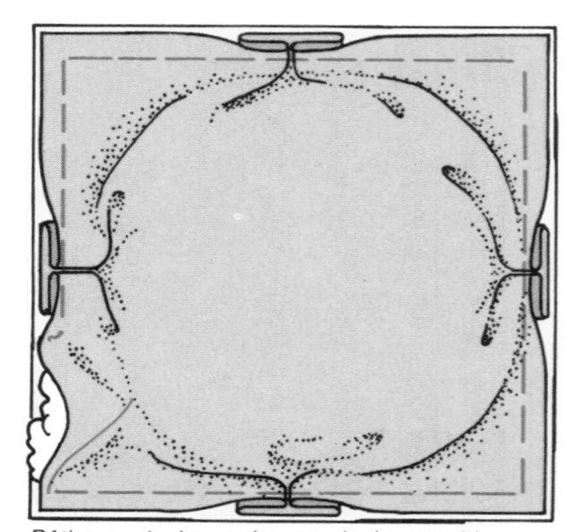

Bâtissez à la main ou à la machine en ménageant une ouverture à côté d'un des plis. Insérez la bourre, puis refermez à la main.

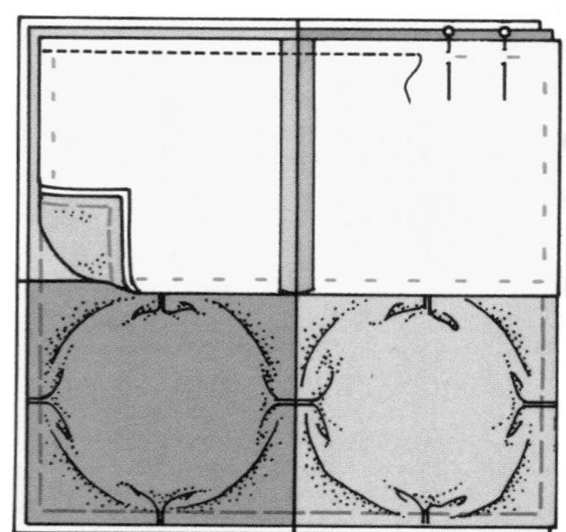

Pour assembler les éléments, disposez-les endroit contre endroit et cousez-les. Finissez l'article en ajoutant une doublure (p. 260).

Finition des bords

Bordure à même le quilt/Bordure rabattue

Après avoir matelassé et surpiqué l'ouvrage, il faut encore songer à en finir les bords. Vous avez le choix entre diverses méthodes, selon le type de quilt que vous confectionnez et selon son dessin. Il y a deux genres de finition à même le quilt, c'est-à-dire utilisant simplement les ressources du dessus et du dessous : la **bordure rabattue**, si le tissu du dessous (ou doublure) est de la même qualité que celui du dessus, et le **bord ourlé** expliqué à la page suivante. Si vous faites une bordure rabattue, vous devez la prévoir avant de couper les pièces principales; le dessous doit être alors plus grand que l'étoffe du dessus puisqu'il sera rabattu sur les bords francs du quilt. Mais vous pouvez aussi faire l'inverse, c'est-à-dire couper le dessus plus grand et le replier sur le dessous.

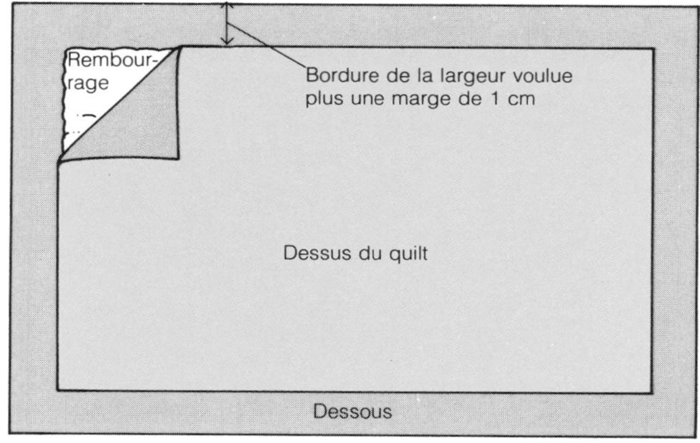

Préparation d'une bordure rabattue : le tissu d'envers doit dépasser le dessus de la largeur requise pour la bordure plus une marge de 1 cm (½″). Coupez l'étoffe du dessus et le rembourrage aux dimensions du quilt fini.

Après le surpiquage, rentrez les marges de couture du dessous au fer. Repliez-les ensuite sur le dessus et fixez-les à points d'ourlet. Décidez, avant de commencer à coudre, de la façon dont vous traiterez les coins.

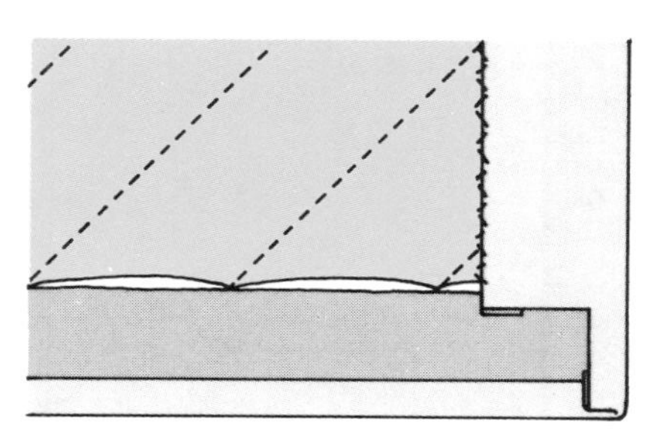

Pour un coin droit, cousez à points d'ourlet un des côtés du quilt. Amincissez en enlevant une partie du tissu, comme sur notre croquis.

Repliez le côté adjacent, puis cousez-le à points d'ourlet à la bordure et au dessus du quilt, comme sur le croquis.

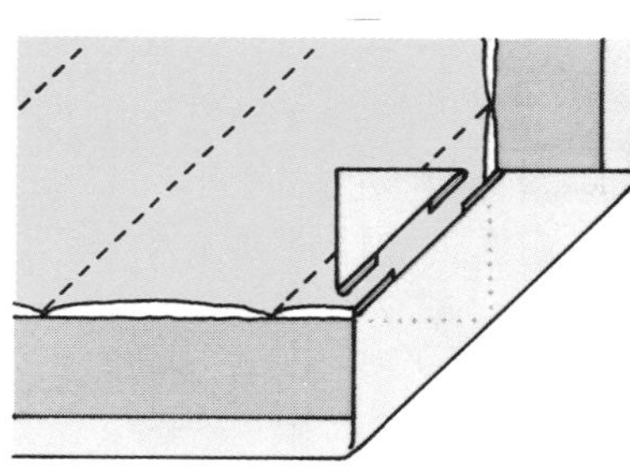

Pour un coin en onglet, repliez le coin du tissu du dessous pour que la diagonale du pli arrive sur la pointe de l'angle du dessus. Enlevez la pointe du tissu d'envers, comme sur le croquis.

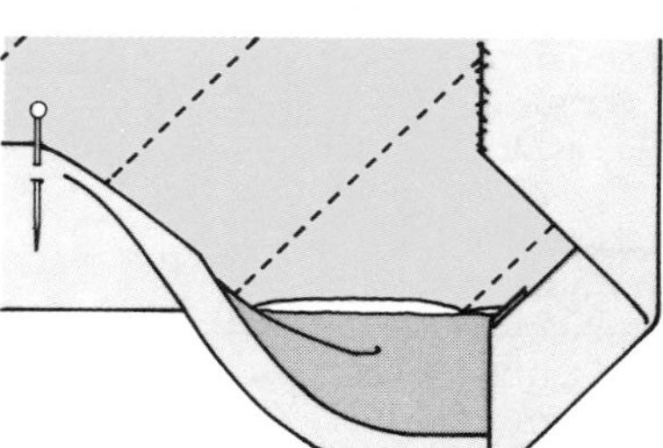

Repliez un des côtés de la bordure et cousez-le à points d'ourlet. Repliez le côté adjacent et fixez-le de la même façon. Cousez aussi l'onglet (la diagonale formée par la rencontre des deux bords) pour le fermer.

Bordure à même le quilt/Bords ourlés

La finition ourlée d'un quilt forme une bordure discrète, obtenue simplement en rentrant les marges des étoffes du dessus et du dessous sur les côtés, au point d'ourlet. Cette méthode ne demande aucun supplément de tissu; vous pouvez toutefois insérer entre les replis une garniture de votre choix, passe-poil, croquet ou volant, par exemple. Si vous faites des bords ourlés, assurez-vous que les surpiqûres s'arrêtent à environ 1 centimètre (½″) des bords pour vous permettre de faire les rentrés; par contre, ne les arrêtez pas trop loin parce que ce genre de bordure ne fixe pas le rembourrage sur les bords.

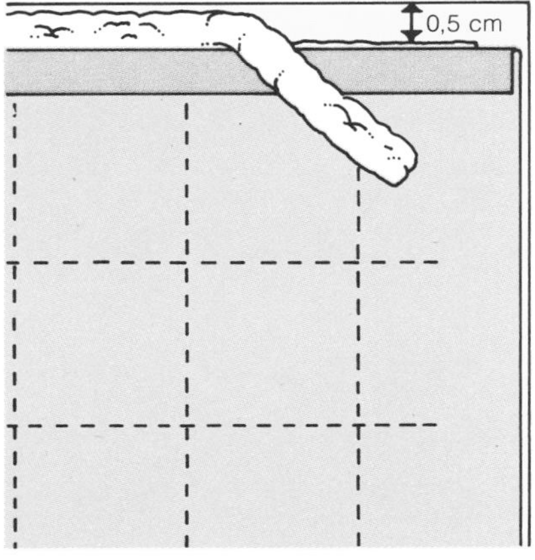

Faites coïncider les bords du dessus et du dessous; coupez le rembourrage de telle sorte qu'il soit plus court de 0,5 cm (¼″).

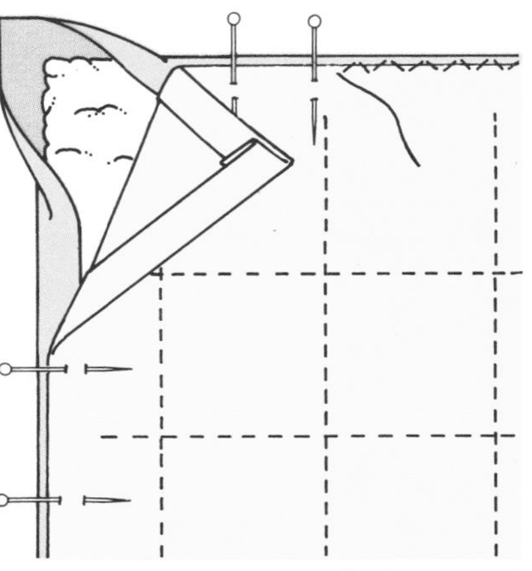

Repliez la marge de couture du dessus sur le rembourrage. Rabattez ensuite celle du tissu du dessous. Epinglez et cousez à points d'ourlet.

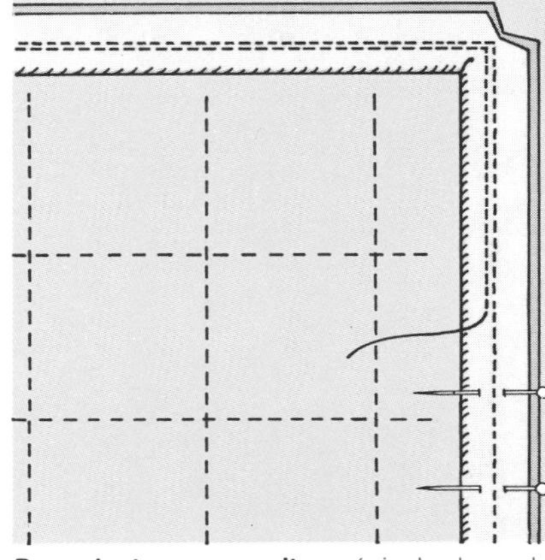

Pour ajouter une garniture, épinglez-la sur le dessus du quilt, les bords francs dans le même sens; cousez-les ensemble.

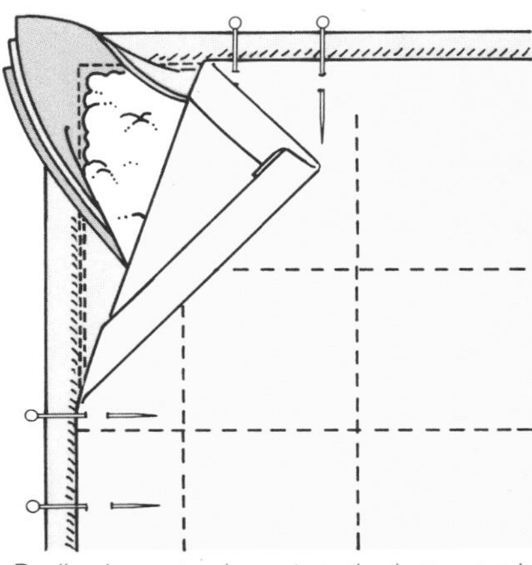

Repliez la marge de couture du dessus sur le rembourrage. Rentrez celle du dessous. Cousez le long de la couture de la garniture.

Bordure rapportée

La bordure rapportée est une finition par laquelle on *ajoute* une bande de tissu au quilt pour en couvrir les bords francs. Nette et durable, elle est très pratique si les bords francs se sont effilochés. Elle est aussi recommandée dans le cas des vêtements matelassés, pour éviter les ourlets trop épais. Les bordures traditionnelles sont plutôt étroites : elles ont entre 0,5 et 1,25 centimètre (⅜″ et ½″) de large. La bordure constitue une attrayante garniture si elle est réalisée dans un tissu contrastant. Elle peut être taillée dans le droit-fil ou le biais du tissu. Dans le cas des bords arrondis, il faut une bordure en biais; si les bords sont droits, cela est sans importance. Il existe des bordures simples et doubles; la plus courante est la bordure simple mais si vous utilisez une bordure double, vous accroîtrez la durabilité de l'ouvrage.

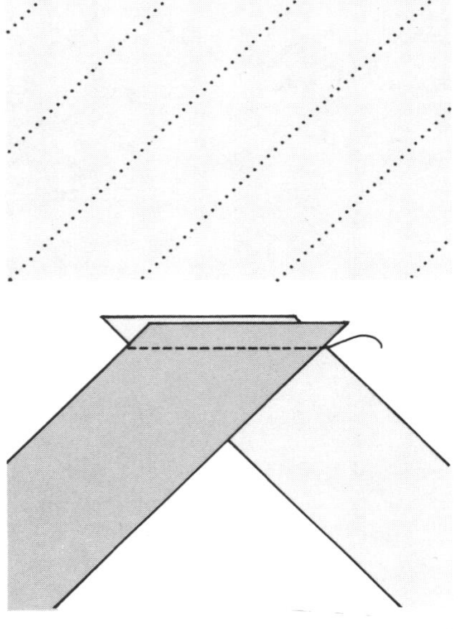

Pour faire des bordures de biais, taillez des bandes dans le plein biais du tissu. Les bandes auront quatre fois la largeur finale désirée, dans le cas d'un biais simple, et six fois cette largeur, dans celui d'un biais double.

Pour les assembler, placez deux bandes de biais l'une sur l'autre, comme nous le montrons, et cousez sur le droit-fil du tissu. Ouvrez la couture au fer.

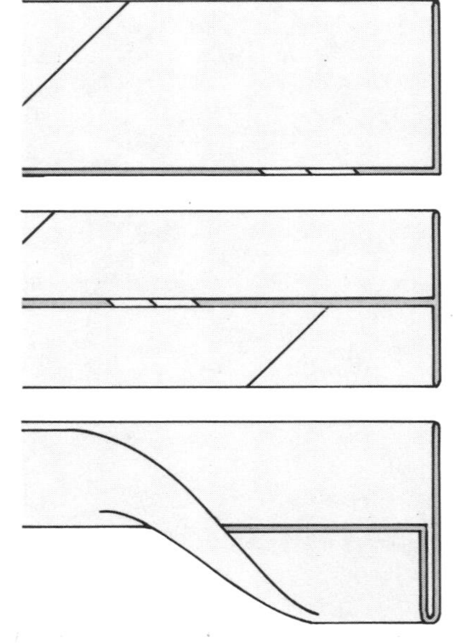

Pour un biais simple, pliez la bande en deux dans le sens de la longueur, envers contre envers; repassez légèrement le pli.

Ouvrez la bande et repliez ses bords de sorte qu'ils se rejoignent au centre; repassez.

Pour une bordure double, pliez la bande en deux dans le sens de la longueur et repassez; pliez de nouveau en trois et repassez.

Pose de la bordure

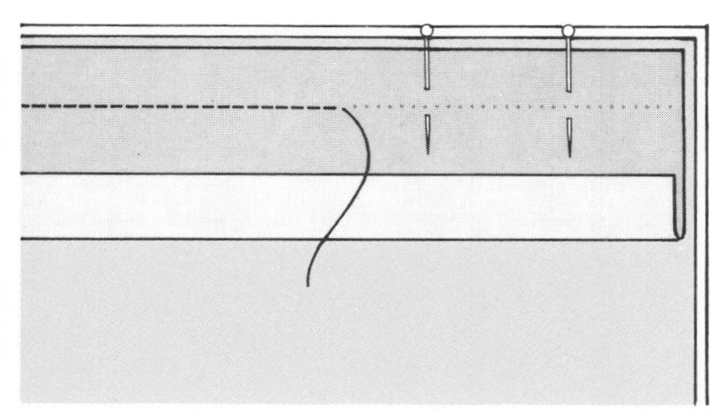

Pose d'une bordure simple : ouvrez un bord replié; placez la bordure côté endroit sur le dessus du quilt, puis épinglez-la au bord de celui-ci. Cousez le long de la ligne de pliure de la bordure.

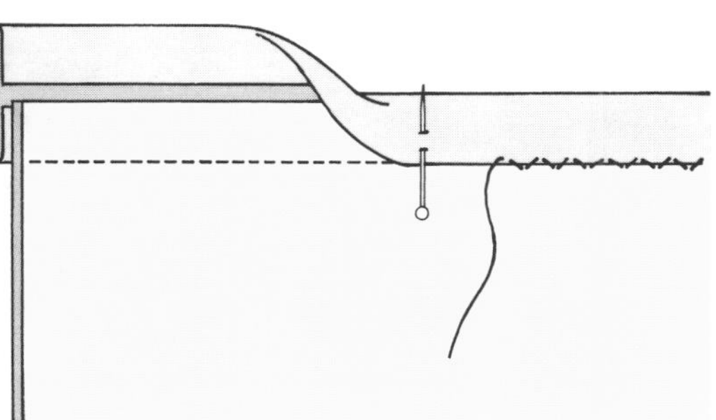

Relevez la bordure au fer. Rabattez-la sur le bord franc de sorte que son pli coïncide avec la ligne de couture de l'envers. Epinglez et cousez à points d'ourlet, à la main.

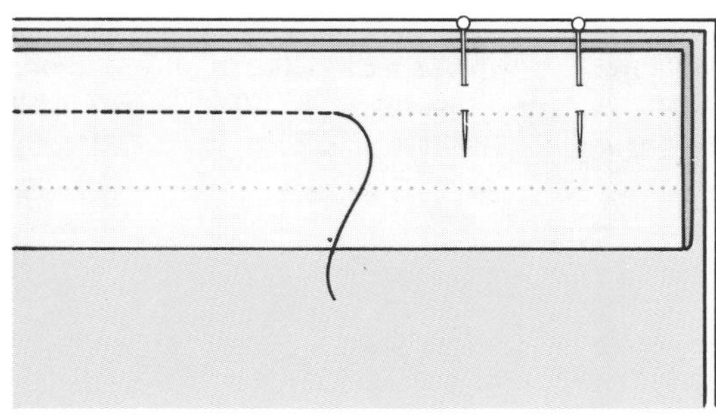

Pose d'une bordure double : ouvrez les deux derniers plis. Faites coïncider les bords francs du quilt et ceux de la bordure; épinglez-les ensemble. Cousez la bordure au quilt le long de la ligne de pliure la plus proche du bord.

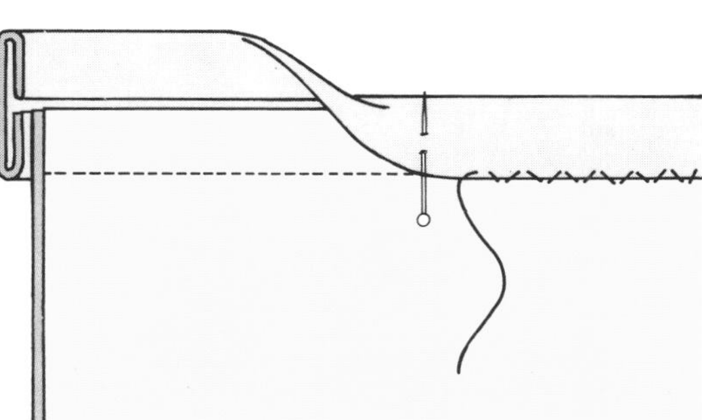

Relevez la bordure au fer. Rabattez-la sur le bord franc du quilt pour que le deuxième pli coïncide avec la ligne de couture de l'envers. Epinglez et cousez à points d'ourlet, à la main.

Confection des coins

Lorsqu'on pose une bordure, il y a différentes façons d'exécuter les coins. Si le coin est arrondi, on doit faire boire le surplus de la bordure (en biais) pour lui faire suivre la courbe. Si le coin est

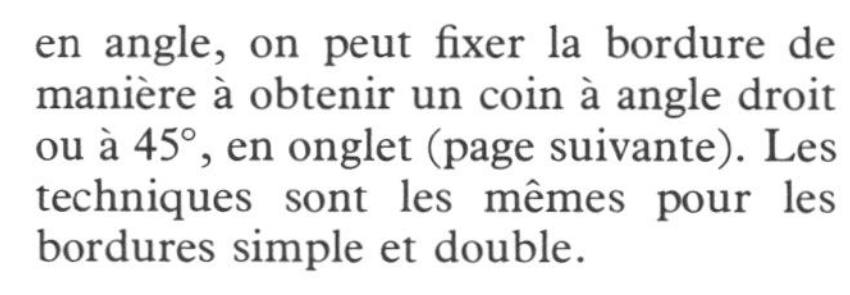

en angle, on peut fixer la bordure de manière à obtenir un coin à angle droit ou à 45°, en onglet (page suivante). Les techniques sont les mêmes pour les bordures simple et double.

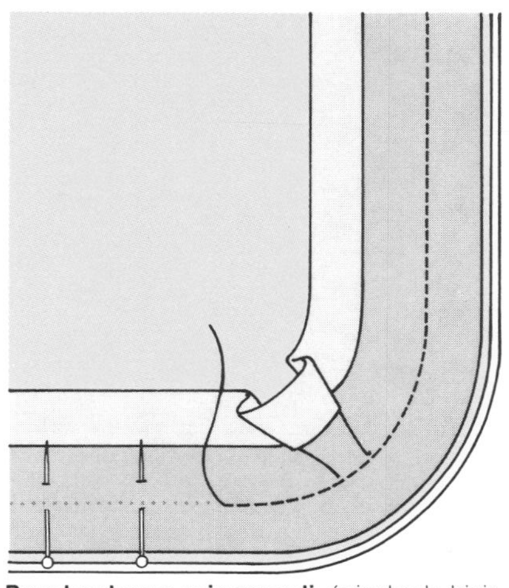

Pour border un coin arrondi, épinglez le biais au bord du quilt. Etirez légèrement la bordure en tournant le coin. Cousez sur le pli.

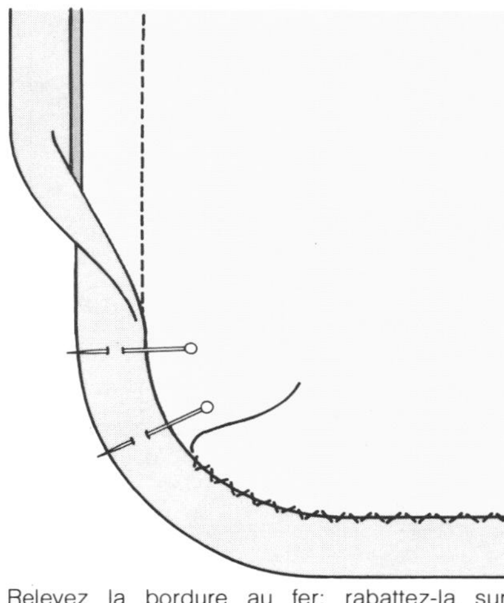

Relevez la bordure au fer; rabattez-la sur l'envers, elle s'adaptera naturellement au bord arrondi du quilt. Fixez-la à points d'ourlet.

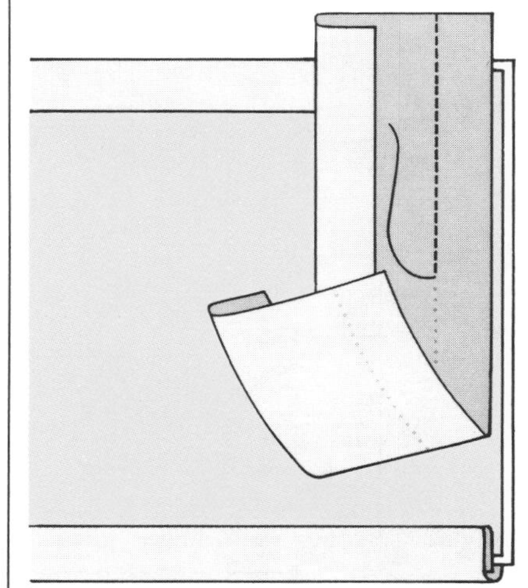

Pour border un angle, commencez par border deux côtés opposés du quilt. Epinglez et cousez la bordure à l'un des deux autres côtés, en la laissant dépasser de 1 cm (½″) à chaque bout.

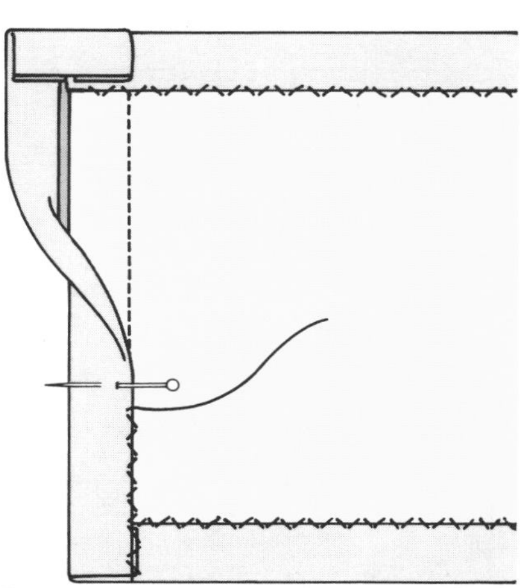

Repliez le surplus sur le côté bordé, puis recouvrez le bord franc de la façon habituelle, en cousant à points d'ourlet. Procédez de la même façon pour le dernier côté.

Confection des coins/Coins en onglet

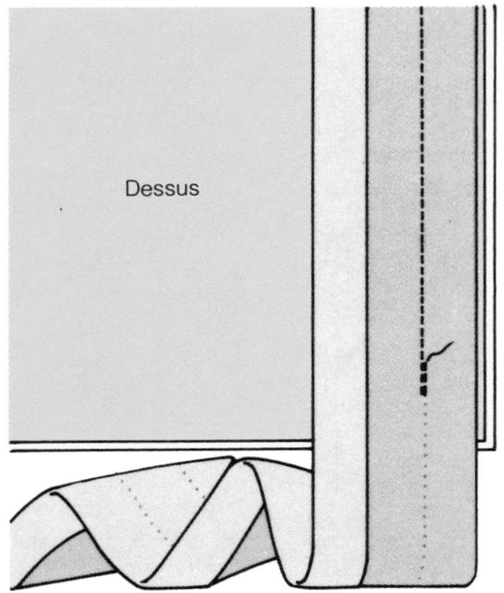

Coin en onglet : épinglez la bordure au bord franc du quilt. Cousez sur le pli le plus proche du bord; arrêtez la couture par quelques points arrière à l'intersection avec la couture adjacente.

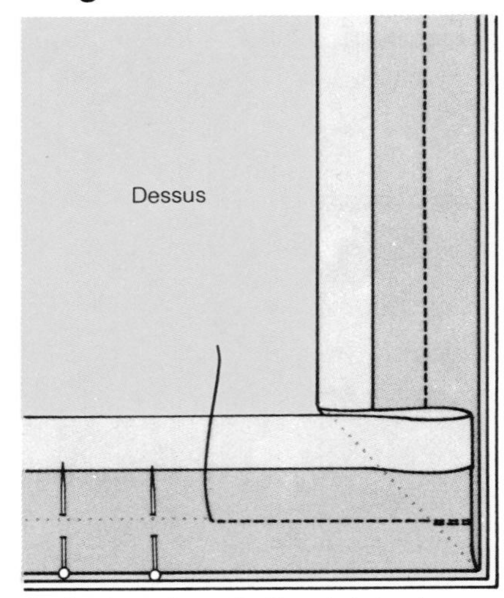

Repliez la partie restée libre de la bordure vers la droite, à angle droit avec le bord cousu, formant un pli oblique. Repassez le pli. Alignez-le avec le bord droit. Cousez de la façon indiquée.

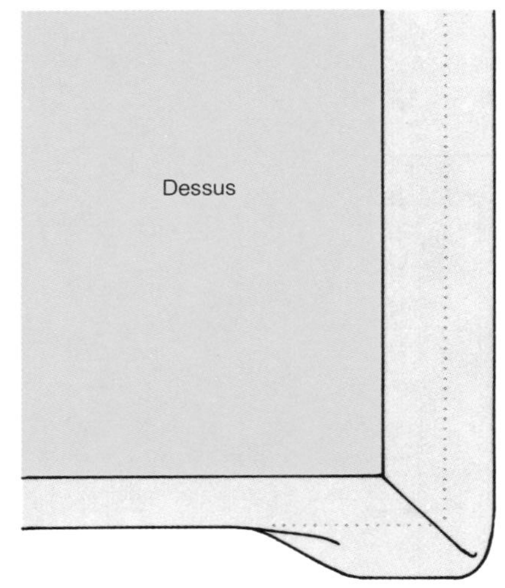

Ramenez la bordure sur le dessous, par-dessus le bord franc. Vous obtiendrez alors un coin en onglet sur le dessus du quilt. Vous en formerez un autre en repliant la bordure sur le dessous.

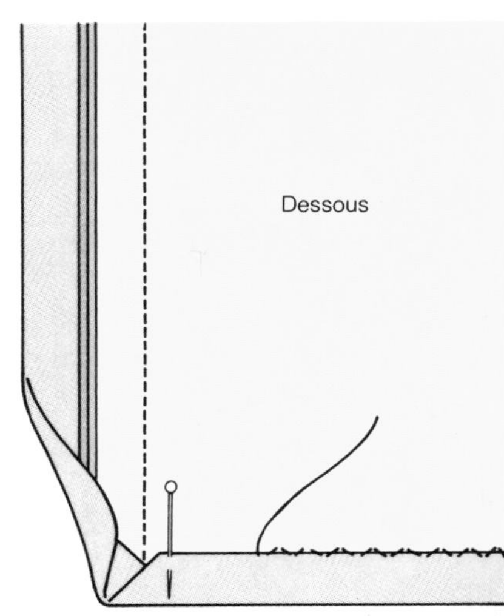

Rabattez le bord plié sur la ligne de couture du dessous; épinglez. Rentrez l'excédent dans le coin, puis rabattez le côté adjacent pour faire l'onglet. Cousez le long du pli et de l'onglet.

Doublure et triplure

Certaines méthodes de quilting, notamment le patchwork gonflé, nécessitent l'utilisation d'une doublure ou d'une triplure pour camoufler les bords coupés et protéger les surpiqûres sur l'envers. Une doublure est tout indiquée quand vous désirez finir jusqu'au bord une nappe, un napperon ou une courtepointe. Vous voudrez utiliser une triplure (entre le dessus et la doublure) si vous ajoutez sur un vêtement des parties surpiquées ou une bordure. Il faut que vous prévoyiez la doublure ou la triplure dès le début du travail afin de vous procurer la quantité de tissu nécessaire.

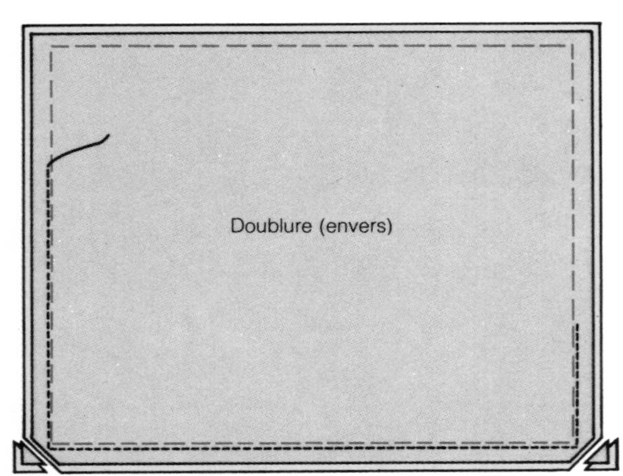

Pour doubler un quilt, taillez une doublure de la même dimension que le quilt. Placez-les endroit contre endroit, puis épinglez ou faufilez. Cousez tout autour en laissant une ouverture.

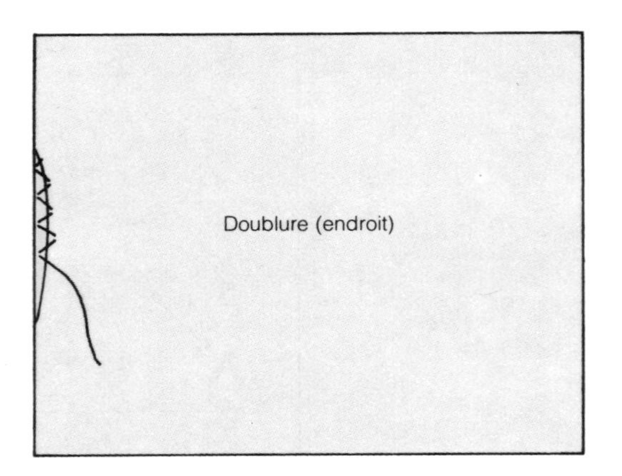

Retirez les épingles ou les faufils. Coupez les angles pour réduire l'épaisseur et retournez le quilt à l'endroit. Rentrez les marges de couture de l'ouverture et refermez-la à points d'ourlet.

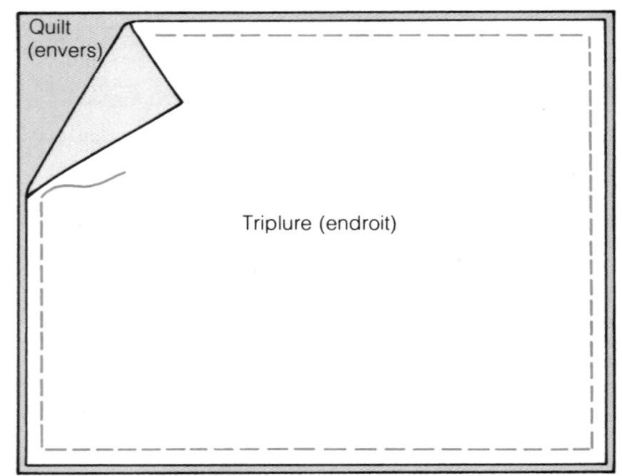

Pour garnir d'une triplure, coupez-la de la même grandeur que le quilt. Bâtissez les deux ensemble, envers contre envers. Considérez le quilt et sa triplure comme une seule épaisseur.

Métiers et tambours 237 Techniques de base du quilting 250
Bordure rapportée 258

Entretien des quilts

Lavage, séchage, repassage, rangement, réparation

Une courtepointe ou tout autre quilt dureront plus longtemps s'ils sont entretenus avec soin.

Pour laver un quilt à la machine, utilisez un détersif doux et choisissez le programme «délicat». Evitez les agents de blanchiment et les détersifs forts car les produits chimiques affaiblissent les fibres textiles. Ne mettez pas le quilt dans une essoreuse centrifuge : les piqûres risqueraient de céder. Pour laver à la main, employez un savon doux; ne tordez pas le quilt, roulez-le plutôt dans des serviettes.

Séchez le quilt par culbutage (dans un séchoir automatique), sur une corde à linge ou, mieux encore, étendez-le à plat sur un drap propre. Si le quilt est fait d'une matière qui doit être nettoyée à sec, comme la laine, la soie ou le velours, portez-le chez le teinturier le plus rarement possible : les produits de nettoyage à sec finissent par user les fibres.

Pour repasser un quilt, couvrez la planche à repasser d'une serviette éponge. Placez l'article, côté piqué dessous, et repassez sans presser au fer à vapeur.

Les textiles doivent respirer; c'est pourquoi un quilt se range roulé dans un drap propre (une enveloppe de plastique empêcherait la circulation de l'air). Aérez un quilt mis de côté au moins une fois par année en le suspendant sur une corde à linge; blanchissez-le environ tous les cinq ans pour empêcher le jaunissement du tissu.

Les dommages causés par l'usage peuvent **se réparer** facilement. Une nouvelle bordure transformera un bord usé. Lavez la nouvelle bordure à plusieurs reprises ou blanchissez-la au soleil pour que les nouveaux coloris se fondent avec ceux qui sont passés. Pour refaire des surpiqûres qui ont cédé, placez la surface endommagée sur un petit tambour; retirez soigneusement les fils cassés et repiquez avec un fil assorti.

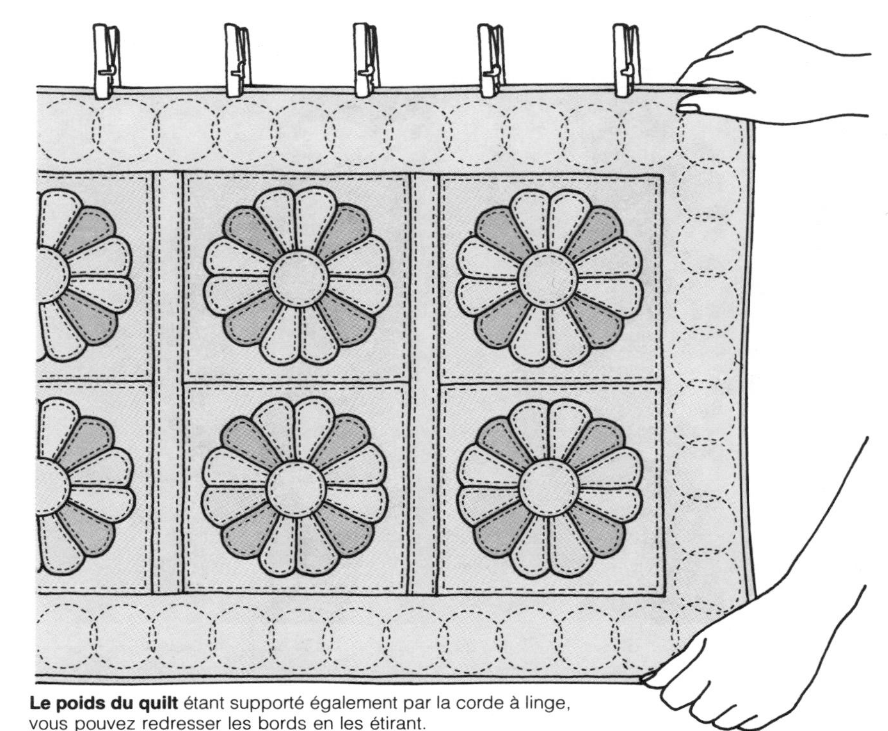

Le poids du quilt étant supporté également par la corde à linge, vous pouvez redresser les bords en les étirant.

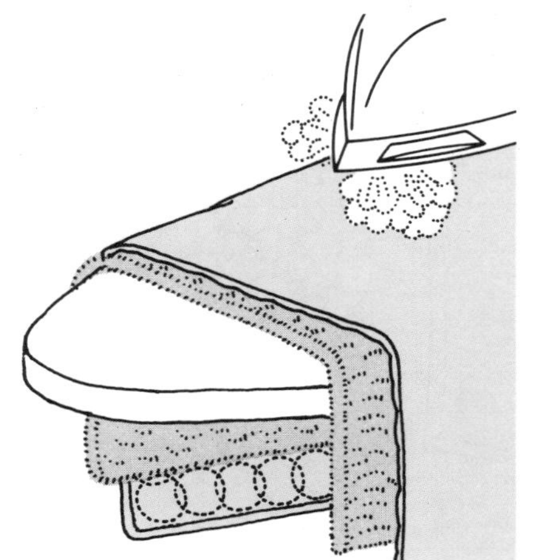

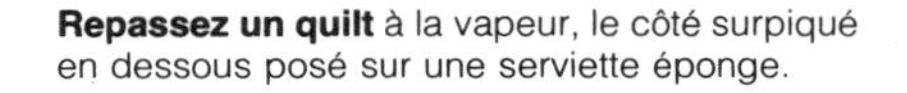

Repassez un quilt à la vapeur, le côté surpiqué en dessous posé sur une serviette éponge.

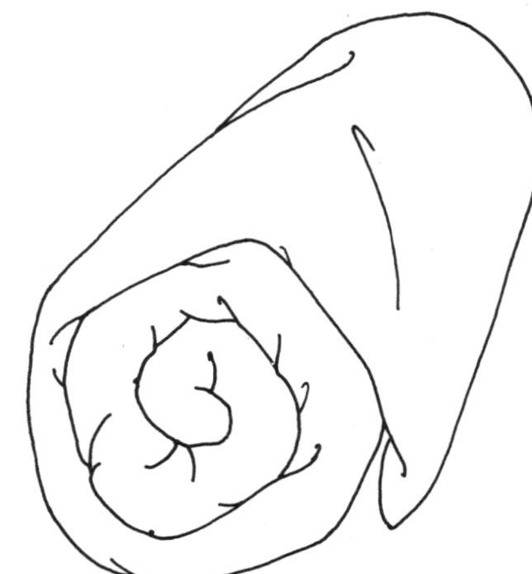

Rangez un quilt en le roulant dans un drap propre. N'utilisez surtout pas de plastique.

Le motif de coquille utilisé dans la confection du gilet en patchwork est décrit page 213.

Gilet pour homme en patchwork

Un gilet en patchwork complétera une garde-robe masculine. Utilisez de préférence un patchwork à forme unique.

Fournitures

1 m (1 vg) de deux tissus différents en 115 cm (45″) de large

Fil à coudre

Tissu pour le dos et la doublure du gilet selon les indications du patron

Fabrication du gabarit

Pour déterminer les dimensions du gabarit (pp. 213 et 218), calculez le nombre de coquilles désiré sur le devant du gilet et divisez la largeur de celui-ci par le nombre obtenu. A titre d'exemple, le gilet illustré est une taille 87 (#40) et mesure 60 centimètres (24″) de large. Si l'on veut placer 12 coquilles, le gabarit doit mesurer 5 centimètres (2″). Idéalement, le gabarit ne devrait pas avoir moins de 5 centimètres (2″); il peut cependant être plus grand.

Quantité de tissu nécessaire

Pour déterminer la quantité de tissu nécessaire au patchwork, il faut un patron de papier pour les deux pièces du devant du gilet. Placez les deux morceaux sur du papier quadrillé, en laissant une marge de 5 centimètres (2″) entre les deux pour les raccords.

Tracez le motif sur le papier quadrillé et coloriez les coquilles. Calculez ensuite le nombre de coquilles de chaque couleur; il vous faudra la quantité équivalente de tissu dans chaque coloris (p. 213) : ici, 1 mètre (1 vg).

Couture

Découpez les coquilles (p. 219) et cousez-les ensemble (p. 232). Repassez le morceau de tissu en patchwork. Posez-le à plat et placez le patron par-dessus. Pour faire correspondre les motifs au centre devant, placez les repères de chevauchement pour les boutonnières au bord d'une rangée de coquilles. Découpez ensuite les deux pièces et faites des piqûres de soutien tout autour à 1 centimètre (3/8″) du bord. Terminez les étapes de la confection en suivant le patron.

Placez les deux pièces du patron sur le papier quadrillé en laissant 5 cm (2″) entre. Le tissu en patchwork devra avoir au moins les mêmes dimensions que les deux devants du gilet.

Pour évaluer la quantité de tissu requise, tracez le motif sur le papier quadrillé et coloriez-le. Calculez le nombre de coquilles de chaque couleur et la quantité de tissu correspondante.

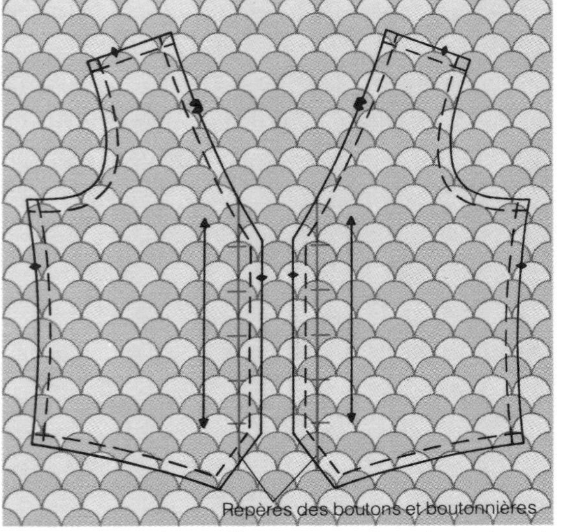

Pour raccorder les motifs au centre, placez les repères des boutonnières (et non la ligne de couture) au bord d'une rangée de coquilles, comme vous le feriez pour un imprimé.

Les appliqués à la machine offrent la solidité requise pour les vêtements d'enfant.

Salopette de garçon/Appliqué à la machine

Le nom de l'enfant en calicot de couleurs vives et la tortue à pois sont appliqués à la machine sur la salopette. On pourrait en faire autant sur une robe de fillette.

Fournitures

Papier et crayon pour l'agrandissement du motif

Carrés de tissus unis ou imprimés de 10 cm (4") de côté

Fil à coudre

Agrandissement du dessin

Dessinez une grille dont les carreaux ont 6 millimètres (¼") de côté et reportez-y (p. 14) le dessin des lettres que vous avez choisies et celui de la tortue. Les lettres agrandies mesurent 3 centimètres (1¼") de hauteur; leur largeur est à peu près égale à leur hauteur mais elle peut varier légèrement d'une lettre à une autre. Pour calculer l'espace total requis, multipliez le nombre de lettres par 3 centimètres (1¼"); ajoutez un espace de 0,5 centimètre (⅛"-¼") entre elles. Découpez les lettres et les éléments de la tortue. Epinglez-les sur les morceaux de tissu choisis, puis tracez chaque motif au crayon. Découpez ensuite le tissu en laissant une marge généreuse autour du tracé.

Couture

Epinglez les lettres sur le plastron. Nous les avons placées 2,5 centimètres (1") au-dessus de la ceinture. La disposition précise des appliqués variera selon le modèle et la taille du vêtement choisi. Pour placer la tortue, commencez d'abord par la carapace. Nous l'avons mise au centre, à 3 centimètres (1¼") du haut. Epinglez ensuite la tête, les pattes et la queue en soulevant la carapace pour que celle-ci chevauche les autres parties. Faites une couture droite le long du tracé de la carapace. Avec des ciseaux à broder pointus, coupez l'excédent de tissu le plus près possible de la ligne de couture. Faites de même pour la tête, les pattes et la queue ainsi que pour les lettres. Faites ensuite un point passé plat (zigzag serré) autour de chaque lettre et de chaque partie de la tortue pour masquer les bords francs et les coutures droites (p. 196). Consultez la page 197 pour savoir comment réussir les courbes et les angles. Faites passer les bouts de fil sur l'envers, nouez-les et coupez l'excédent.

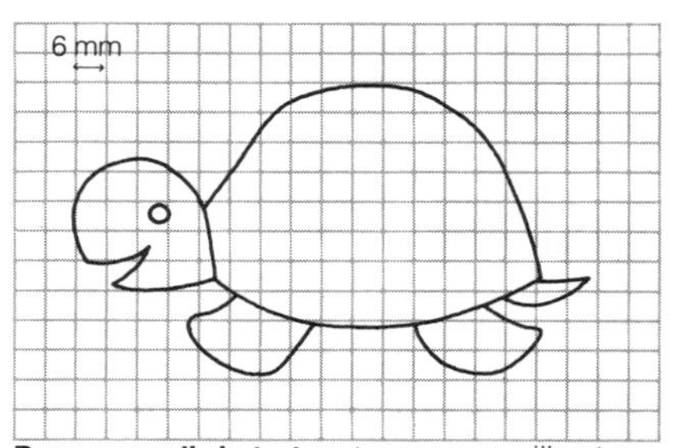

Pour agrandir la tortue, tracez une grille et reproduisez le dessin carré par carré (p. 14).

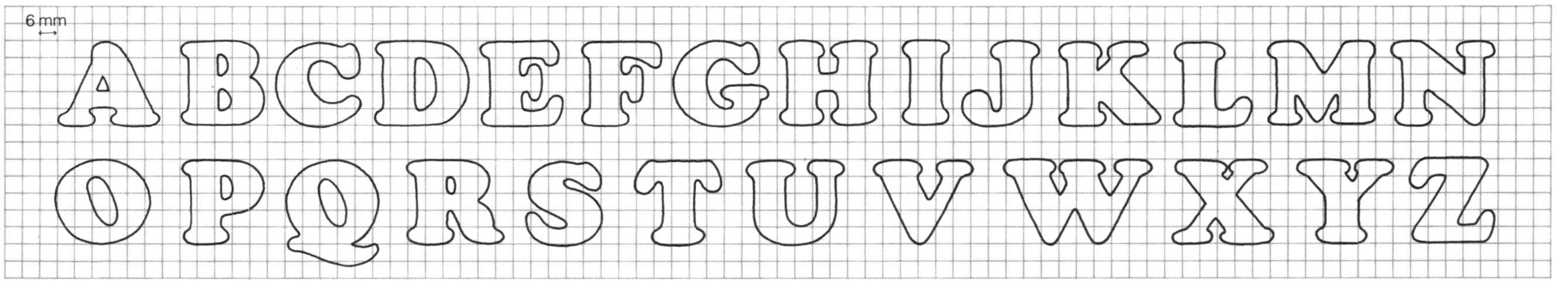

Pour agrandir les lettres, tracez une grille et reportez les lettres que vous avez choisies (p. 14). Assurez-vous que les lettres logent bien dans l'espace disponible.

Quilt de bébé

Une courtepointe à animaux est un élément de décoration pour toute chambre d'enfant.

Fournitures

Papier et crayon pour l'agrandissement des motifs
Papier fort pour les gabarits
20 cm (¼ vg) de 10 tissus différents pour les animaux en appliqué
1 m (1 vg) de tissu blanc pour les pavés en 115 cm (45″) de large
2,50 m (2¾ vg) de tissu pour bandes intercalaires, bordures et doublure
Pièce de molleton de 100×130 cm (40″×52″)
Fil blanc pour les surpiqûres
Aiguille pointue
1 écheveau de coton floche noir
Aiguille à broderie
Tambour à broder
Fil à coudre

Les appliqués

Pour agrandir les animaux, faites une grille dont les carrés ont 2,5 centimètres (1″) de côté; reportez-y chaque motif (p. 14). Chaque animal comporte au moins deux tissus différents. Le corps est taillé dans un tissu; la tête, la queue, les oreilles ou toute autre partie indiquée en gris sur le schéma de la page ci-contre sont coupées dans un autre tissu. Il faudra un gabarit (pp. 193-194) pour chacune des formes. Décalquez chaque élément séparément.

Sur le tissu blanc, tracez 12 carrés de 26 centimètres (10½″) de côté : 25 centimètres (10″) plus une marge de 0,5 centimètre (¼″) de chaque côté. Appliquez les animaux sur ces pavés à la main (p. 195). Reportez-vous à la page 198 pour voir comment déterminer l'ordre de superposition des épaisseurs. On applique d'abord le corps, puis le reste; la queue de l'écureuil, la patte de l'éléphant, la tête de la coccinelle et la seconde aile du poussin font exception : ils doivent être appliqués d'abord. Une troisième épaisseur est requise pour le museau de l'ourson.

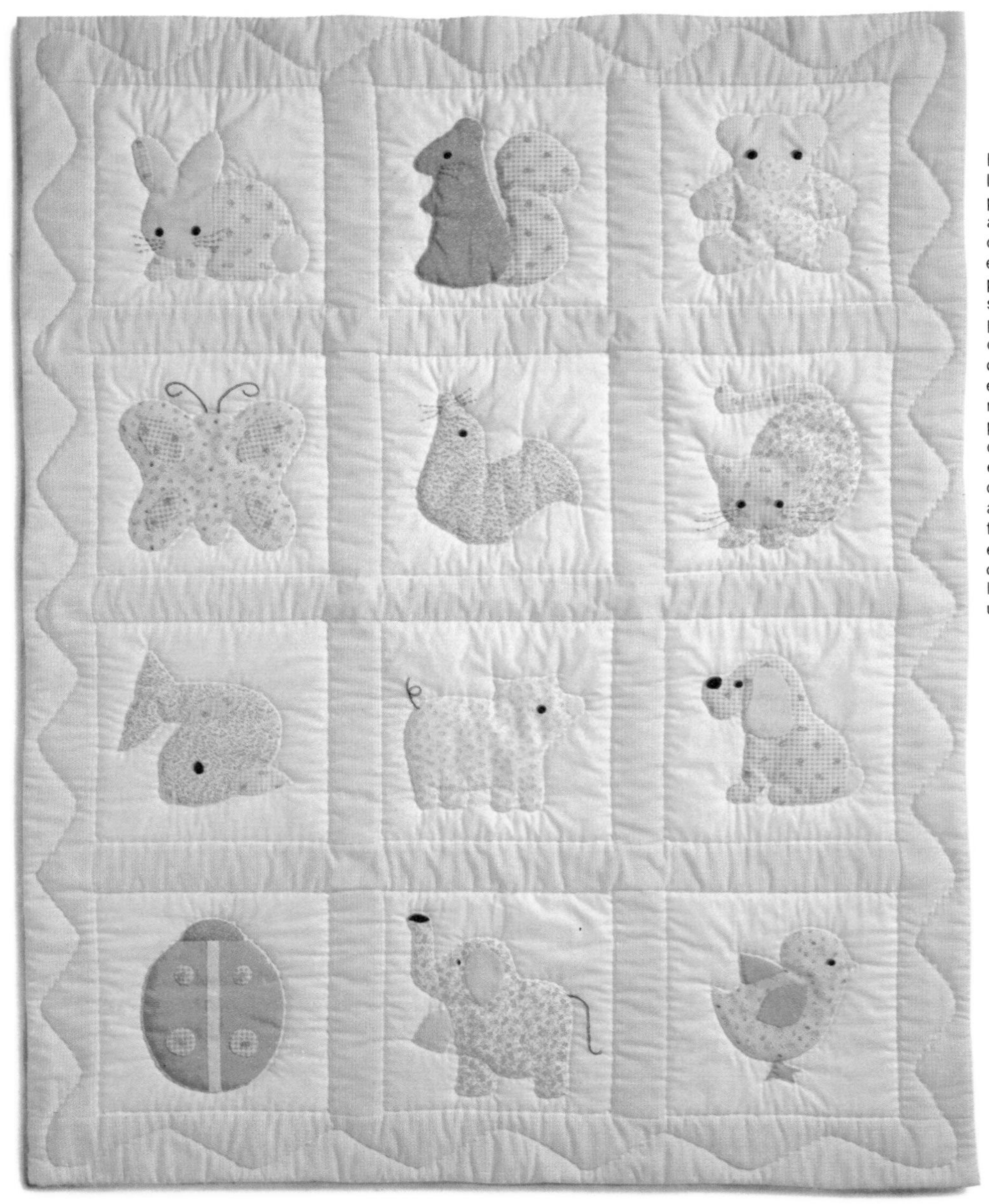

La courtepointe de bébé combine les techniques de l'appliqué, du patchwork et du quilting. Les animaux sont appliqués; les carrés de fond, les bandes intercalaires et les bordures sont cousus en patchwork; les épaisseurs sont surpiquées ensemble. Chaque pavé en appliqué est agrémenté de points de broderie. La courtepointe peut être réalisée exactement comme celle qui est reproduite à gauche mais vous pouvez y apporter des changements. On peut, par exemple, répéter le même animal dans 12 tissus différents, ou agencer de façon intéressante trois ou quatre animaux favoris, ou encore choisir une gamme de coloris plus audacieux que le rose, le jaune, le vert pâle et le bleu utilisés ici.

Broderie

Les traits des animaux trop petits pour être appliqués sont brodés. Les yeux sont faits au passé plat (p. 48), les queues et les antennes sont exécutées au point arrière (p. 22), tandis que les moustaches sont réalisées au point devant (p. 46). Découpez les pavés une fois les appliqués et la broderie terminés.

Dessus de la courtepointe

Pour terminer le dessus de la courtepointe, découpez dans la doublure trois pièces de 6×86 centimètres (2½″×34½″) pour les bandes intercalaires horizontales et huit pièces de 6×26 centimètres (2½″×10½″) pour les bandes intercalaires verticales. Découpez également deux rectangles de 8,5×101 centimètres (3½″×40½″), pour les bordures du haut et du bas, et deux rectangles de 8,5×116 centimètres (3½″×46½″) pour les côtés. Ces dimensions tiennent compte d'une marge de 0,5 centimètre (¼″) tout autour de l'ouvrage. Pour l'assemblage (pp. 230-231), procédez dans l'ordre suivant : assemblez tout d'abord les pavés et les bandes intercalaires verticales en bandes horizontales; cousez-les aux bandes intercalaires horizontales; puis ajoutez les bordures. Suivez le croquis de droite pour savoir où placer chaque pavé. Les coutures entre les pavés et les bandes intercalaires verticales doivent être aplaties au fer du même côté, en alternant le sens d'une bande à l'autre. Quand tous les pavés et toutes les bandes intercalaires ont été assemblés, ajoutez les bordures. Cousez d'abord celles des côtés, puis celles du haut et du bas.

Assemblage de la courtepointe

Coupez une pièce de tissu de 101×131 centimètres (40″×52½″) pour la doublure. Placez la doublure sur une surface plane, envers vers le haut; placez le molleton par-dessus. Pliez le dessus de la courtepointe en quatre, l'endroit à l'intérieur (p. 248), et placez-le sur un quart inférieur du molleton, puis dépliez-le et lissez-le bien. Epinglez et faufilez toutes les épaisseurs.

Surpiquage

Chaque animal appliqué s'accompagne d'une surpiqûre de contour (p. 239) : piquez tout autour des animaux et à l'intérieur de chaque pavé. Agrandissez le motif de surpiqûre de la bordure (p. 14) et reportez-le (p. 244) en suivant le croquis à droite; surpiquez. Enlevez les faufils.

Finition

Les bords de la courtepointe sont finis à même le quilt (p. 258). Faites un rentré de 0,5 centimètre (¼″) tout autour de la pièce du dessus et de la doublure. Assemblez le dessus et le dessous au point d'ourlet, en veillant à ne pas coudre le rembourrage entre les deux.

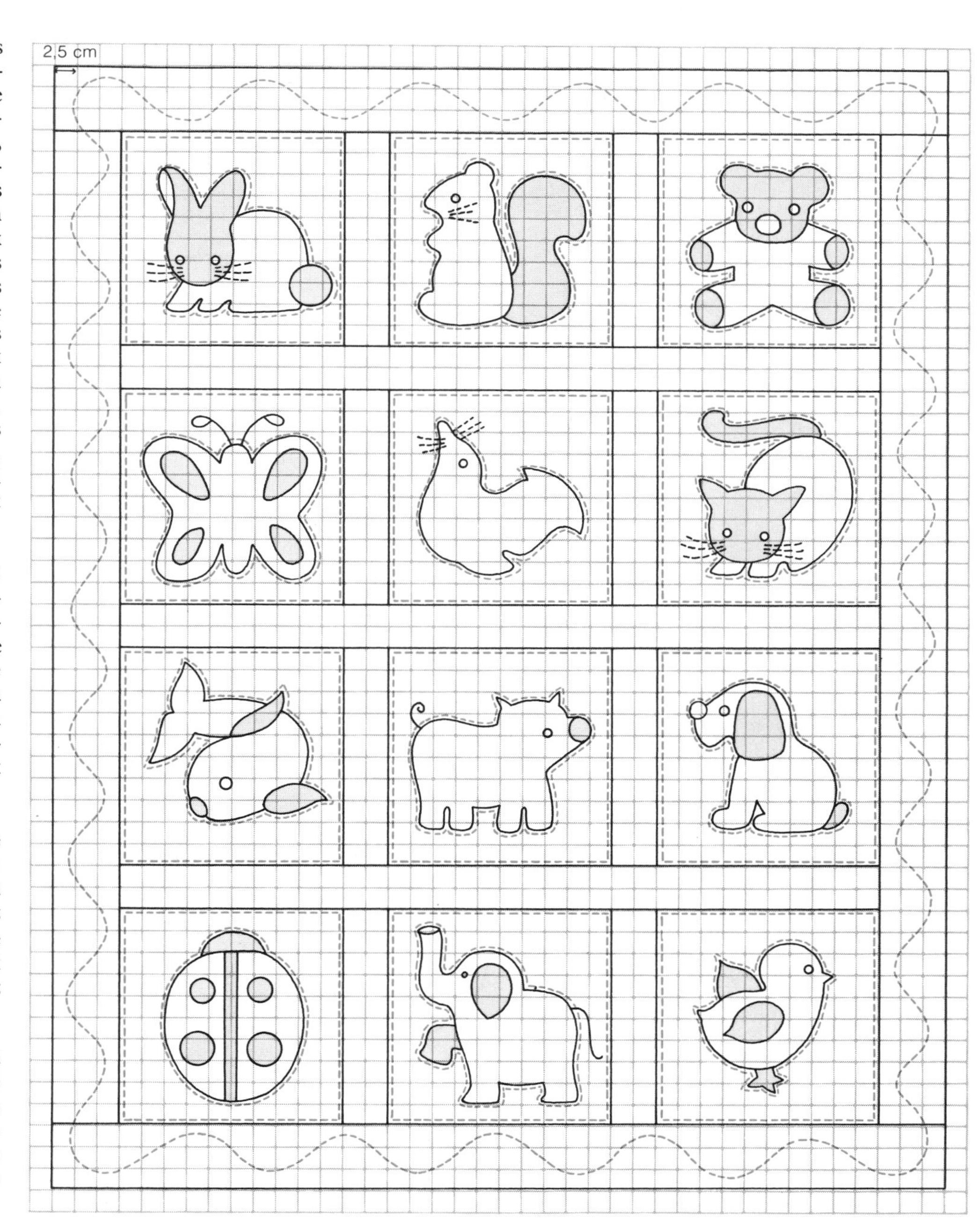

Pour agrandir les animaux, faites une grille dont les carrés ont 2,5 cm (1″) de côté et reportez-y chaque motif, carré par carré (p. 14). Les sections grises indiquent les changements de tissu. Le dessin illustre la disposition des animaux de notre modèle; ils peuvent être placés de façon différente.

L'assemblage des pavés, des bandes intercalaires et des bordures se fait selon un ordre précis : d'abord les bandes intercalaires verticales aux pavés; puis les bandes ainsi formées aux bandes intercalaires horizontales; enfin les bordures, en commençant par celles des côtés.

Le surpiquage suit le contour de chaque animal et l'intérieur de chaque pavé. Pour surpiquer la bordure, on doit agrandir son motif, puis décalquer celui-ci sur la courtepointe (p. 244).

Dimensions finales de la courtepointe :
100 cm x 130 cm

Dimensions avant coutures :
pavés, 26 cm

bandes intercalaires verticales,
6 cm x 26 cm

bandes intercalaires horizontales,
6 cm x 86 cm

bordures du haut et du bas,
8,5 cm x 101 cm

bordures des côtés,
8,5 cm x 116 cm

Murale en appliqué découpé

Le motif de cet appliqué découpé est une adaptation du modèle illustré à la page 201.

Un appliqué découpé crée un effet remarquable, à peu de frais.

Fournitures

45 cm (½ vg) de : mousseline brute et cotons vert, beige et rouille
25 cm (¼ vg) de coton orange
Fil à coudre dans les mêmes coloris
45 cm (½ vg) de doublure
45 cm (½ vg) d'entoilage
Aiguilles à broderie
Ciseaux à broder
2 tringles de rideaux de 1,25 cm (½″) de diamètre, extensibles à 70 cm (28″)

L'appliqué découpé

Reproduisez le motif sur une grille à carrés de 1,25 centimètre (½″) de côté (p. 14). Découpez des rectangles de 40×47,5 centimètres (16″×19″) dans la mousseline et les pièces de coton vert, beige et rouille. Tracez le dessin sur le tissu vert. Superposez les tissus en plaçant le coton rouille au-dessous, suivi du coton beige, de la mousseline et du tissu vert. Le tissu orange sert à confectionner les pièces. Suivez les instructions de la page 205 et la grille de cette page pour réaliser l'appliqué.

Finition

Pour confectionner l'envers, coupez un morceau de doublure et une pièce d'entoilage de 40×47,5 centimètres (16″×19″). L'entoilage est fixé par un bâti à l'envers de la doublure. Découpez six rectangles de 16×9 centimètres (6½×3½″) pour les pattes d'accrochage. Pliez-les en deux, endroit contre endroit, et piquez à 0,5 centimètre (¼″) du bord. Retournez le cylindre ainsi formé à l'endroit. Pliez-le en deux de sorte que les deux bords coupés se rejoignent et que la couture soit à l'intérieur. Pour fixer les pattes, faites coïncider leurs bords francs avec ceux de la doublure et piquez-les à 1 centimètre (⅜″) des bords. Posez l'appliqué endroit sur endroit et faites une couture tout autour en laissant une ouverture de 15 centimètres (6″). Coupez les angles, retournez à l'endroit et repassez. Refermez l'ouverture à la main.

Epaisseur 1
Epaisseur 2 (blanc)
Epaisseur 3
Epaisseur 4
Pièces

Pour agrandir le motif, reproduisez-le sur une grille à carrés de 1,25 cm (p. 14).

Pour le découpage des formes, suivez les instructions p. 205 tout en consultant la légende de cette page pour bien identifier les formes qui sont découpées dans chaque tissu.

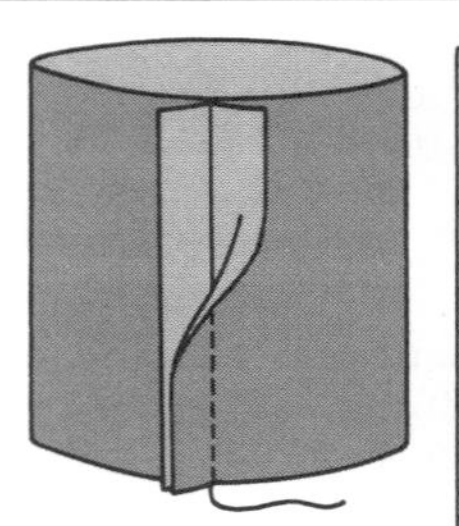

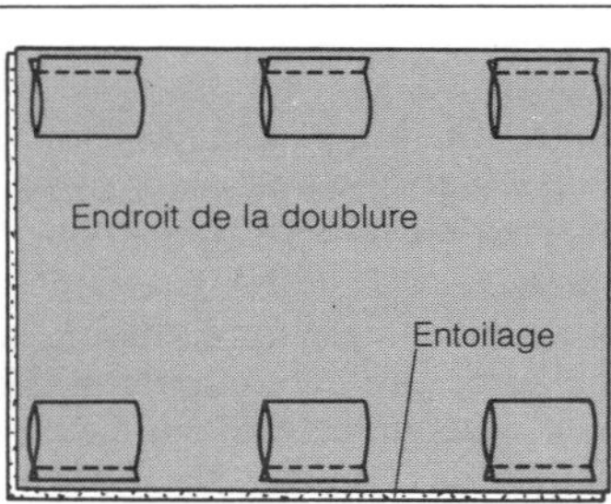

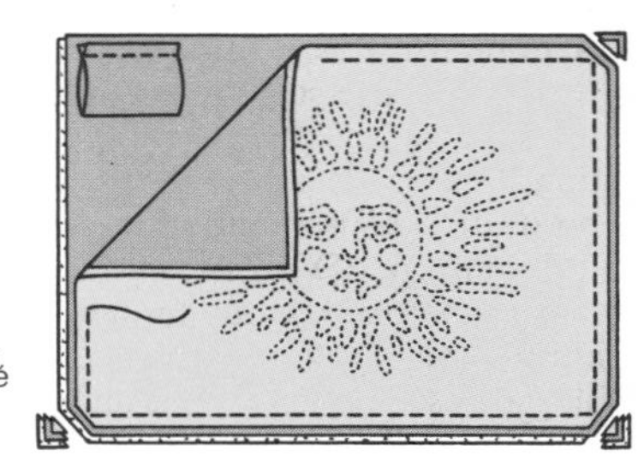

Pour les pattes d'accrochage, pliez chaque rectangle en deux et piquez-le à 0,5 cm du bord. Retournez et pliez de façon que les bords francs se touchent. Cousez à la doublure. Puis cousez l'appliqué à la doublure, endroit sur endroit.

Pouf en patchwork

Le dessin du pouf s'inspire du motif Chemin de l'ivrogne que l'on trouve page 223.

Ce pouf adapte le Chemin de l'ivrogne à un décor moderne.

Fournitures

Papier, crayon et carton (gabarits)
45 cm (½ vg) de deux cotons contrastants
1,80 m (2 vg) de mousseline brute (pour les pièces et l'enveloppe interne)
90 cm (1 vg) de tissu pour le dos
Carré de molleton de 60 cm de côté
Rembourrage de polyester ou kapok

Le patchwork

Le coussin est fait de quatre pavés (pp. 223 et 230) Chemin de l'ivrogne. Chacun compte 16 petits carreaux de 7,5 centimètres (3″) de côté, eux-mêmes composés de deux pièces arrondies (p. 218). La dimension avant couture des carreaux est de 8,5 centimètres (3½″) de côté. Référez-vous au croquis, en bas à gauche, pour déterminer le nombre de pièces que vous devrez couper dans chaque tissu.

Matelassage et surpiquage

Découpez un carré de mousseline de 61 centimètres (24½″) de côté. Etendez la mousseline sur une surface plane, posez le rembourrage par-dessus, puis le patchwork, à l'endroit; faufilez. Des surpiqûres soulignent les pièces rouges du motif; les points doivent être faits à 0,5 centimètre (¼″) des coutures.

Assemblage du pouf

Coupez deux carrés de mousseline de 62 centimètres (25″) de côté pour l'enveloppe interne. Placez-les endroit contre endroit et faites une couture à 1 centimètre (½″) du bord, en laissant une ouverture de 25 centimètres (10″). Coupez les angles, retournez à l'endroit et remplissez de kapok. Refermez l'ouverture à la main. Découpez un carré de tissu imprimé de 61 centimètres (24½″) de côté : placez endroit contre endroit le dessus matelassé et le dessous imprimé; cousez-les ensemble sur trois côtés à 0,5 centimètre (¼″) des bords. Retournez, insérez l'enveloppe rembourrée dans la housse et refermez à la main.

Le dessus du pouf est fait de quatre pavés Chemin de l'ivrogne. Les pièces qui forment le dessin sont rouges; les pièces de fond sont blanc cassé ou marron.

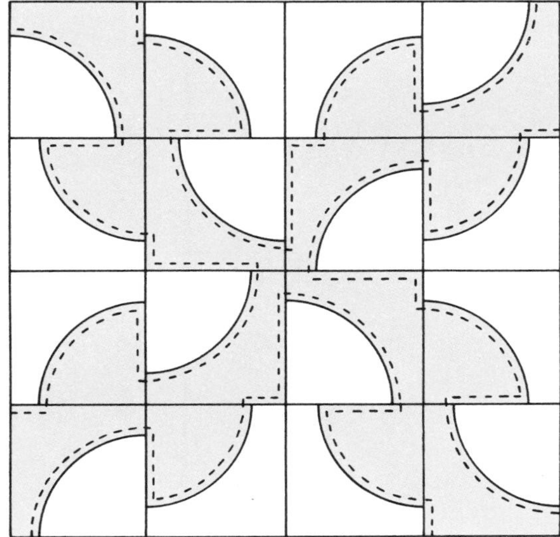

Les surpiqûres soulignent le motif constitué par les pièces rouges. L'illustration montre le modèle de surpiquage d'un pavé; les autres doivent être réalisés de la même façon.

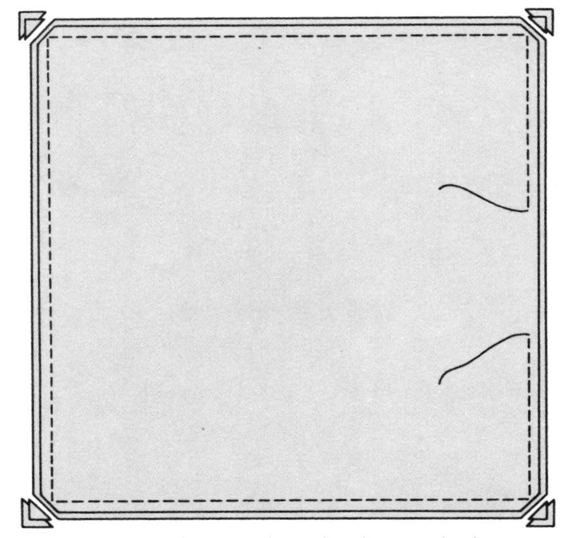

Pour l'enveloppe interne, piquez les deux carrés de mousseline en laissant une fente de 25 cm. Coupez les angles, retournez à l'endroit et remplissez de kapok. Refermez à la main.

Le motif floral qui se trouve sur le rabat du sac est emprunté au motif de la page 253.

Sac du soir matelassé

Matelassé et entièrement surpiqué, ce sac du soir est à la fois beau et original.

Fournitures

Papier et crayon pour l'agrandissement du motif
65 cm (¾ vg) de satin
65 cm (¾ vg) de mousseline vierge
Molleton
1 m (1 vg) de cordonnet de rayonne
3 bobines de soie à boutonnières
Fil à coudre

Le motif

Tracez une grille à carrés de 1,2 centimètre (½″) de côté et reportez-y le dessin du sac (p. 14). Placez ensuite le patron sur le satin et tracez-en le contour; découpez en laissant une marge de 5 centimètres (2″). Reproduisez l'ovale et les lignes de surpiqûres sur le tissu (pp. 16-17). Agrandissez le motif floral en utilisant une grille à carrés de 6 mm (¼″), puis décalquez-le. Faites d'abord le bourrage à l'anglaise (p. 253). Décalquez le patron du sac sur la mousseline et le molleton : taillez en laissant une marge de 5 centimètres (2″). Etendez la mousseline à l'envers, puis le molleton et le dessus du sac, à l'endroit; faufilez. Avec la soie, surpiquez au point devant le long des tracés (p. 250).

Assemblage du sac

Coupez la partie matelassée le long de la ligne de coupe. Placez le patron sur le satin restant et taillez une doublure. Placez la doublure et le sac endroit contre endroit. Faites une couture à 1 centimètre (⅜″) du bord, en laissant une ouverture de 15 centimètres (6″). Coupez les angles et retournez à l'endroit; refermez à la main. Pour la lanière, coupez un cordonnet de 65 centimètres (26″) de long; pour en finir les extrémités, coupez deux rectangles de satin de 2,5×5 centimètres (1″×2″). Faites un rentré (0,5 cm/¼″) et pliez le rectangle en deux. Insérez le cordonnet dans le pli et cousez le bord du haut en prenant en même temps le cordonnet; cousez ensuite les pièces de satin à la doublure du sac. Assemblez.

Agrandissez le motif sur une grille à carrés de 6 mm; reportez-le, carré par carré (p. 14). Décalquez-le ensuite sur la partie ovale du sac. Pour le bourrage à l'anglaise, suivez les instructions de la page 253.

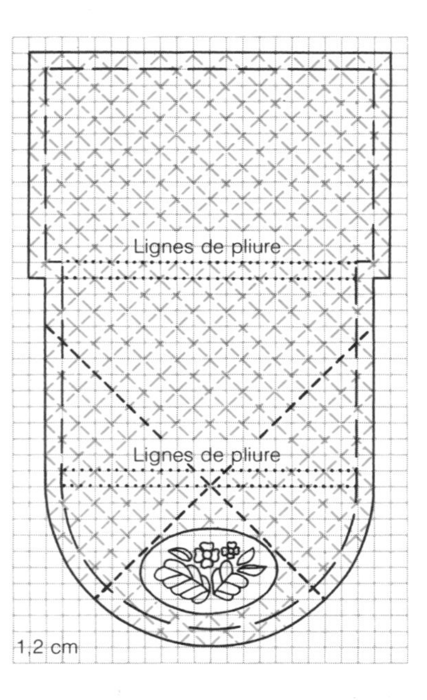

Pour agrandir le patron du sac, faites une grille à carrés de 1,2 cm; recopiez la forme du sac. Reproduisez l'ovale et les lignes de surpiqûre sur le sac, en commençant par les lignes noires (pp. 16-17). Faites le bourrage à l'anglaise, puis assemblez les épaisseurs et surpiquez.

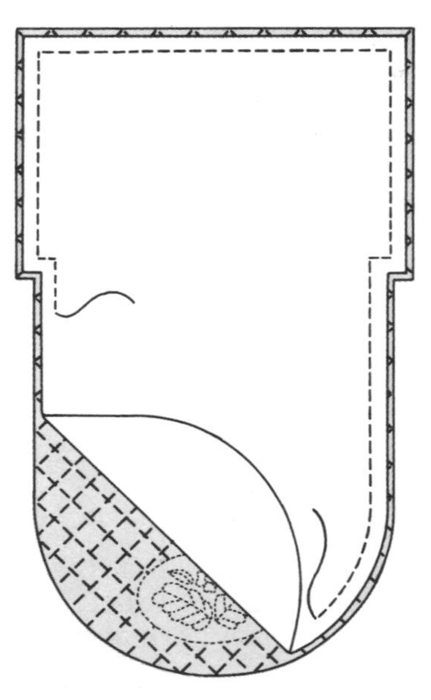

Placez la doublure sur le sac endroit contre endroit. Piquez à 1 cm du bord en laissant une ouverture de 15 cm. Coupez tout excédent; retournez le sac à l'endroit et refermez l'ouverture à la main.

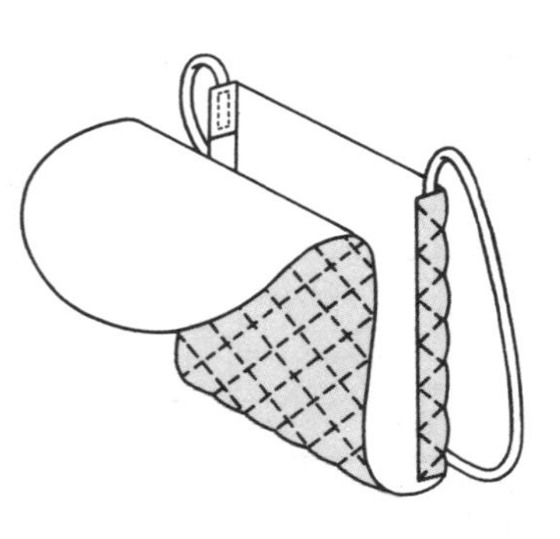

Pour assembler le sac, pliez-le comme sur le croquis. Fixez les côtés au corps du sac. Cousez les extrémités du cordonnet à la doublure de chaque côté.

Tricot

Projets de tricots

Fils pour le crochet 358

Fournitures de tricot

Description des fils
Choix des fils
Suggestions pour l'achat des fils
Dévidage
Aiguilles à tricoter
Matériel et accessoires

Fils

Il existe de nombreux types de fils à tricoter. Chacun se caractérise par la fibre et le nombre de brins qui le composent, sa texture et son poids. Le tableau ci-dessous donne les caractéristiques des laines et fils synthétiques les plus employés dans le tricot. (Les fils de coton, plus souvent crochetés, seront décrits au chapitre du Crochet.) En plus de ces fils, les filatures composent différents mélanges qu'elles offrent sous leur marque de commerce. Après quelques visites aux boutiques de laines de votre voisinage, ces noms vous deviendront vite familiers.

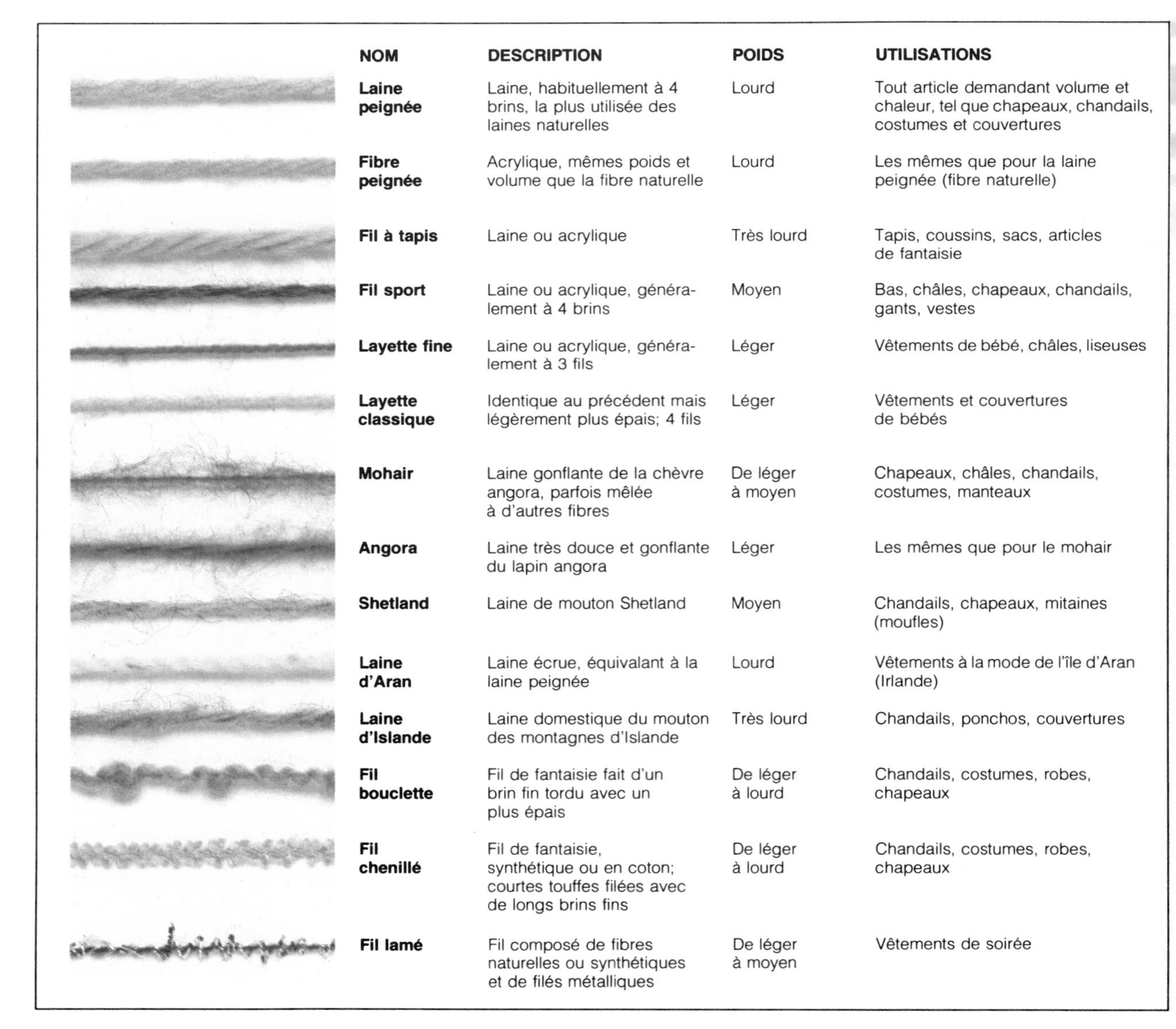

NOM	DESCRIPTION	POIDS	UTILISATIONS
Laine peignée	Laine, habituellement à 4 brins, la plus utilisée des laines naturelles	Lourd	Tout article demandant volume et chaleur, tel que chapeaux, chandails, costumes et couvertures
Fibre peignée	Acrylique, mêmes poids et volume que la fibre naturelle	Lourd	Les mêmes que pour la laine peignée (fibre naturelle)
Fil à tapis	Laine ou acrylique	Très lourd	Tapis, coussins, sacs, articles de fantaisie
Fil sport	Laine ou acrylique, généralement à 4 brins	Moyen	Bas, châles, chapeaux, chandails, gants, vestes
Layette fine	Laine ou acrylique, généralement à 3 fils	Léger	Vêtements de bébé, châles, liseuses
Layette classique	Identique au précédent mais légèrement plus épais; 4 fils	Léger	Vêtements et couvertures de bébés
Mohair	Laine gonflante de la chèvre angora, parfois mêlée à d'autres fibres	De léger à moyen	Chapeaux, châles, chandails, costumes, manteaux
Angora	Laine très douce et gonflante du lapin angora	Léger	Les mêmes que pour le mohair
Shetland	Laine de mouton Shetland	Moyen	Chandails, chapeaux, mitaines (moufles)
Laine d'Aran	Laine écrue, équivalant à la laine peignée	Lourd	Vêtements à la mode de l'île d'Aran (Irlande)
Laine d'Islande	Laine domestique du mouton des montagnes d'Islande	Très lourd	Chandails, ponchos, couvertures
Fil bouclette	Fil de fantaisie fait d'un brin fin tordu avec un plus épais	De léger à lourd	Chandails, costumes, robes, chapeaux
Fil chenillé	Fil de fantaisie, synthétique ou en coton; courtes touffes filées avec de longs brins fins	De léger à lourd	Chandails, costumes, robes, chapeaux
Fil lamé	Fil composé de fibres naturelles ou synthétiques et de filés métalliques	De léger à moyen	Vêtements de soirée

Illustration de la page précédente : chandail (détail) tricoté main en laine d'Islande naturelle, Icelandic Fashions Corporation

Choix des fils

On doit choisir un fil en fonction du style et de l'emploi de l'ouvrage à réaliser. Il faut donc analyser les caractéristiques propres aux différents fils.

Le rendement d'un fil est principalement déterminé par la nature de sa fibre. Les fils de *laine* ou d'*acrylique* sont chauds; ils ont de multiples utilisations parce qu'ils sont filés de différentes façons. Leur résistance sied aux vêtements. Les fils d'acrylique sont très variés et peuvent être substitués à la pure laine qui est plus rare; mais on trouve souvent des fils mélangés, acrylique et laine, par exemple. Les fils de *lin* et de *coton* sont moins chauds; on les utilise pour les vêtements d'été et les articles de maison. La *rayonne* et le *nylon* sont ajoutés à certains fils afin d'en varier la texture.

La torsion d'un fil détermine son emploi. Fortement tordus, les fils sont unis, faciles à travailler et durables; ils conviennent à n'importe quel point. Légèrement tordus ou filés à la main, ils sont moins durables mais leur texture bouffante produit beaucoup de chaleur. Les fils de fantaisie sont composés de brins d'épaisseur différente ou de plusieurs fibres différentes; ils servent à exécuter des points très simples. Les textures sont fascinantes mais moins durables que celles obtenues avec un fil lisse.

Le choix d'un fil ne doit pas dépendre uniquement du nombre de ses brins. Le nombre des brins peut influencer la résistance (quatre brins sont plus forts que deux), mais non l'épaisseur (le diamètre des brins varie).

L'épaisseur d'un fil est représentée par son poids — léger, moyen ou lourd. Des suggestions tenant compte du poids apparaissent dans le tableau de la page précédente.

Lorsque l'on tricote, on doit considérer l'élasticité du fil; la bonne tenue du tissu en dépend. La qualité essentielle des fils utilisés dans la lingerie peut être de supporter de nombreux lavages. Lisez les étiquettes pour déterminer quels soins exige tel ou tel fil.

Suggestions pour l'achat des fils

La plupart des projets de tricot représentent un investissement substantiel de temps et d'argent. Mieux vaut être un consommateur averti quand vient le moment d'acheter.

1. Vérifiez sur l'étiquette le numéro du bain de teinture. Chaque numéro représente un bain de teinture différent et, d'un numéro à l'autre, il peut y avoir une légère différence.

2. Achetez toute la laine d'un même bain de teinture nécessaire à l'achèvement du tricot. C'est un cas où trop vaut mieux que pas assez. Certains magasins acceptent de reprendre les écheveaux inutilisés si le délai est raisonnable.

3. L'étiquette indique habituellement les soins nécessités par tel ou tel fil. Si tel n'est pas le cas, il faut faire un échantillon, le mesurer, le laver et le faire sécher à plat pour voir comment il se comporte.

4. On doit respecter à deux numéros près la grosseur des aiguilles indiquée sur l'étiquette.

5. Pour bien reproduire le modèle choisi, il faut toujours acheter le fil recommandé; évidemment la couleur peut être changée.

6. Si vous désirez employer un fil différent du fil conseillé, choisissez un fil dont le type et le poids s'en rapprochent le plus. Vous pouvez acheter un seul écheveau et tricoter un échantillon pour voir si la mesure et l'aspect correspondent à ceux du modèle.

7. Pour calculer la quantité de fil, consultez le chapitre : La bonne façon.

8. S'il vous faut convertir des onces en grammes ou inversement, vous pouvez employer cette formule : 100 grammes = 3,52 onces. Par exemple, si un modèle demande 16 onces de fil et que vous y substituez un fil mesuré en grammes, divisez 16 par 3,52 et multipliez par 100.

9. Avant tout achat, vérifiez l'élasticité du fil. Prenez une longueur de fil de 15 cm (6") que vous tendez puis relâchez. Le fil doit reprendre sa forme première.

Dévidage

Il vaut mieux dérouler le fil à partir du centre de la pelote. De cette façon, le fil risque moins de s'enchevêtrer ou de se dérouler trop vite. Le fil est souvent vendu en pelote; s'il est en écheveau, il faut le pelotonner avant de vous en servir. Lisez les instructions ci-dessous. Avant de commencer, tendez l'écheveau sur un dossier de chaise et coupez le fil qui l'attache. Ayez soin d'enrouler le fil sans le tendre. S'il est trop tendu, il s'étirera et perdra son élasticité.

Saisissez une des extrémités du fil et maintenez-la entre les trois derniers doigts et la paume de la main gauche. Enroulez le fil de 6 à 8 fois en forme de huit entre le pouce et l'index.

Retirez le pouce et l'index et pliez le huit bout à bout en deux. Maintenez le début de la pelote entre le pouce et l'index, enroulez légèrement le fil autour de vos doigts environ 12 fois.

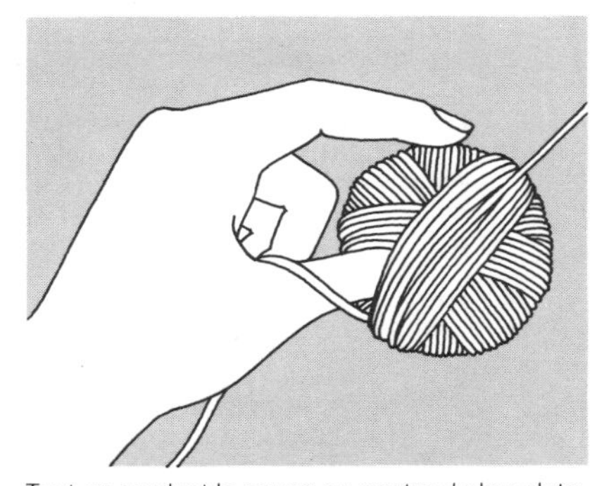

Tout en gardant le pouce au centre de la pelote, continuez à pelotonner en tournant la balle afin qu'elle soit bien ronde jusqu'à ce qu'elle mesure 8 cm (3") de diamètre. Retirez alors le pouce.

Continuez à pelotonner en souplesse jusqu'à ce que l'écheveau soit dévidé et rentrez le bout qui reste dans la pelote. Tirez le fil du centre de la pelote, comme l'illustration l'indique.

Fournitures de tricot

Tricot avec aiguille circulaire 298
Tricot avec aiguilles à deux pointes 299

Aiguilles à tricoter

Il y a trois types d'aiguilles à tricoter : les aiguilles *à une pointe*, les aiguilles *à deux pointes* et les aiguilles *circulaires*. Les aiguilles sont illustrées ci-dessous.

La grosseur de l'aiguille est représentée par un numéro. Plus celui-ci est élevé, plus l'aiguille est grosse et plus la maille sera grande. Un gros fil se travaille habituellement avec une grosse aiguille, et un fil mince avec des aiguilles fines; si les aiguilles sont trop grosses par rapport au fil, la texture du tricot sera trop lâche; si elles sont au contraire trop petites, elle sera trop serrée et sans élasticité. L'étiquette des pelotes indique souvent la grosseur des aiguilles à employer; il est sage de ne pas s'éloigner de plus de deux numéros de la grosseur suggérée.

La longueur des aiguilles dépend des dimensions du travail projeté; elles doivent tenir aisément le nombre de mailles requis. L'aiguille circulaire doit mesurer 5 cm (2″) de moins que la circonférence du travail.

Les aiguilles sont faites de plastique, de métal ou de bois. Le plastique est d'un maniement facile pour les débutants et fait peu de bruit. Le métal en fait davantage mais les mailles y glissent sans effort. Le bois est agréable à l'œil et aux doigts, mais les aiguilles en bois sont rares et demandent beaucoup plus d'entretien. Il est toujours préférable de ranger les aiguilles à plat en protégeant leurs extrémités. Vous pouvez polir leur surface avec un papier enduit de cire blanche.

Grandeur des aiguilles

Les aiguilles à une ou deux pointes sont faites en aluminium, en plastique ou en bois. Leur longueur varie de 17,5 cm (7″) à 35 cm (14″). L'aiguille circulaire est faite en nylon ou en nylon et aluminium. Sa longueur varie de 40 cm (16″) à 90 cm (36″). Vous trouverez ci-dessous les grandeurs des aiguilles que l'on trouve sur le marché en système métrique, avec leurs équivalences en systèmes impérial (Canada et G.-B.) et américain. En système métrique, le numéro indique toujours le diamètre de l'aiguille en millimètres alors que, dans les deux autres systèmes, les chiffres sont arbitraires. Par ailleurs, lorsque le numéro de l'aiguille (en système métrique) n'est pas un chiffre rond, on trouve ordinairement une fraction, mais on peut trouver aussi des décimales. Exemple : on aura 4½ sur l'aiguille mais on pourra avoir également 4,50. Dans le texte, la grandeur des aiguilles est toujours indiquée en système métrique. Souvent, pour aider le lecteur, nous avons ajouté entre parenthèses la grandeur impériale.

MÉTRIQUE	IMPÉRIAL	AMÉRICAIN	MÉTRIQUE	IMPÉRIAL	AMÉRICAIN
1¾	15	—	5	6	8
2	14	0	5½	5	9
2¼	13	1	6	4	10
2¾	12	2	6½	3	10½
3	11	—	7	2	—
3¼	10	3	7½	1	—
3½	—	4	8	0	11
3¾	9	5	9	00	13
4	8	6	10	000	15
4½	7	7	12½	—	17

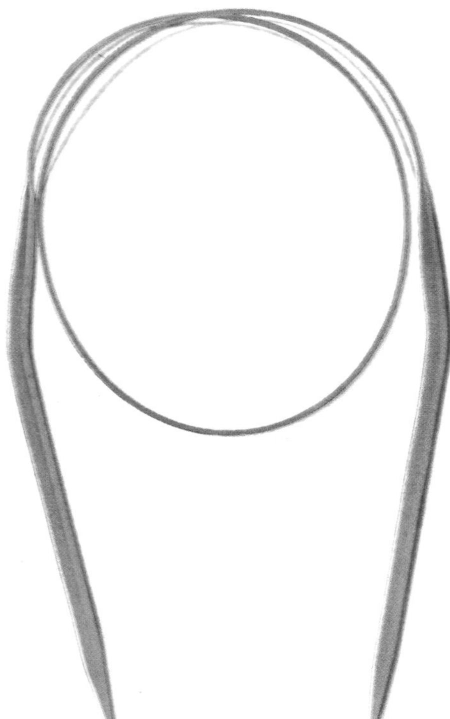

L'aiguille circulaire sert à tricoter en rond des vêtements sans couture ou bien de grands morceaux plats pour lesquels des aiguilles droites pourraient ne pas être suffisamment longues. Cette aiguille est faite de deux pointes en plastique ou en aluminium réunies par une corde souple en nylon.

Les aiguilles à une pointe sont employées par paire pour tricoter des morceaux plats. Droites et rigides, ce sont les plus utilisées. On y fait référence au moyen d'un numéro sans mentionner leur type. Le travail avance rapidement avec les aiguilles géantes de 20 mm de diamètre et plus (Jumbo, Jiffy). Le tricot obtenu est épais mais peu solide.

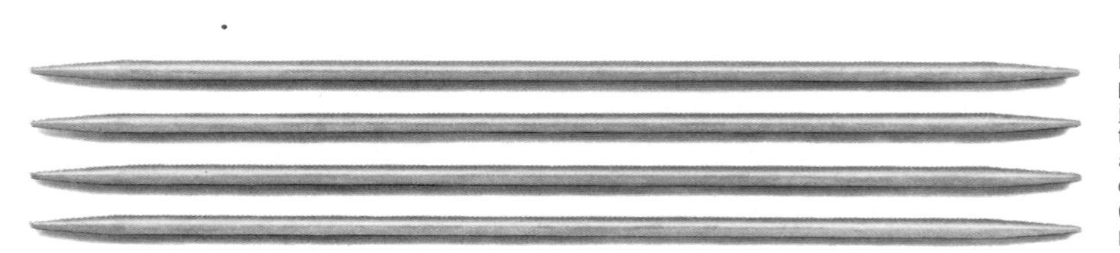

Les aiguilles à deux pointes sont employées par jeu de 4 ou davantage pour tricoter sans couture des articles circulaires tels que chaussettes et mitaines (moufles). On les désigne par l'abréviation dp.

Matériel et accessoires

Plusieurs accessoires facilitent l'exécution d'un tricot. Vous trouverez illustrés ci-dessous quelques exemples. En plus des instruments propres au tricot, il est parfois nécessaire d'utiliser un crochet, une aiguille à tapisserie à bout rond ainsi que des ciseaux pour couper le fil, des épingles de couturière et un ruban à mesurer pour la mise en forme du tricot. Du papier quadrillé et un calepin sont utiles pour établir des graphiques et conserver les modèles; un panier ou un sac permet de ranger facilement le travail et de le garder à portée de la main. Il existe aussi des paniers sur support pliable.

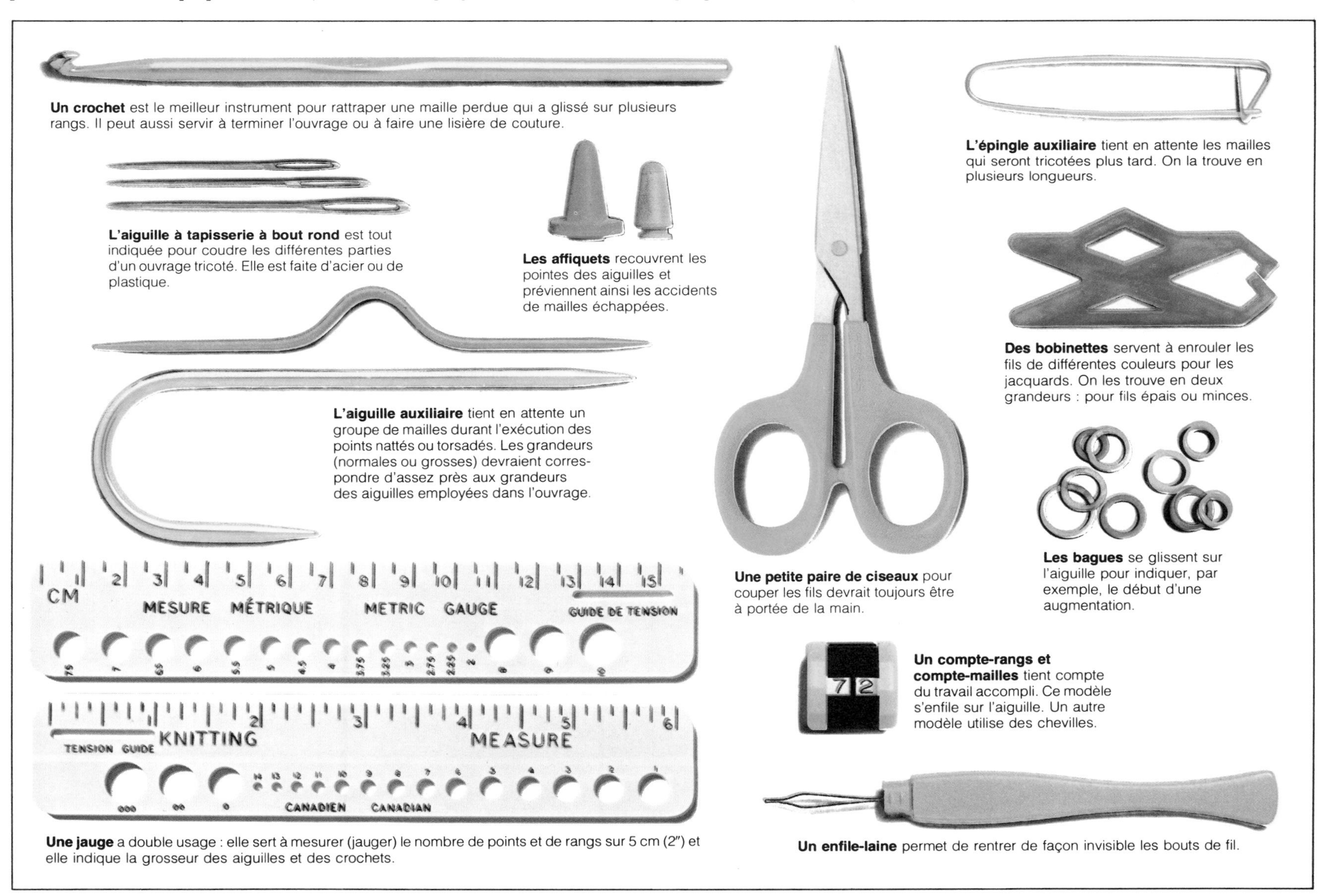

Un crochet est le meilleur instrument pour rattraper une maille perdue qui a glissé sur plusieurs rangs. Il peut aussi servir à terminer l'ouvrage ou à faire une lisière de couture.

L'aiguille à tapisserie à bout rond est tout indiquée pour coudre les différentes parties d'un ouvrage tricoté. Elle est faite d'acier ou de plastique.

Les affiquets recouvrent les pointes des aiguilles et préviennent ainsi les accidents de mailles échappées.

L'aiguille auxiliaire tient en attente un groupe de mailles durant l'exécution des points nattés ou torsadés. Les grandeurs (normales ou grosses) devraient correspondre d'assez près aux grandeurs des aiguilles employées dans l'ouvrage.

Une jauge a double usage : elle sert à mesurer (jauger) le nombre de points et de rangs sur 5 cm (2″) et elle indique la grosseur des aiguilles et des crochets.

Une petite paire de ciseaux pour couper les fils devrait toujours être à portée de la main.

L'épingle auxiliaire tient en attente les mailles qui seront tricotées plus tard. On la trouve en plusieurs longueurs.

Des bobinettes servent à enrouler les fils de différentes couleurs pour les jacquards. On les trouve en deux grandeurs : pour fils épais ou minces.

Les bagues se glissent sur l'aiguille pour indiquer, par exemple, le début d'une augmentation.

Un compte-rangs et compte-mailles tient compte du travail accompli. Ce modèle s'enfile sur l'aiguille. Un autre modèle utilise des chevilles.

Un enfile-laine permet de rentrer de façon invisible les bouts de fil.

L'ABC du tricot

Montage

Le montage est la première étape du tricot. Il forme le premier rang de mailles qui peut être aussi le bord de l'article terminé.

Il y a plusieurs méthodes de montage. Les cinq méthodes les plus employées seront expliquées ici. Le choix d'une méthode de montage dépend du type de tricot voulu, de l'élasticité ou de la fermeté du point choisi et de la simplicité ou de la difficulté de son exécution.

Un bord est caractérisé non seulement par la façon dont les mailles sont placées sur l'aiguille mais aussi par la façon dont elles sont travaillées. Piquer l'aiguille dans le brin avant de la maille donne un bord lâche, tandis que piquer l'aiguille dans le brin arrière de la maille donne un bord plus ferme.

Le bord sera d'autant plus régulier que le montage sera uniforme. Les mailles de montage ne doivent pas être trop serrées. Si les vôtres ont tendance à être trop serrées, essayez de travailler sur deux aiguilles, en employant l'une des méthodes de la page suivante. Glisser une bague ou une boucle de fil toutes les 10 ou 20 mailles facilite le compte des mailles.

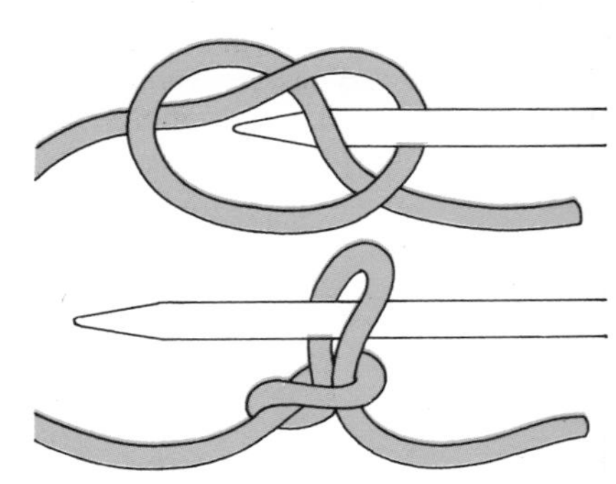

Nœud coulant : faites une boucle à 15 cm (6″) de l'extrémité du fil; mettez l'aiguille sous le bout court et tirez le fil.

Montage sur deux aiguilles

MONTAGE À LA FRANÇAISE

Ce montage se fait avec deux aiguilles et commence par un nœud coulant. Chaque nouvelle maille est obtenue comme une maille endroit (p. 276), puis transportée sur l'aiguille gauche. Ce montage produit une lisière souple si on pique dans le brin avant de la maille, ferme si on travaille dans le brin arrière.

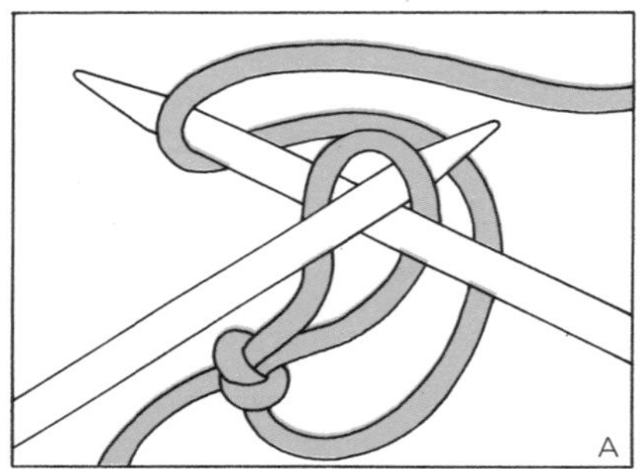

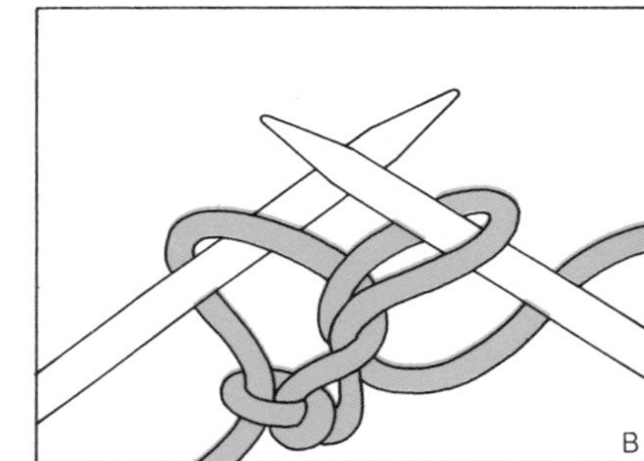

L'aiguille du nœud coulant dans la main gauche, piquez l'aiguille droite dans la boucle et enroulez le fil autour, comme pour une maille endroit (**A**). Tirez le fil à travers la boucle (**B**). Portez la maille sur l'aiguille gauche et montez les autres mailles comme pour tricoter à l'endroit.

MONTAGE À L'ANGLAISE

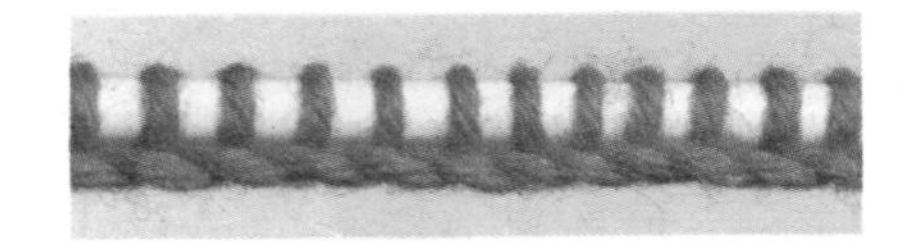

Le nœud coulant et la première maille sont les mêmes que dans le montage à la française. Les mailles suivantes sont formées d'une boucle que l'aiguille droite va chercher entre les deux dernières mailles montées de l'aiguille gauche. Le bord qui en résulte est décoratif et élastique. Il convient aux côtes.

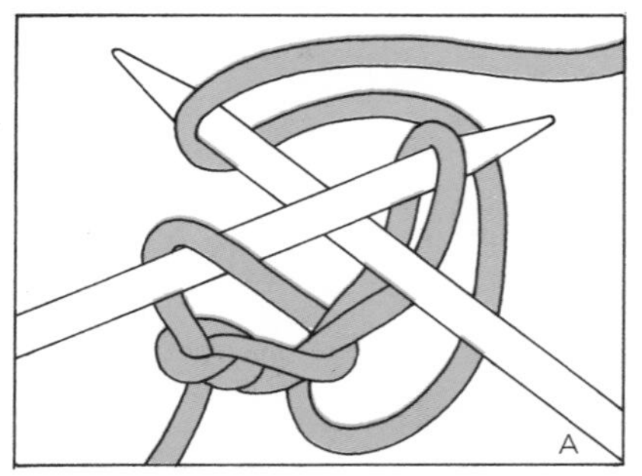

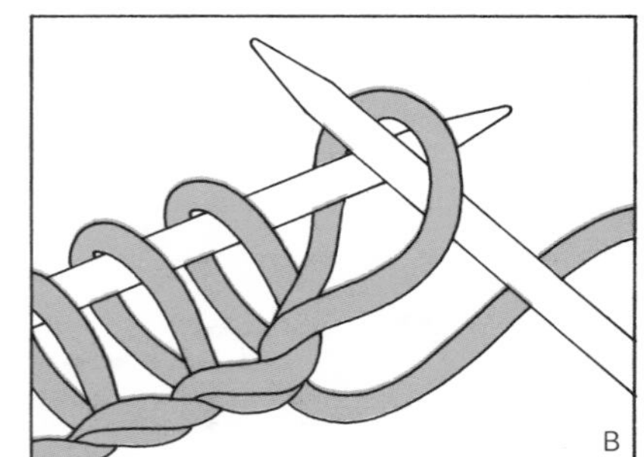

Une fois le nœud coulant et la première maille exécutés, piquez l'aiguille droite entre les deux mailles montées, et enroulez le fil autour comme pour une maille endroit (**A**). Formez une boucle que vous transportez sur l'aiguille gauche (**B**). Continuez de la même façon.

Montages sur une aiguille

MONTAGE SIMPLE

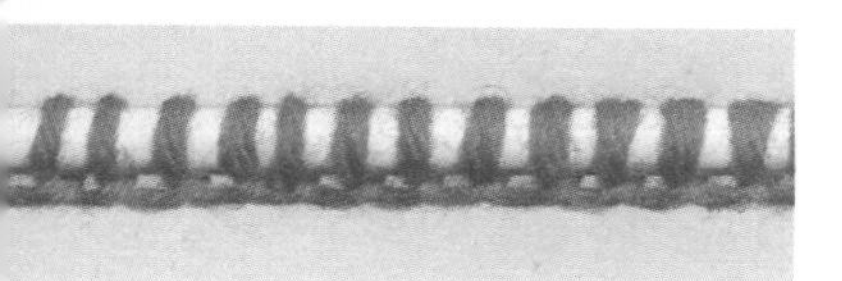

Le montage simple se fait avec une seule aiguille et une seule longueur de fil. Il présente une délicate lisière convenant bien à un bord ourlé ou à de la dentelle. Ce montage est facile, mais obtenir un premier rang régulier est difficile. Les débutants trouveront le montage à l'italienne plus facile.

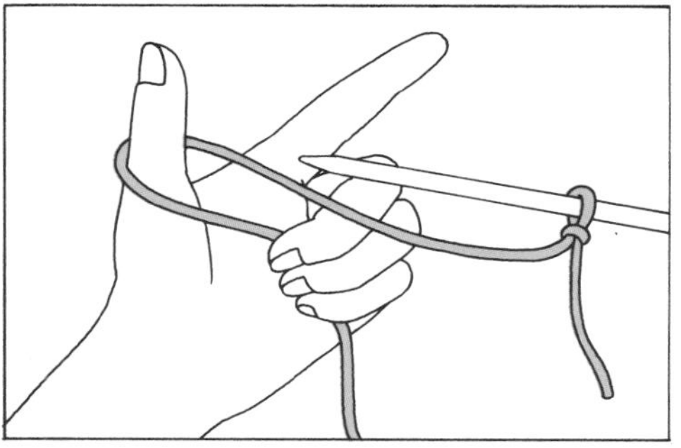

1. Faites un nœud coulant. Enroulez sur le pouce gauche le fil venant de la pelote, puis maintenez fermement le fil entre la paume et les trois derniers doigts.

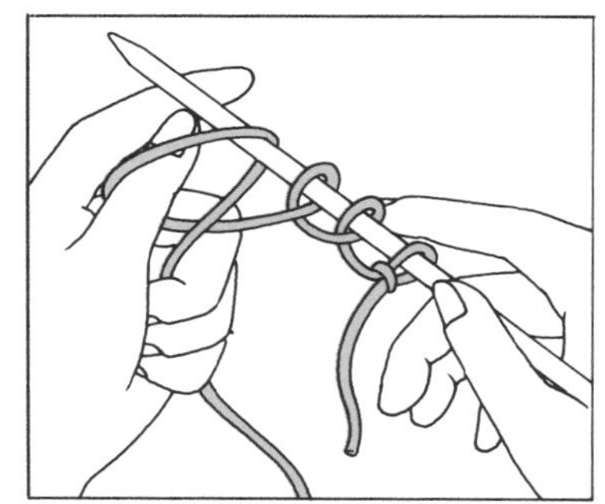

2. Tournez le pouce de façon à le voir de dos, piquez l'aiguille d'avant en arrière dans la boucle formée par le pouce.

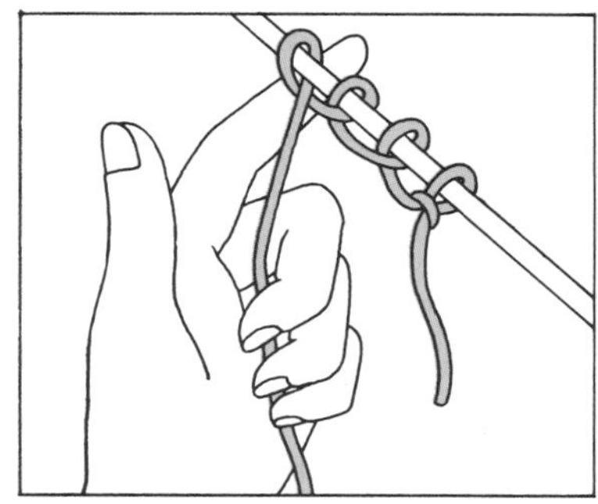

3. Dégagez le pouce et tirez le fil vers le bas pour serrer la boucle sur l'aiguille. Répétez les mouvements 2 et 3.

MONTAGE À L'ITALIENNE

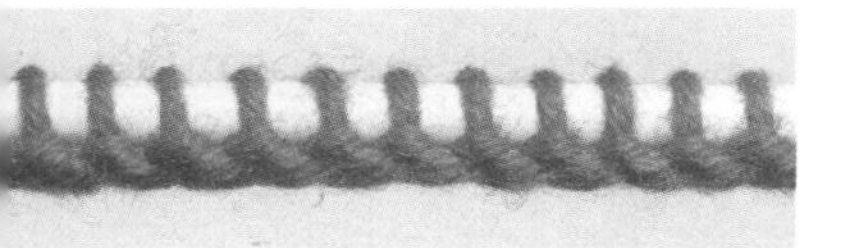

Ce montage utilise une seule aiguille et deux longueurs de fil. Le montage débute en laissant libre une longueur de fil; on compte 2,5 cm (1″) de fil par maille à monter. Ferme et élastique, ce procédé s'adapte à n'importe quel modèle n'exigeant pas une bordure délicate. Il est facile à exécuter.

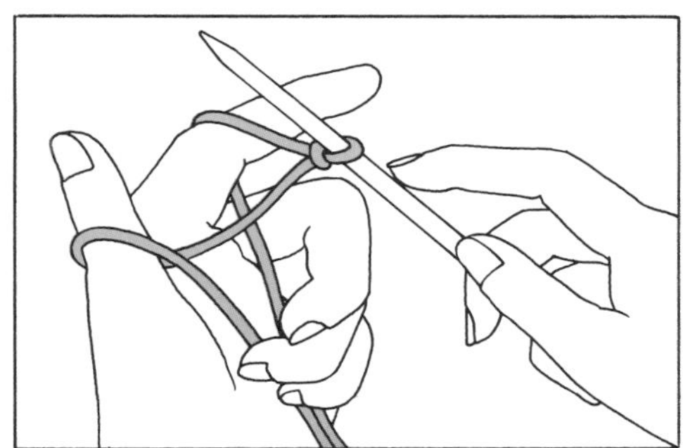

1. Faites un nœud coulant. Passez l'extrémité du fil sur le pouce gauche, et le fil qui vient de la pelote sur l'index. Les autres doigts tiennent les deux fils.

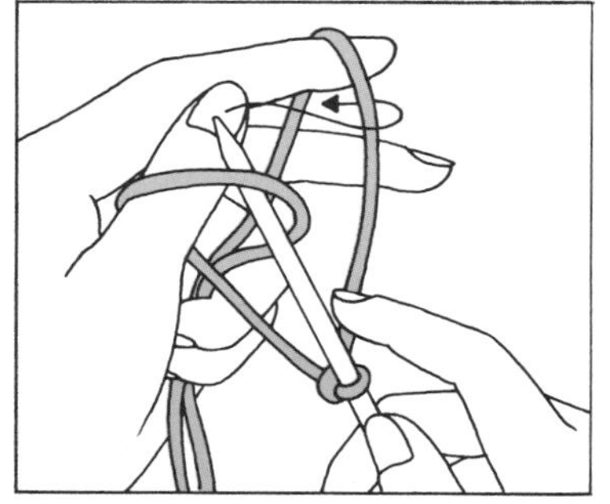

2. L'aiguille dans la boucle du pouce, prenez le fil entre le nœud et l'index (voir flèche); ramenez une boucle sur l'aiguille.

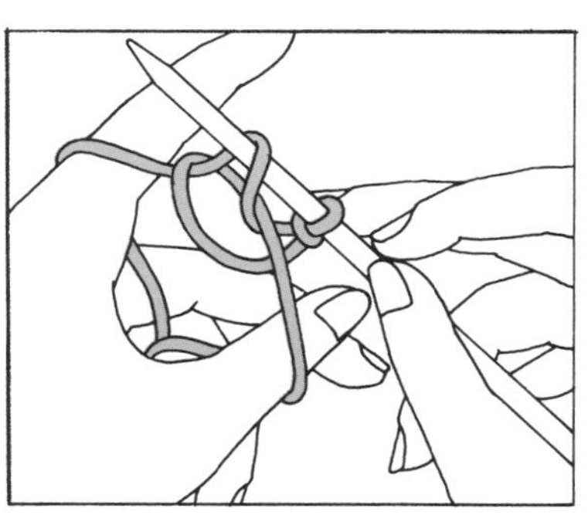

3. Le pouce libère la boucle. Resserrez-la sur l'aiguille en tirant avec le pouce. Répétez les mouvements 2 et 3.

MONTAGE SUR FIL

Ce montage utilise une aiguille et deux fils; l'un des deux est le fil de base autour duquel le fil de montage s'enroule. Ce montage donne un bord très flexible, convenant aux fils de coton. Si le fil de base est retiré, les mailles peuvent être relevées et tricotées ou travaillées au grafting.

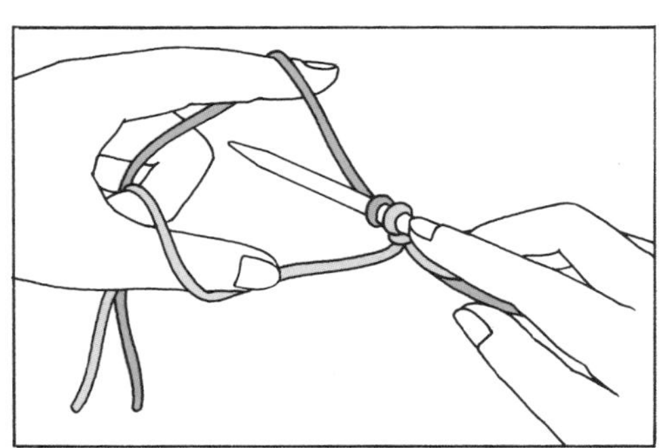

1. Faites un nœud coulant dans le fil de base (vert), puis dans le fil de montage (rouge). Le fil de base est tenu par le pouce et celui de montage par l'index.

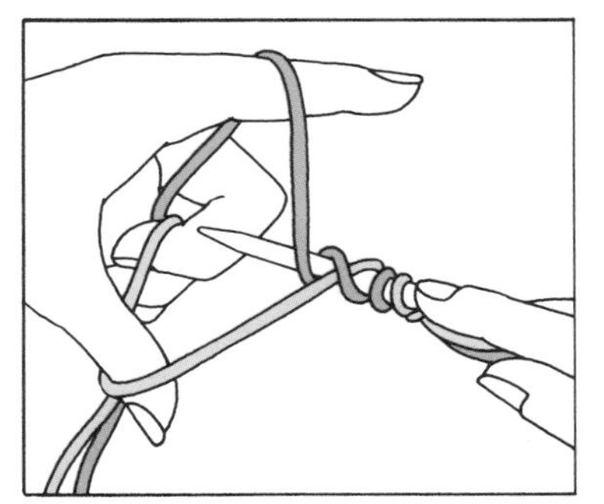

2. Enroulez le fil de montage sur l'aiguille d'avant en arrière, et le fil de base d'arrière en avant (ils doivent se croiser).

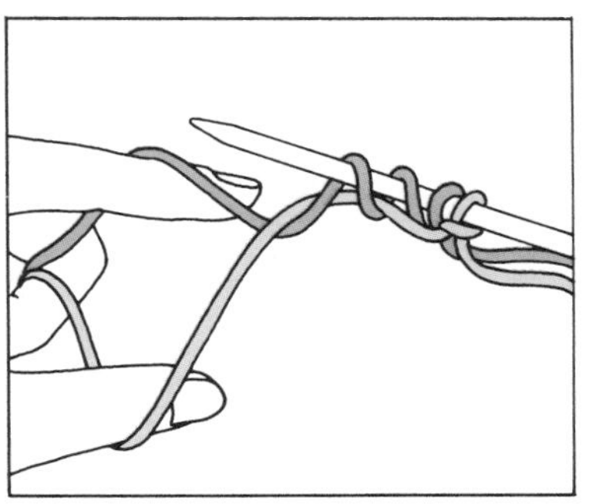

3. Enroulez à nouveau le fil de montage d'avant en arrière; tirez les deux fils sous l'aiguille. Répétez les mouvements 2 et 3.

Maille endroit à la française (méthode de la main droite)

La **maille endroit** est obtenue par l'un des deux mouvements fondamentaux du tricot. Elle forme une boucle verticale et plate sur l'endroit du travail.

Les deux méthodes les plus utilisées sont illustrées ci-dessous et sur la page ci-contre. Les mailles passent de l'aiguille gauche à l'aiguille droite mais, dans la première méthode, le fil est contrôlé par la main droite tandis que dans la deuxième, il est contrôlé par la main gauche. Le tricot étant essentiellement une technique ambidextre, il serait bon de maîtriser les deux méthodes.

La technique de la main droite prévaut dans les pays anglophones mais elle est adoptée en France où on l'appelle «à la française». Dans cette méthode, le fil est passé autour de l'aiguille par l'index droit et la tension (contrôle du fil exercé sur chaque maille) est maintenue par les deux derniers doigts de la main droite, autour desquels le fil vient s'enrouler.

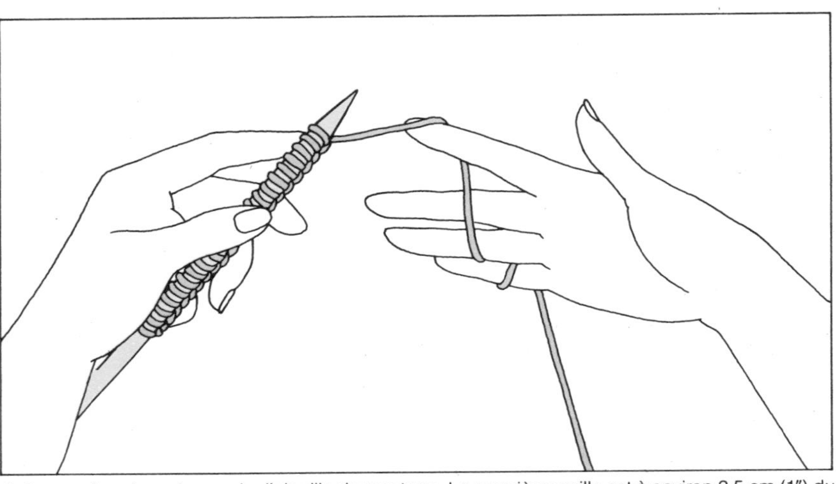

1. Prenez dans la main gauche l'aiguille de montage. La première maille est à environ 2,5 cm (1″) du bout de l'aiguille. Passez le fil autour de l'auriculaire de la main droite, sous les deux doigts suivants, et par-dessus l'index, gardant environ 5 cm (2″) de fil de la maille à l'index.

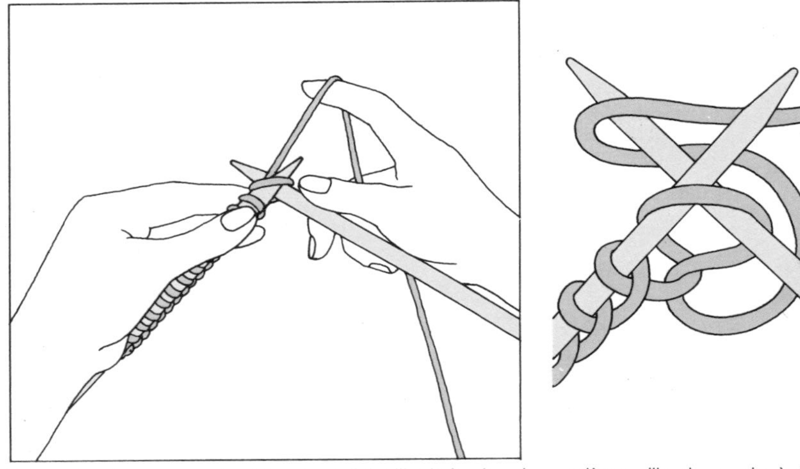

2. Tenant le fil derrière le travail, *piquez l'aiguille droite dans la première maille, de gauche à droite (l'aiguille pointant vers l'arrière). Avec l'index droit, conduisez le fil vers la pointe de l'aiguille droite *par-dessous* puis *par-dessus* (voir dessin).

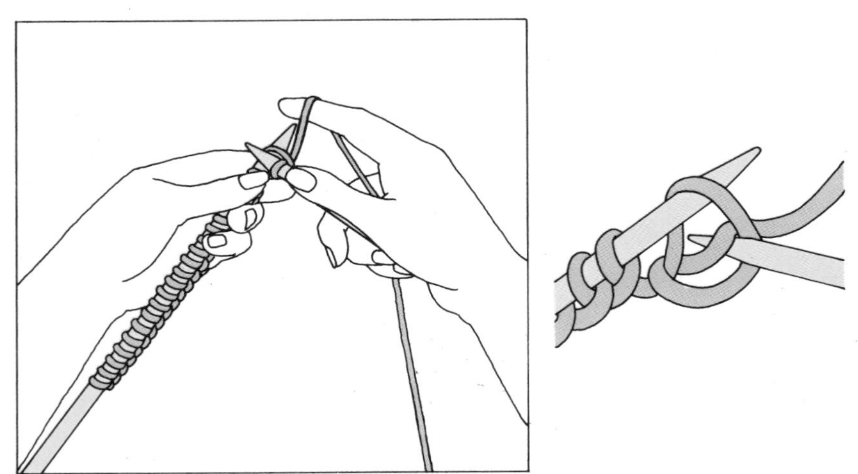

3. Tirez l'aiguille droite entraînant ainsi la boucle à travers la maille; poussez en même temps la maille vers la pointe de l'aiguille gauche. (Avec la pratique, ces deux mouvements deviennent machinaux et la vitesse croît.)

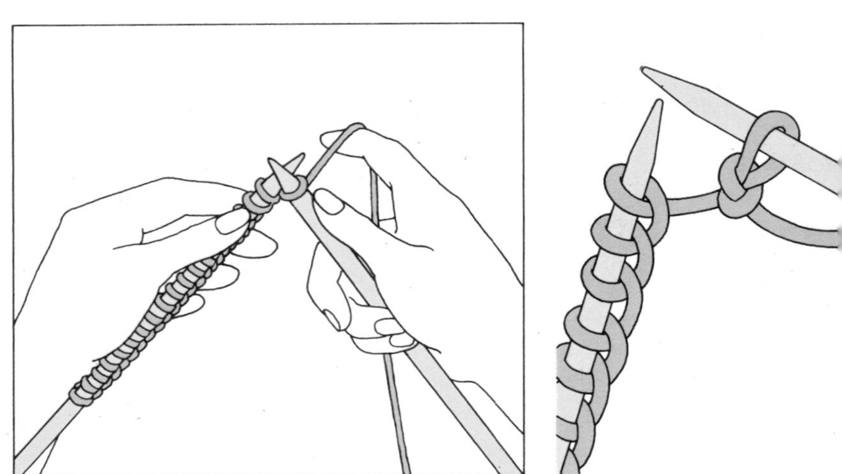

4. En laissant glisser cette maille de l'aiguille gauche, elle passe sur l'aiguille droite.* Répétez les mouvements entre les astérisques, en poussant les mailles vers la pointe gauche avec le pouce, l'index et le majeur de la main droite, et en les éloignant de la pointe droite avec le pouce droit.

Maille endroit à la suisse (méthode de la main gauche)

Contrôler le fil de la main gauche est une technique utilisée par de nombreux pays d'Europe et d'Orient. Familièrement surnommée en Amérique « technique continentale ou européenne », elle consiste essentiellement à faire passer le fil de l'index gauche à l'aiguille droite. Il y a plusieurs manières d'enrouler le fil. Dans celle que nous illustrons, la tension s'exerce au moyen des deux derniers doigts et de l'index.

La méthode de la main gauche semble plus rapide que la méthode de la main droite. Vous constaterez que les mouvements s'accélèrent quand on en réduit l'amplitude et quand on tient les aiguilles sans crispation. La technique de la main droite exige une grande agilité des doigts, celle de la main gauche demande surtout une grande souplesse du poignet. Si vous devenez vraiment ambidextre, vous pourrez tricoter certains modèles bicolores plus rapidement et plus régulièrement.

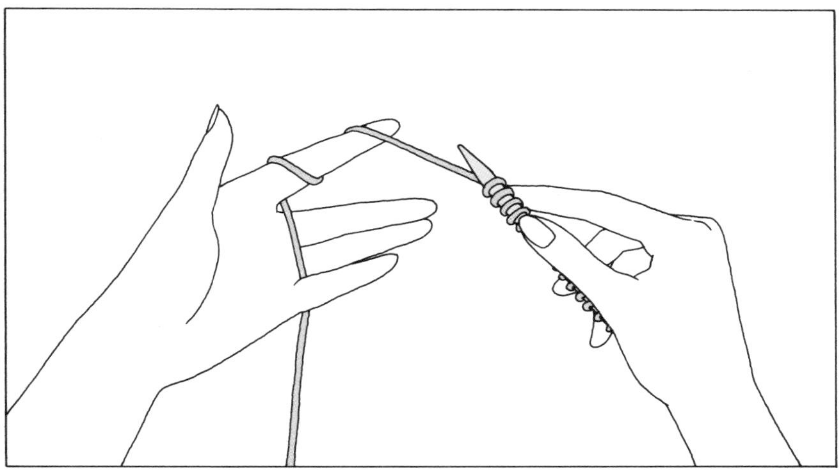

1. Tenez l'aiguille de montage dans la main droite et enroulez le fil autour de la main gauche, le faisant passer entre les 4ᵉ et 5ᵉ doigts, au-dessous des deux suivants puis par-dessus l'index, autour duquel il fait deux tours. Laissez environ 5 cm (2") de jeu au fil entre l'index et la première maille.

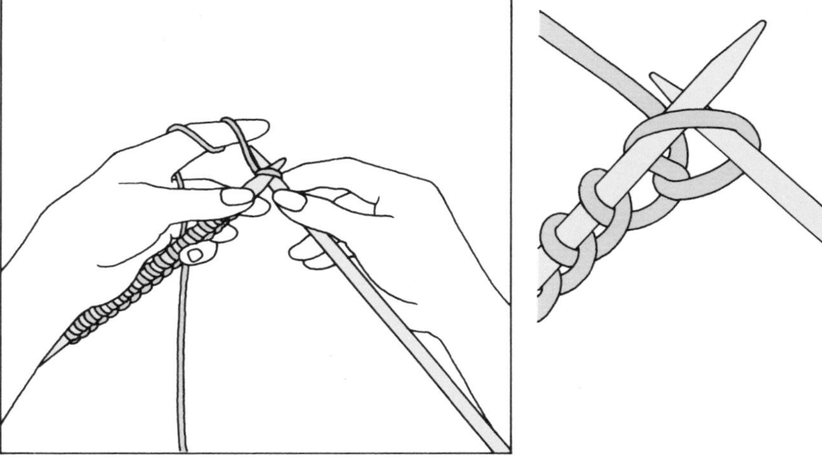

2. Passez l'aiguille de montage dans la main gauche et tendez légèrement l'index pour reconduire le fil derrière l'aiguille. Poussez la première maille presque au bout de l'aiguille. *Piquez l'aiguille droite dans le brin avant de la première maille, de gauche à droite (l'aiguille pointant vers l'arrière).

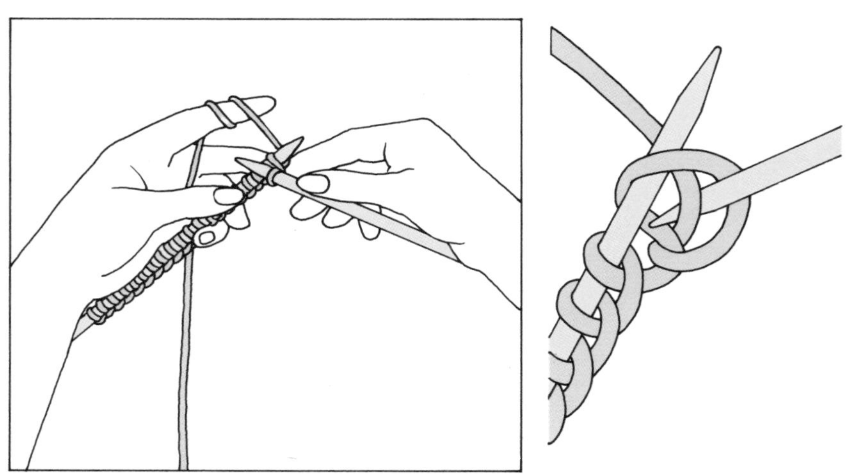

3. Imprimez un mouvement tournant à l'aiguille droite et passez la pointe *sous* le fil en tirant pour faire une boucle à travers la maille. En même temps, poussez cette maille vers la pointe de l'aiguille gauche. (Avec la pratique, la coordination de ces deux mouvements se fera rapidement.)

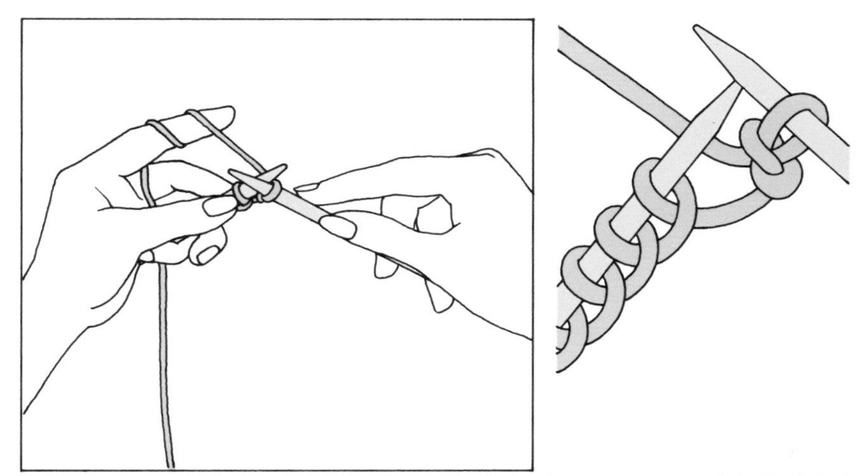

4. Cette maille peut maintenant quitter l'aiguille gauche; la boucle obtenue reste sur l'aiguille droite.* Répétez d'un astérisque à l'autre. Le nombre des mailles de gauche, poussées par le pouce et le majeur, diminue et celui des mailles de droite, tirées par le pouce, augmente.

Maille envers à la française (méthode de la main droite)

Son nom le dit, la **maille envers** est tout simplement l'envers de la maille endroit. A l'envers, cette boucle a l'aspect d'un demi-cercle horizontal, tandis qu'à l'endroit, elle est plate et verticale (voir page précédente).

Les mouvements nécessaires à la formation de la maille envers sont l'inverse de ceux nécessaires à la maille endroit. L'aiguille pénètre dans le brin avant de la maille, de droite à gauche, et le fil, tenu à l'avant de l'ouvrage, est passé par-dessus l'aiguille d'arrière en avant.

Si la main droite contrôle le fil, les mailles envers peuvent alors être moins tendues que les mailles endroit, car le fil est projeté de plus loin. Avec l'expérience, un équilibre s'établit, surtout si l'on tient l'index près du travail. Si le problème persiste, on suggère de tricoter une côte 1/1 (p. 280) jusqu'à l'obtention de mailles ayant même apparence des deux côtés du tricot.

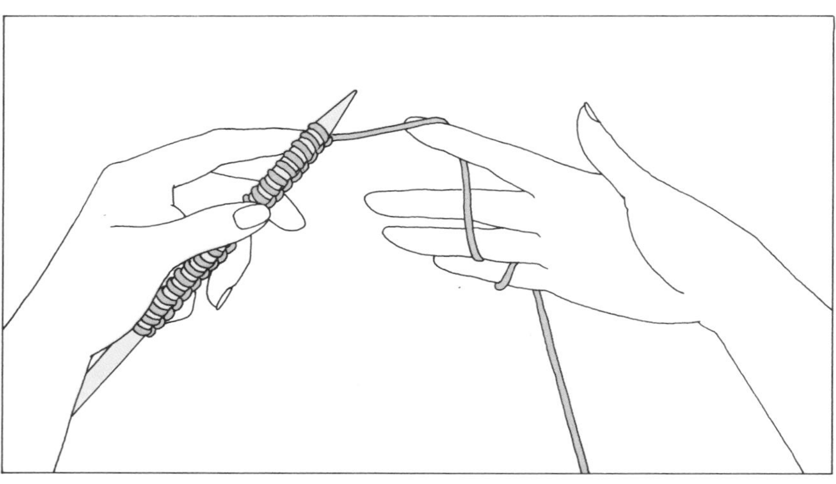

1. L'aiguille de montage dans la main gauche, enroulez le fil autour de l'auriculaire droit, passez-le sous les deux doigts voisins et par-dessus l'index. Laissez un jeu d'environ 5 cm (2") entre l'index et la première maille de l'aiguille gauche.

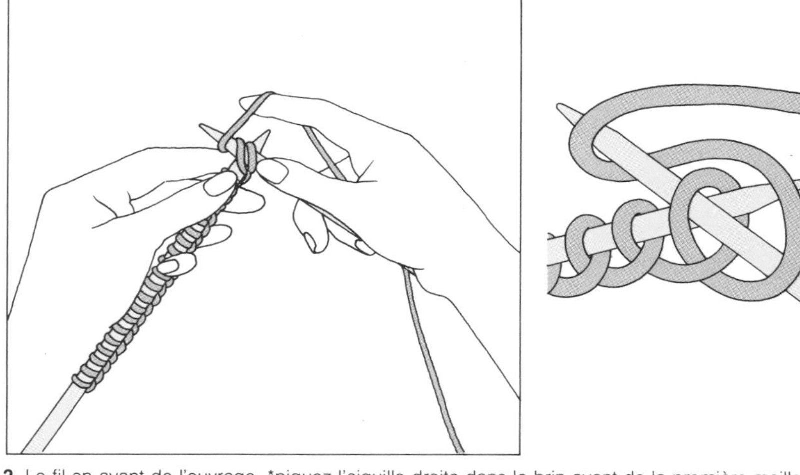

2. Le fil en avant de l'ouvrage, *piquez l'aiguille droite dans le brin avant de la première maille, de droite à gauche (l'aiguille pointant légèrement vers le haut). Avec l'index droit, amenez le fil vers l'arrière *par-dessus* l'aiguille droite puis ramenez-le vers l'avant *par-dessous* (à droite).

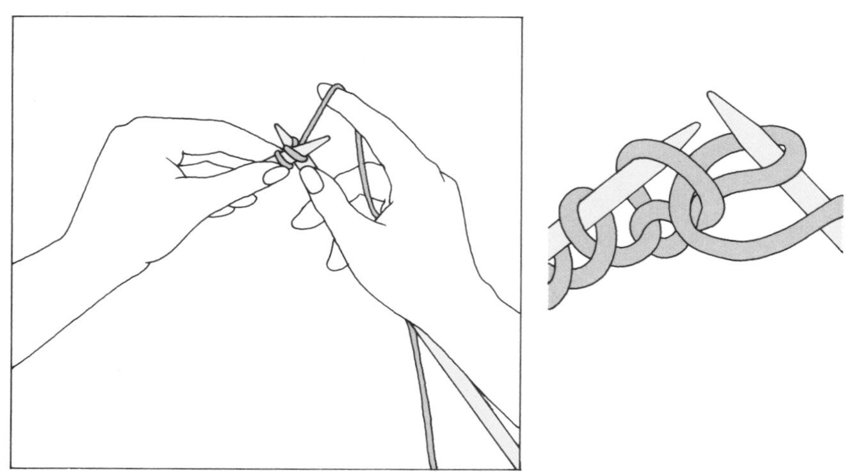

3. Avec l'aiguille droite, tirez la boucle à travers la maille vers l'arrière, poussez en même temps la maille vers la pointe de l'aiguille gauche. (Avec la pratique, ces deux mouvements deviendront rapides et souples.)

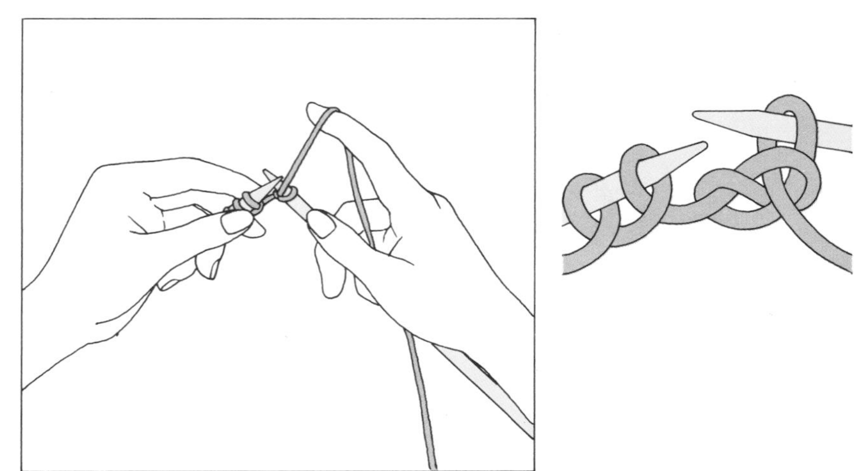

4. Cette première maille peut maintenant quitter l'aiguille gauche; la boucle obtenue reste sur l'aiguille droite.* Répétez d'un astérisque à l'autre. Le nombre de mailles de gauche, poussées par le pouce et le majeur, diminue et celui des mailles de droite, tirées par le pouce, augmente.

Maille envers à la suisse (méthode de la main gauche)

La maille envers à la suisse (ou continentale) est obtenue en tendant le fil avec l'index gauche tandis que l'aiguille tenue par la main droite façonne une boucle. Une torsion du poignet vers l'avant libère le fil, tandis que le pouce retient la maille à travers laquelle la boucle devra passer.

Il faut intégrer au rythme du travail ce va-et-vient du fil nécessité pour la formation de la maille endroit et de la maille envers. Lorsque le fil est contrôlé par le pouce gauche, le va-et-vient s'effectue sans détour entre les pointes des deux aiguilles — fil devant pour la maille envers, derrière pour la maille endroit. Contrôlé par la main droite, le fil doit entourer l'aiguille d'arrière en avant pour tricoter à l'envers, et d'avant en arrière pour tricoter à l'endroit. Plus l'index sera près des mailles travaillées et de la pointe de l'aiguille, moins il y aura de temps perdu. Il faut économiser les mouvements.

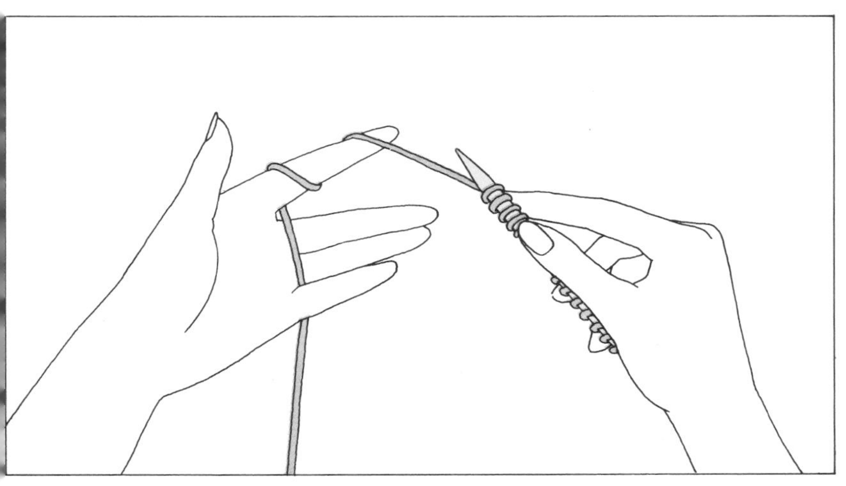

1. L'aiguille de montage dans la main droite, enroulez le fil autour de la main gauche. Le fil passe entre l'auriculaire et l'annulaire, sous le majeur et l'index. Il fait deux tours sur l'index (dessus, dessous, dessus). De l'index gauche à la première maille, il y a environ 5 cm (2") de fil.

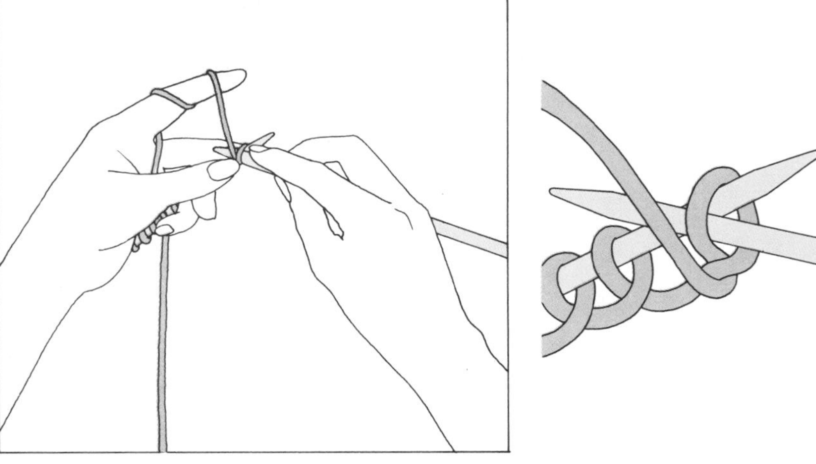

2. Prenez maintenant l'aiguille avec la main gauche; tendez l'index pour amener le fil devant l'aiguille. Avec le pouce et le majeur, poussez la première maille tout près de la pointe. *Piquez alors l'aiguille droite dans le brin avant de la première maille, de droite à gauche.

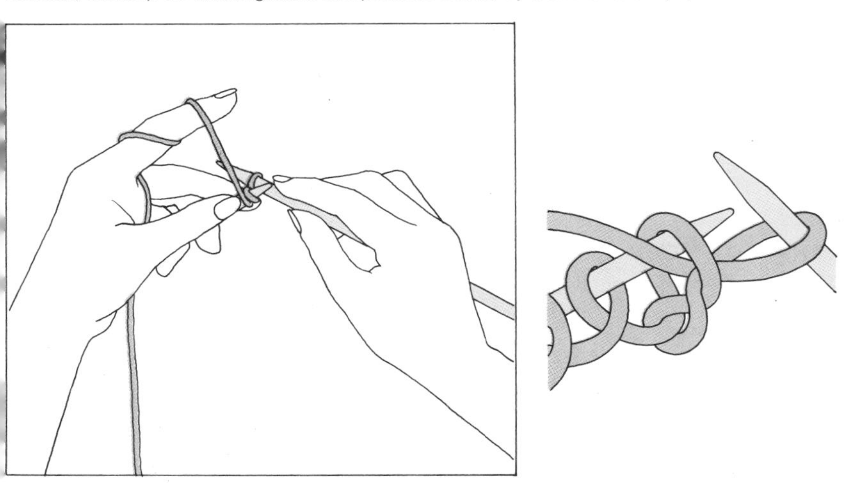

3. Tournez le poignet de sorte que le fil sur l'index vienne vers vous, puis en poussant vers l'arrière et le bas avec l'aiguille droite, faites une boucle à l'arrière à travers la maille. En même temps, poussez la maille vers la pointe de l'aiguille gauche.

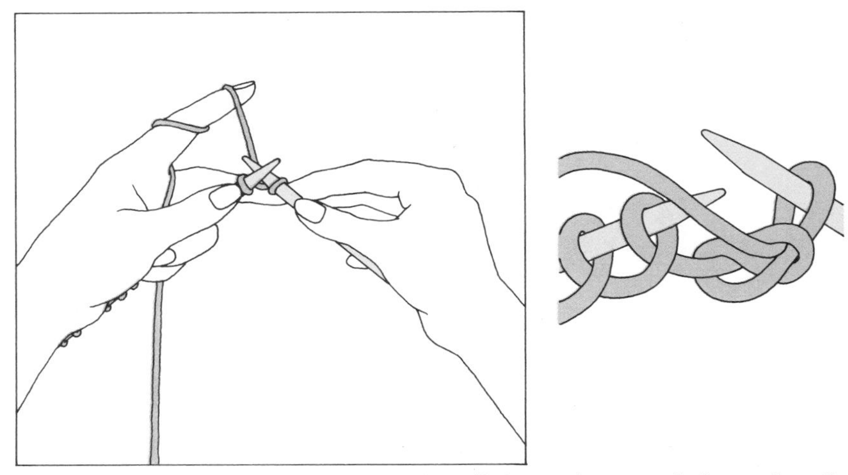

4. La première maille quitte l'aiguille gauche; redressez l'index gauche pour tendre la nouvelle maille sur l'aiguille droite.* Répétez d'un astérisque à l'autre, en poussant les mailles vers la pointe de l'aiguille gauche et en éloignant les mailles de la pointe de l'aiguille droite.

L'ABC du tricot

Points de base

Les points de base, illustrés ci-dessous, sont les plus utilisés et les plus faciles à réaliser. Pour vous exercer à exécuter ces points, prenez une laine peignée, des aiguilles nº 5,5 (5) et montez de 20 à 24 mailles. (**Note :** chaque point est décrit au moyen d'un *multiple*. Si, par exemple, nous avons un multiple de quatre mailles, il faut monter un nombre de mailles divisible par quatre. Ces quatre mailles forment l'essentiel du point.) Tricotez le premier rang du point, puis tournez l'aiguille et tricotez le rang suivant. Tout en tricotant, veillez à exercer sur le fil une tension régulière et modérée (voir l'explication, page ci-contre). Terminez toujours un rang avant de déposer votre ouvrage. Lorsque vous exécutez un nouveau point ou un échantillon, vous pouvez ainsi tricoter un carré de 20 ou 24 mailles de côté; en joignant vos différents carrés, vous obtiendrez un dessus de coussin ou un fourre-tout.

Chaque point de base est fait à partir de mailles endroit et de mailles envers (voir pages 276 à 279). Les méthodes d'exécution des points de base peuvent être modifiées pour produire des variantes qui sont illustrées à la page ci-contre. Si vous connaissez ces variantes, vous éviterez de tordre accidentellement une maille, ce qui arrive parfois quand une maille perdue a été rattrapée ou que le travail a été interrompu au milieu d'un rang.

Le point mousse ou **de jarretière** est normalement obtenu en tricotant à l'endroit chaque maille de chaque rang, bien qu'en tricotant tout à l'envers, on obtiendrait le même résultat. C'est le plus simple des points de tricot. Il offre une surface soulevée, caillouteuse, identique sur ses deux faces, et une structure plutôt lâche qui s'étend également dans les deux sens. A employer pour chandails, couvertures et accessoires.
Nombre quelconque de mailles
Chaque rang : tric end

Point de jersey

Point de jersey envers

Le point de jersey est obtenu en tricotant alternativement un rang à l'endroit et un rang à l'envers. Le plus utilisé de tous les points de base, il présente une surface unie (côté tricoté à l'endroit) et l'autre soulevée, plus rugueuse (côté tricoté à l'envers). La surface unie est généralement considérée comme l'endroit de l'ouvrage mais on peut aussi faire le contraire et, dans ce cas, on l'appelle **point de jersey envers**. Ce tricot s'étire davantage sur la largeur que sur la longueur. Il convient bien aux chandails, robes et accessoires, tels que chapeaux, gants et chaussettes. Vous pourrez voir de la page 318 à la page 321 l'emploi du point de jersey dans les modèles jacquard.
Nombre quelconque de mailles
Rg 1 : tric end
Rg 2 : tric env

Le point de riz s'obtient en tricotant une maille endroit et une maille envers. On tricote la maille endroit du rang précédent, à l'endroit et la maille envers du rang précédent, à l'envers. La texture de ce point est semblable à celle du point mousse mais plus ferme. Excellent pour couvertures et vêtements.
Nombre de mailles : multiple de 2 plus 1
Chaque rang : *1 end, 1 env*, 1 end

Côte 1/1

Côte 2/2

Le point de côtes s'obtient en alternant les mailles endroit et les mailles envers d'une extrémité à l'autre du rang. Seulement, au retour, on tricote à l'envers ce qui était tricoté à l'endroit et à l'endroit ce qui était tricoté à l'envers. Cela produit un motif d'arêtes verticales, identiques sur les deux côtés quand mailles endroit et mailles envers sont alternées en nombre égal, par exemple, les côtes 1/1 et 2/2 illustrées à gauche. Ce sont les classiques points de côtes, appelés couramment «côtes». Ils ont une élasticité considérable, surtout en largeur et assurent un bon ajustement à la bordure des vêtements. A cette fin, on utilise des aiguilles d'un ou deux numéros plus petits que le point employé pour le reste de l'ouvrage.
Pour côtes 1/1 : multiple de 2
Chaque rang : *1 end, 1 env*
Pour côtes 2/2 : multiple de 4
Chaque rang : *2 end, 2 env*

Description des fils 270-271 Jauge 287
Points croisés et torsades 308-311

Variantes des points de base

L'aspect des points de base peut être modifié par une position de l'aiguille ou un enroulement du fil différents. Ces variantes sont depuis longtemps connues. Les textures obtenues (voir les exemples donnés en bas de page) sont plus fermes et plus élastiques que les textures décrites précédemment.

L'une des variantes est la **maille torse**, obtenue en piquant l'aiguille dans le brin arrière de la maille et non dans le brin avant. La boucle, ayant subi un demi-tour à la base, ne repose plus à plat. On peut tordre la maille envers aussi bien que la maille endroit, mais rarement les deux. Dans le point de *jersey torse*, on pique l'aiguille en arrière de la boucle pour toutes les mailles du rang à l'endroit. Le rang à l'envers se tricote normalement; de même, pour le point de *côtes torses 1/1*, on ne tord que les mailles endroit.

Une autre variante est le **point natté** qui s'obtient en enroulant le fil autour de l'aiguille dans le sens contraire, c'est-à-dire *par-dessus* l'aiguille pour la maille endroit et *par-dessous* pour la maille envers. Les mailles ainsi formées sont constamment tordues, ce qui donne un tricot solide et ferme. Les mailles endroit et envers du *point de jersey natté* sont exécutées en suivant les indications données en bas à droite. A l'endroit, les colonnes ressemblent à des nattes. Dans les *côtes nattées 1/1*, les points nattés endroit et envers alternent.

La méthode employée pour l'exécution des points nattés permet aussi de travailler avec des perles et des paillettes ainsi qu'avec de grosses aiguilles et des laines épaisses. A cause du tour imprimé à chaque maille, la tension exercée doit être diminuée.

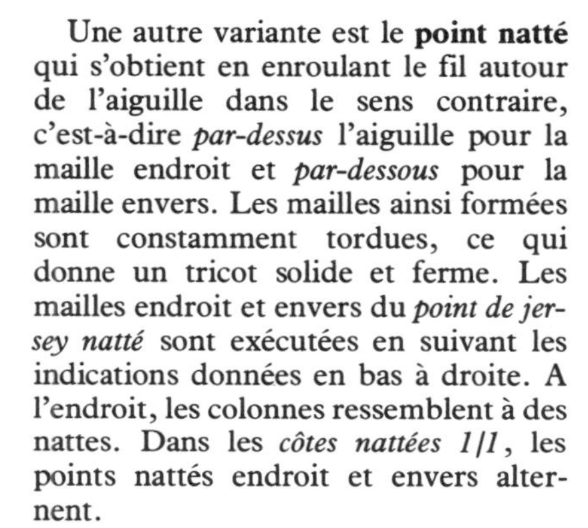

Jersey torse

Côtes torses 1/1

Jersey natté

Côtes nattées 1/1

Maille torse endroit : piquez l'aiguille droite dans l'arrière de la boucle et passez le fil sous l'aiguille, comme pour la maille endroit.

Maille torse envers : piquez l'aiguille droite dans l'arrière de la boucle et passez le fil par-dessus l'aiguille, comme pour la maille envers.

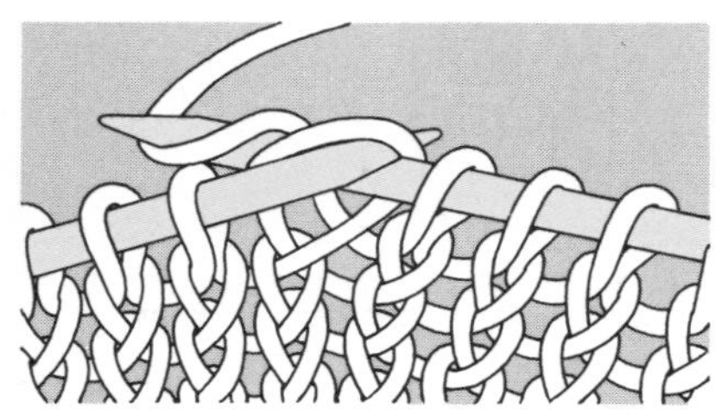

Maille nattée endroit : piquez l'aiguille droite par-devant, comme pour tricoter à l'endroit, puis jetez le fil par-dessus l'aiguille.

Maille nattée envers : piquez l'aiguille droite par-devant, comme pour tricoter à l'envers, puis passez le fil par-dessous l'aiguille.

Tension du fil

La tension est la résistance que rencontre le fil quand il passe entre les doigts qui le contrôlent. Une tension doit être à la fois modérée, régulière, normale et exacte. Cette maîtrise doit être acquise rapidement par les débutants.

Une tension modérée donne des mailles faciles à travailler, sans toutefois qu'il y ait d'espace entre les boucles et l'aiguille. Si les mailles sont trop tendues, l'aiguille y pénètre difficilement et la vitesse d'exécution est diminuée; une tension trop forte affaiblit le fil. Si les mailles ne sont pas assez tendues, elles risquent de glisser prématurément de l'aiguille gauche. De plus, le tricot fini ne gardera pas sa forme.

Une tension régulière donne un tissu égal, c'est-à-dire un tricot dans lequel les mailles sont toutes de la même grandeur. Pour atteindre ce résultat, il faut beaucoup de pratique mais les suggestions suivantes peuvent vous aider. Si vos mailles envers sont nettement moins tendues que vos mailles endroit, ou inversement, tricotez un échantillon en côtes 1/1 jusqu'à ce que vos mailles aient acquis un certain équilibre. Si votre tension varie d'un jour à l'autre, gardez votre échantillon à portée de la main et tricotez-y quelques rangs avant de vous remettre à votre ouvrage.

La tension normale est atteinte quand le tricot est souple sans manquer de corps, et ferme sans raideur. C'est l'heureuse combinaison d'une tension appropriée au fil, au point choisi et aux aiguilles. La connaissance des différents fils, l'expérience des différents points aident à développer une tension idéale. Voici quelques conseils : les laines peu tordues ou épaisses demandent une tension légère; les fils bien tordus, sans élasticité (le coton en est un bon exemple) exigent une tension ferme; les mailles torses (illustrées à gauche) ont besoin d'une certaine souplesse, sans quoi elles sont difficiles à exécuter; les points ajourés nécessitent une tension plus ferme.

La tension exacte est celle qui reproduit fidèlement les mesures spécifiées dans l'échantillon. S'il y a des changements à faire, il est préférable d'essayer une autre grandeur d'aiguilles plutôt que de modifier la tension exercée sur le fil.

Emmanchures et manches 332
Boutonnière horizontale 341

Terminaisons

La terminaison permet aux mailles de quitter l'aiguille sans se démailler. On les rabat successivement l'une sur l'autre, formant ainsi le dernier rang de l'ouvrage, qui parfois sert à préparer l'emmanchure ou l'un des côtés d'une boutonnière horizontale. Les terminaisons doivent, comme le montage, donner une lisière appropriée au tricot.

Les terminaisons à la française et les terminaisons élastiques sont les plus utilisées. Les mailles sont habituellement rabattues en tenant l'ouvrage à l'endroit et dans le même sens qu'elles ont été tricotées (c'est-à-dire qu'on rabat la maille endroit à l'endroit, la maille envers à l'envers). La tension exercée sur le rang de terminaison doit être régulière et souple, sinon le bord paraîtra tordu. Si vous avez tendance à tricoter serré, faites la terminaison avec des aiguilles d'un point plus grand que celles utilisées pour le travail.

Les trois techniques illustrées à la page ci-contre sont moins employées. Cependant certains travaux s'exécutent plus facilement avec l'emploi de ces techniques.

Pour assujettir le fil après avoir rabattu les mailles, passez-le dans la dernière boucle et tirez.

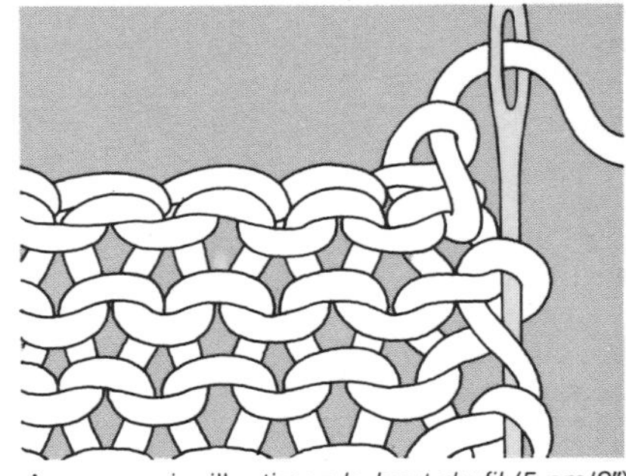

Avec une aiguille, *tissez le bout du fil* (5 cm/2") sur l'envers de la lisière.

Différentes terminaisons

TERMINAISON À LA FRANÇAISE

La terminaison à la française est la plus simple; elle convient à toutes les situations nécessitant une lisière ferme et souple, une couture d'épaule ou une boutonnière, par exemple.

Tricotez 2 mailles. *Tenant la laine en arrière, piquez l'aiguille gauche dans la 1re maille (**A**).

Tirez la 1re maille par-dessus la 2e (**B**) puis hors de l'aiguille (**C**). Tricotez la maille suivante.*

Répétez, en suivant les instructions contenues entre les astérisques.

TERMINAISON ÉLASTIQUE

La terminaison élastique est semblable à la terminaison à la française mais plus souple. On l'utilise pour rabattre des côtes, ou dans le cas où vos lisières seraient trop serrées.

Tricotez 2 mailles. *Tirez la 1re maille par-dessus la 2e mais laissez-la sur l'aiguille gauche (**A**).

Tricotez la maille suivante (**B**); laissez glisser les deux mailles en même temps (**C**).* Répétez jusqu'aux deux dernières mailles, que vous tricoterez ensemble.

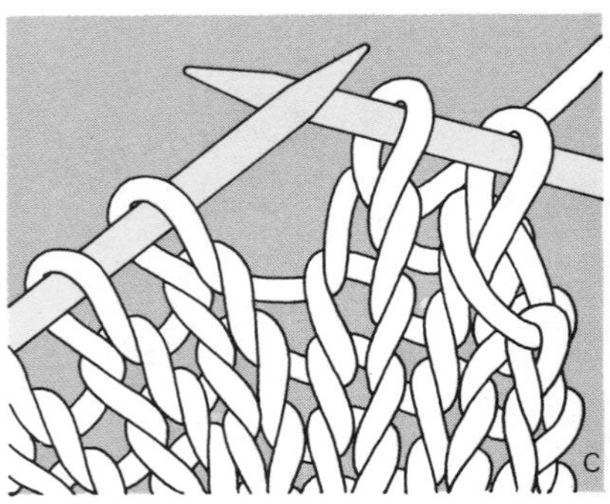

TERMINAISON INVISIBLE

La terminaison invisible convient bien aux côtes 1/1. Coupez le fil en conservant un bout quatre fois plus long que la largeur du tricot; enfilez le bout dans une aiguille à tapisserie à bout rond.

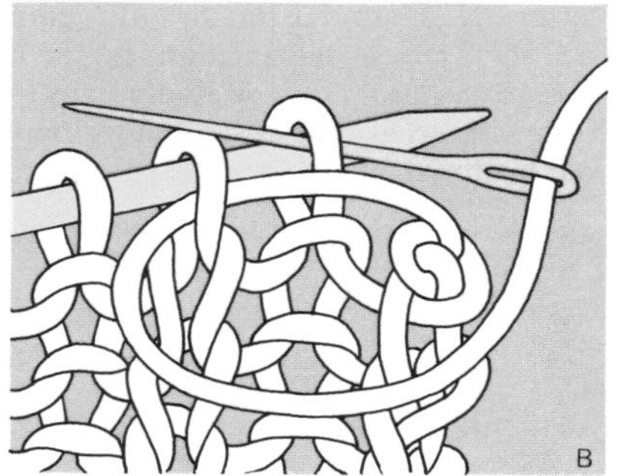

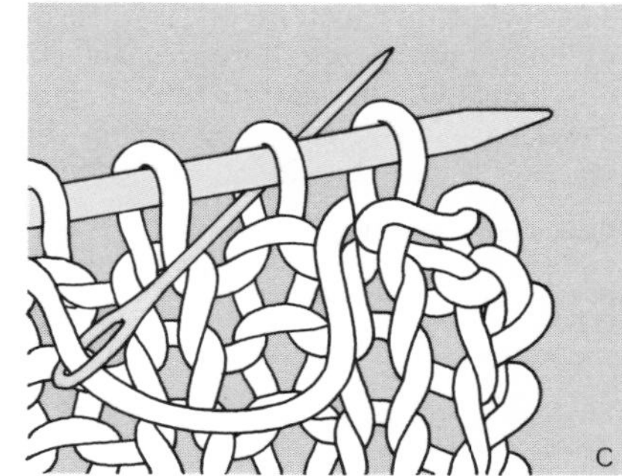

*Passez l'aiguille dans la maille endroit, comme pour la tricoter à l'endroit, lâchez-la (**A**). Sautez la maille envers, passez l'aiguille dans la maille suivante, comme pour tricoter à l'envers. Passez l'aiguille dans la maille précédente comme pour tricoter à l'envers (**B**); tirez et lâchez la maille; ramenez le fil devant entre les deux mailles du bout, passez l'aiguille dans la maille envers comme pour tricoter à l'endroit (**C**). Tirez.*

TERMINAISON AU CROCHET

La terminaison au crochet donne une bordure ferme et décorative appropriée aux couvertures et chapeaux. Les mailles sont rabattues au moyen d'un crochet exécutant un point de chaînette.

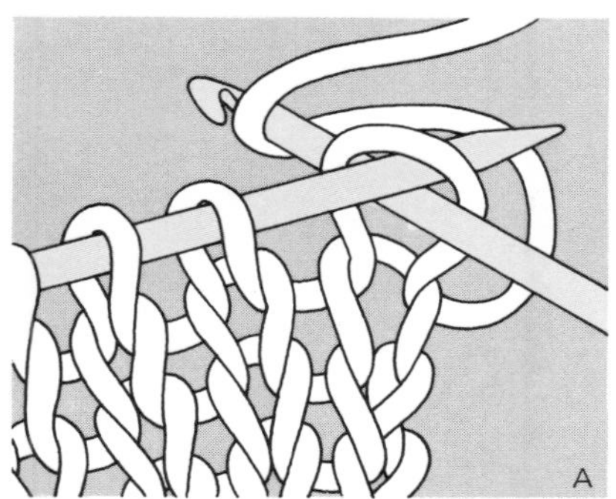

*Piquez le crochet dans la maille comme pour la tricoter à l'endroit et enroulez le fil autour (**A**). Passez-le dans la maille que vous laissez glisser hors de l'aiguille. Formez une boucle dans la 2e maille (**B**), puis une autre boucle à travers les deux mailles sur le crochet (**C**).*

ASSEMBLAGE

L'assemblage avec terminaison à la française donne un montage net et sans couture. On peut s'en servir pour assembler deux bordures droites ayant un nombre égal de mailles.

*Endroit contre endroit, les deux aiguilles dans la main gauche, prenez avec une aiguille dans la main droite la 1re maille de chaque aiguille afin de les travailler ensemble (**A**). Répétez et passez la 1re maille par-dessus la 2e (**B**).* L'arête sera à l'envers (**C**).

Maille glissée 288 Diminutions (deux mailles tricotées ensemble) 293
Remmaillage 297

Lisières

Les côtés d'un tricot, qu'on les couse ou qu'on en forme une bordure, doivent être nets. On obtient un travail plus soigné si l'on tricote une *lisière*. La lisière est une bande étroite tricotée après ou avant les mailles du point utilisé. Habituellement, on ne mentionne pas les mailles de lisière dans les instructions; il faut donc ajouter deux ou quatre mailles. Vous trouverez ci-dessous six lisières différentes. Quant aux bordures destinées à être cousues ou remmaillées, l'addition d'une maille à chaque extrémité suffit. Un ajout de deux mailles empêche la bordure de rouler tout en étant plus décoratif. On peut très bien se servir de différentes lisières pour un même ouvrage, une lisière pour le côté gauche, une autre pour le côté droit.

Lisière chaînette simple I : on utilise cette lisière pour un tricot au point de jersey ou de fantaisie dont la bordure sera cousue ou remmaillée.

Sur l'*endroit*, prenez la première maille comme pour la tricoter à l'endroit et glissez-la sans la tricoter, tricotez la dernière maille à l'endroit.
Sur l'*envers*, prenez la première maille comme pour la tricoter à l'envers et glissez-la sans la tricoter, et tricotez la dernière maille à l'envers.

Lisière formant picot : elle donne une bordure délicate et ornementale.

Sur l'*endroit*, amenez le fil devant l'aiguille droite (jeté au début d'un rang, p. 289); piquez l'aiguille dans la première maille comme pour tricoter à l'endroit, glissez-la; tricotez à l'endroit la maille suivante et passez la maille glissée par-dessus la tricotée.
Sur l'*envers*, amenez le fil derrière l'aiguille droite, tricotez ensemble les deux premières mailles à l'envers.

Lisière chaînette simple II : elle fait une bordure nette et plate pour un tricot au point mousse.

Tenez le fil devant l'ouvrage, glissez la première maille de chaque rang comme pour la tricoter à l'envers puis passez le fil derrière l'ouvrage pour tricoter à l'endroit.

Lisière chaînette double : elle est tout indiquée pour une bordure ferme et décorative.

Sur l'*endroit*, glissez la première maille comme pour la tricoter à l'endroit et tricotez à l'envers la deuxième maille. A la fin du rang, tricotez l'avant-dernière maille à l'envers et glissez la dernière maille comme pour la tricoter à l'endroit. Sur l'*envers*, tricotez à l'envers les deux premières et les deux dernières mailles du rang.

Lisière perlée simple : on utilise cette lisière pour un tricot au point de jersey ou de fantaisie dont la bordure est surjetée ou a besoin d'être ferme.

Prenez à l'endroit la première maille sans la tricoter et tricotez la dernière maille à l'endroit (ceci à tous les rangs, sur l'endroit et l'envers).

Lisière perlée double : elle donne une bordure nette et solide qui ne roulera pas.

A chaque rang, glissez la première maille comme pour la tricoter à l'endroit et tricotez à l'endroit la deuxième; tricotez à l'endroit les deux dernières mailles du rang.

Dimensions de l'écharpe : 16,5 cm x 150 cm plus 17,5 cm de frange à chaque bout.

Echarpe

Montage 274-275
Terminaisons 283
Terminologie du tricot 286

L'écharpe se tricote au point mousse et avance à vue d'œil avec des aiguilles no 5,5 (5). Si votre échantillon est conforme aux données, l'écharpe devrait mesurer 16,5 centimètres (6½") de largeur. A cause de l'élasticité du point mousse, l'écharpe peut être légèrement plus large.

Fournitures
120 g (5 oz) de laine mohair, une paire d'aiguilles no 5,5 (5), un crochet (moyen ou gros) pour la frange.

Echantillon
Huit mailles pour 5 centimètres (2")

Point
Point mousse

Lisière
Lisière chaînette simple II

Instructions
Montez 26 mailles sans serrer. Tricotez jusqu'à ce que l'écharpe ait une longueur de 1,50 mètre (60") et rabattez les mailles sans serrer. Quand l'écharpe est terminée, tissez les bouts de fil dans la lisière.

Finition
Préparez la frange en suivant les directives ci-dessous. Insérez les fils groupés aux deux extrémités de l'écharpe, puis ensuite à toutes les 5 mailles.

Jonction de deux brins

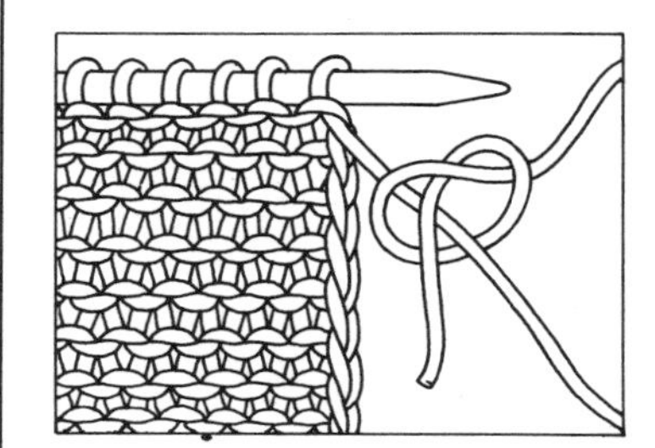

Au début d'un rang, faites un nœud avec le nouveau fil; glissez-le près de l'aiguille. Le bout sera rentré plus tard.

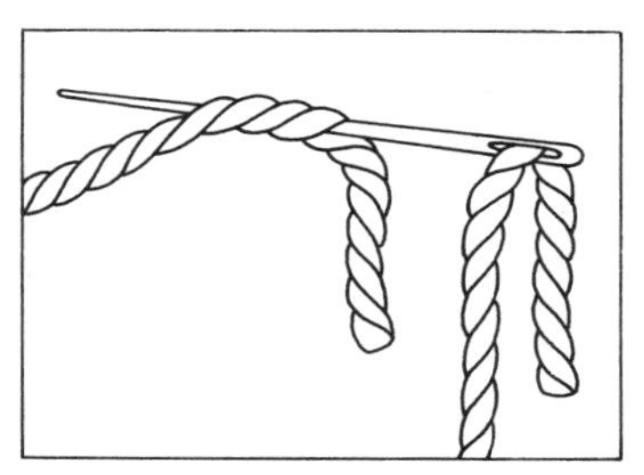

Au milieu d'un rang, enfilez le bout du nouveau fil et insérez-le dans l'autre fil sur une longueur de 3 à 5 cm (1" à 2").

Frange à glands

Une frange à glands fait une belle bordure pour une écharpe, en plus d'être facile à exécuter. Sur l'écharpe illustrée ci-dessus, chaque gland est fait de 10 brins noués à toutes les 5 mailles. Vous pouvez transformer les dimensions selon vos préférences.

Pour préparer cette frange, enroulez le fil 60 fois autour d'un carton de 20 centimètres (8"). Coupez les fils sur l'un des bords et faites des groupes de 5 brins chacun. Pliez chaque groupe en deux et, avec le crochet, tirez la partie pliée à travers la maille. Consolidez. La longueur de la frange finie est alors de 17,5 centimètres (7").

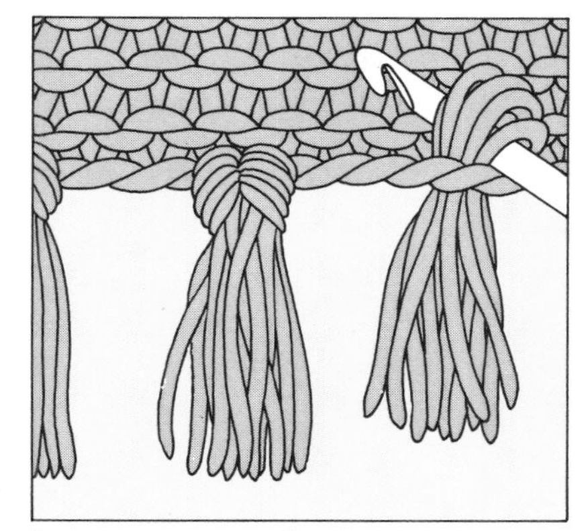

Passez un groupe de fils pliés dans une maille.

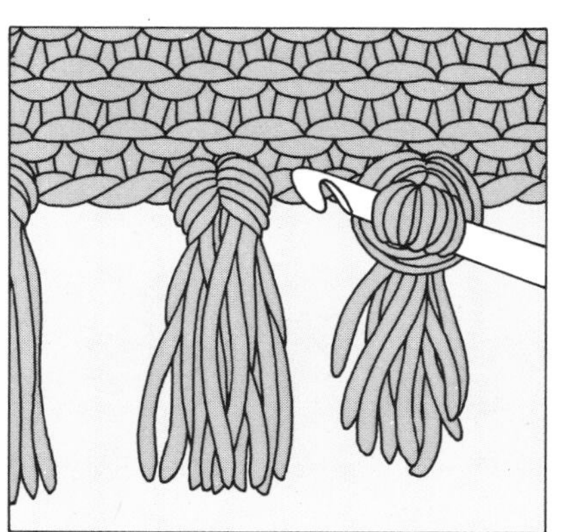

Tirez les bouts à travers la boucle et resserrez.

A l'envers de l'ouvrage, la frange a cet aspect.

Directives du tricot

Terminologie du tricot

Les directives du tricot sont données dans un vocabulaire spécialisé, souvent au moyen d'abréviations et de symboles. Le tableau ci-dessous énumère et définit les abréviations utilisées dans ce livre. Dans certains cas, on fait référence aux illustrations et descriptions des diverses techniques mentionnées.

Ces abréviations ou des abréviations équivalentes sont utilisées couramment. Vous pourrez dans un autre livre rencontrer des termes nouveaux ou abrégés différemment; habituellement, une note explicative sera fournie.

A la place de directives écrites, on utilise parfois une grille. Cette grille se présente alors sous forme de symboles (p. 322).

end	tricotez à l'endroit
env	tricotez à l'envers
m	maille
rg	rang
tr	tricotez (on verra aussi tric)
aug	augmentation, p. 289 à p. 291
dim	diminution, p. 292 à p. 293
cp end	comme pour tricoter à l'endroit
cp env	comme pour tricoter à l'envers
gl	glissez
m gl	maille glissée
fs	fois
chq	chaque (chacune)
tt (ts)	tout (ou tous)
trav	à travers
suiv	suivante
rab	rabattez une (ou plusieurs) maille(s) sur une autre
bcle	boucle
bcle inf end	tricotez la boucle inférieure à l'endroit (maille double, p. 288)
00, 000	enroulez le fil 2 ou 3 fois (maille allongée, p. 288)
dp	aiguille à deux pointes, p. 272
aig aux	aiguille auxiliaire
fav	passez le fil devant l'ouvrage
farr	passez le fil derrière l'ouvrage
2 ens end av	tricotez 2 mailles ensemble à l'endroit en prenant les boucles par-devant
2 ens end arr	tricotez 2 mailles ensemble à l'envers en prenant les boucles par-derrière (mailles torses)
surj sple	surjet simple : gl 1 end, 1 end, m gl par-dessus
surj dble	surjet double : gl 1 end, 2 ens end, m gl par-dessus
2 end cr à dr	croisez à droite deux mailles endroit
2 end cr à g	croisez à gauche deux mailles endroit
2 env cr à dr (g)	croisez à droite (ou à gauche) deux mailles envers, p. 294
T4 av	2 paires de torsades à l'avant de l'ouvrage
T4 arr	2 paires de torsades à l'arrière de l'ouvrage
cr à dr à trav 2 end	croisez à droite à travers 2 mailles endroit, p. 295
tr end 3 m en att	tricotez à l'endroit les 3 mailles en attente sur l'aiguille auxiliaire
endvd	tricotez la même maille à l'endroit, puis à l'envers, puis à l'endroit (autant de fois qu'il y a de «d» et de «v»)
tr end dans av et arr de chq m	tricotez l'avant et l'arrière de chaque maille à l'endroit
* *	les instructions entre astérisques doivent être répétées autant de fois que le nombre de mailles sur l'aiguille le permet
( ) nfs	les instructions entre parenthèses doivent être répétées n fois (n = 1 ou 2 ou 3, etc.)
échantillon	le nombre de mailles et de rangs pour une surface donnée qu'il faut obtenir en utilisant le fil et les aiguilles indiqués
rép	répétez (ou répétition)
jus	jusqu'à (ou jusqu'à ce que)
com	commencement (ou commencez)

Multiples et répétitions

Pour tricoter, il faut exécuter certains mouvements qu'ensuite on répétera. Cette suite est exprimée de la façon suivante :
Multiple de 6 plus 3
Rg 1 : *3 end, 3 env,* 3 end
Rg 2 : 3 env, *3 end, 3 env*
Toute partie d'explication placée entre deux astérisques est à répéter jusqu'à épuisement des mailles sur l'aiguille. Il faut donc monter sur l'aiguille un nombre *multiple* du nombre de mailles placé entre astérisques et y ajouter les mailles de lisière, c'est-à-dire les mailles suivant immédiatement l'astérisque dans l'exemple mentionné plus haut. Parfois les mailles de lisière précèdent l'astérisque, elles permettent dans les deux cas d'équilibrer un point ou de décaler vers la droite (ou la gauche) certains motifs d'un point.

Habituellement, pour un même point, la suite des mailles entre astérisques ne varie pas. S'il y a des changements, comme dans les points ajourés, l'équilibre est rétabli au rang suivant.

Si vous désirez substituer un point à un autre, vous devez tenir compte de la relation entre le *multiple* et le nombre total de mailles. Par exemple, si vous montez 126 mailles, plus les mailles de lisière qui souvent ne sont pas indiquées, vous pouvez employer un point qui demande un multiple de 6 ou un multiple de 7, car 126 est divisible et par 6 et par 7. Si vous employez un point qui demande un multiple de 8, il vous faudra alors changer le nombre total de mailles (et parfois l'échantillon), car 126 n'est pas divisible par 8.

Le terme **répéter** qu'on rencontre dans les directives indique le nombre de rangs à tricoter pour compléter verticalement le point.

Vérification des mesures

Pour réussir un modèle, il faut avant tout reproduire l'**échantillon** donné ou encore la **jauge** donnée. L'échantillon est la quantité de mailles et de rangs existant dans une *unité* de surface donnée de tricot, obtenus avec le fil et les aiguilles recommandés. La grandeur de l'article fini dépend de l'échantillon; il faut donc le reproduire très fidèlement. Au début de chaque projet, faites un échantillon de 10 centimètres de côté (4″) en utilisant le fil et les aiguilles indiqués. Par exemple, s'il est mentionné 10 mailles et 14 rangs pour un carré de 5 centimètres de côté (2″), montez 20 mailles et tricotez 28 rangs. Placez l'échantillon terminé à l'endroit sur une surface unie et épinglez-en les coins en prenant garde de ne pas l'étirer (vous pouvez travailler sur une planche à repasser). Avec la règle ou un ruban à mesurer, comptez le nombre de mailles et de rangs dans 5 centimètres (2″), tel qu'indiqué ci-dessous. Si vos résultats ne coïncident pas exactement, tricotez un nouvel échantillon avec des aiguilles d'une grosseur plus grande ou plus petite. Votre réussite dépend de votre échantillon; une erreur, si petite soit-elle au niveau de l'échantillon, peut prendre beaucoup d'importance au niveau du modèle.

Pour la mesure horizontale, placez deux épingles à 5 cm (2″) de distance et comptez les mailles entre elles. Il est plus facile de compter les mailles sur l'endroit du point de jersey parce que chaque boucle représente une maille. La photo de gauche indique bien que 11 mailles = 5 cm (2″). Au point mousse, tenez compte des boucles d'une rangée seulement.

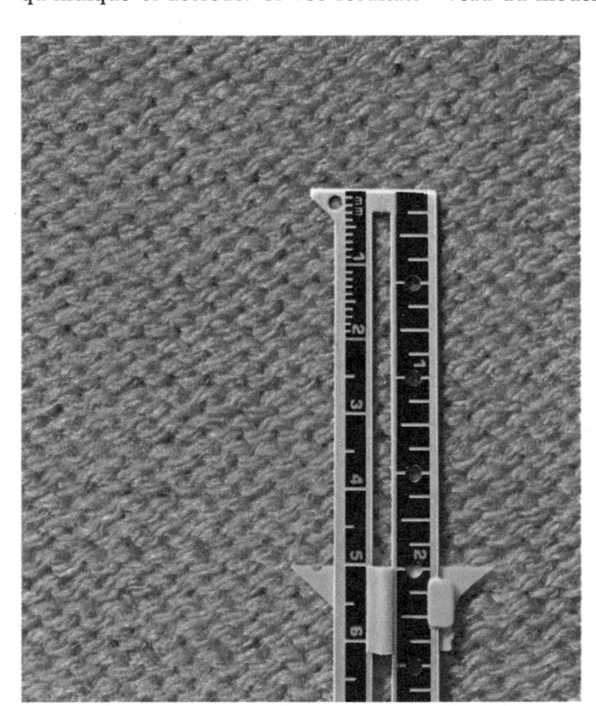

Pour la mesure verticale, placez deux épingles à 5 cm (2″) de distance et comptez les rangs entre elles. Il est plus facile de compter les rangs sur l'envers du point de jersey, parce que chaque arête représente un rang. La photo de gauche indique bien que 14 rangs = 5 cm (2″). Au point de jarretière, chaque arête et chaque sillon représentent chacun un rang.

Augmentations levées 290
Mailles allongées dans les points ajourés 307

Mailles allongées

On peut varier le tricot en allongeant certaines mailles par rapport aux autres. Trois méthodes sont illustrées ici.

Une **maille glissée** est une maille allongée, passée d'une aiguille à l'autre sans être tricotée. On obtient une boucle verticale allongée, sur l'endroit, et une arête horizontale, plutôt lâche, sur l'envers. Habituellement, dans les points de fantaisie, les mailles sont glissées comme si on les tricotait à l'*envers* et le fil ne change pas de position. Dans les diminutions, la maille est glissée comme si on la tricotait à l'*endroit* (p. 292).

Une **maille double** est une maille endroit deux fois plus longue qu'une maille ordinaire, tricotée dans la boucle au-dessous de la maille sur l'aiguille gauche. Il ne faut pas confondre ceci avec une augmentation levée (p. 290). La maille double n'est tricotée qu'une fois, les boucles supérieure et inférieure glissant ensemble sous l'aiguille droite. Cette méthode ne peut s'appliquer qu'à une maille sur deux dans un rang.

Une **maille allongée simple** s'obtient en enroulant le fil une fois ou plus autour de l'aiguille et en laissant tomber les boucles supplémentaires au rang suivant. Cette technique est généralement employée sur un rang entier.

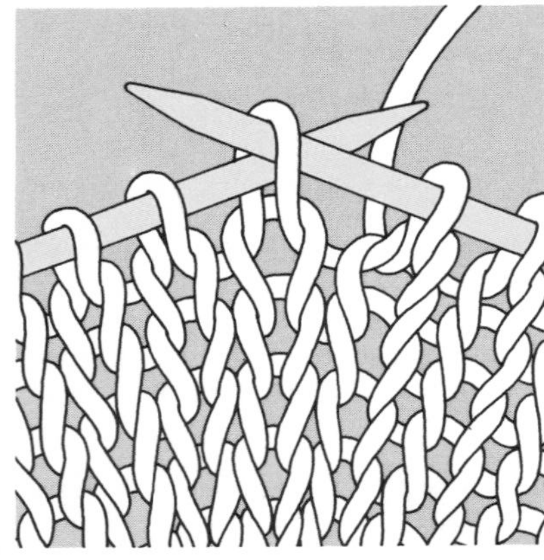

Pour glisser une maille endroit comme pour la tricoter à l'envers (cp env) : le fil à l'arrière, on pique l'aiguille de droite à gauche à l'avant de la maille que l'on glisse sur l'aiguille droite.

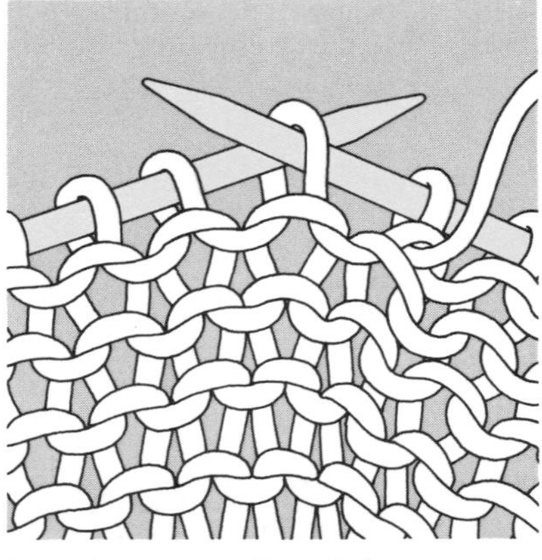

Pour glisser une maille endroit comme pour la tricoter à l'endroit (cp end) : le fil à l'arrière, on pique l'aiguille de gauche à droite à l'avant de la maille que l'on glisse sur l'aiguille droite.

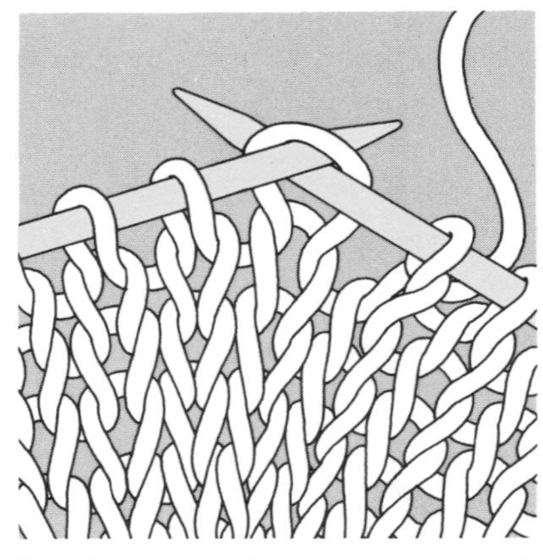

Pour glisser une maille envers comme pour la tricoter à l'envers (cp env) : le fil à l'avant, on pique l'aiguille de droite à gauche à l'avant de la maille que l'on glisse sur l'aiguille droite.

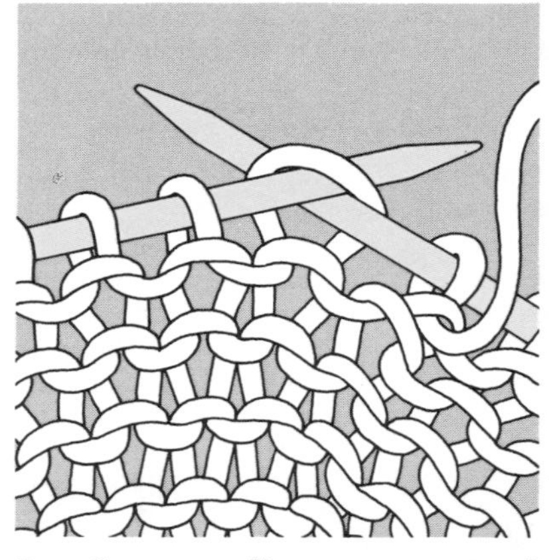

Pour glisser une maille envers comme pour la tricoter à l'endroit (cp end) : le fil à l'avant, on pique l'aiguille de gauche à droite à l'avant de la maille que l'on glisse sur l'aiguille droite.

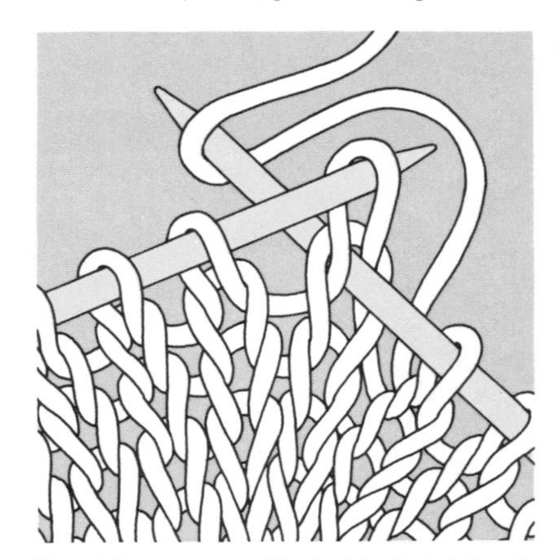

Pour tricoter une maille double (bcle inf end) : on pique l'aiguille droite d'avant en arrière dans le centre de la boucle du rg précédent, sous la maille; on passe le fil autour de l'aiguille droite.

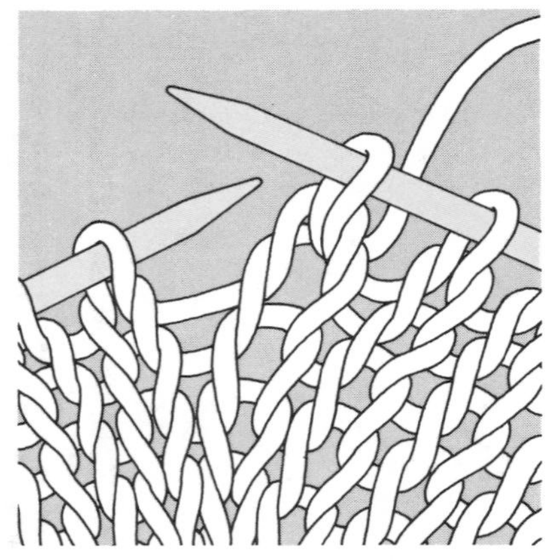

On tire le fil à travers les deux boucles superposées qui vont sous l'aiguille droite et on obtient ainsi la nouvelle maille. Il faut une maille ordinaire entre deux mailles doubles.

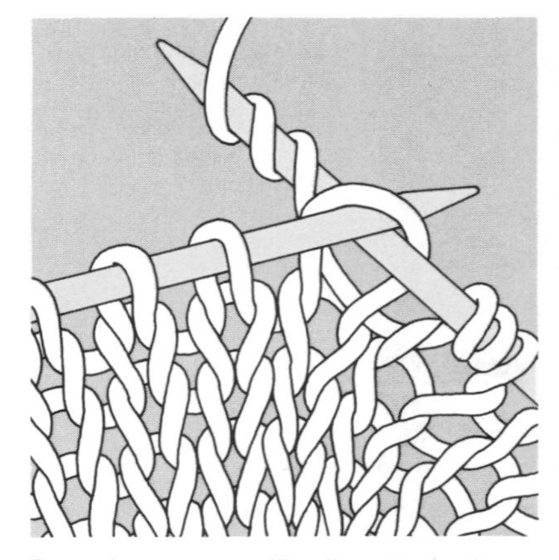

Pour tricoter une maille allongée simple : on enroule le fil deux ou trois fois (**00** ou **000**) autour de l'aiguille droite avant de former la maille suivante.

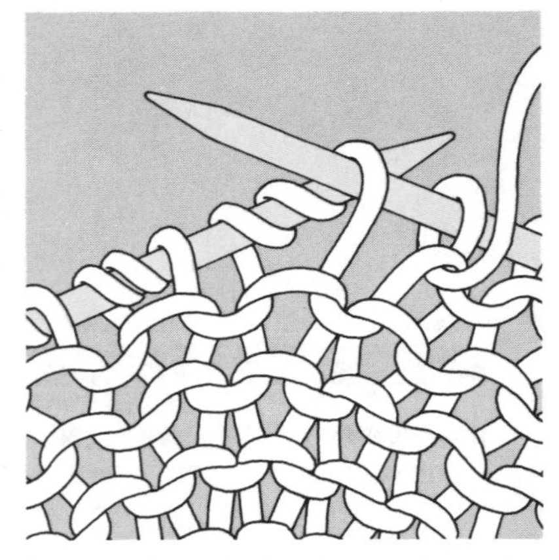

Au rang suivant, les boucles supplémentaires tombent d'elles-mêmes avec chaque maille tricotée. Les mailles obtenues ainsi peuvent former des rivières (p. 307).

Augmentations

Une **augmentation** (aug) en tricot, c'est l'addition d'une maille, que nous appellerons *nouvelle maille* par opposition aux mailles montées. Sa principale fonction est d'élargir certaines parties de l'ouvrage mais aussi de produire des points de fantaisie, tels que les points ajourés, les mouches et les nœuds. On compense les augmentations par des diminutions au même rang ou au suivant, ainsi le nombre total des mailles ne change pas.

Il y a quatre augmentations fondamentales : le **jeté** (à droite), l'**intercalaire** (p. 290), la **levée** (p. 290) et la **barrée** (p. 291). On peut aussi se servir des **montages** (pp. 274-275) quand il faut ajouter trois mailles ou davantage sur les côtés de l'ouvrage. Les directives du tricot ne disent pas toujours comment augmenter. Si vous vous familiarisez avec les diverses méthodes, vous pourrez alors choisir la plus appropriée.

Ce choix sera dicté par l'apparence de l'ouvrage et aussi par l'endroit où se place l'augmentation. Le jeté, qui produit un trou, n'est utilisé qu'à des fins décoratives, dans les points ajourés par exemple. L'augmentation barrée est décorative et facile à répéter. L'augmentation levée est presque invisible. Elle sert à façonner une pince ou un élargissement discret. L'augmentation intercalaire, très utilisée, peut être décorative ou invisible, selon la manière dont elle est faite.

Quand vous ajoutez des mailles graduellement, pour élargir une manche par exemple, la lisière de couture sera plus égale si vous placez les rajouts à deux ou trois mailles de la bordure. Mais mieux vaut augmenter dans la lisière qu'altérer un point de fantaisie.

Pour augmenter rapidement ou former un chevron, on utilise l'**augmentation double** (p. 291). Ce sont des additions par paires, faites de chaque côté d'un axe, ou maille centrale. Elles plaisent par leur symétrie.

AUGMENTATION À JOURS

L'augmentation à jours par des jetés se fait en passant le fil autour de l'aiguille entre deux mailles. On l'emploie surtout pour les points ajourés. On enroule le fil autour de l'aiguille, formant ainsi une boucle qui sera tricotée à l'endroit ou à l'envers au rang suivant. La direction de l'enroulement du fil dans un jeté dépend du genre de maille qui le précède et qui le suit.

Parfois, les instructions demandent un jeté multiple. Ceci se fait comme pour les mailles allongées (page précédente), mais toutes les boucles doivent être tricotées au rang suivant.

Jeté avant la première maille endroit (pour lisière formant picot et certains points ajourés) : avec le fil *devant* l'aiguille droite, piquez dans la première maille endroit et tricotez-la.

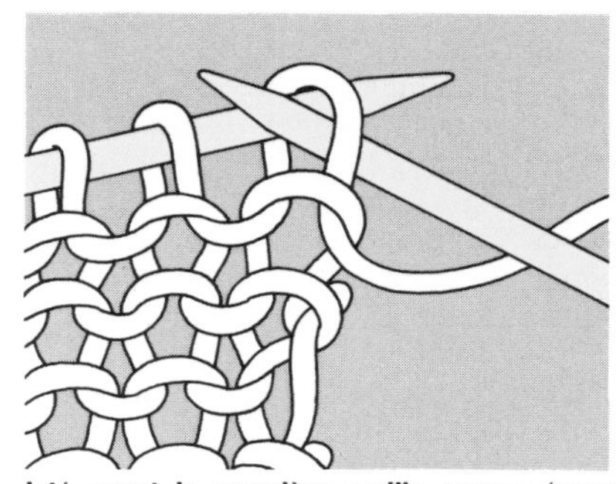

Jeté avant la première maille envers (pour lisière formant picot et certains points ajourés) : avec le fil *derrière* l'aiguille droite, piquez dans la première maille envers et tricotez-la.

Jeté après maille endroit, avant maille envers (côtes) : amenez le fil en avant, faites un tour par-dessus l'aiguille droite vers l'arrière et par-dessous, vers l'avant, et tricotez la maille envers.

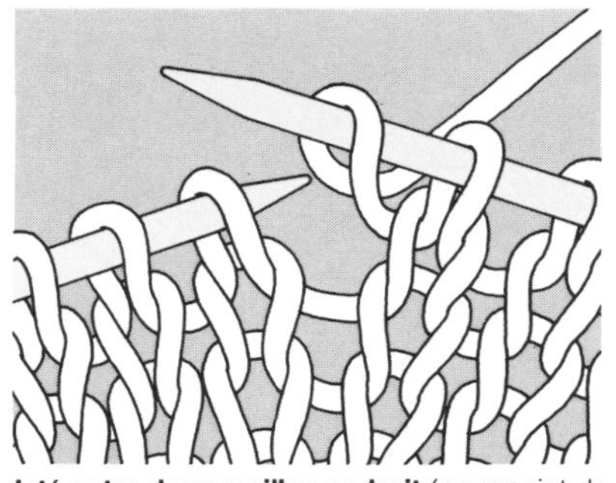

Jeté entre deux mailles endroit (pour point de jersey et points ajourés) : amenez le fil en avant de l'ouvrage en le passant d'abord *sous* l'aiguille droite puis *par-dessus*.

Jeté entre deux mailles endroit (pour point mousse) : amenez le fil en avant *par-dessus* l'aiguille droite puis *par-dessous*, en position pour tricoter la maille suivante à l'endroit.

Jeté après une maille envers, avant une maille endroit (côtes) : passez le fil dessus l'aiguille droite, d'avant en arrière. La maille rajoutée est visible dès la maille suivante.

Jeté entre deux mailles envers (pour point de jersey envers et points ajourés) : passez le fil en arrière *par-dessus* l'aiguille droite et ramenez-le en avant *par-dessous*.

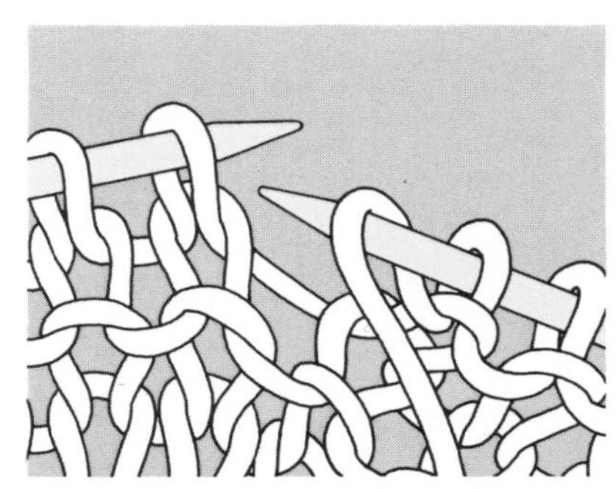

Jeté entre deux mailles envers (pour point mousse) : passez le fil en arrière *sous* l'aiguille puis vers l'avant *par-dessus*. La nouvelle maille apparaît dès que la suivante est complétée.

Points ajourés 304-307

Augmentations

AUGMENTATION INTERCALAIRE

L'augmentation intercalaire se fait en piquant l'aiguille gauche en-dessous du fil horizontal entre deux mailles et en le travaillant avec l'aiguille droite comme une maille normale. Il y a deux manières de prendre le fil et chacune donne un résultat bien différent. Que vous tricotiez à l'endroit ou à l'envers, si vous piquez l'aiguille par-devant, vous aurez un jour. Si vous piquez l'aiguille par-derrière, le fil est tordu et vous aurez un rajout pratiquement invisible. L'augmentation intercalaire est employée pour façonner des pinces ou pour façonner un élargissement discret.

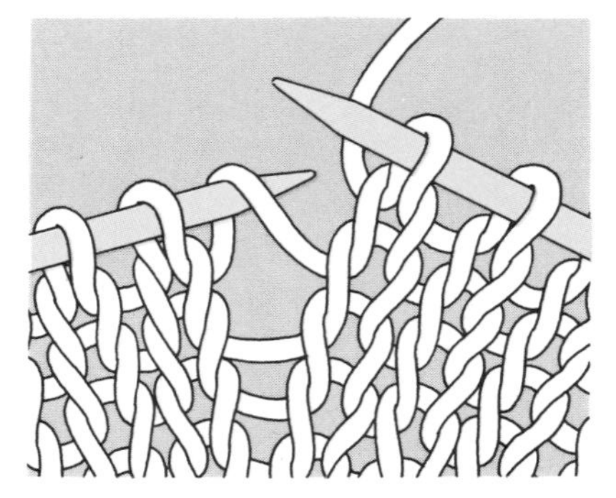

La première étape d'une augmentation intercalaire est de piquer l'aiguille gauche d'avant en arrière sous le fil horizontal entre 2 mailles.

AUGMENTATION LEVÉE

L'augmentation levée s'obtient en tricotant d'abord la boucle du rang inférieur, puis la maille du dessus. Elle se voit seulement par le fait que les points ont une inclinaison marquée. On utilise ces inclinaisons dans les augmentations par paires, en les faisant de part et d'autre du centre.

L'augmentation levée étant peu apparente, on peut l'employer plusieurs fois dans un rang, par exemple pour élargir une manche au-dessus d'un poignet en côtes. Mais si on la répète verticalement, il faut relâcher la tension : ces mailles ont tendance à tirer.

Effet symétrique dans une augmentation : faites l'inclinaison à gauche avant la maille centrale et l'inclinaison à droite après celle-ci.

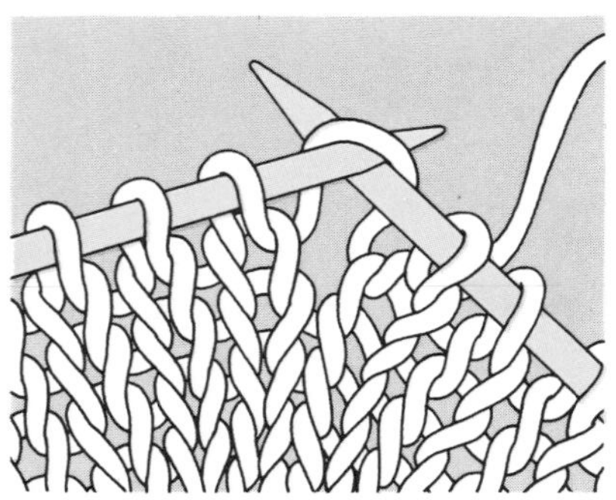

Effet décoratif dans un rang endroit : tricotez le fil avant du brin soulevé (un jour se forme sous la nouvelle maille).

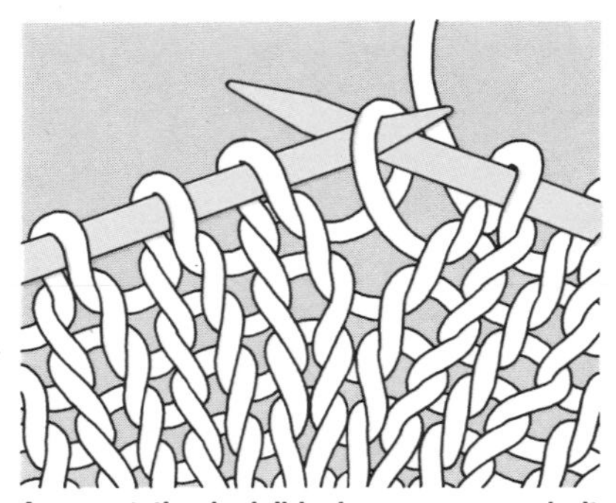

Augmentation invisible dans un rang endroit : tricotez le fil arrière du brin soulevé (la maille sera tordue et passera presque inaperçue).

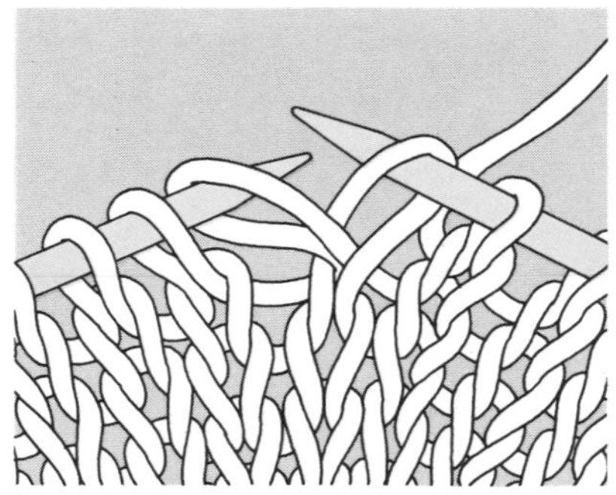

Augmentation levée à droite dans un rang endroit : piquez l'aiguille *droite* dans la tête de la boucle; tricotez la boucle et la maille.

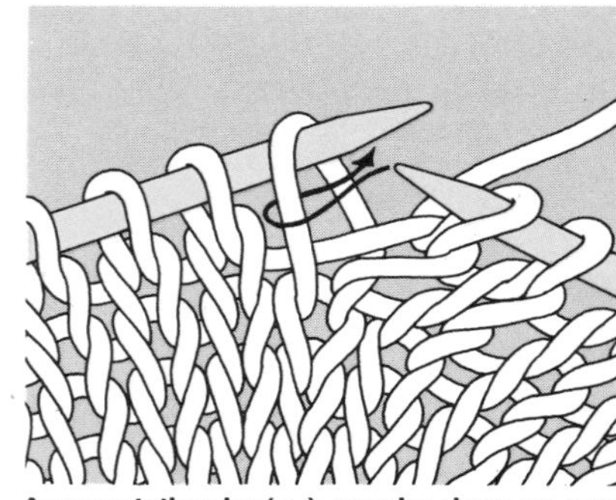

Augmentation levée à gauche dans un rang endroit : piquez l'aiguille *gauche* dans la tête de la boucle; tricotez-la (voir la flèche).

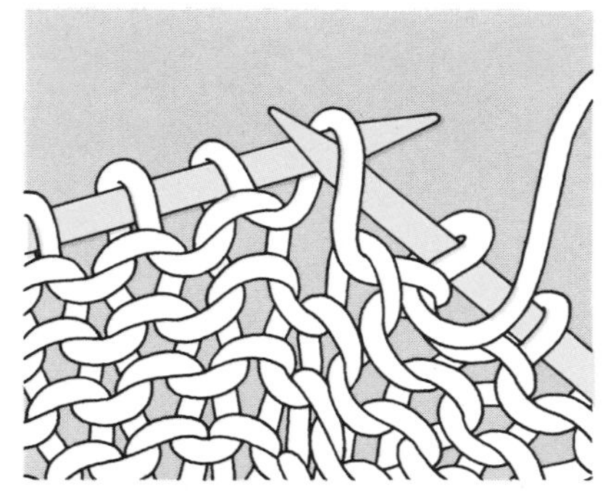

Effet décoratif dans un rang envers : tricotez à l'envers le fil avant du brin soulevé (un jour se forme sous la nouvelle maille).

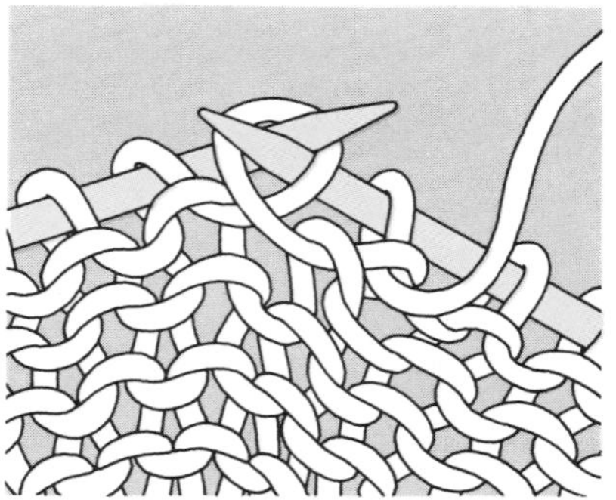

Augmentation invisible dans un rang envers : tricotez le fil arrière du brin soulevé (la nouvelle maille sera tordue et peu apparente).

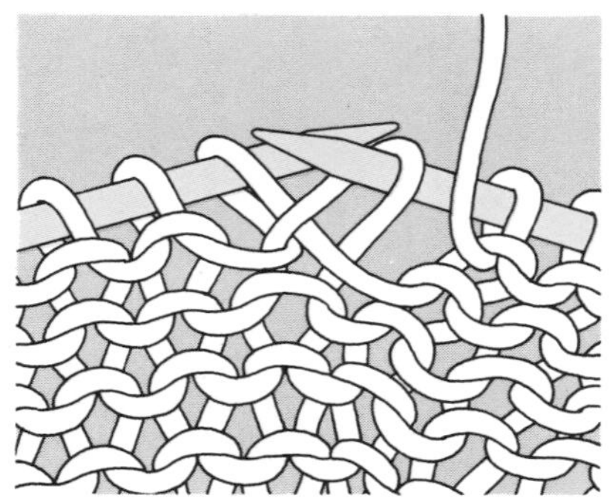

Augmentation levée à droite dans un rang envers : piquez l'aiguille *droite* dans la tête de la boucle; tricotez la boucle et la maille.

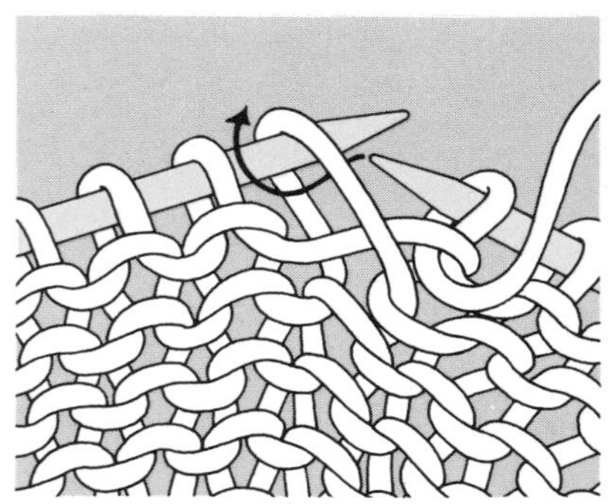

Augmentation levée à gauche dans un rang envers : piquez l'aiguille *gauche* dans la tête de la boucle; tricotez-la (voir la flèche).

AUGMENTATIONS BARRÉES/PERLÉES

Les augmentations barrées et perlées se font en travaillant deux fois la même maille. Dans l'augmentation barrée, on tricote à l'endroit l'avant puis l'arrière d'une maille; dans l'augmentation perlée, on tricote le brin avant de la maille, à l'endroit puis à l'envers.

La barre (augmentation barrée) *suit* toujours la maille sur laquelle l'augmentation vient d'être faite; il faut s'en souvenir dans le cas d'augmentations par paires. Par exemple, si l'on fait une augmentation à trois mailles de la bordure à droite, il faut la faire à quatre mailles de la bordure à gauche.

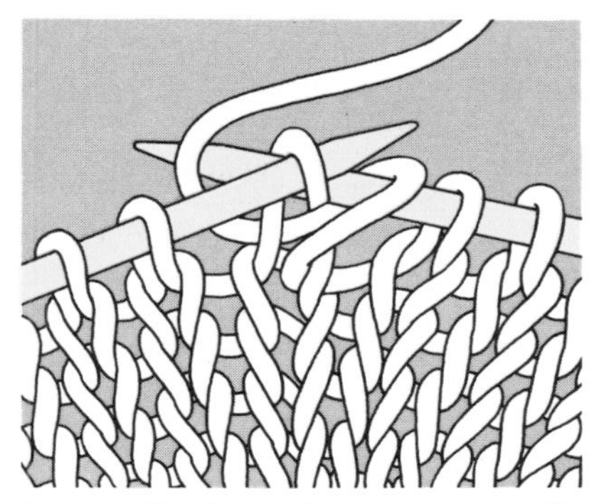

Augmentation barrée dans un rang endroit : tricotez une maille à l'endroit et tricotez-la de nouveau à l'endroit en la prenant par l'arrière.

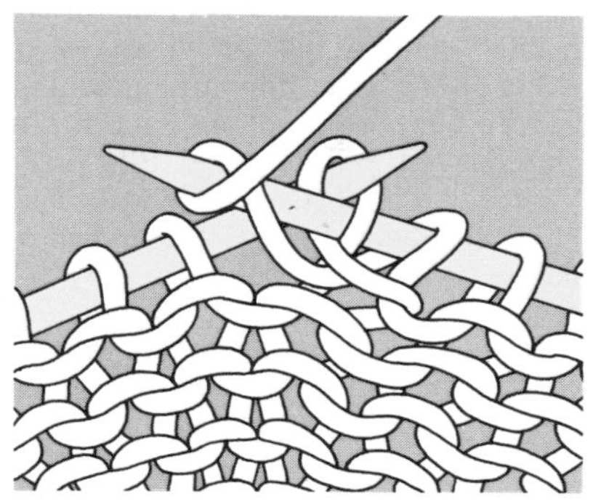

Augmentation barrée dans un rang envers : tricotez une maille à l'envers et tricotez-la de nouveau à l'envers en la prenant par l'arrière.

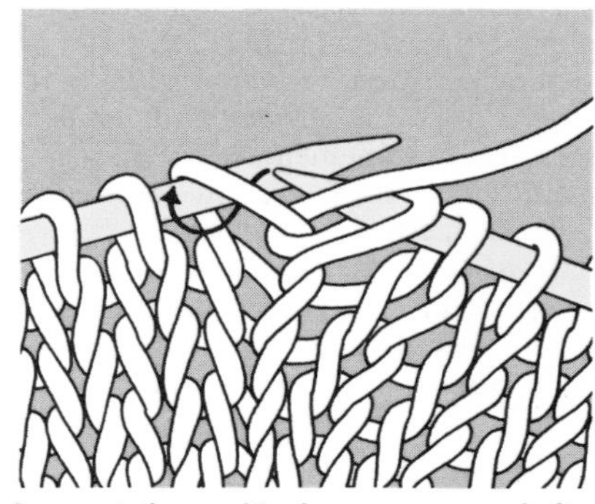

Augmentation perlée dans un rang endroit : tricotez à l'endroit puis à l'envers sur le devant de la même maille.

Augmentations symétriques

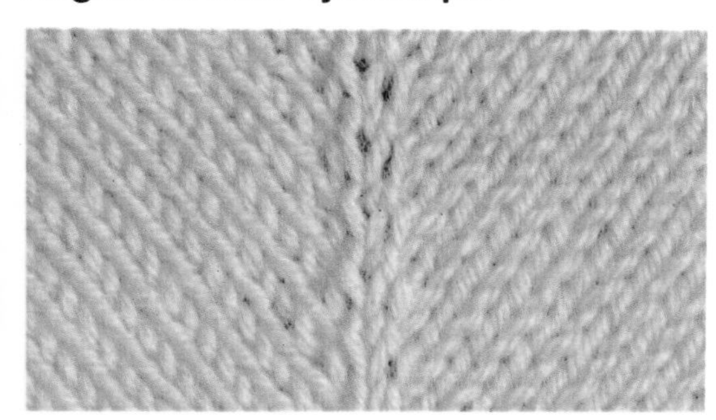

Augmentation intercalaire double : tricotez l'arrière du brin, le centre, et l'arrière du brin suivant.

Augmentation levée double : faites une augmentation levée à gauche, tricotez le centre, faites une augmentation levée à droite.

Augmentation levée double dans une maille : tricotez la boucle sous le centre et l'arrière du centre, et encore sous le centre.

Augmentation barrée double : tricotez l'avant et l'arrière de la maille précédant le centre, et le centre.

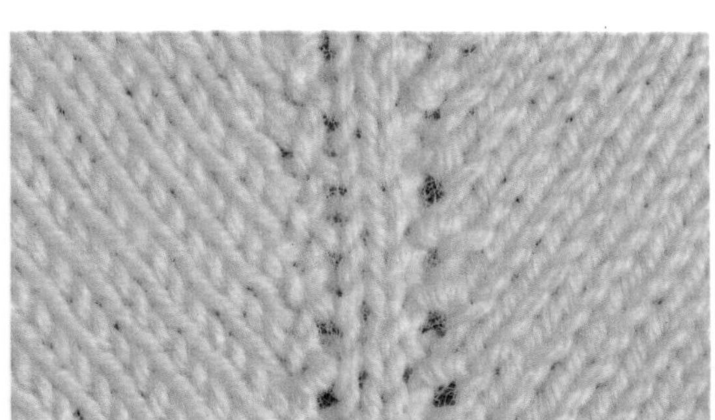

Augmentation perlée double : tr end et env la m avant le centre; tricotez le centre, puis tr end et env la m suivante.

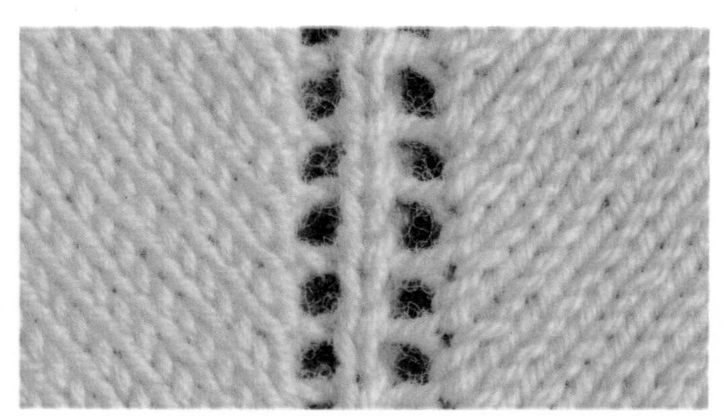

Augmentation à jours doubles : faites un jeté avant la maille centrale et un autre jeté immédiatement après.

Mailles glissées 288

Diminutions

La **diminution (dim)** est la suppression d'une ou plusieurs mailles. Elle sert en général à façonner un ouvrage, à le rétrécir. Si les diminutions sont compensées par des augmentations, elles forment des points ajourés ou des nœuds.

Deux méthodes sont expliquées ci-dessous et sur la page suivante. Elles se ressemblent mais la tension est difficile à contrôler dans la première méthode (ci-dessous).

Les deux méthodes rabattent les mailles en diagonale sur la gauche ou sur la droite. Si les diminutions sont effectuées en bordure ou au hasard, l'inclinaison est peu sensible. Elle prend beaucoup d'importance cependant dans le façonnement d'une épaule raglan ou d'une encolure en pointe (en V). La règle à suivre dans ces cas est d'incliner à droite sur le côté gauche de l'ouvrage et à gauche sur le côté droit. Avec le point de jersey, par exemple, au début du rang, vous glissez une maille, tricotez la suivante à l'endroit et passez la maille glissée par-dessus la tricotée, tandis qu'à la fin du rang, vous tricotez deux mailles ensemble.

Pour un façonnement graduel, les mailles sont réduites une à une sur l'endroit de l'ouvrage, ce qui veut dire tous les deux rangs. S'il faut réduire à chaque rang, on doit veiller à continuer la même ligne d'inclinaison sur l'envers.

Pour façonner une encolure carrée, on emploie la **diminution double**, c'est-à-dire des mailles travaillées par paires de chaque côté d'une maille centrale, formant une arête assez marquée.

Pour supprimer trois mailles ou davantage, il est préférable de rabattre tout simplement le nombre voulu de mailles (p. 282). C'est le cas, par exemple, au début d'une emmanchure.

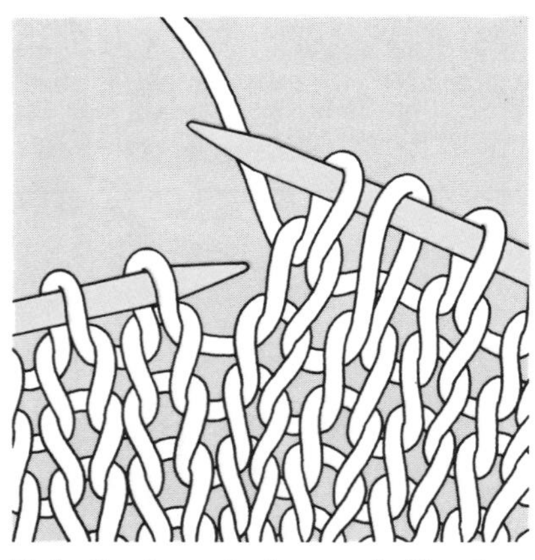

Diminution à gauche (rang endroit) : glissez une maille endroit; tricotez la suivante.

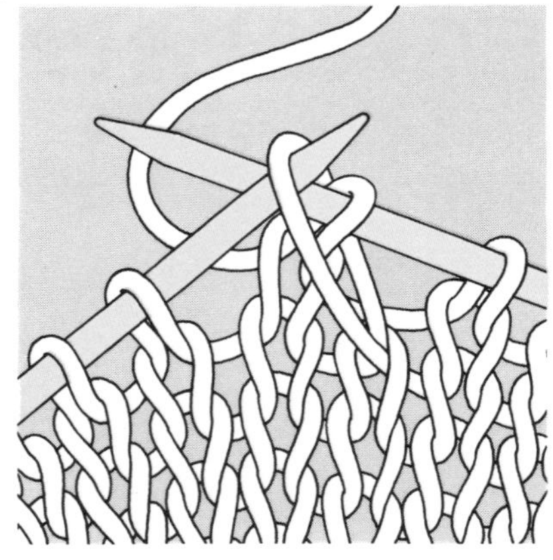

Piquez l'aiguille gauche dans le brin avant de la m glissée et passez-le par-dessus la m tricotée.

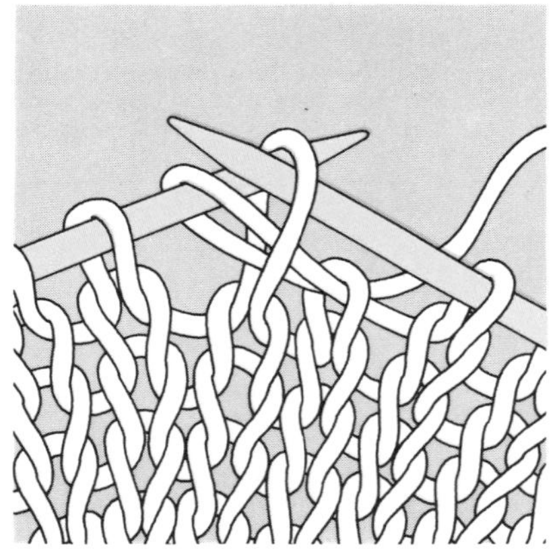

Diminution à droite (rang endroit) : la tricotée remise sur l'aiguille, l'autre par-dessus.

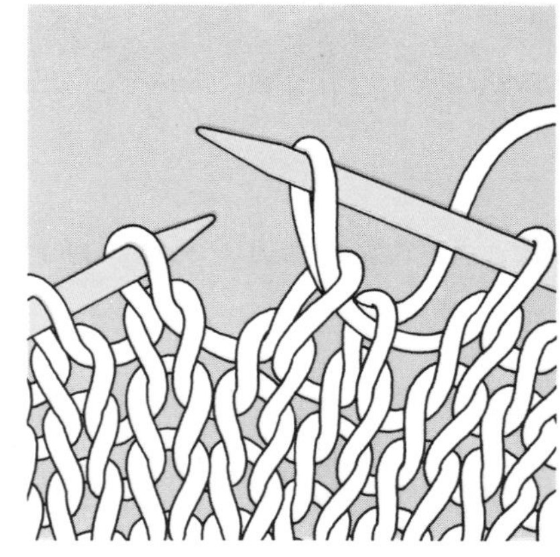

Replacez la maille tricotée sur l'aiguille droite en la glissant comme pour la tricoter à l'envers.

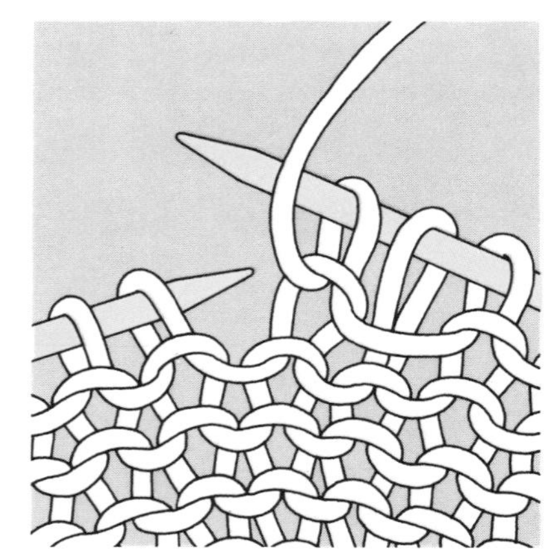

Diminution à droite (rang envers) : maille glissée à l'endroit; l'autre tricotée à l'envers.

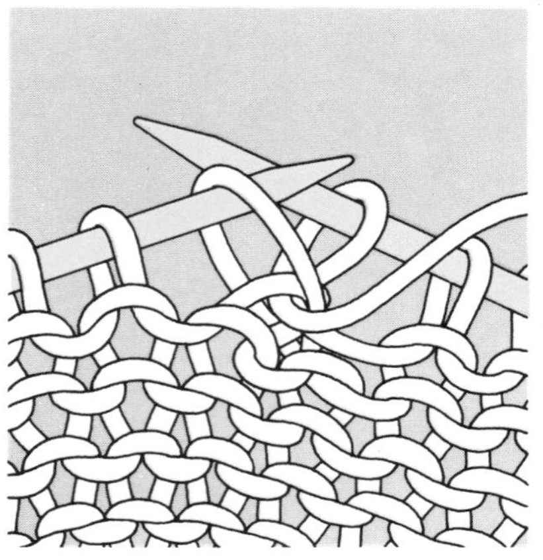

Piquez l'aiguille gauche dans le brin avant de la m glissée et passez-le par-dessus la m tricotée.

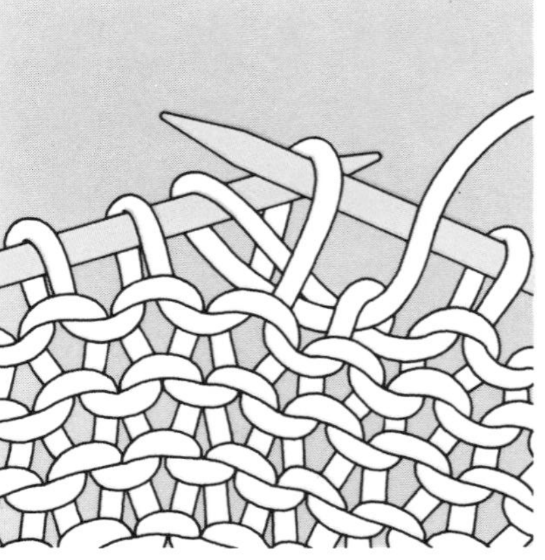

Diminution à gauche (rang envers) : la tricotée remise sur l'aiguille, l'autre par-dessus.

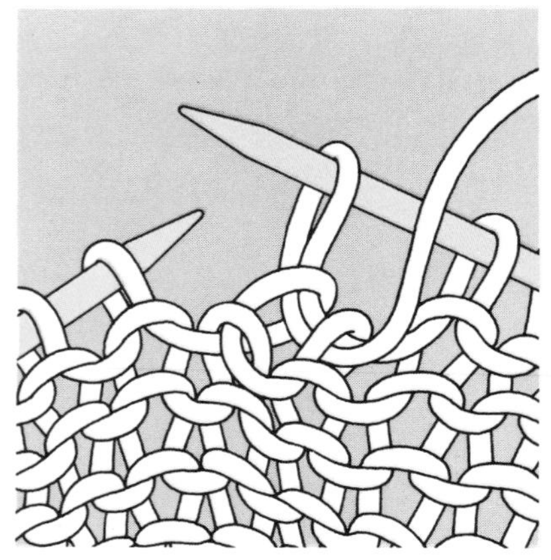

Remettez cette maille sur l'aiguille droite en la prenant comme pour la tricoter à l'envers.

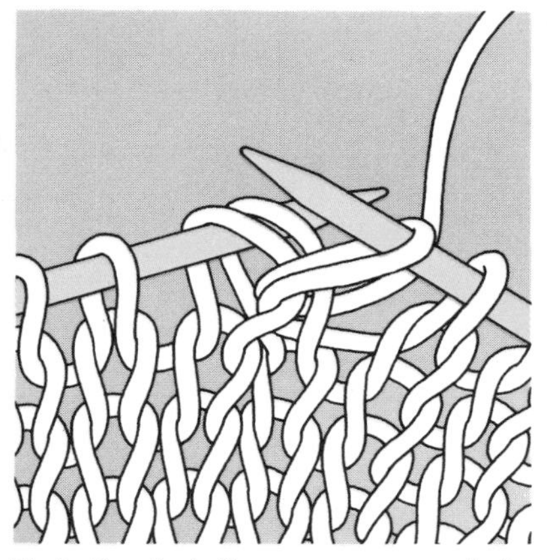

Diminution à droite sur un rang endroit : tricotez ensemble deux mailles par devant.

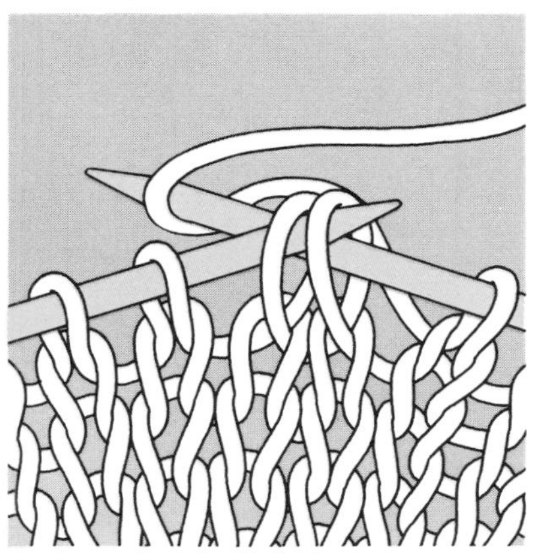

Diminution à gauche sur un rang endroit : tricotez ensemble deux mailles par l'arrière.

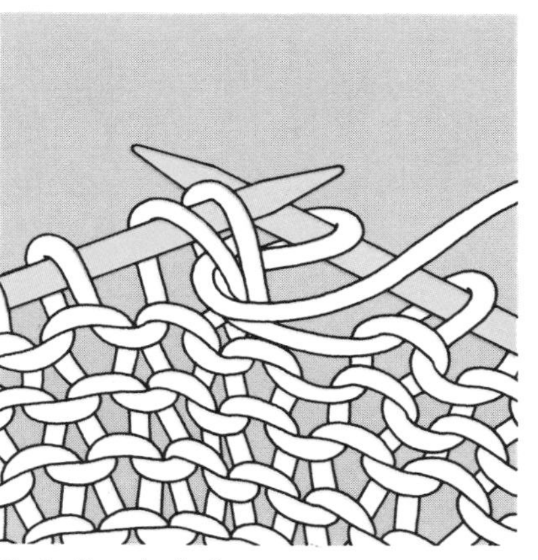

Diminution à droite sur un rang envers : tricotez ensemble deux mailles par devant.

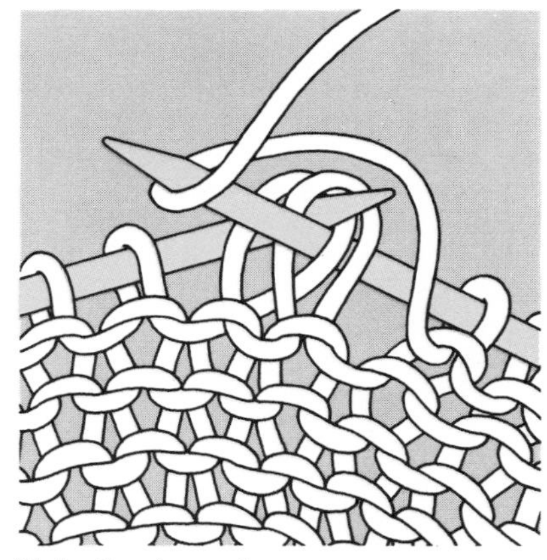

Diminution à gauche sur un rang envers : tricotez ensemble deux mailles par l'arrière.

Diminutions symétriques

Diminution double, inclinaison à gauche (3 end ens arr) : tricotez 3 mailles à l'endroit ensemble par l'arrière des boucles. Ceci donne une arête épaisse avec des diagonales très prononcées de chaque côté.

Diminution double, inclinaison à droite (3 end ens) : tricotez 3 mailles ensemble prises par le brin avant des 3 boucles. Ceci donne une arête épaisse avec des diagonales très prononcées de chaque côté.

Diminution double par surjet avec chevauchement à gauche (surj dble) : glissez une maille en la prenant comme pour tricoter à l'endroit; tricotez les 2 mailles suivantes ensemble; passez la maille glissée par-dessus la précédente (double). Cette diminution est semblable à la précédente en apparence, mais moins serrée et plus facile à travailler.

Diminution double par surjet vertical : glissez 2 mailles comme pour les tricoter à l'endroit, introduisant l'aiguille dans la seconde maille, puis dans la première. Tricotez la maille suivante et passez les 2 mailles glissées par-dessus celle qui est tricotée. Cette arête nette s'harmonise bien avec une encolure en V.

Aiguille auxiliaire 273 Points croisés 308-309
Torsades 310-311

Mailles croisées

Les **mailles croisées** produisent de beaux effets décoratifs tels que les torsades, les nattes, les points de vannerie et les nids d'abeilles. Les mailles croisées paraissent tordues parce qu'elles sont étirées en diagonale. Le sens de l'inclinaison est déterminé par la manière dont les mailles sont travaillées, en avant ou en arrière de l'ouvrage.

Pour croiser deux mailles, on tricote d'abord la deuxième maille de l'aiguille gauche, puis la première. On peut intervertir jusqu'à trois mailles de cette façon, travaillant d'abord la troisième, puis la première et, enfin, la deuxième. Il faut exercer sur le fil, durant ce processus, une tension souple.

Vous trouverez une variante de cette méthode au haut de la page ci-contre. Le résultat diffère légèrement mais s'en approche suffisamment pour lui être substitué, si vous le préférez.

On obtient une torsade en croisant plus de trois mailles. Cette technique nécessite une troisième aiguille à deux pointes (aiguille auxiliaire) sur laquelle les mailles attendent leur tour d'être tricotées. Cette aiguille doit être de la même grosseur, ou plus petite que celles qui sont employées pour l'ensemble de l'ouvrage. On peut tricoter les mailles en attente directement sur l'aiguille auxiliaire, mais certaines personnes préfèrent les glisser de nouveau sur l'aiguille gauche pour les tricoter.

L'apparence d'une torsade varie selon le nombre de mailles interverties, le nombre de rangs entre les torsades et la direction imprimée à la torsade même. Si les mailles en attente sont tenues sur le devant de l'ouvrage, la torsade tournera à gauche; tenues sur l'arrière, la torsade tournera à droite. La plupart des instructions pour les torsades sont écrites en détails et non en abréviations. On fait exception pour l'inversion très employée de deux paires de mailles : T4 av et T4 arr.

Pour croiser à droite 2 mailles à l'endroit : tricotez par devant la 2e maille de l'aiguille gauche mais gardez-la sur l'aiguille.

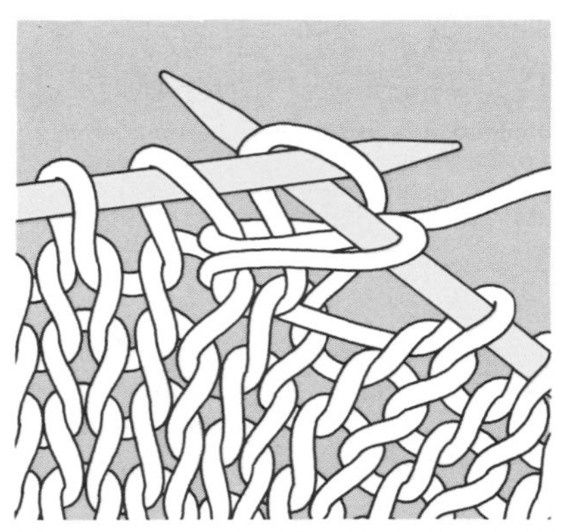

Tricotez par devant la 1re maille (celle qui a été passée) et laissez glisser ces deux mailles hors de l'aiguille gauche.

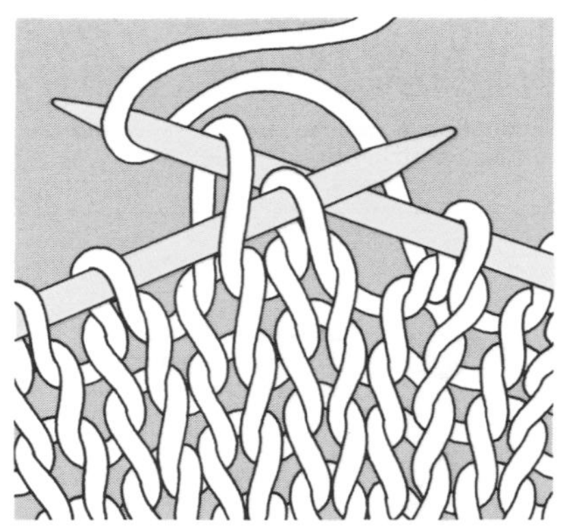

Pour croiser à gauche 2 mailles à l'endroit : tricotez par derrière la 2e maille de l'aiguille gauche mais gardez-la sur l'aiguille.

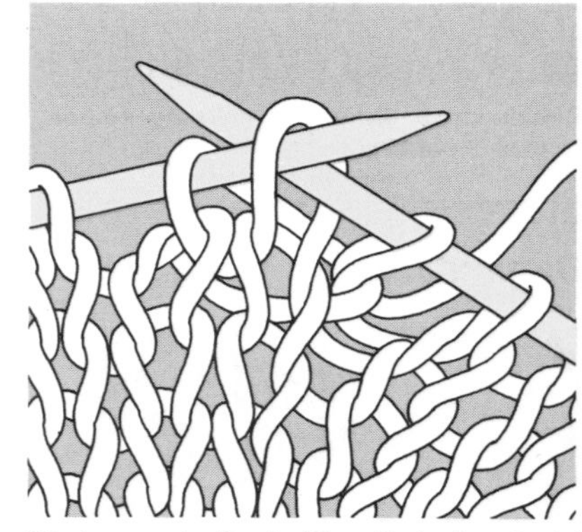

Tricotez par derrière la 1re maille (celle qui a été passée) et laissez glisser ces deux mailles hors de l'aiguille gauche.

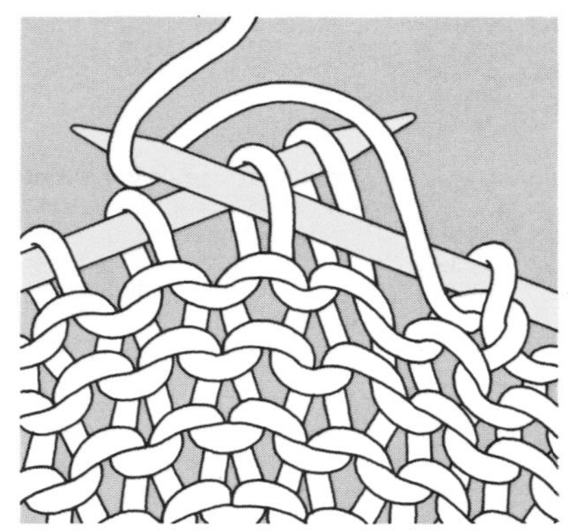

Pour croiser à droite 2 mailles à l'envers : tricotez par devant la 2e maille envers mais gardez-la sur l'aiguille gauche.

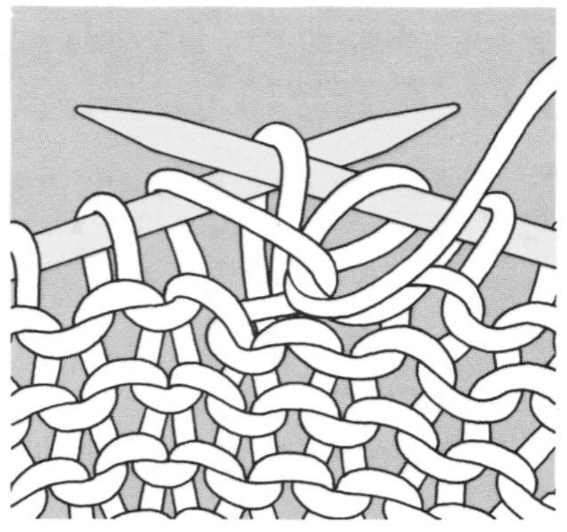

Tricotez à l'envers par devant la 1re maille (celle qui a été passée) et laissez glisser ces deux mailles hors de l'aiguille gauche.

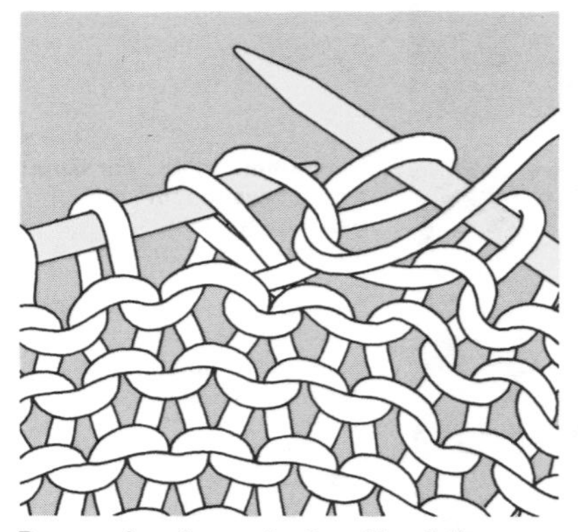

Pour croiser à gauche 2 mailles à l'envers : tricotez à l'envers et par devant la 2e maille et faites-la passer par-dessus la 1re.

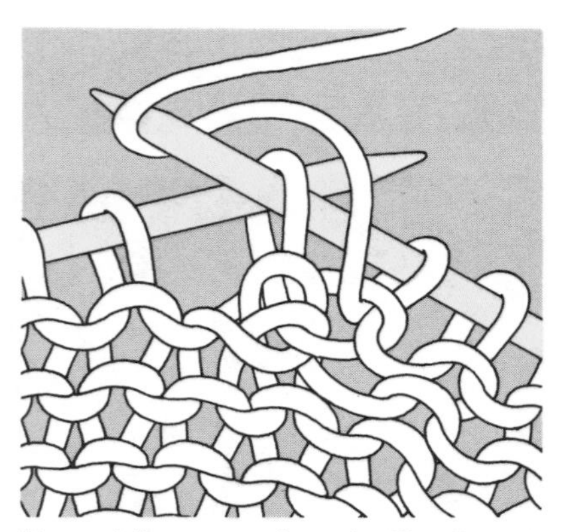

Tricotez à l'envers par devant la 1re maille (celle que l'on vient de contourner) et laissez-la glisser hors de l'aiguille gauche.

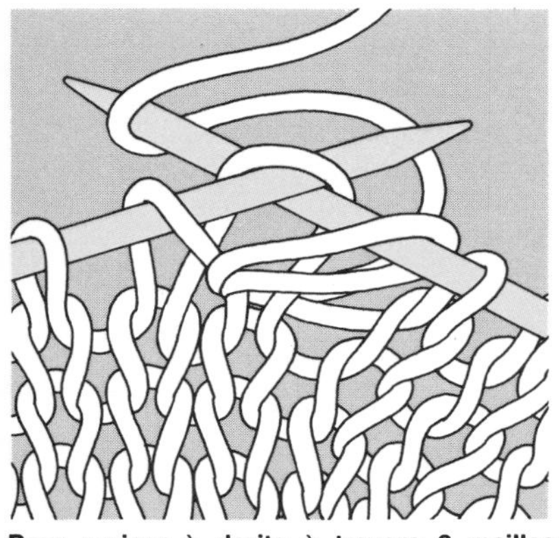

Pour croiser à droite à travers 2 mailles endroit : tricotez à l'endroit à travers 2 mailles prises *par-devant*, retricotez la 1re; glissez les 2 mailles hors de l'aiguille gauche.

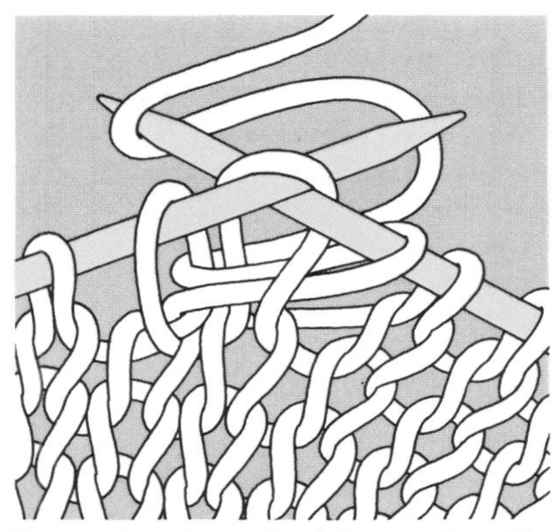

Pour croiser à gauche à travers 2 mailles endroit : tricotez à l'endroit à travers 2 mailles prises *par l'arrière*, retricotez la 1re; glissez les 2 mailles hors de l'aiguille gauche.

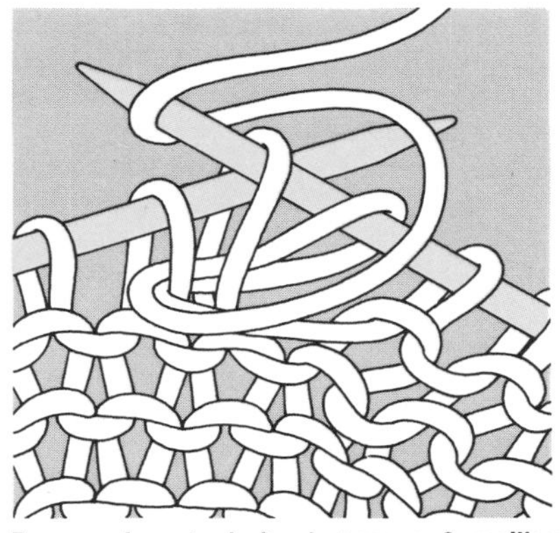

Pour croiser à droite à travers 2 mailles envers : tricotez à l'envers à travers 2 mailles prises *par-devant*, retricotez la 1re; glissez les 2 mailles hors de l'aiguille gauche.

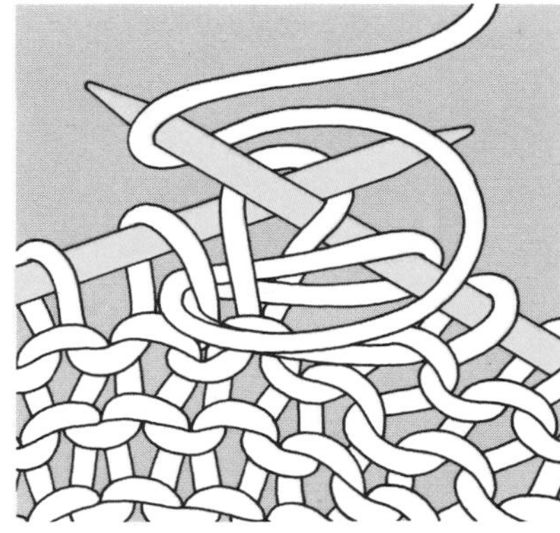

Pour croiser à gauche à travers 2 mailles envers : tricotez à l'envers à travers 2 mailles prises *par-devant*, retricotez la 1re; glissez les 2 mailles hors de l'aiguille gauche.

Torsades avec une aiguille auxiliaire

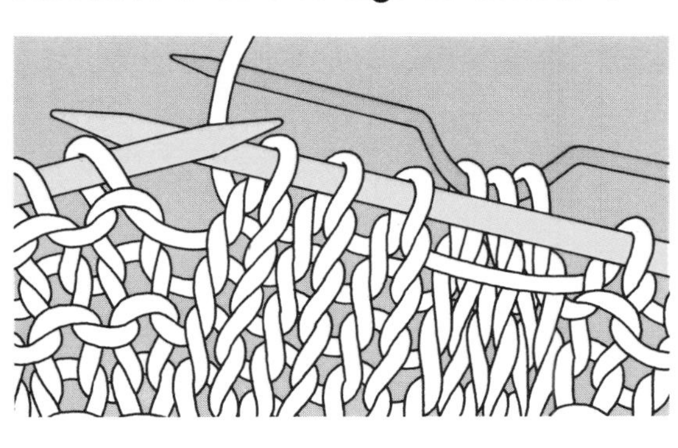

Pour que la torsade tourne à droite, glissez les mailles désignées sur une aiguille auxiliaire et tenez-les en attente à l'arrière de l'ouvrage pendant que vous tricotez les mailles de l'autre partie de la torsade.

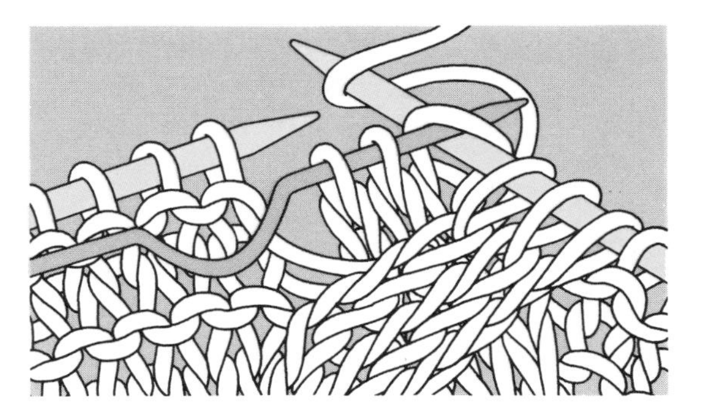

Tricotez les mailles de l'aiguille auxiliaire (voir l'illustration) ou, si vous préférez, remettez ces mailles sur l'aiguille gauche et travaillez-les normalement. Continuez à suivre les directives.

Pour que la torsade tourne à gauche, glissez les mailles désignées sur une aiguille auxiliaire et gardez celle-ci à l'avant de l'ouvrage pendant que vous tricotez les mailles de l'autre partie de la torsade.

Tricotez les mailles de l'aiguille auxiliaire à partir de celle-ci ou, si vous préférez, remettez-les sur l'aiguille gauche et continuez à suivre les directives.

Bagues 273
Multiples 287

Correction des erreurs

Il est parfois nécessaire de corriger une erreur faite en tricotant. Si l'erreur s'est produite au rang précédent, il faut lâcher la maille juste au-dessus et reprendre la boucle libre par une des méthodes expliquées sur cette page. Si l'accident s'est produit quelques rangs plus bas, laissez descendre la maille jusqu'à ce qu'elle efface l'erreur; avec un crochet, reprenez la boucle libre et remontez l'échelle en refaisant le point. Vous pouvez aussi employer cette méthode pour rattraper une maille. Si l'erreur s'est produite plusieurs rangs plus bas, suivez alors les indications du haut de la page suivante.

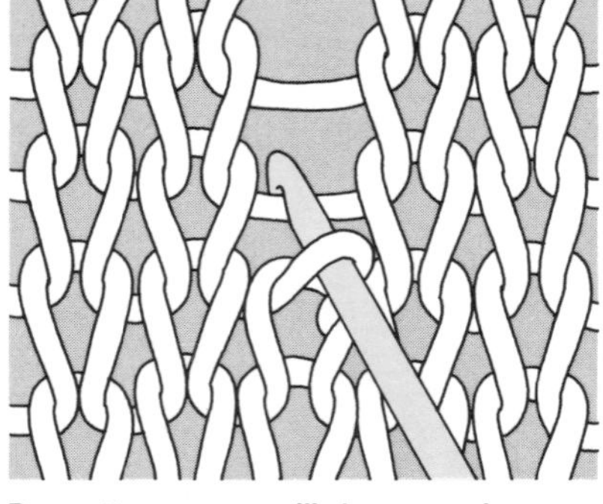

Pour rattraper une maille jersey perdue : avec un crochet, passez une boucle par-dessus les fils horizontaux rencontrés.

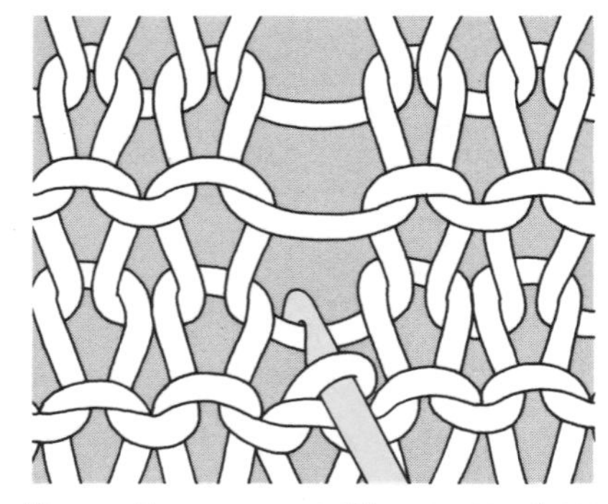

Pour rattraper une maille mousse (rang endroit) : piquez le crochet dans l'avant de la boucle *par-dessus* le fil horizontal.

Sur un rang envers, piquez le crochet d'arrière en avant de la boucle et passez la boucle *sous* le fil horizontal.

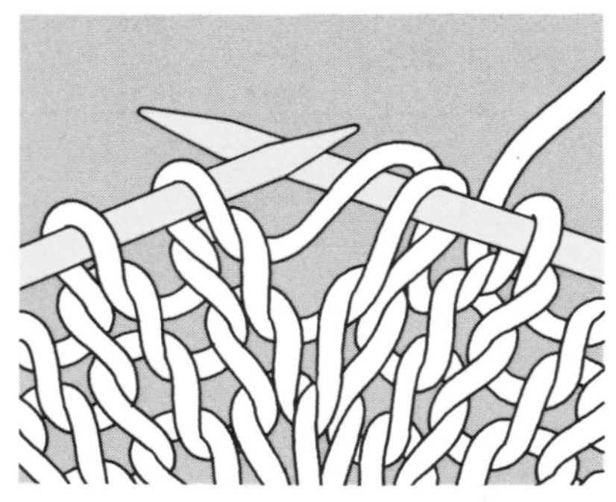

Pour récupérer une maille endroit : piquez l'aiguille droite à travers la boucle tombée et sous le brin horizontal, comme indiqué.

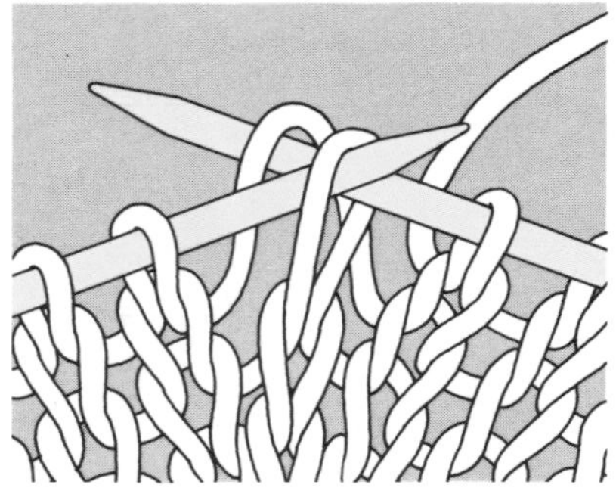

Introduisez l'aiguille gauche d'arrière en avant dans la tête de la boucle et tirez doucement vers le haut puis vers le bout de l'aiguille droite.

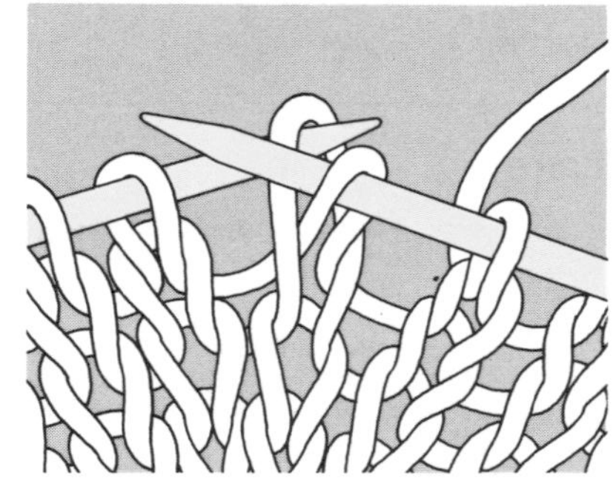

Passez la boucle par-dessus le brin et retirez l'aiguille gauche. La maille sur l'aiguille droite se présente à contresens.

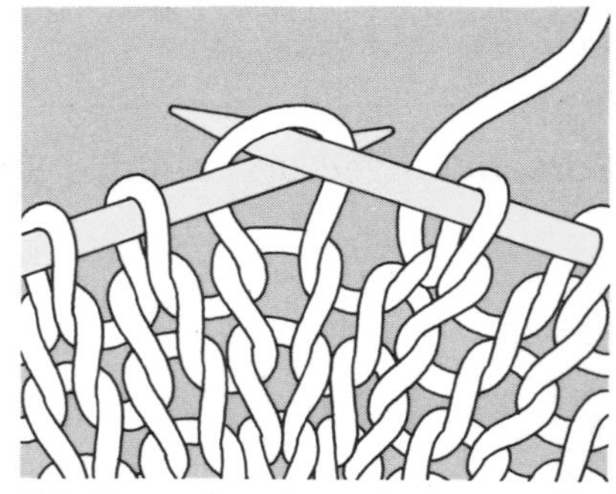

L'aiguille gauche, piquée d'avant en arrière, vient la chercher sur l'aiguille droite et la remet en place à gauche.

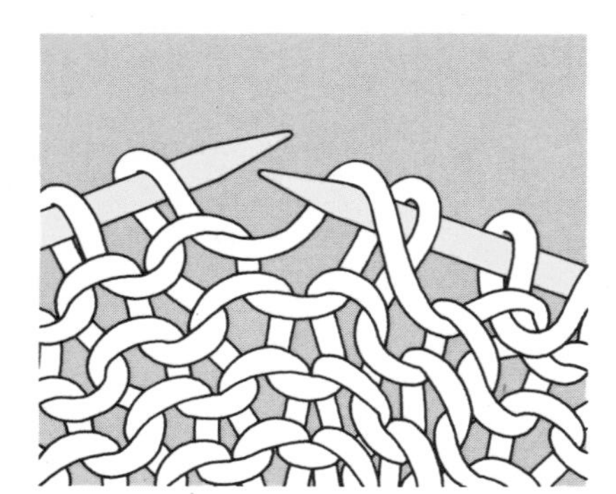

Pour récupérer une maille envers : piquez l'aiguille droite dans la tête de la boucle et sous le brin horizontal, comme indiqué.

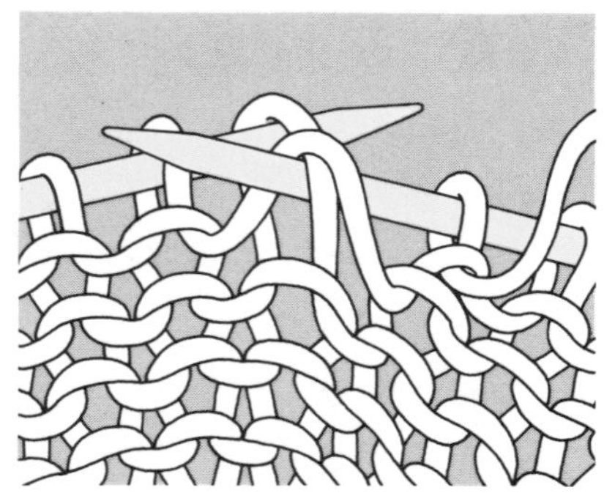

Piquez l'aiguille gauche d'avant en arrière dans la tête de la boucle; tirez doucement vers le haut et vers la pointe de l'aiguille droite.

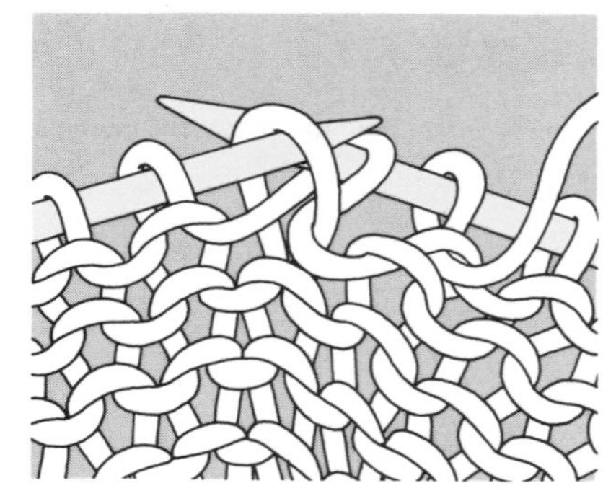

Tirez la boucle par-dessus le brin et retirez l'aiguille gauche. La maille est sur l'aiguille droite et doit être transportée sur la gauche.

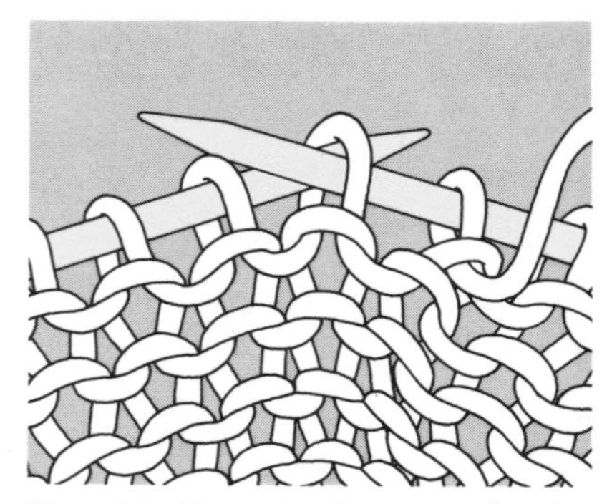

Piquez l'aiguille gauche d'avant en arrière dans cette maille et glissez-la sur la gauche. Le fil est alors dans la bonne position.

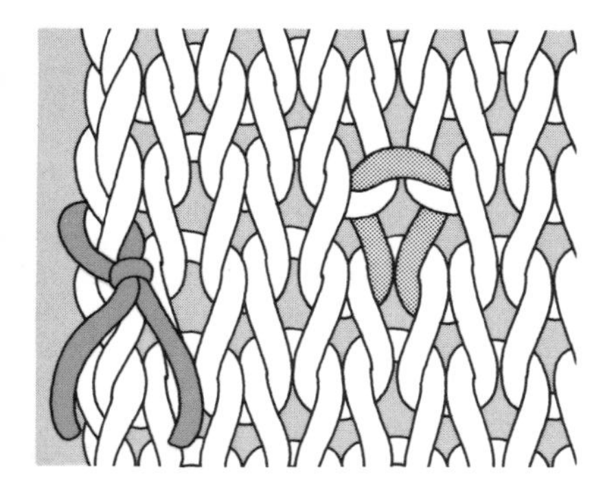

Pour corriger une erreur plusieurs rangs plus bas : placez une boucle de fil contrasté au début du rang où s'est produit l'accident.

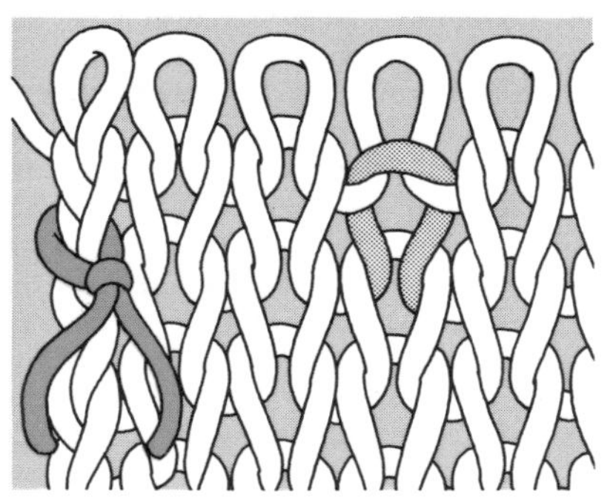

Défaites le tricot jusqu'au rang au-dessus. Placez l'ouvrage à l'endroit devant vous avec le fil libre à gauche.

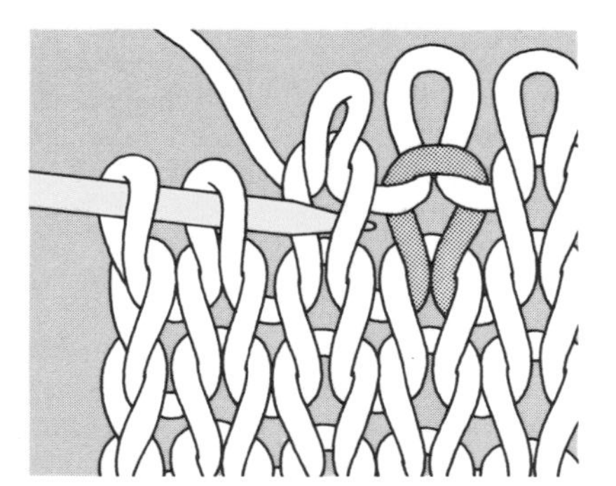

Pour chaque maille endroit, le fil en arrière, piquez l'aiguille gauche d'avant en arrière et tirez doucement le fil du rang au-dessus.

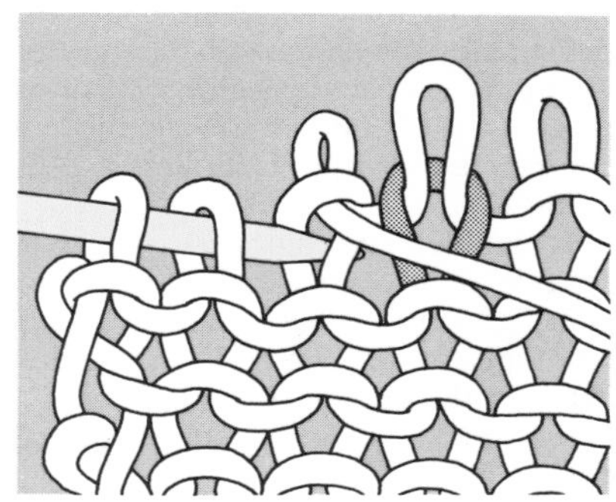

Pour chaque maille envers, le fil en avant, piquez l'aiguille gauche d'avant en arrière et tirez le fil pour libérer la maille.

Remaillage

Remailler de nouvelles mailles le long d'une bordure (on dit habituellement *relevez et tricotez* dans les directives) vous permet d'ajouter un collet, une bordure, même des manches, sans avoir à coudre les différentes parties de l'ouvrage. Nous indiquons ici deux méthodes de remaillage. Les deux donnent le même résultat, mais pour relever les mailles d'une courbe profonde, il vaut mieux employer la deuxième méthode. Avant de commencer, il est bon de diviser la bordure en sections et de calculer le nombre de mailles par section afin de les espacer régulièrement.

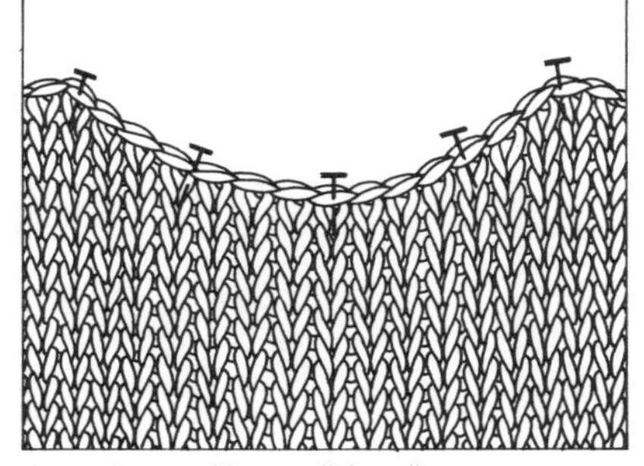

Avant le remaillage : divisez l'ouvrage en sections égales, vous servant d'épingles ou de bouts de fil. Attachez le fil de la pelote.

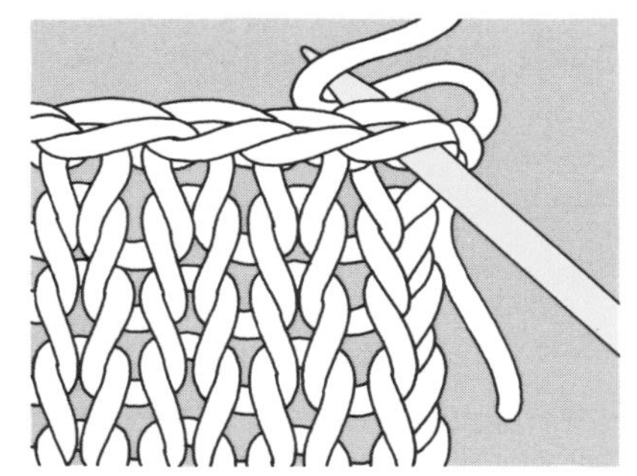

Méthode I : tenez l'ouvrage à l'endroit dans la main gauche. *Piquez l'aiguille sous la maille du bord; enroulez le fil comme pour tricoter.

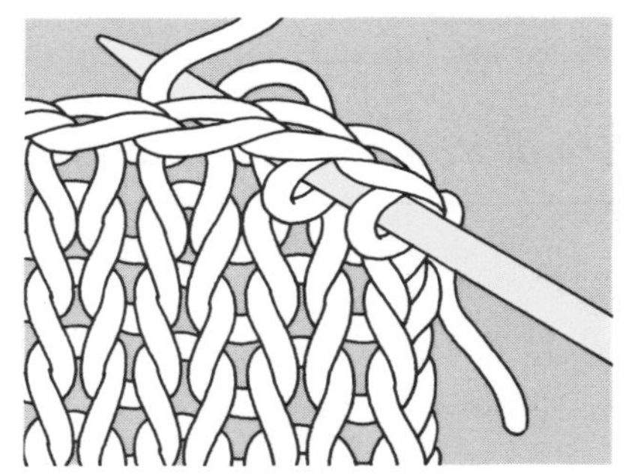

Ramenez le fil à travers chaque maille vers l'endroit.* Répétez d'un astérisque à l'autre. Le premier rang sera tricoté à l'envers.

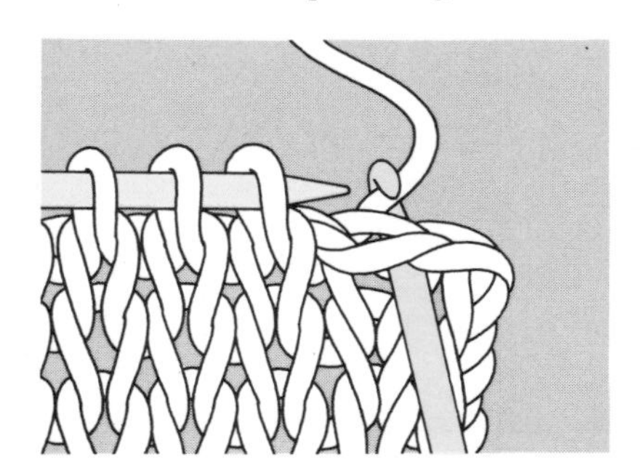

Méthode II (main droite) : le fil, l'aiguille et l'ouvrage à l'endroit dans la main gauche, *piquez le crochet sous les mailles rabattues.

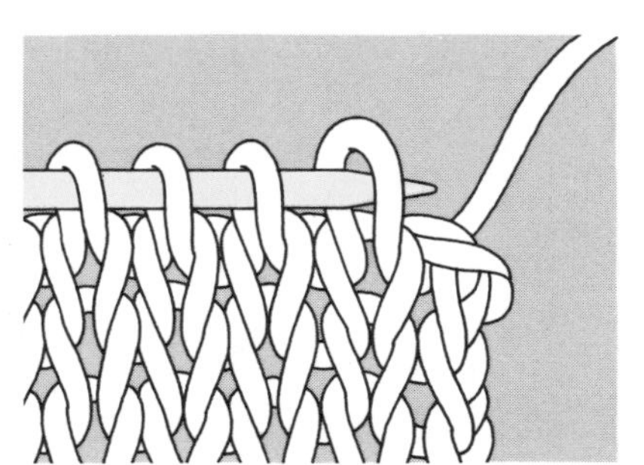

Tirez une boucle que vous déposez sur l'aiguille.* Répétez d'un astérisque à l'autre. Le premier rang sera tricoté à l'endroit.

Méthode II (main gauche) : tenez le fil, l'aiguille et l'ouvrage à l'envers dans la main droite, *piquez le crochet sous les mailles rabattues.

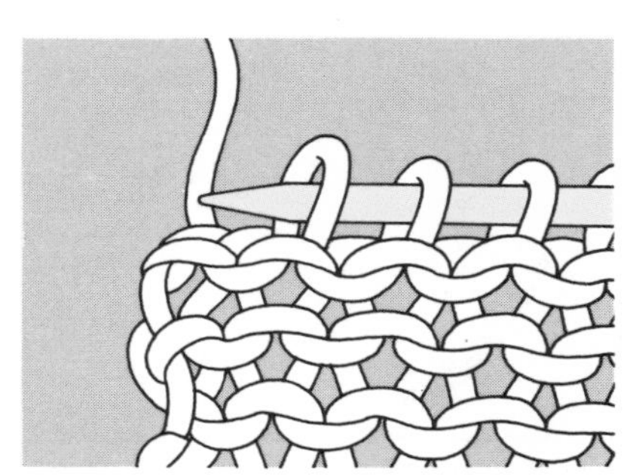

Tirez une boucle que vous déposez sur l'aiguille.* Répétez d'un astérisque à l'autre. Le premier rang sera tricoté à l'endroit.

Directives du tricot

Tricot en rond

Le tricot en rond s'emploie pour faire des articles tubulaires sans couture ou des morceaux plats travaillés à partir du centre. On le fait avec l'aiguille circulaire ou un jeu d'aiguilles à deux pointes.

L'aiguille circulaire est pratique pour de grands morceaux, tubulaires ou plats : on peut y monter plusieurs mailles. La circonférence de l'ouvrage doit dépasser d'au moins 5 centimètres (2″) la longueur de l'aiguille afin de ne pas étirer les mailles.

On peut aussi avec l'aiguille circulaire tricoter de grands articles plats — habituellement tricotés avec des aiguilles droites — des couvertures par exemple. Dans ce cas, les mailles sont travaillées aller-retour comme dans un tricot régulier (cette méthode est illustrée en bas à droite).

Les aiguilles à deux pointes sont employées surtout pour tricoter de petits ouvrages tels que les chaussettes, mitaines ou col roulé. Un ouvrage plus grand est possible, à condition que les aiguilles soient assez longues et assez nombreuses pour retenir toutes les mailles. Les aiguilles à deux pointes se vendent habituellement par jeu de 4.

Quand on monte un ouvrage sur des aiguilles à deux pointes, les mailles sont partagées également entre les aiguilles. Une aiguille doit rester libre pour faire avancer le travail. Un certain décalage peut être nécessité par le multiple d'un point. Par exemple, pour tricoter des côtes 2/2, chaque aiguille devra compter un nombre de mailles divisible par 4. La méthode de montage illustrée au haut de la page ci-contre est excellente dans la plupart des cas. Cependant, la méthode, illustrée au bas de la page, est préférable quand le cercle est petit.

On doit lorsque l'on tricote en rond changer certaines directives. On travaille toujours à l'endroit en faisant des *tours* et non plus des *rangs*. Tricoter constamment à l'endroit produira le point de jersey; tricoter en alternant un tour à l'endroit et un tour à l'envers produira le point mousse. Certains points ajourés et les jacquards se tricotent mieux en rond parce que les directives du motif (toujours visible sur l'endroit) se suivent plus facilement.

Quatre points à ne pas oublier :

1. Avant d'entamer le premier tour, toutes les mailles doivent reposer bien à plat et le feston, marquant le bas de chacune, doit être à l'intérieur du cercle; si le rang de montage est tordu, il faut le refaire.

2. Une bague doit être glissée après la dernière maille de montage et avant la première maille de chaque tour. Les changements, par exemple un tour à l'envers alternant avec un tour à l'endroit, doivent se faire à ce point et la progression sera irrégulière si le début de chaque tour n'est pas clairement indiqué. (Pour indiquer d'autres points essentiels, comme l'emplacement d'une augmentation, servez-vous de fils contrastés.)

3. Toute maille formant un joint (la première de chaque aiguille d'un jeu ou la première d'un tour avec une aiguille circulaire) doit être particulièrement ferme si l'on veut éviter le moindre effet d'échelle.

4. L'endroit du tissu tubulaire fait toujours face à la tricoteuse et on doit adapter les directives au tricot en rond.

Tricot avec aiguille circulaire

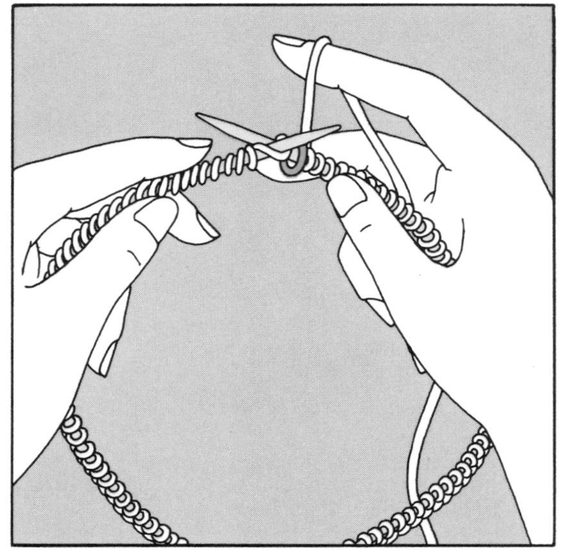

Pour tricoter un tissu tubulaire : tenez la pointe de l'aiguille portant la *dernière* maille montée dans votre main *droite*, la pointe de l'aiguille portant la *première* maille montée dans votre main *gauche*. Tricotez la première maille en tendant bien le fil.

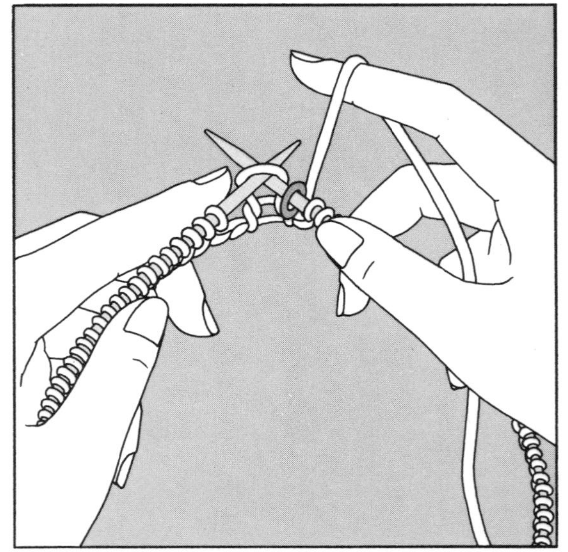

Tricotez autour du cercle jusqu'à ce que vous atteigniez la bague. Glissez-la sur l'aiguille à votre droite et commencez le deuxième tour. A ce point, assurez-vous que le tube n'est pas tordu. S'il l'était, défaites immédiatement ce que vous venez de tricoter.

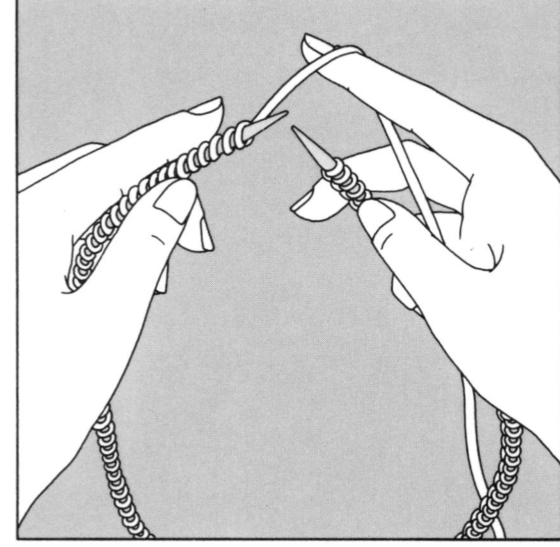

Pour tricoter un tissu plat : la pointe portant la *dernière* maille montée dans la main *gauche*, la pointe portant la *première* maille montée dans la main *droite*, tricotez jusqu'à la dernière maille; tournez l'aiguille de façon à avoir l'envers face à vous.

Tricot avec aiguilles à deux pointes

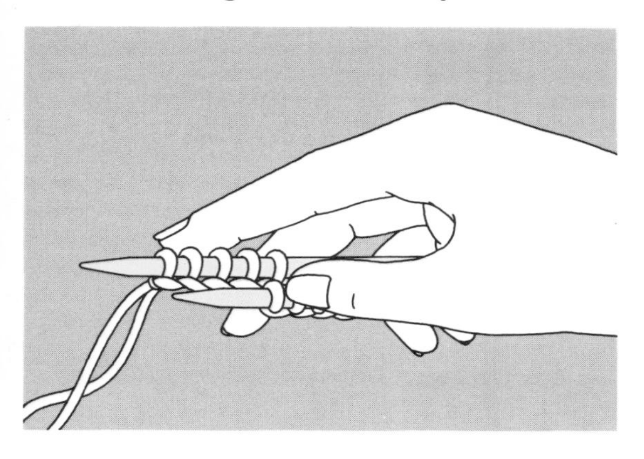

1. Pour tricoter un tube avec 4 aiguilles à deux pointes, montez le tiers du nombre total de mailles requises sur chacune des 3 aiguilles. En terminant avec la première, placez la suivante juste au-dessus parallèlement, la seconde pointe dépassant légèrement. (Si vous employez 5 aiguilles ou davantage, servez-vous de la même technique, divisez également le nombre de mailles par celui des aiguilles, moins une toutefois, l'aiguille avec laquelle vous travaillez.)

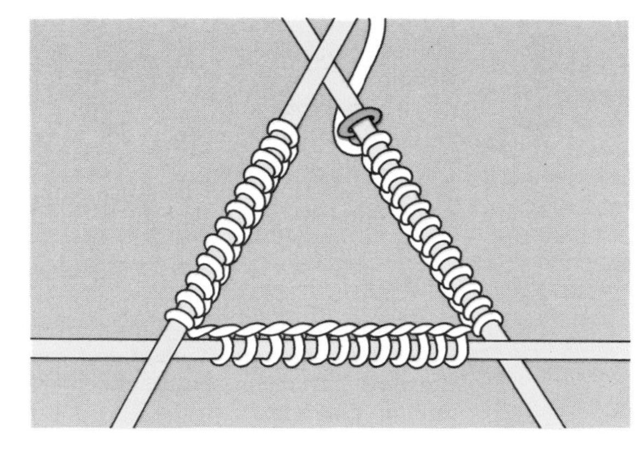

2. Couchez les 3 aiguilles en triangle, le bas des mailles face au centre. Placez une bague après la dernière maille montée (du côté du fil de la pelote).

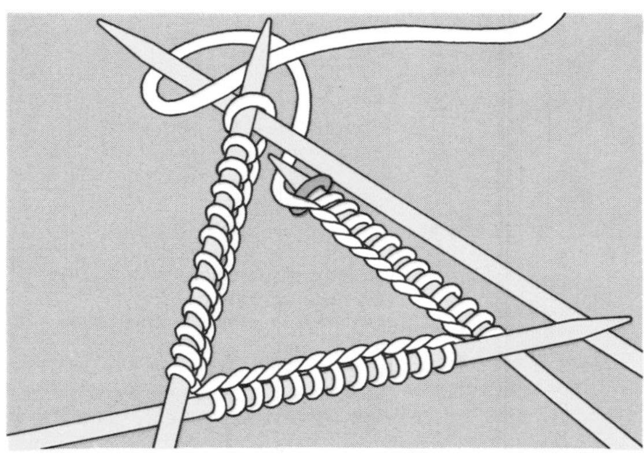

3. Vous servant de la 4e aiguille, tricotez dans la première maille de montage, fermant ainsi le triangle. Tendez le fil à ce point, ainsi qu'à tous les joints, car les mailles d'angles paraissent souvent étirées. Quand toutes les mailles de la première aiguille ont été tricotées, celle-ci devient l'aiguille de travail, et ainsi de suite.

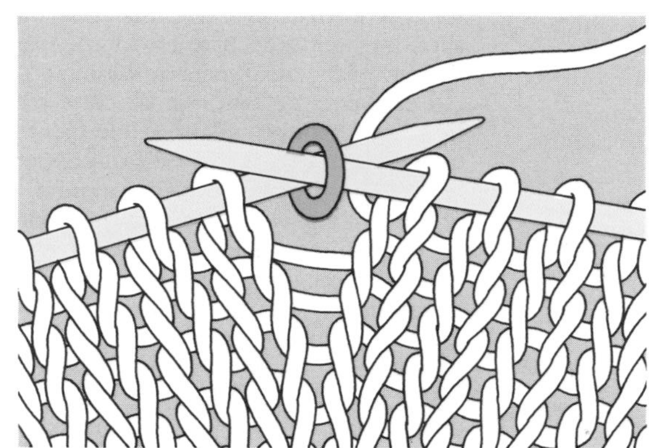

4. Quand toutes les sections ont été tricotées, n'oubliez pas de glisser la bague, alors, vous recommencerez un autre tour. Glissez la bague à chaque tour, elle indique la progression des rangs.

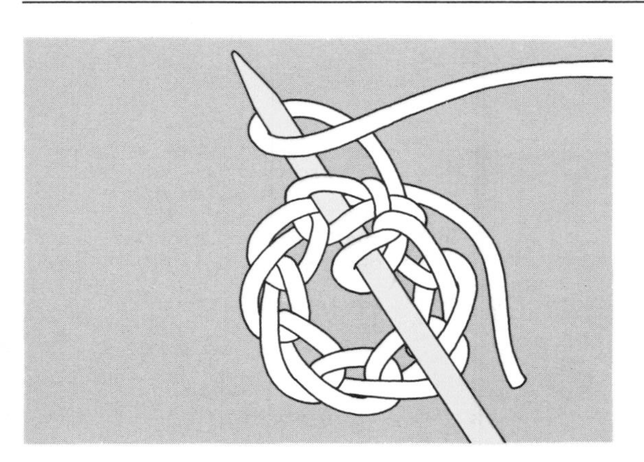

Pour tricoter un tissu plat commençant par le centre (une nappe, par exemple, ou un motif de patchwork), montez les mailles de la façon suivante : faites une chaîne au crochet, une boucle par maille, que vous fermez comme un anneau. Transférez la dernière boucle sur une aiguille dp et relevez les mailles autour de l'anneau en les distribuant sur 3 ou 4 aiguilles. Pour un petit centre, cette méthode est plus facile que la précédente.

Pour tricoter un carré à partir du centre, montez 8 mailles au crochet, joignez-les en un anneau et relevez 2 mailles par aiguille dp (jeu de 4). Au 1er tour, ajoutez 1 maille entre chaque groupe de 2; aux tours suivants, ajoutez 2 mailles au centre de chaque section. On peut tricoter un triangle sur le même principe, mais avec 6 mailles en 3 sections. On obtient un cercle à partir de 10 mailles, distribuées sur 5 aiguilles; une augmentation par section à chaque tour en l'avançant d'une maille chaque fois.

Points de tricot

Points de fantaisie

Un **point de fantaisie** est une suite de mailles qui, répétées selon certaines techniques, forment le tricot. On le décrit par un *multiple* — le nombre de fois qu'il faut recommencer les directives entre astérisques — et par des *répétitions* — le nombre de rangs requis pour compléter verticalement le motif.

Les points de fantaisie sont si nombreux qu'on ne peut tous les décrire. On leur donne souvent des noms faisant appel à leur aspect. Les noms peuvent varier d'une région à une autre et vous trouverez parfois un point familier sous un nom différent.

La plupart des points sont classés selon leur structure. Familiarisez-vous avec les points de base et vous finirez par en créer vous-même au besoin.

Les points de fantaisie de cette section sont groupés d'après leur genre, quoique certains points puissent appartenir à plus d'une catégorie. Le premier groupe, *les points pleins*, forment des tricots compacts. Les huit premiers points de ce groupe n'exigent pas une très grande dextérité, vous pouvez donc travailler premièrement avec ces points.

L'aspect d'un point ne doit pas être le seul critère à considérer lorsque l'on choisit un point. Ce point, convient-il au fil? Par exemple, un fil étoffé et un point compliqué ne vont pas de pair. Est-il approprié à l'usage qu'on fera du tricot? On ne songerait pas à un point ajouré pour faire un vêtement d'hiver.

Pour tricoter un point de fantaisie, montez un nombre de mailles divisible par le multiple; ajoutez les mailles supplémentaires s'il y en a et les mailles de lisière. Suivez les directives jusqu'au dernier rang et recommencez au Rg 1. A moins d'indications contraires, le premier rang est l'endroit de l'ouvrage. Le mot *réversible* apparaît dans le seul cas où les deux côtés sont identiques, un afghan, une couverture par exemple. Pour les abréviations qui vont suivre, reportez-vous à la page 286.

Points pleins

Semis piqué simple : un point de jersey parsemé de mailles envers; joli pour des vêtements de bébé.
Nombre de mailles : multiple de 4
Rg 1 : *3 end, 1 env*
Rg 2 et les rgs pairs : tr env
Rgs 3 et 7 : tr end
Rg 5 : 1 end, *1 env, 3 end*, 1 env, 2 end

Chenille horizontale : stries de mailles envers sur un fond de jersey.
Nombre de mailles : multiple de 10
Rg 1 : *4 end, 6 env*
Rg 2 et les rgs pairs : tr env
Rgs 3 et 7 : tr end
Rg 5 : *5 env, 4 end, 1 env*

Chevron piqué : zigzags de mailles envers sur un fond de jersey.
Nombre de mailles : multiple de 8
Rg 1 : *1 env, 3 end*
Rg 2 : *1 end, 5 env, 1 end, 1 env*
Rg 3 : *2 end, 1 env, 3 end, 1 env, 1 end*
Rg 4 : *2 env, 1 end, 1 env, 1 end, 3 env*

Point de grille : losanges de mailles envers sur un fond de jersey.
Nombre de mailles : multiple de 8
Rg 1 : *1 env, 7 end*
Rgs 2 et 8 : *1 end, 5 env, 1 end, 1 env*
Rgs 3 et 7 : *2 end, 1 env, 3 end, 1 env, 1 end*
Rgs 4 et 6 : *2 env, 1 end, 1 env, 1 end, 3 env*
Rg 5 : *4 end, 1 env, 3 end*

Point de damier (réversible) : alternance de carrés identiques au point de jersey endroit et envers.
Nombre de mailles : multiple de 10
Rgs 1 à 6 : *5 end, 5 env*
Rgs 7 à 12 : *5 env, 5 end*

Losanges piqués (réversible) : les losanges en jersey envers semblent se détacher sur un fond de jersey endroit.
Nombre de mailles : multiple de 10
Rg 1 : *9 end, 1 env*
Rgs 2 et 8 : 2 end, *7 env, 3 end*, 7 env, 1 end
Rgs 3 et 7 : 2 env, *5 end, 5 env*, 5 end, 3 env
Rgs 4 et 6 : 4 end, *3 env, 7 end*, 3 env, 3 end
Rg 5 : 4 env, *1 end, 9 env*, 1 end, 5 env

Lignes granitées : les arêtes horizontales ressortent fortement sur un fond de jersey.
Nombre de mailles : pair
Rg 1 : tr end
Rg 2 : *2 end ens, sur tout le rg*
Rg 3 : tr chq m à l'end, 1 fs par son brin av, puis 1 fs par son brin arr
Rg 4 : tr env

Point godron ondulé (réversible) : les points de jersey endroit et envers alternent en ondulant, ce qui accentue l'effet de largeur.
Nombre de mailles : multiple de 8 plus 1
Rg 1 : *1 env, 7 end*, 1 env
Rg 2 : 2 end, *5 env, 3 end*, 5 env, 2 end
Rg 3 : 3 env, *3 end, 5 env*, 3 end, 3 env
Rg 4 : 4 end, *1 env, 7 end*, 1 env, 4 end
Rg 5 : *1 end, 7 env*, 1 end
Rg 6 : 2 env, *5 end, 3 env*, 5 end, 2 env
Rg 7 : 3 end, *3 env, 5 end*, 3 env, 3 end
Rg 8 : 4 env, *1 end, 7 env*, 1 end, 4 env

Point froncé : les sections bouillonnées sont obtenues en doublant les mailles. On tricote quelques rangs avec ces nouvelles mailles qu'on ramène ensuite au nombre du départ.
Nombre de mailles : quelconque
Rgs 1 à 6 : tr end
Rg 7 : tr chq m à l'end, 1 fs par son brin av, puis 1 fs par son brin arr
Rgs 8, 10, 12 : tr env
Rgs 9 et 11 : tr end
Rg 13 : 2 end ens sur tt le rg
Répétez à partir du rg 2

Point de toile : offre l'aspect et la fermeté d'un tissu; peut s'employer pour un tailleur.
Nombre de mailles : pair
Rg 1 : *1 end, fav, 1 gl, farr*
Rg 2 : *1 env, farr, 1 gl, fav*

Point de chausson : un point très ferme; il faut conserver une tension légère.
Nombre de mailles : pair
Rg 1 : 2 ens end arr en ne laissant tomber que la 1re bcle de l'aig gauche, *2 ens end arr (la m qui reste et la m suiv) ne laissant tomber que la 1re bcle*, tr 1 end arr
Rg 2 : 2 ens env, ne laissant tomber que la 1re m de l'aig gauche. *tr 2 ens env (la m qui reste et la suiv) toujours en ne laissant tomber que la 1re bcle,* 1 env

Point de brioche, ou **d'alvéoles :** un point épais, en relief, convenant aux manteaux.
Nombre de mailles : pair
Rgs 1 et 2 : tr end
Rg 3 : *1 end, 1 m double* (bcle inf tr end) (p. 288)
Rg 4 : *relever le long fil à la base de la m dble du rg précédent et le tricoter end avec la m sur l'aig, 1 end*
Rg 5 : *1 m double, 1 end*
Rg 6 : *1 end, tr ens end le long fil et la m au-dessus, comme au rg 4*
Répétez les rangs 3, 4, 5, 6

Mailles glissées 288

Introduction aux points de côtes

Les **côtes** sont caractérisées par des arêtes verticales et par une grande élasticité sur la largeur. Les points classiques sont les côtes 1/1 ou 2/2 (p. 280).

La côte typique est formée de mailles endroit et envers alternées dans un même rang. Les groupes de mailles envers ou endroit peuvent être égaux ou non. Plus les mailles sont nombreuses, moins le tissu sera élastique.

A cause de leur grande élasticité, les côtes sont souvent utilisées pour border un vêtement. Pour un ajustement serré, les côtes peuvent être faites avec des aiguilles d'un ou deux numéros plus petits que le point des aiguilles employé pour l'ensemble du vêtement. Lorsque vous choisissez un point de côtes, assurez-vous que le point s'harmonise avec l'ensemble de l'ouvrage.

Points de côtes

Côtes plates 7/3 : moins élastiques que les côtes plus étroites, elles font de bons vêtements.
Nombre de mailles : multiple de 10
Rg 1 : *7 end, 3 env*
Rg 2 : *3 end, 7 env*

Rayures piquées : une intéressante variante d'un point de côtes 5/6.
Nombre de mailles : multiple de 11 plus 5
Rg 1 : 5 end, *(1 end, 1 env) 3 fs, 5 end*
Rg 2 : *5 env, (1 env, 1 end) 3 fs*, 5 env

Côtes brisées : une texture intéressante obtenue en fragmentant les côtes; particulièrement appropriée aux chandails.
Nombre de mailles : multiple de 12
Rgs 1 et 3 : 2 end, *2 env, 4 end*, 2 env, 2 end
Rgs 2 et 4 : 2 env, *2 end, 4 env*, 2 end, 2 env
Rgs 5 et 7 : 1 end, *4 env, 2 end*, 4 env, 1 end
Rgs 6 et 8 : 1 env, *4 end, 2 env*, 4 end, 1 env

Bâtons rompus : une texture bosselée obtenue en glissant des mailles dans le groupe de mailles endroit, un fil simple est préférable pour ce point.
Nombre de mailles : multiple de 6
Rg 1 : *3 env, fav, 1 gl cp env, farr, 1 end, fav, 1 gl cp env*
Rgs 2 et 4 : *3 env, 3 end*
Rg 3 : *3 env, 1 end, fav, 1 gl cp env, farr, 1 end*

Côtes de cheval : ce sont de fausses côtes qui ont l'apparence et à peu près la même élasticité que les côtes; souvent employées pour les talons de chaussettes car elles résistent à l'usure.
Nombre de mailles : multiple de 2 plus 1
Rg 1 : *1 end, 1 gl*, 1 end
Rg 2 : tr env

Côtes alternées : une jolie variante des côtes 1/3; convient aussi bien à l'ensemble d'un modèle qu'à une garniture verticale isolée.
Nombre de mailles : multiple de 8
Rgs 1 et 3 (envers de l'ouvrage) : *3 end, fav, 1 gl cp env, 3 end, 1 env*
Rg 2 : *1 end, 3 env, farr, 1 gl cp env arr, 3 env*
Rg 4 : *1 end, 3 env*

Côtes câblées : ce n'est pas une vraie torsade mais elle en a l'apparence.
Nombre de mailles : multiple de 5 plus 4
Rg 1 : *4 env, tr end dans av, arr et av de la m suiv,* 4 env
Rg 2 : 4 end, *3 env, 4 end*
Rg 3 : *4 env, 3 ens end,* 4 env
Rg 4 : 4 end, *1 env, 4 end*

Tricoter l'avant et l'arrière de la maille 291
Diminution à l'envers en tricotant deux mailles ensemble 293

Précautions à prendre avec les points en diagonale

Dans les **points en diagonale**, la progression de la diagonale se fait en décalant, à chaque rang, le motif à répéter, vers la gauche ou vers la droite.

Les diagonales inclinées vers la gauche ou vers la droite, tout en étant intéressantes, sont d'un usage limité parce qu'elles ont tendance à biaiser. On peut y remédier dans une certaine mesure en prenant soin (1) de choisir des fils bien tordus et d'éviter les fils lâches; (2) d'employer des aiguilles d'un numéro plus petit que celui suggéré pour le fil choisi; (3) de laver et presser le tricot sans le tordre ni l'étirer.

Les tricots à diagonales inversées (le point de chevron tissé, par exemple) ont l'apparence, la résistance, mais non l'élasticité des points tissés en chevron; ils peuvent servir à faire un tailleur.

Points en diagonale

Point piqué oblique : une intéressante texture dont l'exécution est très simple.
Nombre de mailles : multiple de 5
Rg 1 : *4 end, 1 env*
Rg 2 : *1 env, 1 end, 3 env*
Rg 3 : *2 end, 1 env, 2 end*
Rg 4 : *3 env, 1 end, 1 env*
Rg 5 : *1 env, 4 end*
Rg 6 : *1 end, 4 env*
Rg 7 : *3 end, 1 env, 1 end*
Rg 8 : *2 env, 1 end, 2 env*
Rg 9 : *1 end, 1 env, 3 end*
Rg 10 : *4 env, 1 end*

Le ruisseau : délicates diagonales obtenues en tordant une maille sur trois sur un fond de jersey.
Nombre de mailles : multiple de 3
Rg 1 : tr end *2 ens, puis retric encore la 1re m avant de laisser tomber de l'aig gauche, 1 end*
Rgs pairs : tr env
Rg 3 : *1 end, 2 ens end, puis retric la 1re m end*

Côtes diagonales : un exemple typique de diagonales obtenues en décalant le motif d'une maille à droite tous les deux rangs.
Nombre de mailles : multiple de 4
Rg 1 : *2 end, 2 env*
Rgs pairs : tric les m comme elles se présentent
Rg 3 : *1 end, 2 env, 1 end*
Rg 5 : *2 env, 2 end*
Rg 7 : *1 env, 2 end, 1 env*

Les escaliers : petits nœuds sur jersey.
Nombre de mailles : multiple de 5
Rg 1 (envers de l'ouvrage) : *2 env, (tr end dans av et arr de la bcle) 3 fs*
Rg 2 : *(2 ens end arr) 3fs, 2 end*
Rg 3 : *1 env, (tr end dans av et arr) 3 fs, 1 env*
Rg 4 : *1 end, (2 ens end arr) 3 fs, 1 end*
Rg 5 : *(tr end dans av et arr) 3 fs, 2 env*
Rg 6 : *2 end, (2 ens end arr) 3 fs*
Continuez le décalage du motif d'une maille à droite à chaque rang impair. Après 10 rangs, le point se répète.

Chevron tissé horizontal : un zigzag.
Nombre de mailles : multiple de 4
Rgs 1 et 5 : *2 end, fav, gl 2, farr*
Rgs 2 et 6 : gl 1, *fav, 2 env, farr, gl 2,* 3 env
Rgs 3 et 7 : *fav, gl 2, farr, 2 end*
Rgs 4 et 8 : 1 env, *farr, gl 2, fav, 2 env,* farr, gl 2, fav, 1 env
Rgs 9 et 13 : *fav, gl 2, farr, 2 end*
Rgs 10 et 14 : gl 1, *fav, 2 env, farr, gl 2,* fav, 2 env, gl 1
Rgs 11 et 15 : *farr, 2 end, fav, gl 2*
Rgs 12 et 16 : 1 env, *farr, gl 2, fav, 2 env,* farr, gl 2, fav, 1 env

Côtes en chevrons : un zigzag en hauteur plutôt qu'en largeur.
Nombre de mailles : multiple de 12
Rg 1 : *2 env, 2 end, 2 env, 1 end, 2 env, 2 end, 1 env*
Rgs pairs : tr les m comme elles se présentent
Rg 3 : *1 env, 2 end, 2 env, 3 end, 2 env, 2 end*
Rg 5 : *2 end, 2 env, 2 end, 1 env, 2 end, 2 env, 1 end*
Rg 7 : *1 end, 2 env, 2 end, 3 env, 2 end, 2 env*

Diagonales à mailles couchées : une boucle tirée entre deux mailles produit sur l'endroit une diagonale. Chaque augmentation est compensée au rang suivant par une diminution.
Nombre de mailles : multiple de 2 plus 1
Rg 1 : 1 end, *piquez l'aig entre les 2 m suiv et tirez une bcle que vous gardez sur l'aig dr, gl la 1re m cp end, tr la 2e à l'end*
Rg 2 : 1 env, *1 env, 2 ens env*
Rg 3 : 2 end, *comme rg 1,* 1 end
Rg 4 : 2 env, *1 env, 2 ens env,* 1 env

Maille allongée 288 Augmentations à jours par des jetés 289
Diminutions 292-293

Introduction aux points ajourés

Le **point ajouré** a de nombreuses variantes allant de la bande d'œillets sur fond de jersey à la fine résille. Les points peuvent être simples ou compliqués. Les modèles illustrés sur cette page et sur les trois suivantes suggèrent plusieurs autres variantes.

On peut reconnaître un point ajouré à la fréquente apparition des jetés. Cette technique produit une nouvelle maille et un trou. Aussi chaque ajout doit-il être compensé par une diminution afin de garder constant le nombre total des mailles. Une autre technique employée est la maille allongée (p. 307) formant une fente plutôt qu'un trou.

Le montage des points ajourés doit être souple et invisible. Le montage simple et le montage sur fil sont les deux méthodes qui conviennent le mieux (p. 275).

Pour un point très ajouré, on choisira de préférence de fines aiguilles et un mince fil bien tordu. Si l'on veut un vêtement chaud, on pourra utiliser un fil moyen. Dans ce cas, on choisira un point où les jours sont moins nombreux.

Points ajourés

Jours obliques : un point ajouré est typiquement obtenu par la combinaison de jetés (produisant un trou) et de 2 mailles tricotées ensemble (ramenant l'équilibre). Forte tendance à biaiser.
Nombre de mailles : multiple de 2
Rg 1 : 1 end, *1 jeté, 2 end ens,* 1 end
Rgs pairs : tr env
Rg 3 : 2 end, *1 jeté, 2 end ens*

Point turc : l'augmentation à jours par jetés est combinée à un surjet simple (p. 292) pour produire des jours semblables aux jours obliques mais plus délicats (p. 292).
Nombre de mailles : pair
Tous les rgs : *1 jeté, gl 1, 1 end, rab la m gl par-dessus*

Jours en œillets : les jetés doubles (fil enroulé 2 fs autour de l'aig) produisent ces grands jours; les jetés simples au début et à la fin du rg 3 font une lisière délicate. Pour une bordure plus ferme, ajoutez une maille de lisière à chaque extrémité.
Nombre de mailles : multiple de 4
Rg 1 : *2 end, 00, 2 end*
Rg 2 : *2 ens env, 1 end, 1 env, 2 ens env*
Rg 3 : *1 jeté, 4 end, 1 jeté*
Rg 4 : *1 env, (2 ens env) 2 fs, 1 end*

Œil de chat (réversible) : texture épaisse, parsemée de grandes ouvertures. Ce point tricoté avec un fil fin et des aiguilles moyennes peut servir à faire un châle. La tension doit être assez souple pour pouvoir tricoter 4 mailles ensemble.
Nombre de mailles : multiple de 4
Rg 1 : 2 env, *1 jeté, 4 ens env,* 2 env
Rg 2 : 2 end, *1 end, endvd dans jeté du rang précédent,* 2 end
Rg 3 : tr end

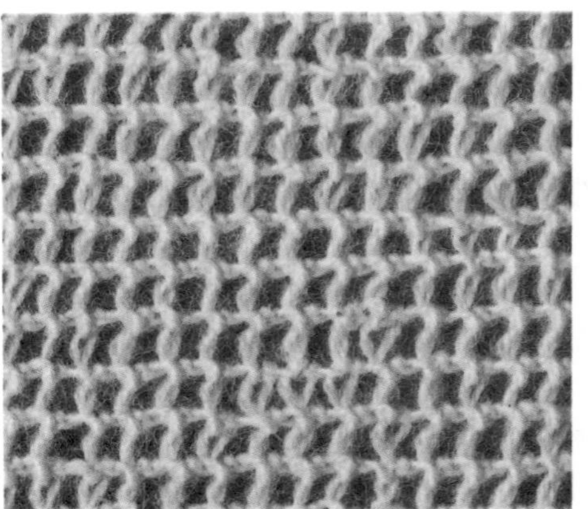

Jours en cellules : modèle extrêmement léger ressemblant à un point de crochet. Facile à exécuter; tout indiqué pour un châle ou une couverture de bébé. Ce point est très joli tricoté avec des aiguilles moyennes ou grosses. Il faut le presser soigneusement car il a tendance à biaiser.
Nombre de mailles : quelconque
Rg 1 (envers de l'ouvrage) : tr env
Rg 2 : 1 end, *1 m intercalaire (dans le fil horizontal qui relie la 1re m à la 2e m), 1 end, rab la m intercalaire sur la m end*

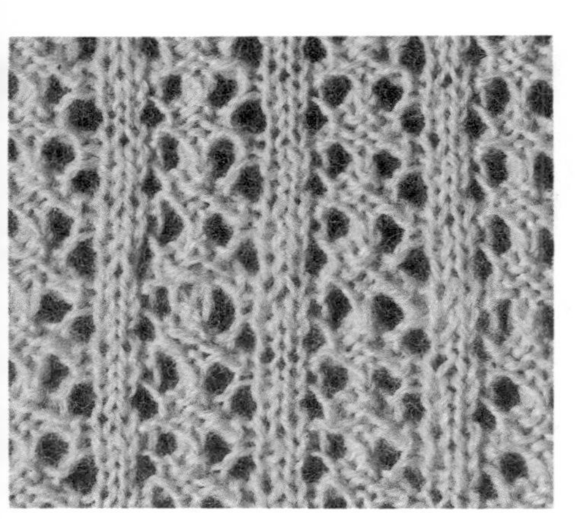

Côtes dentelle : une combinaison de jours et de jersey. L'illustration représente l'endroit mais l'envers est tout aussi joli.
Nombre de mailles : multiple de 7 plus 2
Rg 1 (envers de l'ouvrage) : 2 env, *1 jeté, 1 surj sple, 1 end, 2 ens end, 1 jeté, 2 env*
Rgs pairs : *2 end, 5 env,* 2 end
Rg 3 : 2 env, *1 end, 1 jeté, 1 surj dble (1 gl end, 2 ens end, rab m gl par-dessus les 2 m ens), 1 jeté, 1 end, 2 env*

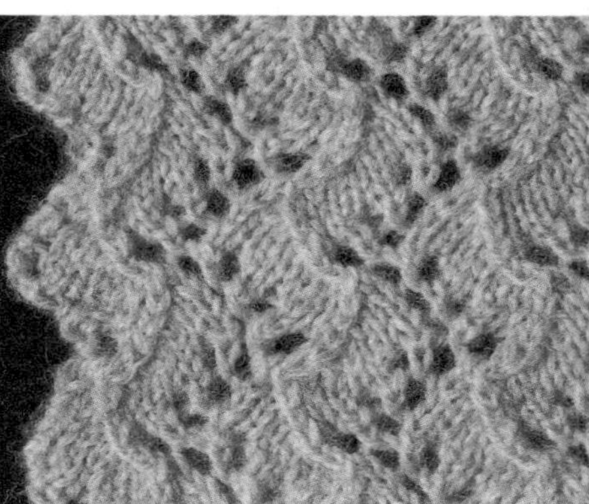

Grappes de jours : *multiple de 8*
Rg 1 : *1 jeté, 1 end arr, 1 jeté, 1 surj sple, 5 end*
Rg 2 : *4 env, 2 ens env arr, 3 env*
Rg 3 : 1 jeté, 1 end arr, 1 jeté, 2 end, 1 surj sple, 3 end*
Rg 4 : *2 env, 2 ens env arr, 5 env*
Rg 5 : *1 end arr, 1 jeté, 4 end, 1 surj sple, 1 end, 1 jeté*
Rg 6 : *1 env, 2 ens env arr, 6 env*
Rg 7 : *5 end, 2 ens end, 1 jeté, 1 end arr, 1 jeté*
Rg 8 : *3 env, 2 ens env, 4 env*
Rg 9 : *3 end, 2 ens end, 2 end, 1 jeté, 1 end arr, 1 jeté*
Rg 10 : *5 env, 2 ens env, 2 env*
Rg 11 : *1 jeté, 1 end, 2 ens end, 4 end, 1 jeté, 1 end arr*
Rg 12 : *6 env, 2 ens env, 1 env*

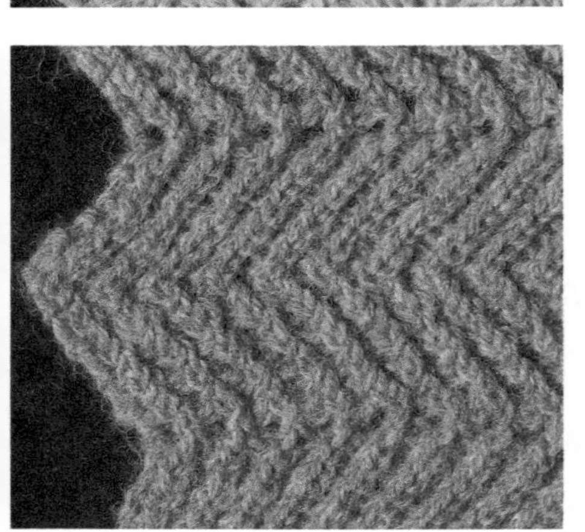

Jours en zigzag : les deux côtés sont festonnés. Très joli pour un châle ou une couverture.
Nombre de mailles : pair
Rg 1 : 1 end, 1 env, *1 jeté, 1 end, 1 env*
Rgs 2, 4, 6, 8, 10 : *1 end, 2 ens env, 1 jeté,* 1 end, 1 env
Rgs 3, 5, 7, 9 : 1 end, 1 env, *1 jeté, 2 ens end, 1 env*
Rgs 11, 13, 15, 17, 19 : 1 end, 1 env, *1 surj sple, 1 jeté, 1 env*
Rgs 12, 14, 16, 18, 20 : *1 end, 1 jeté, 2 ens env arr,* 1 end, 1 env
Rg 21 : 1 end, 1 env, *1 jeté, 1 surj sple, 1 env*
Rg 22 : reprendre au rang 2

Les ogives : un point de fantaisie convenant à un châle ou à un vêtement de bébé.
Nombre de mailles : multiple de 8 plus 5
Rgs 1 et 3 : 1 end, *1 jeté, 1 dim dble [2 ens end arr, remettre sur l'aig gauche la m obtenue, rab la m suiv sur celle-ci et la reprendre sur l'aig dr], 1 jeté, 5 end,* 1 jeté, 1 dim dble, 1 jeté, 1 end
Rg 2 et tous les rangs pairs : tr env
Rg 5 : 1 end, *3 end, 1 jeté, 1 surj sple, 1 end, 2 ens end, 1 jeté,* 4 end
Rg 7 : 1 end, *1 jeté, 1 dim dble, 1 jeté, 1 end,* 1 jeté, 1 dim dble, 1 jeté, 1 end

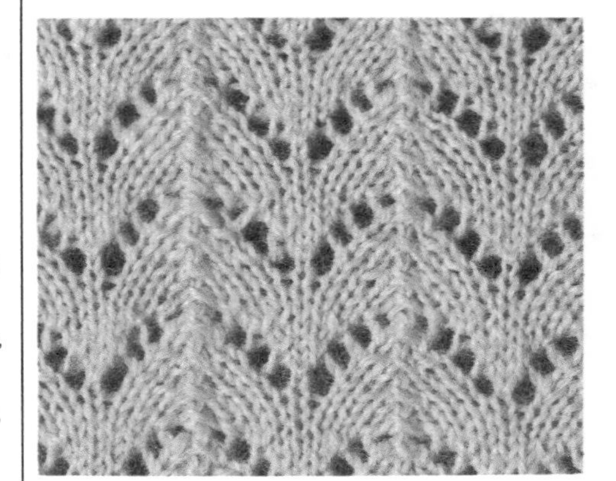

Jours en fer à cheval : l'un des beaux points originaires des Shetland au XIXe siècle, à l'époque où le tricot préféré avait la légèreté d'une dentelle arachnéenne.
Nombre de mailles : multiple de 10 plus 1
Rg 1 : 1 end, *1 jeté, 3 end, 1 surj dble, 3 end, 1 jeté, 1 end*
Rg 2 et tous les rgs pairs : tric env
Rg 3 : 1 end, *1 end, 1 jeté, 2 end, 1 surj dble, 2 end, 1 jeté, 2 end*
Rg 5 : 1 end, *2 end, 1 jeté, 1 end, 1 surj dble, 1 end, 1 jeté, 3 end*
Rg 7 : 1 end, *3 end, 1 jeté, 1 surj dble, 1 jeté, 4 end*

Jacinthes des prés : délicates clochettes ou fleurs groupées sur un fond ajouré. Un ravissant point pour un châle. La tension doit rester souple.
Nombre de mailles : multiple de 6 plus 2
Rg 1 (envers) : 1 end, *5 ens env, dans la m suiv tric endvdvd,* 1 end
Rgs 2 et 4 : tric env
Rg 3 : 1 end, *dans la m suiv tric endvdvd, 5 ens env,* 1 end
Rg 5 : Piquez l'aig dans la m pour la tric à l'end, mais enroulez 3 fs le fil autour de l'aig avant de lui faire traverser cette m (sur tout le rg).
Rg 6 : tric chq m à l'env en ne prenant qu'un brin et en laissant tomber les deux autres.

Tension du fil 281
Augmentations à jours par des jetés 289
Tricoter l'avant et l'arrière de la maille 291
Diminutions 292-293

Points ajourés

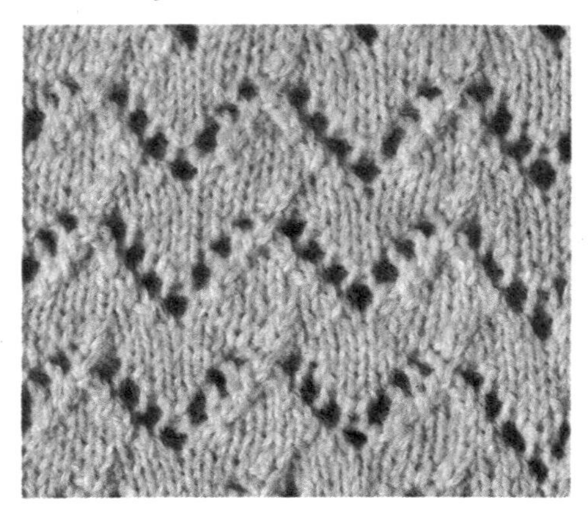

Chevrons ajourés : il y a augmentation au rang 9 et diminution au rang 11.
Nombre de mailles : multiple de 8 plus 1
Rg 1 : *5 end, 1 jeté, 2 ens end, 1 end,* 1 end
Rg 2 et ts les rgs pairs : tric env
Rg 3 : *3 end, 2 ens end arr, 1 jeté, 1 end, 1 jeté, 2 ens end,* 1 end
Rg 5 : 1 end, *1 end, 2 ens end arr, 1 jeté, 3 end, 1 jeté, 2 ens end*
Rg 7 : *1 jeté, 2 ens end arr, remettre sur l'aig g, passer la m voisine par-dessus et la remettre sur l'aig dr, 1 jeté, 5 end,* 1 end
Rg 9 : *1 end, tr end dans av et arr de la m suiv, 6 end,* 1 end
Rg 11 : *2 ens end, 4 end, 1 jeté, 2 ens end, 1 end,* 1 end
Répéter à partir du rg 3

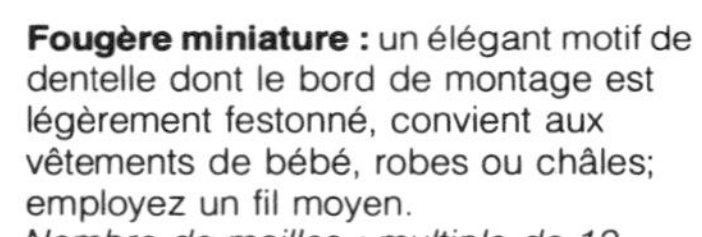

Fougère miniature : un élégant motif de dentelle dont le bord de montage est légèrement festonné, convient aux vêtements de bébé, robes ou châles; employez un fil moyen.
Nombre de mailles : multiple de 12
Rg 1 et ts les rgs impairs (envers) : tric env
Rg 2 : *2 ens end, 2 end, 1 jeté, 1 end, 1 jeté, 2 end, 1 surj sple, 1 env, 1 end, 1 env*
Rg 4 : *2 ens end, 1 end, 1 jeté, 3 end, 1 jeté, 1 end, 1 surj sple, 1 env, 1 end, 1 env*
Rg 6 : *2 ens end, 1 jeté, 5 end, 1 jeté, 1 surj sple, 1 env, 1 end, 1 env*

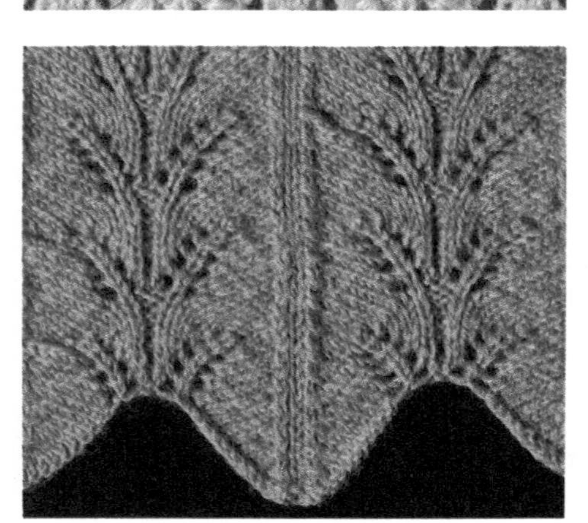

Point de fougères : grande fougère.
Nombre de mailles : multiple de 29
Rg 1 : *1 end, 1 surj dble, 9 end, 1 jeté, 1 end, 1 jeté, 2 env, 1 jeté, 1 end, 1 jeté, 9 end, 1 surj dble*
Rg 2 et ts les rgs pairs : *13 env, 2 end, 14 env*
Rg 3 : *1 end, 1 surj dble, 8 end, (1 jeté, 1 end) 2 fs, 2 env, (1 end, 1 jeté) 2 fs, 8 end, 1 surj dble*
Rg 5 : *1 end, 1 surj dble, 7 end, 1 jeté, 1 end, 1 jeté, 2 end, 2 env, 2 end, 1 jeté, 1 end, 1 jeté, 7 end, 1 surj dble*
Rg 7 : *1 end, 1 surj dble, 6 end, 1 jeté, 1 end, 1 jeté, 3 end, 2 env, 3 end, 1 jeté, 1 end, 1 jeté, 6 end, 1 surj dble*
Rg 9 : *1 end, 1 surj dble, 5 end, 1 jeté, 1 end, 1 jeté, 4 end, 2 env, 4 end, 1 jeté, 1 end, 1 jeté, 5 end, 1 surj dble*

Côtes coupées à jours : un point de côtes et des jours en diagonales.
Nombre de mailles : multiple de 10 plus 3
Rg 1 : *3 env, 1 jeté, 1 surj sple, 5 end,* 3 env
Rg 2 : *3 end, 4 env, 2 ens env arr, 1 jeté, 1 env,* 3 end
Rg 3 : *3 env, 2 end, 1 jeté, 1 surj sple, 3 end,* 3 env
Rg 4 : *3 end, 2 env, 2 ens env arr, 1 jeté, 3 env,* 3 end
Rg 5 : *3 env, 4 end, 1 jeté, 1 surj sple, 1 end,* 3 env
Rg 6 : *3 end, 2 ens env arr, 1 jeté, 5 env,* 3 end
Rg 7 : *3 env, 7 end,* 3 env
Rg 8 : *3 end, 7 env,* 3 end

Treillis : croisillons en relief; un beau motif pour chandails et vestes.
Nombre de mailles : multiple de 7
Rg 1 : *2 end, 2 ens end, 1 jeté, 3 end*
Rg 2 : *1 env, 2 ens env arr, 1 jeté, 1 env, 1 jeté, 2 ens env, 1 env*
Rg 3 : *2 ens end, 1 jeté, 3 end, 1 jeté, 1 surj sple*
Rgs 4 et 8 : tric env
Rg 5 : *1 jeté, 1 surj sple, 5 end*
Rg 6 : *1 jeté, 2 ens env, 2 env, 2 ens env arr, 1 jeté, 1 env*
Rg 7 : *2 end, 1 jeté, 1 surj sple, 2 ens end, 1 jeté, 1 end*

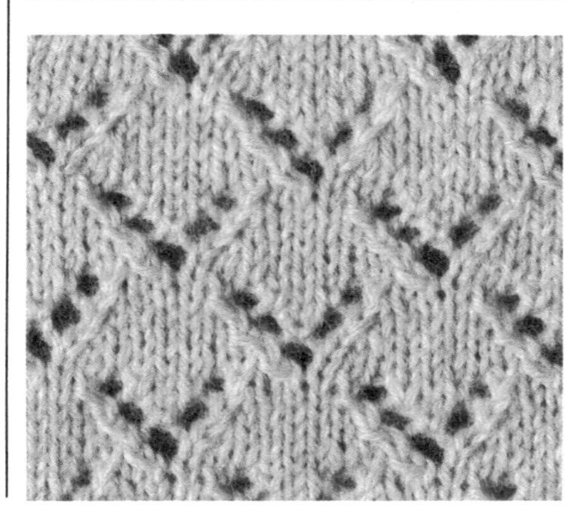

Jours en angles : point de fantaisie en forme de V sur un fond de jersey. Un joli point pour un chandail.
Nombre de mailles : multiple de 10
Rg 1 : *1 jeté, 1 surj sple, 8 end*
Rg 2 et ts les rgs pairs : tric env
Rg 3 : *1 end, 1 jeté, 1 surj sple, 5 end, 2 ens end, 1 jeté*
Rg 5 : *2 end, 1 jeté, 1 surj sple, 3 end, 2 ens end, 1 jeté, 1 end*
Rg 7 : *5 end, 1 jeté, 1 surj sple, 3 end*
Rg 9 : *3 end, 2 ens end, 1 jeté, 1 end, 1 jeté, 1 surj sple, 2 end*
Rg 11 : *2 end, 2 ens end, 1 jeté, 3 end, 1 jeté, 1 surj sple, 1 end*

Jour horizontal anglais : bandes ajourées sur un fond de jersey; dans l'exemple, les jours se répètent tous les dix rangs, mais ils peuvent être plus ou moins rapprochés; une seule bande produit aussi un bel effet.
Nombre de mailles : multiple de 2
Rgs 1, 3, 5, 7, 9, 10 : tric end
Rgs 2, 4, 6, 8 : tric env
Rg 11 : *1 jeté, 2 ens env*
Rg 12 : tric end

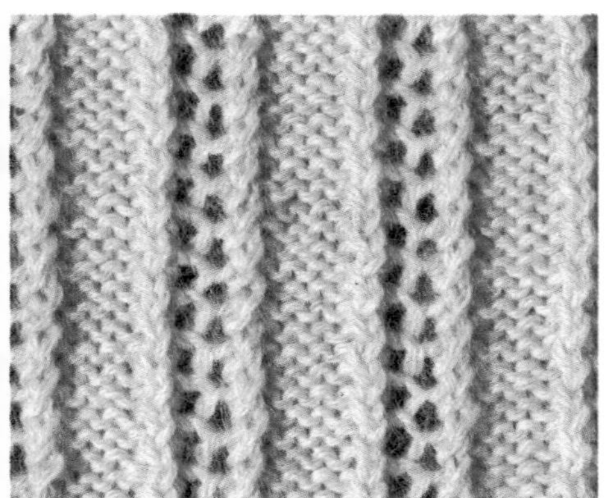

Rayures ajourées : côtes à jours sur un fond de jersey envers. Ce point peut être exécuté tel quel ou former des bandes isolées en insertion.
Nombre de mailles : multiple de 8 plus 4
Rg 1 : *4 env, 2 ens end, 1 jeté, 2 end,* 4 env
Rg 2 : *4 end, 2 ens env, 1 jeté, 2 env,* 4 end

Semis ajouré : un très joli point pour un vêtement de bébé.
Nombre de mailles : multiple de 10 plus 5
Rgs 1 et 3 : 5 end, *2 ens end, 1 jeté, 1 end, 1 jeté, 1 surj sple, 5 end*
Rgs 2 et 4 : *7 env, 1 gl cp env, 2 env,* 5 env
Rgs 5 et 11 : tric end
Rgs 6 et 12 : tric env
Rgs 7 et 9 : *2 ens end, 1 jeté, 1 end, 1 jeté, 1 surj sple, 5 end,* 2 ens end, 1 jeté, 1 end, 1 jeté, 1 surj sple
Rgs 8 et 10 : *2 env, 1 gl cp env, 7 env,* 2 env, 1 gl cp env, 2 env

Raies horizontales à jours : une double bande de jours alternant avec des lisières au point mousse (ou jersey ou point de riz). Ce point peut être employé pour une bordure ornementale ou pour l'ensemble du tricot.
Nombre de mailles : pair
Rgs de 1 à 6 : tric end
Rgs 7 et 9 : *1 jeté, 2 ens end*
Rgs 8 et 10 : *1 jeté, 2 ens env*

Rivière simple avec point mousse : bandes de mailles allongées alternant avec des bandes au point mousse (ou jersey ou point de riz). Les bandes ajourées peuvent être plus ou moins rapprochées.
Nombre de mailles: quelconque
Rgs de 1 à 4 : tric end
Rg 5 : tr chq m à l'end en enroulant le fil 2 fs autour de l'aig
Rg 6 : tr chaque m à l'end en laissant tomber l'un des 2 brins

Rivière torse double : deux rangs de mailles allongées, dos à dos, donnent une incrustation de dentelle fort attrayante. On peut employer une rangée de ce point pour faire une bordure ornementale ou plusieurs rangées pour faire un tissu aéré.
Nombre de mailles: quelconque
Rgs 1, 3, 5, 7 : tric end
Rgs 2, 4, 6 : tric env
Rg 8 (envers de l'ouvrage) : tr à l'end en enroulant le fil 2 fs autour de l'aig (00)
Rg 9 : rép rg 8, laissant tomber la bcle supplémentaire
Rg 10 : tr end, laissant tomber la bcle supplémentaire

Tension du fil 281

Introduction aux points croisés

Les **points croisés,** obtenus en intervertissant deux ou trois mailles, produisent un beau relief. Certains de ces points sont en réalité des torsades miniatures (voir les points de torsade aux pages 310-311); ils se travaillent cependant plus vite et plus facilement parce qu'ils ne requièrent pas d'aiguille auxiliaire. D'autres points croisés ressemblent à des tissus tissés; ils en ont l'aspect et la solidité. Le point de vannerie (à droite) en est un exemple. Dans ce cas, le croisement fixe les mailles et en limite l'élasticité.

On croise deux mailles en tricotant d'abord la deuxième maille de l'aiguille gauche, ensuite la première et en laissant tomber les deux mailles à la fois. Pour le faire sans effort et sans étirer le fil, il faut maintenir une tension très souple.

Si on tricote dans l'avant de la boucle, les mailles croisées s'inclinent à gauche; si on tricote dans l'arrière de la boucle, elles s'inclinent à droite (pp. 294-295). On suggère l'emploi d'un fil uni vu la richesse de la texture obtenue par les points croisés.

Point de vannerie : les mailles croisées à droite et à gauche forment un tricot très ferme ressemblant à un tissu tissé.
Nombre de mailles : pair
Rg 1 : *2 end cr à g*
Rg 2 : 1 env, *2 env cr à dr,* 1 env

Points croisés

Guêpier : un effet de trois dimensions obtenu en croisant deux mailles endroit alternativement à droite et à gauche. Ressemble au nid d'abeilles de la broderie.
Nombre de mailles : multiple de 4
Rg 1 : *2 end cr à dr, 2 end cr à g*
Rg 2 et tous les rgs pairs : tric env
Rg 3 : *2 end cr à g, 2 end cr à dr*

Mouches en carré : les mailles croisées et les deux rajouts forment des nœuds de grosseur moyenne sur un fond de jersey.
Nombre de mailles : multiple de 4 plus 2
Rgs 1 et 3 : tric end
Rg 2 et ts les rgs pairs : tric env
Rg 5 : *2 end, 2 end cr à g, (1 jeté, rab la 2e m de l'aig dr sur la 1re m et le jeté) 2 fs,* 2 end

Côtes composites : un large motif décoratif approprié à l'ensemble d'un tricot; une seule bande peut être insérée sur un fond de jersey endroit ou envers pour orner un vêtement.
Nombre de mailles : multiple de 12 plus 5
Rg 1 : *5 env, 1 end, (2 end cr à g) 3 fs,* 5 env
Rg 2 : 5 end, *1 env, (2 env cr à dr) 3 fs, 5 end*

Côtes à mailles croisées : donne un tissu très élastique même après de nombreux lavages.
Nombre de mailles : multiple de 3 plus 1
Rg 1 : 1 env, *2 end cr à dr, 1 env*
Rg 2 : 1 end, *2 env, 1 end*

Les anneaux : ressemblent à des côtes torsadées; mais ils sont plus faciles à exécuter.
Nombre de mailles : multiple de 8 plus 4
Rg 1 : *4 env, 2 end cr à g, 2 end cr à dr,* 4 env
Rg 2 : *4 end, 4 env*, 4 end
Rgs 3 et 5 : *4 env, 1 end, 2 env, 1 end,* 4 env
Rgs 4 et 6 : *4 end, 1 env, 2 end, 1 env,* 4 end

Côtes frisées : peuvent être utilisées pour l'ensemble d'un vêtement (ci-contre) ou isolément, pour ajouter une touche intéressante sur un tricot uni.
Nombre de mailles : multiple de 9 plus 5
Rg 1 : *5 env, 2 end cr à dr, 2 end cr à g,* 5 env
Rgs 2 et 4 : tric les m comme elles se présentent (à l'end les m env et à l'env les m end du rg précédent)
Rg 3 : *5 env, 2 end cr à g, 2 end cr à dr,* 5 env

Torsade câblée : un point attrayant et très élastique, obtenu en croisant une maille à travers deux (p. 295).
Nombre de mailles : multiple de 9 plus 3
Rg 1 : *3 env, (cr à trav 2 end à dr) 3 fs,* 3 env
Rg 2 et ts les rgs pairs : *3 end, 6 env,* 3 end
Rg 3 : *3 env, 1 end, (cr à trav 2 end à dr) 2 fs, 1 end,* 3 env

Losanges : un motif de treillis assez délicat pour un pull-over d'enfant.
Nombre de mailles : multiple de 6 plus 2
Rg 1 : 3 end, *2 end cr à dr, 4 end,* 2 end cr à dr, 3 end
Rg 2 et ts les rgs pairs : tric env
Rg 3 : *2 end, 2 end cr à dr, 2 end cr à g,* 2 end
Rg 5 : 1 end, *2 end cr à dr, 2 end, 2 end cr à g,* 1 end
Rg 7 : *2 end cr à dr, 4 end,* 2 end cr à dr
Rg 9 : 1 end, *2 end cr à g, 2 end, 2 end cr à dr,* 1 end
Rg 11 : *2 end, 2 end cr à g, 2 end cr à dr,* 2 end

Brindilles : de délicates branches tracées sur un fond de jersey.
Nombre de mailles : multiple de 13 plus 2
Rg 1 : *1 end, 2 end cr à dr, 2 end, 2 end cr à dr, 1 end, 2 end cr à g, 3 end,* 2 end
Rg 2 et ts les rgs pairs : tric env
Rg 3 : *4 end, 2 end cr à dr, 3 end, 2 end cr à g, 2 end,* 2 end
Rg 5 : *3 end, 2 end cr à dr, 1 end, 2 end cr à g, 2 end, 2 end cr à g, 1 end,* 2 end
Rg 7 : *2 end, 2 end cr à dr, 3 end, 2 end cr à g, 4 end,* 2 end

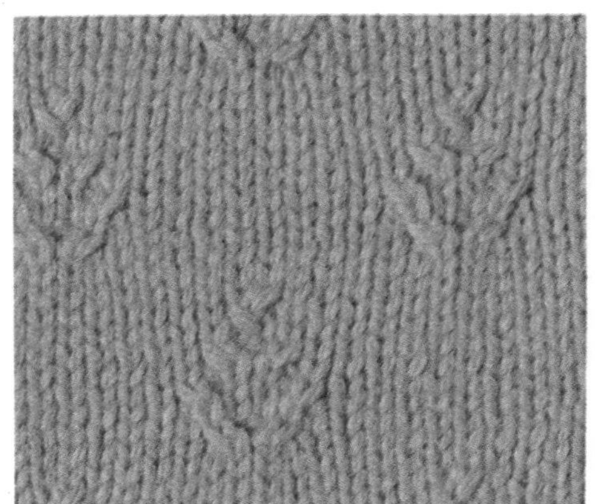

Palmes : *multiple de 14 plus 6*
Rgs 1 et 5 : 6 end, *2 end, 2 end cr à dr, 2 end cr à g, 8 end*
Rg 2 et ts les rgs pairs : tric env
Rg 3 : 6 end, *1 end, 2 end cr à dr, 2 end, 2 end cr à g, 7 end*
Rg 7 : 6 end, *3 end, 1 surj sple et on retricote la 1re m, 9 end*
Rgs 9 et 19 : tric end
Rgs 11 et 15 : *1 end, 2 end cr à dr, 2 end cr à g, 9 end,* 2 end cr à dr, 2 end cr à g, 1 end
Rg 13 : *2 end cr à dr, 2 end, 2 end cr à g, 8 end,* 2 end cr à dr, 2 end, 2 end cr à g
Rg 17 : 2 end, *1 surj sple dont on retricote la 1re m, 12 end,* 1 surj sple et on retricote la 1re m, 2 end

Aiguilles à deux pointes 272 Aiguille auxiliaire 273
Torsades avec aiguille auxiliaire 295

Introduction aux torsades

La **torsade** est l'un des plus beaux points de tricot. La maîtrise de cette technique demande beaucoup de pratique mais, une fois acquise, les applications en sont nombreuses.

On obtient les torsades en inversant généralement quatre mailles ou plus. On emploie une aiguille à double pointe, ou aiguille auxiliaire, pour tenir les mailles en attente tandis que l'on tricote les autres. Les mailles gardées sur le devant de l'ouvrage feront une inclinaison à gauche; à l'arrière, une inclinaison à droite. La torsade aura plus de relief si elle est tricotée à l'endroit sur un fond à l'envers.

Bien que les torsades puissent être exécutées très joliment avec un fil mince, on les réserve à des vêtements sport tricotés avec un fil épais.

Torsades

Panier tressé : un croisé en relief obtenu par torsades inclinées à droite et à gauche.
Nombre de mailles : multiple de 4
Rg 1 : tric end
Rg 2 et ts les rgs pairs : tric env
Rg 3 : 2 end, *gl 2 m sur aig aux arr, 2 end, tr à l'end les 2 m en att,* 2 end
Rg 5 : *gl 2 m sur aig aux av, 2 end, tr à l'end les 2 m en att*
Répéter à partir du 2e rg

Vent de sable : des torsades forment des ondulations ininterrompues.
Nombre de mailles : multiple de 12
Rgs 1, 5, 9 : tric end
Rg 2 et ts les rgs pairs : tric env
Rg 3 : *gl 3 m sur aig aux av, 3 end, tr à l'end les 3 m en att, 6 end*
Rg 7 : *6 end, gl 3 m sur aig aux arr, 3 end, tr à l'end les 3 m en att*
Répéter à partir du 3e rg

Semailles : un motif aux courbes douces avec un léger relief.
Nombre de mailles : multiple de 4 plus 1
Rgs 1 et 5 : *2 end, gl 1 cp env, 1 end,* 1 end
Rgs 2 et 6 : 1 env, *1 env, 1 gl cp env, 2 env*
Rg 3 : *gl 2 m sur aig aux arr, tr à l'end la m gl depuis 2 rgs, tr end les 2 m en att, 1 end,* 1 end
Rgs 4 et 8 : tric env
Rg 7 : 1 end, *1 end, mettre la m gliss sur l'aig aux av, 2 end, tr à l'end la m en att*

Torsade simple : la torsade classique sur un fond de jersey envers.
Nombre de mailles : multiple de 7 plus 3
Rgs 1 et 3 : *3 env, 4 end,* 3 env
Rgs 2, 4, 6 : *3 end, 4 env,* 3 end
Rg 5 : *3 env, T4 av [gl 2 m sur aig aux avant, tr 2 m end, tr à l'end les 2 m en att],* 3 env

Torsade cordée : une spirale résultant de la torsion constante du câble vers la droite.
Nombre de mailles : multiple de 9 plus 3
Rgs 1 et 3 : *3 env, 6 end,* 3 env
Rgs 2, 4, 6 : *3 end, 6 env,* 3 end
Rg 5 : *3 env, gl 3 m sur aig aux arr, 3 end, tr end 3 m en att,* 3 env

Sycomore : de fines tourelles.
Nombre de mailles : multiple de 12 plus 4
Rgs 1, 3, 5 : 4 env, *2 end, 4 env*
Rgs 2 et 4 : 4 end, *2 env, 4 end*
Rg 6 : 4 end, *fav, gl 2 cp env, farr, 4 end*
Rg 7 : 4 env, *gl 2 m sur aig aux av, 2 env, 1 jeté, tr les m en att en les prenant 2 ens end arr, gl 2 m sur l'aig aux arr, 2 ens end, 1 jeté, tr à l'env les m en att, 4 env*
Rg 8 : 4 end, *2 env, 1 end arr, 2 env, 1 end arr, 2 env, 4 end*

Natte à quatre : un large et impressionnant motif.
Nombre de mailles : multiple de 23 plus 5
Rgs 1 et 5 : *5 env, 18 end,* 5 env
Rg 2 et ts les rgs pairs : *5 end, 18 env,* 5 end
Rg 3 : *5 env, (gl 3 m sur aig aux arr, 3 end, tr end les 3 m en att) 3 fs,* 5 env
Rg 7 : *5 env, 3 end, (gl 3 m sur aig aux av, 3 end, tr end les 3 m en att) 2 fs, 3 end,* 5 env

Côtes croisées : un large motif.
Nombre de mailles : multiple de 16 plus 2
Rg 1 et ts les rgs impairs (envers de l'ouvrage) : *2 end, 2 env,* 2 end
Rgs 2, 4, 6, 8 : *2 env, 2 end,* 2 env
Rg 10 : 2 env, *gl 4 m sur aig aux av; 2 end, gl les 2 m env de l'aig aux à l'aig g et les tr à l'env; tr à l'end les 2 dernières m en att, (2 env, 2 end) 2 fs, 2 env*
Rgs 12, 14, 16, 18 : *2 env, 2 end,* 2 env
Rg 20 : *(2 env, 2 end) 2 fs, 2 env, gl 4 m sur aig aux arr, 2 end, gl les 2 m env de l'aig aux à l'aig g et les tr à l'env, tr à l'end les 2 dernières m en att,* 2 env

Côtes croisées à jours : une combinaison de torsades et de jours convenant à des fils fins ou moyens.
Nombre de mailles : multiple de 6 plus 2
Rgs 1, 3, 5, 7, 9, 11 : (envers de l'ouvrage) : 2 end, *2 ens env, 1 jeté, 2 env, 2 end*
Rgs 2, 4, 6, 8, 10 : 2 env, *1 surj sple, 1 jeté, 2 end, 2 env*
Rg 12 : 2 env, *gl 2 m sur aig aux av, 1 surj sple, 1 jeté, tr à l'end les 2 m en att, 2 env*

Torsades croisées : un point fait de côtes croisées allongées.
Nombre de mailles : multiple de 8 plus 6
Rg 1 et ts les rgs impairs (envers de l'ouvrage) : *2 end, 2 env,* 2 end
Rgs 2, 4, 6 : *2 env, 2 end,* 2 env
Rg 8 : *2 env, gl 3 m sur aig aux av, 3 end, tr à l'end les 3 m en att,* 2 env, 2 end, 2 env
Rgs 10, 12, 14 : *2 env, 2 end,* 2 env
Rg 16 : 2 env, 2 end, 2 env, *gl 3 m sur aig aux arr, 3 end, tr à l'end les 3 m en att, 2 env*

Rayon de miel : un point très employé dans le tricot irlandais.
Nombre de mailles : multiple de 8
Rg 1 : *T 4 arr [gl 2 m sur aig aux arr, 2 end, tr les m en att], T 4 av [gl 2 m sur aig aux av, 2 end, tr à l'end les m en att]*
Rgs 2, 4, 6, 8 : tric env
Rgs 3 et 7 : tric end
Rg 5 : *T 4 av, T 4 arr [détails entre crochets au 1er rang]*

Treillage : exemple de torsades exécutées avec un nombre inégal de mailles.
Nombre de mailles : multiple de 6
Rgs 1 et 3 : *2 env, 2 end, 2 env*
Rg 2 et ts les rgs pairs : tr les m comme elles se présentent
Rg 5 : *gl 2 m sur aig aux arr, 1 end, tr à l'env les 2 m en att, gl 1 m sur aig aux av, 2 env, tr à l'end 1 m en att*
Rgs 7 et 9 : *1 end, 4 env, 1 end*
Rg 11 : *gl 1 m sur aig aux av, 2 env, tr à l'end la m en att, gl 2 m sur aig aux arr, 1 end, tr à l'env les 2 m en att*

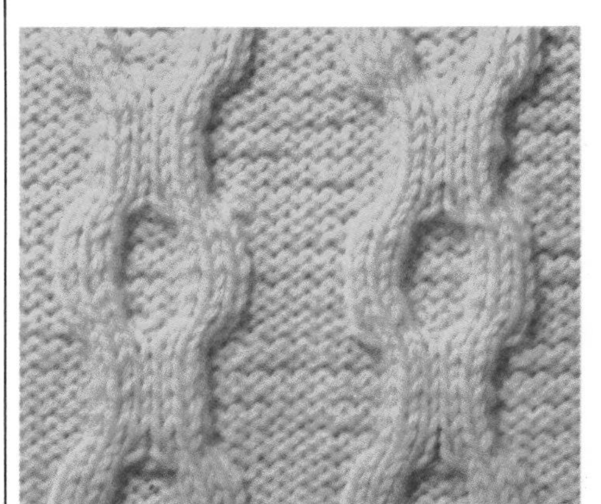

Maillons : un point large et en relief.
Nombre de mailles : multiple de 18 plus 6
Rgs 1, 3, 5, 7 (envers de l'ouvrage) : *6 end, 3 env,* 6 end
Rgs 2, 4, 6 : *6 env, 3 end*, 6 env
Rg 8 : *6 env, gl 3 m sur aig aux av, 3 env, tr à l'end les 3 m en att, gl 3 m sur aig aux arr, 3 end, tr à l'env les 3 m en att,* 6 env
Rgs 9, 11, 13, 15 : 9 end, *6 env, 12 end,* 9 end
Rgs 10, 12, 14 : 9 env, *6 end, 12 env,* 9 env
Rg 16 : *6 env, gl 3 m sur aig aux arr, 3 end, tr à l'env les 3 m en att, gl 3 m sur aig aux av, 3 env, tr à l'end les 3 m en att,* 6 env

Mailles glissées 288
Points bouclés 388

Points à mailles allongées

Champ fleuri : *multiple de 10 plus 8*
Rgs 1, 3, 5 : tric end
Rgs 2, 4, 6 : tric env
Rg 7 : 2 end, fleur (piquez l'aig dans la boucle 3 rgs plus bas que la 2e m de l'aig g, tirez la boucle, 2 end, tirez une 2e boucle en partant de la même m, 2 end, tirez une 3e boucle de la même façon), *6 end, fleur,* 2 end
Rg 8 : 2 env, *(2 ens env, 1 env) 2 fs, 2 ens env, 5 env,* (2 ens env, 1 env) 2 fs, 2 ens env, 1 env
Rgs 9, 11, 13 : tric end
Rgs 10, 12, 14 : tric env
Rg 15 : 7 end, *fleur, 6 end,* 1 end
Rg 16 : 2 env, *5 env, (2 ens env, 1 env) 2 fs, 2 ens env,* 6 env

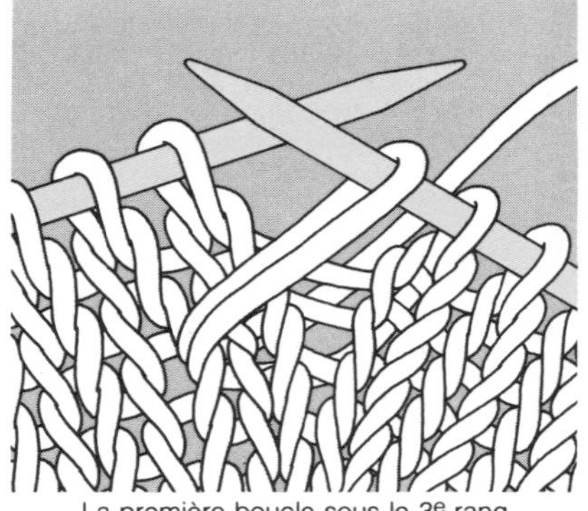

La première boucle sous le 3e rang

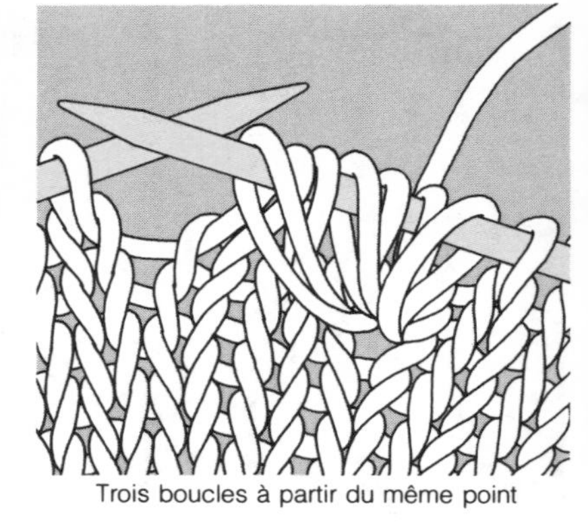

Trois boucles à partir du même point

Papillons : brins horizontaux noués.
Nombre de mailles : multiple de 10 plus 7
Rgs 1 et 3 (envers de l'ouvrage) : tric env
Rgs 2, 4, 6, 8 : tric end
Rgs 5, 7, 9 : 6 env, *farr, gl 5, fav, 5 env,* 6 env
Rg 10 : 8 end, *papillon [passer l'aig dr sous les 3 brins, tric la m suiv en tirant la boucle sous les brins], 9 end,* papillon, 8 end
Rgs 11 et 13 : tric env
Rgs 12, 14, 16, 18 : tric end
Rgs 15, 17, 19 : 1 env, *farr, gl 5, fav, 5 env,* farr, gl 5, 1 env
Rg 20 : 3 end, *papillon, 9 end,* papillon, 3 end

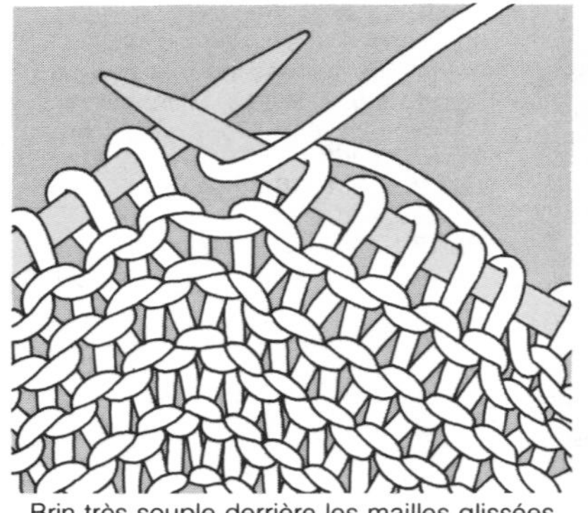

Brin très souple derrière les mailles glissées

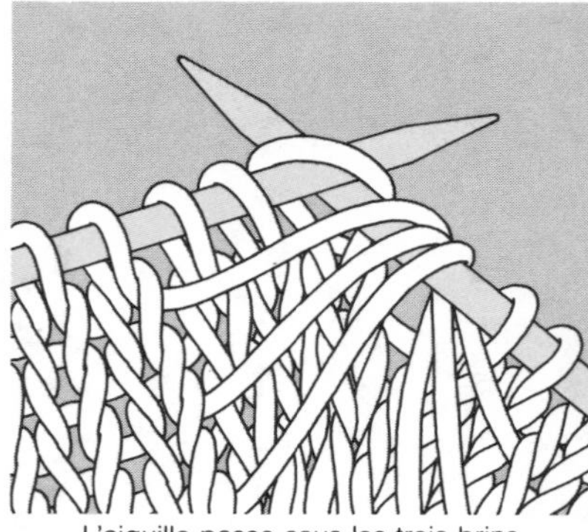

L'aiguille passe sous les trois brins

Point de fourrure : texture pelucheuse se prêtant à la confection de tapis, coussins, bordures ornementales. La longueur des boucles peut changer en enroulant le fil sur un ou trois doigts au lieu de deux. Cet effet de fourrure peut être aussi obtenu au crochet.
Nombre de mailles : multiple de 2 plus 1
Rgs 1 et 3 : tric end
Rg 2 : 1 end, *boucle (piq l'aig dans la m suiv, enroulez le fil autour de l'aig, puis autour de 2 doigts de la main g, puis encore une fs autour de l'aig, tirez 2 boucles à travers la m et remettez-les sur l'aig g pour les tricoter ens à l'end avec cette m en arrière de l'aig), 1 end*
Rg 4 : 2 end, *1 boucle, 1 end,* 1 end

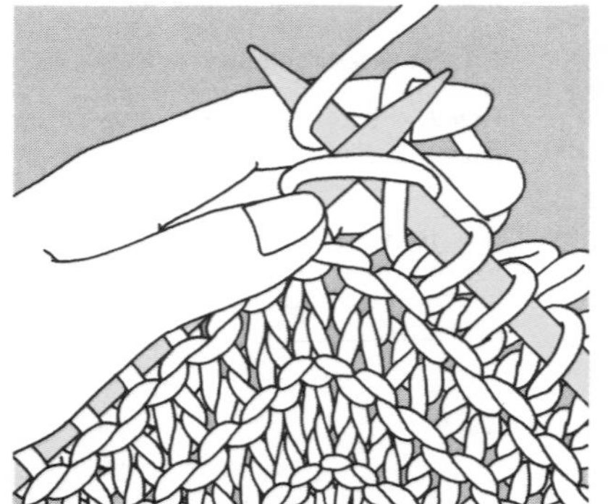

Le fil enroulé sur deux doigts de la main gauche

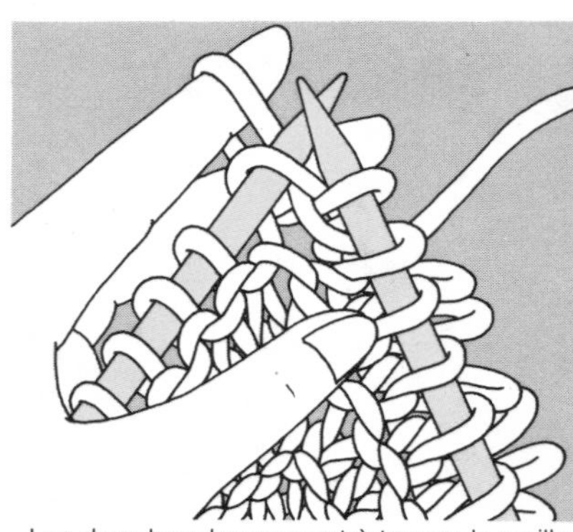

Les deux boucles passent à travers la maille

Smocks

Smock I : des côtes 2/2 dont certaines mailles sont attachées à intervalles réguliers pour former des nids d'abeilles. Une aiguille auxiliaire à double pointe (dp) est nécessaire.
Nombre de mailles : multiple de 8 plus 10
Rg 1 et ts les rgs impairs (envers de l'ouvrage) : *2 end, 2 env,* 2 end
Rgs 2 et 4 : *2 env, 2 end,* 2 env
Rg 6 : *2 env, lier 6 m [gl 6 m sur aig aux av, enrouler le fil de pelote 2 fs autour des 6 m, tric 2 end, 2 env, 2 end, libérant l'aig aux],* 2 env, lier 6 m, 2 env
Rgs 8 et 10 : *2 env, 2 end,* 2 env
Rg 12 : 2 env, lier 2 m end, 2 env, *lier 6 m, 2 env,* lier 2 m end, 2 env

L'enroulement du fil autour de l'aiguille auxiliaire

Les mailles en attente sont tricotées

Smock II : côtes tricotées cousues l'une à l'autre pour former des nids d'abeilles. Le tissu tricoté doit mesurer le double de la largeur désirée.
Nombre de mailles : multiple de 4 plus 1
Rg 1 : *1 end, 3 env,* 1 end
Rg 2 : *1 env, 3 end,* 1 env
Avec un fil assorti ou contrasté et une aiguille à tapisserie à bout rond, commencez dans le coin en haut à droite à joindre les 2 premières côtes. Passez l'aiguille derrière et ressortez-la 3 rangs plus bas à côté de la 2e côte pour la joindre à la 3e. Repassant le fil derrière l'ouvrage, remontez au rang supérieur pour coudre la 3e et la 4e côtes. Continuez à joindre les côtes par paires en alternant sur 2 rangs à la fois.

Les côtes prêtes à être brodées

Les nids d'abeilles travaillés sur 2 rangs

Smock tout jersey : nids d'abeilles sur jersey; le smock peut aussi être fait sur d'autres points.
Nombre de mailles : multiple de 4, 5 ou 6, selon l'espace désiré entre les points de smock.
La largeur du tricot doit être le double de la largeur que vous voulez obtenir à la fin. Faufilez des lignes parallèles sur toute la largeur du tissu en prenant soin de prendre la même maille verticale. Espacez les points de faufil de 4 (5 ou 6) mailles et de 4 (5 ou 6) rangs. Tirez les faufils pour obtenir la largeur désirée; fixez-les. Faites les nids d'abeilles sur les côtes « soulevées »; retirez les faufils.

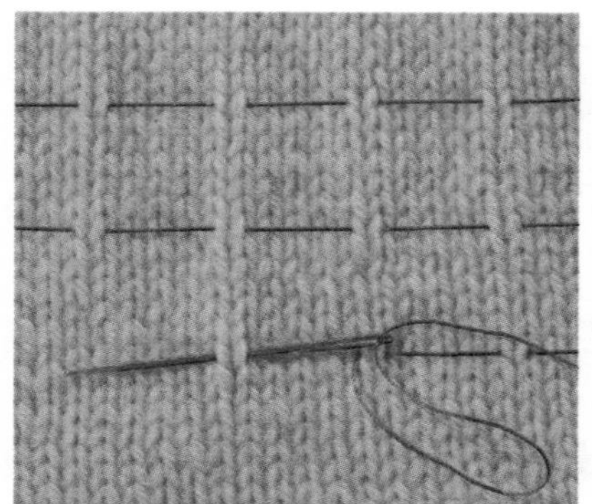

Faufilage du tissu à froncer

Les nids d'abeilles travaillés sur 2 rangs

Tricoter l'avant et l'arrière de la maille 291

Points noués

Mouches en quinconce : un nœud, obtenu en tricotant plusieurs fois dans la même maille, puis en rabattant les boucles supplémentaires sur la 1re. La grosseur du nœud dépend du nombre de boucles tricotées dans la même maille. On peut varier le nombre de mouches et les espaces entre les mouches.
Nombre de mailles : multiple de 6 plus 3
Rgs 1 et 5 : tric end
Rgs 2 et ts les rgs pairs : tric env
Rg 3 : 1 end, *mouche [(tric end dans av et arr de la bcle) 2 fs, puis rab les 2e, 3e et 4e m sur la 1re], 5 end,* mouche, 1 end
Rg 7 : 4 end, *mouche, 5 end,* mouche, 4 end

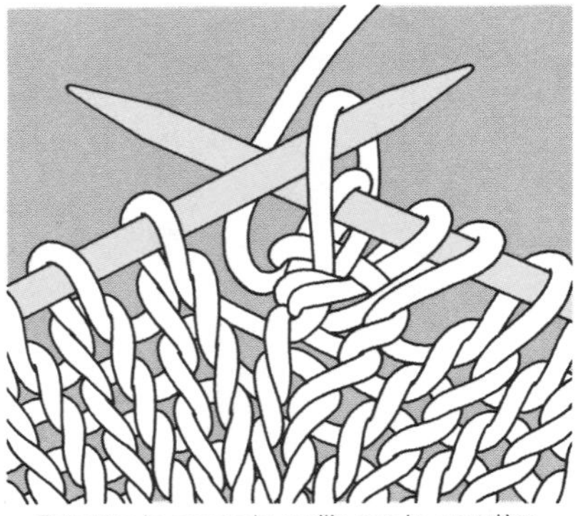

Rabattre la seconde maille sur la première

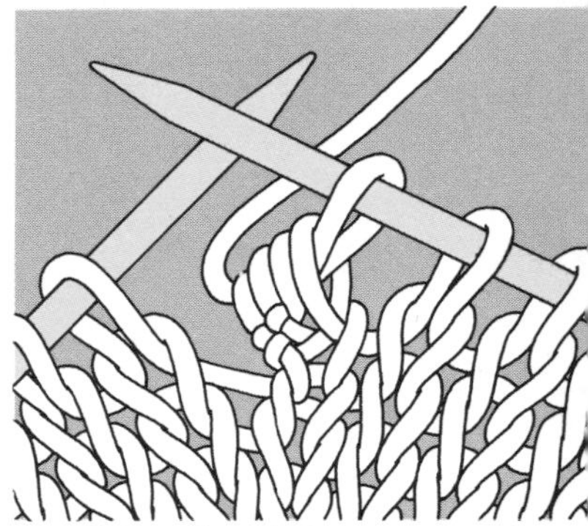

Trois mailles rabattues sur une seule

Pastilles : des nœuds impressionnants, obtenus en travaillant plusieurs fois dans la même maille, en tricotant aller-retour dans les ajouts et, finalement, en rabattant les mailles supplémentaires; la grosseur des pastilles peut varier mais c'est essentiellement un gros nœud décoratif; sur de grandes surfaces, il faut les employer avec mesure.
Nombre de mailles : quelconque
Sur un fond de jersey ou autre, faites les pastilles comme suit : (tric end dans av et arr de la même m) 2 fs; (tournez l'ouvrage et tric env ces 4 m, retournez et tric end) 2 fs, rab les 2e, 3e et 4e m sur la 1re. Espacez les pastilles comme sur l'illustration ou au goût.

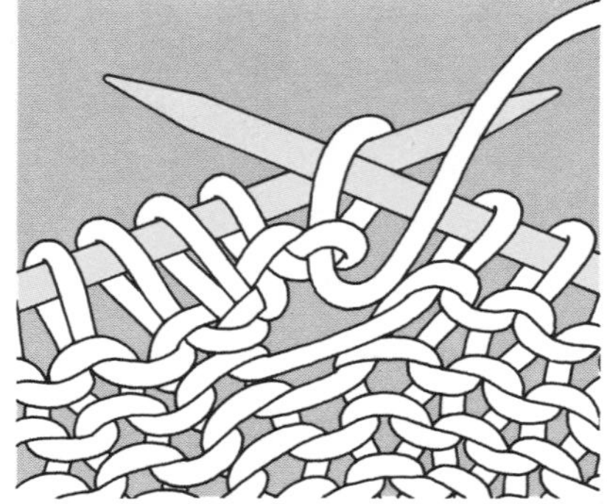

Tricoter à l'envers une nouvelle maille

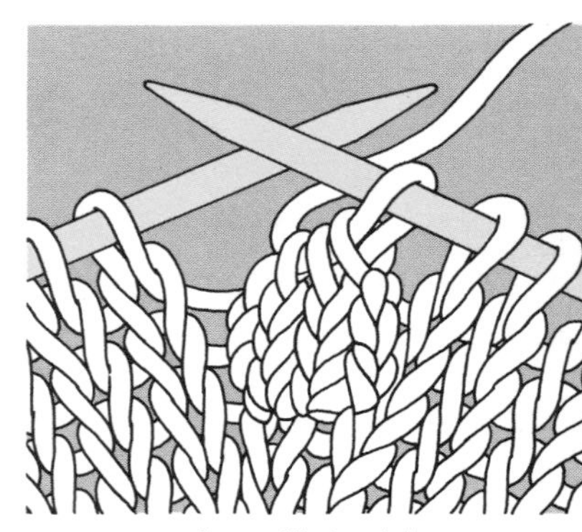

La pastille terminée

Point astrakan ou trinité : un nœud plus petit, plus facile à faire que ne le sont les deux précédents. On l'obtient en faisant une augmentation double dans une maille, suivie d'une diminution double à la suivante. Le trinité, aussi appelé les mûres, est très employé dans le tricot irlandais. On remarque qu'à la fin du 2e rang, on compte deux mailles de moins qu'au début de l'ouvrage; cependant, au 4e rang l'équilibre est rétabli.
Nombre de mailles : multiple de 4 plus 3
Rgs 1 et 3 : tric env
Rg 2 : *3 ens env, endvd dans la m suiv,* 3 ens env
Rg 4 : *endvd dans la 1re m, 3 ens env,* endvd dans la dernière m

Graine d'if : un nœud large et plat produit par une augmentation double suivie de deux rangs sans augmentation ni diminution.
Nombre de mailles : multiple de 4
Rg 1 : *3 env, (1 end, 1 jeté, 1 end) dans la m suiv*
Rgs 2 et 3 : *3 env, 3 end*
Rg 4 : *3 ens env, 3 end*
Rgs 5 et 11 : tric env
Rgs 6 et 12 : tric end
Rg 7 : *1 env, (1 end, 1 jeté, 1 end) dans la m suiv, 2 env*
Rg 8 : 2 end, *3 env, 3 end,* 3 env, 1 end
Rg 9 : 1 env, *3 end, 3 env,* 3 end, 2 env
Rg 10 : 2 end, *3 ens env, 3 end,* 3 ens env, 1 end

Pull-over irlandais

Point de riz 280
Technique des torsades 295
Torsades 310-311

Le tricot irlandais est une combinaison de plusieurs points formant un tissu à dessins multiples. Ce style, originaire des îles d'Aran, est exécuté en laine écrue avec des points qui, aux yeux de ces insulaires, symbolisent la vie conjugale et le métier de pêcheur.

La torsade est caractéristique du tricot irlandais. On y trouve aussi d'autres motifs : des nœuds, des motifs continus, comme l'arbre de vie et des textures soulevées, comme le point de riz.

Un pull-over typique comprend un large pan central, flanqué de deux bandes plus étroites identiques. De trois à quatre motifs différents se détachent sur un fond de jersey envers, souvent séparés par deux mailles croisées ou une maille glissée. Les manches reprennent deux ou trois des motifs choisis.

De droite à gauche : **1.** Arbre de vie, **2.** Torsade câblée, **3.** Mouches verticales, **4.** Rayon de miel

Directives du pull-over

Voici un modèle de pull-over irlandais. Tour de poitrine : 40, 42, 44, 46, (32, 34, 36, 38). Le style convient à une femme, à un homme de petite taille ou à un adolescent.

Fournitures
5 (6 : 6 : 7) écheveaux de 100 g (4 oz) de fil peigné écru, une paire d'aiguilles n° 4 (8) et n° 4½ (7), un jeu n° 4 (8) d'aiguilles auxiliaires à double pointe

Echantillon
24 m et 24 rgs = 10 cm de côté (4")

Motifs des panneaux

MOTIF 1
Arbre de vie
Nombre de mailles : multiple de 11
Rg 1 : 5 env, 1 end, 5 env
Rg 2 : 5 end, 1 env, 5 end
Rg 3 : 3 env, T 2 arr (gl 1 sur aig aux arr, 1 end, tr env la m en att), 1 end, T2 av (gl 1 sur aig aux av, 1 env, tr end la m en att), 3 env
Rg 4 : 3 end, fav, gl 1, farr, 1 end, 1 env, 1 end, fav, gl 1, farr, 3 end
Rg 5 : 2 env, T2 arr, 1 env, 1 end, 1 env, T2 av, 2 env
Rg 6 : 2 end, fav, gl 1, farr, 2 end, 1 env, 2 end, fav, gl 1, farr, 2 end
Rg 7 : 1 env, T2 arr, 2 env, 1 end, 2 env, T2 av, 1 env
Rg 8 : 1 end, fav, gl 1, farr, 3 end, 1 env, 3 end, fav, gl 1, farr, 1 end

MOTIF 2
Torsade câblée
Nombre de mailles : multiple de 14
Rg 1 : farr, gl 1, fav, 2 env, gl 4 sur aig aux av, 4 end, tr end les 4 en att, 2 env, farr, gl 1
Rgs 2, 4, 6, 8 : 1 env, 2 end, 8 env, 2 end, 1 env
Rgs 3, 5, 7 : farr, gl 1, fav, 2 env, 8 end, 2 env, farr, gl 1

MOTIF 3
Mouches verticales
Nombre de mailles : multiple de 3
Rg 1 : 1 env, tr av et arr de la m suiv 5 fs, puis gl les 2e, 3e, 4e et 5e par-dessus la 1re, 1 env
Rgs 2, 4, 6, 8 : tric end
Rgs 3, 5, 7 : tric env

MOTIF 4
Rayon de miel (panneau central)
Nombre de mailles : multiple de 38
Rg 1 : farr, gl 1, fav, 2 env, *T4 arr, T4 av,* rép de* 3 fs, 2 env, farr, gl 1
Rgs 2, 4, 6, 8 : 1 env, 2 end, 32 env, 2 end, 1 env
Rgs 3 et 7 : farr, gl 1, fav, 2 env, 32 end, 2 env, farr, gl 1
Rg 5 : farr, gl 1, fav, 2 env, *T4 av, T4 arr,* rép de* 3 fs, 2 env, farr, gl 1

DOS DU CHANDAIL : avec des aig n° 4 (8), montez 98 (104 : 110 : 116) m, tric 7,5 cm de côtes 1/1 terminant avec un rg end, tric env le rg suiv. Aig n° 4½ (7)
Rg 1 : tric 2 (5 : 8 : 11) m end, puis sur les 94 m suiv faites motifs 1, 2, 3, 4, 3, 2 et 1, tric 2 (5 : 8 : 11) m end
Rg 2 : tric 2 (5 : 8 : 11) m env, puis sur les 94 m suiv continuez les motifs, tric 2 (5 : 8 : 11) m env jusqu'à 40 cm (41 : 42 : 42)
Epaule raglan : rab 5 (6 : 7 : 8) m au commencement des 2 rgs suiv
Rg suiv : 2 end, 2 ens end arr, continuez les motifs, 2 ens end, 2 end
Rg suiv : 3 env, continuez les motifs, 3 env, répétez ces 2 derniers rangs encore 19 (21 : 23 : 25) fois
Rg suiv : 2 end, 3 ens end arr, continuez les motifs, 3 ens end, 2 end, dim à ts les 2 rgs 2 fs de plus. Mettez les 36 m de côté. L'emmanchure a 18,75 cm (20,6 : 22,5 : 23,75).
DEVANT : même que le dos jusqu'à 62 (64 : 66 : 68) m, terminant par un rg env
Pour former l'encolure : 2 end, 2 ens end arr, continuez les motifs sur 17 (18 : 19 : 20) m, tournez, rab 2 m et tric jusqu'à la fin du rg
Dim d'une m du côté du cou ts les 2 rgs 4 fs; dim en même temps d'une m à l'emmanchure ts les 2 rgs 6 (7 : 8 : 9) fs, terminant par un rg env; tournez, 2 end, 3 ens end arr, finissez le rg. Dim ainsi à ts les 2 rgs 2 fs. Rab les 2 m. Mettez de côté les 20 m centrales et joignez le fil à la m suiv. Tric le côté g.
MANCHE : avec des aig n° 4 (8), montez 44 (46 : 48 : 50) m, tric 7,5 cm de côtes, terminant sur un rg end. Tric env le rg suiv en répartissant 4 (6 : 8 : 8) aug, obtenez 48 (52 : 56 : 58) m; aig n° 4½ (7).
Rg 1 : 1 (3 : 1 : 2) end, 2 env, T sur 8 m comme dans motif 2, 2 env, farr, gl 1, fav, 2 env, T sur 16 (16 : 24 : 24) m comme dans motif 4, 2 env, farr, gl 1, fav, 2 env, T sur 8 m, 2 env, 1 (3 : 1 : 2) end. Continuez ces directives en augmentant d'une m (jersey) à chq bout ts les 3,75 cm jusqu'à 62 (68 : 74 : 80) m. Il faut avoir 44 (45 : 45 : 46) cm, terminant avec un rg env.
Epaule raglan : rab 5 (6 : 7 : 8) m au commencement de chq des 2 rgs suiv.
Rg suiv : 2 end, 2 ens end arr. Continuez les motifs jusqu'aux 4 dernières m, 2 ens end, 2 end. Dim ainsi à ts les 2 rgs 21 (23 : 25 : 27) fs. Mettez les 8 m qui restent de côté.
ENCOLURE : l'end face à vous et avec aig dp, tr les 36 m du dos en dim de 6 (6 : 4 : 4) m; 30 (30 : 32 : 32) m restent sur l'aiguille. Tric les 8 m des manches, en dim 1 m à chq bout, 6 m restent. Relevez et tric 11 (12 : 13 : 14) m end sur les 2 côtés du cou, tric les 20 m centrales, 42 (44 : 46 : 48) m dev. du cou, 84 (86 : 90 : 92) m en tout, côtes 1/1 sur 6,5 cm, rab.
FINITION : assemblez maintenant les coutures des manches, puis cousez les manches aux emmanchures. Pliez en deux la bordure de l'encolure et cousez-la à l'intérieur de façon invisible.

Mailles de lisière 284
Jonction de deux brins 285
Augmentations levées 290
Points doubles 348

Introduction

De nombreuses méthodes existent pour travailler le jacquard. Le choix dépend du modèle choisi et de son usage.

Quand on tricote des rayures horizontales, des chevrons ou un motif qui se répète sur toute la largeur du rang (voir les exemples ci-dessous), on change de couleur à la fin du rang. Si les couleurs alternent à tous les deux ou quatre rangs, le fil inemployé peut être glissé souplement dans le bord. Sinon le fil peut être coupé et joint au nouveau fil. On laisse un bout de fil assez long pour le rentrer ensuite dans la lisière.

Dans le cas des larges rayures verticales d'un motif incrusté ou d'un plaid écossais, les changements de couleur s'opèrent au cours du rang. Les motifs sont habituellement tricotés au point de jersey et les changements de couleur se font à l'envers. On croise les fils de différentes couleurs afin de ne pas faire de trous dans l'ouvrage.

Pour les motifs où deux couleurs alternent fréquemment, le fil inemployé est tendu sur l'envers (p. 318) ou tissé sur l'envers (p. 320). Ces méthodes assurent la régularité et la rapidité du tricot, surtout si l'on se sert des deux mains. Evidemment, on devra utiliser plus de fil mais le tricot n'en sera que plus épais et chaud. Ces méthodes sont très populaires dans le Fair Isle (l'une des îles Shetland) et aussi en Norvège.

La broderie sur un tricot au point de jersey est une technique qui évoque le jacquard. Les motifs, obtenus en doublant certaines mailles, ont un léger relief. Ce relief n'existe pas dans un tricot jacquard.

Changement de couleur à la fin d'un rang

Rayures horizontales : bandes de couleur en largeur au point de jersey. On peut tricoter un nombre quelconque de rangs de chaque couleur, mais le minimum est généralement deux rangs. L'exemple montre une suite de dix rangs vert foncé, deux rouille, et quatre vert pâle. Les changements de couleur s'effectuent à la fin du rang; le fil inemployé est attaché de place en place dans la lisière s'il y a plusieurs rangs d'une même couleur.

Chevrons bicolores : bandes de couleur en zigzags. Dans l'exemple donné, quatre rangs rouille alternent avec huit rangs verts de chaque côté. Le rang de montage d'un chevron est toujours festonné (dentelé).
Nombre de mailles : multiple de 14
Rg 1 : *1 end, faire 1 aug levée à g, 4 end, 1 surj dble, 4 end, faire 1 aug levée à dr*
Rg 2 : tric env

Point de sable bicolore : un effet de rayures verticales, et pourtant, le changement de couleur s'opère à la fin du rang.
Nombre de mailles : multiple de 2 plus 1
Rg 1 (clair) : tric end
Rg 2 (clair) : tric env
Rg 3 (foncé) : 1 end, *gl 1 cp env, 1 end*
Rg 4 (foncé) : *1 end, fav, gl 1 cp env, farr,* 1 end

Les étoiles : une texture en relief rappelant la texture de certains points au crochet. S'obtient en tricotant 3 fois dans un groupe de 3 mailles. La tension doit être lâche.
Nombre de mailles : multiple de 4 plus 3
Rg 1 (clair) : tric env
Rg 2 (clair) : *faire 1 étoile [piquer l'aig dans un groupe de 3 m—cp tric 3 ens —mais plutôt tric end dans av, arr, av de chq des 3 m], 1 end,* étoile
Rg 3 (foncé) : tric env
Rg 4 (foncé) : 2 end, *1 étoile, 1 end,* 1 end

Point tissé bicolore : les mailles glissées et tricotées semblent entrelacées. Il faut se servir d'aiguilles à deux pointes pour pouvoir tricoter deux rangs sur le même côté sans tourner l'ouvrage.
Nombre de mailles : pair
Rg 1 (foncé) : tric env; revenir au début du rang
Rg 2 (clair) : *1 env, gl 1 cp env*
Rg 3 (foncé) : tric end, revenir au début du rang
Rg 4 (clair) : *1 end, gl 1 cp env*

Les échelles bicolores : un jacquard très simple avec effet d'optique.
Nombre de mailles : multiple de 6 plus 5
Rg 1 (clair) : 2 end, *gl 1 cp env, 5 end,* gl 1 cp env, 2 end
Rg 2 (clair) : 2 env, gl 1 cp env, *5 env, gl 1 cp env,* 2 env
Rg 3 (foncé) : *5 end, gl 1 cp env,* 5 end
Rg 4 (foncé) : *5 end, fav, gl 1 cp env, farr,* 5 end

Bouts de fil tissés 282

Technique du fil croisé sur l'envers

Larges bandes verticales : les larges bandes ou les grandes masses de couleur imposent des changements au cours du rang. Il faut employer autant de pelotes qu'il y a de coloris et, à chaque changement, croiser les fils sur l'envers de l'ouvrage. Cette technique de croisement évite les trous. Les illustrations ci-contre montrent l'endroit et l'envers de l'ouvrage.

Incrustation : un motif, d'une ou plusieurs couleurs, se détachant sur un fond uni. On peut se servir de la méthode ci-haut décrite. On utilise une pelote de fil ou une bobinette pour chaque coloris différent. Le motif terminé, on coupe les fils en laissant d'assez longs bouts qu'on tissera sur l'envers. On peut rebroder un motif de ce genre (p. 348).

Tartan d'Argyle : des losanges faits de diagonales bicolores ou multicolores. Inspiré du tartan du clan Campbell of Argyll, cet exemple est plus facile à tricoter avec des bobinettes. Les bobinettes retiennent le fil jusqu'à ce qu'on en déroule la longueur voulue. Il ne faut pas oublier de croiser les fils sur l'envers à chaque changement de coloris. Les instructions sont généralement données sur une grille. On explique dans le cadre, à l'extrême droite, la façon de lire une grille (la grille indiquée est celle du tartan d'Argyle).

Emploi d'une grille

Les directives d'un tricot jacquard, d'un plaid écossais, d'un motif incrusté sont souvent données au moyen d'une grille. La grille permet de visualiser facilement l'ensemble d'un motif.

La grille est faite sur un papier quadrillé, chaque carré représente une maille, chaque ligne représente un rang. Les carrés vides indiquent la couleur de fond et les carrés pleins, les contrastes. Si un modèle demande plus de deux couleurs, chacune est rendue par un symbole, un point par exemple.

Une grille se lit facilement : on commence par le bas, on lit de droite à gauche pour un rang à l'endroit et de gauche à droite pour un rang à l'envers. On peut suivre les rangs consécutifs en s'aidant d'une réglette.

La grille coloriée est encore plus facile à suivre; elle indique directement l'emplacement et la couleur de la maille. Toutefois, le quadrillé doit rester clairement visible.

Les grilles d'un tricot jacquard ressemblent aux grilles des broderies au point de croix ou au petit point. En suivant les principes énoncés ci-haut, il est possible de convertir au tricot une grille empruntée à la broderie par exemple. Il faut voir comment les proportions du motif original s'adaptent aux exigences du tricot. Un échantillon vous permettra vite d'en juger.

Clé des couleurs
▲ = rouille ●= vert foncé

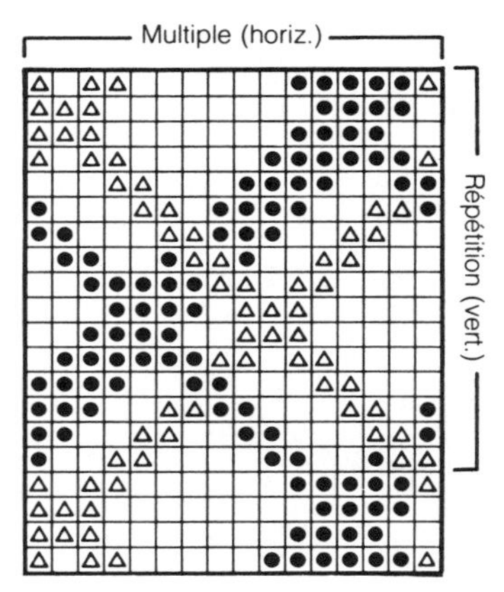

Maille endroit à la française 276
Maille endroit à la suisse 277
Maille envers à la française 278
Maille envers à la suisse 279

Technique du fil tendu sur l'envers

Lorsque deux couleurs alternent plusieurs fois au cours d'un même rang, on peut faire suivre le fil inutilisé à l'envers de l'ouvrage; le tissu obtenu sera plus épais. La technique du **fil tendu sur l'envers** est illustrée à droite.

L'utilisation des deux mains facilite l'alternance des couleurs : on peut tricoter une couleur avec la main droite et tendre le fil de la seconde couleur avec la main gauche ou tricoter avec la gauche et tendre le fil avec la droite. Le fil tendu doit rester très souple. Le travail peut être fait avec une seule main, mais la progression sera plus lente et la tension moins régulière.

On peut *tendre le fil* sur un espace de cinq mailles. Si l'espace à parcourir par le fil est de plus de cinq mailles, il vaut mieux *croiser le fil* (p. 317) ou le *tisser sur l'envers* (p. 320).

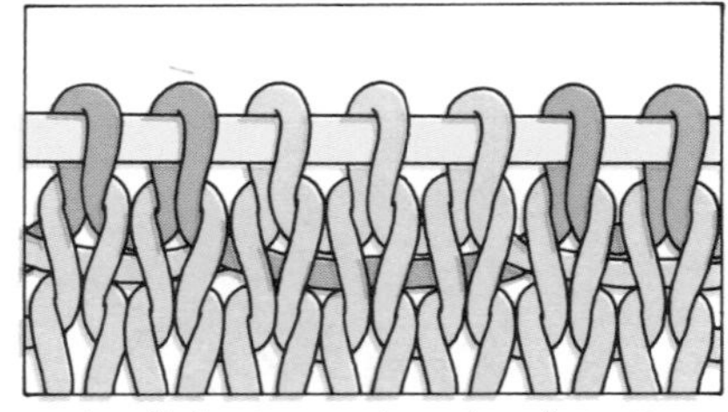
Les fils tendus souplement sur l'envers

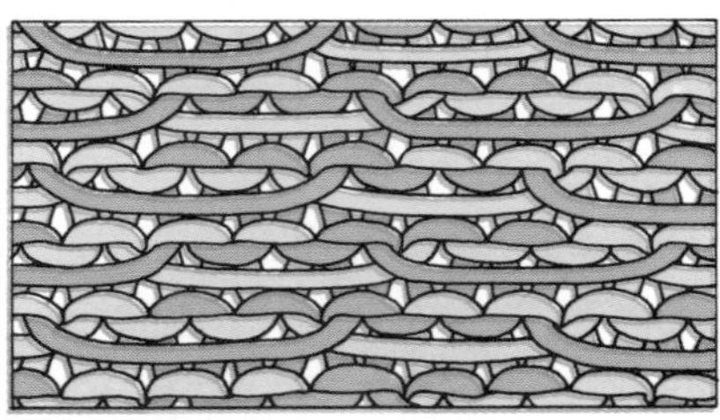
L'envers du tricot avec fils tendus

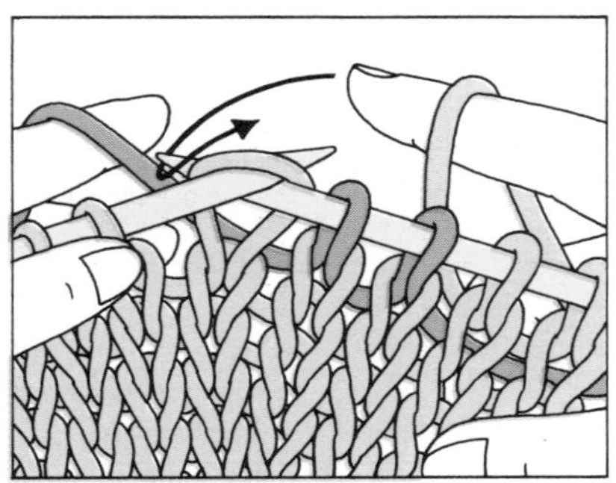
La main droite tricote, la gauche entraîne le fil

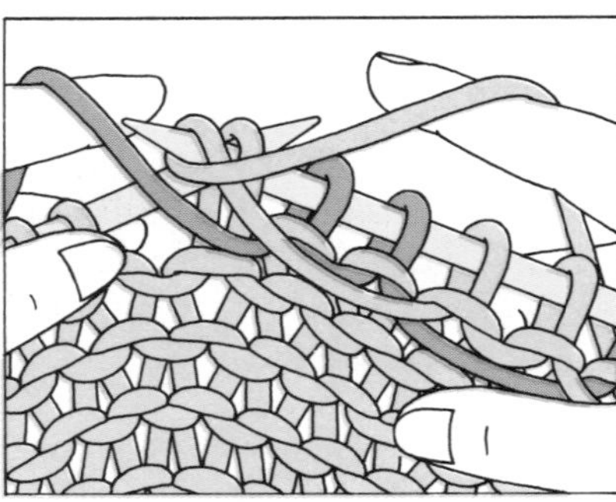
La même opération en tricotant à l'envers

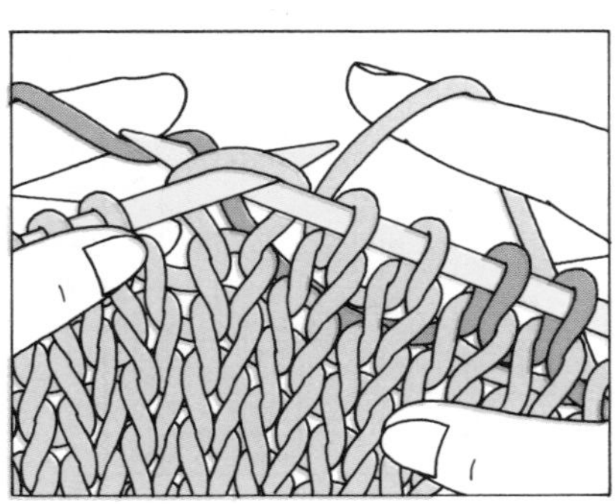
La main gauche tricote, la droite entraîne le fil

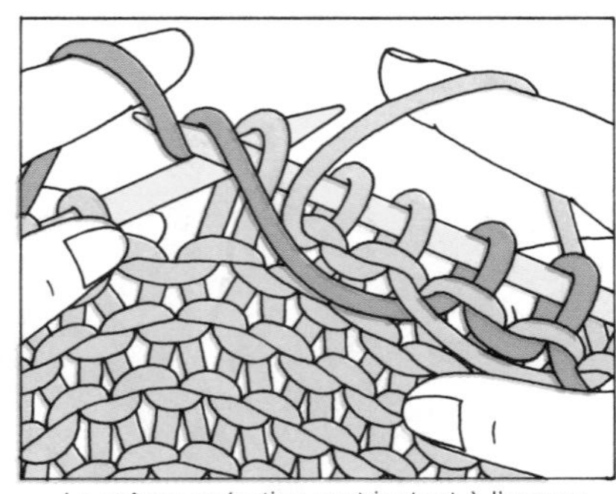
La même opération en tricotant à l'envers

Points bicolores à fil tendu sur l'envers

Côtes bicolores : un point classique de côtes à deux couleurs. Pour garder l'élasticité naturelle des côtes, il faut laisser beaucoup de jeu aux fils tendus derrière l'ouvrage.
Nombre de mailles : multiple de 4
Rg 1 : *2 env clair, 2 end foncé*
Rg 2 : *2 env foncé, 2 end clair*

Jersey carrelé : un point simple où les couleurs alternent toutes les 2 mailles et tous les 2 rangs. Pour de plus grands carreaux, vous pouvez changer de couleur aux 3, 4 ou 5 mailles et augmenter le nombre de rangs en proportion.
Nombre de mailles : multiple de 4 plus 2
Rg 1 : 2 end clair, *2 foncé, 2 clair*
Rg 2 : 2 env clair, *2 foncé, 2 clair*
Rg 3 : 2 end foncé, *2 clair, 2 foncé*
Rg 4 : 2 env foncé, *2 clair, 2 foncé*

Pied de poule moyen : un motif classique également facile à faire.
Nombre de mailles : multiple de 4
Rg 1 : 2 end clair, *1 foncé, 3 clair,* 1 foncé, 1 clair
Rg 2 : tric env *1 clair, 3 foncé*
Rg 3 : tric end *1 clair, 3 foncé*
Rg 4 : 2 env clair, *1 foncé, 3 clair,* 1 foncé, 1 clair

Fleur de lys : de petits lys pouvant très joliment décorer un chapeau.
Nombre de mailles : multiple de 6 plus 3
Rgs 1 et 3 : 3 end foncé, *1 clair, 5 foncé*
Rg 2 : 1 env clair, *3 foncé, 3 clair,* 2 foncé
Rgs 4 et 6 : 2 env foncé, *1 clair, 5 foncé,* 1 clair
Rg 5 : 2 end clair, *3 foncé, 3 clair,* 1 foncé

Jacquards à fils tendus

Losanges abstraits : un joli motif tricoté avec des couleurs contrastées ou nuancées.

Bordure fleurie : un motif traditionnel du Fair Isle pour la bordure d'un chandail uni.

Bordure géométrique : fascinante variation sur un thème de losanges et de triangles, appropriée aux vêtements sport.

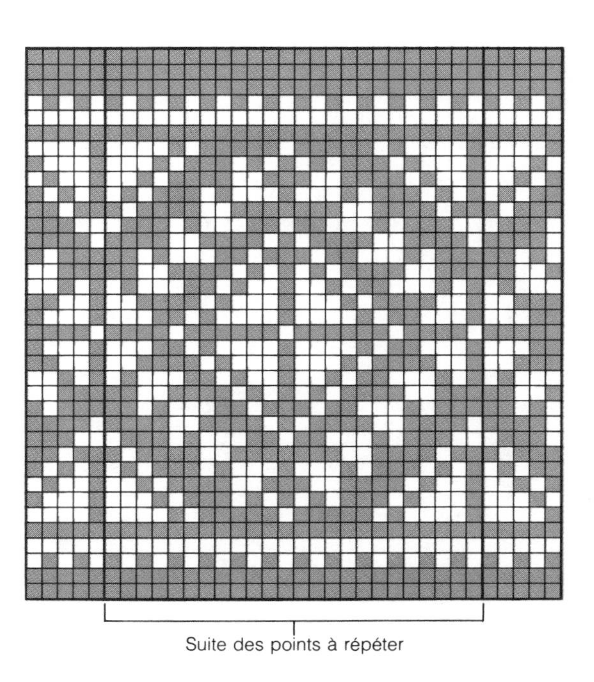

Tricot en rond 298

Technique du fil tissé sur l'envers

La technique du **fil tissé sur l'envers** entrelace dans les mailles le fil inemployé sur un espace plus grand que ne le permettait la technique du fil tendu (p. 318). Cette technique fait onduler le fil au-dessus et au-dessous des mailles. On obtient un tissu épais, solide à l'envers comme à l'endroit. (Le fil tissé ne risque pas d'être accroché ou endommagé comme peut l'être le fil tendu.)

Cette méthode, comme celle du fil tendu, se travaille bien avec les deux mains simultanément. Les mouvements peuvent être maladroits au début mais, avec l'habitude, un certain rythme s'établit et la progression du travail est plus uniforme. Si vos changements de couleurs sont tantôt éloignés, tantôt rapprochés (comme dans la clé grecque de la page ci-contre), vous pouvez alterner les méthodes : fil tendu pour les parties courtes, tissé pour les longues.

La technique du fil tissé sur l'envers originaire de Fair Isle est travaillée en rond; il suffit donc d'apprendre la technique pour le tricot à l'endroit.

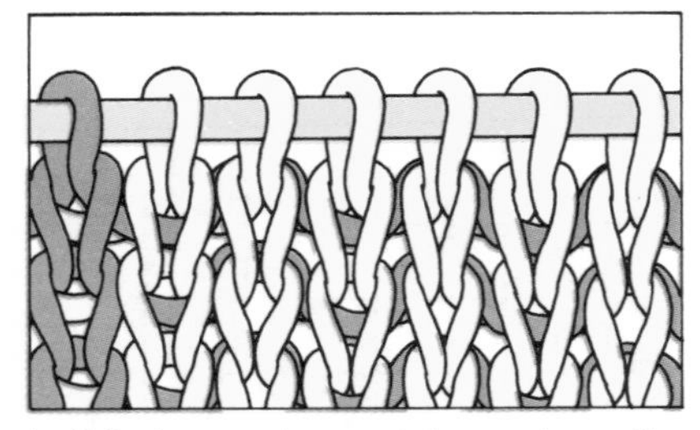

Le fil tissé passe dessus et dessous les mailles

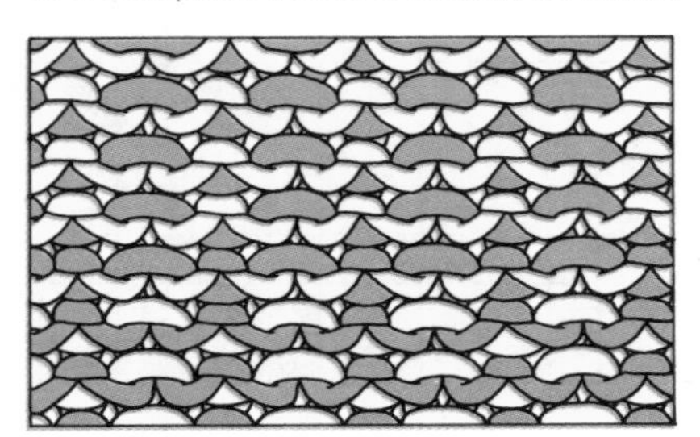

L'envers du tricot avec fil tissé

AVEC LES MAILLES ENDROIT

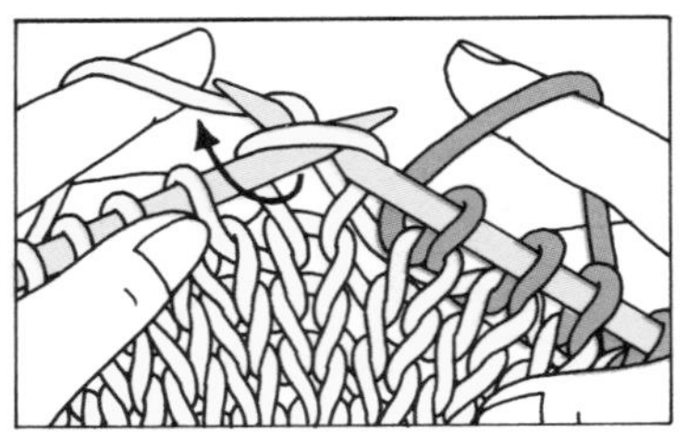

Pour tisser le fil droit au-dessus d'une maille endroit, écartez le fil de l'ouvrage avec l'index droit et tricotez avec le fil gauche.

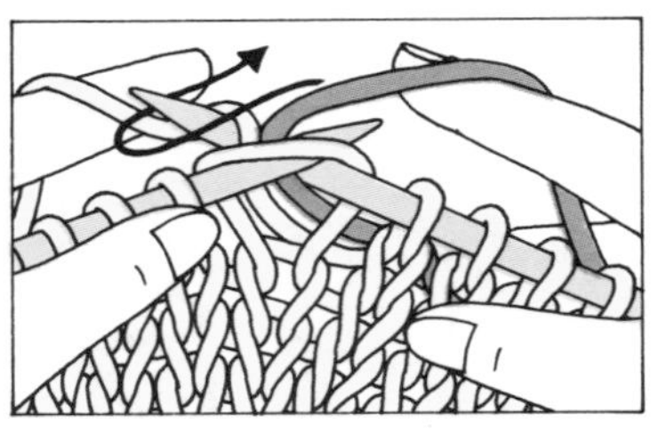

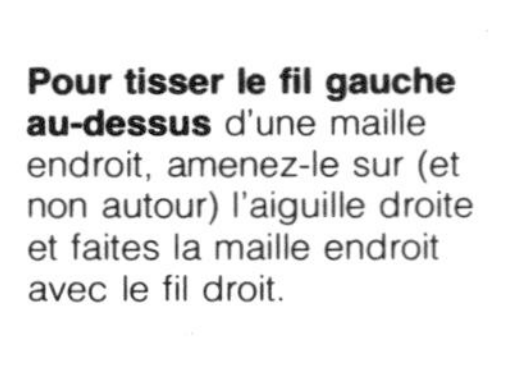

Pour tisser le fil droit au-dessous d'une maille endroit, deux mouvements sont nécessaires : (1) faites comme pour tricoter à l'endroit avec le fil droit, puis comme pour tricoter à l'endroit avec le fil gauche (illustration du haut);
(2) conduisez le fil droit dessous et autour de l'aiguille droite, en même temps tirez la maille endroit gauche à travers la boucle (illustration du bas).

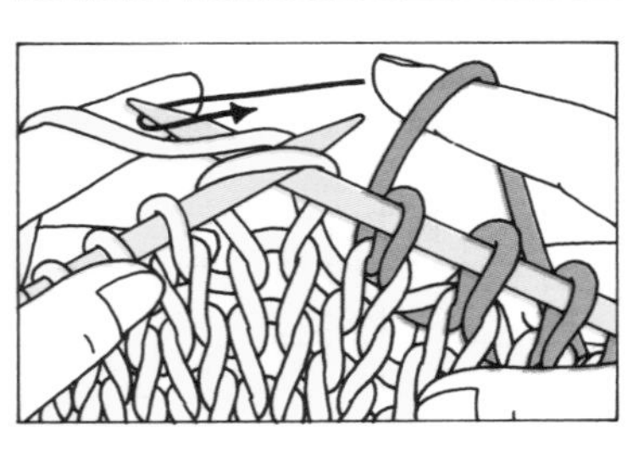

Pour tisser le fil gauche au-dessus d'une maille endroit, amenez-le sur (et non autour) l'aiguille droite et faites la maille endroit avec le fil droit.

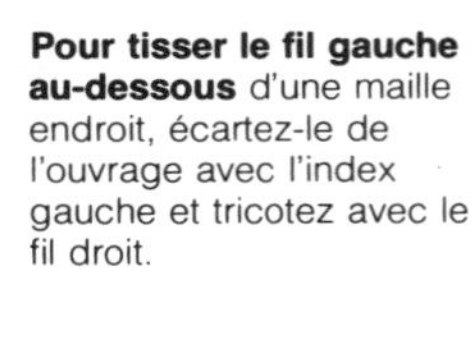

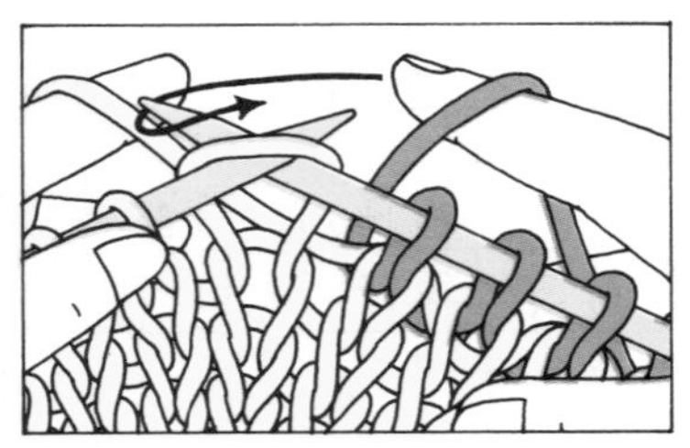

Pour tisser le fil gauche au-dessous d'une maille endroit, écartez-le de l'ouvrage avec l'index gauche et tricotez avec le fil droit.

AVEC LES MAILLES ENVERS

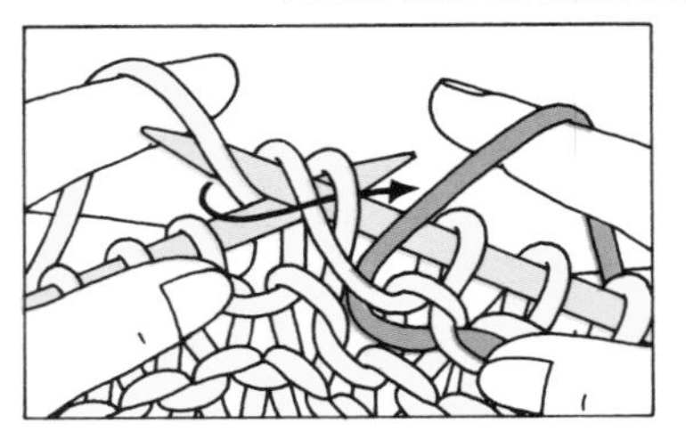

Pour tisser le fil droit au-dessus d'une maille envers, tirez-le avec l'index droit et tricotez la maille envers avec le fil gauche.

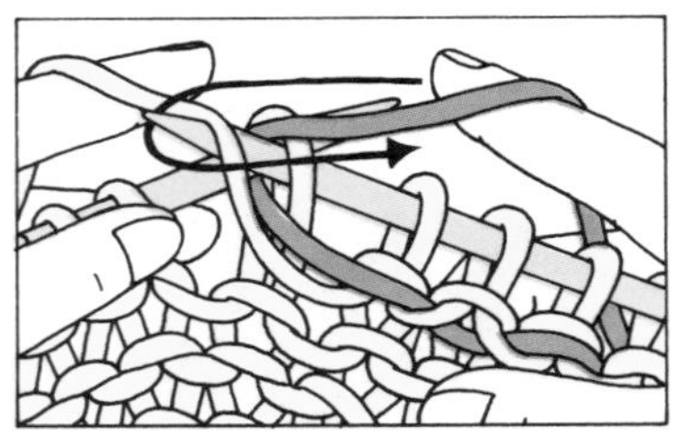

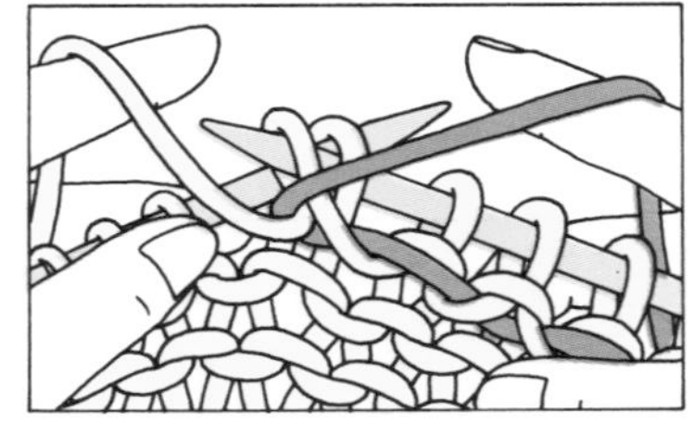

Pour tisser le fil droit au-dessous d'une maille envers, deux mouvements sont nécessaires : (1) faites comme pour tricoter à l'envers avec le fil droit, puis comme pour tricoter à l'envers avec le fil gauche (illustration du haut);
(2) conduisez le fil droit autour et dessous la maille faite avec le fil gauche, tirez alors la maille envers à travers la boucle (illustration du bas).

Pour tisser le fil gauche au-dessus d'une maille envers, amenez-le sur (et non autour) l'aiguille droite et faites la maille envers avec le fil droit.

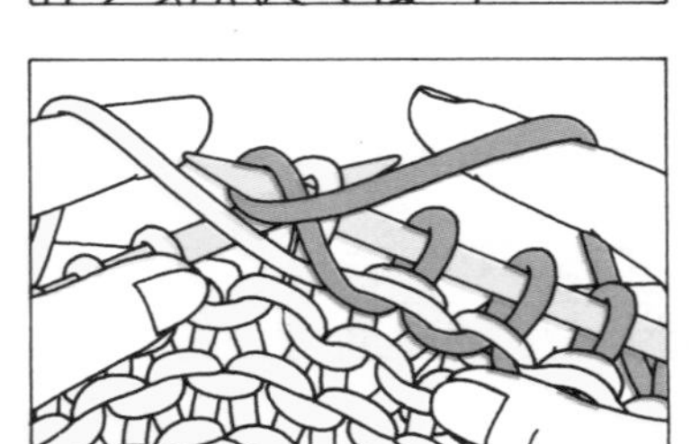

Pour tisser le fil gauche au-dessous d'une maille envers, écartez-le de l'ouvrage avec l'index gauche et tricotez avec le fil droit.

Jacquards à fils tissés

Clé grecque : la note juste pour un vêtement classique; s'adapte bien à des couvertures, des coussins et autres articles de maison.

Losange jacquard : un joli motif pour un pull-over d'homme; ce motif peut aussi n'être tricoté que sur le devant du tricot.

Motif norvégien : élaboré mais délicat, ce dessin peut être travaillé sur une bordure ou sur l'ensemble d'un ouvrage.

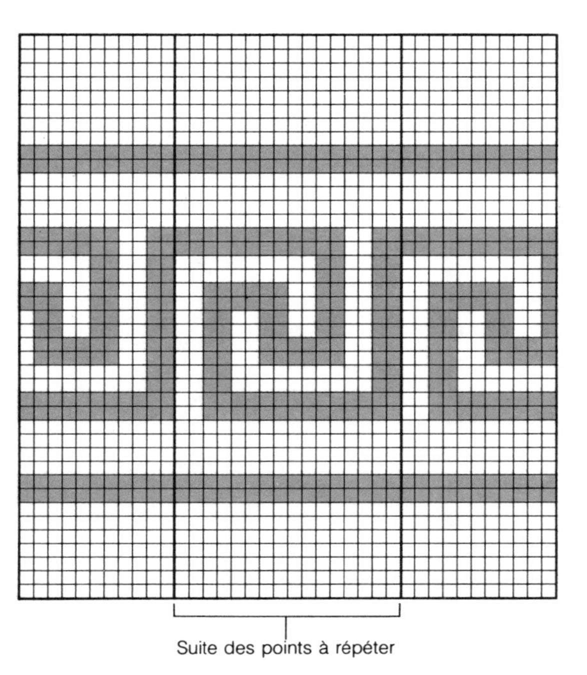

Suite des points à répéter

Grille pour un point de fantaisie

Symboles sténographiques

Les directives du tricot peuvent être représentées par des symboles inscrits dans une grille. La grille aide à visualiser le point et à retenir la marche à suivre même dans le cas d'un modèle compliqué. De plus, si l'on utilise une aiguille circulaire, on pourra directement lire la grille; la grille représente toujours le modèle vu sur l'endroit.

Bien qu'employés dans plusieurs pays, les symboles ne sont pas normalisés. Ceux que nous donnons ici sont des exemples typiques, mais ils ne sont pas universels.

A droite se trouve une liste des symboles les plus employés ainsi qu'une courte description de chacun. En règle générale, on n'emploie qu'un petit nombre de symboles pour chaque grille. Vous pouvez, au bas de la page, comparer un point et sa grille; quant aux points de la page ci-contre, ils ont déjà été décrits (voyez les renvois en haut de la page).

Points à retenir au sujet d'une grille

1. Chaque rang est décrit tel qu'il est vu à l'endroit. Par exemple, un point (.) qui représente une maille envers indique qu'il faut tricoter à l'envers sur l'endroit de l'ouvrage, mais à l'endroit sur l'envers de l'ouvrage.

2. Une grille se lit toujours de bas en haut, et de droite à gauche, en commençant dans le coin droit, en bas.

3. Pour tenir compte des rangs exécutés, il est bon de poser une règle sur la grille et de l'avancer à mesure que l'ouvrage progresse.

4. La suite des points à répéter est délimitée sur une grille par d'épaisses lignes parallèles. Ces lignes sont l'équivalent des astérisques.

5. Si les nombres impairs apparaissent à gauche de la grille, ils représentent les rangs envers; s'ils apparaissent à droite, ils représentent les rangs endroit.

6. Une grille peut représenter plusieurs fois le point de base afin d'en donner une meilleure image.

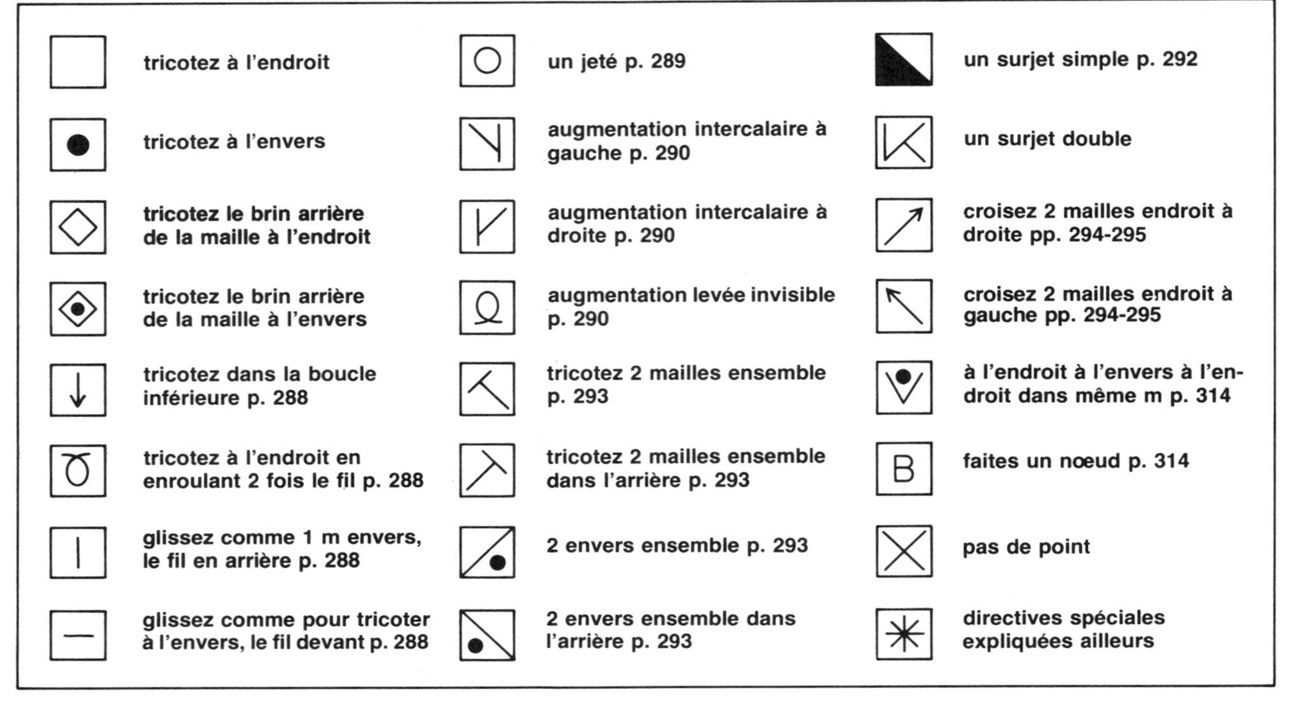

Un point et sa grille

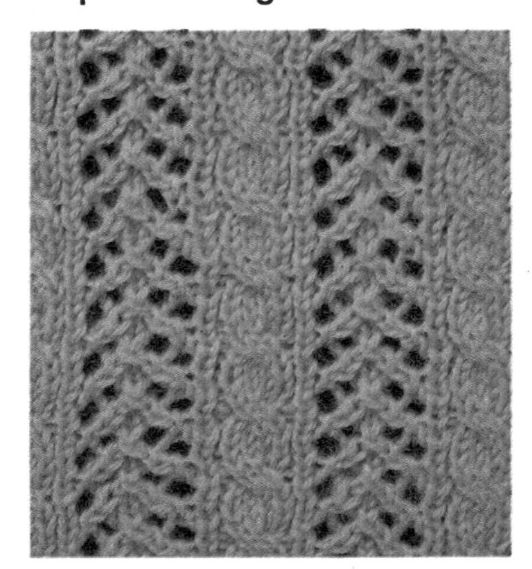

Torsades et jours : une riche texture pour un chandail. Les instructions sont écrites et représentées par une grille.
Nombre de mailles : multiple de 13
Rgs 1 et 5 : *1 end, 1 jeté, surj sple, 1 end, 2 ens end, 1 jeté, 1 end, 1 env, 4 end, 1 env*
Rg 2 et ts les rgs pairs : *1 end, 4 env, 1 end, 7 env*
Rg 3 : *2 end, 1 jeté, surj dble, 1 jeté, 2 end, 1 env, T4 av, 1 env*
Rgs 7 et 11 : *2 end, 1 jeté, surj dble, 1 jeté, 2 end, 1 env, 4 end, 1 env*
Rg 9 : *1 end, 1 jeté, surj sple, 1 end, 2 ens end, 1 jeté, 1 end, 1 env, T4 av, 1 env*

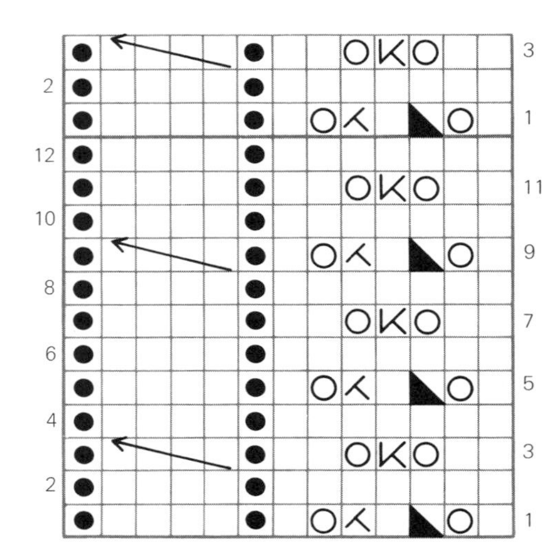

POINT GODRON ONDULÉ

La configuration des points envers, sur l'endroit, est facile à voir sur cette grille illustrant le point godron ondulé.

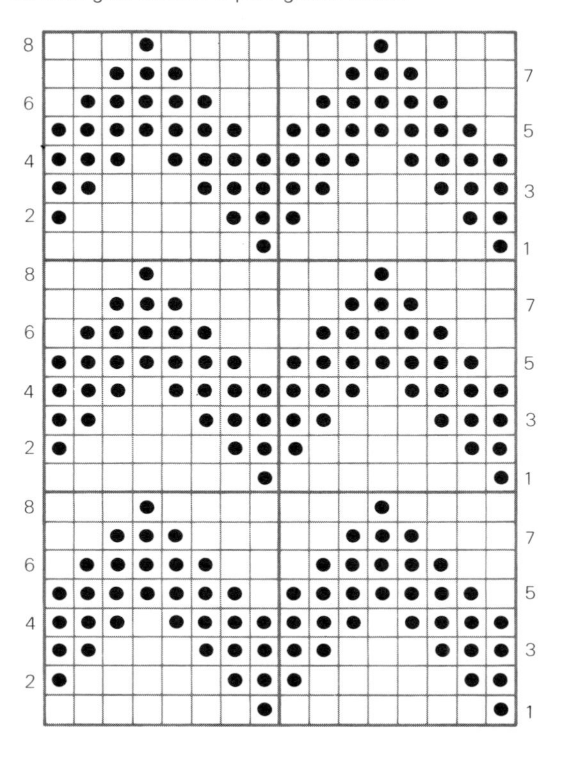

GRAPPE DE JOURS

L'essentiel du point est de 8 mailles. Aux rangs impairs, il y a un jeté de plus. Le X rééquilibre la grille aux rangs pairs.

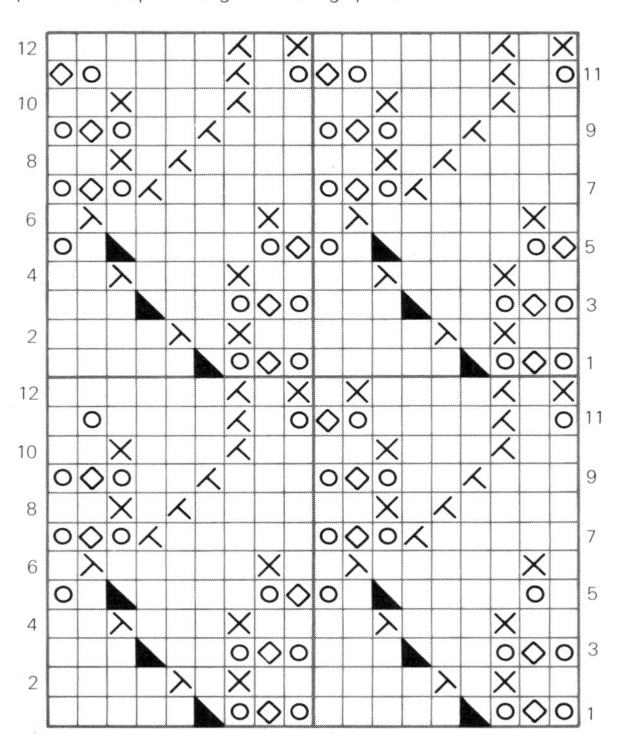

LOSANGES

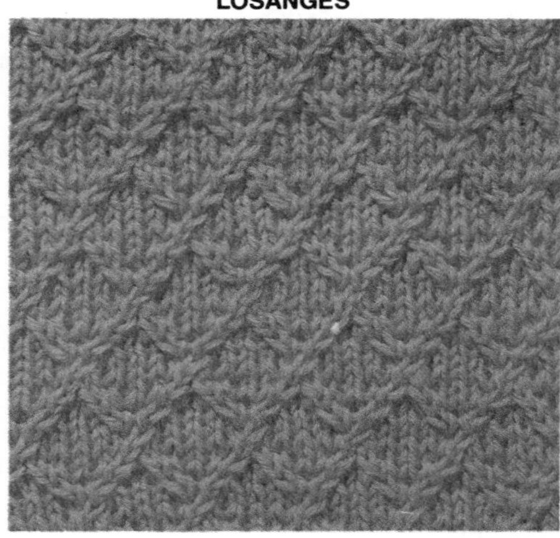

Le nombre des points à croiser, leur direction et leur position sont faciles à suivre sur la grille.

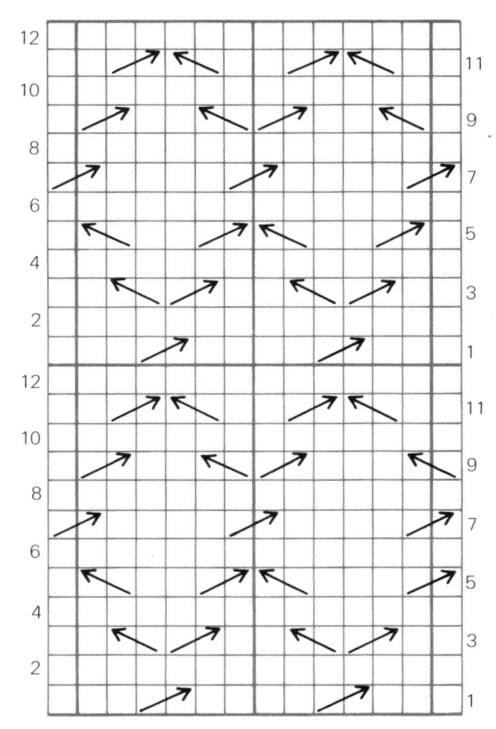

La bonne façon

Introduction

Le but de cette section est de vous apprendre à façonner les parties essentielles d'un vêtement au moyen de méthodes éprouvées et de vous amener petit à petit à réaliser vos propres créations.

Avant de commencer à tricoter un vêtement, vous devez prendre les précautions suivantes : (1) Vérifiez si les dimensions du modèle conviennent à la personne qui portera le vêtement. Quand les mesures ne sont pas indiquées, vous pouvez les calculer en divisant le nombre total des points ou des rangs par l'échantillon. Par exemple, si l'épaule se tricote sur 25 mailles et s'il faut 10 mailles pour 5 centimètres, l'épaule devra mesurer 12,5 centimètres. (2) Tricotez bien l'échantillon.

Les bonnes mesures

Pour obtenir un vêtement qui tombe bien, il faut savoir prendre les mesures. On les prend juste au corps et on ajoute quelques centimètres qui tiennent compte de l'ampleur.

Vous n'utiliserez que quelques mesures à la fois. Les mesures de taille et de hanches, par exemple, sont utiles lorsque vous tricotez un vêtement très ajusté, tandis que celles de la tête ne serviront qu'à faire un chapeau. Pour être précises, les mesures doivent être prises par-dessus les sous-vêtements et avec l'aide de quelqu'un.

On doit réserver de l'ampleur au buste et au haut du bras. Elle peut varier de 1 à 10 centimètres selon : (1) le type de vêtement, un cardigan sera plus ample qu'un pull-over; (2) le style du vêtement, une manche kimono est plus large que la manche pull-over classique; (3) les parties du vêtement, plus de jeu est nécessaire au buste qu'au poignet; (4) le type de fil, un vêtement tricoté avec un fil épais demande plus d'ampleur que celui qui est tricoté avec un fil mince; (5) les préférences personnelles, un ajustement plus ou moins serré.

Si vous ne pouvez pas prendre les mesures directement, vous utiliserez l'une ou l'autre des deux méthodes suivantes. La première consiste à prendre les mesures d'un vêtement seyant à la personne, en se souvenant que l'ampleur nécessaire y est déjà; voyez l'illustration ci-contre. La seconde est de se servir d'un tableau de mesures (voyez la page ci-contre) compilées par les dessinateurs pour modeler un vêtement. Ces mesures sont très utiles.

Poitrine ou buste : mesurez le tour en passant sous les bras et là où le buste est le plus fort.
Largeur des épaules : dans le dos, d'une manche à l'autre.
Longueur des épaules : de la naissance du cou à l'extrémité de l'épaule.
Cou : le tour du cou juste au-dessus de la clavicule.
Profondeur de l'emmanchure : de l'os de l'épaule jusqu'à 2,5 cm en bas de l'aisselle.
Du dessous du bras à la taille : à partir de 2,5 cm sous l'aisselle jusqu'à la ligne de taille.
Le tour du haut du bras : le tour de la partie supérieure du bras, juste sous l'aisselle.
Longueur de la couture de la manche : à partir de 2,5 cm sous l'aisselle jusqu'au poignet.
Poignet : juste au-dessus de l'os.
Taille : à la ligne naturelle.
Hanches : autour de la partie la plus large (de 10 à 15 cm sous la taille pour un enfant, de 17,5 à 22,5 cm pour un adulte).
Tête : autour du crâne, à mi-front.

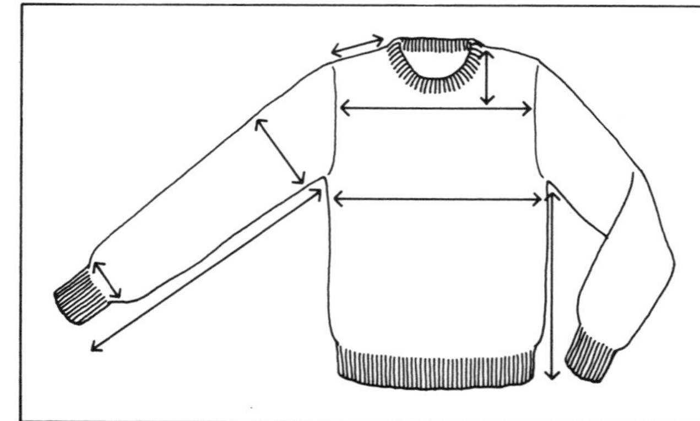

Mesures prises sur un vêtement : posez le vêtement à plat, et mesurez-le en tirant doucement sur les coutures de façon à obtenir sa dimension réelle. Prenez les mesures indiquées par les flèches; doublez la largeur du poignet et du haut du bras.

Suggestions pour l'achat des fils 271
Points de fantaisie 300

BÉBÉS/TOUT-PETITS

Taille	6 mois		12 mois		18 mois		2 ans		4 ans	
	cm	po	cm	po	cm	po	cm	po	cm	po
Poitrine	48	19	50,5	20	53	21	55,5	22	58	23
Largeur des épaules	19,5	7¾	20	8	21,5	8½	23,5	9¼	24,5	9¾
Longueur des épaules	5,5	2¼	5,5	2¼	6	2½	7	2¾	7,5	3
Arrière du cou*	8	3¼	9	3½	9	3½	9,5	3¾	9,5	3¾
Profondeur de l'emmanchure	9,5	3¾	10	4	11	4¼	11,5	4½	12	4¾
Des fesses au bras*	16,5	6½	18	7	19	7½	20	8	21,5	8½
Tour d'une manche courte	15	6	16,5	6½	18	7	19	7½	20	8
Couture de la manche	16,5	6½	19	7½	21,5	8½	24	9½	26,5	10½
Longueur de l'entrejambes*	16,5	6½	18	7	19	7½	20	8	21,5	8½

ENFANTS

Taille	4 ans		6 ans		8 ans		10 ans		12 ans	
	cm	po	cm	po	cm	po	cm	po	cm	po
Poitrine	61	24	63,5	25	66	26	71	28	76	30
Largeur des épaules	24,5	9¾	26,5	10½	28	11	29,5	11¾	31	12¼
Longueur des épaules	7,5	3	8	3¼	9	3½	9,5	3¾	10	4
Arrière du cou*	9,5	3¾	10	4	10	4	11	4¼	11	4¼
Profondeur de l'emmanchure	12,5	5	13,5	5¼	14	5½	15	6	16,5	6½
Des fesses au bras*	24	9½	25,5	10	26,5	10½	28	11	29	11½
Tour d'une manche courte	21,5	8½	23	9	24	9½	26,5	10½	28	11
Couture de la manche	29	11½	30,5	12	33	13	35,5	14	38	15

JEUNES FEMMES

Taille	6		8		10		12		14		16	
	cm	po	cm	po	cm	po	cm	po	cm	po	cm	po
Poitrine	77,5	30½	80	31½	82,5	32½	86	34	91	36	96,5	38
Largeur des épaules	31	12¼	31,5	12½	33	13	34	13¼	35,5	14	37,5	14¾
Longueur des épaules	10	4	10,5	4⅛	11	4¼	11	4¼	11,5	4½	12	4¾
Arrière du cou*	11	4¼	11	4¼	11,5	4½	12	4¾	12,5	5	13,5	5¼
Profondeur de l'emmanchure	16,5	6½	17	6¾	18	7	18,5	7¼	19	7½	19,5	7¾
Du bras à la taille	18	7	18,5	7¼	19	7½	19,5	7¾	20	8	21	8¼
Tour d'une manche courte	28,5	11¼	29	11½	30,5	12	31,5	12½	33	13	34,5	13½
Couture de la manche	42	16½	42,5	16¾	43	17	44	17¼	44,5	17½	45,5	18

FEMMES

Taille	18		20		40		42		44		46	
	cm	po	cm	po	cm	po	cm	po	cm	po	cm	po
Poitrine	101,5	40	106,5	42	112	44	117	46	122	48	127	50
Largeur des épaules	39	15½	40,5	16	42,5	16¾	44	17¼	46,5	18¼	47	18½
Longueur des épaules	12,5	5	13	5⅛	13,5	5¼	13,5	5¼	14	5½	14	5½
Arrière du cou*	14	5½	14,5	5¾	16	6¼	17	6¾	18,5	7¼	19	7½
Profondeur de l'emmanchure	20	8	21	8¼	21,5	8½	23	9	23,5	9¼	24	9½
Du bras à la taille	21	8¼	21,5	8½	21,5	8½	22	8¾	32	8¾	23	9
Tour d'une manche courte	35,5	14	37	14½	38	15	39	15½	40,5	16	42	16½
Couture de la manche	45,5	18	46,5	18¼	46,5	18¼	47	18½	47	18½	47	18½

HOMMES

Taille	30-32		32-34		36-38		40-42		44-46		48-50	
	cm	po	cm	po	cm	po	cm	po	cm	po	cm	po
Poitrine	79	31	84	33	94	37	104	41	114	45	124,5	49
Largeur des épaules	33	13	35,5	14	40,5	16	43	17	46,5	18¼	49	19¼
Longueur des épaules	11	4¼	11,5	4½	13,5	5¼	14	5½	15	6	16	6¼
Arrière du cou*	11,5	4½	12,5	5	14	5½	15	6	16	6¼	17	6¾
Profondeur de l'emmanchure	19	7½	20	8	21,5	8½	23	9	24	9½	25,5	10
Des fesses au bras*	34,5	13½	35,5	14	39	15½	40,5	16	42	16½	43	17
Tour d'une manche courte	31,5	12½	33	13	37	14½	39	15½	42	16½	44,5	17½
Couture de la manche	40,5	16	44,5	17½	48	19	49,5	19½	50,5	20	52	20½

*Il s'agit de mesures vestimentaires et non corporelles.

Conception du modèle

Vous pouvez créer un modèle de vêtement soit en transformant selon vos besoins un modèle déjà existant, soit en concevant vous-même un modèle. Vous devez de toutes façons tenir compte des éléments suivants : **1.** une liste des mesures corporelles ou vestimentaires (voir page ci-contre). **2.** un échantillon tricoté. **3.** une connaissance de la forme de chaque partie du vêtement (pp. 328-341). **4.** un papier pour tracer un schéma, ou pour faire une grille.

Vous devez premièrement noter la longueur et la largeur de chaque pièce du vêtement projeté. Si vous partez des mesures corporelles, réservez un peu d'ampleur. Vous calculerez l'ampleur à partir d'autres modèles ou des données du tableau ci-contre. N'oubliez pas d'ajouter 0,5 centimètre à vos mesures afin de tenir compte des coutures.

Ensuite, il faut choisir le fil et le point du modèle; tricotez un échantillon, ou plusieurs s'il le faut. Etablissez la jauge à l'aide de l'échantillon.

Pour transposer la largeur du vêtement en mailles, multipliez l'échantillon (nombre de mailles par unité de mesure) par le nombre de centimètres que vous voulez obtenir; par exemple, si la veste mesure 42,5 centimètres (17″) de largeur au bas du dos et que l'échantillon est de 10 mailles pour 5 centimètres (2″), il faudra monter 85 mailles plus 2 mailles pour les coutures.

Pour transposer la longueur du vêtement en rangs, multipliez le nombre de rangs au centimètre par la longueur désirée. Si la veste doit mesurer 36 centimètres et l'échantillon donne 14 rangs pour 5 centimètres, tricotez 98 rangs du bas de la veste jusqu'à l'emmanchure.

Pour déterminer le nombre et la distribution des augmentations ou des diminutions, suivez les conseils donnés (pp. 328-333). Préparez une grille ou un schéma (pp. 326 et 327); évaluez la quantité de fil nécessaire au projet et vous pouvez commencer à tricoter.

Quantité de fil nécessaire

Pour évaluer la quantité de fil nécessaire à votre modèle, vous pouvez vous baser sur un modèle semblable, c'est-à-dire fait avec le même fil et le même point. La quantité obtenue n'est habituellement pas tout à fait exacte, aussi est-il préférable d'acheter un peu plus de fil. Vous pouvez aussi consulter les vendeurs/vendeuses des boutiques de laine. Ces personnes ont de l'expérience et peuvent vous donner des conseils.

Vous pouvez aussi calculer vous-même la quantité de fil : achetez une pelote et tricotez un échantillon. Pesez-le. Supposons que ce poids est de 11,5 grammes et que la surface de l'échantillon est de 100 centimètres carrés.

Il faut maintenant calculer la dimension approximative de chaque morceau du vêtement. Multipliez la longueur par la plus large section du morceau. Refaites cette opération pour chaque morceau. Additionnez ces chiffres puis divisez cette surface totale par la surface de l'échantillon. Multipliez ensuite ce nombre par le poids de l'échantillon. Voici un exemple de ces calculs :

dos du chandail	
largeur du dos	45 cm
×longueur de cou au bas	50 cm
surface totale	2 250 cm²
devant du chandail	
même surface	2 250 cm²
manches	
largeur du haut du bras	30 cm
×longueur du bras	58 cm
surface totale (2 manches)	3 480 cm²
surface totale du chandail	7 980 cm²
divisée par la surface de l'échantillon (100)	80

80 représente donc le nombre de carrés requis pour tricoter ce chandail. Multipliez maintenant par 11,5 grammes pour déterminer le poids approximatif de fil : 920 grammes. On peut soustraire 10 pour cent de cette quantité en tenant compte des diminutions du façonnage. Ainsi on obtient approximativement 830 grammes.

La bonne façon

Modèle d'un pull-over

Ce chandail à large encolure pour homme (40-42) vous est présenté sous formes écrite et graphique. Bien que le devant et le dos finis aient la même largeur, le devant compte 6 mailles de plus que le dos à cause de la torsade.

Fournitures : 5 écheveaux de 115 g (4 oz) de fil peigné; 2 paires d'aiguilles nº 4 (8) et 5 (6); 1 aiguille auxiliaire à dp

Echantillon : 10 mailles et 14 rangs forment un carré de 5 cm de côté

Point : torsade

Rgs 1, 3, 5, 7 (envers) : 2 end, 8 env, 2 end

Rgs 2, 4, 8 : 2 env, 8 end, 2 env

Rg 6 : 2 env, T8 av (gl 4 m sur aig aux et laissez en attente dev. l'ouvrage, 4 end, puis les 4 m en attente), 2 env

DOS DU CHANDAIL : montez 105 mailles sur aig nº 4 (8). Faites 7,5 cm de côtes 1/1, terminez avec un rg end. Prenez les aig nº 5 (6) et tricotez 38,75 cm au point de jersey.

Emmanchures : rab 6 m au début des 2 rgs suiv; puis dim d'une m à chaque extrémité, à tous les 2 rgs 4 fs; tricotez les 85 mailles restantes jusqu'à ce que l'emmanchure mesure 22,5 cm.

Epaules : rab 9 m au com des 6 rgs suiv; mettez de côté les 31 m qui restent (sur une aig dp).

DEVANT : montez 111 m sur aig nº 4 (8). Faites 7,5 cm de côtes 1/1, terminez par un rg end. Prenez les aig nº 5 (6) et continuez comme suit :

Envers : 18 env, 2 end, 8 env, 2 end, 51 env, 2 end, 8 env, 2 end, 18 env

Endroit : 18 end, 2 env, T8 av, 2 env, 51 end, 2 env, T8 av, 2 env, 18 end. Continuez au point de jersey en faisant la torsade sur 12 mailles et sur 8 rangs.

Emmanchures : façonnez comme pour le dos; continuez à tric les 91 m jusqu'à ce que l'emmanchure ait 12,5 cm; finissez par un rg env.

Encolure : tric 34 m et tournez : rab 2 m au com du rg suiv; dim 1 m côté encolure tous les 2 rgs, 5 fs. Tric les 27 m jusqu'à ce que l'emmanchure mesure 22,5 cm; terminez à l'extrémité de l'emmanchure; rab 9 m pour l'épaule ts les 2 rgs 3 fs. Mettez les 23 m du centre sur aig aux; fixez le fil à la m suiv et tric l'autre moitié de l'encolure.

MANCHES : montez 47 m sur aig nº 4 (8). Faites 7,5 cm de côtes 1/1; prenez les aig nº 5 (6) et tric au point de jersey; aug d'une m à chq extrémité ts les 6 rgs, 15 fs. Tric les 77 m jusqu'à ce que le morceau mesure 47,5 cm. Rab 6 m au com des 2 rgs suiv; dim de 1 m à chq extrémité ts les 2 rgs, 15 fs. Rab 2 m au com des 4 rgs suiv. Rab les 27 m qui restent.

ENCOLURE : cousez l'épaule droite. L'endroit de l'épaule gauche face à vous, relevez avec les aig nº 4 (8) et tr 26 m le long du cou; tr les 23 m du centre; relevez et tr 26 m sur l'autre côté; tr les 31 m du dos. Il y a 106 m; tr en côtes 1/1 sur 15 rgs et rab.

FINITION : cousez maintenant l'épaule gauche, l'encolure, les côtés et les manches.

Elégant pull-over avec torsades incrustées de chaque côté et une large encolure.

Schéma du modèle

Le schéma d'un vêtement est une représentation visuelle des instructions écrites. On peut faire le schéma de deux façons différentes : un patron ou un graphique. Le patron est un dessin donnant les dimensions exactes de chaque partie du vêtement et certaines indications de coupe. Il donne un aperçu réaliste de la forme du vêtement et peut être employé par la suite pour la mise en forme. On peut faire le patron dans un solide papier d'emballage. On trace premièrement deux droites perpendiculaires l'une à l'autre en leur milieu, représentant respectivement la longueur et la section la plus large du vêtement (habituellement la droite reliant les dessous des bras). On dessine ensuite le vêtement en gardant ces lignes comme points de repère. On dessine la manche et toute autre section du vêtement de la même manière. (Notez que si le devant ne diffère du dos que par l'échancrure du cou, il suffit de dessiner une ligne pour le col sur le patron du dos, sans faire un deuxième tracé.)

Un graphique est généralement fait sur un papier quadrillé. Chaque carré représente une maille, chaque ligne de carrés, un rang. Pour préparer un modèle, il faut donc déjà connaître l'échantillon. On peut dessiner une section entière ou bien se contenter d'illustrer les parties façonnées. Il suffit de dessiner la moitié du patron.

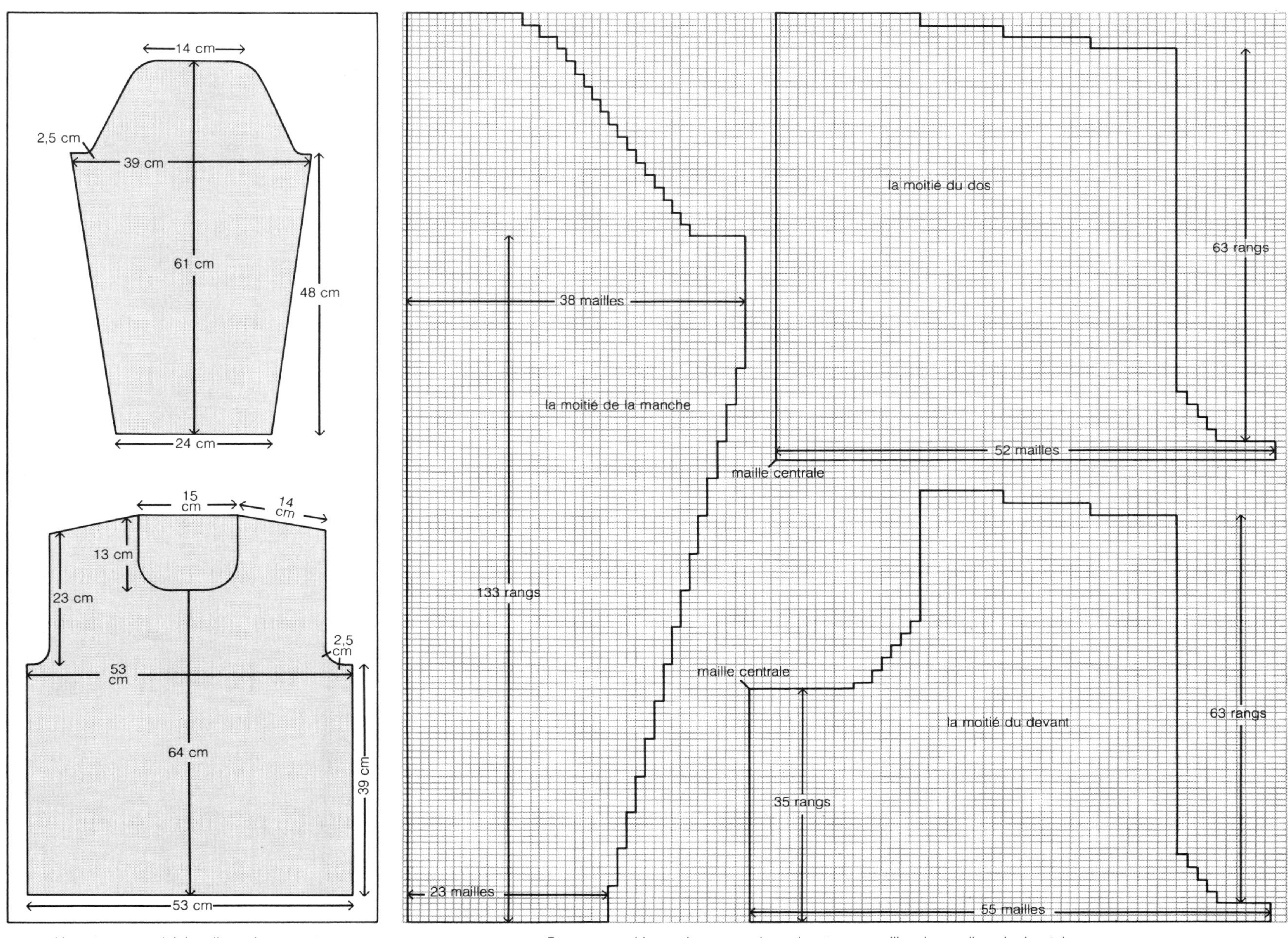

Un patron reproduit les dimensions exactes.

Dans un graphique, chaque carré représente une maille, chaque ligne horizontale un rang.

Augmentations 289-291 Diminutions 292-293
Bonnet 351

Façonnage

Le façonnage d'un vêtement consiste à augmenter et à diminuer le nombre des mailles afin d'épouser les contours du corps. Il existe des formules toutes faites pour façonner les principales parties d'un vêtement. Dans cette section, on étudie les morceaux plats; tous les exemples sont des tricots au point de jersey. Le façonnage d'un tricot plat se fait habituellement aux lisières. Le style de certaines robes ou jupes peut exiger des pinces, mais de tels détails conviennent surtout à des tricots unis en fil très fin.

Si vous voulez façonner une partie d'un vêtement, vous pouvez la concevoir comme un rectangle, aussi long et large que la plus grande longueur et la plus grande largeur du morceau en question. Des extrêmes, vous diminuez afin d'obtenir les plus petites mesures.

Pour votre propre modèle, retenez bien les trois points suivants :

1. Vos calculs terminés, vous devez écrire ou dessiner votre conception du modèle.

2. Sauf pour les encolures, les découpes sont habituellement les mêmes pour le dos et le devant.

3. Les augmentations et diminutions doivent se faire sur l'endroit et le plus graduellement possible.

Diagonales

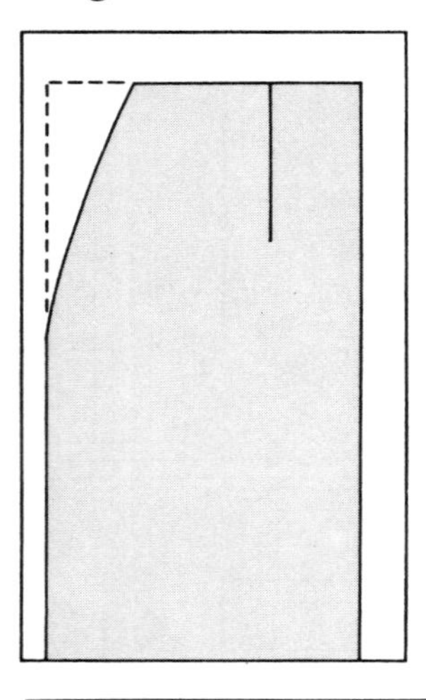

Former une diagonale au moyen des diminutions permet de façonner une jupe ou un chapeau, en travaillant de bas en haut.
Les diminutions aux côtés sont calculées en soustrayant le nombre de mailles requis à la taille du nombre de mailles au point de départ. Les diminutions sont distribuées également de chaque côté.
Les pinces de la jupe sont calculées de la même façon et devraient se terminer à 10 ou 15 cm de la couture de côté, à la taille. La profondeur d'une pince est de 2 à 2,5 cm, sa longueur de 12,5 cm.
Les pinces d'un chapeau sont distribuées autour de la calotte.

Pour façonner les côtés d'une jupe : il faut d'abord calculer le nombre et la distribution des diminutions. Par exemple, si vous soustrayez 30 mailles (15 de chaque côté) sur 90 rangs, vous rabattrez 1 maille au début et à la fin de chaque 6e rang.

Pour faire une paire de pinces sur une jupe : placez une bague au début de chaque pince. Pour la première pince, tricotez jusqu'au point de repère et faites une diminution par surjet simple à gauche; pour la seconde pince, tricotez 2 mailles ensemble.

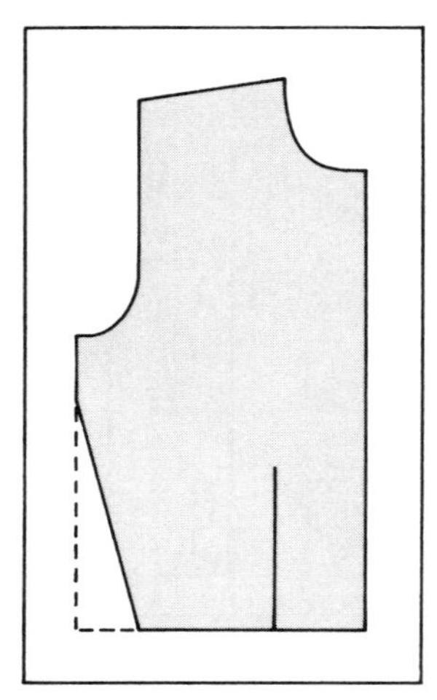

Former une diagonale au moyen des augmentations permet de façonner un corsage entre la taille et le dessous du bras, ou le dessous de la manche.
Les augmentations du côté sont calculées en soustrayant le nombre de mailles à la taille du nombre de mailles au buste. On répartit la moitié des augmentations de chaque côté.
Les pinces dans le corsage sont calculées de la même manière et commencent à 10 ou 15 cm de la couture de côté. Profondeur : 2 à 2,5 cm; longueur : 12,5 à 15 cm.
Les pinces d'un chapeau sont distribuées également autour de la calotte.

Pour façonner les côtés d'un corsage : calculez le nombre et la distribution des augmentations, séparez-les par paires. Par exemple, si vous ajoutez 20 mailles (10 de chaque côté) sur 40 rangs, vous augmenterez aux deux extrémités d'un rang tous les 4 rangs.

Pour faire une paire de pinces verticales dans un corsage : placez une bague au début de chaque pince. Pour la première pince, faites une augmentation à droite; pour la seconde pince, faites une augmentation à gauche du même type que la première.

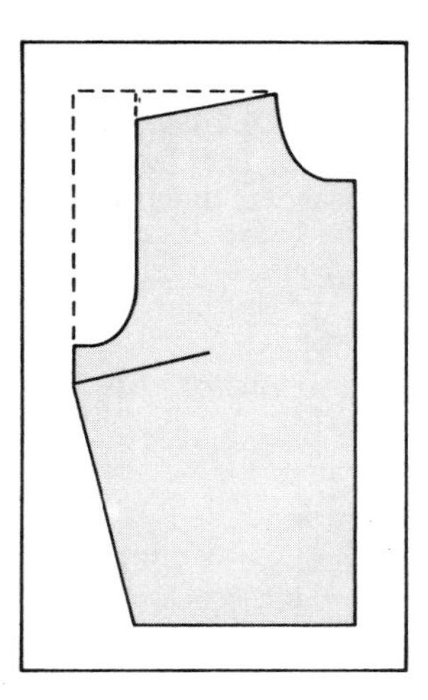

Le façonnage arrondi d'une diagonale permet de façonner une couture d'épaule, une pince horizontale ou un talon.
Le façonnage arrondi se fait au moyen de courts rangs de longueur graduelle; l'inclinaison plus ou moins prononcée est contrôlée par le nombre de mailles tricotées à chaque palier.
L'épaule : en 2, 3 ou 4 paliers.
Une pince de buste s'arrête à 2,5 cm au-dessous du bras. Pour déterminer le nombre de mailles en attente à chaque palier, divisez le nombre total de mailles (longueur de la pince) par la moitié du nombre de rangs (profondeur de la pince).

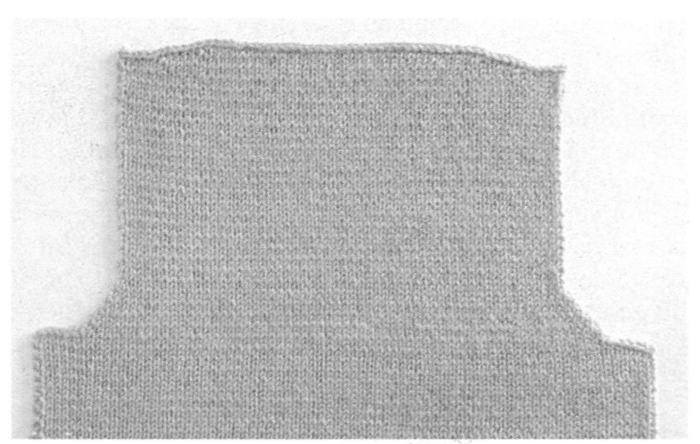

Façonnage arrondi de l'épaule droite en 3 parties sur 24 mailles, *tricotez jusqu'à 6 mailles de l'extrémité du rang endroit, tournez, glissez 1 maille, tricotez à l'envers jusqu'au bord du cou, tournez.* Rep 2 fs, laissant chq fois 6 m de plus non tricotées; tr à nouveau tt les m en les rab au fur et à mesure.

Pour une paire de pinces horizontales sur 20 mailles et 10 rangs, *tricotez jusqu'à 4 mailles de l'extrémité du rang envers, tournez, glissez 1 maille, tricotez jusqu'à 4 mailles de l'extrémité du rang endroit, tournez, glissez 1 maille.* Répétez 3 fois, chaque fois laissant 4 mailles de plus non tricotées.

Plis

Les plis donnent de l'ampleur au bas d'une jupe. Il y a les plis ordinaires et les plis gaufrés (voir ci-dessous). Tous deux gagnent à être exécutés avec un fil mince; cependant, ils conviennent plutôt à des silhouettes assez élancées.

Les plis ordinaires présentent un *dessus*, un *bord* et un *creux*. Quand le travail est fini, les plis peuvent être tricotés ensemble en mettant le bord et le creux des plis sur des aiguilles auxiliaires et en tricotant trois mailles ensemble sur la largeur du pli; on peut aussi les coudre.

Les plis gaufrés ne sont pas de vrais plis; l'apparence de plis est créée par un point de côtes espacées, comme, par exemple, 7 end, 4 env, ou dans un point plein, par une arête au point de jersey suggérant un effet de pliure.

Plis plats : tous les plis sont couchés du même côté; le dessus, le bord et le creux sont de la même largeur. Le modèle illustré a un multiple de 26 et est tricoté de telle façon que la couture puisse être dissimulée dans le creux d'un pli.

Plis creux : les deux plis extérieurs sont couchés dans le sens opposé. Le modèle illustré a un multiple de 58 et se travaille comme suit : **l'endroit :** *9 end, gl 1, 18 end, gl 1, 9 end, 1 env, 18 end, 1 env;* **l'envers :** *1 end, 18 env, 1 end, 38 env.*

Plis gaufrés : l'impression de la pliure est créée par l'insertion d'une crête en jersey sur un fond au point mousse. Ce modèle a un multiple de 8 et se tricote comme suit : **l'endroit :** *7 end, 1 env;* **l'envers :** 3 end, *1 env, 7 end,* 1 env, 4 end.

La bonne façon

Remmaillage 297
Mesures 324-325

Encolures et cols

Façonner une encolure est un travail qui exige soin et régularité. L'encolure ne doit ni bâiller ni plisser. L'ouverture d'un pull-over sera assez grande pour que la tête y passe facilement. Un chandail d'enfant peut avoir une ouverture additionnelle sur l'épaule, car la tête d'un enfant est large par rapport à la circonférence de son cou.

La largeur de l'encolure est le tiers de la largeur des épaules, ou correspond au nombre de mailles qui reste après avoir soustrait le nombre de mailles des deux épaules. La profondeur de l'encolure sur le devant est liée à la profondeur de l'emmanchure (voir ci-dessous et à la page ci-contre). Souvent, le dos est rabattu en ligne droite (du haut d'une épaule à l'autre). Si on découpe le devant en ovale ou en carré, on peut aussi creuser le dos. La découpe est dans ce cas moins prononcée.

On façonne une encolure en deux étapes. Chaque moitié est tricotée séparément et toutes les diminutions sont faites sur l'endroit. On finit l'encolure avec une bordure, un revers ou un col tricotés sur les mailles relevées le long de l'encolure, ou tricotés séparément et cousus ensuite. D'une façon générale, on relève une maille dans chaque maille rabattue de l'encolure et on diminue de trois mailles à tous les quatre rangs. Si la bordure est tricotée à part, on fera premièrement les diminutions et on l'adaptera en tenant compte de la couture. Ensuite on coudra la bande sur l'encolure.

Quelques encolures classiques et leurs finitions sont indiquées ici.

Encolure en carré

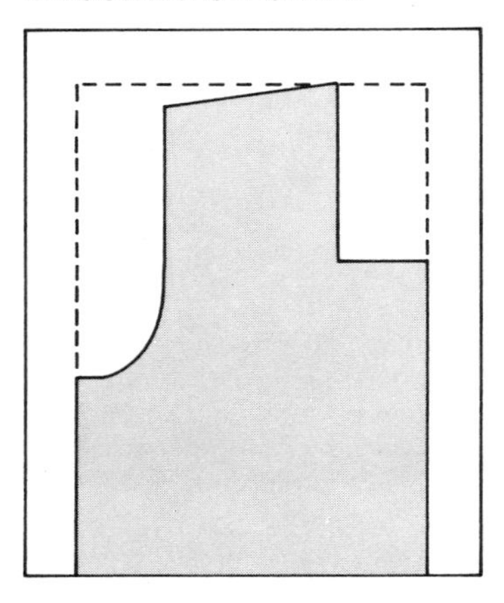

Encolure en carré : la découpe commence de 10 à 15 cm plus bas que le début du façonnage de l'épaule. On rabat toutes les mailles de l'encolure. On ne fait aucune diminution; après avoir rabattu les mailles centrales, on tricote en ligne droite jusqu'à l'épaule. Quand on ajoute une bordure, on peut rabattre les mailles à 2,5 cm du bord projeté afin de garder la même échancrure au décolleté.

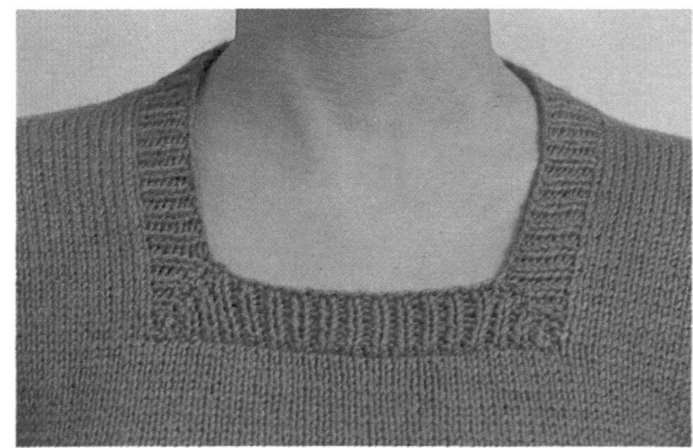

Bordure côtelée : relevez les mailles du devant et tricotez 2,5 cm de côtes 1/1, en diminuant d'une maille à chaque extrémité sur tous les rangs endroit.

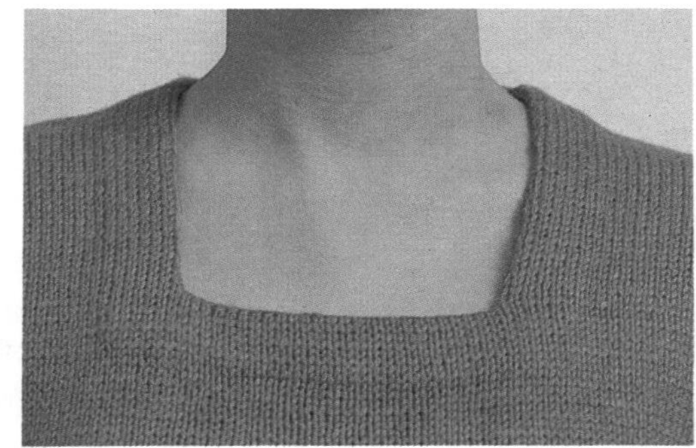

Revers : relevez et tricotez chaque section séparément au point de jersey et faites des augmentations à chaque coin. Rabattez et finissez au point de surjet sur l'envers.

Encolure en pointe

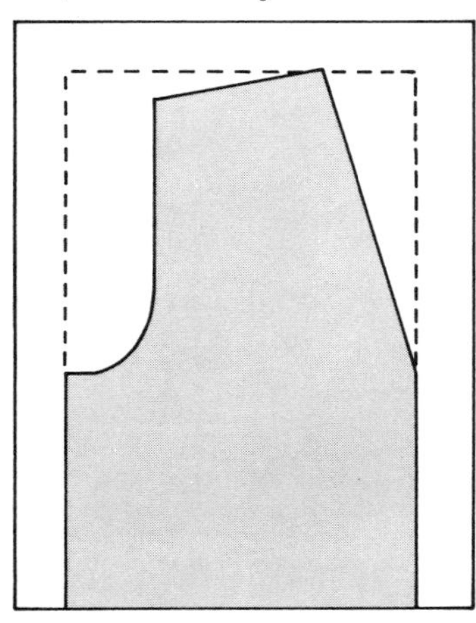

Encolure en pointe : la découpe commence entre 17,5 et 22,5 cm plus bas que l'épaule ou dès le début de l'emmanchure. L'ouvrage est divisé au milieu et chaque moitié est tricotée séparément. On peut faire les diminutions au bord ou à 3 ou 4 mailles du bord de l'encolure; dans ce cas, il faut que les diminutions soient inclinées dans un sens pour le 1er côté et dans le sens opposé pour le 2e côté. Si le nombre de mailles est impair, faites une diminution au milieu avant de diviser l'ouvrage en deux.

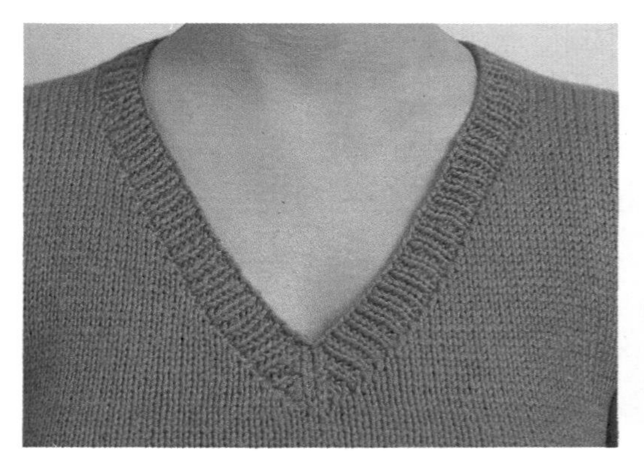

Bande côtelée : relevez les mailles sur 3 aiguilles dp et tricotez en côtes 1/1, faisant une diminution double dans la pointe à chaque tour. Dans ce cas, il faut coudre le V.

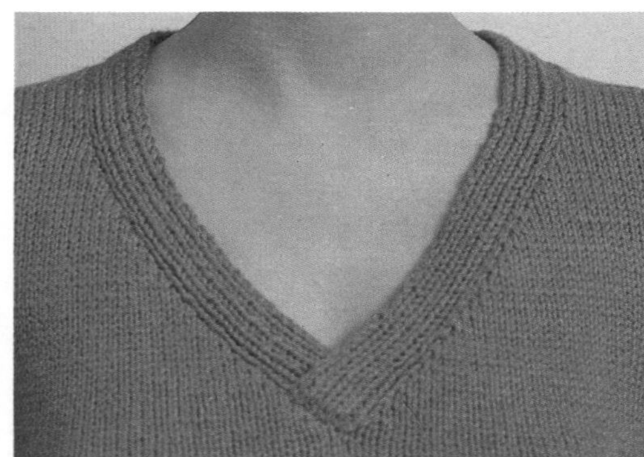

Bande croisée : tricotez en côtes 1/1 une bande de 2,5 cm de largeur assez longue pour entourer l'encolure. Surjetez en superposant les 2 extrémités dans la pointe.

Encolures en rond

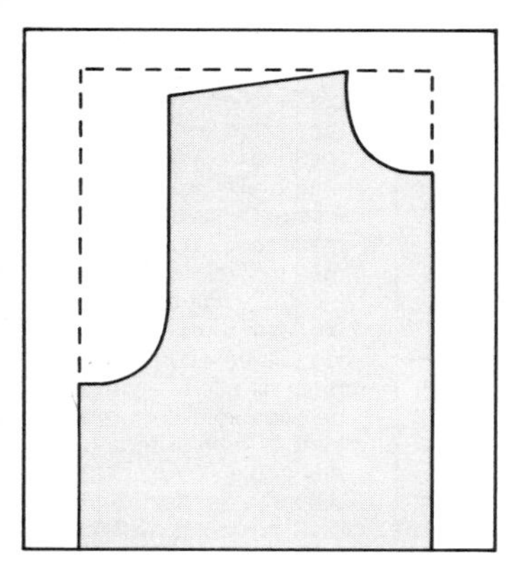

L'encolure haute est aussi classique que la manche pull-over. La découpe commence à 5 cm de l'épaule pour un adulte et à 3,75 cm pour un enfant. La moitié des points est placée sur une aiguille auxiliaire ou rabattue; on fera des diminutions de chaque côté du cou et à tous les 2 rangs sur les mailles qui restent. On continue à tricoter l'encolure jusqu'à ce que le façonnage de l'épaule soit terminé.

Col roulé : relevez les mailles sur 3 aiguilles dp; tricotez de 15 à 22,5 cm de côtes 1/1. Rabattez sans serrer et repliez le col sur l'endroit.

Col polo : relevez les mailles et tricotez en côtes 1/1, ajoutant 1 maille à tous les 2 rangs juste à l'intérieur de la lisière; finissez les lisières par un point de chaînette.

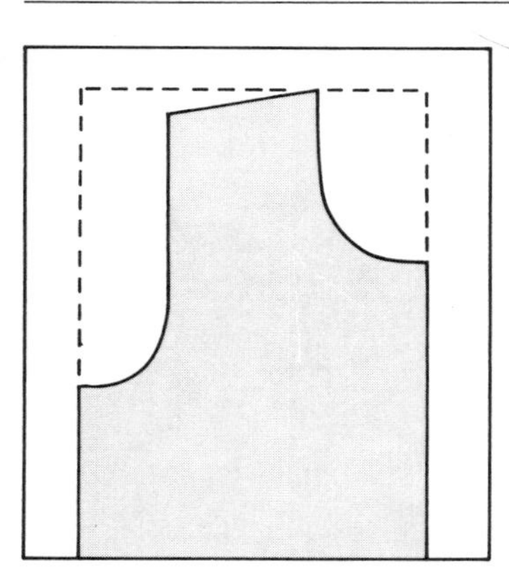

L'encolure basse peut être de 7,5 à 10 cm plus bas que l'épaule. L'encolure à 10 cm convient à un corsage d'été ou du soir. Pour façonner l'encolure à 7,5 cm, suivez les indications données pour l'encolure haute. Pour un décolleté plus prononcé, diminuez de quelques mailles sur chaque épaule et distribuez les diminutions de façon à ce que l'encolure soit aussi large que profonde.

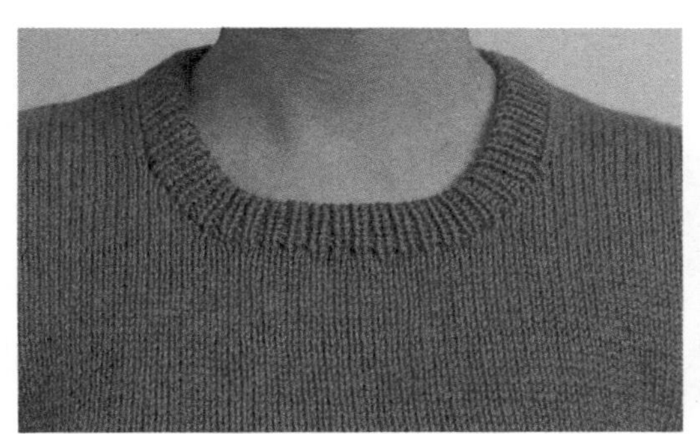

L'encolure basse : relevez les mailles sur 3 aiguilles dp; tricotez de 5 à 7,5 cm de côtes 1/1; rabattez, pliez en deux et cousez la bordure à points lâches sur l'envers.

Bordure au crochet : avec un crochet d'un ou deux numéros plus petits que celui des aiguilles employées pour l'ouvrage, faites 1,25 cm de mailles serrées (p. 362).

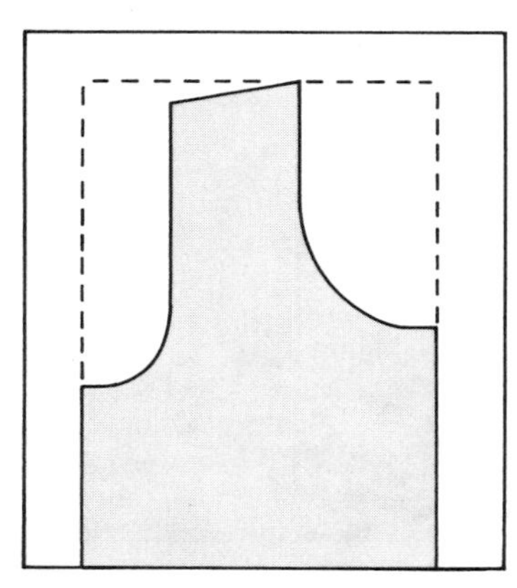

L'encolure en U commence de 15 à 17,5 cm plus bas que l'épaule; elle est en général plus profonde que large. N'oubliez pas en préparant l'échancrure de calculer la largeur de la bordure (si vous voulez en ajouter une). Par exemple, si l'encolure finie doit mesurer 17,5 cm de largeur et la bande 2,5 cm, il faut prévoir une échancrure de 22,5 cm.

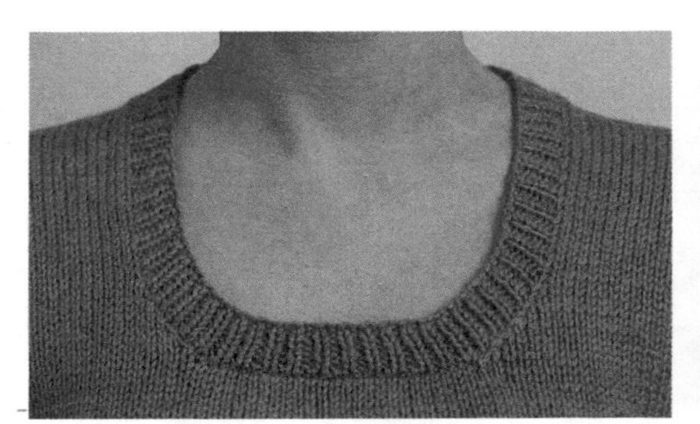

Bordure côtelée : relevez les mailles sur 3 aiguilles dp, faites 2,5 cm de côtes 1/1. En rabattant, faites plusieurs diminutions dans la courbe en U du décolleté.

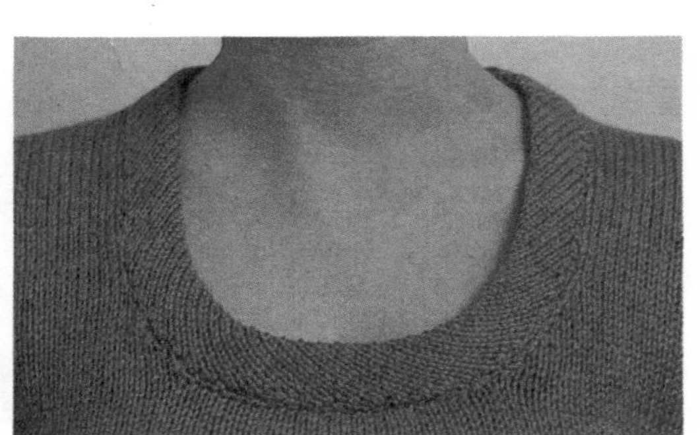

Bordure en biais : tricotez un biais, au point de jersey, ayant deux fois la largeur voulue et assez long pour faire le tour de l'encolure. Cousez-le au vêtement.

Diminutions 292 Mesures 324-325
Façonnage arrondi 329

Emmanchures et manches

Les manches et les emmanchures doivent être façonnées avec soin si l'on veut obtenir un vêtement bien ajusté. Cinq styles sont ici décrits. La manche classique montée est la **manche du pull-over classique**; elle convient à tous les styles. La **manche à empiècement** est généralement adoptée par les styles sport. Elle est très jolie lorsqu'une torsade court tout le long de la manche et se termine à l'encolure. La **manche raglan** est très confortable. Elle devient décorative quand les diminutions sont faites à deux ou trois mailles de la lisière. La **manche semi-raglan** est une combinaison de la manche raglan et de la manche montée. La **manche kimono** est une extension du vêtement et sa profonde emmanchure en fait le plus confortable de tous les styles de manches.

Pour faire le schéma des emmanchures décrites ici, vous devez connaître la *largeur des épaules* (mesure prise dans le dos, d'une emmanchure à l'autre), la *poitrine*, la *longueur de l'épaule* et la *profondeur de l'emmanchure*. Pour faire le schéma d'une manche, il vous faut les mesures du *poignet*, la *longueur du dessous de bras* et la *largeur du haut du bras*.

On tricote une manche généralement de bas en haut; on façonne les lisières du dessous du bras en diagonale; on fait des augmentations symétriques entre le poignet et l'emmanchure. On peut, si désiré, ajouter 2,5 centimètres au poignet et 5 centimètres au haut du bras. Le tour de l'emmanchure puis l'arrondi sont façonnés par diminutions successives; pour rendre décoratives ces diminutions, il faut les faire par paires en les inclinant l'une vers l'autre.

Il y a deux manières de façonner une manche. La méthode habituelle est de rabattre en escalier (pp. 326-327), ce qui produit une lisière légèrement dentelée. La seconde se fait au moyen du façonnage arrondi (p. 329).

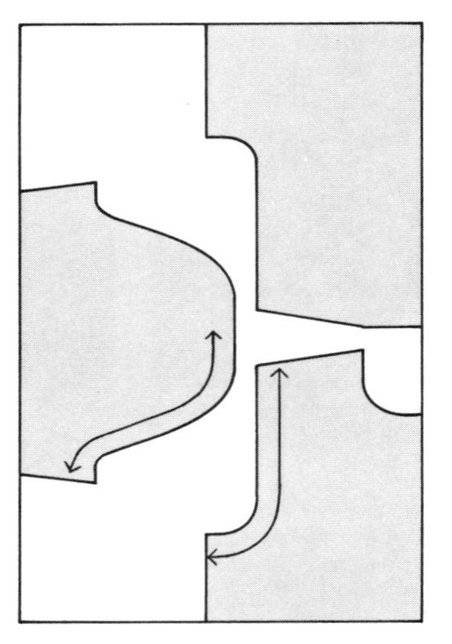

Le nombre de diminutions pour l'emmanchure de la **manche pull-over classique** s'obtient en soustrayant le nombre de m de la largeur des épaules du nombre de m de la largeur du dos mesurée sous le dessous des bras, et en divisant ce nombre par 2. Au début du façonnage, rab la moitié de ces m, faites ensuite des dim sur quelques rgs; continuez à tric jusqu'à l'obtention de la hauteur voulue. Pour faire le haut de la manche, rab le même nombre de m qu'au début du façonnage de l'emmanchure. Tric en dim jus la courbure du haut de la manche épouse l'emmanchure (5 à 12,5 cm de large); rab.

Une manche pull-over classique.

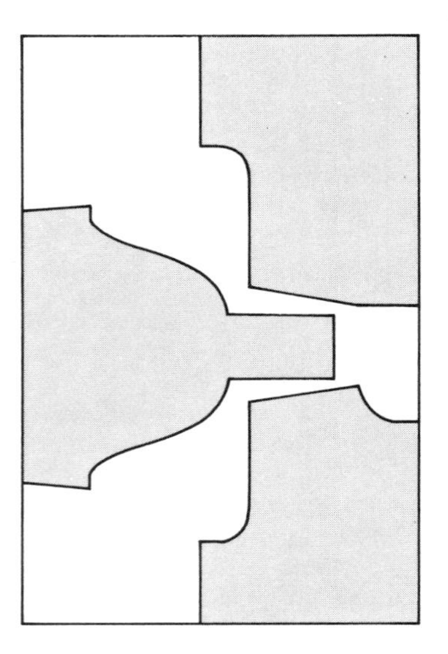

L'emmanchure de la **manche à empiècement** est façonnée de la même façon que la précédente mais est de 2,5 à 3,7 cm plus courte afin de pouvoir y insérer l'empiècement. La manche est aussi faite de la même manière sauf qu'au lieu de rabattre les mailles d'épaule, on continue jusqu'à ce que l'empiècement ait atteint la largeur de l'épaule. Pour un bon tombé, le haut de la manche et l'empiècement ne doivent pas mesurer moins de 5 cm ni plus de 7,5 cm de largeur. N'oubliez pas que les mailles rabattues de l'empiècement font partie de l'encolure.

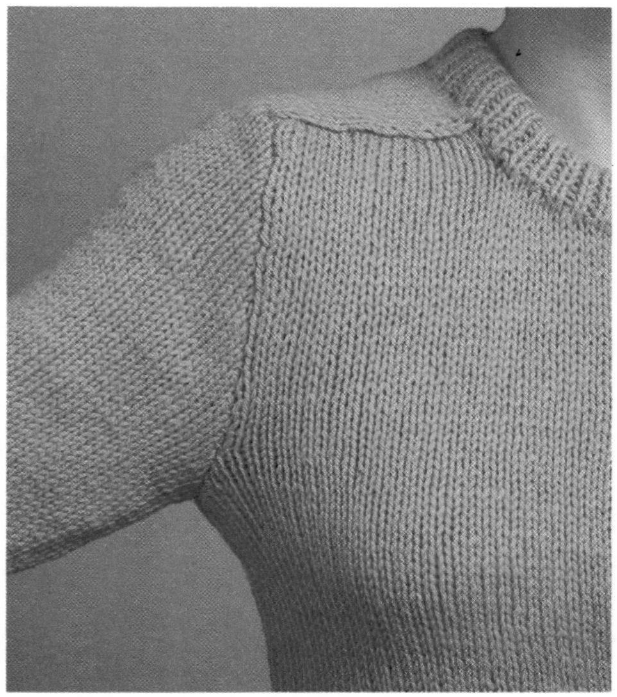

Une manche à empiècement, dite aussi manche marteau.

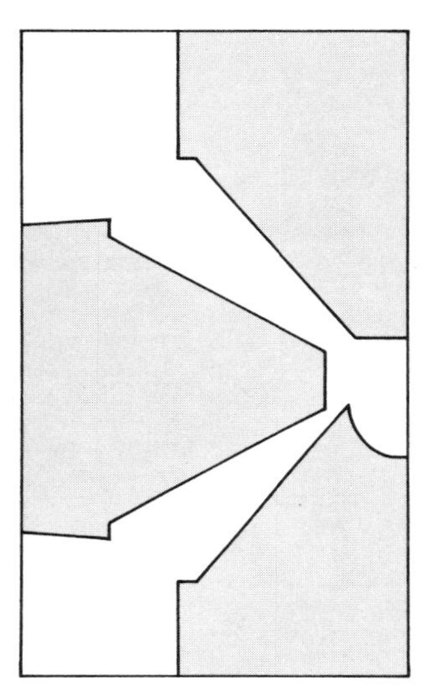

L'emmanchure raglan se termine à l'encolure et doit être conçue dans cette perspective. Pour calculer le nombre de diminutions : soustrayez le nombre de mailles de la demi-circonférence du col du nombre de mailles de la largeur du dos mesurée sous le dessous des bras; retranchez encore 5 cm que vous retrouverez au sommet de la manche. Commencez la découpe raglan en rabattant de 1,25 à 1,80 cm de chaque côté; distribuez symétriquement et régulièrement les diminutions entre les rangs. Tricotez le même nombre de rangs pour les manches.

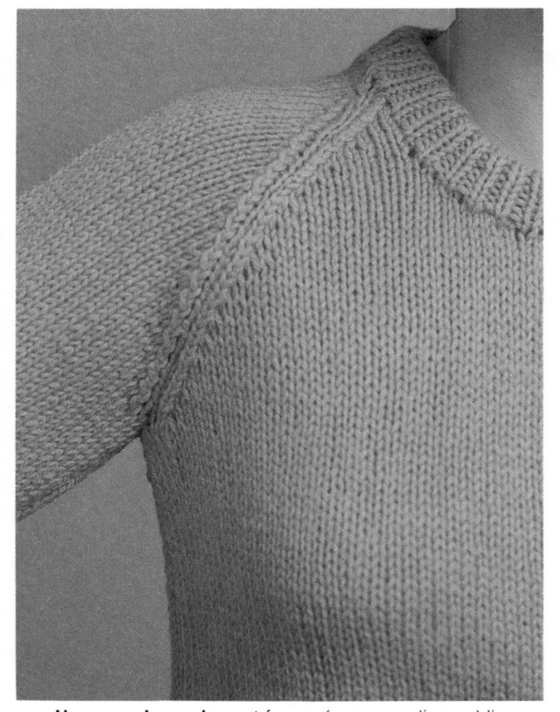

Une manche raglan est façonnée sur une ligne oblique.

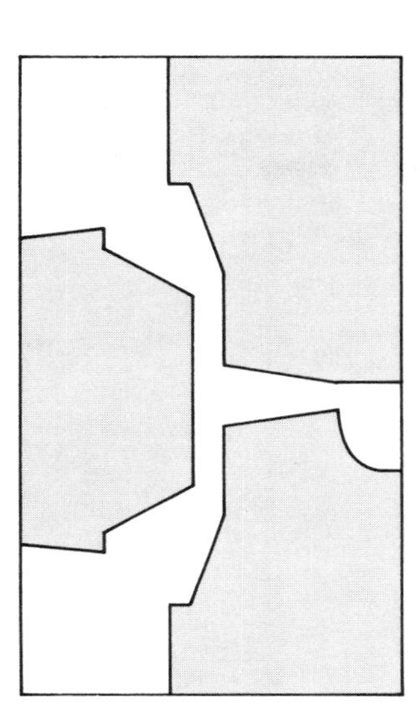

L'emmanchure semi-raglan est façonnée comme la raglan dans la partie inférieure et comme la pull-over classique dans la partie supérieure et l'épaule. Les diminutions sont celles de la classique mais réparties sur une ligne inclinée le long de la moitié de l'emmanchure; tricotez ensuite pour atteindre la profondeur désirée; façonnez l'épaule en employant la méthode ordinaire (p. 326). Pour la manche, faites des diminutions symétriques à celles effectuées le long de la moitié de l'emmanchure et sur le même nombre de rangs.

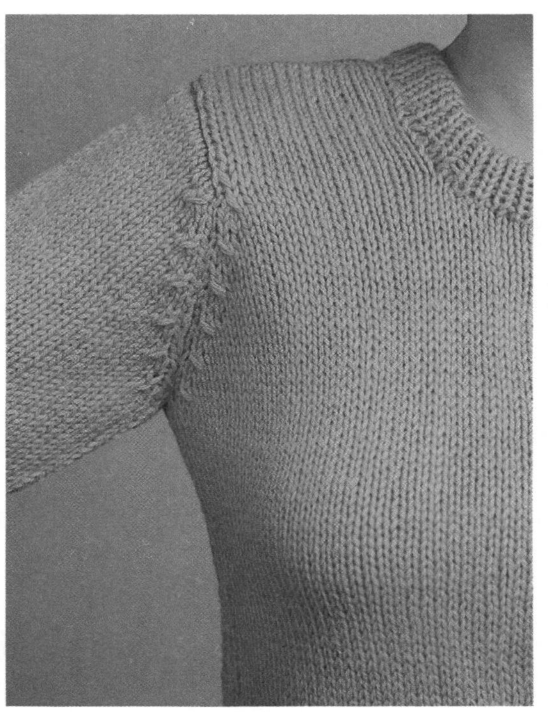

Une manche semi-raglan combine raglan et classique.

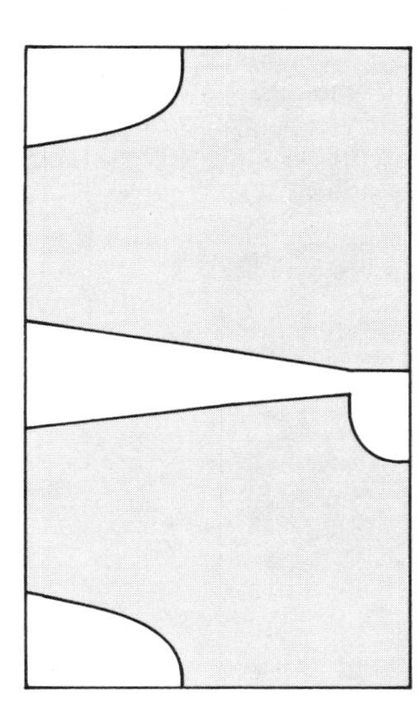

La manche kimono se tricote en même temps que le vêtement. Façonnez l'emmanchure 5 à 7,5 cm plus bas que d'habitude. Augmentez de 2 mailles au début et à la fin de chaque rang et cela pendant plusieurs rangs consécutifs. Pour la manche, montez de 2,5 à 5 cm de mailles au début et à la fin de chaque rang endroit jusqu'à l'obtention de la longueur voulue. Tricotez jusqu'à la moitié de la largeur du poignet, ajoutez 2,5 ou 5 cm d'ampleur. Façonnez la lisière du haut en diminuant dans la même proportion que vous avez augmenté en bas.

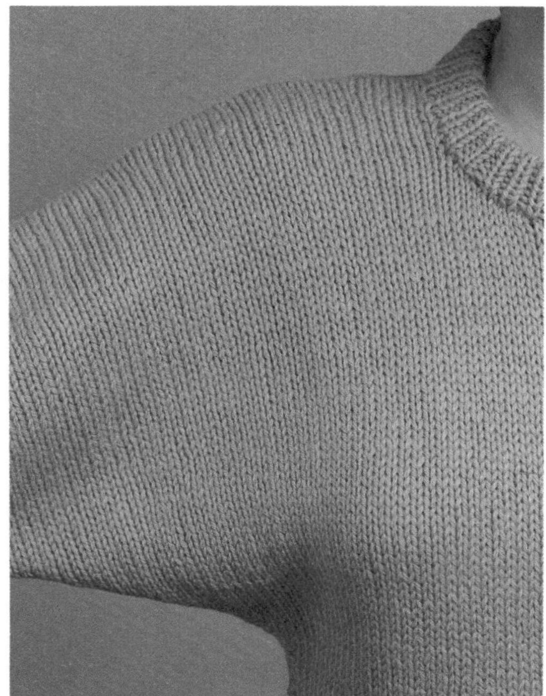

La manche kimono : large à l'emmanchure, étroite au poignet.

Point de riz, point mousse et côtes 280
Remmaillage 297
Boutonnières horizontales 341
Assemblage 344-345

Poignets

Un *poignet en côtes* est le type de poignet le plus employé pour finir une manche longue. On prend la mesure du poignet à laquelle on ajoute 2,5 centimètres. On emploie des aiguilles d'un ou deux numéros plus petits que celui des aiguilles utilisées pour le reste du tricot, afin de resserrer le tricot. On suggère les côtes 1/1 ou 2/2 à cause de leur élasticité et de leur aspect soigné.

Un *poignet chemisier* convient à une blouse, un chandail habillé ou une jaquette. Il se tricote avec un point ferme, comme le point de riz ou mousse. Une ouverture assure le passage de la main; un ou deux boutons referment l'ouverture.

On peut employer une *bordure ou un ourlet* (pp. 335-337) pour terminer le bas d'une manche large.

Poignet simple en côtes 1/1 : ce poignet net et discret est employé plus que tout autre. Sa hauteur varie de 5 à 10 cm; plus la manche est ample, plus le poignet devra être haut.

Montez un nombre pair de mailles et tricotez en côtes 1/1. Cousez le poignet au point arrière en prenant à chaque point (1 end, 1 env) de chaque côté. Le joint devrait être pratiquement invisible.

Poignet simple en côtes 2/2 : plus ferme que le précédent, ce genre de poignet se prête mieux au style sportif qu'au style tailleur.

Montez un nombre de mailles multiple de 4 plus 2; tricotez en côtes 2/2, commençant et terminant chaque rang endroit par 2 end. Cousez le poignet au point arrière en prenant une maille endroit de chaque côté. Le poignet fini donnera l'impression de côtes continues.

Poignet pull-over : on peut employer les côtes 1/1 ou 2/2. La longueur totale sera de 10 à 12,5 cm. Ce poignet est pratique sur un chandail d'enfant; le revers déplié allonge la manche.

En suivant les indications précédentes, tricotez jusqu'à la moitié du poignet moins 4 rangs; rabattez une maille au commencement des 2 rangs suivants, puis montez 1 maille au commencement des 2 rangs suivants (il y aura une encoche de chaque côté). Complétez le poignet. Cousez la moitié du bas du poignet en posant les 2 envers l'un sur l'autre; inversez le sens de la couture vis-à-vis l'encoche; cousez la moitié supérieure endroit contre endroit.

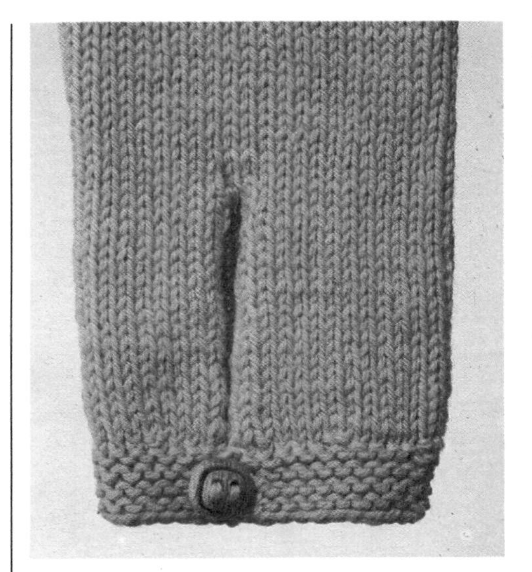

Poignet chemisier à un bouton : très joli sur un blouson à manche longue. La fente peut mesurer 5 ou 7,5 cm et la bordure, 2 ou 2,5 cm. La bordure doit être tricotée avec un point qui ne roule pas.

Pour faire l'ouverture, divisez le nombre de mailles du bas de la manche en deux : 1/3 pour l'arrière, 2/3 pour le devant. Travaillez-les séparément en montant 2 mailles de plus de chaque côté de la fente pour un rempli; rabattez ces 2 mailles avant de joindre les 2 sections. Quand la manche est finie, faites la couture, surjetez les remplis à l'intérieur de la manche. Pour tricoter le poignet, relevez les mailles le long du bas (en nombre égal à la mesure du poignet plus 1,25 cm d'ampleur). Si la manche est très grande, relevez plus de mailles qu'il en faut et faites des diminutions au cours du premier rang du poignet. Faites une boutonnière chaînette sur la partie devant de la manche; posez un bouton sur l'arrière.

Poignet chemisier à deux boutons : ce poignet permet un bon ajustement; on peut donc le tricoter sur un chandail, une veste, un manteau. Il peut aussi servir à décorer une manche plus large. L'ouverture doit mesurer de 7,5 à 10 cm de longueur et la bordure de 2 à 2,5 cm de largeur.

Pour faire l'ouverture, divisez le nombre de mailles de la manche comme dans le modèle précédent mais ne faites pas de revers. Faites plutôt une lisière double le long de la fente du 1er tiers, laissant le devant uni. Complétez la manche et cousez le dessous.
Pour faire le poignet et la bordure, relevez les mailles du bas de la manche et le long de la fente (devant de la manche). Marquez la maille d'angle et faites à cet endroit une augmentation double à tous les 2 rangs. Faites deux boutonnières horizontales dans la bordure. Cousez ensuite le dessus de la bordure sur la manche et fixez les boutons.

Bordures

La bordure prolonge la lisière d'un tricot, lui confère un fini décoratif et aide à en préserver la forme. Il y a deux types de bordure : les bordures simples tricotées avec un point qui ne roule pas, comme le point de riz, le point mousse ou les côtes; les bordures doubles tricotées au point de jersey. La largeur varie de 0,75 à 3,75 cm. Au besoin, tricotez la bordure avec des aiguilles plus fines que celles qui ont été employées pour le reste de l'ouvrage.

Bordure simple : les données pour le vêtement et la bordure sont les mêmes.
Pour une bordure horizontale : tricotez le bas du morceau avec le point suggéré pour la bordure.
Pour une bordure verticale : tricotez le point de bordure au bout de chaque rang du tricot.
Pour une bordure combinée : tricotez les deux bordures sur le même morceau.

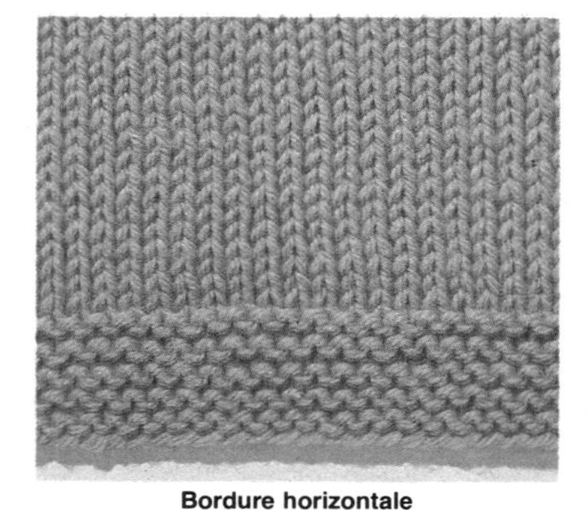
Bordure horizontale

Bordure verticale

Bordure combinée

Bordures à mailles relevées : assemblez d'abord les différentes parties du vêtement.
Pour une bordure droite : relevez le nombre de mailles nécessaire. Par exemple, si le vêtement mesure 50 cm et que l'échantillon est de 10 mailles pour 5 cm, relevez 100 mailles, les répartissant également le long du bord.
Pour une bordure courbe : employez le même procédé que pour la bordure droite mais augmentez ou diminuez pour façonner la courbe.
Pour une bordure pliée : tricotez de 2,5 à 5 cm au point de jersey; tricotez un rang à l'envers sur l'endroit de l'ouvrage pour marquer le pli; continuez au point de jersey de 2,5 à 5 cm; rabattez très souplement. Pliez la bordure en deux et surjetez le bord libre à l'intérieur du vêtement.

Bordure droite

Bordure courbe

Bordure pliée

Bordures rapportées : *Pour une bordure droite :* montez les mailles nécessaires; tricotez la hauteur voulue et rabattez en souplesse. Posez à plat côte à côte le morceau et sa bordure, surjetez.
Pour une bordure en biais : montez les mailles nécessaires; tricotez au point de jersey une bande ayant deux fois la largeur désirée en rabattant 1 maille au début de chaque rang endroit et en ajoutant 1 maille à la fin. Posez la bordure sur le morceau, endroit sur endroit, cousez au point arrière un des bords de la bordure; pliez-la en deux et surjetez l'autre bord sur l'envers.
Pour une bordure en onglets : montez les mailles nécessaires et marquez l'angle; tricotez une double augmentation à l'endroit désigné tous les deux rangs; rabattez et surjetez.

Bordure droite

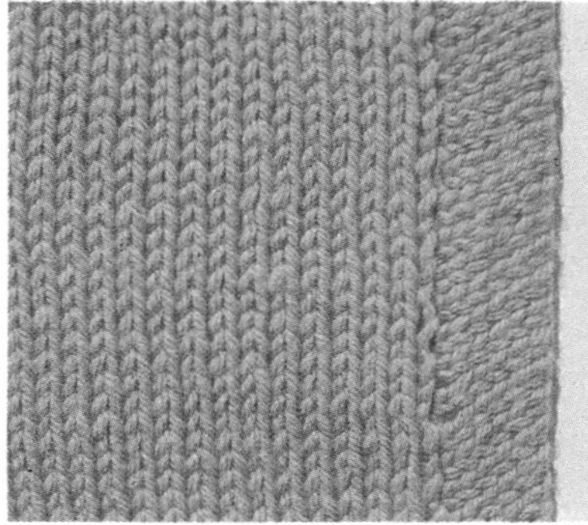
Bordure en biais

Bordure en onglet

Maille glissée 288
Bordure en dents de chat 338

Ourlets et remplis

Un ourlet est la finition pliée du bas d'un vêtement tandis que le rempli est la finition pliée de tout autre bord, par exemple, le bord d'une emmanchure. Ces finitions, très fonctionnelles, empêchent un bord de rouler ou de s'étirer.

Pour casser un bord, c'est-à-dire pour souligner la pliure, on tricote un rang en relief. Selon l'effet désiré, ce rang peut être une maille glissée sur deux, un rang à l'envers sur un fond de jersey, ou un rang de picots à jours.

Pour prévenir le gondolage, il est bon de tricoter l'ourlet avec des aiguilles d'un demi-numéro plus petit que celui utilisé pour le reste du vêtement. On prévoit un ourlet de 1 à 2,5 centimètres pour les vêtements d'adultes, un ourlet légèrement plus large pour les vêtements d'enfants.

Pour que la couture de l'ourlet soit invisible, il faut la faire avec le fil ayant servi à tricoter le vêtement. La couture doit être solide mais non serrée.

Pliure de l'ourlet

Un rang à l'envers sur un fond de jersey convient très bien à un tailleur.

Avec de plus petites aiguilles, montez les mailles nécessaires. Tricotez au point de jersey jusqu'à ce que l'ourlet mesure la hauteur voulue et terminez avec un rang à l'envers. Au rang suivant, sur le côté endroit, tricotez un rang à l'envers pour former la pliure. Prenez les aiguilles plus grosses et continuez au point de jersey. Repliez l'ourlet.

Un rang de mailles glissées donne un ourlet convenant à un modèle fait avec un point plein ou un gros fil.

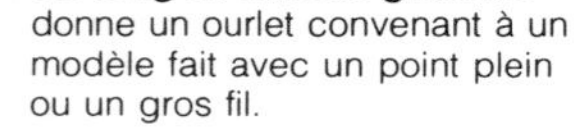

Avec de plus petites aiguilles, tricotez l'ourlet au point de jersey, terminez par un rang à l'envers. Au rang suivant sur l'endroit de l'ouvrage, tricotez *1 end, fav, gl 1, farr, 1 end.* A la fin de ce rang, prenez les aiguilles plus grosses et commencez le point du modèle.

Un rang de picots à jours donne une bordure en dents de chat très décorative pour une layette, des vêtements d'enfants ou des vêtements habillés.

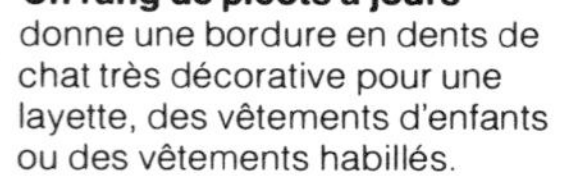

Avec de plus petites aiguilles, montez un nombre de mailles multiple de 2 plus 1. Tricotez au point de jersey la hauteur désirée, finissez par un rang à l'envers. Au rang suivant sur l'endroit de l'ouvrage, tricotez *2 ens end, 1 jeté,* 1 end. A la fin de ce rang, prenez les aiguilles plus grosses.

Finition

Le point de surjet est une façon nette et solide de coudre un ourlet sur un tricot léger ou moyen.

Avec le fil à tricoter, piquez l'aiguille à angle droit à travers l'arrière d'une maille du vêtement et la maille correspondante sur le bord de l'ourlet. Cousez solidement mais ne serrez pas trop.

La couture directe maille à maille est employée sur les tricots épais, elle élimine l'arête des mailles rabattues. Cette technique est utilisée quand l'ourlet est formé à la fin du travail et au début, lorsque le montage est fait sur fil (p. 275).

Pour l'ourlet à la fin de l'ouvrage, cousez une maille de l'aiguille et le point correspondant sur l'envers du vêtement.
Pour l'ourlet monté sur fil, cousez les mailles une à une; retirez le fil de base.

Le point d'ourlet invisible est la meilleure solution pour coudre un épais tricot dont les mailles ont été rabattues, parce que ainsi la lisière n'est pas pressée sur le vêtement. Les points sont pris à l'intérieur entre le bord et le vêtement.

Retournez le bord de 0,5 à 1 cm. Travaillant de droite à gauche, faites un point dans le vêtement, puis un point dans le bord. Ne tendez pas le fil.

Ourlets rapportés

Ourlet rapporté sur jersey : cet ourlet donne un beau fini à une veste ou à un chandail pour lesquels l'ajustement est plus important que l'élasticité. On peut ou non ajouter un rang de pliure. Il faut tricoter cet ourlet avec des aiguilles plus fines que celles qui sont employées pour le reste de l'ouvrage.

Sur de plus petites aiguilles (2 ou 3 numéros plus petits), faites un montage sur fil en utilisant une couleur différente pour le fil de base. Tricotez au point de jersey jusqu'à ce que l'on ait deux fois la longueur désirée pour le bord; terminez avec un rang à l'envers. Glissez une aiguille à travers les mailles du rang de montage et retirez le fil de base. Pliez l'ourlet en deux et tricotez ensemble une maille de chaque aiguille. Prenez les aiguilles plus grosses et continuez au point de jersey.

Ourlet rapporté sur côtes : c'est un bord solide qui peut être utilisé sur un ouvrage entièrement tricoté en côtes ou sur une bordure en côtes.

Sur des aiguilles d'un numéro plus grand, montez la moitié des mailles demandées (montage sur fil). Tricotez 2,5 cm au point de jersey, terminez avec un rang à l'envers. Glissez le montage sur une aiguille supplémentaire et retirez le fil de base. Pliez l'ourlet en deux, envers sur envers; prenez des aiguilles plus fines et tricotez en côtes alternativement les mailles de l'une et l'autre aiguille. Continuez en côtes.

Ourlets en rond et en carré

Ourlet et revers pour un coin en onglet : montez les mailles requises pour le bord, moins 2,5 cm; tricotez 2,5 cm au point de jersey, aug de 1 m sur le devant tt les 2 rgs. Tricotez le rang de la pliure. Continuez comme avant. Le revers doit mesurer 2,5 cm. Pour une pliure verticale, glissez 1 maille à l'envers à chaque rang à l'endroit.

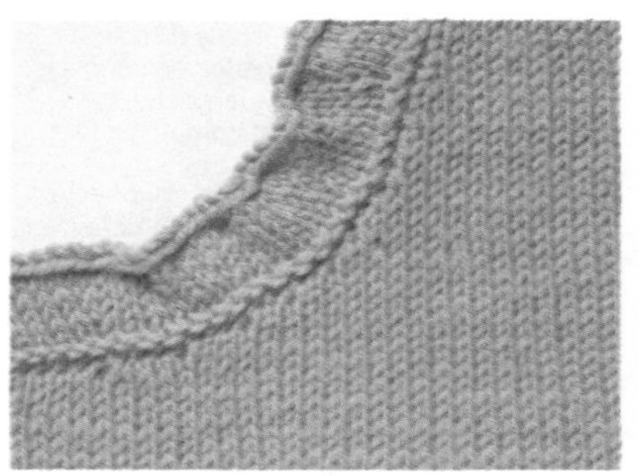

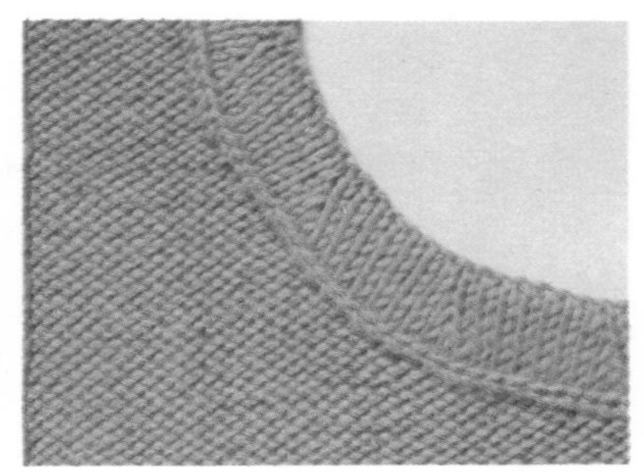

Rentré pour une courbe concave : on doit en tricotant ce revers faire des augmentations car une fois plié, il doit couvrir une plus grande surface. Avec des aiguilles de 2 numéros plus petits, relevez les mailles sur l'endroit, puis *tricotez à l'endroit* (pour le rang de la pliure) sur l'envers de l'ouvrage. Tricotez 2,5 cm au point jersey, augmentez de plusieurs mailles.

Bord et revers pour une courbe convexe : cette courbe au bas du devant est obtenue par façonnage arrondi sur environ le quart des mailles et sur 2½ fois la profondeur de l'ourlet. Montez les mailles requises pour l'ourlet et tricotez 2,5 cm. Faites la courbe par façonnage arrondi. Par exemple, si le vêtement a 78 mailles, on peut en laisser 20 en attente, et ajouter 4 mailles 1 fois, 3 mailles 2 fois, 2 mailles 3 fois et 1 maille 4 fois à tous les deux rangs. Répartissez les augmentations afin de garder l'ouvrage plat. Montez les mailles pour le rentré du devant.

Point de surjet, point d'ourlet 345

Poches

Les poches sont à la fois décoratives et utiles. Il y a la poche fendue et la poche appliquée.

Les poches appliquées (p. 340) sont les plus faciles à faire. On peut employer n'importe quel point; si l'on se sert du point de jersey, on doit prévoir une bordure ferme ou un revers.

Les poches fendues sont doublées, et toutes faites selon le même principe. Une doublure tricotée est préférable mais, sur un tricot épais, on peut faire le fond de la poche en tissu.

Pour déterminer l'emplacement d'une poche, fixez-en le centre au tiers de la largeur d'un pan devant à partir de la couture de côté. La grandeur moyenne d'une poche est de 10 ou 12,5 centimètres de côté. Prévoyez de 2,5 à 3,5 centimètres pour la bordure.

Poches fendues horizontales

Poche fendue horizontale avec bordure côtelée : tricotez le devant du vêtement jusqu'à 2,5 cm de l'ouverture de la poche. Placez une bague au commencement de l'ouverture et une autre à la fin. Continuez le devant en tricotant des côtes (1/1 sur le modèle ci-contre) entre les bagues. Après 2,5 cm de côtes, rabattez en souplesse le haut de la poche sur l'endroit et complétez le rang (A).
Pour tricoter la doublure, montez sur une aiguille supplémentaire le nombre de mailles comblant l'ouverture de la poche plus 4 mailles pour les lisières. Tricotez au point jersey 10 à 12,5 cm; terminez avec un rang endroit, rabattez 2 mailles au début et à la fin de ce rang; coupez le fil. Tricotez à l'envers jusqu'à l'ouverture de la poche, continuez en tricotant à l'envers la doublure (B) et ensuite l'autre côté jusqu'à la fin du rang. La doublure est maintenant attachée au vêtement et le travail se poursuit sur toutes les mailles jusqu'à la fin de ce morceau. Surjetez les 3 côtés de la bordure à l'envers du vêtement.

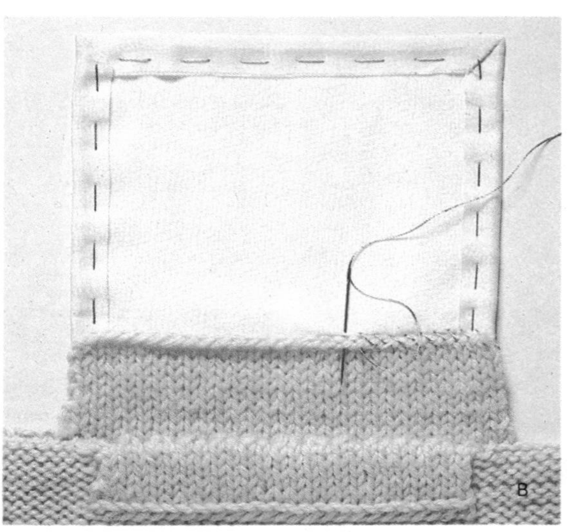

Poche fendue horizontale avec bordure en dents de chat : tricotez le morceau jusqu'à l'ouverture de la poche, finissez avec un rang envers. Comptez un nombre impair de mailles pour le haut de la poche et glissez les bagues aux 2 extrémités. Sur l'endroit, tricotez jusqu'à la première bague, faites le bord de la poche et le rempli comme suit : glissez la bague, 1 end, *1 jeté, 2 ens end,* répétez les instructions entre astérisques jusqu'à la 2e bague et tournez; prenez de plus petites aiguilles et tricotez en jersey 2 cm, rabattez. Surjetez la bordure pliée.
Pour tricoter la doublure, suivez les directives données à l'extrême gauche. Si vous voulez seulement une extension, ne tricotez que 4 cm au point de jersey, coupez le fil; joignez au morceau principal.
Pour faire une doublure en tissu, coupez un rectangle de tissu léger, de 2,5 cm plus large que l'ouverture de la poche et de 7,5 à 10 cm de hauteur. Rentrez les bords et faufilez. Tenant l'ouverture à l'envers, appliquez l'extension tricotée sur le tissu et surjetez (B). Posez la doublure à plat sur l'envers et cousez au point arrière le fond de la poche.
Si l'on préfère une doublure-sac, coupez 2 morceaux de tissu et cousez-les sur 3 côtés, puis fixez l'un des côtés ouverts au revers de la poche et l'autre à l'extension.

Poches fendues verticales

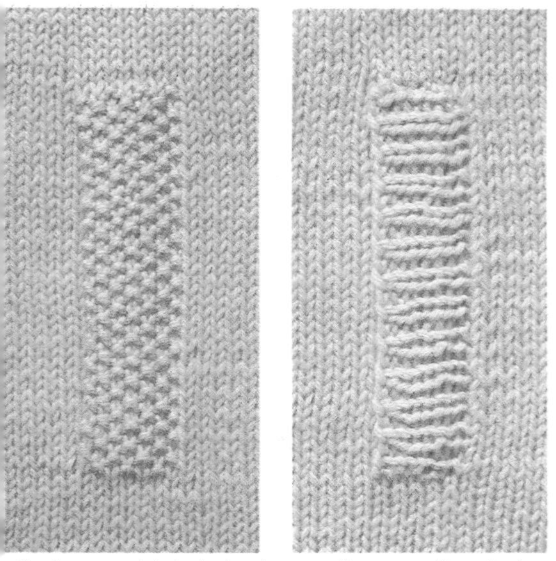

Bordure au point de riz; bordure en côtes sur mailles relevées.

Poche fendue verticale et bordure tricotée ensemble : tricotez depuis le centre du devant jusqu'à l'emplacement de la poche; mettez les mailles qui restent en attente. Tricotez le 1er groupe de mailles en faisant une bordure de 3 cm avec le point suggéré. Au sommet de l'ouverture de la poche, finissez avec un rang endroit; arrêtez et coupez le fil; mettez ces mailles en attente. Montez 2,5 cm de mailles pour former un prolongement dans la poche. Tricotez jusqu'à ce que ce côté mesure la même longueur que le premier; finissez avec un rang envers. Au rang suivant, rabattez les mailles du prolongement, réunissez les deux sections (A) et complétez le devant. Coupez le tissu de la doublure et cousez (B).

Poche fendue verticale avec une bordure sur mailles relevées : tricotez les deux côtés de la poche comme une simple fente, sans bordure. Le morceau fini, relevez les mailles le long de la fente sur la partie centrale du vêtement et tricotez 3 cm avec le point de bordure; rabattez. Fixez la doublure.

Poches fendues en biais

La bordure au point de riz est tricotée sur l'ouverture.

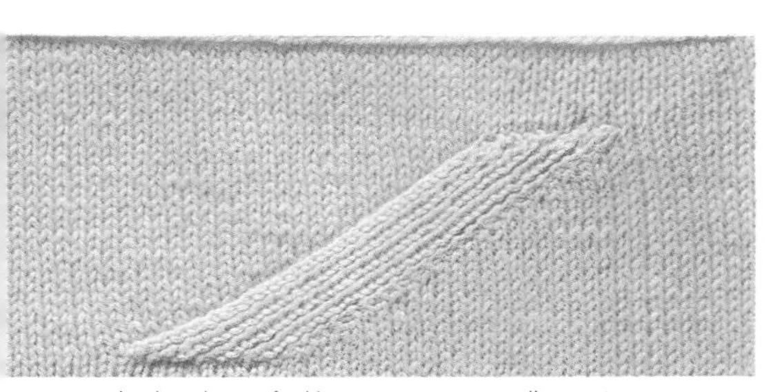

La bordure côtelée est cousue sur l'ouverture.

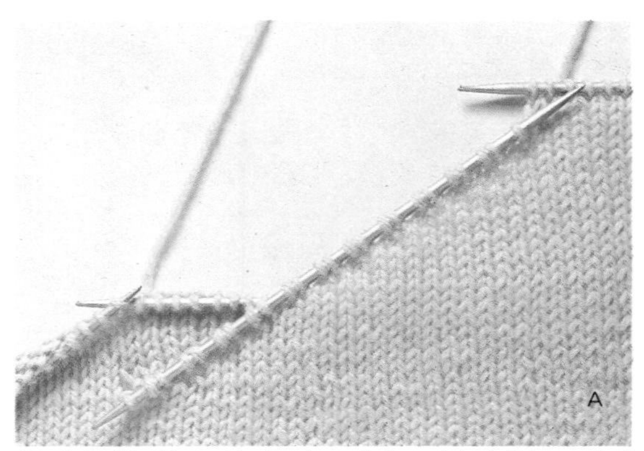

Bordure tricotée : tricotez jusqu'à la pointe inférieure de la poche; mettez en attente les mailles (celles qui sont près de la couture du côté). Tricotez à l'endroit le 1er groupe; à tous les 2 rangs, tricotez 2 ou 3 mailles de moins au fond de la poche jusqu'à ce qu'il ne reste qu'une maille de l'ouverture de la poche; arrêtez le fil; laissez les mailles de la poche sur une aiguille. Tricotez une extension, finissez avec un rang envers. Au rang suivant, tricotez d'une seule venue l'extension et le groupe du côté (A); il faut la même longueur que celle du devant; joignez les deux groupes (B) et terminez le devant. *Pour la bordure*, tricotez au bord de la poche un point ne roulant pas, augmentant d'une maille en haut (devant) et diminuant d'une maille en bas (côté) à tous les deux rangs. Fixez la doublure.

Bordure rapportée : tricotez l'ouverture; il faut rabattre les mailles chaque fois que l'on tourne au lieu de les laisser en attente. *Pour la bordure*, montez 1 maille et placez une bague. Augmentez d'une maille à tous les 2 rangs; la bande doit avoir 3 cm de large; continuez, et arrêtez à 1 cm de l'ouverture. Diminuez d'une maille à tous les 2 rangs jusqu'à ce qu'il ne reste qu'une maille. Arrêtez et cousez.

Lisière perlée double 284
Point de surjet, point d'ourlet 345

Poches appliquées

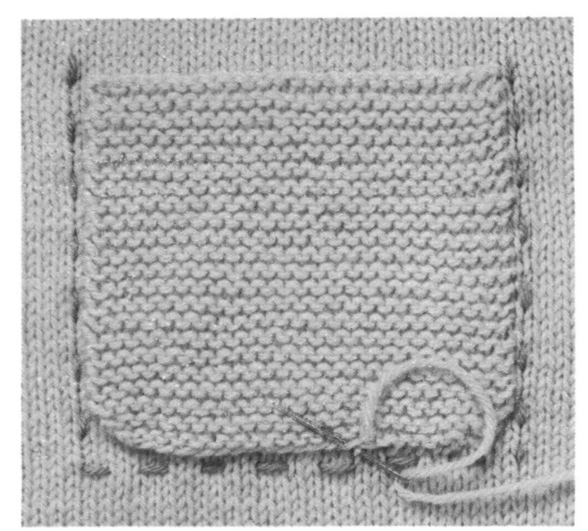

Poche appliquée au point mousse : montez autant de mailles qu'il le faut moins 4. Tricotez au point mousse (ou tout autre point ne roulant pas), augmentant d'une maille à chaque extrémité aux 2e et 4e rangs. Quand la poche est suffisamment profonde, rabattez. Marquez l'emplacement par un faufil de couleur et surjetez.

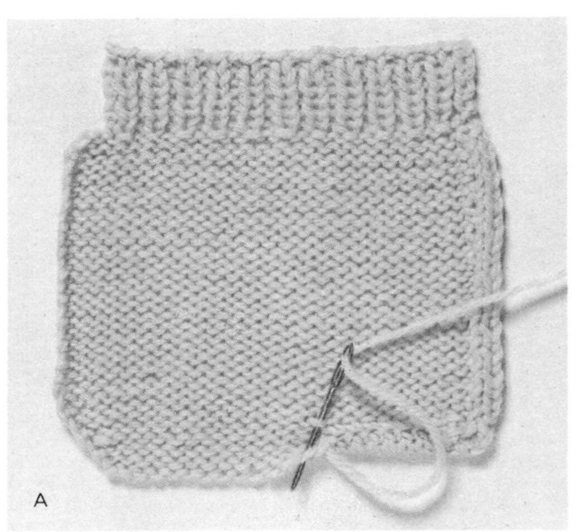

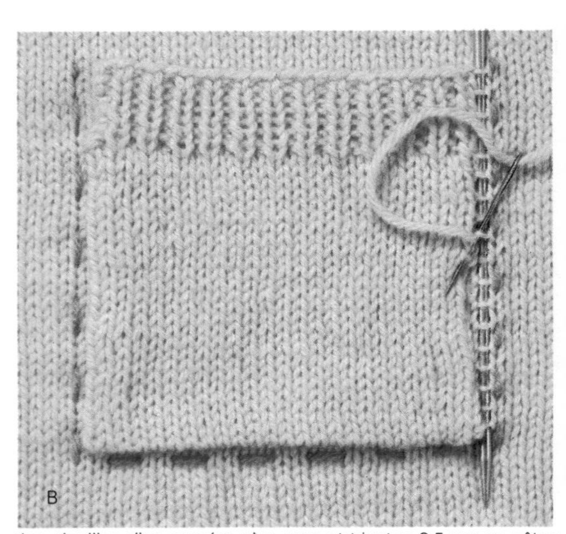

Poche appliquée au point de jersey avec bordure côtelée : montez autant de mailles qu'il le faut moins 2; tricotez le 1er rang à l'envers, continuez au point jersey, ajoutant 1 maille à chaque extrémité des 3 premiers rangs endroit. Tricotez jusqu'à 3 cm de la fin; rabattez 2 mailles au début des 2 prochains rangs. Prenez des aiguilles d'un numéro plus gros et tricotez 2,5 cm en côtes 1/1; rabattez. Pliez les revers sur l'envers et surjetez les bords de la poche (A). Cousez la poche sur le vêtement à points d'ourlet. Passez l'aiguille à tapisserie à travers les boucles soulevées par une aiguille à tricoter (B).

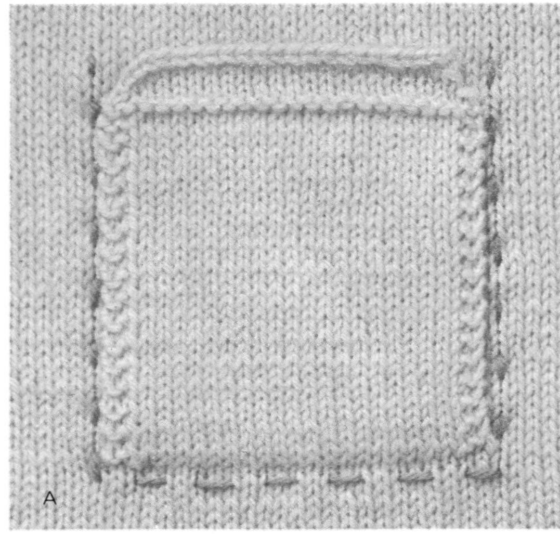

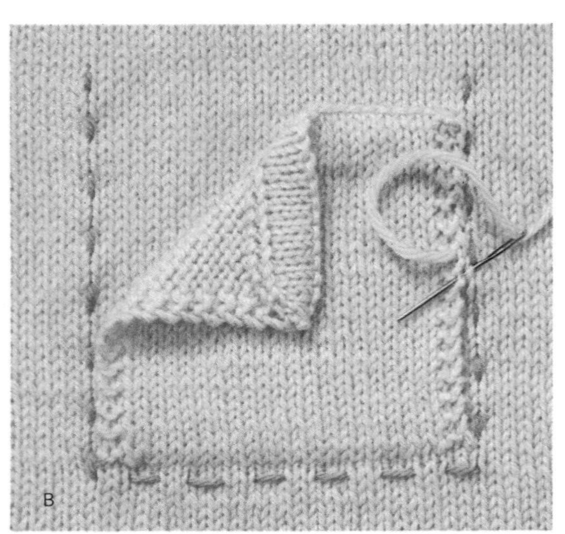

Poche appliquée sur mailles relevées : faufilez l'emplacement de la poche. Tenant l'ouvrage endroit tourné vers vous et le fil en arrière, relevez les mailles le long du faufil horizontal en passant le fil à travers les mailles du vêtement; arrêtez le fil et fixez-le. Tournez, fixez le fil et tricotez au point de jersey, avec une lisière perlée double, jusqu'à ce que la poche ait la profondeur désirée; tricotez un rang envers pour la pliure. Pour l'ourlet, prenez de plus petites aiguilles et tricotez 4 rangs en jersey, diminuant d'une maille à chaque extrémité des rangs endroit; rabattez (A). Surjetez l'ourlet et les côtés de la poche (B).

Poche à rabat : passez un faufil 1 cm au-dessus de la poche. Relevez le long du faufil les m de la poche. Tr au point de jersey vers la poche, faites des lisières 2 cm au point mousse; le rabat doit mesurer le quart de la profondeur de la poche. Tr 2 cm au point mousse en dim de 1 m à chq extrémité tt les 2 rgs.

Montage simple 275
Terminaisons 282
Augmentation à jours par des jetés 289
Maille glissée crochetée 363

Boutonnières

Il y a trois types de boutonnières : la boutonnière layette, utilisée pour un vêtement de bébé; la boutonnière verticale, placée au centre d'une bordure verticale; la boutonnière horizontale, réservée à une jaquette ou à un manteau.

L'emplacement d'une boutonnière dépend de son type et de l'emplacement du bouton : une boutonnière layette (ronde) s'aligne exactement sur le bouton; le haut d'une boutonnière verticale doit dépasser d'un rang le dessus du bouton; l'extrémité de la boutonnière horizontale (faisant face au bord du vêtement) doit dépasser le bouton d'une maille. On doit déterminer l'emplacement des boutonnières au cou, au buste et au bas du vêtement (au-dessus de l'ourlet et de la bordure).

Boutonnière layette (aussi employée comme œillet) : *à l'endroit :* pour chaque boutonnière, faites un jeté et tricotez 2 ens end; *à l'envers :* tricotez toutes les mailles, y compris le jeté, en employant le point du modèle.

Boutonnière verticale : divisez l'ouvrage en deux à la base de la boutonnière et tricotez chaque partie séparément sur la hauteur désirée; réunissez les deux parties. Le dernier rang de chaque section doit être tricoté dans le même sens. C'est-à-dire que si la première section finit à l'endroit, la seconde aussi doit finir à l'endroit.

Boutonnière horizontale : *sur l'endroit :* rabattez un nombre de mailles égal au diamètre du bouton; *sur l'envers :* tricotez jusqu'à 1 maille de l'ouverture; augmentez en tricotant les brins avant et arrière de cette maille. Montez (montage simple) sur l'aiguille droite le même nombre de mailles (moins 1) qui ont été rabattues.

Finition

Boutonnière surjetée : c'est la finition la plus simple; elle renforce les bords tout en conservant la souplesse.
Pour faire le point de surjet : faites des points de même longueur, en diagonale, sur le bord de la boutonnière. Espacez les points régulièrement.

Boutonnière renforcée au point de feston : c'est la plus solide des finitions et la meilleure lorsqu'il y a un revers en ruban ou un galon.
Pour faire le point de feston : travaillez de droite à gauche, la pointe de l'aiguille en bas, la boucle passant dessous. Faites des points rapprochés.

Nouvelle boutonnière

Comment couper une boutonnière : pour faire une autre boutonnière, le travail fini, marquez-en l'emplacement en faufilant au-dessus et au-dessous du rang à couper ainsi qu'aux deux bouts de l'ouverture. Avec des petits ciseaux, coupez la maille du milieu et défaites délicatement le fil jusqu'aux extrémités de la boutonnière; faites un nœud (A).
La finition la plus simple consiste à passer un fil de même couleur dans chaque boucle et à l'arrêter (B).
La finition crochetée se travaille au crochet. Faites un nœud coulant et, à l'envers, piquez dans la boucle de la 2e maille à droite de la boutonnière (C); faites une maille coulée dans chaque boucle ouverte en piquant de l'endroit vers l'envers, puis 2 mailles coulées en haut à gauche de l'ouverture. Tournez et répétez le long de l'autre lisière.

Assemblage et finition

Mise en forme

La mise en forme fixe les dimensions d'un tricot. Elle atténue les irrégularités et empêche les bords de rouler.

Les dimensions mentionnées dans les directives sont celles du tricot après sa mise en forme. Vous pouvez également les calculer au moyen de l'échantillon. S'il y a 28 mailles à l'épaule et que l'échantillon est de 14 mailles par 5 centimètres, il faudra fixer l'épaule à 10 centimètres. Si la couture de la taille à l'emmanchure est de 98 rangs et que l'échantillon spécifie 16 rangs par 5 centimètres, cette couture devra être fixée à 30 centimètres.

Il y a deux méthodes de mise en forme : la vapeur ou l'humidité. La première méthode emploie l'humidité et la chaleur et convient très bien aux lainages et autres fibres naturelles. La seconde méthode ne compte que sur l'humidité et s'applique surtout aux gros tricots et aux fils synthétiques. La méthode de mise en forme est parfois indiquée sur l'étiquette du fil. Si vous avez des doutes, choisissez l'humidité.

Sur certaines étiquettes, vous verrez la recommandation « Ne pas repasser ». Tenez-en toujours compte : certaines fibres ne supportent pas la chaleur et peuvent être altérées de façon permanente. La plupart des fils acryliques entrent cependant dans cette catégorie.

La mise en forme part du principe que le fil humide peut être moulé. La grandeur du vêtement peut donc être légèrement modifiée. Toutefois cette modification dépend du type de la fibre employée, de la torsion du fil, du genre de point (ajouré ou plein). Les fibres naturelles, telles que la laine, la soie, la jute, le coton sont plus souples. Quels que soient les types de fil ou de point employés, la mise en forme pourra agrandir le morceau et le faire passer à la taille immédiatement supérieure; il est difficile de réduire la grandeur d'un vêtement.

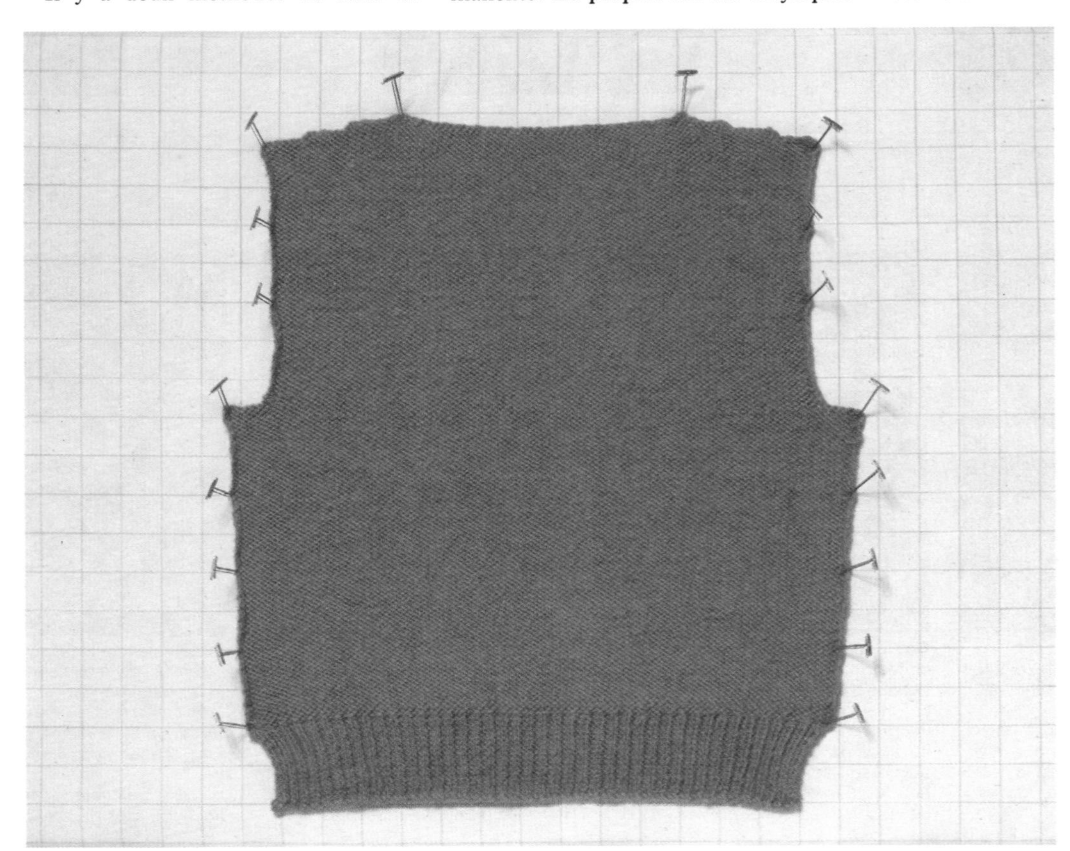

Le pressage à la vapeur est une combinaison d'humidité et de chaleur employée pour fixer le tricot. Servez-vous d'un fer à vapeur ou d'un fer ordinaire et d'une pattemouille. Pour produire de la vapeur avec un fer ordinaire, ne pressez pas la pattemouille contre le vêtement. *Pour faire la mise en forme* d'une partie d'un chandail (voir ci-contre), posez-la à l'envers sur une surface rembourrée. Epinglez les angles et quelques points afin de reproduire les dimensions voulues. Utilisez le moins d'épingles possible. Veillez cependant à ce que le bord ne gondole pas. Humectez complètement le tricot. Laissez-le sécher avant d'enlever les épingles puis donnez encore un petit coup de fer si c'est nécessaire.

Il faut faire la mise en forme sur une surface plane. A la page 55, vous avez appris comment faire la mise en forme d'une broderie. Vous aurez besoin d'une planche rembourrée un peu plus large (60 par 90 centimètres) afin de pouvoir étendre le vêtement. Vous pouvez aussi vous servir d'une table de coupe ou d'un plancher recouvert d'une moquette. Vous pouvez protéger votre surface de travail contre l'humidité en intercalant une feuille de plastique. Vous aurez alors besoin d'une grande serviette de ratine, d'une pattemouille, d'un fer et de plusieurs épingles en acier inoxydable.

L'assemblage sera plus facile si vous procédez tout d'abord à la mise en forme. Rentrez les bouts de fil en les tissant dans la lisière comme le montre l'illustration à l'extrême droite. Faites la mise en forme du dos, puis du devant; veillez à ce que les emmanchures et les lisières aient exactement les mêmes dimensions. Ensuite faites les manches. Assurez-vous qu'elles sont identiques et qu'elles épousent bien l'arrondi des emmanchures. Ne repassez pas les côtes, elles perdraient leur élasticité.

Après l'assemblage, on peut encore repasser, soit pour effacer quelques plis, lisser l'endroit du tricot, soit pour ouvrir les coutures. La plupart des fils synthétiques ne devraient pas être repassés, la chaleur et la pression peuvent les altérer. Les tricots au point de jersey et autres points unis sont embellis par un repassage. Cependant les tricots irlandais perdraient la beauté de leur relief s'ils étaient repassés. Le repassage égalise les irrégularités naturelles d'un travail manuel. Si cette caractéristique vous plaît, mieux vaut ne pas repasser. Si vous décidez de repasser, servez-vous d'une pattemouille et appliquez le fer très légèrement. Ouvrez les coutures avec la pointe du fer seulement.

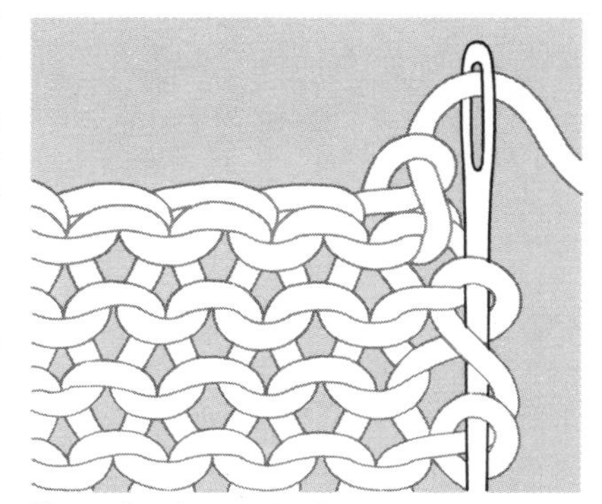

Tissez les bouts de fil dans la lisière sur environ 5 cm, à l'aide d'une aiguille à tapisserie.

Mise en forme par humidité : l'humidité seule fixe le tricot dans ses dimensions. *Pour faire la mise en forme d'une partie*, disposez-la sur une serviette humide et ajustez-la, épinglez si nécessaire. Recouvrez d'un linge humide et laissez sécher. *Pour faire la mise en forme d'un morceau assemblé*, à peine lavé, enlevez le surplus d'eau, mettez-le sur une serviette sèche. Epinglez-le aux dimensions voulues. Laissez-le sécher.

Lavage des tricots

LAVAGE À LA MAIN

Convient à tous les types de fil, et est nécessaire pour le fil de laine.
Lavez à l'eau tiède avec des flocons de savon ou un détergent doux. Faites pénétrer la mousse dans le tissu en pressant l'article vers le bas; ne tordez jamais. Si vous employez un détergent liquide, vous pouvez en verser une petite quantité directement sur une partie particulièrement sale.
Rincez plusieurs fois avec une eau à la même température que l'eau de lavage. Après le dernier rinçage, soulevez l'article avec les deux mains et pressez-le doucement pour faire sortir le trop-plein d'eau. Roulez dans une serviette et pressez afin d'absorber le plus d'eau possible.
Faites sécher l'article sur une surface plane, donnez-lui sa forme (méthode illustrée à gauche) et laissez-le sécher.

LAVAGE À LA MACHINE

(Seulement quand l'étiquette le conseille.) Retournez le vêtement à l'envers.
Réglez la machine à « lent », « tissus synthétiques ou délicats », eau tiède ou froide.
Rincez à l'eau froide, additionnée d'un adoucissant.
Mettez dans une sécheuse automatique (moins chaud possible), retirez le vêtement aussitôt sec. Vérifiez de temps en temps durant le séchage.

Aiguille à tapisserie à bout rond 273
Façonnage arrondi 329

Assemblage lisière à lisière

L'assemblage lisière à lisière donne une couture invisible. On peut employer des points de couture dans les lisières (voir l'exemple ci-dessous) ou le grafting (voir le bas de cette page). Les deux conviennent bien aux tricots épais.

On peut coudre les lisières de quatre façons différentes. Elles ont toutes un point en commun : le fil passe alternativement sous les boucles des deux lisières, créant ainsi un rang de points entre les deux sections. On peut se servir d'un brin du fil employé pour l'ouvrage ou d'un fil de même couleur. Il vaut mieux prendre une aiguille à tapisserie à bout rond; le fil ne sera pas séparé. Les lisières à joindre doivent être nettes et avoir le même nombre de mailles. Sinon, utilisez les méthodes en haut de la page ci-contre.

Point de jersey, couture des côtés : posez les sections à l'endroit. Attachez le fil à droite. *Piquez l'aiguille sous la boucle horizontale voisine de la lisière dans une section, puis sous la boucle correspondante dans l'autre.*

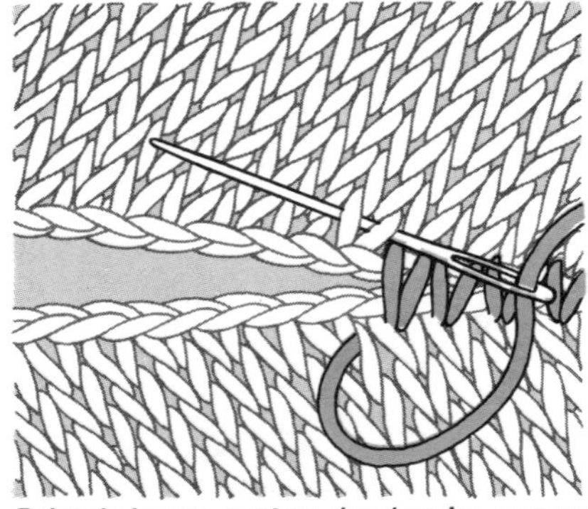

Point de jersey, couture des épaules : posez les sections à l'endroit en alignant les mailles rabattues. Attachez le fil à droite. *Piquez l'aiguille sous le point voisin de la maille rabattue d'un côté puis sous le point correspondant.*

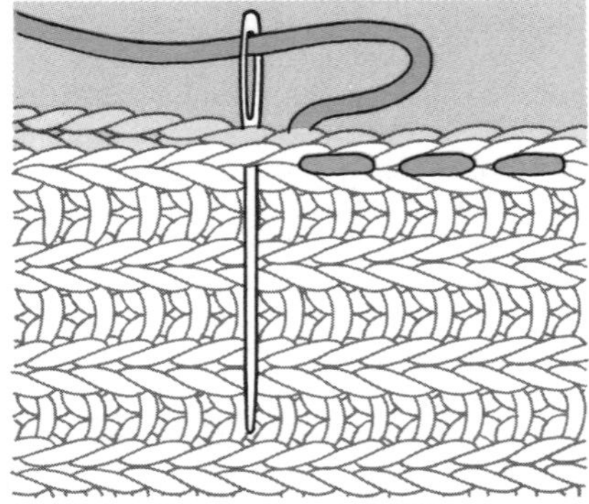

Point de côtes, couture des côtés : tenez les sections, endroit sur endroit. Attachez le fil à droite. *Piquez l'aiguille à travers le centre des 2 points de bordure, puis à travers le centre des 2 points suivants.*

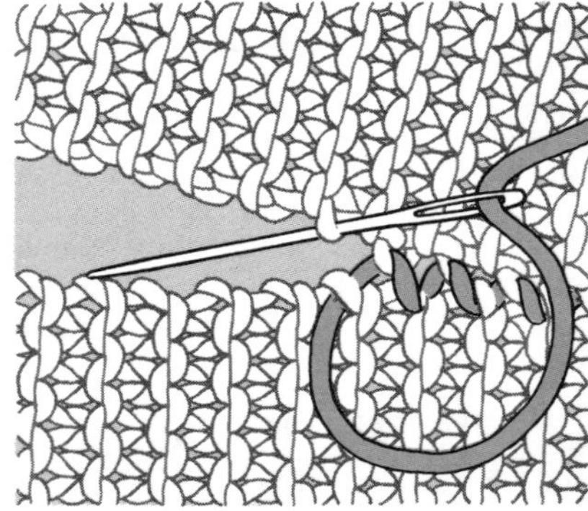

Point mousse, couture des côtés : posez les sections à l'endroit. Attachez le fil à droite. *Piquez l'aiguille dans le bas de la boucle d'un côté puis dans le haut de la boucle correspondante de l'autre côté.*

Grafting

Le grafting joint de façon invisible deux morceaux, gardant au tissu toute son élasticité. Le grafting se fait en prenant les mailles directement sur les deux aiguilles. Il faut que les deux morceaux aient le même nombre de mailles. Le grafting sert à joindre le côté du talon à la chaussette, ou les deux côtés d'une épaule obtenue par façonnage arrondi.

Vous pouvez prendre l'ouvrage de deux façons différentes : **(1)** tenez les 2 aiguilles dans la main gauche, envers de l'ouvrage contre envers; **(2)** posez les 2 morceaux à l'endroit sur une table, comme sur les illustrations ci-dessous. Avec une aiguille à tapisserie, prenez les mailles directement sur les deux aiguilles à tricoter, en retirant ces dernières seulement lorsque le fil aura traversé chacune des mailles.

A

Point de jersey : passez l'aiguille comme pour tricoter à l'envers dans la 1re maille du bas et la 1re du haut; repiquez à l'endroit dans la 1re du bas, et à l'envers dans la maille suivante.

B

Piquez l'aiguille à l'endroit dans la maille du haut, à l'envers dans la maille voisine (A), à l'endroit dans la maille du bas, à l'envers dans la maille voisine sur l'aiguille (B).

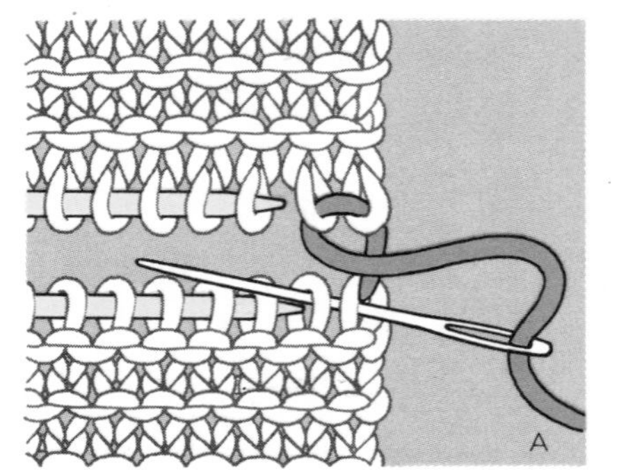

Point mousse : passez l'aiguille à l'envers dans la 1re maille du bas et celle du haut, puis à l'endroit dans la maille voisine du haut. *Piquez l'aiguille à l'endroit dans la maille du bas, puis à

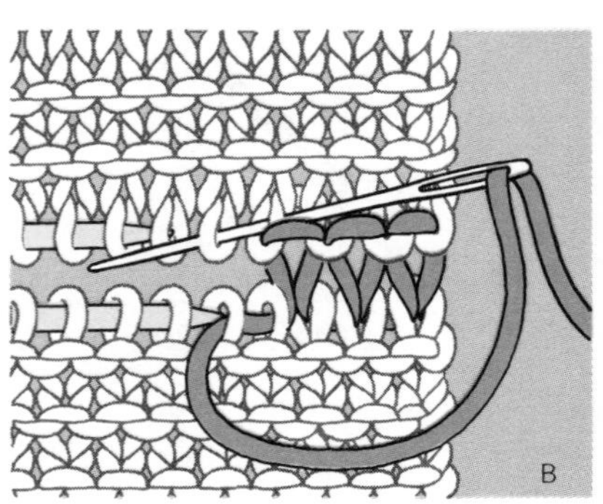

l'envers à travers la maille voisine sur l'aiguille (A). Piquez l'aiguille à l'envers dans la maille du haut (où le fil émerge), puis à l'endroit dans la maille voisine sur l'aiguille (B).*

Assemblage avec rentré

L'assemblage avec rentré est la meilleure solution lorsque les morceaux ont des lisières irrégulières; par exemple, une épaule dont les mailles ont été rabattues en escalier. Cette méthode sert aussi à rétrécir un vêtement ou à faire des coutures arrondies. Les deux méthodes illustrées ci-dessous donnent une couture nette et solide mais ne conviennent qu'à des tricots fins.

Point arrière : avec une aiguille à tapisserie et un fil assorti, piquez l'aiguille à 2 points de la lisière. *Ramenez l'aiguille, 2 mailles en arrière du point où apparaît le fil, pour la ressortir 2 mailles en avant de ce point.*

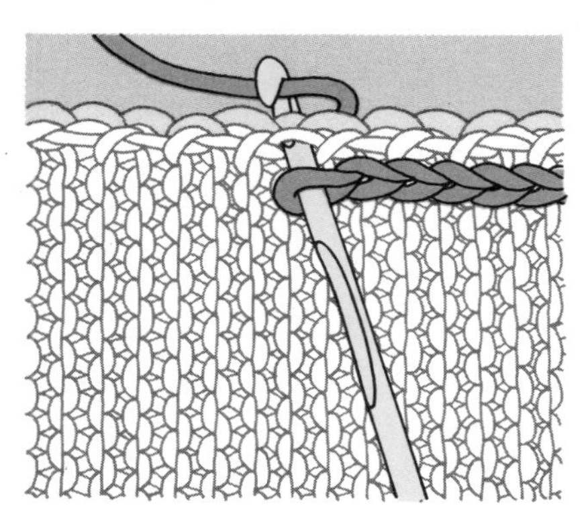

Maille coulée : avec un crochet et un fil, tirez une boucle à travers les mailles correspondantes de chaque morceau; *piquez le crochet à travers 2 mailles, tirez une boucle à travers ces 2 mailles et la boucle sur le crochet.*

Montage d'une manche

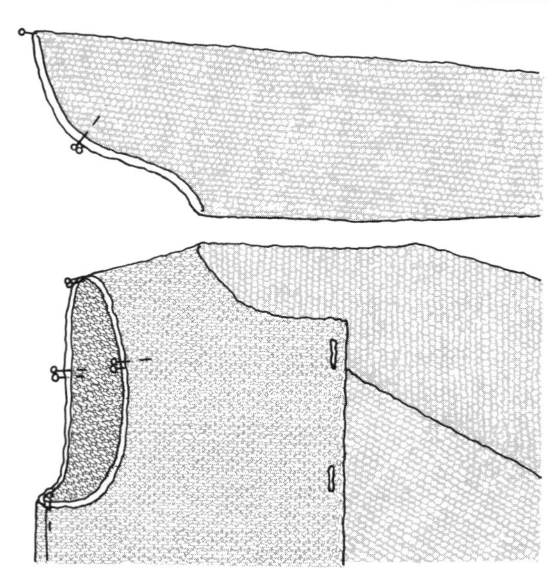

L'arrondi d'une manche n'a pas la même courbe que l'emmanchure et parfois est plus grand. Pour obtenir un joint uni, suivez fidèlement les instructions suivantes. Cousez d'abord les épaules, les côtés et le dessous de la manche. Pliez la manche en deux; piquez une épingle au milieu de l'arrondi et deux autres à mi-chemin entre la première et la couture au-dessous du bras. Sur le vêtement, placez des épingles à la couture d'épaule et à mi-chemin de la couture sous le bras. Placez la manche et le vêtement endroit sur endroit, disposez le tissu de sorte que les épingles soient vis-à-vis les unes des autres. Cousez au point arrière.

Assemblage d'un bord et d'un morceau

Le joint entre un bord et un morceau doit être aussi discret que possible. Tout en travaillant, tirez doucement sur le tricot de temps en temps pour éviter de froncer la couture.

Le point de surjet est utilisé pour la plupart des bords plats. Il fait un joint solide et empêche les bords de rouler. **Le point d'ourlet** ne convient qu'à un bord plié. On fait, par exemple, le point d'ourlet sur une poche appliquée dont les bords sont rentrés. **La couture directe maille à maille** donne un point discret et souple sur des tricots épais. On emploie cette méthode surtout si l'ourlet ou le revers sont tricotés à la fin de l'ouvrage, mais on peut aussi l'utiliser avec un montage sur fil. On arrête le fil avec un point de surjet ou avec la technique illustrée ci-dessous.

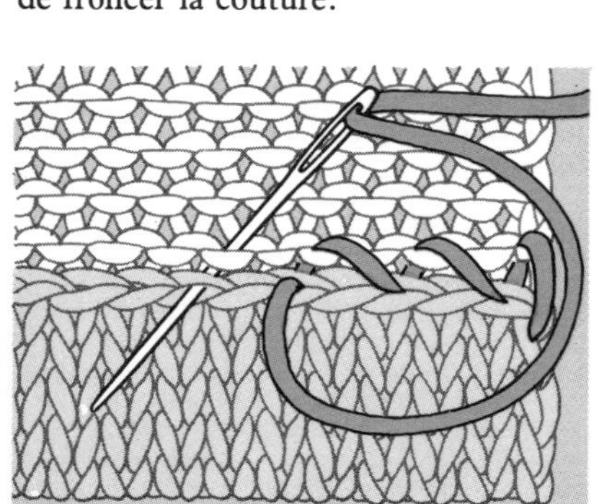

Le point de surjet : *piquez l'aiguille dans une boucle (point envers) du vêtement puis dans la moitié de la boucle correspondante du bord; tirez le fil.*

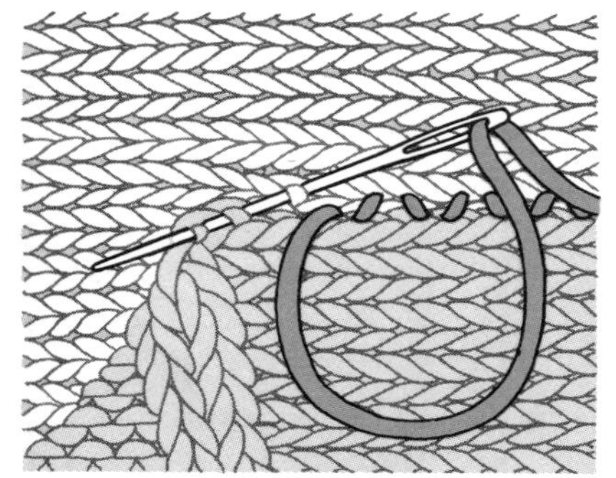

Le point d'ourlet : *piquez l'aiguille sous 1 point du vêtement (de préférence un point envers si le tissu est en point jersey), puis sous 1 ou 2 points du bord plié, tirez le fil à travers le tout.*

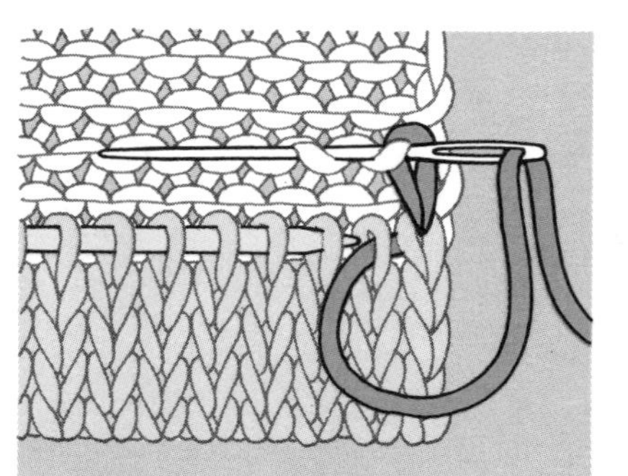

Couture directe maille par maille : piquez l'aiguille à l'envers dans la 1re maille sur l'aiguille à tricoter, puis un rang au-dessus dans la 1re maille envers, et la maille envers suivante.

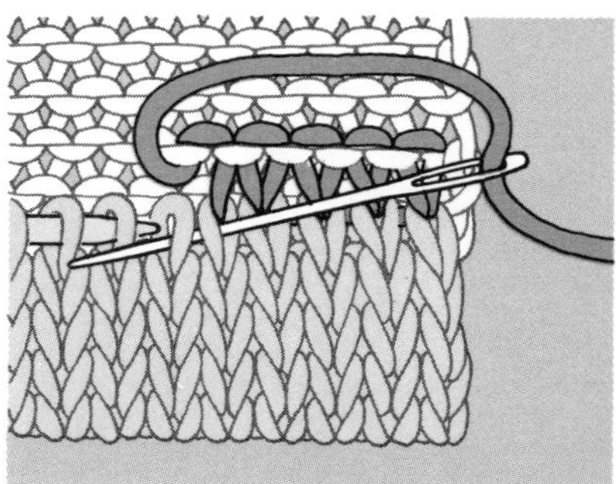

Piquez l'aiguille à l'endroit dans la maille endroit, à l'envers dans la maille voisine. Piquez l'aiguille en montant dans la maille envers puis dans la maille envers voisine.

Boutonnières 341 Point de surjet 345
Point arrière 345 Maille coulée 363

Fermeture à glissière

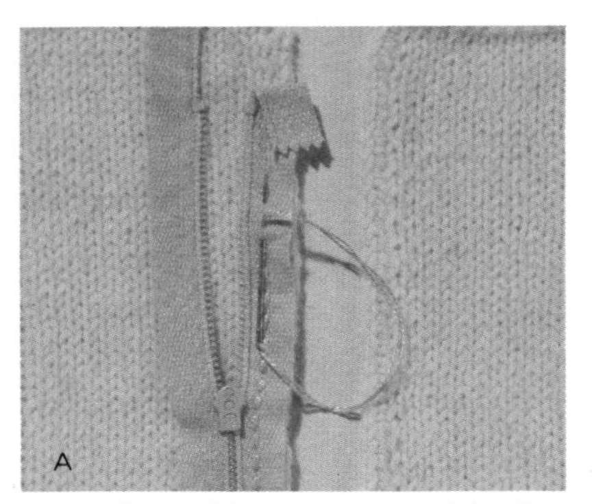
La première moitié est cousue au point arrière

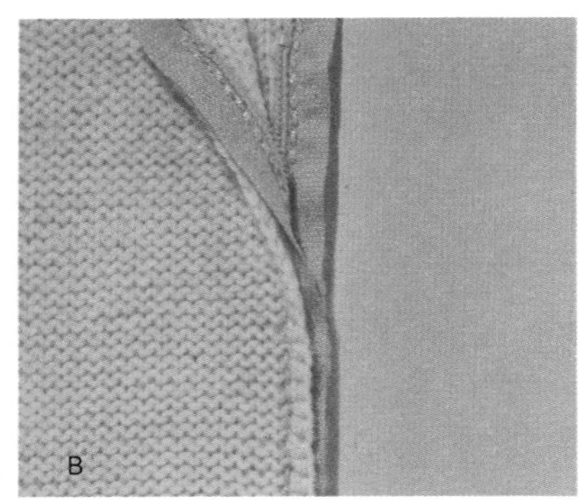
La seconde moitié est cousue en place

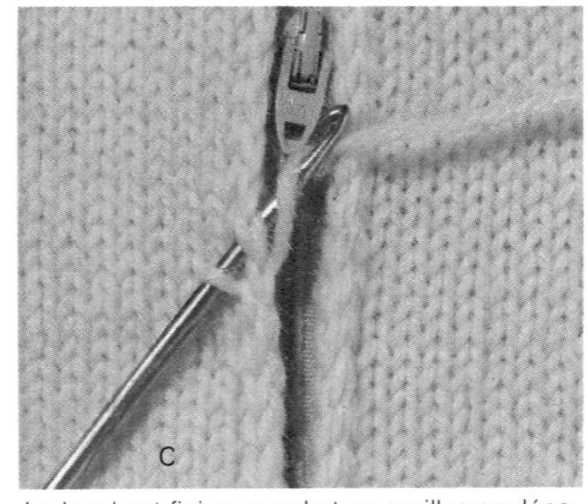
Le bord est fini au crochet en mailles coulées

Sur un tricot de fil fin ou moyen, une lisière crochetée rend la fente de la fermeture à glissière plate, nette et ferme.
Pour faire un bord à la fente : crochetez un rang ou deux de chaque côté de l'ouverture.
Pour coudre la fermeture à glissière : ouvrez et posez la fermeture, envers contre endroit du vêtement. Cousez la fermeture au point arrière, le long de la ligne où la glissière rencontre le tricot (A). Pliez le vêtement en deux, endroit sur endroit, alignant les ouvertures de façon à coudre la 2e moitié de la fermeture à glissière comme la 1re (B). Fermez la glissière; repassez légèrement l'ouverture sur l'endroit. Crochetez un rang de mailles coulées de chaque côté de l'ouverture (C).

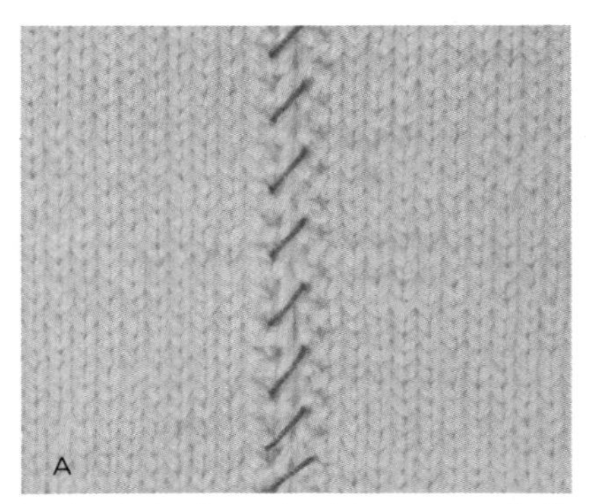
Les bords du vêtement maintenus par un faufil

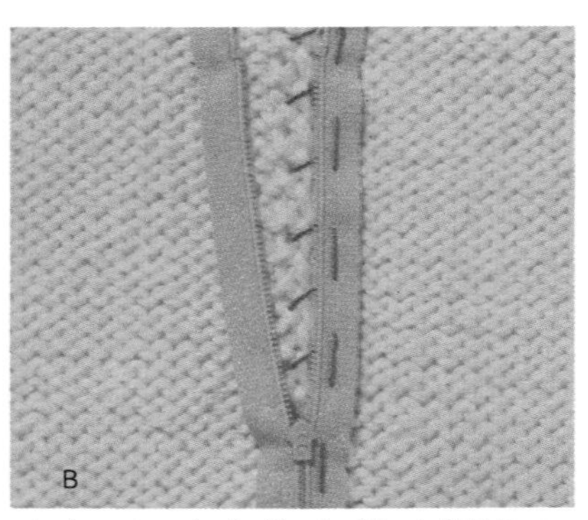
La fermeture à glissière faufilée à l'intérieur

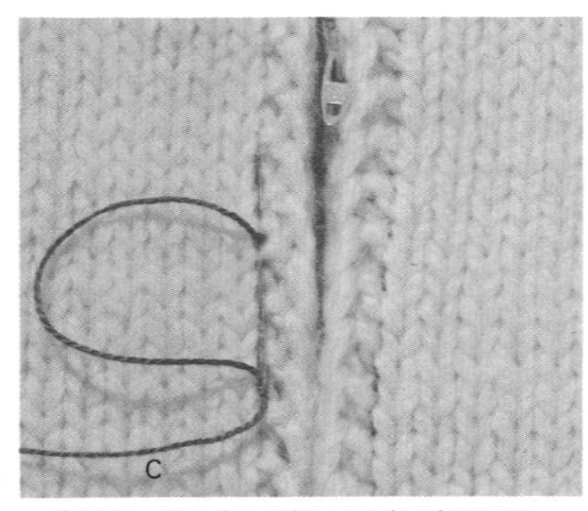
Cousue au point arrière sur le vêtement

Sur un tricot de fil épais, une lisière de deux mailles le long de la fermeture à glissière donne un bord net et ferme.
Pour faire cette bordure : remplacez 2 mailles du modèle par des mailles de lisière (lisière chaînette double ou lisière perlée double) (p. 284). Sur l'endroit, faufilez les 2 bords ensemble à grands points de surjet (A).
Pour fixer la fermeture à glissière : faufilez-la sur l'envers, la glissière placée au centre de la fente (B). De nouveau sur l'endroit, cousez la fermeture au point arrière, placez les points sur une ligne entre les points de lisière et les points du modèle (C). Employez un fil à tout coudre ou 2 brins de fil fort, assortis à la couleur du tricot.

Ajout d'un galon

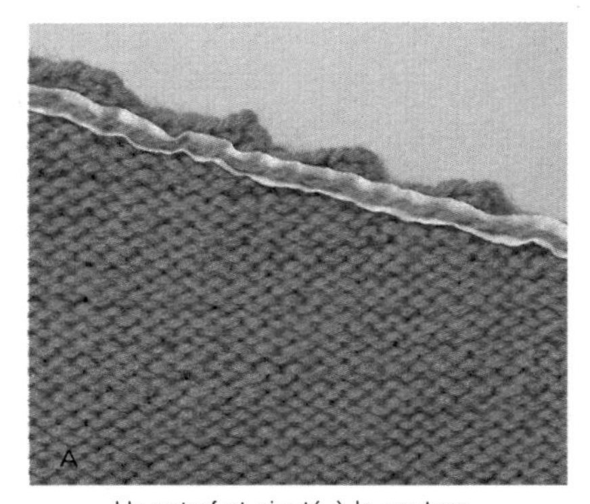
Un extrafort ajouté à la couture

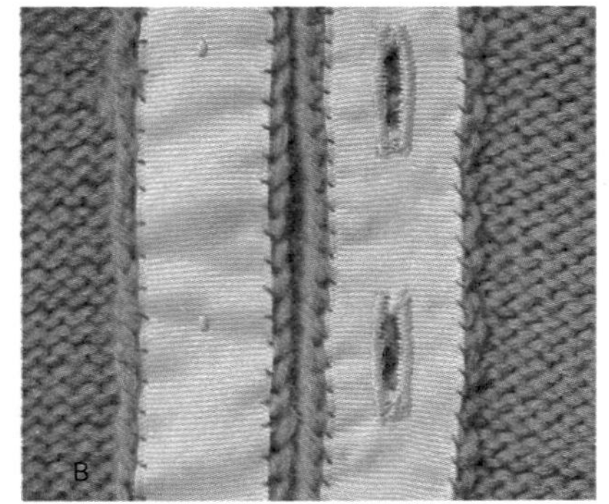
Des boutonnières doublées de gros-grain

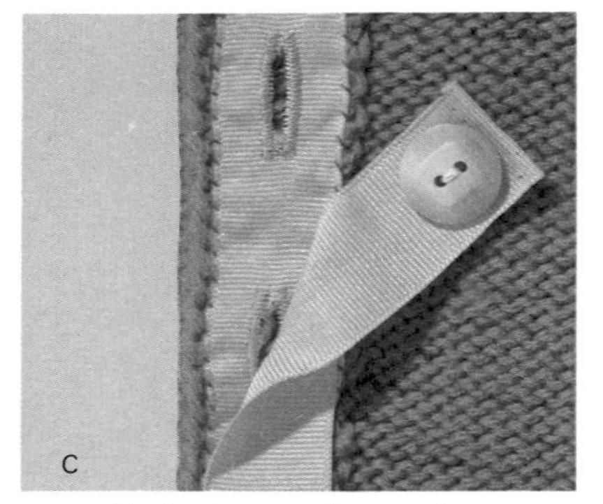
Des boutons montés sur galon

Une couture peut être renforcée avec un extrafort; on peut ainsi renforcer une épaule de veste. L'extrafort de 1 cm convient.
Pour fixer le galon : centrez-le sur la couture d'un côté, faufilez et cousez au point arrière (A).
Les bordures qui reçoivent boutons et boutonnières sont souvent doublées avec un galon croisé ou un ruban gros-grain. Coupez 2 longueurs; surjetez-en une sur le bord destiné à recevoir les boutons; faufilez l'autre du côté des boutonnières et marquez leur position. Retirez le galon et faites les boutonnières; reposez le galon; surjetez les bords (B).
Les boutons peuvent être cousus sur un galon lorsque l'on veut destiner un même cardigan à un garçon ou à une fille. Faites les boutonnières des 2 côtés et boutonnez les boutons du côté approprié (C).

Montage sur fil 275 Côtes 280
Point de chaînette 360-361

Ajustement

AJOUT D'UN FIL ÉLASTIQUE

Fil élastique tissé sur l'envers des côtes

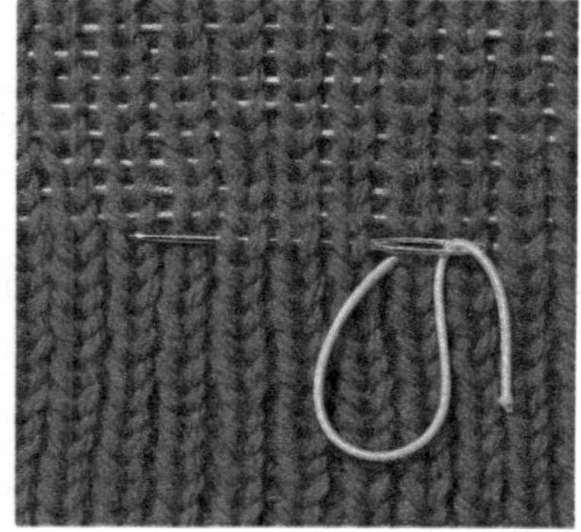

Fil élastique inséré dans l'arrière des côtes

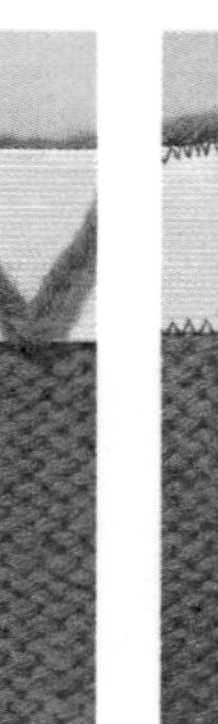

Ruban élastique à travers des ganses

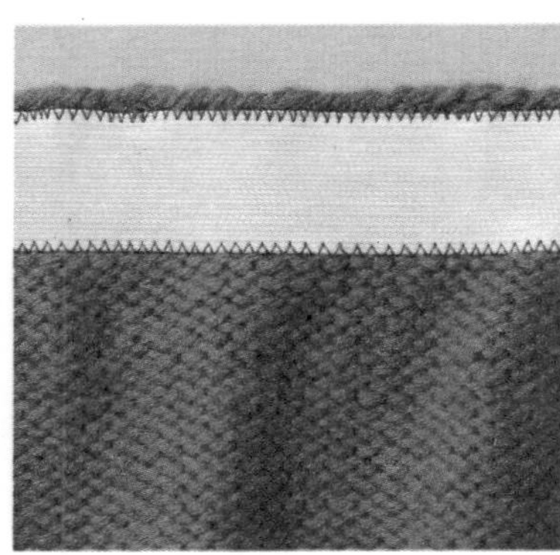

Ruban élastique piqué à la machine

L'ajustement serré d'un bonnet ou d'une paire de chaussettes s'obtient en ajoutant dans les côtes un fil élastique tissé ou enfilé sur l'envers de l'ouvrage.
Pour tisser l'élastique : employez la technique du fil tissé sur l'envers dans les jacquards (p. 320).
Pour enfiler l'élastique : une fois les côtes finies, avec une aiguille à tapisserie, passez le fil sous la côte endroit à chaque rang et sur l'envers de l'ouvrage.
Un ajustement serré mais souple à la taille s'obtient en passant le ruban dans une ganse crochetée et fixée en zigzag ou, en le cousant sur le tricot.
Pour obtenir une ganse crochetée : faites une chaînette et attachez-la au tricot avec des m coulées.
Pour coudre directement le ruban élastique sur le tricot : coupez le ruban et joignez les bouts. Avec des épingles, divisez l'élastique et la ligne de taille en 8 parties; faufilez-les ensemble et piquez à la machine en zigzag en haut et en bas du ruban.

RÉTRÉCIR LA LARGEUR D'UN TRICOT

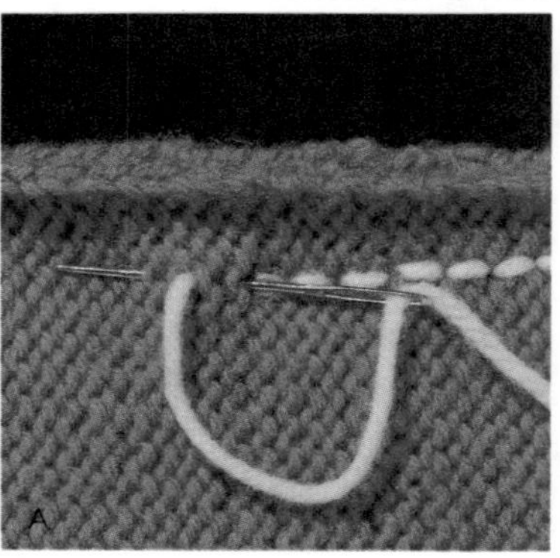

Une couture au point arrière

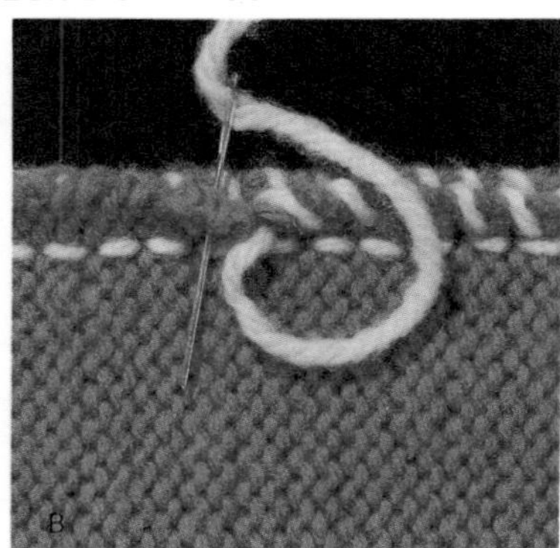

Le surplus de tissu coupé et surjeté

On peut rétrécir un vêtement si nécessaire ou on peut modifier une courbe en faisant une nouvelle couture au point arrière (A). On peut éliminer le surplus de tissu en le coupant à 0,5 cm de la couture et en surjetant la lisière coupée (B).

RACCOURCIR/ALLONGER UN TRICOT

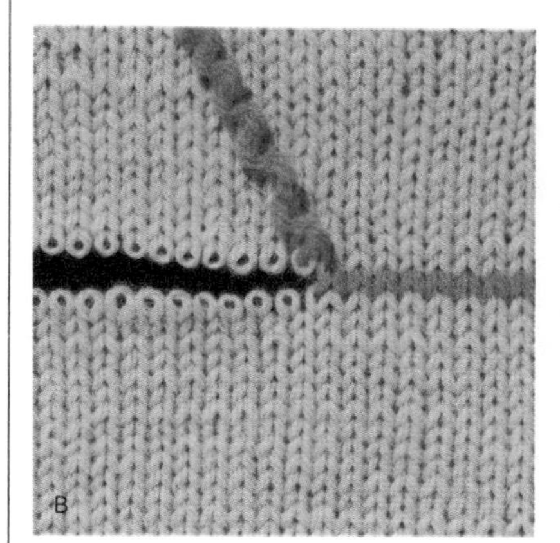

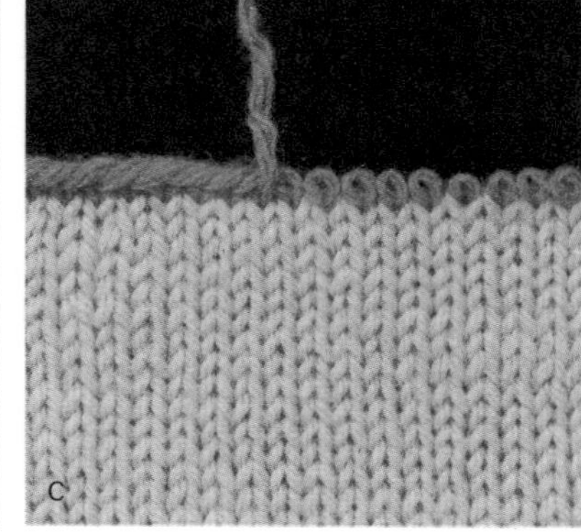

On peut raccourcir un vêtement fini. Toutefois, on ne peut raccourcir que des tricots faits avec un point simple, comme le point de jersey ou le point mousse. Commencez par ouvrir les coutures. Coupez le fil à l'une des extrémités et démaillez (A). Coupez le fil à l'autre extrémité et tirez-le complètement : les 2 sections sont alors séparées (B). Introduisez une aiguille à tricoter dans le bas du vêtement et tricotez une bordure ou un ourlet.
On peut allonger un vêtement fini. Dans le cas d'un montage sur fil, retirez le fil de base (C). Insérez une aiguille à tricoter dans les mailles libres et tricotez la longueur voulue. Un vêtement d'enfant a souvent besoin d'être allongé. On peut s'y préparer de la façon suivante : (1) achetez un supplément de fil; tricotez-le en un grand rectangle; lavez-le chaque fois que vous lavez le vêtement. Quand vient le temps d'allonger le vêtement, remettez le fil supplémentaire en pelote et tricotez la longueur voulue. La nouvelle portion se mariera avec l'ensemble; (2) montez l'ouvrage sur fil afin que, le temps venu, il n'y ait qu'à retirer le fil de base; ou encore ,(3) tricotez les sections de haut en bas, vu qu'un rang rabattu est plus facile à défaire.

Fils à broder 8 Aiguilles à tapisserie à bout rond 273
Techniques du jacquard 318, 320

Broderie sur tricot

Les points simples, tels que les points de riz, mousse et de jersey, peuvent être rehaussés de broderie. Cette broderie convient aux vêtements d'enfants.

Les points qui s'adaptent le mieux aux tissus tricotés sont les points de chaînette (pp. 28-32), en particulier le point de bouclettes; les points de remplissage détachés (pp. 42-43), en particulier le point de poste; et les points de reprise (p. 51) qui permettent de broder un motif solide sans étirer le tissu. Un tricot se prête tout naturellement à n'importe quelle technique à fils comptés; on peut donc aussi y broder le point de croix et ses variantes.

Le point de maille est une forme de broderie qui n'est exécutée que sur le tricot. Le point de maille reprend le contour d'une maille jersey ou d'une maille d'un point simple. On peut se servir de ce point pour reproduire un motif jacquard sur un point de jersey uni au lieu d'employer les techniques du jacquard. On peut aussi s'en servir pour broder des monogrammes.

Il ne faut pas tenter de décalquer un motif sur un tissu tricoté à la main. Il est bon toutefois d'indiquer la partie à broder en faufilant le pourtour avec un fil de couleur différente. Si le dessin a plusieurs parties, marquez chacune avec un fil différent. Quand vous travaillez avec une grille (où chaque point est représenté par un carré), rappelez-vous que les mailles tricotées sont plus larges que hautes. Il vous faudra donc parfois changer la grille. Pour prévoir et faire ces changements, consultez le texte encadré à l'extrême droite du bas de cette page.

Vous devez employer, pour broder, un fil rappelant le type et l'épaisseur du fil utilisé pour le tricot. Si le fil à broder est plus mince, il aura tendance à s'enfoncer dans le tissu; s'il est plus épais, il étirera le tricot. Vous pouvez aussi acheter des petits écheveaux de fil à broder, de fil à tapisserie, de coton perlé. Employez le nombre de brins qu'il faut pour retrouver l'épaisseur du fil utilisé pour le tricot.

Pour commencer à broder, enfilez une aiguille à tapisserie à bout rond et passez-la de l'envers à l'endroit, laissant un bout que vous tisserez sur l'envers à la fin. Pour faire le point de croix et le point de maille, suivez les indications illustrées sur cette page; pour les autres points, voyez les pages correspondantes au chapitre de la Broderie. Prenez garde de ne pas trop tendre les points. Une fois l'ouvrage complété, évitez de repasser les parties brodées.

POINT DE CROIX SUR JERSEY

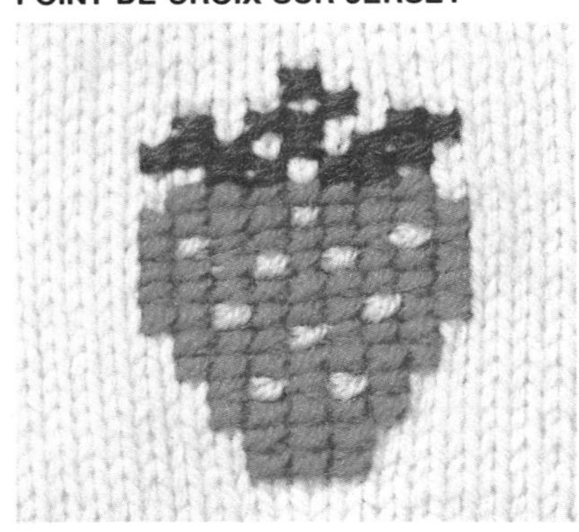

Pour faire le point de croix : piquez l'aiguille en montant sous un brin envers; *croisez à droite, piquant l'aiguille vers le bas sous le brin envers entre les 2 mailles endroit voisines.

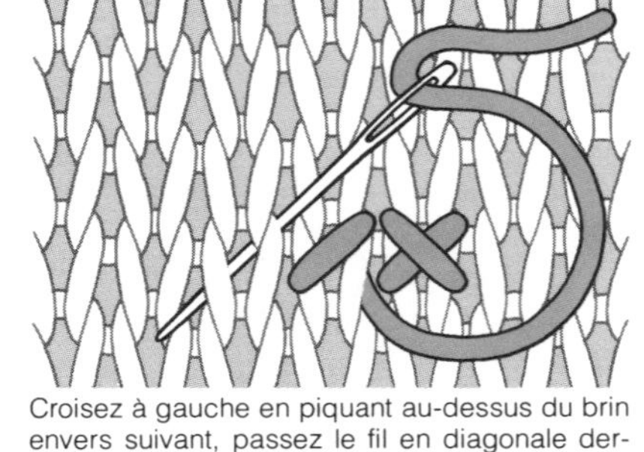

Croisez à gauche en piquant au-dessus du brin envers suivant, passez le fil en diagonale derrière la maille endroit suivante et sortez-le sous la maille envers suivante.*

POINT DE MAILLE SUR JERSEY

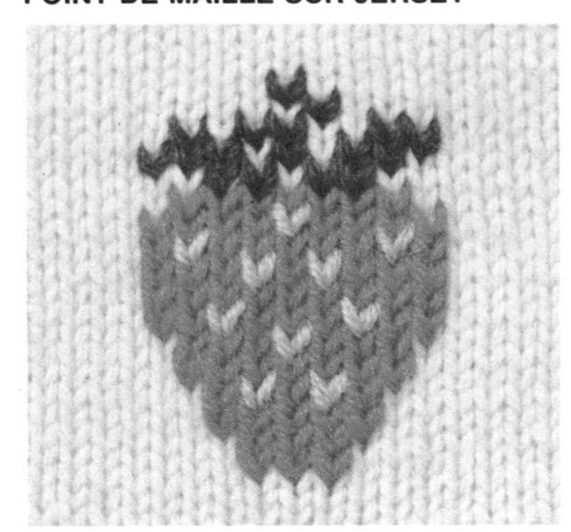

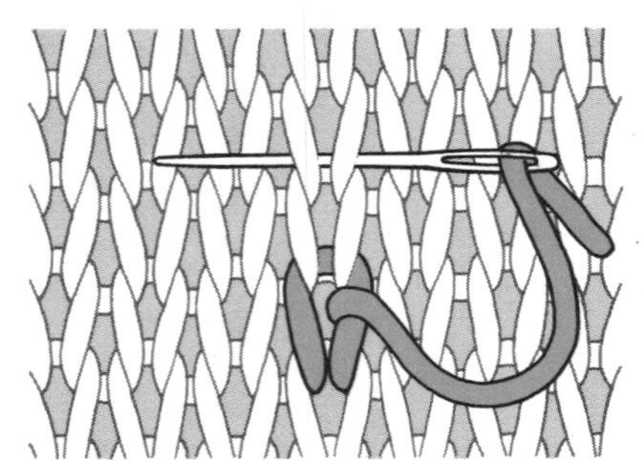

Pour faire le point de maille, *sortez l'aiguille en montant sous la base d'une maille endroit (où les 2 brins se touchent), puis de droite à gauche derrière la maille endroit juste au-dessus.

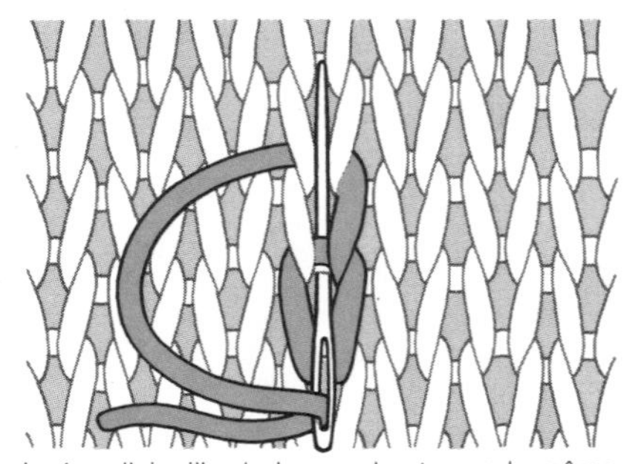

Insérez l'aiguille de bas en haut sous le même brin où le fil émerge dans la 1re moitié du point.* Tout en travaillant, veillez à garder la même tension que celle que vous aviez en tricotant.

GRILLE POUR BRODERIE

Un motif à broder est généralement reproduit sur une grille où un carré représente une maille. Si vous vous inspirez d'une grille carrée, vous aurez la déception de voir votre dessin aplati ou élargi, parce que les mailles tricotées sont plus larges que hautes. Pour savoir si un dessin peut se reproduire sur un tricot, il faut le transposer sur une grille rectangulaire comme celle qui apparaît ci-dessous et où les petits rectangles reproduisent à peu près les proportions de la plupart des mailles tricotées.

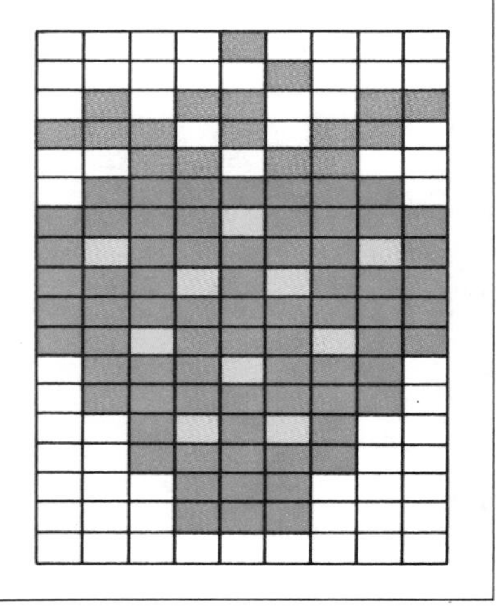

Alphabet à broder

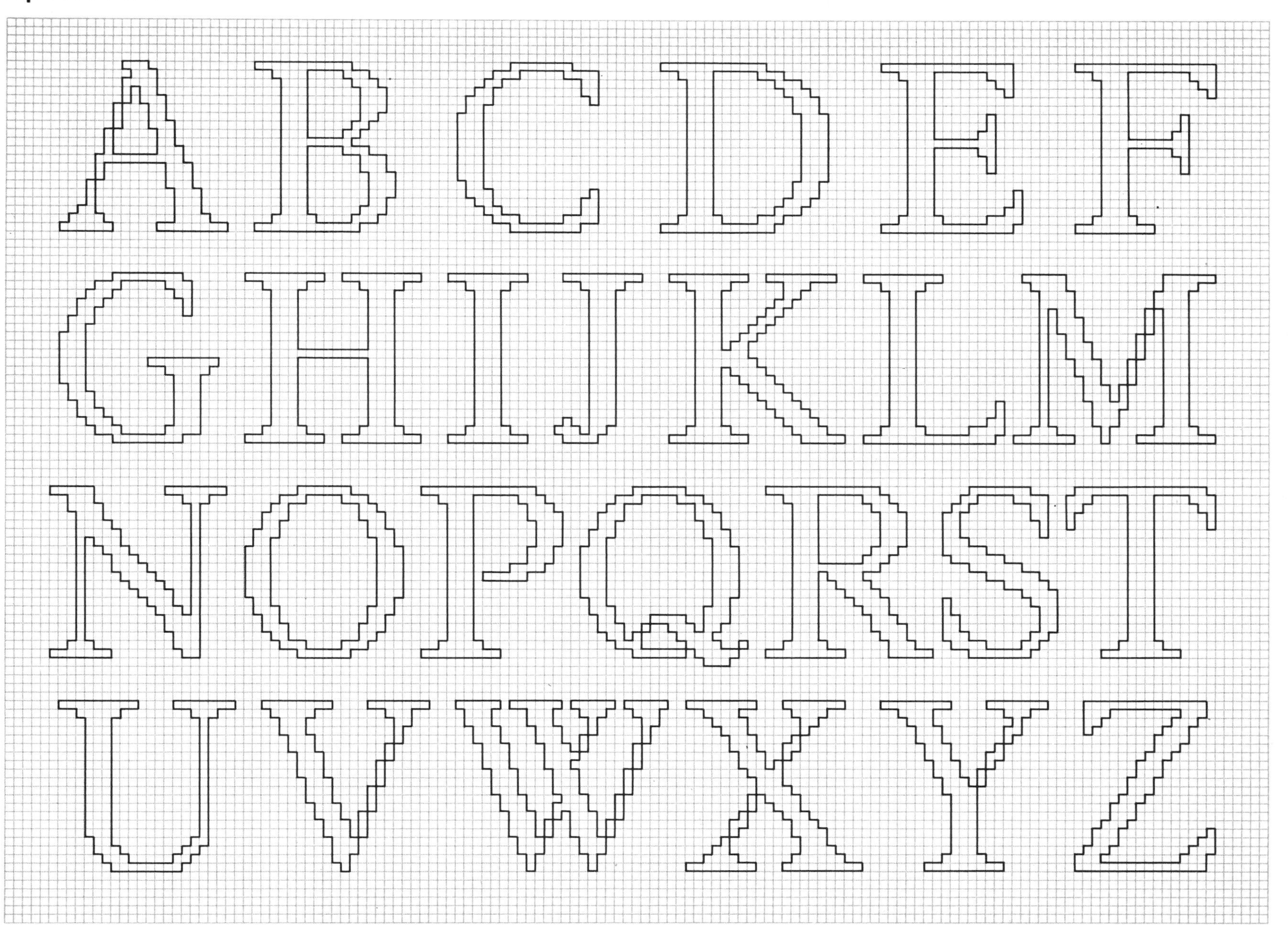

Un monogramme peut être ajouté à votre ouvrage, en utilisant le point de maille et les lettres ci-dessus (à titre d'exemple, voir la chaussette à la page 352).

Chandails et bonnets d'enfants

ENSEMBLE RAYÉ
Les directives sont pour la taille 2 (4) et après le symbole : , pour 5 (6).
Fournitures : fil peigné en acrylique : 140 : 170 g de fil bleu, 140 : 170 g de fil blanc, 55 : 85 g de fil jaune brillant, 30 : 30 g de fil vert et autant de fil turquoise; une paire d'aig nº 4 (8) et nº 5 (6); des crochets nºs 4 (8) et 3,5 (9); 7 boutons et une aig à tapisserie à bout rond.
Echantillon : 18 m et 26 rgs font un carré de 10 cm de côté au point jersey.
Dos du chandail : avec les aig nº 4 (8); montez 56 : 60 m avec le fil bleu. Tric 1 rg de côtes 1/1. Fixez le fil blanc, laissez le bleu en att. Tric 2 rgs de côtes 1/1 en blanc, 2 en bleu, 2 en blanc, 2 en bleu. Prenez les aig nº 5 et tric au pt de jersey, alt. 2 rgs en blanc et 2 en bleu jus le morceau mesure 20,6 : 23,75 cm, finissant avec un rg env bleu. Arrêtez. Fixez le vert et tric 2 rgs; fixez le turquoise et tric 2 rgs chq en vert, turquoise, vert; arrêtez. Fixez le jaune; tric 1 rg end, 1 env.
Emmanchure : fixez le blanc et cont. au pt jersey, rab 3 m au début des 2 prochains rgs; ensuite alt. 2 rgs en jaune et 2 rgs en blanc, dim 1 m à chq bout ts les 2 rgs. Tric les 44 : 48 m restantes jus l'emmanchure mesure 10 : 10,6 cm, finissant par 1 rg end. Tric le suivant à l'env, rab 18 : 20 m au centre.
Encolure : tric 1 moitié à la fs 13 : 14 m, dim de 1 m du côté encolure ts les 2 rgs 2 fs; tric jus l'emmanchure mesure 12,5 : 13 cm.
Epaules : côté emmanchure, rab 6 : 6 m au com rg suiv, 5 : 6 m au com rg suiv; arrêtez. Tric la 2e moitié de l'emmanchure et de l'épaule.
Devant droit : avec aig 4, montez 28 : 30 m en bleu. Tric comme pour le dos jus l'emmanchure mes. 8,75 : 9,3 cm.
Pour façonner l'encolure : au cou, rab 9 : 10 m. Dim d'1 m côté encolure, ts les 2 rgs 2 fs. Tric jus le devant soit de la même longueur que le dos. L'épaule est façonnée comme le fut l'épaule du dos du chandail.

Les chandails et bonnets d'enfants illustrés à gauche sont tricotés sur le même modèle. L'ensemble du garçonnet et celui de la fillette ne diffèrent que par l'agencement des rayures et des couleurs. Vous pouvez tricoter le chandail et le bonnet avec les couleurs de votre choix.

Veste et bonnet de bébé (6 à 9 mois). L'empiècement du chandail et le bonnet ont un joli effet de relief dû à l'alternance du point mousse et du point de jersey. Le modèle illustré ici a été tricoté en fil layette, mais peut aussi bien être exécuté avec un fil 3 brins pour chaussettes et chandail.

Devant gauche : se fait comme le devant droit mais en inversant le travail. **Manches :** avec des aig nº 4, montez 36 m en bleu et tric en côtes 1/1 les rayures correspondant à celles du dos. Prenez les aig 5 et cont. les rayures au point de jersey jus la manche mes. 5 cm; aug de 1 m au com et à la fin du rg suiv, puis aux 2 extrémités ts les 5 : 5 cm, jus 44 : 46 m sur l'aig. Tric jus ce que la manche mes. 23 : 25,6 cm. Arrêtez les fils bleu et blanc. Tric au point mousse les rayures vertes et turquoises comme dans le dos. Fixez le jaune; tric 1 rg end, 1 rg env. **Pour façonner l'arrondi de la manche :** fixez le blanc, rab 3 m au com des 2 rgs suiv. Cont. en alt le jaune et le blanc, dim de 1 m aux 2 extrémités tous les 2 rgs 8 : 9 fs. Rab 2 m au com des 4 rgs suiv, 3 m au com des 2 rgs suiv; rab les 8 m qui restent. **Finition :** faites les coutures d'épaules; montez les manches; joignez les côtés et les coutures sous les bras. L'endroit devant vous, avec le crochet 4 (8) et le fil bleu, com en bas à droite, crochetez avec souplesse des mc (p. 366) le long du dev et de l'encolure. Avec le crochet 3,5 (9), faites un 2ᵉ rg en ms; et 3 ms dans la maille à chq pointe. Marquez la position des 7 boutonnières, à droite pour les filles, à gauche pour les garçons. **Tour suivant**, avec le crochet 3,5 (9) et le fil blanc, faites 1 m dans chq m et une boutonnière de 2 cht et 3 ms dans la maille de chq pointe. Faites encore 1 rg en bleu, dim de quelques points autour du cou pour empêcher de bâiller; arrêtez. Cousez les boutons. Tissez les bouts de fil sur l'envers.

Chapeau : sur les aig nº 4 (8), montez très lâche 86 : 90 m avec le fil bleu. Alternez les rayures de bleu et blanc dans les côtes comme pour le chandail. Prenez les aig nº 5 (6) et au point mousse, tric des rgs de vert et de turquoise comme sur le chandail; arrêtez. Fixez le jaune et le blanc; cont. les rayures au point de jersey jus le chapeau mes. 11,2 : 12,5 cm. Pour 4 ans : quand le chapeau mes. 10 cm, tric 2 m ens end d'un côté seulement (85 m). **1ᵉʳ rg dim :** *3 end, 2 ens end* sur tout le rang; 1 rg env, 1 rg end, 1 rg env; **2ᵉ rg dim :** *2 end, 2 ens end* sur tout le rg; 1 rg env, 1 rg end, 1 rg env; **3ᵉ rg dim :** *1 end, 2 ens end* sur tout le rg; 1 rg env; **4ᵉ rg dim :** *2 ens end* sur tout le rg; 1 rg env; **5ᵉ rg dim :** 2 end, 3 ens end, *3 ens end* sur tout le rg. 7 : 6 m restent; arrêtez, laissez un bout de fil et coupez. Avec l'aig à tapisserie, passez à travers chaque m; fermez la couture arrière. Ajoutez un pompon blanc (p. 353).

ENSEMBLE RAYÉ DANS LE BAS

Fil peigné acrylique pour les deux grandeurs : 255 g fil blanc, 85 g bleu, 55 g vert, 30 g jaune, 30 g orange.

Dos du chandail : sur des aig nº 4 (8), montez 56 : 60 m en bleu. 7 rgs de côtes 1/1. Fixez le blanc et tric encore 2 rgs. Prenez les aig nº 5 (6) et au point de jersey : 6 rgs en vert, 2 rgs en blanc, 4 rgs en jaune, 2 rgs en blanc, 2 rgs en orange. Cont. en blanc jus le dos mesure 24 : 27 cm. Creusez l'emmanchure et l'encolure comme celle de l'autre chandail.

Les devants : tric d'après les instructions de l'autre chandail mais en suivant le modèle ci-contre pour les rayures.

Les manches : modèle ci-contre pour les rayures; prenez le blanc et tric jus la manche mesure 26,2 : 29 cm; formez l'arrondi de la manche (le modèle précédent).

Finition : la même que pour l'autre chandail mais les 3 rgs au crochet en bleu.

Chapeau : sur le modèle précédent mais en utilisant le modèle des bandes ci-dessus.

VESTE ET BONNET DE BÉBÉ

Taille : de 6 à 9 mois.

Fournitures : 15 g de fil layette en acrylique; aig nº 3½ (9); crochet 3,25 (10); une aiguille à tapisserie à bout rond.

Echantillon : 14 m et 20 rgs font un carré de 5 cm de côté au point de jersey sur des aig nº 3½ (9). Point du modèle : **rg 1 :** end; **rg 2 :** env; **rg 3 :** end; **rg 4 :** env; **rgs 5-12 :** end. C'est-à-dire 4 rgs jersey suivis de 8 rgs au point mousse.

Dos du chandail : sur aig 3½ (9), montez 124 m avec souplesse. 7 rgs end. Tric au point de jersey (1 rg end, 1 rg env) jus le morceau mesure 15 cm, finissant avec un rg env. **Rg suiv :** 8 end, *2 ens end* sur tout le rg jus 8 dern., 8 end (70 cm). Tric 7 rgs end. **Pour façonner la manche raglan :** com avec rg 1 du pt du modèle, dim 1 m à chq extrémité ts les 2 rgs jus il reste 24 cm. Complétez la bande au pt mousse, en rab en souplesse toutes les m au rg 12 du modèle.

Les manches : montez 46 m. Tric. 7 rgs end. En jersey, aug 1 m au com et à la fin du rg à chq 2,5 cm 5 fs (56 m). Tric jus le morceau mes. 15 cm; finissez avec un rg env. Tric 8 rgs end. **Pour façonner le haut de la manche raglan :** com avec rg 1 du modèle, dim 1 m aux 2 extr. à tous les 2 rgs jus il reste 10 m. Complétez la bande au point mousse et rab toutes les m au rg 12 du modèle.

Devant gauche : montez 62 m. Tric 9 rgs end. **Rg suiv :** 4 end, le reste du rg à l'env (la bordure du devant est au point mousse). Tric en jersey, sauf les 4 premières au point mousse jus le morceau mes. 15 cm, finissant avec 1 rg env. **Rg suiv :** 8 end, *2 ens end* sur tout le rg jus 4 dern. m, 4 end (37 m). Tric 7 rgs end. **Pour façonner l'emmanchure raglan :** com avec rg 1 du modèle, dim 1 m au *commencement* du rg 1 (pour dim au com du rg, faites un surj sple), et à ts les 2 rgs par la suite jus il reste 14 m sur l'aig. En même temps, pour faire la bordure du dev., tric à l'end les 4 premières m du rg env. Complétez la bande au point mousse en rab toutes les m du rg 12 du modèle.

Devant droit : montez 62 m. Tric 9 rgs end. **Rg suiv :** à l'env jus 4 dern. m, 4 end. Cont. en jersey, faisant les 4 dern. m au point mousse jus la pièce mesure 15 cm, finissant avec 1 rg env. **Rg suiv :** 4 end, 2 ens end jus 8 dern. m, 8 end (37 m). Tric 7 rgs end. **Pour façonner l'emmanchure raglan :** com au rg 1 du modèle, dim 1 m à la *fin* du rg (pour dim à la fin d'un rg, tric 2 ens end) et tous les 2 rgs jus 14 m restent sur l'aig. En même temps, pour faire la bordure du dev., tric à l'end les 4 dern. m des rgs env. Complétez au pt mousse en rab tt les m du rg 12.

Finition : joignez les coutures raglan, les côtés et les manches au point arrière. Pour les attaches, faire 6 chaînettes doubles de 15 cm (p. 365); cousez sur l'empiècement du devant.

Chapeau : sur aig nº 3½ (9), montez 100 m. Tric 7 rgs end. Com au rg 1 du modèle, tric les rgs 1 à 12, 4 fs. Le morceau devrait mes. 11,2 cm du com au dern. rg end. Rab 35 m des 2 côtés, laissant 30 m sur l'aig. Arrêtez. Fixez le fil au centre et com avec rg 1 du modèle. Cont. jus le morceau mes. 23,7 cm, terminant avec le rg 10 du modèle. Pour coudre le bonnet, voyez le dessin ci-dessous. Pour les attaches, faites 2 cht. doubles de 25 cm (voir p. 365) et cousez aux 2 pointes du bonnet.

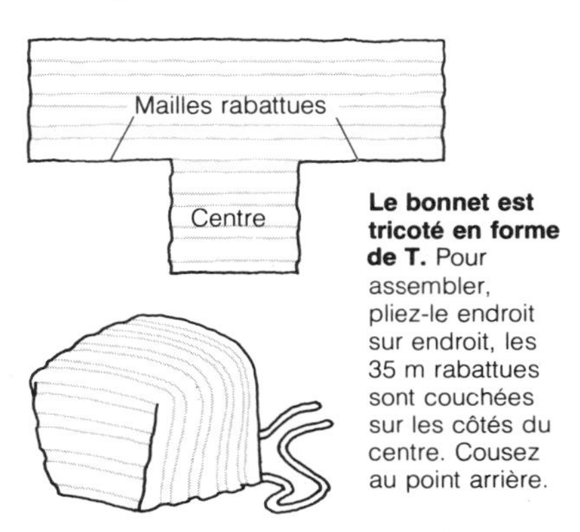

Le bonnet est tricoté en forme de T. Pour assembler, pliez-le endroit sur endroit, les 35 m rabattues sont couchées sur les côtés du centre. Cousez au point arrière.

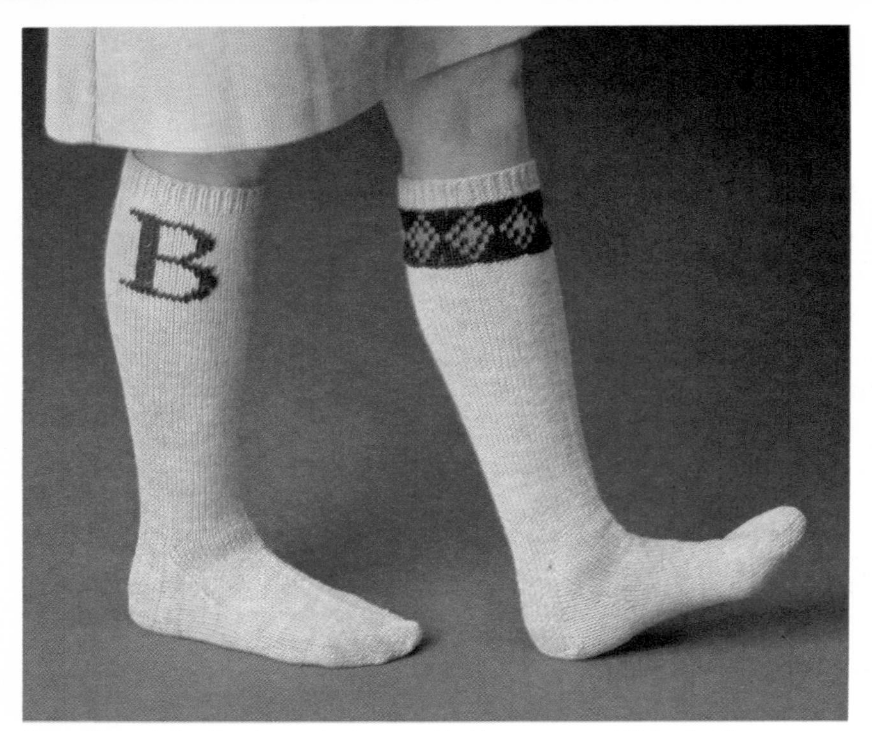

Ce modèle peut être décoré avec des losanges tricotés ou avec une initiale rebrodée.

Chaussettes sport

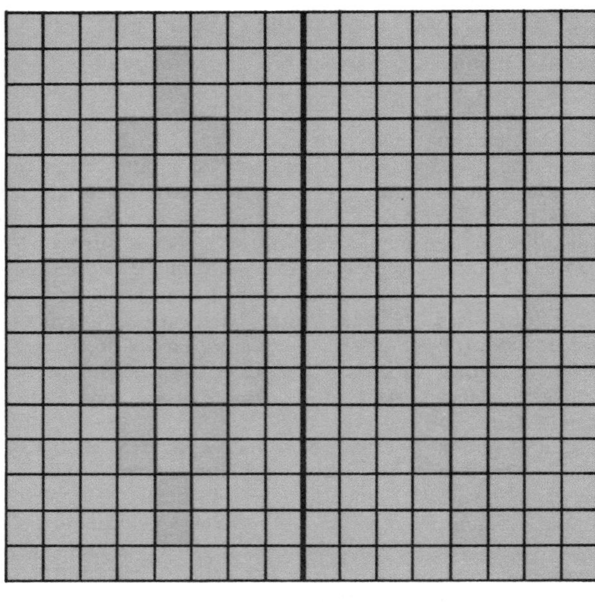

Suivez cette grille pour tricoter les losanges du haut de la chaussette. Chaque carré représente une maille. Comme la chaussette est tricotée en rond, la grille se lit de droite à gauche pour chaque rang. Le motif de losange se répète huit fois autour de la jambe.

On voit sur l'illustration deux chaussettes d'un même modèle, l'une avec une initiale rebrodée, l'autre avec un dessin géométrique tricoté. Le motif géométrique est reproduit sur une grille (p. 317). L'initiale rebrodée se fait au point de maille (p. 348).

Grandeur : variable (voyez les instructions pour le pied).

Fournitures : 170 g de laine sport beige indépendamment du motif choisi; pour le motif géométrique, 55 g de laine sport rouge et verte; pour les initiales, 2 mètres de laine sport verte; 1 jeu d'aig dp; 1 aig à tapisserie à bout rond.

Echantillon : 14 m et 20 rgs = un carré de 5 cm de côté.

Côtes : avec la laine beige, montez 64 m, répartissant les mailles sur 3 aig (p. 299). Tric 2,5 cm en côtes 1/1 et continuez au pt mousse. **Motif géométrique :** au pt mousse, tric à l'end les 16 rgs suiv en suivant la grille ci-dessus. Pour le tricot bicolore, voyez les pages 317 et 318. **Initiales :** 16 rgs end (au pt mousse). **Pour les 2 modèles :** avec le beige, continuez à tric en rond jus le bas mesure 12,5 cm depuis le rg de montage. **Rang suivant :** dim au commencement de la 1re aiguille et à la fin de la 3e. Rép ce rg de dim à chq 2,5 cm encore 7 fs. Continuez à tric ces 48 m jus la chaussette mesure 32,5 cm.

Divisez l'ouvrage pour le talon et le pied : au commencement du tour suiv, tric 12 m end, gl les 24 m suiv sur une aig aux, tournez.

Talon : tric à l'env les 24 m du talon, mettez sur une aig 12 m d'une aig et 12 d'une autre, tournez. **Rg 1 :** *1 end, 1 gl*, à rép sur tt le rg; **Rg 2 :** à l'env. Rép ces 2 rgs sur 6,25 cm, terminant avec Rg 1.

Arrondi du talon : faites des rangs qui raccourcissent graduellement (p. 329); **Rg 1 :** 9 env, 2 ens env, 3 env, 2 ens env, 1 env, tournez; **Rg 2 :** gl 1, 4 end, 1 surj sple, 1 end, tournez; **Rg 3 :** gl 1, 5 env, 2 ens env, 1 env, tournez; **Rg 4 :** gl 1, 6 end, 1 surj sple, 1 end, tournez; **Rg 5 :** gl 1, 7 env, 2 ens env, 1 env, tournez; **Rg 6 :** gl 1, 8 end, 1 surj sple, 1 end, tournez; **Rg 7 :** gl 1, 9 env, 2 ens env, 1 env, tournez; **Rg 8 :** gl 1, 10 end, 1 surj sple, 1 end, tournez; **Rg 9 :** gl 1, 11 env, 2 ens env, 1 env (14 m). Coupez le fil. Répartissez les m du talon entre 2 aig, 7 sur chacune. Avec l'endroit devant vous, fixez le fil en haut à gauche des côtes du talon. Relevez et tric à l'end 14 m le long des côtes, plaçant ces m sur l'aiguille à gauche du talon; sur une 2e aiguille tric end les 24 m de aig aux; sur une 3e aiguille, relevez et tric end 14 m le long du 2e côté du talon plus 7 m sur l'autre aiguille du talon (21 m sur chq aig).

Façonnage du soufflet du talon : on commence à façonner le soufflet au centre du talon. **Tour 1 :** sur la 1re aiguille tric end jus 3 dern. m, 2 ens end, 1 end; sur la 2e aiguille, tric les m du coup-de-pied; sur la 3e aiguille, 1 end, 1 surj sple, tric end le reste du tour. **Tour 2 :** tt à l'end. Répétez ces 2 tours jusqu'à ce qu'il ne reste que 12 mailles sur la 1re et la 3e aiguille.

Pied : tricotez en rond jusqu'à ce qu'il ne manque que 5 cm à la longueur désirée (à partir de l'arrière du talon). Par exemple, pour la pointure 39-40 (10), tric jusqu'à 20 cm.

Bout du pied : tour 1 : sur la 1re aig, tric end jus 3 dern. m, 2 ens end, 1 end; sur la 2e aig, 1 end, 1 surj sple, tric end jus 3 dern. m, 2 ens end, 1 end; sur la 3e aig, 1 end, 1 surj sple, le reste à l'end. **Tour 2 :** tt end. Répétez ces 2 tours jusqu'à ce qu'il ne reste que 5 m sur chq aig côté talon et réunissez-les sur une seule aiguille. Coupez le fil en gardant un bout. Tissez les points du bout des pieds ensemble.

Finition : repassez les chaussettes légèrement (pp. 342-343). Pour le modèle à initiales, surbrodez au point double le monogramme (voir p. 349). Pour un ajustement plus serré, ajoutez un fil élastique en le tissant dans côtes du haut de la chaussette (p. 347).

Mitaines et bonnet

MITAINES
Pointure : pour une femme (moyenne), pour un homme (petite) ou pour adolescents.
Fournitures : laine sport, 85 g de beige, 30 g de vert, 30 g de rouge; une paire d'aig nº 2¼ (13), 1 paire de nº 3 (11), une aig à tapisserie à bout rond.
Echantillon : 14 m et 20 rgs font un carré de 5 cm de côté.
Poignet : avec le beige, aig nº 2¼, montez 48 m; tric côtes 1/1 sur 6,25 cm.
Main : prenez les aig nº 3 et tric 6 rgs au pt de jersey, terminant avec un rg env. Tric 23 end, placez une bague sur l'aig, aug dans les 2 m suiv, placez une 2e bague et tric end jusqu'à la fin du rg. **Rg suiv :** tt env. **Rg suiv :** tric end jus à la bague, glissez-la, aug dans m suiv, 4 end, aug dans m suiv, glissez bague, tric end jus la fin du rg. Cont. ainsi, aug 1 m après 1re bague et 1 m avant la 2e jus il y ait 22 m entre les bagues et 68 m sur l'aig. Cont. à tricoter jus 7,5 cm de long en jersey, terminez avec un rg env. **Rg suiv :** 43 m end, tournez. **Rg suiv :** 18 env. Tric aller-retour sur ces 18 m *seulement* sur 5,6 cm pour le pouce. Finir avec un rg env.
Vous devez maintenant **façonner le pouce. Rg 1 :** *1 end, 2 ens end.* Rép sur tt le rg (12 m). **Rg 2 :** env. **Rg 3 :** 2 ens end sur tt le rg (6 m); coupez le fil, laissant un bout de 30 cm. Enfilez ce bout dans l'aig à tapisserie à bout rond et piquez à trav les 6 m. Serrez et arrêtez.
Pour compléter la main : fixez la laine beige à la base du pouce et terminez le rang. Cont. au pt de jersey, intercalant 2 rgs beiges, 2 rgs verts, 2 rgs beiges, 4 rgs rouges, 2 rgs beiges, 2 rgs verts. Cont. en beige jus le morceau mesure 20,6 cm à partir du montage et terminant avec un rang à l'env.
Vous devez maintenant **façonner la pointe. Rg 1 :** 1 end, 2 ens end, 19 end, 2 ens end, 2 end, 2 ens end, tric. jus 3 dern. m, 2 ens end, 1 end. **Rg 2 :** env. **Rg 3 :** 1 end, 2 ens end, 17 end, 2 ens end, 2 end, 2 ens end, tric jus 3 dern. m, 2 ens end, 1 end. **Rg 4 :** env. Cont. à dim de cette manière jus il ne reste que 18 m. Coupez le fil en gardant un bout de 30 cm. Enfilez ce bout dans l'aig à tapisserie et traversez toutes les mailles. Serrez et arrêtez. Cousez les côtés du poignet (p. 344) et cousez au point arrière le long de la main (p. 345). Faites la seconde mitaine de la même manière.
BONNET
Grandeur : variable.
Fournitures : 55 g de beige, 30 g de vert, 30 g de rouge; aig nº 2¾ (12); aig à tapisserie à bout rond; carton pour le pompon.
Echantillon : 14 m et 28 rgs font un carré de 5 cm de côté.
Avec le beige, montez 60 m et tricotez 2 rgs end. Le bonnet est fait au point mousse en alternant les couleurs comme suit : 2 rangs verts, 6 rangs beiges, 4 rangs rouges, 6 rangs beiges. Répétez jusqu'à ce que le morceau recouvre bien la tête, terminant avec 2 rangs de plus en beige. Rabattez; rentrez les bouts de laine. Joignez au point arrière le rang de montage et celui des mailles rabattues. Passez un brin à travers la lisière de l'un des côtés; plissez (voir ci-dessous). Pour ourler l'autre côté, faites un rentré de 1 cm et cousez. Faites un pompon (voir ci-dessous); cousez-le à la pointe du bonnet.

Les mitaines et le bonnet assortis sont tricotés en laine sport.

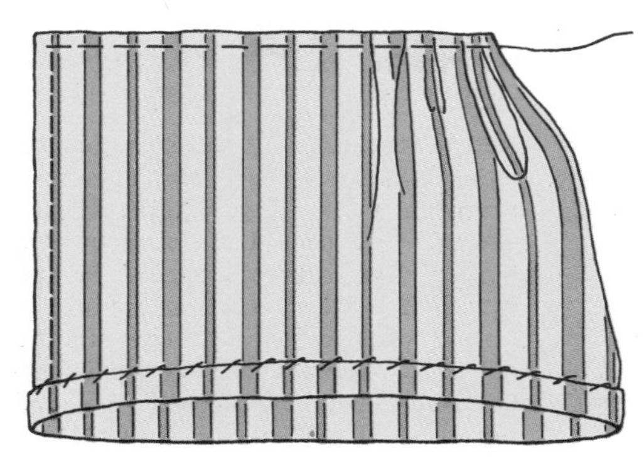
Assemblage du bonnet : cousez le rang de montage et le dernier rang au point arrière. Passez un brin dans l'un des bords et froncez-le. Faites un rentré de 1 cm et cousez.

Pour faire un pompon, enroulez 180 fois le fil autour d'un carton de 5 cm. Glissez un brin sous l'une des arêtes du carton et fixez solidement. Coupez le fil à l'autre arête du carton. Secouez vigoureusement le pompon et coupez les fils qui dépassent pour qu'il soit bien rond.

Jupe et corsage, portés ainsi, comme une robe, ou sur une blouse.

Jupe du soir, corsage et châle

Ce châle, travaillé avec les mêmes points, complète très joliment l'ensemble de gauche.

Les points ajourés (p. 304) et le point de jersey avec œillets (page ci-contre) s'unissent pour composer un ravissant ensemble du soir. La jupe peut être longue (environ 1 m). Le bas de la jupe est fini au moyen d'une double bordure faite avec les points œil de chat et jours obliques (voyez l'illustration à gauche). On peut cependant préférer une jupe plus courte s'arrêtant à mi-mollet. Dans ce cas, la bordure sera simple. Le corsage, tout bonnement fendu au milieu, a une échancrure en pointe obtenue par un plissé des épaules vers l'arrière. Les côtés peuvent être cousus pour former une emmanchure ordinaire ou être seulement retenus par un point à la taille. La taille est soulignée par une cordelière glissée dans les œillets. Le châle, reprenant les points de la jupe et du corsage, est fait avec le même type de fil. Vous pouvez, pour le châle, choisir un fil de même couleur ou de couleur contrastante. Le châle est carré, bordé par quatre volants avec des angles en onglets. Le volant a légèrement plus d'ampleur que le carré qu'il entoure et toutes les pièces sont assemblées au crochet avec des mailles serrées (p. 362), ce qui permet au châle d'être réversible.

JUPE ET CORSAGE

Tailles : les directives sont données pour les tailles 36 et 38 (8 et 10); les autres données, qui sont précédées du symbole : , correspondent aux tailles 40 et 42 (12 et 14).

Fournitures pour la jupe et le corsage : fil Cristalline en pelotes de 30 g : 8 pelotes pour la jupe, 5 pour le corsage, aiguilles nº 4 (8), crochet nº 5 (6), arrête-mailles, bagues, aiguille à tapisserie à bout rond, 1 mètre de ruban élastique de 2,5 cm; 50 cm d'extrafort ou de ruban de satin; aiguille et fil à coudre (assorti au fil à tricoter); pour la doublure (facultative) : 2,50 m de tissu pour la jupe longue et 2 mètres pour la jupe courte.

Echantillon : 10 m et 14 rgs font un carré de 5 cm de côté au point de jersey.

Bordure de la jupe : montez 116 : 124 m. Pour la jupe longue, tric 10 cm d'œil de chat; 6,25 cm de jours obliques; *7,5 cm d'œil de chat, 5 cm de jours obliques. Commencez à * pour la jupe plus courte. (La longueur de la jupe est fixée avant de finir la ceinture.)

Jupe : tricotez maintenant avec le point de jersey avec œillets. **Rg 1 :** 8 : 12 end, 1 œillet (pour faire l'œillet : 1 jeté, 2 ens end), *12 end, 1 œillet.* Répétez 6 fs, puis finissez avec 8 : 12 end. **Rg 2 :** env. Répétez ces 2 rgs, dim d'une m au com et à la fin ts les 10 rgs jusqu'à ce qu'il reste 88 : 96 mailles. Continuez sans dim jusqu'à la longueur désirée. Pour la ceinture, tricotez 2,5 cm de côtes 1/1; rabattez. Faites ensuite un second morceau identique, assemblez (p. 344).

Finition : si vous voulez doubler la jupe, pliez-la en deux et épinglez-la sur le pli du tissu à doublure. Tracez le contour de la jupe, ajoutez 1 cm pour la couture et 5 cm pour l'ourlet. Coupez la doublure; cousez les côtés. Tournez et cousez le bord; faites un rentré de 1 cm dans le haut; posez la doublure à l'intérieur envers contre envers; cousez ensemble dans le haut; passez une deuxième couture 2,5 cm plus bas, laissant une ouverture de 5 cm. Enfilez l'élastique dans le coulissé formé par la bande tricotée et la doublure. Joignez les extrémités de l'élastique puis fermez l'ouverture. Si vous ne doublez pas la jupe, insérez l'élastique en le posant sur l'envers de la ceinture (p. 347).

Dos du corsage : montez 84 : 90 m. Tric le point jersey avec œillets. **Rg 1 :** 6 : 10 end, 1 œillet, *12 end, 1 œillet.* Répétez 4 fs, puis 6 : 10 end. **Rg 2 :** envers. Répétez ces 2 rgs sur 34 cm; placez des bagues de chaque côté pour les emmanchures. Continuez au point de jersey avec œillets sur 6,25 cm. Commencez à tricoter avec les jours obliques encore sur 6,25 cm puis au point œil de chat sur 10 cm. Rabattez.

Devant du corsage : tric comme le dos mais après avoir posé les bagues à l'emmanchure, com la fente comme suit : tric jus au milieu du devant, placez les m en att sur l'arrête-mailles et cont. la 1re moitié jus à l'épaule. Pour l'autre moitié, fixez le fil au milieu et continuez jus à l'épaule.

Finition : repassez les morceaux. Avec une longueur de fil et une aiguille à tapisserie à bout rond, faufilez le devant de l'épaule et froncez jusqu'à ce qu'il mesure 16,25 cm; épinglez sur la partie correspondante du dos, en partant des emmanchures. Faites les coutures d'épaule en travaillant sur l'envers et en prenant plus d'une maille sur le devant afin de froncer. Retirez le faufil. Posez à la main l'extrafort ou le ruban satiné sur le devant de la couture avec un fil à coudre. Joignez les coutures du côté, partant du bas, en laissant une large emmanchure. Si vous voulez un corsage ouvert sur les côtés, ne cousez les côtés que sur 2,5 cm à la taille. Finissez les bordures en ms (p. 362) autour de l'encolure, des emmanchures et du bas. Pour la ceinture, crochetez une double chaînette (p. 365) de 125 cm, utilisant deux brins de fil; passez-la dans les œillets à la hauteur de la taille.

CHÂLE

Grandeur : le châle forme un carré de 120 cm de côté. Les volants sont inclus dans cette mesure. Il est facile d'obtenir un châle plus grand ou plus petit. Il s'agit de monter plus ou moins de mailles pour le carré central. On doit évidemment tenir compte de cette variation, en montant les mailles des quatre morceaux du volant.

Fournitures : fil parfait, 11 pelotes de 30 g; aig no 4 (8), crochet 5 (6); aiguille à tapisserie à bout rond.

Carré central : montez 160 m. Tric en jours obliques (p. 304) 90 cm. Rabattez.

Volant : faites quatre morceaux. Montez 212 m. Tric en point d'œil de chat (p. 304), dim au com et à la fin tous les deux rangs jusqu'à 200 m sur l'aiguille (le morceau mesure 6,25 cm). Continuez au point de jersey avec œillets (instructions ci-dessus), dim au com et à la fin de chaque rang jusqu'à ce qu'il ne reste que 168 m (le morceau mesure 15 cm). Rabattez.

Finition : repassez légèrement. Epinglez les bords du volant en onglets et joignez-les avec des mailles serrées (p. 362). Faites courir un faufil dans le bord intérieur du volant pour froncer légèrement le volant autour du carré central. Epinglez le volant au carré et joignez les deux avec des mailles serrées.

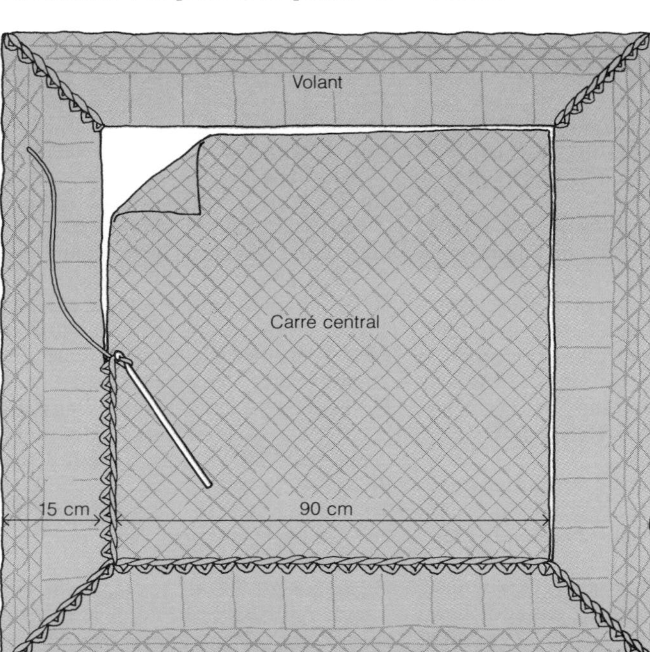

Assemblage du châle: épinglez les extrémités en onglets et joignez-les avec des mailles serrées; passez un faufil dans le bord intérieur des 4 sections du volant pour les froncer légèrement. Epinglez puis joignez avec des mailles serrées.

Une bordure tricotée orne la taie d'oreiller tandis qu'une insertion rehausse un drap uni.

Bordures pour drap et taie d'oreiller

Une bordure tricotée orne la taie d'oreiller; une autre est insérée dans l'ourlet du drap.

Fournitures : knit cro-sheen, 4 m pour 2,5 cm pour la bordure; 4,5 cm pour 2,5 cm de drap pour l'insertion; une paire d'aig no 2¾ (12).

Echantillon : bordure de taie d'oreiller : un motif couvre 5 cm. Insertion du drap : un motif couvre 4,4 cm.

Mesures des bordures : pour la bordure de la taie, mes. le tour de la taie. Pour la longueur de l'insertion, mes. la largeur du drap du dessus. Ajoutez 2,5 cm à chq morceau.

BORDURE DIAMANT AJOURÉ

Montez 20 mailles

Rg 1 : 1 gl, 2 end, 1 jeté, 2 ens end, 1 jeté, 1 surj sple, 3 end, 2 ens end, 1 jeté 2 fs, 1 surj sple, 2 ens end, 1 jeté, 1 end, 1 jeté, 2 ens end, 1 end

Rgs 2, 4, 6, 8, 10 : 1 jeté, tric env jus 5 dern. m, 2 end, 1 jeté, 2 ens end, 1 end

Rg 3 : 1 gl, 2 end, 1 jeté, 2 ens end, 4 end, 2 ens end, 1 jeté, 1 end, 2 ens end, 1 jeté dble, 1 surj sple, 2 end, 1 jeté, 2 ens end, 1 end

Rg 5 : 1 gl, 2 end, 1 jeté, 2 ens end, 3 end, 2 ens end, 1 jeté, 1 end, 2 ens end, 1 jeté, 2 end, 1 jeté, 1 surj sple, 2 end, 1 jeté, 2 ens end, 1 end

Rg 7 : 1 gl, 2 end, 1 jeté, 2 ens end, 2 end, 2 ens end, 1 jeté, 1 end, 2 ens end, 1 jeté, 4 end, 1 jeté, 1 surj sple, 2 end, 1 jeté, 2 ens end, 1 end

Rg 9 : 1 gl, 2 end, 1 jeté, 2 ens end, 1 end, 2 ens end, 1 jeté, 1 end, 2 ens end, 1 jeté, 6 end, 1 jeté, 1 surj sple, 2 end, 1 jeté, 2 ens end, 1 end

Rg 11 : 1 gl, 2 end, 1 jeté, (2 ens end) 2 fs, 1 jeté, (1 jeté, 1 surj sple, 3 end, 2 ens end, 1 jeté) 2 fs, 1 end, 1 jeté, 2 ens end, 1 end

Rgs 12, 14, 16, 18, 20 : 1 jeté, (2 ens env) 2 fs, tric env jus 5 dern. m, 2 end, 1 jeté, 2 ens end, 1 end

Rg 13 : 1 gl, 2 end, 1 jeté, 2 ens end, 1 jeté, 1 surj sple, 1 end, 1 jeté, 1 surj sple, 8 end, 2 ens end, 1 jeté, 1 end, 1 jeté, 2 ens end, 1 end

Rg 15 : 1 gl, 2 end, 1 jeté, 2 ens end, 1 end, 1 jeté, 1 surj sple, 1 end, 1 jeté, 1 surj sple, 6 end, 2 ens end, 1 jeté, 1 end, 1 jeté, 2 ens end, 1 end

Rg 17 : 1 gl, 2 end, 1 jeté, 2 ens end, 2 end, 1 jeté, 1 surj sple, 1 end, 1 jeté, 1 surj sple, 4 end, 2 ens end, 1 jeté, 1 end, 2 ens end, 1 end

Rg 19 : 1 gl, 2 end, 1 jeté, 2 ens end, 3 end, 1 jeté, 1 surj sple, 1 end, 1 jeté, 1 surj sple, 2 end, 2 ens end, 1 jeté, 1 end, 1 jeté, 2 ens end, 1 end

Finition : faites au crochet une lisière sur le côté festonné de la bordure (p. 362). Fixez un fil dans la bcle du picot à l'extrémité de la bordure : le fil à l'arr, 1 jeté, piquez sous la bcle et le bout du fil, 1 jeté, tirez une bcle, 1 jeté et coulez les 2 bcles. Vous avez 1 ms (maille simple); 1 ms de plus dans la même m et cont. de la même façon, 2 ms dans chq bcle jus à la fin. Arrêtez. Cousez les deux extrémités. Epinglez la lisière dr de la bordure sur la taie et faites des petits points invisibles.

INSERTION DIAMANT AJOURÉ

Montez 24 mailles

Rg 1 : 1 gl, 2 end, 1 jeté, 2 ens end, 1 end, 1 mouche (tric av et arr de la m) 2 fs, gl les 3e, 2e et 1re m par-dessus la 4e, 3 end, 1 jeté, 1 surj sple, 2 ens end, 1 jeté, 3 end, 1 mouche, 3 end, 1 jeté, 2 ens end, 1 end

Rgs 2, 4, 6, 8, 12, 14, 16 : 1 gl, 2 end, 1 jeté, 2 ens end, 14 env, 2 end, 1 jeté, 2 ens end, 1 end

Rg 3 : 1 gl, 2 end, 1 jeté, 2 ens end, 3 end, 2 ens end, 1 jeté, 4 end, 1 jeté, 1 surj sple, 5 end, 1 jeté, 2 ens end, 1 end

Rg 5 : 1 gl, 2 end, 1 jeté, 2 ens end, 2 end, 2 ens end, 1 jeté, 6 end, 1 jeté, 1 surj sple, 4 end, 1 jeté, 2 ens end, 1 end

Rg 7 : 1 gl, 2 end, 1 jeté, 2 ens end, 1 end, 2 ens end, 1 jeté, 8 end, 1 jeté, 1 surj sple, 3 end, 1 jeté, 2 ens end, 1 end

Rg 9 : 1 gl, 2 end, 1 jeté, (2 ens end) 2 fs, 1 jeté, 3 end, 2 ens end, 1 jeté dble, 1 surj sple, 3 end, 1 jeté, 1 surj sple, 2 end, 1 jeté, 2 ens end, 1 end

Rg 10 : 1 gl, 2 end, 1 jeté, 2 ens end, 6 env, 1 end, 7 env, 2 end, 1 jeté, 2 ens end, 1 end

Rg 11 : 1 gl, 2 end, 1 jeté, 2 ens end, 2 end, 1 jeté, 1 surj sple, 6 end, 2 ens end, 1 jeté, 4 end, 1 jeté, 2 ens end, 1 end

Rg 13 : 1 gl, 2 end, 1 jeté, 2 ens end, 3 end, 1 jeté, 1 surj sple, 4 end, 2 ens end, 1 jeté, 5 end, 1 jeté, 2 ens end, 1 end

Rg 15 : 1 gl, 2 end, 1 jeté, 2 ens end, 4 end, 1 jeté, 1 surj sple, 2 end, 2 ens end, 1 jeté, 6 end, 1 jeté, 2 ens end, 1 end

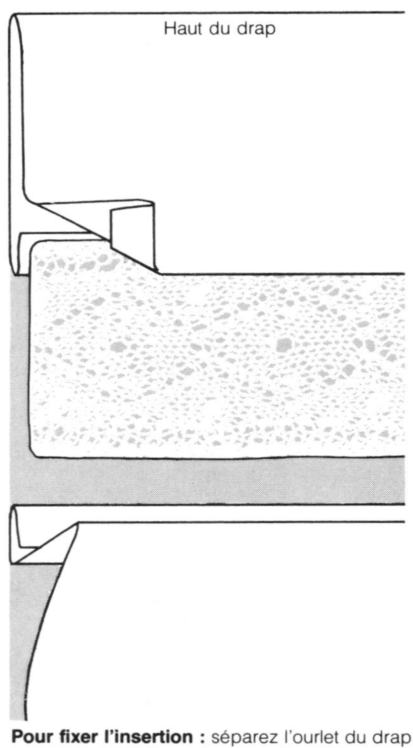

Pour fixer l'insertion : séparez l'ourlet du drap en coupant à 0,6 cm de la couture. Découpez l'ourlet. Sur le bord du drap, faites un rentré de 0,6 cm et pliez deux fois sur l'endroit; faites un repli que vous pliez vers le rentré comme indiqué. Repassez. Faites des rentrés dans l'ourlet de 0,6 cm. Repassez. Pliez les morceaux en quatre afin d'avoir des points de repère pour la couture. Glissez l'insertion dans l'ourlet et dans le repli du drap; épinglez et cousez.

Crochet

L'ABC du crochet

Illustration de la page précédente : veste au crochet (détail), teintures naturelles, ©Arlene Mintzer

Fils

On peut travailler au crochet plusieurs fils : coton frivolité, laine, raphia, ficelle, lanières de cuir ou de tissu. On doit choisir une fibre en fonction du résultat désiré et la travailler avec un crochet approprié.

Pour faciliter la comparaison entre les différents types de fils, les laines et les fils synthétiques ont été réunis dans un même tableau (*Tricot*, p. 270) et les fils de coton ici. Il existe une importante différence entre ces deux tableaux : les fils du premier se vendent au poids et ceux du second, à la longueur qui est spécifiée sur l'étiquette.

La plupart des fils de coton sont *mercerisés*, c'est-à-dire qu'ils sont traités chimiquement pour avoir plus de lustre et de solidité. Le terme *grand teint* signifie que, même à l'eau chaude, les couleurs ne changeront pas. Tout ceci apparaît sur l'étiquette; le numéro du fil indique le nombre de brins tordus ensemble, parfois l'épaisseur du brin. L'épaisseur est alors désignée par un chiffre (10 à 70); plus le chiffre est grand, plus le fil est fin. Si le fil se vend en écheveau, il est préférable de le mettre en pelote afin d'éviter l'enchevêtrement au cours du travail.

NOM	DESCRIPTION	ÉPAISSEUR	USAGES
Coton lustré à tricoter ou à crocheter	4 brins, solidement tordus; grand choix de couleurs et de nuances	Nº 5	Châles, robes, blouses, couvre-lits, tentures, garnitures
Coton métallique «Knit-cro-sheen»	4 brins de coton plus 1 brin de Mylar; blanc et quelques couleurs	Nº 5	Chandails, blouses, accessoires de mode
Coton «Glo-tone»	4 brins, fermement tordus; grand choix de couleurs	Nº 5	Châles, blouses, robes, couvre-lits, tentures, garnitures
Coton «Speed-cro-sheen»	8 brins fermement tordus; grand choix de couleurs	Nº 3	Couvre-lits, nappes, napperons, accessoires de mode
Coton à couvre-lit	4 brins fermement tordus; écru ou blanc seulement	Nº 5	Couvre-lits, nappes, napperons et garnitures
Coton perlé	2 brins légèrement tordus; très lustré; grand choix de couleurs et de nuances (fils chinés)	Nº 5	Vestes, blouses, garnitures, accessoires de mode
Coton pour dentelle frivolité	3 brins très fermement tordus; grand choix de couleurs	Nº 70	Dentelle, garnitures
Bouclé	4 brins de grosseurs irrégulières, lâchement tordus	Variable	Chandails, robes, accessoires de mode
Coton à 6 brins	très fermement tordus; écru ou blanc	Nºs 20, 30	Nappes, garnitures, dentelle
Coton à 3 brins	très fermement tordus; écru et blanc (nºs 10, 20, 30), couleurs unies et chinées (nº 30 seulement)	Nºs 10, 20, 30	Nappes, garnitures, dentelle

Crochets et accessoires

Les crochets sont ordinairement faits en acier, en plastique ou en bois. Ils existent en plusieurs grandeurs, exprimées en numéros qui correspondent au diamètre du crochet, en millimètres. (Le présent livre donne aussi, entre parenthèses, les numéros équivalents du système impérial.) En choisissant votre crochet, rappelez-vous que plus le fil est épais, plus le crochet doit être gros pour faciliter le travail.

De nombreux accessoires de tricot servent aussi pour le crochet, plus particulièrement un compte-rangs plat, des bagues et une jauge (voir *Tricot*, p. 273).

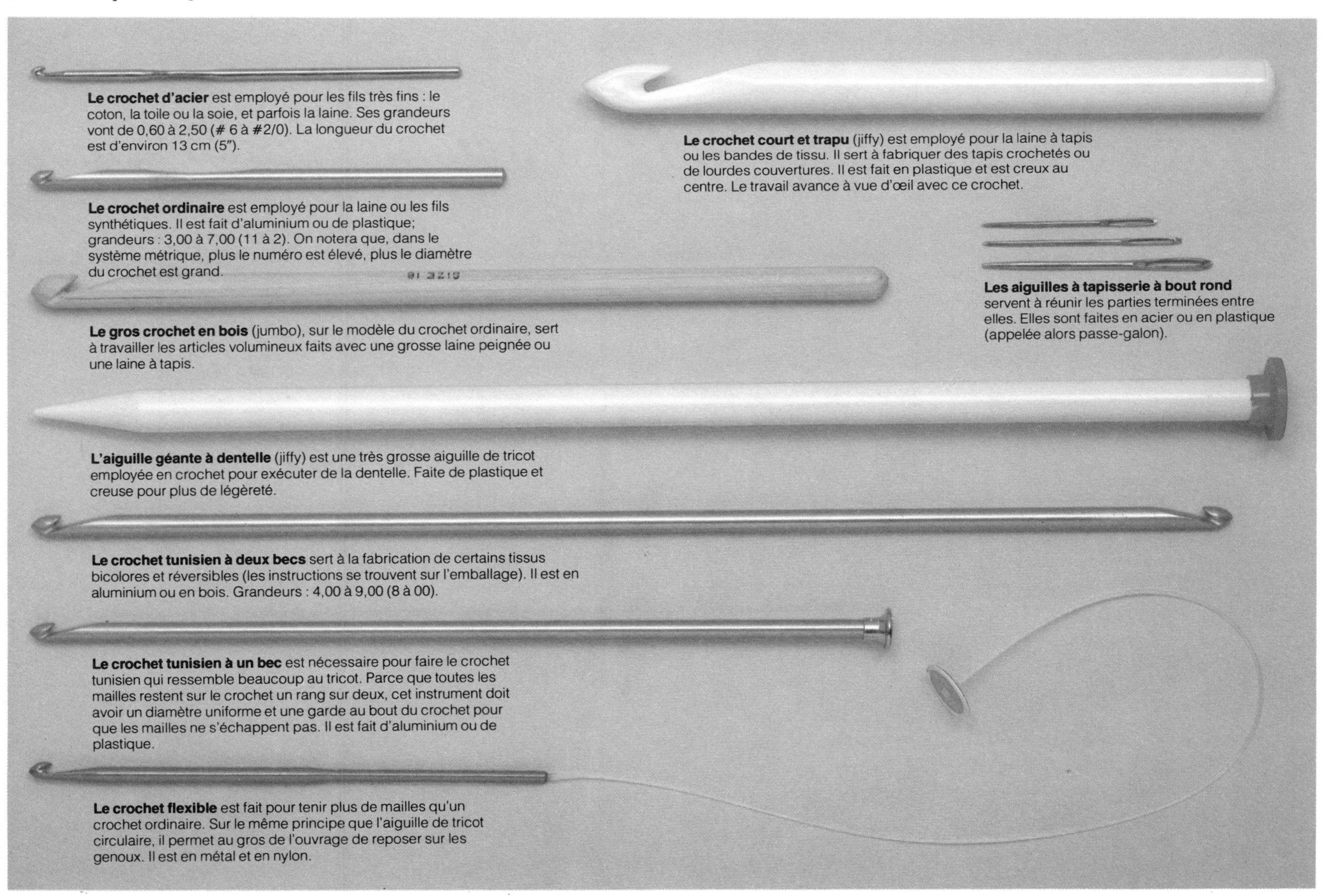

Le crochet d'acier est employé pour les fils très fins : le coton, la toile ou la soie, et parfois la laine. Ses grandeurs vont de 0,60 à 2,50 (# 6 à #2/0). La longueur du crochet est d'environ 13 cm (5″).

Le crochet ordinaire est employé pour la laine ou les fils synthétiques. Il est fait d'aluminium ou de plastique; grandeurs : 3,00 à 7,00 (11 à 2). On notera que, dans le système métrique, plus le numéro est élevé, plus le diamètre du crochet est grand.

Le gros crochet en bois (jumbo), sur le modèle du crochet ordinaire, sert à travailler les articles volumineux faits avec une grosse laine peignée ou une laine à tapis.

L'aiguille géante à dentelle (jiffy) est une très grosse aiguille de tricot employée en crochet pour exécuter de la dentelle. Faite de plastique et creuse pour plus de légèreté.

Le crochet tunisien à deux becs sert à la fabrication de certains tissus bicolores et réversibles (les instructions se trouvent sur l'emballage). Il est en aluminium ou en bois. Grandeurs : 4,00 à 9,00 (8 à 00).

Le crochet tunisien à un bec est nécessaire pour faire le crochet tunisien qui ressemble beaucoup au tricot. Parce que toutes les mailles restent sur le crochet un rang sur deux, cet instrument doit avoir un diamètre uniforme et une garde au bout du crochet pour que les mailles ne s'échappent pas. Il est fait d'aluminium ou de plastique.

Le crochet flexible est fait pour tenir plus de mailles qu'un crochet ordinaire. Sur le même principe que l'aiguille de tricot circulaire, il permet au gros de l'ouvrage de reposer sur les genoux. Il est en métal et en nylon.

Le crochet court et trapu (jiffy) est employé pour la laine à tapis ou les bandes de tissu. Il sert à fabriquer des tapis crochetés ou de lourdes couvertures. Il est fait en plastique et est creux au centre. Le travail avance à vue d'œil avec ce crochet.

Les aiguilles à tapisserie à bout rond servent à réunir les parties terminées entre elles. Elles sont faites en acier ou en plastique (appelée alors passe-galon).

L'ABC du crochet

Introduction au crochet

Tous les points de crochet sont formés de boucles entrelacées; le point le plus simple est la chaînette (aussi appelée maille en l'air) illustrée au bas de cette page. Pour faire ces boucles, le crochet est tenu dans une main et le fil est tendu par l'autre; la main tendant le fil soutient aussi l'ouvrage.

Les deux façons habituelles de tenir le crochet sont illustrées ci-contre. Il y a plus d'une bonne manière de tenir le fil; nous avons illustré ci-dessous l'une des techniques les plus répandues. Il faut de toutes façons tendre le fil avec l'index. Ceci permet de le diriger facilement et de garder une tension égale.

Tenue du crochet/Droitier

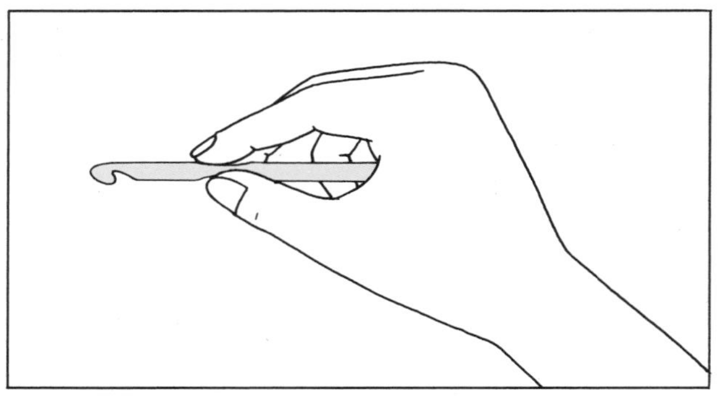

Méthode I : saisissez le crochet comme un couteau, la pointe tournée vers le bas, le pouce et l'index appuyés de chaque côté de sa partie aplatie, le majeur reposant sous le pouce.

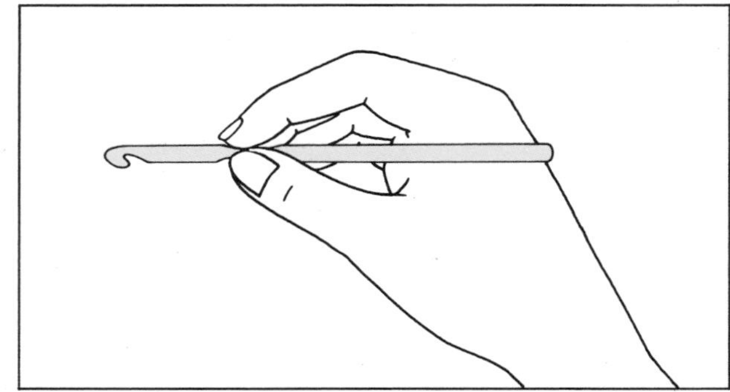

Méthode II : saisissez le crochet comme un crayon, la pointe tournée vers le bas, le pouce et l'index appuyés de chaque côté de sa partie aplatie, le majeur reposant sous le pouce.

Confection d'une chaînette/Droitier

Le point de chaînette (cht) sert à former le tout premier rang d'un ouvrage au crochet et entre également dans la composition de nombreux points. La chaînette de montage doit être souple.

1. Faites un nœud coulant à environ 15 cm (6″) de l'extrémité du fil et introduisez le crochet dans la boucle de droite à gauche.

2. Tirez sur les deux extrémités du fil, ajustez cette première maille sur le crochet mais sans trop serrer.

3. Enroulez le fil de pelote autour du petit doigt de la main gauche, passez-le sous l'annulaire et le majeur, puis sur l'index; laissez un jeu de 5 cm (2″) environ entre l'index et le crochet.

4. Tenez le nœud coulant entre le pouce et le majeur de la main gauche (le fil sur l'index) et poussez le crochet à travers la boucle en tournant, de sorte que le fil passe par-dessus d'arrière en avant et se loge dans le bec.

5. Tirez le fil à travers la boucle, formant ainsi une nouvelle maille sur le crochet; celle-ci doit être assez lâche pour que la maille suivante soit formée sans effort.

6. Tenez la chaînette entre le pouce et le majeur tout près du crochet, répétez les étapes 4 et 5 jusqu'à ce que le nombre désiré de mailles soit obtenu. Toutes les mailles de la chaînette doivent être égales. Si elles ne le sont pas, il vaut mieux tirer sur le fil et recommencer.

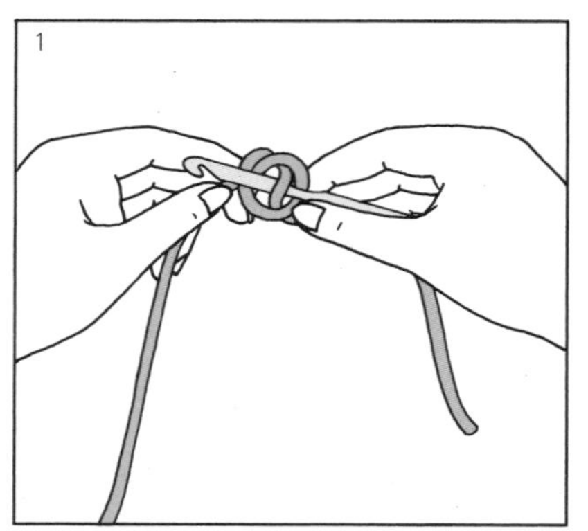

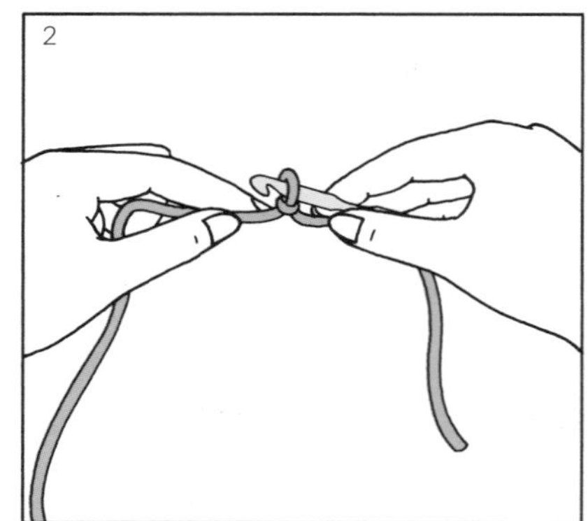

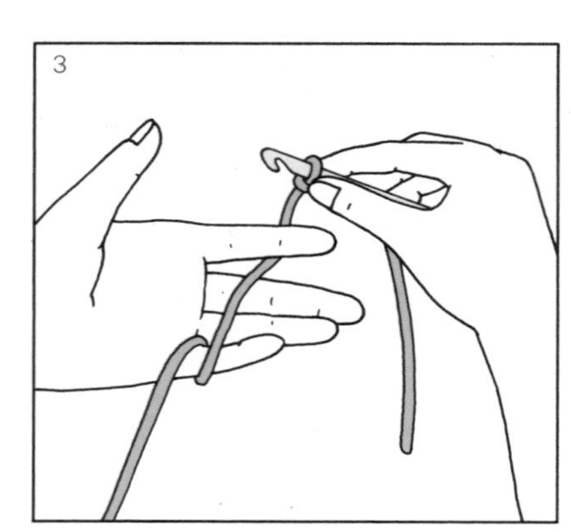

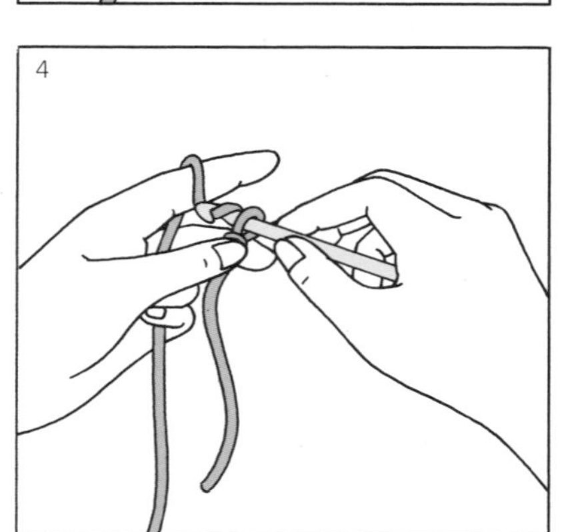

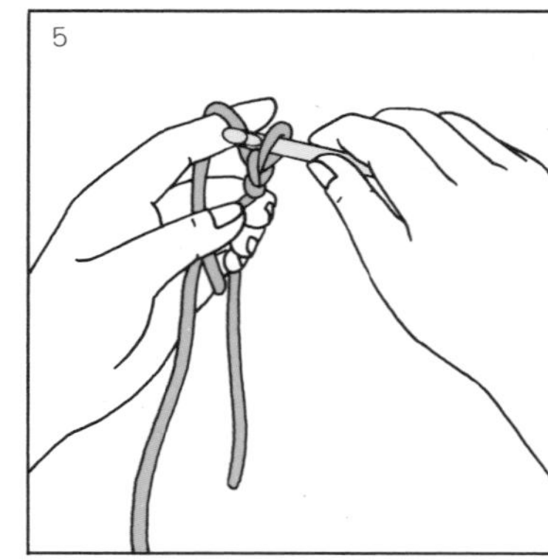

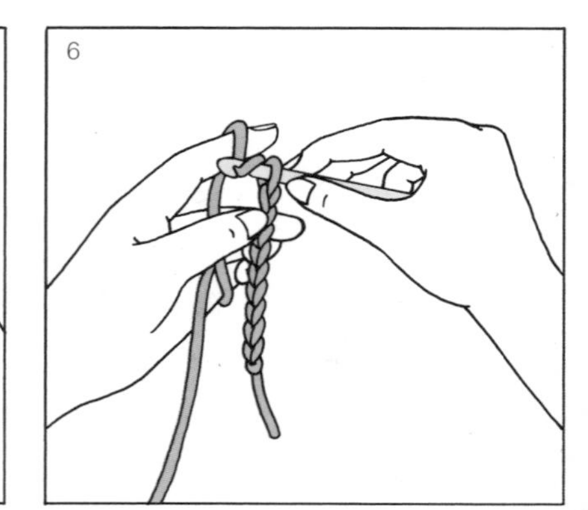

Tenue du crochet/Gaucher

Travailler avec la main gauche ou avec la main droite donne le même résultat; cependant la position du crochet et du fil doit être inversée. Les illustrations de cette page montrent comment on peut travailler avec la main gauche.

Les deux façons habituelles de tenir le crochet sont illustrées ci-contre. Vous adopterez celle qui vous conviendra le mieux. Il y a plus d'une bonne manière de tenir le fil; l'une des techniques les plus répandues est illustrée ci-dessous. Le principe de base consiste à tendre le fil sur l'index afin de le diriger plus facilement et de garder une tension égale.

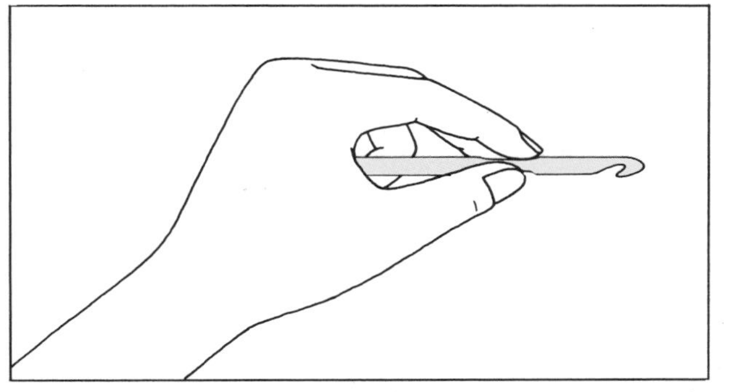

Méthode I : tenez le crochet dans la main gauche comme un couteau, le bec tourné vers le bas, le pouce et l'index s'appuyant de chaque côté de sa partie aplatie, le majeur reposant sous le pouce.

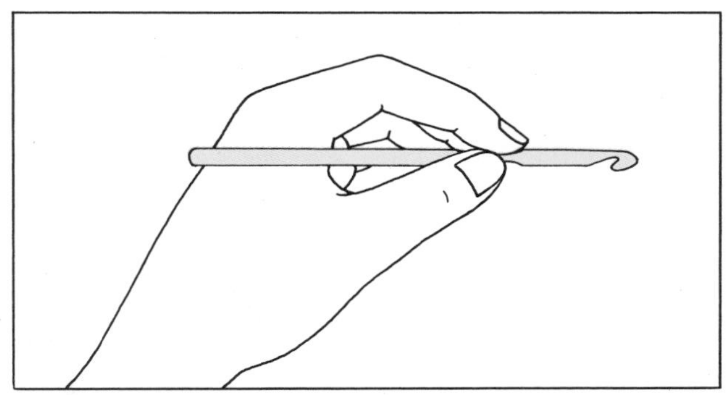

Méthode II : tenez le crochet dans la main gauche comme un crayon, le bec tourné vers le bas, le pouce et l'index de chaque côté de sa partie aplatie, le majeur reposant sous le pouce.

Confection d'une chaînette/Gaucher

Le point de chaînette (cht) sert à former le tout premier rang d'un ouvrage au crochet et entre dans la composition de plusieurs autres points. Il permet aussi d'accéder au rang suivant (maille en l'air) et de tourner l'ouvrage.

1. Faites un nœud coulant à environ 15 cm (6") de l'extrémité du fil; insérez le crochet de gauche à droite dans la boucle.

2. Tirez sur les deux extrémités du fil mais sans trop serrer.

3. Enroulez le fil de pelote autour du petit doigt de la main droite, passez-le sous l'annulaire et le majeur, puis sur l'index; laissez un jeu d'environ 5 cm (2") entre l'index et le crochet.

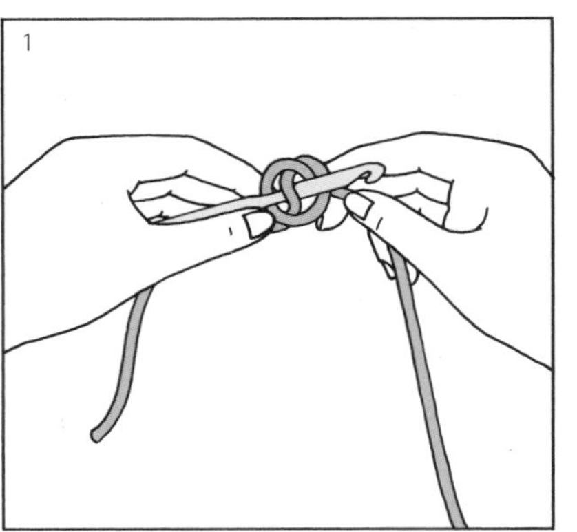

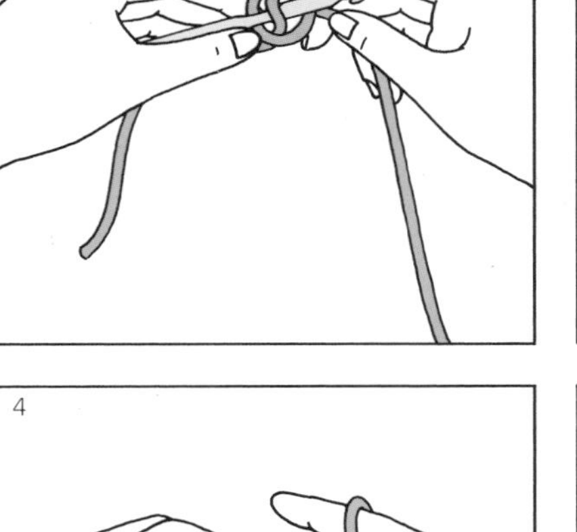

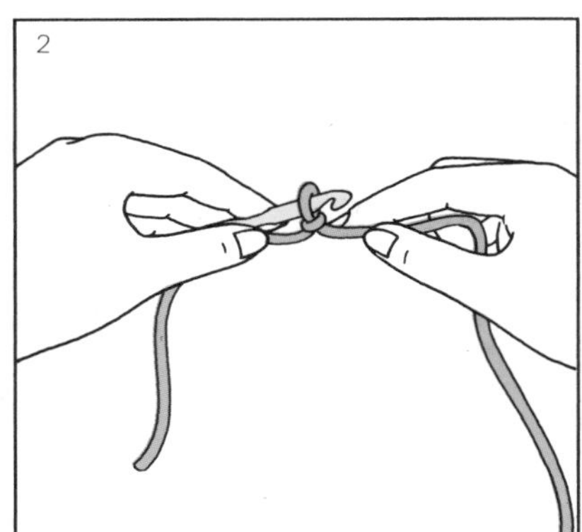

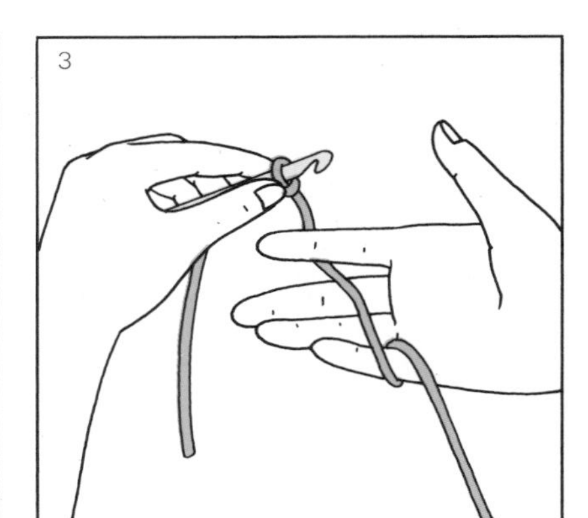

4. Tenez le nœud coulant entre le pouce et le majeur de la main droite (le fil sur l'index) et poussez le crochet à travers la boucle en tournant, de sorte que le fil passe par-dessus d'arrière en avant et se loge dans le bec.

5. Tirez le fil à travers la boucle, formant ainsi une nouvelle maille sur le crochet; celle-ci doit être assez lâche pour que la maille suivante soit formée sans effort.

6. Tenant la chaînette entre le pouce et le majeur tout près du crochet, répétez les étapes 4 et 5 jusqu'à ce que le nombre désiré de mailles soit obtenu. Toutes les mailles de la chaînette doivent être égales. Si elles ne le sont pas, mieux vaut tirer sur le fil et recommencer.

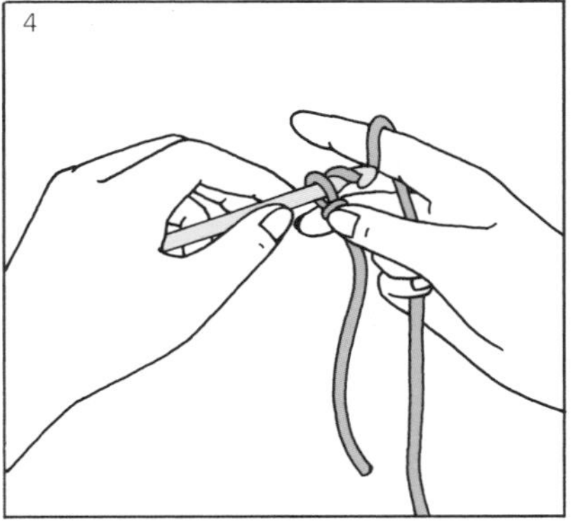

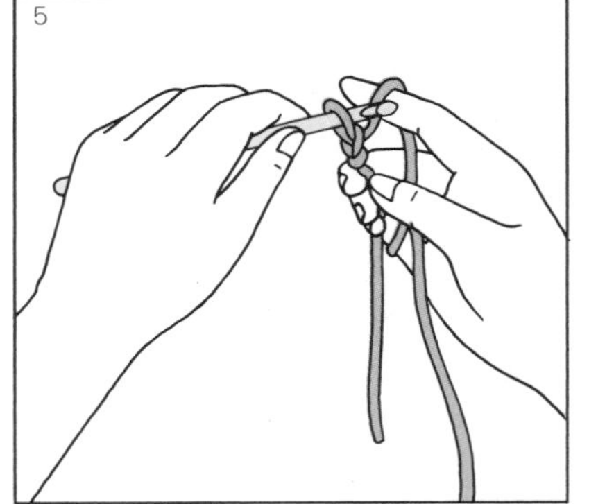

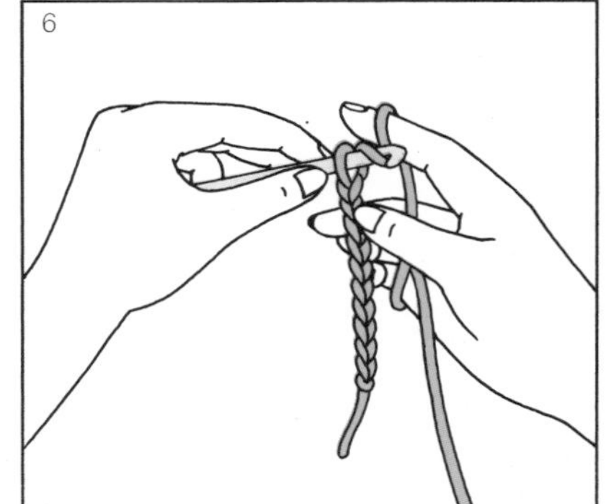

L'ABC du crochet

Points de base

Maille serrée (ms) : c'est le plus court des points de base; il fait un tissu ferme et plat. Utilisé pour border des articles faits avec d'autres points et parfois pour assembler deux sections.

Piquez le crochet dans la 2e maille (à partir du crochet); saisissez le fil (A) et tirez la boucle à travers la maille (2 boucles sur le crochet); faites 1 jeté et passez à travers les 2 boucles sur le crochet (B); continuez le rang en mailles serrées, terminez par 1 maille en l'air et tournez. Piquez le crochet dans la première maille pour le rang suivant (C).

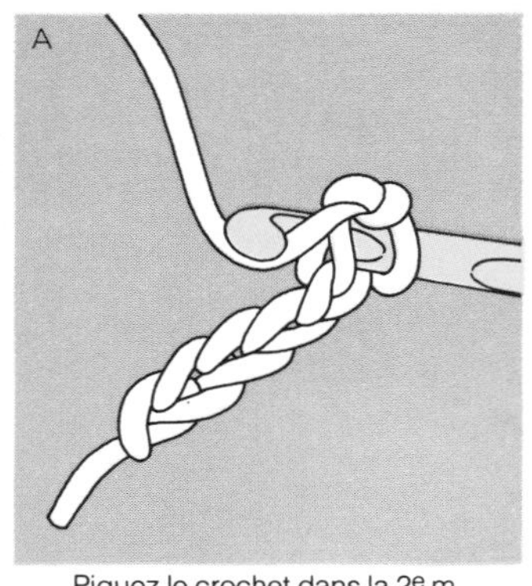

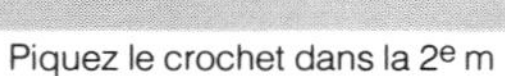
Piquez le crochet dans la 2e m

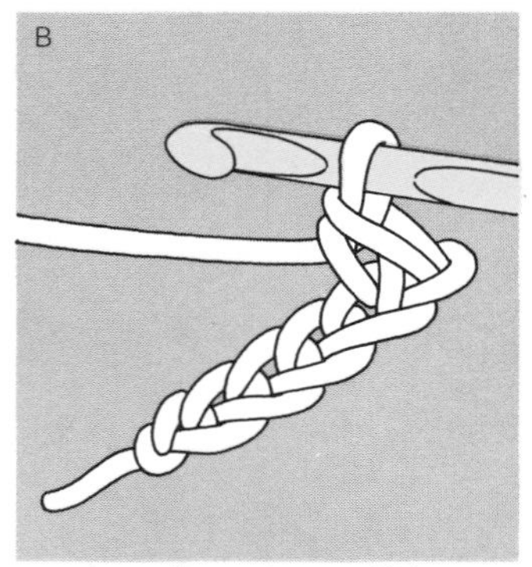

La maille serrée complétée

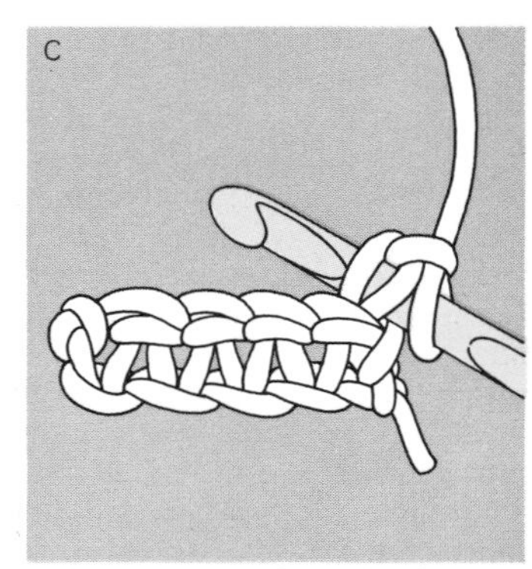

1 cht pour tourner; piquez dans la 1re m

Demi-bride (db) : ce point est un peu plus haut que la maille serrée; il donne un tissu ferme à arêtes prononcées.

Faites un jeté et piquez dans la 3e maille; saisissez le fil (A) et tirez la boucle à travers la chaînette (3 boucles sur le crochet), nouveau jeté et tirez le fil à travers les 3 boucles (B). Crochetez 1 db dans chaque maille du rang; après la dernière, faites 2 mailles en l'air et tournez; 1 jeté, puis piquez le crochet dans la 1re maille pour le rang suivant (C).

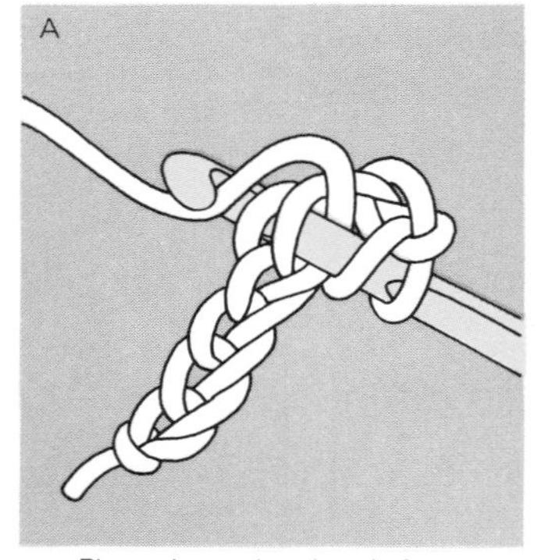

Piquez le crochet dans la 3e m

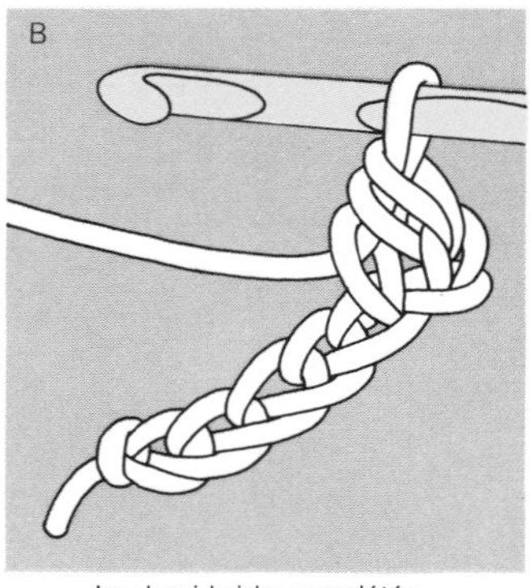

La demi-bride complétée

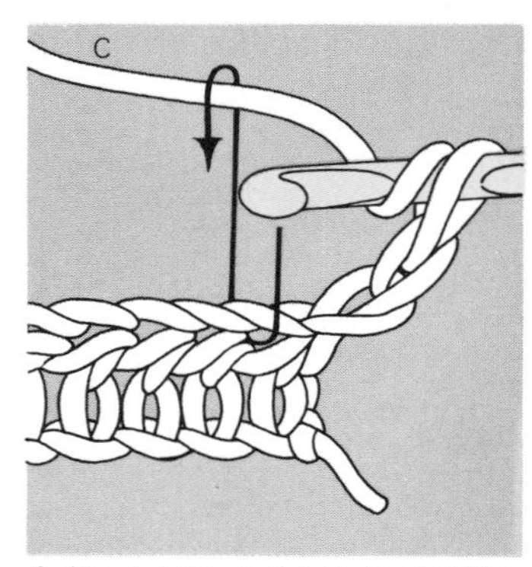

2 cht pour tourner; piquez dans la 1re m

Bride simple (bs) : deux fois plus haute que la db mais plus aérée; elle sert de base à de nombreux points.

Faites un jeté et piquez dans la 4e maille (à partir du crochet); saisissez le fil (A) et tirez la boucle à travers la chaînette (3 boucles sur le crochet); faites 1 jeté et ramenez-le à travers 2 boucles; faites 1 jeté et ramenez-le à travers les 2 dernières boucles (B). Répétez dans chacune des mailles de montage. A la fin du rang, faites 3 mailles en l'air et tournez; faites 1 jeté et piquez le crochet dans la 2e maille pour le rang suivant (C).

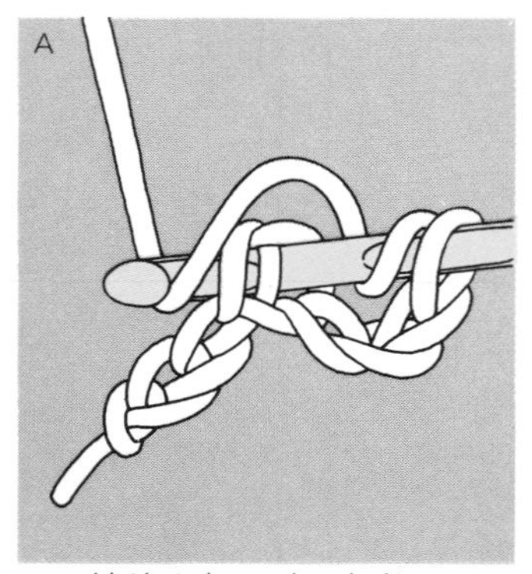

1 jeté et piquez dans la 4e m

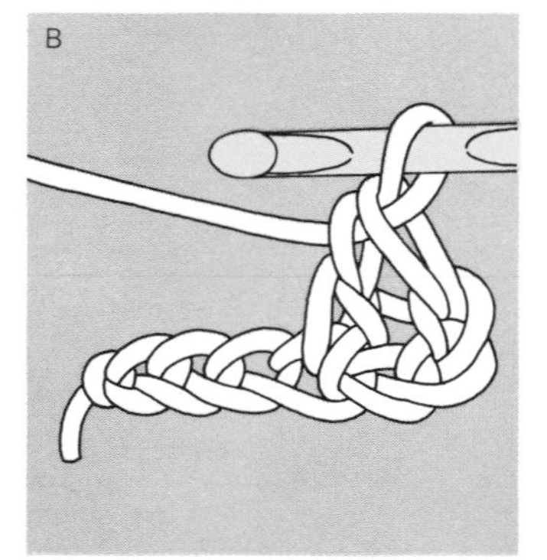

La bride simple complétée

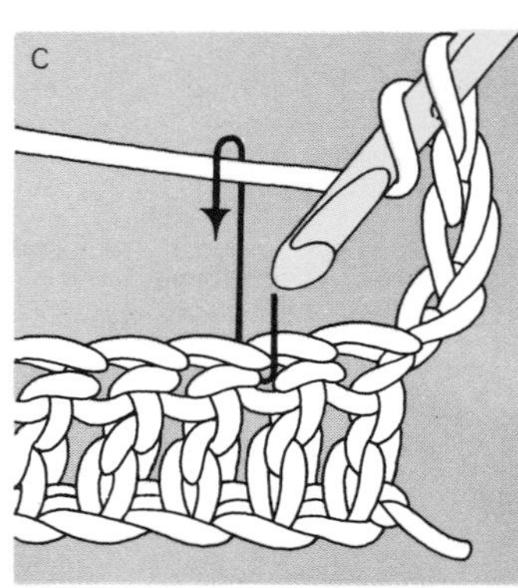

3 cht pour tourner; piquez dans la 2e m

Bride double (bd) : cette bride très longue, plus ouverte que la bride simple, est moins fréquemment employée.

Faites deux jetés, piquez le crochet dans la 5e maille, accrochez le fil (A) et passez-le à travers cht (4 boucles sur le crochet); faites 1 jeté, ramenez-le à travers 2 boucles, 1 jeté, ramenez-le à travers 2 boucles; 1 jeté, ramenez-le à travers les 2 dernières boucles (B). Faites une double bride sur chaque maille du rang, puis 4 mailles en l'air et tournez; au rang suivant, 2 jetés et piquez dans la 2e maille (C).

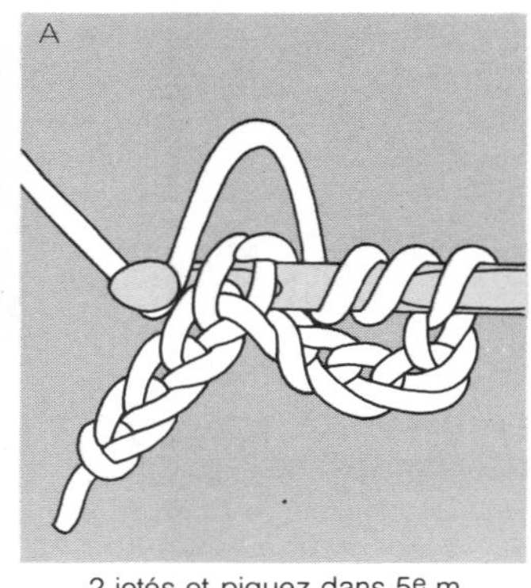

2 jetés et piquez dans 5e m

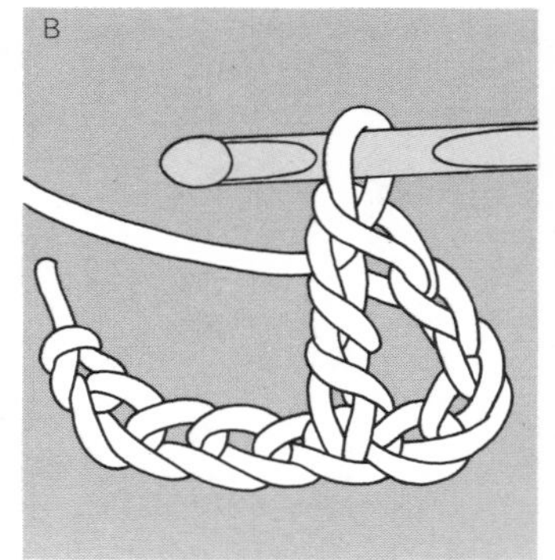

La bride double complétée

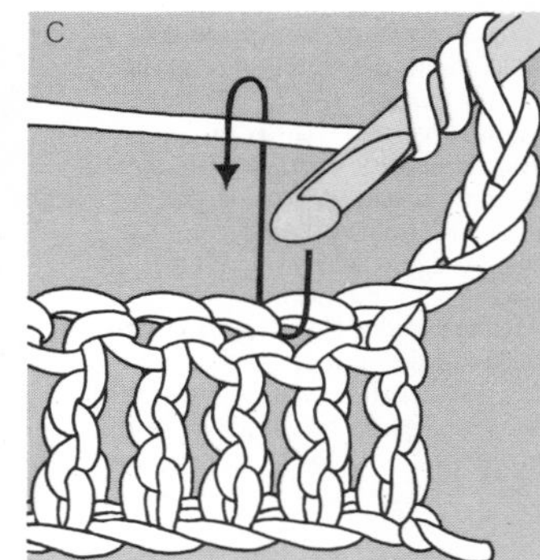

4 cht à tourner; piquez dans 2e m

Bride triple (bt) : cette bride est plus haute que la précédente. On peut la faire plus haute encore en ajoutant un jeté de plus au commencement de chaque bride : c'est alors une *bride triple double*.

Faites 3 jetés, piquez dans la 6e maille, prenez le fil (A), tirez-le à travers la chaînette (5 boucles sur le crochet); *1 jeté, tirez à travers 2 boucles;* répétez 3 fois pour compléter le point (B). Faites des brides doubles dans chaque maille. Faites 5 mailles en l'air, tournez; 3 jetés et piquez le crochet dans la 2e maille pour l'autre rang (C).

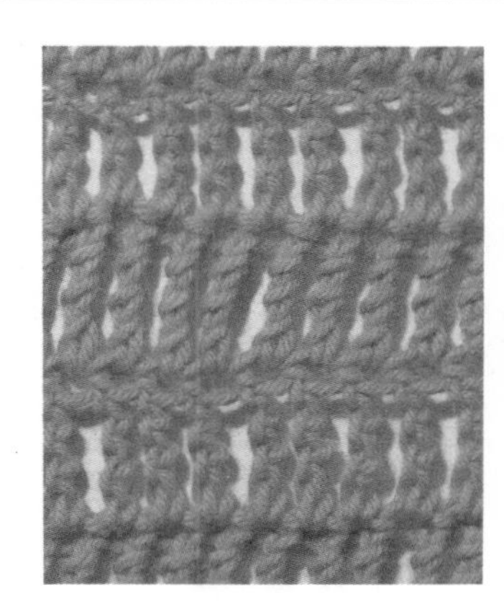

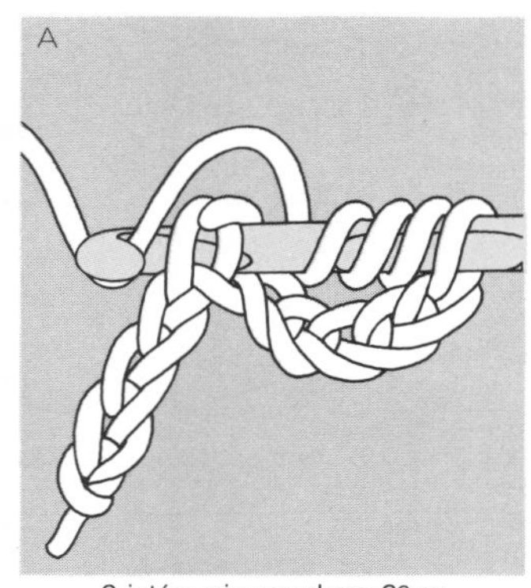

3 jetés; piquez dans 6e m

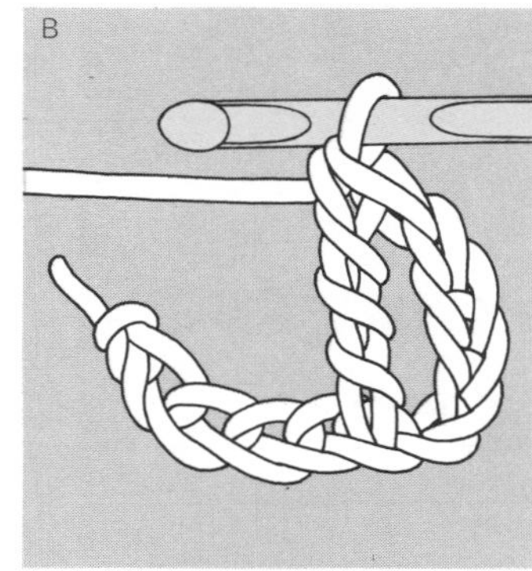

La bride triple complétée

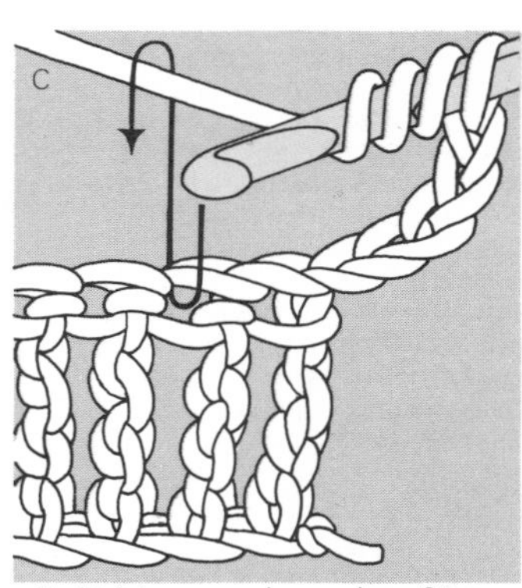

5 cht à tourner; piquez dans 2e m

Maille coulée (mc) : ce point très court sert surtout à joindre deux pièces, à fermer un anneau ou à exécuter un motif en rond. On ne l'emploie pas pour l'ensemble d'un ouvrage mais plutôt pour raffermir une bordure et l'empêcher de s'étirer.

Piquez le crochet dans 1 maille, attraper le fil (A) et tirez une boucle à travers la maille de chaînette et la boucle du crochet (B). Ces mailles successives, ou mailles de tête, forment de nouveau une chaînette.

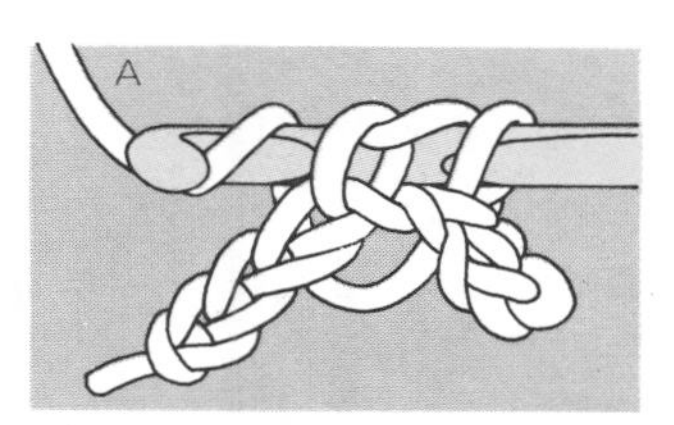

RÈGLES DU CROCHET

1. On ne tient pas compte du nœud coulant (de la première boucle) sur le crochet. Si le modèle exige 18 cht, vous devez calculer 18 m sans tenir compte de la première boucle.
2. Le crochet est normalement piqué d'avant en arrière dans la maille.
3. Le crochet est piqué sous les deux brins supérieurs de la maille.
4. Il ne doit rester sur le crochet qu'une seule boucle à la fin de chaque point.

MAILLES EN L'AIR POUR ACCÉDER AU RANG SUIVANT

Au commencement de chaque rang, y compris le premier, un certain nombre de mailles en l'air (mailles chaînette) est nécessaire pour amener l'ouvrage au niveau du point qui doit être formé. Le nombre exact de ces mailles chaînette est déterminé par la hauteur du point choisi, la chaînette remplaçant le premier point de chaque rang. Quand les instructions font faire la chaîne en fin de rang, il faut toujours tourner l'ouvrage de droite à gauche afin d'éviter de tordre la chaînette, puis piquer le crochet dans la maille spécifiée.

Maille serrée	1 maille en l'air, tournez et piquez dans 1re maille
Demi-bride	2 mailles en l'air, tournez et piquez dans 1re maille
Bride simple	3 mailles en l'air, tournez et piquez dans 2e maille
Bride double	4 mailles en l'air, tournez et piquez dans 2e maille
Bride triple	5 mailles en l'air, tournez et piquez dans 2e maille
Bride triple double	6 mailles en l'air, tournez et piquez dans 2e maille

Points de base 362-363

Variantes des points de base

Le travail sous une boucle (un brin ou une demi-maille) de la maille de tête produit un effet de côtes plus aéré que si l'on travaille sous la maille (les deux brins).
Pour travailler dans le brin arrière de la maille, piquez le crochet d'avant en arrière *vers le bas,* tirez le fil à travers la maille pour former une boucle (A).
Pour travailler dans le brin avant de la maille, piquez le crochet d'avant en arrière *vers le haut,* tirez le fil à travers la maille (B) pour former une boucle.

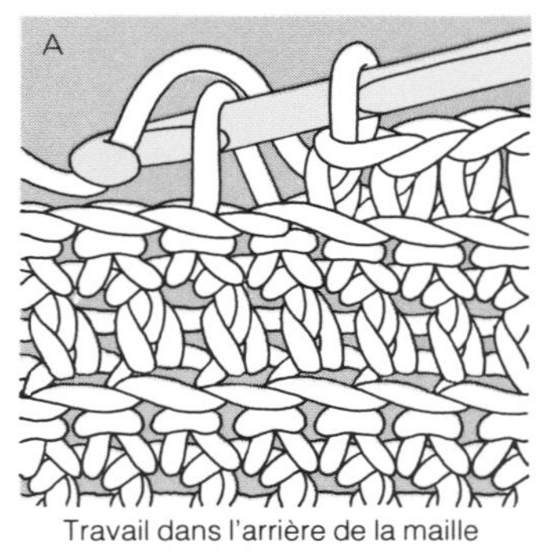

Travail dans l'arrière de la maille

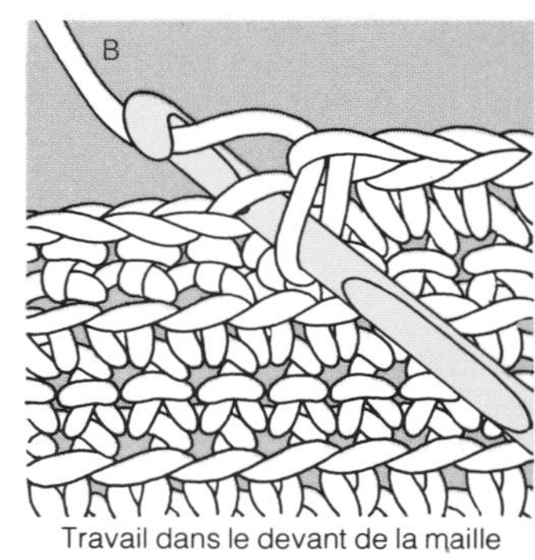

Travail dans le devant de la maille

Le travail entre les points est une technique fréquemment employée dans les filets (p. 380). Des mailles en l'air sont travaillées entre les points dans une rangée. Au rang suivant, on travaille dans l'espace ou dans la chaînette.
Pour travailler la chaînette entre les points, piquez sous les deux brins supérieurs et ramenez une boucle (A).
Pour travailler un espace de chaînette entre les points, piquez sous la chaînette et faites une maille ou un groupe de mailles au-dessus de la chaîne (B).

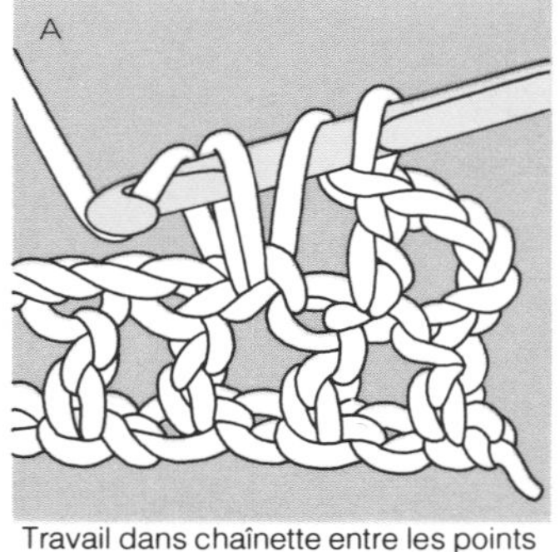

Travail dans chaînette entre les points

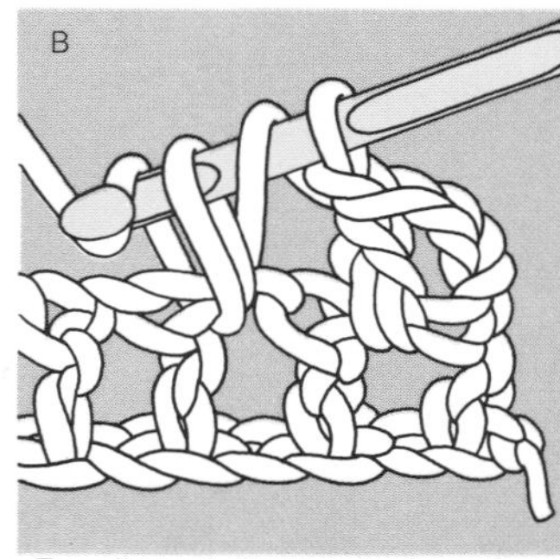

Travail sur chaînette entre les points

Le travail autour de la tige (la tige verticale d'une bride) est une technique qui produit un effet à trois dimensions. Bien qu'illustrée ici en brides simples, cette technique peut aussi s'appliquer à la maille serrée et à la bride double. Les points de tige peuvent se faire devant ou derrière ou alternativement devant et derrière pour un même point (p. 373 et p. 398).

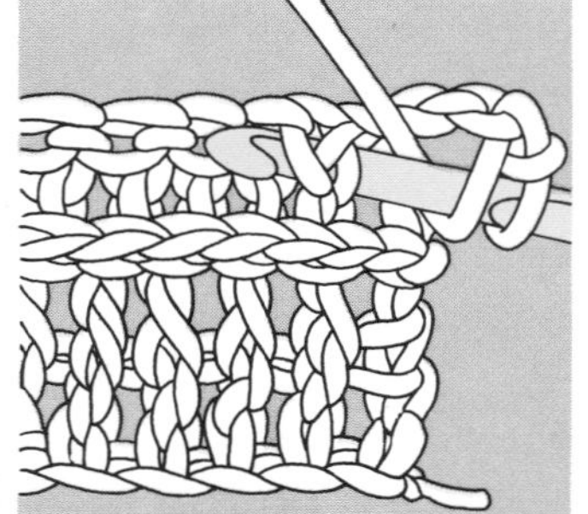

Pour travailler une tige bs par-derrière, commencez par faire un jeté, piquez le crochet d'avant en arrière entre les 2 mailles suivantes et ramenez-le derrière la deuxième maille (le crochet est alors horizontal). Complétez la bride simple.

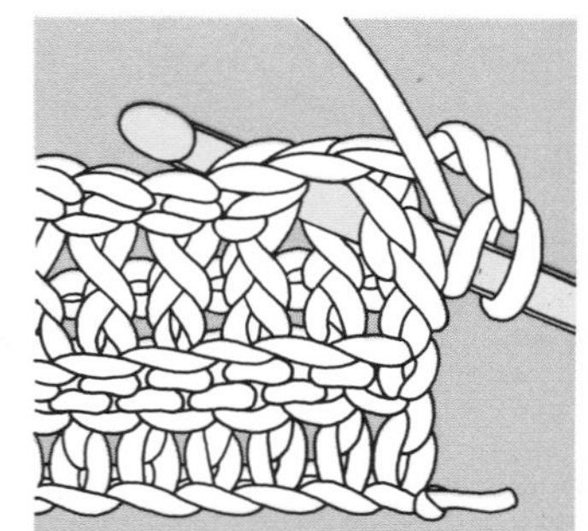

Pour travailler une tige bs par-devant, commencez par faire un jeté, piquez le crochet d'arrière en avant entre les 2 points suivants et ramenez-le vers l'arrière en passant devant la tige (le crochet est alors horizontal). Complétez la bride simple.

Point de chaînette 360-361
Abréviations du crochet 366

La chaînette double fait une base plus solide que la simple. Elle peut aussi servir d'attache ou de garniture.

Faites un nœud coulant, 2 mailles chaînette, 1 maille serrée dans la 2e cht, *piquez le crochet dans la boucle gauche de la ms, ramenez le fil à travers (A); il y a 2 boucles sur le crochet (B); 1 jeté, ramenez à travers les 2 boucles (C).* Répétez jusqu'à ce que la chaînette atteigne la longueur désirée.

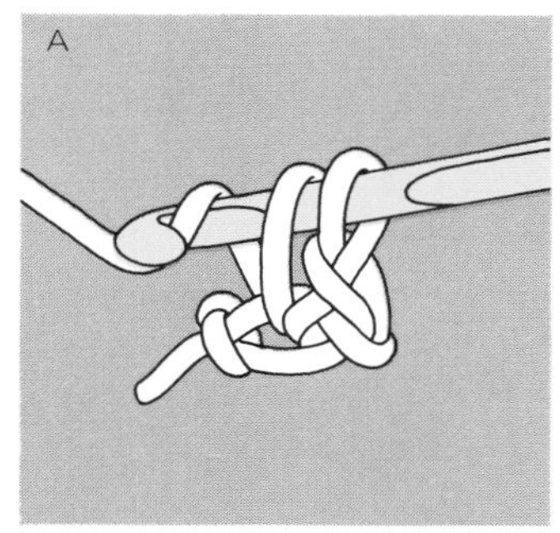

Piquez dans boucle gauche de ms

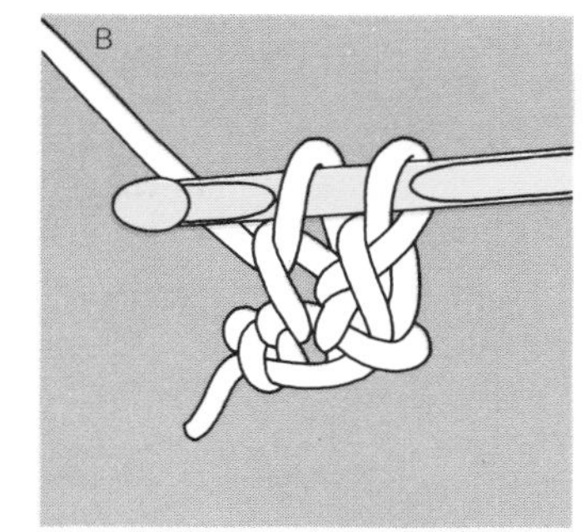

Deux boucles sur le crochet

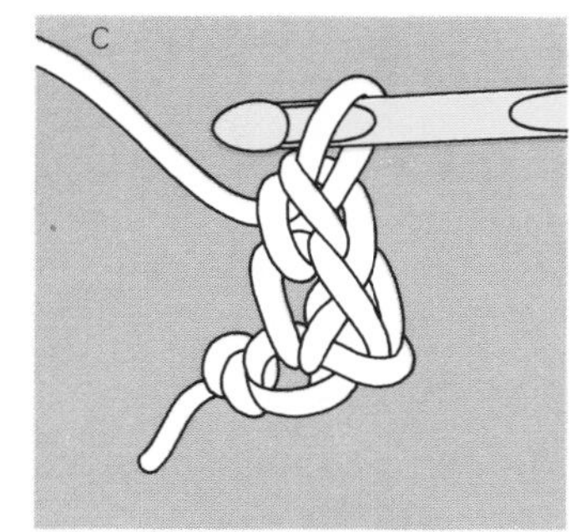

Fil ramené à travers 2 boucles

La bride simple doublée donne un tissu solide et fort épais.
Nombre quelconque de mailles
Rg 1 : *1 bs dans chaque maille*, 3 cht, tournez
Rg 2 : en tenant l'ouvrage de côté, sautez 1 m, *1 jeté, piquez dans brin arr de la m suivante et de la cht correspondante (chaîne de montage), saisissez le fil (A); tirez-le à travers les 2 bcle arr et complétez la bride simple (B)*. Répétez, 3 cht, tournez. Répétez rg 2 en piquant dans brin arr de chaque bs du rg en cours et du rg précédent (C).

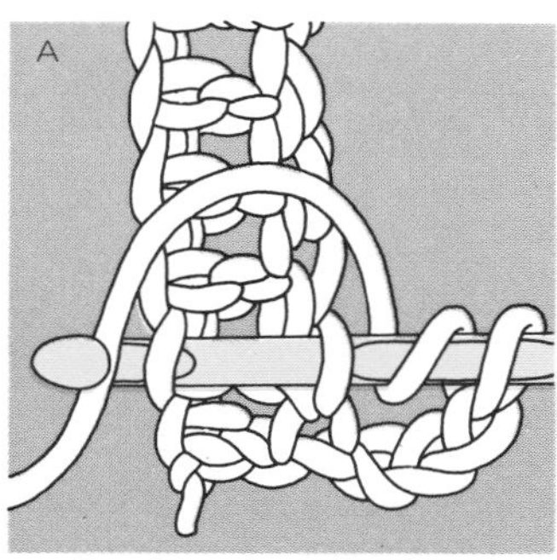

Sous 2 boucles arrière du rg 1

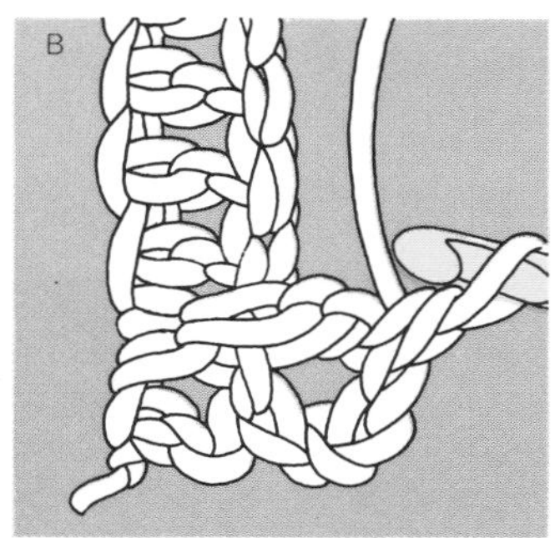

Bride simple complétée au rg 2

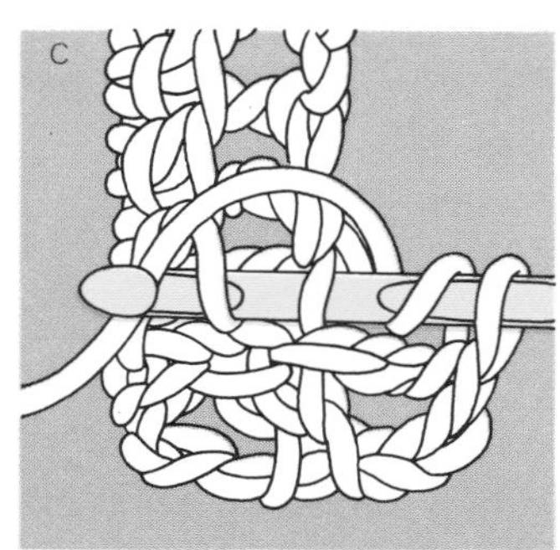

Début de la 1re maille du rg 3

Grille jardinière : ce point est composé d'une série de mailles allongées retenues par des nœuds doubles et entrecroisées à la façon d'un filet. On peut étirer une boucle sur environ 1 cm (½"); avec un fil épais, on peut l'étirer un peu plus. Il faut cependant avoir un ouvrage qui a une bonne tenue. L'important est de faire des boucles allongées égales entre elles. En suivant les instructions à droite pour la formation du 1er nœud, faites très attention à l'insertion du crochet une fois la seconde boucle passée dans la maille allongée (A).

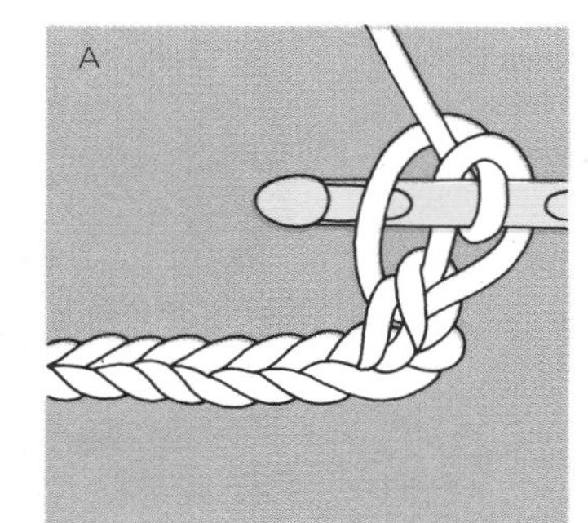

Faites 1 ms dans la 2e maille à partir du crochet, *allongez la boucle de 1 cm, 1 jeté, tirez le crochet vers l'avant de la maille allongée puis passez-le sous le fil tiré pour la nouvelle boucle (A), terminez par 1 ms.* Ceci complète un nœud simple.

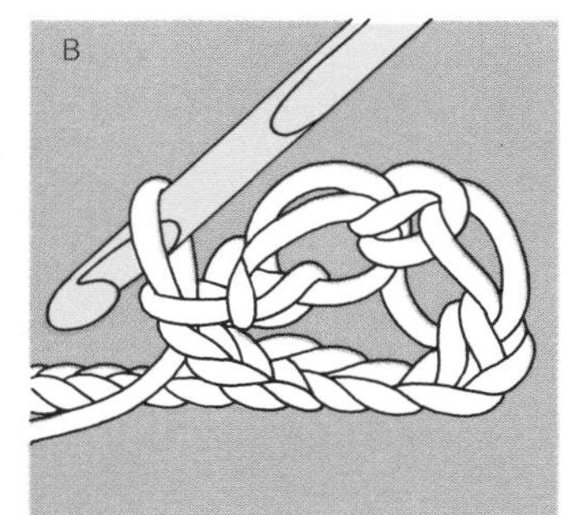

Répétez les instructions entre astérisques et vous aurez fait un *nœud double*. *Sautez 3 cht, faites 1 ms dans la cht suivante (B), puis un double nœud.* Répétez les dernières instructions d'un * à l'autre, tout au long du rang et terminez par 3 nœuds simples.

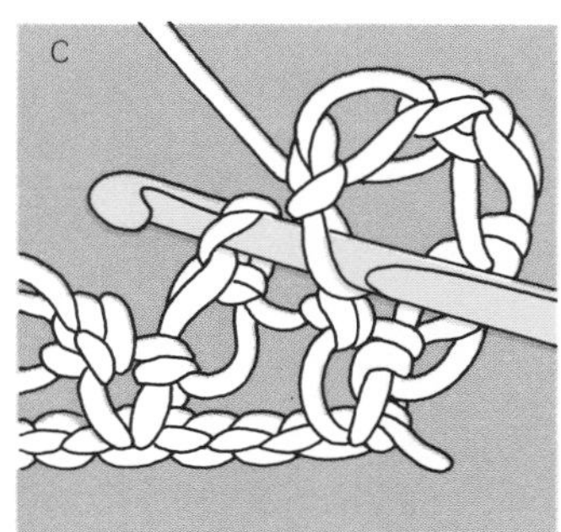

Tournez, *crochetez 1 ms au centre du nœud double suivant (C) et faites un nœud double.* Répétez les dernières instructions entre astérisques tout au long du rang et terminez par un nœud simple. Ce rang sert à former un point que l'on retrouvera p. 381.

Directives du crochet

Abréviations du crochet

Pour écrire les directives du crochet, on utilise un vocabulaire spécial souvent présenté sous forme d'abréviations ou de symboles. Le tableau ci-dessous reproduit les abréviations employées dans ce livre ainsi que leur signification.

Nous avons également indiqué en face de chaque abréviation le numéro de la page où le point abrégé est décrit. Si vous consultez d'autres revues, vous trouverez sans doute des abréviations et, parfois, des appellations différentes.

Habituellement les techniques sont illustrées afin d'éviter ce genre de confusion. En plus des instructions écrites du crochet, vous pouvez trouver les directives sous forme de grille. La grille utilise des symboles (pp. 390 et 392).

arr	arrière
aug	augmentez, augmentation
av	avant
bcle(s)	boucle ou boucles
bd	bride double, p. 363
bs	bride simple, p. 362
bt	bride triple, p. 363
btd	bride triple double, p. 363
chq	chaque
cht	chaînette, mailles en l'air, point chaînette, maille chaînette, p. 360
cont	Continuez l'ouvrage selon le modèle mais sans augmentation ni diminution
db	demi-bride, p. 362
dble	double
ds	dans
ens	ensemble
esp	espacez, espace
fs	fois
jus	jusqu'à ce que ou jusqu'à
m	maille(s)
mc	maille coulée, p. 363
ms	maille serrée, p. 362
rép	répétez
rg(s)	rang ou rangs
st	sautez, passez
suiv	suivant ou suivante
tige bs	la tige d'une bride simple et le travail autour de la tige d'une bride simple, p. 364
* *	Les instructions entre astérisques doivent être répétées autant de fois qu'elles tiennent dans un rang
( )	les indications contenues entre parenthèses doivent être exécutées dans l'ordre donné selon les instructions qui suivent la parenthèse. Ce sont tantôt les différents temps d'un même point, tantôt les détails d'un motif à répéter un certain nombre de fois
[ ]	les instructions entre crochets indiquent la marche à suivre pour un point donné ou pour une technique particulière

Toutes nos mesures sont indiquées d'abord en système métrique, puis, entre parenthèses, en système impérial. Dans tous les cas où l'on n'a qu'une seule mesure, elle est métrique.

Vérification des mesures

Faire un échantillon est une étape aussi importante pour le crochet que pour le tricot. On indique dans les directives le nombre de mailles et de rangs qu'il faut exécuter pour obtenir un carré de 5 centimètres (2″) de côté ou, parfois, on indique le nombre de mailles et le nombre de rangs pour une mesure donnée.

Faites un échantillon de 10 centimètres (4″) de côté en vous servant du fil et du crochet mentionnés dans les directives. Vous devez obtenir un carré parfait. Mesurez. Si vous n'obtenez pas les mesures exactes, recommencez l'échantillon avec un crochet plus gros ou plus petit, selon le cas.

Pour mesurer le nombre de mailles, placez l'échantillon parfaitement à plat, comptez les mailles entre 2 épingles piquées à 5 cm (2″) de distance.

Pour mesurer le nombre de rangs, piquez 2 épingles à 5 cm (2″) de distance et comptez le nombre de rangs, en prenant soin de ne pas étirer l'échantillon.

Fourre-tout

Point arrière 345
Point de surjet 345

Un joli fourre-tout, facile à exécuter.
Fournitures : 5 écheveaux de 225 g (8 oz) de laine à tapis : 1 rouge, 2 bleus, 2 beiges; 1 crochet nº 6 (4); 2 goujons de 35 cm × 2 cm (14″×¾″)
Echantillon : 5 ms = 5 cm (2″), 8 rgs = 7,5 cm (3″)
1re poignée : montez 11 cht en bleu
Rg 1 : st 1 cht, 10 ms, 1 cht, tournez
Rg 2 : 1 ms ds chq m, 1 cht, tournez
Rép rg 2 15 fs, arrêtez. Faites la 2e poignée de la même façon.
Bordure du haut : montez 8 cht, 10 ms le long de la 1re poignée, 17 cht, 10 ms sur la 2e poignée, 9 cht, tournez
Sac : st 1 cht, 1 ms ds chq cht et chq m (un total de 53 ms), 1 cht et tournez. Crochetez encore 7 rgs en bleu, attachez le fil rouge à la dernière ms (illustration à droite), 1 cht, tournez. Crochetez 2 rgs rouges, 4 rgs beiges, 4 rgs rouges, 8 rgs bleus, 2 rgs rouges, 38 rgs beiges, 2 rgs rouges, 8 rgs bleus, 4 rgs rouges, 4 rgs beiges, 2 rgs rouges, 8 rgs bleus, arrêtez.
3e poignée : st 8 ms, fixez le fil bleu, crochetez 10 ms, tournez, crochetez 17 rgs, arrêtez.
4e poignée : st les 17 ms du centre, fixez le fil bleu, crochetez 10 ms sur 18 rgs, arrêtez. Cousez les côtés, le fond et les poignées (description ci-dessous). Introduisez les goujons.

JONCTION DE DEUX BRINS

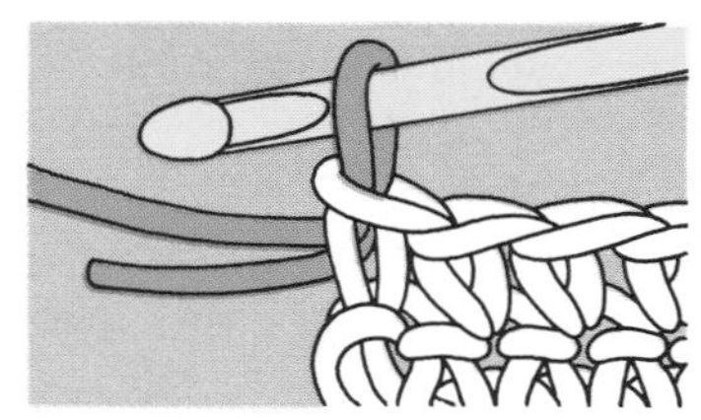

Jonction de deux fils à la fin d'un rang : ramenez une boucle du nouveau fil dans les 2 dernières mailles du rang.

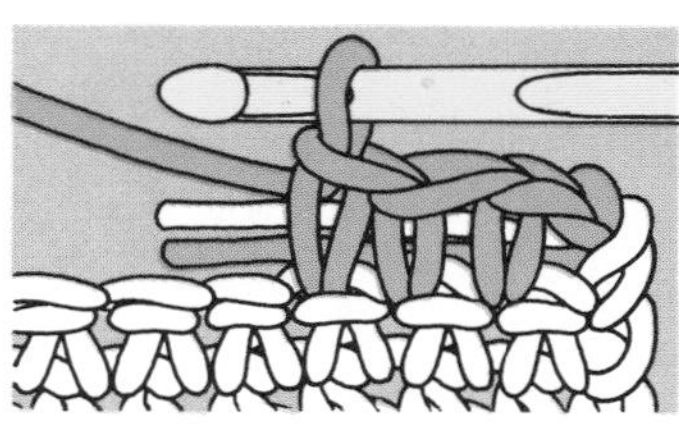

Coupez le premier fil à 5 cm (2″); 1 cht, tournez. Couchez les deux bouts sur le rang et faites de 4 à 5 points dessus.

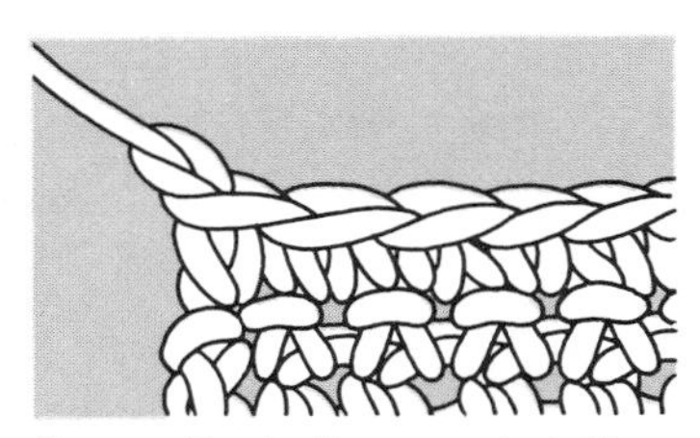

Pour arrêter le fil, coupez-le à 15 cm (6″) environ du bout. Passez ce fil à travers la dernière boucle et serrez.

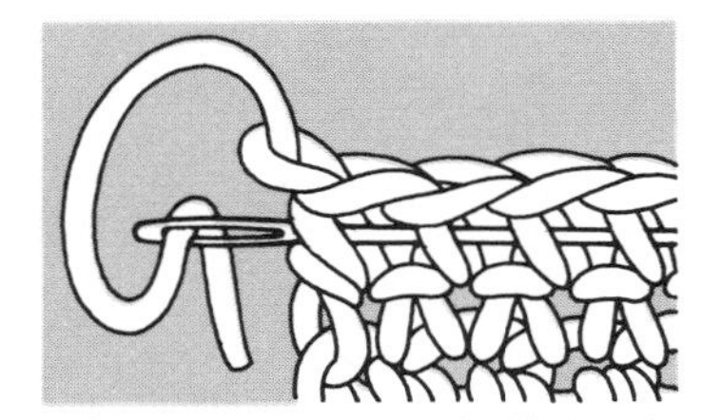

Enfilez ce bout dans une aiguille à tapisserie à bout rond et glissez (5 cm) sous la chaînette finale. Coupez le reste.

Le sac mesure 37 cm (15″) de hauteur sur 35 cm (14″) de largeur et 15 cm (6″) de profondeur.

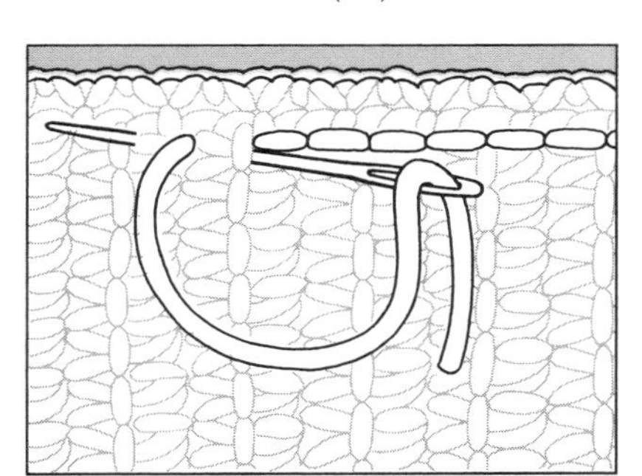

Pour joindre les côtés, pliez le sac en deux (endroit contre endroit), alignez les bords supérieurs. Allant du fond vers le bord, faites des points arrière, à un point du bord.

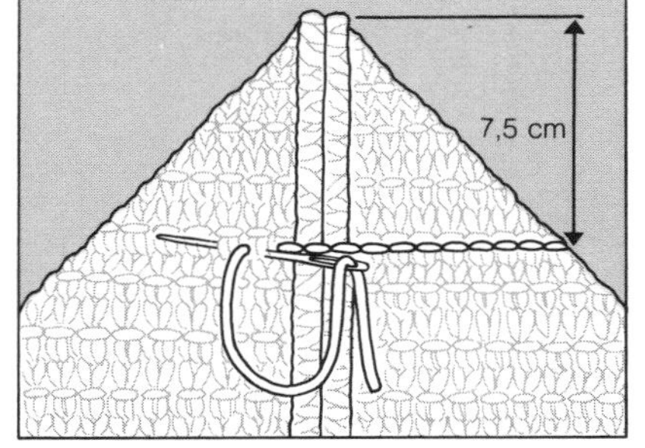

Pour former le fond, posez le sac à plat. La couture et les côtés aplatis formeront un triangle. Mesurez 7,5 cm (3″) à partir de la pointe du triangle et cousez-en la base au point arrière.

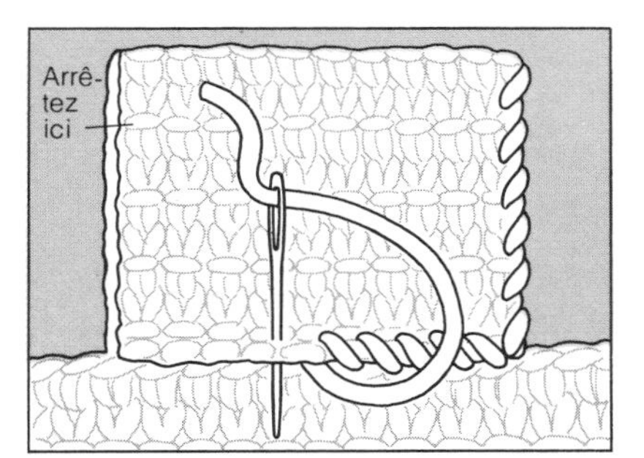

Pour coudre les poignées, pliez-les en deux et alignez-les sur le bord du sac. Surjetez tous les côtés en laissant une ouverture sur le côté central pour les goujons.

Directives du crochet

Bagues 273
Anneau crocheté 370

Façonnage

Au crochet, le façonnage se fait au moyen d'augmentations et de diminutions. Vous en trouverez des exemples page ci-contre et aux pages 370-371.

Augmenter d'une seule maille se fait en piquant le crochet deux fois dans la même maille. Pour que la progression soit régulière, placez une bague (ou un fil de couleur différente) au début de l'augmentation. Pour faire une inclinaison vers la droite, augmentez avant la bague; vers la gauche, augmentez après la bague. Au rang suivant, afin de maintenir la même inclinaison, inversez ces directives.

Diminuer d'une seule maille se fait en ramenant à travers deux boucles successives une seule boucle finale. Il faut également surveiller l'inclinaison faite par les diminutions successives.

Augmentations

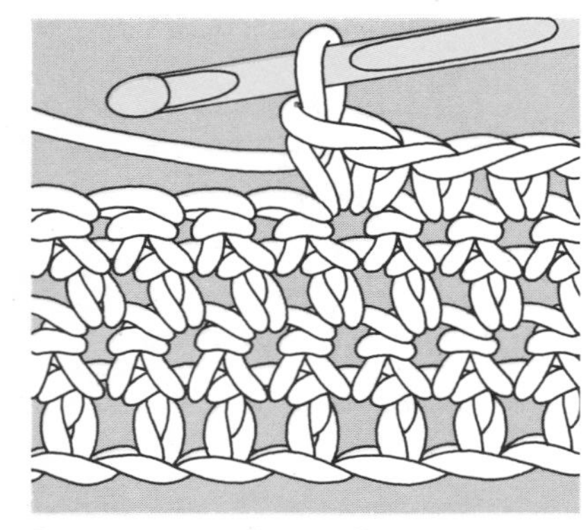

Pour augmenter d'une maille, crochetez 2 pts dans la même maille. L'exemple montre des ms mais cette règle s'applique à tous les points.

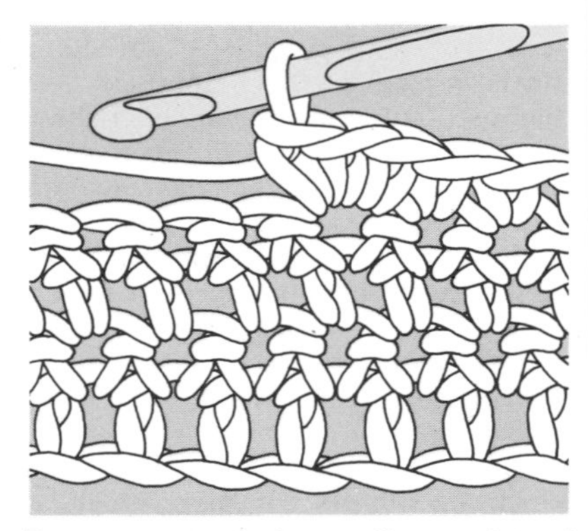

Pour augmenter de deux mailles, crochetez 3 pts dans la même maille. L'exemple montre des ms mais cette règle s'applique à tous les points.

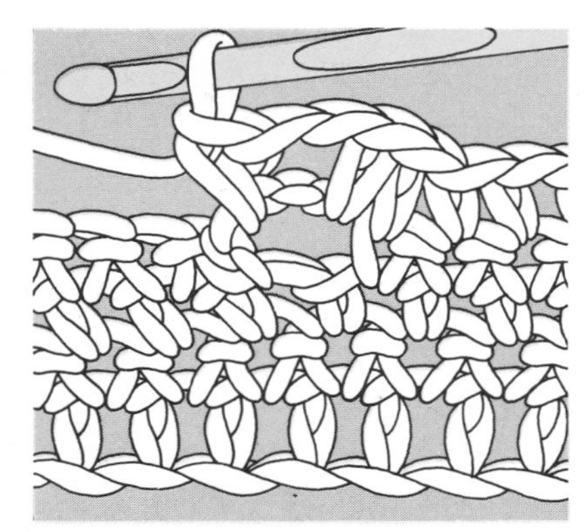

Pour faire un chevron ajouré, ajoutez 2 mailles en l'air au point voulu. Aux rangs suivants, crochetez (1 m, 2 cht, 1 m) dans l'espace des 2 m en l'air du rang précédent.

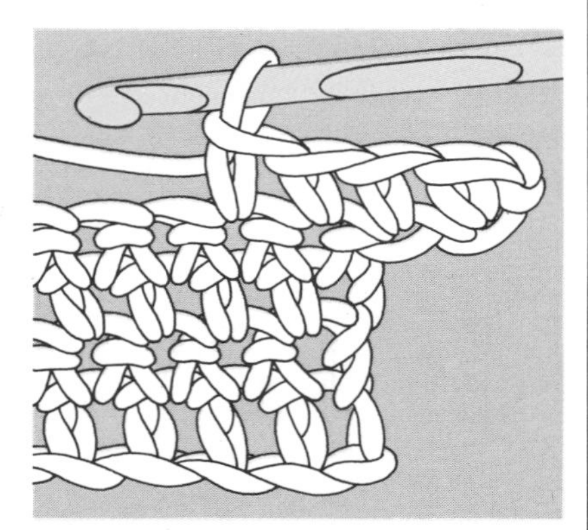

Pour augmenter de plusieurs mailles à une extrémité, comme pour une manche, faites une chaînette de la longueur voulue et, au retour, travaillez sur cette chaînette le point du modèle.

Diminutions

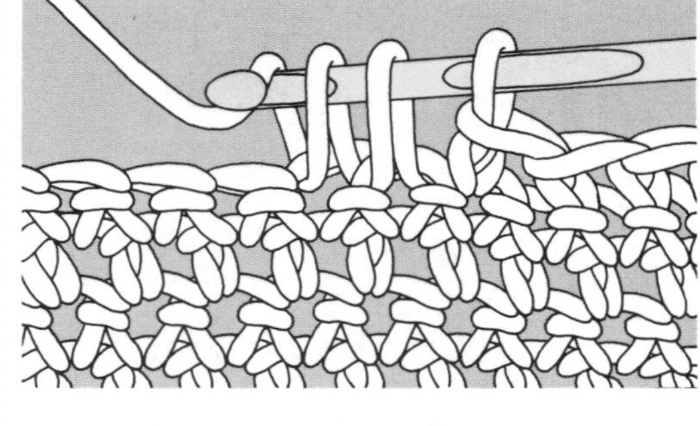

Pour diminuer d'une maille serrée ou d'une demi-bride, piquez le crochet dans 1 maille, tirez 1 boucle; piquez le crochet dans la maille suivante, tirez 1 boucle (3 boucles sur le crochet), 1 jeté et ramenez-le à travers les 3 boucles.

Si la diminution se produit au début du rang, vous n'avez qu'à sauter la première maille au lieu de travailler 2 mailles ensemble. Si la diminution est à la fin, sautez l'avant-dernière maille.

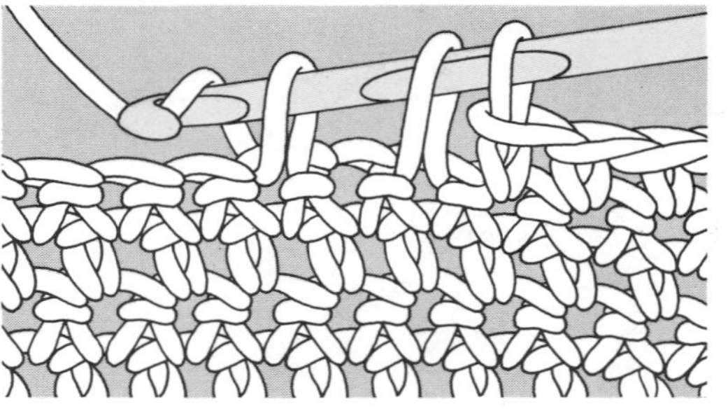

Pour diminuer de 2 mailles serrées ou de 2 demi-brides, piquez le crochet dans 1 maille, tirez une boucle, sautez 1 maille, piquez le crochet dans la suivante et tirez une boucle (3 boucles sur le crochet); 1 jeté et ramenez-le à travers les 3 boucles.

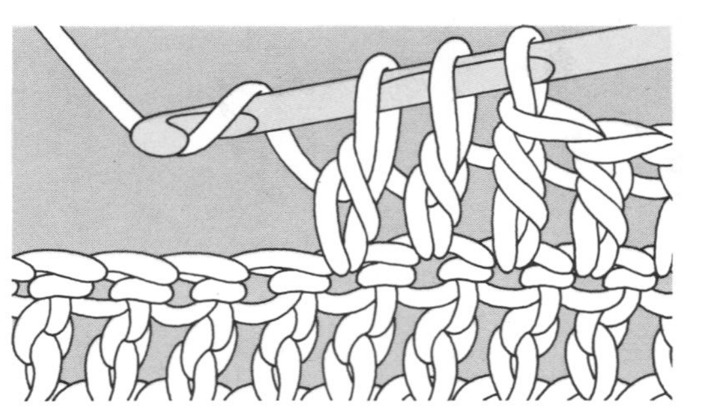

Pour diminuer d'une bride simple, faites 1 jeté, piquez le crochet, tirez 1 boucle, 1 jeté ramené à travers 2 boucles; 1 jeté, piquez le crochet, tirez 1 boucle, 1 jeté ramené à travers 2 boucles (il y a maintenant 3 boucles sur le crochet), 1 jeté ramené à travers ces 3 boucles.

Si la diminution s'effectue au début ou à la fin du rang, il n'y a qu'à sauter la première ou l'avant-dernière maille.

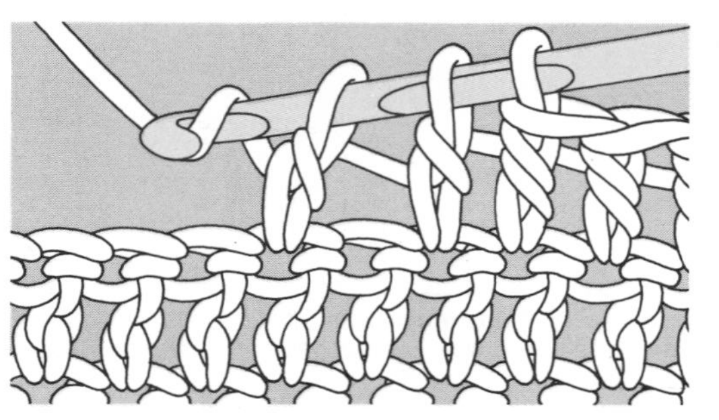

Pour diminuer de 2 brides simples, faites 1 jeté, piquez; tirez une boucle, 1 jeté ramené à travers 2 boucles, sautez la maille suivante, 1 jeté, piquez dans la maille suivante, tirez une boucle, 1 jeté ramené à travers 2 boucles (3 boucles sur le crochet), 1 jeté ramené à travers 3 boucles.

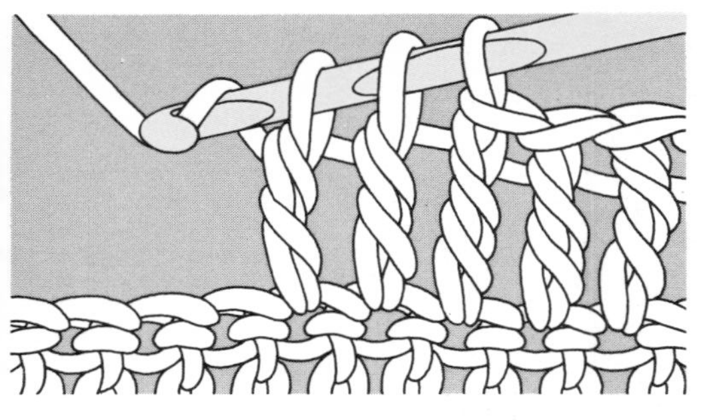

Pour diminuer d'une bride double, faites 2 jetés, piquez le crochet dans la maille, tirez une boucle, 1 jeté ramené à travers 2 boucles, 1 autre jeté ramené à travers 2 boucles (2 boucles sur le crochet); 2 jetés, piquez le crochet dans la maille suivante, tirez une boucle, 1 jeté ramené à travers 2 boucles, 1 autre jeté ramené à travers 2 boucles (3 boucles sur le crochet), 1 jeté ramené à travers ces 3 boucles.

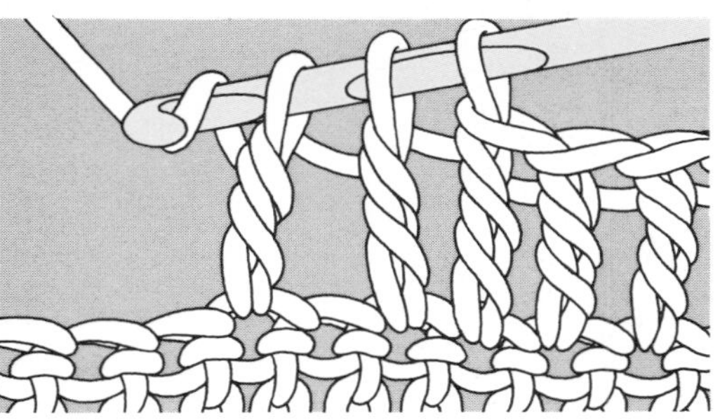

Pour diminuer de 2 brides doubles, répétez l'opération précédente mais en sautant une maille entre les 2 brides incomplètes.

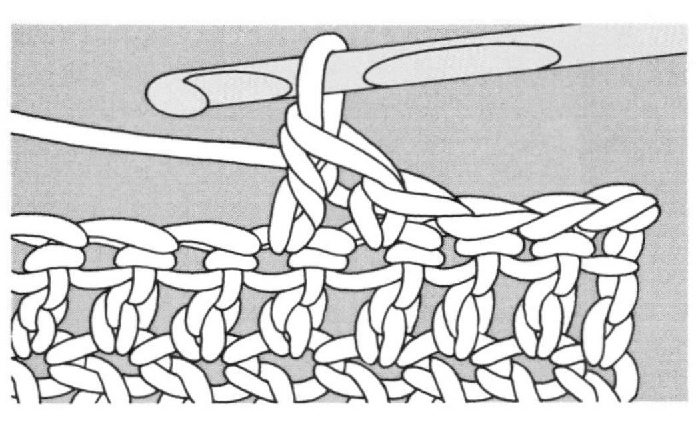

Pour diminuer de plusieurs mailles au commencement d'un rang (afin d'atténuer les escaliers obtenus, ne faites pas la maille en l'air pour tourner), crochetez en mailles coulées les mailles à soustraire; faites 1 maille serrée dans la maille suivante puis continuez le point. Ne crochetez pas les mailles coulées au retour.

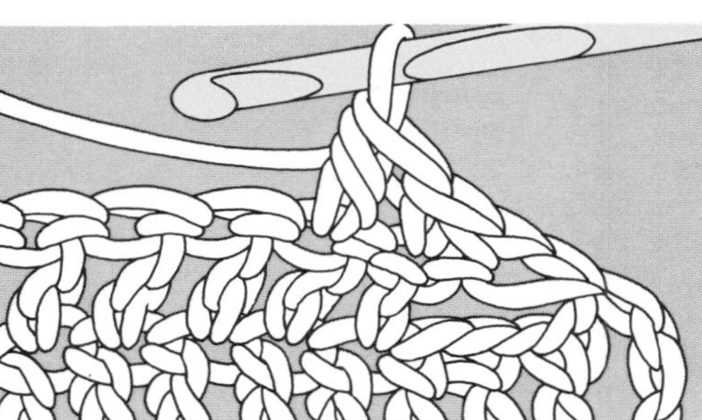

Pour diminuer de plusieurs mailles à la fin d'un rang (afin d'atténuer les escaliers obtenus, ne travaillez pas les points à soustraire), faites 1 maille coulée, 1 maille en l'air et tournez. Sautez la maille coulée et crochetez une maille serrée dans la maille suivante, puis continuez le point.

Formes géométriques travaillées en rangées

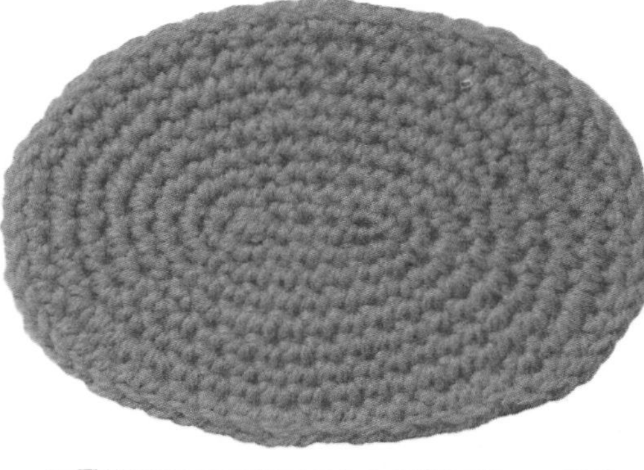

Ovale : les points se font toujours autour d'une chaînette.
Montez 6 cht
Rg 1 : st 1 cht, 1 ms dans les 4 cht suiv, 3 ms dans la dernière; renversez l'ouvrage (un demi-tour).
Rg 2 : 1 ms dans les 5 cht (travaillant dans les demi-m qui restent après l'exécution du rg 1), 3 ms dans cht sautée au rg 1; crochetez le rg suiv ds chq m du rg 1
Rg 3 : *1 ms dans chq m,* 2 ms dans dernière m, 2 ms dans m du bout, 2 ms dans m qui commence le côté opposé. Répétez le rg 3, augmentant au besoin.

Triangle : formé par des augmentations tous les 2 rangs, 1 maille au début, 1 maille à la fin. Le triangle peut devenir un losange.
Montez 2 cht
Rg 1 : 1 ms, tournez
Rg 2 : 3 ms dans la ms, 1 cht, tournez
Rg 3 : 2 ms dans 1re ms, 1 ms dans les 2 ms suiv, 2 ms dans dernière ms, 1 cht, tournez
Rg 4 : *1 ms dans chq ms,* 1 cht, tournez
Rg 5 : 2 ms dans 1re ms, *1 ms dans ms suiv* 2 ms dans dernière ms, 1 cht, tournez
Rép rgs 4 et 5 autant de fois que nécessaire pour obtenir la dimension voulue; arrêtez.

Carré : formé par des augmentations au centre de chaque rang.
Montez 2 cht
Rg 1 : 3 ms dans 2e cht à partir du crochet, 1 cht, tournez
Rg 2 : 1 ms dans 1re m, 3 ms dans suiv, 1 ms dans dernière m, 1 cht, tournez
Rg 3 : 1 ms dans chq des 2 premières m, 3 ms dans suiv, 1 ms dans chq des 2 dernières m, 1 cht, tournez
Rg 4 : 1 ms dans chq des 3 premières m, 3 ms dans m suiv, 1 ms dans chq des dernières m, 1 cht, tournez
Continuez comme au rg 4, crochetant 1 ms dans chq m, sauf celle du centre où il faut 3 ms.

Maille coulée 363 **Bagues 273**
Tige 364

Formes géométriques travaillées en rond

Le crochet en rond, ainsi que le tricot en rond, permet de faire, sans coutures, des formes tubulaires. On peut aussi réaliser en rond des figures de la géométrie plane, comme le cercle, le carré ou l'octogone. On commence toujours par un anneau autour duquel l'ouvrage s'élabore.

Les formes concentriques commencent, à chaque tour, par une maille en l'air (remplaçant la première maille) et finissent par une maille coulée dans la première maille chaînette (illustration D, ci-dessous). Des exemples de cette technique sont illustrés à droite : un cercle, un carré et un octogone. Les motifs de patchwork peuvent aussi être faits avec cette technique (pp. 378-379). Les angles de ces motifs sont faits par des augmentations de deux ou quatre mailles les unes au-dessus des autres.

Les spirales sont faites de tours continus, c'est-à-dire sans maille en l'air au début du tour ni maille coulée à la fin. Il est très important de placer une bague à la fin du premier tour et de l'avancer chaque fois qu'un tour est complété.

Les tubes sont aussi travaillés en spirale. Pour former un tube, il faut préparer un anneau ayant le diamètre voulu et continuer à crocheter autour (habituellement en mailles serrées) sans augmentation ni diminution jusqu'à ce que l'on ait atteint la longueur désirée.

A

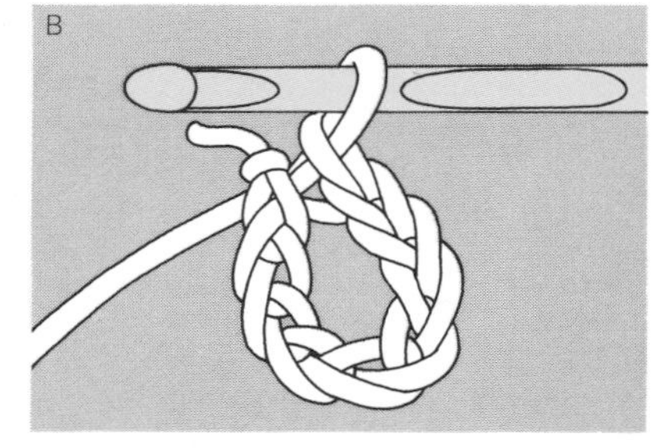

Pour faire un anneau : commencez par une chaînette dont la première et la dernière boucle sont réunies par une maille coulée (A et B). Il faut compter 1 cht pour 2 à 4 m du premier rang.

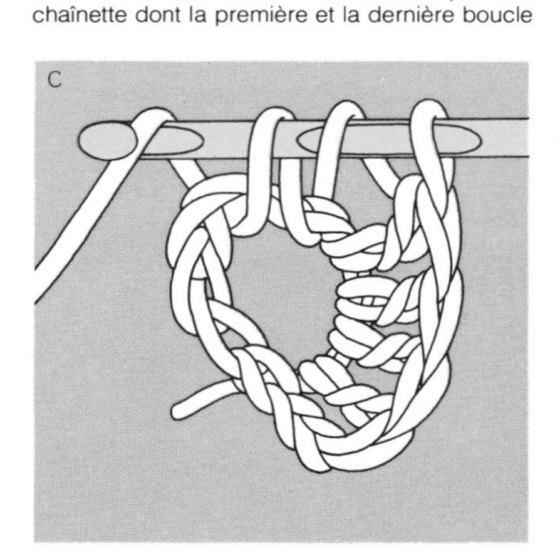

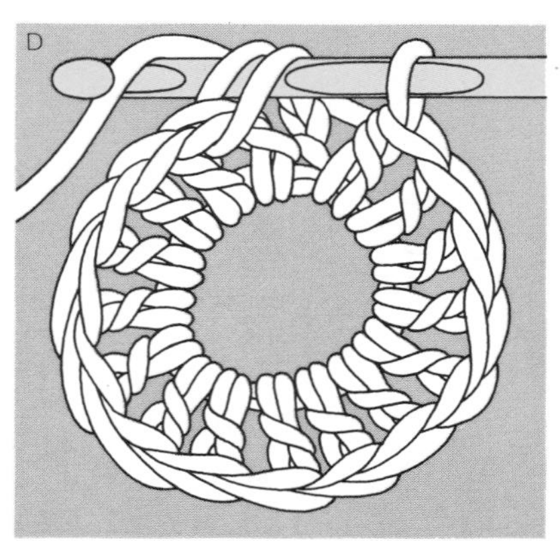

Formez les mailles ou les brides du premier tour autour de l'anneau (C); pour les tours concentriques, fermez avec une maille coulée au sommet des mailles chaînette du début (D).

Cercle : formé de tours concentriques, crochetés avec assez d'augmentations pour que l'article reste parfaitement plat. En règle générale, il faut ajouter à chaque tour le nombre de mailles du départ.
Montez 6 cht et fermez l'anneau par 1 mc
Tour 1 : 3 cht, 11 bs dans l'anneau, 1 mc au sommet de la cht du début (12 mailles au total)
Tour 2 : 3 cht, 1 bs dans mc, 2 bs dans chaque bs du tour 1, 1 mc au sommet de la cht du début (24 m)
Tour 3 : 3 cht, 2 bs dans bs suiv, (1 bs dans bs suiv, 2 bs dans bs suiv) 11 fs, 1 mc au sommet de la cht (36 m)
Pour continuer, on augmente toutes les 3 m au tour suiv; toutes les 4 m au tour d'après, et ainsi de suite, ce qui donne 12 mailles de plus à chaque tour.

Carré : on peut employer tout point qui donne, au premier tour, un nombre de mailles divisible par 4.
Montez 6 cht et fermez l'anneau par 1 mc
Tour 1 : 3 cht, 2 bs sur l'anneau, 1 cht, (3 bs dans l'anneau, 1 cht) 3 fs, 1 mc au sommet de la cht du début (12 m en tout)
Tour 2 : 3 cht, 1 bs dans 2 m suiv, *(2 bs, 1 cht, 2 bs) dans esp, 1 bs dans chq des 3 m suiv,* (2 bs, 1 cht, 2 bs) dans dernier esp, 1 mc au sommet cht du début (28 m en tout)
Tour 3 : 3 cht, 1 bs dans chq des 4 m suiv, *(2 bs, 1 cht, 2 bs) dans esp, 1 bs dans chq des 7 m suiv,* (2 bs, 1 cht, 2 bs) dans dernier esp, 1 bs dans chq des 2 m suiv, 1 mc au sommet cht du début (44 m)
Continuez également de chaque côté, ajoutez (2 bs, 1 cht, 2 bs) à chq coin.

Octogone : comme un carré mais avec 2 augmentations au lieu de 4 à chq angle. Le nombre de mailles au 1er tour doit être divisible par le nombre de côtés (8).
Montez 4 cht et fermez l'anneau par mc
Tour 1 : 2 cht, 1 db ds anneau, 1 cht, (2 db ds anneau, 1 cht) 7 fs, 1 mc ds tête de cht du début (16 m en tout)
Tour 2 : 2 cht, 1 db ds m suiv, *(1 db, 1 cht, 1 db) ds chq esp, 1 db ds chq des 2 m suiv,* (1 db, 1 cht, 1 db) ds dernier esp, 1 mc au sommet de cht du début (32 m en tout)
Tour 3 : 2 cht, 1 db ds 3 m suiv, *(1 db, 1 cht, 1 db) ds chq esp, 1 db ds chq des 4 m suiv,* (1 db, 1 cht, 1 db) ds dernier esp, mc au sommet de cht début (48 m en tout).
Continuez en ajoutant (1 db, 1 cht, 1 db) à chq angle.

Chapeaux au crochet

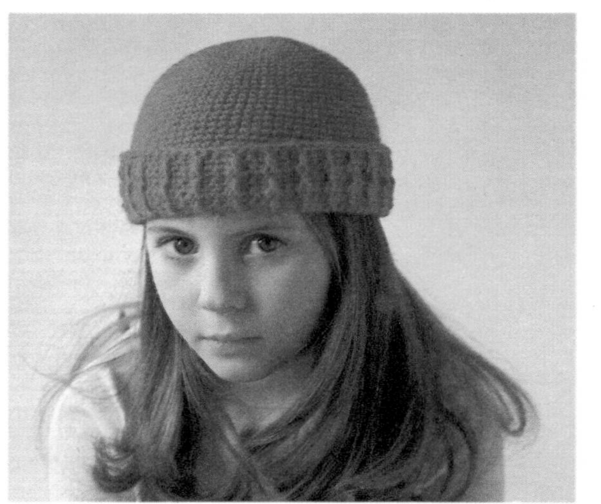

TUQUE POUR DAME
Tour de tête : 53 cm à 58 cm (21″-23″)
Fournitures : 115 g de fil peigné, crochet nº 3,50 (9)
Echantillon : 9 ms = 5 cm (2″)
Couronne : 3 cht, fermez l'anneau avec mc
Tour 1 : 1 cht, 9 ms dans l'anneau, marquez la fin du tour avec une bague qu'on déplace à chaque tour
Tour 2 : 2 ms dans chaque m du tour 1 (18 mailles en tout)
Tour 3 : *1 ms dans m suiv, 2 ms dans m suiv* (27 ms en tout)
Tour 4 : *1 ms dans 2 ms suiv, 2 ms dans ms suiv* (36 ms en tout)
Tour 5 : *1 ms dans 3 ms suiv, 2 ms dans ms suiv* (45 ms en tout)
Tour 6 : 1 ms dans chaque point sans augmentation. Crochetez 7 tours de plus, en augmentant de 9 ms tous les 2 tours. Vous aurez 81 ms à la fin du 13e tour. Ajoutez 9 ms au 14e et au 15e tour (99 ms en tout); cont sans aug jus le chapeau mesure 17,5 cm (7″) à partir du centre de la couronne.
Bord : au 1er tour, aug toutes les 4 m (124 ms en tout); cont sans aug jus le bord mesure 5 cm (2″). De gauche à droite sur l'endroit, 1 ms dans chq m, 1 mc dans 1re ms, arrêtez. Coupez le fil et arrêtez-le.

BÉRET
Un style classique en toute saison.
Fournitures : 115 g de laine peignée, crochet nº 3,50 (9)
Echantillon : 7 db = 5 cm (2″)
Couronne : 4 cht, fermez anneau (mc)
Tour 1 : 8 db dans anneau, placez une bague que vous avancerez à chaque tour
Tour 2 : 2 db dans chq m
Tour 3 : *1 db dans m suiv, 2 db dans m suiv* (24 m au total)
Tour 4 : *1 db dans chq des 2 m suiv, 2 db dans m suiv* (32 db au total)
Tour 5 : ajoutez 8 db à ce tour, une à toutes les 4 m (40 db au total)
Tours 6 et 7 : aug de 10 db à chq tour (60 db au total)
Tours 8, 9, 10, 11, 12 : aug de 6 db à chq tour (90 db au total)
Tours 13, 14 : aug de 10 db à chq tour (110 db au total)
Tours 15, 16, 17 : sans aug ni dim
Tours 18, 19, 20, 21 : dim de 10 db à chq tour (70 db au total)
Bord : crochetez 6 tours de ms, joignez le dernier tour par 1 mc dans chq ms.

TUQUE POUR ENFANT
Pour un enfant de 4 à 8 ans
Fournitures : 115 g de laine sport, crochet nº 3,50 (9).
Echantillon : 9 ms = 5 cm (2″)
Couronne : travaillez 13 tours en suivant les instructions de la tuque pour dame. Continuez sans aug sur les 81 ms jus le chapeau mesure 16,25 cm (6½″) à partir du centre de la couronne; fermez le dernier tour par 1 mc.
Revers : crochetez sur l'envers.
Rg 1 (envers) : 1 ms dans la mc du dernier tour, 1 ms dans chacune des 80 ms suiv, 1 cht, tournez
Rg 2 : 1 ms dans chq ms, 1 cht, tournez
Rg 3 : 1 ms dans chq des 2 premières ms, bs autour de la tige de la 3e ms du rg 1 (1 jeté, piquez le crochet dans le devant de la tige de la 3e ms du rg 1, ramenez 1 boucle, 1 jeté, ramenez à travers 2 boucles, 1 jeté, ramenez à travers les 2 dernières boucles), *sautez 1 ms, 1 ms dans chacune des 2 ms suiv, 1 bs autour de la tige suiv du rg 1,* 1 cht, tournez
Rgs 4, 5, 6 : *1 ms dans chaque m,* 1 cht, tournez
Rg 7 : 1 ms ds chq des 2 premières ms, 1 bd dans la tige 3 rgs plus bas, *sautez 1 ms, 1 ms dans les 2 ms suiv, 1 bd dans la tige 3 rgs plus bas,* 1 cht, tournez
Rép les rgs 4, 5, 6, 7 encore une fois et arrêtez.
Tenez l'ouvrage à l'endroit, crochetez 1 rg de mc, puis surjetez les coutures à l'envers. Arrêtez; coupez le fil et glissez son extrémité dans la couture. Retournez le revers.

Points de crochet

Points de fantaisie

Un **point de fantaisie** est une suite de techniques, répétées pour former un tissu ouvré. On peut travailler en *rangs* ou en *tours*.

Pour travailler un point en rangs, commencez par faire une chaînette dont le nombre de mailles soit divisible par le nombre de mailles nécessaires pour compléter le motif horizontalement, plus les mailles supplémentaires requises, soit les mailles qui seront sautées au début du premier rang et, parfois, celles qui sont nécessaires à l'équilibre du point. (La maille sur le crochet n'est jamais comptée.) Après avoir complété tous les rangs du point, vous recommencez généralement au rang 2, le premier rang servant surtout de base. Si le point est complexe, servez-vous d'un compte-rangs et de bagues.

Pour travailler un point en tours, commencez par faire un anneau au point de chaînette ou un anneau en fil et faites le premier tour sur l'anneau même (p. 370). Tous les rangs subséquents sont travaillés à l'endroit; l'article est terminé quand vous avez atteint la mesure désirée.

Que l'on travaille en rangs ou en tours, il y a peu de différence entre les deux faces de l'ouvrage. Certains points tunisiens et certains points jacquards où les fils courent à l'envers font exception. A moins d'indications contraires, le premier rang commence l'endroit de l'ouvrage.

La plupart des points de fantaisie sont classés selon leur structure. En vous familiarisant avec ces structures, vous parviendrez à réaliser n'importe quel point d'après une illustration ou un échantillon. Les points de cette section sont groupés par genre (certains peuvent appartenir à plus d'une catégorie). Les points pleins, le premier groupe, donnent un tricot compact. Ils sont plus solides et moins souples que les points pleins du tricot.

Points pleins

Point d'œillet : deux mailles serrées toutes les deux mailles pour un tissu solide à motif folié.
Multiple de 2 cht plus 2
Rg 1 : st 3 cht, 2 ms dans cht suiv, *st 1 cht, 2 ms dans cht suiv,* 2 cht, tournez
Rg 2 : *st 1 m, 2 ms dans cht suiv,* 2 cht, tournez
Rép à partir du rg 2

Point de mailles doubles
Multiple de 2 cht plus 2
Rg 1 : st 2 cht, 1 m dble [piquez le crochet dans cht suiv, 1 jeté, ramenez 1 bcle, piquez le crochet dans cht suiv, ramenez 1 bcle, 1 jeté, ramenez à trav les 3 bcles], *1 m dble, piquant le crochet d'abord là où le 2e jeté précédent a été fait,* 2 cht, tournez
Rg 2 : *1 m dble dans chaque paire de m,* 1 m dble, piquant le crochet dans dernière m et sommet de la cht du début, 2 cht, tournez
Rép à partir du rg 2

Point granité I : produit par l'alternance de brides et de mailles serrées.
Multiple de 2 cht plus 2
Rg 1 : st 2 cht, 1 ms dans cht suiv, *1 bs, 1 ms,* 1 bs, 2 cht, tournez
Rg 2 : st 1re bs, *1 bs dans ms du rg précédent, 1 ms dans bs du rg précédent,* 1 bs dans 2e cht du rg précédent, 2 cht, tournez
Rép rg 2

Damiers de brides : des bandes alternées de mailles serrées et de brides
Multiple de 10 cht plus 6
Rg 1 : st 2 cht, 4 ms, *5 bs, 5 ms,* 3 cht, tournez
Rg 2 : st 1re m, 4 bs, *5 ms, 5 bs,* crochetez dernière bs au sommet de la cht au début du rg précédent, 2 cht, tournez
Rg 3 : st 1re m, 4 ms, *5 bs, 5 ms,* crochetez dernière ms au sommet de la cht pour tourner, 3 cht, tournez
Rép à partir du rg 2

Le point granité II : des mailles serrées crochetées sous la chaînette entre les tiges.
Multiple de 3 cht plus 3
Rg 1 : st 2 cht, 1 ms, *1 cht, st 1 cht, 1 ms,* 2 cht, tournez
Rg 2 : *1 ms ds espace cht du rg précédent, 1 cht*, 1 ms ds espace cht à tourner, 2 cht, tournez
Rép à partir du rg 2

Points de brides : des brides simples crochetées dans l'ordre inverse.
Multiple de 3 cht plus 2
Rg 1 : st 6 cht, 1 bs ds m suiv, 1 cht, 1 bs ds 4e cht du début (passant par-dessus la 1re ms), *st 2 cht, 1 bs, 1 cht, 1 bs ds la 1re des m sautées,* 1 bs ds dernière cht, 4 cht, tournez
Rg 2 : st 2 bs, 1 bs ds bs suiv, 1 cht, 1 bs ds dernière bs sautée, *st 1 bs, 1 bs ds bs suiv, 1 cht, 1 bs ds bs sautée,* 1 bs ds 3e cht à tourner, 4 cht, tournez
Rép à partir du rg 2

Point Judith : une longue diagonale en travers chaque groupe de 3 mailles.
Multiple de 4 cht plus 1
Rg 1 : st 1 cht, *1 ms dans chq cht,* 2 cht, tournez
Rg 2 : *st 1 m, 1 bs ds chq des 3 m suiv, piquez le crochet sous la dernière m sautée, 1 jeté ramené à travers une bcle allongée, 1 jeté ramené à travers 2 bcles,* 1 bs dans dernière m, 1 cht, tournez
Rg 3 : st 1 m, *1 ms ds chq m,* 1 ms ds la cht à tourner, 2 cht, tournez
Rép à partir du rg 2

Point carpette : un point solide pour les napperons ou les sacs à main.
Multiple de 2 cht plus 1
Rg 1 : st 1 cht, *1 ms ds chaque cht,* 1 cht, tournez
Rg 2 : 1 db, *st 1 m, 1 db ds m suiv, 1 db en piquant le crochet ds esp des 2 précédentes,* st 1 m, 1 db ds cht du commencement du rg précédent, 1 cht et tournez
Rg 3 : *1 ms, en piquant le crochet sous le brin antérieur de chq m de tête du rg précédent,* 1 cht, tournez
Rép à partir du rg 2

Point vannerie : on obtient un relief surprenant en crochetant autour des tiges d'abord devant puis derrière l'ouvrage (voir cette technique, p. 364).
Multiple de 6 cht
Rg 1 : st 3 cht, *1 bs ds cht suiv,* 2 cht, tournez
Rgs 2 et 3 : st 1 bs, *(1 tige bs av) 3 fois, (1 tige bs arr) 3 fois,* (1 tige bs av) 3 fois, 1 bs au sommet de la cht à tourner, 2 cht, tournez
Rgs 4 et 5 : st 1 bs, *(1 tige bs arr) 3 fs, (1 tige bs av) 3 fs,* (1 tige bs arr) 3 fs, 1 bs au sommet de la cht à tourner, 2 cht et tournez
Rép à partir du rg 2

Brides en relief : un point dont l'effet est obtenu, comme dans le précédent, en crochetant autour de la tige.
Multiple de 2 cht
Rg 1 : st 3 cht, *1 bs ds chq cht,* 1 cht, tournez
Rg 2 : *1 ms ds chq bs,* 2 cht, tournez
Rg 3 : *1 tige db av ds 1 bs du rg 1, 1 bs ds ms suiv,* 1 cht, tournez
Rg 4 : *1 ms ds tête de tige db, 1 ms entre tige db et bs,* 1 ms ds cht à tourner, 2 cht, tournez
Rg 5 : *1 tige db av ds 1 tige db de 2 rgs plus bas, 1 bs ds ms suiv,* 1 cht, tournez
Rép à partir du rg 4

Escaliers : un motif avançant en diagonale.
Multiple de 8 cht plus 3
Rg 1 : st 2 cht,* 1 bs ds chq cht,* 2 cht, tournez
Rgs 2 et 3 : st 1re bs, *4 tiges bs av, 4 tiges bs arr,* 1 bs ds tête cht au début de rg 1, 2 cht, tournez
Rg 4 : st 1 bs, 1 tige bs arr, *4 tiges bs av, 4 tiges bs arr,* 3 tiges bs arr, 1 bs ds cht à tourner, 2 cht, tournez
Rg 5 : st 1 bs, 3 tiges bs av, *4 tiges bs arr, 4 tiges bs av,* 4 tiges bs arr, 1 tige bs av, 1 bs ds cht à tourner, 2 cht, tournez
Rép à partir du rg 4, décalant le point de 1 maille à gauche à chaque rang pair

Quantité de fil nécessaire 393

Points de coquille

Les **points de coquille,** que l'on appelle également *écailles*, sont des groupes de trois points ou plus, exécutés dans une maille ou dans l'espace entre deux mailles. Ces points font penser à un éventail ou à un coquillage. La largeur et la profondeur d'une coquille dépendent du nombre de mailles qu'elle contient et de l'espace entre les mailles. Les mailles qui la composent peuvent être de même longueur ou de longueurs différentes créant, selon le cas, des coquilles symétriques ou asymétriques (pour les coquilles asymétriques, voir les exemples de droite, page ci-contre).

Même travaillées dans un point plein, la coquille semble être une dentelle. Les points de coquille, ouvrés avec un fil moyen ou épais, font de jolies couvertures. Avec un fil fin, ils font des châles, des vêtements habillés ou des articles de layette. On obtient toujours, avec les points de coquille, une belle bordure festonnée (p. 401).

A cause de leur structure élaborée, les points de coquille demandent un fil uni. Ils consomment une grande quantité de fil; les points pleins, par exemple, en prennent beaucoup moins. Lorsque vous calculez la quantité de fil nécessaire à l'exécution de votre projet, tenez compte du point choisi (p. 393).

Festons serrés : un point ferme, délicatement festonné.
Multiple de 6 cht plus 1
Rg 1 : st 3 cht, 2 bs ds m suiv, st 2 cht, 1 ms, *st 2 cht, 4 bs ds cht suiv, st 2 cht, 1 ms,* 3 cht, tournez
Rg 2 : 2 bs ds 1re ms, *1 ms entre 2e et 3e bs du groupe de 4 bs suiv, 4 bs ds la ms suiv,* 1 ms ds esp des 3 cht au début du rg, 3 cht, tournez
Rép à partir du rg 2

Coquilles : un motif un peu plus grand.
Multiple de 6 cht plus 5
Rg 1 : st 3 cht, 1 bs ds cht suiv, *(2 bs, 1 cht, 2 bs) ds cht suiv, (1 jeté, piquez le crochet ds cht suiv, tirez 1 bcle, 1 jeté, ramenez à travers 2 bcles, st 3 m, 1 jeté, piquez le crochet ds cht suiv, tirez 1 bcle, 1 jeté, ramenez à travers 2 bcles) 3 fs,* 1 bs, 3 cht, tournez
Rg 2 : 1 bs ds bs qui précède l'esp cht, *(2 bs, 1 cht, 2 bs) ds esp cht, 1 jeté, piquez crochet ds bs suiv, tirez 1 bcle, 1 jeté ramené à travers 2 bcles, st 3 m, 1 jeté, piquez le crochet dans bs suiv, tirez 1 bcle, (1 jeté ramené à travers 2 bcles) 3 fs,* faites la dernière m ds la tête de la cht à tourner, 3 cht, tournez
Rép à partir du rg 2

Festons ajourés : de petites écailles faites dans des espaces étroits forment un délicat motif convenant bien à des vêtements de bébé.
Multiple de 6 cht plus 4
Rg 1 : *st 5 cht, (2 bs, 3 cht, 2 bs) ds cht suiv,* st 3 cht, 1 bs ds dernière cht, 3 cht tournez
Rg 2 : *(2 bs, 3 cht, 2 bs) ds esp des 3 cht,* 1 bs ds la tête de la cht à tourner, 3 cht, tournez
Rép à partir du rg 2

Arcs palmés : un motif où les coquilles et les jours alternent.
Multiple de 8 cht plus 3
Rg 1 : st 2 cht, *1 bs, 3 cht, st 3 cht, 1 ms 3 cht, st 3 cht,* 1 bs, 3 cht, tournez
Rg 2 : *1 ms ds 2e cht du groupe de 3 cht, 3 cht, 1 ms ds 2e cht du groupe de 3 cht suiv, 1 cht, 1 bs dans la bs, 1 cht,* 1 bs dans la cht à tourner, 3 cht, tournez
Rg 3 : *7 bs ds esp des 3 cht, 1 bs ds la bs,* 1 bs ds la cht à tourner, 3 cht, tournez
Rg 4 : *3 cht, 1 ms ds centre de la coquille, 3 cht, 1 bs ds la bs,* 1 bs ds la cht à tourner, 3 cht, tournez
Rép à partir du rg 2

Point d'arcade : *multiple de 6 cht plus 8*
Rg 1 : st 1 cht, 1 ms ds chq des 2 cht suiv, *3 cht, st 3 cht, 1 ms ds chq des 3 cht suiv,* 3 cht, st 3 cht, 1 ms ds chq des 2 dernières cht, 1 cht, tournez
Rg 2 : 1 ms dans 2e ms, *5 bs dans esp des 3 cht, 1 ms dans 2e ms du groupe de 3 ms,* tournez
Rg 3 : *3 cht, 1 ms ds chq des 3 bs centrales,* 2 cht, 1 ms ds cht à tourner, 3 cht, tournez
Rg 4 : 2 bs ds esp des 2 cht, *1 ms ds 2e ms, 5 bs ds esp des cht,* 1 ms ds 2e ms, 3 bs ds esp des 3 cht, 1 cht, tournez
Rg 5 : 1 ms ds chq des 2 premières bs, *3 cht, 1 ms ds chq des 3 bs centrales,* 3 cht, 1 ms ds dernière bs, 1 ms ds cht à tourner, 1 cht, tournez
Rép à partir du rg 2

Point de vague : un motif souvent utilisé pour les couvertures de bébé. La crête de chaque vague est formée d'un point de coquille. On peut faire varier la longueur des vagues en modifiant le multiple.
Multiple de 13 cht
Rg 1 : st 3 cht, 4 bs ds les 4 cht suiv, 3 bs ds cht suiv, 5 bs ds 5 cht suiv, *st 2 cht, 5 bs ds 5 cht suiv, 3 bs ds cht suiv, 5 bs ds 5 cht suiv,* 3 cht, tournez
Rg 2 : st 1 m, 4 bs ds les 4 m suiv, 3 bs ds la m suiv, 5 bs ds les 5 m suiv, *st 2 m, 5 bs ds les 5 m suiv, 3 bs ds la m suiv, 5 bs ds les 5 m suiv;* la dernière fois, finissez avec 4 bs, st 1 bs, 1 bs ds la cht à tourner, 3 cht, tournez
Rép à partir du rg 2

Jours japonais : de grandes coquilles élégantes.
Multiple de 14 cht plus 2
Rg 1 : st 1 cht, 1 ms, *st 6 cht, 1 bs allongée [1 jeté, piquez le crochet, tirez une bcle de 1 cm, 1 jeté, ramenez à travers 2 bcles], 12 bs allongées ds la même cht, st 6 cht, 1 ms,* 3 cht, tournez
Rg 2 : 1 bs allongée ds la 1re ms, *5 cht, 1 ms ds la 7e des 13 bs allongées, 5 cht, 2 bs allongées ds ms entre les coquilles,* 2 bs allongées ds dernière ms, 1 cht, tournez
Rg 3 : 1 ms entre les 2 premières bs allongées, *13 bs allongées ds la ms au centre de la coquille du rg précédent, 1 ms entre les 2 bs allongées du rg précédent,* 3 cht, tournez
Rép à partir du rg 2

Point arlequin : *multiple de 8 cht plus 10*
Rg 1 : st 1 cht, 1 ms, *st 3 cht, 9 bs ds cht suiv, st 3 cht, 1 ms,* 3 cht, tournez
Rg 2 : st 1 ms, nœud de 4 bs sur 4 m suiv [(1 jeté, tirez 1 bcle, 1 jeté, ramenez ds 2 bcles) ds chq m, 1 jeté, ramenez ds 5 bcles], *4 cht, 1 ms, 3 cht, nœud de 9 bs sur les 9 m suiv,* 4 cht, 1 ms, 3 cht, nœud de 5 bs, 4 cht, tournez
Rg 3 : 4 bs sommet nœud de 5 bs, 1 ms ds la ms, *9 bs sommet nœud de 9 bs, 1 ms ds la ms,* 5 bs sommet nœud de 4 bs, 3 cht, tournez
Rg 4 : st 1 bs, *nœud de 9 bs, 4 cht, 1 ms, 3 cht,* 1 ms ds cht à tourner, 1 cht, tournez
Rg 5 : 1 ms, *9 bs sommet nœud de 9 bs, 1 ms,* 1 ms ds cht à tourner, 3 cht, tournez. Rép à partir du rg 2

Myosotis : ces coquilles sont faites de brides et de mailles serrées formant un dessin asymétrique.
Multiple de 3 cht plus 1
Rg 1 : st 3 cht, (1 bs, 2 cht, 1 ms) ds cht suiv, *st 2 cht, (2 bs, 2 cht, 1 ms) ds cht suiv,* 2 cht, tournez
Rg 2 : *(2 bs, 2 cht, 1 ms) ds chq esp de 2 cht, 2 cht, tournez
Rép à partir du rg 2

Carrés ajourés : carrés de coquilles asymétriques avec jours.
Multiple de 4 cht plus 6
Rg 1 : st 3 cht, *2 bs ds les 2 cht suiv, (1 bs, 3 cht, 1 bs) ds cht suiv, st 1 cht,* 3 bs ds 3 dernières cht, 3 cht, tournez
Rg 2 : *(3 bs, 3 cht, 1 ms) ds chq esp de 3 cht,* 1 bs entre dernier groupe de 3 bs et la cht à tourner, 3 cht, tournez
Rép à partir du rg 2

Point ondulé : coquilles asymétriques formant un tissu compact; ce point se prête bien à des combinaisons de couleurs.
Multiple de 3 cht plus 1
Rg 1 : st 2 cht, 2 bs ds cht suiv, *(1 ms, 2 bs) ds cht suiv, st 2 cht,* 1 ms, 2 cht, tournez
Rg 2 : 2 bs ds la 1re ms, *(1 ms, 2 bs) ds chq ms du rg précédent,* 1 ms ds cht à tourner, 2 cht, tournez
Rép à partir du rg 2

Quantité de fil nécessaire 393

Points noués

Les **points noués** sont formés de trois mailles ou plus, piquées dans une maille ou un espace de chaînette, et réunies au sommet par une boucle. Ils portent les noms de mouche, mouchet, ananas, bouton, nœud, etc. Selon le nombre de mailles réunies, on obtient un point peu soulevé, comme les mouchets (ci-dessous), ou un point très soulevé, comme le point noisette (en bas, à droite), mais toujours en relief.

Les points noués donnent un tricot convenant surtout à des chandails lourds ou à des couvertures. On peut aussi utiliser un rang de ces points, comme garniture, ou un point tout seul, pour mettre en évidence un détail. Disposés avec soin, ils apportent aux motifs de patchwork (pp. 378-379) des éléments de symétrie et de nouvelles textures.

En général, les points noués s'exécutent avec un fil moyen ou gros. N'oubliez pas que chaque nœud est composé de plusieurs boucles de fil. Ces points exigent donc une fois et demie à deux fois plus de fil que les points pleins. Lorsque l'on fait un nœud, il faut exercer sur le fil une tension légère. Les nœuds doivent rester souples afin de faciliter le passage de la boucle réunissant toutes les mailles.

Mouchets : un ensemble de mailles peu soulevées; ce point est réversible.
Multiple de 2 cht plus 4
Rg 1 : st 3 cht, *1 mouchet [(1 jeté, piquez le crochet, tirez 1 bcle, 1 jeté, ramenez à trav les 2 bcles) 3 fs ds la même cht, 1 jeté, ramenez à travers les 4 bcles], 1 cht, st 1 cht,* 1 mouchet, 3 cht, tournez
Rg 2 : *1 mouchet ds cht entre 2 mouchets du rg précédent,* 1 mouchet ds la cht à tourner, 3 cht, tournez
Rép à partir du rg 2

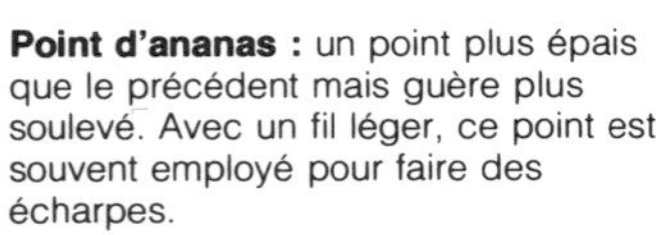

Point d'ananas : un point plus épais que le précédent mais guère plus soulevé. Avec un fil léger, ce point est souvent employé pour faire des écharpes.
Multiple de 2 cht plus 4
Rg 1 : st 3 cht, *1 ananas [(1 jeté, piquez le crochet, tirez 1 bcle) 4 fs ds même cht, 1 jeté ramené à travers 8 bcles, 1 jeté ramené à travers les 2 dernières bcles], 1 cht, st 1 cht,* 1 ananas, 3 cht, tournez
Rg 2 : *1 ananas ds chq esp du rg précédent,* 1 ananas ds la cht à tourner, 3 cht, tournez
Rép à partir du rg 2

Petits boutons : *multiple de 6 cht plus 4*
Rg 1 : st 3 cht, *(1 bs, 2 cht, 1 bs) ds cht suiv, st 2 cht, 1 bouton [(1 jeté, piquez le crochet, tirez 1 bcle) 4 fs ds même cht, 1 jeté ramené à travers 9 bcles], 1 cht, st 2 cht, (1 bs, 2 cht, 1 bs) ds dernière cht, 3 cht, tournez
Rg 2 : *1 bouton ds esp des 2 cht entre 2 bs du rg précédent, 1 cht, (1 bs, 2 cht, 1 bs) sous la bcle qui ferme le bouton du rg précédent,* 1 bouton, 1 bs ds esp des 3 cht au début du rg précédent, 3 cht, tournez
Rg 3 : (1 bs, 2 cht, 1 bs) ds tête du bouton, *1 bouton ds esp des 2 cht, 1 cht, (1 bs, 2 cht, 1 bs) ds tête du bouton,* 1 bs ds esp des 3 cht au début du rg précédent, 3 cht, tournez
Rép à partir du rg 2

Point de balle : des boutons moelleux, bien ronds, combinés avec des mailles serrées.
Multiple de 4 cht plus 3
Rg 1 : st 1 cht, *1 ms ds chq cht,* 1 cht, tournez
Rg 2 : 3 ms, *1 balle [(1 jeté, piquez crochet, tirez 1 bcle) 3 fs ds même m, 1 jeté, ramenez à travers 7 bcles], 3 ms,* 1 cht, tournez
Rg 3 : *1 ms ds chq m,* 1 cht, tournez
Rg 4 : 1 ms, *1 balle, 3 ms,* 1 balle, 1 ms, 1 cht, tournez
Rg 5 : *1 ms ds chq m,* 1 cht, tournez
Rép à partir du rg 2

Point noisette : un point solide très soulevé, demandant beaucoup de fil.
Multiple de 3 cht plus 1
Rg 1 : st 1 cht, *1 ms ds chq cht,* 1 cht, tournez
Rg 2 : *1 noisette [(1 jeté, piquez crochet, tirez 1 bcle, 1 jeté, ramenez à travers 2 bcles) 5 fs ds même m, 1 jeté, ramenez à travers 6 bcles], 2 ms,* 1 noisette, 1 cht, tournez
Rg 3 et 5 : *1 ms ds chq m,* 1 cht, tournez
Rg 4 : *2 ms, 1 noisette,* 1 ms, 1 cht, tournez
Rg 6 : 1 ms, *1 noisette, 2 ms,* 1 cht, tournez
Rép à partir du rg 2

Jonction de deux brins 367 Comment faire un anneau 370
Assemblage par surjet 400

Motifs

Jn **motif** se compose de points crochetés autour d'un anneau central. L'anneau du centre est en général ıne chaîne fermée par une maille couée. Le premier rang, appelé *tour*, est ait dans cet anneau que le fil doit ouvrir également. Chaque tour subéquent est travaillé sur l'endroit et ermé par une maille coulée à son point e départ (à moins que le motif ne soit n spirale). Au dernier tour, le fil est rrêté et coupé.

Les motifs peuvent servir séparément n appliqués, par exemple, ou comme ous-verres, napperons, poignées. Parce u'ils ne sont pas limités en dimension, vous pouvez même vous fabriquer des tapis. L'emploi favori de ces motifs est encore le patchwork. Ce sont les carrés qui s'utilisent le plus souvent en patchwork mais tout motif symétrique s'y prête aussi. Les articles de grande taille sont faciles à faire parce que vous les fabriquez un morceau à la fois et les assemblez à votre convenance. Les motifs font une fin idéale à tout reste de laine puisque chaque tour peut être de couleur différente (voir comment changer de couleur, p. 390). Vous pouvez joindre les motifs par un surjet ou, mieux encore au crochet, par des mailles coulées ou serrées.

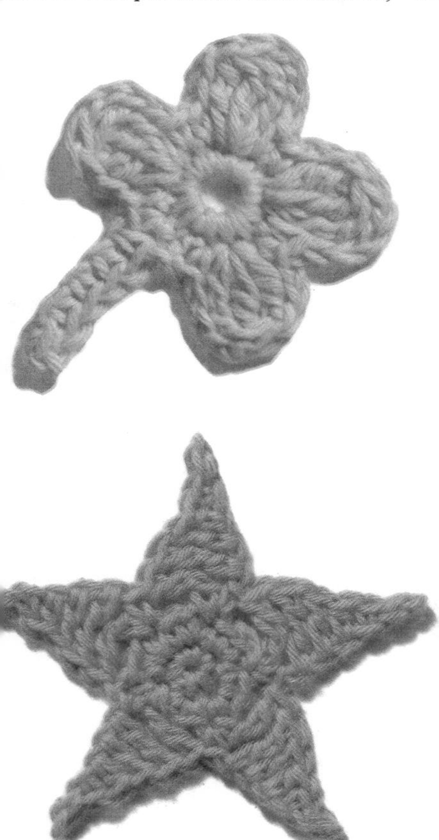

Trèfle à quatre feuilles : le motif traditionnel se trouve page 384.
5 cht fermées en anneau par 1 mc
Tour 1 : 14 ms dans l'anneau
Tour 2 : 2 ms, 1 feuille [4 cht, (double jeté, piquez le crochet ds pt suiv, tirez 1 bcle, jeté, ramenez à travers 2 bcles, jeté, ramenez à travers 2 bcles) 3 fs ds le même pt, jeté, ramenez à travers 4 bcles, 3 cht], 1 ms ds chacun des 2 pts suiv; encore 3 feuilles comme ci-dessus; faites la tige [6 cht, revenez en arrière avec 1 ms ds chq cht (ou bien, si le fil est épais, avec 1 mc)], 1 mc ds 1re ms pour fermer, arrêtez.

Etoile : dans sa forme conventionnelle, à 5 pointes, peut servir d'emblème ou de décoration.
2 cht
Tour 1 : 5 ms ds la 2e cht à partir du crochet
Tour 2 : 3 ms ds chq ms
Tour 3 : (1 ms ds pt suiv, 6 cht, 1 mc ds 2e cht à partir du crochet, 1 ms ds cht suiv, 1 db ds cht suiv, 1 bs ds cht suiv, 1 bd ds cht suiv, 1 bd au pied de la ms du commencement, st 2 ms) 4 fs, mc ds 1re ms pour fermer et arrêtez

Fleur des champs : peut servir en appliqué ou comme centre à un plus grand motif.
6 cht fermées en anneau par 1 mc
Tour 1 : 2 cht, 23 ms ds l'anneau, mc ds 2e cht au début du tour pour fermer
Tour 2 : 4 cht, 1 db ds même cht que mc précédente, 1 cht, (st 2 pts, 1 bs ds pt suiv, 2 cht, 1 bs, 1 cht) 7 fs, mc ds 2e cht au début du tour pour fermer
Tour 3 : 2 cht, (1 db, 2 cht, 2 db) ds 2 dernières cht au début du tour 2, 1 ms ds esp de 1 cht *(2 db, 2 cht, 2 db) ds esp des 2 cht, 1 ms ds esp de 1 cht;* rép 6 fs; mc ds 2e cht au début du tour
Tour 4 : *(3 bs, 1 cht, 3 bs) ds esp des 2 cht, 1 ms sur chq côté de la ms;* rép 8 fs et arrêtez

Marguerite : des points chaînette forment les pétales de ce motif, haut en relief.
6 cht fermées en anneau par 1 mc
Tour 1 : 14 ms ds l'anneau, mc ds 1re ms au début du tour pour fermer
Tour 2 : (ds brin av de chq ms crochetez 1 ms, 6 cht, 1 ms) 14 fs, mc ds 1re ms pour fermer
Tour 3 : (ds brin arr de chq ms du tour 1, crochetez 1 ms, 8 cht, 1 ms) 14 fs, mc ds 1re ms, arrêtez

Chrysanthème : de larges pétales qui tournent légèrement vers le centre.
4 cht fermées en anneau par 1 mc
Tour 1 : 13 ms ds l'anneau, mc ds 1re ms au début du tour pour fermer, arrêtez
Tour 2 : avec une 2e couleur, faites un pétale ds le brin av de chq ms du tour 1 [1 ms, 5 cht, 1 ms ds 2e cht à partir du crochet, 1 db ds chq des 2 cht suiv, 1 ms ds cht suiv, 1 ms ds ms du début], total de 13 pétales.
Tour 3 : faites un pétale ds le brin arrière de chq ms du tour 1 [1 mc, 6 cht, 1 ms ds 5 de ces 6 cht], total de 13 pétales, arrêtez

Jonction de deux fils 367

Motifs pour patchwork

Carré tyrolien : motif central ajouré, entouré de mailles serrées, ayant beaucoup d'effet, crocheté en deux ou plusieurs couleurs. Le premier tour est monté sur un anneau de fil double.
Enroulez deux fois le fil autour de l'index pour former l'anneau
Tour 1 : 16 ms ds l'anneau
Tour 2 : (1 ms, 10 cht, st 3 ms) 4 fs, mc ds 1re ms, arrêtez
Tour 3 : avec nouvelle couleur, (11 ms ds esp des 10 cht, 1 ms ds ms suiv) 4 fs, mc ds 1re ms, arrêtez
Tour 4 : avec nouvelle couleur, *1 ms ds chq des 6 m, 2 ms ds m suiv pour façonner le coin, 1 ms ds chq des 5 m*, rép d'un * à l'autre 3 fs, mc ds 1re ms, arrêtez
Tour 5 : 1 ms ds chq m et 2 ms à chq coin, mc ds 1re ms
Rép tour 5 autant de fois que nécessaire pour la grandeur désirée, en changeant de couleur à votre goût; arrêtez

Carré hawaïen : des ananas entourent une petite fleur.
8 cht fermées par 1 mc
Tour 1 : 1 ananas ds l'anneau [(jeté, piquez crochet, tirez 1 bcle) 4 fs, jeté, ramenez à travers 9 bcles], (2 cht, 1 ananas) 7 fs, 2 cht, mc ds 1re m
Tour 2 : 1 ananas ds esp cht avant mc, *2 cht, 1 ananas ds esp suiv, 2 cht, (1 bs, 2 cht, 1 bs) ds ananas suiv pour former le coin, 2 cht, 1 ananas ds esp suiv*, 2 cht après le groupe de bs à la fin du tour, 1 mc ds 1er ananas
Tour 3 : 1 ananas ds esp avant mc, *(2 cht, 1 ananas) ds chq esp jusqu'au coin, 2 cht, (1 bs, 2 cht, 1 bs) entre les groupes de bs jus coin, 2 cht*, 1 mc ds 1re m
Rép tour 3 en formant 1 ananas supplémentaire de chq côté pour chq tour, jus 6 ananas de chaque côté, ou que le carré soit de la grandeur voulue; arrêtez

Carré de Strasbourg : de longues chaînettes forment les pétales.
5 cht jointes en anneau par 1 mc
Tour 1 : 12 ms ds anneau, mc ds 1re ms pour fermer
Tour 2 : (11 cht, mc ds ms suiv) 12 fs
Tour 3 : mc ds chq des 6 1res cht de la 1re bcle cht, *4 cht, 1 ms ds centre de bcle cht suiv, 4 cht, 1 grappe ds bcle cht suiv [(jeté, piquez crochet, tirez 1 bcle, jeté, ramenez à travers 2 bcles) 3 fs ds même bcle cht, jeté, ramenez à travers les 4 bcles], 4 cht, 1 grappe ds même bcle cht pour le coin, 4 cht, 1 ms ds bcle suiv*, rép 3 fois
Tour 4 : 2 mc ds 1er esp de 4 cht, 3 cht, (jeté, piquez crochet ds même esp, tirez 1 bcle, jeté, ramenez à travers 2 bcles) 2 fs, jeté, ramenez à travers les 3 bcles, *4 cht, 1 ms ds esp de 4 cht suiv, 4 cht, (1 grappe, 4 cht, 1 grappe) ds esp coin, 4 cht, 1 ms ds esp 4 cht suiv, 4 cht, 1 grappe ds esp de 4 cht suiv*, rép 3 fs, 4 cht, mc ds tête 1re grappe pour fermer, arrêtez

Old America fleuri : le patron traditionnel par excellence; souvent fait en plusieurs couleurs
6 cht fermées en anneau par 1 mc
Tour 1 : 3 cht, 2 bs ds anneau, 2 cht, (3 bs ds anneau, 2 cht) 3 fs mc ds tête cht du début, arrêtez
Tour 2 : introduisez nouvelle couleur avec mc ds 1er esp cht, 3 cht, (2 bs, 2 cht, 3 bs) ds même esp pour façonner le coin, (1 cht, 3 bs, 2 cht, 3 bs ds esp 2 cht suiv) 3 fs pour les 3 autres coins, mc ds tête de la cht du début, arrêtez
Tour 3 : commencez nouvelle couleur avec mc ds 1er esp cht, 3 cht, (2 bs, 2 cht, 3 bs) ds même esp, *(1 cht, 3 bs) ds chq esp cht (sur le côté), (1 cht, 3 bs, 2 cht, 3 bs) ds chq esp de 2 cht (un coin)*, mc ds tête de la cht du début, arrêtez. Rép tour 3 jus grandeur désirée

Hexagone : motif simple et dense.
6 cht fermées en anneau par 1 mc
Tour 1 : 2 cht, 2 bs ds anneau, 3 cht, (3 bs ds anneau, 3 cht) 5 fs, mc ds tête de cht du début pour fermer, arrêtez
Tour 2 : avec nouvelle couleur, 4 cht, *(3 bd, 2 cht, 3 bd) ds chq esp de 3 cht*, mc ds tête de cht du début pour fermer, arrêtez
Tour 3 : avec nouvelle couleur, 3 cht, *1 bs ds chq bd, (2 bs, 2 cht, 2 bs) ds chq esp de 2 cht*, mc ds tête de cht du début pour fermer, arrêtez
Tour 4 : avec nouvelle couleur, 3 cht, *st 1 m, 1 bs ds m suiv, 1 bs ds m sautée*, mc ds tête de cht du début pour fermer, arrêtez

Moulinet : les tours restent ouverts dans cet hexagone en spirale.
5 cht fermées en anneau par 1 mc
Tour 1 : (6 cht, 1 ms dans anneau) 6 fs, sans fermer le tour
Tour 2 : (4 cht, 1 ms ds esp suiv) 6 fs
Tour 3 : (4 cht, 1 ms ds esp suiv, 1 ms ds ms suiv) 6 fs
Tour 4 : (4 cht, 1 ms ds esp suiv, 1 ms ds chq des 2 ms) 6 fs
Tour 5 : (4 cht, 1 ms ds esp suiv, 1 ms ds chq des 3 ms) 6 fs
Rép autant de fois que nécessaire, en ajoutant 1 ms de plus ds chq groupe à chq tour; à partir du 10e tour, il faut faire 5 cht au lieu de 4 ds chq esp

Fleur de cornouiller : quatre pétales.
2 cht
Tour 1 : st 1re cht, 8 ms ds 2e cht, mc ds 1re ms pour fermer
Tour 2 : 5 cht, st 1 m, 1 ms ds m suiv, (4 cht, st 1 m, 1 ms ds m suiv) 2 fs, 4 cht, mc ds 1re des 5 cht du début du tour
Tour 3 : 1 mc ds esp cht suiv, 4 cht, 6 bs ds même esp que mc, (2 cht, 7 bs) ds chq esp des 3 cht suiv, 2 cht, mc ds tête des 4 cht du début
Tour 4 : 2 cht, 1 ms ds esp de jonction, (1 ms ds chq des 2 m suiv, 2 ms ds m suiv) 2 fs, 3 cht, *(2 ms ds m suiv, 1 ms ds chq des 2 m suiv) 2 fs, 2 ms ds m suiv, 3 cht*, rép 2 fs, mc ds cht du début
Tour 5 : 4 cht, 1 bs ds m de jonction, 1 bs ds m suiv, 2 bs ds m suiv, 1 bs ds m suiv, (2 bs ds m suiv) 2 fs, (1 bs ds m suiv, 2 bs ds m suiv) 2 fs, 2 cht, tournez
Tour 6 : (1 ms, 4 bs, 1 ms, 2 cht, st 2 m) 2 fs, st 1 m, 1 mc, arrêtez; rép tours 5 et 6 pour les 3 autres pétales, endroit vers vous

Roue de chariot : ce modèle peut servir à confectionner des dessous de verre.
4 cht fermées en anneau par 1 mc
Tour 1 : 3 cht, 1 pétale ds anneau [(jeté, piquez crochet, tirez 1 bcle) 2 fs, jeté, ramenez à travers 5 bcles, 1 cht], 7 pétales de plus ds anneau, mc ds tête cht du début, arrêtez
Tour 2 : amenez nouvelle couleur ds 1er esp cht, 2 cht, 1 bs ds 1er esp cht, 2 cht, (2 bs, 2 cht) ds chq des 7 esp cht suiv, mc ds 2e cht du début, arrêtez
Tour 3 : commencez nouvelle couleur ds 1er esp cht, 2 cht, (1 bs, 1 cht, 2 bs, 1 cht) ds 1er esp cht, (2 bs, 1 cht, 2 bs, 1 cht) ds chq des 7 esp cht suiv, mc ds 2e cht du début, arrêtez
Tour 4 : commencez nouvelle couleur ds 1er esp cht, 2 cht, 2 bs ds 1er esp cht, 1 cht, (3 bs, 1 cht) ds chq des 15 esp cht suiv, mc ds 2e cht du début, arrêtez
Rép tour 4 mais, après le 5e tour, crochetez 2 cht entre les groupes de bs

Fils à tricoter 270
Fils à crocheter 35

Filets (ou grilles)

Le **filet** consiste en mailles chaînette et en brides simples, combinées de telle sorte qu'elles présentent des ouvertures.

L'une ou l'autre des grilles carrées ci-dessous peut servir de base au **crochet ajouré** (p. 382) : on remplit la grille choisie de brides simples formant un dessin. (Parfois, au contraire, on remplit le fond et les grilles sont en relief.) Autrefois, l'usage du crochet ajouré était très répandu dans la maison : têtières pour fauteuils, napperons, etc.; aujourd'hui, on le retrouve surtout en garnitures. Les grilles carrées servent également aux **grilles ouvrées** (p. 383) : selon cette technique, les espaces sont remplis de mailles chaînette, de fils entrelacés, parfois de ruban.

Les points de fantaisie de droite sont surtout employés dans la **dentelle d'Irlande** (p. 384); ils servent alors de fond pour les motifs de fleurs.

Employés seuls, ces points de fantaisie, ainsi que les grilles, sont parfaits dans la confection des châles puisqu'ils allient chaleur et légèreté. Les filets sont aussi appropriés aux vêtements d'été, aux toilettes du soir, au linge de bébé. Utilisez des fils fins, du coton à crocheter, de la laine layette ou des laines sport.

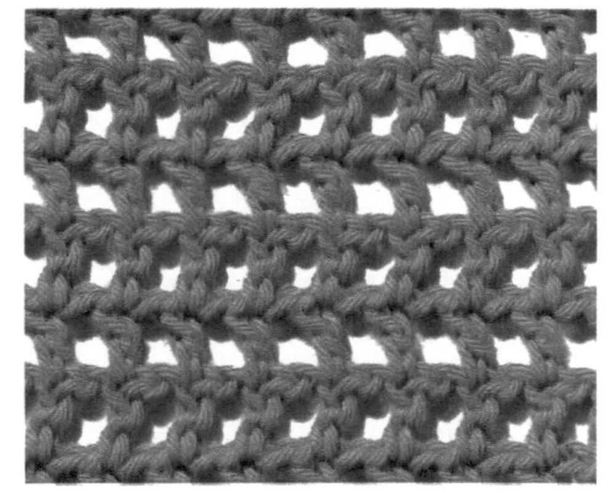

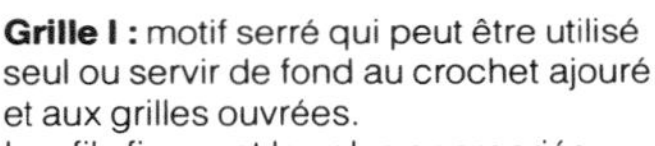
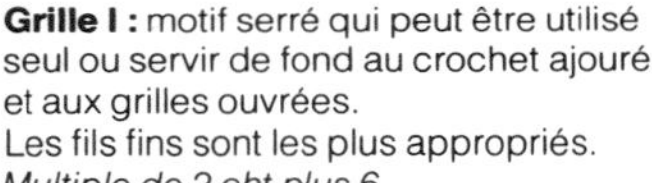

Grille I : motif serré qui peut être utilisé seul ou servir de fond au crochet ajouré et aux grilles ouvrées.
Les fils fins sont les plus appropriés.
Multiple de 2 cht plus 6
Rg 1 : st 5 cht, *1 bs ds cht suiv, 1 cht, st 1 cht*, 1 bs, 4 cht, tournez
Rg 2 : st 1re bs du rg précédent, *1 bs ds bs suiv, 1 cht*, 1 bs ds 3e cht du début du rg précédent, 4 cht, tournez
Rép le rg 2

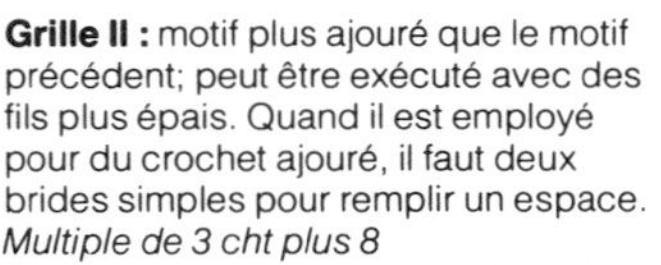

Grille II : motif plus ajouré que le motif précédent; peut être exécuté avec des fils plus épais. Quand il est employé pour du crochet ajouré, il faut deux brides simples pour remplir un espace.
Multiple de 3 cht plus 8
Rg 1 : st 7 cht, *1 bs ds cht suiv, 2 cht, st 2 cht, 1 bs, 5 cht, tournez
Rg 2 : st 1re bs du rg précédent, *1 bs, ds bs suiv, 2 cht, st 2 cht*, 1 bs ds 3e cht au début du rg précédent, 5 cht, tournez
Rép le rg 2

Filet en losanges : ce filet souple convient particulièrement bien à des article ronds et plats, comme nappes ou napperons. On peut l'employer pour faire des franges et parfois pour joindre des pièces de tricot ou de crochet.
Multiple de 4 cht plus 2
Rg 1 : st 1 cht, 1 ms ds cht suiv, *5 cht, 3 cht, 1 ms ds cht suiv*, 1 ms, 5 cht, tournez
Rg 2 : *1 ms ds esp cht suiv, 5 cht*, tournez
Rép le rg 2

Filet de nids d'abeilles : un des fonds favoris pour la dentelle d'Irlande (p. 38
Multiple de 4 cht plus 10
Rg 1 : st 9 cht, *1 bs ds cht suiv, 4 cht, 3 cht*, 1 bs, 8 cht, tournez
Rg 2 : *1 bs ds esp des 4 cht, 4 cht*, 1 bs, 8 cht, tournez
Rép le rg 2

Filet en losanges avec picots : un au fond de dentelle d'Irlande; ce modèle a été utilisé pour le coussin illustré à la page 385.
Multiple de 7 cht plus 2
Rg 1 : st 1 cht, 1 ms ds cht suiv, *2 cht, 1 picot [5 cht, mc ds 1re de ces 5 cht], 3 cht, 1 picot, 2 cht, st 6 cht, 1 ms*, 2 cht, tournez
Rg 2 : 1 picot, 3 cht, 1 picot, 2 cht, 1 ms ds esp cht entre les picots du rg précédent, *2 cht, 1 picot, 3 cht, 1 pico 2 cht, 1 ms ds esp cht*, 2 cht, tournez
Rép le rg 2

Grille jardinière : des chaînettes allongées forment ce filet. L'allongement de la boucle est une question de goût. Voir p. 365 comment faire les nœuds.
Multiple de 4 cht plus 2
Rg 1 : st 1 cht, 1 ms, 1 nœud simple [allongez la bcle du crochet de 1 cm (½"), tirez 1 bcle, passez le crochet devant la bcle allongée et piquez-le sous le fil de la cht qui vient d'être faite, 1 ms], faites un autre nœud simple pour obtenir un nœud dble, *st 3 cht, 1 ms ds cht suiv, 1 nœud dble*, 1 nœud simple, tournez (total de 3 nœuds simples pour tourner)
Rg 2 : *1 ms ds centre du nœud dble du rg précédent, 1 nœud dble*, 1 nœud simple, tournez
Rép le rang 2

Point de tréteaux : motif très ajouré où alternent grandes et petites ouvertures; convient très bien à un châle.
Multiple de 4 cht plus 6
Rg 1 : st 5 cht, *1 bs ds cht suiv, 3 cht, st 3 cht*, 1 bs, 4 cht, tournez
Rg 2 : *1 ms ds 2e cht d'un groupe de 3, 2 cht, 1 bs ds bs suiv, 2 cht*, 1 ms ds cht à tourner du rg précédent, 5 cht, tournez
Rg 3 : *1 bs ds la bs, 3 cht*, 1 bs ds cht à tourner du rg précédent, 4 cht, tournez
Rép à partir du rg 2

Filet en damier : une large grille où les carrés pleins alternent avec les jours.
Multiple de 6 cht plus 3
Rg 1 : st 3 cht, 1 bs ds chq des 2 cht suiv, *3 cht, st 3 cht, 1 bs ds chq des 3 cht suiv*, 3 cht, st 3 cht, 1 bs ds dernière cht, 3 cht, tournez
Rg 2 : 2 bs ds 1er esp de 3 cht, *3 cht, 3 bs ds esp de 3 cht suiv*, 3 cht, 1 bs ds tête de cht à tourner, 3 cht, tournez
Rép le rg 2

Façonnage d'un filet

Pour diminuer d'un espace à la fin d'un rang, ne crochetez pas le dernier espace (celui qui est formé par la maille en l'air pour tourner); remplacez par 4 cht (Grille I) ou 5 cht (Grille II) et tournez; crochetez 1 bs ds bs suiv. L'espace qui en résultera ne sera pas carré mais triangulaire.

Pour diminuer d'un espace au commencement d'un rang, ne faites pas de maille en l'air pour tourner; remplacez par 1 cht et tournez; faites 1 mc dans chaque cht jusqu'à la bride simple suivante, puis crochetez 1 mc dans la bride; 4 cht (Grille I) ou 5 cht (Grille II) et continuez le point de fantaisie avec 1 bs dans la maille suivante. Cette méthode ne doit être employée que pour une diminution des 2 côtés de l'ouvrage.

Pour augmenter d'un espace au commencement d'un rang, ne faites pas la maille en l'air pour tourner mais plutôt 5 cht (Grille I) ou 7 cht (Grille II) et tournez; crochetez 1 bride simple dans la première maille du rang précédent.

Points de crochet

Crochet ajouré

Le crochet ajouré est une grille carrée dont certains espaces sont remplis pour former un motif. On se sert comme fond d'une des grilles décrites en page 380 (I et II). Le remplissage est fait de brides simples, à raison d'une dans les petits espaces et de deux dans les grands. Les instructions sont généralement fournies sur un diagramme où les carrés vides représentent le fond de filet alors que les carrés pleins représentent les points du motif. Pour suivre ces diagrammes, il faut lire de droite à gauche pour les rangs impairs (endroit de l'ouvrage) et de gauche à droite pour les rangs pairs.

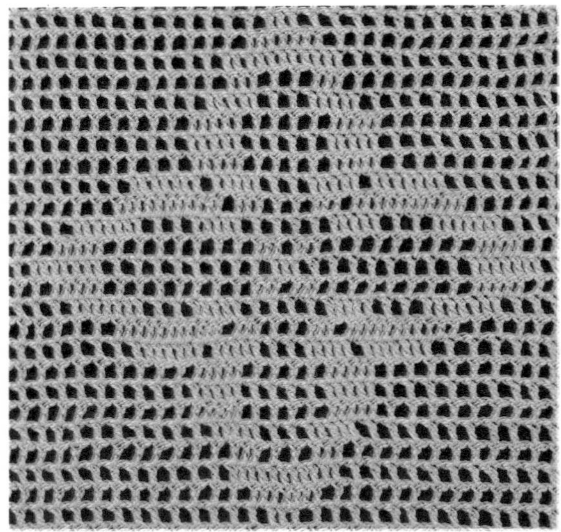

Motif de fleur : pour insertion ou à répéter dans un tout.

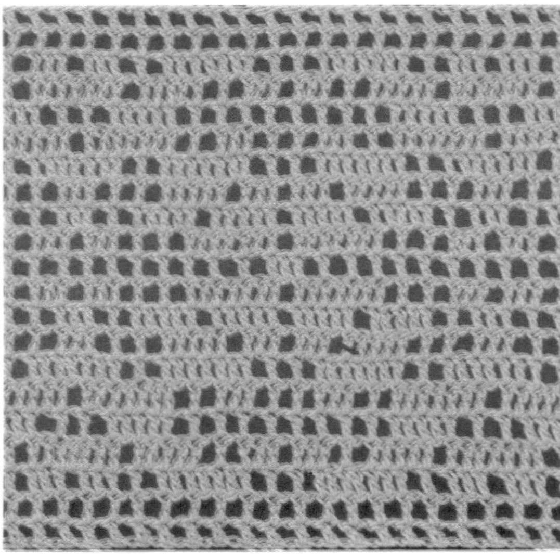

Bordure fleurie : un motif qui fait une attrayante garniture.

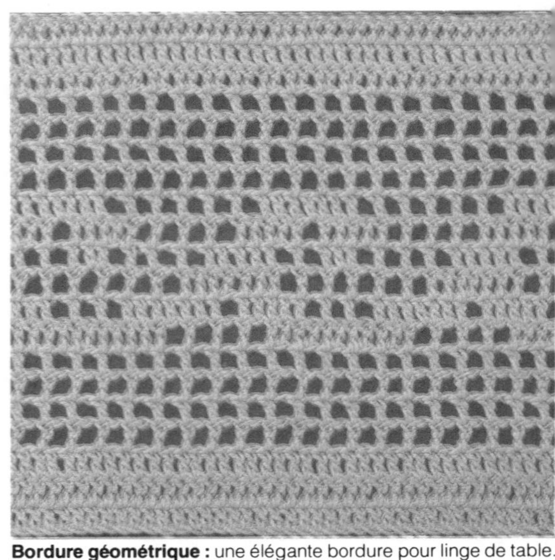

Bordure géométrique : une élégante bordure pour linge de table.

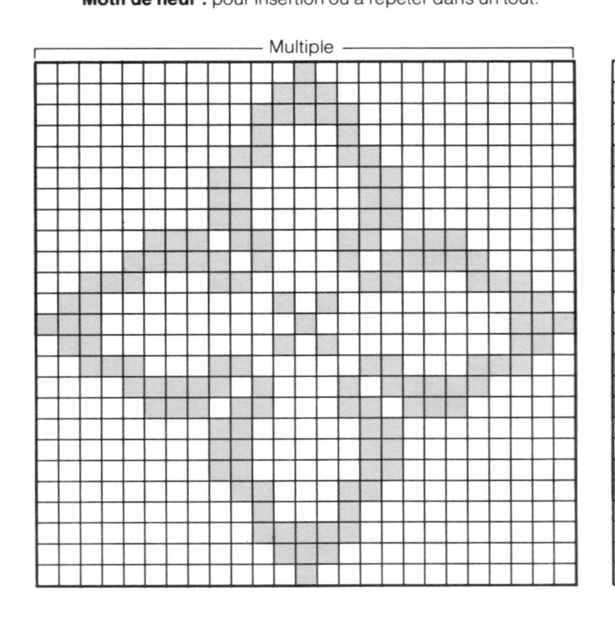

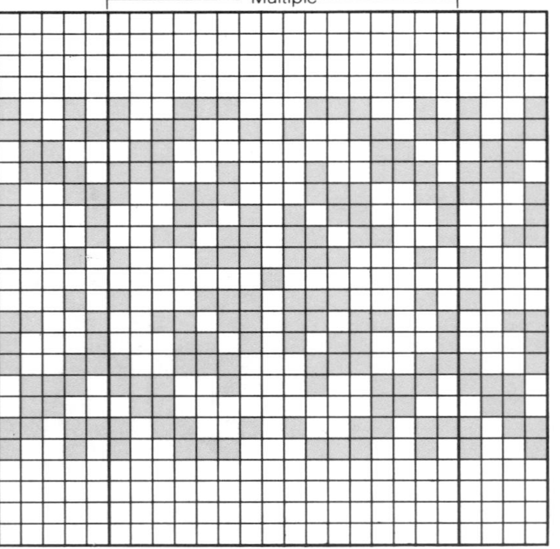

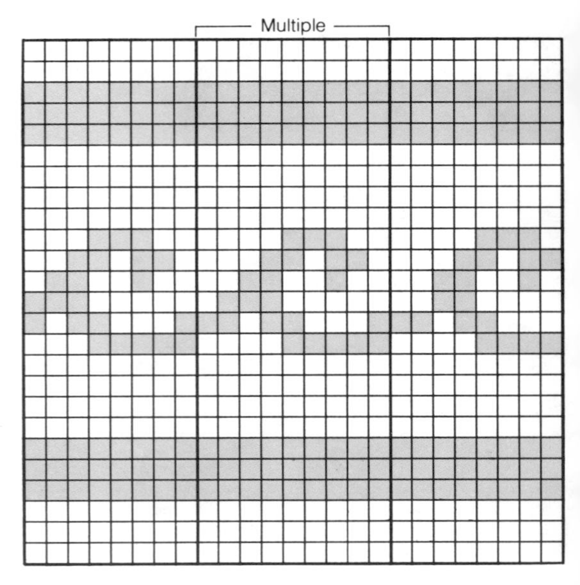

Grille ouvrée au point de chaînette : fond de grille recouvert de points de chaînette qui remplissent les espaces; permet d'obtenir des rayures ou un effet de plaid. Suivant le poids et le type de fil employé, cette technique se prête à faire des vêtements, des napperons, des housses d'oreiller ou des tapis.

Pour préparer le fond, servez-vous de la grille I (p. 380).
Pour travailler l'incrustation, prenez 2 brins de fil; faites un nœud coulant. L'endroit de la grille vers vous et le fil derrière l'ouvrage, tirez une boucle à travers le 1er espace dans le coin inférieur droit; piquez le crochet dans l'espace juste au-dessus et tirez le fil à travers l'espace et la boucle déjà sur le crochet. Continuez jusqu'en haut de la grille et recommencez en bas. Veillez à maintenir la tension égale.

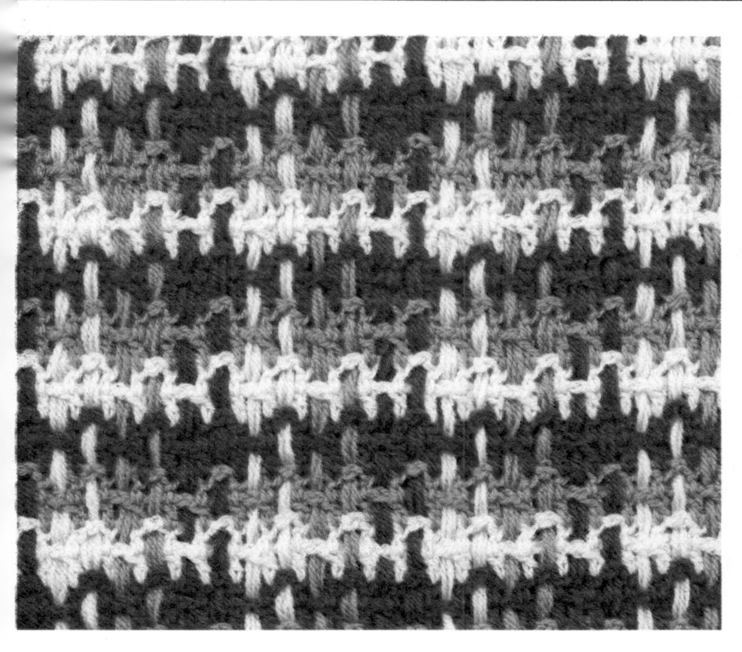

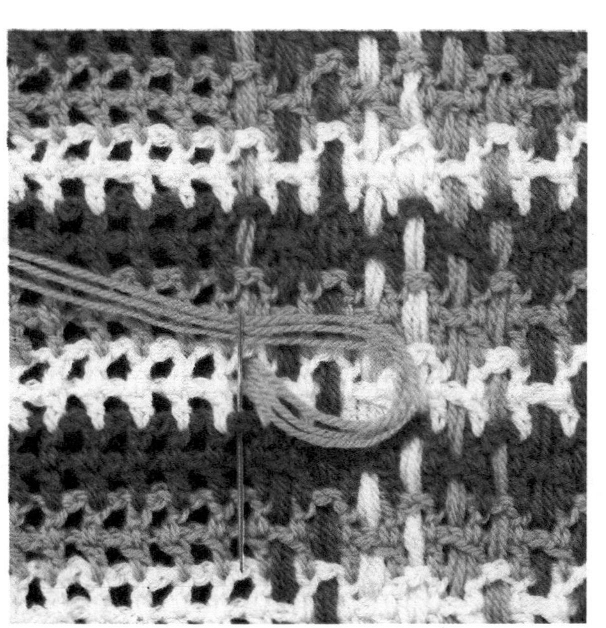

Grille ouvrée au point de reprise : des fils entrelacés sur une grille. Le tissu qui en résulte est épais et ferme; on peut en faire des manteaux, des napperons ou des tapis. Bien que n'importe quel point puisse être utilisé, une grille (comme dans cet exemple) est un choix logique. Les brins entrelacés peuvent être des fils, des lanières de tissu ou du ruban et peuvent être travaillés à la verticale, à l'horizontale et en diagonale.

Pour préparer le fond, utilisez la grille I (p. 380).
Pour ouvrir la grille au point de reprise, enfilez 3 brins de fil dans une aiguille à tapisserie (à bout rond). Entrelacez les fils verticalement par-dessus et par-dessous les perpendiculaires du filet, en alternant d'un rang à l'autre. Les fils doivent être assez tendus pour ne pas former des boucles lâches, mais pas trop non plus, afin que le fond ne gondole pas.

Filets appropriés à la dentelle d'Irlande 38

Dentelle d'Irlande

La dentelle d'Irlande s'est développée vers le milieu du XIXe siècle en s'inspirant de la dentelle de Venise. Ses dessins élégants et raffinés sont réalisés en fil de coton ou de lin. Un des motifs typiques consiste en des fleurs sur fond de filet. Le filet est habituellement fait autour des motifs mais certaines adaptations modernes s'accommodent de motifs appliqués sur un filet crocheté. On donne aux motifs un relief remarquable en crochetant certaines parties sur une cordelette deux fois plus épaiss que le fil de travail. Cette cordelette appelée *bourdon*, sert aussi à raffermi les contours.

Trèfle : enroulez le bourdon deux fois autour de l'index pour l'anneau
Tour 1 : 2 ms ds anneau, 1 picot [4 cht] (10 ms ds anneau, 4 cht) 2 fs, 8 ms ds anneau, 1 mc ds 1re ms
Tour 2 : 15 ms sur bourdon seulement, st 1 picot et 1 ms, 1 ms sur bourdon et mailles ds chq des 7 ms suiv, 18 ms sur bourdon seulement, st 1 picot et 1 ms, 1 ms ds chq des 7 ms suiv, 15 ms sur bourdon seulement, st 1 picot et 1 ms, 1 ms ds chq des 7 ms suiv
Tour 3 : laissez bourdon; autour 1re feuille (1 cht, 1 ms) ds chq des 2 m suiv (1 cht, 1 bs) ds chq des 3 m suiv, (1 cht, 1 bd) ds chq des 5 m suiv, (1 cht, 1 bs) ds chq des 3 m suiv, (1 cht, 1 ms) ds chq des 2 m suiv, mc ds ms entre les feuilles; faites les autres feuilles ainsi, mais avec 7 bd ds la 2e feuille.
Tour 4 : reprenez bourdon; st 1re cht, *3 ms ds chq des 2 cht suiv, 4 cht*, rép autour de la feuille en omettant les 4 dernières cht, continuez autour des 2 autres feuilles, 1 mc pour fermer
Tige courte : 30 ms sur bourdon, 1 cht, tournez, remontez la tige avec 1 ms ds chq ms, 1 mc pour joindre à la base
Tige longue : de même, mais sur 160 ms

Boucle pour ajuster la tige

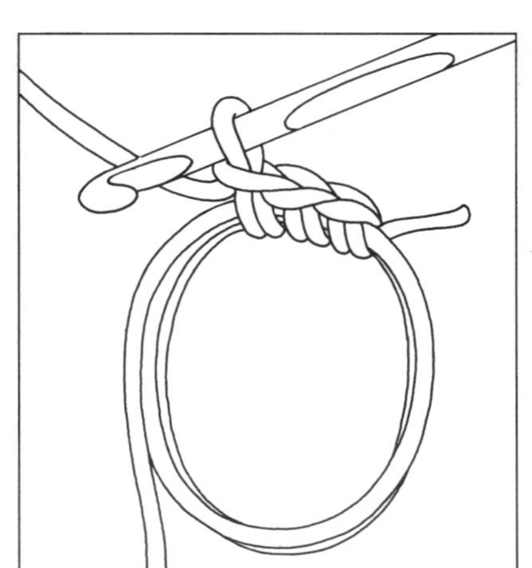

Pour former le centre du motif, enroulez le bourdon sur l'index 1, 2 ou 3 fois. Sortez l'anneau du doigt, faites le nombre de mailles requises, puis tirez doucement sur les extrémités du bourdon pour resserrer les mailles. Crochetez les rangs subséquents en utilisant le bourdon selon les indications (parfois les mailles sont faites sur le bourdon seulement, parfois sur les autres mailles et le bourdon). A mesure que l'ouvrage avance, tirez doucement sur le bourdon pour resserrer les mailles. **Le motif complété,** coupez fil et bourdon à 15 cm (6"). Avec une aiguille à tapisserie, rentrez les extrémités dans le motif sur 1,5 cm (½") et coupez.

Feuille : Travaillez sur bourdon et m. 15 cht, couchez le bourdon sur cht
Rg 1 : st 1 cht, *1 ms ds chq cht*, 5 ms ds dernière cht (pour la pointe), 1 ms ds chq bcle sur le côté opposé de la cht, 3 ms sur bourdon (pour contourner la base), 1 ms ds bcle arr de chq ms sur le 1er côté de la cht, arrêtant à la 4e ms à partir du bout de la feuille, 1 cht, tournez
Rg 2 : en piquant ds brin av de la bcle seulement, 1 ms ds chq ms du côté descendant, 3 ms ds ms centrale de la base, 1 ms ds chq ms en remontant jus la 3e ms av le haut de la feuille, 1 cht, tournez
Rg 3 : en piquant ds brin arr de la bcle, 1 ms ds chq ms en descendant, 3 ms ds ms centrale de la base, 1 ms ds chq ms en remontant jus la 3e ms av le haut de la feuille, 1 cht, tournez
Rgs 4 et 6 : comme rg 3, ds brin av
Rg 5 : comme rg 3, ds brin arr
Arrêtez à la fin du rg 6

Rose : 8 cht fermées en anneau par 1 mc
Tour 1 : 6 cht, (1bs, 3 cht) 7 fs, mc ds 3e cht au début du tour
Tour 2 : (1 ms, 1 db, 3 bs, 1 db, 1 ms) sur chq bcle de 3 cht
Tour 3 : derrière tour 2, 1 mc ds 1re mc du tour 1, 5 cht, (1 mc ds bs suiv du tour 1, 5 cht) 7 fs, 1 mc ds 1re ms pour fermer
Tour 4 : (1 ms, 1 db, 5 bs, 1 db, 1 ms) sur chq bcle de 5 cht
Tour 5 : derrière tour 4, mc ds 1re mc du tour 3, 7 cht, (1 mc ds mc suiv du tour 3, 7 cht) 7 fs, 1 mc ds 1re mc pour fermer
Tour 6 : (1 ms, 1 db, 7 bs, 1 db, 1 ms) sur chq bcle de 7 cht
Tour 7 : derrière tour 6, 1 mc ds 1re mc du tour 5, 9 cht, (1 mc ds mc suiv du tour 5, 9 cht) 7 fs, 1 mc ds 1re mc pour fermer
Tour 8 : (1 ms, 1 db, 9 bs, 1 db, 1 ms) ds chq bcle de 9 cht, arrêtez

Coussin en dentelle d'Irlande

Mise en forme par humidité 343

Ce joli dessus de coussin mesure 30 cm (12″) de côté. Vous pouvez l'agrandir en ajoutant 16 chaînettes pour 5 cm (2″) de filet.

Fournitures

2 pelotes (230 m/250 vg) de coton à crocheter; 1 pelote de coton Speed-cro-sheen (pour le bourdon); crochet d'acier no 3,50; aiguille à tapisserie à bout rond; carré de 35 cm (14″) de mousseline; crayon; règle; ciseaux; fil à faufiler et aiguille; coussin de 30 à 32 cm (12″-13″) de côté, couvert d'un tissu soyeux de couleur unie.

Echantillon

Pour le filet, 16 cht = 5 cm (2″)

Pour les motifs, il suffit de dire que la *feuille* mesure approximativement 5,5 cm (2¼″), de la pointe à la base; le *trèfle*, 5,5 cm (2¼″), du sommet à la tige; la *rose*, 6 cm (2½″) de diamètre

Préparation du quadrillé : dessinez un carré de 30 cm (12″) de côté sur la mousseline; faites une marque tous les 2,5 cm (1″) sur le bord et servez-vous-en pour tirer des lignes diagonales (photo, ci-dessous). Ce sera le patron du filet.

Motifs : suivez les indications de la page ci-contre et faites 1 rose, 8 feuilles, 2 trèfles à tige courte et 2 trèfles à tige longue allant dans la direction opposée (pour renverser le sens des tiges, retournez la tige juste avant de la fixer à la base). Arrêtez tous les bourdons sauf ceux des trèfles à longue tige. Assemblez les motifs et fixez-les au quadrillé, comme ci-dessous.

Le filet : crochetez les rangs 1 et 2 puis faufilez le filet sur le quadrillé, endroit sur le dessus; suivez ensuite les indications données plus bas, sous la photo.

98 cht et vérifiez votre échantillon

Rg 1 (envers) : st 1 cht, 1 ms, *2 cht, 1 picot [5 cht, 1 mc ds 1re de ces 5 cht], 3 cht, 1 picot, 2 cht, st 7 cht, 1 ms ds cht suiv*, tournez

Rg 2 : 10 cht, 1 picot, 2 cht, 1 ms ds esp des 3 cht entre les picots du rg précédent, *2 cht, 1 picot, 3 cht, 1 picot, 2 cht, 1 ms ds esp des 3 cht*, tournez

Rg 3 : 2 cht, 1 picot, 3 cht, 1 picot, 3 cht, 1 picot, 2 cht, 1 ms ds esp des 3 cht, *2 cht, 1 picot, 3 cht, 1 picot, 2 cht, 1 ms ds esp des 3 cht*, faites la dernière ms ds esp des 10 cht du rg précédent, tournez

Rép les rgs 2 et 3

Une fois le filet fixé sur le quadrillé, chaque rang endroit est travaillé avec le quadrillé au-dessous; pour les rangs envers, le quadrillé doit être retourné et le filet légèrement décollé. Chaque fois que le filet touche à un motif, il faut l'y fixer par une maille coulée; ensuite il faut rajouter suffisamment de chaînettes pour monter d'un rang ou pour continuer horizontalement sous le motif. Quand le filet est terminé, reliez les losanges des bords du haut et de gauche par *8 cht, 1 ms ds chq esp de 3 cht*

Bordure : 1,5 mètre (60″) de bourdon. Commencez dans un coin et crochetez (5 ms, 5 cht) 3 fois par-dessus le bourdon et chaque groupe de 8 chaînettes. Tirez le bourdon de temps en temps pour que les points restent plats. Arrêtez-le seulement lorsque le dessus du coussin sera monté.

Finition : détachez la pièce du quadrillé et enlevez les bâtis. Epinglez-la sur un côté du coussin et tirez ou détendez le bourdon pour qu'elle s'ajuste bien. Cousez-la le long du bord avec un fil double, à petits points. Rentrez le bourdon sur 2 ou 3 cm (1″) et coupez-le. Fixez la rose centrale par quelques points.

Pour assembler les motifs, fixez d'abord 7 feuilles à leurs points de contact. Fixez ensuite la rose et la feuille inférieure. Ajoutez les trèfles en les fixant d'abord aux points où les picots se touchent puis tirez le bourdon en plaçant les tiges en position. Cousez les tiges et coupez le bourdon après en avoir rentré l'extrémité. Centrez les motifs sur le quadrillé; faufilez-les au tissu.

Pour crocheter le filet autour des motifs, faites les 2 premiers rangs puis faufilez la chaîne de montage sur le bord inférieur du quadrillé et le groupe de 10 cht sur le bord droit. Crochetez le 3e rang de filet, en passant sous les trèfles si nécessaire. Continuez le long du côté droit jusqu'aux têtes des motifs; arrêtez; travaillez le côté gauche puis le sommet. Faites la bordure (ci-dessus).

Cousez le morceau fini à la main sur un des côtés du coussin après l'avoir bien centré. La dentelle d'Irlande ressortira mieux sur un tissu uni, foncé ou de teinte moyenne. Pour la laver, il est plus sage de la découdre et de la laver à part. Lavez-la à la main, faites-la sécher à plat sur le quadrillé (mise en forme); recousez-la dès qu'elle sera tout à fait sèche.

Mise en forme 342-343
Crochets et accessoires 35

Crochet tunisien

Le crochet tunisien fait beaucoup penser au tricot, mais son tissu est plus ferme et convient particulièrement aux couvertures et aux manteaux.

Cette technique exige un instrument spécial : le *crochet tunisien*. Il est plus long que les autres; son diamètre est uniforme et il se termine par une garde qui empêche les mailles de s'échapper. On travaille de droite à gauche à l'aller, en gardant toutes les mailles sur le crochet, puis on revient de gauche à droite sans jamais cependant tourner l'ouvrage.

La base de presque tous les points tunisiens tient dans les deux rangs illustrés ci-dessous. La finition peut être faite en mailles coulées ou en mailles serrées. Il faut toujours mettre en forme le travail fini.

TECHNIQUE DE BASE

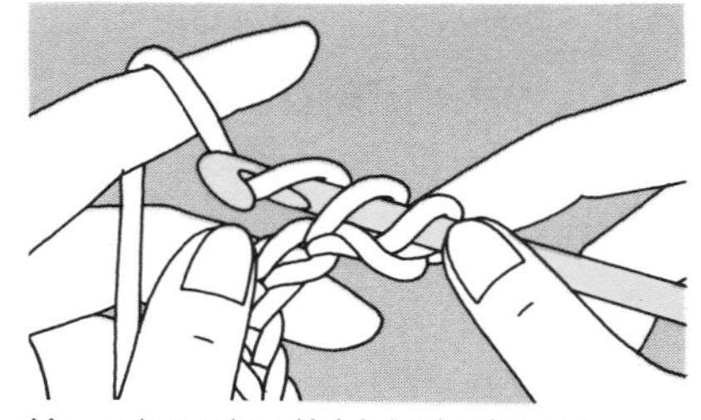

Montez le nombre désiré de cht plus une.
Rg 1 : st 1 cht, *piquez le crochet dans la cht suiv, ramenez 1 bcle que vous laissez sur le crochet*. Ne tournez pas à la fin du rg.

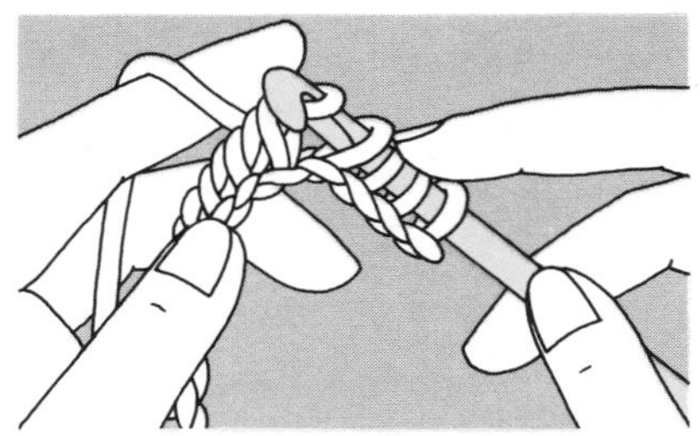

Rg 2 : jeté ramené à travers 1re bcle, *jeté, ramené à travers 2 bcles*. Ne tournez pas; la bcle qui reste est 1re maille du rg suivant.

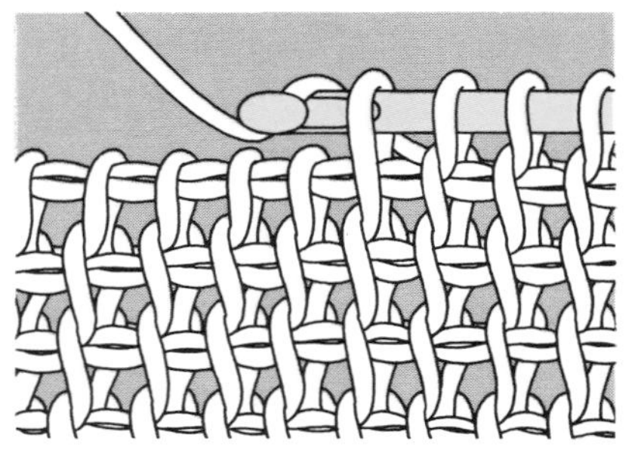

Point tunisien simple : les deux premiers rangs servent de base à la plupa des points tunisiens. La texture de ce point se prête particulièrement bien à la broderie au point de croix.
N'importe quel nombre de cht plus 1
Rg 1 : st 1 cht, *piquez le crochet ds cht suiv, tirez 1 bcle*
Rg 2 : jeté, ramenez à travers 1 bcle, *jeté, ramenez à travers 2 bcles*
Rg 3 : 1 cht, *piquez le crochet de droi à gauche sous la m verticale suiv, tirez 1 bcle*
Rép à partir du rg 2

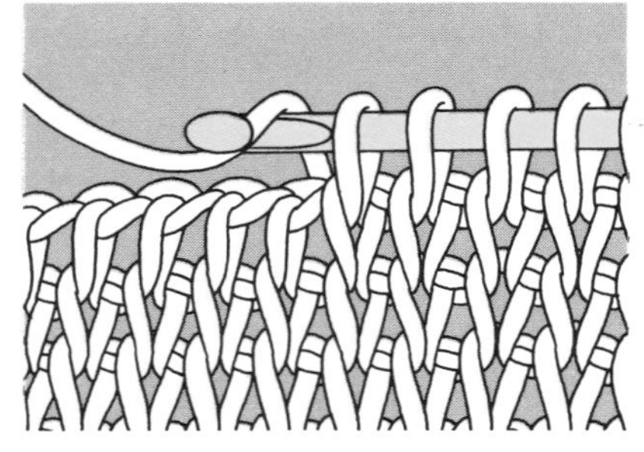

Point tunisien tricot : ce point ressemble beaucoup au tricot jersey, mais en plus épais.
N'importe quel nombre de cht plus 1
Rgs 1 et 2 : point tunisien simple
Rg 3 : 1 cht, *piquez crochet d'av en a ds centre de la m verticale suiv (aidez-vous en séparant les 2 fils avec l'index le majeur de la main gauche), tirez 1 bcle*
Rg 4 : jeté, ramenez à travers 1 bcle, *jeté, ramenez à travers 2 bcles*
Rép à partir du rg 3

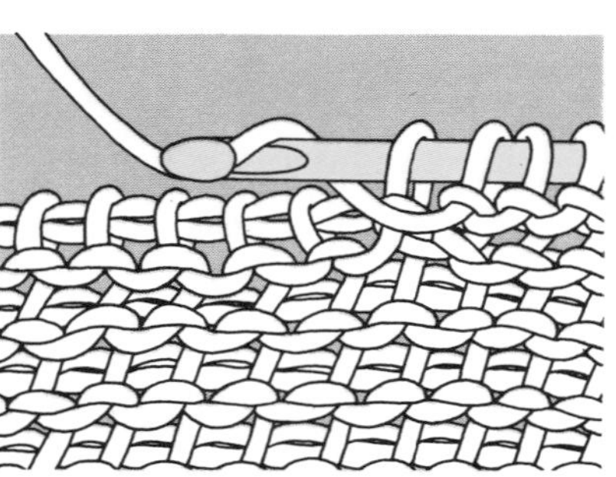

Point tunisien envers : le fil est tenu devant l'ouvrage comme pour la maille tricotée à l'envers.
N'importe quel nombre de cht plus 1
Rgs 1 et 2 : point tunisien simple
Rg 3 : 1 cht, *tenant le fil en avant, piquez le crochet de droite à gauche sous la m verticale suiv, tirez 1 bcle*
Rg 4 : jeté, ramenez à travers 1 bcle, *jeté, ramenez à travers 2 bcles*
Rép à partir du rg 3

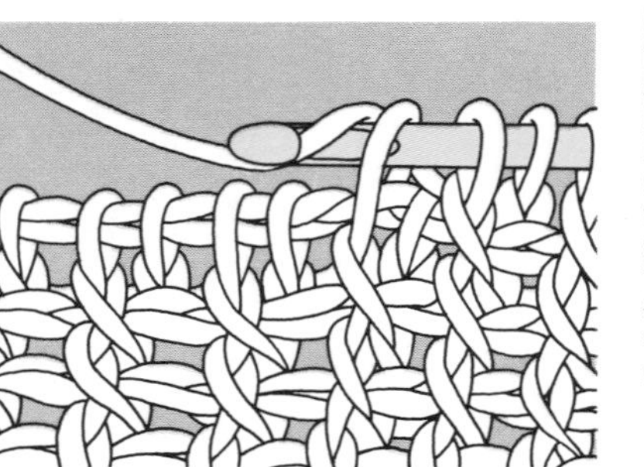

Point tunisien croisé : paires de maill travaillées en les contrariant.
Multiple de 2 cht plus 1
Rgs 1 et 2 : point tunisien simple
Rg 3 : 1 cht, *st 1 m verticale, piquez le crochet de droite à gauche ds m suiv, tirez 1 bcle, piquez le crochet de droite gauche ds m verticale sautée, tirez 1 bcle*
Rg 4 : jeté, ramenez à travers 1 bcle, *jeté, ramenez à travers 2 bcles*
Rép à partir du rg 3

Point tunisien double : des rangs de mailles en diagonale alternent avec des rangs de point tunisien simple.
N'importe quel nombre de cht plus 1
Rgs 1 et 2 : point tunisien simple
Rg 3 : 1 cht, *piquez le crochet de droite à gauche sous la m verticale suiv, tirez 1 bcle, jeté, ramenez à travers 1 bcle*
Rg 4 : jeté, ramenez à travers 1 bcle, *jeté, ramenez à travers 2 bcles*
Rép à partir du rg 3

Point de côtes tunisien : combinaison de points tunisiens simples et envers.
Multiple de 6 cht plus 4
Rgs 1 et 2 : point tunisien simple
Rg 3 : 1 cht, *3 pts tunisiens simples, 3 pts tunisiens envers*, 3 pts tunisiens simples
Rg 4 : jeté, ramenez à travers 1 bcle, *jeté, ramenez à travers 2 bcles*
Rép à partir du rg 3

Point tunisien croisé contrarié : il se travaille de la même façon que le point tunisien croisé (page précédente) mais le motif est décalé d'une maille à gauche un rang sur deux.
Multiple de 2 cht
Rgs 1 et 2 : point tunisien croisé
Rg 3 : 1 cht, tirez 1 bcle sous la m verticale suiv, *croisez la paire de m suiv*, tirez 1 bcle sous la dernière m verticale
Rg 4 : jeté, ramenez à travers 1 bcle, *jeté, ramenez à travers 2 bcles*
Rép à partir du rg 1

Point tunisien à mouches : les mouches sont crochetées sur un fond au point simple. Elles peuvent être augmentées en allongeant la chaînette; leur espacement peut être modifié.
Multiple de 4 cht plus 5
Rgs 1 et 2 : point tunisien simple
Rg 3 : 1 cht, tirez 1 bcle à travers chq des 4 m verticales suiv, *3 cht, tirez 1 bcle à travers chq des 4 m verticales suiv*
Rgs 4, 5, 6 : point tunisien simple
Rg 7 : 1 cht, tirez 1 bcle à travers chq des 2 m verticales suiv, *3 cht, tirez 1 bcle à travers chq des 4 m verticales suiv*, 3 cht, tirez 1 bcle à travers chq des 2 m verticales suiv
Rgs 8, 9, 10 : point tunisien simple
Rép à partir du rg 3

Point tunisien en alvéoles : alternance de points endroit et envers comme dans le point de riz au tricot.
Multiple de 2 cht plus 1
Rgs 1 et 2 : point tunisien simple
Rg 3 : 1 cht, *1 pt tunisien envers sous barre verticale suiv, 1 pt tunisien simple sous barre verticale suiv*
Rgs 4 et 6 : jeté, ramenez à travers 1 bcle, *jeté, ramenez à travers 2 bcles*
Rg 5 : 1 cht, *1 pt tunisien simple sous barre verticale suiv, 1 pt tunisien envers sous barre verticale suiv*
Rép à partir du rg 3

Point tunisien à jours : ce ravissant motif est très facile à exécuter.
Multiple de 4 cht plus 1
Rg 1 : point tunisien simple
Rg 2 : *3 cht, jeté, ramenez à travers 5 bcles, jeté, ramenez à travers 1 bcle*
Rg 3 : 1 cht, *tirez, 1 bcle à travers la tête de chq coquille, tirez 1 bcle dans chq cht du groupe de 3 cht*
Rép à partir du rg 2

Point de fourrure (tricot) 312

Points bouclés

Point rivière : motif aéré de boucles allongées convenant très bien pour un châle ou, en bande isolée, pour une insertion ajourée.
N'importe quel nombre de cht
Rg 1 : st 1 cht, *1 ms ds chq cht*, 1 cht, tournez
Rg 2 : allongez la cht à tourner à la hauteur d'une réglette qu'on pose sur la tête du 1er rg, tirez 1 bcle à travers la cht allongée, *piquez le crochet ds la m suiv, tirez 1 bcle à la hauteur de la réglette, jeté, ramenez à travers la longue bcle, jeté, ramenez à travers 2 bcles*, 1 cht, tournez
Rg 3 : * 1 ms ds chq m*
Rép à partir du rg 2

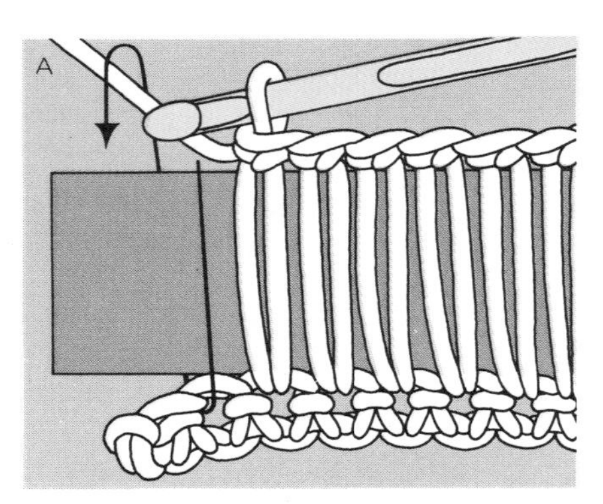

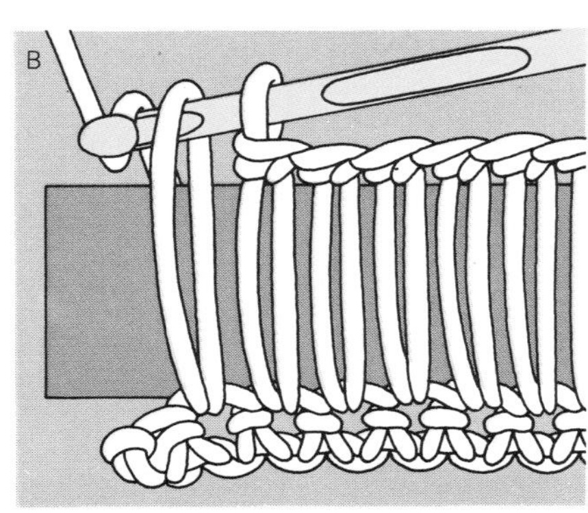

EXÉCUTION DU POINT RIVIÈRE

Le point rivière peut être exécuté avec grande précision en se servant d'un abaisse-langue ou d'une réglette. A défaut de ces accessoires, coupez un carton fort de 15 cm (6″) de long sur la hauteur désirée.
Pour commencer le point, faites un rang de mailles serrées, 1 point de chaînette et tournez. Allongez la chaînette à tourner à la largeur de la réglette que vous placez entre la boucle et le fil, tirez une boucle à travers la chaînette allongée, *poussez le crochet en avant vers le bas et piquez-le dans la maille suivante, abaissez le fil par-derrière jusqu'au crochet, ramenez vers le haut une longue boucle (l'action du crochet est indiquée par la flèche, illustration A), jeté (B), tirez une boucle à travers la longue boucle, jeté, ramenez à travers les 2 boucles qui restent*. Répétez d'un * à l'autre sur tout le rang en avançant la réglette de carton à mesure que le travail progresse, 1 point de chaînette, tournez
Pour continuer le point, faites 1 maille serrée dans chaque maille et, à la dernière, piquez le crochet dans la dernière longue boucle et dans les deux boucles de tête, faites 1 point de chaînette et tournez. Faites un autre rang de point rivière à moins que vous ne préfériez crocheter un rang de mailles serrées avant de le faire.

Point de fourrure : il présente une surface pelucheuse d'un côté et des mailles serrées de l'autre. Les points bouclés peuvent être faits de deux manières différentes (voir ci-dessous). Ce point convient à des dessus de coussin, à des tapis ou à des vêtements de fantaisie.
N'importe quel nombre de cht
Rg 1 : st 1 cht, *1 ms ds chq cht*, 1 cht, tournez
Rg 2 : *1 point bouclé ds chq ms*, 1 cht, tournez
Rg 3 : *1 ms ds chq m*, 1 cht, tournez
Rép à partir du rg 2

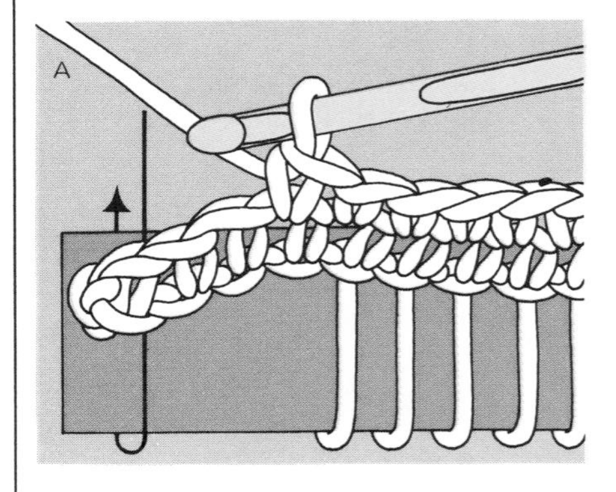

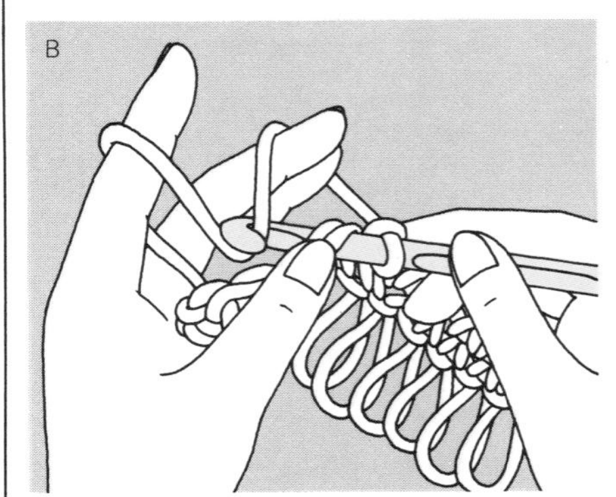

EXÉCUTION DU POINT DE FOURRURE

Le point de fourrure s'exécute à l'aide d'une réglette ou d'une bande de carton, mais on peut également se servir des doigts de la main gauche. La première méthode est plus précise; la seconde est plus rapide. Avant de commencer, faites un échantillon pour déterminer la longueur de votre pt bouclé : entre 1 et 2 cm (½″-1½″).
Pour former les points bouclés sur une bande de carton, commencez par un rang de base en mailles serrées, 1 point de chaînette et tournez. *Le carton dans la main gauche, derrière l'ouvrage, piquez le crochet dans la maille suivante, changez le carton de main et passez le fil autour, d'avant en arrière (suivre la flèche, illustration A), tirez une boucle, jeté, ramenez à travers 2 boucles*. Répétez d'un * à l'autre jusqu'à la fin du rang en déplaçant le carton à mesure qu'il se remplit.
Pour former les points bouclés sur les doigts, commencez par un rang de base en mailles serrées, 1 point de chaînette et tournez. *Piquez le crochet dans la maille suivante, passez les 3e et 4e doigts de la main gauche *sous* le fil et tendez-le à la longueur voulue (B), ramenez une boucle à travers la maille, jeté, ramenez à travers 2 boucles, sortez les doigts de la boucle*. Répétez d'un * à l'autre jusqu'à la fin du rang.

Point bouclé en chaînette : il s'exécute sur un fond de mailles serrées. On obtient des effets différents selon la longueur des chaînettes ou si l'on crochète le fond en brides simples. Ce motif a les mêmes utilisations que celles du point de fourrure (page ci-contre).
N'importe quel nombre de cht plus 2
Rgs 1 et 2 : mailles serrées
Rg 3 : dans brin av de chq m, *1 ms, 8 cht*, 1 ms, 1 cht, tournez
Rg 4 : *1 ms ds l'autre brin de chq m travaillée au rg précédent*, 1 cht, tournez
Rép à partir du rg 1

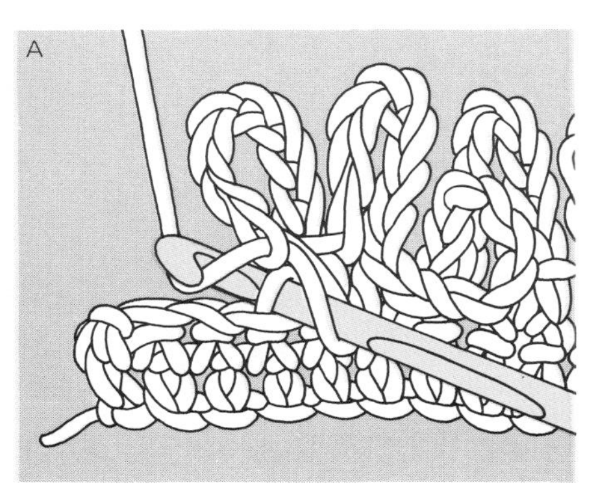

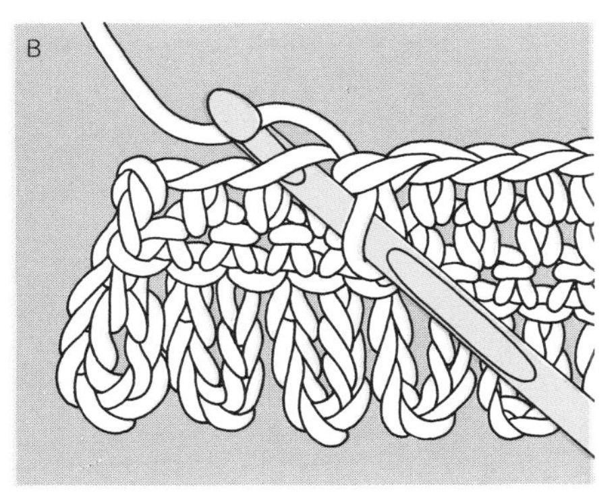

EXÉCUTION DU POINT BOUCLÉ EN CHAÎNETTE

Ce point est obtenu par une longue chaînette entre 2 mailles et l'accumulation de ces chaînettes donne un tissu touffu.
Pour commencer le point, crochetez 2 rangs de mailles serrées, 1 point de chaînette et tournez. *En piquant le crochet dans le brin avant de chaque maille (A), faites 1 maille serrée et 8 points de chaînette*. Répétez d'un * à l'autre et terminez le rang par 1 maille serrée et 1 point de chaînette; tournez.
Pour continuer le point, *piquez le crochet dans l'autre brin de chaque maille travaillée au rang précédent (B) et faites 1 maille serrée*, 1 point de chaînette et tournez.

Dentelle branches de genêt : on l'utilise pour les châles et les couvertures de bébé. Elle nécessite l'utilisation d'une aiguille géante.
Multiple de 5 cht
Rg 1 : transportez les cht du crochet sur l'aiguille à tricoter, *piquez le crochet ds cht suiv, tirez 1 bcle et glissez-la sur l'aiguille*; ne tournez pas
Rg 2 : *piquez le crochet ds 5 bcles et sortez-les de l'aiguille, tirez 1 bcle à travers les 5, jeté, ramenez à travers 1 bcle, 4 ms sur les 5 mêmes bcles*; ne tournez pas
Rg 3 : transportez les cht du crochet sur l'aiguille, *tirez 1 bcle à travers ms suiv et placez-la sur l'aiguille*; ne tournez pas
Rép à partir du rg 2

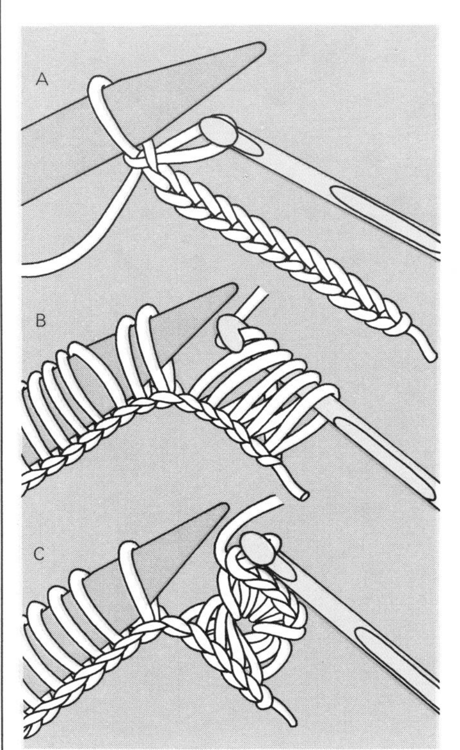

EXÉCUTION DE LA DENTELLE BRANCHES DE GENÊT

Les boucles sont faites sur une aiguille géante à dentelle (ou un goujon) dont le diamètre varie entre 1 et 2,5 cm (½"-1"); sa longueur doit être suffisante pour supporter toutes les boucles. Pour une couverture par exemple, il faut un manche de 90 cm (36").
Pour commencer le point, crochetez une chaînette dont le nombre total de mailles est un multiple de 5, sans compter la maille sur le crochet. Transférez la chaînette du crochet sur l'aiguille que vous tenez solidement sous le bras gauche. *Piquez le crochet dans la cht suivante, tirez une boucle (A) et placez-la sur l'aiguille*. Répétez d'un * à l'autre jusqu'à la fin du rang; ne tournez pas.
Pour continuer le point, *piquez le crochet de droite à gauche à travers 5 boucles, tirez 1 boucle à travers les 5 (B), jeté, ramenez à travers la boucle, 4 mailles serrées sur les 5 mêmes boucles (C)*. Répétez d'un * à l'autre sur toute la longueur du rang; ne tournez pas. Tous les rangs de boucles se travaillent de gauche à droite, les mailles serrées de droite à gauche. (Faites le contraire si vous êtes gaucher.)

Points de crochet/Jacquard

Points de tricot/Jacquard 316-321
Jonction de deux brins 367

Introduction

L'emploi de deux couleurs ou plus au crochet permet d'obtenir de beaux effets, moins détaillés cependant qu'avec le tricot. En règle générale, il vaut mieux choisir des dessins simples (dessins géométriques ou rayures) et les travailler avec la maille serrée qui permet plus de flexibilité, surtout si les changements de couleurs sont fréquents.

Il y a trois manières d'exécuter les jacquards (page ci-contre). Chacune convient à une situation particulière. Quelle que soit celle que vous suivrez, le changement de couleur se fait toujours en introduisant la nouvelle couleur comme dernière boucle dans le dernier point de la couleur précédente (seconde illustration, à droite).

GRILLE DES COULEURS

On emploie souvent une grille pour indiquer les couleurs en crochet. Chaque carré équivaut à une maille et chaque ligne à un rang. Habituellement, les carrés blancs représentent la couleur de fond, les symboles ou les carrés colorés représentent les autres couleurs. Quand il le faut, une légende des symboles accompagne la grille. Pour suivre une grille, commencez par le bas et lisez de droite à gauche pour les rangs endroit; de gauche à droite pour les rangs envers. Il est possible d'emprunter des grilles à d'autres techniques, comme la broderie au point de croix, mais il faut d'abord faire un échantillon pour voir si la transposition est vraiment heureuse.

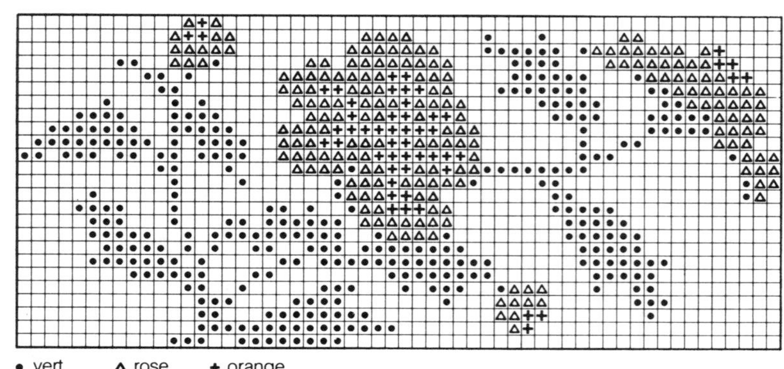

• vert ▲ rose + orange

Techniques de jacquard

Pour introduire une nouvelle couleur à mi-rang, posez le bout du fil sur le rang en cours quelques points avant le temps (A). Continuez à crocheter avec la première couleur en couvrant le bout du nouveau fil. Crochetez avec le premier fil jusqu'aux 2 dernières boucles du dernier point, puis ramenez la nouvelle couleur à travers ces 2 dernières boucles (B). La même technique peut servir à changer de couleur en début de rang : on introduit alors le nouveau fil à la fin du rang précédent. Cette méthode permet de ne pas avoir à rentrer les fils sur l'envers avec une aiguille à tapisserie, une fois l'article terminé.

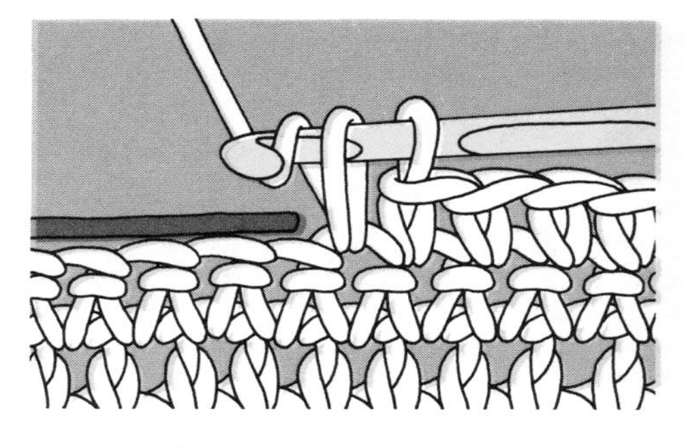

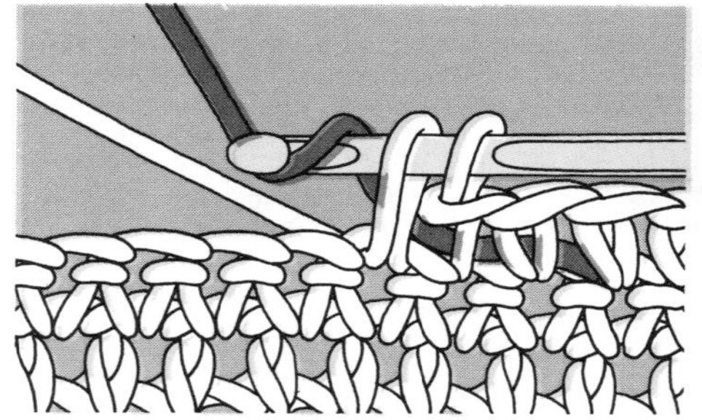

Si un fil en attente doit suivre sur une longueur de plus de 3 mailles, il vaut mieux le prendre dans l'ouvrage toutes les deux mailles pour éviter qu'il s'accroche ou se détende et pour assurer une tension plus régulière. En utilisant cette technique, ne tirez pas sur le fil en attente.

Sur un rang endroit, piquez le crochet dans la maille, puis sous le fil en attente, et saisissez le fil du travail; tirez une boucle (A) pour compléter le point.

Sur un rang envers, passez le crochet sous le fil inemployé, puis dans la maille, accrochez le fil de travail (B) et tirez une boucle pour compléter le point.

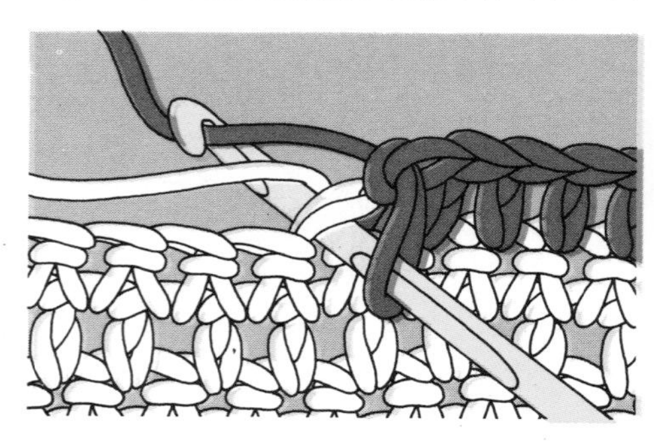

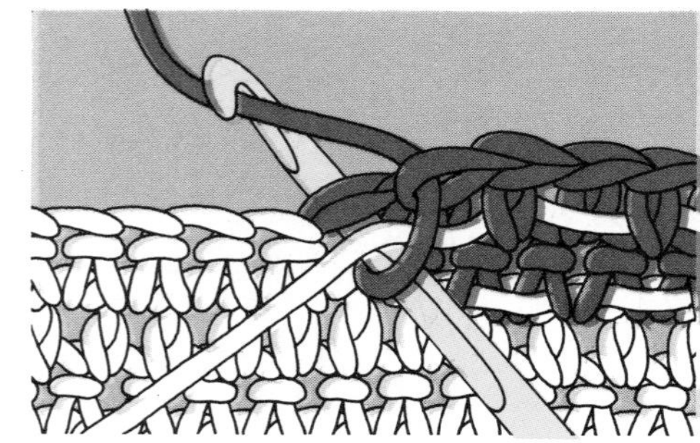

On ne transporte les couleurs inemployées sur l'envers que si le tissu n'est exposé que d'un côté : chandail, housse d'oreiller.
Pour changer de couleur sur un rang endroit, servez-vous de la 1re couleur jusqu'aux 2 dernières boucles du dernier point, laissez-la derrière et à gauche de la 2e que vous prenez pour faire un jeté, ramenez celui-ci à travers les 2 boucles.
Pour changer de couleur sur un rang envers, servez-vous de la 1re couleur jusqu'aux 2 dernières boucles du dernier point, laissez-la devant et à droite de la 2e que vous prenez pour faire un jeté, ramenez celui-ci à travers les 2 boucles.

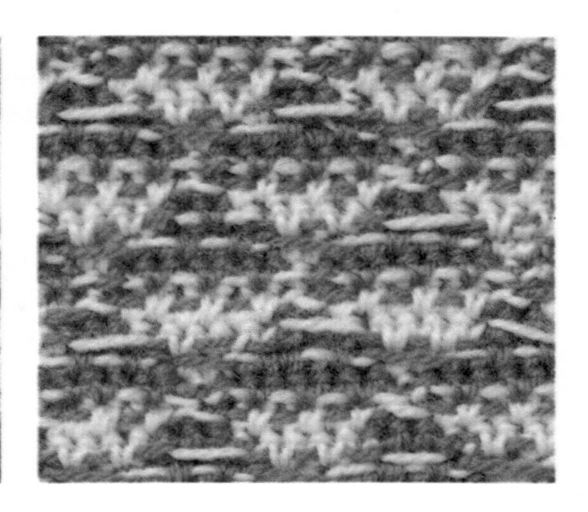

On peut travailler avec les couleurs en attente en rendant l'ouvrage réversible. Cette méthode est plus rapide que la suivante mais elle fait un tissu très épais et consomme beaucoup plus de fil.
Le fil transporté, bien que couvert par les points, reste visible. Servez-vous d'un crochet d'un numéro plus gros que normalement pour tenir compte de l'épaisseur accrue.
Pour transporter la couleur en attente, couchez-la sur le dessus du rang précédent pendant que vous crochetez avec l'autre couleur.
Pour changer de couleur, tirez une boucle de la 2e couleur à travers les 2 dernières boucles du dernier point de la 1re couleur.

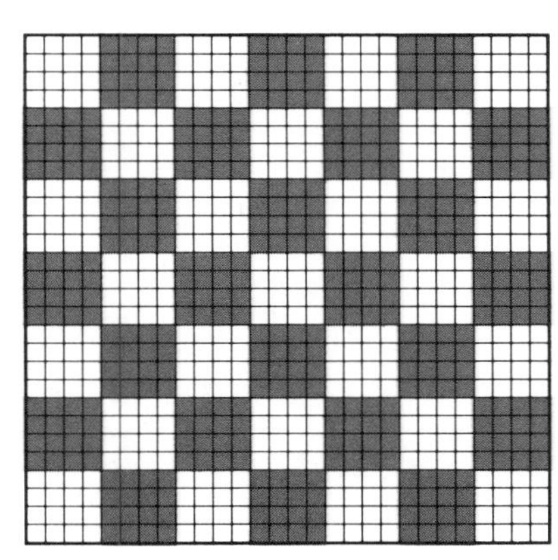

Couper et rentrer les extrémités de fil est une autre solution qui assure la réversibilité de l'ouvrage. Cette méthode est particulièrement heureuse quand le fil doit courir sur de longues distances, quand la couleur change à l'extrémité du rang ou dans le cas d'une insertion (exemple de droite).
Pour arrêter une couleur, crochetez jusqu'aux 2 boucles finales du dernier point, puis tirez une boucle de la nouvelle couleur. Coupez la 1re, en laissant un bout de 15 cm (6"). Quand l'ouvrage est terminé, rentrez ce fil sous 4 à 6 mailles de même couleur et coupez l'excédent.

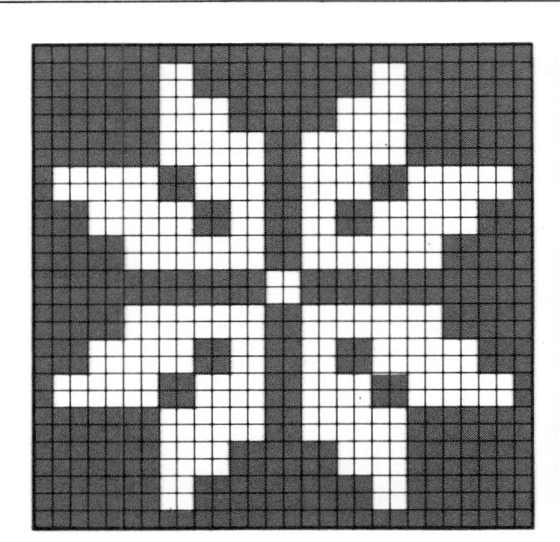

Points de crochet/Symboles

Abréviations du crochet 366

Symboles sténographiques

Les techniques du crochet peuvent être représentées par des symboles et ces symboles, utilisés pour décrire le point ou un article complet. Une grille à symboles permet de se faire une image réaliste d'un point peu familier et est particulièrement pratique quand on travaille en rond.

Voici ci-contre le tableau des symboles, leur sens et les numéros des pages où sont illustrés les points. En règle générale, il n'y a que peu de symboles dans un motif : on peut donc retenir ceux dont on doit se servir.

Bien que des symboles de crochet soient utilisés dans de nombreux pays, ils ne sont pas normalisés. Les exemples que nous donnons ici sont typiques mais ils ne sont pas universels pour autant. Et rien ne vous empêche de créer les vôtres ou d'en préférer d'autres.

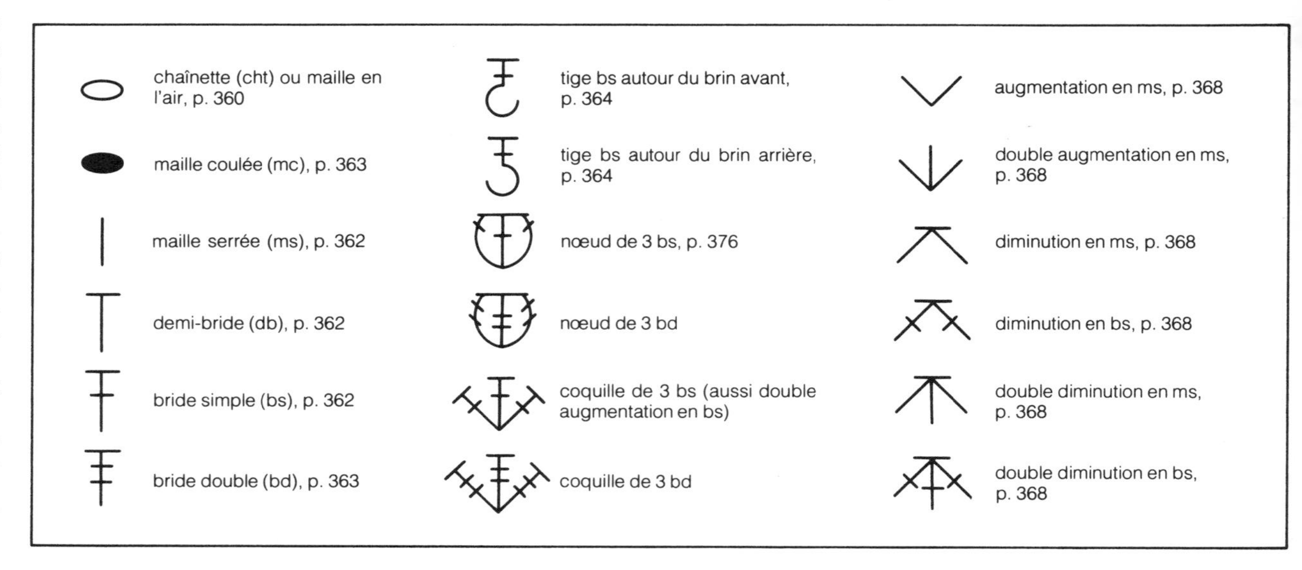

Grille d'un point

Carré fleuri : *anneau de 6 cht fermé par 1 mc*

Tour 1 : 3 cht, (jeté, piquez le crochet ds anneau, tirez 1 bcle, jeté, ramenez à travers 2 bcles) 2 fs, jeté, ramenez à travers 3 bcles, 2 cht, *nœud de 3 bs ds anneau [(jeté, piquez crochet, tirez 1 bcle, jeté, ramenez à travers 2 bcles) 3 fs, jeté, ramenez à travers 4 bcles], 2 cht*, rép 6 fs, mc ds cht du début

Tour 2 : 3 cht, 2 bs ds esp des 2 cht en fin du tour 1, 2 cht (3 bs ds esp des 2 cht suiv, 2 cht) 7 fs, mc ds tête de la cht du début

Tour 3 : 1 cht, *1 ms ds 2e bs, 2 cht, nœud de 3 bd ds esp des 2 cht suiv [(dble jeté, piquez crochet, tirez 1 bcle, jeté, ramenez à travers 2 bcles, jeté, ramenez à travers 2 bcles) 3 fs, jeté, ramenez à travers 4 bcles], 2 cht*, rép 7 fs, mc ds tête de cht du début

Tour 4 : 1 cht, *3 ms ds tête du nœud, (3 bs, 2 cht, 3 bs) ds ms suiv, 3 ms ds tête du nœud suiv, 1 cht, 1 ms ds ms suiv, 1 cht*, rép 3 fs, mc ds cht du début

Tour 5 : 1 cht, 1 ms ds chq m ou cht, 3 ms ds chq esp de 2 cht aux 4 coins, mc ds cht du début, arrêtez

La bonne façon

Introduction

Il existe toute une tradition des vêtements au crochet. Le but de ce chapitre est de vous permettre de mieux comprendre les patrons et, si le cœur vous en dit, de pouvoir réaliser vos propres créations.

Avant de commencer un vêtement au crochet, 1) lisez d'un bout à l'autre les instructions et assurez-vous que vous les saisissez bien; essayez toute nouvelle technique pour voir si vous pouvez l'exécuter correctement. 2) Comparez les mesures du vêtement avec celles de la personne à laquelle il est destiné (voir *Tricot*, p. 324). Si les mesures ne sont pas données, vous pouvez les établir en divisant le total des mailles ou des rangs par l'échantillon (jauge). Par exemple, si l'épaule compte 18 mailles et que l'échantillon est de 8 mailles pour 5 cm (2″), l'épaule aura 11,25 cm (4½″) de large. 3) Vérifiez votre échantillon. Pour obtenir les bonnes dimensions, il faut reproduire exactement la jauge.

Conception du modèle

Si vous projetez de faire un vêtement au crochet, vous pouvez choisir entre deux méthodes : adapter à vos besoins un patron existant ou créer votre propre modèle. Dans les deux cas, il vous faut :
1. avoir les mesures du sujet (voir *Tricot*, p. 324);
2. faire un échantillon pour fins de vérification et, au besoin, pour calculer la quantité de fil nécessaire;
3. savoir comment façonner certaines parties du vêtement (pp. 396-399);
4. tracer les grandes lignes du patron ou le mettre sur une grille.

La première chose à faire est d'écrire la longueur et la largeur de chaque partie du vêtement projeté. Si vous vous basez sur les mesures corporelles, il faut ajouter une certaine ampleur en comparant avec d'autres patrons ou en vous référant aux normes données en page 324. Il faut aussi prévoir une marge de 0,5 cm (¼″) à chaque couture et décider de la longueur d'ensemble, par exemple du bord d'un chandail au dessous du bras.

Choisissez ensuite le fil et le point du modèle, crochetez l'échantillon, plusieurs s'il le faut (jusqu'à ce que vous soyez satisfait de l'aspect du point), puis établissez la jauge.

Transposez en mailles la largeur du vêtement. Par exemple, si votre chandail doit mesurer 45 cm (18″) dans le bas du dos et que la jauge est de 8 mailles pour 5 cm (2″), vous aurez besoin de 72 mail- plus 2 pour les coutures.

Transposez la longueur en rangs. Par exemple, si le chandail mesure 38 cm (15″) du bord au dessous des bras et que la jauge est de 6 rangs pour 5 cm (2″), il faudra tricoter 45 rangs.

Pour déterminer le nombre et la répartition des diminutions, pour façonner l'emmanchure, les manches et l'encolure, suivez les indications pages 396-397. Préparez un patron ou une grille (pp. 394-395), puis calculez la quantité de fil nécessaire.

Evaluation de la quantité de fil nécessaire : il faut savoir qu'un point comprenant des nœuds, des coquilles ou des mouches (boutons) prend une fois et demie plus de fil que les points de base (mailles serrées, etc.) et les points pleins (p. 372).

Un des plus sûrs moyens d'évaluer vos besoins est de vous baser sur un patron qui présente un point similaire et un fil équivalent. A cette fin, il est bon de noter dans un carnet les données de vos patrons favoris. Les quantités ne seront peut-être pas exactement les mêmes; aussi est-il préférable d'acheter un peu plus de fil qu'il ne paraît nécessaire pour avoir le même bain de teinture. Bien des boutiques de laines acceptent de reprendre le fil inemployé pourvu que ce soit dans un délai raisonnable (à vérifier au moment de l'achat).

Un autre moyen consiste à demander conseil dans les boutiques spécialisées; en règle générale, les vendeurs ont de l'expérience et, en tout cas, accès à une quantité de patrons permettant une évaluation assez juste.

Si vous ne trouvez ni patron approprié, ni conseiller sûr, il y a un autre moyen de faire votre propre évaluation : achetez un écheveau et déroulez ⅛ du métrage indiqué sur l'étiquette. (Si le métrage n'est pas fourni, voir à la page 325 comment calculer la quantité par le poids.) Notez la longueur, disons 16 m (17,5 vg). Crochetez un échantillon et mesurez-en la surface. Si l'échantillon est de 10 cm × 7,5 cm (4″ × 3″), vous avez 75 cm^2 (12 po^2).

Ensuite, calculez la surface approximative de chaque partie du vêtement en multipliant sa plus grande largeur par sa plus grande longueur. Additionnez ces résultats, puis divisez la somme obtenue par la surface de l'échantillon et multipliez par la longueur de fil employée pour l'échantillon. En voici un exemple :

Devant du chandail	
buste	45 cm
longueur, du cou au bas	50 cm
surface totale	2 250 cm^2
Dos (mêmes dimensions)	2 250 cm^2
Manche	
largeur du haut du bras	30 cm
longueur totale	58 cm
total des 2 manches	3 480 cm^2
Surface totale du chandail	7 980 cm^2
Divisée par surface de l'échantillon (75)	106

L'échantillon a nécessité 16 m (17,5 vg) de fil. Il faut donc multiplier 16 par 106, ce qui donne 1 696 m (1 854 vg). Soustrayez 10% de ce nombre pour tenir compte des diminutions de façonnage : vous obtenez 1 527 m (1 669 vg).

La bonne façon

Modèle de cardigan pour dame

Il s'agit ici d'une taille 38 (12).
Fournitures
400 g (14 oz) de fil sport, crochets 3,25 (10) et 3,50 (9), 6 boutons de 1,2 cm
Echantillon : 5 cm (2″) = 8 db et 6 rgs avec crochet 3,50 (9)
DOS : avec le crochet 3,50 (9), montez 73 cht. **Rg 1 :** st 1 cht, *1 ms ds cht*, 1 cht, tournez (vous devez avoir 72 ms). **Rg 2 :** *1 db ds chq ms*, 1 cht, tournez. **Rg 3 :** *1 db ds chq db*. Rép le rg 3 jus le morceau mesure 35 cm (14″). **Emmanchures :** 1 mc ds chq des 4 1res mailles, 1 db ds chq m jus 4 dernières, 1 cht, tournez; dim à chaque extrémité du rg sur les 4 rgs suivants. Travaillez sur 56 m jus l'emmanchure mesure 20 cm (8″). **Epaules :** 8 mc ds les 8 1res m, 9 db ds 9 m suiv, 1 cht, tournez; dim d'1 m au début du rg suiv, 1 db ds chq des 6 m suiv, 1 ms ds m suiv; arrêtez. Sautez les 22 m du centre; fixez le fil et faites l'autre épaule.
DEVANT GAUCHE : crochet 3,50; montez 37 cht. **Rg 1 :** st 1 cht, *1 ms ds chq cht, 1 cht, tournez (vous devez avoir 36 m). **Rg 2 :** *1 db ds chq ms*, 2 cht, tournez. **Rg 3 :** 1 db ds chq des 14 1res db, 4 tiges bs autour du brin av de chq des 4 ms suiv du rg 1, 1 db ds chq des 18 db suiv, 2 cht, tournez. **Rg 4 :** *1 db ds chq db*, 2 cht, tournez. **Rg 5 :** 1 db ds chq des 14 1res db, 4 tiges bs autour du brin av des 4 tiges bs 2 rgs au-dessous, 18 db ds les 18 db suiv, 2 cht, tournez. Rép les rgs 4 et 5 jus le morceau mesure 35 cm (14″) avec un rg envers. **Emmanchure :** 1 mc ds chq des 4 1res m, continuez le rg normalement; dim d'1 m à l'emmanchure 4 fs. Continuez sur les 28 m restantes jus l'emmanchure mesure 10 cm (4″) en terminant sur le devant. **Façonnage de l'encolure :** 1 mc ds chq des 8 1res m, continuez le rg normalement; dim d'1 m côté encolure 4 fs. Crochetez les 16 m restantes jus l'emmanchure mesure 20 cm (8″) en terminant côté emmanchure. **Epaule :** 1 mc ds chq des 8 1res m; terminez le rg normalement.
DEVANT DROIT : Comme le devant gauche mais en renversant le patron et les découpes.
MANCHES : avec crochet 3,25, montez 33 cht. Crochetez le **1er rg** en ms et le **2e rg** en db, comme le devant gauche mais sur 32 m. **Rg 3 :** 1 db ds chq des 14 1res m, 4 tiges bs autour du brin av des 4 m suiv, 1 db ds chq des 14 m suiv. Continuez avec le point du patron en ajoutant 1 m des deux côtés tous les 4 rgs, 8 fs. Crochetez sur ces 48 m jus le morceau mesure 40 cm (16″). **Façonnage de l'arrondi :** mc ds chq des 4 1res m, crochetez jus 4 dernières m, tournez; faites 1 rg; dim d'1 m aux 2 extrémités du rg suiv, puis 1 rg sur 2, 6 fs; dim d'1 m aux 2 extrémités des 5 rgs suiv; il reste 18 m; arrêtez.
FINITION : Cousez les côtés, les épaules et les manches. L'endroit vers vous, exécutez avec le crochet 3,25 (10) 2 rgs de ms tout autour de l'ouvrage; faites 3 ms ds la m de chaque angle. Marquez la position des 6 boutonnières sur le côté droit en plaçant la première à 0,5 cm (¼″) de l'encolure et la dernière à 1 cm (½″) du bas. **Au tour suivant,** crochetez en ms, mais faites 1 cht horizontale à chq boutonnière et 3 ms à chq angle. Faites encore 2 tours en ms, en diminuant dans la courbe du cou; arrêtez. Endroit vers vous, exécutez avec le crochet 3,25 (10) 5 rgs de ms au bord de chaque manche. Assemblez les manches au vêtement et fixez les boutons.

Cardigan crocheté en db avec une bande de 4 tiges bs sur chaque devant et sur les manches.

Schéma du modèle

On peut représenter visuellement des instructions écrites par un simple **patron** ou par un **graphique.**

Le patron est un dessin aux dimensions exactes de toutes les parties importantes d'un vêtement sur lequel on écrit les données de la façon. Cette méthode permet de « voir » la forme du vêtement et s'avère très utile au moment de la mise en forme. Pour faire un patron, prenez du papier fort et commencez par tirer une ligne droite égale à la plus grande largeur du dos (généralement le dessous du bras), puis tirez une seconde ligne perpendiculaire, traversant la première au centre. Mesurez les autres surfaces en utilisant ces lignes comme référence. Dessinez la manche et toute autre partie du vêtement de la même manière.

Un graphique se fait sur du papier quadrillé : chaque carré correspond à un point, chaque ligne à un rang. Pour représenter le vêtement de cette manière, il faut se baser sur l'échantillon. On peut dessiner des sections entières ou seulement les parties découpées, mais il suffit de dessiner la moitié du modèle. Un graphique est moins réaliste qu'un patron mais il est facile à suivre, surtout si l'on se sert d'une règle que l'on déplace à mesure.

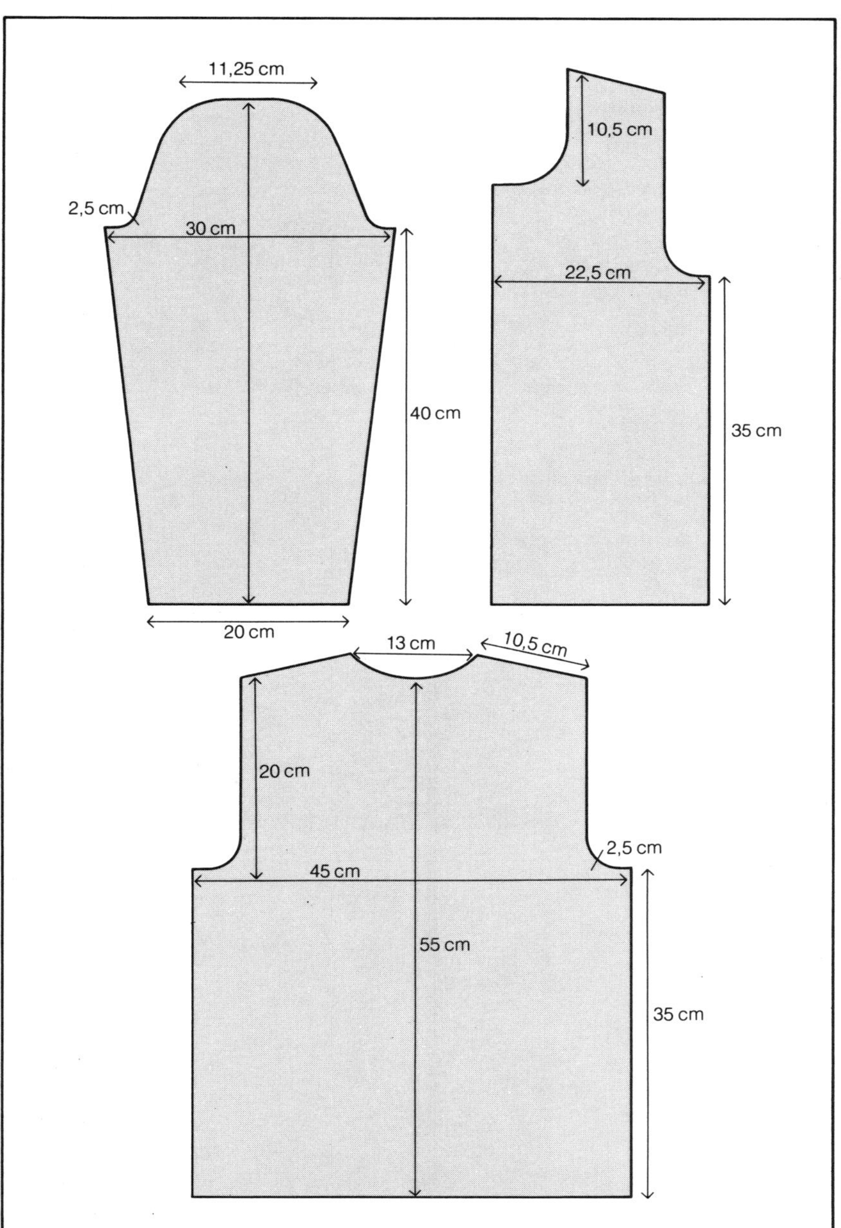

Le patron reproduit exactement les dimensions du vêtement.

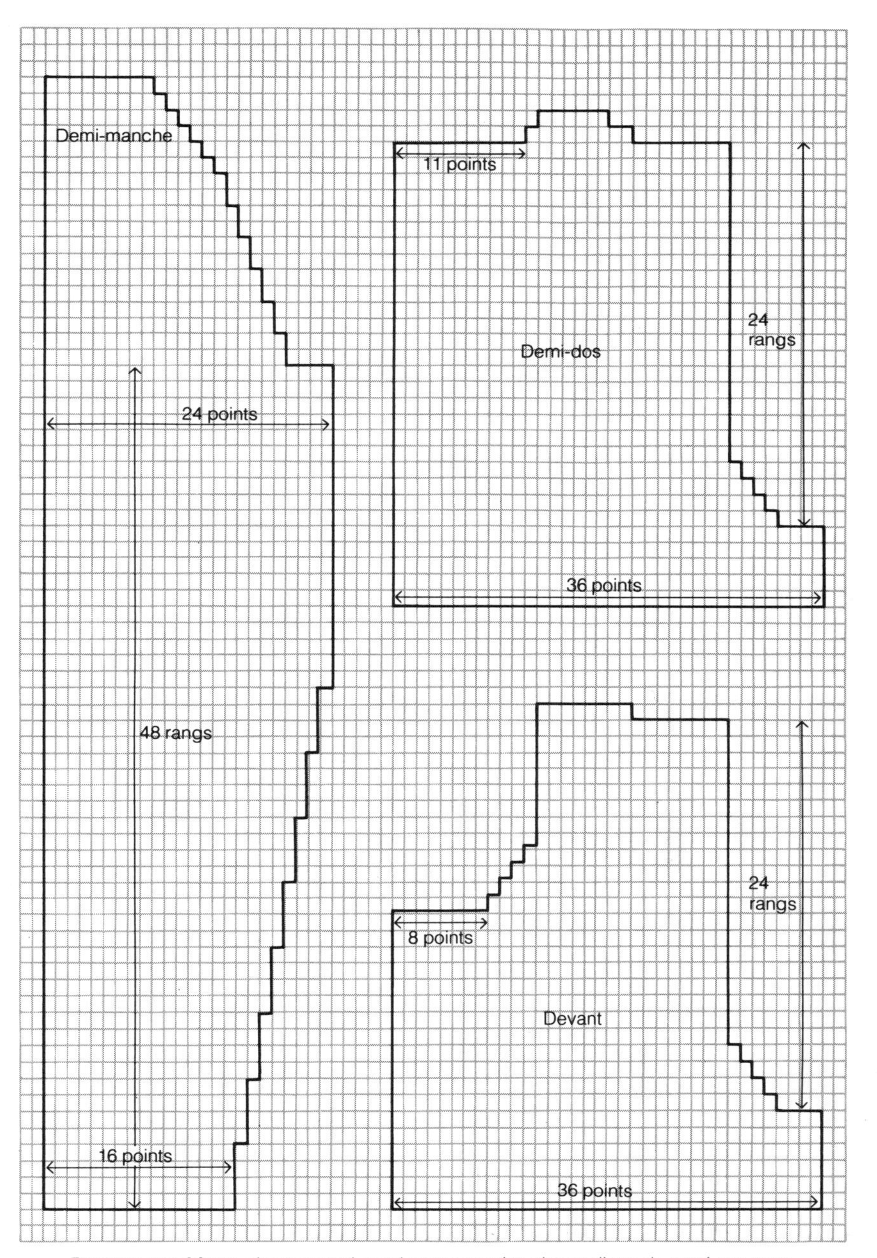

Dans un graphique, chaque carré représente un point, chaque ligne de carrés un rang.

Remmaillage 297 Diminutions 368-369
Bordures crochetées 401

Encolures

L'encolure étant très en évidence, il faut la crocheter avec soin. Dans un pull-over à col montant, on ménagera une ouverture pour passer la tête car le crochet n'a pas l'élasticité nécessaire pour faire un col extensible.

La largeur du cou se calcule sur celle des épaules dont elle fait environ le tiers. La profondeur de l'échancrure du devant doit être proportionnelle à l'emmanchure mais elle varie selon le style (à droite). Dans le dos, l'encolure est généralement droite, formée par les points du centre qui restent après l'inclinaison montante des deux épaules. Si le devant est largement découpé, en rond ou en carré, le dos peut l'être aussi, dans la même forme mais moins prononcée.

Pour façonner l'encolure, on divise habituellement l'ouvrage en deux : chaque moitié est crochetée séparément et toutes les diminutions sont faites sur l'endroit. Leur répartition dépend en partie de la hauteur du point employé. Vous pouvez sauter un ou deux rangs entre les diminutions si le point est court (ms ou db) mais vous devez diminuer à chaque rang s'il est haut (bs).

Une encolure peut être naturellement nette, comme l'encolure carrée, en haut à droite, mais elle gardera mieux sa forme et aura une apparence plus finie si vous lui crochetez une lisière. Un ou plusieurs rangs de mailles serrées font une bordure ferme. Les côtes font aussi une excellente lisière. Elles peuvent être crochetées (p. 398) ou tricotées sur des mailles relevées en bordure. Les épaules devront être assemblées avant d'exécuter cette finition.

Des données générales pour exécuter trois formes d'échancrures sont fournies à droite. Elles sont typiques mais n'excluent pas d'autres possibilités. Si vous désirez les utiliser pour modifier un patron ou pour dessiner votre propre modèle, « couchez votre projet sur papier » avant de crocheter.

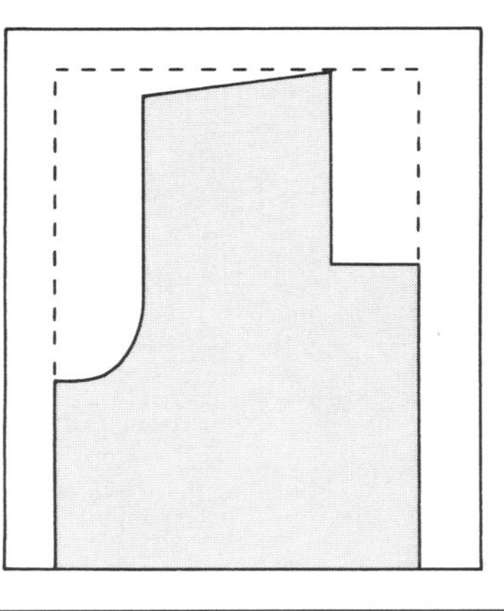

L'encolure carrée se commence entre 7 et 15 cm (3″-6″) au-dessous de l'épaule en ne travaillant pas les mailles allouées pour sa largeur. (Rappel : le nombre de points de l'encolure est ce qui reste après la soustraction des deux épaules.) Il n'y a pas de diminution dans ce type d'encolure. Vous montez en ligne droite jusqu'à l'épaule en travaillant une moitié de l'encolure à la fois.
Pour faire la lisière illustrée ici, crochetez 2 tours de mailles serrées le long de l'encolure, en commençant et en terminant sur l'une des coutures d'épaules; diminuez d'une maille à chaque angle.

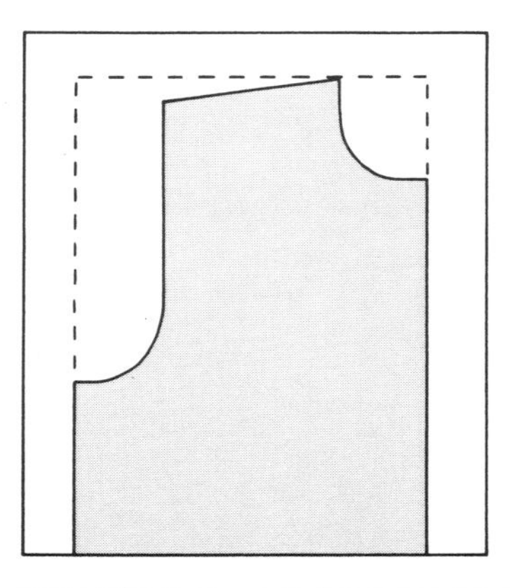

L'encolure ronde ras du cou se commence à 5 cm (2″) au-dessous de l'épaule, pour un adulte et à 4 cm (1½″), pour un enfant. Un tiers des mailles désignées, au centre, n'est pas travaillé; les deux autres tiers sont travaillés à tour de rôle. Diminuez d'une maille à chaque rang (côté du cou) puis montez également jusqu'à la pointe de l'épaule.
Une ouverture en fente est nécessaire avec ce type d'encolure; on la pratique dans le dos en divisant l'ouvrage dans le milieu, 8 à 10 cm (3″-4″) avant d'arriver à l'épaule.
La lisière commence à la fente du dos : 3 rangs de mailles serrées en diminuant dans la courbe si nécessaire.

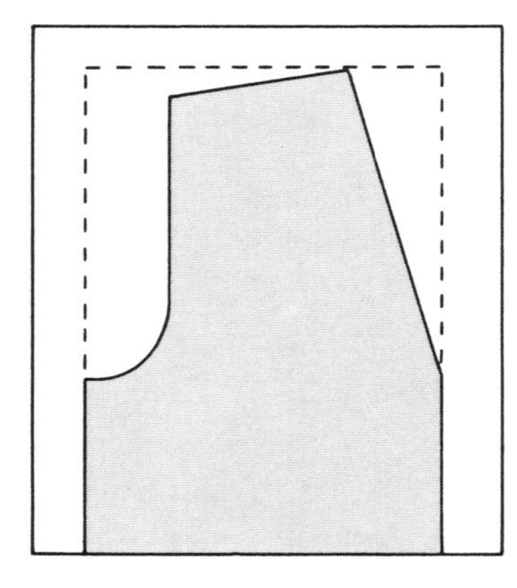

L'encolure en V commence entre 15 et 22 cm (6″-9″) au-dessous de l'épaule, ou juste après le début de l'emmanchure. Chaque moitié de l'ouvrage se travaille séparément en diminuant graduellement du côté du cou, toujours sur l'endroit. Pour un large décolleté, diminuez d'une maille à chaque rang; sinon, tous les deux ou trois rangs. Si vous avez un nombre impair de mailles, diminuez d'une maille au centre avant de diviser l'ouvrage en deux.
Pour faire la lisière illustrée ici, crochetez un tour de mailles serrées puis un second tour de mailles serrées renversées; diminuez de 2 mailles dans le V à chaque tour.

Les bonnes mesures 324-325
Augmentations 368

Emmanchures et manches

Nous décrivons ici les trois types de base de manches et d'emmanchures : **classique, raglan** et **semi-raglan.**

Pour rendre graphiquement les trois formes données ci-dessous, il vous faut les mesures de *largeur d'épaules*, de *poitrine* ou *buste* (il suffit de dessiner la moitié du vêtement), plus la *longueur* de *l'épaule*, la *profondeur de l'emmanchure* et, dans le cas de manches raglan seulement, la *circonférence du cou*. Pour façonner la manche, il vous faut les mesures du *poignet*, du *dessous de bras au poignet* et celle du *haut du bras*.

Au crochet, on travaille une manche de bas en haut en augmentant symétriquement entre le poignet et le dessous de bras dans ce qui sera la couture de la manche. L'emmanchure et l'arrondi de la manche sont façonnés par diminutions. Pour éviter d'avoir une ligne en zigzag sous le bras, suivez les instructions page 369 (qui s'appliquent aussi à la couture des épaules).

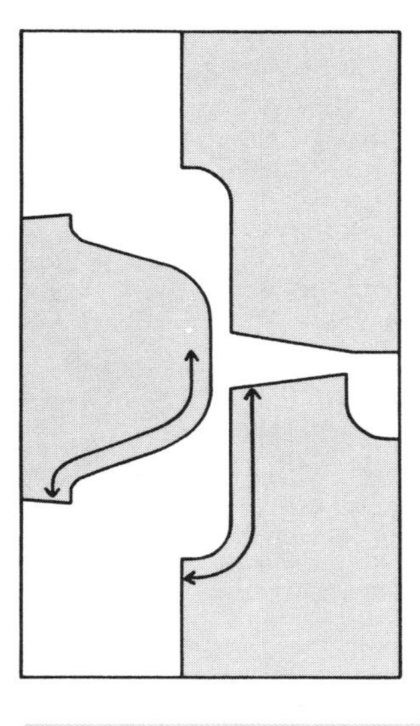

Pour l'emmanchure classique, soustrayez le nombre de m nécessaires à la largeur d'épaules du nombre nécessaire sous le bras. Au début de la découpe, dim d'au moins 2,5 cm (1″), puis d'une m à la fois sur les quelques rgs suivants, et continuez tout droit jusqu'à la hauteur désirée.
Pour l'arrondi d'une manche montée, dim du même nombre de m que pour le début de l'emmanchure; puis continuez symétriquement en espaçant un peu plus les dim jus l'arrondi soit de la même longueur que l'emmanchure; faites 1 rg de plus.

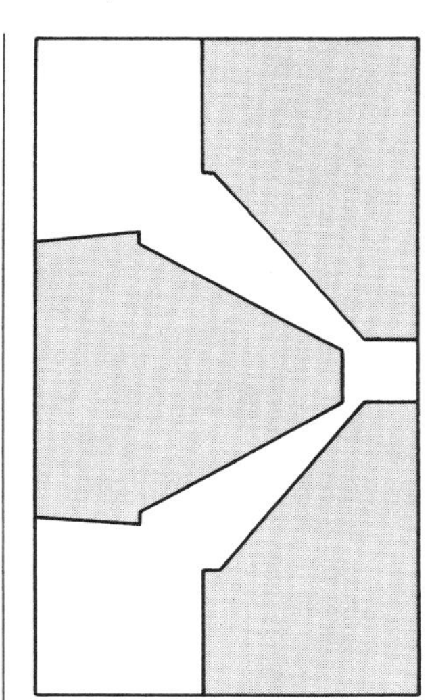

L'emmanchure raglan se termine à l'encolure. Nous l'illustrons ici combinée avec une encolure carrée. Pour déterminer le nombre de dim, soustrayez les m couvrant la largeur du cou du nombre de m du dessous de bras; commencez par dim de 1 cm (½″) de chaque côté et répartissez le reste des dim symétriquement et également sur le nombre de rangs prévus pour atteindre l'encolure.
Façonnez le haut de la manche raglan de la même manière, en laissant entre 7 et 15 cm (3″-6″) au cou, selon la profondeur de l'encolure.

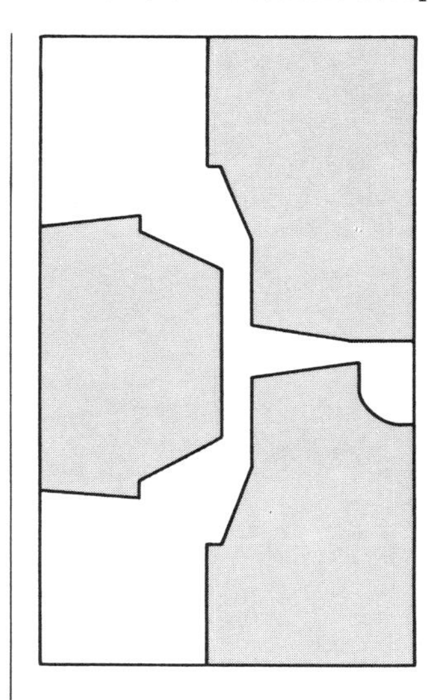

L'emmanchure semi-raglan est façonnée comme l'emmanchure raglan, dans sa moitié inférieure, et comme l'emmanchure classique, dans sa partie supérieure. Calculez le nombre de dim comme pour l'emmanchure classique mais au lieu de les répartir sur les 4 ou 5 premiers rgs, espacez-les en oblique sur la première moitié de l'emmanchure; continuez tout droit jus la fin.
Pour le haut de la manche, diminuez symétriquement sur le même nombre de rangs que l'emmanchure; crochetez 1 rang supplémentaire et arrêtez.

La manche classique présente un arrondi symétrique.

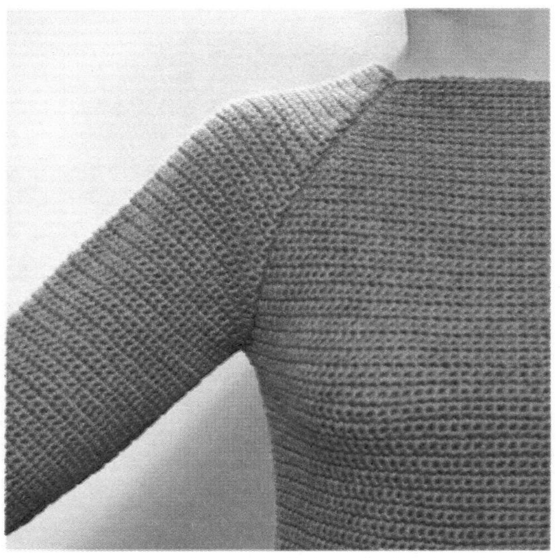

La manche raglan offre une inclinaison régulière jusqu'au col.

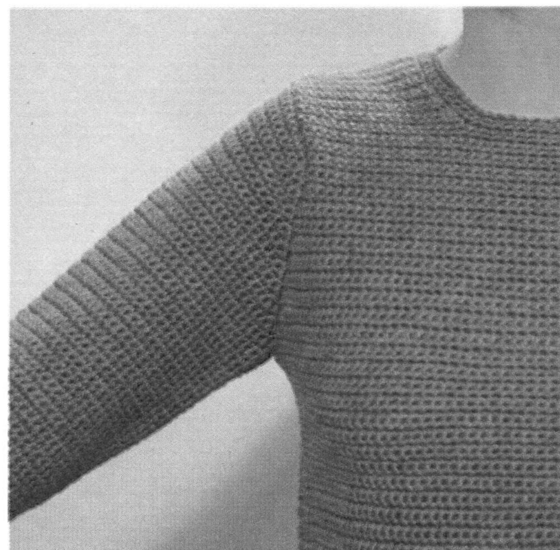

La manche semi-raglan combine les deux techniques.

Côtes (Tricot) 280
Remmaillage 297
Travail d'une tige 364
Confection d'un anneau 370

Côtes

Les côtes crochetées sont employées en bordure pour assurer une finition à la fois ferme et élastique. Nous vous en présentons quatre variantes. La plus facile est le point à côtes qui se travaille à l'horizontale; le vêtement est construit sur l'une des lisières, ce qui donne un effet vertical. Les autres variantes se travaillent à la verticale.

Les côtes crochetées ne sont pas aussi élastiques que les côtes tricotées. Rien ne vous empêche de tricoter des côtes sur un vêtement crocheté : il vous faudra alors assembler en couture tous les morceaux crochetés puis relever les mailles des bords à l'aiguille, à raison d'une maille tricotée pour chaque maille crochetée. Faites d'abord un échantillon pour déterminer la grandeur des aiguilles.

Point à côtes : les arêtes sont faites horizontalement puis tournées pour former les côtes.
N'importe quel nombre de cht formant une côte de la longueur désirée
Rg 1 : st 1 cht, *1 ms ds chq cht*, 1 cht, tournez
Rg 2 : *1 ms ds le brin arr de chq m*, 1 cht, tournez. Rép le rg 2. Quand les côtes sont assez longues pour le vêtement auquel elles sont destinées, arrêtez, tournez le morceau et exécutez le point du patron le long de l'un des côtés.

Mailles serrées en relief : il se forme des arêtes verticales de chaque côté.
Multiple de 2 cht plus 1
Rg 1 : st 1 cht, *1 ms ds chq cht*, 1 cht, tournez
Rg 2 : *1 tige ms ds brin av, 1 tige ms ds brin arr*, 1 ms ds dernier esp, 1 cht, tournez
Rg 3 : *1 tige ms ds brin av, 1 ms sous les 2 brins croisés de la tige suiv*, 1 ms dans le dernier esp, 1 cht, tournez. Rép le rg 3 jus vous ayez la quantité de côtes suffisante.

Brides en relief : les arêtes verticales ne sont visibles que sur un côté.
Multiple de 2 cht
Rg 1 : st 1 cht, *1 ms ds chq cht*, 1 cht, tournez
Rg 2 : 1 ms, *1 tige bs ds brin av de m suiv, 1 ms ds m suiv*, 1 cht, tournez
Rg 3 : *1 ms dans chq m*, 1 cht, tournez
Rg 4 : 1 ms, *1 tige bs ds brin av de la tige 2 rgs plus bas, 1 ms ds m suiv*, 1 cht, tournez. Rép à partir du rg 3.

Fausses côtes tunisiennes : les arêtes sont moins prononcées que dans les autres côtes crochetées mais elles conviennent bien à un vêtement au crochet tunisien.
Multiple de 2 cht
Rgs 1 et 2 : point tunisien simple
Rg 3 : 1 cht, 1 pt tunisien envers sous la 2e bride, *1 pt tunisien tricot, 1 pt tunisien envers*
Rg 4 : 1 jeté, tirez 1 bcle, *1 jeté, ramenez à travers 2 bcles*. Rép à partir du rg 3.

Boutons

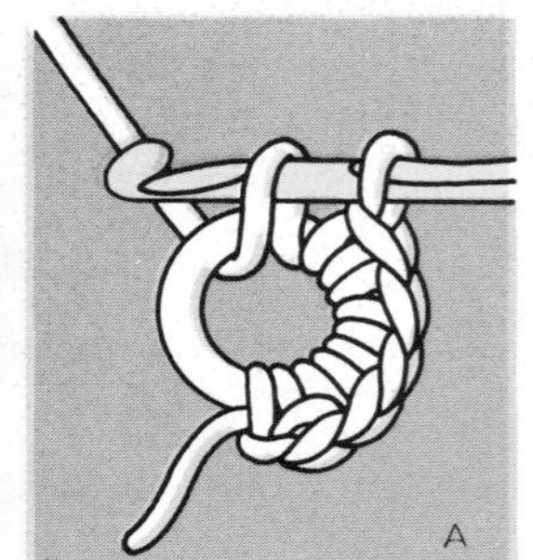

Bouton sur anneau : le fil est crocheté sur un anneau de plastique 3 mm (1/8") plus petit que le diamètre désiré. Commencez par faire un nœud coulant. Piquez le crochet dans l'anneau pour former chaque maille et recouvrez-le de ms (A); mc dans la 1re m pour fermer, arrêtez. Coupez le fil en gardant 30 cm (12") que vous enfilez dans une aiguille à tapisserie; pt de surfil à l'extérieur de chaque boucle (B), puis tirez les points vers le centre. Cousez un X à l'envers du bouton.

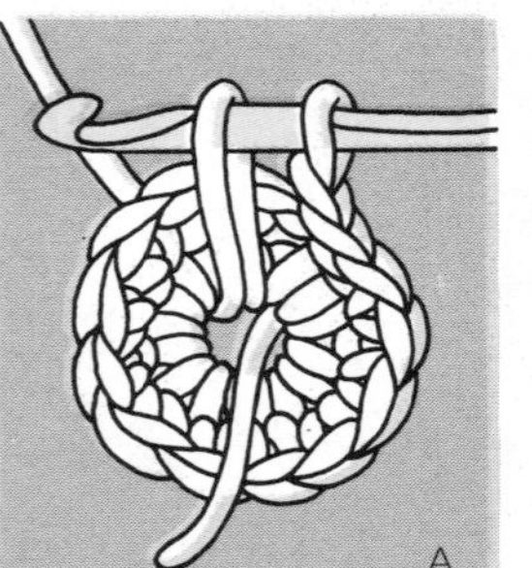

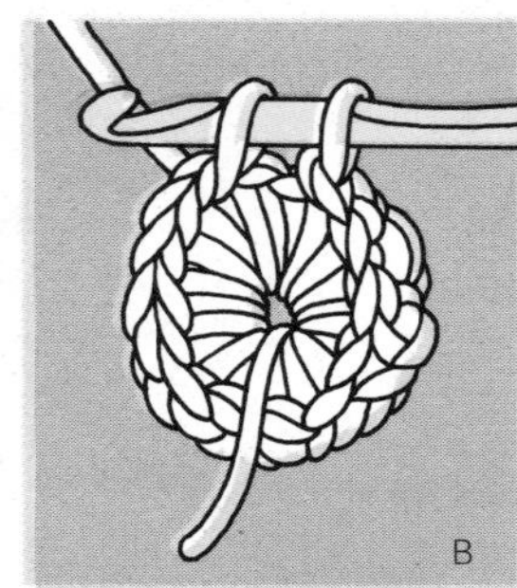

Bouton rond : sa grosseur et sa taille dépendent du poids du fil employé. *3 cht fermées en anneau par 1 mc.* **Tour 1 :** 1 cht, 8 ms ds anneau, mc ds 1re cht. **Tour 2 :** 1 cht, (1 ms ds m suiv, 2 ms ds m suiv) 4 fs, mc ds 1re cht; tirez le petit bout du fil à travers le trou central. **Tour 3 :** 1 cht, (piquez crochet ds le centre et tirez une longue boucle (A), 1 jeté ramené à travers 2 bcles) 16 fs, mc ds 1re cht. **Tour 4 :** 1 ms ds 1 m sur 2 (B); arrêtez et surfilez. Cousez un X à l'envers du bouton.

Boutonnières

Boutonnière horizontale (mailles serrées) : à l'emplacement choisi pour la boutonnière, faites autant de mailles en l'air que nécessaire pour le diamètre du bouton (généralement de 1 à 5). Sautez le nombre de mailles correspondant et continuez le motif (A).
Rg suivant : crochetez en ms *sur* la chaînette de la boutonnière autant de mailles qu'il y a de cht (B).

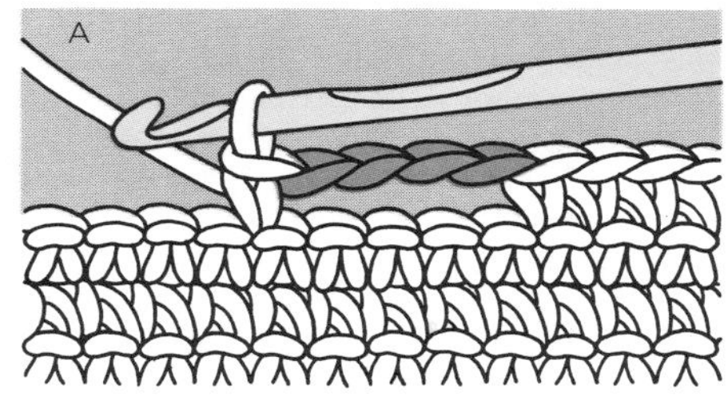

Boutonnière de 4 cht complétée

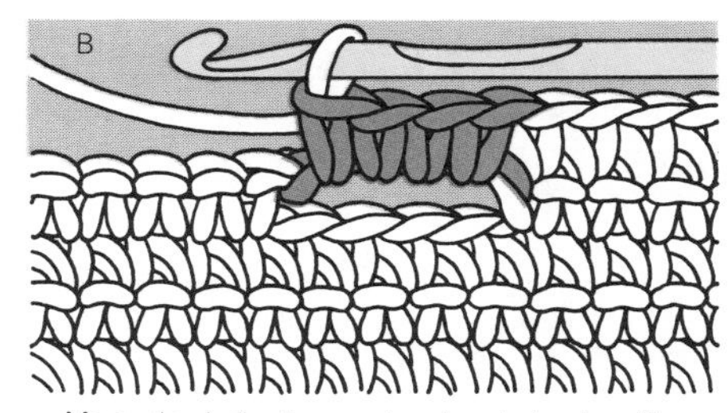

Ms sur la chaînette pour terminer la boutonnière

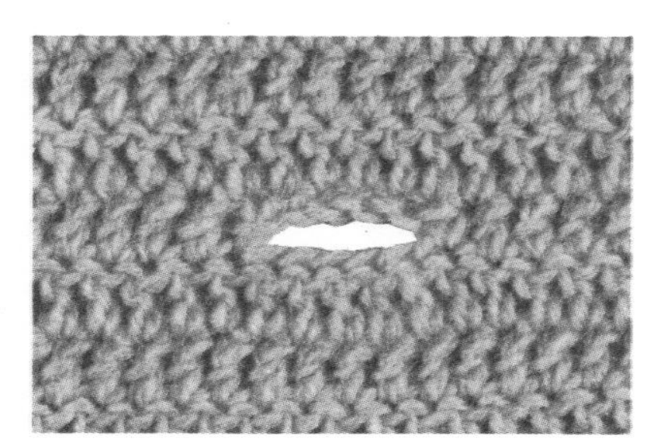

Boutonnière horizontale (brides simples) : à l'emplacement choisi, piquez le crochet ds le brin diagonal de la bride qui vient d'être faite (A), *tirez 1 bcle, 1 jeté, ramenez à travers 2 bcles, piquez le crochet sous le brin gauche av du pt qui vient d'être fait*, rép jus longueur désirée. Pour terminer la boutonnière, tirez 1 bcle, sautez autant de brides qu'il y a de m à la boutonnière, piquez le crochet dans la bride suiv, tirez 1 bcle, faites une bs (B).

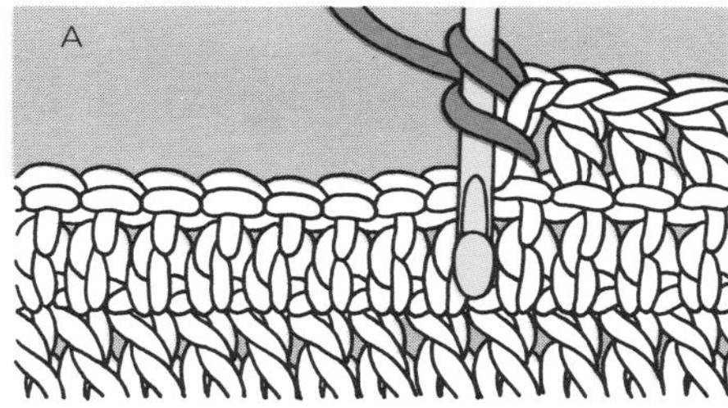

Position du crochet sous le brin diagonal

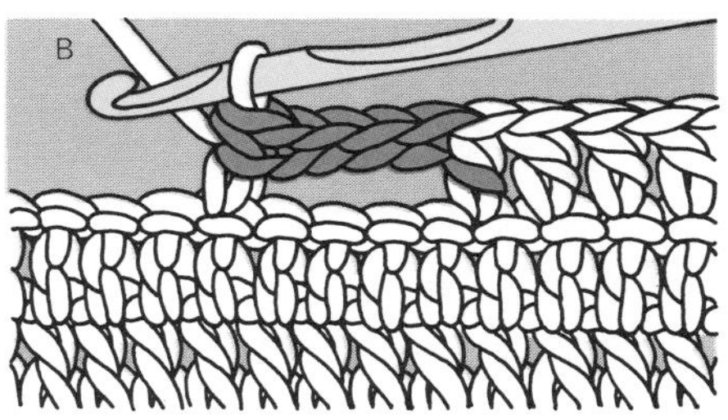

Boutonnière en chaînette double terminée

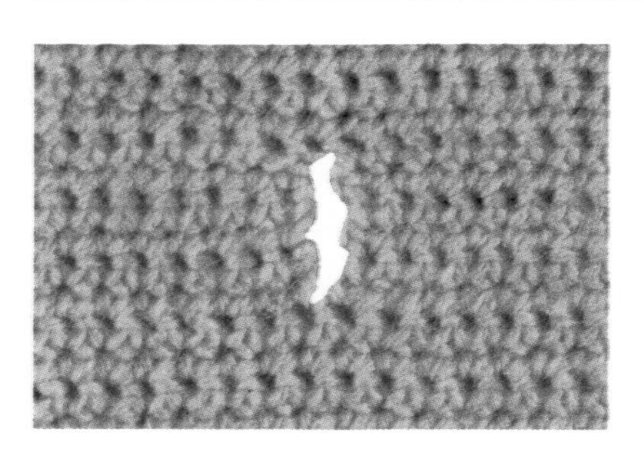

Boutonnière verticale (n'importe quel point) : sur l'endroit, crochetez jusqu'à l'emplacement de la boutonnière; tournez et travaillez cette moitié jus. boutonnière ait la hauteur voulue. Si le nombre de rangs formant la boutonnière est impair, arrêtez le fil (A); s'il est pair, laissez-le sur le côté extérieur sans le couper. Crochetez l'autre moitié de l'ouvrage en partant du bord de la boutonnière. Puis, partez du côté extérieur et faites un seul rang pour fermer la boutonnière (B).

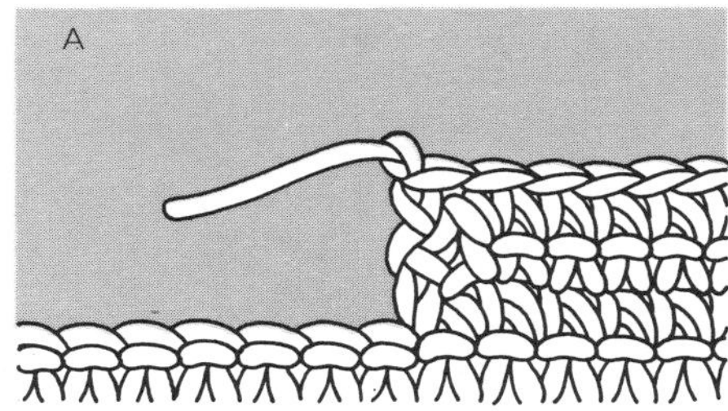

Première moitié de la boutonnière

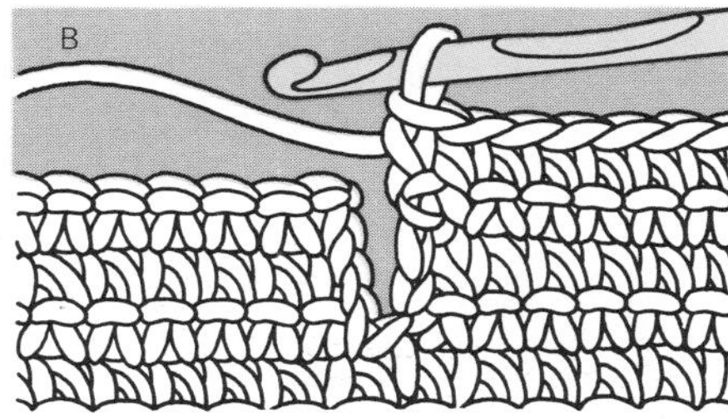

Fermeture de la boutonnière

Ganse en mailles serrées : sur l'endroit, travaillez jusqu'à la fin de la boutonnière. Faites autant de cht que nécessaire pour le bouton; rabattez et joignez à la m du début de la boutonnière : sortez le crochet de la cht, piquez-le d'av en arr ds la tête de la m, accrochez la cht et ramenez-la à travers; piquez le crochet ds la m suiv à droite, 1 jeté (A), tirez 1 bcle à travers m et cht. Crochetez en ms sur la chaînette, mc ds m où la boutonnière a été commencée (B) et continuez.

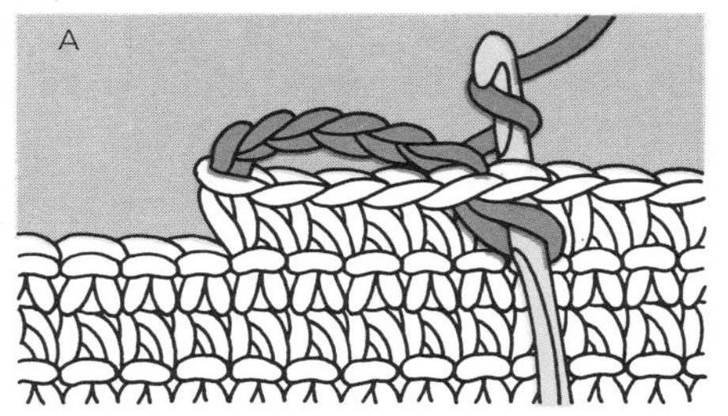

Chaînette ramenée au début de la boutonnière

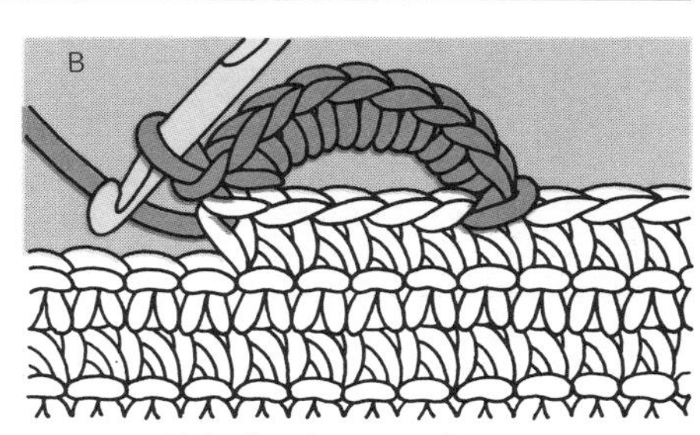

Exécution des ms sur la ganse

Assemblage et finition

Renseignements pratiques

La mise en forme est généralement la première étape de finition d'un ouvrage au crochet. Ce procédé permet de redonner à l'ouvrage sa forme et ses mesures et, en même temps, d'atténuer de légères irrégularités. On peut mettre en forme à la vapeur ou en humectant (voir pages 342-343). Vérifiez toujours l'étiquette du fil employé : certains fils ne doivent pas être mis en forme.

L'assemblage est la démarche suivante pour tout projet exécuté en morceaux. Le choix d'une méthode sera dicté d'abord par le genre de l'ouvrage, ensuite par les préférences personnelles. L'assemblage endroit sur endroit est nécessaire quand la lisière est inégale; il est parfois préféré simplement pour sa solidité et la netteté de sa ligne. L'assemblage lisière à lisière n'est possible que si les bords sont parfaitement réguliers et comptent le même nombre de mailles. Cette méthode convient particulièrement bien à des côtes et à des motifs.

Une bordure peut être ajoutée en dernier ressort pour assurer plus de fermeté et d'uniformité à un bord crocheté. Différentes suggestions sont données à la page ci-contre.

ASSEMBLAGE ENDROIT SUR ENDROIT

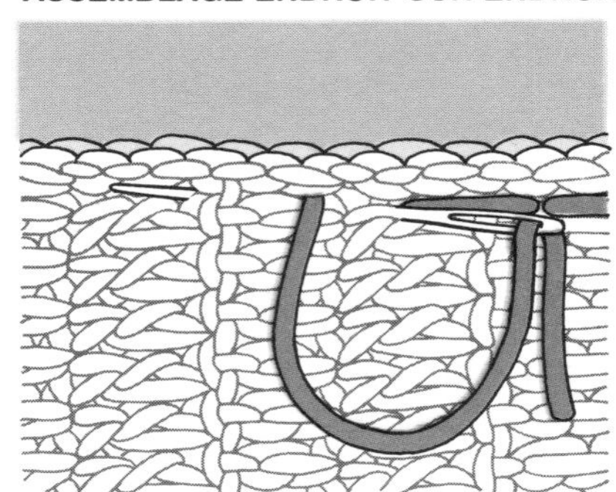

Point arrière : peut être fait à n'importe quelle distance du bord; sert pour les lisières inégales ou pour modifier un vêtement.
Sortez l'aiguille à travers 2 mailles correspondantes; *piquez derrière l'endroit où le fil est sorti et ramenez devant*.

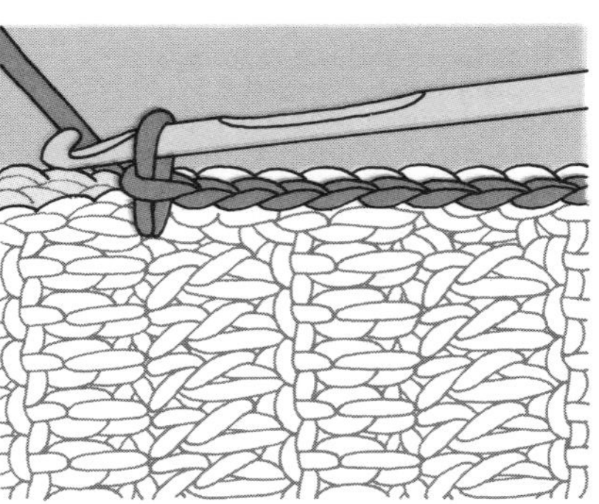

Maille coulée : assemblage solide mais peu élastique.
Tirez une boucle à travers les mailles correspondantes de chaque section; *piquez crochet ds les 2 m suiv, tirez 1 bcle à travers les 2 m et la bcle qui se trouve sur le crochet*.

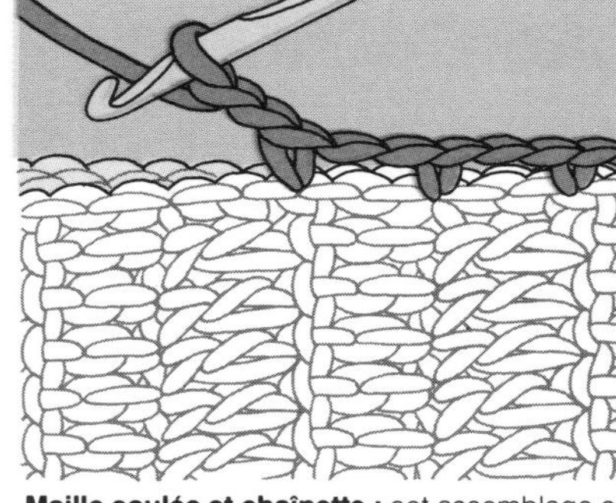

Maille coulée et chaînette : cet assemblage est plus élastique que la maille coulée seule.
Faites une maille coulée à travers 2 mailles correspondantes au début du rang; *faites une chaînette égale à la hauteur du rang; crochetez 1 mc au début du rang suivant*.

ASSEMBLAGE LISIÈRE À LISIÈRE

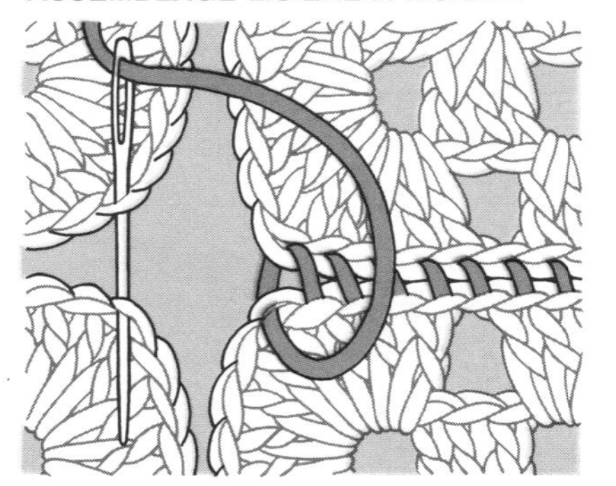

Surjet : sert surtout aux ouvrages de patchwork.
***Piquez l'aiguille** à angle droit sous l'arr de la bcle des m correspondantes de chq lisière et tirez le fil*. Quand vous arrivez aux coins de 2 motifs, continuez avec les 2 suiv (illustration).

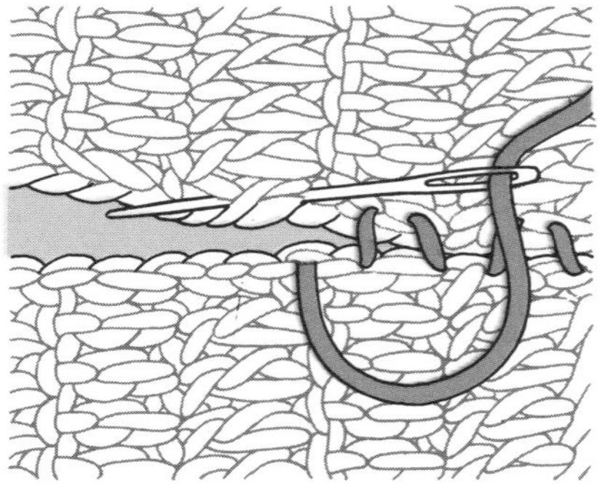

Point d'ourlet : pour filet et points hauts.
Juxtaposez les morceaux endroit vers vous. *Passez l'aiguille sous la moitié inférieure de la m de bordure de l'un des morceaux, puis sous la moitié supérieure de la m de bordure de l'autre*.

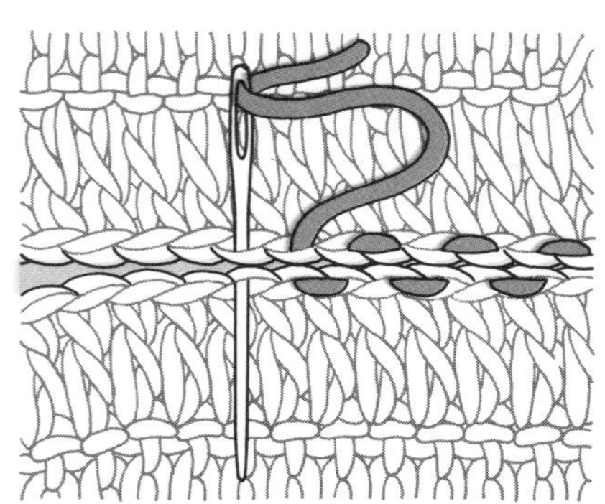

Point devant : assemblage invisible pour bordures droites avec même nombre de mailles.
Endroit vers vous, *sortez l'aiguille à travers 1 bcle d'un côté et rentrez-la dans la suivante, faites la même chose de l'autre côté*.

Lisières et garnitures au crochet

Le crochet se prête si naturellement aux garnitures que ses possibilités de décoration sont presque infinies. On peut s'en servir pour border un ouvrage au crochet ou au tricot; il raffermit le bord, lui donne un aspect soigné et original. Si vous l'appliquez sur un vêtement, assemblez d'abord celui-ci, puis commencez la lisière crochetée à l'une des coutures. Travaillée séparément, la garniture peut être faite à l'horizontale (rangée du milieu) ou à la verticale (rangée du bas), puis cousue sur le vêtement qui peut même être en tissu. On peut utiliser n'importe quel type de fil pour une garniture crochetée.

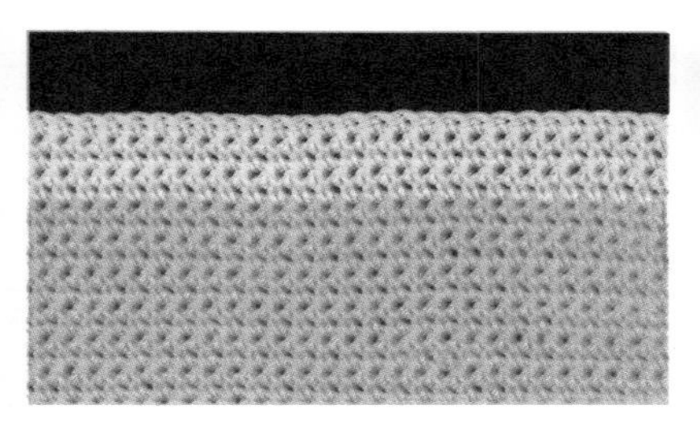

Bordure en mailles serrées : de 1 à 4 rgs autour d'une emmanchure ou d'une encolure; au moins 2,5 cm (1") en bordure de vêtement.

Bordure gansée : fini très ferme et net
Rg 1 : ms, de droite à gauche
Rg 2 : ms, de gauche à droite

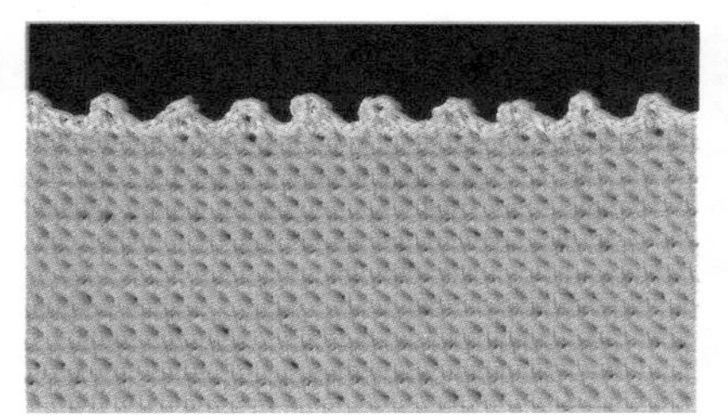

Bordure à petits picots : pour une robe
Un seul rang : *1 mc ds 2 m suiv, 1 ms ds m suiv, 3 cht, 1 ms ds même m que ms préc.*

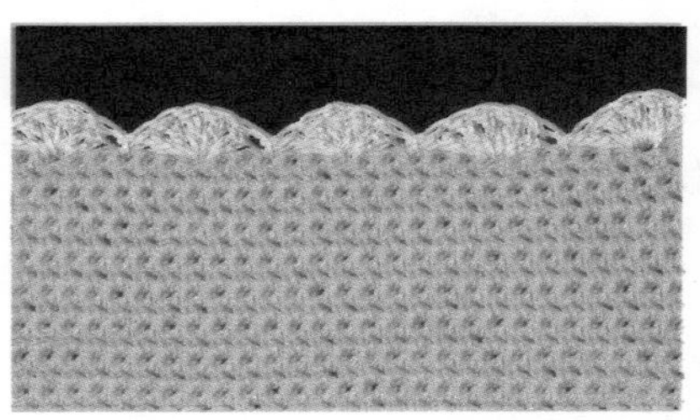

Bordure festonnée : pour un article ajouré
Un seul rang : 1 mc, *st 2 m, 5 bs ds m suiv, st 2 m, 1 mc ds m suiv*

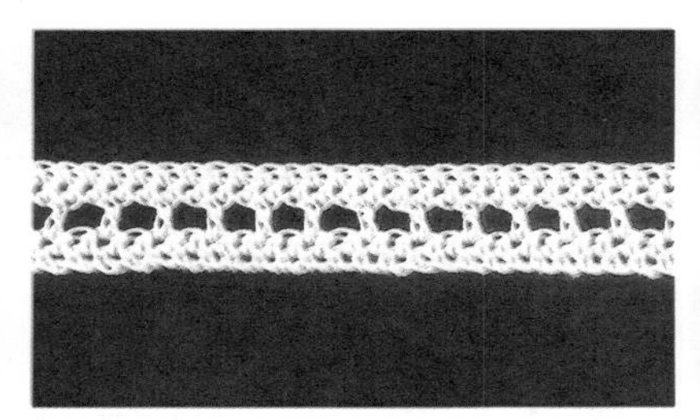

Galon officier : multiple de 2 cht plus 2
Rg 1 : st 1 cht, *1 ms ds chq cht*, 1 cht, tournez
Rg 2 : *1 ms ds chq ms*, 4 cht, tournez
Rg 3 : st 2 ms, *1 bs ds ms suiv, 1 cht, st 1 ms*, 1 bs ds dernière ms, 1 cht, tournez
Rg 4 : *1 ms ds chq bs, 1 ms ds chq cht*, 1 cht, tournez
Rg 5 : *1 ms ds chq ms*; arrêtez

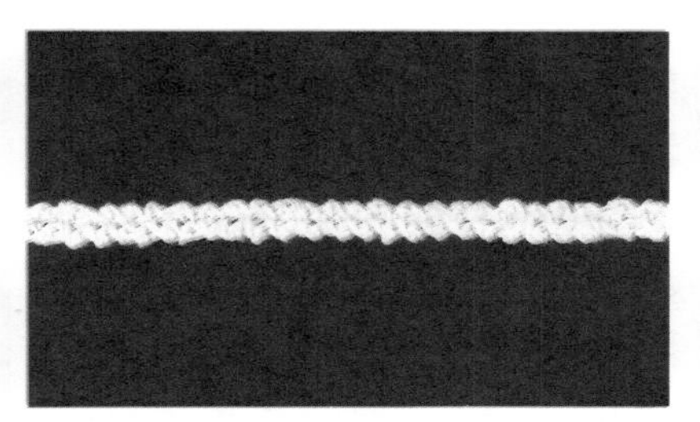

Perles : n'importe quel nombre de cht
Rg 1 : st 1 cht, *piquez le crochet ds cht suiv, tirez 1 bcle, faites faire au crochet un tour complet à l'horizontale ds le sens des aiguilles d'une montre, 1 jeté, ramenez à travers 2 bcles*; en fin de rang, 1 cht et continuez de l'autre côté de la chaînette; répétez d'un * à l'autre dans chq bcle de ce côté; arrêtez

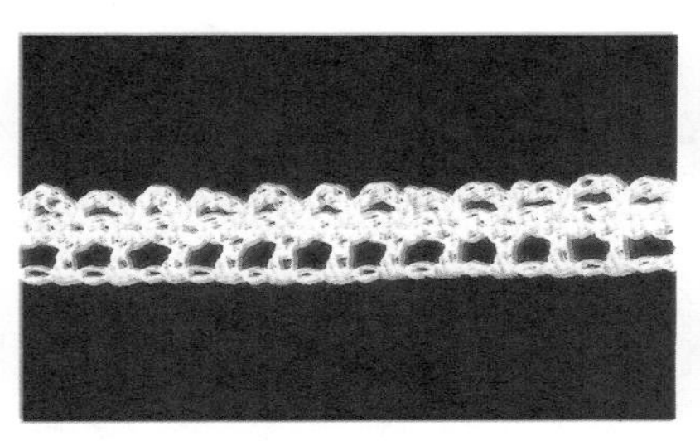

Galon en jours et picots : multiple de 2 cht plus 5
Rg 1 : st 5 cht, 1 bs ds cht suiv, *1 cht, st 1 cht, 1 bs ds cht suiv*, 1 cht, tournez
Rg 2 : 1 ms ds chq m et chq esp de cht, 4 cht, tournez
Rg 3 : st 1 ms, *mc ds ms suiv, 4 cht, st 1 ms*, mc ds 4e cht au début du rg 1, arrêtez

Galon en éventail : multiple de 5 cht plus 3
Rg 1 : st 1 cht, *1 ms ds chq cht*, tournez
Rg 2 : mc ds 2 1res ms, *3 cht, st 3 ms, mc ds 2 ms suiv*, tournez
Rg 3 : mc ds 2 1res ms, *(1 bs, 1 cht ds esp de 3 cht) 4 fs, 1 bs ds même esp, 2 mc*, tournez
Rg 4 : *(1 ms, 3 cht ds esp de cht suiv) 4 fs, mc ds 2 mc suiv*, arrêtez

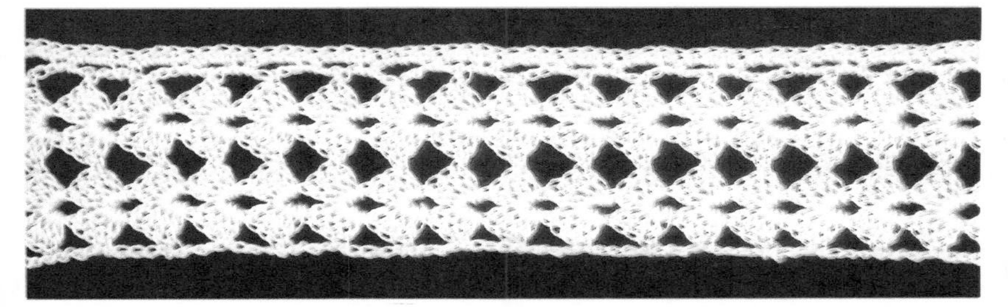

Entre-deux de coquilles : *19 cht.* **Rg 1 :** st 9 cht, 1 coquille [4 bs, 3 cht, 4 bs] ds cht suiv, st 5 cht, 1 coquille ds cht suiv, st 2 cht, 1 bt ds dernière cht, 5 cht, tournez. **Rg 2 :** 1 coquille ds chq esp de 3 cht coquille du dessous, 1 bt ds dernière bs de 2e coquille, 5 cht, tournez. Rép le rg 2 en terminant par 2 cht, 1 bs ds dernière bs; ne tournez pas. **Sur un bord,** 1 cht, 1 ms ds bcle juste faite, *3 cht, 1 ms ds bcle suiv*, 1 cht, tournez. **Rg suiv :** 1 ms ds 1re ms, *3 ms ds esp de 3 cht, 1 ms ds ms*.

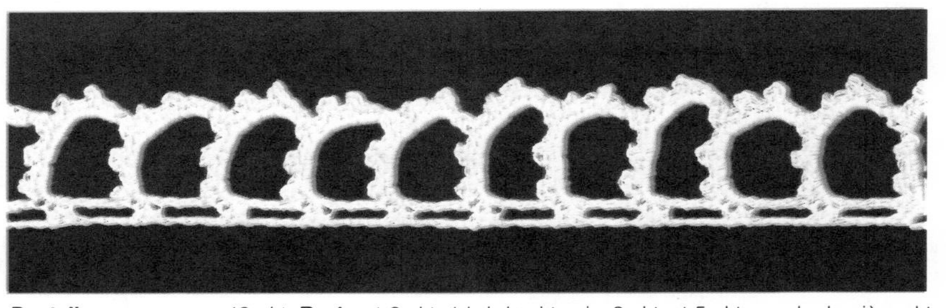

Dentelle en arceaux : *13 cht.* **Rg 1 :** st 6 cht, 1 bd ds cht suiv, 9 cht, st 5 cht, mc ds dernière cht, 1 cht, tournez. **Rg 2 :** ds esp des 9 cht (3 ms, 3 cht) 5 fs, 2 ms ds même esp, 1 ms ds bd, 2 ms ds esp des 6 cht, 5 cht, tournez. **Rg 3 :** st 2 ms, 1 bd ds ms suiv, 9 cht, st 2 bcles de 3 cht, mc ds bcle de 3 cht suiv, 1 cht, tournez. **Rg 4 :** ds esp des 9 cht (3 ms, 3 cht) 5 fs, 2 ms ds même esp, 1 ms ds bd, 1 ms ds 4e cht de cht à tourner, 5 cht, tournez. Rép les rangs 3 et 4 jus longueur désirée; arrêtez.

Couverture au crochet tunisien

Mise en forme 342-343
Point tunisien simple 386

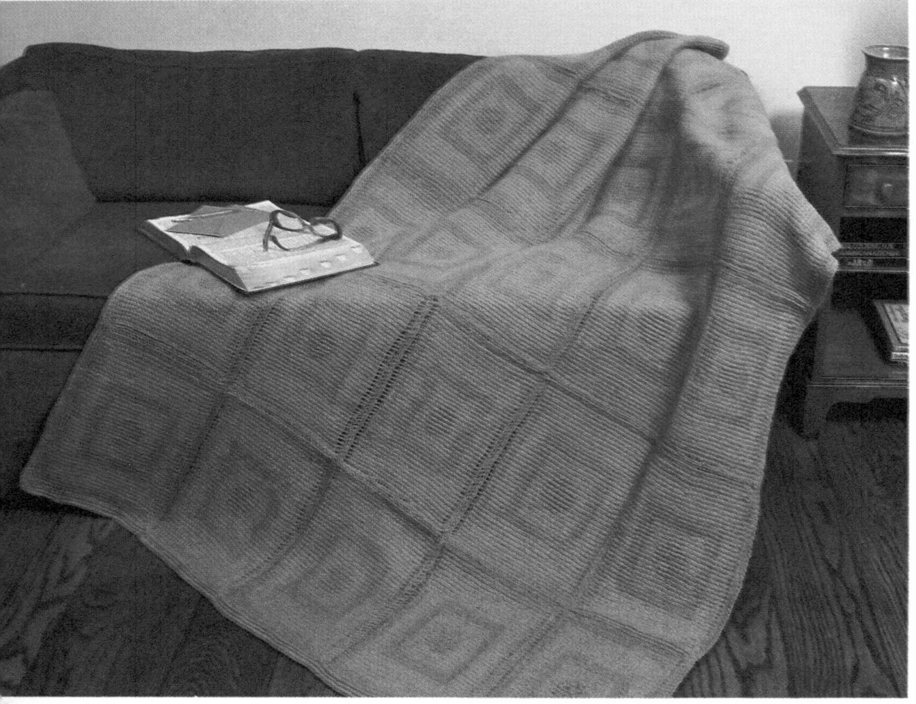

Cette couverture au crochet tunisien mesure approximativement 120 cm sur 160 (48″×63″).

Cette couverture se compose de 25 rectangles, crochetés au point tunisien simple et bordés de mailles serrées. Le centre de chaque rectangle est rehaussé de points de croix.

Fournitures
Fil peigné en écheveaux de 115 g (4 oz) : 7 bleus et 8 beiges; crochet tunisien 6 (4); aiguille à tapisserie à bout rond; bobinettes (facultatif)

Echantillon
5 cm (2″) = 4 m et 3½ rgs

CONFECTION D'UN RECTANGLE : 34 cht avec le fil bleu

Rgs 1-6 : crochetez au point tunisien simple en sautant 1 cht au début du rg 3 et en piquant le crochet, à la fin de chaque rang, sous la dernière barre et le fil juste en arrière pour obtenir une lisière ferme. **Rg 7 :** relevez 3 boucles en bleu et *changez de couleur* comme suit : faites un nœud coulant à 10 cm (4″) de l'extrémité du fil beige; tirez cette boucle à travers la maille suivante en laissant l'extrémité du fil à l'arrière (il sera rentré plus tard). Relevez encore 27 mailles en beige; fixez un nouveau fil bleu avec un nœud coulant et relevez 3 mailles en bleu. **Rg 8 :** faites 2 mailles en bleu et relevez le fil beige en *tordant* les fils; tirez le fil beige à travers la dernière boucle bleue et 1 boucle beige. Continuez avec le fil beige jusqu'à ce qu'il ne reste qu'une boucle beige; relevez alors le fil bleu; finissez le rang par 4 boucles bleues. Continuez les rangs en ajoutant les couleurs au fur et à mesure des besoins (au 27e rang, il y aura 7 bobinettes de fil) en tordant les fils aux changements de couleur sur les rangs de retour. Quand le rectangle est terminé, n'arrêtez pas car il faut faire la bordure en bleu.

Bordure : au sommet du rectangle, exécutez 2 ms sous la 2e barre, *1 ms sous la barre suiv*, 2 ms dans la dernière barre. Descendez le long du côté gauche avec 1 ms sous la double boucle de chaque barre; le long du bas, faites 2 ms dans la 1re cht, *1 ms ds la cht suiv*, 2 ms ds la dernière cht; remontez le côté droit avec 1 ms sous les 2 boucles de chaque maille d'extrémité; mc à la 1re ms; arrêtez. Rentrez toutes les extrémités de fil dans l'envers de l'ouvrage.

POINT DE CROIX : brodez un motif ovale au centre des rectangles en suivant la grille et les indications, en bas à gauche.

MISE EN FORME ET ASSEMBLAGE : mettez en forme chaque rectangle afin qu'ils aient tous la même dimension, environ 23 cm×30,5 cm (9¼″×12¼″). Juxtaposez 10 rectangles en 2 rangs de 5 chacun, à l'endroit. Avec un long fil bleu, surjetez les lisières de droite à gauche, à l'arrière des boucles seulement (p. 400). Ajoutez les 3 autres rangs de 5 rectangles, puis tournez la couverture et assemblez les rangs verticaux de la même façon.

BORDURE : faites 2 rangs de ms en bleu autour de la couverture, à raison d'une maille dans chaque maille et de 2 mailles à chaque angle et en sautant les points de surjet. Arrêtez et pressez légèrement à la vapeur.

Chaque rectangle est fait au point tunisien simple à l'aide de cette grille. Un carré représente 1 maille dans un sens et 2 rangs dans l'autre. Il y a 84 rangs de 34 points par rectangle. Bien que le motif au point de croix semble décentré, une fois fini, cet effet est compensé par le fait que les points chevauchent les barres verticales du fil beige.

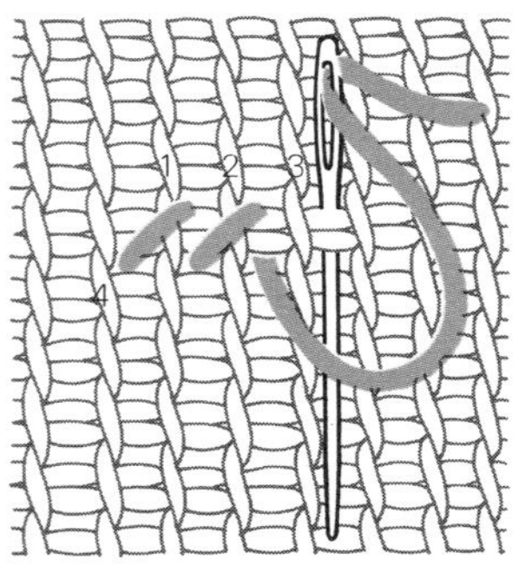

Pour faire les points de croix, sortez l'aiguille et le fil bleu sous les barres transversales du point **1**; tirez le fil en laissant 10 cm (4″) derrière; passez l'aiguille de haut en bas derrière les 2 barres transversales du point **2**, puis derrière celles du point **3**.

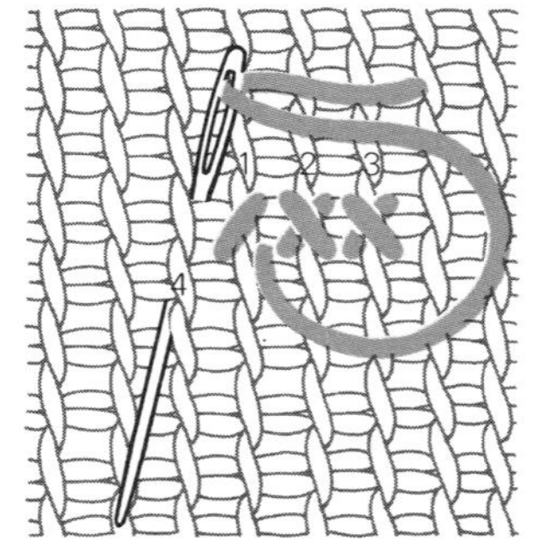

Refaites la même chose en sens contraire pour compléter les croix. Pour le rang suivant, amenez l'aiguille sous les barres du point **4**; continuez les rangées de points de croix (invisibles sur l'envers) jusqu'à ce que l'ovale soit complété; coupez les fils et rentrez-les.

Dentelle

Fils à crocheter 358
Point de feston 406

Dentelle à l'aiguille

Illustration de la page précédente : dentelle Duchesse (aux fuseaux) avec médaillons au point de gaze (dentelle à l'aiguille), Belgique, fin du XIXe siècle/Collection de Susanna E. Lewis, Brooklyn, New York, E.-U.

Introduction

Son nom le dit, la dentelle à l'aiguille s'exécute simplement avec une aiguille et du fil. La technique a probablement évolué à partir de la broderie sur toile. La structure d'une dentelle à l'aiguille est entièrement faite de fil, les galons (ou lacets) ne jouant qu'un rôle de soutien. Bien qu'il existe plusieurs styles de dentelle à l'aiguille, ce chapitre est consacré à la seule **dentelle Renaissance.** Relativement facile, celle-ci n'exige que peu d'expérience (en broderie cependant, de préférence). Elle s'obtient en exécutant des variantes du point de feston entre des galons (ou des lacets) faufilés sur un fond que l'on détache, une fois l'ouvrage terminé.

La dentelle Renaissance est toujours très appréciée où que ce soit.

Fournitures

On commence par choisir le galon puisque le fil devra s'harmoniser ou se fondre avec lui. Pour un bon résultat, le galon mesurera de 6 à 12 millimètres (¼"-½") de large; il sera assez flexible pour épouser les contours du dessin, assez lâche pour n'offrir qu'une faible résistance à une grosse aiguille, et texturé de manière à permettre de calculer les espaces entre les points. Soutaches, œillets, galons, zigzags et différents lacets sont autant de possibilités pour la création d'un modèle.

Quant au fil, un coton à crocheter d'épaisseur moyenne convient bien à ces techniques parce que, fortement tordu, il a de la consistance et donne du relief aux points. L'aiguille (à tapisserie à bout rond de préférence, afin de ne pas piquer le fond) aura un chas large. Il faut aussi une aiguille et du fil ordinaires pour bâtir, un papier fort, comme fond, et un tissu contrastant avec le fil pour bien faire ressortir l'ouvrage. Un crayon à calque est aussi utile pour reproduire un dessin au fer chaud sur le tissu de fond. Un dé à coudre et de petits ciseaux sont indispensables.

Confection d'un échantillon

Un échantillon est pratique pour s'exercer et il vous permet d'établir des références utiles à vos projets futurs.

Fournitures

4 m (4 vg) de galon, 1 pelote de coton à crocheter nº 5; aiguille à tapisserie; fil à faufiler et aiguille à coudre; papier à dessin de 28 cm×35 cm (11″×14″); tissu uni de 28 cm×35 cm (11″×14″) contrastant avec le fil.

Préparation

Coupez 4 bandes de galon de 20 cm (8″) de long, 3 bandes de 30 cm (12″) et 1 de 100 cm (40″) pour la bordure. Posez le tissu sur le papier et les bandes de galon sur le tissu, les disposant de façon à ce que les rectangles du centre mesurent un peu moins de 4,5 cm×6,5 cm (1¾″×2½″). Faufilez les bandes par le milieu sur le tissu et le papier; surfilez les bandes entre elles à leur jonction. Faufilez la bordure par-dessus les bandes en arrondissant les coins.

Pour faire les points

En suivant la légende, faites les différents points (décrits pp. 406-410) dans l'ordre numérique : ils sont placés par ordre de difficulté croissante.

		37			
	27	21 19 20A-B	15 16 17A 17B	27	
32	23	1 2 3	4	22	32
33	30	6 8 8 7	9 10 11	5	33
34	31	12 13 14	18	29	34
	28A	24 26	26 25	28B	
		35 36	35		

CLÉ DU DIAGRAMME DES POINTS

1. Tulle simple
2. Tulle double
3. Filet au pt de feston
4. Tulle fantaisie
5. Jour à pois
6. Toile mat
7. Toile avec jours
8. Toile brodé
9. Lignes simple
10. Lignes double
11. Grains
12. Brides verticales
13. Brides verticales torses
14. Sorrente
15. Bride à pts de surjet
16. Bride double à pts de surjet

17A, B. Brides à pts de feston unis

18. Brides ramifiées
19. Bride à picot festonné

20A, B. Bride à picots épinglés

21. Bride à picot au pt de poste
22. Entre-deux à feuilles entourées de roues
23. Entre-deux à feuilles au pt de reprise
24. Entre-deux à pts perlés
25. Entre-deux à roues
26. Œillets
27. Rosettes

28A, B. Toiles d'araignée

29. Pt russe à grains
30. Entre-deux à boucles doubles
31. Entre-deux à demi-brides
32. Bordure à nœuds
33. Bordure à pts de côté
34. Bordure à picots épinglés
35. Bordure à picots au pt de poste
36. Bordure à picots festonnés
37. Bordure à grains

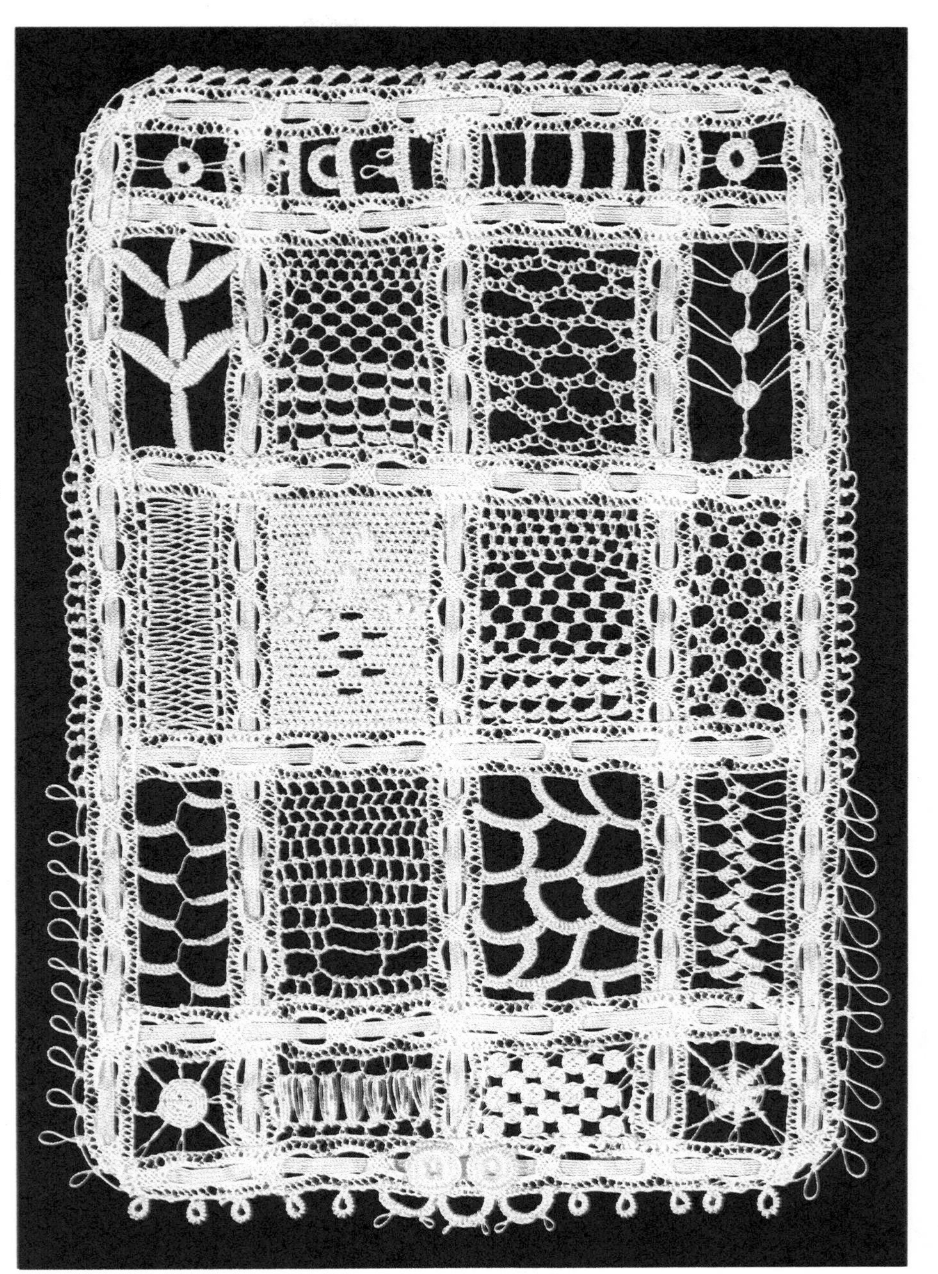

Points de dentelle à l'aiguille

Renseignements généraux

Tous les points de dentelle Renaissance dérivent du seul point de feston, illustré ci-dessous dans les deux sens, parce qu'on travaille souvent en aller-retour. Le point de feston est traité de trois manières différentes : (1) lâche, il s'agit

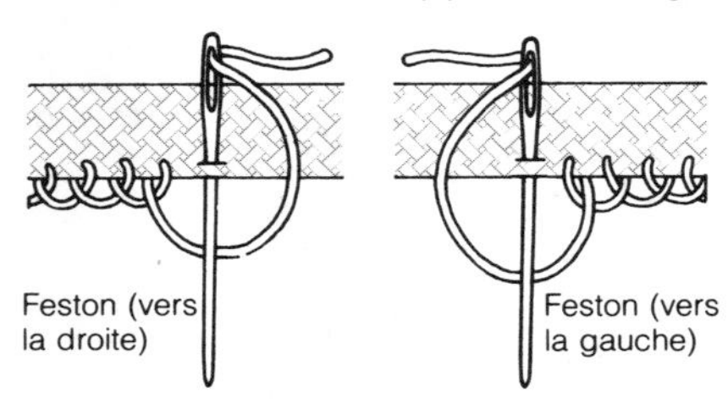

alors du point de tulle qu'on appellera également boucle; (2) serré et rapproché, on l'appelle point de boutonnière; (3) sur le côté d'une autre boucle, on l'appelle point de lignes. Par ailleurs, le point de feston se combine avec des points de broderie, comme les points de poste ou de reprise (voir le chapitre de la *Broderie*).

Règles générales :

1. Les points doivent être assez tendus pour rester fermes mais pas trop afin de ne pas déformer les galons.

2. Le bord du galon sert à calculer les espaces entre les points et les rangs.

3. Le point de surjet (ci-dessous) est

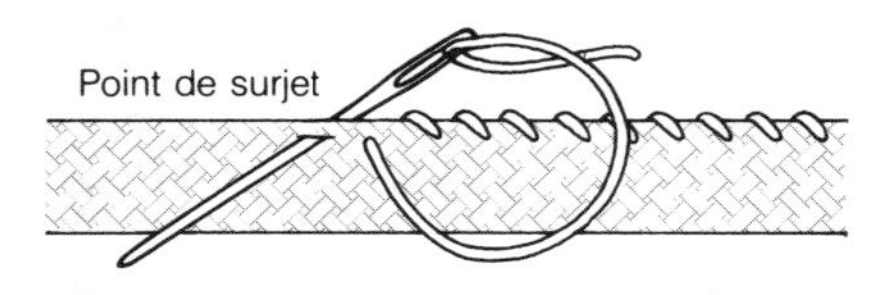

utilisé le long du galon entre les rangs.

4. Pour un point de tulle ou tout autre point de remplissage, le nombre de boucles demeure constant si l'espace est régulier; il augmente ou diminue au besoin dans un espace irrégulier mais la hauteur du point reste la même.

5. Pour un motif répétitif, chaque rang commence avec une boucle complète et finit avec une demi-boucle.

Points de tulle

Ces points sont particulièrement appropriés pour remplir les grands espaces. Ils sont groupés dans ces deux pages selon leur mode d'exécution. Les *points de tulle* proprement dits (cette page-ci) forment des motifs ajourés. Les *points de toile* (premier rang, page ci-contre) sont très rapprochés et donnent l'impression d'une étoffe; ils peuvent être rebrodés. Les *points de lignes* (deuxième rang) présentent des points secondaires qui se superposent aux premiers et les fixent. Les *points à brides verticales* (dernier rang) ressemblent au tulle simple mais avec double tour dans le côté de la boucle.

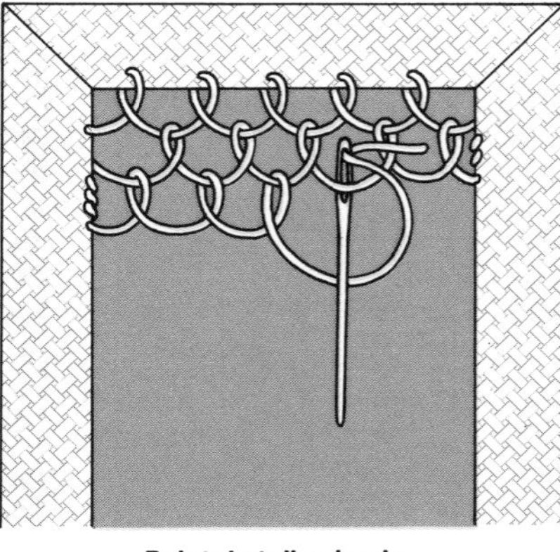

Point de tulle simple

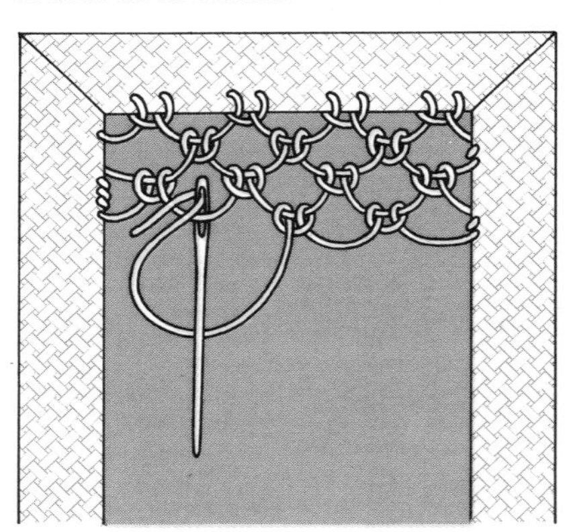

Point de tulle double

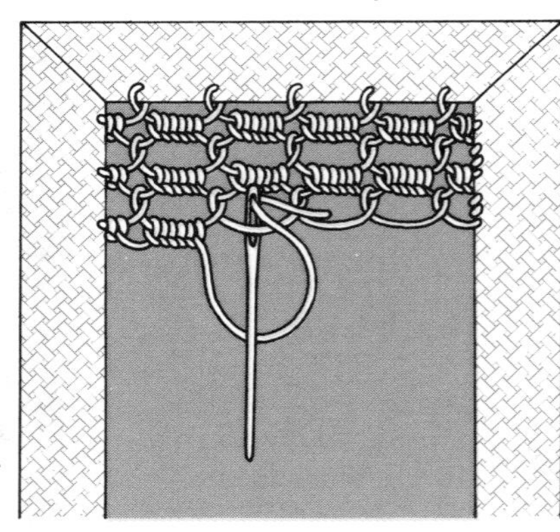

Filet au point de feston

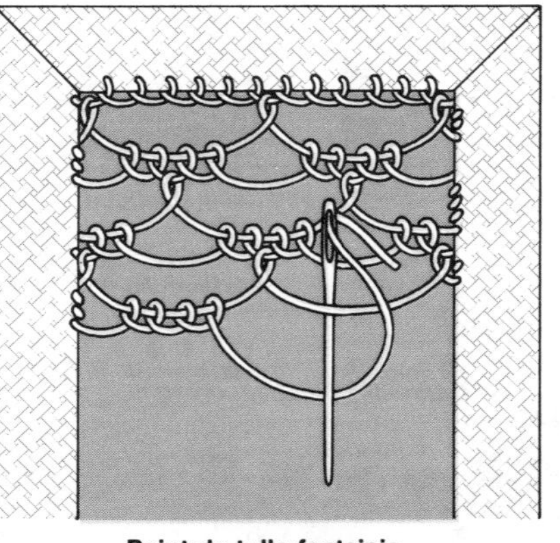

Point de tulle fantaisie

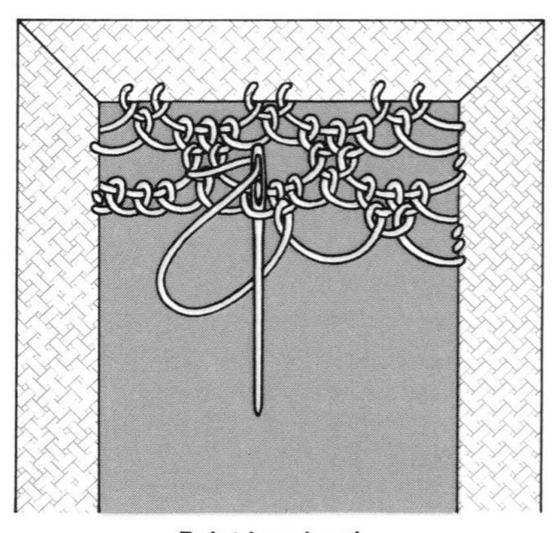

Point jour à pois

Point de tulle simple (4 rangs, #1) : motif ajouré, le plus élémentaire des points de tulle.
Rang 1 : faites des boucles également espacées, à peu près aussi hautes que larges.
Rang 2 : répétez le rang 1, en faisant chaque point dans le milieu de la boucle du rang du dessus. Répétez ce rang pour former le motif.

Point de tulle double (5 rangs, #2) : ce point a meilleure apparence si on fait la boucle un peu moins haute que pour le point simple.
Rang 1 : faites 1 grande boucle suivie de 2 petites plus rapprochées.
Rang 2 : répétez le rang 1 en faisant les 2 petites boucles dans la grande du rang du dessus. Répétez ce rang pour former le motif.

Filet au point de feston (8 rangs, #3) : ce point commence à dessein du côté droit parce que les points de feston rapprochés au 2e rang sont plus faciles à exécuter de gauche à droite. Le motif se répète tous les deux rangs.
Rang 1 : de droite à gauche, faites des boucles largement espacées, en commençant et en finissant par une demi-boucle.
Rang 2 : de gauche à droite, remplissez chaque boucle de points de feston serrés (environ 6 par grande boucle, 3 par demi-boucle).
Rang 3 : de droite à gauche, faites les grandes boucles dans les petits espaces entre les brides festonnées du rang du dessus.
Répétez les rangs 2 et 3. Au dernier rang de l'échantillon, prenez le galon entre les brides festonnées.

Point de tulle fantaisie (#4) :
Rang 1 : faites des boucles rapprochées en multiple de 6 (il y en a 18 dans l'échantillon).
Rang 2 : faites 1 grande boucle pour chaque groupe de 6 boucles.
Rang 3 : faites 4 boucles moyennes dans chaque grande boucle du rang précédent.
Rang 4 : faites 1 grande boucle au centre du groupe de 4 du rang du dessus.
Répétez les rangs 3 et 4.

Le point jour à pois (#5) : comme les deux points précédents, le motif se répète tous les 2 rangs; il est également espacé.
Rang 1 : faites 1 grande boucle suivie de 2 boucles rapprochées; terminez par 1 grande boucle.
Rang 2 : faites 3 boucles dans chaque grande du rang précédent et 1 entre les 2 petites; terminez par 3 boucles.
Rang 3 : faites 2 boucles dans chaque groupe de 3 du rang du dessus (c'est-à-dire 1 boucle entre la 1re et la 2e et 1 autre entre la 2e et la 3e).
Répétez les rangs 2 et 3.

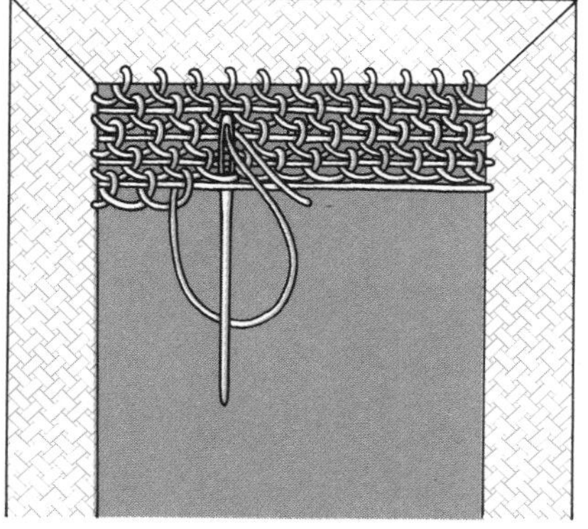
Point de toile mat

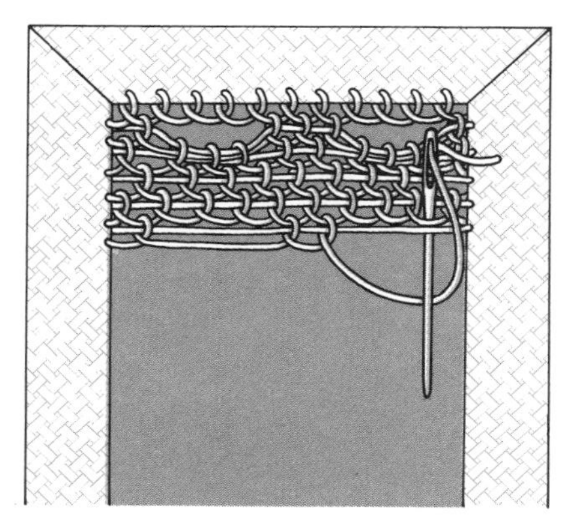
Point de toile avec jours

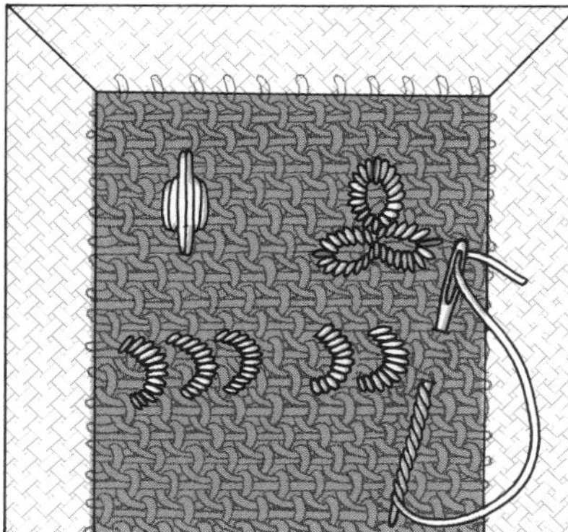
Point de toile brodé

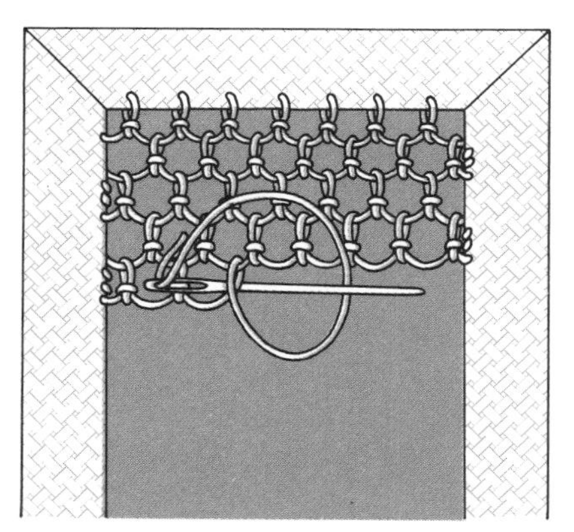
Point de lignes simple

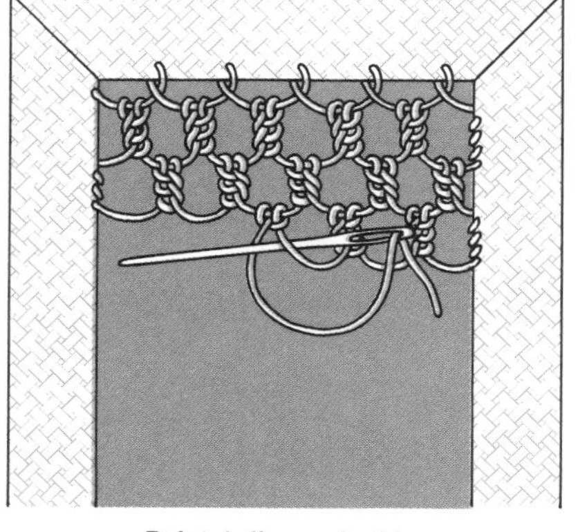
Point de lignes double

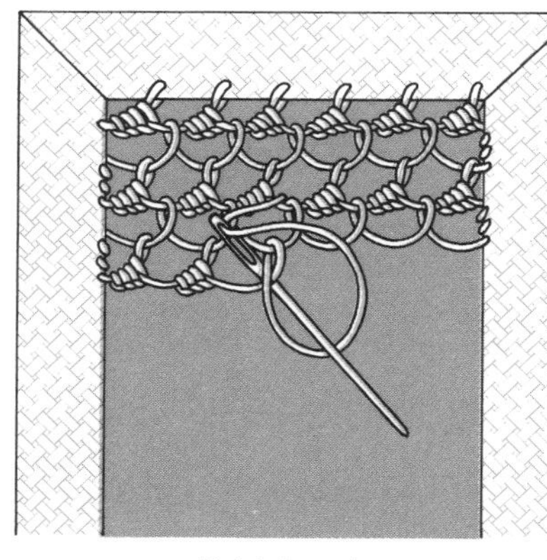
Point de grains

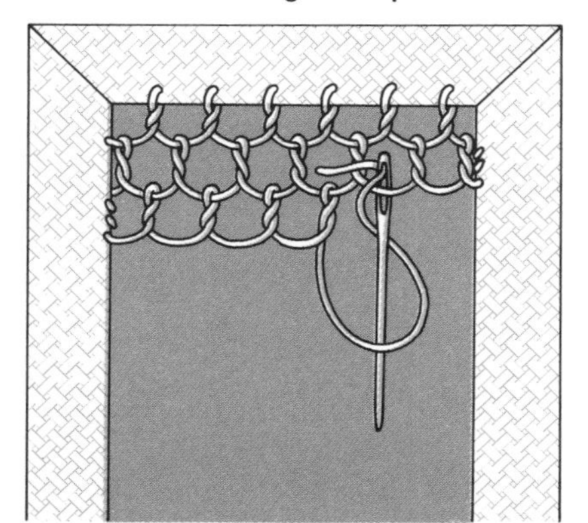
Point à brides verticales

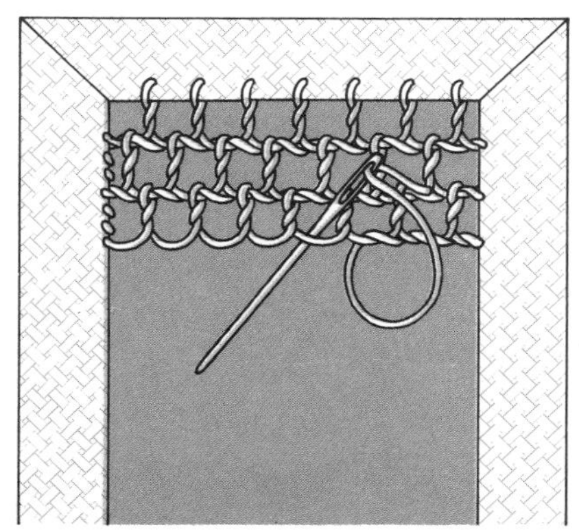
Point à brides verticales torses

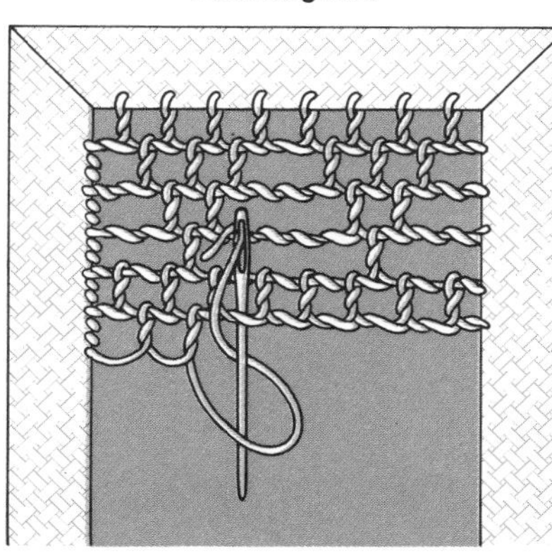
Point de Sorrente

Point de toile mat (12 rangs, #6) :
Rang 1 : de gauche à droite, faites des boucles rapprochées, puis ramenez le fil à gauche.
Rang 2 : de gauche à droite, faites 1 boucle dans chaque boucle du rang supérieur en enveloppant le fil de traverse. Ramenez le fil à gauche et répétez ce rang.

Point de toile avec jours (7 jours, #7) :
Rang 1 : pour chaque jour, sautez 3 points en entraînant le fil à travers l'espace vide. A la fin du rang, ramenez le fil à gauche.
Rang 2 : pour chaque jour, faites 3 points de feston enveloppant les 3 fils.

Point de toile brodé (#8) : le point soulevé est fait de passés plats. Les feuilles sont faites de points de poste.

Point de lignes simple (4 rangs, #9) :
Rang 1 : de gauche à droite, faites 1 point de feston lâche; faites un second point de côté autour des 2 fils du 1er; tendez.
Rang 2 : comme le rang 1, mais de droite à gauche.

Point de lignes double (5 rangs, #10) :
Rang 1 : faites des boucles simples, espacées.
Rang 2 : faites 1 point de feston lâche dans la boucle du dessus; faites un second point dans la même boucle et tendez. Faites 2 points de côté sous le second point de feston. Répétez.

Point de grains (6 rangs, #11) :
Rang 1 : de gauche à droite, faites 1 point de côté. Faites-en 3 autres de plus en plus lâches. Le grain suivant s'appuie sur le 1er.
Rang 2 : de droite à gauche, faites 1 boucle entre chaque grain en tendant le fil. Répétez les 2 rangs.

Point à brides verticales (4 rangs, #12) :
Rang 1 : de gauche à droite, faites 1 boucle d'avant en arrière; tenant la boucle avec le pouce gauche, passez le fil dans le galon (ou le point au-dessus) puis dans la boucle; ajustez le point à la hauteur voulue.
Rang 2 : répétez le rang 1 en dirigeant chaque boucle vers la gauche.

Point à brides verticales torses (2 rangs, #13) :
Rang 1 : comme le rang 1 du point précédent.
Rang 2 : revenez le long du rang précédent en passant l'aiguille une fois derrière le bas de chaque boucle. Tendez le fil. Répétez.

Point de Sorrente (5 rangs, #14) : disposez des points à brides verticales torses, comme sur l'illustration.

Brides et picots

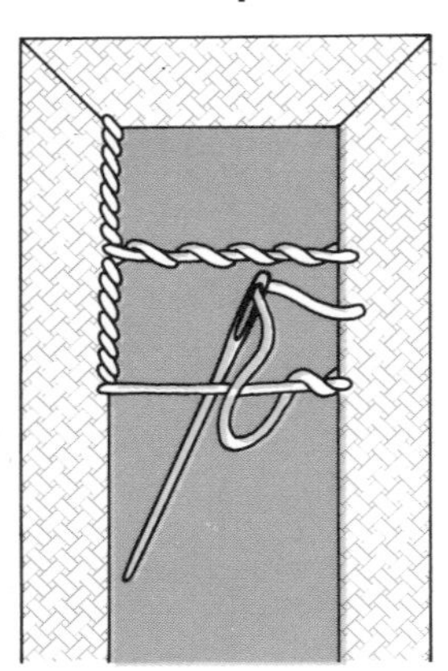

Bride à points de surjet (#15) : fixez le fil au galon, du côté gauche, traversez l'espace et piquez l'aiguille de l'autre côté. (En posant la bride, veillez à bien tendre le fil mais sans déformer le galon.) Revenez à gauche en enroulant 4 fois le fil autour de la bride (si l'espace était plus large, il faudrait faire plus de tours).

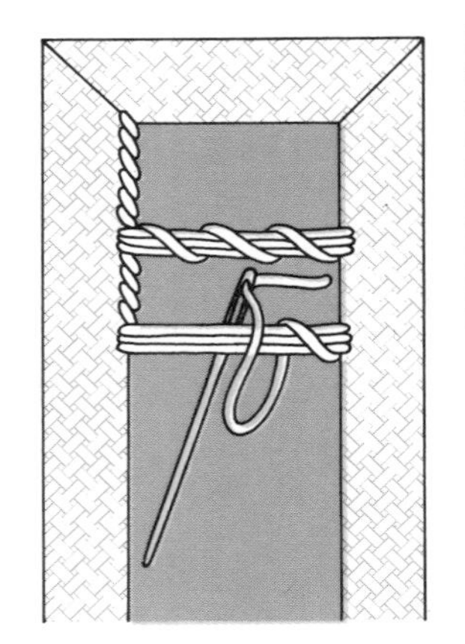

Bride double à points de surjet (#16) : posez la bride en travers de l'espace, comme dans le point précédent, mais en tendant 3 brins au lieu d'un. Revenez à gauche en enroulant 3 fois le fil autour de la bride. (Il n'est pas nécessaire de faire autant de tours avec ce genre de bride.)

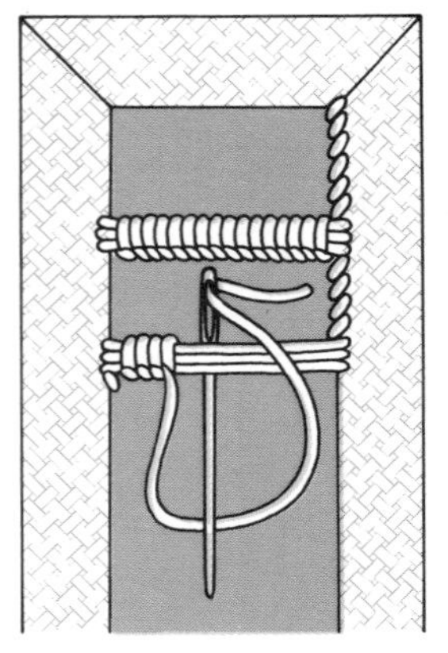

Bride à points de feston unis (#17A) : à partir du côté droit, jetez 3 brins en travers de l'espace et revenez en les brodant de points de feston très rapprochés. Avant d'amorcer le retour, faites un point de surjet dans le galon à gauche pour assujettir la bride et l'empêcher de se tordre. Pour une bride plus épaisse (#17B), faites le point de feston sur 5 brins.

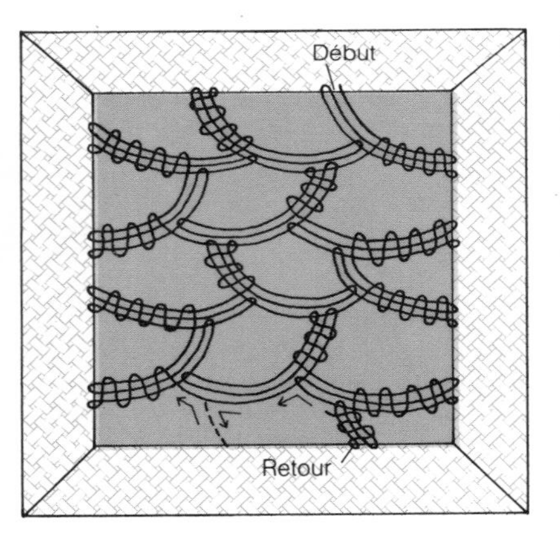

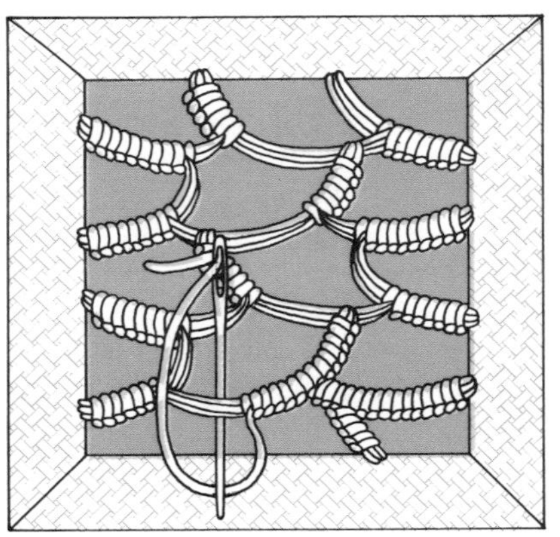

Brides ramifiées (#18) : chaque bride doit émerger de la précédente sans avoir ni à couper ni à joindre les fils. Commencez dans le coin supérieur droit (diagramme), jetez 3 fils et brodez des points de feston sur la moitié de leur longueur. Jetez les bases de la bride suivante en l'ancrant au pied du dernier point; brodez des points de feston jusqu'à la moitié. Exécutez les brides suivantes de la même façon. Quand toutes les ramifications ont été à demi-festonnées, on les termine en travaillant de la dernière vers la première, avec le même fil.

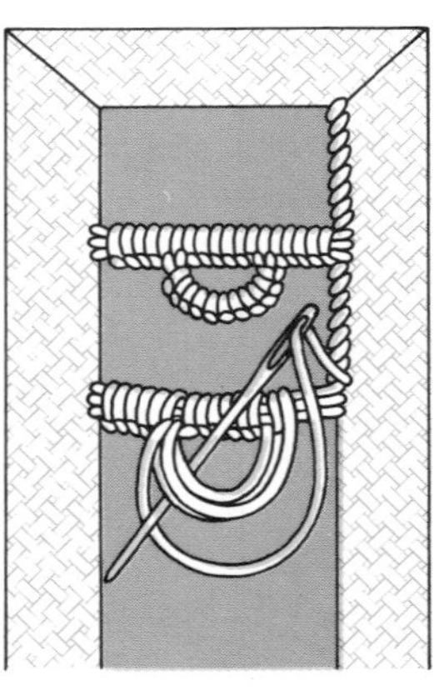

Bride à picot festonné (#19) : festonnez la bride jusqu'aux ¾ de sa largeur, ou 6 points au-delà du début du picot. Ramenez le fil à gauche et passez l'aiguille entre les 6e et 7e points, puis à droite autour de la bride, et à gauche entre les 2 mêmes points (il doit y avoir 3 brins pendant sous la bride). Recouvrez les boucles de points de feston rapprochés et complétez la bride.

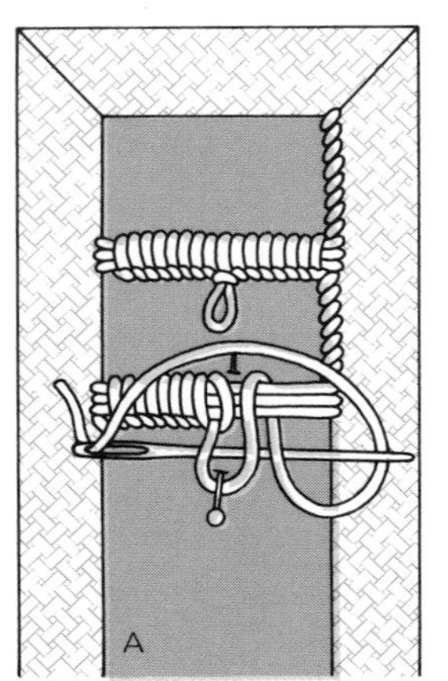

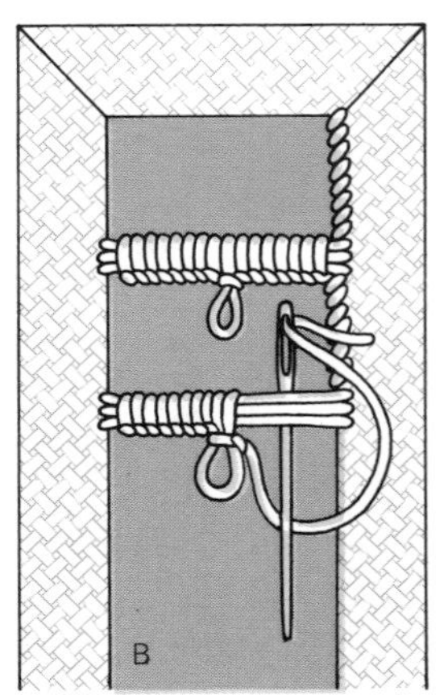

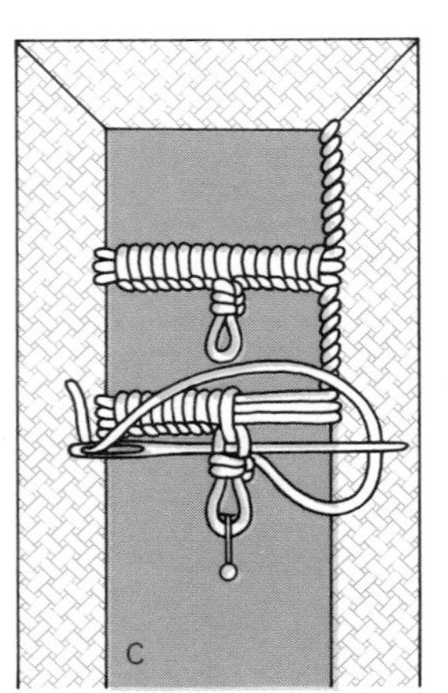

Bride à picot épinglé (#20) : festonnez la bride jusqu'au point où l'on veut poser un picot; piquez une épingle à la longueur désirée. Passez le fil autour de l'épingle, puis autour des brins de la bride, d'avant en arrière; faites un point de lignes simple autour de la boucle et du fil de travail (A). Complétez le festonnage de la bride (B). Pour un picot plus long, faites 2 points de lignes simples ou plus en plaçant le 1er assez bas pour que les autres se trouvent entre lui et la bride (C).

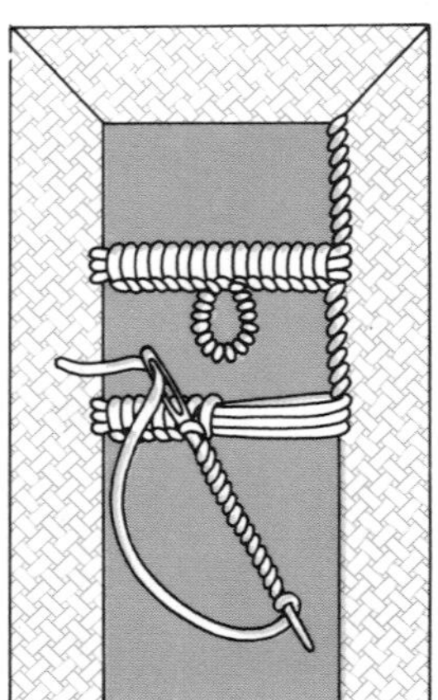

Bride à picot au point de poste (#21) : festonnez la bride jusqu'au point où vous voulez placer un picot; piquez la pointe de l'aiguille dans le point qui vient d'être fait et enroulez le fil 15 fois autour (pas trop serré). Sortez l'aiguille des anneaux et tirez; formez un cercle avec le point de poste et terminez la bride au point de feston.

Insertions entrelacées

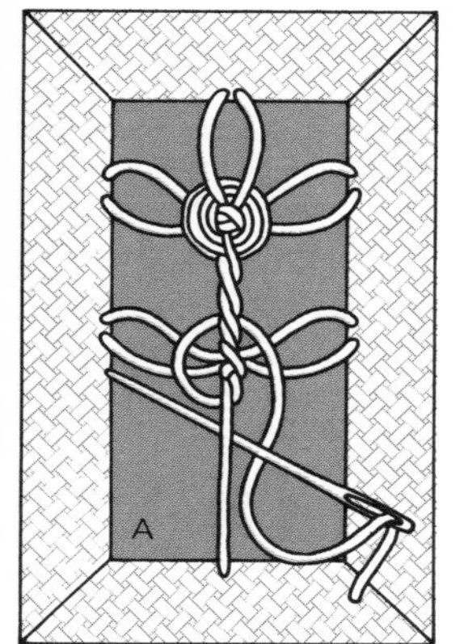

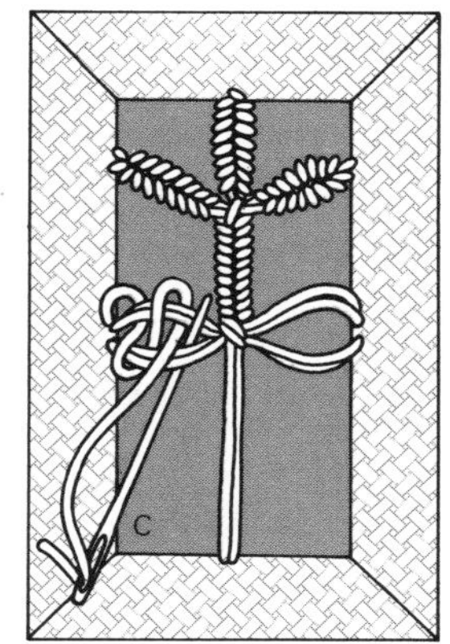

Entre-deux à feuilles entourées de roues (#22) : tendez le fil de bas en haut et préparez 3 feuilles. Entrelacez la roue autour du centre. Enroulez 2 fois le fil autour de la tige avant la 2e paire de feuilles (A).

Entre-deux à feuilles au point de reprise (#23) : préparez la tige et les 2 paires de feuilles (B), puis doublez cette base, de bas en haut. Brodez la feuille supérieure au point de reprise, en entrelaçant le fil autour des 2 fils de la bride; faites les autres feuilles et la tige de la même façon (C).

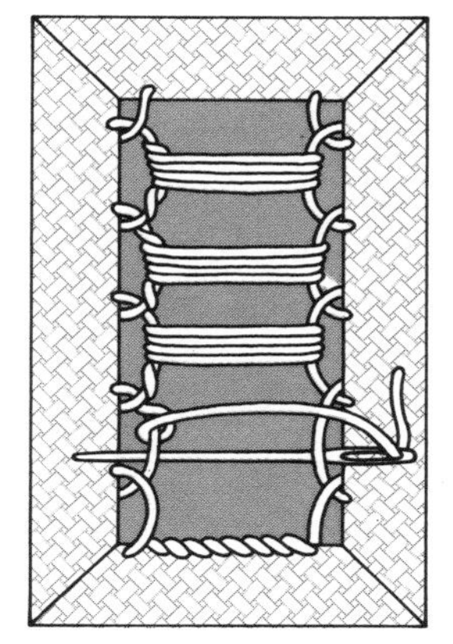

Entre-deux à points perlés (#24) : exécutez 1 rang de grandes boucles également espacées sur les côtés du rectangle (7 sur l'échantillon, p. 407). A partir du coin supérieur gauche, faites passer 4 fois le fil d'une boucle à l'autre; assurez-vous que les fils ne sont ni croisés ni tordus. Faites un point de surjet à gauche avant de passer au groupe suivant.

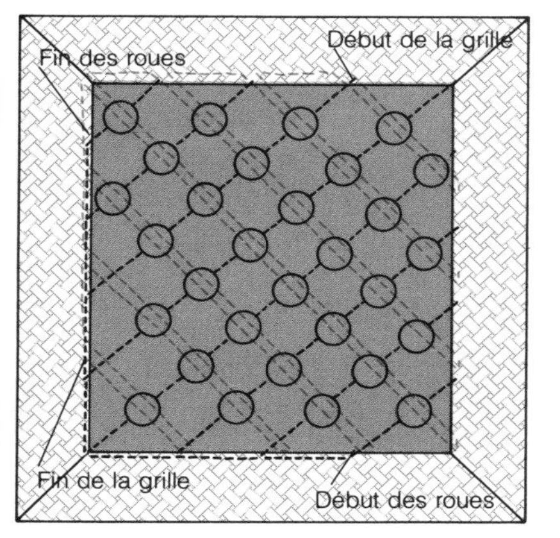

Entre-deux à roues (#25) : remplissez d'abord l'espace en diagonales parallèles (2 fils). Surjetez les bords entre les diagonales. Arrêtez le fil à la fin de la grille et recommencez à l'endroit indiqué en lançant le fil sur la grille; faites un petit point dans le galon et revenez à l'intersection pour y exécuter une roue, en entrelaçant le fil 3 fois sous les doubles diagonales et sur le fil simple. Faites un point de surjet autour de celui-ci avant de passer à la roue suivante. La roue suivante s'enroule en sens contraire.

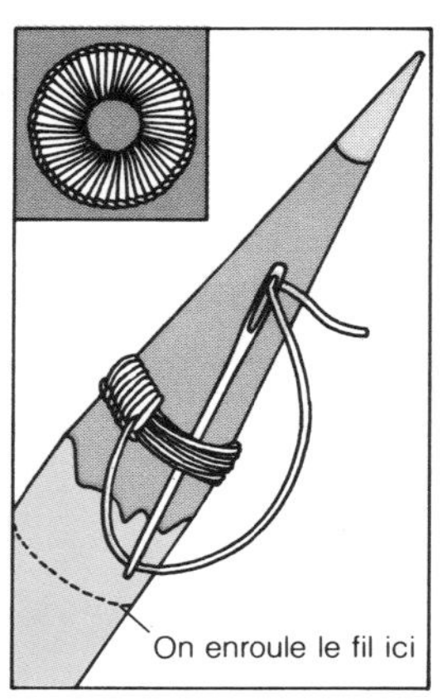

Œillets (#26) : ils sont faits séparément, puis appliqués sur le travail aux endroits désirés. Enroulez le fil 15 fois sur un crayon, puis festonnez en enveloppant tous les brins. (Le point de feston est plus facile à faire si l'on glisse l'anneau de fil légèrement vers la pointe du crayon.) Quand l'œillet est terminé, sortez-le du crayon, aplatissez-le et cousez-le en place.

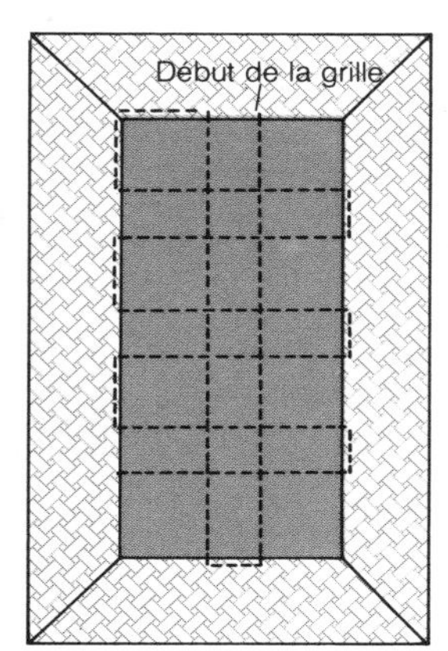

Rosette (#27) : seule, elle sert à remplir de petits espaces. Mais on peut en broder plusieurs sur de grands espaces. Préparez d'abord une grille (diagramme) en lançant 2 paires de brins parallèles pour chaque rosette. Remarquez que les intersections de chaque rosette sont entrelacées. Pour chacune, entrelacez une roue (4 tours) et festonnez serré.

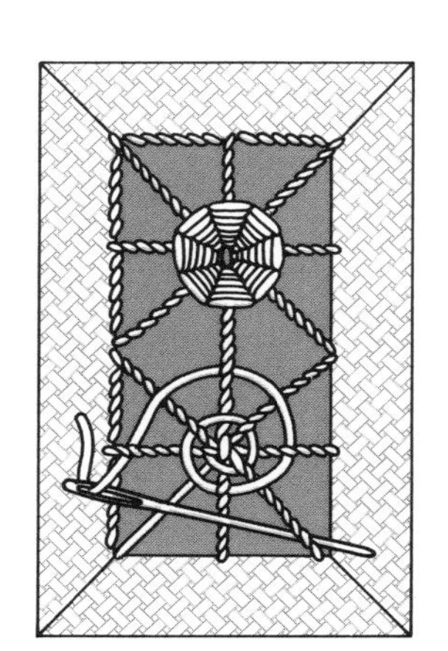

Toiles d'araignée (#28A, #28B) : commencez par faire 4 brides surjetées, soit 2 médianes perpendiculaires et 2 diagonales dans les angles. N'enroulez le fil autour de la 4e bride que jusqu'au centre, exécutez la toile d'araignée, puis terminez la bride.

Toile au point de reprise (#28A) : du centre vers l'extérieur, entrelacez le fil en sautant une bride à la fin de chaque tour.

Toile surjetée (#28B) : du centre vers l'extérieur, passez le fil sous 2 brides puis enroulez-le autour de la seconde, puis de la suivante, etc.

Point de grains 407

Insertions à la russe

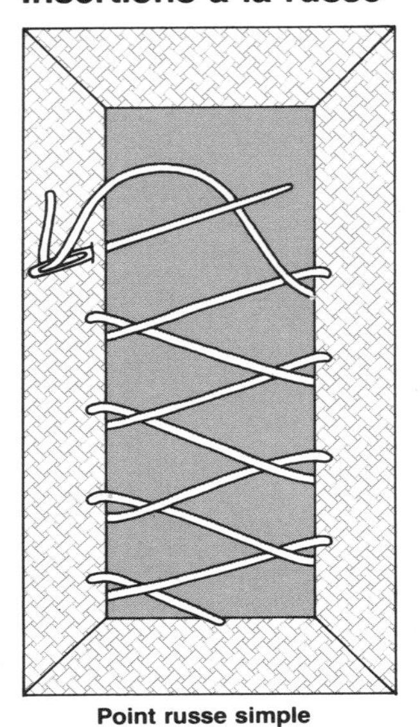

Point russe simple

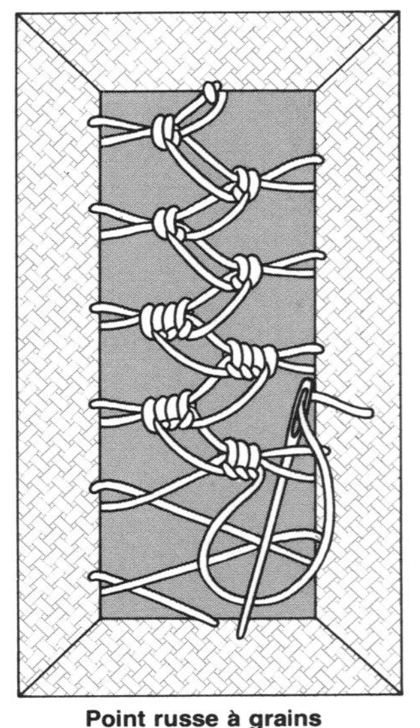

Point russe à grains

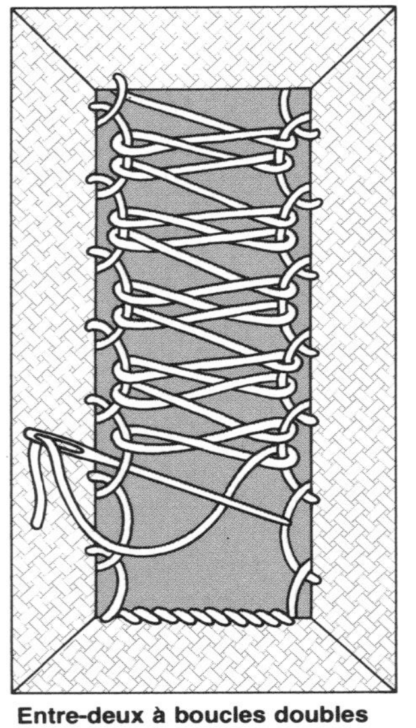

Entre-deux à boucles doubles

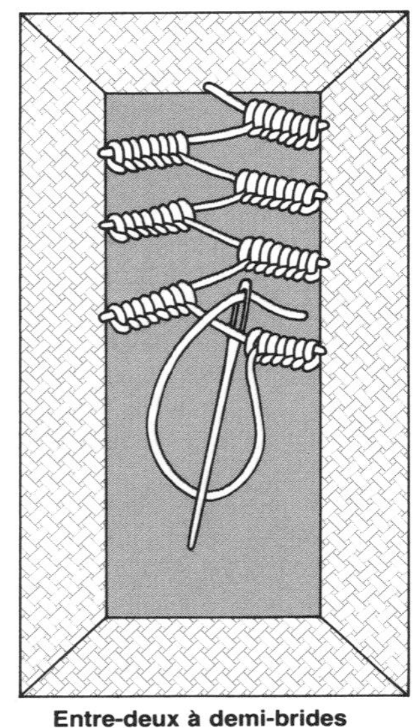

Entre-deux à demi-brides

Point russe à grains (#29) : à partir du milieu du côté inférieur, faites le point russe simple en bouclant le fil d'un côté à l'autre (1re illustration). Faites un petit point au milieu du côté supérieur pour fixer le fil puis, en descendant le long du fil de base, exécutez des grains aux intersections : 2 points de feston sur les 4 premières; 4 points sur les 5 suivantes; 6 points sur les 4 suivantes et 8 points sur les 4 dernières (échantillon, p. 405).

Entre-deux à boucles doubles (#30) : faites un rang de boucles également espacées sur les deux longs côtés du rectangle (14 sur l'échantillon, p. 405). Réunissez les paires se faisant vis-à-vis avec 2 points russes simples. On peut faire 3 ou 4 points russes par boucle.

Entre-deux à demi-brides (#31) : commencez dans le milieu du côté supérieur avec 1 point russe vers la droite en diagonale; faites 1 point dans le galon, puis 8 festons sur la diagonale et recommencez l'opération de l'autre côté.

Bordures

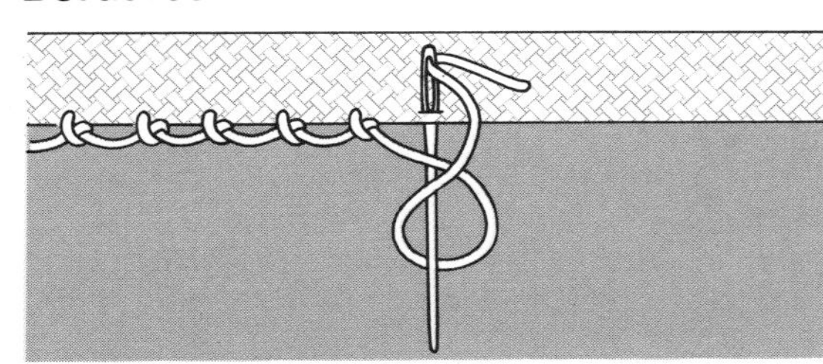

Bordure à nœuds (#32) : faites une boucle comme sur l'illustration (piquez l'aiguille dans le galon, puis la boucle, derrière sa partie supérieure et sous sa partie inférieure). Travaillez toutes les bordures de gauche à droite.

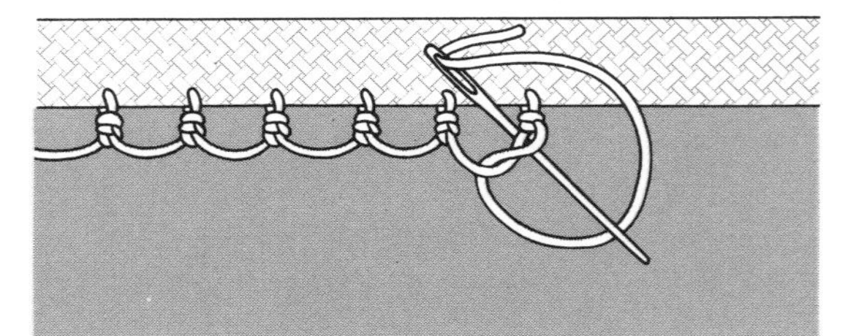

Bordure à points de lignes simples (#33) : faites un point de feston lâche sur le galon; faites un point de lignes simple pardessus et tassez contre le galon. Passez le fil dans la boucle et exécutez un autre point de lignes simple près du précédent.

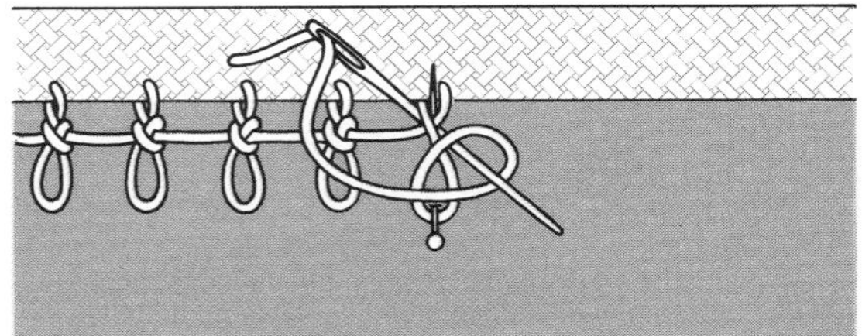

Bordure à picots épinglés (#34) : faites un point de feston sur le galon. Piquez une épingle sur le fond à la longueur du picot. Passez le fil autour de droite à gauche. Faites une seconde boucle et passez l'aiguille dans le feston et cette boucle; serrez.

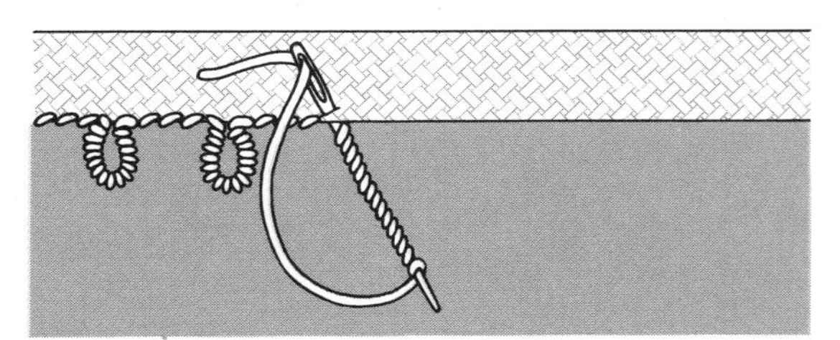

Bordure à picots au point de poste (#35) : surjetez jusqu'à l'emplacement du picot. Piquez l'aiguille dans le galon et enroulez le fil 15 fois autour; formez le point de poste en un cercle serré.

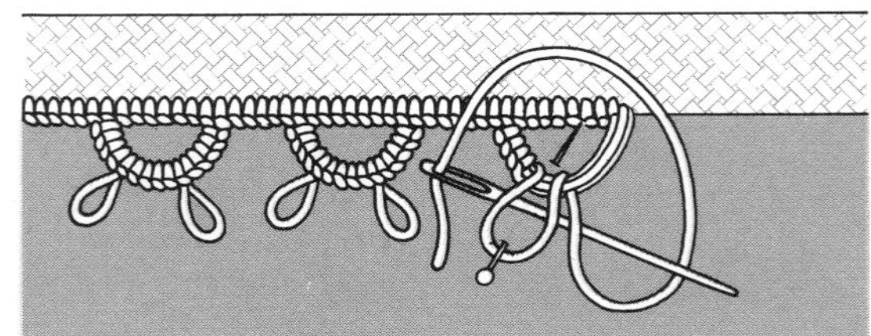

Bordure à picots festonnés (#36) : exécutez 7 points de feston le long du galon; faites un picot festonné (p. 408), surmonté d'un picot épinglé (p. 408) tous les 5 points (si vous le désirez).

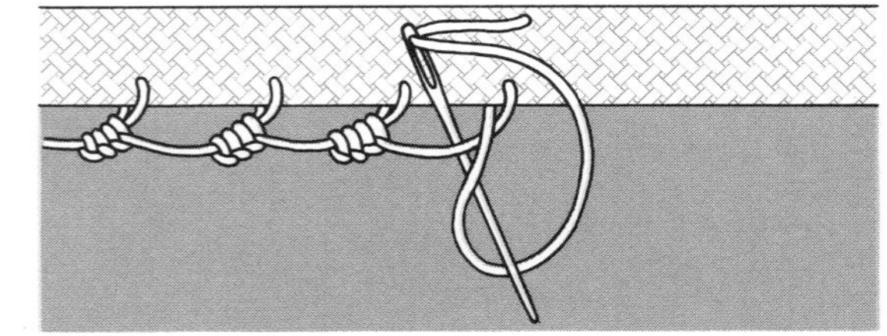

Bordure à grains (#37) : faites une boucle très lâche le long du galon; exécutez un point de lignes simple autour des deux fils et serrez. Exécutez 3 autres points de lignes au-dessus du premier.

Papillon de dentelle à l'aiguille en appliqué

Ce papillon de dentelle aura beaucoup d'effet à l'encolure d'une robe longue ou appliqué au dos d'une simple veste du soir.

Fournitures pour la dentelle
Galon de 0,5 cm (¼") pour tracer le dessin : 1 m (1 vg) noir, 1,50 m (1½ vg) beige, 1,50 m (1½ vg) blanc (dans le projet illustré ici, les galons noir et beige sont des tresses de rayonne, le galon blanc est en polyester); coton perlé brun, noir et blanc (1 pelote de chaque couleur); coton à crocheter de poids moyen (1 pelote écru); papier-calque; crayon à calque; papier dessin de poids moyen; un morceau de tissu uni contrastant avec les fils de 28 cm×35 cm (11"×14"); fil à faufiler de n'importe quelle couleur; fil noir pour appliquer le papillon sur le vêtement; aiguilles à coudre et à tapisserie.

Préparation
Dessinez la moitié du papillon (p. 412) sur le papier-calque avec le crayon à calque. L'essentiel est de décalquer les contours du galon et des brides ramifiées (les points noirs du bas et ceux placés sous les antennes). On peut se dispenser de copier les autres points. Tournez le papier et tracez cette fois l'aile seulement, la plaçant à quelques centimètres du premier dessin. Epinglez le papier-calque sur le tissu et déposez-les sur une feuille d'aluminium sur la planche à repasser pour protéger celle-ci. Préchauffez un fer sec au degré « lainages » et pressez fermement la partie du dessin à décalquer sur le tissu en évitant de toucher les parties où le dessin est face en haut; il ne faut pas non plus faire glisser le fer. Tournez le papier-calque et placez la seconde partie du dessin contre la première en faisant bien correspondre les lignes; épinglez le calque et le tissu à la planche à repasser pour éviter tout glissement. Pressez cette partie et enlevez le calque. Bâtissez le galon sur le tissu à l'aide du patron (p. 412) et de la photo ci-dessus pour les couleurs. Quand vous coupez un galon, laissez 1 cm (½") à l'extrémité que vous glisserez sous le galon voisin. Ces bouts seront finis plus tard (voir le schéma, en bas à droite). Joignez à tous petits points les galons qui se touchent. Faufilez le tissu au papier à dessin.

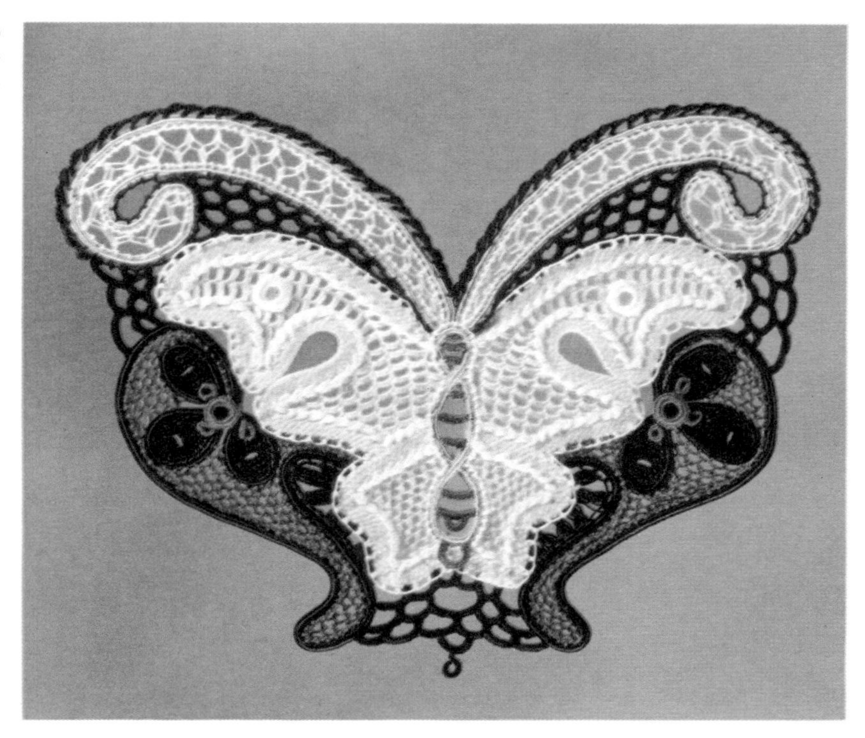

Ce papillon en dentelle à l'aiguille mesure approximativement 23 cm×30 cm (9"×12").

Le papillon est splendide sur une robe longue.

Exécution des points
Chacun des points employés pour le papillon apparaît dans l'échantillon du début du chapitre. Vous trouverez à côté du demi-patron (page suivante) le nom de tous ces points ainsi que le numéro de la page à laquelle ils sont expliqués. Comme dans l'échantillon (p. 405), les points sont numérotés dans l'ordre où ils doivent être faits. Dans ce cas-ci, on commence par les points de remplissage et on ajoute ensuite les points d'ornementation, puis de bordure. Pour une meilleure régularité des points et pour éviter l'enchevêtrement des fils, il faut toujours enfiler l'extrémité de fil qui sort du centre de la pelote, puis couper le fil une fois l'aiguille enfilée.

Finition
Coupez les bâtis et retirez l'endos; manipulez le papillon avec délicatesse pour éviter de le déformer. Sur l'envers, finissez tous les bouts de galon et surjetez à petits points tous les endroits où ils se croisent (illustration, à droite). Fixez la dentelle à l'empiècement ou au vêtement avec de tout petits points sur l'envers du galon seulement; tâchez d'éviter de coudre à travers un point de dentelle.

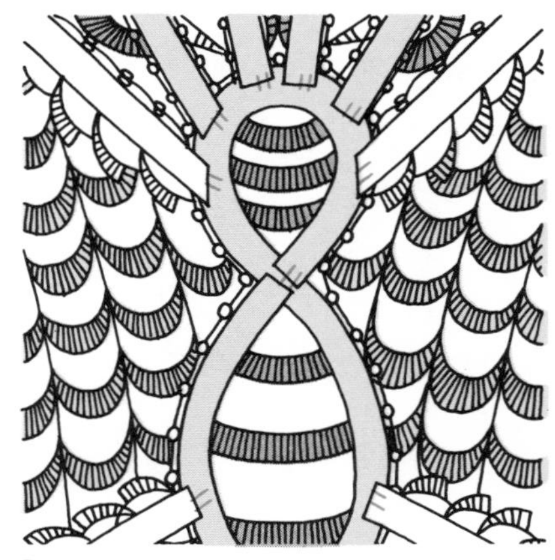

Pour surjeter le galon sur l'envers, piquez l'aiguille à angle droit et prenez quelques fils du galon juste en dessous.

Papillon de dentelle à l'aiguille en appliqué

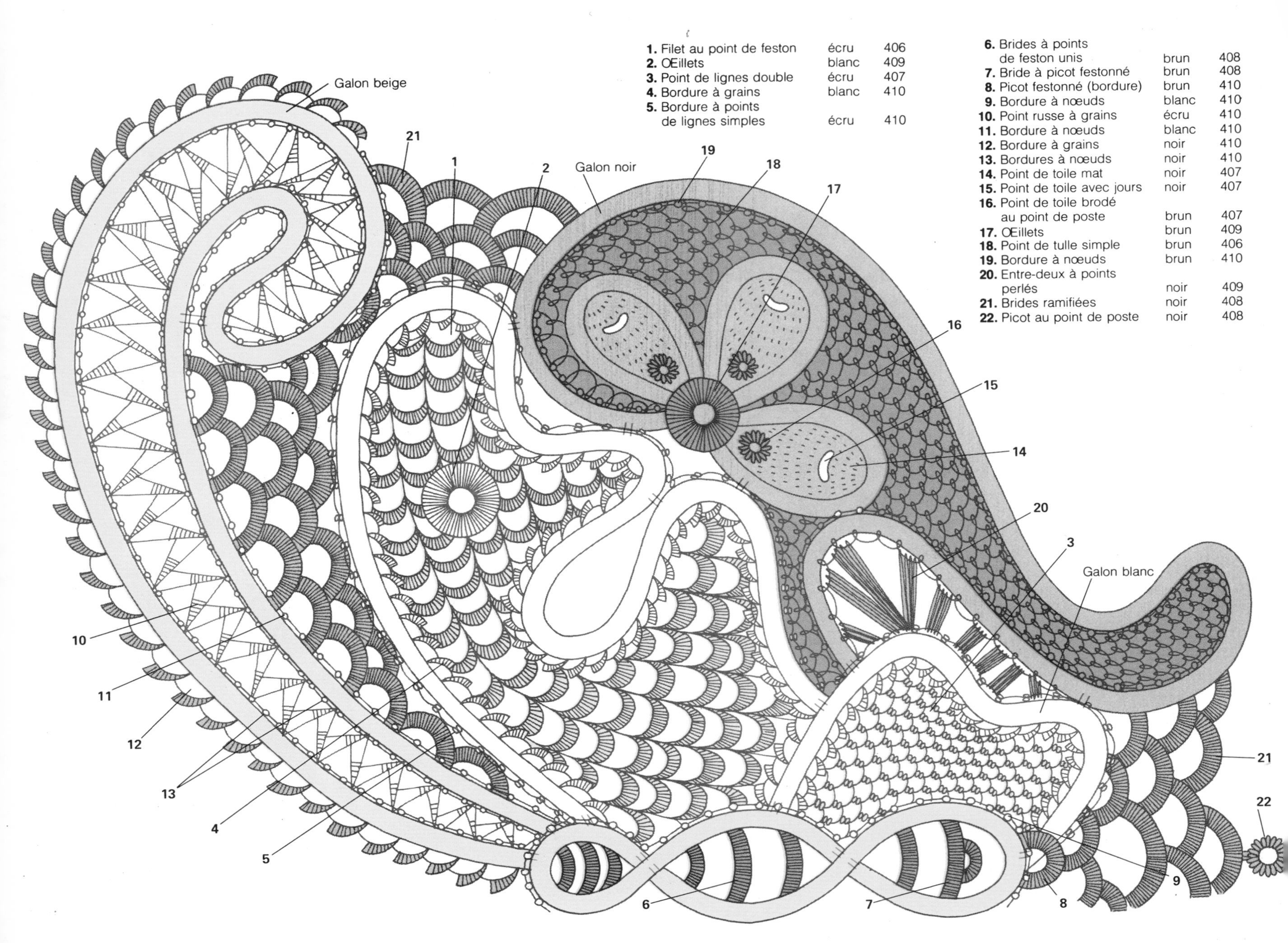

La frivolité

Introduction

La frivolité consiste en un nœud, appelé maille double, travaillé par groupes sur un fil unique. On tire ce fil pour amener les mailles en formations courbes — anneaux et chaînettes — qui sont réunies à leur tour en larges motifs. On emploie surtout la frivolité en bordure ou en insertion, mais on peut également confectionner des articles complets en frivolité, une nappe par exemple. Cette dentelle se travaille avec un fil de coton très fin de sorte que, malgré son apparence délicate, elle est très solide.

La caractéristique de la frivolité est d'être faite d'un fil continu, enroulé à l'intérieur d'une navette (ci-dessous). La main gauche tient une boucle de fil tandis que la droite dirige la navette autour de ce fil; les mailles doubles (ou nœuds) ainsi obtenues ressemblent aux nœuds d'alouette du macramé. Pour suivre efficacement les instructions de cette section, il serait bon de vous exercer à la maille double (ou nœud, p. 414) jusqu'à la parfaite coordination des mouvements. Puis essayez chacune des techniques expliquées : elles sont présentées par ordre de difficulté croissante.

Pour les patrons de frivolité, on utilise une terminologie et des abréviations spéciales. Celles que nous donnons dans nos pages sont énumérées et illustrées ci-contre.

Termes et abréviations

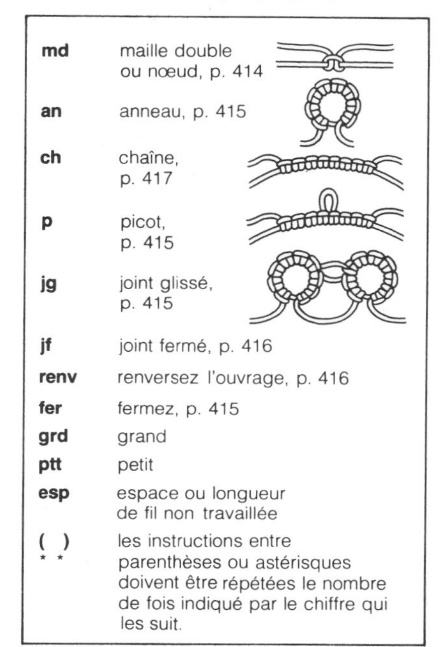

md	maille double ou nœud, p. 414
an	anneau, p. 415
ch	chaîne, p. 417
p	picot, p. 415
jg	joint glissé, p. 415
jf	joint fermé, p. 416
renv	renversez l'ouvrage, p. 416
fer	fermez, p. 415
grd	grand
ptt	petit
esp	espace ou longueur de fil non travaillée
( ) **	les instructions entre parenthèses ou astérisques doivent être répétées le nombre de fois indiqué par le chiffre qui les suit.

Fournitures

Il y a deux types de navette à frivolité. L'une en métal, à canette amovible pour enrouler le fil, et munie d'un crochet pour joindre les anneaux; c'est la plus appropriée pour les fils n°s 10 à 70. L'autre en plastique; le fil s'enroule autour d'une tige centrale et la pointe effilée sert à joindre. Cette navette convient à des fils plus épais (n°s 3 à 5). On n'utilise pas de fil plus gros parce que la bobine ne peut en contenir une longueur suffisante.

Vous pouvez avoir besoin d'un crochet d'acier pour remplacer la pointe de la navette et il vous faudra des aiguilles à coudre pour rentrer les bouts, une fois le travail fini (p. 416). Le meilleur fil à frivolité est un coton fortement tordu. Les échantillons à droite sont faits avec différents types de fil. Pour vous exercer, le coton n° 5 est le plus indiqué.

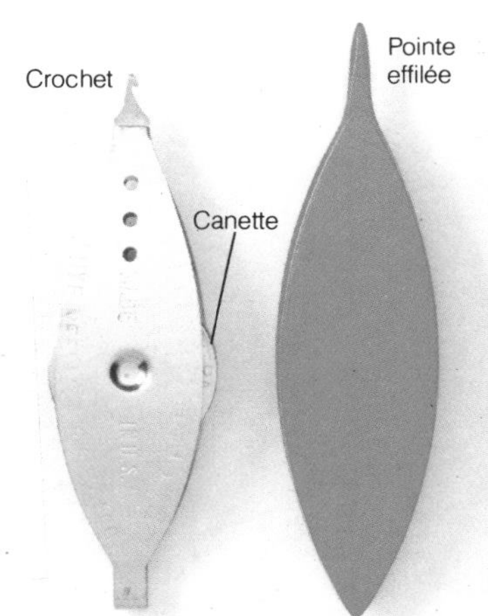

Navette en métal avec canette   Navette en plastique avec bec

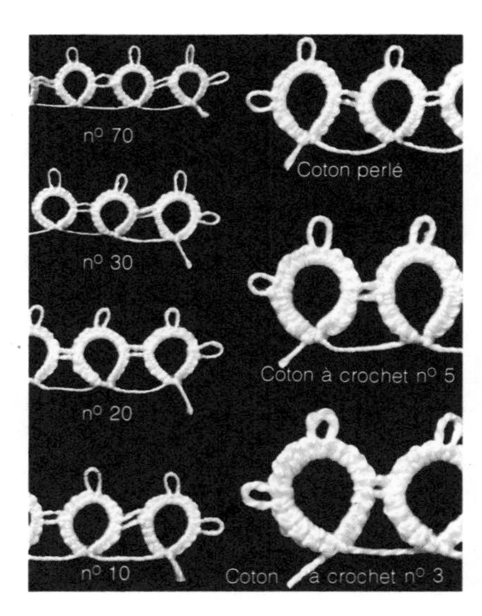

Techniques de la frivolité

La maille double (ou nœud)

La maille double (md), ou nœud, est la technique de base de la frivolité. Elle se fait en deux temps, la main droite manœuvrant la navette autour d'une boucle de fil contrôlée par la main gauche. C'est cette boucle (main gauche) qui forme les mailles sur le fil de la navette (main droite). Une fois que vous avez saisi ce principe et pratiqué le maniement de la navette, la coordination des mouvements est relativement facile et un rythme régulier s'établit.

Préparation des canettes : enroulez le fil jusqu'au bord et insérez la canette dans la navette.

Tenue du fil : déroulez-en 40 cm (16"); tenez solidement le bout entre le pouce et l'index de la main gauche. Ecartez les doigts, enroulez le fil autour et saisissez-le après un tour complet. Tenez la navette horizontalement; le fil venant de l'arrière est soulevé par l'auriculaire et passe par-dessus la main (A).

Première moitié de la md : passez la navette *sous* la partie supérieure de la boucle (B). La navette à l'horizontale, ramenez-la vers l'arrière *par-dessus* le même fil (C). Laissez glisser le fil de la main droite et tirez sur le fil de la navette. En même temps, relâchez légèrement les doigts de la main gauche pour que la *boucle se forme autour du fil de navette* (D).

Seconde moitié de la md : tenez la navette à l'horizontale comme précédemment mais, au lieu de passer le fil par-dessus la main droite, maintenez-le vers le bas entre les deux derniers doigts. Passez la navette *par-dessus* la partie supérieure de la boucle de la main gauche (E), puis ramenez-la vers l'arrière *sous* ce fil (F). Tendez le fil de navette en laissant la *boucle passer dessus* (G). Si la maille est bien formée, le fil glissera à l'intérieur.

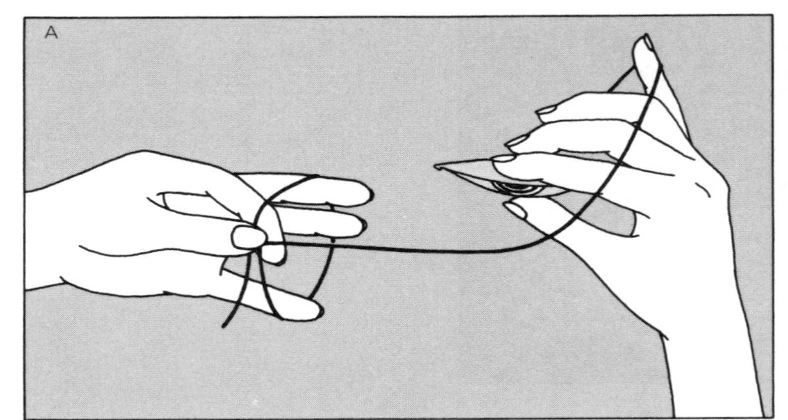

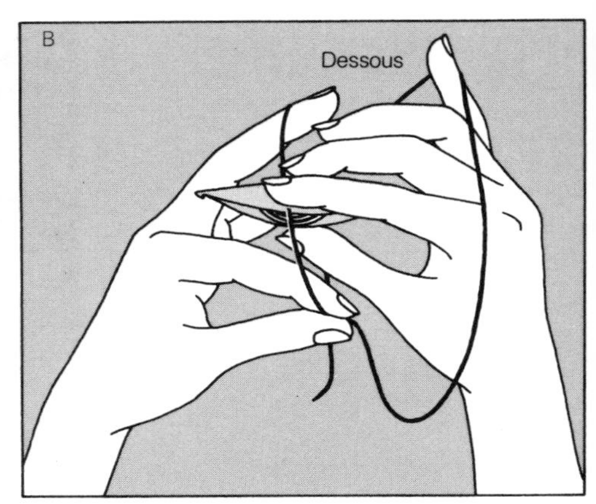

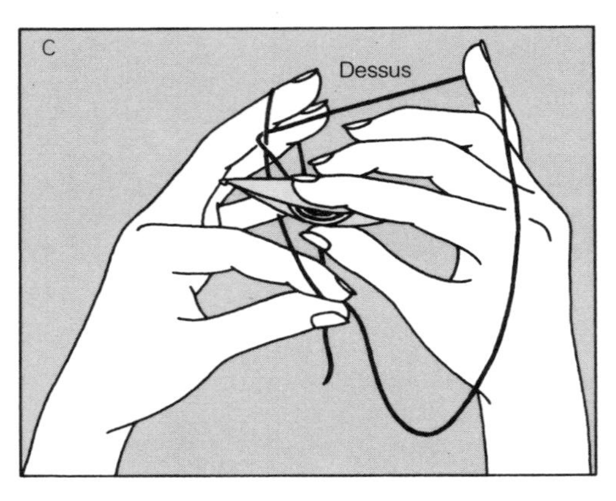

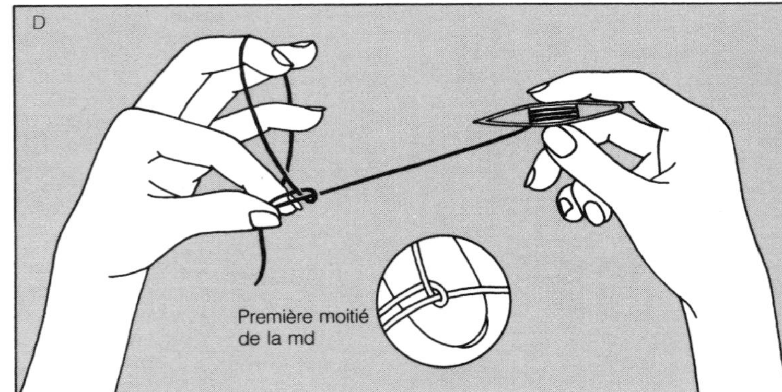

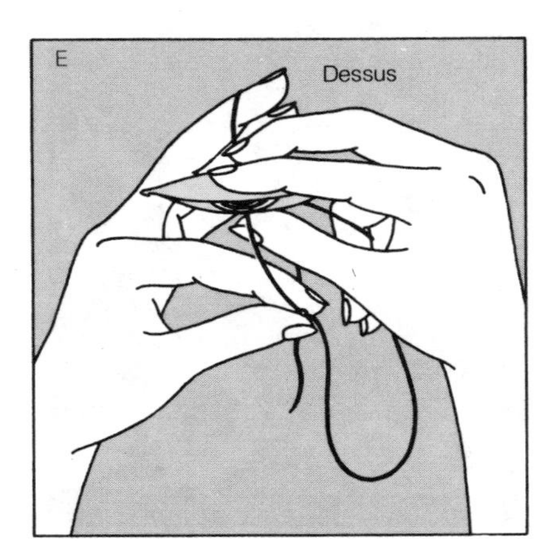

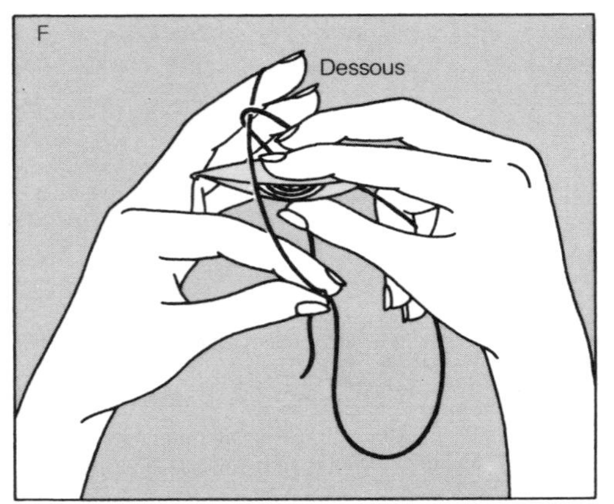

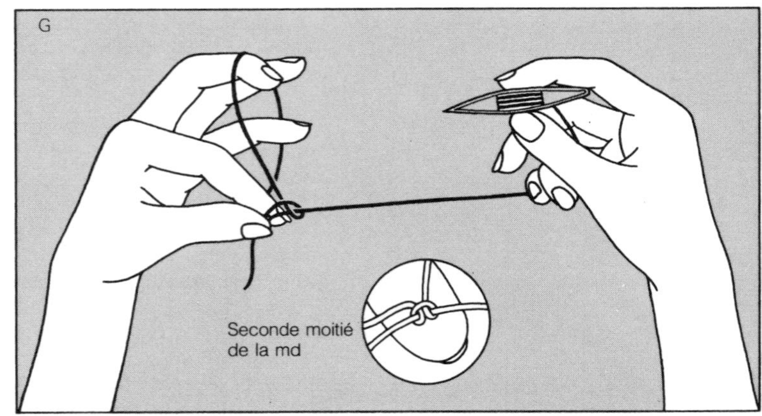

Exercices avec une navette

Les éléments de base de la frivolité sont les **anneaux** (ou ronds), les **picots** et le **joint glissé** (illustré au bas de la page). Un anneau est une formation courbe d'un certain nombre de nœuds, serrés les uns contre les autres en tirant sur le fil de la navette. Sa grandeur peut varier et la courbe devient un cercle, un demi-cercle ou un ovale, suivant le nombre de nœuds et l'épaisseur du fil.

Un picot est une boucle de fil entre deux nœuds, décorative ou servant à joindre deux anneaux entre eux. Les picots peuvent aussi varier en grandeur mais doivent au moins être égaux entre eux dans un même motif, sauf indications contraires. Habituellement, les petits picots (3-6 mm/⅛"-¼") servent à joindre les anneaux tandis que les longs servent plutôt à l'ornementation.

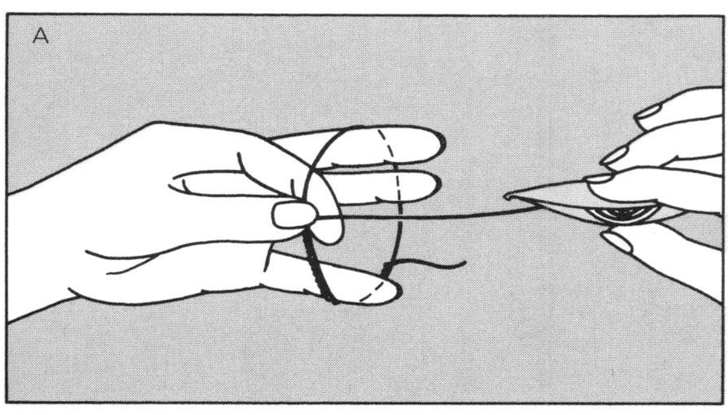

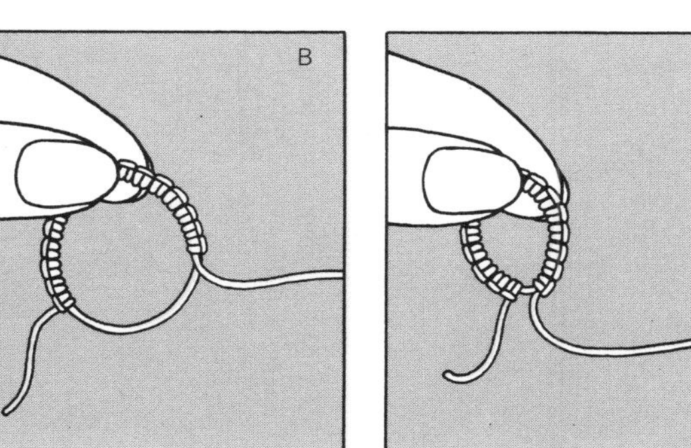

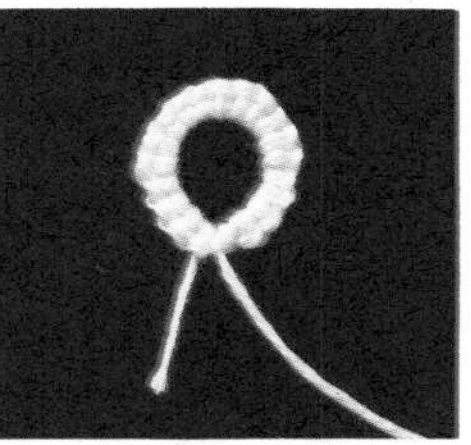

L'anneau (an) s'obtient en relâchant la boucle formée sur les doigts de la main gauche, une fois les nœuds faits, puis en tirant sur le fil de navette jusqu'à ce que les nœuds serrés forment un cercle ou un demi-cercle. C'est ce qu'on appelle *fermer (fer)* dans les instructions. **Pour vous exercer,** enroulez le fil autour de la main gauche et faites 20 md (A), libérez les doigts et, tenant les nœuds entre le pouce et l'index, tirez sur le fil de navette pour rapprocher les nœuds. Serrez fort (C).

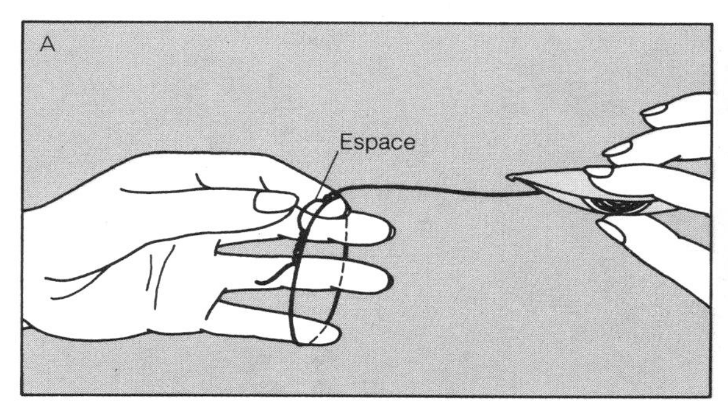

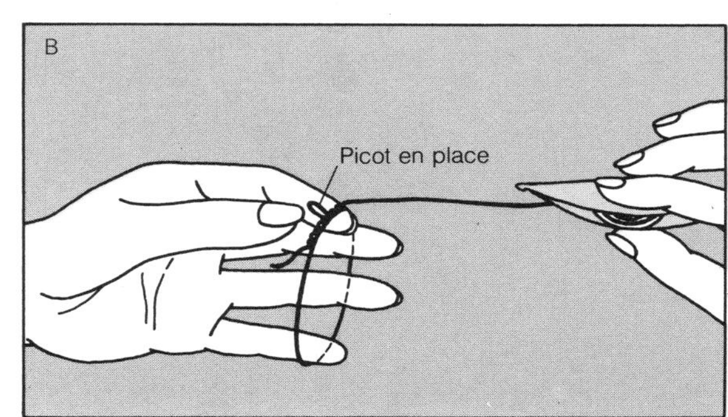

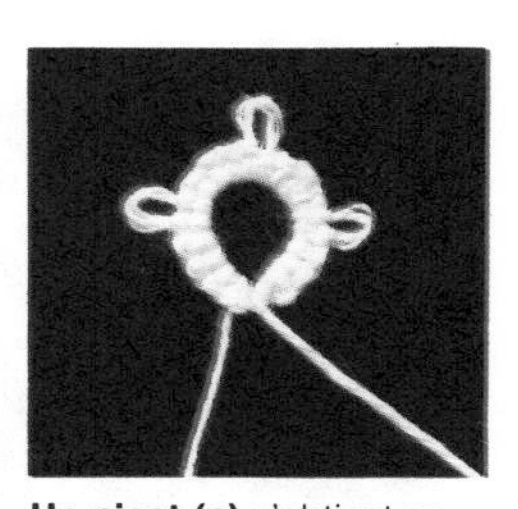

Un picot (p) s'obtient en laissant un espace entre 2 mailles doubles, puis en les collant l'une sur l'autre. **Pour vous exercer,** commencez par faire 5 md, faites la 1re moitié de la 6e md, laissez 0,5 cm (¼") de fil libre, puis faites la 2e moitié de la md (A); rapprochez les 2 moitiés (B). Répétez (5 md, p) 2 fois, 5 md, fer. Remarque : le demi-nœud qui ferme un picot compte pour le premier dans le groupe suivant.

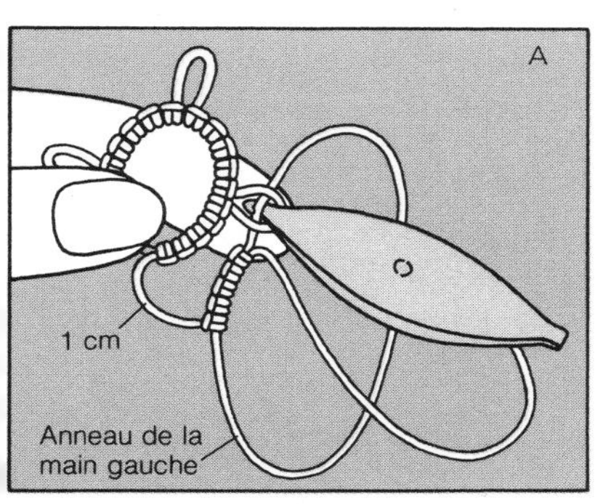

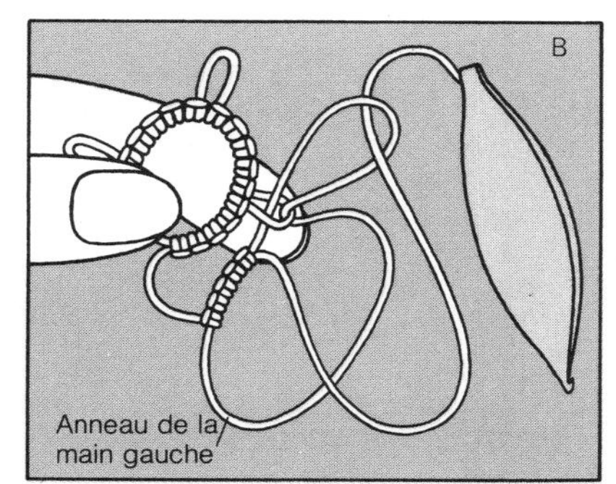

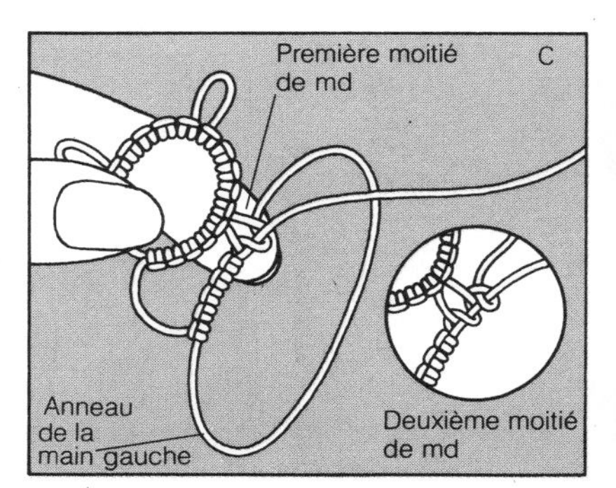

Un joint glissé (jg) s'obtient en faisant 1 md dans un picot; il permet de joindre deux anneaux. **Comme exercice,** faites un an de 20 md et 3 p (en haut, à droite). Laissez un esp de 1 cm (½") et commencez le 2e an avec 5 md (A). Appuyez le 3e p du 1er an sur la boucle de la main gauche. Avec le bec de la navette, tirez une boucle à travers le p et passez la navette à travers cette boucle (B). Le fil de navette tendu, amenez la boucle jusqu'à la dernière md en prenant garde de ne pas repasser le fil de navette dans le picot (C). Le joint compte comme la 1re moitié d'une md; terminez la seconde moitié et comptez-la comme 1re md du groupe suivant. Finissez an avec (5 md, 1 p) 2 fois, 5 md, fer. Répétez le 2e an pour une bordure.

Techniques de la frivolité

Exercices avec une navette

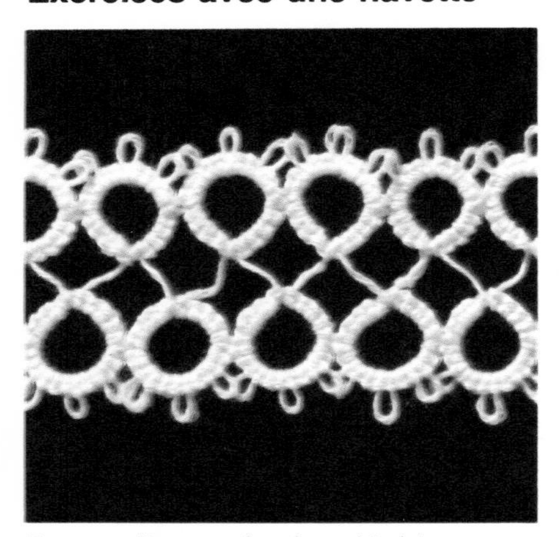

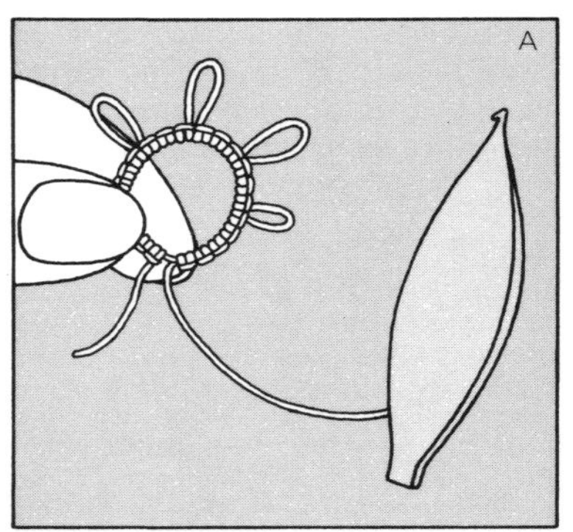

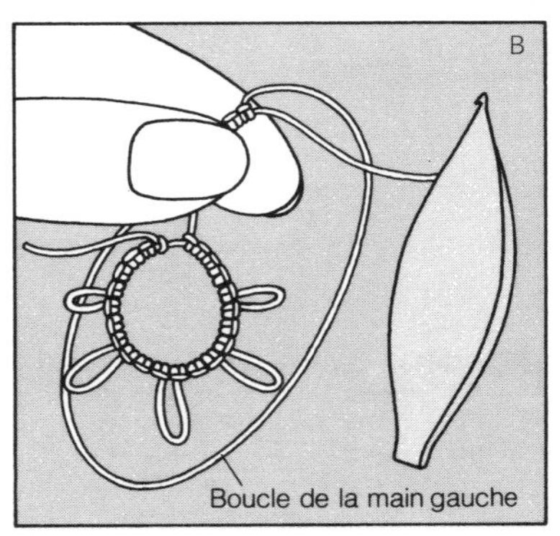

Renverser l'ouvrage (renv) consiste à tourner un élément complet la tête en bas pour faire le suivant dans la direction opposée. Cette technique permet une plus grande diversité de dessins.

Essayez cette soutache : faites 1 an de 5 md, ptt p, (3 md, grd p) 3 fois, 3 md, ptt p, 5 md, fer (A); renv, esp de 0,5 cm, faites le 2e an comme le 1er (B), renv, esp de 0,5 cm, faites le 3e an de 5 md, jg au 5e p du 1er an, 3 md, grd p, (3 md, grd p) 2 fois, 3 md, ptt p, 5 md, fer. Répétez les instructions pour le 3e an jusqu'à ce que la soutache atteigne la longueur désirée et joignez chaque an au 5e p de l'an voisin.

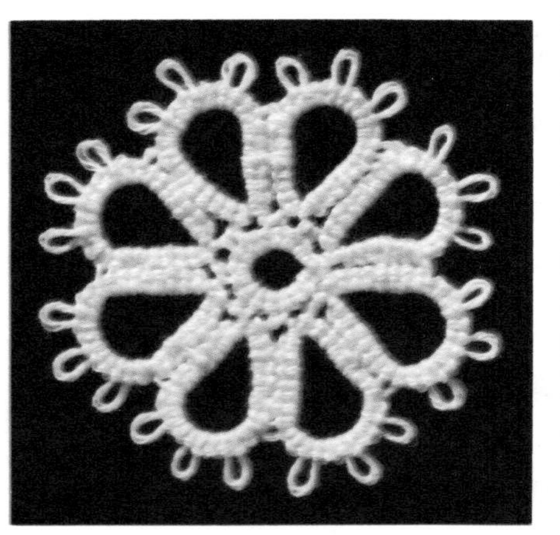

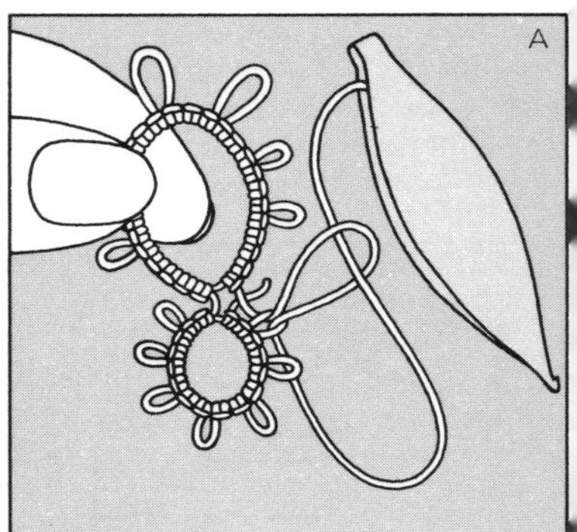

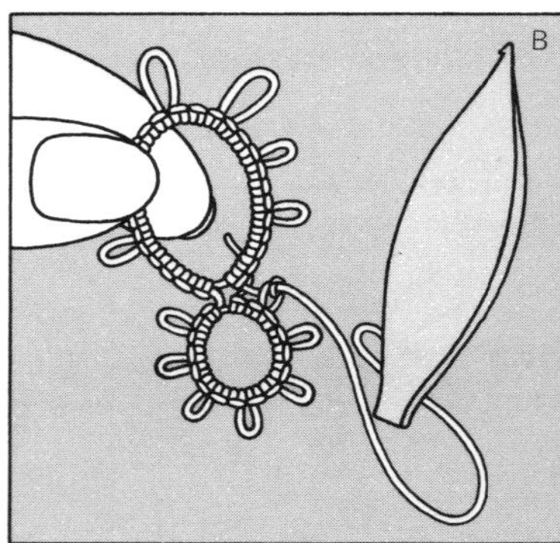

Le joint fermé (jf) est la liaison de deux éléments par un demi-joint glissé (cette méthode se limite à la finition des anneaux ou des chaînes).

Essayez ce médaillon : faites an central : (2 md, ptt p) 7 fois, 2 md, fer; à côté de dernière md an central, faites un pétale de 5 md, ptt p, 3 md, ptt p, (3 md, grd p) 3 fois, (3 md, ptt p) 2 fois, 5 md, fer; jf à an central en tirant 1 boucle à travers le 1er p et en passant la navette à travers cette boucle (A), puis en serrant la boucle fortement (B). Ne comptez pas le jf comme un nœud. Faites 7 pétales de plus comme ceci : 5 md, jg au dernier p du pétale précédent, 3 md, jg au p suivant, (3 md, grd p) 3 fois, (3 md, ptt p) 2 fois, 5 md, fer; jf au p suivant dans an central.

Quelques trucs

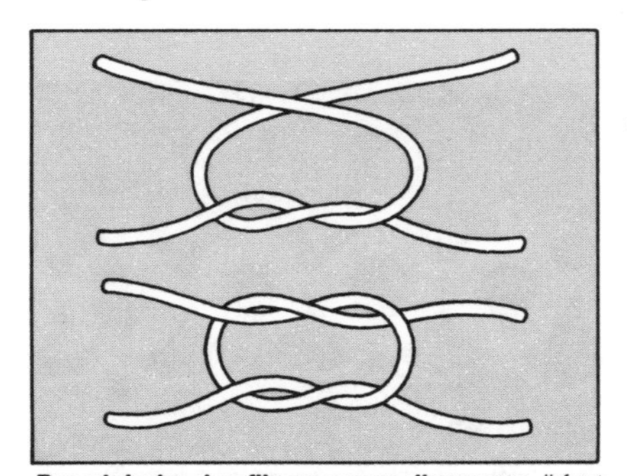

Pour joindre des fils en cours d'ouvrage, il faut attendre la fin d'un anneau ou d'une chaîne. Le nœud plat, illustré ci-dessus, est la meilleure façon de joindre les fils. L'extrémité du fil sera assez longue pour pouvoir être rentrée sur l'envers, l'ouvrage terminé.

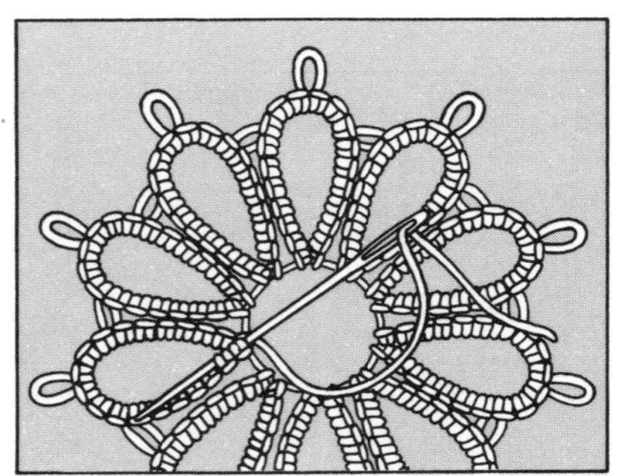

Pour arrêter les fils, rien de mieux que de les faire courir sous quelques points et de couper l'excédent. L'aiguille doit être assez fine pour pénétrer sous les nœuds. Il est également possible de surjeter les extrémités de fil sur l'envers avec un fil assorti.

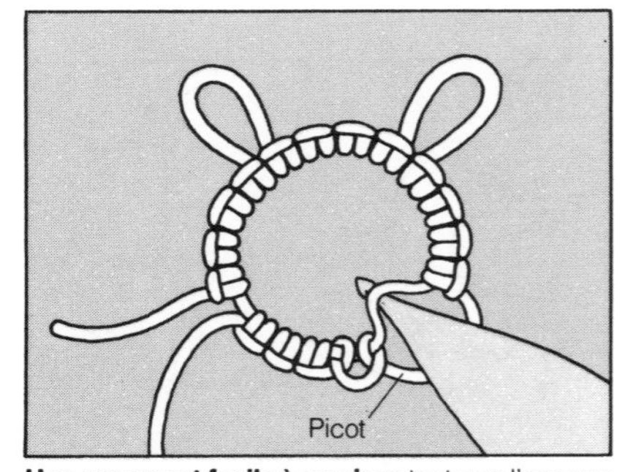

Une erreur est facile à corriger tant que l'anneau n'est pas fermé. Mais s'il vous faut ouvrir un anneau, écartez les nœuds au niveau d'un picot (illustration). Autrement, il vous faut couper le fil et le réattacher par un nœud plat, une fois l'erreur corrigée.

Rappel :

1. Le fil gauche est celui qui forme les nœuds. S'il est bouclé, vous obtenez un anneau; s'il est drapé, une chaîne.
2. Le travail avance de gauche à droite.
3. Les boucles envers dans une maille double sont tournées à gauche pendant le travail (anneau ou chaîne).
4. Le terme *picot* s'applique exclusivement à une boucle de fil, non à la md qui l'entoure. Le demi-nœud qui le ferme compte comme le 1er du groupe suivant.
5. Ne vous arrêtez jamais au milieu d'un anneau ou d'une chaîne car il est trop difficile de retrouver la position et la tension correctes.

Le travail à deux fils

Le travail à deux fils élargit le champ de la frivolité. Il permet d'ajouter une seconde couleur et de faire des nœuds sur le fil entre les anneaux — formation qu'on appelle **chaîne (ch).** Pour faire une chaîne, on drape un fil autour des doigts de la main gauche en faisant un tour de plus sur l'auriculaire pour pouvoir exercer une tension; le second fil sert à faire les nœuds. Comme pour l'anneau, le fil de la main gauche est celui qui forme les nœuds. La frivolité en deux couleurs nécessite habituellement deux navettes mais si vous travaillez avec deux fils de même couleur, utilisez une navette et une pelote.

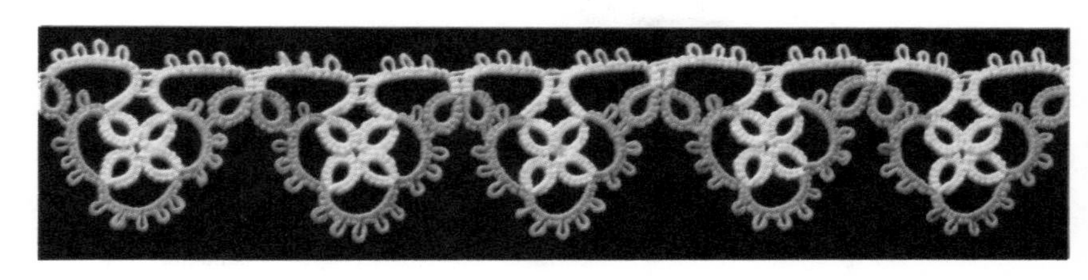

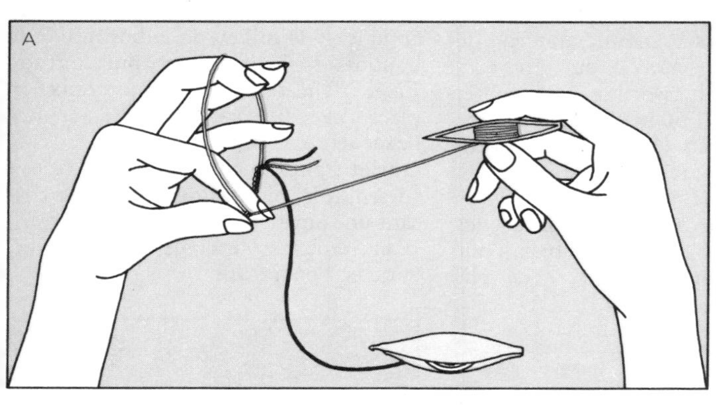

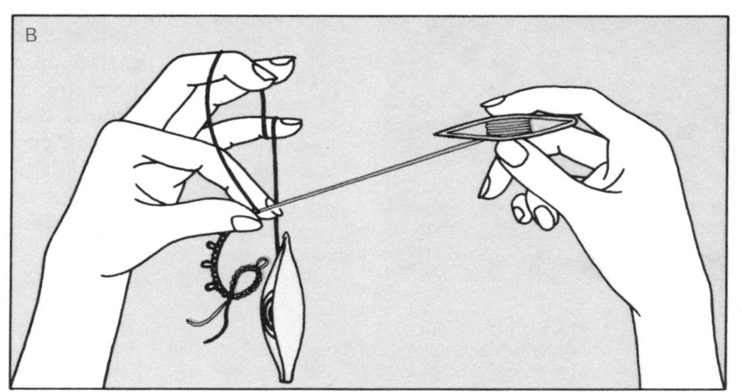

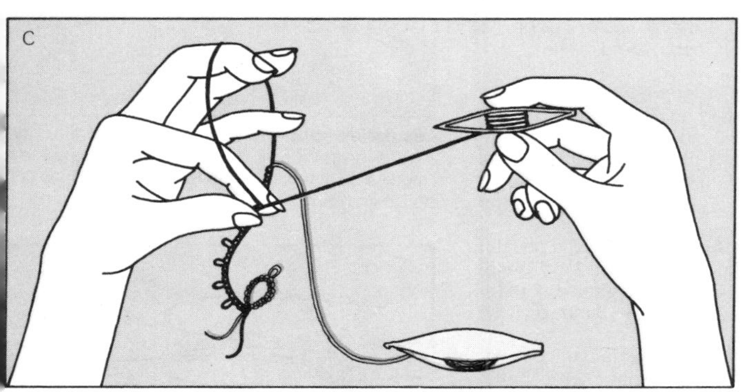

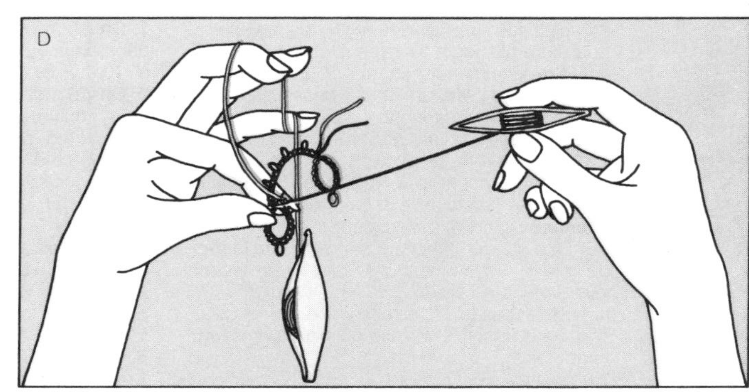

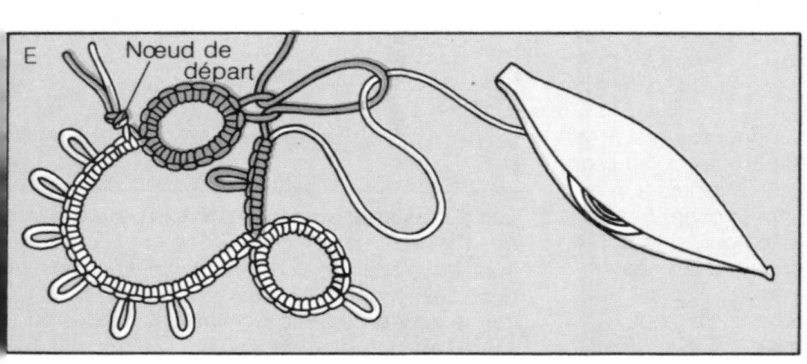

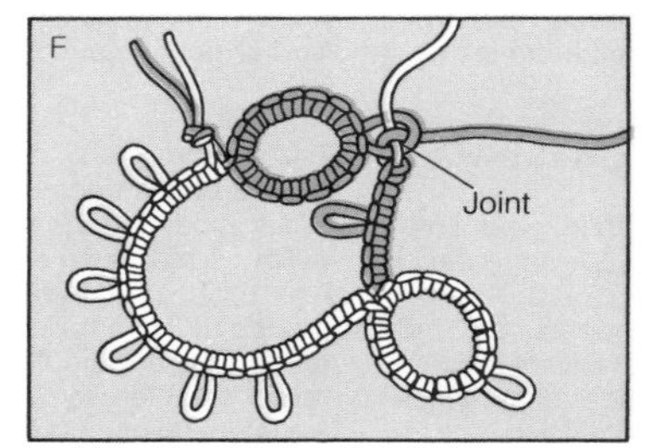

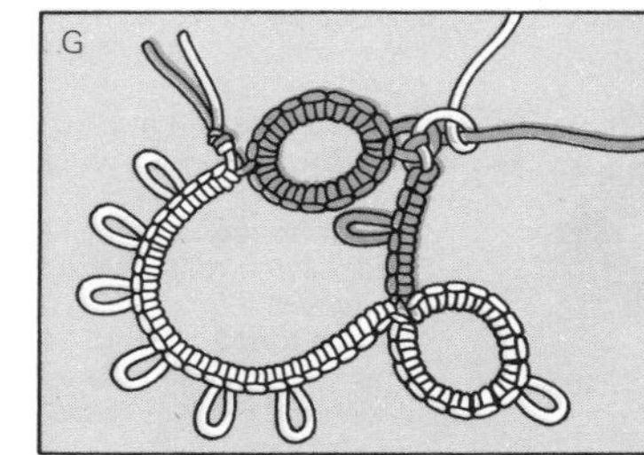

Bordure bicolore, composée d'anneaux et de chaînes : la navette en attente repose sur les genoux et c'est la couleur drapée sur la main gauche qui va former les nœuds. Attachez les deux extrémités ensemble sans serrer. Commencez tout près du nœud avec le **fil bleu,** faites 1 an de 8 md, p, 8 md (A), fer, renv; le **fil blanc** tendu sur la main gauche et le bleu dans la main droite, faites 1 ch de (3 md, p) 6 fois, 6 md (B), ne renv pas; avec le **fil blanc,** faites 1 an de 8 md, p, 8 md (C), renv; le **fil bleu** tendu sur la main gauche et le blanc dans la droite, commencez ch avec 3 md, p, 3 md (D), jg dans p du 1er an bleu, comme suit : tirez 1 boucle bleue, passez la navette de fil blanc au travers (E), serrez la boucle tout près de dernière md (F), et terminez jg (G), finissez ch par (3 md, p) 3 fois, 3 md, renv; avec le **fil blanc,** faites 1 an de 8 md, jg au p du 1er an blanc, 8 md, fer, renv; avec le **fil bleu,** faites ch de (3 md, p) 5 fois, 3 md, renv; faites 2 autres ptt an blancs, les joignant au p du 1er an blanc, avec ch bleue entre eux, ne renv pas; avec le **fil blanc,** faites ch de 6 md, jg au 1er p de ch opposée en blanc, 3 md, jg au p suiv, (3 md, p) 4 fois, 3 md, renv; avec le **fil bleu,** faites an de 8 md, jg au 2e p de dernière ch bleue, 8 md, fer. Le 1er motif est maintenant terminé. Pour le suivant, ne renv pas mais faites le 1er an bleu tout à côté du dernier et renv; commencez la 1re ch bleue par 3 md, jg au 1er p de ch opposée, finissez par (3 md, p) 5 fois, 6 md. Continuez comme pour le premier motif.

Châle bordé de dentelle frivolité

Application de la dentelle frivolité sur le tissu : centrez une des 3 sections grises et jaunes au milieu du châle, les deux autres aux extrémités. Chacun des *12 groupes floraux* comprend 1 fleur et 2 feuilles; placez-en 4 au centre, au-dessus de la bordure, 3 de chaque côté, entre les sections de bordure, et 1 à chaque extrémité.

La bordure de ce châle se compose de trois éléments faits séparément, puis cousus en place. **La frivolité** s'exécute avec un coton à 6 brins : une pelote pour chaque couleur. **Pour la garniture de perles,** il faut 180 petites perles orange (fleurs) et 552 vertes (feuilles); 252 perles argentées de 4 mm (franges).
Matériel : 2 navettes; aiguille pour enfiler les perles sur le fil, morceau de carton de 3,75 cm×7,5 cm (1½″×3″) pour frange; fil assorti à la frivolité.
Pour le châle : 1,50 m (1½ vg) de crêpe de laine en 140 cm (55″) de large; 75 cm (¾ vg) de doublure légère; fil assorti au tissu; papier fort pour le patron.
Confection du châle : enlevez les lisières. Pliez le tissu sur le biais pour former un triangle; repassez ce pli. Faufilez les deux épaisseurs ensemble à partir du centre de la base jusqu'au point opposé. Faites le patron de la courbe sur papier (page suivante); il servira à tailler l'arrondi des deux côtés.
Pour appliquer la frivolité : coupez sur le biais, dans le tissu à doublure, des renforts d'envers pour les motifs perlés. Marquez le centre du bas du châle et épinglez-y le milieu de la bordure et le bouquet de fleurs perlées, puis le reste. Fixez délicatement les morceaux en place avec du fil assorti; coupez l'excédent des renforts.
Ourlet : pliez le châle en deux, endroit sur endroit; piquez tout autour en laissant une ouverture de 12 à 15 cm (5″-6″) pour retourner le châle sur l'endroit; surjetez l'ouverture.

Fleurs et feuilles sont faites séparément puis jointes (2 feuilles pour chaque fleur). Toutes comportent des perles de verre : orange pour les fleurs, vertes pour les feuilles.

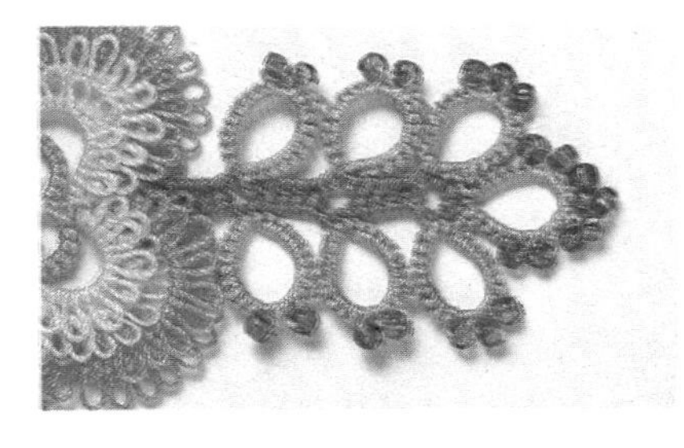

FLEURS (il en faut 12)
Fournitures (par fleur) : coton 6 brins, 4,50 m en rose foncé, 3,50 m en rose pâle; 15 perles orange. Préparez une navette pour chaque rose. Enfilez 15 perles sur le rose pâle. Attention : enroulez suffisamment de fil sur les navettes pour faire plusieurs fleurs; enfilez les perles avant de commencer chaque fleur.
Avec le rose pâle, amenez 5 perles dans la boucle de la main gauche et laissez-les pendre en attendant de les utiliser. 4 md, grd p (amenez les 5 perles sur le dessus et étirez le picot pour les contenir sans trop serrer), 4 md, fer. Placez 2 perles de plus contre la base de l'anneau.
***Anneau :** 4 md, jg dans p central entre 1re et 2e perles, 4 md, fer. Placez 2 perles contre la base de l'an* 4 fois, en mettant 1 perle entre chaque joint dans le p central, jf à la base du 1er an, renv. Attachez la 2e navette (rose foncé) au commencement du fil rose pâle par un nœud temporaire.
Ch rose foncé : *10 md, jf au rose pâle à la base an inférieur* 5 fois. Ne renv pas.
Ch rose pâle : *3 md, 8 p séparés par md, 3 md, jf avec rose foncé à l'esp suivant entre les ch inférieures* 5 fois.
Ch rose pâle : *3 md, 10 p séparés par 2 md, 3 md, jf avec rose foncé à l'esp suivant entre les ch inférieures* 5 fois.
Ch rose foncé : *3 md, 12 p séparés par 2 md, 3 md, jf avec rose pâle à l'esp suivant entre ch inférieures* 5 fois.
Ch rose foncé : *3 md, 14 p séparés par 2 md, 3 md, jf avec rose pâle à l'esp suivant entre ch inférieures* 5 fois. Coupez et arrêtez avec des nœuds plats.

FEUILLES (il en faut 24)
Fournitures : 2 m coton bleu pâle pour **an,** 50 cm vert pour ch; 23 perles vertes par feuille. 1 navette. Fil bleu dans navette avec 23 perles; fil vert en pelote.
1. Ch : 5 md, ptt p, 1 md, renv. **An :** (2 perles dans boucle) 10 md, perle, 2 md, perle, 2 md, p, 10 md, fer, renv.
2. Ch : 5 md, ptt p, 1 md, renv. **An :** (2 perles dans boucle) 5 md, jg au p du 1er an, 5 md, perle, 2 md, perle, 2 md, p, 10 md, fer, renv.
3. Ch : 5 md, ptt p, 1 md, renv. **An :** (3 perles dans boucle) 5 md, jg au p du 2e an, 5 md, perle, 2 md, perle, 2 md, perle, 8 md, p, 2 md, fer, renv.
4. Ch : 2 md, renv. **An :** (9 perles dans boucle) 1 md, jg au p du 3e an, 5 md, perle, 2 md, perle, 2 md, perle, 2 md, 3 perles ensemble, 2 md, perle, 2 md, perle, 2 md, perle, 5 md, p, 1 md, fer, renv.
5. Ch : 2 md, renv. **An :** (3 perles dans boucle) 2 md, jg au p du 4e an, 8 md, perle, 2 md, perle, 2 md, perle, 5 md, p, 5 md, fer, renv.
6. Ch : 1 md, jg au p de ch opposée, 5 md, renv. **An :** (2 perles dans boucle) 10 md, jg au p du 5e an, 2 md, perle, 2 md, perle, 5 md, p, 5 md, fer, renv.
7. Ch : 1 md, jg au p de ch opposée, 5 md, renv. **An :** (2 perles dans boucle) 10 md, jg au p du 6e an, 2 md, perle, 2 md, perle, 10 md, fer, renv.
8. Ch : 1 md, jg au p de ch opposée, 5 md. Pour attacher 2 feuilles à une fleur, tirez un groupe de fils à travers l'espace entre les ch du dernier rang de fleurs; arrêtez-les par un nœud plat bien serré à l'envers. Laissez 2 pétales; joignez la 2e feuille.

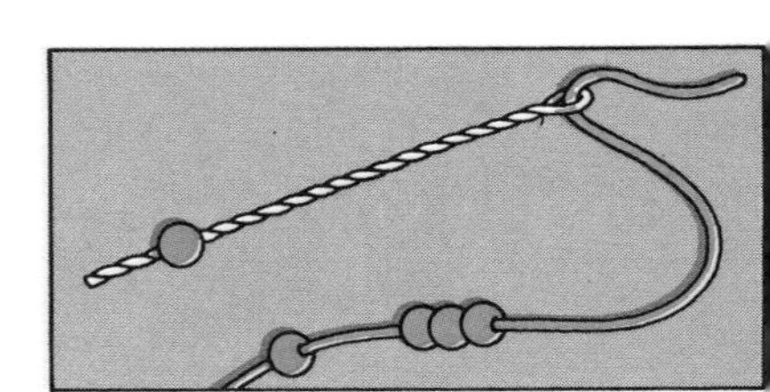

Les perles sont enfilées sur le fil à l'aide d'une aiguille en mince fil de fer. La perle passe de l'aiguille au fil très facilement grâce à la flexibilité de l'instrument.

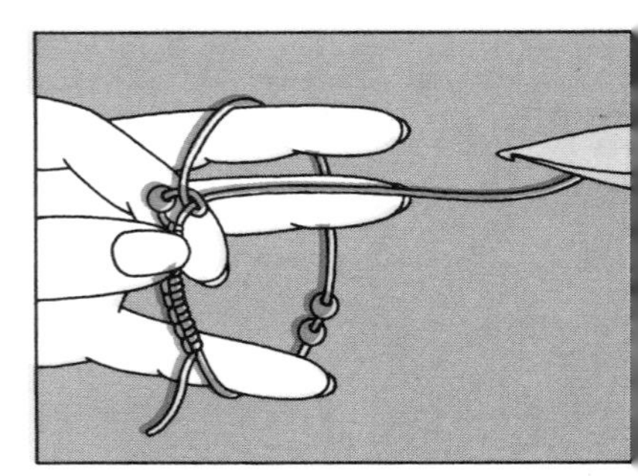

Les perles sont amenées dans la boucle avant que l'anneau ne soit commencé; on les avance pour les placer en position, au fur et à mesure des besoins. *Les perles argentées pour la frange* sont préparées sur une pelote, une section à l'avance (une par picot).

La bordure à franges est faite en trois sections. Commencez par les anneaux gris.

ANNEAUX GRIS

Fournitures : 34 m coton gris moyen par section; 1 navette. On a 8 grands anneaux et 7 petits, répétés 11 fois par section. **Grand anneau :** 6 md, p, 6 md, p, 6 md, p, 6 md, fer, renv. Laissez 1 esp (longueur de fil) de 0,5 cm entre les an. **Petit anneau :** 3 md, p, 3 md, p, 3 md, p, 3 md, fer, renv. Même esp qu'avant. **2e grd an :** 6 md, jg au 3e p du 1er grd an, 6 md, p, 6 md, p, 6 md, fer, renv. Même esp qu'avant. **2e ptt an :** 3 md, jg au 3e p du 1er ptt an, 3 md, p, 3 md, p, 3 md, fer, renv. Même esp qu'avant. Continuez avec les 2e grd et ptt an jusqu'à ce que vous en ayez 8 grands et 7 petits. Commencez la 2e section avec 1 grd an qui sera joint au dernier ptt an de la section précédente. Après avoir exécuté le motif 11 fois, arrêtez les fils.

LISIERE ET FRANGE JAUNES

Fournitures : 23 m coton jaune pâle (chaînes) et 4 m rose foncé (anneaux); 84 perles argentées par section.
1 navette (fil rose foncé); carton de 3,75 cm × 7 cm pour la frange. Enfilez 84 perles sur le fil jaune (en pelote). On travaille le bord supérieur en premier. Disposez les anneaux gris de telle sorte que le 1er groupe de petits anneaux des extrémités soit tourné vers le haut. Attachez les 2 fils au 1er p du 1er ptt an à *gauche* de l'ouvrage. **Ch :** 6 md, p, 6 md, jf avec rose foncé au sommet du ptt an *suiv*. ***Ch :** 6 md, p, 6 md, renv. **Ptt an :** 3 md, p, 3 md, sautez un ptt an au-dessous et jg au sommet du ptt an *suiv*, 3 md, p, 3 md, fer, renv. **Ch :** 6 md, p, 6 md, sautez un ptt an au-dessous et jf au sommet du ptt an suiv. 6 md, p, 6 md, sautez dernier ptt an et jf au sommet du 1er grd an. (6 md, p, 6 md, jf au sommet du grd an suivant) 7 fois. 6 md, p, 6 md, sautez 1er ptt an et jf au sommet du ptt suivant. Répétez à partir de * tout au long du bord supérieur. Quand l'avant-dernier ptt an a été joint, travaillez le bord droit : 6 md, p, 6 md, jf au dern p du dernier ptt an, 6 md, p, 6 md, jf au 1er p du 1er grd an au-dessous, 6 md, p, 6 md, jf au sommet du même grd an. **La frange** est tout simplement composée de très grands picots, portant chacun une perle, faits sur un gabarit de carton. Les picots de la frange (pfr) sont faits sur les ch joignant les grds an. Ch et an joignant les ptt an sont semblables à ceux décrits plus haut. **Ch :** (4 md, pfr, 4 md, pfr, 4 md, jf au sommet du grd an suiv) 7 fois, puis ptt an, comme ci-dessus. **Pour les picots de la frange,** voir ci-dessous à droite. **Quand la bordure inférieure est terminée,** remontez le long de l'extrémité gauche, comme pour l'autre extrémité. Attachez les fils avec des nœuds plats et coupez.

A placer contre le pli du biais
A aligner contre le bâti
Pli du biais
Patron
Bâti
12,5 cm
Mise en place du patron

Pour la courbe du châle, quadrillez le papier avec des carrés de 12,5 cm (5") de côté; reproduisez la courbe. Alignez le patron sur le bâti du tissu et tracez la courbe. Retournez le patron et tracez l'autre moitié.

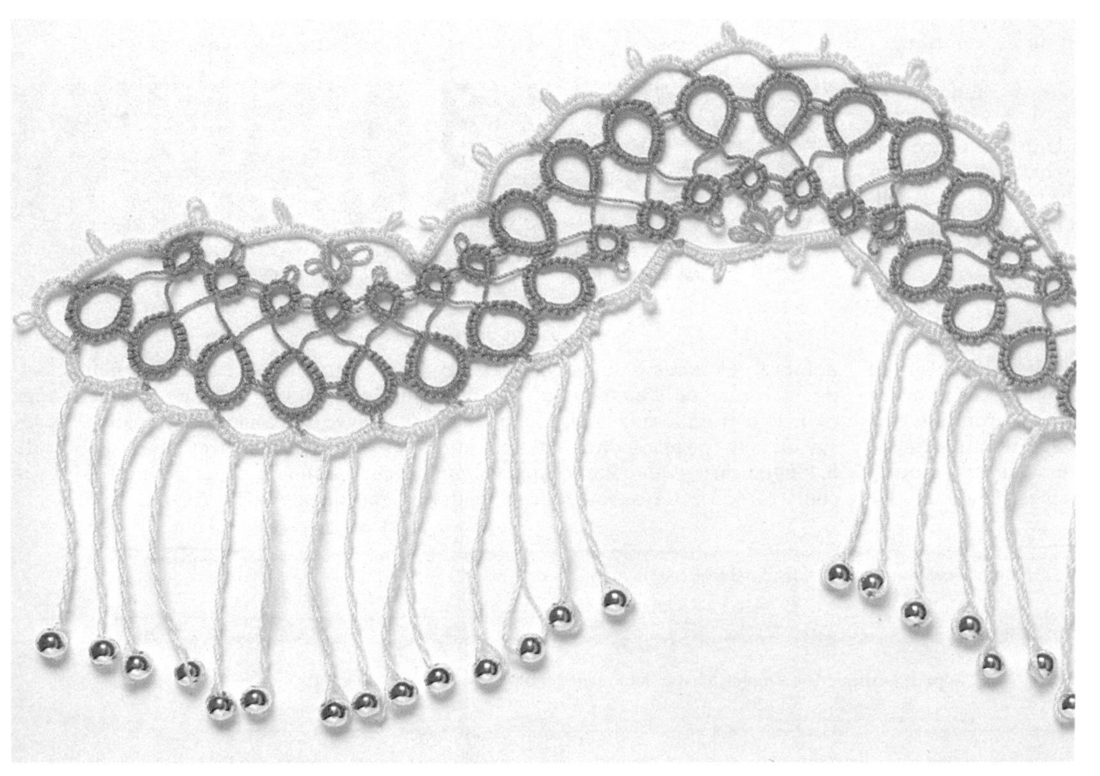

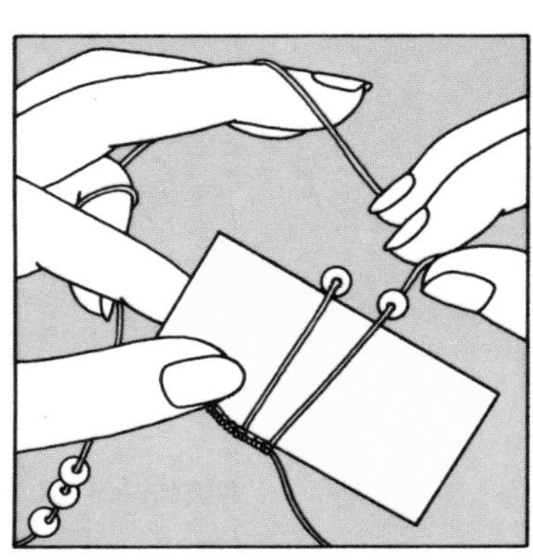

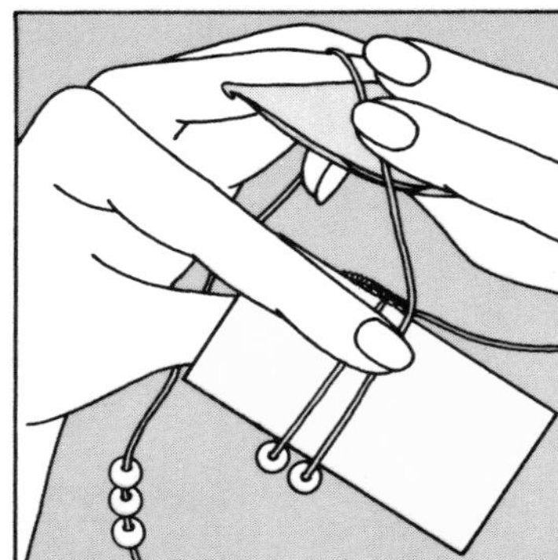

Pour les picots de la frange, après les 4 1res md de ch, placez le carton à l'horizontale au-dessus de l'ouvrage. Enroulez le fil de pelote avec une perle autour du carton, de l'intérieur vers l'extérieur en tordant le fil dans son sens naturel. Faites la 1re moitié de la md suivante derrière le carton, près des md précédentes (sans trop serrer). Terminez cette md, plus 3 autres; faites 1 autre pfr, 4 md et jf au sommet du grd an suivant. Continuez de cette façon le long de tous les grds an (14 pfr par groupe). Le long des groupes de ptt an, faites comme pour la bordure supérieure.

Filet

Qu'est-ce que le filet?

Le filet est un tissu à larges mailles et maints usages, des lourds filets de tennis et des hamacs à la dentelle délicate. Peu importe la nature du filet, sa technique fondamentale reste la même puisqu'elle n'emploie qu'un seul nœud (page ci-contre).

En termes de dentellière, le filet est un ouvrage à grandes mailles travaillées en losanges ou en carrés, avec dessins brodés. (En réalité, tout filet est en forme de losanges; nous expliquons p. 423 comment on obtient les carrés.)

Le filet a connu sa plus grande vogue au XVIIe siècle en Europe où il se distinguait par ses broderies élaborées en différentes textures et couleurs. L'époque victorienne lui a donné un regain de faveur mais dans une forme plus sobre, caractérisée par des dessins géométriques en fils de lin ou de coton naturels. Notre modèle à droite est un exemple typique de ce style simple mais élégant.

Comme les nœuds doivent être fermes et presque invisibles, choisissez un fil fin, fortement tordu mais très souple : du coton à crocheter, par exemple. Le fil destiné à la broderie offre un plus grand choix.

Exemple dans lequel le filet et la broderie sont tous deux en couleur naturelle.

Filet en losanges

Filet en carrés

Matériel et fournitures

Outre le fil de travail, il vous faut un **fil** de montage un peu plus épais pour les mailles du début (d'environ 30 cm/ 12″ de long); une **navette** sur laquelle s'enroule le fil de travail; un **moule**, pour obtenir des mailles régulières. Le nombre des mailles du départ dépend de la forme de l'ouvrage : plusieurs pour le filet en losanges qui commence sur un côté (page ci-contre); deux pour le filet en carrés qui commence dans un coin (p. 423). La navette idéale pour cette dentelle est l'aiguille à deux chas, ci-dessous. On peut en confectionner une avec deux aiguilles à matelas mises tête-bêche et attachées ensemble sous le chas. Le moule à filet peut être simplement une aiguille à tricoter courte.

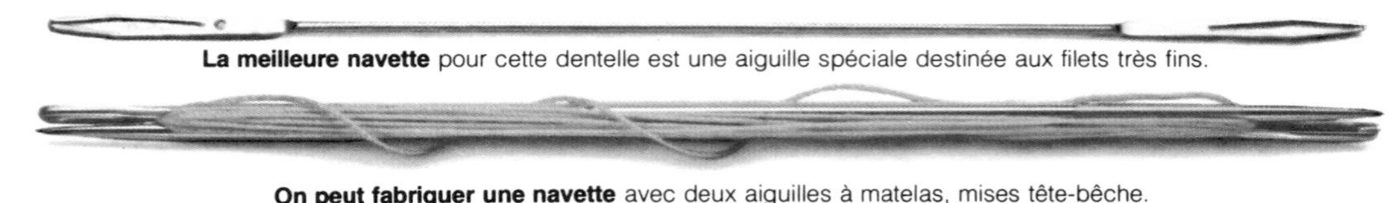

La meilleure navette pour cette dentelle est une aiguille spéciale destinée aux filets très fins.

On peut fabriquer une navette avec deux aiguilles à matelas, mises tête-bêche.

Un moule à filet sera simplement une aiguille à tricoter à deux pointes, assez mince et assez courte.

Le nœud de base

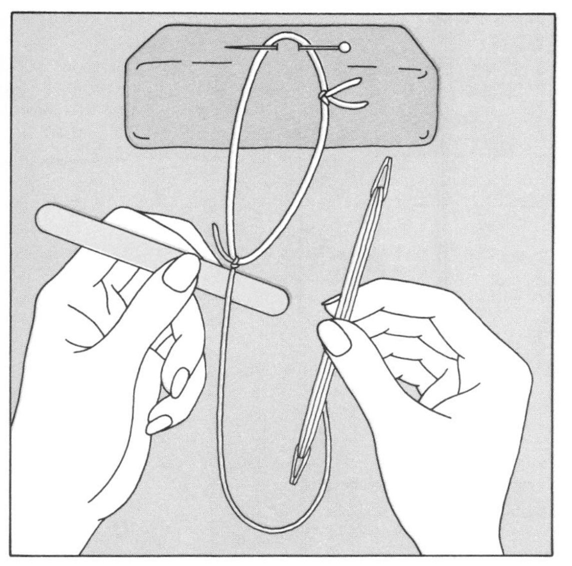

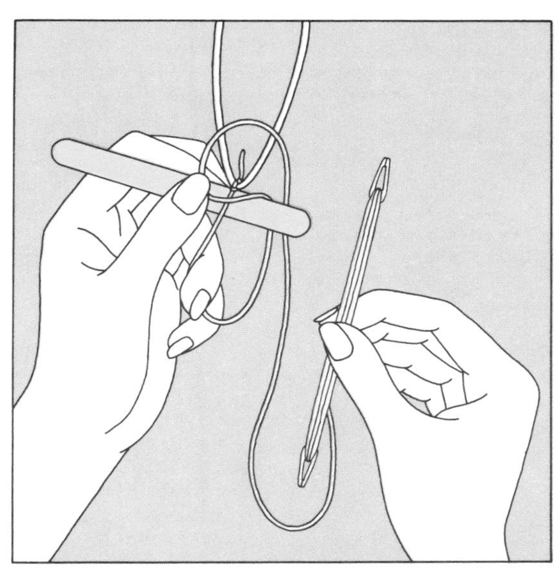

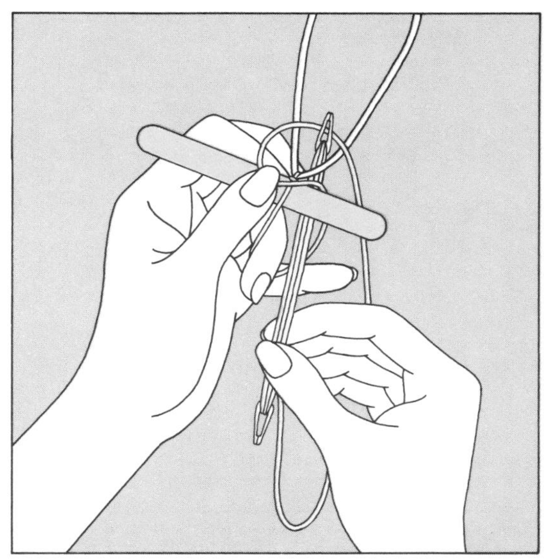

Nouez le fil de montage en boucle et fixez celle-ci sur un objet lourd. Remplissez la navette avec le fil de travail sans qu'elle dépasse la grosseur du moule. Nouez ce fil sur la boucle. Le moule entre le pouce et l'index de la main gauche, et la navette dans la main droite, passez le fil de navette devant le moule et autour de l'annulaire gauche, puis en arrière du moule. Maintenez le fil sur le moule avec le pouce. Enroulez le fil en montant, en huit; passez la navette dans la boucle du doigt, derrière le moule, puis dans la boucle de montage et le haut du huit.

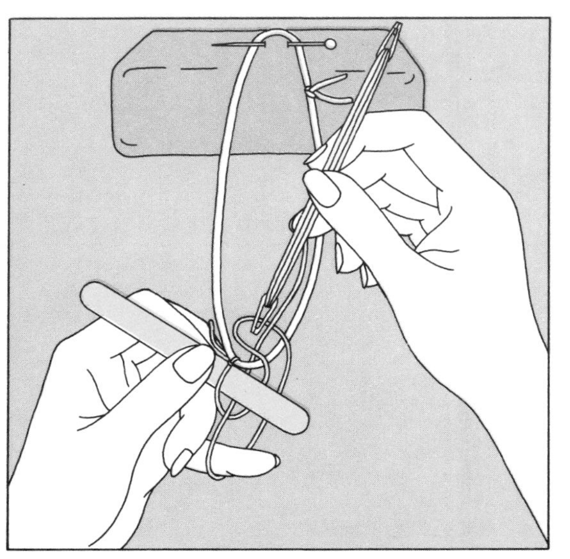

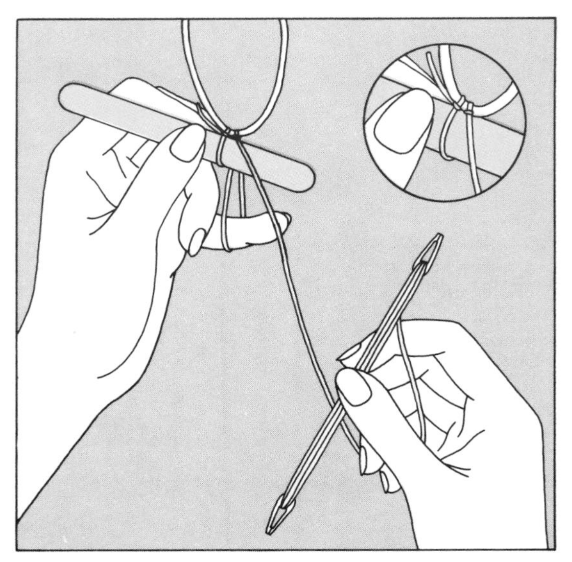

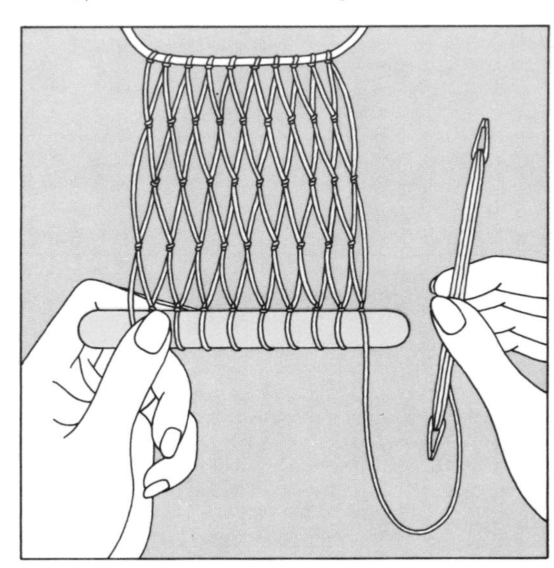

Sortez la navette *en retenant le fil entraîné par la navette avec l'auriculaire* et en libérant le fil sous le pouce, puis la boucle que retenait l'annulaire; tirez jusqu'à ce que le fil se resserre sur le moule *sans lâcher la boucle retenue par l'auriculaire.* Le nœud doit reposer sur la partie supérieure du moule. Libérez alors le petit doigt en tirant le fil vers vous. Ceci forme la première maille. Montez ainsi le premier rang de mailles à la fois sur le moule et sur la boucle de montage. Retirez le moule et tournez l'ouvrage (les nœuds se font toujours de gauche à droite).

Filet

Techniques de base du filet

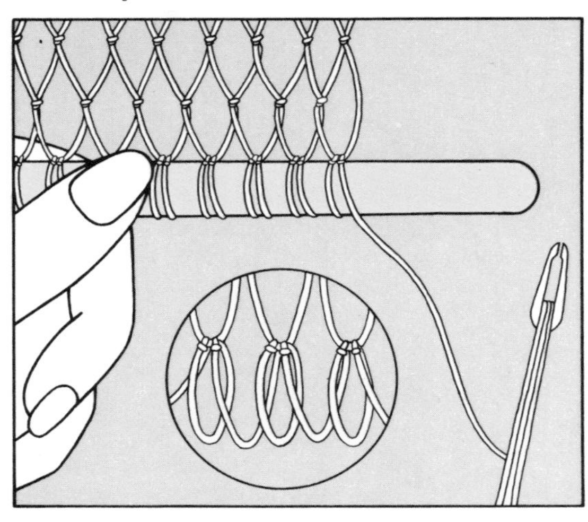

On façonne le filet avec des augmentations (à gauche) ou des diminutions (à droite). Pour les filets en carrés, voir la page ci-contre.

Pour augmenter, faites deux nœuds ou plus dans chaque boucle, ce qui élargit le rang en question et les suivants puisque vous ferez autant de nœuds qu'il y a de nouvelles mailles.

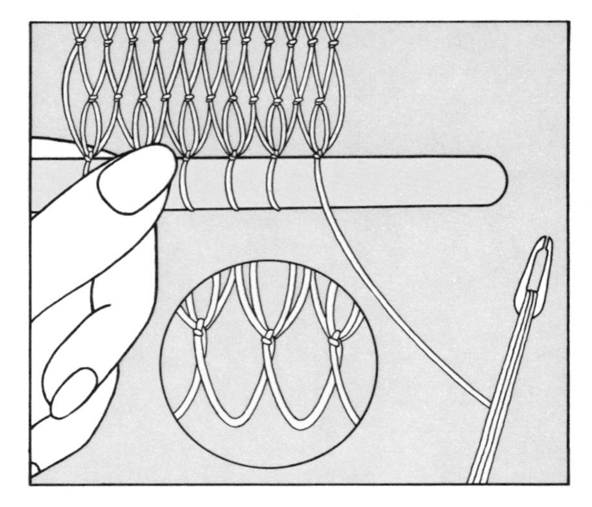

Pour diminuer, faites un nœud dans deux boucles ou plus, ce qui réduit le nombre de mailles à travailler aux rangs suivants. Bien que ces techniques soient destinées à façonner l'ouvrage, surtout pour les débutants, on les retrouve parfois dans les filets fantaisie, obtenus par l'alternance d'augmentations et de diminutions.

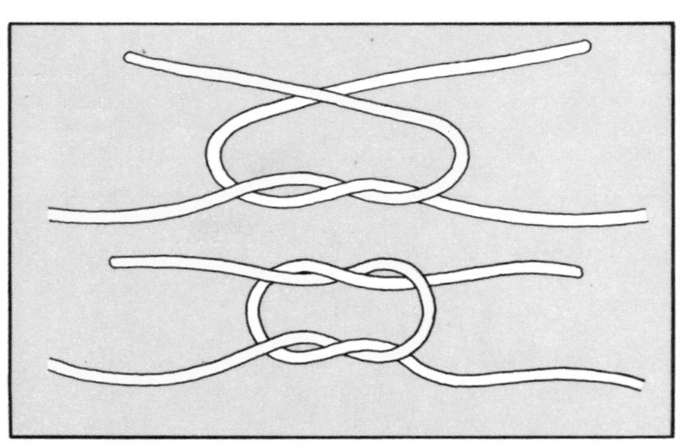

Mieux vaut joindre deux fils à la fin d'un rang. Attachez le nouveau très près du dernier nœud et joignez les 2 extrémités par un nœud plat (illustration). Coupez les bouts près du joint.

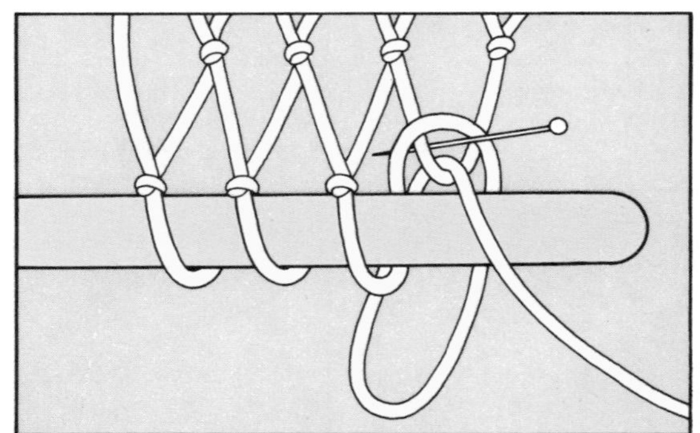

Tâchez de corriger les erreurs avant de serrer un nœud. Servez-vous d'une épingle pour le desserrer. Si un nœud ne peut pas être défait, coupez le fil tout contre (il se défera alors) et joignez un autre fil. Si vos nœuds sont bien serrés, vous pourrez couper des sections complètes de filet sans que les nœuds se défassent.

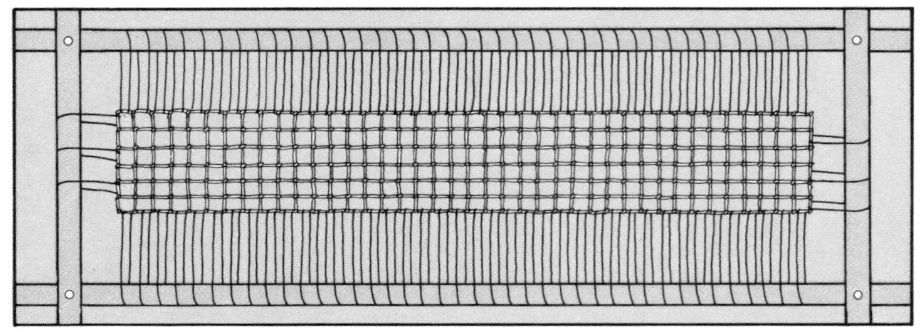

Pour la broderie, le filet doit être tendu dans un cadre. Il faut laisser au moins 3 cm (1") de jeu entre le filet et l'intérieur du cadre. Enroulez une cordelette allant de chaque maille au cadre. Assurez-vous que la tension est égale et que le filet est bien tendu. Si le filet est trop long pour le cadre, on peut le rouler sur lui-même à une extrémité et travailler cette partie plus tard.

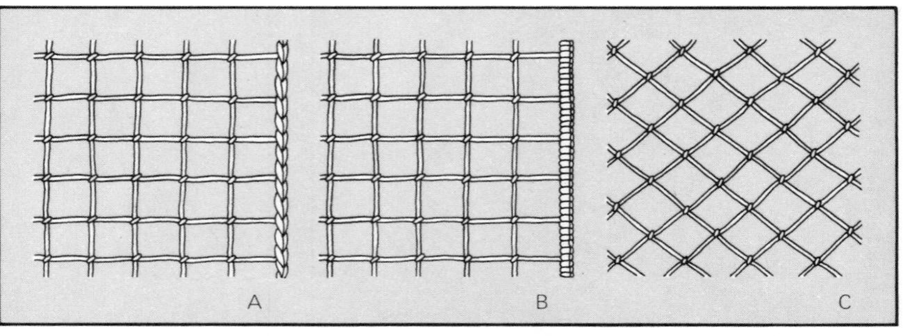

Finition des bords : quelle que soit la technique employée, servez-vous du même fil que pour le filet. Dans le filet en carrés, il faut dissimuler le dédoublement des mailles de bordure et faire une lisière droite et ferme. Vous avez le choix entre la maille serrée au crochet (A) et le point de feston à l'aiguille (B). Les bords d'un filet en losanges peuvent être simplement coupés (C).

Filet carré rebrodé

Le filet carré décrit en bas de page permet d'exécuter le modèle ci-dessous (les instructions pour la broderie se trouvent à la page suivante). En suivant les instructions, vous obtiendrez un rectangle d'environ 5 centimètres sur 40 (2″ × 16″), suffisant pour exécuter les motifs du diagramme linéaire : 2 répétitions couvrant chacune 32 mailles (à peu près 15 cm/6″), *plus* un dernier triangle pour équilibrer l'ouvrage, *plus* 6 mailles additionnelles à chaque extrémité, soit 83 mailles en tout.

Si vous voulez une bande plus longue, ajoutez 32 mailles par répétition. La technique expliquée s'applique à tout filet en carrés. N'oubliez pas de tourner le filet à chaque rang.

L'ouvrage est fait en coton à crocheter nº 20; le filet est écru; la broderie est blanche et écrue, selon les indications.

Il vous faudra un moule de 3 millimètres (1/8″) de diamètre (ou une aiguille à tricoter nº 2,25; une navette à filet (ou 2 aiguilles à matelas de 15 cm/6″ de long, p. 420); un cadre pour tendre le filet pendant la broderie (page suivante); une aiguille à tapisserie à bout rond.

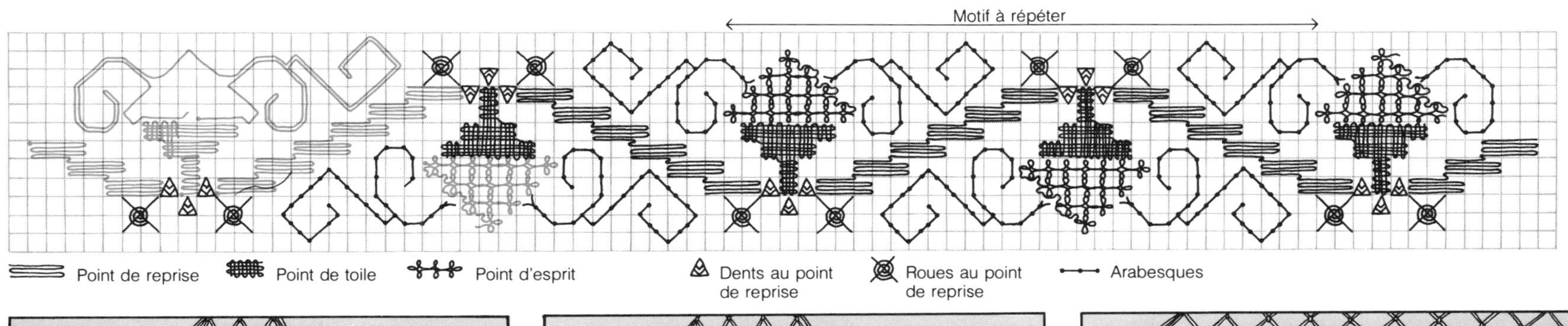

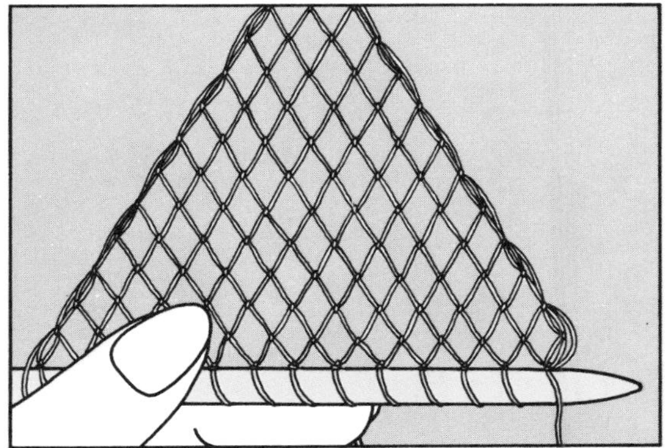

Pour commencer le filet en carrés, faites 2 nœuds sur le fil de montage; tournez. A partir du 2e rang, *augmentez d'un nœud à chaque rang* (2 nœuds dans la dernière maille) jusqu'à ce que vous en ayez assez pour la largeur (ici 13, pour 12 mailles).

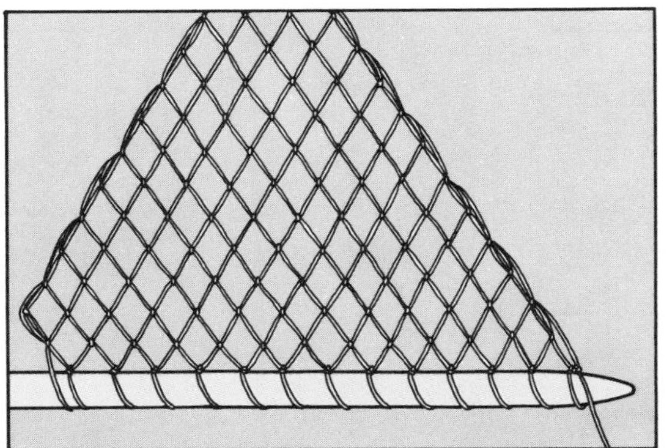

Pour faire les côtés droits, *diminuez d'un nœud* (attacher les 2 dernières boucles ensemble) au rang suivant; *augmentez d'un nœud* (en faire 2 dans la dernière boucle) au rang suivant. *Alternez ces 2 rangs* jusqu'à la longueur désirée (ici 83 mailles).

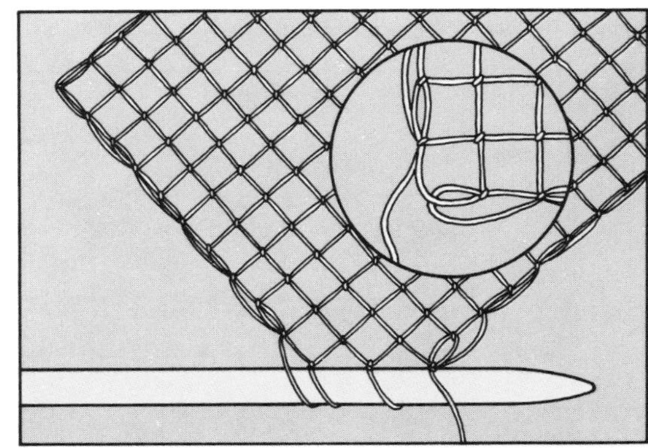

Pour former le dernier angle : une fois la longueur obtenue, *diminuez d'un nœud à la fin de chaque rang* jusqu'à ce qu'il ne reste que 2 mailles; nouez-les ensemble et coupez le fil. Retirez la boucle de montage.

Comment broder le filet

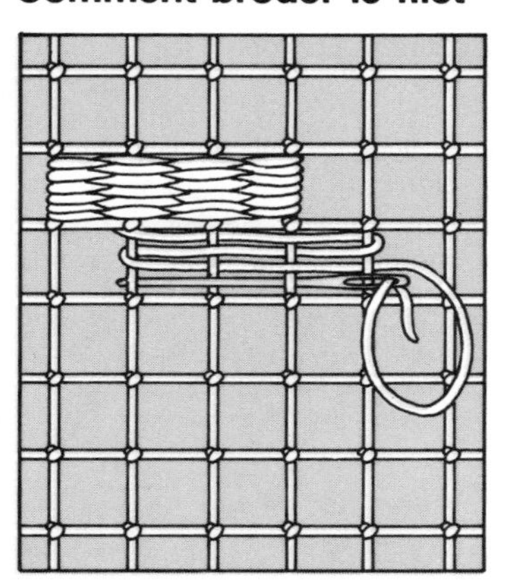

1. Point de reprise (écru, fil simple) : dans le 1er groupe à gauche, attachez le fil dans le coin supérieur gauche de la 1re maille. Entrelacez le fil par-dessus, puis par-dessous les mailles, de haut en bas, jusqu'à ce que l'espace soit rempli (10-12 fils suffisent généralement). Procédez de la même façon pour les groupes suivants.

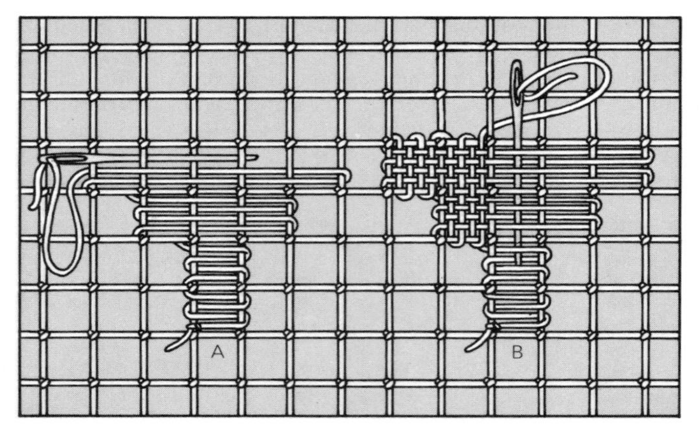

2. Point de toile (écru, fil simple) : il se fait en 2 temps, autour des fils de chaîne puis des fils de trame.
(A) Attachez le fil dans le coin inférieur gauche; entrelacez le fil assez lâche autour des mailles, de bas en haut, à raison de 4 fils par maille. A chaque nouvelle maille, assurez-vous que le 1er fil passe du même côté que le dernier fil de la maille précédente. Au 2e temps, le fil du filet compensera cette irrégularité.
(B) Sans couper le fil et en partant du coin supérieur gauche, entrelacez le fil dans l'autre sens, y compris autour des fils du filet, à raison de 4 fils par maille.

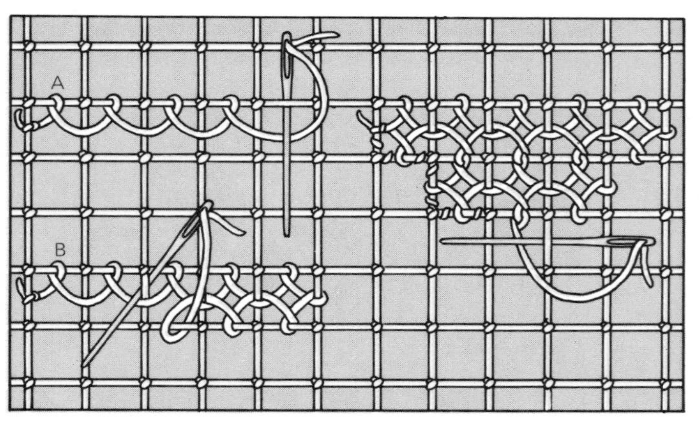

3. Point d'esprit (blanc, fil simple) : chaque rang se fait en 2 temps avec des points de feston.
(A) Commencez par la plus longue rangée. Attachez le fil au centre de la maille à gauche; faites une boucle dans chaque maille, couvrant la moitié supérieure du jour; à la fin du rang, faites une boucle sur le côté de la maille. (B) De droite à gauche, toujours sur le même rang, faites des points de feston comme précédemment, en passant sur chaque boucle supérieure et sous chaque fil vertical. Surjetez le long de la dernière maille, jusqu'au rang suivant et recommencez en passant l'aiguille dans les boucles inférieures du rang précédent.

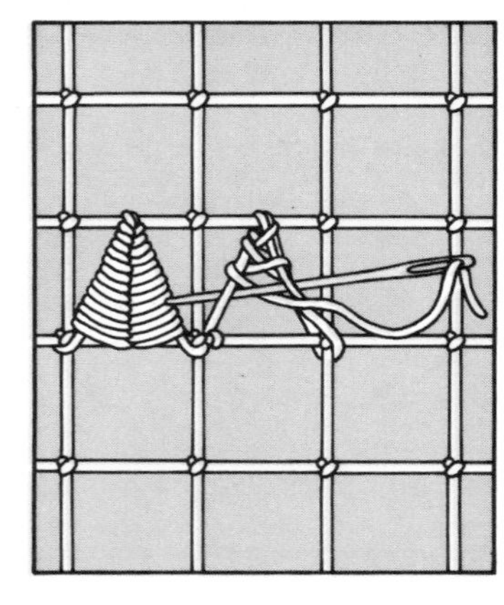

4. Dents au point de reprise (blanc, fil simple) : commencez la dent en attachant le fil dans le coin inférieur gauche de la maille; faites une boucle au milieu du haut de la maille et redescendez à droite pour remonter au milieu : la dent est formée. En partant du haut, travaillez au point de reprise les deux côtés, vers le centre : faites un point de feston, à droite, et un point de reprise simple, à gauche. En faisant le dernier point de chaque côté, entourez le bas de la maille pour bien ancrer la dent. Faites courir le fil derrière la maille jusqu'à la dent suivante.

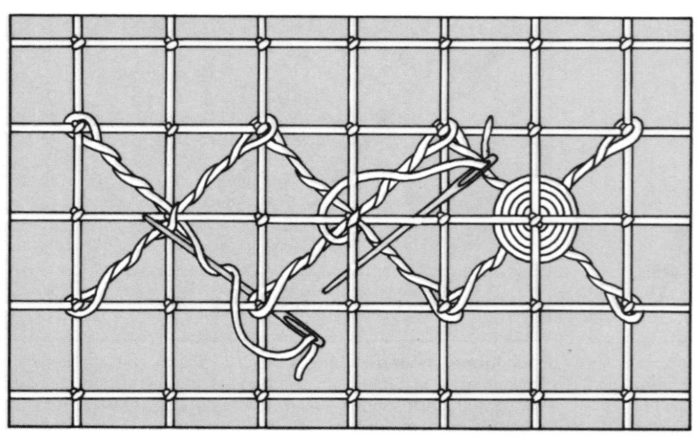

5. Roues au point de reprise (écru, fil simple) : attachez le fil au centre d'un groupe de 4 mailles. Faites une bride de ce point aux 4 coins du groupe de mailles en passant l'aiguille deux fois autour du fil lancé pour tordre la bride. Ceci terminé, entrelacez le fil en spirales sur les brides et sous le filet à la largeur désirée (environ 4 tours). Arrêtez sur l'envers en glissant le fil sous la torsade d'une bride ou en faisant un nœud plat avec le début du fil suivant.

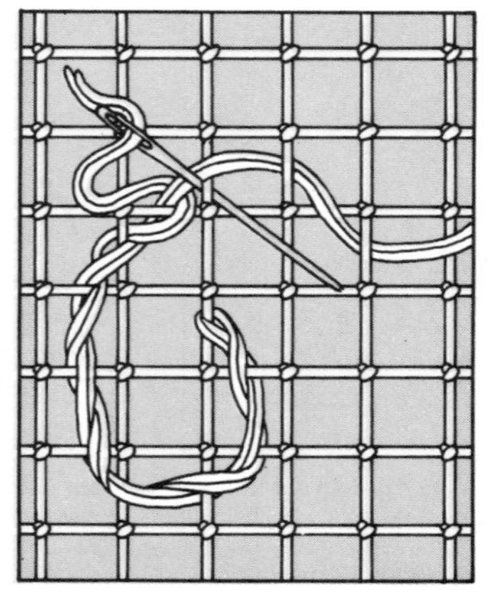

6. Arabesques (blanc, fil double) : commencez au milieu de la base d'un triangle en point d'esprit; entrelacez le fil autour des fils du filet au niveau des points indiqués sur le diagramme. En suivant celui-ci et la photo, formez la 1re arabesque. Quand le bout est atteint, revenez sur vos pas mais en passant sous ou sur le fil précédent, en contrariant (dessous-dessus et vice versa). Continuez autour de la 2e arabesque, puis revenez au triangle. Faites le tour du triangle et recommencez la même chose de l'autre côté. Arrêtez le fil en le joignant par un nœud plat au fil suivant.

Coussin chinois en filet

Fournitures
Petite navette à filet; aiguille à tricoter nº 1 (moule); aiguille à tapisserie; ciseaux à broder; cadre et ficelle; coton à crocheter nº 20, 1 pelote écru; coton perlé nº 8, 1 pelote pour chacun des 5 tons de bleu; coussin carré. Le modèle est sur 56 mailles (25 cm/10″ de côté); pour le faire plus grand, employez du coton nº 10, une aiguille à tricoter nº 2 ou 3 et du coton perlé nº 5.

Confection du filet (en carrés)
Faites 2 nœuds sur le fil de montage; tournez. A partir du 2e rang, *augmentez* d'un nœud à la fin de chaque rang jusqu'à ce que vous ayez 57 nœuds sur le moule. Au rang suivant, pas d'augmentation. Mais dès le suivant, *diminuez* d'un nœud à la fin de chaque rang jusqu'à ce qu'il n'en reste que 2. Attachez-les ensemble et coupez le fil de montage. Tendez le filet dans le cadre en passant la ficelle à travers le filet toutes les 2 mailles.

Broderie
Elle se fait en 5 tons de bleu, codés A, B, C, D, E sur la grille (du plus pâle au plus foncé). Les points sont les mêmes que ceux du motif précédent (pp. 423-424) mais sont à exécuter dans l'ordre indiqué ci-dessous. Pour arrêter ou commencer les extrémités de fil durant le travail, faites-les courir en zigzag sur l'envers, sans les nouer. Placez le cadre pour que les fils en relief (vous les sentez au toucher) courent verticalement et face vers vous; sur l'envers, on doit sentir le relief horizontalement. Le sens des fils soulevés est important pour la broderie au point de reprise.

Point de toile (corps du poisson) : les numéros du diagramme indiquent le point de départ des premiers fils. Suivez les lignes jusqu'au point où le fil tourne et où les seconds fils sont introduits. Entrelacez-les aussi loin que possible, puis commencez au numéro suivant avant de compléter l'aire du premier fil. Chaque maille du filet doit contenir 4 fils. N'oubliez pas que le 1er fil d'une maille doit être tissé de la même façon que le dernier de la maille précédente. Brodez avec la couleur A des numéros 1 à 4. Terminez le travail dans cette couleur avant de passer à la suivante. Les numéros 5 à 10 sont faits avec B et le 11 avec C.

Point de reprise (nageoires, queue et œil du poisson; toutes les bandes les plus foncées de la bordure) : entrelacez environ 12 fils par maille. Travaillez les lignes de la queue à la verticale avec B. Passez d'une verticale à l'autre en glissant le fil à l'arrière d'un point de toile. Tous les autres points de reprise sont travaillés horizontalement : les nageoires du côté gauche en B et en A, dans cet ordre. Les petites brides sont faites une fois le dernier rang terminé, en passant le fil 3 fois autour du filet puis en l'enroulant 2 fois autour des fils et ainsi de suite. Les nageoires au-dessus de la tête s'exécutent de bas en haut avec la couleur D. Quand la maille supérieure est remplie, tirez le fil du chas vers le bas pour le doubler et exécutez les arabesques qui prolongent chaque nageoire. Terminez par l'œil avec la couleur E.

Roues au point de reprise (œil du poisson; bordure) : le fil est amené entre les 2 premières roues à partir d'une zone de reprise adjacente. Les brides diagonales partent du centre pour aller dans chaque coin mais la première n'aura qu'un fil, le second n'étant posé qu'une fois la roue terminée, ce qui vous permet de commencer la 2e roue de bordure depuis le coin le plus proche. Quand la seconde roue est terminée, le fil est dissimulé dans la reprise et amené entre les 2 roues suivantes. Dans celles-ci, les fils de coin sont posés sous le filet; la reprise est faite en passant l'aiguille sur les fils du filet et sous ceux des coins environ 3 fois. Faites l'œil du poisson en A et les roues de bordure en D.

Point d'esprit (corps du poisson; bordure) : exécutez le corps du poisson en A. Commencez en haut à gauche, travaillez en aller-retour vers le bas. Exécutez la bordure extérieure en E. Commencez et finissez aux points noirs. Faites la bordure intérieure en C; commencez au-dessus de la tête du poisson et faites le 1er rang tout autour en ajoutant des points en diagonale. Le diagramme montre comment faire le rang de retour sur les points diagonaux (passez l'aiguille sous le nœud de la maille).

Dents au point de reprise (dents du poisson) : travaillez en D, de gauche à droite. Chaque dent comporte un fil à gauche, deux à droite.

Arabesques (œil du poisson et tour de la tête; bordure intérieure) : utilisez un fil double. Soulignez l'œil du poisson en A, l'orbite en D; le dessus de la tête en B; le dessous en A; l'intérieur de la bordure en D.

Lisière : avec un fil double en C, faites 4 points de feston dans chaque maille du filet tout autour de l'ouvrage (un point de plus à chaque coin).

Ce dessus de coussin, d'inspiration chinoise, a tout de même une allure moderne. Le poisson est une carpe, exécutée en 5 tons de bleu sur un fond de filet écru. Le filet comporte 56 mailles de chaque côté (environ 25 cm); il peut être agrandi en travaillant avec un fil et un moule plus gros.

Dentelle aux fuseaux

Introduction

La dentelle aux fuseaux s'obtient en croisant par paires des fils bobinés sur des fuseaux. Il n'y a que deux points de base (demi-passée et passée double, pp. 428-430), à partir desquels on réalise une multitude de dessins. Le travail se fait directement sur le patron de papier, monté sur un coussin ou une planche rembourrée. Des épingles, plantées dans le coussin, tiennent les fils en place; le patron, que nous appellerons *pointillé* parce que des perforations y sont pratiquées à certains endroits pour faciliter le piquage, est à la mesure exacte de la dentelle à exécuter.

Cette technique très ancienne remonte au XVe siècle. A mesure que sa popularité s'étendait, des styles se développaient localement, empruntant le nom des régions où les dessins avaient été créés. Les motifs des anciennes dentelles sont très variés : des dessins géométriques, ne demandant que quelques paires de fuseaux, aux fleurs complexes qui en exigent des centaines.

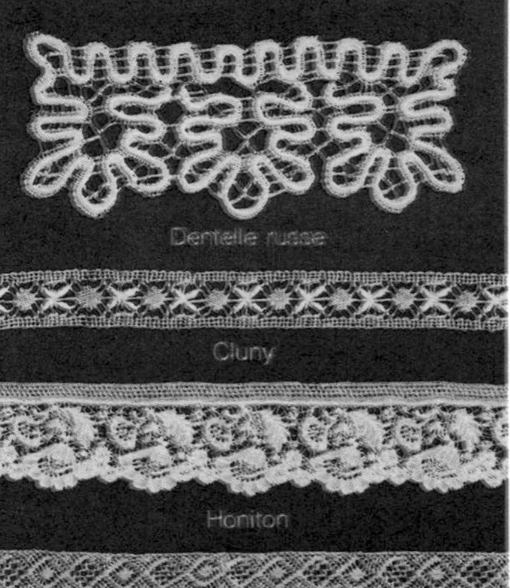

Matériel et fournitures

Les outils nécessaires à la dentelle aux fuseaux sont restés les mêmes depuis des siècles : fil, fuseaux et coussin sur lequel est monté le patron grandeur nature. Les fils de soie, de lin, d'or ou d'argent d'autrefois cèdent maintenant le pas au coton. Les fuseaux étaient en bois, en os, en ivoire, souvent lestés de perles de verre pour une meilleure tension des fils. On trouve encore sur le marché d'authentiques fuseaux et ce sont les plus faciles à manipuler, mais on peut leur substituer des fichoirs, des chevilles ou des crayons fendus sur 10 à 15 centimètres (4″-6″) et cannelés à un bout, des agitateurs à coquetel, de gros clous ou des navettes de tisserand, etc. Autrefois, les pointillés étaient faits sur parchemin, afin de servir plusieurs fois; aujourd'hui, nous recommandons de prendre du papier quadrillé. Le coussin, que l'on appelle aussi carreau, peut être de fabrication maison : pour ce faire, utilisez du simple carton gaufré, bien capitonné.

Le coussin moderne, garni de fuseaux, comporte un cylindre rotatif très pratique pour les ouvrages en longueur (bordures, insertions). Le travail en cours est une dentelle torchon dont les festons sont faits de demi-passées.

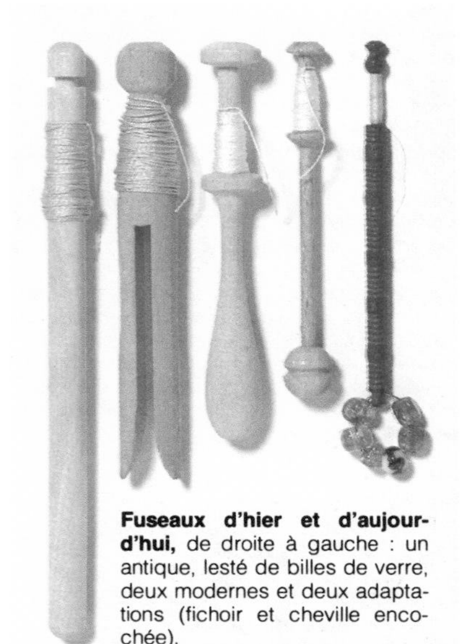

Fuseaux d'hier et d'aujourd'hui, de droite à gauche : un antique, lesté de billes de verre, deux modernes et deux adaptations (fichoir et cheville encochée).

Préparation du pointillé/Echantillon

Ce modèle a été conçu pour vous entraîner aux demi-passées et aux passées doubles, et pour vous familiariser avec le pointillé que vous devez suivre pour obtenir les figures de la dentelle. Sur votre papier quadrillé, copiez la grille ci-dessous, carré par carré, en y plaçant tous les points, lignes et nombres. Il suffit d'utiliser de l'encre indélébile d'une seule couleur; nous en avons employé trois pour rendre notre grille plus claire. Le galon qui borde le modèle est disposé exactement de la même façon des deux côtés.

Epinglez votre pointillé aux quatre coins, au centre et aussi près que possible du bord supérieur du coussin. A l'aide d'un poinçon ou d'une grosse aiguille, fixée à une cheville ou à un porte-plume, percez des trous dans tous les pointillés du patron.

Sur la grille se trouvent les noms des points dans leur ordre d'exécution et les numéros des pages où ils sont décrits. Voici maintenant les abréviations utilisées dans les instructions et un aide-mémoire.

Abréviations

dp	demi-passée	**c**	croisez
pd	passée double	**pr**	paire
t	tordez ou tournez	**prs**	paires

Important :

1. Les paires de fuseaux sont numérotées de gauche à droite; les numéros se rapportent à leur position sur le coussin, non aux fuseaux eux-mêmes.

2. En tordant, le fuseau de droite passe par-dessus le fuseau de gauche de la même paire.

3. En croisant, le fuseau droit de la paire de gauche passe par-dessus le fuseau gauche de la paire de droite.

4. Les épingles sont plantées perpendiculairement au coussin, sauf sur les bords, où elles sont inclinées vers l'extérieur.

5. Plantez les épingles dans leurs trous entre les deux dernières paires de fuseaux travaillées.

6. Laissez toujours pendre également les fuseaux en attente.

7. Ne roulez pas les fuseaux sur le coussin : cela détord le fil. Il vaut mieux les déplacer en les poussant, paire par paire.

8. Pour joindre un nouveau fil, on le travaille avec le précédent l'espace de quelques points; on coupe les extrémités, une fois la dentelle terminée.

Matériel pour l'échantillon :

Planche ou coussin d'environ 65 cm (26″) de côté (servira également au projet, p. 432). Vous pouvez le confectionner vous-même (page ci-contre); piquez quelques épingles dans la planche pour vous assurer qu'elles s'enfonceront facilement et tiendront bien; si elles ressortent de l'autre côté, ajoutez du molleton ou prenez des épingles plus courtes.

Epingles droites de couturière pour le tissage. De longues épingles en T ou des épingles de modiste serviront à maintenir à l'écart les fuseaux dormants.

Fuseaux (24) de type traditionnel, que l'on peut acheter dans certaines boutiques ou par correspondance, ou l'un des substituts décrits à la page précédente.

Fils de tous genres. Pour apprendre toutefois, un fil de coton de 3 à 6 brins lisse est préférable. L'échantillon demande une pelote de coton nº 10 en blanc ou écru.

Poinçon ou tout autre instrument pointu, pour perforer le modèle sur tous les points du dessin. C'est au niveau de ces points que l'on piquera les épingles : le pointillé rend l'insertion plus facile.

Pointillé : il nécessite deux feuilles standard de papier quadrillé 4 mm (6 carrés au pouce).

Crochet de grandeur 5, 5,50 ou 6, pour exécuter les joints dits « couture » (p. 431).

Morceau de tissu souple de 38 cm×50 cm (15″×20″) pour protéger les parties terminées pendant que le travail avance ou pour couvrir le tout quand vous rangez l'ouvrage.

Baguette (ou goujon) d'environ 18 cm (7″) de long et 3 mm (⅛″) de diamètre, pour monter les fuseaux; on la laissera pour suspendre la dentelle terminée.

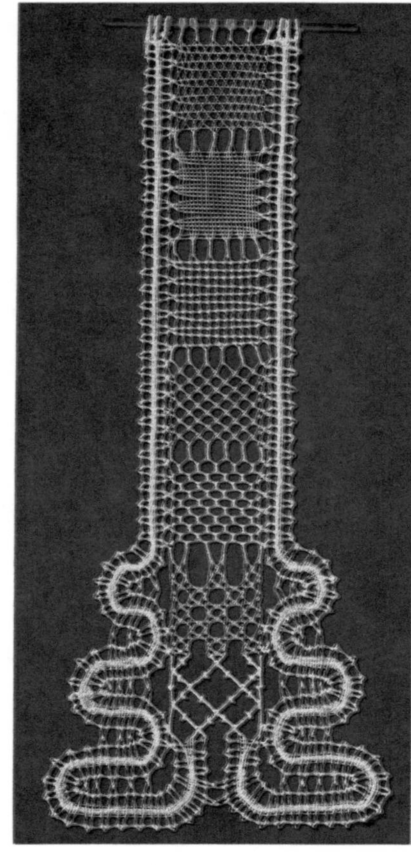

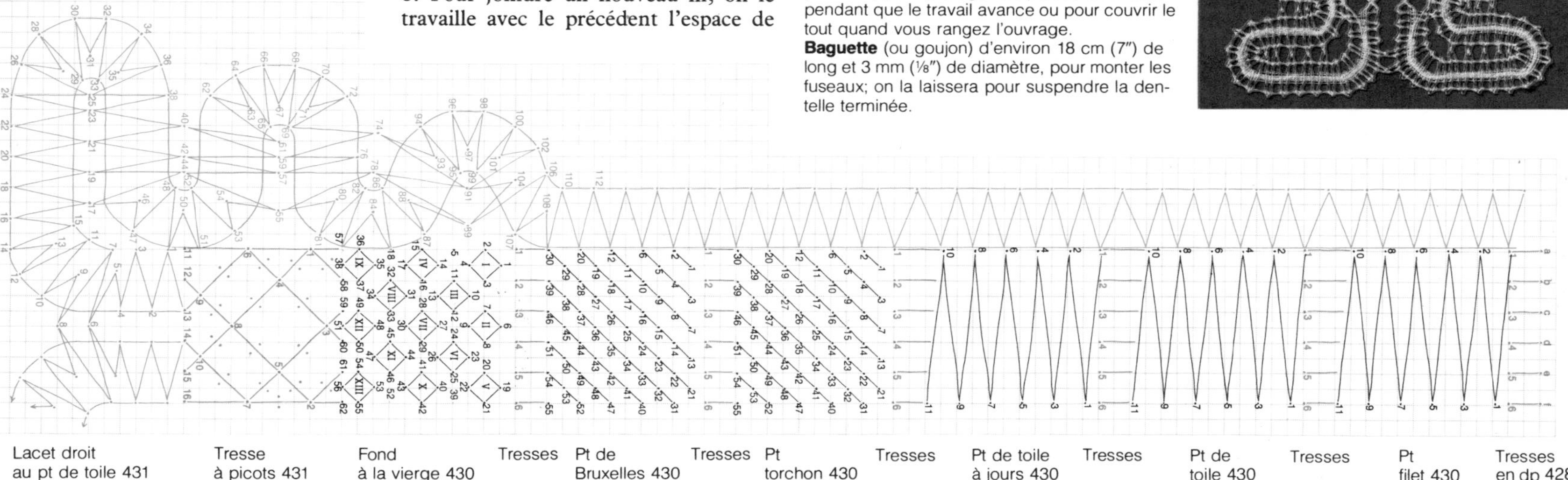

Bobinage des paires

Mesurez assez de fil pour remplir les fuseaux sans excès. Pour l'échantillon, ceci équivaut à 6 mètres (6 vg) environ, soit 3 par fuseau. Bobinez des extrémités vers le centre en laissant 45 centimètres (18″) pour le montage. Bloquez le fil par un nœud coulant (illustration).

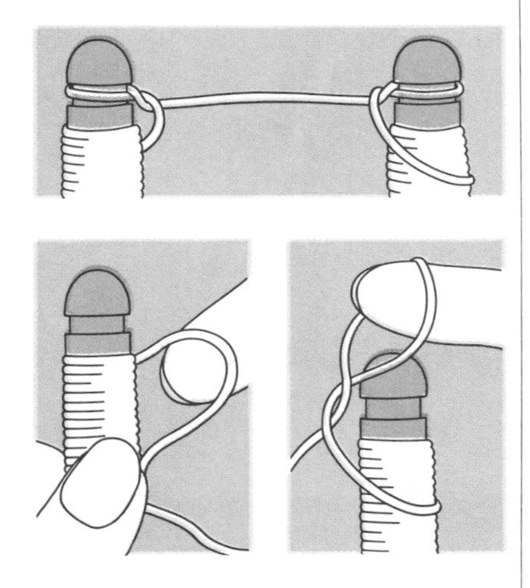

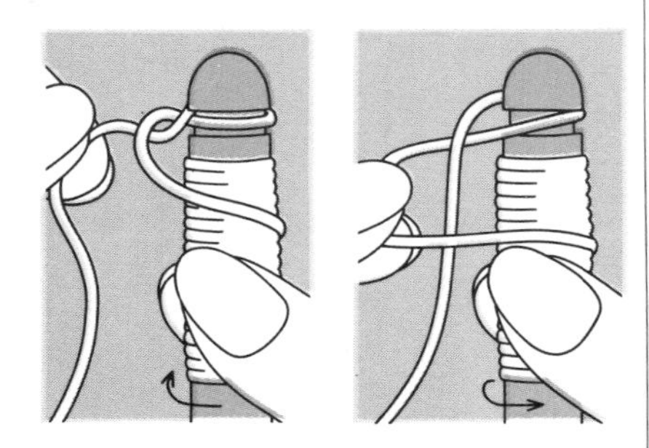

Tournez le fuseau vers l'extérieur puis glissez le nœud coulant par-dessus la tête du fuseau. Serrez le nœud. On peut toutefois dérouler le fil au besoin (ci-dessus à gauche) ou le raccourcir (à droite) sans défaire le nœud. Montez deux paires de fuseaux ensemble avec un nœud d'alouette (p. 447). Plantez une épingle entre les deux paires.

Points de base : demi-passée (dp) et passée double (pd)

Les illustrations ci-dessous montrent deux paires de fuseaux préparées d'après les indications à gauche. Le travail s'exécute dans le sens indiqué mais, une fois terminé, l'envers devient l'endroit de la dentelle. On tisse ensemble deux paires voisines. Dans les instructions, les paires sont numérotées de gauche à droite, les numéros indiquant leur position sur le coussin. La première rangée de vignettes explique comment exécuter une tresse en demi-passées. Les tresses de l'échantillon se font de la même façon (prs 1-2, épingle en 1, prs 3-4, épingle en 2, etc.).

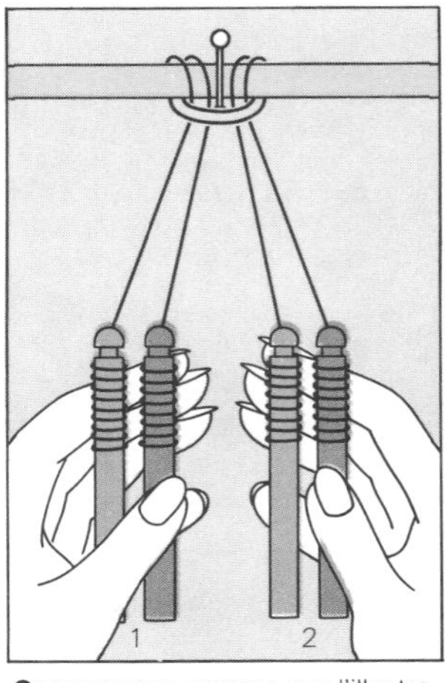

Commencez comme sur l'illustration, avec pr 1 dans la main gauche et pr 2 dans la droite. Ecartez les autres fuseaux.

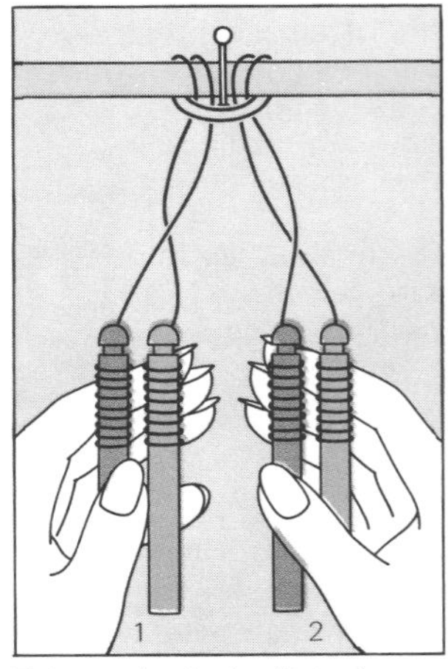

Exécutez la **dp** (se lit t, c) avec d'abord une *torsion* : amenez le fuseau droit de chaque pr sur le gauche avec les pouces.

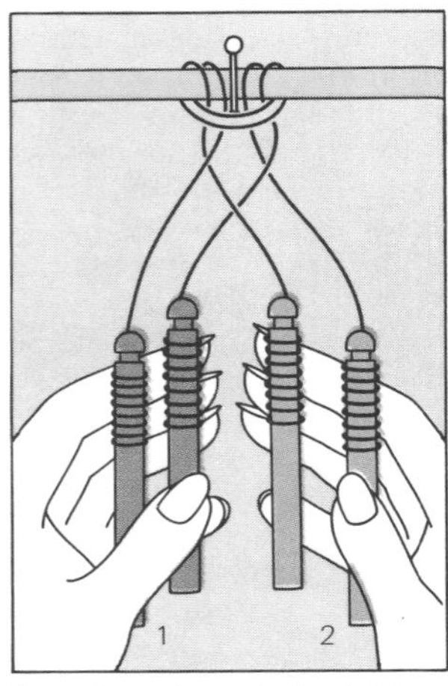

Dans le *croisement*, les fuseaux intérieurs changent de position, celui de gauche passant sur celui de droite. Ceci complète une dp.

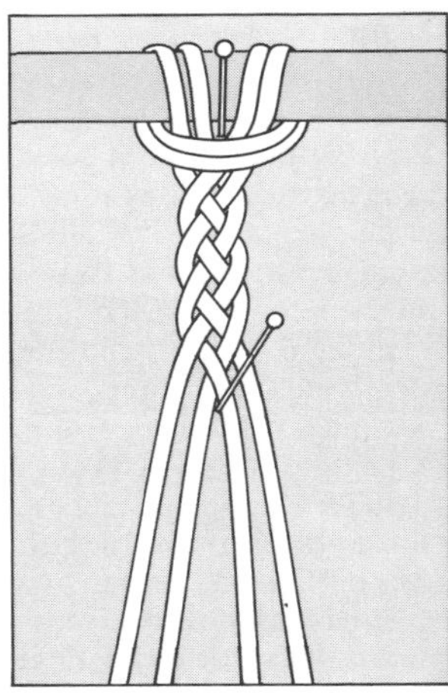

Pour exécuter une tresse, faites des dp, en suivant le pointillé, jusqu'au premier trou. Plantez une épingle en 1 entre les 2 prs.

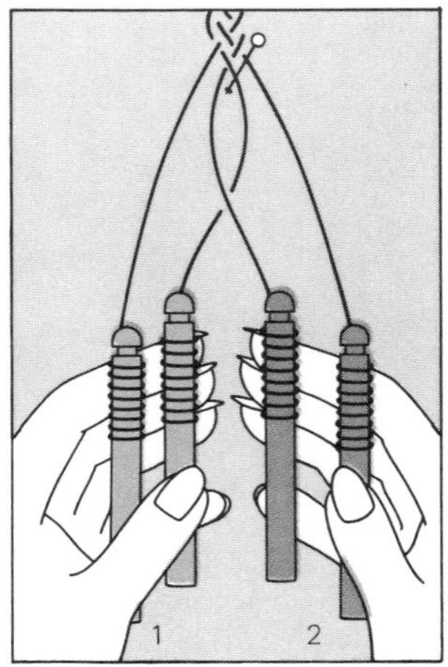

Dans la pd (se lit c, t, c), on croise les paires, on les tord et on les recroise. La vignette illustre le premier *croisement*.

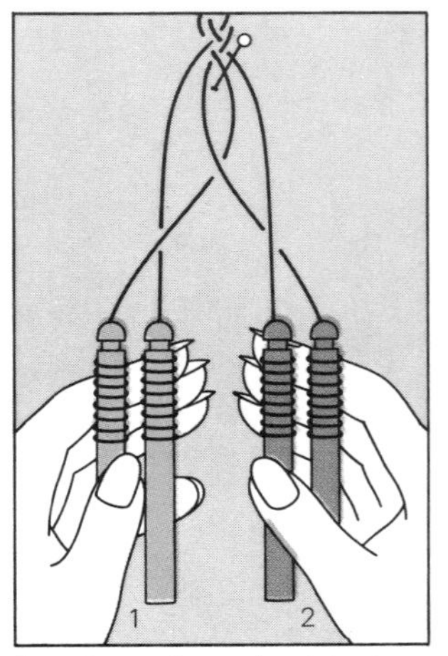

Tous les croisements et torsions s'exécutent de la même manière, tant pour la pd que pour la dp. Sur la vignette, on a une *torsion*.

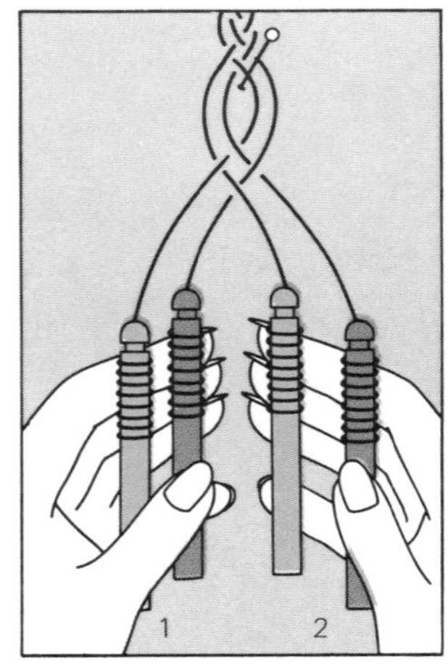

Le deuxième *croisement* (ici) termine une passée double. Il est impossible de faire une tresse avec des pd. Si l'on répète cette opération, on obtient un **fond de toile** (instructions, p. 430), représenté par le deuxième carré à partir du haut dans l'échantillon.

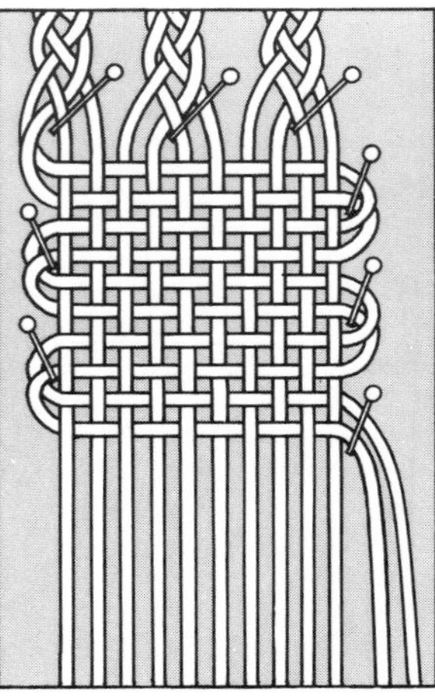

Tissage d'un dessin

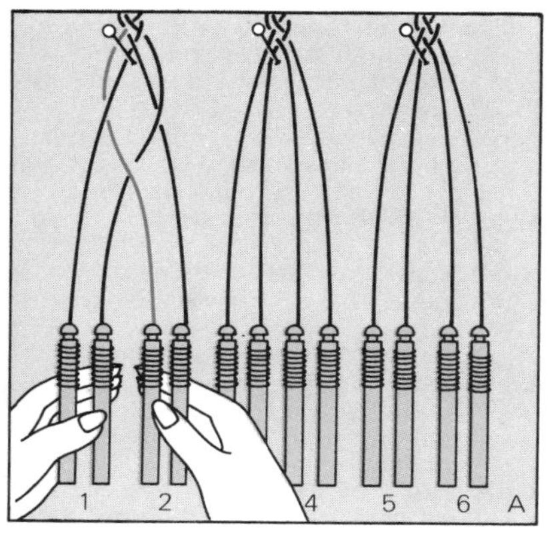

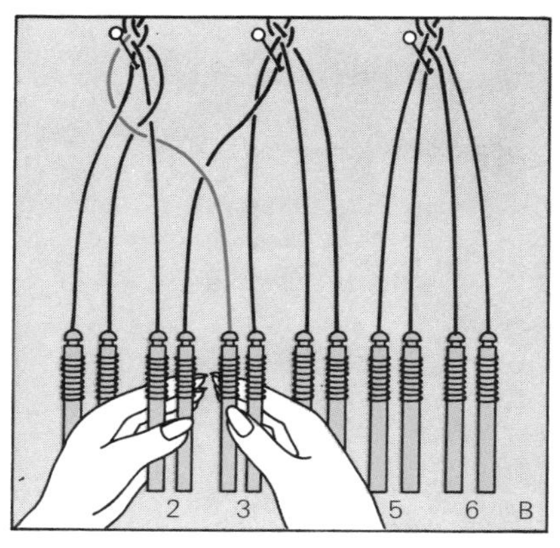

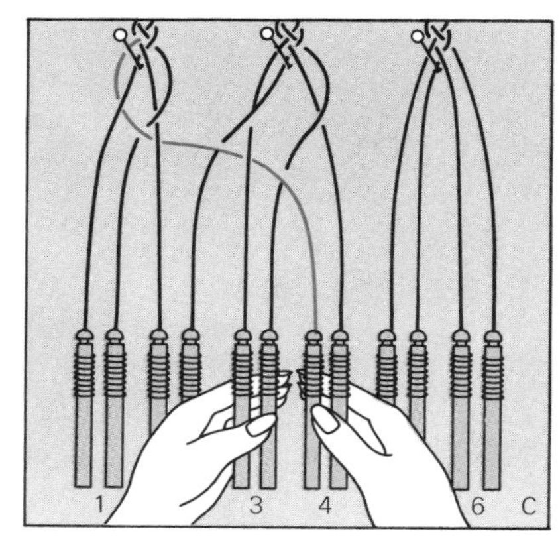

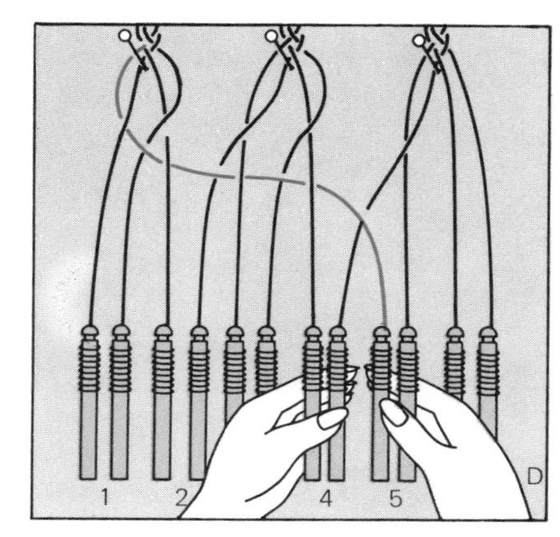

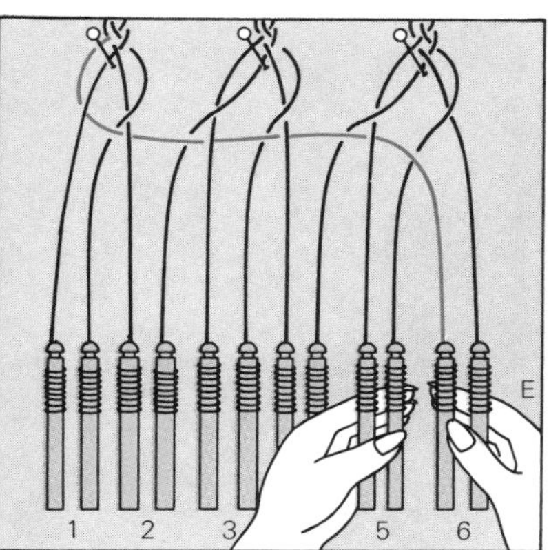

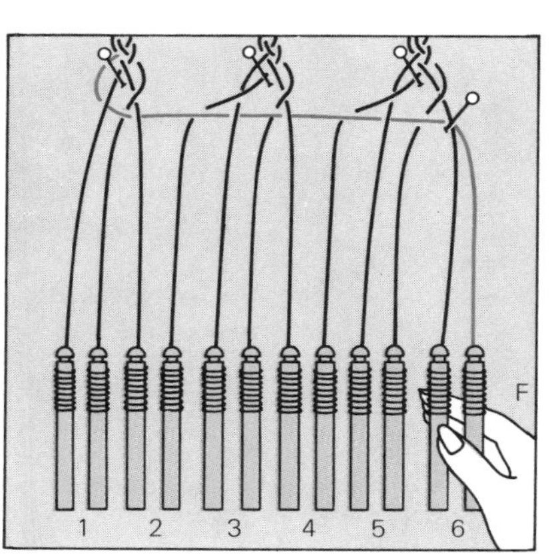

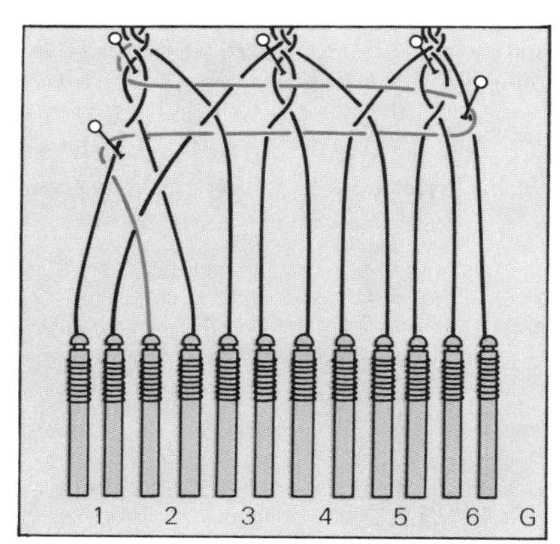

L'explication détaillée du point filet (ou point grillé) est destinée à faire saisir le jeu des paires de fuseaux. Les dessins contribuent à souligner ce qu'on entend par les numéros attribués non aux paires de fuseaux mais à leur position sur le coussin. L'espace est trop limité pour permettre d'illustrer les 12 fuseaux qui servent à notre échantillon, mais le principe demeure le même. En A, la demi-passée (t, c) est faite avec les prs 1-2; en B, C, D et E, la dp s'exécute avec les prs 2-3, 3-4, 4-5 et 5-6 respectivement; en F, la séquence a été épinglée. Sauf indications contraires, les épingles sont toujours plantées entre les 2 prs de fuseaux en jeu dans le point qui vient d'être fait. En G, les dp ont été travaillées en sens contraire (prs 6-5, 5-4, 4-3, 3-2 et 2-1). Ensuite, on répète l'enchaînement. Le point se travaille toujours de la même façon dans les deux sens.

Rôle des épingles

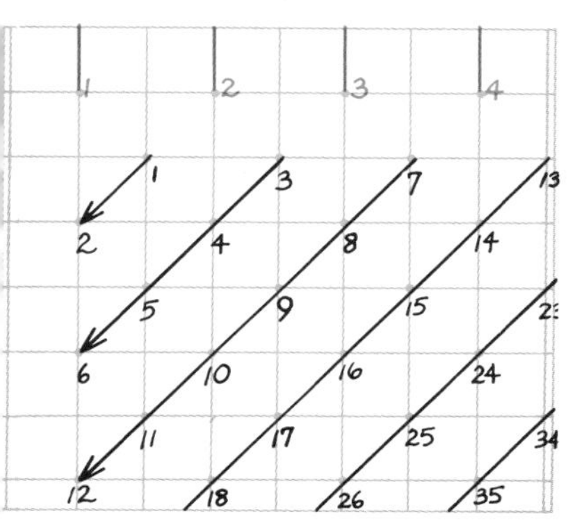

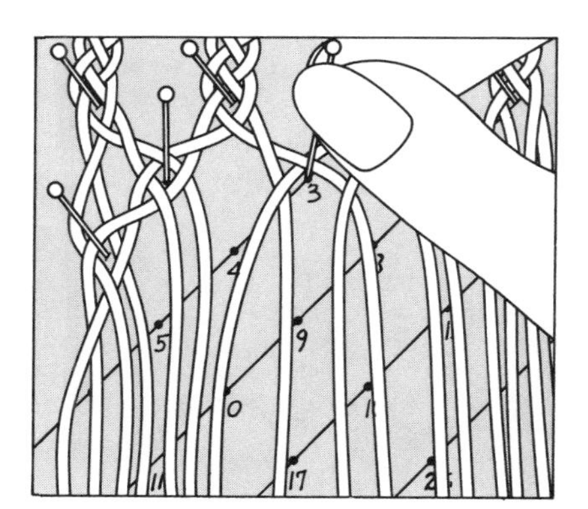

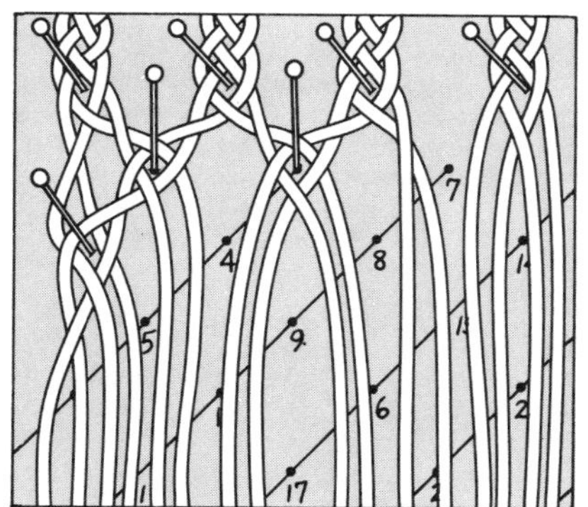

Un autre principe de l'épinglage est illustré dans ce point torchon, formé de passées doubles. Comme il se travaille en diagonale, il faut planter l'épingle au centre de chaque pd. Le torchon s'obtient en tournant les 2 prs de fuseaux avant chaque pd; cette torsion écarte les points, produisant un jour en forme de losange. On imprime une torsion supplémentaire aux fuseaux du bord pour assurer plus de fermeté. Voici le début de l'opération; reportez-vous aux pages suivantes pour le reste. t, c les prs 3-2, épingle en 1, t, c; ceci donne 1 pd avec une épingle plantée au milieu, les 2 prs ayant été tournées auparavant. Ensuite, t, c prs 2-1, épingle en 2, t, c, tournez une autre fois pr 1 (bordure), t, c prs 5-4, épingle en 3, t, c, et ainsi de suite en diagonale.

Techniques de dentelle aux fuseaux

Les fonds

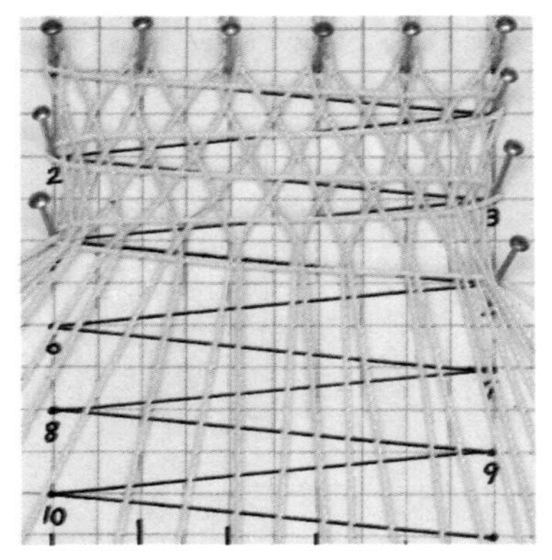
Point filet (ou grillé)

Les tresses servent de point de départ et d'entre-deux entre les diverses sections (échantillon, p. 427, et technique, p. 428).

Point filet (ou grillé) formé de demi-passées :

1. t, c 1-2 (déposez pr 1); passez pr 2 dans la main gauche et prenez pr 3 dans la droite, t, c prs 2-3; t, c prs 3-4, 4-5, etc. jusqu'aux prs 11-12; épingle en 1, entre 11-12. Retordez pr 12 (pour raffermir le bord); tirez délicatement sur les fuseaux pour que les fils reposent bien à plat. *Souvenez-vous que les numéros représentent la position sur le coussin au moment de l'exécution.*

2. Travaillez en sens inverse de la même manière : t, c prs 12-11, 11-10, 10-9, 9-8, etc. jusqu'aux prs 2-1. Epingle en 2, entre prs 2 et 1, torsion supplémentaire de pr 1.

3. Répétez ces 2 rangs jusqu'à ce que l'espace soit rempli, terminant avec la 11e épingle.

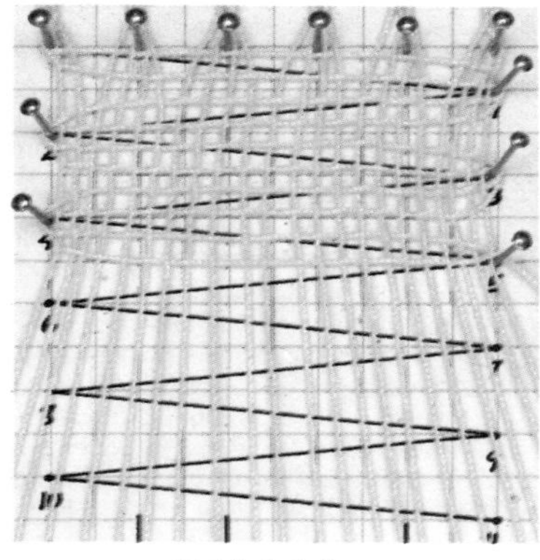
Point de toile

Le point de toile est formé de passées doubles et a l'apparence d'un véritable tissu. Dans ce point (qui se lit c, t, c), les paires sont croisées, tournées et croisées de nouveau.

1. c, t, c prs 1-2, 2-3, 3-4, etc. jusqu'aux prs 11-12. Epingle en 1 entre prs 11-12, torsion supplémentaire de pr 12.

2. Revenez en sens inverse de la même façon; c, t, c prs 12-11, 11-10, 10-9, etc. jusqu'aux prs 2-1. Epingle en 2, torsion supplémentaire de pr 1.

3. Répétez ces 2 rangs jusqu'à la 11e épingle. De temps en temps, tirez les fils vers le bas pour égaliser la tension.

Dans ce point, une paire « active » traverse aller-retour d'autres paires « passives ». On peut obtenir d'intéressantes variantes en tordant les actives ou les passives, ou les deux, entre des points ou des groupes de points.

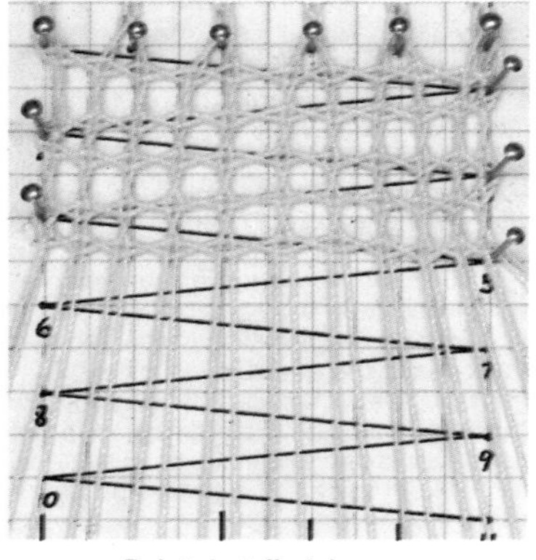
Point de toile à jours

Le point de toile à jours est une variante du précédent; il se travaille de la même façon sauf que les 2 paires de fuseaux sont tournées une fois avant chaque passée double. Ces torsions écartent la pd, produisant des jours carrés.

1. t, c, t, c prs 1-2, 2-3, 3-4, etc. jusqu'aux prs 11-12. Epingle en 1, entre les prs 11-12. Les fuseaux de bordure n'ont pas besoin de torsion supplémentaire dans ce point.

2. Revenez en sens inverse de la même façon : t, c, t, c prs 12-11, 11-10, 10-9, etc. jusqu'aux prs 2-1. Plantez une épingle entre prs 2-1, en 2.

3. Répétez les rangs 1 et 2 jusqu'à la 11e épingle. Tendez les fils après chaque rang en tirant les fuseaux, et non les fils, vers le bas.

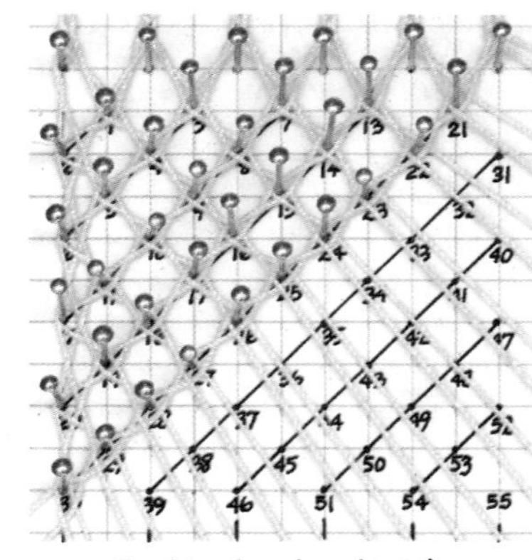
Fond torchon (ou réseau)

Le fond torchon (ou réseau) se travaille en diagonale (p. 429).

1. t, c prs 3-2, épingle en 1, t, c; t, c prs 2-1, épingle en 2. Torsion supplémentaire de pr 1.

2. t, c prs 5-4, épingle en 3, t, c; t, c prs 4-3, épingle en 4, t, c; t, c prs 3-2, épingle en 5, t, c; t, c prs 2-1, épingle en 6, t, c. Torsion supplémentaire de pr 1.

3. t, c prs 7-6, épingle en 7, t, c; t, c prs 6-5, épingle en 8, t, c; t, c prs 5-4, épingle en 9, t, c; t, c prs 4-3, épingle en 10, t, c; t, c prs 3-2, épingle en 11, t, c; t, c prs 2-1, épingle en 12, t, c. Torsion supplémentaire de pr 1.

4. Continuez en relevant toujours les 2 prs de fuseaux de chaque côté du 1er jour de chaque nouveau rang. Donnez à la pr 12 une torsion supplémentaire avant de faire le point à l'épingle 31, etc.

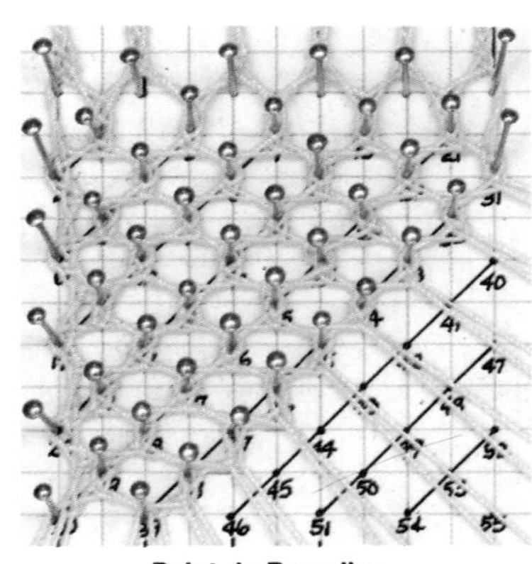
Point de Bruxelles

Le point de Bruxelles suit la même séquence que le point torchon mais il a 2 pd à chaque épingle.

1. t, c, t, c prs 3-2, épingle en 1, t, c, t, c (torsion supplémentaire après l'épingle parce que l'on ne peut croiser 2 fois les mêmes prs sans les tordre d'abord); t, c, t, c prs 2-1, épingle en 2, t, c, t, c. On ne donne pas de torsion supplémentaire aux prs 1 et 12 dans ce point.

2. t, c, t, c prs 5-4, épingle en 3, t, c, t, c; t, c, t, c prs 4-3, épingle en 4, t, c, t, c; t, c, t, c prs 3-2, épingle en 5, t, c, t, c; t, c, t, c prs 2-1, épingle en 6, t, c, t, c.

3. Continuez en relevant les prs de fuseaux de chaque côté du 1er jour de chaque nouveau rang.

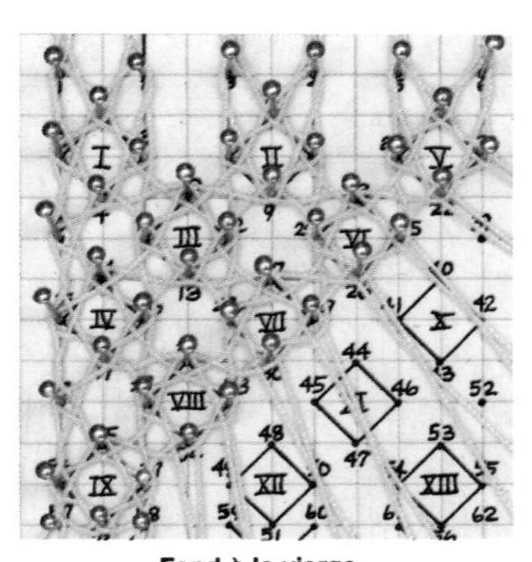
Fond à la vierge

Le fond à la vierge forme une série de losanges (faits de passées doubles épinglées dans le centre), encadrés par des demi-passées (sans épingle).

1. t, c prs 2-3, épingle en 1, t, c; torsion supplémentaire de pr 1, t, c prs 1-2, épingle en 2, t, c; t, c prs 3-4, épingle en 3, t, c; t, c prs 2-3, épingle en 4, t, c; losange I terminé. Torsion supplémentaire de pr 1, t, c prs 1-2, épingle en 5, t, c; t, c prs 3-4. Le losange I est encadré.

2. t, c prs 6-7, épingle en 6, t, c; t, c prs 5-6, épingle en 7, t, c; t, c prs 7-8, épingle en 8, t, c; t, c prs 6-7, épingle en 9, t, c; t, c prs 7-8 et 5-6 pour les coins inférieurs du losange II.

3. t, c prs 4-5, épingle en 10, t, c; t, c prs 3-4, épingle en 11, t, c; t, c prs 5-6, épingle en 12, t, c; t, c prs 4-5, épingle en 13, t, c; t, c prs 3-4 et 5-6.

4. t, c prs 2-3, épingle en 14, t, c; torsion supplémentaire de pr 1, t, c prs 1-2, épingle en 15, t, c; t, c prs 3-4, épingle en 16, t, c; t, c prs 2-3, épingle en 17, t, c; torsion supplémentaire de pr 1, t, c prs 1-2, épingle en 18, t, c; t, c prs 3-4.

5. Continuez de la même façon pour les losanges suivants. Quand les losanges IX, XII et XIII seront terminés, épingles sous les dp aux points 57 à 62 pour les maintenir en position pour la section suivante.

Autres techniques de dentelle aux fuseaux

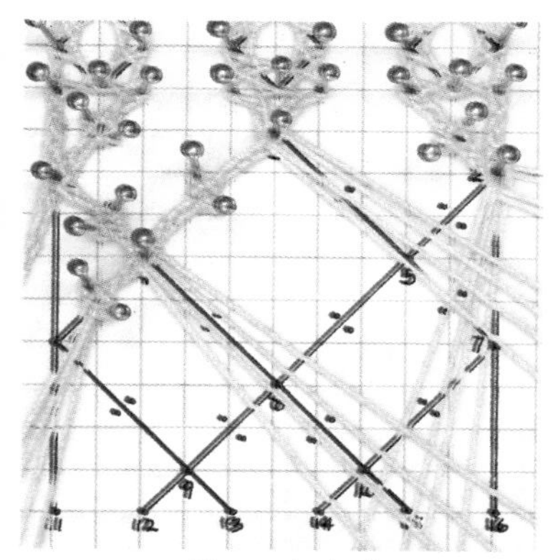

Tresse à picots

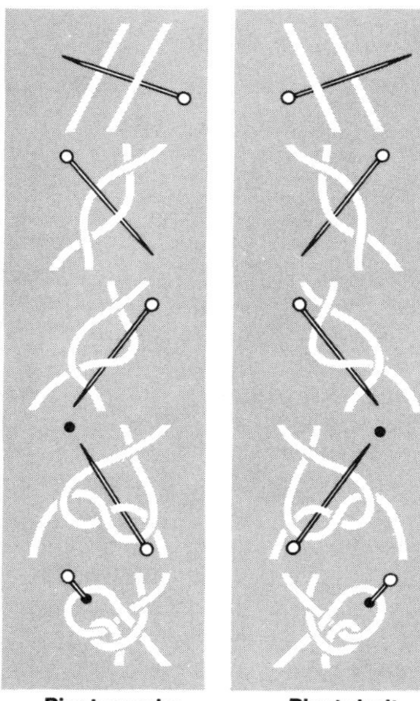

Picot gauche

Picot droit

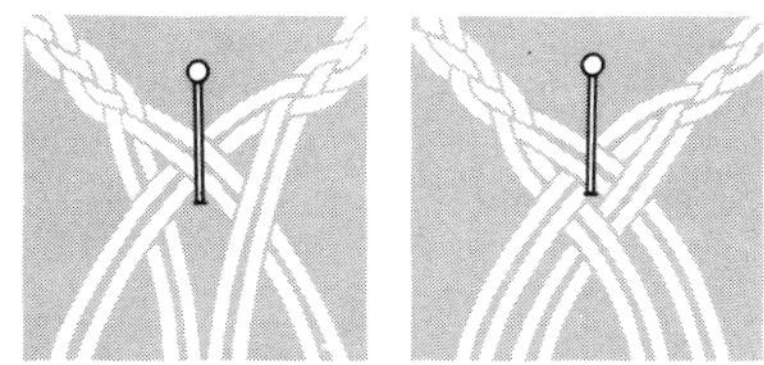

Joint en moulin à vent

La tresse à picots est faite de demi-passées, rehaussées de minuscules picots et croisées. Commencez par faire une tresse avec prs 1-2 jusqu'à ce que vous soyez au niveau de l'épingle 1. Ne piquez pas l'épingle, mettez de côté et faites une autre tresse avec prs 3-4 jusqu'à mi-chemin de la précédente. Les 2 trous qui se trouvent là marquent la position des picots.

Les picots sont faits l'un avec la paire de fuseaux de gauche et l'autre avec celle de droite. Servez-vous de l'épingle pour tirer la boucle; plantez alors l'aiguille dans le pointillé et tirez sur les fuseaux pour fixer le picot en place. Les deux picots faits, continuez la tresse jusqu'à l'épingle 1 et joignez-la à la précédente en croisant les 4 paires de fuseaux (moulin à vent).

Le joint en moulin à vent est simplement une passée double avec une épingle au centre, faite avec chaque paire de fuseaux traitée comme un seul fuseau; croisez pr 2 sur pr 3; croisez pr 4 sur pr 3 et pr 2 sur pr 1. Epingle en 1. Croisez pr 2 sur pr 3. Le joint est fait. Répétez cette opération avec prs 9 à 12 en faisant un autre joint en 2. Avec prs 5 à 8, faites des tresses et joignez-les en 3. Continuez à faire tresses, picots et joints en suivant le pointillé. De 11 à 16, plantez des épingles entre les paires de fuseaux dans chaque tresse pour les mettre en position pour la section suivante.

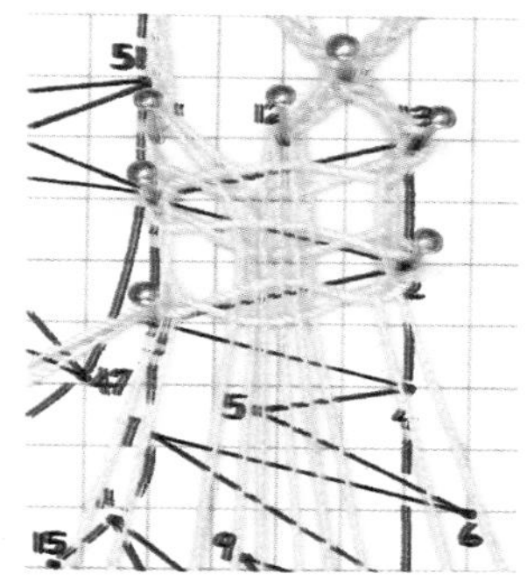

Le lacet droit ou serpentine au point de toile ne demande que quelques paires de fuseaux, juste assez pour la largeur du lacet qui s'allonge, serpente, revient sur lui-même au moyen de «coutures» (voir ci-dessous). Le lacet, fait de pd, présente des jours créés par la torsion des paires. Avant de commencer, enlevez les épingles du centre et enfoncez celles des bords. Recouvrez la dentelle terminée, en ne laissant à découvert que le pointillé sur lequel vous allez travailler le lacet. Il se fait en 2 parties, une de chaque côté, avec 6 paires de fuseaux pour chacune; la 6e paire est «active» (ou meneuse) sur le côté gauche et la 1re l'est sur le côté droit. On commence à gauche; il faut donc écarter tous les fuseaux de droite. Quand la paire active manque de fil, on regarnit chaque fuseau de 3 m de fil. Rentrez les extrémités dans le centre du lacet. Vous les couperez plus tard.

Instructions pour le lacet :

1. t, c, t, c prs 6-5, t pr 5; c, t, c prs 5-4, 4-3, 3-2; t, c, t, c prs 2-1; épingle en 1.
2. t, c, t, c prs 1-2, t pr 2; c, t, c prs 2-3, 3-4, 4-5; t, c, t, c, prs 5-6; épingle en 2.

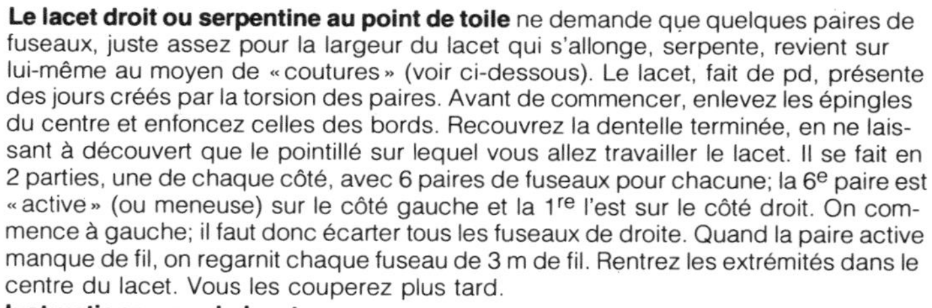

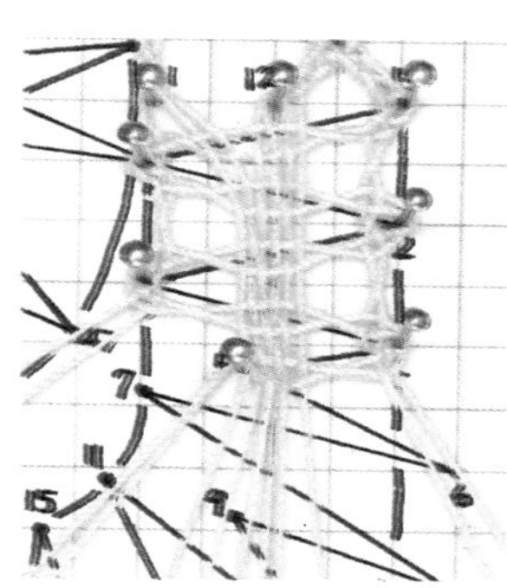

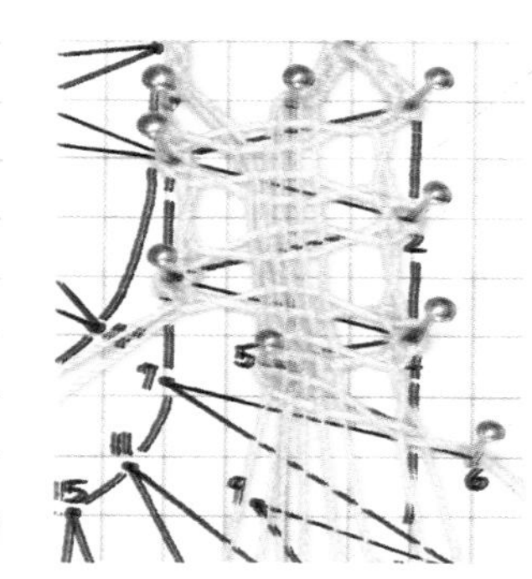

Epingle incidente (épingles nos 5, 9, 13, 27, 31, 35, etc.) : pour faire une courbe unie dans le lacet, il doit y avoir plus de fils sur le bord extérieur qu'intérieur. Pour ce faire, la pr active travaille de l'extérieur vers le centre, pour repartir vers l'extérieur. Par exemple, une fois l'épingle plantée en 4 : t, c, t, c prs 6-5; t pr 5; c, t, c prs 5-4; c, t, c prs 4-3; c, t, c prs 3-2; épingle en 5; c, t, c prs 2-3; c, t, c prs 3-4; c, t, c prs 4-5; c, t, c prs 5-6, etc.

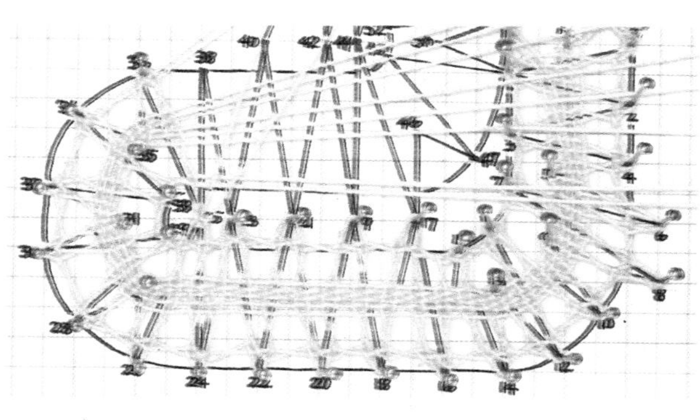

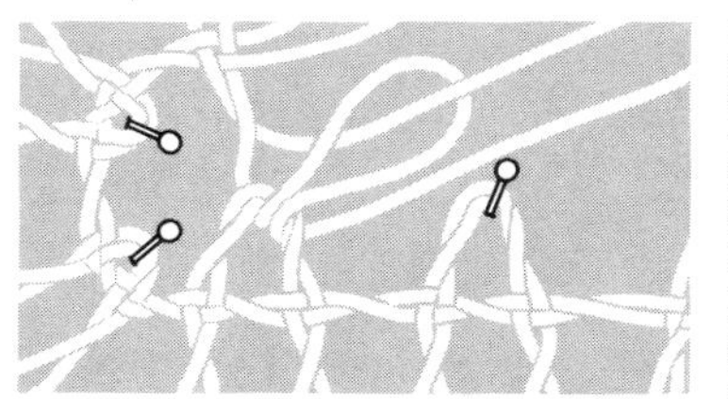

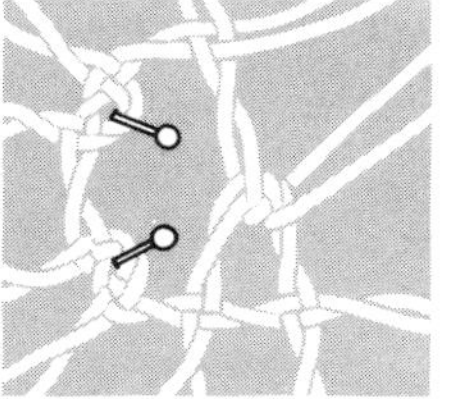

Coutures : comme le lacet serpente, il faut le fixer sur lui-même de place en place par un point dit de couture, c'est-à-dire que la paire active s'attache à la serpentine déjà faite là où il y a épingles. Ici, en 6, 8, 17, 19, 21, 23, 25, etc. Comme ces épingles sont particulièrement éloignées de la lisière du lacet, il est bon de donner au fil 1 ou 2 tours de plus pour le rendre plus ferme. Les épingles 6 et 8 étant jointes à l'autre côté, la 1re couture se place donc après l'épingle 36. Une fois en place, travaillez le lacet vers l'épingle 25, avec un tour de plus à la pr active. Retirez l'épingle en 25, piquez un crochet dans cette boucle et tirez le fil du plus proche fuseau; faites passer l'autre fuseau à travers cette boucle, puis ramenez les 2 fils en position. Replacez l'épingle en 25 et continuez le travail. Les coutures n'ont pas toujours besoin qu'on donne au fil un tour supplémentaire; par exemple, en 49 où la couture est faite au niveau de 1; en 51 où la couture est faite dans la tresse; le long des bords des motifs de fond où le lacet est joint aux lisières du modèle. Après avoir terminé le lacet, finissez à la cheville en faisant une tresse (avec chaque groupe de 4 fuseaux) assez longue pour en faire le tour.

Médaillon et lisière de dentelle, exécutés en tons pastel, rehaussent ce tablier de lin.

Tablier relevé de dentelle aux fuseaux

Ces garnitures de dentelle consistent en une bordure de type torchon (pp. 429 et 430) et en un médaillon sur la poche combinant plusieurs styles.

Fournitures pour la dentelle

Coussin d'au moins 65 cm (26") de côté

Epingles de couturière

Papier pour le pointillé : papier quadrillé 6 mm (4 carrés pour 1") pour la bordure, assez pour préparer un pointillé de 60 cm (24") de long; papier à dessin pour le médaillon (illustré grandeur nature, p. 434)

Fuseaux : 14 paires pour la bordure, 8 pour le médaillon

Coton à crocheter épais (l'équivalent du coton perlé no 5), blanc, écru, bleu pâle, 1 pelote de chaque

Crochet no 9, pour les coutures du médaillon

Poinçon, ciseaux, encre à dessin (une couleur suffit) et règle

Pour confectionner le tablier, il vous faut 1 m (1 vg) de toile de lin ou de coton en 90 ou 115 cm (36" ou 45") de large et du fil assorti.

Taillez dans le tissu un *devant* de tablier de 63,5 cm (25") de large sur 60 cm (23½") de long; une *doublure de poche* de la forme du médaillon plus une marge de couture de 1,5 cm (⅝") tout autour; une bande de *ceinture* de 11 cm × 44 cm (4¼" × 17¼"); deux bandes pour les *attaches*, de 68 cm × 6,5 cm (27"×2½").

Pour finir les côtés du tablier, piquez à 0,5 cm (¼") du bord, tournez et surpiquez. Rentrez encore 0,5 cm (¼") et surpiquez. Finissez les deux autres côtés et un des bords des attaches de la même façon. Pour l'ourlet, rentrez le bord et surpiquez; tournez encore 9 cm (3½") et surpiquez. Posez la dentelle, festons alignés sur le bas du tablier. Fixez la dentelle dans le haut et sur les côtés. Piquez le tour de la poche et repliez sur le fil de piqûre; taillez et crantez au besoin. Appliquez la poche sur le tablier avec 2 rangs de points de piqûre ou 1 rang de points de zigzag. La poche se pose sur le côté droit du tablier. Appliquez la dentelle à la main sur la poche.

Divisez le haut du tablier en 3 sections de 20 cm (8"); passez un fil pour froncer les 1er et 3e tiers. Rentrez la marge de coutures aux 2 extrémités de la ceinture; piquez une épingle à 10 cm (4") du pli. Endroit sur endroit, épinglez la ceinture sur le tablier et répartissez les fronces sur les 10 cm (4") de chaque bout de la ceinture. Cousez; coupez les excédents. Retournez la ceinture à l'endroit et cousez-la à points perdus à l'envers du tablier. Glissez les attaches dans les bouts ouverts de la ceinture; fermez par une surpiqûre.

BORDURE (9 cm×61 cm)

Elle présente trois motifs traditionnels de dentelle torchon : l'araignée (blanc), faite avec 6 prs de fuseaux; le zigzag (écru), souvent travaillé en dp, mais ici en pd; l'éventail (bleu), également en pd mais avec torsion entre les points. La lisière droite est le **talon**; le bord opposé, qui pend librement, est la **tête**; le fond est torchon.

Préparez le pointillé sur du papier

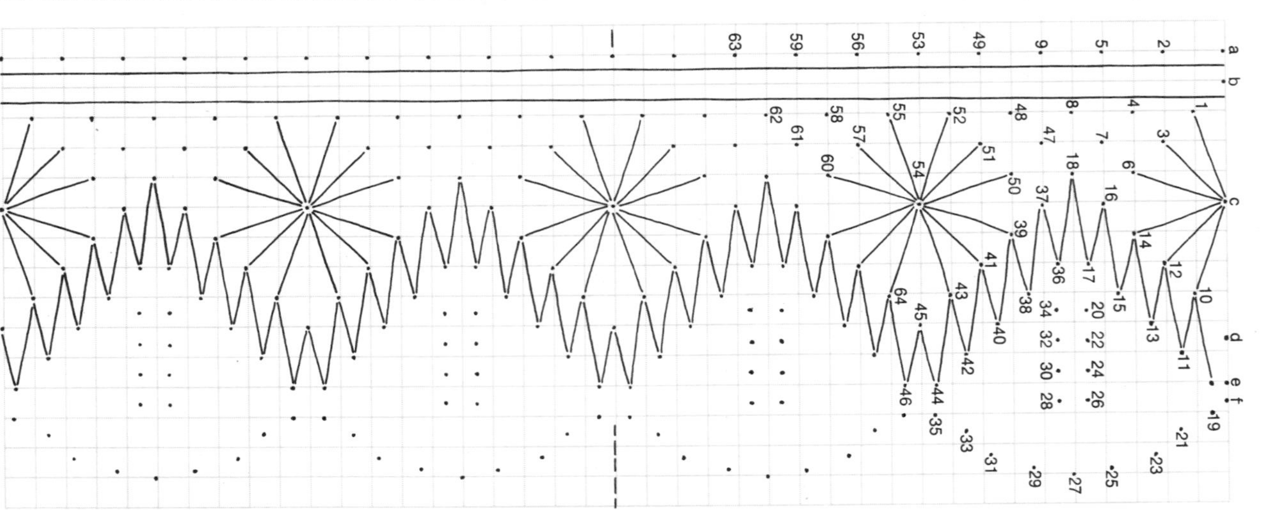

Il faut faire un pointillé complet de la bordure (10 éventails) en y mettant tous les points, lignes et numéros, comme sur l'illustration.

quadrillé avec 10 éventails. L'araignée commence et finit à son épingle centrale. La ligne brisée indique l'extrémité du modèle. Fixez le pointillé sur le coussin et perforez tous les trous.

Préparez 14 prs de fuseaux, comme suit : 2 prs en blanc (1,50 m, chaque fuseau); suspendez-les en b. 10 prs en blanc (2 m, chaque fuseau); suspendez 2 prs en a, 6 prs en c, 1 pr en d et en f. 1 pr écrue (4,50 m, chaque fuseau), suspendue en e. Pour assurer les fuseaux autour des épingles, pd prs 1-2. En e, placez pr écrue à gauche, pr bleue à droite. Faites 1 pd et plantez l'épingle entre 2 prs au 1er trou, sous e (sans numéro), t les 2 prs et faites 1 autre pd. L'écru doit être à gauche et le bleu à droite. Avec les prs 5 à 10 en c, faites ce qui suit : pd prs 8-7, 7-6, 6-5. pd prs 9-8, 8-7, 7-6. pd prs 10-9, 9-8, 8-7. Tirez pour que les points reposent à plat, puis tordez prs 5, 6, 7 deux fois et prs 8, 9, 10 trois fois.

Fond torchon et talon : t pr 2 deux fois, pd prs 2-3, 3-4, t, c prs 5-4, épingle en 1, t, c.
Talon : t pr 4, pd prs 4-3, 3-2, t prs 2-1 deux fois, c, épingle en 2, t, c. t pr 2 deux fois, pd prs 2-3, 3-4. (Suggestion : tirez vers le bas les 2 prs passives et vers le haut la pr active avant de planter l'épingle.)
t, c prs 6-5, épingle en 3, t, c. t, c prs 5-4, épingle en 4, t, c. Répétez talon, épingle en 5, t, c prs 7-6, épingle en 6, t, c. t, c prs 6-5, épingle en 7, t, c. t, c prs 5-4, épingle en 8, t, c. Répétez talon, épingle en 9.
Zigzag (1re moitié) : pd prs 12-11, pd prs 11-10, épingle en 10.
**Le patron à répéter commence ici*
t pr 10, pd prs 10-11, 11-12, épingle en 11. t pr 12, pd prs 12-11, 11-10, 10-9, épingle en 12. t pr 9, pd prs 9-10, 10-11, épingle en 13. t pr 11, pd prs 11-10, 10-9, 9-8, épingle en 14. t pr 8, pd prs 8-9, 9-10, épingle en 15. t pr 10, pd prs 10-9, 9-8, t pr 7, pd pr 8-7, épingle en 16. t pr 7, pd prs 7-8, 8-9, épingle en 17. t pr 9, pd prs 9-8, 8-7, t pr 6, pd prs 7-6, épingle en 18.
Eventail, prs de fuseaux 9 à 14 :
t, c, t, c prs 13-14, épingle en 19. t, c, t, c prs 14-13, 13-12, 12-11, 11-10, 10-9, épingle en 20. t, c, t, c prs 9-10, 10-11, 11-12, 12-13, 13-14, épingle en 21. t, c, t, c prs 14-13, 13-12, 12-11, 11-10, épingle en 22. t, c, t, c prs 10-11, 11-12, 12-13, 13-14, épingle en 23. t, c, t, c prs 14-13, 13-12, 12-11, épingle en 24. t, c, t, c prs 11-12, 12-13, 13-14, épingle en 25. t, c, t, c prs 14-13, 13-12, épingle en 26. t, c, t, c prs 12-13, 13-14, épingle en 27. t, c, t, c prs 14-13, 13-12, épingle en 28. t, c, t, c prs 12-13, 13-14, épingle en 29. t, c, t, c prs 14 à 11, épingle en 30. t, c, t, c prs 11 à 14, épingle en 31. t, c, t, c prs 14 à 10, épingle en 32. t, c, t, c prs 10 à 14, épingle en 33. t, c, t, c prs 14 à 9, épingle en 34. t, c, t, c prs 9 à 14, épingle en 35. t, c, t, c prs 13-14.
Zigzag (2e moitié), prs 6 à 13 : t pr 6, pd prs 6-7, 7-8, t pr 9, pd prs 8-9, épingle en 36. t pr 9, pd prs 9-8, 8-7, épingle en 37. t pr 7, pd prs 7-8, 8-9, t pr 10, pd prs 9-10, épingle en 38. t pr 10, pd prs 10-9, 9-8, épingle en 39. t pr 8, pd prs 8-9, 9-10, t pr 11, pd prs 10-11, épingle en 40. t pr 11, pd prs 11-10, 10-9, épingle en 41. t pr 9, pd prs 9-10, 10-11, t pr 12, pd prs 11-12, épingle en 42. t pr 12, pd prs 12-11, 11-10, épingle en 43. t pr 10, pd prs 10-11, 11-12, t pr 13, pd prs 12-13, épingle en 44. t pr 13, pd prs 13-12, 12-11, épingle en 45. t pr 11, pd prs 11-12, 12-13, épingle en 46.
Torchon et talon (2e moitié), prs 1 à 7 : t, c prs 6-5, épingle en 47. t, c prs 5-4, épingle en 48, t, c. Répétez talon, épingle en 49. t, c prs 7-6, épingle en 50, t, c. t, c prs 6-5, épingle en 51, t, c. t, c prs 5-4, épingle en 52, t, c. Répétez talon, épingle en 53.
Araignée, prs 5 à 10 : t prs 5 à 10 trois fois chaque pr. *pd prs 8-7, 7-6, 6-5. pd prs 9-8, 8-7, 7-6. pd prs 10-9, 9-8, 8-7*, épingle en 54 (entre 8 et 7). Tirez. Répétez d'un * à l'autre. t prs 5, 6, 7, deux fois, prs 8, 9, 10, trois fois.
Torchon et talon (1re partie), prs 1 à 7 : t, c, prs 5-4, épingle en 55, t, c. Répétez talon, épingle en 56. t, c, prs 6-5, épingle en 57, t, c. t, c prs 5-4, épingle en 58, t, c. Répétez talon, épingle en 59. t, c prs 7-6, épingle en 60, t, c. t, c prs 6-5, épingle en 61, t, c. t, c prs 5-4, épingle en 62, t, c. Répétez talon, épingle en 63.
Zigzag (1re moitié), prs 6 à 13 : t pr 13, pd prs 13-12, 12-11, 11-10, épingle en 64.
*Répétez à partir de **
Pour arrêter, attachez les paires de fuseaux ensemble par un nœud plat très serré. Coupez à ras ou rentrez les fils avec une aiguille à tapisserie.

MÉDAILLON (18,5 cm × 20 cm)

Le pointillé (p. 434) n'est que la moitié du patron grandeur nature. La fleur (à faire en premier) est rouge; sarment, tiges et feuilles sont bleus; les remplissages sont noirs. Les points représentent les trous d'épingle; un second rang de points, des picots. Les points encerclés indiquent une couture; doublement encerclés, deux coutures au même endroit. Fixez par coutures les paires de fuseaux au début du lacet; collez les nœuds au besoin.

Le tracé fourni doit être reproduit deux fois en renversant le papier : attention de bien ajuster le centre. La seconde moitié doit refléter parfaitement la première, sauf pour le sens du travail dans le remplissage des fleurs : de gauche à droite, des deux côtés. Coupez le papier à 0,5 cm (¼") autour du tracé et épinglez-le au centre du coussin.

FLEUR

Centre : 6 prs de fuseaux. 4 prs bleues, 1 pr blanche, garnies de 50 cm de fil; 1 pr blanche (1,20 m de fil), c'est la pr active. Fixez 2 prs bleues, l'une en a, l'autre en b; les 2 prs blanches en c, dont la pr active à l'extérieur. *t, c, t, c prs 6-5, t pr 5, pd prs 5-4, 4-3, 3-2, 2-1, épingle en 1. t pr 1, pd prs 1-2, 2-3, 3-4, 4-5, t, c, t, c prs 5-6, épingle en 2.* Répétez d'un * à l'autre. Après l'épingle 3, plantez une épingle en 4. Tordez l'active 3 fois, passez autour de l'épingle, t 2 fois et continuez normalement. A répéter chaque fois que c'est indiqué; la dernière fois, t 3 fois, faites une couture à travers toutes les boucles qui se trouvent à l'épingle 4, t deux fois. Arrêtez et coupez les fils du début.
Pétales : la majeure partie du pétale est faite en dp avec une pr blanche de chaque côté dans 1 pd pour former un contour. Le petit espace dans la courbe intérieure entre les doubles croisements est fait en pd sur une épingle incidente. 6 prs de fuseaux : 2 prs blanches (1,50 m chacune), 4 bleues (2,50 m chacune). Accrochez 1 pr blanche et 1 pr bleue en a, la blanche à l'extérieur; 2 prs bleues en b; 1 pr bleue et 1 pr blanche en c, la bleue à l'extérieur. *Pour commencer la partie en pd :* t pr 6, pd jusqu'à pr 2, t pr 1, pd prs 2-1, épingle en 1. t pr 1, pd jusqu'à pr 6, épingle en 2. t pr 6, pd jusqu'à pr 2, t pr 1, pd prs 2-1, couture en 3. *Trou de l'incidente :* t pr 1, pd jusqu'à pr 4, épingle en 4. pd en reculant jusqu'à pr 1, épingle en 5. Enlevez l'épingle 4 et tirez sur les actives; ne replantez pas la 4. Répétez l'opération pour l'épingle 6 et la couture 7. Continuez en pd toutes les prs jusqu'à l'épingle 11. *Changement au fond de dp :* *t, c, t, c prs 1-2. dp prs 2-3, 3-4, 4-5, t, c, t, c prs 5-6, épingle en 12. t, c, t, c prs 6-5, dp jusqu'à pr 2, t, c, t c prs 2-1, épingle en 13.* Répétez ces 2 rangs jusqu'à la ligne hachurée (changement aux pd). Le premier des picots (p. 431) se fait après l'épingle 20. Une fois l'épingle du picot posée, faites le nœud contre la 20, puis continuez. Faites le tour des 5 pétales et arrêtez le fil au commencement du galon.

SARMENT, TIGE ET FEUILLE
Ceux-ci sont faits en une seule tresse qui commence par une volute à droite et finit de la même façon à gauche. Le galon descend le long du côté droit, traverse le centre, à gauche de la boucle. On exécute alors la tige et la feuille de gauche, puis la tête de la boucle inférieure, suivie de la tige et de la feuille de droite. Le lacet passe ensuite par-dessus la boucle inférieure terminée et remonte sur le côté gauche. Avant de commencer, il faut enlever les épingles de picots des pétales qui seront recouverts. 6 fuseaux : 3 prs écrues (2,50 m chacun), 1 pr blanche (1,25 m chacun), 2 prs blanches (4 m chacun). Accrochez les deux grosses prs blanches, l'une en a, l'autre en c. Accrochez 2 prs d'écru en b. Les 2 dernières prs seront ajoutées, une fois la volute terminée. Celle-ci se travaille avec ces 4 prs en point de toile (p. 430). Les épingles incidentes sont piquées entre 2 prs dormantes. Deux coutures sont nécessaires en cours de travail avec une troisième en a, puis le travail s'arrête en A. On ajoute alors les deux dernières prs de fuseaux au moyen de coutures : la pr écrue aux deux de la même couleur en b et celle de blanc à ses pareilles en c.
Le sarment qui descend du côté droit est fait exactement comme le lacet droit de notre échantillon (p. 427 et 431) avec coutures : attention de ne pas défaire le nœud du picot en resserrant le fil de couture. Remontez la moitié gauche de la boucle jusqu'en B. Mettez de côté la pr active et la première passive (toutes 2 en blanc). La tige et la feuille sont faites avec les 4 prs qui restent, dont la dernière blanche qui devient active.
Tige, moitié inférieure : en point de toile avec 4 prs de fuseaux, comme le sarment, la pr blanche étant active. La moitié inférieure de la tige s'exécute en premier, la moitié supérieure suit la feuille et est fixée par coutures à l'autre partie. Prenez la pr 4 (blanche) en C, t et pd jusqu'à l'épingle 1, puis continuez en montant la moitié inférieure de la tige. L'incidente près du sommet sert à 2 prs. La tige finit en D.
Feuille : on fait d'abord la moitié supérieure en pd, puis la moitié inférieure en dp, avec coutures le long du centre et picots en bordure. Travaillez en pd jusqu'aux épingles 1 et 2. Après l'épingle 2 et jusqu'à l'épingle 14, t la pr active 1 fois entre chaque point pour les séparer. Puis continuez autour de la pointe de la feuille au point de toile, en allant chercher les épingles incidentes à travers 2 prs et en tirant délicatement les points vers le bas pour raffermir et égaliser la pointe de la feuille. Arrêtez le travail une fois l'épingle plantée en E. Commencez les dp : relevez la pr 1 qui pend de l'épingle 14 et faites des pd aux prs 1-2, 2-3, t, c, t, c prs 3-4, épingle en F, picot, t, c, t, c prs 4-3, dp jusqu'à pr 1, couture. Continuez ainsi jusqu'en D.

Tablier relevé de dentelle aux fuseaux

Tige, moitié supérieure : en G, retirez l'épingle et replacez-la entre les prs 4-3. Commencez le point de toile avec pr 4 en faisant une couture au centre de la tige. Continuez le long de la tige, avec une couture à la pointe de la feuille et terminez en H.

Continuez le sarment : relevez les 2 premières prs en B et continuez le lacet droit au point de toile en commençant avec les prs 1-2. Otez l'épingle en H et placez-la dans le trou suivant pour continuer le sarment.

Seconde tige et feuille : celles-ci sont faites comme les premières, sauf qu'on exécute d'abord la moitié supérieure de la tige et la moitié inférieure de la feuille.

Continuez le sarment jusqu'en B. En H, commencez la tige comme précédemment avec la pr blanche active. Conduisez la tige en G. Placez l'épingle en D entre les prs 1-2 avec lesquelles vous exécutez des dp et des pd à travers la pr blanche, comme précédemment. Replacez l'épingle en G et continuez jusqu'à l'épingle 2, sans oublier le tour supplémentaire autour des épingles du centre. Allez jusqu'à la 14, puis : t pr 1, dp prs 1-2, 2-3. Epingle en E entre prs 3-4. t pr 4, pd prs 4-3, 3-2, épingle incidente. Terminez le bout de la feuille comme avant, en faisant une couture à la pointe et une autre à la 14. Continuez le point de toile en faisant une couture en D et descendez le long de la tige jusqu'en C. Reprenez les fuseaux en B et continuez le sarment en vous servant deux fois de l'épingle en C.

Reste du sarment et volute : enlevez les épingles qui seraient couvertes et passez le sarment par-dessus le bas de la boucle : il faut une couture aux 4 coins. En A, écartez prs 1 et 2 et travaillez la volute comme précédemment. Faites la couture avec la pr active en a et nouez pour arrêter. Faites de même avec les prs passives entre elles.

Remplissages : 8 prs de fuseaux, garnis chacun de 2 m de fil blanc (suffisants pour tous les remplissages). Chaque pr est nouée ensemble au début de chaque section puis attachée à l'ouvrage avec une couture.

Point de Bruxelles (remplissage des pétales) : attachez 1 pr en a, c, d, f et 2 prs nouées ensemble en b et e. Exécutez le point de Bruxelles avec coutures aux endroits indiqués (t pr 1 fois avant couture).

prs 2-1 en 1, couture pr 1 en g. prs 4-3 en 2, prs 3-2 en 3, prs 2-1 en 4, couture pr 1 en h. prs 6-5 en 5, prs 5-4 en 6, prs 4-3 en 7, prs 3-2 en 8, couture pr 2 en i. prs 8-7 en 9, couture pr 8 en j. prs 7-6 en 10, prs 6-5 en 11, prs 5-4 en 12, prs 4-3 en 13, couture pr 3 en k. prs 8-7 en 14, couture pr 8 en l. prs 7-6 en 15, couture pr 7 en m. prs 6-5 en 16, couture pr 6 en n. prs 5-4 en 17, prs 4-3 en 18, couture pr 3 en o. prs 6-5 en 19, couture pr 6 en p. coutures prs 5-4 en q. Arrêtez les paires et passez au pétale suivant.

Tresses (avec les mêmes fuseaux, 4 paires) : attachez par coutures 2 paires ensemble en A et B. Faites 2 tresses avec joints en moulin à vent (p. 431) aux croisements et coutures aux points indiqués (les coutures peuvent être faites avec une paire, ou deux réunies, à votre goût). En C, nouez et coupez les fuseaux pour les rattacher en F. Avec l'autre tresse, couture en D, continuez la tresse jusqu'en E, couture et commencez l'autre section avec les fuseaux pendant en F. Les tresses se continuent en travers des tiges jusqu'à la section inférieure (elles ne paraîtront pas à l'endroit) de H bleu à C bleu et du bout de la feuille à G. Détachez en H et I et rattachez en J pour le centre. Détachez en K et complétez les tresses de l'autre côté. Après vous être assuré que les nœuds sont solides, enlevez toutes les épingles, retournez la dentelle et cousez-la sur la poche du tablier.

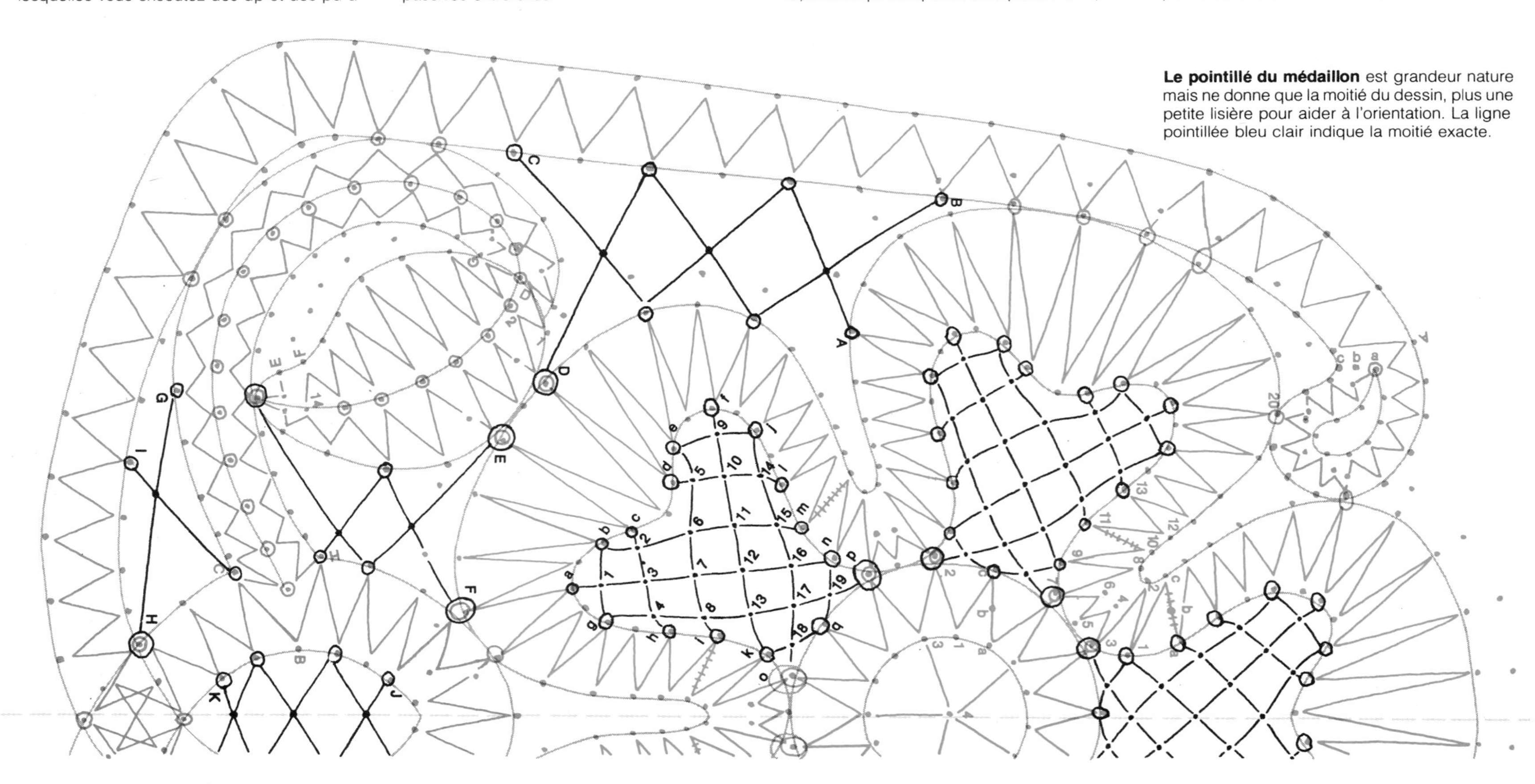

Le pointillé du médaillon est grandeur nature mais ne donne que la moitié du dessin, plus une petite lisière pour aider à l'orientation. La ligne pointillée bleu clair indique la moitié exacte.

Dentelle au métier

Introduction

On peut créer de la dentelle à partir d'un métier à tisser. Le tissage est essentiellement l'entrelacement de fils de chaîne et de fils de trame, tous les fils de chaîne étant parallèles entre eux et tous les fils de trame étant perpendiculaires aux premiers (et donc parallèles entre eux). Les fils de chaîne sont verticaux, et les fils de trame horizontaux. Dans la dentelle au métier cependant, on intervient pour changer quelque peu le cours parallèle de ces fils, ce qui forme des jours dans le tissu. Le résultat est décoratif et aéré, en somme de la dentelle.

On peut donc tisser manuellement de la dentelle, dans un cadre ou sur un métier mécanique. Quel que soit le métier employé, la dentelle est l'œuvre du tisserand car cette technique est contrôlée par lui à l'aide de ses doigts ou d'un instrument, genre baguette, plutôt que par le mécanisme du métier.

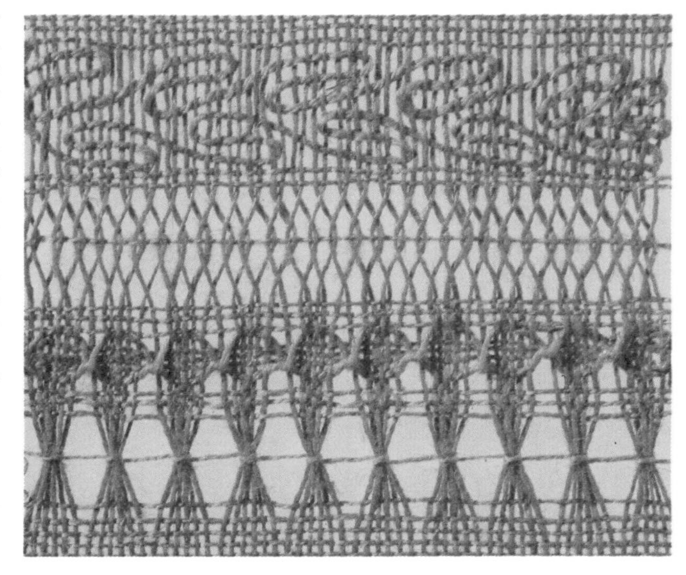

Cet échantillon de dentelle au métier combine une variété de tissages illustrés pp. 437-438. De haut en bas, les dentelles espagnole et mexicaine, les médaillons danois et le bouquet de Brook.

Fournitures

Les dentelles au métier peuvent se faire sur n'importe quel métier, le rôle de celui-ci étant de tenir les fils de chaîne également espacés et sous tension tandis que la trame les croise. Nous avons choisi le cadre parce qu'il est plus facile à employer qu'un métier et peu coûteux. Les tissages illustrés aux pages 437-438 peuvent toutefois être exécutés sur presque n'importe quel métier.

Pour faire le cadre, vous trouverez dans les boutiques d'artisanat des baguettes toutes prêtes pour tendre la toile. Il vous en faut deux paires, l'une pour la largeur, l'autre pour la longueur de votre ouvrage. Pour déterminer la grandeur du cadre nécessaire à votre projet et savoir comment le monter, reportez-vous à la page 436.

Pour l'opération de tissage, il vous faut une navette pour transporter le fil de trame, un bâton de croisure pour ouvrir les fils de chaîne et le fil approprié.

Les cadres se vendent dans les boutiques d'artisanat. Leur grandeur désigne leurs dimensions extérieures.

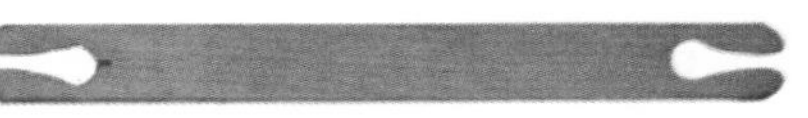

La navette (ou réglette) sert à enrouler le fil de trame; ici, un morceau de bois mince, largement échancré aux extrémités.

Les fils convenant à la dentelle au métier sont en lin; en grandeurs 10/1, 10/2 ou 10/5 (explication des grandeurs, p. 459).

Le bâton de croisure est une baguette mince, effilée à une extrémité.

Confection d'une papillote 446

Installation du métier

Avec un cadre, la grandeur maximale de l'article doit être légèrement inférieure aux dimensions intérieures du cadre : 3 à 5 centimètres (1″-2″) en largeur et jusqu'à 15 centimètres (6″) en longueur parce que la chaîne devient extrêmement tendue sous l'effet de la trame. Comme les baguettes à cadre ont 3,5 centimètres (1½″) de largeur et se calculent par leurs mesures extérieures, vous devez prévoir un cadre beaucoup plus grand que l'article à tisser. Par exemple, si vous voulez un tissu de 30 centimètres sur 45 (12″ × 18″), il vous faudra un cadre de 45 centimètres sur 70 (18″ × 26″).

Pour évaluer la quantité de fil de trame nécessaire, multipliez le nombre de fils au centimètre (étape 2, ci-dessous) par la largeur du tissage, puis par la *longueur du cadre*. Pour évaluer celle du fil de trame, multipliez le nombre de fils au centimètre par la largeur et par la *longueur du tissage*.

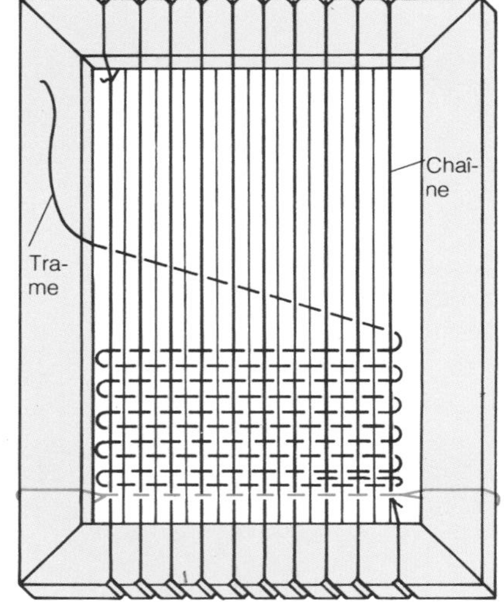

Le tissage est l'entrelacement des fils de trame et de chaîne. Les fils de chaîne sont enroulés autour du cadre, ce qui les maintient tendus. La trame est entrelacée sur la chaîne.

Préparation de la trame

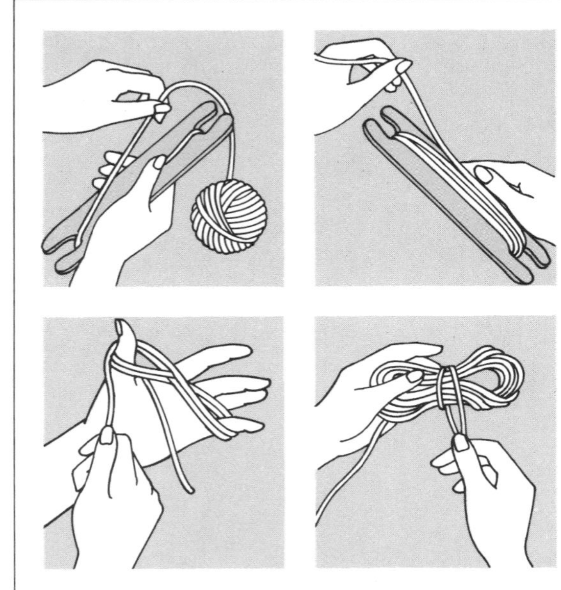

Pour enrouler le fil sur la navette, tenez-le avec le pouce (à gauche) et enroulez-le en recouvrant le bout libre pour l'assujettir (à droite). Continuez à bobiner sans tirer. Ne surchargez pas la navette qui aurait du mal à glisser dans la chaîne.

Pour confectionner une papillote, enroulez le fil en huit autour du pouce et de l'auriculaire (à gauche). Glissez-le hors de vos doigts et attachez-le avec un élastique par le milieu (à droite).

1. Assemblez les quatre baguettes du cadre pour qu'il forme un rectangle parfait. Fixez les baguettes avec des agrafes. Avec un crayon, marquez l'extérieur du cadre tous les centimètres en haut et en bas.

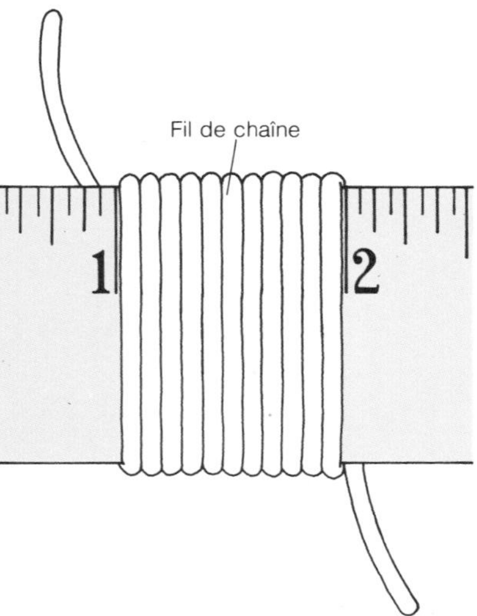

2. Pour déterminer le nombre des fils de chaîne, enroulez le fil autour d'une règle sur 1 cm. Comptez les tours et multipliez par la largeur à tisser : avec 4 fils au centimètre et un projet de 30 cm de large, il faut 120 fils de chaîne.

3. Faites une encoche pour deux fils sur votre cadre. Attachez le fil de chaîne au cadre, en haut à gauche, et descendez-le par-devant pour le remonter par-derrière. Enroulez-le ainsi en suivant bien les encoches.

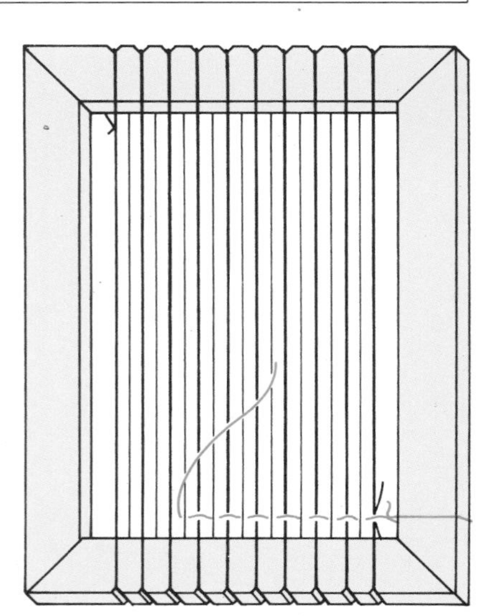

4. Veillez à maintenir une tension égale de la chaîne. Les fils sont encore sur 2 plans, qu'on appelle nappes, et il faut les rapprocher. Passez une ficelle (chef de pièce) sur le fil de la nappe supérieure et sous celui de celle inférieure.

Les tissages

Le tissage uni est le plus simple de tous : la trame enjambe un fil de chaîne et passe sous le suivant. Dans un cadre, il y a toujours un espace entre les 2 nappes de la chaîne (c'est le pas). Le 1er passage de la navette s'effectue dans ce pas (A), en laissant 7 cm (3″) de fil à l'extrémité. Tassez la trame avec une fourchette. Au retour, la navette passe à contre-sens, le bâton de croisure ayant contrarié les fils de chaîne : il faut le tourner de côté et ramener la navette dans cet espace (B). On y rabat aussi l'extrémité du fil. Répétez ces deux rangs.

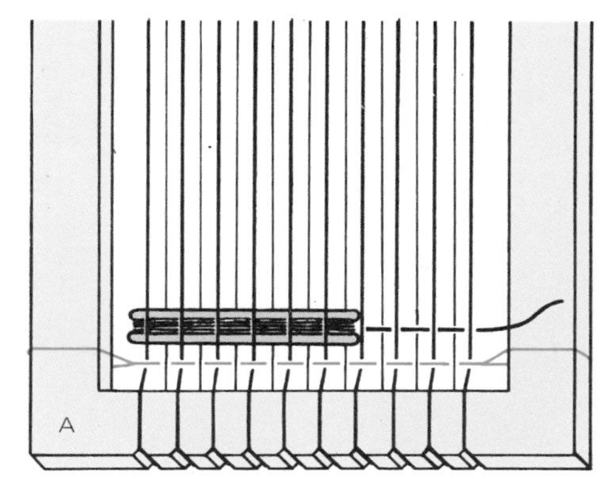

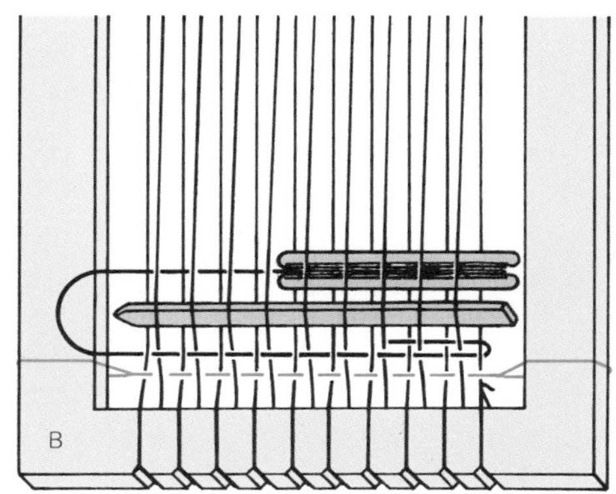

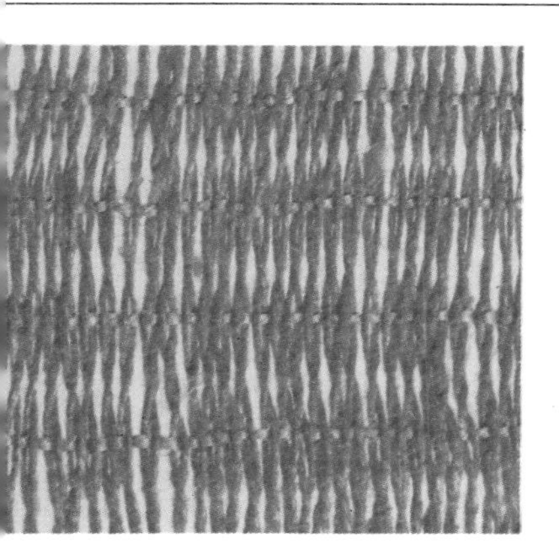

La gaze s'obtient en modifiant la position des fils de chaîne entre eux. Si un seul fil change de place avec un autre, on dit gaze 1/1; si une paire de fils prend la place d'une autre, on dit gaze 2/2, ou *leno*. En partant du côté droit, soulevez le 1er fil et poussez-le à gauche par-dessus le 2e, relevez le 2e avec le bâton de croisure. Préparez tout le rang de cette façon (A). Tournez le bâton sur le côté et passez la navette. Ramenez-la de gauche à droite sans modifier la position des fils (B) et continuez en faisant alterner ces deux rangs.

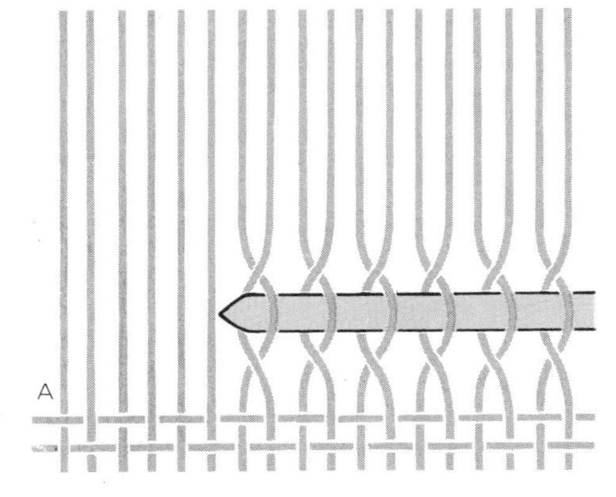

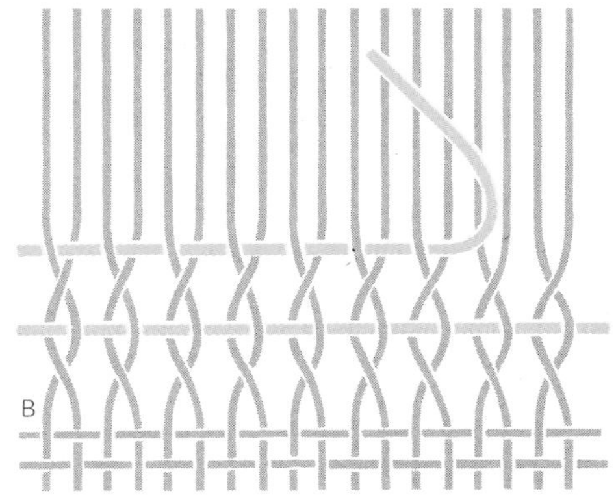

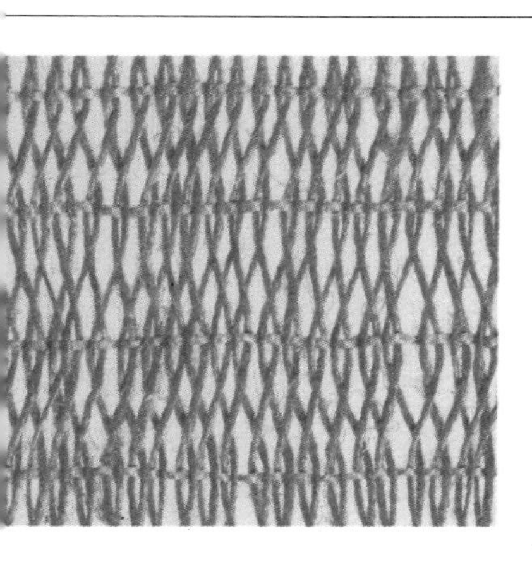

La dentelle mexicaine est une variante de la gaze décrite plus haut. En partant du côté droit, amenez le 1er fil sur le 3e et relevez celui-ci. Amenez le 2e sur le 5e et relevez celui-ci, puis amenez le 4e sur le 7e et relevez celui-ci. Continuez ainsi en prenant les fils non tordus (nombres pairs) pour les croiser 3 fils plus loin avec un nombre impair (A). Tournez le bâton sur le côté et insérez la navette de droite à gauche. Revenez de gauche à droite sans modifier la position des fils (B). Répétez ces deux rangs.

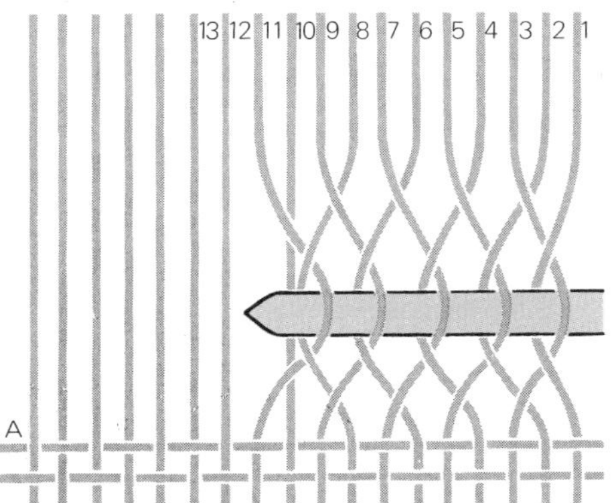

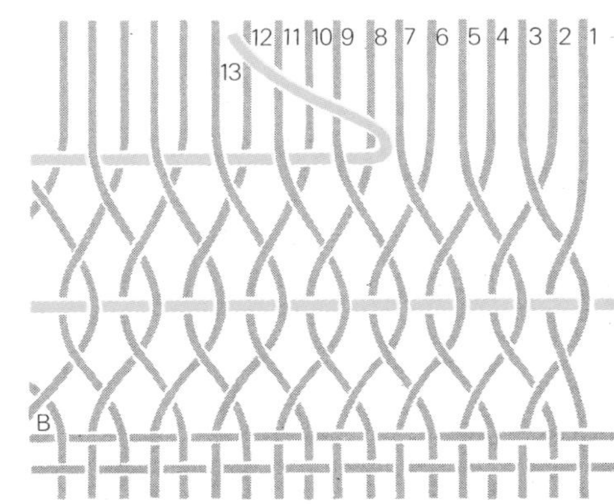

Les tissages

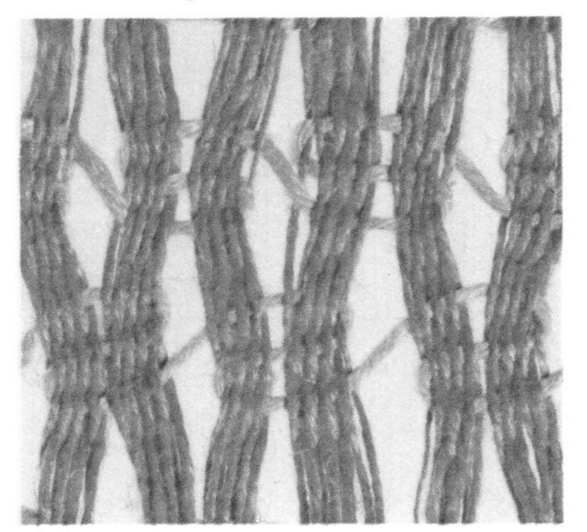

La dentelle espagnole se travaille avec une papillote plutôt qu'avec une navette. A partir du côté droit, tissez un petit groupe de fils de chaîne tout simplement, puis revenez (aller-retour autant de fois que vous voulez) : ici, 3 fois (A). Amenez le fil de trame au 2e groupe de fils de chaîne et répétez l'aller-retour le même nombre de fois. Bien des variantes sont possibles, dès le 2e rang, en changeant de groupes de fils (B), ou en modifiant le nombre de fils de chaîne dans chaque groupe et en alternant ou en séparant les groupes.

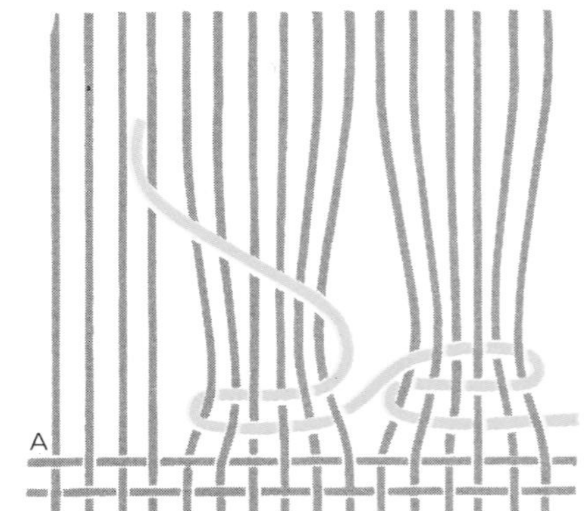

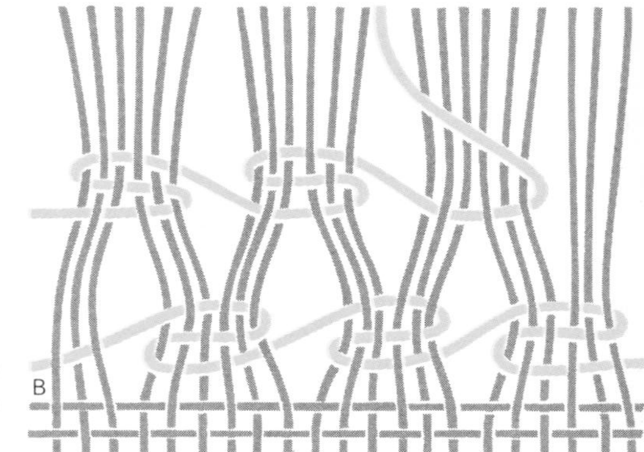

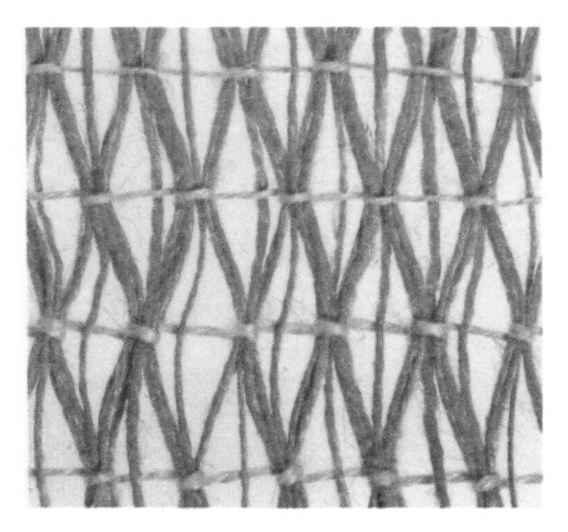

Le bouquet de Brook est un motif de dentelle qui emprunte la technique du point arrière à la broderie. La trame, venue de l'arrière, s'enroule autour de plusieurs fils de chaîne et retourne en arrière. Faites quelques rangs de tissage uni. Amenez ensuite la trame sous un groupe de fils de chaîne, passez-la par-dessus puis retournez dessous; tirez pour former le bouquet (A). Continuez à faire ces bouquets en laissant ou non un fil de chaîne entre chaque groupe. Au second rang, alternez la position des groupes en les plaçant exactement entre deux groupes du rang précédent (B).

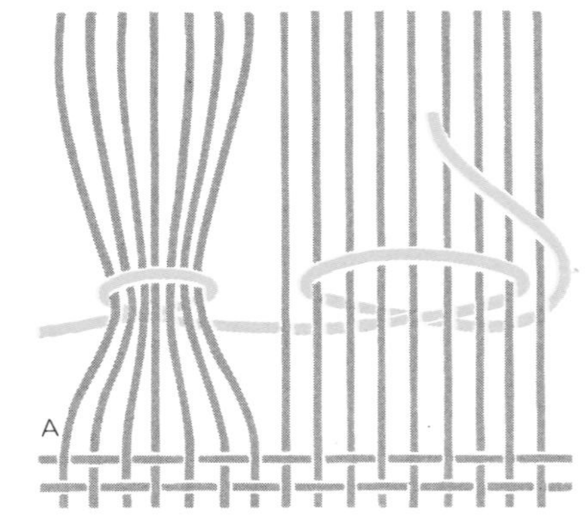

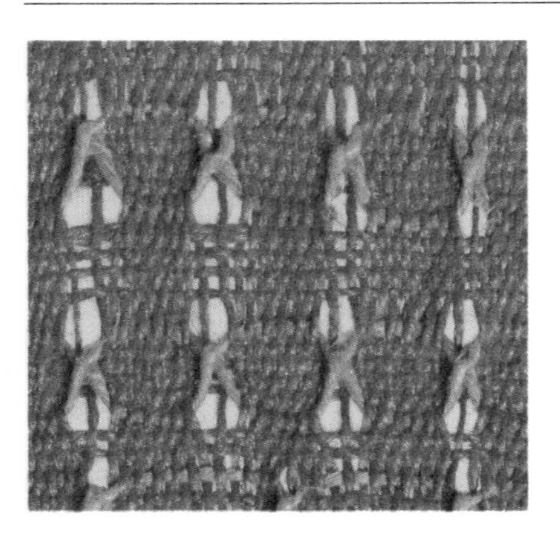

Les médaillons danois utilisent deux fils de trame différents, en tissage uni, mais le gros de l'ouvrage se fait avec un fil semblable aux fils de chaîne. Tissez un rang, de gauche à droite, avec le fil secondaire (différent de l'ensemble par ses couleur, poids et texture), puis plusieurs rangs, avec le fil principal. Déterminez l'emplacement des médaillons. A l'aide d'un crochet, amenez une boucle jusqu'à la moitié du tissage uni (A). Tissez de droite à gauche un nouveau fil de trame secondaire jusqu'à la 1re boucle; passez-le au travers avec le crochet et tissez jusqu'à la boucle suivante (B).

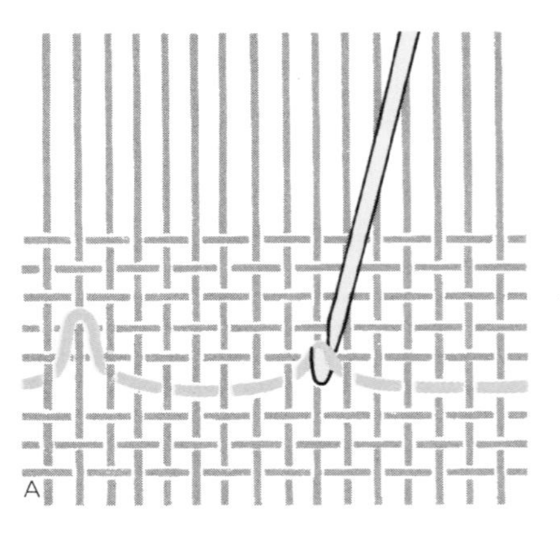

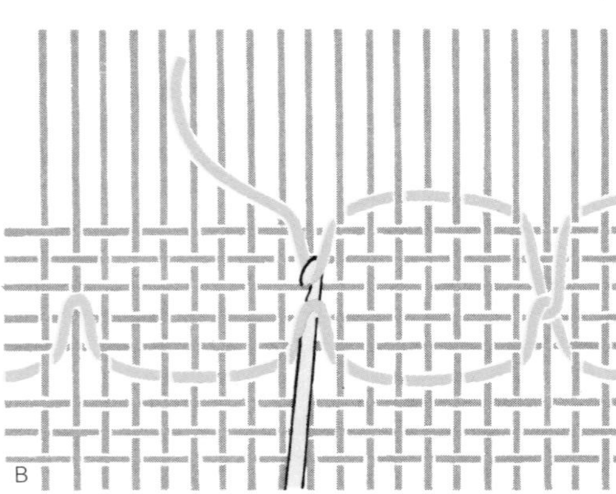

Napperon en dentelle au métier

Les bandes de dentelle de ce napperon sont en gaze 2/2, variante de la gaze 1/1, décrite p. 437.

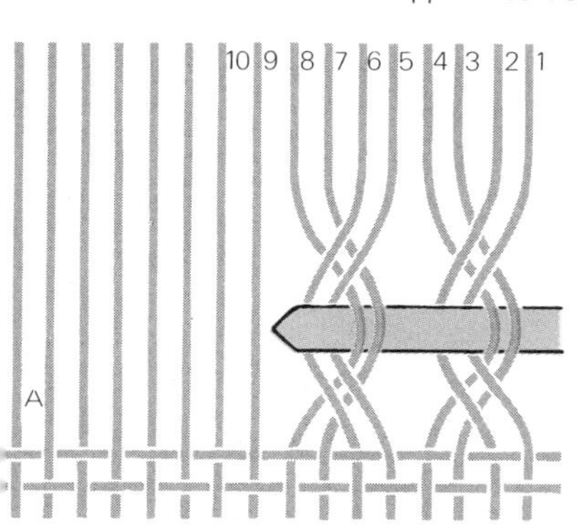

Pour cette gaze 2/2, passez les 2 premiers fils de chaîne sur les 2 voisins. Relevez la 2e paire sur le bâton de croisure. Continuez ainsi.

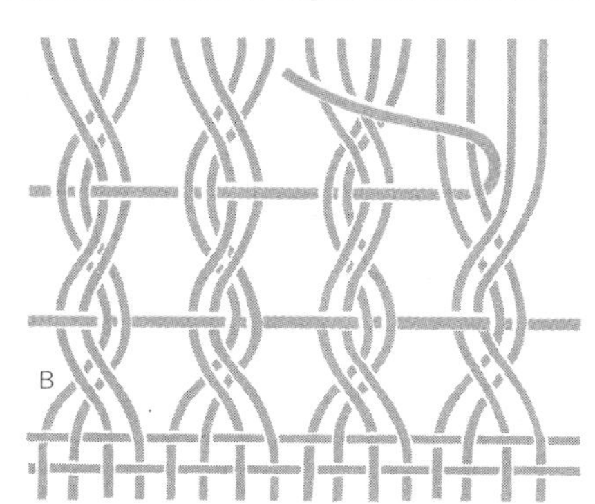

Au second rang, pour conserver la torsion du 1er, tissez uni en passant sous et sur les *paires de fils.* Faites alterner ces deux rangs.

Le napperon de lin, dont la chaîne est rose cendré et la trame bleu pâle, mesure 30 cm × 45 cm (12″ × 18″). Une bande de 5 cm (2″) est tissée au point de gaze 2/2 à chaque extrémité.

Fournitures

90 m (100 vg) de fil de lin 10/2 (voir p. 459 les explications sur la grosseur des fils de lin) pour la chaîne d'un napperon

55 m (60 vg) de fil de lin 10/2 pour la trame d'un napperon

Cadre en bois de 45 cm × 75 cm (18″ × 30″)

Crayon

Règle

Petite scie

Papier de verre

50 cm (½ vg) de ficelle

Navette

Bâton de croisure

Le napperon

Il se tisse sur la longueur. Par conséquent, la largeur du tissu (d'une lisière à l'autre) représente la hauteur du napperon, tandis que la longueur tissée n'est autre que sa largeur. La plus grande partie du napperon est un tissage uni (p. 437) et les incrustations aux deux extrémités sont au point de gaze 2/2, ou leno, une variante de la gaze 1/1, décrite à la page 437. Dans la gaze 2/2, les fils de chaîne se croisent par paires, ce qui produit alors des jours dans le tissu.

Préparation du cadre

Pour monter le cadre et la chaîne, reportez-vous à la page 436. Il y a 4 fils par centimètre (10 fils pour 1″). On doit donc marquer 4 points entre les traits de crayon qui soulignent chaque centimètre. Sciez une petite encoche à chaque marque de crayon et passez au papier de verre. Enroulez la chaîne sur le métier en veillant à maintenir une tension égale. Tissez la ficelle (le chef de pièce) par-dessus les fils de la nappe supérieure et sous ceux de la nappe inférieure (p. 436).

Tissage

Tissez 5 cm (2″) de toile unie (p. 437); terminez du côté droit. Commencez la dentelle à partir de la droite en croisant avec vos doigts la 1re paire de fils sur la 2e; relevez cette paire avec le bâton de croisure (voir A, en bas). Passez la 3e paire de fils de chaîne sur la 4e, que vous relevez avec le bâton. Continuez sur toute la largeur du rang. Tournez le bâton sur le côté pour former le pas et passez la navette de droite à gauche; au retour, faites le pt de toile uni mais en passant dessus et dessous les paires (et non les fils simples) pour maintenir la torsion (voir B, en bas). Continuez en faisant alterner ces 2 rangs jusqu'à ce que la dentelle mesure 5 cm (2″). Revenez au pt de toile uni pour tisser 25 cm (10″) du napperon; faites à nouveau 5 cm (2″) de gaze 2/2 et terminez par 5 cm (2″) au point de toile uni. Coupez le fil de trame en laissant une longueur de 5 cm (2″) que vous rentrez dans le pas, après être passé autour du 1er fil de chaîne.

La frange

Dans le bas et le haut du métier, coupez les fils de chaîne, une paire à la fois; attachez-les par un demi-nœud (voir ci-dessous) au fur et à mesure que vous les coupez. Egalisez la frange.

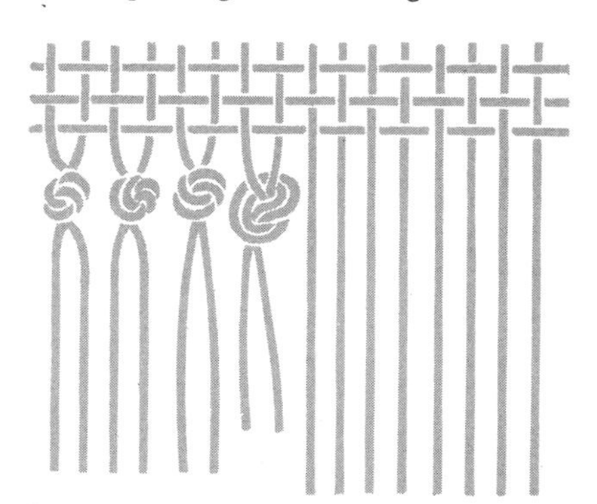

Pour empêcher les extrémités de s'effilocher, nouez chaque paire de fils de chaîne avec un demi-nœud, suivant l'illustration. Egalisez.

Crochets 359
Maille serrée 362

Dentelle à la fourche

Préparation des bandes

La dentelle à la fourche est un genre de crochet qui se travaille sur les deux branches d'une fourche et avec un crochet. Le fil est enroulé autour de l'instrument et forme une série de grandes boucles, reliées au milieu par des points de crochet, en arête. Les bandes ainsi préparées sont ensuite réunies. La largeur des bandes dépend de l'espace entre les branches de la fourche. Autrefois, l'instrument avait la forme d'une épingle à cheveux et il en fallait plusieurs pour faire des bandes de différentes largeurs. Aujourd'hui, on fait des fourches ajustables : deux tiges de métal, maintenues à la tête et au pied par des barrettes à plusieurs trous, ce qui permet de varier l'écartement des branches. On peut se servir de fils de toutes grosseurs. Les points de crochet de base se trouvent aux pages 361-363.

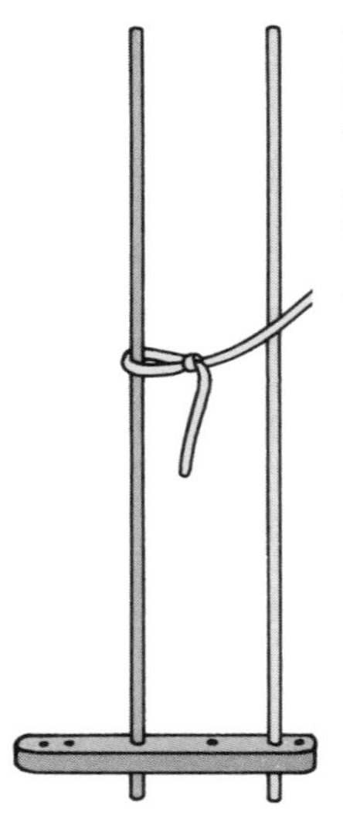

1. Enlevez d'abord la barrette supérieure. Faites un nœud coulant et glissez la boucle qu'il forme sur la branche gauche; replacez la barrette de tête. Ajustez la boucle de sorte que le nœud soit exactement au milieu des branches.

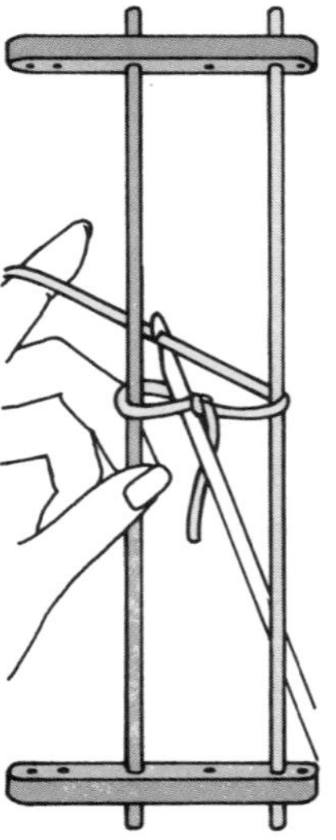

2. Passez le fil autour de la branche droite, d'avant en arrière, et tendez-le avec la main gauche. Piquez le crochet sous le brin avant de la boucle du nœud coulant; allez chercher le fil derrière et ramenez-le à travers la boucle pour en former une nouvelle sur le crochet.

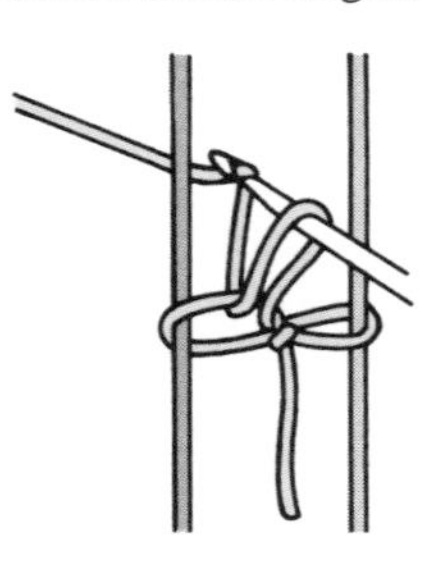

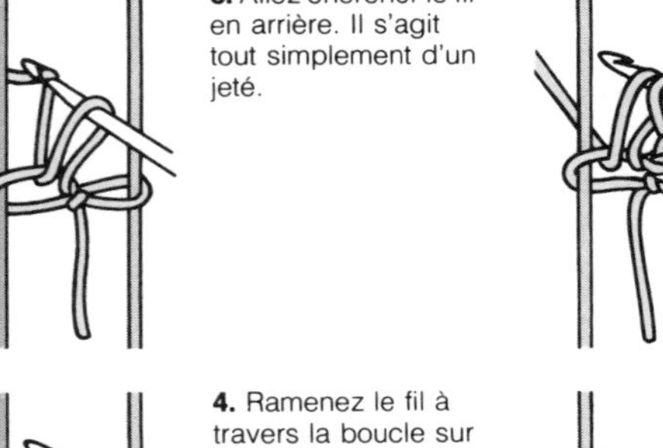

3. Allez chercher le fil en arrière. Il s'agit tout simplement d'un jeté.

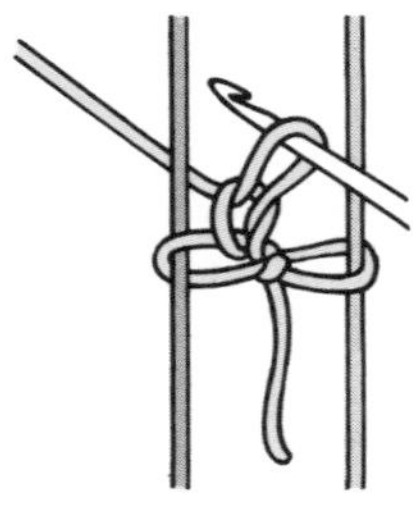

4. Ramenez le fil à travers la boucle sur le crochet. Ceci complète le joint de la 1re boucle, du côté droit à l'arête.

5. Retirez le crochet de cette boucle; reprenez-la en passant le crochet derrière la branche. Tournez la fourche de droite à gauche (suivant la flèche).

6. Ce tour drape le fil autour de la branche, maintenant à droite, et forme une nouvelle boucle. Par ailleurs, le crochet se retrouve en avant de la fourche.

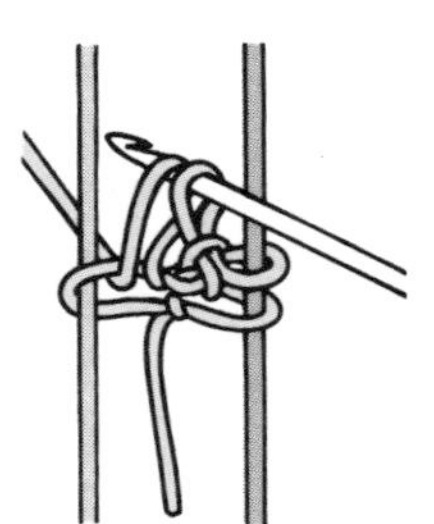

7. Cette nouvelle boucle est fixée au centre par une maille serrée. Pour ce faire, piquez le crochet sous le brin avant de la boucle gauche, faites un jeté et tirez une boucle, ce qui en fait deux sur le crochet.

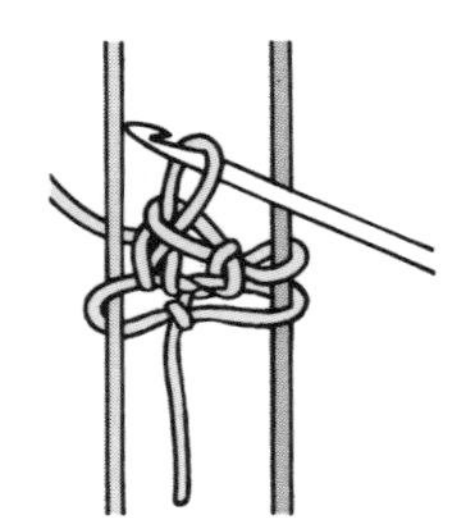

8. Faites un jeté et ramenez-le à travers les deux boucles. Continuez en répétant les mouvements 5, 6, 7 et 8. Chaque nouvelle boucle se fait par le demi-tour qu'on imprime à la fourche, chaque fois qu'une maille serrée termine un point au centre.

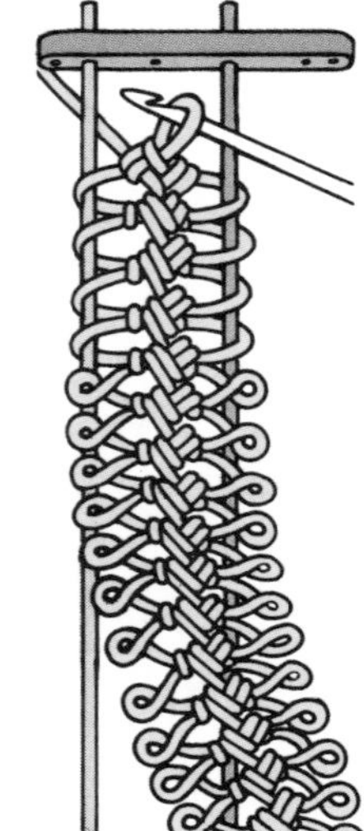

9. Quand le métier est rempli, enlevez la barrette du bas et retirez la 1re partie de l'ouvrage, en ne gardant sur les branches que les 4 dernières boucles. Replacez la barrette et continuez jusqu'à ce que vous obteniez la longueur souhaitée.

Assemblage des bandes

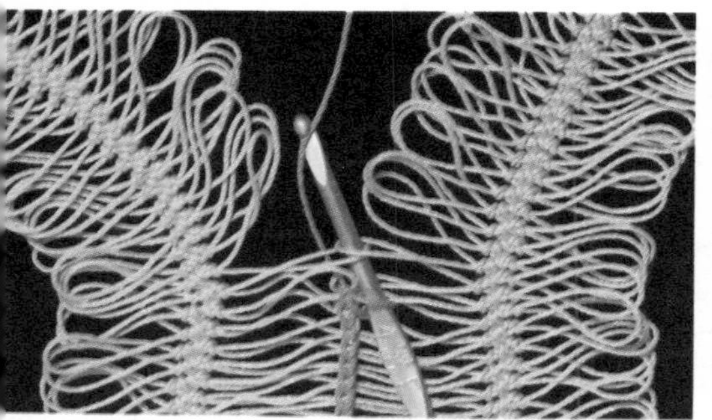

Maille coulée : avec un crochet et un fil tenu sous l'ouvrage, assemblez les bandes en piquant le crochet dans 2 boucles (l'une à gauche, l'autre à droite) que vous réunissez par une maille coulée avec le fil du-dessous.

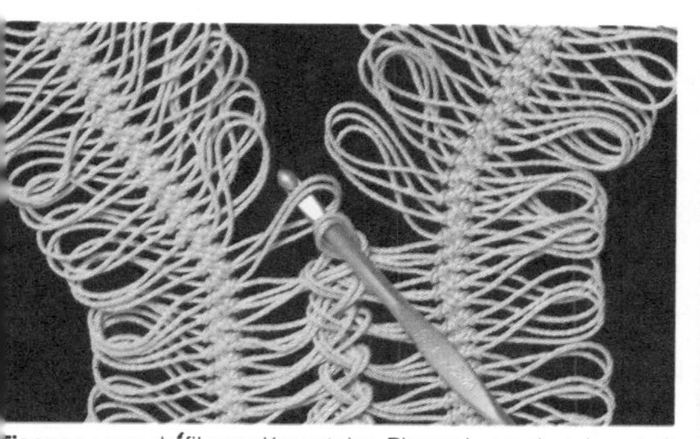

Tissage : pas de fil supplémentaire. Piquez le crochet dans 1, 2 ou 3 boucles d'un côté, puis dans le même nombre de boucles de l'autre côté, et ramenez le second groupe à travers le premier. Continuez ainsi sur toute la longueur des bandes.

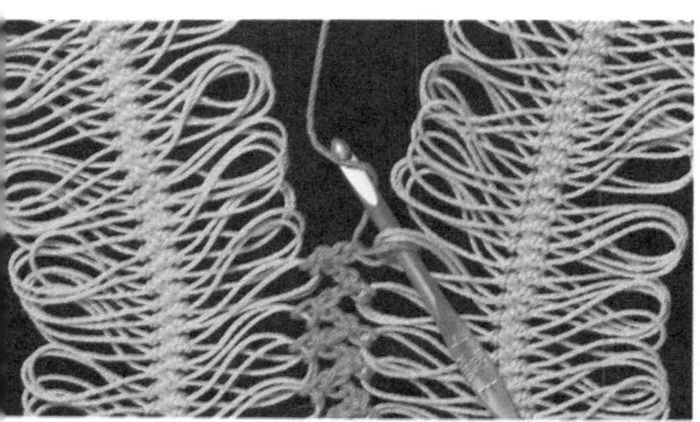

Point de chaînette : avec un crochet et un fil supplémentaire, relevez 2 boucles de l'une des bandes et faites 1 ms (p. 362) dans l'espace; faites 2 cht (p. 361) et relevez 2 boucles de l'autre bande; faites 1 ms dans l'espace, 2 cht. Répétez.

Finition des bords

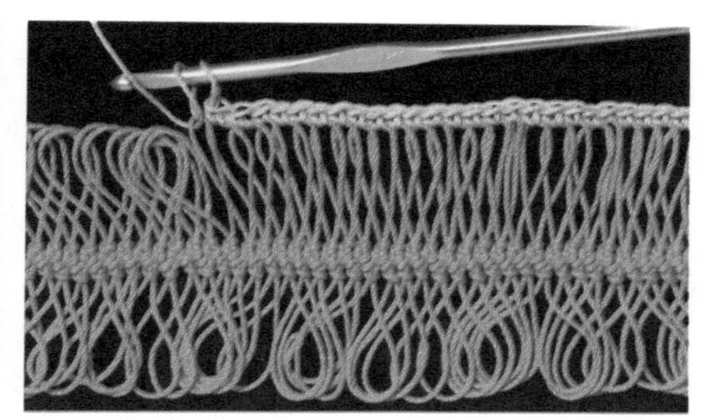

Une maille serrée le long du bord est la façon la plus simple de finir la lisière d'une bande. Il suffit de faire une boucle sur le crochet, avec un fil supplémentaire, et de former 1 ms avec toutes les boucles de la bande, une à la fois.

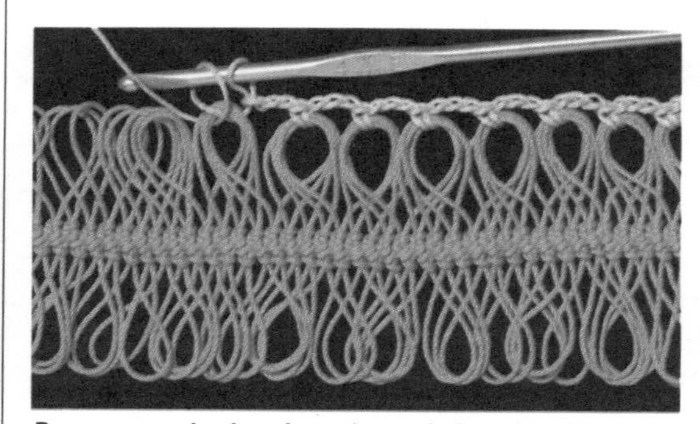

Pour grouper les boucles, relevez plusieurs boucles en prenant garde de ne pas les détordre. Faites 1 ms dans l'espace central de chaque groupe et faites une chaînette, à raison d'une maille de moins que le nombre de boucles relevées par groupe.

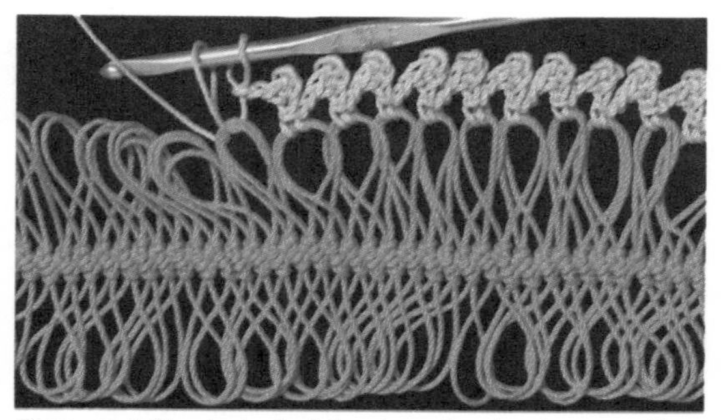

Pour une lisière à picots, faites 1 ms dans les deux premières boucles prises ensemble, puis 4 cht et 1 ms dans la 3ᵉ cht à partir du crochet, 2 cht, et enfin 1 ms dans les deux boucles suivantes prises ensemble. A répéter à partir des 4 cht.

Variantes

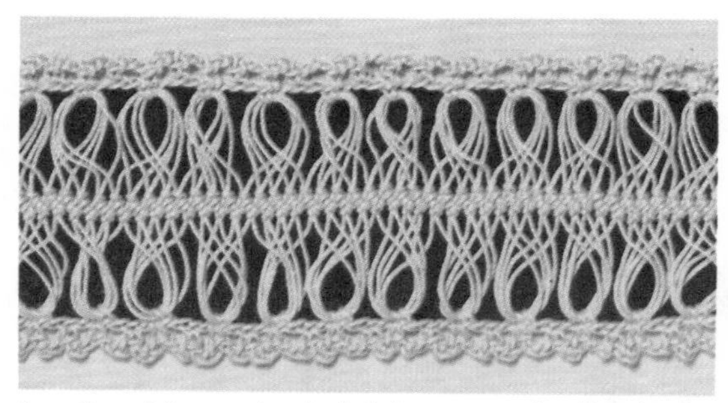

Insertion : faites une bande de la longueur voulue. Pour border chaque côté, faites 1 ms dans les 4 premières boucles, puis 3 cht. Répétez jusqu'à la fin de la bande. Au second rang, faites 1 ms dans ms du rang précédent, 3 cht, 1 ms dans m centrale du groupe de 3 cht, 3 cht. Répétez.

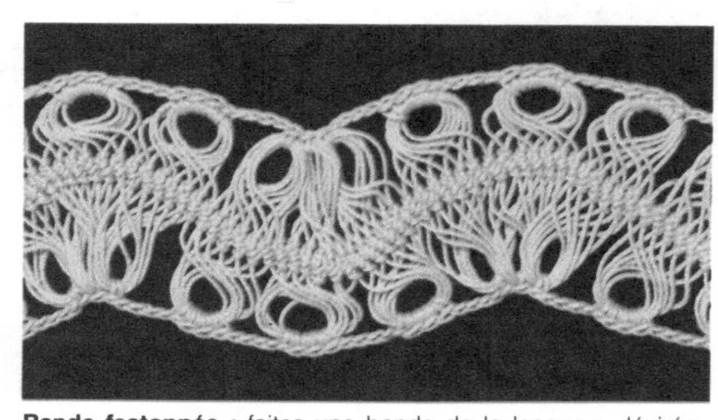

Bande festonnée : faites une bande de la longueur désirée. Pour finir un côté, (4 ms dans 6 boucles prises ensemble, 4 cht) 3 fois, puis (1 ms dans 6 boucles prises ensemble) 3 fois, 4 cht. De l'autre côté, commencez par le second groupe de points (ms sans cht) afin que les groupes soient inversés.

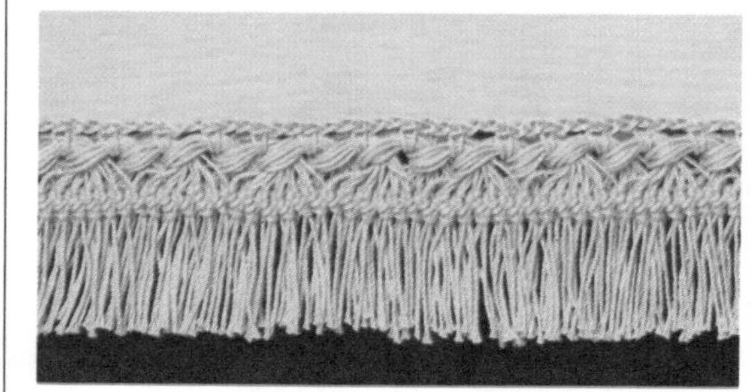

Frange : faites deux bandes de même longueur. Assemblez-les par tissage. Pliez la bande qui en résulte en deux afin que la partie tissée soit en haut. Pour finir cette lisière, crochetez 1 ms dans le 1ᵉʳ esp, 2 cht, 1 ms dans esp suivant, 2 cht. Répétez tout le long de la bande. Pour la frange, coupez les boucles.

Châle en dentelle à la fourche

Châle ovale fait d'une bande de dentelle.

Le châle est fait d'une longue bande de dentelle à la fourche, disposée en ovale et assemblée au point de chaînette. La frange est formée d'une seconde bande.

Fournitures

Chenille de rayonne
740 m (800 vg) de couleur claire
440 m (480 vg) de couleur foncée
Fourche à dentelle ajustable
Crochet nº 5,50 (5)
Epingles de sûreté comme repères

Confection de la bande

Les instructions pour la dentelle à la fourche sont données à la page 440. Les abréviations des points de crochet utilisés ici se trouvent à la page 366. Avec le fil pâle et l'écartement du métier fixé à 7,5 cm (3″), *faites une bande de 15 ms (8 bcles d'un côté, 7 de l'autre). Faites un bouton : bs dans le brin av de dernière bcle, 1 cht, (jeté, piquez le crochet sous la bs, tirez 1 bcle, jeté, ramenez à travers 2 bcles) 4 fois. Jeté, tirez à travers les 5 bcles du crochet, 1 cht.* Répétez jus 151 boutons; finissez la bande par 16 ms. Quand les boucles doivent être retirées de la fourche, mettez-en 8 à droite, sur une épingle de sûreté, et les 8 suivantes à gauche, en laissant toujours 8 boucles libres entre les épingles.

Pour border les boucles

Attachez le fil foncé à la 1re ms de la bande, 2 cht, *piquez le crochet à travers 8 bcles, et crochetez 4 ms à travers d'un seul coup. Ceci va automatiquement imprimer une torsion au groupe de boucles. 1 cht (1 ms, 1 cht ds bcle voisine en la tordant) 8 fois, 1 cht.* Répétez. Aux deux extrémités de la bande, faites 2 cht, 1 ms dans dernière ms, 2 cht.

Assemblage

Etendez la bande en spirale oblongue sur une grande surface. Assemblez de l'extérieur vers l'intérieur. Les joints droits sont indiqués en rouge sur le schéma, et les courbes en bleu. Tous les joints sont crochetés avec la couleur claire.

Joints droits : *1 cht, 1 ms ds 4e esp (centre) entre les bcles simples de la bande inférieure; 4 cht, st 2 bcles, 1 ms ds esp au-dessus; 4 cht, st 2 bcles, 1 ms ds esp au-dessous; 8 cht, st 2 dernières bcles, 1 ms ds esp entre dernière bcle et groupe de 4 ms au-dessus; 8 cht, st 2 dernières bcles, 1 ms ds esp entre dernière bcle et groupe de 4 ms au-dessous; 1 ms au centre du groupe de 4 ms dessous, 1 cht, 1 bouton, 1 cht; 1 ms dans esp entre groupe de 4 ms et 1re bcle simple du groupe suiv au-dessous; 8 cht, 1 ms ds esp entre 4 ms et 1re bcle simple du groupe suiv au-dessus; 8 cht, st 2 bcles, 1 ms ds esp suiv au-dessous; 4 cht, st 2 bcles, 1 ms ds esp suiv au-dessus; 4 cht, st 2 bcles, 1 ms ds esp suiv (centre) au-dessous; 1 cht, st 2 bcles, 1 ms ds esp suiv (centre) au-dessus.* Répétez.

Joints incurvés : *1 cht, 1 ms ds 4e esp (centre) entre bcles simples au-dessous; 4 cht, st 2 bcles, 1 ms ds esp suiv au-dessus; 8 cht, st 4 bcles, 1 ms ds esp entre dernière bcle et groupe de 4 ms au-dessous; 1 ms au centre du groupe de 4 ms au-dessous, 1 cht, 1 bouton, 1 cht; 1 ms ds esp entre groupe de 4 ms et 1re bcle simple du groupe suiv au-dessous; 8 cht, 1 ms ds même esp que ms précédente au-dessus; 4 cht, st 4 bcles, 1 ms ds esp central entre bcles au-dessous; 1 cht, 1 ms au centre du groupe de 4 ms au-dessus; 1 cht, 1 ms dans même esp dessous que ms d'avant; 4 cht, st 2 bcles, 1 ms dans esp suiv au-dessus; 8 cht, st 4 bcles, 1 ms entre dernière bcle et groupe de 4 ms au-dessous; 1 ms au centre du groupe de 4 ms au-dessous, 1 cht, 1 bouton, 1 cht; 1 ms ds esp entre groupe de 4 ms et 1re bcle simple du groupe suiv au-dessous; 8 cht, 1 ms ds même esp que ms d'avant au-dessus; 4 cht, st 4 bcles, 1 ms dans esp central entre bcles dessous; 1 cht, st 2 bcles, 1 ms ds esp central au-dessus.* Répétez, sauf pour trois exceptions : *pour effiler l'extrémité de la bande*, il faut attacher le fil au milieu des bcles simples du dessus et faire 1 ms au début des bcles simples du dessous. En faisant la ms suiv dessous, st 4 bcles au lieu de 2. *La toute fin du joint* se termine par 2 ms supplémentaires avec 1 cht entre elles et 1 bouton. *A la dernière courbe*, les 2 ms du centre avec 1 cht entre elles sont omises.

Frange

Avec le fil foncé et la fourche fixée à 12,5 cm (5″) d'écartement, faites une bande de 480 bcles de chaque côté ou 960 ms. Pour tisser la frange au châle, piquez le crochet ds esp entre les bcles et le groupe de 4 ms, tirez les 2 premières bcles de frange en les tordant entre elles. Gardez-les sur le crochet. Piquez le crochet ds esp voisin de la frange, tirez les 2 bcles suiv en les tordant et ramenez-les à travers les 2 1res bcles du crochet. Répétez. Tous les 4 espaces (centre) entre les bcles simples, tirez 4 bcles de frange au lieu de 2.

Dernière répétition incurvée
Fin
Début
Une répétition

Pour assembler la bande, disposez-la en ovale. Travaillez de l'extérieur vers l'intérieur. Les joints droits sont indiqués en rouge, les incurvés en bleu. Les répétitions de patron sont en lignes pointillées; le joint commence par 7 répétitions du patron droit, suivi du premier incurvé.

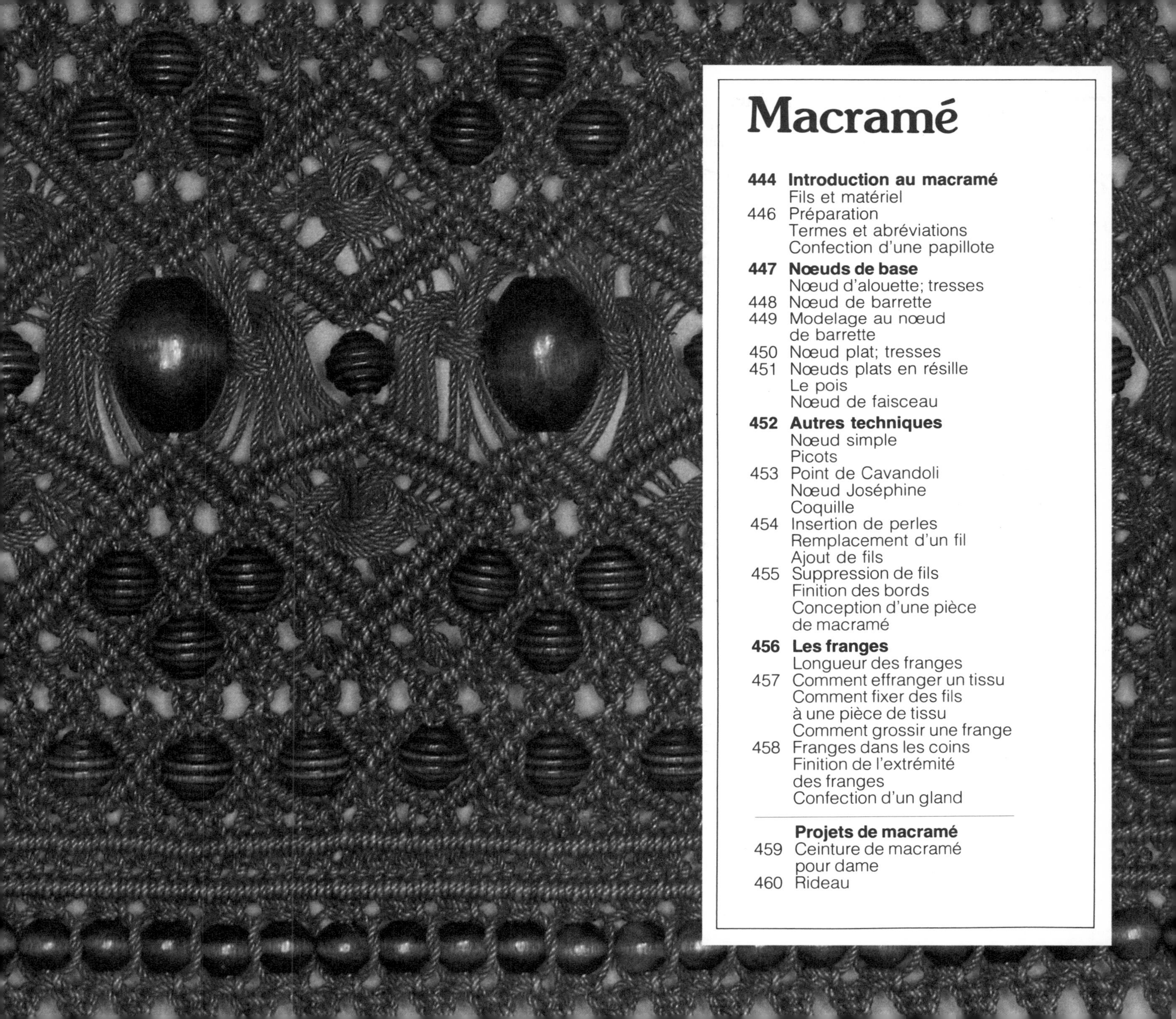

Macramé

Introduction au macramé

Historique

Le macramé est l'art du nœud ornemental. A l'origine, on y recourait pour arrêter les fils d'une pièce tissée et donner à la bordure l'apparence de la dentelle. Par la suite, devenu une technique en soi, le macramé a servi à garnir des vêtements aussi bien qu'à confectionner des articles d'usage courant, tels que nappes, couvre-lits et rideaux.

Le mot macramé vient de l'arabe *migramah* qui signifie linge, châle, ou la frange de l'un ou de l'autre. Il désigne aujourd'hui la technique elle-même, quel que soit l'objet fini. L'utilisation de franges de macramé en Arabie remonte au XIIIe siècle. De là, cet art s'est répandu très rapidement : les Maures l'ont apporté à l'Espagne qui à son tour l'a transmis à la France et à l'Italie. Les tableaux d'époque témoignent de l'emploi du macramé dans la décoration des vêtements.

On attribue aux marins britanniques et américains le mérite d'avoir perpétué cette technique qu'ils connaissaient sous le nom de dentelle McNamara ou nouage plat à cause de la prédominance des nœuds plats dans leurs ouvrages. Les marins confectionnaient des objets noués pour s'occuper durant les longs voyages en mer; ils troquaient aux escales les ceintures, hamacs et habillages de bouteilles qu'ils avaient fabriqués contre diverses denrées.

Cet échantillon de nœuds de macramé comprend les nœuds de base et certaines variantes. Les bandes intercalaires verticales sont à nœuds plats, les horizontales, à nœuds de barrette.

Fils (ou matières)

Le macramé ne requiert pas de matières coûteuses ou particulières. Un tour de la maison permettra de découvrir quantité de matières appropriées à cette technique. Les fils doivent être assez solides pour résister aux frottements occasionnés par les nœuds; mais ils ne doivent pas avoir trop d'élasticité. La ficelle domestique, la ficelle retorse de boucher ou les cordons de rideaux se prêtent bien au macramé; les fils à tricoter, trop élastiques, ne conviennent pas.

Les fibres naturelles sont les plus fréquemment utilisées : le *coton*, le *lin* et le *jute* surtout. On les trouve facilement en magasin dans une vaste gamme de poids et de coloris; ils se nouent aisément et ont la solidité voulue; ils peuvent se teindre. On peut employer certaines *laines* de texture régulière et peu élastiques; les laines à tisser se prêtent mieux au macramé que les laines à tricoter. Le cordonnet de *soie* donne un nœud somptueux mais il n'est pas toujours facile de se le procurer et il est très cher.

Les fibres synthétiques comprennent l'acrylique et le polyester, faciles à nouer et résistants. Ils existent dans des couleurs vives et peuvent aussi se teindre. Le nylon et la rayonne sont des fibres soyeuses et brillantes qui ont tendance à glisser durant le travail; on ne les recommande donc qu'aux artisans expérimentés. Les synthétiques sont souvent mélangés aux fibres naturelles.

Illustration de la page précédente : sac de macramé, conçu et réalisé par Marion Leyds, 1978.

On peut aussi classer les fils de macramé selon leur **structure.** Les fils sont, pour la plupart, formés de la réunion de plusieurs longueurs de fibres fortement tordues. Chaque longueur s'appelle un brin. Un fil trois brins comprend trois longueurs retordues. Le nombre de brins ne correspond pas à la grosseur du fil. Ainsi, un fil cinq brins, composé de fibres minces, peut être plus fin qu'un fil trois brins fait de fibres plus grosses. C'est le diamètre d'un fil qui en indique la grosseur. Certains fils sont constitués de fibres tressées plutôt que retordues; c'est le cas du cordon de stores.

Les fils à **texture régulière** sont les plus appropriés au macramé. Qu'ils soient gros ou fins, lisses ou rugueux, leur épaisseur doit être constante. Cependant, même si les fils élastiques ou irréguliers ne conviennent pas à des projets complets, ils peuvent être inclus dans une pièce en petite quantité.

Vous trouverez les fils dans les boutiques de tricot et d'artisanat, et dans divers magasins de gros et de détail, bazars, quincailleries, fabricants de cordages, magasins d'équipement nautique, surplus de l'armée, magasins spécialisés dans la décoration d'intérieur, etc. Les fils se vendent soit au mètre, en balles ou en écheveaux, soit au poids, le fil étant déroulé d'une grosse balle ou d'un fuseau et ensuite pesé. Si vous achetez au poids, ne croyez pas qu'un gros fil vous revienne au bout du compte moins cher qu'un fil plus mince; les fils épais s'épuisent plus vite et sont évidemment plus lourds pour une longueur équivalente.

Avant d'acheter la quantité de fil nécessaire à l'exécution d'un projet, faites un échantillon pour évaluer la tenue du fil et l'aspect qu'il prend selon les nœuds choisis. Si l'article doit être éventuellement lavé ou utilisé à l'extérieur, lavez une longueur de fil pour vérifier la solidité de la couleur et le rétrécissement. Si vous confectionnez un vêtement, l'échantillon est très important : il vous permettra d'établir le nombre et la longueur de fils requis pour la taille voulue.

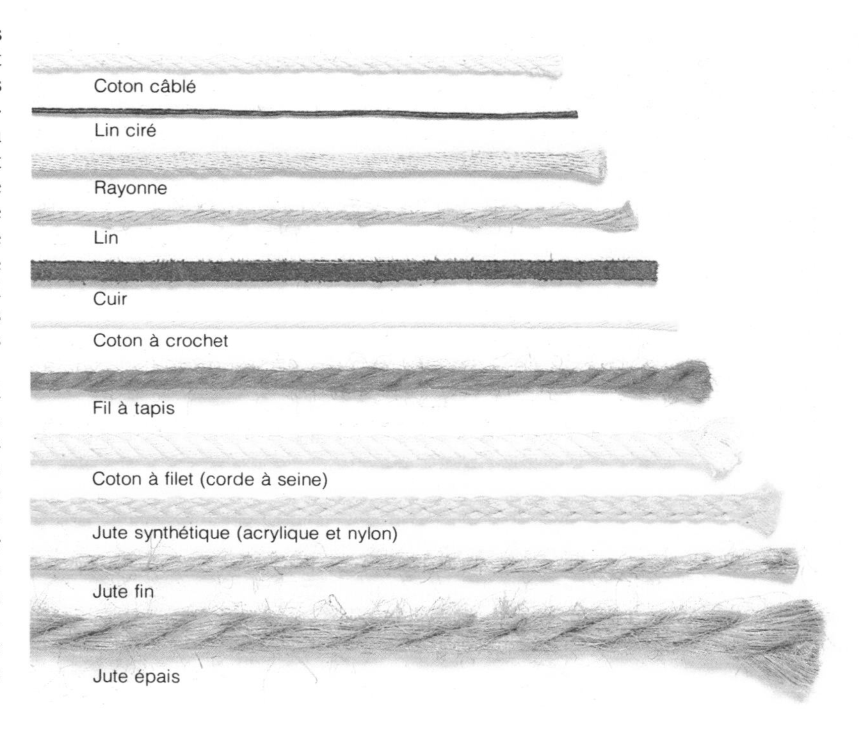

Matériel

Le macramé est une technique qui, à part les fils, ne requiert que peu d'outils. Certains accessoires que l'on trouve dans toutes les maisons peuvent toutefois faciliter la tâche et permettre de réaliser un ouvrage plus régulier.

Ceux qui font du macramé, surtout les débutants, travaillent habituellement sur une surface plane qui porte le nom de *planche à macramé*. Celle-ci doit être assez épaisse pour fournir un bon support mais assez poreuse pour qu'on puisse y piquer des épingles. Mentionnons parmi les matériaux convenables : les panneaux d'isolant ou de fibre de bois, le liège et le caoutchouc-mousse épais. Recouvrez la planche de papier que vous avez quadrillé avec des carrés de 2,5 centimètres (1″) de côté. Un *serre-joints* fixé à une table permet de bien tenir les longueurs de fils, dans le cas d'une ceinture par exemple.

Les fils à nouer sont montés sur un *support* de façon à être travaillés en extension. Ce support peut être une longueur de fil, un goujon, un anneau ou une boucle de ceinture.

Toutes sortes d'*épingles* peuvent servir à fixer les fils sur la planche : les épingles droites à tête colorée, les punaises, les épingles en T, en U et les semences de tapissier. Vous aurez aussi besoin d'une paire de ciseaux robustes, d'un mètre souple ou rigide pour mesurer, d'élastiques pour attacher les *papillotes* (page suivante) et de pinces pour dégager la surface des fils qui ne travaillent pas.

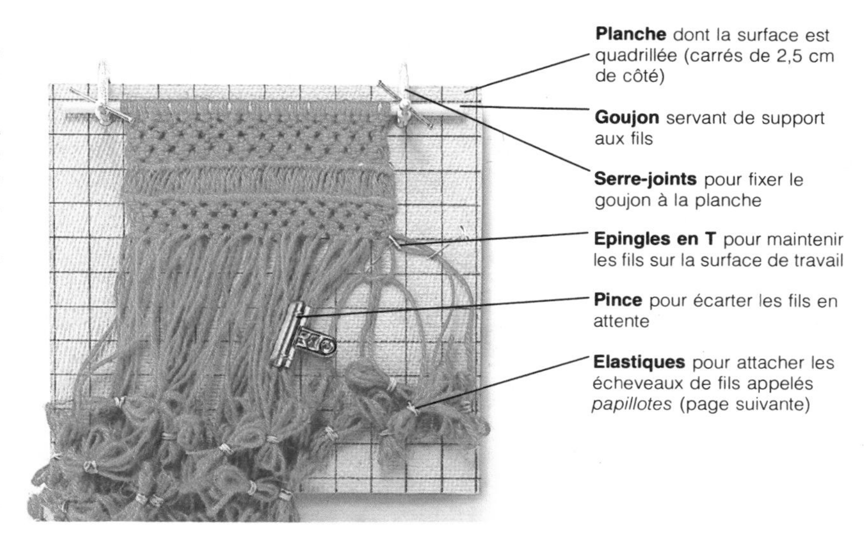

Introduction au macramé

Préparation

Longueur de fil nécessaire : il n'existe pas de formule précise permettant de calculer la longueur des fils nécessaires à un projet donné; mais on peut, sans risque, prendre des fils qui ont sept à huit fois la longueur estimée de la pièce. Cela veut dire qu'une fois les brins pliés et montés, chaque fil de travail sera trois fois et demie plus long que l'article terminé. Si vous êtes débutant, faites une estimation plus généreuse parce que la longueur de fils requise dépend de nombreux facteurs. Un modèle à prédominance de verticales, comme une ceinture ou une jardinière, requiert moins de fil qu'un projet comportant des sections horizontales. Un modèle composé de nombreux nœuds demande plus de matière qu'un autre qui présente des fils flottants. Les nœuds serrés nécessitent plus de fil que les nœuds lâches. Les gros fils s'épuisent plus vite que les fils minces. Si vous deviez manquer de fil au cours du travail, il y a plusieurs façons d'en rajouter (p. 454).

Nombre de fils : pour déterminer le nombre de fils dont vous aurez besoin, vous devez d'abord décider de la largeur de la pièce. Une ceinture peut avoir 5 centimètres (2″) de large alors qu'une murale peut en avoir 40 (16″). Placez des longueurs du fil choisi côte à côte jusqu'à ce que vous arriviez à une largeur de 1 centimètre (ou 1″). Multipliez le nombre de fils au centimètre (ou au pouce) par la largeur de votre ouvrage et vous obtiendrez le nombre total de fils nécessaires. Par exemple, si vous réalisez une murale de 30 centimètres (12″) de largeur et qu'il y a deux fils au centimètre (5 pour 1″), il vous faudra 60 longueurs de fils; comme chacune est pliée en deux au moment du montage, vous aurez en fait besoin de 30 longueurs de fils.

Comment mesurer et couper les fils : la méthode la plus simple consiste à mesurer une longueur avec une règle ou un mètre de bois, à la couper et à s'en servir comme gabarit pour mesurer tous les fils suivants. Si vous avez une grande quantité de fils à couper, vous pouvez fixer deux serre-joints au bord d'une table à une distance égale à la moitié de la longueur de fil nécessaire. Attachez le bout du fil à l'un des serre-joints, passez-le autour de l'autre et ramenez-le sur le premier; vous obtenez ainsi la longueur d'un fil. Continuez à enrouler la matière jusqu'à ce que vous ayez atteint le nombre voulu de fils; coupez alors les fils près du premier serre-joints. Vos fils, déjà en double, sont prêts pour le montage. Vous pouvez également mesurer les fils en vous servant du dossier de deux chaises placées à bonne distance l'une de l'autre, ou encore de deux poignées de porte d'armoires de cuisine. Si vous avez un ourdissoir de tisserand, qui consiste en une planche munie de chevilles espacées à intervalles réguliers, utilisez-le.

Comment maintenir les fils : les nœuds de macramé s'exécutent sur des fils tendus. La façon de tendre les fils varie selon la nature du projet, les matières et l'espace disponible. Si vous n'avez jamais fait de macramé auparavant, il est préférable de travailler sur une planche (décrite à la page précédente) sur laquelle vous épinglerez vos fils. Quand vous aurez maîtrisé la technique, vous pourrez vous dispenser de cette planche. Il existe plusieurs autres façons de fixer les fils. S'ils sont enroulés sur un goujon, vous pouvez glisser celui-ci entre les poignées de deux armoires de cuisine; vous pouvez aussi vous servir du dossier d'une chaise à barreaux. Si la chaise n'est pas assez robuste pour assurer la tension requise, donnez-lui du poids au moyen d'une pile de livres. Les articles longs et étroits comme les ceintures et les jardinières seront bien tendus si on en fixe une extrémité à la poignée d'une porte ou à celle d'un tiroir de commode.

Termes et abréviations

Le vocabulaire du macramé permet d'identifier les fils selon leur fonction dans la réalisation d'un projet. Le *fil de montage* est le support sur lequel sont noués les autres fils. Ce support peut être remplacé par un goujon, un anneau ou une boucle de ceinture. Les *fils de travail* sont ceux qui se trouvent noués dans un nœud donné. Les *fils neutres* sont ceux qui ne se nouent pas (ne bougent pas) comme ceux qui sont au centre d'un nœud plat (p. 450). Un *fil porteur* ou *porte-nœuds* est un fil sur lequel d'autres nœuds sont faits comme dans le nœud de barrette (p. 448). Les *fils libres* sont tous les fils qui ne sont pas noués dans un motif quelconque; les sections qui ne sont pas nouées contrastent joliment avec celles qui le sont. Une *tresse* est une chaîne formée d'une série de nœuds identiques.
On recourt à des abréviations dans les instructions de macramé de façon à ne pas devoir répéter les noms de chaque nœud. Lorsqu'il y a des abréviations, elles sont accompagnées d'un code (ou légende) qui s'avère très utile étant donné que certains nœuds ont plus d'une appellation. Voici les abréviations des nœuds expliqués dans ce livre :

dn	demi-nœud	**nbv**	nœud de barrette vertical
na	nœud d'alouette	**nf**	nœud de faisceau
nai	nœud d'alouette inversé	**nj**	nœud Joséphine
nb	nœud de barrette	**np**	nœud plat
nbh	nœud de barrette horizontal	**npr**	nœuds plats en résille
nbo	nœud de barrette oblique	**ns**	nœud simple

Confection d'une papillote

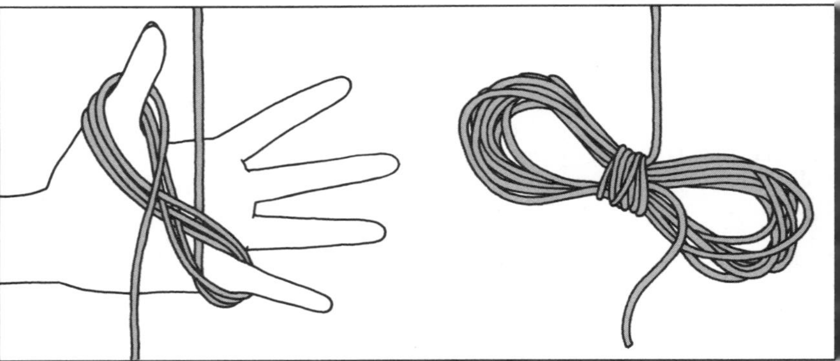

Il peut être encombrant d'avoir à manipuler de longs fils. Pour éviter cet ennui, on fait une papillote avec les fils. Laissez pendre du nœud de montage 30 à 50 cm (1 à 2 pi) de fil. Enroulez le reste du fil en huit autour du pouce et du petit doigt (en haut à gauche). Dégagez votre main du huit et enroulez un élastique autour du centre (en haut à droite). Laissez libre l'extrémité inférieure du fil, sinon, vous n'aurez pas dégagé le petit bou qui doit dépasser de l'écheveau. Si vous travaillez avec deux fils à la fois, n'en faites qu'une seule papillote. Autrement, enroulez-les séparément de façon à les relâcher selon l'utilisation que vous ferez de chacun. On peut aussi enrouler les fils autour d'une bobinette ou d'un petit morceau de carton.

Nœuds de base du macramé

- Nœud d'alouette
- Tresse de nœuds d'alouette
- Nœud de barrette
- Modelage au nœud de barrette
- Nœud plat
- Tresses de nœuds plats
- Nœuds plats en résille
- Le pois
- Nœud de faisceau

Nœud d'alouette

Le nœud d'alouette est un nœud de montage. Les nœuds devant être faits sur des fils tendus, ceux-ci sont montés sur un support : longueur de fil, goujon ou anneau. Le nœud d'alouette sert à monter les fils de travail sur ce support. Une série de nœuds d'alouette au bord du goujon ou d'un autre support forme une arête bien nette. Si vous ne voulez pas obtenir cet effet, utilisez le *nœud d'alouette inversé*. Quand les fils sont montés, chaque moitié est considérée comme un fil séparé.

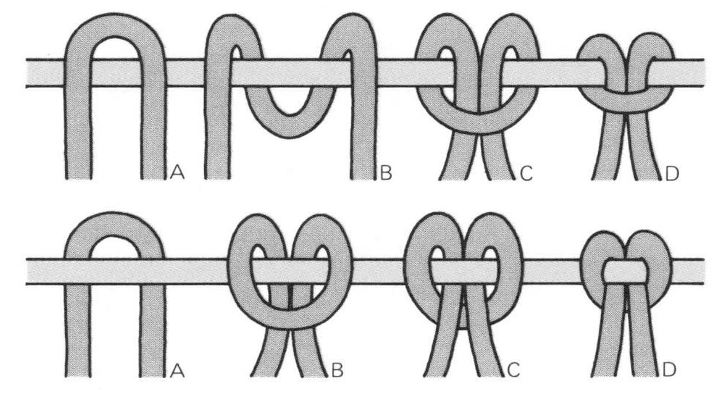

Pour faire un nœud d'alouette, pliez un fil en deux; placez la boucle *devant le goujon* (A). Ramenez-la derrière (B). Faites passer les deux bouts dans la boucle (C); tirez (D).

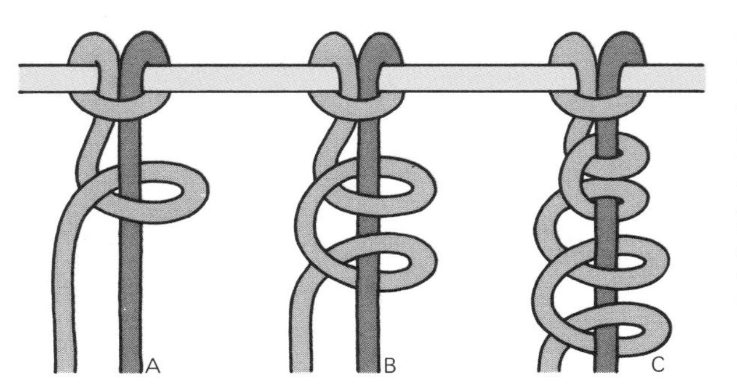

Pour le nœud d'alouette inversé, placez la boucle *derrière le goujon* (A); ramenez-la devant (B). Passez les bouts dans la boucle (C) et serrez le nœud (D).

Tresse de nœuds d'alouette

Une chaîne de nœuds d'alouette à la verticale s'appelle une *tresse de nœuds d'alouette*. Le fil neutre (autour duquel sont faits les nœuds) peut se composer de plus d'un brin. Une tresse peut s'obtenir en nouant le fil de gauche autour de celui de droite (comme sur ce croquis) ou inversement. On peut obtenir de jolies tresses composées de trois fils ou davantage en faisant alterner un nœud avec le fil droit, l'autre avec le fil gauche, autour du fil central.

Pour faire un nœud d'alouette vertical, faites passer le fil de travail *par-dessus*, puis *derrière* le fil neutre; ressortez-le dans l'espace entre les deux fils (A). Amenez ensuite le fil de travail *par-dessous* et *devant* le fil neutre, puis dans l'espace entre les deux fils (B). Serrez le nœud et recommencez (C).

Variantes

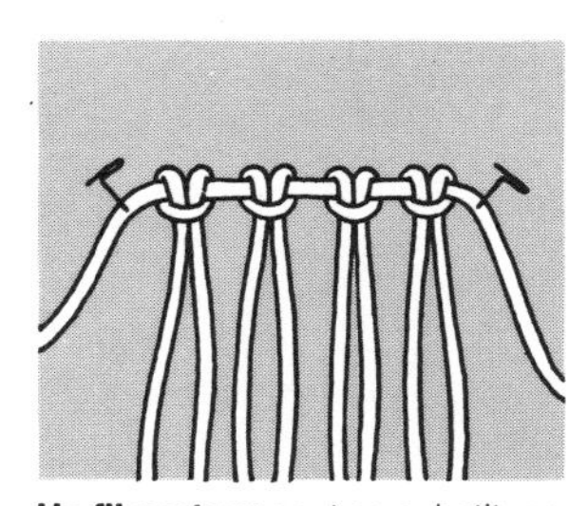

Un fil porteur peut se substituer à un goujon. Montez les fils de travail avec des nœuds d'alouette; le fil porteur forme deux fils de travail supplémentaires de chaque côté.

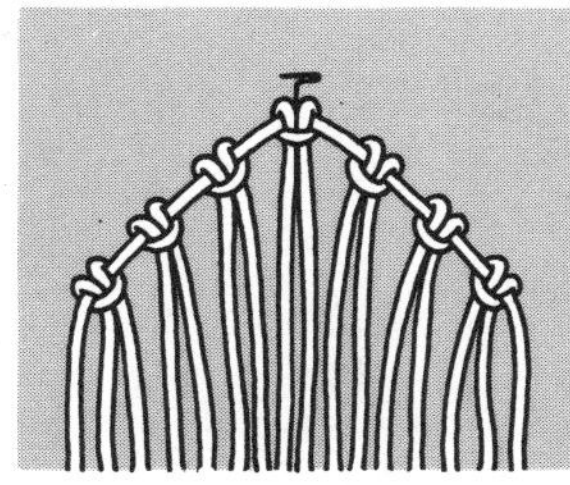

Pour commencer une ceinture, montez un nombre impair de fils sur un fil porteur. Epinglez le nœud central au-dessus des autres. Le fil porteur se transforme en fil de travail des deux côtés.

Pour travailler sur un anneau, montez chaque fil avec des nœuds d'alouette. Pour couvrir complètement l'anneau, faites des nœuds d'alouette autour de l'anneau avec un seul long fil.

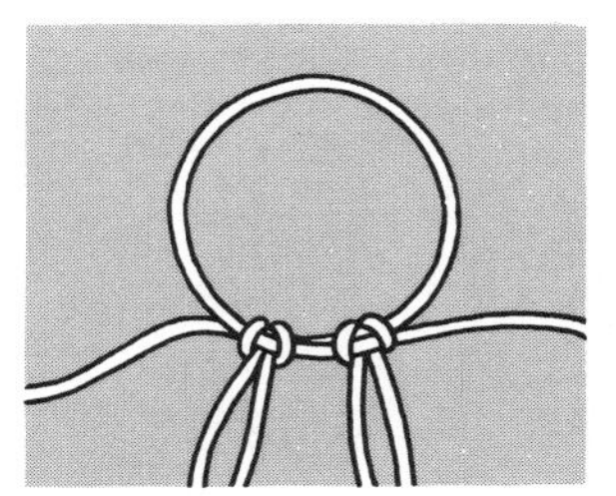

Pour une boucle, formez un cercle avec le fil de montage. Faites les premiers nœuds à la jonction des extrémités. Ajoutez les autres fils. Le fil de montage peut servir de fil de travail.

Nœuds de base du macramé

Nœud de barrette (ou de baguette)

Le nœud de barrette, ou nœud de baguette, et le nœud plat (p. 450) sont les deux nœuds de base du macramé. Le nœud de barrette est fait de deux nœuds de feston consécutifs. Le nœud de feston est rarement utilisé seul bien qu'il puisse s'ajouter au nœud de barrette pour former des triples demi-clés.

Le nœud de barrette requiert l'utilisation de deux fils : le fil de travail et le fil porteur (qui doit être bien tendu pendant l'exécution). Le nœud de barrette se travaille toujours en séries, une série servant à former une ligne droite; la position du fil porteur, à l'horizontale ou en diagonale, détermine l'orientation des lignes. Des rangées de nœuds de barrette peuvent créer un grand nombre de motifs, notamment des losanges ou des croix (voir l'échantillon, p. 444).

Le nœud de barrette vertical est une variante que l'on peut exécuter en rangées horizontales ou à la verticale, de façon à former une chaîne ou une tresse.

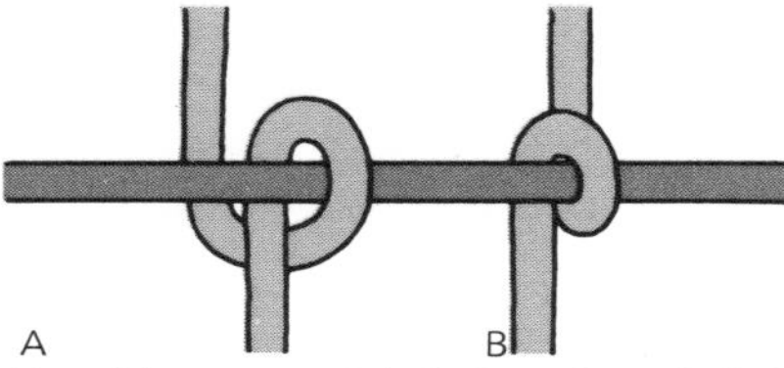

Pour faire un nœud de feston, placez le fil de travail derrière le fil porteur. Ramenez-le dessous, puis remontez-le par-dessus. Glissez l'extrémité dans la boucle (A); serrez (B).

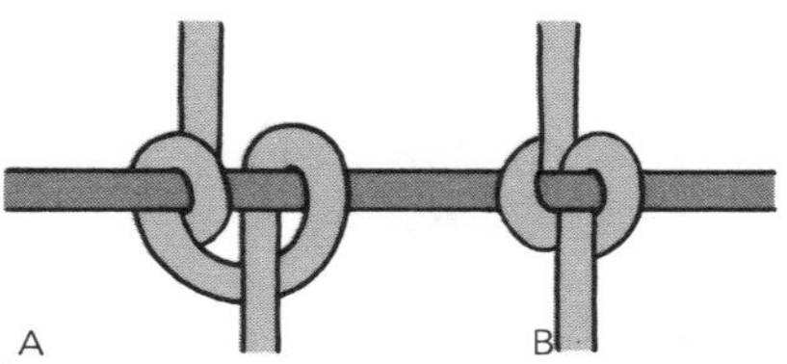

Pour faire un nœud de barrette, suivez les étapes décrites ci-dessus pour le point de feston. Ramenez ensuite le fil de travail vers le haut, passez-le par-dessus le fil porteur et ressortez-le dans la boucle (A); serrez (B).

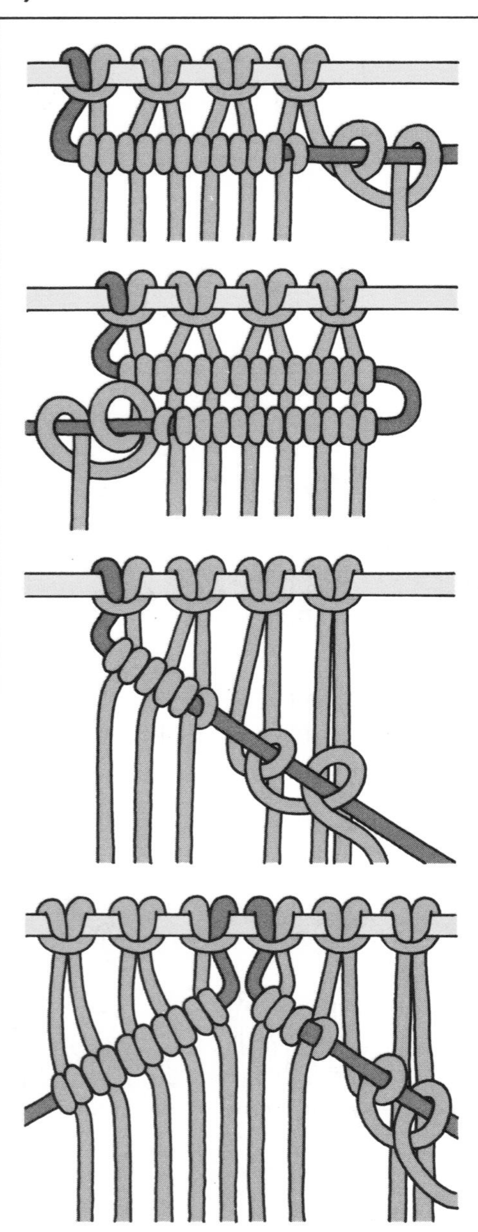

Nœuds de barrette horizontaux : placez le fil de gauche à l'horizontale pardessus les autres fils du rang. Faites un nœud de barrette avec le deuxième fil de gauche, puis faites-en un avec chacun des fils du rang.

Lorsque le dernier fil est noué, tournez le fil porteur en sens inverse et faites un nœud de barrette à chaque fil, en travaillant de droite à gauche.

Pour former une ligne oblique de nœuds de barrette, du coin supérieur gauche au coin inférieur droit (croquis), placez le fil gauche en diagonale sur les fils de travail. Faites un nœud de barrette avec chaque fil. Pour faire une ligne oblique dans le sens contraire, placez le fil droit en diagonale sur les fils de travail et travaillez de droite à gauche.

Les diagonales ne doivent pas nécessairement commencer sur les bords; n'importe quel fil peut agir comme fil porteur. Sur le croquis de gauche, les diagonales sont réalisées à partir des deux fils centraux orientés vers les côtés.

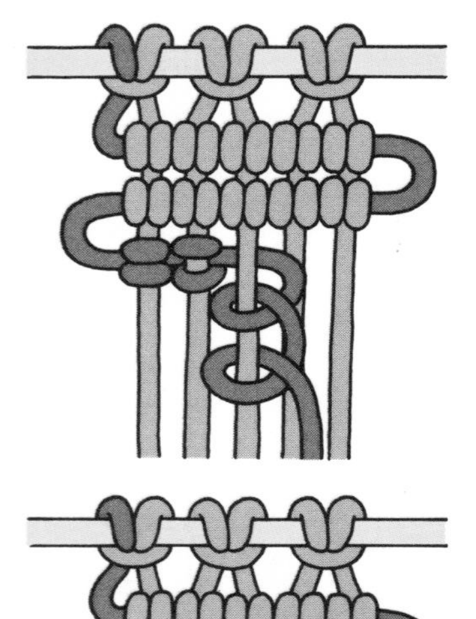

Le nœud de barrette vertical est une variante de l'autre : il diffère dans son exécution par le fait qu'on travaille avec le fil porteur, alors que chacun des fils de travail sert de fil porteur. Pour travailler de gauche à droite un nœud de barrette vertical, utilisez le fil porteur pour faire un nœud de barrette vertical autour du premier fil de travail. Faites ensuite un nœud sur chacun des fils de travail du rang.

Pour former un rang de droite à gauche, faites un nœud de barrette avec le fil porteur autour du premier fil de travail de droite. Continuez en nouant chaque fil du rang de droite à gauche.

Une tresse de nœuds de barrette forme une chaîne qui s'enroule sur elle-même (A).

Avec quatre fils (B), on réalise une *variante* en faisant alterner les nœuds de barrette à droite et à gauche de deux fils centraux. Ces nœuds donnent une tresse plate.

Modelage au nœud de barrette

Pour obtenir des formes de zigzag, le nœud de barrette est noué en sections composées de rangées horizontales et verticales. Ce procédé permet de déroger au principe des bords droits parallèles, caractéristiques du macramé. Les angles peuvent faire saillie d'un côté ou l'autre de la pièce. Pour qu'un angle s'avance vers la droite, prenez le fil gauche comme fil porteur et exécutez des nœuds de barrette de gauche à droite. Employez ensuite chaque fil à tour de rôle comme fil porteur. Pour qu'un angle s'avance vers la gauche, prenez le fil droit comme fil porteur.

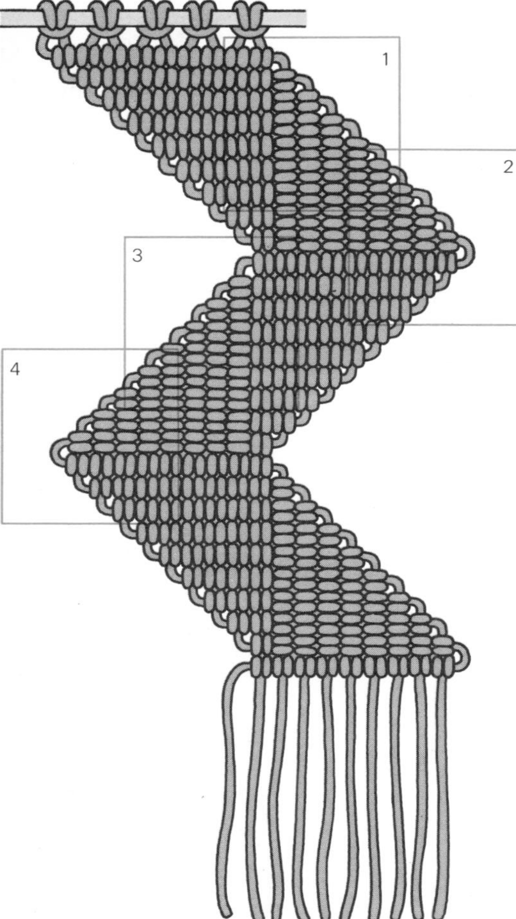

Les angles très prononcés sont formés par l'alternance de nœuds de barrette horizontaux et verticaux. Pour commencer, le bord gauche est orienté vers la droite avec une série de nœuds de barrette horizontaux. Chaque fil, en commençant par le premier de gauche, sert de fil porteur pour un rang de nœuds. On laisse les fils pendre du côté droit. Le croquis montre en détail les changements de direction (des nœuds horizontaux aux nœuds verticaux et vice-versa).

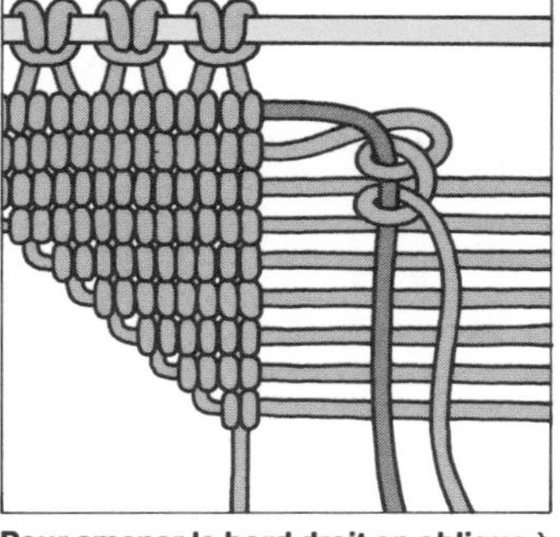

Pour amener le bord droit en oblique à droite (1), prenez le fil du haut et placez-le à la verticale par-dessus les autres fils : il devient fil porteur. Faites alors un nœud vertical avec chacun des autres fils. Prenez ensuite le deuxième fil (qui se trouve maintenant le premier en haut) comme fil porteur et faites un nœud avec chacun des fils suivants. Utilisez ainsi successivement chaque fil.

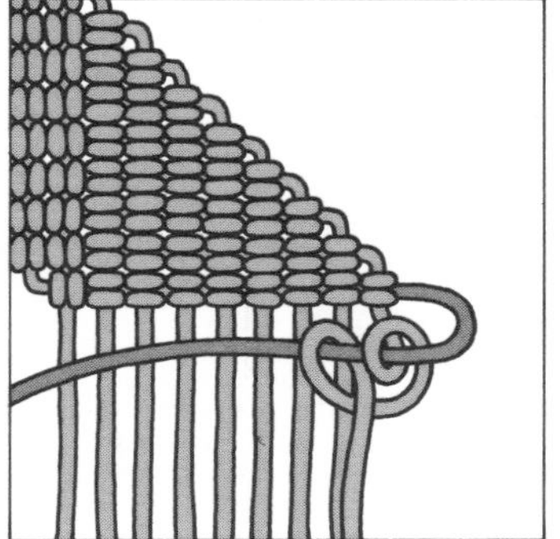

Pour ramener le bord droit en oblique à gauche (2), faites une section de nœuds de barrette horizontaux, en exécutant chaque rang de droite à gauche. Placez le premier fil de droite à l'horizontale sur les autres et faites un nœud avec chaque fil en travaillant de droite à gauche. Utilisez ainsi chaque fil en formant des nœuds de barrette horizontaux avec les autres.

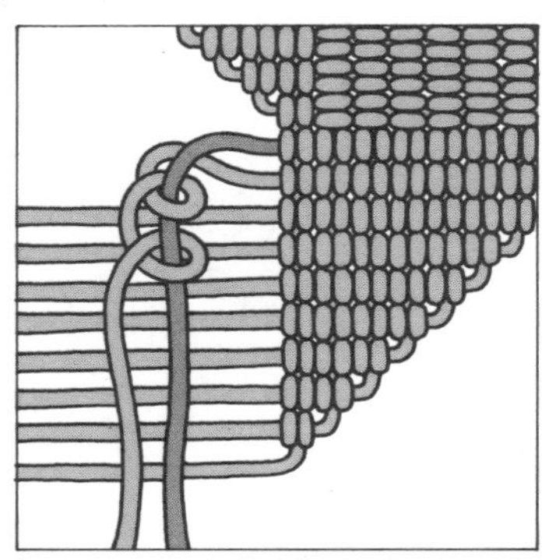

Pour amener le bord gauche en oblique à gauche (3), faites une section de nœuds de barrette verticaux. Placez le fil du haut à la verticale par-dessus les autres et faites un nœud de barrette vertical avec chacun des autres fils. Utilisez ainsi chaque fil en formant des nœuds verticaux avec les autres.

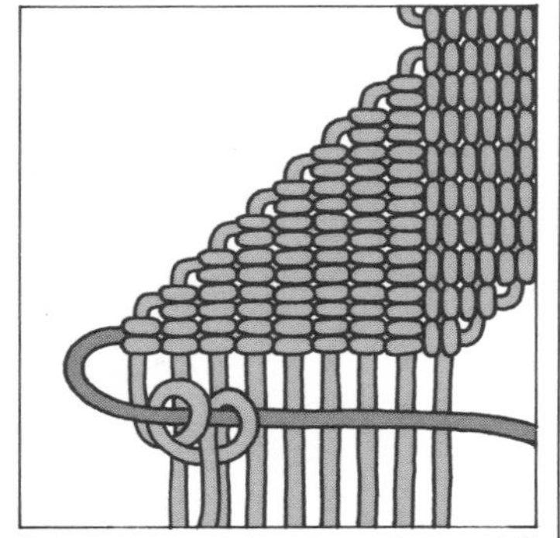

Pour ramener le bord gauche en oblique à droite (4), faites une section de nœuds de barrette horizontaux. Placez le premier fil de gauche à l'horizontale sur les autres fils et faites un nœud avec chacun d'entre eux. Utilisez ensuite chaque fil comme fil porteur. On peut répéter le motif à partir d'ici.

Les zigzags étroits, qui peuvent être insérés au centre d'une pièce, s'exécutent avec quatre fils, selon les mêmes principes qu'à gauche. Deux formes séparées peuvent chevaucher.

Pour faire un zigzag étroit, prenez quatre fils. Commencez avec le fil de gauche comme fil porteur et suivez les étapes de la confection décrites à gauche. Vous pouvez avoir autant de zigzags que vous le désirez.

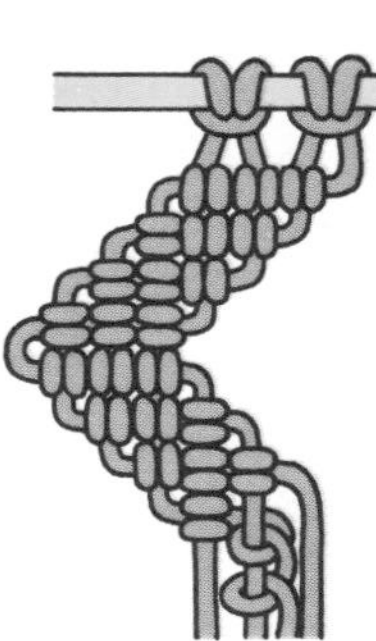

Pour faire la forme en sens inverse, utilisez le fil de droite comme fil porteur; faites les nœuds de barrette de droite à gauche. L'angle est formé de la même manière, bien qu'en sens opposé.

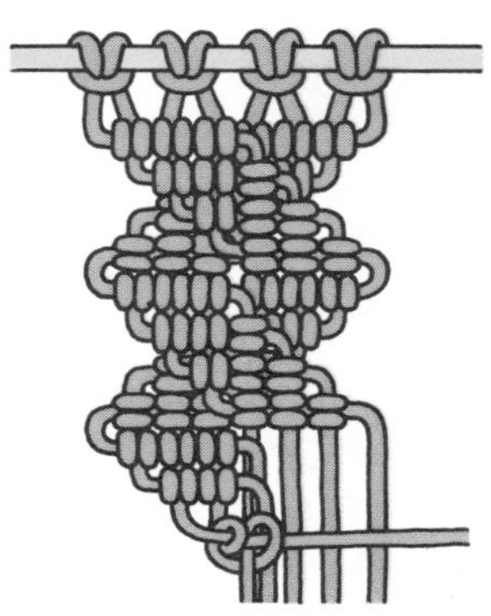

Entrelacez les formes en zigzag en les faisant passer tantôt par-dessus, tantôt par-dessous.

Nœuds de base du macramé

Nœud plat

Le nœud plat (ou nœud carré) est l'un des deux nœuds élémentaires du macramé, l'autre étant le nœud de barrette (p. 448). Il se fait avec quatre fils : au centre, les deux fils neutres et, de chaque côté, les deux fils de travail. Si l'on noue seulement la moitié d'un nœud plat (demi-nœud) dans une tresse ou une chaîne, celle-ci s'enroulera sur elle-même. Le nœud plat et le demi-nœud peuvent s'exécuter en passant le fil gauche sur les fils du centre et le fil droit dessous : c'est le nœud gauche. On peut aussi faire passer le fil gauche sous les fils du centre et le fil droit dessus : c'est le nœud droit. Les deux méthodes sont bonnes; vous choisirez celle qui vous est la plus naturelle. Nous illustrons ici le nœud gauche et nous l'utilisons pour toutes les variantes.

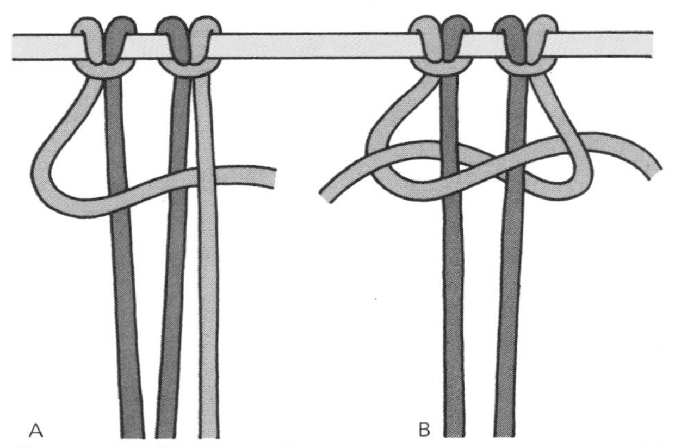

Montez quatre fils; placez le fil gauche sur ceux du centre et sous celui de droite (A). Faites ensuite passer le fil droit sous ceux du centre puis ressortez-le dans la boucle formée à gauche (B). Vous avez alors un **demi-nœud,** la première moitié du nœud plat. (Pour faire le nœud droit, passez le fil gauche sous les fils du centre et le fil droit dessus.)

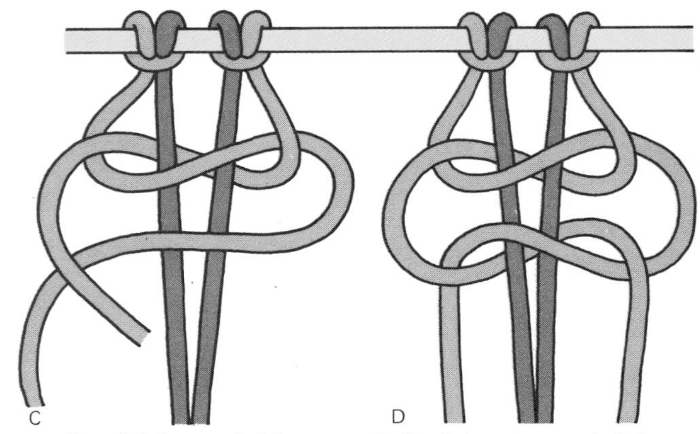

Pour finir le nœud plat, ramenez le fil qui est maintenant à droite sur les fils du centre et sous celui de gauche (C). Passez ensuite le fil gauche sous les deux fils centraux et ressortez-le dans la boucle formée par le fil de droite (D). (Pour faire le nœud droit, placez le fil droit sous les fils du centre et le fil gauche dessus.)

Tresses de nœuds plats

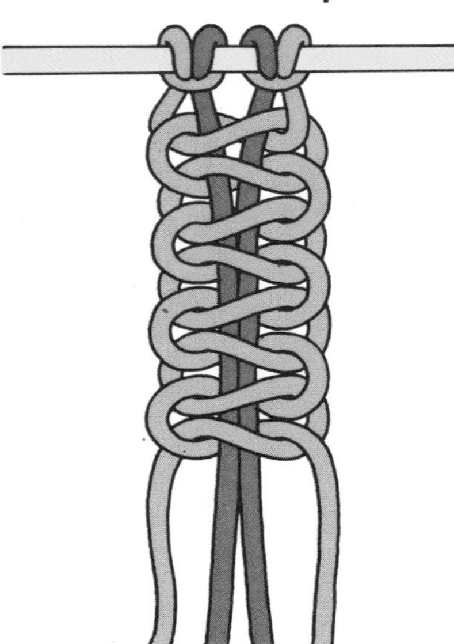

Une tresse (ou chaîne) **de nœuds plats** se réalise avec quatre fils avec lesquels on fait une série de nœuds plats consécutifs. La tresse peut servir de ceinture, de bracelet, de poignée ou de laisse; elle peut aussi s'intégrer à des motifs plus grands.

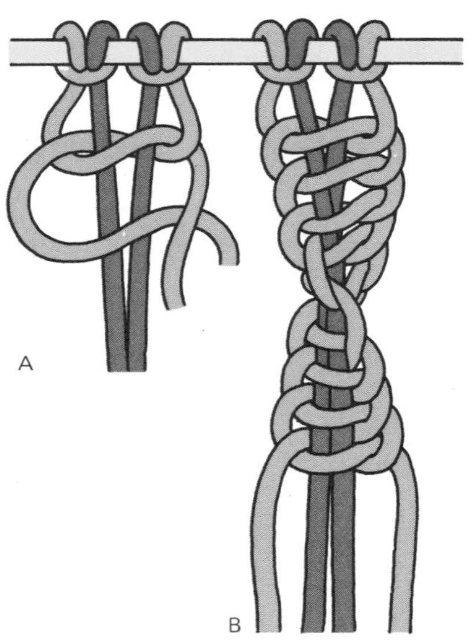

Une tresse de demi-nœuds est formée par la répétition d'un demi-nœud (A). Lorsque vous aurez fait quatre nœuds, la tresse commencera à tourner (B). Continuez à utiliser le fil qui se trouve à gauche. Si les nœuds sont faits avec le fil droit, la tresse s'enroulera en sens inverse.

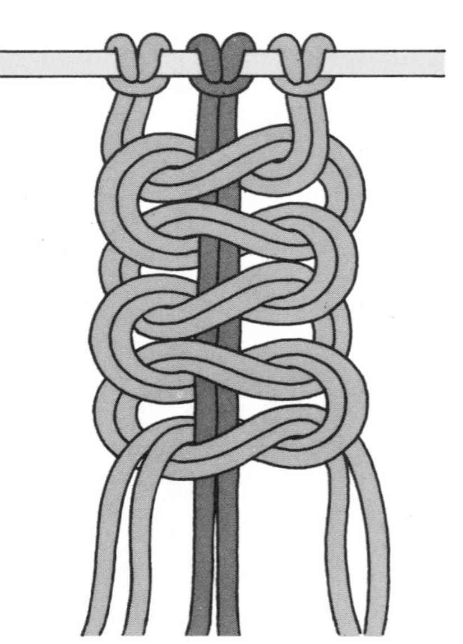

Une tresse à plusieurs brins est une série de nœuds plats faits de deux fils de travail ou plus de chaque côté et de deux fils neutres ou plus au centre. Faites des nœuds plats avec les paires de fils de travail autour des fils centraux, sans les tordre en travaillant.

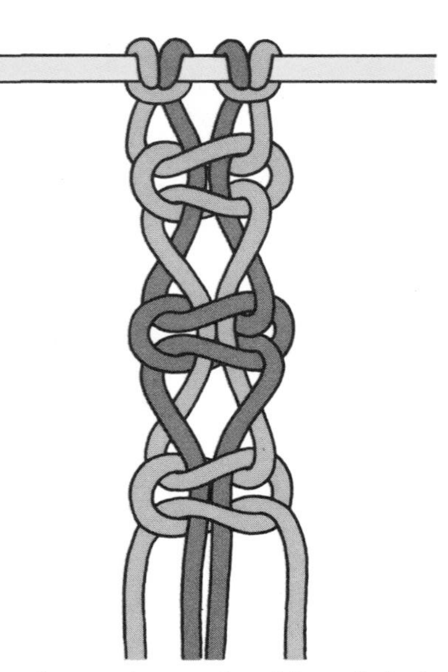

Une tresse de nœuds plats entrelacés s'obtient en interchangeant les fils neutres et les fils de travail. Commencez par un nœud plat. Ramenez les fils de travail au centre pour qu'ils deviennent fils neutres et faites un nœud avec les anciens fils neutres. Recommencez.

Nœuds plats en résille

Les nœuds plats en résille s'obtiennent en interchangeant les fils de travail et les fils neutres sur des rangs successifs de nœuds plats. Le premier rang est formé de nœuds plats confectionnés avec des groupes de quatre fils; les nœuds du deuxième rang se font avec les fils de deux nœuds contigus du premier rang. Le deuxième rang se trouve décalé par rapport au premier. Ce motif fait penser à la dentelle si les nœuds sont aérés; autrement, la texture est compacte.

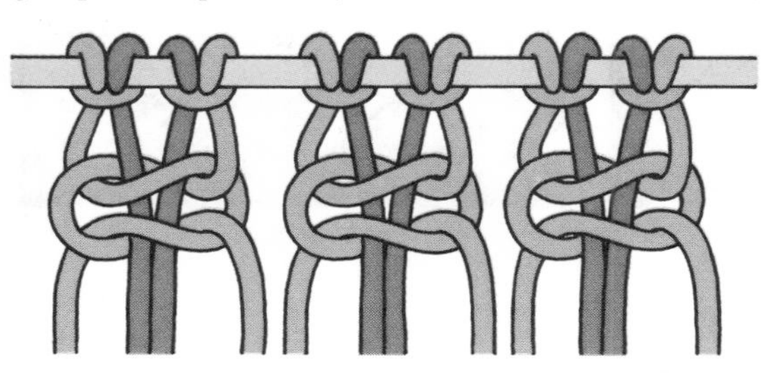

Pour le premier rang, faites un nœud plat de base avec chaque groupe de fils. Le nombre total de fils variera selon le motif.

Pour le deuxième rang, laissez les deux premiers fils de côté. Faites un nœud plat avec deux fils du premier nœud et deux du deuxième. Pour le nœud suivant, prenez deux fils du deuxième nœud et deux du troisième. Continuez ainsi jusqu'à la fin du rang. Ne nouez pas les deux derniers fils.

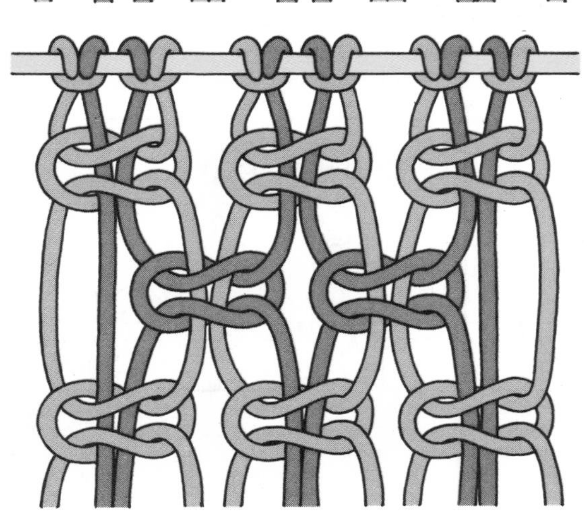

Le troisième rang est identique au premier; les nœuds se font avec les premiers groupes de quatre fils. Le motif est constitué par la répétition des deux rangs.

Le pois

Le pois est un nœud à trois dimensions formé en relevant une tresse de nœuds plats que l'on rabat sur elle-même. Ce nœud peut servir à donner du volume à une pièce de macramé ou à former un bouton sur un gilet ou une ceinture.

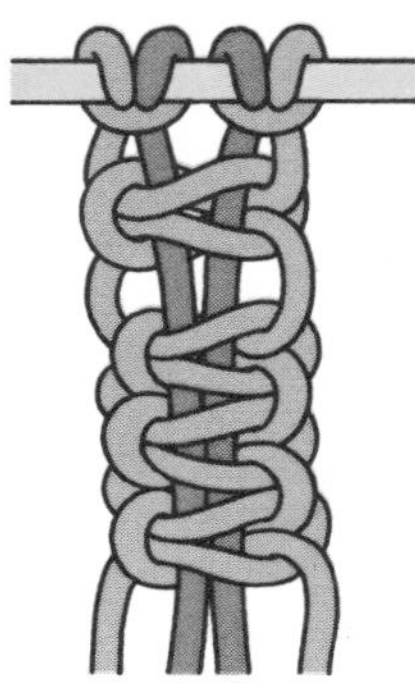

Pour faire un pois, ménagez un espace dans la tresse à l'endroit où vous voulez le placer. Faites ensuite trois nœuds plats rapprochés. Le pois se fait avec au moins trois nœuds plats; nouez-en davantage si vous voulez un pois plus gros.

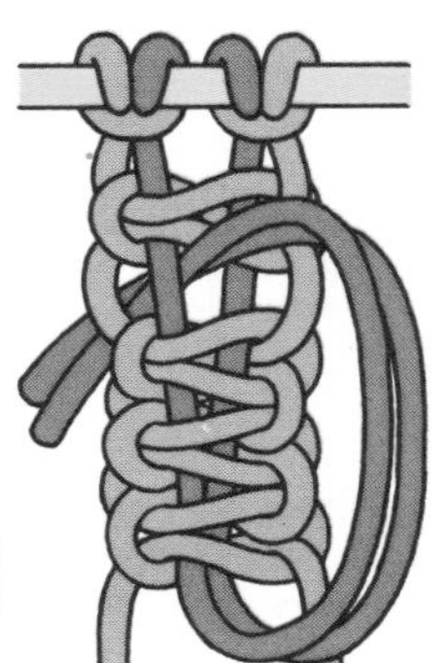

Remontez les fils neutres et passez-les dans l'espace laissé plus haut. Tirez les fils de façon que les nœuds se roulent en boule.

Faites un nœud plat juste au-dessous du pois pour bien fixer ce dernier. Vous pouvez ne faire qu'un pois ou en exécuter plusieurs successivement.

Nœud de faisceau

Le nœud de faisceau se fait avec plusieurs fils; on l'emploie lorsque le motif demande de rassembler un grand nombre de fils. Ce nœud se réalise de la même façon que le nœud plat expliqué à la page ci-contre.

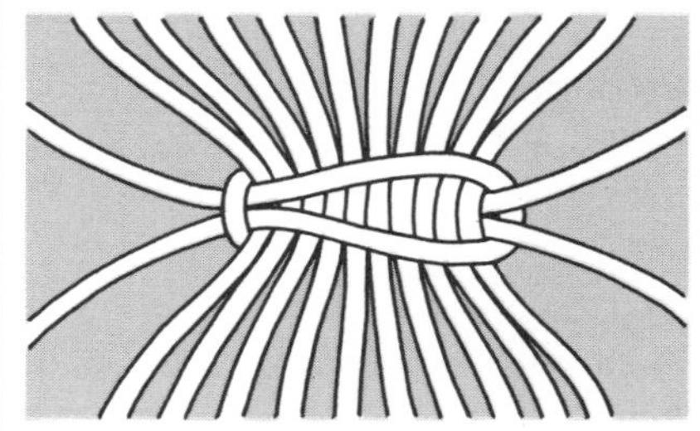

Un groupe de fils neutres et deux fils de travail de chaque côté, attachés en nœud plat, forment un nœud de faisceau qui rassemble plusieurs fils en un seul gros nœud.

Quatre fils de travail, deux de chaque côté, donnent un nœud plus apparent par-dessus les fils neutres. Ce type de nœud de faisceau se fait avec autant de fils neutres que l'on veut.

Pour cette autre variante, le nombre total de fils doit être un multiple de 4. Répartissez les fils en quatre groupes égaux; faites un nœud plat en considérant chaque groupe comme un seul fil.

Autres techniques

Nœud simple
Picots
Point de Cavandoli
Nœud Joséphine
Coquille
Insertion de perles
Remplacement d'un fil
Ajout de fils
Suppression de fils
Finition des bords
Conception d'une pièce de macramé

Nœud simple

Le nœud simple (ou mouchet) est le plus facile des nœuds secondaires de macramé; il est identique à celui que l'on fait à l'extrémité d'un fil à coudre. Le nœud lui-même ne requiert qu'un fil, ce qui est inhabituel dans le macramé. Il existe toutefois plusieurs variantes de ce nœud, dont certaines demandent plus d'un fil : par exemple, le nœud simple avec fil neutre, les nœuds simples entrelacés et le nœud de capucin qui est un nœud simple dans lequel l'extrémité de travail du fil est enroulée plusieurs fois autour de la boucle.

Les nœuds simples avec fils neutres (à gauche) et les nœuds simples entrelacés s'emploient décalés d'un rang à l'autre, pour réaliser des motifs en filet.

Pour faire un nœud simple (A), formez une boucle et ramenez l'extrémité du fil dans la boucle. Tirez pour resserrer le nœud.

Pour faire un nœud simple avec fil neutre (B), formez la boucle autour du fil neutre et nouez. Tirez pour serrer.

Pour exécuter des nœuds simples entrelacés, faites d'abord un nœud simple avec un des fils. Avant de le resserrer, glissez le second fil dans la boucle et faites un autre nœud simple. Resserrez les deux nœuds.

Pour faire un nœud de capucin, formez une boucle et enroulez l'extrémité du fil plusieurs fois autour de celle-ci; tirez pour serrer. Plus vous ferez de tours, plus le nœud sera long.

Picots

Les picots sont des éléments qui agrémentent le bord supérieur ou les côtés d'une pièce de macramé. S'ils s'ajoutent au bord supérieur, on les exécute avant ou pendant le montage. Il s'agit alors d'épingler le milieu du fil au-dessus du goujon et de faire un nœud décoratif dans cette position. Les extrémités des fils sont ensuite montées sur le goujon avec des nœuds de barrette (p. 448). Si les picots garnissent les côtés, faites-les au fur et à mesure du travail.

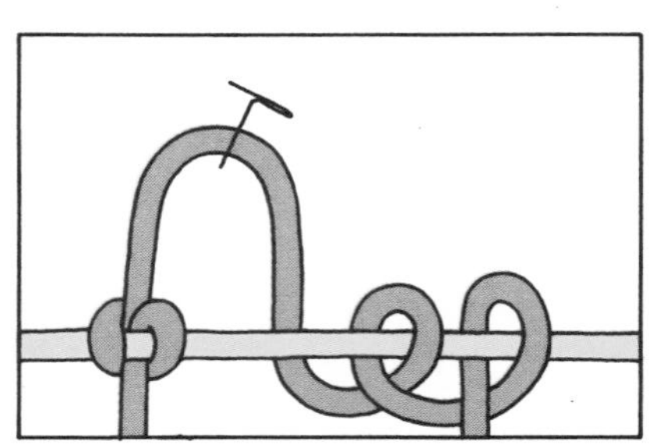

Pour faire un picot à boucle simple, épinglez le milieu du fil au-dessus du goujon (ou du fil de montage); plus vous le placez haut, plus la boucle sera grande; fixez chaque extrémité du fil au goujon avec des nœuds de barrette.

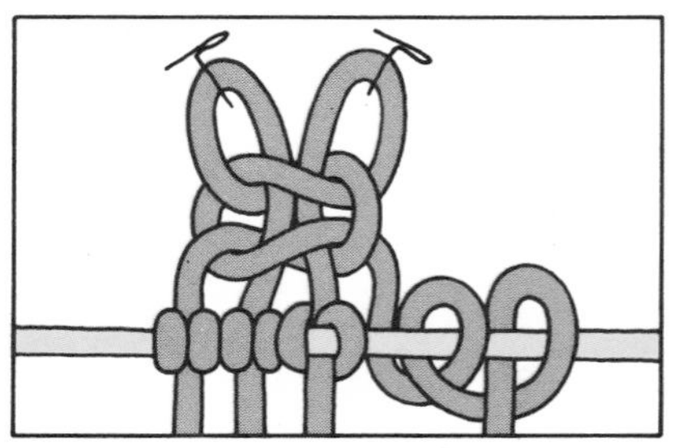

Pour faire un picot à nœud plat, épinglez les milieux de deux fils côte à côte au-dessus du goujon; avec les fils extérieurs comme fils de travail, faites un nœud plat (p. 450). Montez les extrémités des fils avec des nœuds de barrette.

Pour un picot à nœuds d'alouette, montez l'extrémité de deux fils sur le goujon. Exécutez des nœuds d'alouette (p. 447) avec le fil gauche, autour du fil droit. Montez les deux extrémités restantes avec des nœuds de barrette.

Point de Cavandoli

Le point de Cavandoli consiste en nœuds de barrette horizontaux et verticaux rapprochés, en deux couleurs; les nœuds horizontaux constituent le fond alors que les nœuds verticaux forment le motif. Cette technique a pris naissance en Italie où elle était enseignée aux jeunes enfants.

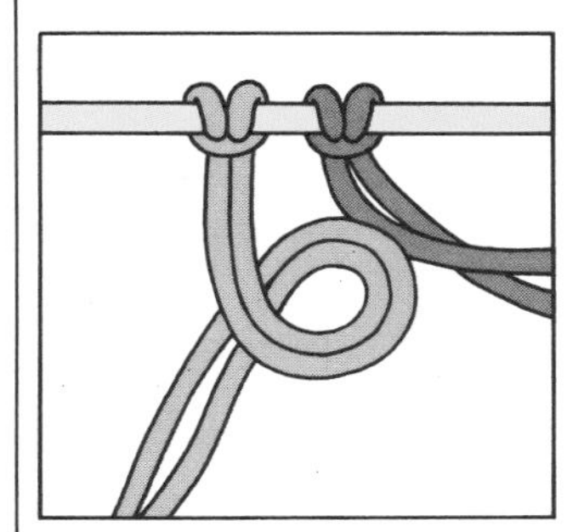

Le motif à réaliser au point de Cavandoli peut être reporté sur du papier quadrillé. Chaque carré correspond à un nœud de barrette. Les carrés blancs représentent le fond exécuté en nœuds horizontaux et les carrés colorés, le motif travaillé en nœuds verticaux.

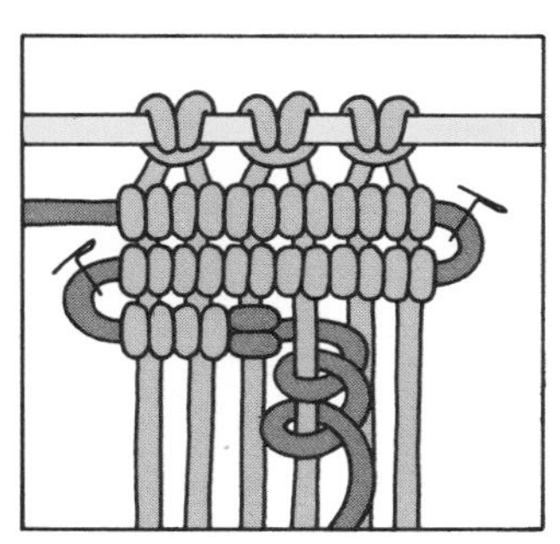

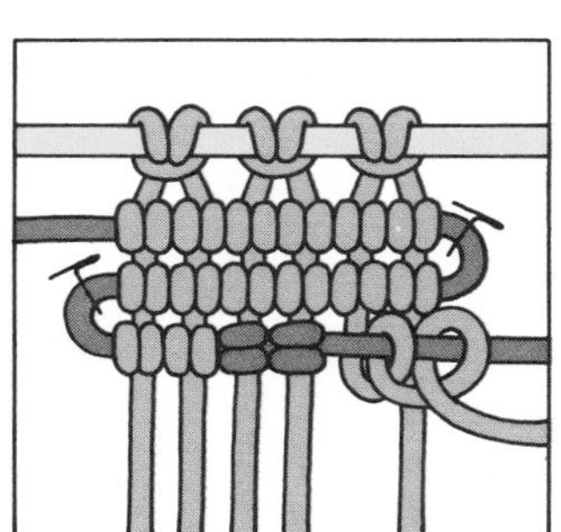

Pour exécuter le point de Cavandoli, montez les fils de la couleur du fond sur un goujon; il doit y en avoir autant qu'il y a de carrés sur la grille. Utilisez le fil de la deuxième couleur comme fil porteur. Avec la grille comme guide, faites un nœud de barrette horizontal pour chacun des carrés blancs. Pour le premier carré coloré, faites un nœud vertical en employant le fil porteur comme fil de travail.

Faites ensuite un nœud de barrette horizontal pour le carré blanc suivant de la grille. Le fil de travail de la couleur du fond recouvrira le fil porteur. Complétez chaque rang en respectant la position des couleurs.

Nœud Joséphine

Le nœud Joséphine est aussi connu sous le nom de boucle Carrick. On peut le faire petit ou gros selon le nombre de fils utilisés. On le réalise souvent avec deux fils maintenus ensemble, comme sur le croquis; mais on l'exécute aussi avec quatre ou six fils. Ce nœud peut être lâche ou serré.

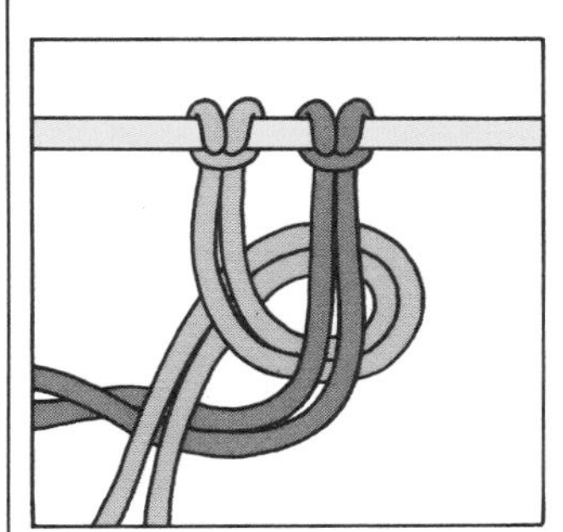

Montez deux fils de façon à obtenir quatre fils de travail. Faites une boucle avec les fils de gauche en plaçant l'extrémité active sous l'extrémité montée du fil, comme l'indique le croquis.

Placez les fils de droite par-dessus la boucle formée avec les fils de gauche. Glissez l'extrémité des fils de droite sous celle des fils de gauche.

Les fils de droite sont entrelacés autour des autres fils. Pour ce faire, amenez-les sur la première paire de fils, sous la deuxième, sur la troisième et sous la dernière. Tirez les extrémités pour égaliser les boucles et resserrer le nœud comme vous le désirez.

Coquille

La coquille (ou cabochon) est un autre nœud en relief. C'est une variante du nœud de barrette; pour la réaliser, il faut gonfler une série de nœuds de barrette en les maintenant en place avec des nœuds plats. Ce nœud nécessite huit fils.

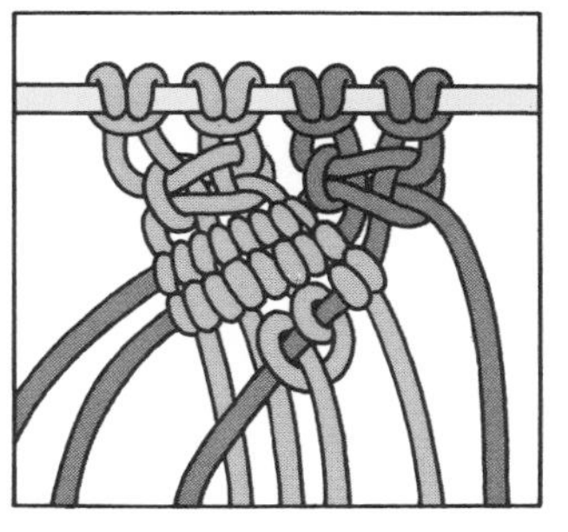

Faites un nœud plat avec chaque groupe de quatre fils. Posez le cinquième fil en oblique sur les quatre premiers et faites un nœud de barrette avec chacun d'entre eux. Utilisez le sixième, le septième et le huitième fils comme fils porteurs et faites des nœuds de barrette avec les quatre premiers fils.

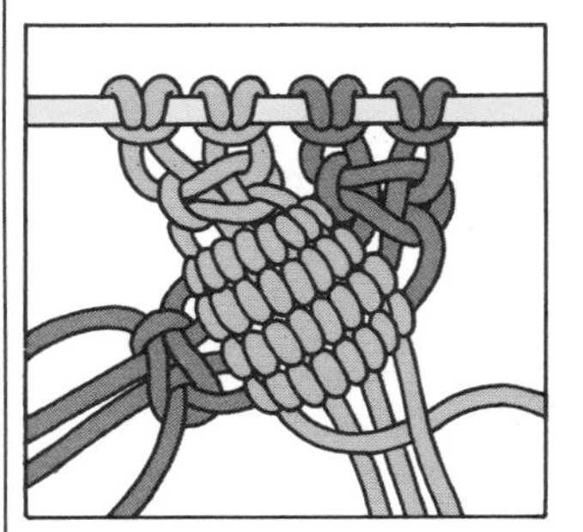

Quand les quatre fils du deuxième groupe ont tous été employés comme fils neutres, faites un nœud plat avec eux (ils se trouvent maintenant à gauche). En faisant ce nœud, placez un doigt derrière la coquille et poussez pour l'arrondir.

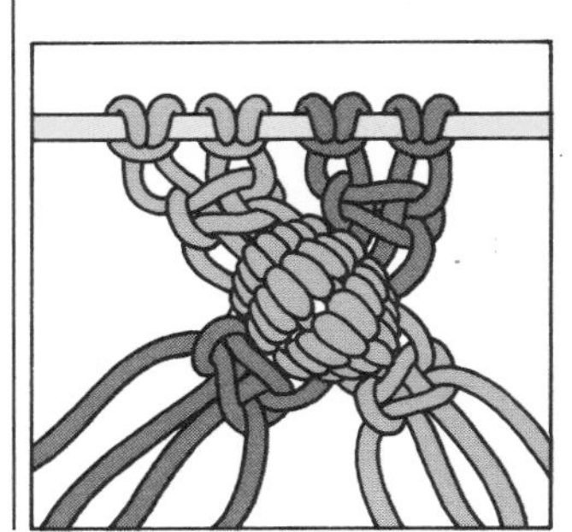

Pour conserver la forme arrondie et soulevée de la coquille, faites un autre nœud plat avec les quatre premiers fils (qui sont maintenant à droite). Serrez bien ce nœud.

Insertion de perles

L'insertion de perles permet d'animer une pièce de macramé. Vous pouvez utiliser des perles de bijoux fantaisie, qu'ils soient anciens, faits à la main ou achetés dans des boutiques d'artisanat. Une perle peut être enfilée sur un ou plusieurs fils selon sa grosseur, la grosseur du trou et le patron de macramé. Lorsque vous choisissez des perles, assurez-vous que le trou est assez grand pour y passer le fil que vous utilisez. Les petites perles conviennent à la plupart des motifs. Les grosses perles sont plus attrayantes si le patron est conçu pour les accueillir.

Avec nœuds simples : faites-en un au-dessus de l'endroit où vous désirez placer la perle. Enfilez celle-ci; faites-en un autre au-dessous.

Avec nœuds plats : faites-en un au-dessus. Enfilez la perle sur les fils neutres. Faites-en un autre au-dessous pour la fixer.

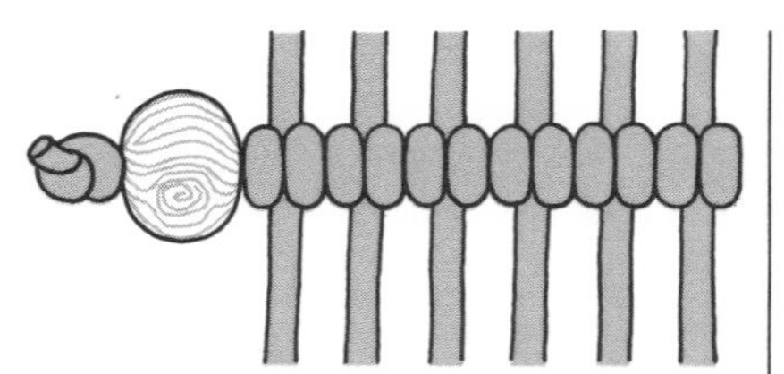

Avec nœuds de barrette horizontaux : on peut fixer les extrémités d'un fil porteur ajouté avec une perle. Faites un nœud simple au bout du fil et enfilez-y la perle.

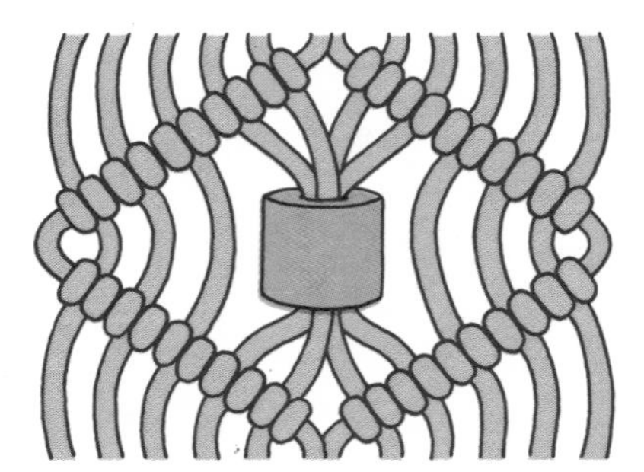

Avec nœuds de barrette formant losange : la perle est mise en évidence au centre. Dans le cas illustré, on exécute les nœuds du haut, on enfile la perle, puis on fait ceux du bas.

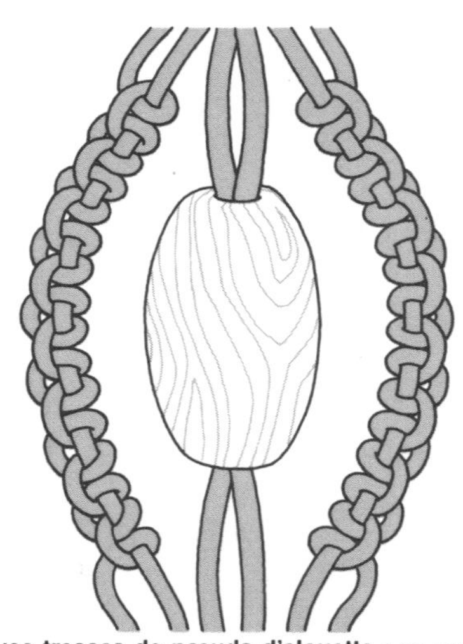

Avec tresses de nœuds d'alouette : ce motif se réalise avec six fils, la perle étant glissée sur les deux du milieu.

Remplacement d'un fil

Même si vous avez planifié votre travail et mesuré vos fils avec précision, il se peut que vous deviez, à un moment donné, remplacer un fil trop court. Il y a diverses façons de le faire. La plus invisible mais aussi la plus longue consiste à détordre le bout de fil trop court et le début du fil nouveau, puis à les épisser et à les coller ensemble. Voici quelques méthodes plus rapides.

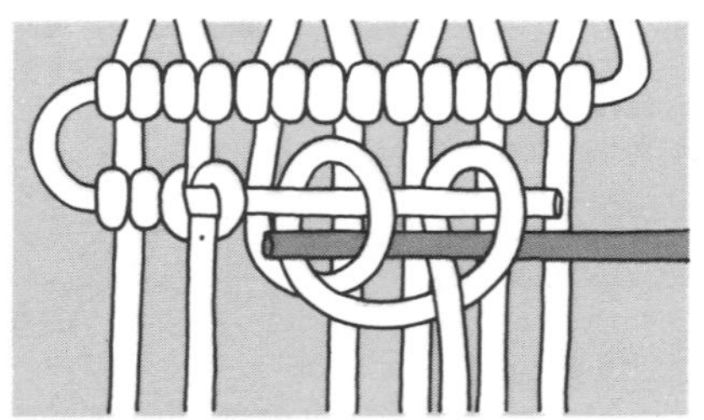

Pour allonger un fil porteur dans des nœuds de barrette horizontaux, reliez le nouveau fil et l'ancien par plusieurs nœuds.

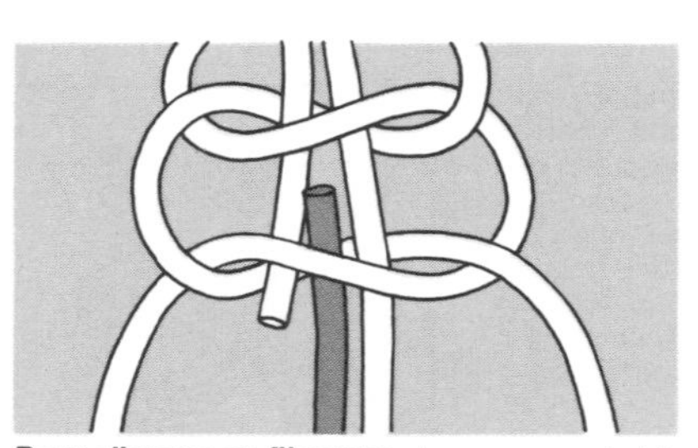

Pour allonger un fil neutre dans un nœud plat, faites chevaucher le nouveau fil et l'ancien et faites des nœuds sur les deux fils.

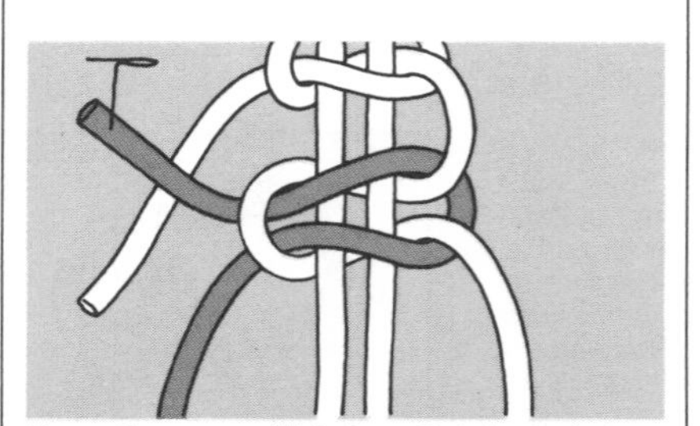

Pour allonger un fil de travail, épinglez le bout du nouveau fil; laissez retomber l'ancien. Ensuite, nouez les bouts ensemble et coupez l'excédent.

Ajout de fils

Il peut être nécessaire d'ajouter des fils à une pièce de macramé. En effet, les dimensions de l'ouvrage peuvent changer à mesure que progresse le travail; c'est le cas d'une pièce qui va en s'élargissant. On peut aussi, dans certains projets, vouloir introduire une nouvelle couleur. Il y a plusieurs façons de rajouter des fils dans les espaces voulus sans que ce procédé se remarque trop.

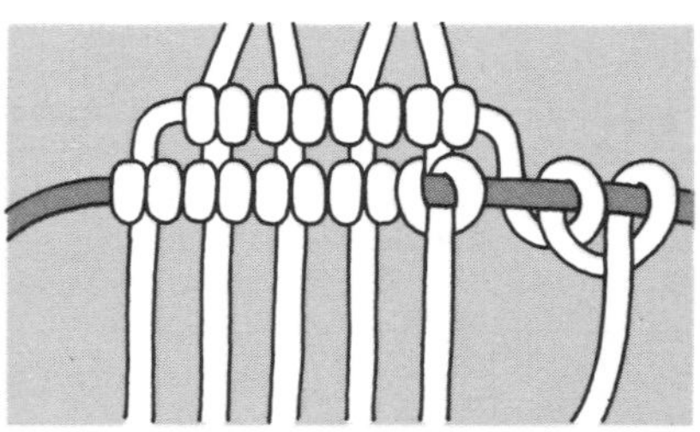

On peut ajouter un nouveau fil porteur dans un rang de nœuds de barrette horizontaux. Ses extrémités deviennent des fils de travail.

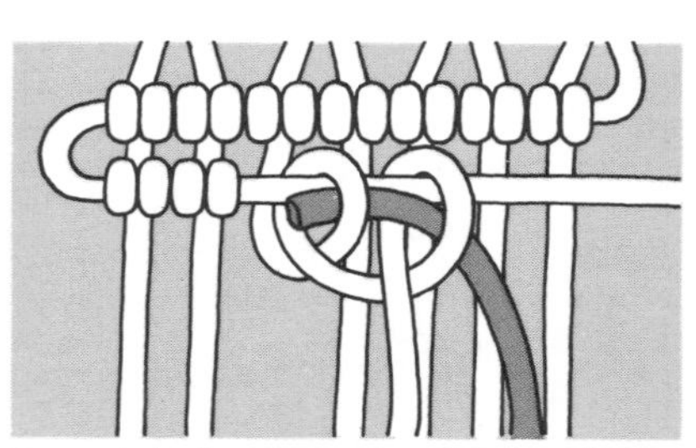

On peut ajouter un nouveau fil de travail dans un rang de nœuds de barrette horizontaux. Faites plusieurs nœuds autour du bout du fil.

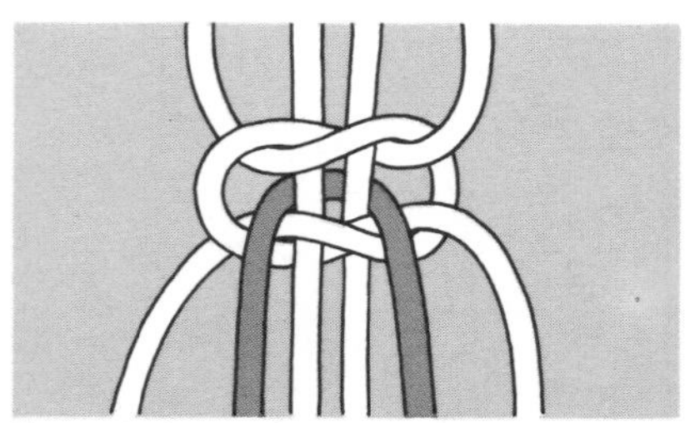

On peut ajouter deux nouveaux fils dans un nœud plat en passant un long fil autour des fils neutres.

Suppression de fils

Il sera parfois nécessaire de supprimer certains fils progressivement ou d'un seul coup. La façon la plus simple de laisser tomber un fil consiste à le nouer et à le laisser pendre à l'envers de la pièce pour ensuite le couper. Des méthodes illustrées ci-dessous, votre choix dépendra de l'emplacement du fil à supprimer : au centre de l'ouvrage ou sur les bords de celui-ci.

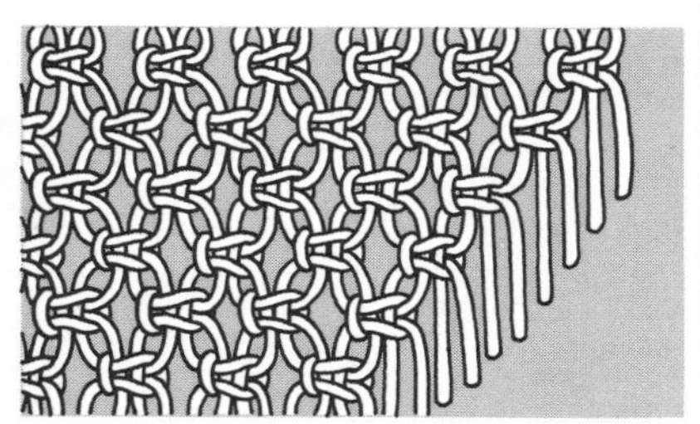

Pour supprimer des fils sur les bords, il suffit de ne pas les nouer et de les rentrer sur l'envers de la pièce terminée.

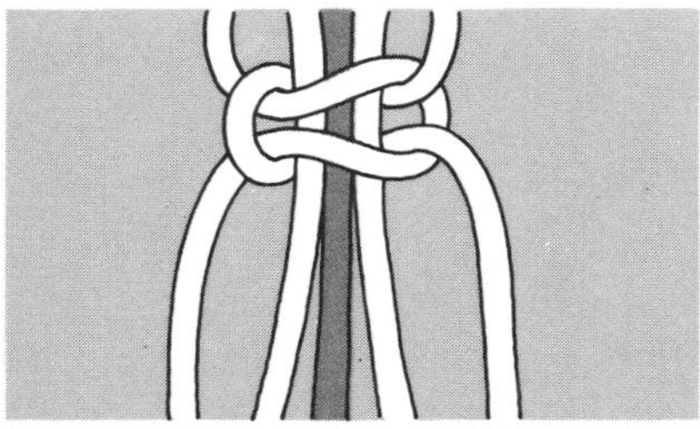

Vous pouvez supprimer un fil en l'utilisant comme fil neutre dans un nœud plat. Coupez-le après avoir fait plusieurs nœuds.

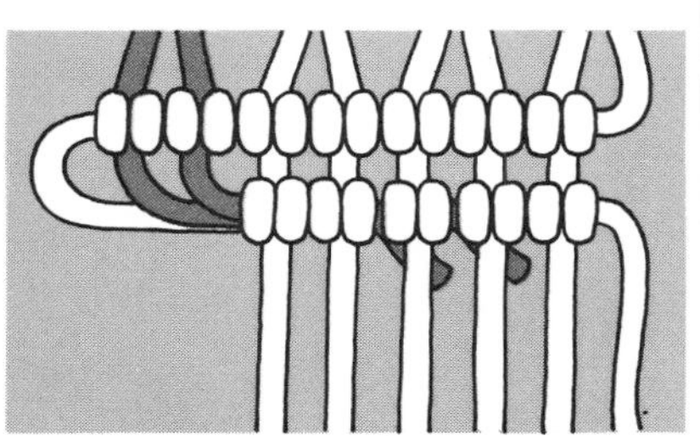

Vous pouvez retrancher des fils en les recouvrant de nœuds de barrette horizontaux; coupez-les à ras sur l'envers.

Finition des bords

La touche finale d'un ouvrage est donnée par la façon de le border. La méthode la plus courante consiste à laisser pendre les bouts en frange (pp. 456-458). Si le principe de la frange ne convient pas à votre pièce, vous pouvez rentrer les fils sur l'envers, finir le bord avec un biais ou encore regrouper les fils pour les envelopper. Toutes ces techniques sont illustrées ci-dessous.

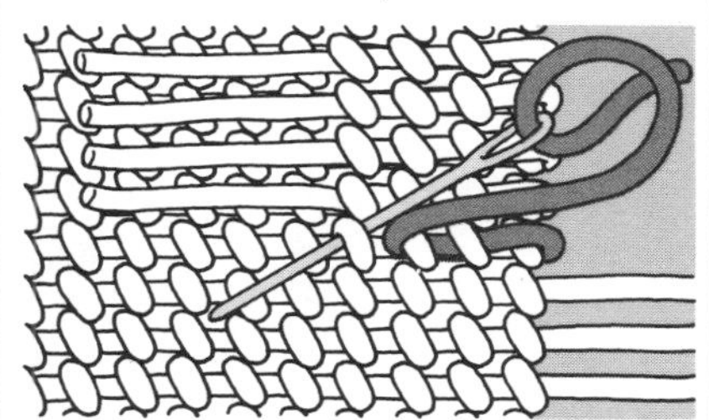

Pour rentrer les fils sur l'envers, enfilez chaque bout sur une grosse aiguille à laine que vous glisserez sous plusieurs nœuds.

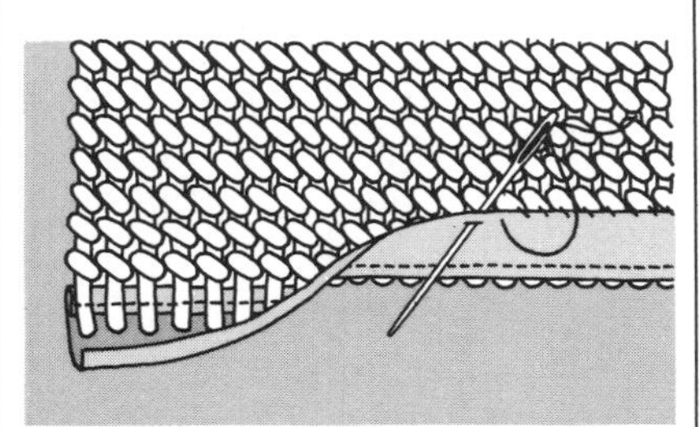

Pour border d'un biais, coupez les fils à 1 cm (½") des nœuds. Cousez le biais à la machine sur l'endroit; fixez-le sur l'envers à la main.

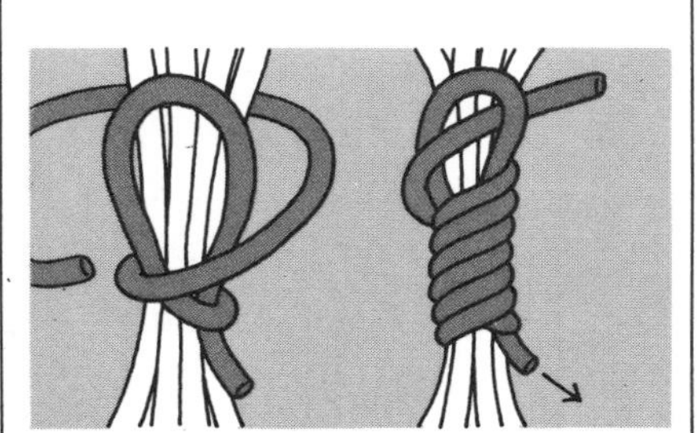

Pour envelopper les bouts, glissez l'extrémité de travail dans la boucle; tirez sur l'autre pour cacher la boucle dans le rouleau.

Conception d'une pièce de macramé

La conception d'une pièce de macramé fait appel à plusieurs éléments : la dimension de l'ouvrage, la qualité du fil, les coloris et le motif.

Vous devrez décider si votre pièce sera **fonctionnelle** ou **décorative.** Vous choisirez les dimensions, la texture et les techniques de finition d'une pièce fonctionnelle selon son utilisation; vous pourrez vous permettre beaucoup plus de liberté avec une pièce purement décorative.

La grandeur d'une pièce dépend de ses dimensions et de la grosseur du fil utilisé. Un gros fil travaillera plus rapidement et donnera l'impression d'une pièce plus importante.

La texture est tributaire à la fois du type de fil et du motif de macramé. Un fil lisse fait davantage ressortir la forme des nœuds qu'un fil irrégulier. La composition du fil en détermine généralement la texture. Par exemple, le jute donne un fil rugueux et piquant alors que le lin produit un fil lisse; l'un et l'autre font de bons nœuds solides. Le nylon est lisse et brillant mais difficile à travailler parce qu'il glisse. On peut animer la texture d'une pièce en utilisant différentes matières dans les mêmes coloris : lisses et rugueuses, grosses et fines, mates et brillantes. La texture dépend aussi de la façon de nouer les fils. Les nœuds serrés et rapprochés donnent de la densité alors que les nœuds lâches et espacés rappellent la dentelle.

Le motif (ou patron) **de macramé** est déterminé par la forme de chaque nœud et la combinaison des divers nœuds entre eux. Les éléments d'un motif de macramé sont, la plupart du temps, des lignes horizontales, verticales et diagonales, ponctuées de petits dessins. On peut réaliser des courbes et des cercles à condition d'avoir une certaine expérience du macramé.

La couleur peut être employée de diverses façons. Le macramé n'utilise habituellement qu'une couleur qui a pour seule fonction de rehausser le patron. Mais on peut exécuter une pièce avec des fils d'une couleur dominante auxquels on ajoutera quelques autres fils de couleur contrastante pour mettre une partie de l'ouvrage en évidence. Un travail réalisé en camaïeu donne une impression de profondeur. Un audacieux contraste de coloris s'accommode mieux d'un motif simple.

L'inclusion d'éléments décoratifs, tels que perles, plumes ou coquillages, est une question de goût personnel. Chacune de ces additions contribuera à mettre votre macramé en valeur à condition que sa couleur, sa grosseur et son apparence s'harmonisent avec le reste de la pièce.

Un motif simple à base de nœuds de barrette et de nœuds plats permet cet audacieux contraste de noir, de rouille et de crème.

Les franges

Introduction

Une frange se fait toujours avec des nœuds de macramé, qu'elle agrémente un ouvrage de macramé ou garnisse le bord d'un vêtement. La frange sert à rassembler des fils de manière décorative. Si le tissu est épais, comme du lin, du canevas ou certaines laines, la frange peut être réalisée avec les fils mêmes du tissu. Il s'agit alors de retirer un certain nombre de fils de trame et de nouer les fils de chaîne qui restent. Si les tissus n'ont pas l'épaisseur requise, vous pouvez ajouter du fil au bord après qu'il a été ourlé. La frange d'une pièce de macramé peut contenir plus de fils que n'en compte la pièce elle-même; on peut les ajouter de différentes façons (décrites dans les pages qui suivent), selon le motif de macramé utilisé au bord de la pièce.

Pour confectionner une frange, on peut attacher des fils à l'ourlet d'un tissu et les nouer de diverses façons. Ici, on a monté du fil de lin sur un imprimé au moyen de nœuds d'alouette. Les fils ont ensuite été noués de façon à former deux rangées de losanges : la première est faite de rangs de nœuds de barrette obliques et la seconde, de tresses de nœuds plats entrelacées. Les extrémités sont rassemblées en faisceaux dont le haut est enveloppé.

Comment déterminer la longueur des franges

L'ajout d'une frange à un article demande une certaine préparation. Vous devez d'abord établir le nombre de fils que vous utiliserez et l'espace que vous laisserez entre eux; les fils peuvent être ajoutés un à un ou en faisceaux. Sur une pièce de tissu, vous pouvez monter vos fils à une distance de 1 à 2 centimètres (⅜" à ¾"), selon leur épaisseur. Pour modifier le nombre et l'espacement des fils, il suffit d'en rajouter. Choisissez l'épaisseur du fil en fonction de l'apparence souhaitée. Dans le cas d'une pièce de macramé, vous ajouterez des longueurs du même fil qui a servi à réaliser l'ouvrage. La frange d'une pièce de tissu peut se composer de plusieurs fils minces regroupés ou d'un petit nombre de fils épais, suivant le motif de nœuds projeté. Comme l'on monte les fils pliés en deux, il faut les couper au double de la longueur prévue. Cependant, pour tenir compte du nouage, préparez des fils qui auront quatre fois la hauteur de la frange terminée. Egalisez les fils quand le nouage est terminé.

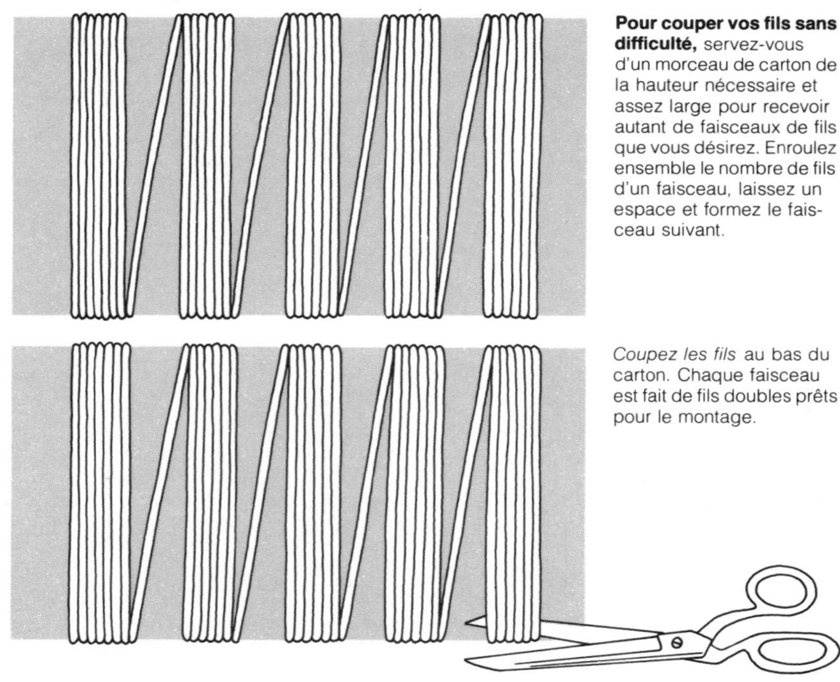

Pour couper vos fils sans difficulté, servez-vous d'un morceau de carton de la hauteur nécessaire et assez large pour recevoir autant de faisceaux de fils que vous désirez. Enroulez ensemble le nombre de fils d'un faisceau, laissez un espace et formez le faisceau suivant.

Coupez les fils au bas du carton. Chaque faisceau est fait de fils doubles prêts pour le montage.

Comment effranger un tissu

Si votre tissu est assez épais pour qu'on puisse en manipuler les fils, vous pouvez faire la frange à même ces fils. Une frange formée à partir des fils de chaîne d'un tissu sera beaucoup plus fine qu'une autre réalisée avec des fils ajoutés; plutôt qu'une entité distincte, elle apparaîtra comme le prolongement du tissu. Pour effranger un tissu, tirez doucement un certain nombre de fils de trame et nouez les fils de chaîne restants. Ce genre de frange est plus joli dans un tissu uni.

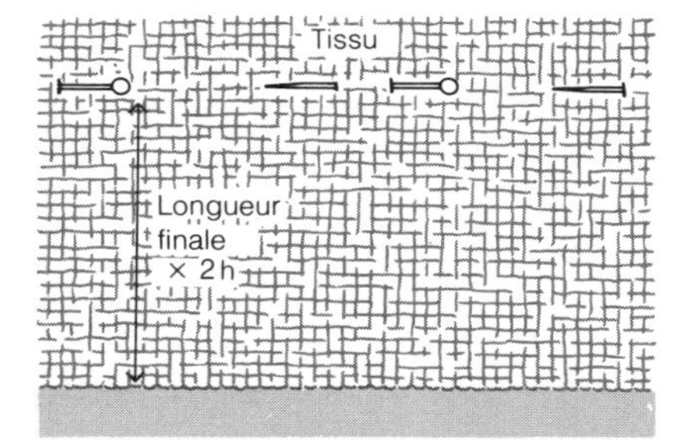

Pour effranger un tissu, placez des épingles à deux fois la hauteur de la frange terminée.

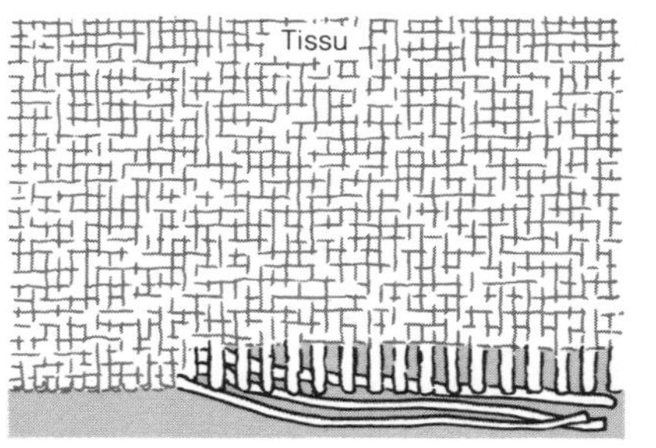

Avec une épingle, poussez les fils de trame vers le bas un à un afin qu'ils ne s'emmêlent pas.

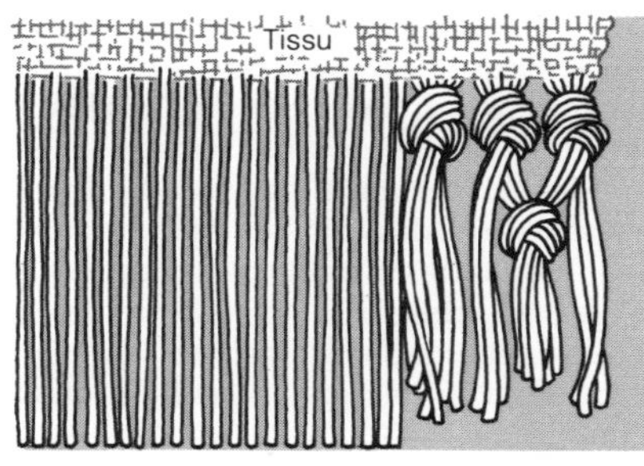

Nouez des faisceaux de fils de chaîne pour former la frange. Egalisez les bouts à la fin.

Comment fixer des fils à une pièce de tissu

Pour ajouter des fils à une pièce de tissu, laissez au moins 1 centimètre (½") au bas de la pièce pour l'ourlet. (Prévoyez un ourlet plus large si l'article que vous voulez réaliser l'exige.) Faites deux rentrés de 0,5 centimètre (¼") sur la marge de l'ourlet; cousez le pli ainsi formé au tissu. L'ourlet finit l'ouvrage et permet de monter solidement les fils. Veillez à ne pas utiliser un fil trop épais pour le tissu. Si vous employez des faisceaux de fils, ne les faites pas trop gros, car ils risqueraient de déchirer le tissu lors du montage.

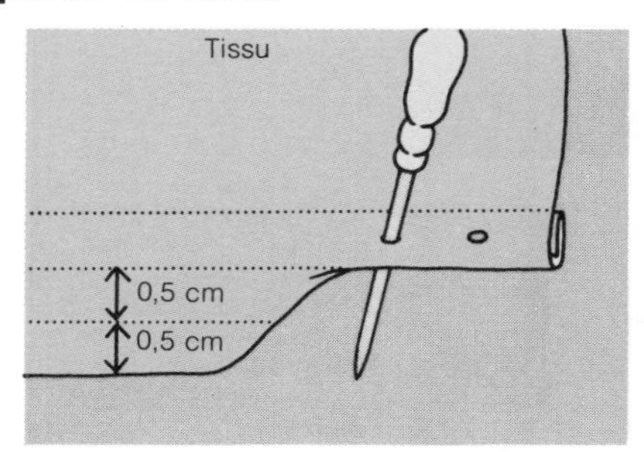

Avec un poinçon ou une aiguille à tricoter, faites des trous à intervalles réguliers. Les trous doivent toujours être dans l'ourlet.

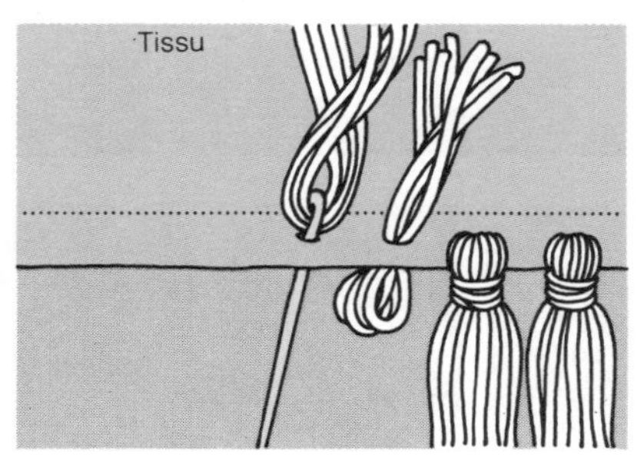

Pour monter les fils, insérez un crochet par l'arrière du trou. Accrochez par le milieu un fil ou un faisceau de fils que vous tirerez au travers.

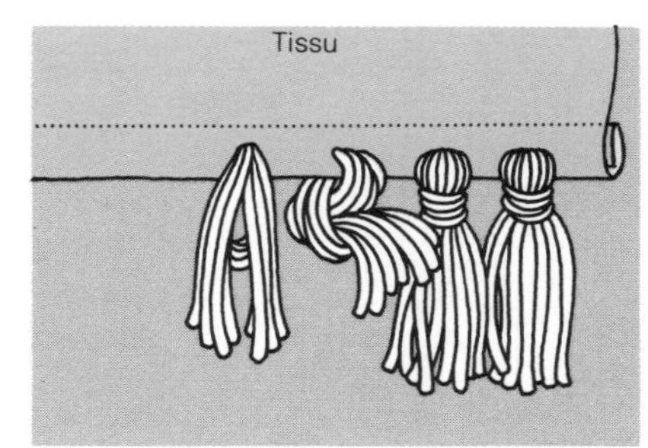

Glissez les bouts du fil ou du faisceau dans la boucle et resserrez en tirant. Procédez de la même façon pour chaque fil ou faisceau.

Comment grossir une frange de macramé

Si vous laissez pendre l'extrémité des fils d'une pièce de macramé, ceux-ci formeront une frange naturelle. Si vous désirez faire une frange ouvragée qui requiert plus de fils que n'en contient la pièce, ajoutez-en. La façon appropriée de le faire dépend du motif de macramé et de la position des nœuds qui se présentent au bas de l'ouvrage. Les deux premières illustrations montrent comment rajouter des fils à une pièce qui se termine par des nœuds de barrette, la troisième, comment procéder avec des nœuds plats en résille.

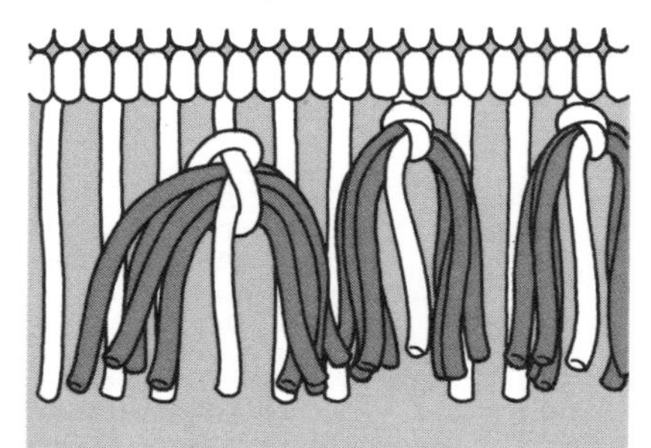

Pour ajouter des faisceaux de fils, attachez-les tour à tour à un fil de la frange existante. Espacez les faisceaux de plusieurs fils.

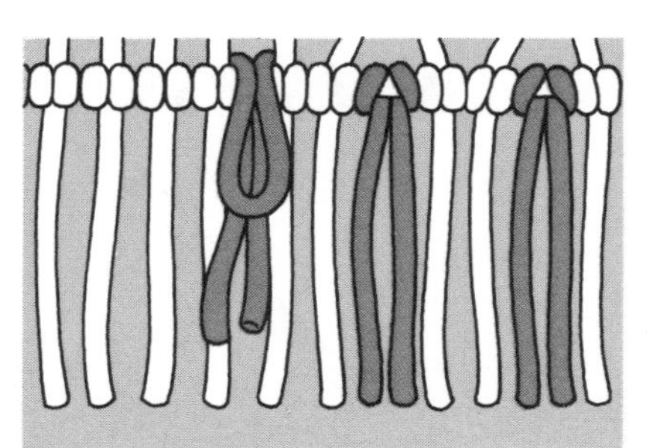

Si la pièce se termine par des nœuds de barrette horizontaux, attachez les nouveaux fils au fil porteur avec un nœud d'alouette inversé.

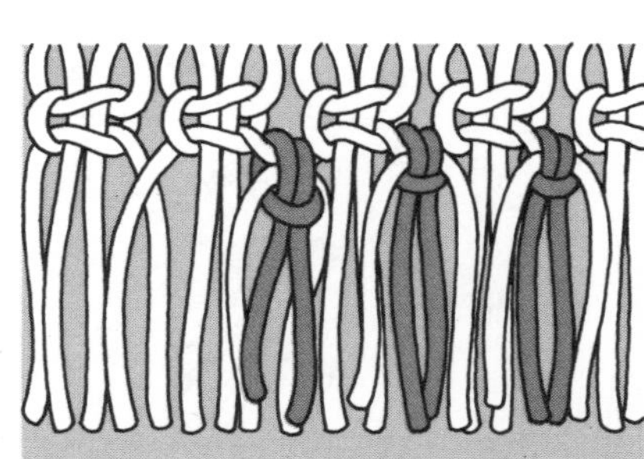

Si elle se termine par des nœuds plats, fixez les nouveaux fils avec des nœuds d'alouette sur les fils de travail de deux nœuds contigus.

Les franges

Franges dans les coins

Si la frange doit border deux côtés adjacents d'une pièce de tissu, d'un châle par exemple, il faut ajouter à l'angle un certain nombre de fils pour ne pas rompre la continuité des nœuds. Insérez d'abord des fils supplémentaires dans le trou du coin. Puis, à mesure que le travail progresse, vous ajouterez d'autres fils (p. 454), sur les fils porteurs par exemple, pour que les nœuds contournent le coin sans tirailler.

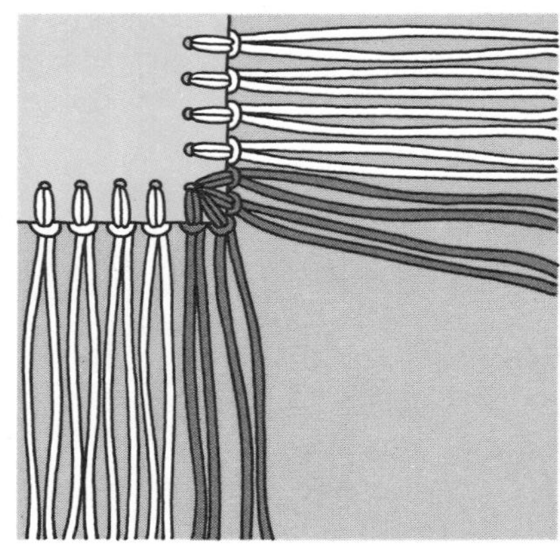

Insérez dans le trou du coin trois fils supplémentaires ou insérez un faisceau contenant quatre fois plus de fils que les autres.

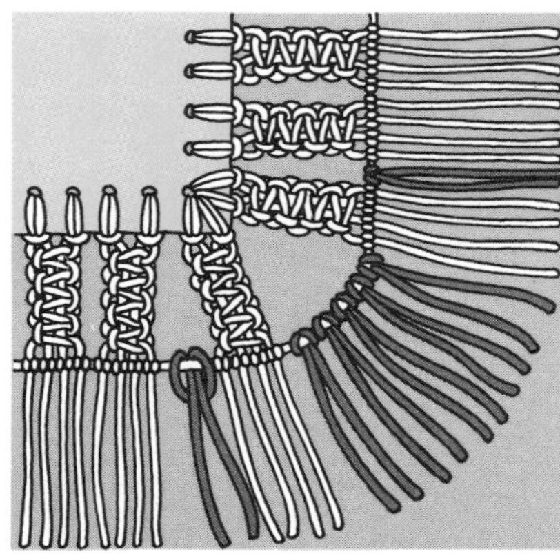

A mesure que le travail progresse, ajoutez d'autres fils dans le coin et dans les espaces des côtés (suffisamment pour remplir les vides).

Finition de l'extrémité des franges

Les franges sont la finition habituelle d'une pièce de macramé; malheureusement, elles peuvent se défraîchir et s'user très facilement. Certaines méthodes permettent de parer à cet inconvénient et de ralentir ce processus. Vous retiendrez celle qui donnera à votre frange l'apparence souhaitée.

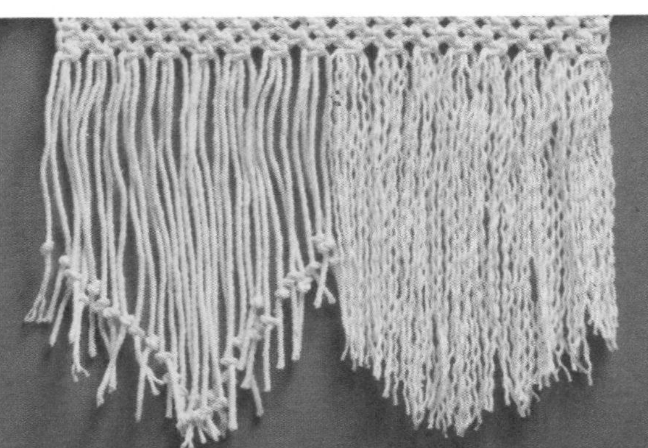

Si vous laissez pendre chacun des fils séparément, faites un nœud simple à l'endroit où vous voulez que la frange se termine puis coupez juste sous le nœud (à l'extrême gauche).

Une autre manière de traiter la frange consiste à détordre les brins de chaque fil (immédiatement à gauche). Avant de procéder, faites un essai sur un petit restant de fil pour voir si vous en aimez l'effet.

Il est également possible de répartir les fils en groupes de trois ou quatre et de les nouer en tresses. On voit sur l'illustration, de gauche à droite, une tresse de nœuds simples avec deux fils (p. 452), une autre de nœuds de barrette «alternés» avec deux fils (p. 448) et une de nœuds d'alouette «alternés» avec deux fils de travail noués autour de deux fils neutres (p. 447).

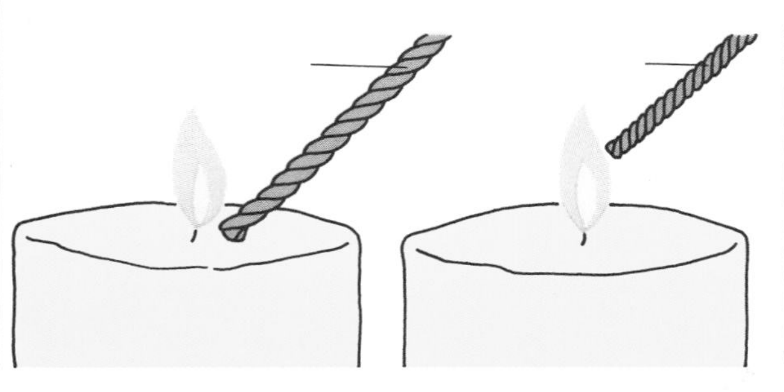

Si vous préférez que les fils retombent librement, on peut empêcher les bouts de s'effilocher d'une façon bien simple. Trempez le bout d'un fil de coton ou de lin dans de la cire de bougie fondue (à l'extrême gauche). Faites fondre le bout d'un fil de nylon dans la flamme d'une bougie (immédiatement à gauche).

Confection d'un gland

On peut fabriquer un gland avec le même fil qui a servi à confectionner la frange. Les glands donnent du volume et du poids à une frange; on voudra peut-être en ajouter à une pièce murale pour que celle-ci tombe bien. Pour savoir la quantité de fil dont vous aurez besoin, établissez la longueur de vos glands. Coupez un morceau de carton d'une hauteur correspondante à cette longueur. Enroulez le fil autour du carton jusqu'à ce que vous ayez obtenu l'épaisseur souhaitée. Déroulez le fil et mesurez-le; multipliez cette longueur par le nombre de glands que vous comptez faire.

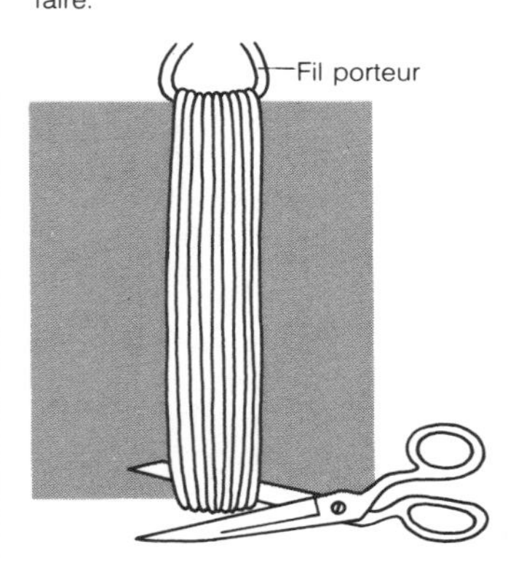

Pour faire un gland, enroulez le fil autour du carton. Passez un fil porteur dans le haut de l'écheveau; coupez en bas.

Attachez un autre fil autour du quart supérieur du gland. Glissez le fil de montage à la place du fil porteur.

Ceinture de macramé pour dame

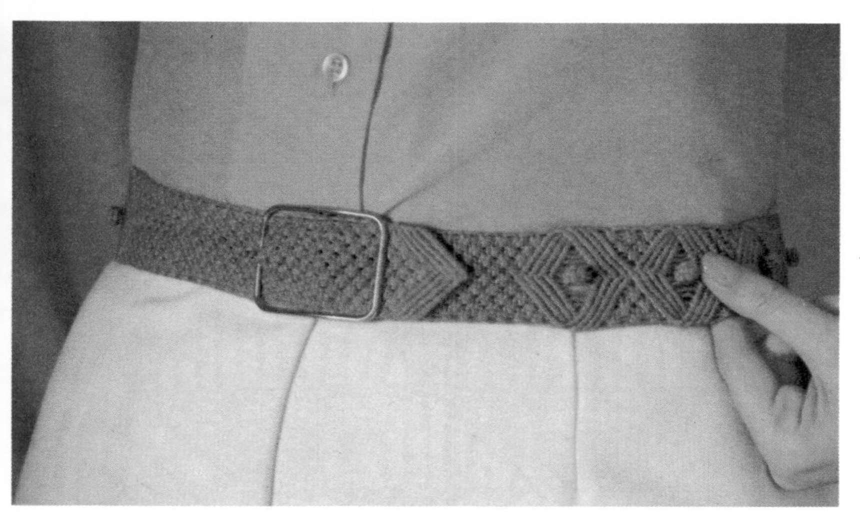

Cette ceinture de lin ne requiert que deux nœuds de base : le nœud plat et le nœud de barrette.

Cette ceinture de macramé est faite avec un fil de lin solide mais souple.

Fournitures

Dix longueurs de 9 m (10 vg) de fil de lin 10/5
Boucle à ardillon de 4 cm (1½")
Planche à macramé
Epingles en T
Elastiques

Introduction

La ceinture convient à un tour de taille de 65 centimètres (26"). Elle comprend 12 motifs et mesure 74 centimètres (29½"); la longueur peut être modifiée par sections d'environ 3 centimètres (1¼"), soit la longueur d'un motif, en allongeant ou en raccourcissant de 60 centimètres (24") chaque fil pour chaque motif que vous désirez ajouter ou retrancher. La grosseur du fil de lin est indiquée par deux chiffres, ici 10/5. Le premier désigne l'épaisseur de chaque brin, le second indique le nombre de brins dans le fil.

Exécution

Pliez chaque fil de 9 mètres (10 vg) en deux; montez sur la tige centrale de la boucle en na (p. 447). Mettez l'extrémité de chaque fil en papillote (p. 446). Faites des npr (p. 451) sur une longueur de 6,25 centimètres (2½"). Pour ajuster ces nœuds à la pointe du premier motif, nouez les deux côtés séparément en diminuant d'un nœud par rang jusqu'à ce qu'il n'y ait plus qu'un seul nœud de chaque côté (étape 1).

Le motif

Faites un nb avec le dixième fil (p. 448) autour du onzième fil. Placez ce dernier en diagonale sur les neuf premiers fils, et le dixième fil en diagonale sur les neuf derniers fils. En utilisant ces fils comme fils de montage, faites des nbo avec chacun des autres. Faites trois autres rangs de nbo (étape 2) pour former la moitié supérieure du losange. Les fils de montage des rangs précédents ne sont pas utilisés comme fils de travail, de façon que le nombre de nœuds diminue d'un rang à l'autre; laissez-les pendre sur les côtés, ils serviront également de fils de montage pour la partie inférieure du losange. Faites un pois (p. 451) avec les quatre fils du centre, composé de cinq np fixés par un sixième; disposez-le à 8 millimètres (5/16") sous la pointe du losange.

Pour faire la partie inférieure du losange, placez le onzième fil en diagonale sur les neuf premiers de sorte qu'il se trouve à 8 millimètres (5/16") sous le pois. Faites des nbo avec les neuf fils suivants, en nouant de gauche à droite. Posez le dixième fil en diagonale sur ceux de droite; faites des nbo de droite à gauche, en utilisant le fil de montage de gauche comme dernier fil de travail. Faites trois autres rangs de nbo de la même façon.

Entre les motifs

Comblez les espaces en forme de triangle entre les motifs avec des npr (étape 3), en laissant libres les quatre fils du centre. Répétez le motif, en vous servant du dernier fil de montage du côté droit du motif précédent comme premier fil de montage posé en diagonale vers la gauche.

Finition

Lorsque vous aurez terminé le dernier losange de la ceinture, faites des npr sur une longueur de 15 centimètres (6"), de la pointe inférieure du dernier motif à la pointe de l'extrémité triangulaire (étape 4). En vous servant des derniers fils à gauche, faites des nbo de la gauche jusqu'au centre, en suivant la forme de la pointe. Faites la même chose à droite, en utilisant le fil de montage de gauche comme dernier fil de travail. Faites trois autres rangs de nbo. Rentrez l'extrémité des fils sur l'envers (p. 455).

1. Faites les npr (croquis). Nouez le fil nº 10 en barrette sur le nº 11; utilisez le nº 11 comme fil porteur pour le rang de nœuds de gauche et le nº 10, comme fil porteur pour le côté droit.

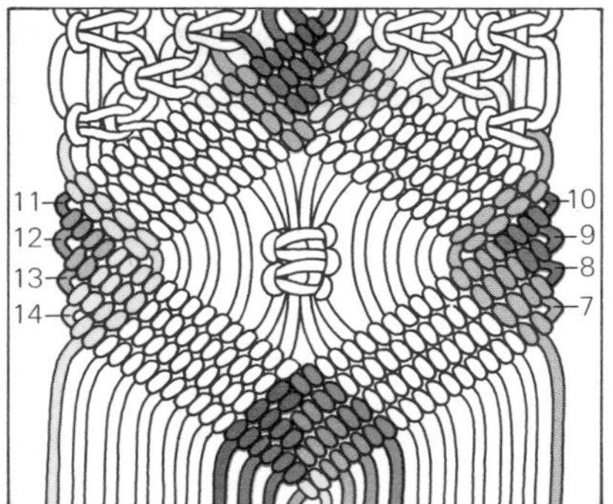

2. Le motif qui se répète sur toute la largeur de la ceinture consiste en un losange formé de quatre rangs de nbo. Le pois se noue après que la partie supérieure du losange est terminée.

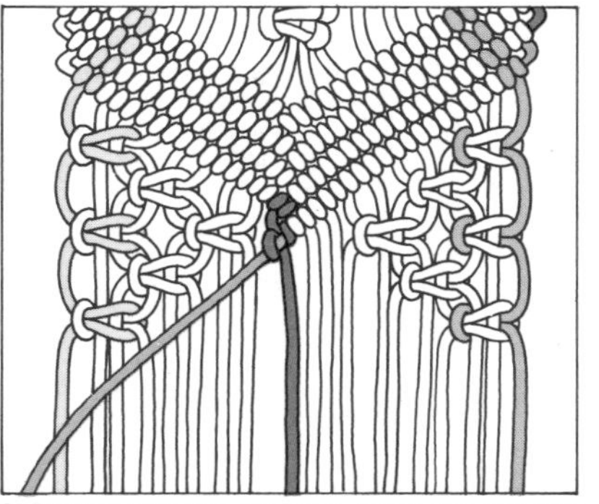

3. Pour combler les espaces, faites des npr sauf sur les quatre fils du centre. Le dernier fil porteur du côté droit du motif précédent devient le premier fil porteur du côté gauche.

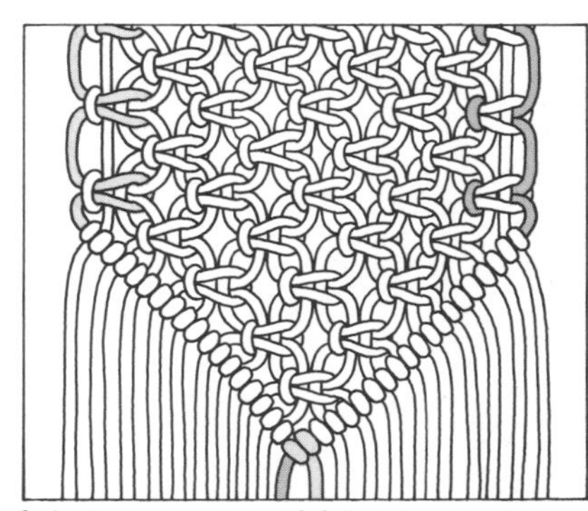

4. Après le dernier motif, faites des npr sur une longueur de 15 cm. Pour la pointe de la ceinture, diminuez d'un nœud à chaque rang, jusqu'à ce qu'il n'y ait plus qu'un seul nœud au centre.

Rideau

Ce rideau de jute se réalise avec des variantes des nœuds de base.

Fournitures

Cône de 10 livres de jute lourd à trois brins de teinte naturelle
Goujon de 1,5 cm (⅝″) de diamètre et de 90 cm (36″) de long
Planche à macramé de 90 cm × 105 cm (3 pi × 3½ pi)
Epingles en T
Elastiques
Serre-joints
Papier et crayon

Préparation

Préparez une grille dont les carrés ont 2,5 centimètres (1″) de côté et reportez-y le motif (p. 14) au crayon feutre. Fixez le motif agrandi à la planche à macramé avec du ruban adhésif. Attachez le goujon à la planche au moyen de serre-joints. Coupez 22 fils de 8,20 mètres (9 vg) de long et 42 fils de 11 mètres (12 vg). Pliez les fils en deux et montez-les en na (p. 447) dans l'ordre suivant : 11 fils courts, 42 longs, 11 courts, soit 128 longueurs. Faites une papillote à chaque extrémité (p. 446).

Exécution

Faites des npr dans la section A. La ligne 1 (un rang de nb) se fait de haut en bas à partir du sommet des trois pointes; les flèches indiquent la direction du nouage. Utilisez comme fils porteurs les fils indiqués sur le croquis ci-dessous en nouant toujours le fil de gauche sur celui de droite. Par exemple, nouez le fil 36 en barrette sur le fil 37, puis servez-vous de ces deux fils comme fils porteurs. Faites la ligne 2 comme la ligne 1; tendez bien les fils flottants (sans nœuds). Faites la ligne 3, puis le losange supérieur. Les tresses de dn s'arrêtent immédiatement sous le milieu du losange. Des pois en np couvrent la partie inférieure du losange; ils comportent quatre nœuds, retenus par un cinquième. Pour faire les pois, il vous faudra défaire les papillotes. Exécutez la ligne 4 et l'intérieur des deux grands losanges avant la ligne 5. Il reste 6 fils flottants entre le côté de chacun des grands losanges et les bords de l'ouvrage. Faites l'intérieur du losange inférieur, puis nouez la ligne 6. Nouez ensuite les lignes 7 et 8, puis couvrez la section H de npr. Nouez la ligne 9.

Pour finir, rentrez l'extrémité des fils sur l'envers (p. 455); collez-les si vous préférez. Faites cinq glands de 38 fils chacun et de 20 centimètres (4½″) de long (p. 458). Enveloppez-les (p. 455) sur une longueur de 2,5 centimètres (1″). Fixez-les aux cinq pointes de l'ouvrage.

Fils 64 et 65 (centre)
A
Fils 44 et 45
Fils 84 et 85
Fils 36 et 37
Fils 92 et 93
Ligne 1
B
Ligne 2
D
C
Ligne 3
E
D
Ligne 4
D
E
E
D
Ligne 5
F
E
Ligne 6
G
Ligne 7
Ligne 8
H
Ligne 9
2,5 cm

Pour agrandir le motif, faites une grille dont les carrés ont 2,5 cm (1″) de côté et copiez le motif (p. 14).

Légende

A : nœuds plats en résille (p. 451)
B et **C :** fils flottants (p. 446)
D : tresses de demi-nœuds (p. 450)
E : pois de nœuds plats (p. 451)
F et **G :** fils flottants
H : nœuds plats en résille
Lignes 1 et 2 : un rang de nœuds de barrette (p. 448)
Lignes 3, 4, 5, 6 : Deux rangs de nœuds de barrette
Lignes 7, 8, 9 : Un rang de nœuds de barrette

Ce rideau mesure 76 cm sur 99 (30″×39″) sans les glands. Le fil de jute a 3 mm de diamètre.

Tapis

Point bouclé et point noué

Illustration de la page précédente : « Transparence », tapis haute-laine à l'aiguille creuse de Louise Sanche, Montréal, Québec 1970

Types de tapis au point bouclé et au point noué

Un tapis au point bouclé ou au point noué est fait de brins de laine ou de bandelettes de tissus fixés à un support. Ces deux techniques se distinguent par la manière dont les brins sont fixés au support. Dans le cas d'un tapis au point bouclé, le brin est « enfilé » dans le support; dans celui d'un tapis au point noué, il est « noué » au support. Un tapis au point bouclé s'exécute soit avec un crochet à tapis, soit avec une aiguille creuse à manche. Quant au tapis au point noué, il s'exécute soit avec un crochet à clapet, soit avec une aiguille à tapisserie à bout rond pour les points de Rya (ou nœuds Ghiordes).

D'une manière générale, le poil d'un tapis au point bouclé est ras et on n'en coupe pas les boucles (voir ci-dessous), alors que le poil d'un tapis au point noué est long, dense et touffu. Si un tapis au point noué est exécuté avec un crochet à clapet, les brins ne seront pas bouclés; s'il est exécuté avec des points de Rya, ils le seront (dans ce cas, on peut ou non les couper).

Comme pour les autres techniques décrites dans ce livre, il est possible d'introduire toutes sortes de variantes dans l'exécution des modèles, une fois qu'on a maîtrisé les principes de base. Pour avoir des instructions détaillées sur les deux méthodes de points bouclés, consultez les pages 470-475, et les pages 476-479 pour les deux méthodes de points noués.

TAPIS AU POINT BOUCLÉ

Avec crochet à tapis

Avec aiguille creuse

TAPIS AU POINT NOUÉ

Avec crochet à clapet

Au point de Rya

Point bouclé/Matériel

Vous aurez besoin d'un matériel différent pour chacune des deux techniques de tapis au point bouclé. Pour la technique au crochet à tapis, il vous faudra un tissu de support (toile de jute), des bandelettes d'étoffe (ou lanières) et un crochet à tapis pour tirer ces lanières à travers les mailles du support. La texture du tapis dépend évidemment de la largeur des lanières et de l'étoffe dans laquelle elles ont été taillées. Les lainages de poids moyen, tels que la flanelle, sont parmi les plus indiqués. On peut tailler la flanelle en lanières étroites (1,5 mm/3/32″), moyennes (3 mm/⅛″) ou large (0,5 cm/¼″). On choisira le crochet en fonction de la largeur des lanières. On coupe les lanières à la main ou à la machine (p. 470).

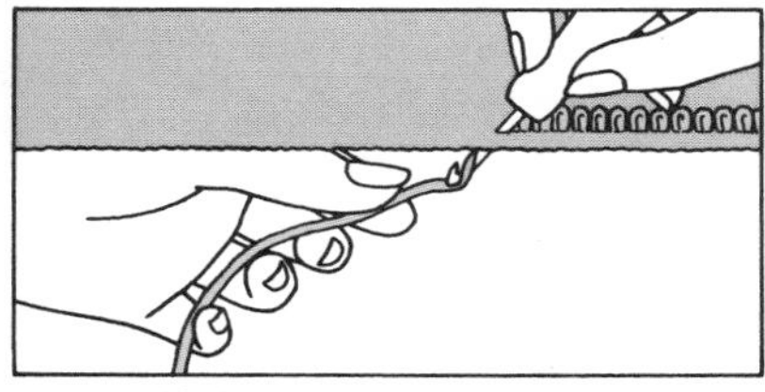
Méthode du crochet à tapis

Pour confectionner un tapis à l'aiguille creuse, vous aurez besoin d'un support, de fil et d'une aiguille creuse à manche. La boucle se forme automatiquement quand l'aiguille pique le support et en ressort. La bure est un bon support, la toile de jute aussi. Les fils les plus indiqués sont les fils à tapisserie et à tapis. La taille des aiguilles creuses dépend de l'épaisseur du fil.

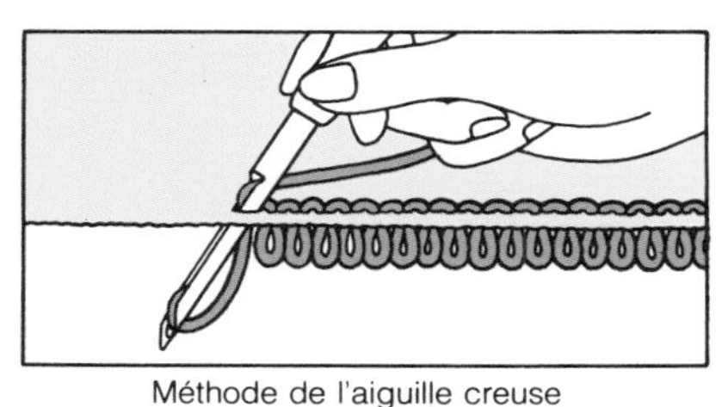
Méthode de l'aiguille creuse

TECHNIQUE DU CROCHET

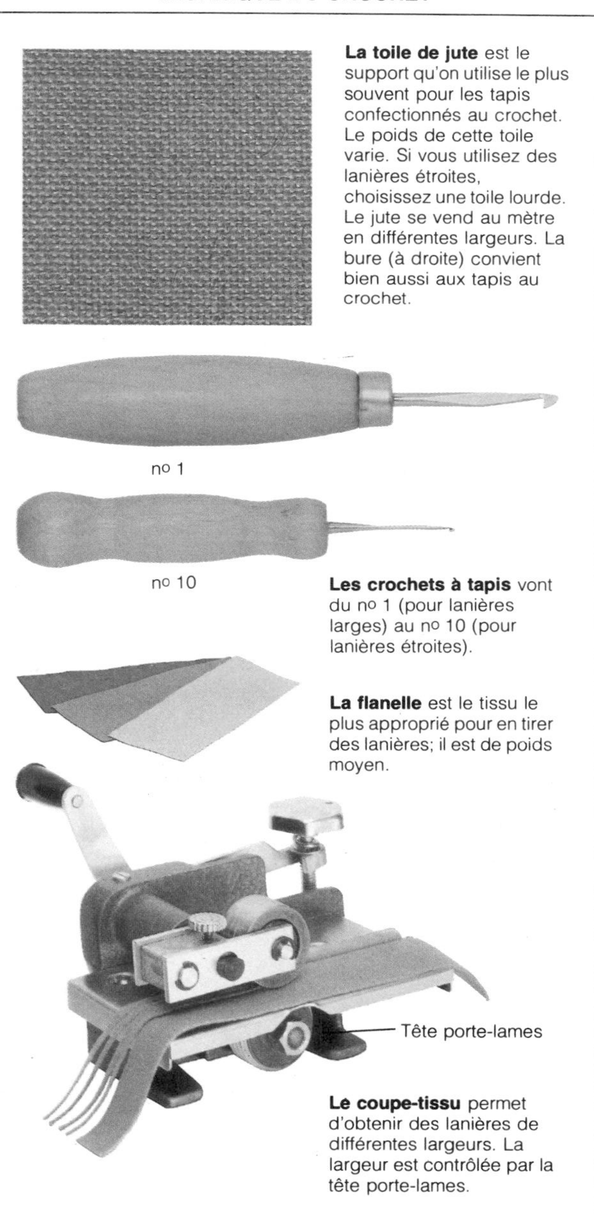

La toile de jute est le support qu'on utilise le plus souvent pour les tapis confectionnés au crochet. Le poids de cette toile varie. Si vous utilisez des lanières étroites, choisissez une toile lourde. Le jute se vend au mètre en différentes largeurs. La bure (à droite) convient bien aussi aux tapis au crochet.

Les crochets à tapis vont du no 1 (pour lanières larges) au no 10 (pour lanières étroites).

La flanelle est le tissu le plus approprié pour en tirer des lanières; il est de poids moyen.

Le coupe-tissu permet d'obtenir des lanières de différentes largeurs. La largeur est contrôlée par la tête porte-lames.

TECHNIQUE DE L'AIGUILLE CREUSE

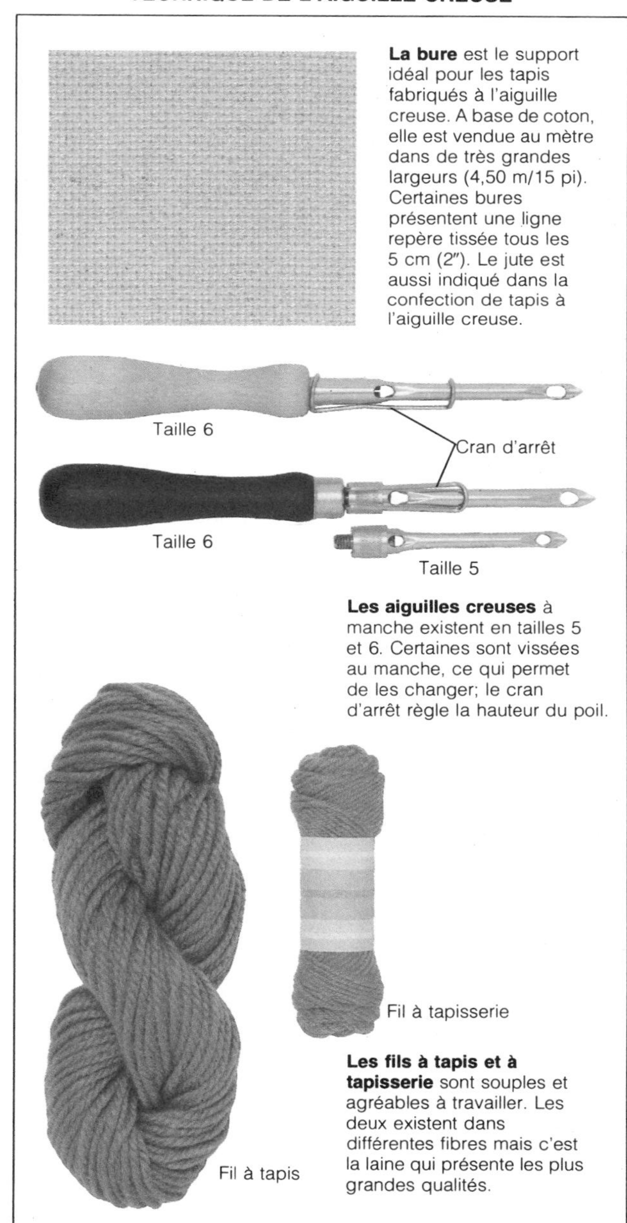

La bure est le support idéal pour les tapis fabriqués à l'aiguille creuse. A base de coton, elle est vendue au mètre dans de très grandes largeurs (4,50 m/15 pi). Certaines bures présentent une ligne repère tissée tous les 5 cm (2″). Le jute est aussi indiqué dans la confection de tapis à l'aiguille creuse.

Les aiguilles creuses à manche existent en tailles 5 et 6. Certaines sont vissées au manche, ce qui permet de les changer; le cran d'arrêt règle la hauteur du poil.

Les fils à tapis et à tapisserie sont souples et agréables à travailler. Les deux existent dans différentes fibres mais c'est la laine qui présente les plus grandes qualités.

Point bouclé et point noué

Point noué/Matériel

Un tapis au point noué, confectionné au crochet à clapet, est fait de brins coupés, noués avec cet instrument sur les fils de trame d'un canevas de Smyrne. Le caractère de l'ouvrage dépend du fil utilisé, le fil à tapis étant lourd et lisse, le Rya léger et torsadé. Ils se présentent tous deux en ballots de brins précoupés; les brins de fil à tapis mesurent 6 centimètres (2½") de long, pour un poil de 2,5 centimètres (1"), et ceux de fil Rya 11 centimètres (4½"), pour un poil de 5 centimètres (2"). Si on utilise d'autres fils, ils doivent être

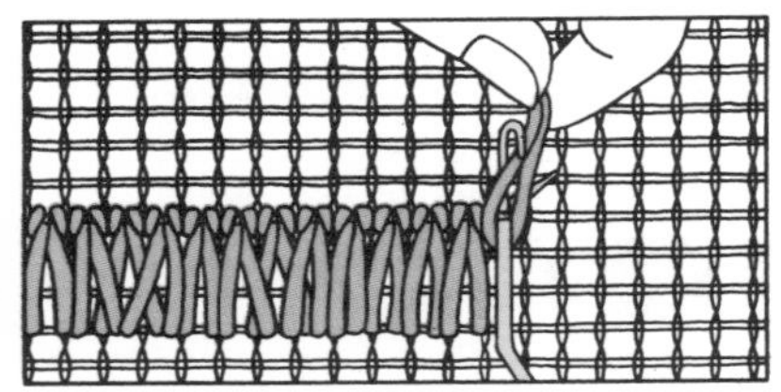

Technique du crochet à clapet

coupés en brins ayant deux fois la hauteur du poil plus 1 centimètre (½") pour le nœud.

Le poil d'un authentique tapis Rya se forme avec le point de Rya sur les fils de trame flottés d'un tissu de reps tramé. Les points de Rya sont exécutés avec une grosse aiguille à tapisserie (nº 13) et du fil Rya. Les boucles qui relient les points entre eux peuvent être ou non ouvertes aux ciseaux. On peut aussi exécuter les points de Rya à l'aiguille sur un canevas de Smyrne. Pour de plus amples détails sur ces deux variantes du tapis Rya, consultez les pages 477-478.

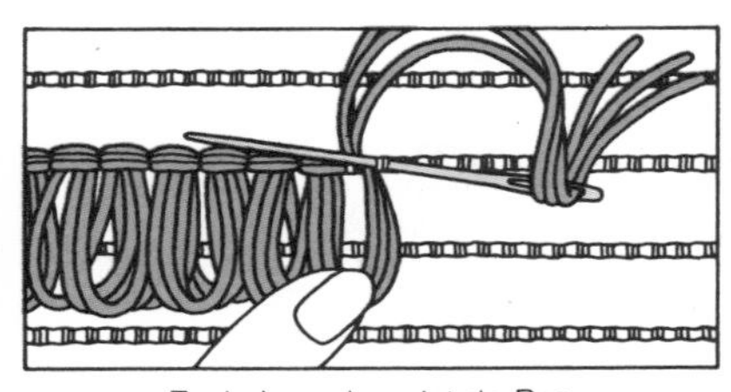

Technique du point de Rya

TECHNIQUE DU CROCHET À CLAPET

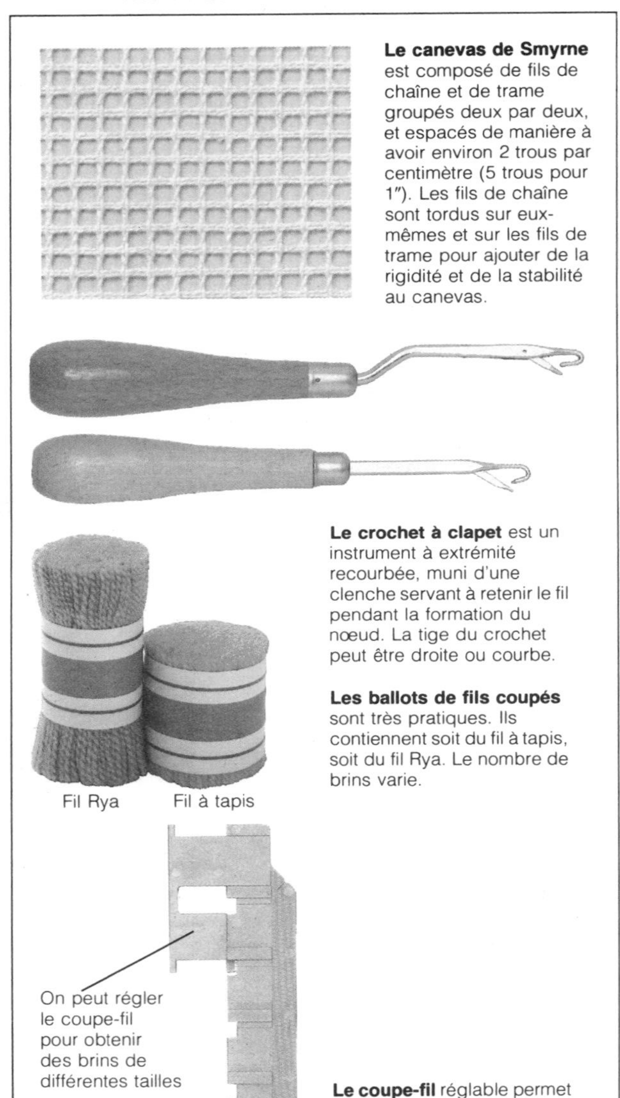

Le canevas de Smyrne est composé de fils de chaîne et de trame groupés deux par deux, et espacés de manière à avoir environ 2 trous par centimètre (5 trous pour 1"). Les fils de chaîne sont tordus sur eux-mêmes et sur les fils de trame pour ajouter de la rigidité et de la stabilité au canevas.

Le crochet à clapet est un instrument à extrémité recourbée, muni d'une clenche servant à retenir le fil pendant la formation du nœud. La tige du crochet peut être droite ou courbe.

Les ballots de fils coupés sont très pratiques. Ils contiennent soit du fil à tapis, soit du fil Rya. Le nombre de brins varie.

Fil Rya — Fil à tapis

On peut régler le coupe-fil pour obtenir des brins de différentes tailles

Le coupe-fil réglable permet de couper des brins de différentes longueurs. Vous trouverez les indications sur la manière de couper le fil p. 476.

TECHNIQUE DU POINT DE RYA

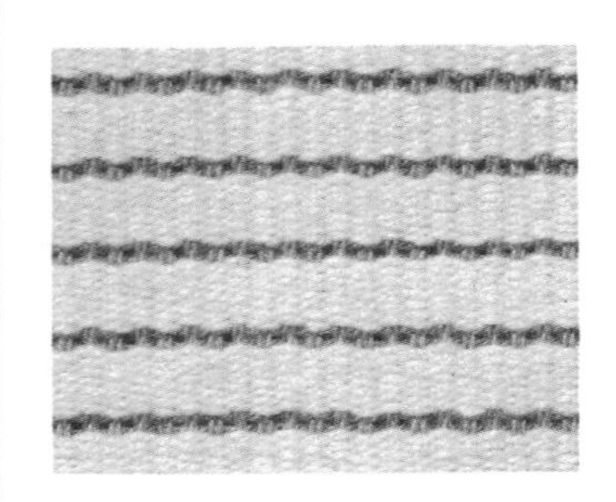

Le reps tramé est une étoffe lourde, tissée, qui présente des fils de chaîne flottés à 1 cm (½") d'intervalle. Cette étoffe s'achète au mètre dans des largeurs allant de 40 à 120 cm (17"- 47"); elle est également vendue en pièces de taille standard (les quatre bords sont alors finis).

Une aiguille à tapisserie nº 13 est idéale.

L'enfile-aiguille facilite l'enfilage du fil à travers le chas.

Fil Rya lourd

Fil Rya léger

Le fil Rya est un fil torsadé à deux brins. Il se présente en écheveaux de fil lourd ou léger, ou en ballots de brins coupés pour l'exécution des tapis noués au crochet à clapet. Le fil Rya en écheveau est un fil de laine. Le Rya précoupé peut être en laine ou en d'autres fibres.

Métiers

Les tapis au point bouclé doivent être exécutés sur un métier. Nous vous recommandons les deux types illustrés ci-dessous. Vous pouvez aussi utiliser un métier à tapisserie ou un tambour de quilting pour l'exécution de tapis de très petites dimensions.

Le métier à rouleaux rotatifs convient aux deux styles de tapis bouclés. Les traverses varient de 50 cm (20″) à 150 cm (60″) de long.

Un métier à peignes peut soutenir des tapis de différentes dimensions dans le cas de la technique du point noué avec crochet à tapis. Les peignes (ou cardes) maintiennent le tapis en place. Il peut être portatif ou sur pied.

Matériel de reproduction des dessins

Si vous concevez vous-même le dessin de votre tapis, il vous faudra le reporter sur le support. La méthode de reproduction varie selon que le support est un tissu ou un canevas. Si c'est un *tissu* (bure, jute ou reps tramé), on a le choix entre trois méthodes. L'une consiste à redessiner les lignes du motif sur du papier-calque avec un **crayon à calque** spécial, puis à appliquer le fer sur le dessin pour qu'il se décalque sur le tissu. Une autre est la méthode de reproduction sur le tissu par piqûre, dans laquelle on emploie la **craie tailleur en poudre** et **en crayon**. Il faut d'abord perforer les lignes du dessin, puis étaler la poudre de sorte qu'elle se dépose sur le tissu et relier les pointillés ainsi obtenus avec le crayon. La troisième méthode consiste à décalquer un motif avec du **papier carbone** et une **roulette de couturière**.

Si le support est un *canevas*, glissez le dessin sous le canevas et reportez les lignes du dessin avec un gros **crayon feutre**. Consultez les pages 468-469.

Le crayon à calque transforme un dessin ordinaire en décalque au fer chaud.

Le carbone et la roulette de couturière sont utilisés ensemble pour reporter un motif sur le tissu.

La craie tailleur en poudre et en crayon est utilisée dans la méthode de piqûre.

Les crayons feutres à large pointe servent à dessiner des motifs sur un canevas.

Matériel de finition

Si certains accessoires, comme les aiguilles, les fils ou le dé à coudre, sont utilisés dans tous les ouvrages à l'aiguille, d'autres sont réservés exclusivement à la confection des tapis comme ceux que nous illustrons ici. Le **galon à tapis** de 4 centimètres (1½″) de large, fait d'une solide bande tissée, est utilisé pour border les côtés de certains tapis; on peut l'acheter au mètre en plusieurs teintes neutres. Le **latex** s'utilise de deux façons : appliqué sur l'envers d'un tapis au point bouclé, il colle les brins au support; par ailleurs, il rend l'envers d'un tapis, bouclé ou noué, antidérapant. Les **ciseaux de tisserand** sont uniques en leur genre à cause de leur forme coudée qui permet aux lames d'être parallèles au poil du tapis pendant qu'on en égalise les brins.

Le galon à tapis est une bande de tissu très solide qui sert à border les côtés de certains tapis.

Le latex s'applique sur l'envers d'un tapis pour coller le poil ou rendre le tapis antidérapant.

Les ciseaux de tisserand sont coudés : les lames restent parallèles au poil.

Point bouclé et point noué

Principes de conception

Il faut tenir compte de plusieurs éléments avant de préparer un dessin destiné à un ouvrage au point bouclé ou au point noué. En premier lieu il faut définir ce que sera l'œuvre : un tapis, un coussin, un sac ou une ceinture. Ensuite, il faut déterminer le genre de dessin qui conviendra le mieux. Ferez-vous un dessin extrêmement détaillé et réaliste ou flou et abstrait? Vaut-il mieux que le dessin remplisse tout l'espace ou ne doit-il être qu'un motif central sur un arrière-plan dépouillé?

C'est très souvent le dessin qui détermine la technique de confection : les deux techniques de point bouclé (crochet à tapis et aiguille creuse) sont plus indiquées pour l'exécution d'un dessin réaliste et détaillé que les techniques de point noué (crochet à clapet et point de Rya). Ces différences tiennent au support et au genre de poil qui caractérisent chaque technique.

La toile de jute et la bure sont interchangeables comme supports des techniques de point bouclé. Elles sont toutes les deux tissées serré, ce qui permet aux boucles d'être très rapprochées et donc de suivre avec assez d'exactitude le tracé d'un motif. Les boucles se dressent au-dessus du tracé et le soulignent. Le premier échantillon ci-dessous a été exécuté sur de la toile de jute en suivant la technique du crochet à tapis avec des lanières de tissu. La ligne tracée qu'on peut voir au-dessus de la rangée de boucles est absolument identique à la ligne sur laquelle les boucles ont été formées. Si l'échantillon avait été exécuté avec une aiguille creuse à manche et du fil à tapis, le résultat aurait été presque identique avec, cependant, quelques boucles de moins parce que le type de fil à tapis utilisé avec une aiguille creuse tend à occuper plus d'espace que les lanières de tissu.

Les supports que l'on utilise pour les deux techniques d'exécution de tapis noués sont le canevas de Smyrne et le reps tramé. Le canevas peut être utilisé soit avec le crochet à clapet, soit avec une aiguille à tapisserie et des points de Rya, mais le reps tramé ne vaut que pour le point de Rya. Avec le canevas de Smyrne, il est possible d'exécuter 2 nœuds par centimètre (5 nœuds pour 1″), de droite à gauche et de haut en bas. Avec le reps tramé, on peut faire près de 2 nœuds par centimètre (4 nœuds pour 1″), d'un côté à l'autre, mais seulement 1 nœud de haut en bas. Parce qu'on ne peut faire les nœuds qu'à certains emplacements, on est obligé de modifier un certain nombre de tracés, particulièrement les courbes et les diagonales, pour les adapter à la structure du support. Le second échantillon ci-dessous a été réalisé sur un canevas de Smyrne avec la méthode du crochet à clapet. La ligne tracée au-dessus des nœuds, une adaptation de la ligne courbe utilisée dans le premier échantillon, est la même que celle sur laquelle on a noué les fils. Notez comment les points sont échelonnés pour s'adapter à la structure du canevas. Si l'échantillon avait été exécuté sur du reps tramé, il y aurait eu moins de points de haut en bas. Avec l'une ou l'autre de ces deux méthodes, la forme de la rangée ne reste pas bien nette parce que le poil noué, qui est long et touffu, a tendance à s'étaler sur un côté. Cette tendance s'atténue toutefois après plusieurs rangées de nœuds, chaque rangée exerçant un effet stabilisant sur la précédente.

Il ne faudrait cependant pas conclure de ces commentaires qu'un motif détaillé ne peut pas être exécuté avec la méthode du tapis noué ou le contraire. On peut détailler un motif au point noué si les surfaces sont suffisamment grandes pour permettre le nombre de nœuds nécessaire à l'exécution du dessin. Il ne faut pas non plus que le poil soit trop long : un poil court restera droit et soulignera mieux les détails qu'un poil long. Si vous désirez entreprendre un motif non détaillé en utilisant la technique du point bouclé, les surfaces des divers éléments n'auront pas besoin d'être modifiées. Il y aura toutefois une notable différence dans le résultat final au niveau de la densité.

Au haut de la page ci-contre, vous trouverez quatre échantillons qui illustrent chacune des techniques avec leurs effets de texture et de volume. Ces échantillons n'illustrent pas cependant comment obtenir des couleurs diaprées, ce que l'on peut faire en utilisant des lanières découpées dans un tissu multicolore, un plaid par exemple, pour la méthode du crochet à tapis. Le même effet peut être obtenu avec l'aiguille creuse en enfilant dessus de multiples brins plus fins que d'habitude, chacun d'une couleur différente (p. 475). Avec le crochet à clapet, les couleurs diaprées s'obtiennent de deux manières, l'une étant d'alterner les couleurs d'un nœud à l'autre, et la seconde d'utiliser plusieurs brins de fils plus fins et de différentes couleurs pour chaque nœud (p. 477). Le même effet multicolore s'obtient avec le point de Rya en utilisant des fils de plusieurs couleurs pour former les points (p. 478).

En composant votre dessin, faites en sorte que le carton soit d'une dimension maniable tout en respectant la forme finale de l'ouvrage. Pour dessiner des formes circulaires, semi-circulaires et ovales, consultez les instructions de la page ci-contre. Coloriez votre dessin sans oublier que les couleurs réelles seront sans doute légèrement différentes. Avant de reporter le dessin sur le support (p. 468), agrandissez-le pour lui donner sa dimension finale (p. 14) en ajoutant les marges nécessaires pour border les côtés (pp. 480-484). Pour vous guider dans le calcul de la quantité de tissu ou de fil nécessaire à un tapis bouclé, consultez la page 470; pour un tapis noué, consultez la page 476.

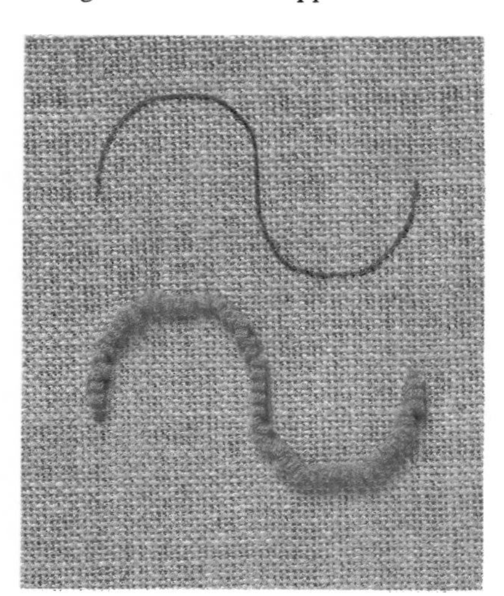

Les supports des tapis bouclés sont tissés assez serré. Grâce à cela, les boucles peuvent être formées à n'importe quel endroit du support, ce qui permet de respecter à peu près tous les types de tracés.

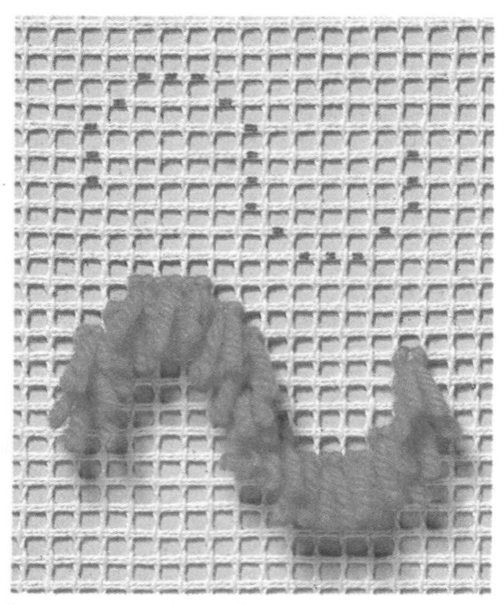

Les supports des tapis noués commandent la position des points ou des nœuds. A cause de cela, certaines lignes, notamment les courbes et les diagonales, doivent être adaptées à la structure du support.

Technique du crochet à tapis

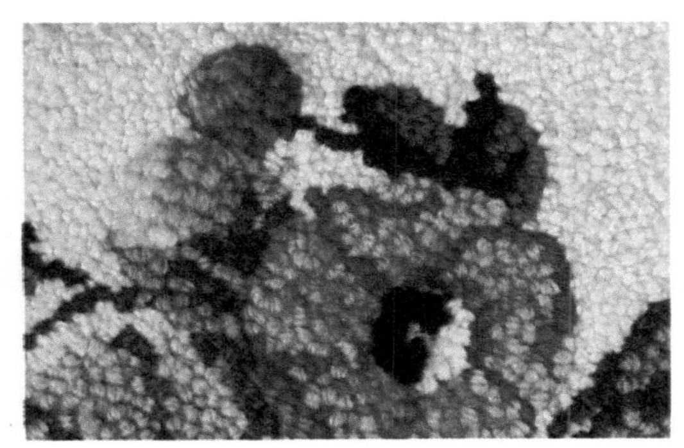

Technique de l'aiguille creuse

Voici deux tapis au point bouclé. L'échantillon supérieur a été exécuté selon la technique du **crochet à tapis,** l'échantillon inférieur, selon celle de l'**aiguille creuse;** tous deux s'inspirent du même dessin, dans les mêmes limites d'espace. Les différences que l'on peut noter viennent des techniques et des matériaux utilisés pour chacun. Celui qui a été fabriqué avec un crochet à tapis a un tracé plus fin et plus net, et les différences de couleur ressortent mieux que dans l'échantillon exécuté à l'aiguille creuse. La raison en est que l'on peut faire plus de boucles par centimètre avec des bandes étroites qu'avec le fil à tapis employé avec la technique de l'aiguille creuse. Avec le crochet à tapis, il est même possible d'utiliser plusieurs nuances d'une même couleur pour représenter l'effet de la lumière sur un objet tridimensionnel. Avec l'aiguille creuse, on peut obtenir cet effet en modifiant la hauteur du poil; par ailleurs, en ouvrant des boucles dans certains espaces, on obtient des zones de flou et d'autres de relief qui rendent l'ouvrage plus dynamique. Pour plus de détails sur les techniques du crochet à tapis et de l'aiguille creuse, consultez les pages 470-475.

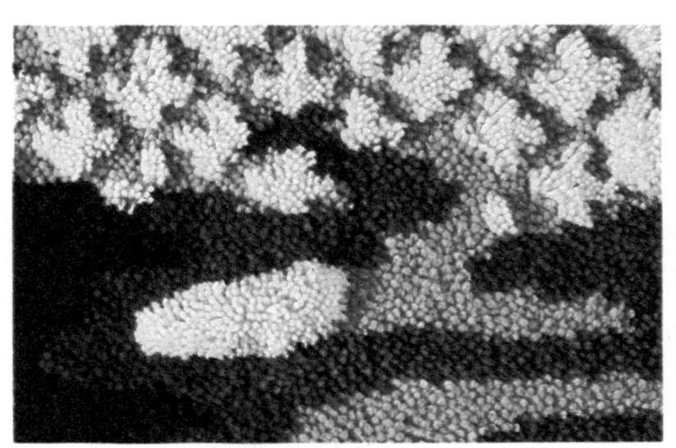

Technique du crochet à clapet

Technique du point de Rya

Voici deux tapis au point noué. L'échantillon supérieur a été exécuté selon la technique du **crochet à clapet** et l'échantillon inférieur, selon celle du **point de Rya;** tous deux s'inspirent du même motif, dans les mêmes limites d'espace. Les différences dans le tracé sont causées par les limites qu'imposent le canevas de Smyrne (échantillon supérieur) et le reps tramé (échantillon inférieur). Les différences de texture sont dues au caractère du poil. Avec la technique du crochet à clapet, le poil est toujours taillé parce qu'on travaille avec des brins de fil précoupés. Avec la technique Rya, les boucles qui forment le poil du tapis peuvent être ouvertes ou non. Les deux techniques permettent de modifier la taille du poil : on peut même « sculpter » les reliefs du poil. On sculpte un poil taillé en égalisant les brins de certains motifs; on sculpte un poil non taillé en brodant des boucles de longueurs différentes. Pour plus de renseignements sur ces deux techniques de tapis noués, consultez les pages 476-479.

Comment tracer des cercles, des demi-cercles et des ovales

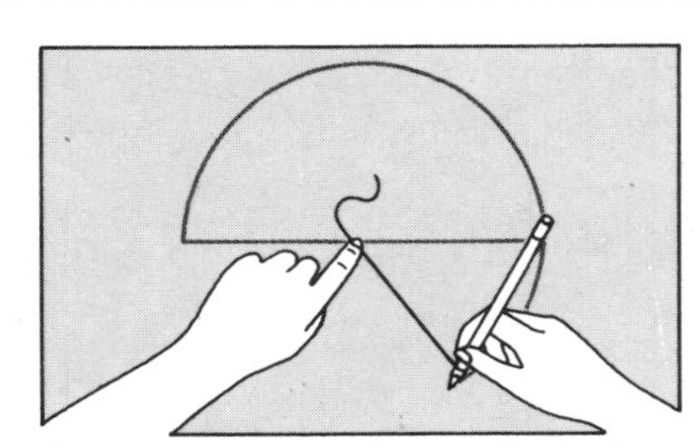

Cercle : tracez une ligne droite égale au diamètre désiré; marquez-en le centre. Attachez un fil à un crayon et placez la pointe de celui-ci à l'extrémité du diamètre. Tendez le fil avec un doigt sur le centre du diamètre, puis faites tourner le crayon au bout du fil.

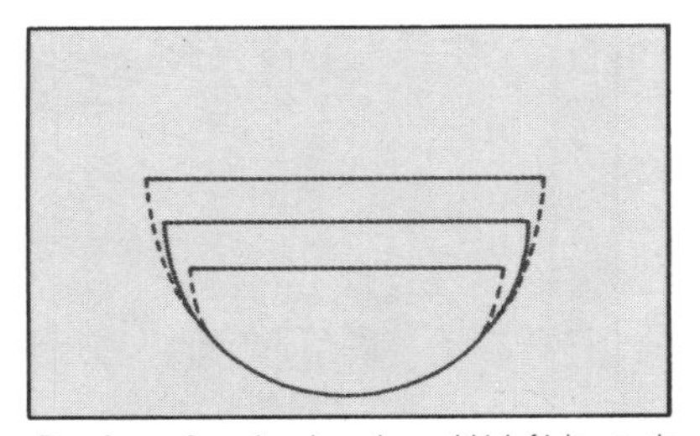

Demi-cercle : dessinez la moitié inférieure de la circonférence. Si vous désirez un demi-cercle *moins profond*, tracez une ligne droite plus courte au-dessous du diamètre original. Si vous désirez un demi-cercle *plus profond*, tracez-en une plus longue au-dessus.

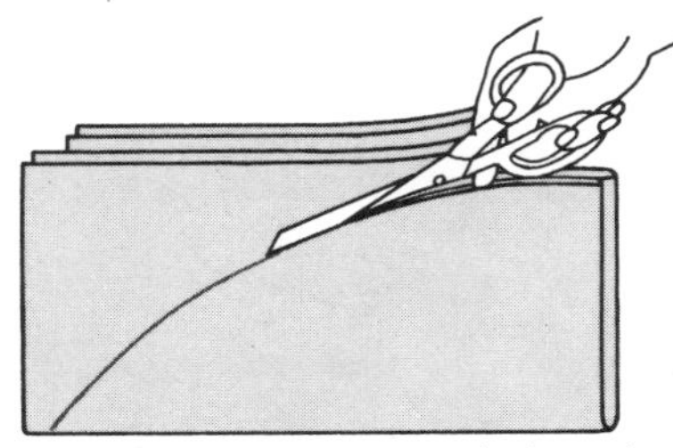

Ovale : découpez un rectangle de papier de la même hauteur et de la même largeur que l'ovale désiré. Pliez le rectangle en quatre. Sur la partie supérieure du quart ainsi obtenu, dessinez une courbe qui relie le haut au côté. Coupez le long de la courbe.

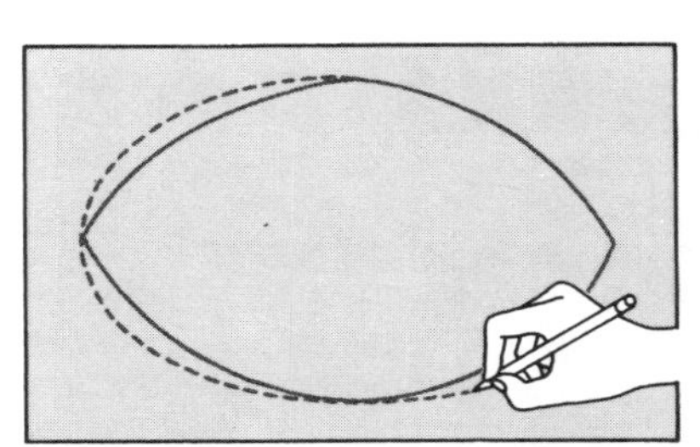

Dépliez le papier et placez-le sur une feuille de papier plus grande. Dessinez-en les contours au crayon puis enlevez la forme découpée. Il faudra peut-être parfaire cette forme en arrondissant les courbes ou en donnant plus de symétrie à l'ovale.

Point bouclé et point noué

Finition des tapis 480-484

Préparation du support

Le support doit avoir la taille du tapis fini, plus une marge, si nécessaire, pour lui permettre d'être tendu sur un métier ou un tambour. Ces marges seront utilisées plus tard pour la finition du tapis. Dans le cas d'un tapis noué, ajoutez une marge équivalente à la quantité nécessaire pour finir chaque bord (pp. 482-484). Dans le cas de reps tramé, tissé à la dimension requise du tapis fini, les marges ne sont pas utiles. Avant de commencer, finissez les bords francs pour les empêcher de s'effilocher, et avant de reproduire le motif, n'oubliez pas de marquer le centre du support ainsi que le milieu de ses côtés.

Si nécessaire, assemblez des morceaux pour obtenir la dimension requise. *Avec un support de tissu* (toile de jute, bure, reps tramé), taillez les morceaux à assembler en supprimant les lisières. Faites chevaucher les bords sur 2,5 cm (1″); attention aux raccords dans le cas du reps tramé. Cousez les deux épaisseurs ensemble. Pendant l'exécution, travaillez à travers les deux.

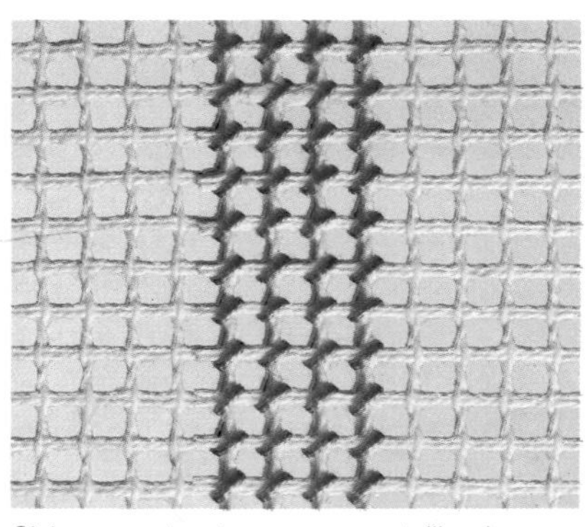

Si le support est un canevas, taillez les morceaux à assembler en supprimant les lisières. Faites chevaucher les bords taillés sur 4 fils de chaîne. Puis, en travaillant du haut en bas de chaque rangée de fils superposés, assemblez les morceaux en faisant un point de surjet à chaque croisement. Pendant l'exécution, travaillez à travers les deux épaisseurs.

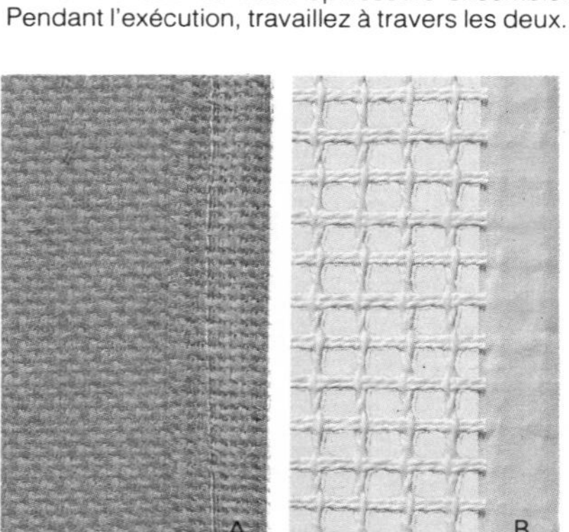

Finissez les bords francs du support pour les empêcher de s'effilocher en cours de travail. Si le support est un *tissu*, rentrez chaque bord franc sur 1 cm (½″) et piquez à la machine (A); si c'est un *canevas*, finissez les bords francs en les maintenant avec du ruban adhésif (B).

Marquez le centre du support et le milieu des côtés. Servez-vous d'une craie tailleur pour marquer un support de *tissu*, et d'un crayon-feutre pour marquer un support de *canevas*. Ces marques serviront de points de repère au moment du transfert du dessin sur le support.

Techniques de reproduction des motifs

Pour décalquer un dessin sur un support de tissu (toile de jute, bure, reps tramé), utilisez la **craie tailleur en poudre,** le **crayon à calque** ou le **papier carbone et la roulette de couturière.** Mais si le support est un canevas, utilisez la **technique propre au canevas.** Avec chacune de ces méthodes, seules les lignes du dessin sont reportées. Si vous le désirez, vous pouvez colorer

TECHNIQUE DE LA CRAIE TAILLEUR EN POUDRE

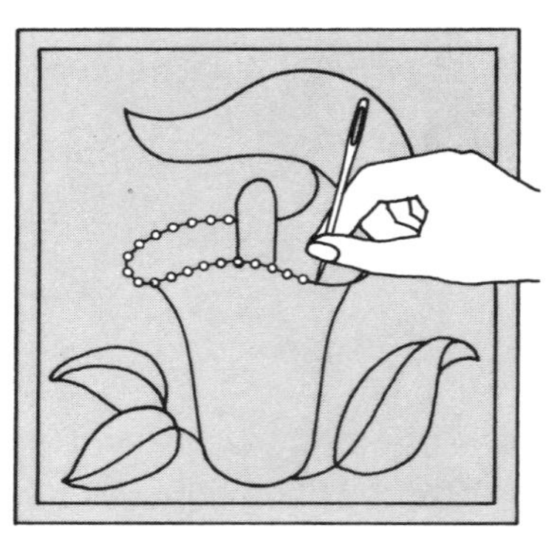

Dans le cas du crochet à clapet ou du point de Rya, procédez ainsi : **1.** Piquez les contours du dessin avec une grosse aiguille. Pour aller plus vite, vous pouvez piquer aussi les contours à la machine avec une aiguille sans fil.

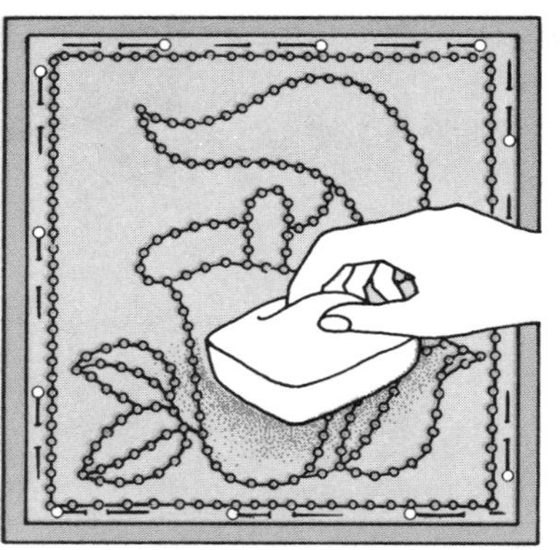

2. Posez le dessin perforé, *envers sur endroit*, en le centrant bien sur le support et épinglez. Etalez de la craie tailleur en poudre sur les pointillés à l'aide d'un tampon de feutre pour que la poudre traverse et se dépose sur le support.

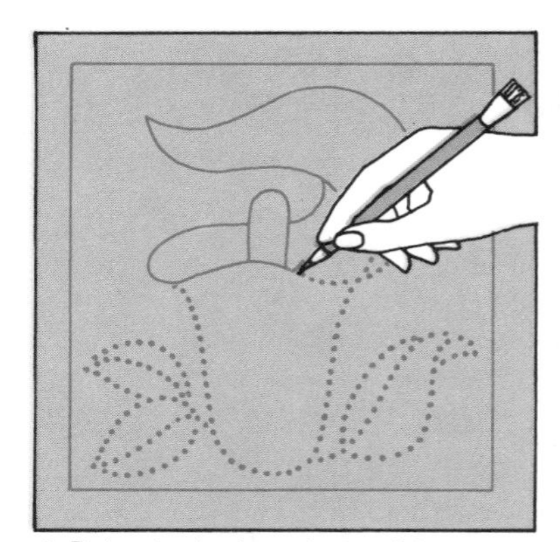

3. Retirez le dessin perforé en faisant attention à ne pas répandre la poudre sur le support. Reliez les pointillés avec de la craie tailleur dure. Quand toutes les lignes ont été dessinées, secouez le support pour faire tomber l'excédent de poudre.

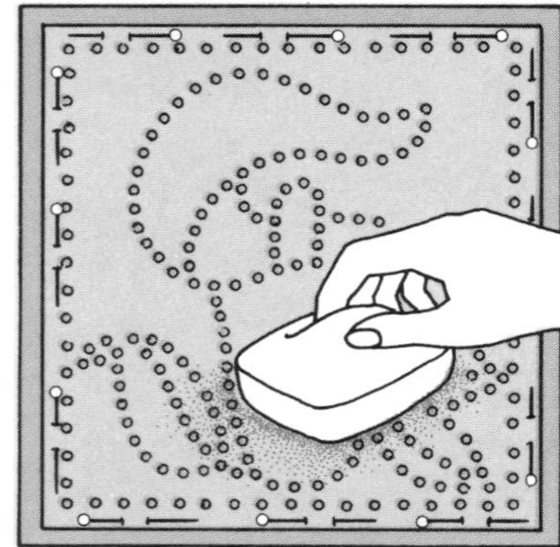

Dans le cas de l'aiguille creuse, perforez le dessin comme à l'étape 1. Placez-le ensuite sur le support, *endroit sur envers*; centrez-le et épinglez. Saupoudrez de poudre et faites-la pénétrer dans les trous (étape 2). Retirez le dessin et reliez les points (étape 3).

les surfaces du dessin sur un support de canevas, ce qui ne se fait habituellement pas sur un support de tissu.

Si le tapis est confectionné au *crochet à tapis*, au *point de Rya* ou au *crochet à clapet*, le côté sur lequel le dessin est reporté deviendra le côté face parce que c'est sur celui-ci que se trouvera le poil du tapis. Par contre, si on utilise la technique de l'*aiguille creuse*, le côté sur lequel le dessin est reporté devient l'envers du tapis, puisque le poil se trouve sur l'autre côté, c'est-à-dire sur l'endroit. Pour être sûr que le dessin se trouvera dans le bon sens sur le côté face du tapis, on opérera le transfert du dessin sur l'envers du support, dans le sens contraire de celui qu'on lui a donné sur l'endroit. Voir ci-dessous pour des instructions détaillées.

TECHNIQUE DU CRAYON À CALQUE

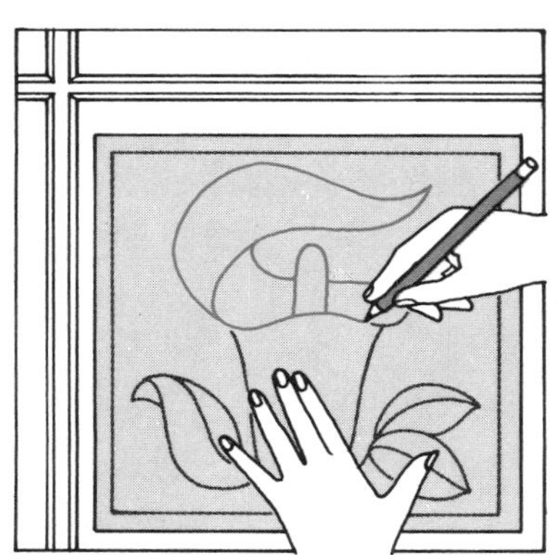

Dans le cas du crochet à tapis ou du point de Rya, procédez ainsi : **1.** Appliquez sur une vitre ensoleillée l'*endroit* du dessin et retracez les lignes par transparence sur l'envers avec un crayon à calque, pour obtenir un décalque au fer.

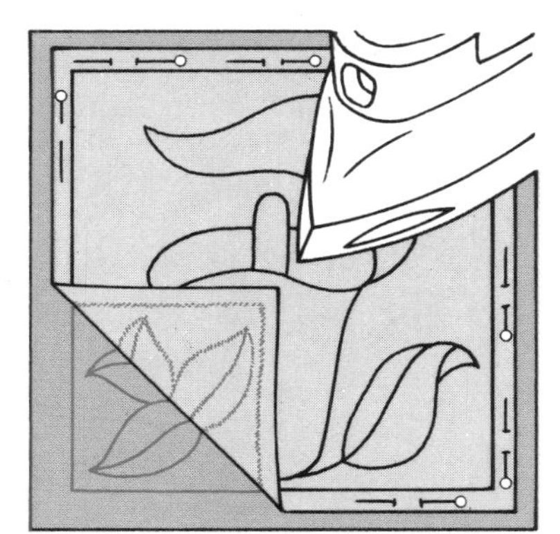

2. Centrez l'*envers* du dessin sur le support, épinglez et appuyez le fer chaud quelques secondes sur un espace à la fois; soulevez le dessin pour voir si le décalque a pris. Si vous n'êtes pas satisfait, recommencez. Attention à ne pas brûler le support.

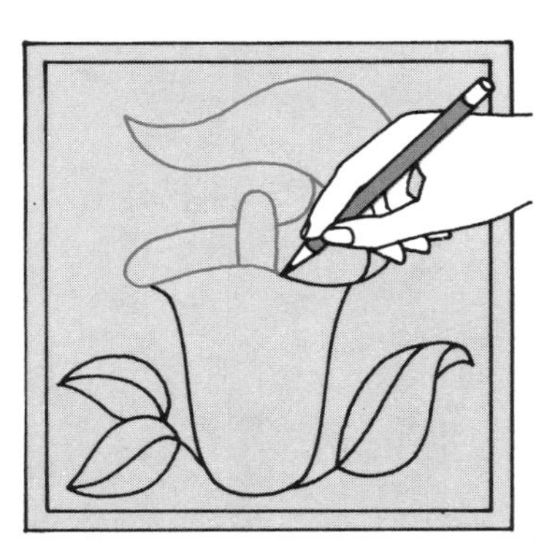

Dans le cas de l'aiguille creuse, reportez le dessin sur l'envers du support de la manière suivante : **1.** Avec un crayon à calque spécial (pour décalques au fer), soulignez avec soin toutes les lignes sur l'*endroit* du dessin.

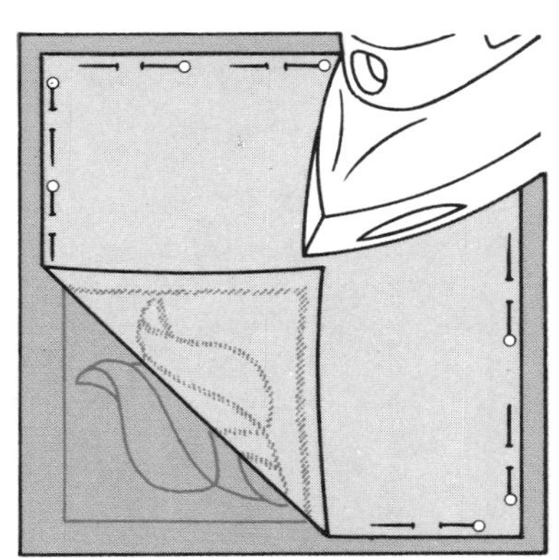

2. Centrez le dessin *endroit sur envers* sur le support et épinglez. Appuyez le fer quelques secondes sur un espace à la fois; soulevez un coin pour voir si le décalque a pris. Si vous n'êtes pas satisfait, recommencez. Attention à ne pas brûler le support.

TECHNIQUE DU PAPIER CARBONE ET DE LA ROULETTE DE COUTURIÈRE

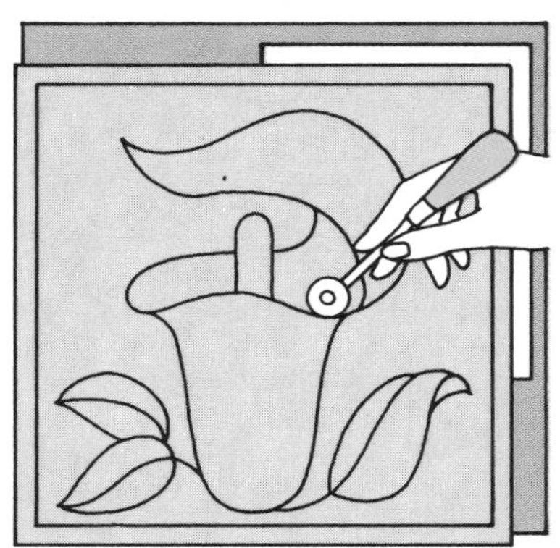

Dans le cas du crochet à tapis ou du point de Rya, centrez le dessin sur le support, *envers contre endroit*, et glissez le carbone entre les deux. Repassez les lignes avec la roulette; déplacez le carbone à mesure.

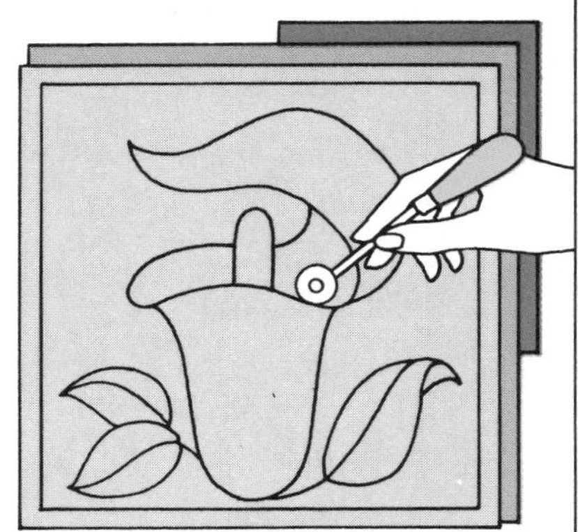

Dans le cas de l'aiguille creuse, placez le dessin sur le support, *envers sur endroit*, puis glissez le carbone, *face en haut*, sous le support. Repassez les lignes avec la roulette; déplacez le carbone à mesure.

TECHNIQUE PROPRE AU CANEVAS

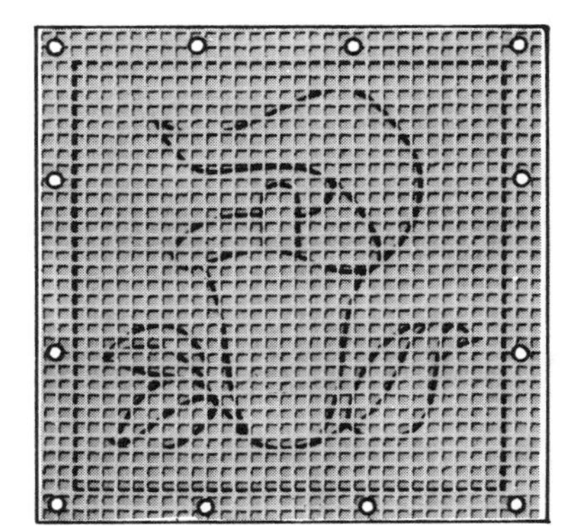

1. Centrez le dessin sous le canevas. Maintenez-le avec des punaises.

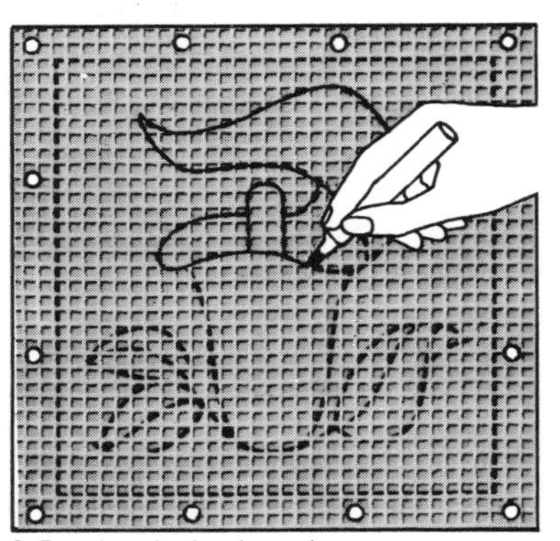

2. Dessinez le dessin sur le canevas avec un crayon feutre indélébile.

Préparation et exécution des tapis bouclés

Evaluation et préparation du tissu/Crochet à tapis

On utilise du tissu coupé en lanières pour former le poil d'un tapis bouclé selon la technique du crochet à tapis. La quantité de tissu nécessaire pour les lanières est à peu près égale à quatre fois la surface totale du tapis. Cette quantité doit être répartie entre les couleurs du dessin et il est prudent d'ajouter 15 pour cent au total évalué pour chaque couleur. Si vous utilisez des lanières plus fines que la normale ou si le poil du tapis doit être plus long, augmentez la quantité en proportion; par contre, si les lanières sont plus larges ou le poil plus court, diminuez-la.

Avant de couper le tissu, il faut le laver et le laisser rétrécir. Ce rétrécissement resserre la trame, ce qui aide le tissu à ne pas s'effilocher. Coupez toujours les lanières dans le sens du droit-fil, jamais dans le biais. Si vous coupez les lanières à la main, utilisez pour vous guider un fil du tissu afin de ne pas dépasser la largeur désirée. Si vous coupez le tissu à la machine, assurez-vous de bien choisir la taille de la tête coupeuse, ou de bien ajuster l'écartement des lames (selon le modèle), et suivez fidèlement les instructions du mode d'emploi.

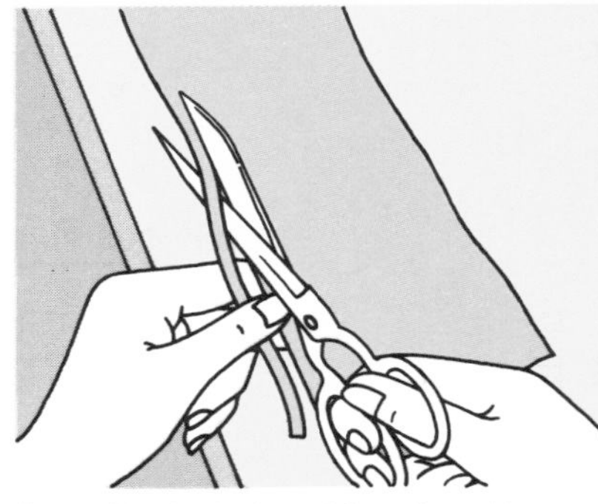

Pour tailler les lanières à la main, guidez-vous sur un fil du tissu.

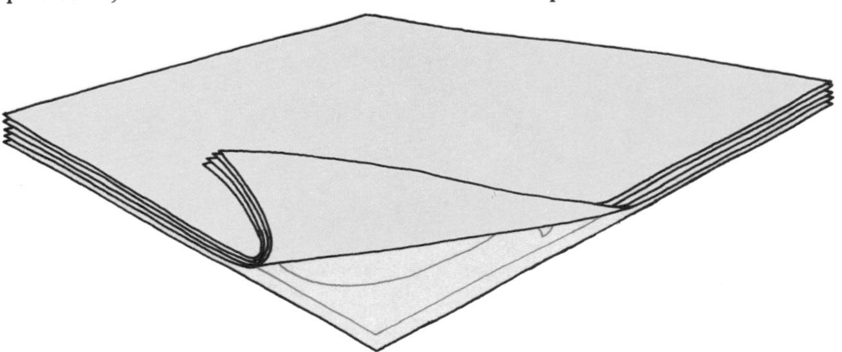

La quantité de tissu nécessaire pour faire les lanières est à peu près égale à quatre fois la surface du tapis terminé.

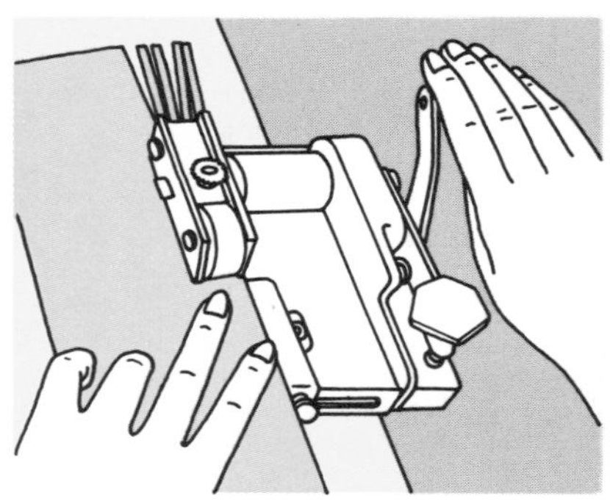

Pour couper les lanières à la machine, choisissez la tête coupeuse en conséquence.

Evaluation et préparation du fil/Aiguille creuse

On utilise généralement du fil à tapis. La formule courante pour évaluer la quantité requise de fil est la suivante : 100 mètres (110 vg) pour chaque carré de 30 centimètres (1 pi) de côté. Evaluez la longueur totale de fil nécessaire selon la surface de votre dessin. Répartissez ensuite le total obtenu entre les différentes couleurs. Il est plus prudent d'ajouter 15 pour cent du montant total à chaque couleur. Ce calcul se base sur un tapis dont la hauteur du poil mesure 1,25 centimètre (½"), hauteur obtenue avec une aiguille creuse à manche nº 6 sans le cran d'arrêt. Si vous avez l'intention d'avoir un poil plus haut ou d'utiliser un fil plus fin, augmentez les quantités en proportion. Vous achèterez, par exemple, deux fois plus de fil à tapisserie que de fil à tapis, parce qu'il vous faut faire deux fois plus de rangées de boucles pour couvrir la même surface de support. Vérifiez la justesse de votre calcul en notant combien de fil vous avez utilisé dans les premières surfaces travaillées.

Avant de commencer le tapis, préparez des pelotes de fil (p. 271) parce qu'une pelote se dévide plus facilement en cours de travail.

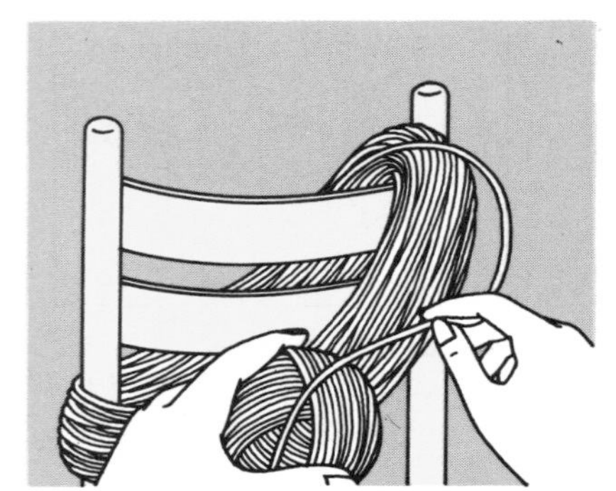

Posez l'écheveau sur le dos d'une chaise pour le dévider et en faire une pelote.

Installation du support sur un métier

Il est préférable d'exécuter les tapis bouclés sur un métier : le support reste tendu et les boucles sont plus faciles à exécuter et risquent moins de glisser hors du support. Les métiers conçus spécialement pour les tapis sont les plus indiqués. Le métier à rouleaux rotatifs convient aux deux techniques de tapis au point bouclé. Le métier à peignes (ou cardes) ne doit pas être utilisé dans le cas de tapis confectionnés avec une aiguille creuse. Si le tapis est petit, un métier à tapisserie ou un tambour à quilting suffiront. Pour monter le support sur un métier à tapisserie, reportez-vous à la page 184; pour monter le support sur un tambour à quilting, reportez-vous à la page 249. Dans tous les cas, l'endroit du support doit toujours être tourné vers le haut.

MÉTIER À ROULEAUX ROTATIFS

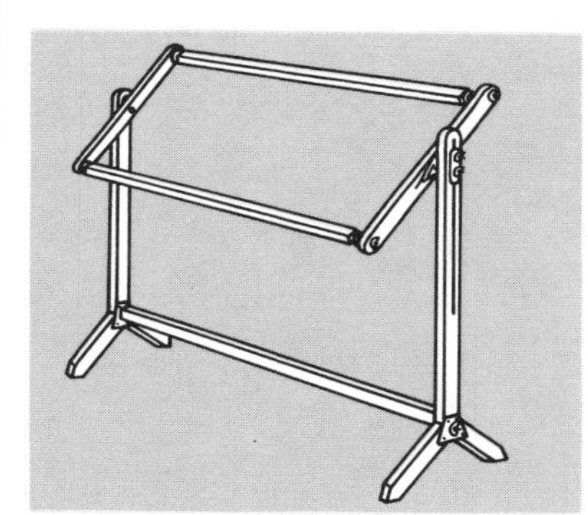

1. Montez le pied et attachez les montants. Insérez les extrémités des traverses supérieure et inférieure dans les extrémités de chaque montant. Si nécessaire, consultez le mode d'emploi qui accompagne le métier.

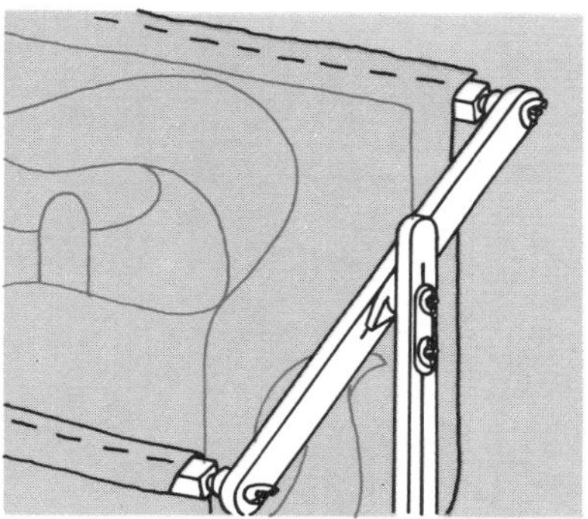

2. Placez une des extrémités du support sur la traverse supérieure en la centrant bien et agrafez-la en place. Faites-en autant avec l'autre extrémité en l'agrafant sur la traverse inférieure.

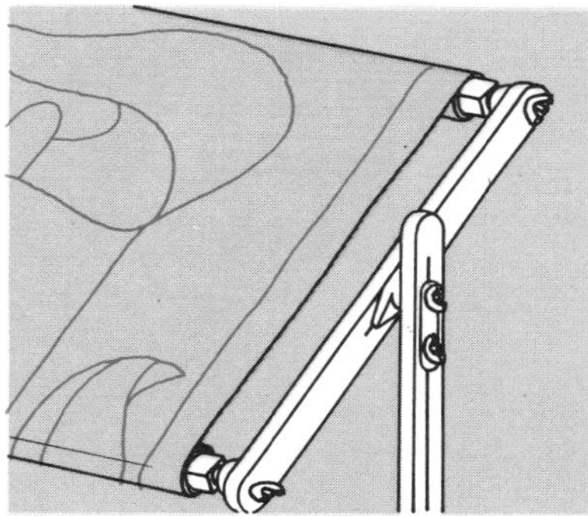

3. Relâchez légèrement les papillons qui retiennent les deux traverses sur les montants et tournez les traverses pour enrouler le support. Centrez la surface à travailler en même temps et resserrez ensuite les papillons.

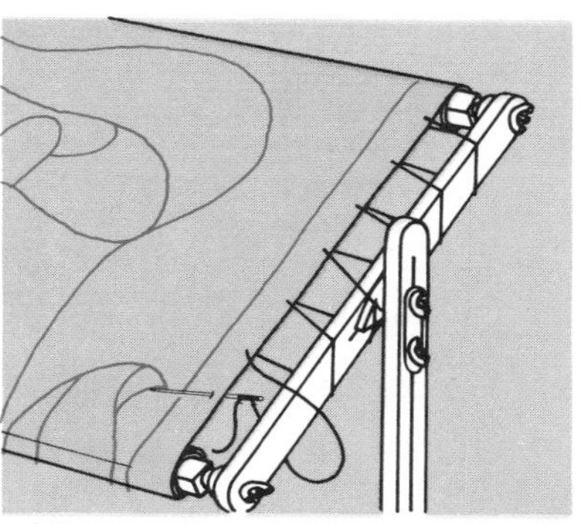

4. Surjetez avec une grosse aiguille et du fil épais le support aux montants. Commencez par un nœud et terminez par quatre points arrière. Pour changer la position du support, retirez les points et répétez les étapes 3 et 4.

MÉTIER À PEIGNES

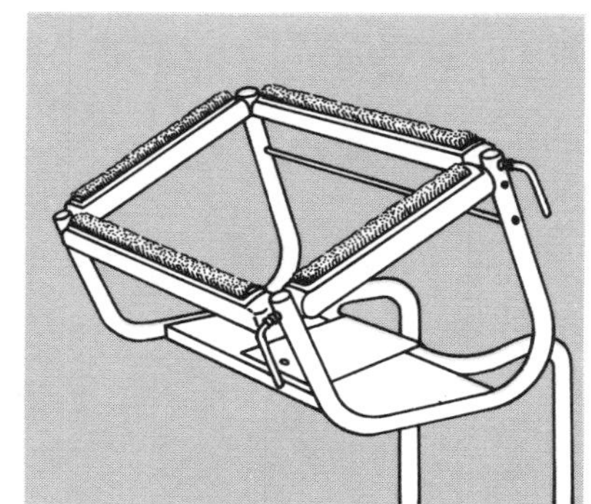

1. Placez le métier sur une table ou montez-le sur son pied. Vérifiez si les manettes ajustables sont dans le même sens que les peignes. Si nécessaire, tournez-les dans le sens des aiguilles d'une montre pour bien les aligner.

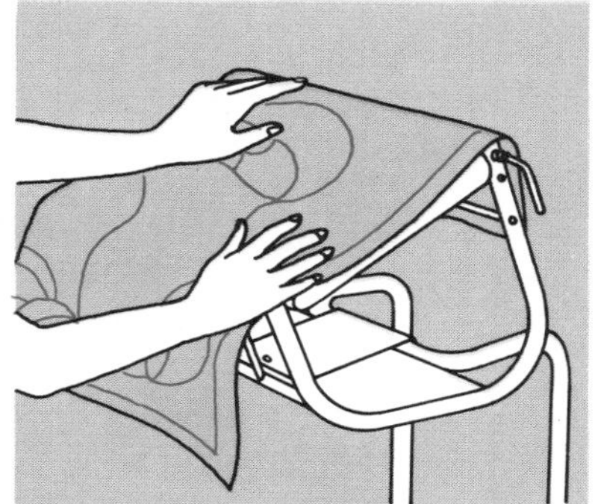

2. Choisissez la surface à travailler et centrez-la sur le métier. Pressez sur le support pour le faire prendre dans les quatre peignes, jusqu'à ce que les dents de métal accrochent bien le tissu ou le canevas, et lissez-le.

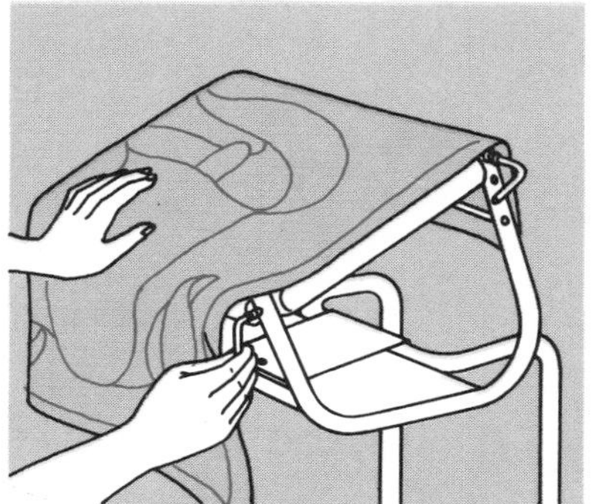

3. Tournez doucement la manette du peigne supérieur, puis celle du peigne latéral, jusqu'à ce que le support soit bien tendu dans les deux sens. N'oubliez pas de toujours tourner dans le sens des aiguilles d'une montre.

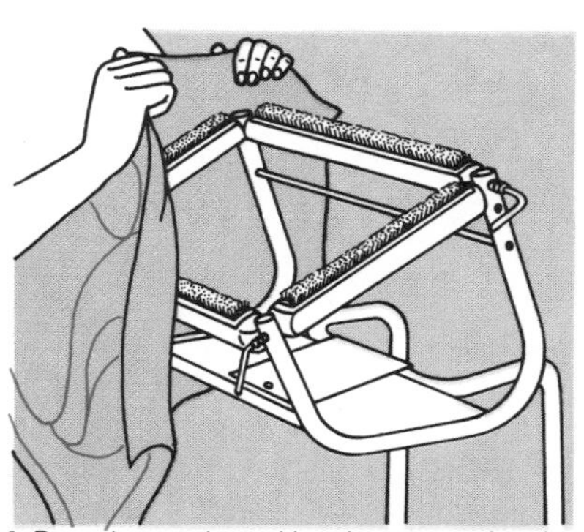

4. Pour changer la position du support, ôtez le support du métier en le soulevant et remettez les manettes dans leur position de départ (étape 1). Choisissez la nouvelle surface à travailler et répétez les étapes 2 et 3.

Préparation et exécution des tapis bouclés

Technique du crochet à tapis

On utilise des lanières de tissu dans la technique du crochet à tapis. Ces lanières peuvent être découpées en différentes largeurs; le choix de la largeur dépend de la quantité d'éléments compris dans un dessin et de l'espace alloué à chacun. D'une manière générale, plus il y a d'éléments et moins il y a d'espace, plus les lanières doivent être étroites. La largeur moyenne des lanières est de 3 millimètres (⅛″); le projet décrit en page 494 a été réalisé avec des lanières de 3 millimètres (⅛″). Vous trouverez en page 470 les instructions sur la manière de découper les lanières. Il existe plusieurs tailles de crochets à tapis; la taille choisie doit correspondre à la largeur de la lanière. Pour des lanières de 2 millimètres (3/32″), on utilisera un crochet nº 10; pour des lanières de 3 millimètres (⅛″), un crochet nº 4; pour des lanières de 6 millimètres (¼″), un crochet nº 1. En règle générale, il faut que les boucles soient d'une hauteur égale à la largeur de la lanière. Par exemple, si les lanières ont 3 millimètres (⅛″) de large, les boucles doivent avoir 3 millimètres de haut.

Principes de base

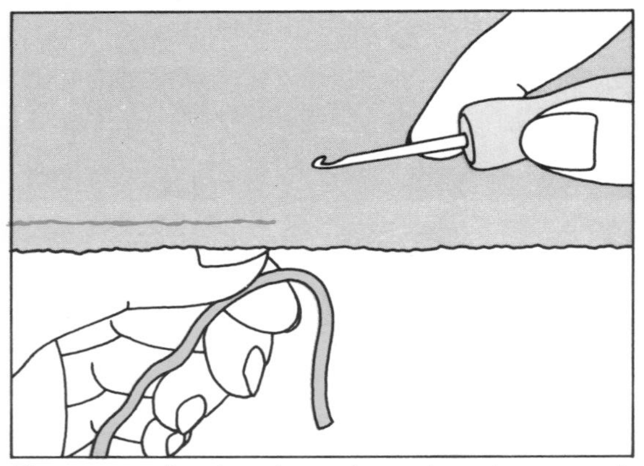

Placez vos mains de sorte que la gauche se trouve sous le support et tienne la lanière et que la droite se trouve au-dessus du support et tienne le crochet (si vous êtes gaucher, inversez la position des mains et travaillez les rangées dans l'autre sens).

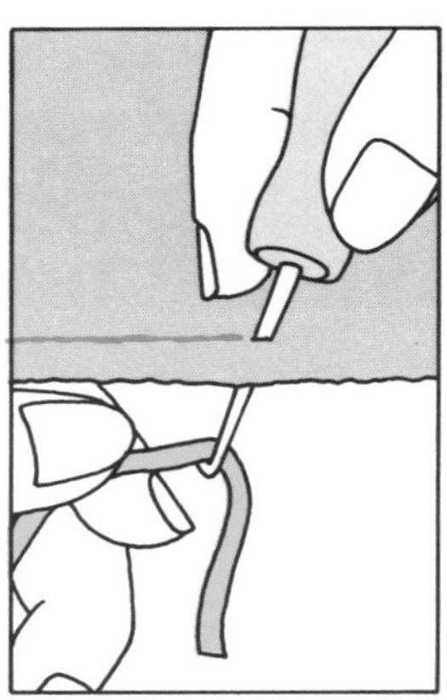

Pour commencer une rangée, piquez le crochet dans le support et placez-y une des extrémités de la lanière de tissu, puis tirez pour ramener cette extrémité à la surface du support; elle sera coupée à même hauteur que le poil quand le tapis sera terminé.

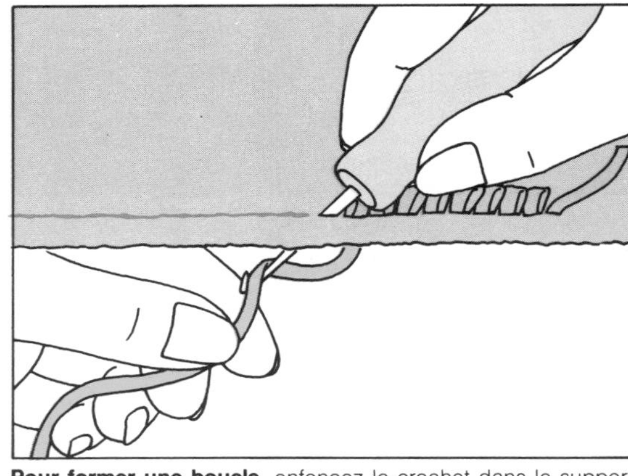

Pour former une boucle, enfoncez le crochet dans le support, saisissez la lanière et ressortez-la. Si vous avez du mal à ramener la boucle, agrandissez le trou avec le crochet. L'espace compris entre les boucles dépend de la largeur des lanières.

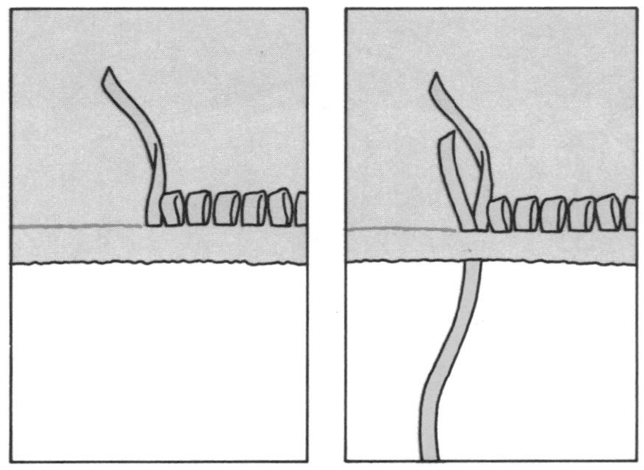

Pour terminer une rangée, ramenez l'extrémité de la lanière à la surface du support. Commencez la nouvelle lanière dans le trou où s'est terminée la lanière précédente. Les extrémités seront égalisées plus tard.

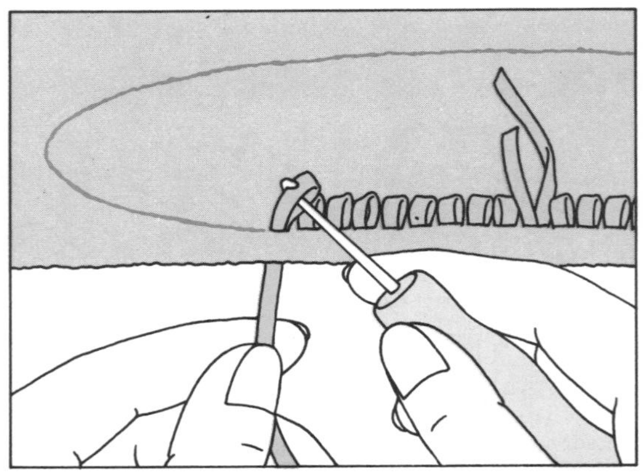

La hauteur de la boucle est contrôlée par la traction du crochet. Si vous avez trop tiré sur une boucle, gardez le crochet en place et tirez sur la lanière par-dessous jusqu'à ce que la boucle atteigne la bonne hauteur.

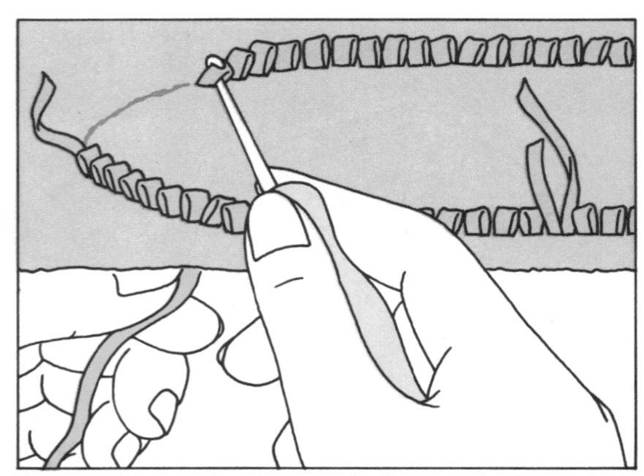

Exécutez les rangées (plus particulièrement les longues) de droite à gauche, quitte à reprendre le travail par l'autre bout si la rangée change de direction (comme ci-dessus). Faites les rangées courtes en une fois, dans toutes les directions voulues.

Exécution d'un dessin

Dans la technique du crochet à tapis, exécutez les détails avant le fond. A moins que les détails soient en dégradés (ci-dessous), exécutez d'abord la rangée qui délimite la forme d'un élément, puis les rangées de remplissage (à droite). Comme nous l'avons dit à la page précédente, exécutez les rangées de droite à gauche, en arrêtant ou en commençant une rangée à chaque fois que nécessaire pour maintenir la direction de la rangée dans le bon sens. L'espace compris entre les boucles et les rangées de boucles dépendra de la largeur de la lanière. D'une manière générale, si les lanières mesurent entre 2 et 3 millimètres (3/32″ et ⅛″), laissez deux fils de tissu entre chaque boucle et chaque rangée de boucles; si les lanières mesurent 6 millimètres (¼″), laissez deux à trois fils. Augmentez l'espace entre les boucles et les rangées si le support se met à goder; diminuez-le si on peut apercevoir la texture du support à travers les boucles. N'amenez pas les lanières d'une section à une autre en cours de travail. Si le dessin exige un poil tacheté, découpez les lanières dans un tissu multicolore, comme de l'écossais ou du pied-de-poule.

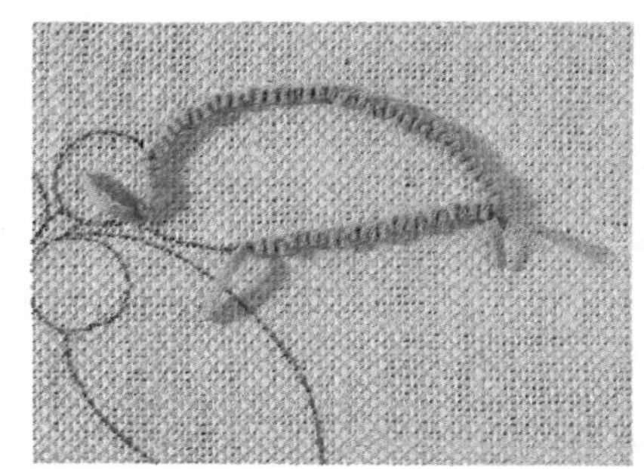

Soulignez d'abord les contours d'un détail. Travaillez de droite à gauche sans hésiter à commencer de nouvelles rangées.

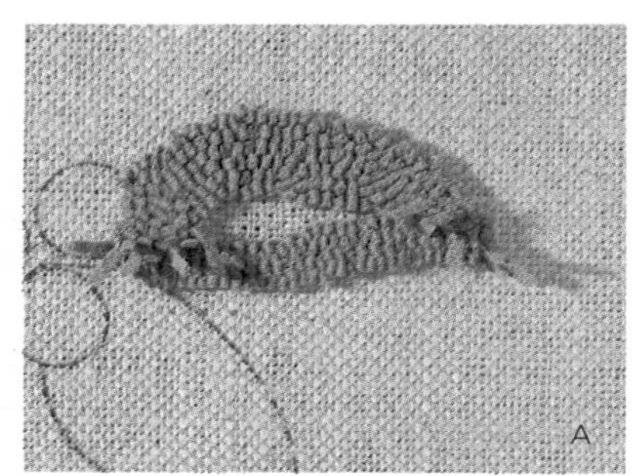

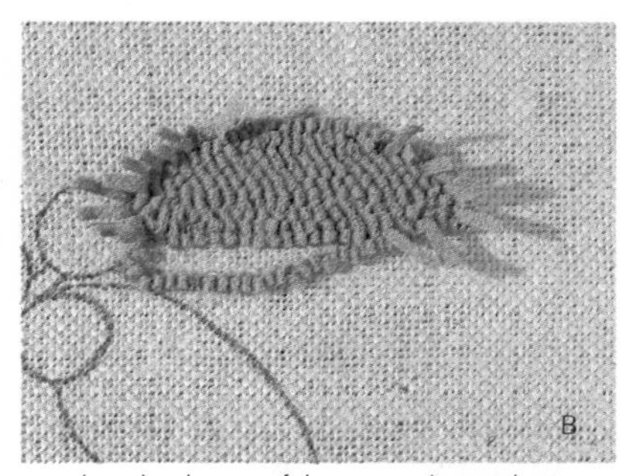

Remplissez ensuite la surface du détail, soit en longeant le contour (A), soit en travaillant d'un côté à l'autre (B). Arrêtez et commencez les rangées à chaque fois que nécessaire pour maintenir la bonne direction de la rangée (de droite à gauche).

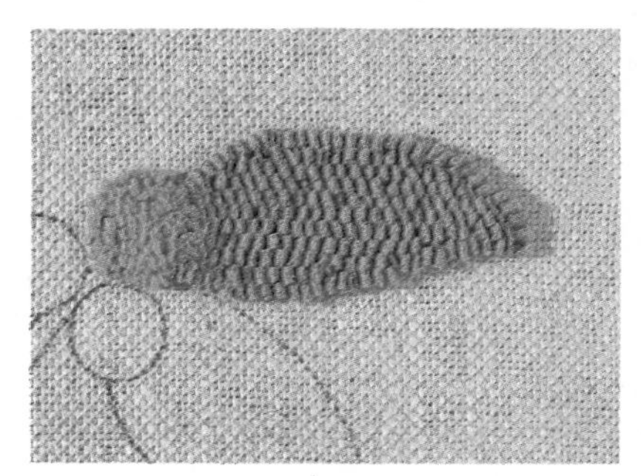

L'espace compris entre les boucles et les rangées dépend de la largeur des lanières. Plus elles sont larges, plus on laissera d'espace.

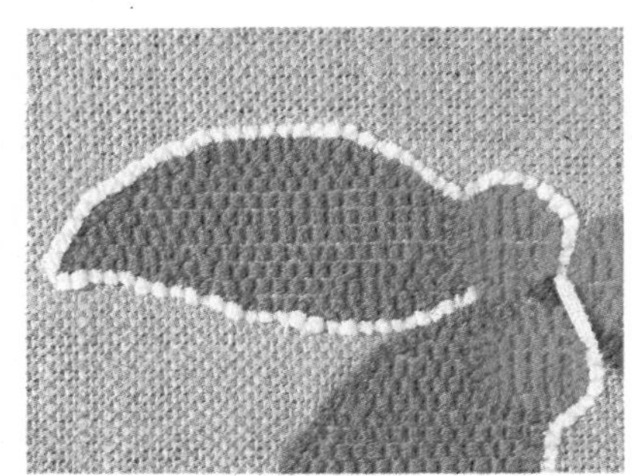

Ne transportez pas une lanière d'un élément à un autre; au contraire, arrêtez la lanière là où elle se trouve et prenez-en une autre.

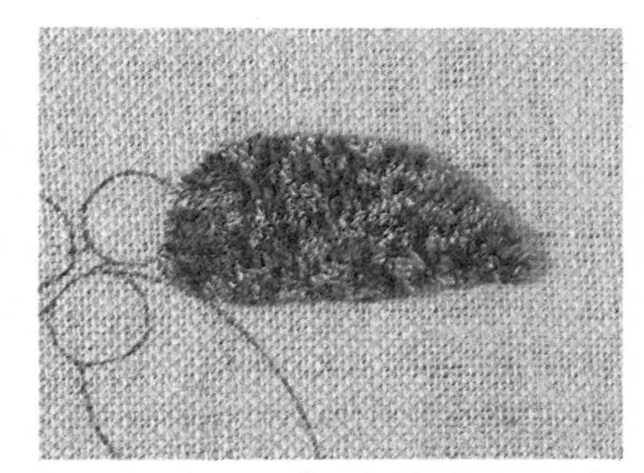

Pour obtenir un poil tacheté, découpez des lanières dans un tissu multicolore qui comporte les couleurs dont vous avez besoin.

Dégradés

Le dégradé est le fait de travailler un détail avec plusieurs valeurs d'une même couleur dans le but d'imiter la manière dont un objet réel, tridimensionnel, change selon l'angle de la lumière. Vous pouvez voir ci-contre un effet de dégradé. En travaillant ainsi un détail, imaginez comment ses couleurs peuvent varier quand elles sont exposées à une source de clarté. Le nombre de valeurs choisi dépendra de la forme de l'objet réel, de l'espace alloué pour le détail sur l'ensemble du tapis et de la largeur des lanières utilisées. Plus l'espace réservé au détail sera grand et plus les lanières seront étroites, plus les possibilités de dégradé seront nombreuses. La valeur la plus claire doit être réservée à la surface qui est censée réfléchir le maximum de clarté, la valeur la plus sombre à la surface qui doit en réfléchir le moins. Puis, selon l'espace restant, répartissez des valeurs intermédiaires sur les autres surfaces. Exécutez ce travail en travaillant simultanément les surfaces intérieures et extérieures, à l'inverse de l'approche habituelle. Si l'espace dont vous disposez le permet, exécutez les rangées en zigzag; les couleurs se fondront mieux.

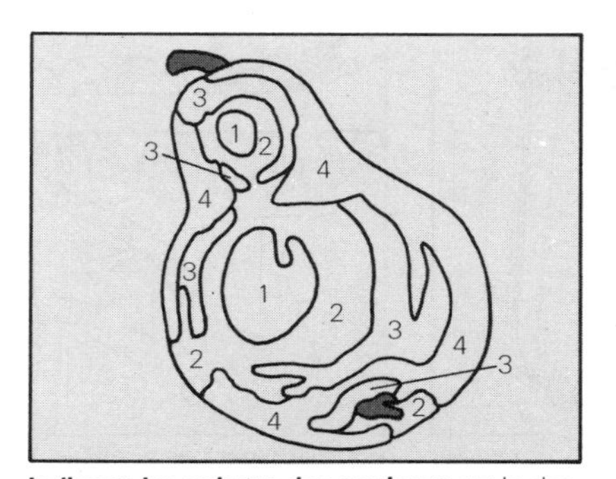

Indiquez les valeurs des couleurs sur le dessin : la plus claire à la surface la plus élevée (1) et la plus foncée à la plus basse (4).

Exécutez les rangées de boucles dans chaque valeur. Si l'espace le permet, travaillez en zigzag; les valeurs se fondront mieux ensemble.

Préparation et exécution des tapis bouclés

Technique de l'aiguille creuse

L'aiguille creuse permet de loger le fil dans le support. Ce genre d'aiguilles existe en plusieurs tailles dont deux conviennent à la confection des tapis : l'aiguille nº 6 s'utilise avec du fil à tapis, l'aiguille nº 5 avec des fils plus légers, comme le fil à tapisserie. Toutes les aiguilles creuses à manche sont munies d'un cran d'arrêt amovible qui permet d'obtenir un poil plus court. Par exemple, sans le cran d'arrêt, une aiguille nº 6 donne un poil de 1,2 centimètre (½″); avec le cran d'arrêt, elle donne un poil de 6 millimètres (¼″).

La technique de l'aiguille creuse est facile à exécuter et permet d'avancer très vite. Vous en trouverez ci-dessous les principes de base. La technique de l'aiguille creuse s'exécute sur l'envers de l'ouvrage. Il est important de ne pas lever l'aiguille creuse trop haut au-dessus du support, pour ne pas tirer trop de fil et risquer de défaire des boucles déjà formées. Si cela vous arrivait, placez la pointe de l'aiguille à l'endroit où doit se trouver la boucle suivante, tirez à travers l'aiguille l'excédent de fil et continuez.

Principes de base

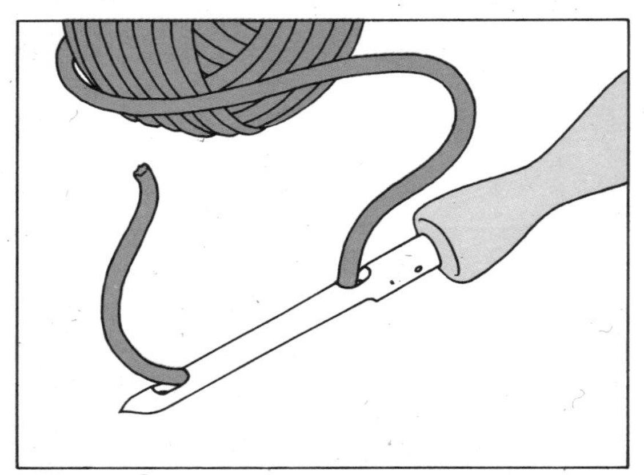

Pour enfiler l'aiguille creuse, insérez l'extrémité coupée du fil à travers le premier chas situé près du manche; glissez le fil le long de la rainure de l'aiguille et passez-le ensuite dans le deuxième chas, situé près de la pointe.

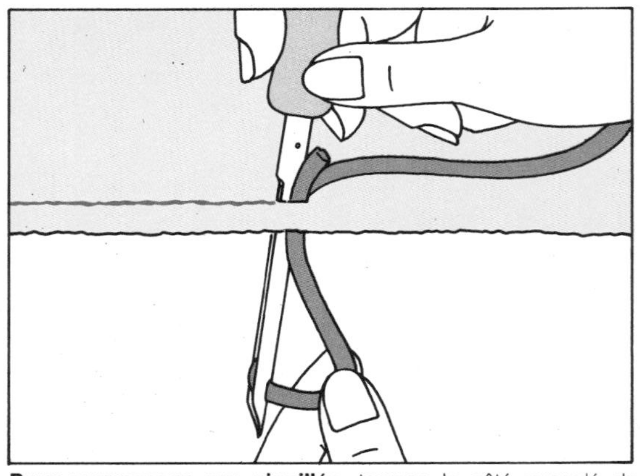

Pour commencer une aiguillée, tournez le côté cannelé de l'aiguille dans la direction de la rangée à exécuter, et piquez-la aussi loin que possible dans le support. Tirez l'extrémité du fil coupé pour l'amener de l'autre côté du support.

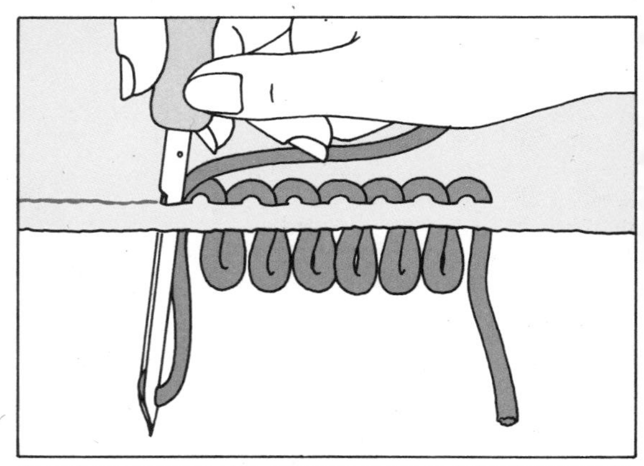

Pour former les boucles, glissez la pointe de l'aiguille le long du tissu, par-dessus quelques fils, puis piquez-la de nouveau aussi loin que possible et ressortez-la pour former la boucle suivante. L'espace compris entre les boucles dépend du poids du fil.

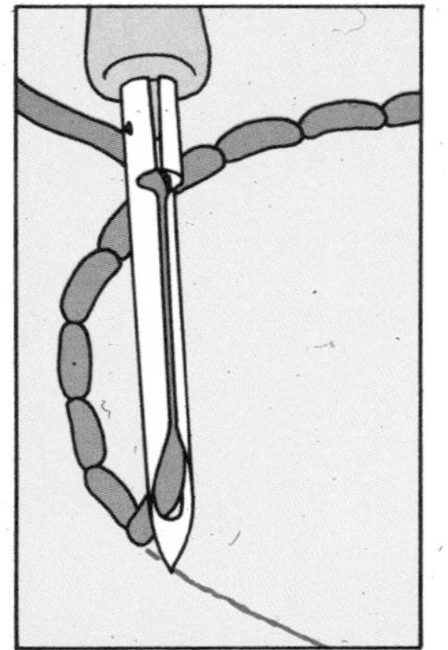

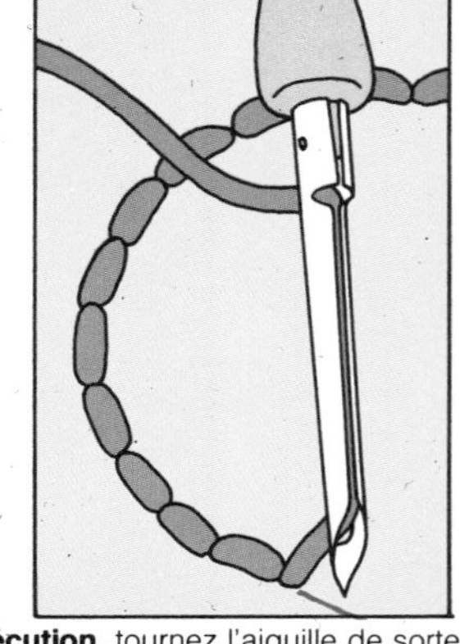

Pour changer le sens de l'exécution, tournez l'aiguille de sorte que son côté cannelé se trouve face à la nouvelle direction. Si le côté cannelé n'est pas dans le sens de la rangée à exécuter, le fil ne se dévidera pas correctement à travers le chas.

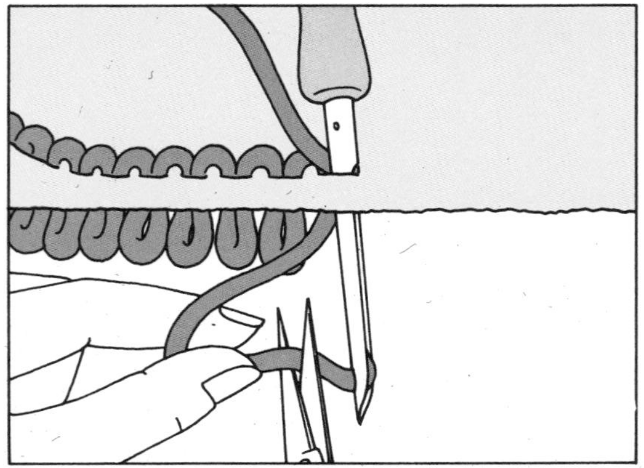

Pour terminer une aiguillée, piquez l'aiguille dans le tissu. Exercez de petites tractions sur le fil pour le dégager, puis coupez-le. Les extrémités du début et de la fin de l'aiguillée seront égalisées en même temps que le poil, une fois le tapis terminé.

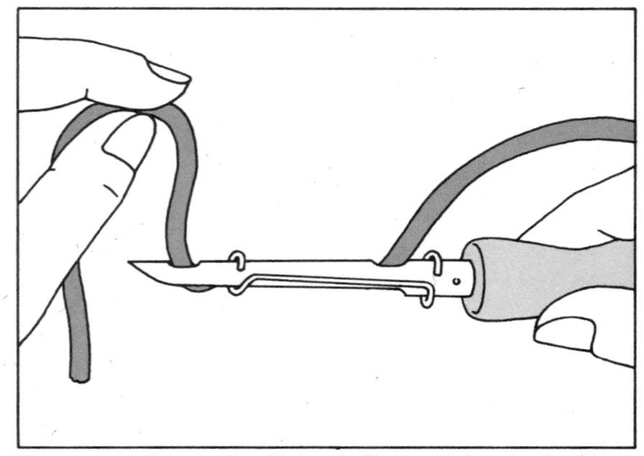

Pour monter le cran d'arrêt, ôtez le fil et posez le cran d'arrêt sur l'aiguille. Enfilez l'aiguille de nouveau, puis tirez sur le fil pour vous assurer que le cran d'arrêt ne gêne pas le dévidage. Les crans d'arrêt varient d'un modèle à l'autre.

Exécution d'un dessin

Exécutez d'abord les détails, puis le fond. Commencez à exécuter d'abord le contour des éléments puis remplissez-les avec des rangées de boucles. Ces dernières peuvent s'exécuter de deux façons (à droite), chacune d'elles produisant un effet de densité différent. On exécute également le fond en rangées. L'espace entre les boucles et les rangées de boucles variera selon le poids du fil. Dans le cas d'un fil à tapis, laissez un espace de trois fils de tissu entre les boucles et les rangées; dans le cas d'un fil à tapisserie, ne laissez que deux fils. Toutefois, étant donné que le nombre de fils par centimètres carrés diffère d'un genre de support à un autre, modifiez, si nécessaire, ces proportions. D'une manière générale, si le tapis commence à goder, c'est que les boucles et les rangées sont trop rapprochées; par contre, si vous pouvez apercevoir le support à travers les boucles, du côté du poil, c'est qu'il y a entre elles trop de distance. Ne transportez pas un fil d'un espace à un autre (à droite). De temps à autre, examinez votre ouvrage du côté du poil, et si vous découvrez que les boucles sont inégales, égalisez-les avec une aiguille à tricoter.

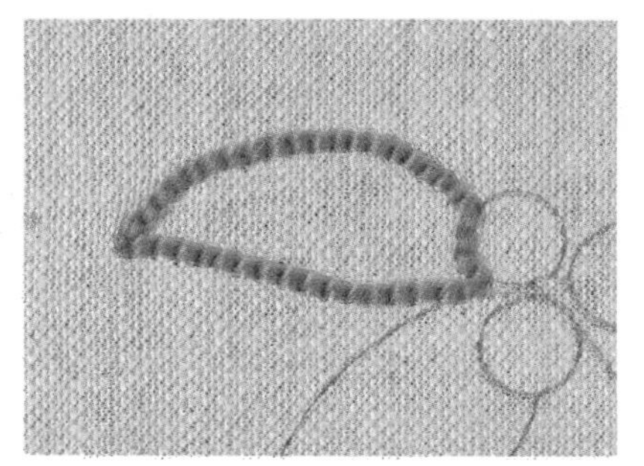

Soulignez le contour des détails en exécutant une rangée de boucles; changez la direction de la rangée, si nécessaire.

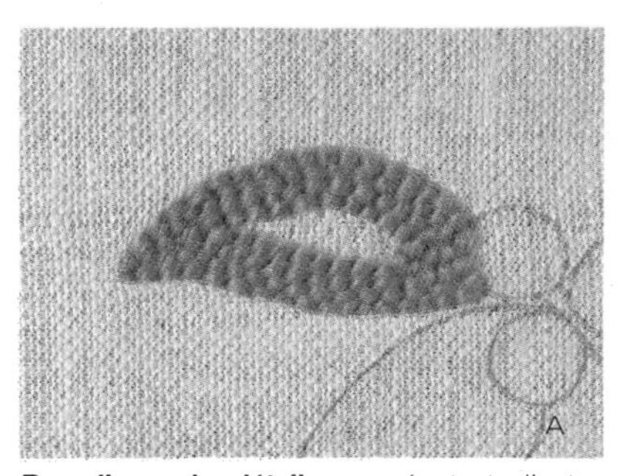

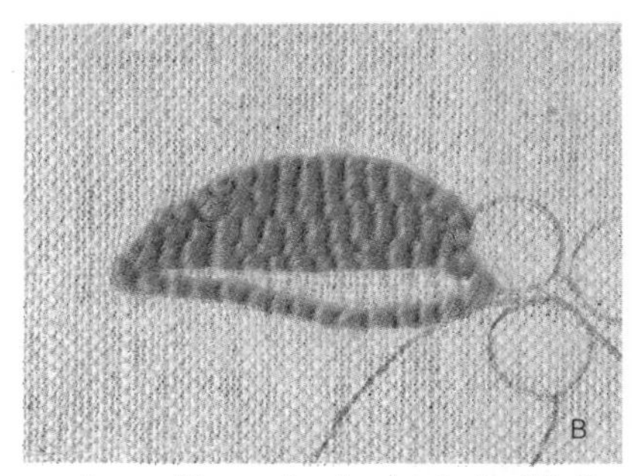

Remplissez le détail en exécutant d'autres rangées de boucles, soit en suivant les contours de la forme soulignée (A), soit en exécutant des rangées rectilignes d'un bord à l'autre (B). Ces deux façons de travailler produisent un poil légèrement différent.

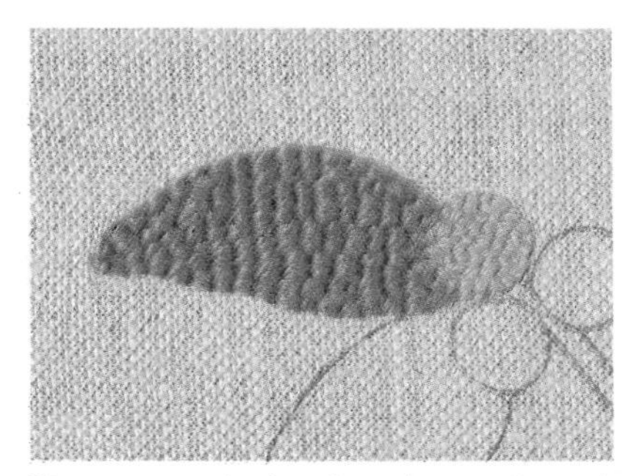

L'espace entre les boucles et les rangées varie selon le poids du fil. Laissez 3 fils pour un fil à tapis; laissez-en 2 pour un fil à tapisserie.

Ne transportez pas le fil d'un espace à un autre; coupez-le plutôt et commencez une nouvelle aiguillée sur l'espace suivant.

Si quelques boucles sont inégales, glissez une aiguille à tricoter à travers et tirez pour les amener au même niveau que le reste du poil.

Techniques spéciales

Le poil confectionné d'après la technique de l'aiguille creuse peut varier. En premier lieu, il est possible d'obtenir un poil multicolore en enfilant l'aiguille avec plusieurs brins légers de différentes couleurs. On peut aussi obtenir différents reliefs en variant la longueur des boucles et en n'ouvrant que les plus hautes. Les différences de hauteur d'un poil sont obtenues en formant des boucles avec le cran d'arrêt et sans lui; celles qui sont formées sans le cran d'arrêt sont à peu près deux fois plus hautes que les autres. La hauteur du poil dépend de la taille de l'aiguille utilisée.

Pour obtenir un poil multicolore, enfilez sur une même aiguille plusieurs brins légers de couleurs différentes.

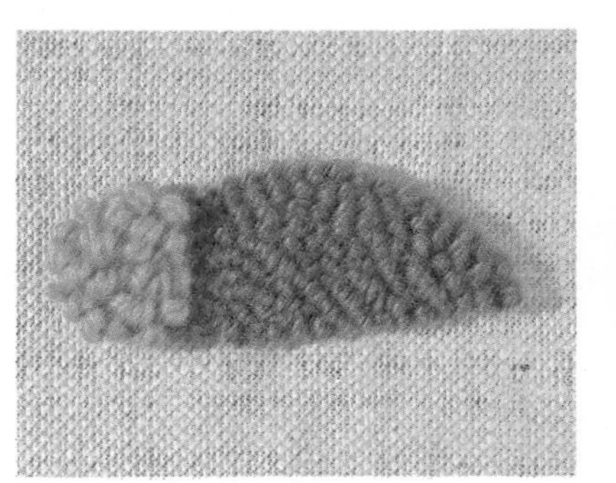

Pour varier la hauteur du poil, exécutez certaines boucles sans le cran d'arrêt et les autres avec lui, ou changez d'aiguille.

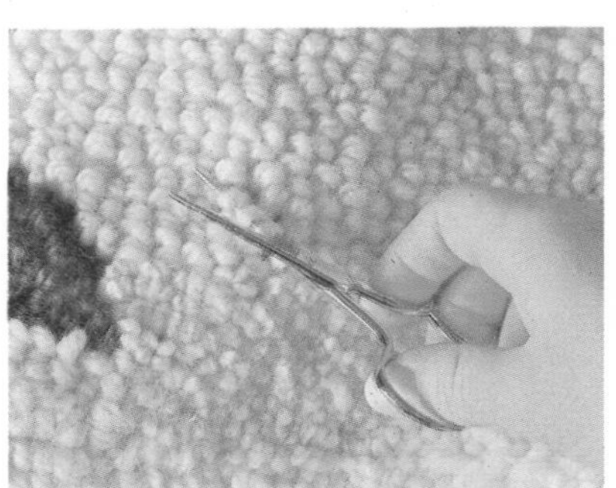

Pour ouvrir les boucles, poussez avec une main sous le tapis, glissez la lame des ciseaux à travers plusieurs boucles et coupez.

Préparation et exécution des tapis noués

Evaluation et préparation du fil/Crochet à clapet

La quantité de fil nécessaire à la confection d'un tapis au crochet à clapet dépend du nombre de nœuds effectués pour former le dessin, ainsi que du nombre et de la longueur des brins utilisés pour chaque nœud (page suivante). La longueur des brins doit être le double de la taille finale désirée, parce que le fil doit être plié en deux quand il est noué, plus 1 centimètre (½″ environ) pour le nœud lui-même. On peut acheter le fil en ballots de brins coupés ou en écheveau (p. 464).

Pour connaître la quantité de fil nécessaire, évaluez d'abord le nombre de nœuds nécessaires à l'exécution du dessin en calculant le nombre de nœuds qu'on peut loger sur 5 centimètres de tissu (ou 1″). Déterminez ensuite le nombre de brins nécessaires à la confection des nœuds (il est égal au nombre total de nœuds). Répartissez ce total entre les différentes couleurs et le type de fil que le dessin nécessite, et ajoutez 15 pour cent à chaque total. Si vous décidez d'acheter des fils précoupés, divisez le nombre total de brins nécessaires à la confection du tapis par le nombre de brins dans un ballot : vous obtiendrez le nombre de ballots à acheter. Si vous achetez le fil en écheveau, il faut convertir en mètres (ou en verges) le total des brins; le fil est enroulé autour d'une réglette graduée et coupé ensuite. Le coupe-fil (à droite) s'ajuste à la longueur voulue. Vous pouvez aussi fabriquer votre propre jauge avec des cartons suffisamment grands pour contenir une bonne quantité de fil.

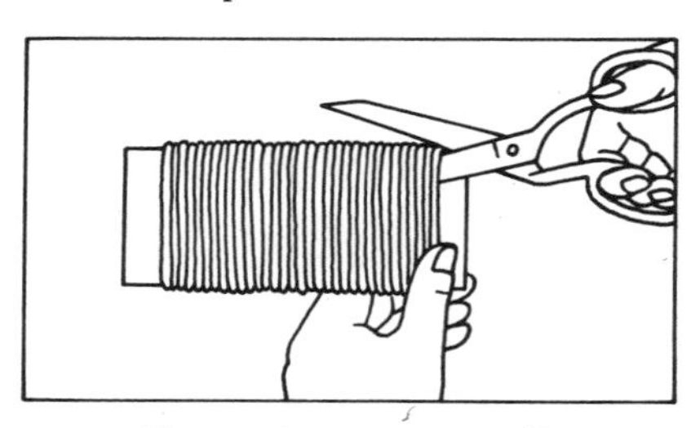

Fils coupés sur un coupe-fil

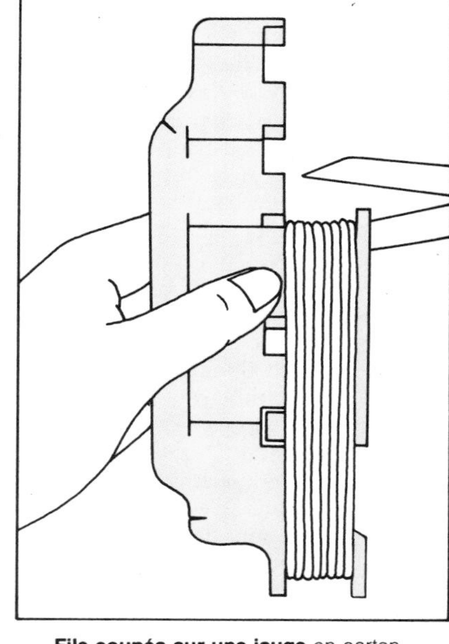

Fils coupés sur une jauge en carton

Evaluation et préparation du fil/Point de Rya

Pour confectionner des tapis au point de Rya, il faut exécuter des points de Rya (ou nœuds Ghiordes) sur les fils de chaîne flottés d'un reps tramé (p. 478). Chaque nœud, fait de trois brins ou plus (généralement du fil Rya), couvre deux fils de chaîne. Le poil formé par les nœuds mesure habituellement 5 centimètres (2″) de long, mais peut mesurer aussi peu que 2 centimètres (¾″). Pour calculer la quantité de fil nécessaire à la fabrication d'un tapis Rya, évaluez d'abord combien de fil il faut par nœud, puis multipliez ce chiffre par le nombre total de nœuds compris dans le dessin. La longueur de fil pour un nœud qui contient un seul brin est égale au double de la longueur de poil désirée, puisqu'on plie le brin en deux, plus 1 centimètre (½″) pour le nœud. Si le nœud doit être fait de plusieurs brins, la quantité de fil requise est égale à la longueur nécessaire pour un brin, multipliée par le nombre de brins utilisés dans le nœud. (Si la longueur du poil varie d'une surface à une autre, tenez-en compte et faites un calcul séparé pour chaque longueur.) Répartissez ensuite les totaux obtenus entre les couleurs et les types de fil utilisés et ajoutez 15 pour cent à chaque résultat (comme marge de sécurité). Préparez le travail en coupant d'abord le fil en longueurs d'environ 140 centimètres (55″). En général, les écheveaux de fil Rya, défaits et coupés à une extrémité, donnent justement des fils de cette longueur. Toutefois, les bobines d'autres qualités de fil n'ont pas cet avantage et nécessitent de dévider le fil intérieur et de couper chaque longueur séparément (ci-dessous).

Echeveau coupé à une extrémité pour donner des longueurs égales

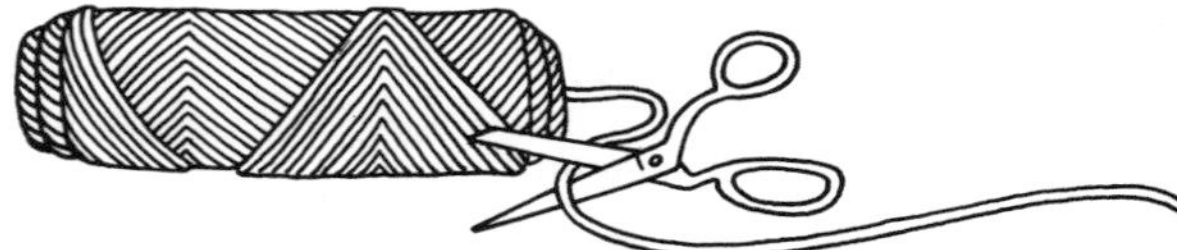

Fils coupés individuellement d'une bobine qu'on dévide

Technique du crochet à clapet

Cette technique permet de nouer les brins coupés sur les fils de trame d'un canevas de Smyrne en se servant d'un crochet à clapet. Les nœuds sont exécutés en rangées, du bas du dessin vers le haut. Cette progression ascendante permet au crochet de glisser plus facilement sous les fils en formant les nœuds. En règle générale, on utilise pour former chaque nœud un seul brin de fil à tapis mesurant 6 centimètres (2½") de long; le poil qui en résulte mesure 2,5 centimètres (1") de haut. Formez les rangées de nœuds sur les fils de trame de chaque maille du canevas. On utilise également souvent trois ou quatre brins (de 11 cm/4½") de fil Rya ou de fil à tapisserie (ci-dessous); le poil obtenu mesure alors 5 centimètres (2"). Pour faire les nœuds, servez-vous des différents brins comme d'un fil unique. Pour obtenir un poil dense avec des *nœuds formés de plusieurs brins*, exécutez les nœuds sur chaque rangée de fils de trame; autrement, laissez un double fil de trame libre entre les rangs. Si le dessin du tapis l'exige, vous pouvez obtenir un *poil multicolore* aussi bien avec des nœuds formés de fils uniques qu'avec des nœuds formés de brins multiples (ci-dessous).

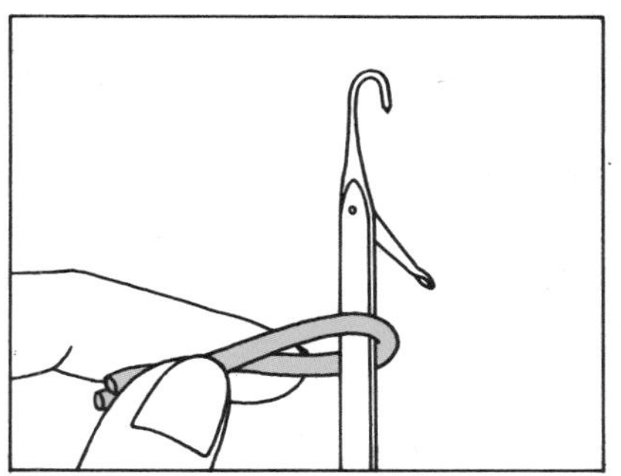

1. Pliez le fil en deux autour du manche du crochet à clapet; retenez les deux extrémités du fil coupé entre le pouce et l'index.

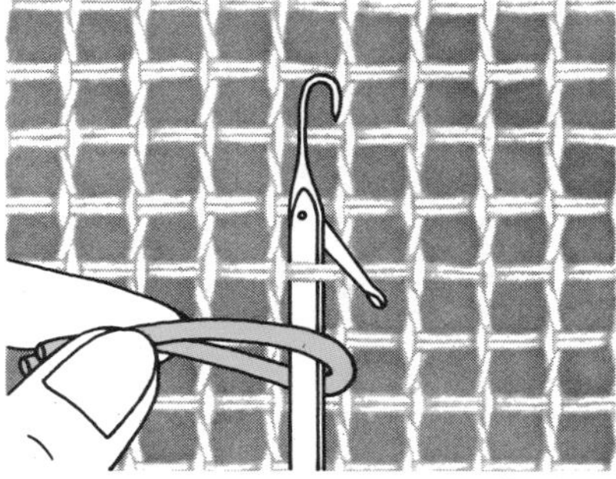

2. En tenant toujours les extrémités du fil, glissez la pointe du crochet sous un double fil de trame jusqu'à ce que le clapet s'ouvre.

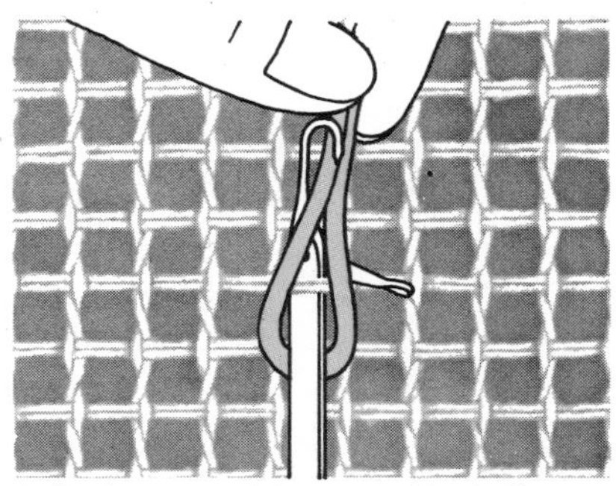

3. Continuez à tenir les extrémités du fil et, en laissant le clapet ouvert, insérez-les dans le crochet comme sur le croquis.

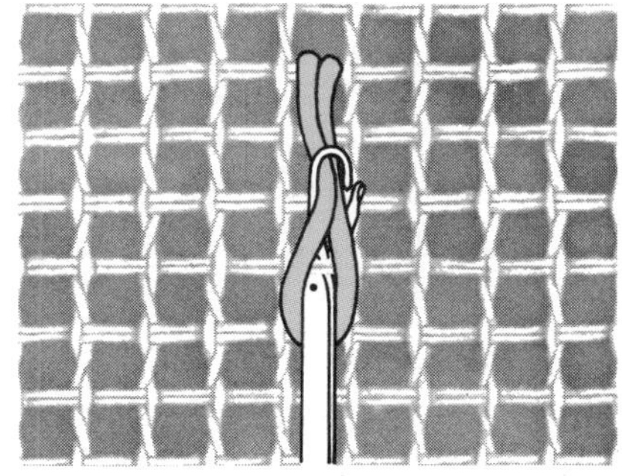

4. Tirez le crochet doucement sous les fils de trame et relâchez les deux extrémités au moment où le clapet se referme, les emprisonnant.

5. Continuez à tirer le crochet vers vous, sous les fils de trame. Les extrémités du fil, entraînées par le crochet, formeront le nœud.

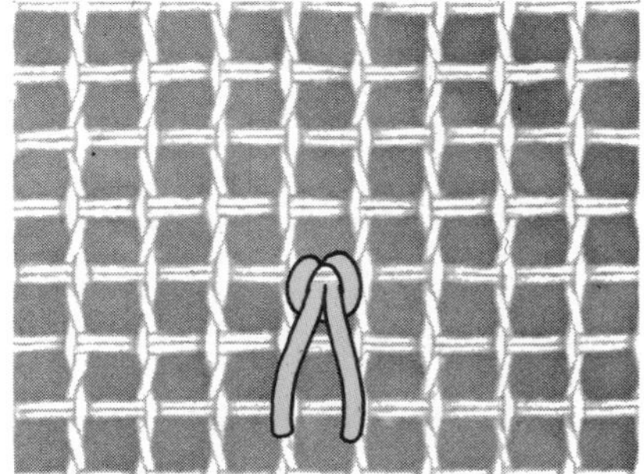

6. Tirez sur les extrémités du fil pour resserrer le nœud autour des fils de trame et pour que les extrémités se trouvent à même hauteur.

Techniques supplémentaires

Pour former un nœud à plusieurs brins, utilisez les brins comme vous le feriez d'un seul fil, en suivant les instructions ci-dessus.

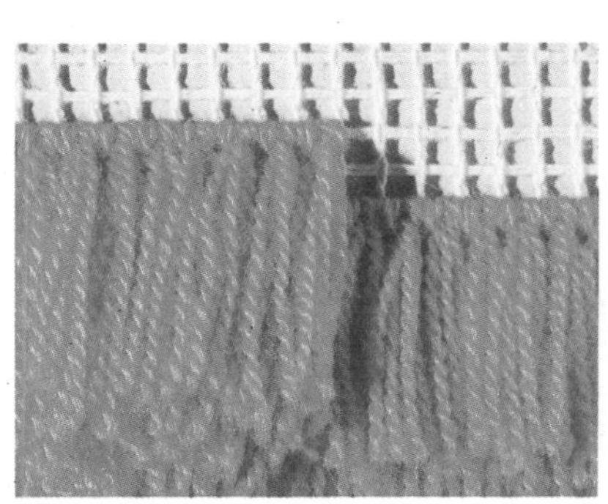

Les rangées à plusieurs brins s'exécutent soit sur chaque double fil de trame, soit en laissant une série de fils entre les rangs (ici).

Pour obtenir un poil multicolore avec des nœuds à un seul brin, alternez les couleurs à chaque nœud et à chaque rangée de nœuds.

Avec des nœuds à plusieurs brins, utilisez des brins des différentes teintes à chaque nœud. Laissez ou non un espace entre les rangées.

Enfilage de l'aiguille 19 Point de Rya (tapisserie à l'aiguille) 157 Matériel pour le point noué 464

Technique du point de Rya

Un tapis Rya se fabrique en exécutant des points de Rya (nœuds Ghiordes), en rangées sur un reps tramé, du bas du dessin vers le haut. Pour faire les nœuds, on utilise généralement une aiguille à tapisserie no 13; les boucles qui relient les nœuds les uns aux autres constituent le poil du tapis. La qualité de ce poil dépend à la fois du type et de la quantité de fil utilisés comme de l'ampleur des boucles et du choix entre laisser les boucles fermées ou les ouvrir. D'une manière générale, les points de Rya sont faits avec trois ou quatre brins de fil Rya; les boucles mesurent 2 à 5 centimètres (1″ à 2″) de long et on les coupe une fois l'ouvrage terminé. La taille des boucles est contrôlée par l'exécutant, au fur et à mesure de leur formation. Les rangées de fils flottés du reps sont espacées de 1 centimètre (½″) les unes des autres, et peuvent être utilisées comme guides pour la longueur des boucles. Celles-ci doivent couvrir au moins le haut des nœuds de la rangée du dessous. Il est possible de changer la longueur de la boucle ou la qualité et la couleur du fil selon les éléments du dessin.

On peut aussi exécuter les points de Rya sur un canevas de Smyrne; dans ce cas, les rangées de points seront plus rapprochées les unes des autres. Si vous êtes gaucher, exécutez les rangées de droite à gauche, en pointant l'aiguille vers la droite.

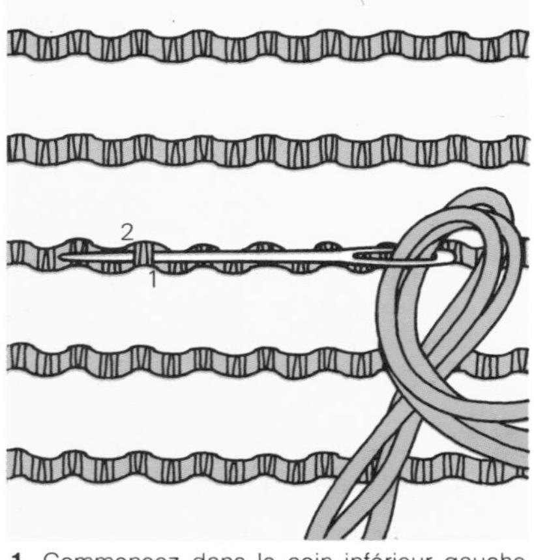

1. Commencez dans le coin inférieur gauche. Glissez l'aiguille sous un fil de chaîne (1-2) et tirez pour laisser juste la longueur de la boucle.

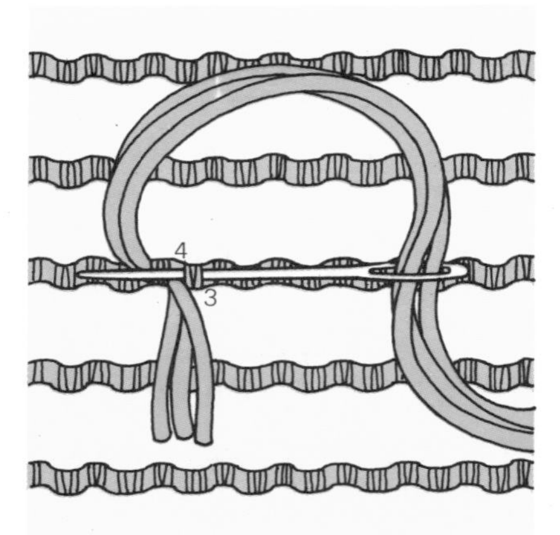

2. L'excédent de fil en haut, glissez l'aiguille sous le fil de chaîne suivant (3-4); tirez sur l'aiguillée pour terminer le point.

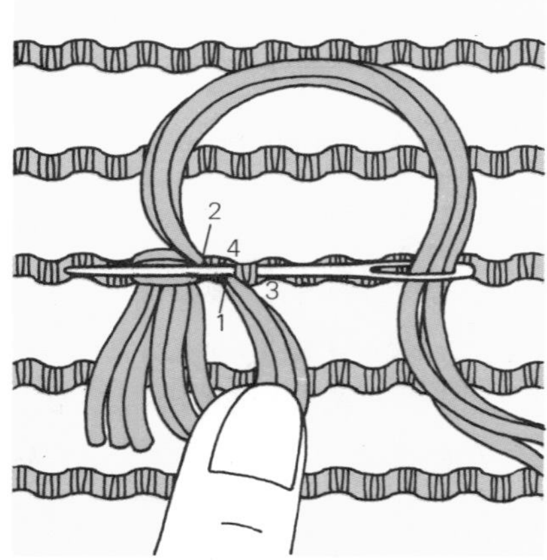

3. Formez une boucle de la longueur désirée vers la droite. Maintenez-la en place avec le pouce pendant que vous faites le point suivant.

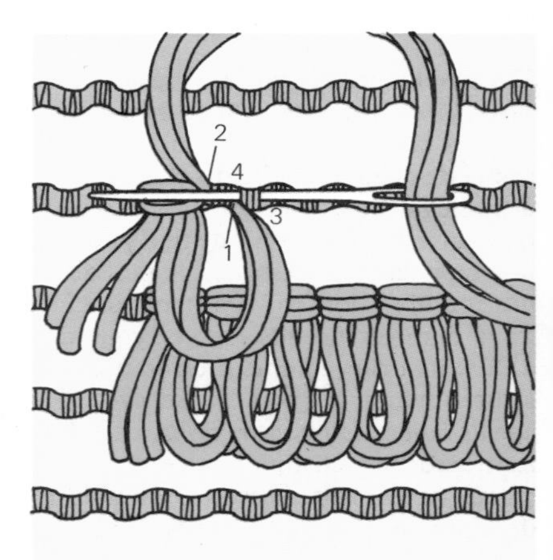

4. Exécutez chaque nouvelle rangée de gauche à droite au-dessus de la précédente. A la fin, égalisez et ouvrez les boucles si désiré.

Techniques supplémentaires

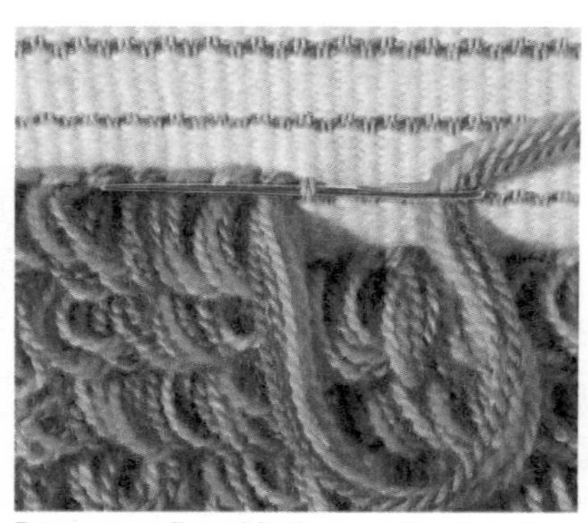

Pour un poil multicolore, enfilez les divers brins de couleur sur l'aiguille et exécutez les points comme ci-dessus.

Pour ouvrir les boucles, glissez la lame des ciseaux à travers plusieurs boucles; coupez en tirant légèrement sur les boucles.

Pour exécuter le point de Rya sur un canevas de Smyrne, séparez les fils de chaîne, glissez l'aiguille sous le premier (1-2), puis sous le second (3-4). Vous pouvez exécuter les points à chaque rangée de fils de chaîne ou en sauter une ou deux, selon l'épaisseur voulue.

Exécution d'un dessin sur grille

Il arrive qu'un dessin destiné à être exécuté d'après une des techniques du point noué soit présenté sous forme de grille (ou carton). Dans ce cas, chaque point ou nœud du dessin est représenté par un carré de la grille. En plus de désigner l'emplacement des points, le carton spécifiera habituellement la couleur et le type de fil ainsi que la longueur et le nombre de brins à utiliser avec chacun (à moins qu'il ne laisse l'initiative du choix). Les couleurs sont indiquées sur la grille, soit par des carrés colorés, soit par des symboles. Le type de fil, sa longueur, et le nombre de brins peuvent aussi éventuellement être désignés par des symboles mais, la plupart du temps, ces instructions sont écrites. Les symboles s'accompagnent toujours d'une légende explicative. Une rangée de carrés vides dans une grille signifie habituellement que celle-ci ne doit pas être travaillée.

La quantité de support nécessaire est égale au même nombre de fils qu'il y a de carrés dans la grille, dans les deux sens. Il faut ajouter à cette quantité les marges indispensables de chaque côté du support (p. 468). En même temps que vous calculez la surface commandée par le support, évaluez aussi la quantité de fil requise pour la réalisation du dessin (p. 476). Etudiez les indications de la grille et suivez-les fidèlement. N'oubliez pas d'exécuter le dessin de gauche à droite et de bas en haut.

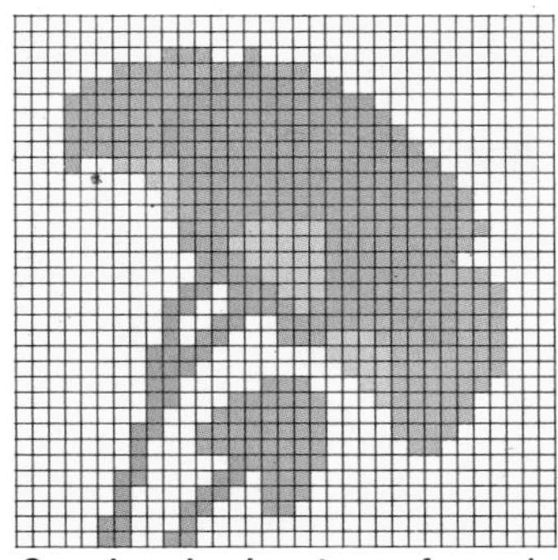

Quand un dessin est sous forme de grille, chaque carré représente un point ou un nœud. A droite, on voit le motif exécuté sur un canevas de Smyrne, selon la technique du crochet à clapet. L'échantillon montre l'envers.

Egalisation et sculpture du poil

La dernière étape dans la confection d'un tapis Rya est d'égaliser tous les bouts de fils qui dépassent du reste du poil. Opérez avec une paire de ciseaux spéciaux dont l'extrémité supérieure est coudée pour permettre aux lames de se tenir parallèlement au poil (p. 482). Dans les tapis noués dont certaines surfaces sont recouvertes d'un poil plus long, ceci revêt une importance particulière. On peut d'abord couper le poil sur une surface donnée, à une longueur plus convenable (premier exemple, ci-dessous), ou encore le sculpter pour obtenir des volumes et des formes tridimensionnels (deuxième et troisième échantillons). Ces photos illustrent des parties du tapis de la page 495. Il n'est pas possible de sculpter ou de raccourcir le poil d'un tapis Rya dont les boucles ne sont pas ouvertes. Autrement, il faut exécuter des boucles de différentes longueurs, pendant le travail, pour obtenir les mêmes effets.

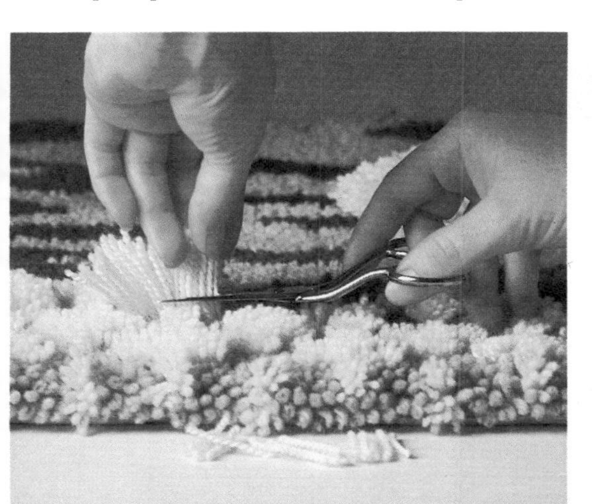

Pour couper le poil plus court, relevez ensemble plusieurs brins et coupez-les, perpendiculairement, à la longueur désirée. Passez au groupe suivant et égalisez-le de la même façon.

Sculptez une surface en coupant le poil à la hauteur désirée pour lui donner la forme souhaitée. Ici, un des bords aura les brins plus courts que le bord opposé.

Cette surface est sculptée en monticule. Les brins de tous les bords sont plus courts que ceux du centre. Si une erreur de coupe survient, refaites les nœuds et taillez de nouveau.

Techniques de finition

Finition des tapis bouclés

Avant de commencer la finition d'un tapis bouclé au crochet à tapis ou à l'aiguille creuse, examinez-en la surface pour vous assurer que tous les bouts de tissu et de fil ont bien été taillés à la même hauteur que le poil. Examinez aussi le dos du tapis pour voir s'il ne s'y trouve pas de longues traînées de fil. S'il y en avait, coupez-les au milieu, ramenez leurs extrémités à la surface et égalisez-les avec le poil. Voici ci-dessous et page ci-contre différentes techniques de finition : application de latex, ourlet, pose d'un galon, doublure et quelques trucs pour la confection d'un coussin.

APPLICATION DE LATEX

Le latex, un caoutchouc visqueux que l'on trouve sous forme de liquide, est utilisé pour faire adhérer le poil au support. Il est essentiel d'appliquer du latex sur un tapis fabriqué selon la technique de l'aiguille creuse, sans quoi on risquerait de voir le poil se détacher quand le tapis commence à s'user. Traditionnellement, le latex ne s'utilise pas dans la technique du crochet à tapis, mais rien ne vous empêche de le faire car votre tapis deviendra antidérapant et plus résistant. Après avoir appliqué le latex, laissez-le sécher selon le mode d'emploi. Quand le tapis est sec, vous pouvez ajouter une finition. Que vous décidiez de faire un ourlet ou de border l'ouvrage, il vous faudra une aiguille très pointue et un dé pour traverser la couche protectrice.

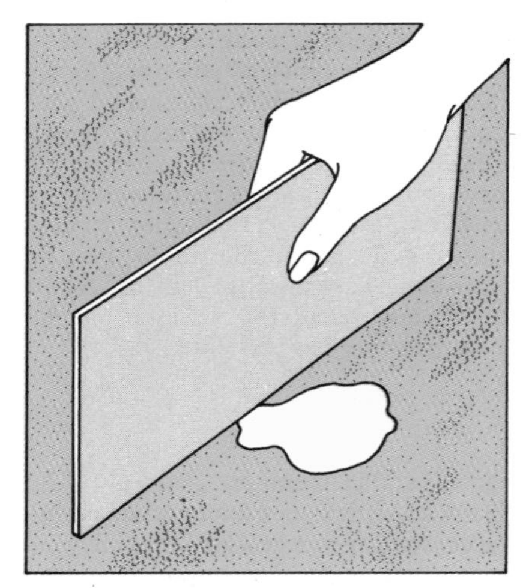

Pour appliquer le latex, versez-en une petite quantité au centre, sur l'envers, et étalez avec du carton ou une spatule.

Etalez le latex en une couche aussi fine que possible. Appliquez de petites quantités à la fois jusqu'à ce qu'il y en ait partout.

OURLET

Il est possible d'ourler les bords d'un tapis bouclé, quelle que soit la technique, si le support est de la bure et s'il n'est pas trop grand. On peut plier la bure et la retourner pour l'ourlet. Par contre, la toile de jute est trop raide; elle se plie mal et risque à la longue de casser. Si votre support est de la toile de jute, posez plutôt un galon sur les bords (page ci-contre); il vaut d'ailleurs mieux utiliser cette méthode, bien plus durable à l'usage, avec tous les grands tapis, surtout s'ils sont destinés à une utilisation constante. Dans le cas des tapis ronds ou ovales, une bordure galonnée est plus nette. Pour faire un ourlet, il vous faudra du fil très fort, une aiguille et un dé.

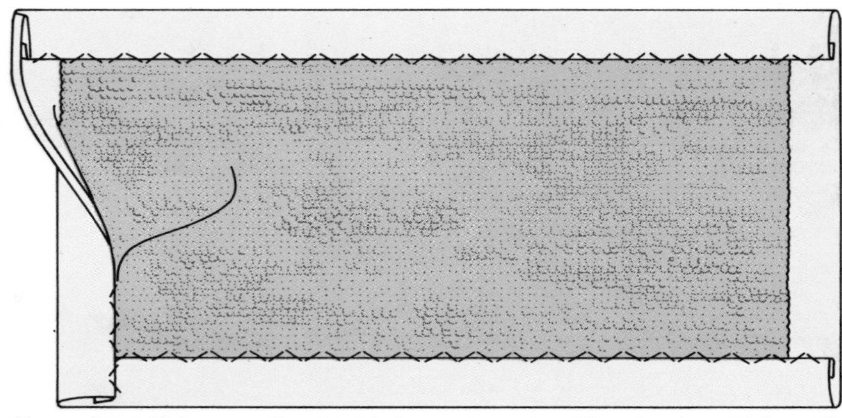

Pour ourler un tapis, coupez l'excédent de tissu sur les quatre côtés en le ramenant à 5 cm (2"). Faites un rentré de 0,5 cm (¼") sur l'envers et repliez encore une fois le tissu de sorte que la pliure se trouve au ras de la dernière rangée du poil. Ourlez d'abord deux bords opposés, puis les deux côtés restants. Cousez les replis aux bords déjà ourlés puis au dos du tapis, tel qu'indiqué ci-dessus.

POSE D'UN GALON

La pose d'un galon est la meilleure technique de finition pour obtenir un rebord de tapis solide. Il devient même absolument essentiel de l'utiliser si les bords sont effilochés ou si le support utilisé est de la toile de jute, parce que les fibres de ce tissu ont tendance à se casser et à s'user avec le temps.

Un galon à tapis est une bande de coton tissé d'environ 4 centimètres (1½″) de large, disponible en diverses teintes neutres. Etant donné que le galon reste invisible, il n'est pas nécessaire que sa couleur se marie avec celle du tapis, mais vous pouvez le teindre si vous en avez envie. Soyez généreux dans vos prévisions car vous aurez besoin de suffisamment de galon pour faire le tour de votre tapis plus 5 centimètres (2″) pour l'onglet de chaque coin. Vous aurez aussi besoin de fil résistant en lin ou en coton et d'une aiguille. Si le dos du tapis a été enduit de latex, vous aurez également besoin d'un dé.

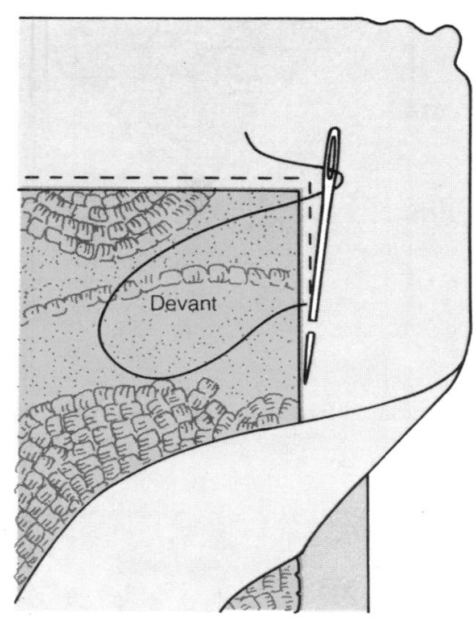

Pour border un carré ou un rectangle, taillez le support à 2 centimètres (¾″) de la dernière rangée de boucles. Posez le galon à tapis sur l'endroit, contre la dernière rangée de boucles, et cousez-le au tapis à 3 mm (⅛″) du bord.

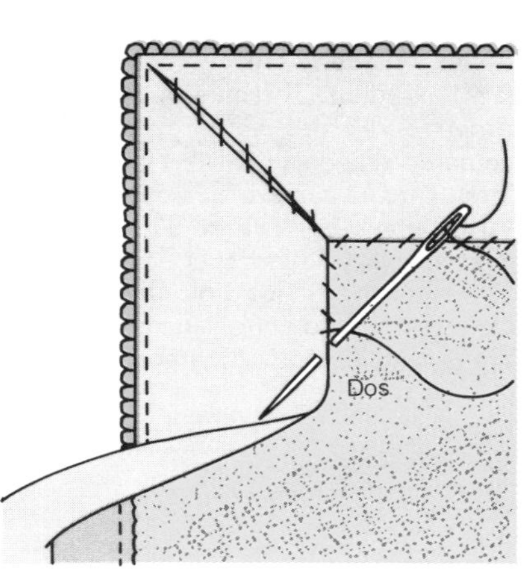

Repliez le galon sur l'envers et épinglez. Formez des onglets aux quatre coins en rentrant l'excédent. Fixez le galon ainsi que les onglets au point de surjet. Faites les points assez lâches pour que les bords ne froncent pas ni ne godent.

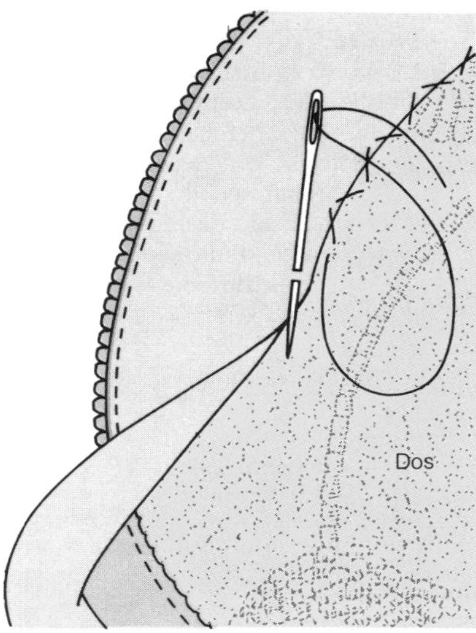

Pour poser un galon sur un tapis rond ou ovale, vous devrez fabriquer un biais (p. 258) parce que vous n'en trouverez pas en largeur convenant aux tapis. Posez le galon en étirant le bord extérieur et en faisant boire le bord intérieur.

DOUBLURE

Si votre tapis doit être utilisé dans un endroit où il y aura beaucoup de passage, il serait plus sage de lui ajouter une doublure qui lui permettra de s'user moins vite et le rendra plus résistant. Il y a deux façons de poser une doublure. La première requiert de retourner le tapis comme un gant; elle est limitée aux petits tapis et aux coussins. La seconde implique de poser la doublure en rentrant ensemble les bords de celle-ci et ceux du tapis et en les assemblant l'une par-dessus l'autre (illustration à l'extrême droite); cette méthode convient aux grands tapis.

Choisissez pour la doublure une étoffe robuste, comme du tissu croisé ou du coutil. Pour une enveloppe de coussin, suivez les instructions ci-contre et insérez de la mousse de polyester dans l'ouverture avant de la refermer.

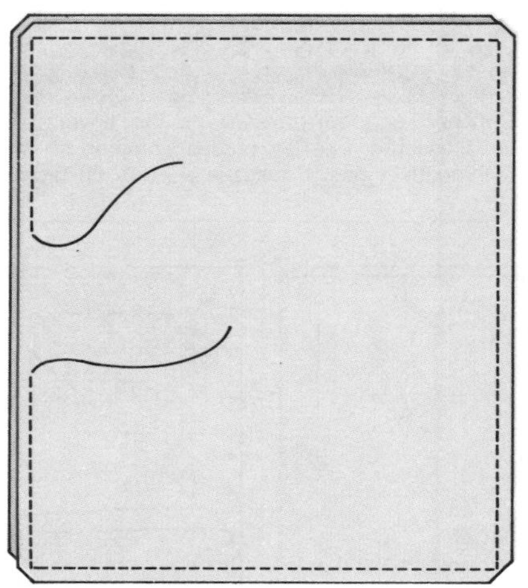

Coupez la doublure 2,5 cm (1″) plus grande que le tapis; taillez l'excédent de support à 1 cm (½″) du bord. Endroit contre endroit, cousez la doublure et le tapis à 1 cm (½″) du bord. Laissez une ouverture. Coupez les coins, retournez et fermez.

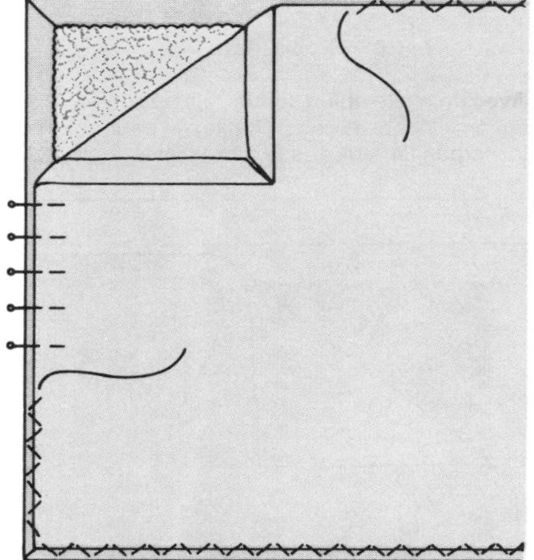

Si le tapis est trop grand pour être retourné, coupez la doublure 5 cm (2″) plus grande que le tapis; rentrez au fer 2,5 cm (1″). Taillez l'excédent de support à 2,5 cm (1″) du bord et repliez-le sur l'envers. Epinglez la doublure dessus et cousez.

REPASSAGE

Un tapis bouclé doit être remis en forme à la vapeur. Si vous décidez d'appliquer du latex, faites la mise en forme avant, autrement, faites-la après avoir terminé l'ourlet ou procédé à une autre finition. Pour la mise en forme, repassez à la vapeur avec une pattemouille en posant le tapis, endroit sur la table à repasser. Si le tapis est trop grand, étalez-le sur une surface propre, lisse et solide. Pour la pattemouille, humidifiez un linge ou une serviette de coton épais, étalez-la sur le tapis et repassez. Réhumidifiez la pattemouille au fur et à mesure qu'elle sèche jusqu'à ce que tout le tapis soit repassé. Vous pourrez retourner le tapis à l'endroit et recommencez tout le processus de ce côté. Laissez le tapis sécher complètement avant de l'utiliser. La mise en forme fixe les boucles et donne un aspect plus fini au tapis.

Technique du crochet à clapet 477
Sculpture du poil 479

Finition des tapis noués sur canevas

Avant de passer à la finition d'un tapis noué sur canevas, examinez soigneusement l'envers pour voir si vous n'avez pas oublié des nœuds. Ajoutez les nœuds oubliés. Cherchez ensuite s'il y a des bouts de fils qui dépassent et rendent ainsi la surface du poil inégale. Egalisez en utilisant des ciseaux coudés spéciaux (p. 465). Pour sculpter le poil en le taillant dans différentes longueurs, consultez la page 479.

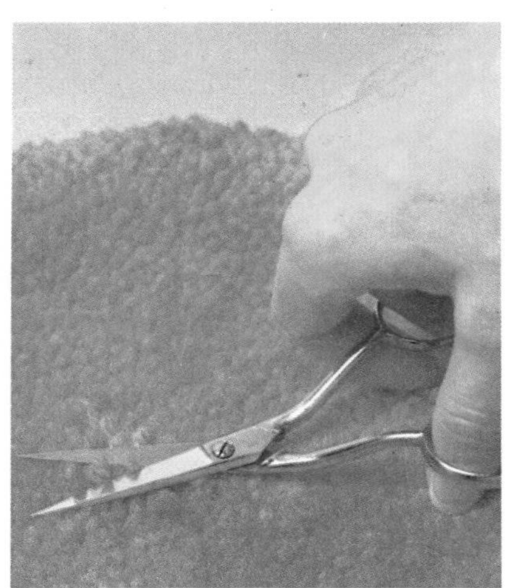

Egalisez les fils qui dépassent du poil avec des ciseaux coudés; ils permettent de maintenir les lames bien perpendiculaires au poil.

POSE D'UN GALON

Dans le cas d'un tapis noué sur canevas, il vous faudra du galon à tapis de 4 centimètres (1½″) de large, une aiguille très solide, du fil de coton résistant, ou du fil de lin. Quand le tapis est terminé, taillez l'excédent de canevas à 2,5 centimètres (1″) des bords et coupez les coins en diagonale. Si le tapis est rectangulaire ou carré, il ne sera pas nécessaire de replier d'abord l'excédent de canevas au dos du tapis et de l'y coudre. Si le canevas est rond ou ovale, il vaut mieux coudre d'abord au dos du tapis l'excédent de canevas; la pose du galon en sera facilitée.

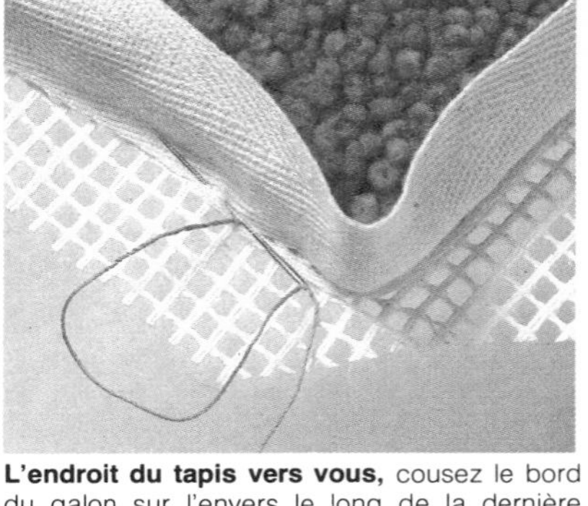

L'endroit du tapis vers vous, cousez le bord du galon sur l'envers le long de la dernière rangée de nœuds.

Repliez le galon sur l'envers du tapis en entraînant l'excédent de canevas et cousez. Faites des onglets aux quatre coins.

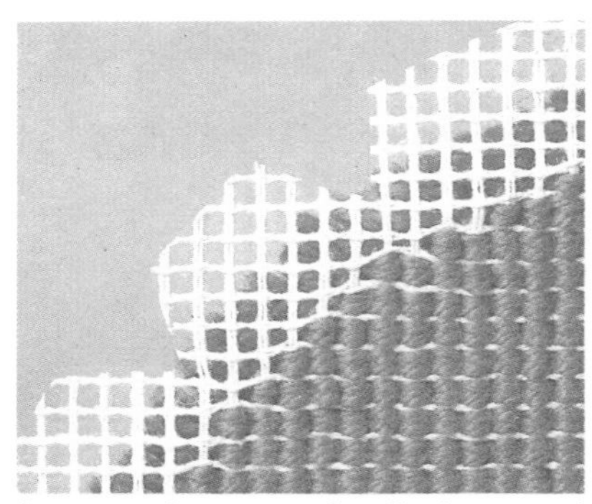

Avec un ovale ou un cercle, taillez le canevas à 2,5 cm (1″) des nœuds. Crantez-le pour qu'il ne fasse pas de faux plis quand vous le replierez.

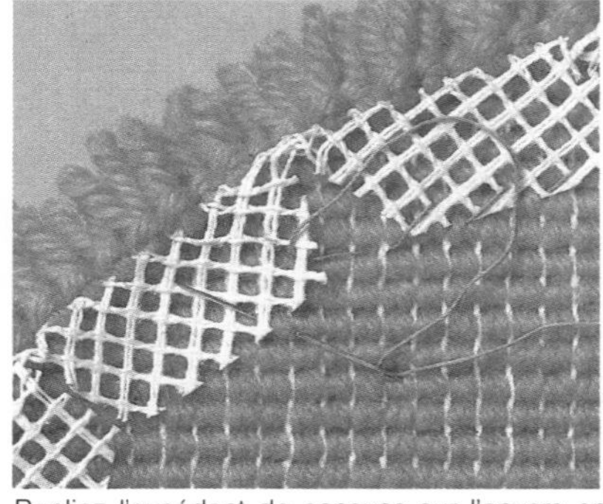

Repliez l'excédent de canevas sur l'envers en vous assurant que les parties crantées ne se chevauchent pas. Cousez-le au dos du tapis.

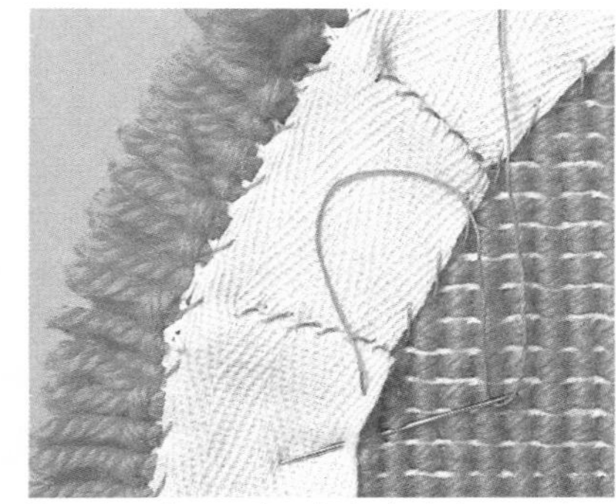

Fixez le galon au dos du tapis, le long du bord extérieur, puis le long du bord intérieur en ramassant l'excédent dans des pinces.

DOUBLURE

Si vous voulez doubler un tapis ou faire un coussin, suivez les instructions de la page 481 concernant les tapis bouclés, en ajoutant toutefois deux choses : assurez-vous que les longs poils sont bien rejetés vers le centre de l'ouvrage et cousez en faisant attention à ne pas prendre les brins dans la couture. Pour un grand tapis, repliez l'excédent de canevas sur l'envers et cousez-le au dos du tapis. Vous constaterez que cela facilite grandement la pose de la doublure.

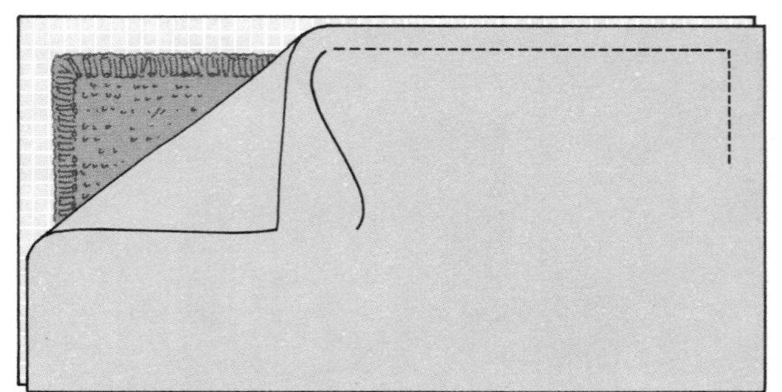

Prenez soin de repousser les extrémités des brins vers le centre du tapis au moment de le doubler, pour ne pas les prendre dans la couture.

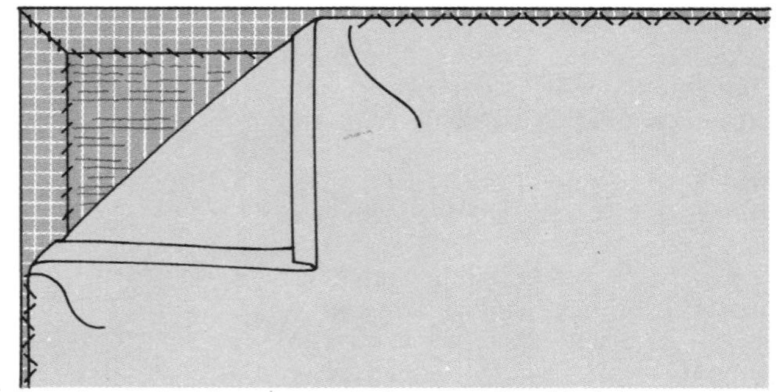

Quand vous doublez un grand tapis, cousez l'excédent de canevas sur l'envers. Faites un rentré autour de la doublure; fixez-la au canevas.

BORDS BRODÉS

Une autre façon de finir les bords d'un tapis sur canevas est de les broder avec un fil dont la couleur se marie avec celle du tapis. La décision d'ajouter une bordure brodée doit être prise avant de commencer le travail, parce qu'il faut rentrer tous les bords et exécuter les nœuds à travers les deux épaisseurs de canevas. Si vous avez utilisé des brins coupés pour les nœuds, achetez un écheveau du même genre de fil pour la bordure. Si vous travaillez avec du fil Rya ou à tapisserie, exécutez la broderie avec deux brins de fil au moins pour bien dissimuler le canevas.

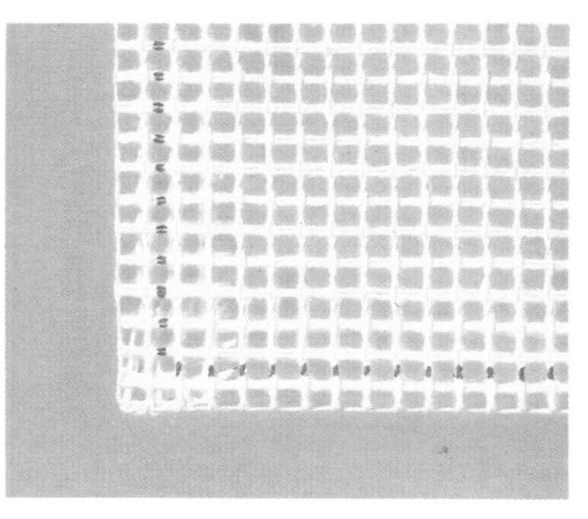

Avant le travail, rentrez l'excédent de canevas en laissant une rangée de mailles vides autour du dessin. Fixez le rentré avec les points noués.

Pour un point de feston (p. 26), laissez 5 cm (2") en début d'aiguillée (à rentrer plus tard). Faites au moins 3 points dans chaque maille.

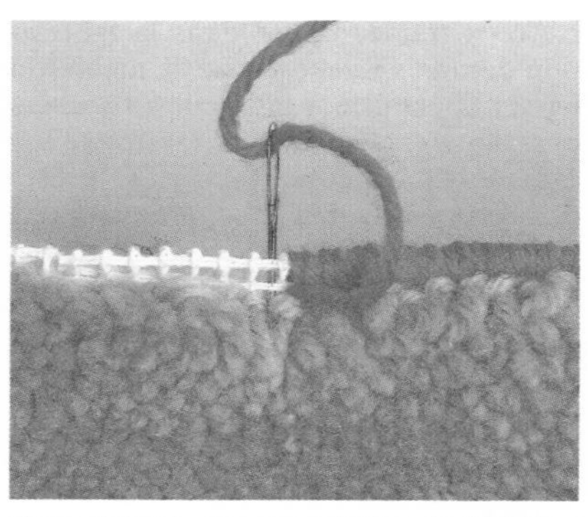

Pour surjeter, amenez l'aiguille de l'extérieur vers les points noués. Surjetez chaque maille plusieurs fois pour cacher le canevas.

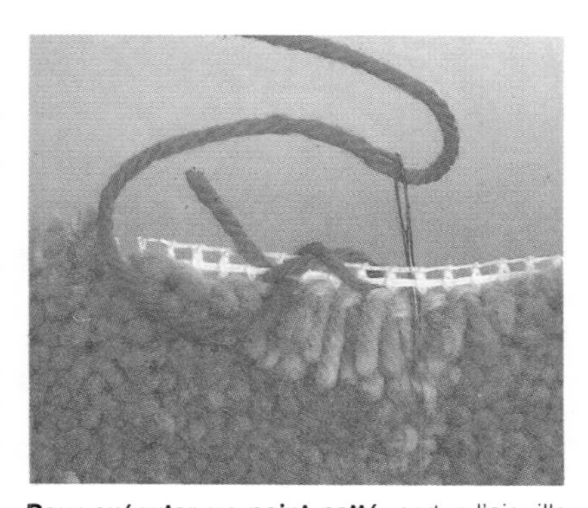

Pour exécuter un point natté, sortez l'aiguille dans la 1re maille; passez-la par-dessus le bord et ramenez-la dans la 5e maille, puis dans la 2e

et enfin dans la 6e. Recommencez en partant de la maille voisine, à gauche, vers la 4e maille à compter de celle-ci.

Pour combiner un bord natté avec la pose d'un galon, technique souvent utilisée sur des tapis ronds ou ovales, cousez l'excédent de

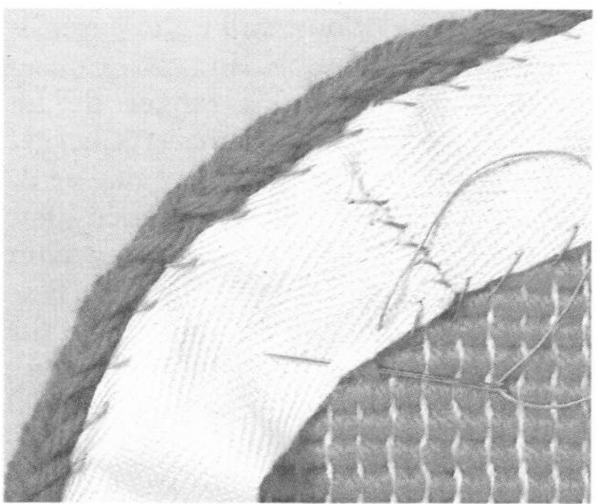

canevas sur l'envers en laissant une rangée de mailles vides sur le bord. Exécutez le point natté et posez ensuite le galon de sorte qu'il le longe.

FRANGES

Si vous choisissez d'ajouter une frange à un tapis exécuté sur canevas, vous pouvez utiliser de longs brins du fil qui a servi à faire les points ou, pour imiter les tapis d'Orient, du fil de coton pour crochet ou de la cordelette fine dans des teintes de beige ou écru. Les tapis orientaux ne sont garnis de franges que sur deux extrémités; les autres types de tapis peuvent être bordés de franges sur tous les côtés. Coupez le fil choisi en brins dont la longueur est un peu plus de deux fois la taille de la frange.

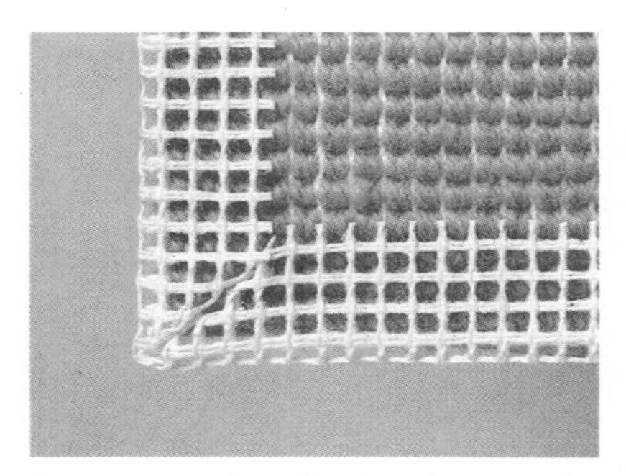

Pour entourer le tapis d'une frange, repliez l'excédent du canevas sur l'envers en laissant dépasser une rangée de mailles.

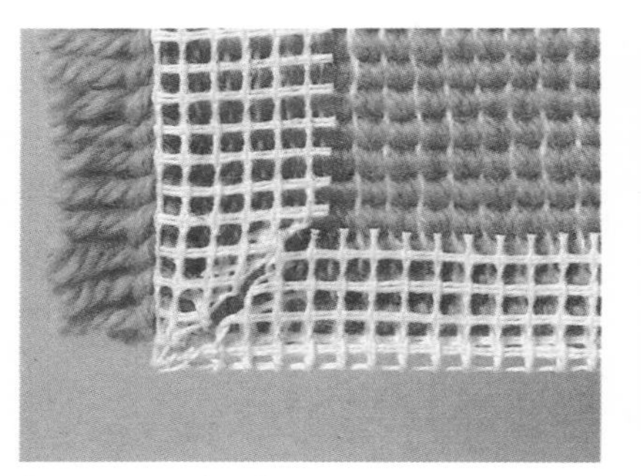

Pour poser des franges à deux extrémités seulement, repliez tout l'excédent sauf sur les deux côtés courts où vous laisserez une rangée.

Pour nouer les franges, pliez le fil coupé en deux. Avec un crochet, ramenez-le de l'envers vers l'endroit; passez les brins dans la boucle.

Technique du point de Rya 478

Finition des tapis noués sur reps tramé

Le reps tramé, utilisé dans la fabrication des tapis Rya, est tissé de manière à laisser apparaître à intervalles réguliers des fils de chaîne. On le trouve en différentes largeurs, avec des lisières des deux côtés. On exécute les nœuds jusqu'au bord des lisières, et comme celles-ci n'ont pas besoin d'être retournées et ourlées, il ne vous reste qu'à finir les deux bords du haut et du bas. Vous pouvez aussi trouver des pièces de reps tramé carrées ou rectangulaires, bordées de lisières sur les quatre côtés, et qui n'ont donc pas besoin de finition. Dans ce dernier cas, le tapis est prêt quand les nœuds sont terminés.

Si vous confectionnez un petit coussin, il peut arriver que vous ayez des bords francs sur les quatre côtés. Ces bords seront cachés quand l'envers du coussin sera assemblé au support noué (à droite).

Les techniques de finition expliquées ci-dessous incluent la pose d'un galon ou d'une frange au haut et au bas d'un tapis Rya sur reps tramé.

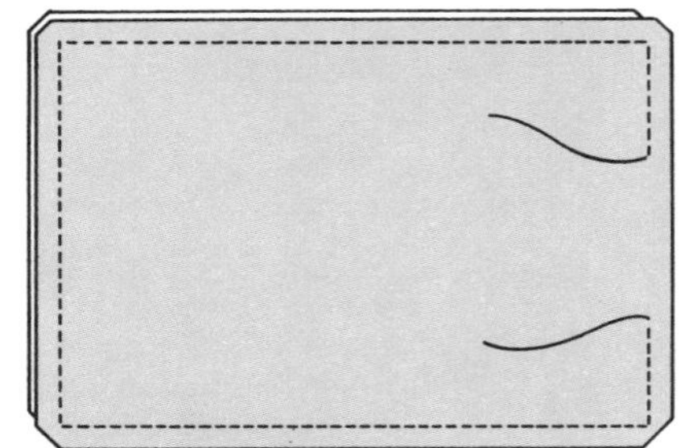

Pour un coussin, assemblez dessus et dessous à 1 cm (½″) du bord; laissez une ouverture.

Coupez les coins; retournez sur l'endroit, remplissez de mousse et refermez.

POSE D'UN GALON

Le reps tramé ayant des lisières sur deux côtés, il vous suffit de poser le galon au haut et au bas du tapis. Cousez le galon le long de la rangée de fils flottés (fils de trame découverts) située juste au-dessus de la première rangée de nœuds, et le long de celle située juste au-dessous de la dernière. Après avoir replié le galon sur l'envers du tissu, il ne restera sur l'endroit qu'une très petite surface apparente (moins de 1 cm/⅜″) que les boucles recouvriront quand vous étalerez le tapis par terre. Prenez une aiguille solide et du fil résistant.

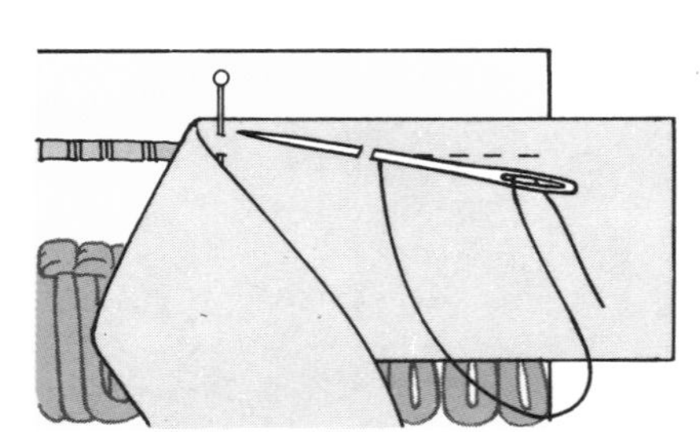

Coupez le galon à tapis de la largeur de celui-ci, plus 5 cm (2″) à répartir des deux côtés. Cousez le galon le long des fils flottés.

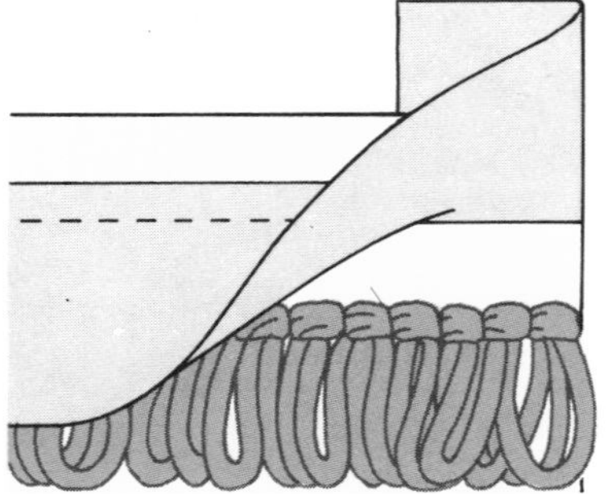

Avant de replier le galon sur l'envers, rentrez l'excédent latéral de 2,5 cm (1″) de manière à former un bord net de chaque côté.

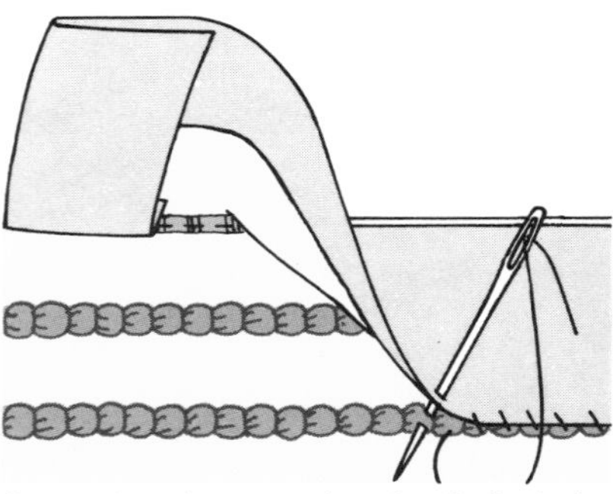

Cousez le galon au tapis, tel qu'indiqué. Assemblez également le rentré du galon au côté du tapis, au point de surjet.

FRANGE

Traditionnellement, on n'ajoute une frange qu'au haut et au bas d'un tapis Rya sur reps tramé. Faites la frange avec le même fil Rya que celui utilisé pour l'exécution des nœuds. Ajoutez-la en brodant une rangée supplémentaire de points de Rya immédiatement au-dessus de la première rangée de points et immédiatement au-dessous de la dernière (sur une rangée de fils flottés). Faites les boucles de la frange au moins deux fois plus longues que les boucles du tapis. Vous pouvez, au choix, ouvrir les boucles ou les laisser fermées. Posez le galon le long des bords du tapis après avoir terminé la frange.

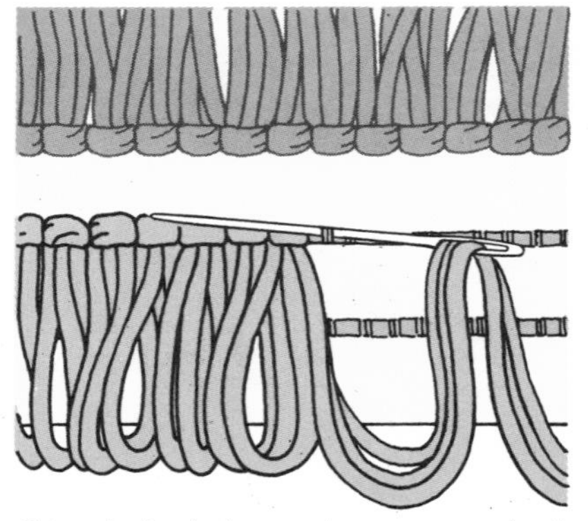

Pour ajouter la frange, faites une rangée de points de Rya au-dessus de la première rangée de nœuds et au-dessous de la dernière.

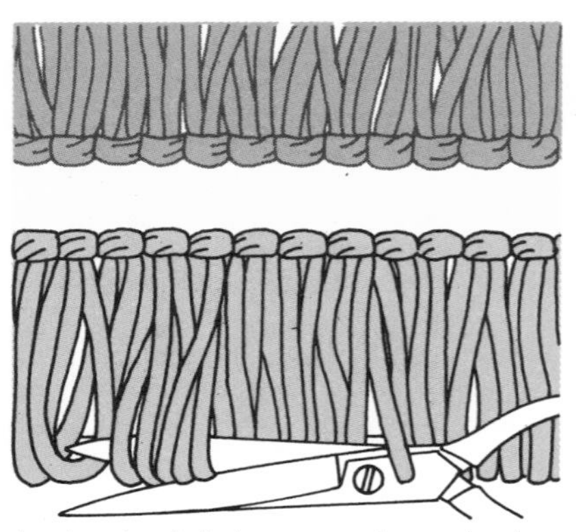

Les boucles de la frange seront au moins deux fois plus longues que celles du tapis. Vous pouvez les ouvrir ou les laisser telles quelles.

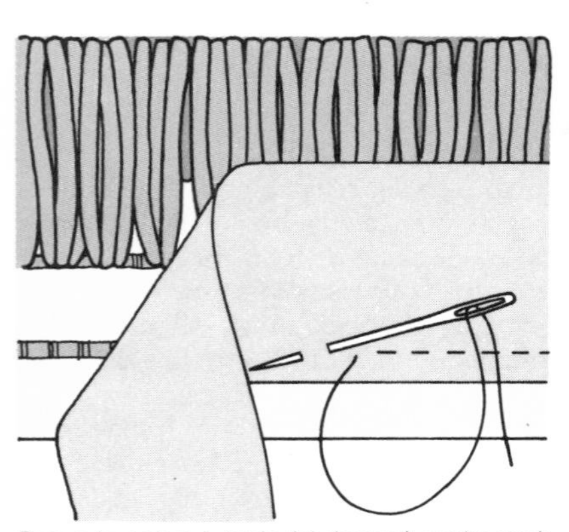

Posez le galon à tapis (ci-dessus) après avoir terminé la frange. Cousez le galon le long des rangées de fils flottés immédiatement voisines.

Entretien des tapis faits à la main

Antidérapage,
pose de coussinets gaufrés,
nettoyage à l'aspirateur,
nettoyage des taches,
nettoyage à sec,
lavage, réparation, rangement

Un tapis fait à la main aura meilleure apparence et durera plus longtemps si on prend certaines précautions.

Antidérapage : on empêche un petit tapis de glisser en plaçant au-dessous une thibaude (ou sous-tapis) qui peut être entièrement en caoutchouc, ou caoutchoutée sur une seule face. Si le tapis n'est pas placé à un endroit où il y a beaucoup de va-et-vient, il suffit de coudre sur l'envers, aux quatre coins, des bandes antidérapantes. S'il a été enduit de latex, il n'est pas nécessaire de prendre ces précautions.

Pose de coussinets gaufrés : pour ceux qui aiment poser des tapis faits main sur de la moquette, la question ne se pose pas. Mais si le tapis doit aller directement sur le parquet, il durera plus longtemps si on prend la précaution de placer au-dessous un coussinet gaufré.

Nettoyage à l'aspirateur : on peut, et on doit, nettoyer régulièrement à l'aspirateur les tapis faits main. La laine ne se salit pas facilement et l'aspirateur ramasse la saleté restée en surface. Les petits tapis seront nettoyés des deux côtés. S'ils ne sont pas trop grands, les tapis confectionnés selon les techniques Rya et du crochet à clapet peuvent même être secoués pour déloger les poussières cachées dans leur poil plus long avant de passer l'aspirateur.

Nettoyage des taches : une tache sur un tapis est bien plus facile à nettoyer si on le fait immédiatement, autrement elle a tendance à s'incruster. Utilisez un produit sûr en suivant les instructions du mode d'emploi.

Nettoyage à sec : tout tapis fait main peut se nettoyer à sec; s'il s'agit d'un tapis sur lequel on marche fréquemment, il faut le faire nettoyer à sec une ou deux fois par an. Apportez-le chez un nettoyeur fiable et spécifiez-lui qu'il s'agit d'un tapis fait main.

Lavage : il ne faut jamais laver un tapis de sorte qu'il soit imbibé d'eau. Il existe dans le commerce plusieurs marques de produits nettoyants, en aérosol ou en liquide. Un produit nettoyant sous forme d'aérosol est vaporisé sur le tapis où on le laisse reposer quelque temps, puis on passe l'aspirateur. Les nettoyants liquides sont appliqués avec une serviette humide. Avant d'employer l'un ou l'autre de ces deux types de nettoyants, passez l'aspirateur sur le tapis pour enlever les saletés qui ne sont pas incrustées.

Réparation : si vous avez gardé les restes de fil ou de lanières de tissu de votre tapis, vous pourrez vous en servir pour réparer les endroits brûlés, déchirés ou tachés de façon définitive. Entourez d'abord avec des épingles la surface endommagée (voir ci-dessous). Retournez ensuite le tapis et coupez les fils ou les lanières sur l'envers. Faites des points bouclés ou noués sur l'endroit à réparer et égalisez les extrémités. Si c'est une bordure brodée qui a été endommagée, retirez les fils à l'endroit abîmé et glissez-en les extrémités sous les points voisins, puis refaites les points manquants avec le fil approprié.

Rangement : pour ranger un tapis ou le transporter, roulez-le boucles en dehors pour éviter de les froisser ou de trop tirer sur la doublure. Ne pliez jamais un tapis fait main. Si vous devez mettre de côté un tapis pour une longue période de temps, enveloppez-le dans un vieux drap (surtout pas de plastique qui l'empêcherait de respirer) pour qu'il ne se salisse pas. La plupart des laines à tapis sont à l'épreuve des mites mais rien ne vous empêche d'utiliser quand même les boules antimites comme précaution supplémentaire.

Réparation des tapis bouclés

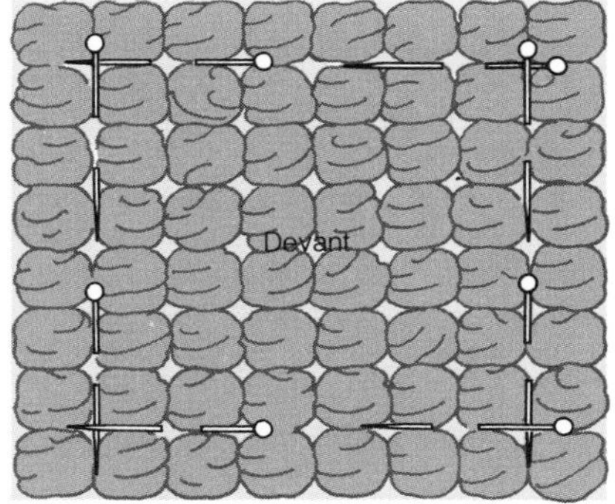

Pour réparer une surface endommagée, délimitez-la d'abord par des épingles en repoussant le poil, si nécessaire.

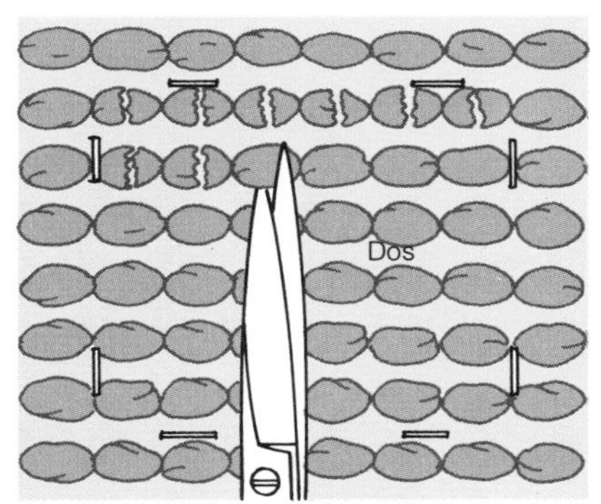

Retournez le tapis sur l'envers, coupez et retirez les fils ou les lanières. Ramenez les extrémités sur l'endroit du tapis.

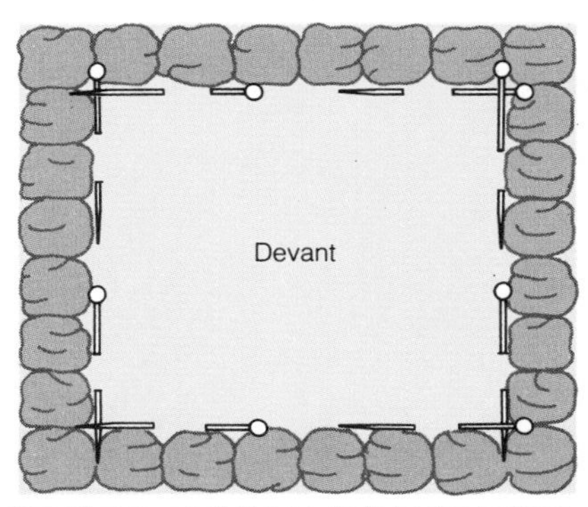

Travaillez au crochet avec du fil ou des lanières de tissu de même couleur. Egalisez les extrémités; ôtez les épingles.

Tapis tressés

Matériaux

Les premiers tapis tressés furent sans doute des paillassons de jonc ou de raphia utilisés pour recouvrir les sols de terre battue. Un grand nombre de tapis tressés sont aujourd'hui fabriqués à partir de retailles, mais que vous tressiez un tapis avec des tissus neufs ou des chutes, il y a certains impératifs à respecter.

Le tissu : les étoffes lourdes en laine sont le meilleur choix, parce que tellement durables. La laine doit être étroitement tissée, souple mais avec de la tenue. Les étoffes à tissage lâche s'usent plus rapidement; les lainages rigides comme la gabardine sont plus difficiles à utiliser. Evitez l'emploi des tissus de coton, de lin ou de soie car ces fibres ne sont pas assez résistantes. Les tissus synthétiques attirent l'électricité statique et ne sont pas non plus résistants. Enfin, ne mélangez jamais des tissus de fibres différentes.

Assemblage du tissu : si vous travaillez avec des tissus neufs, achetez au poids les fins de série des manufactures pour ne pas faire trop de dépenses, car les tapis tressés consomment une grande quantité de tissu.

Le moyen le plus économique de fabriquer un tapis tressé est d'utiliser de vieux manteaux, complets, jupes et couvertures. Assurez-vous que tous les tissus ont approximativement le même poids et n'oubliez pas d'ôter les fermetures à glissière, les cols, les poches et les doublures. Ouvrez les pinces et coupez le long des coutures; supprimez les espaces élimés. Lavez les pièces à la machine ou à la main avec un détergent doux et de l'eau froide; faites sécher. Vous pouvez aussi laver les morceaux de tissu neufs avant de les utiliser.

Quantités : si vous choisissez d'acheter du tissu, calculez 1 mètre (1 vg) en 135 centimètres (54″) de large pour un carré tressé de 30 centimètres (1 pi) de côté; si donc le tapis mesure 60 × 90 centimètres (2 pi × 3 pi), il faudra environ 6 mètres (6 vg) de tissu. Au poids, calculez environ 400 grammes (14 oz) de tissu pour un carré de 30 centimètres (1 pi) de côté et ajoutez 10 à 20 pour cent de pertes. Les quantités dépendent un peu de la largeur des bandes et du tressage. Si vous achetez des bandes de tissu, ajoutez une longueur de sécurité, environ un tiers de la taille de la bande. Chaque nouvelle tresse mesurera environ 20 centimètres (8″) de plus que celle de la rangée précédente. Si vous avez pensé à l'avance à un thème de couleurs, achetez ou rassemblez, avant de commencer, le plus possible du tissu choisi pour ne pas vous trouver soudain à court d'une couleur.

Ce tapis tressé ovale, exécuté dans des tons d'or et de brun, commence par une tresse droite.

La couleur : il y a plusieurs façons d'utiliser la couleur dans un tapis tressé, la plus simple étant celle qu'on appelle « au petit bonheur la chance » : on essaie de réussir une combinaison de couleurs avec toutes celles qui tombent sous la main. Toutefois, il faut savoir que les couleurs claires ressortent mieux au centre du tapis que les couleurs foncées (qui font penser à une cible), alors que ces dernières font l'effet d'un encadrement quand elles sont placées sur les bords. Equilibrez les proportions entre le centre et les bords. Pour mieux imaginer la dimension du centre, faites une esquisse du tapis tel que vous le désirez, et colorez-en les rangées. A l'aide de ce modèle, vous pourrez décider combien de rangées vous voulez consacrer au centre. Il n'est pas non plus nécessaire que les tresses soient d'une seule couleur. Comme elles sont faites de trois bandes tressées, chaque bande peut avoir une couleur différente. Par ailleurs, on peut mélanger dans les tresses des tissus unis et des tissus à carreaux ou chinés pour obtenir des résultats intéressants et inattendus. Les couleurs vives sont plus à leur avantage si elles sont mêlées à du beige, du havane ou autres teintes neutres.

Quand vous passez d'une couleur à une autre, faites-le graduellement en ajoutant une nouvelle couleur au tapis avec une seule bande d'abord dans la première tresse, puis deux dans la seconde, trois dans la troisième et les suivantes. Opérez les changements de couleur toujours vers la fin d'une courbe et, autant que possible, au même endroit chaque fois, pour que la transition se fasse en douceur.

Equipement

Un tapis tressé est fait de bandes de tissu nattées, cousues ou lacées ensemble. En plus des bandes de tissu, vous aurez besoin d'une *aiguille à coudre* et de *fil à boutonnière* pour coudre la première tresse enroulée sur elle-même. Le reste du tapis est lacé ensemble avec un *passe-lacet* (ou encore une grosse aiguille à tapisserie), du *fil résistant*, comme du cordonnet ou du fil à tapis. Vous aurez besoin aussi d'une *épingle à linge* pour retenir l'extrémité de la tresse et l'empêcher de se défaire.

Il existe encore plusieurs autres accessoires qui ne sont pas absolument nécessaires mais activent l'exécution du travail et le facilitent. Les *aide-tresses*, par exemple, sont des petits cônes qui replient automatiquement les bandes de tissu et permettent d'éviter d'avoir à les replier et à les bâtir à la main. Ils sont vendus par groupe de trois. Le *serre-tresses* est un étau de métal qui s'adapte à une table et maintient la bande bien tendue. Le *coupe-tissu* est une machine qui découpe des bandes uniformes de tissu et s'ajuste à différentes largeurs de coupe.

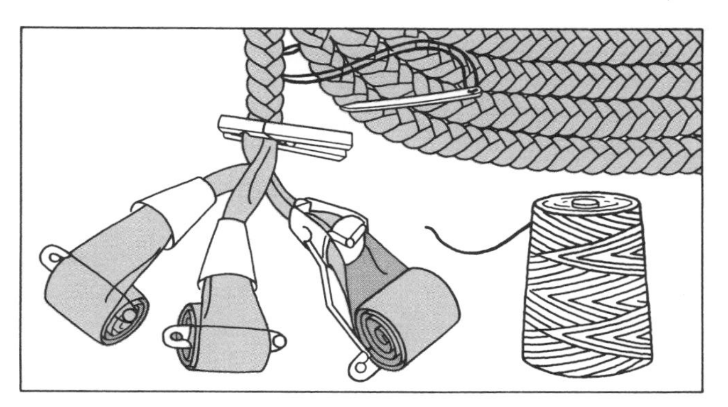

La tresse de gauche montre comment utiliser les aide-tresses qui replient automatiquement les bandes de tissu. Une pince à linge maintient l'extrémité de la tresse. Un passe-lacet et du fil résistant sont utilisés pour lacer ensemble les tresses.

Confection des bandes de tissu

Les bandes de tissu à tresser peuvent être, au choix, repliées et cousues ensemble à la main, ou confiées à des appareils qui les replient automatiquement. Mais que vous employiez l'une ou l'autre de ces deux méthodes, il vous faudra d'abord découper le tissu en bandelettes de 3 à 6 centimètres (1¼"-2½") de large, selon le poids de la laine et la largeur de tresse que vous voulez. Découpez toujours les bandes dans le sens du droit-fil. Pour déterminer la largeur de tresse la plus appropriée, faites différents échantillons (en coupant, repliant et tressant) et choisissez celui qui convient le mieux.

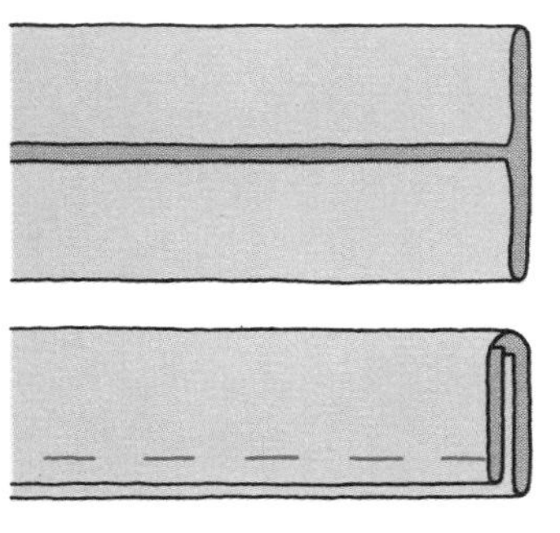

Repliez la bande de tissu en ramenant les deux bords francs au centre (en haut), puis repliez l'un sur l'autre les bords déjà pliés (en bas). Pour que les bords repliés ne bougent pas, bâtissez-les à longs points.

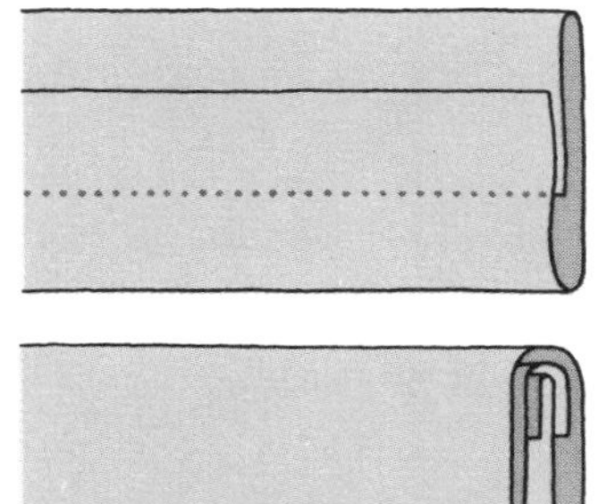

Vous pouvez ajouter de l'épaisseur aux bandes tirées de tissus légers en faisant chevaucher les bords francs au centre (en haut), puis en repliant comme avant (en bas). Vous pouvez bâtir ensemble les épaisseurs.

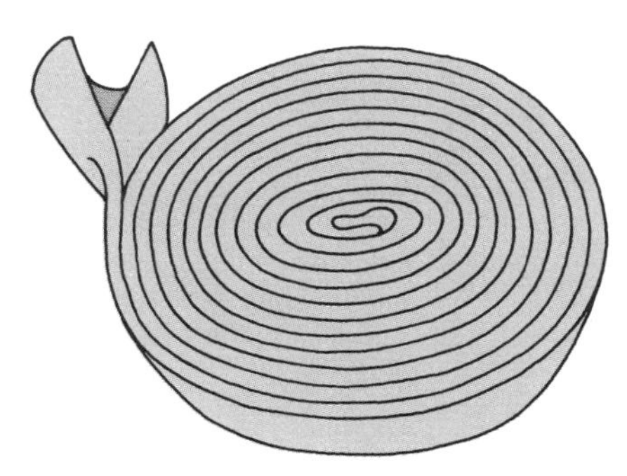

Il sera plus facile de manipuler les bandes repliées si vous les enroulez sur elles-mêmes. Le rouleau se défera aisément quand vous en aurez besoin. De plus, les bandes prendront ainsi moins d'espace de rangement.

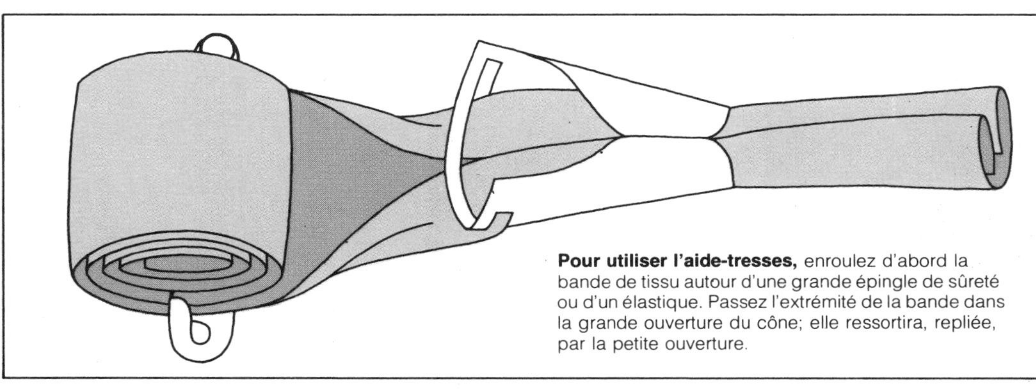

Pour utiliser l'aide-tresses, enroulez d'abord la bande de tissu autour d'une grande épingle de sûreté ou d'un élastique. Passez l'extrémité de la bande dans la grande ouverture du cône; elle ressortira, repliée, par la petite ouverture.

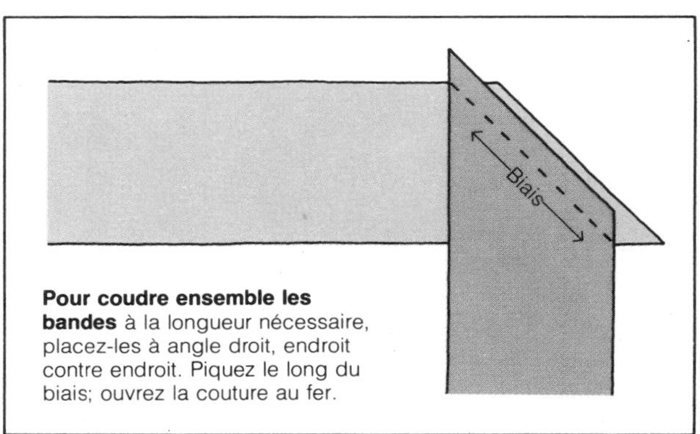

Pour coudre ensemble les bandes à la longueur nécessaire, placez-les à angle droit, endroit contre endroit. Piquez le long du biais; ouvrez la couture au fer.

Tapis tressés

Confection d'une tresse à trois bandes

La tresse la plus simple se compose de trois bandes de tissu entrelacées, mais on peut faire des tresses avec quatre bandes ou plus (pp. 492-493). Pendant que vous tressez les bandes, clouez leurs extrémités sur une planche ou prenez-les dans un serre-joints pour qu'elles restent tendues. Gardez toujours les côtés ouverts de la bande tournés vers la droite. Pour faire une tresse serrée, tirez les bandes vers le côté et non vers le bas. Si vous vous arrêtez, maintenez le bas de la tresse avec une épingle à linge pour l'empêcher de se relâcher. La longueur de la première tresse dépend de la forme du tapis.

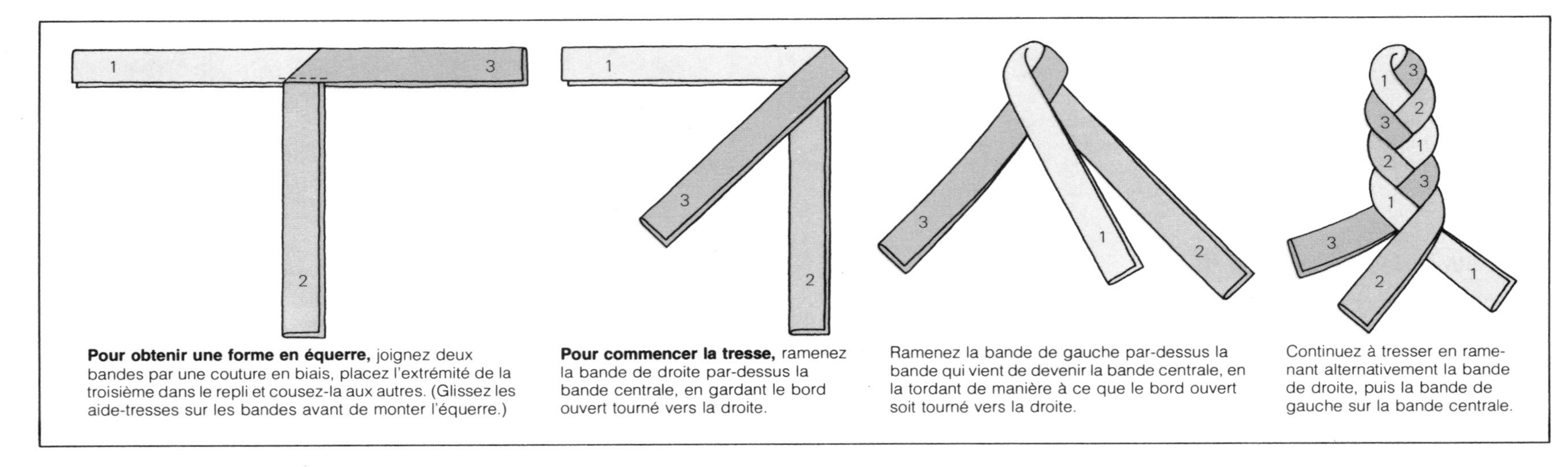

Pour obtenir une forme en équerre, joignez deux bandes par une couture en biais, placez l'extrémité de la troisième dans le repli et cousez-la aux autres. (Glissez les aide-tresses sur les bandes avant de monter l'équerre.)

Pour commencer la tresse, ramenez la bande de droite par-dessus la bande centrale, en gardant le bord ouvert tourné vers la droite.

Ramenez la bande de gauche par-dessus la bande qui vient de devenir la bande centrale, en la tordant de manière à ce que le bord ouvert soit tourné vers la droite.

Continuez à tresser en ramenant alternativement la bande de droite, puis la bande de gauche sur la bande centrale.

Tapis rond

Pour qu'un tapis rond puisse s'étendre bien à plat, il est essentiel de bien commencer le travail au centre du tapis. Pour cela, il faudra opérer une variante dans la manière de faire la tresse, qu'on appelle un *tour mort* (ou *angle arrondi*); cette variante permet à la tresse de s'enrouler plus facilement sur elle-même. On répète le tour mort six à douze fois pour former le centre du tapis, puis on termine le tapis en tressant normalement. Le nombre de tours morts dépend du poids du tissu et de la largeur des bandes et du tressage (plus ou moins serré). Grâce à cela, la tresse reste bien à plat.

Une seule tresse en spirale forme un tapis rond.

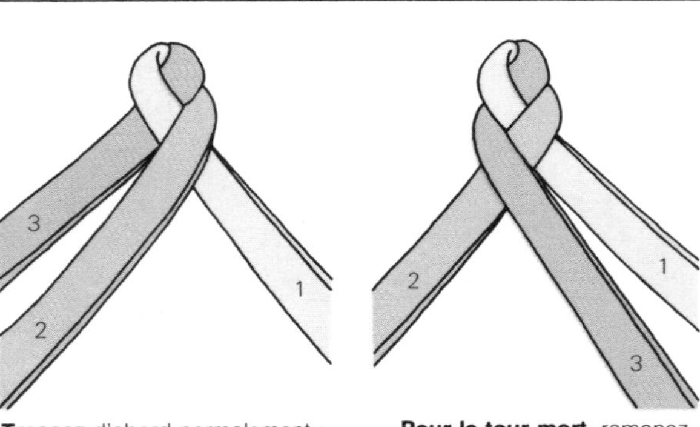

Tressez d'abord normalement : la bande droite, la gauche, puis la droite sur la bande centrale.

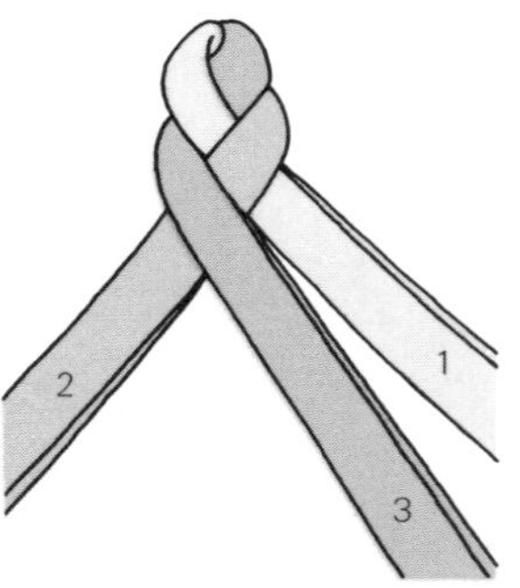

Pour le tour mort, ramenez la bande de gauche sur la bande centrale.

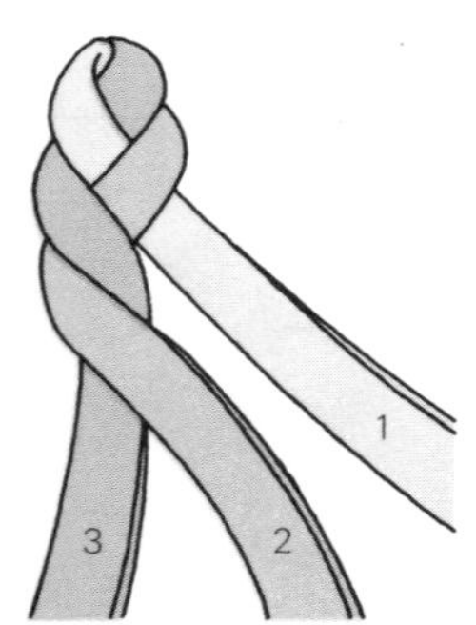

Ramenez la nouvelle bande de gauche sur la bande centrale (pas celle de droite).

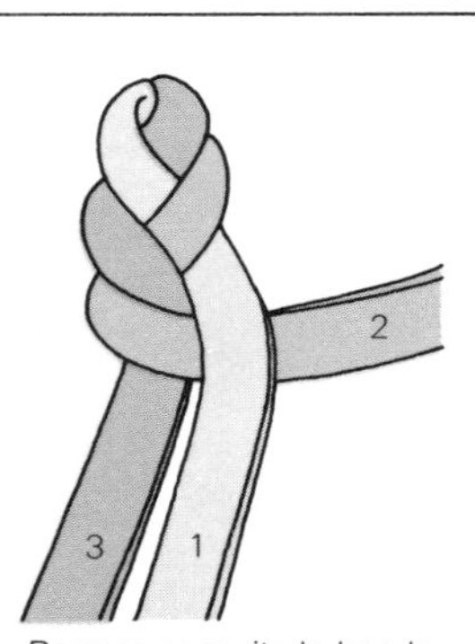

Ramenez ensuite la bande de droite sur la bande centrale, en serrant fort.

Tapis ovale

Un tapis ovale se forme en enroulant une tresse autour d'une longue natte droite. La longueur de celle-ci dépend de la dimension totale du tapis : longueur du tapis moins largeur égalent longueur de la natte centrale. Exemple : si le tapis mesure 90 centimètres sur 150 (3 pi × 5 pi), la tresse centrale sera de 60 centimètres (2 pi). Faites la tresse de la longueur appropriée, puis trois tours morts (page ci-contre) pour la faire tourner. Tressez normalement jusqu'au moment où vous arrivez au niveau de son extrémité. Là, refaites trois tours morts pour que la tresse s'incurve, puis tressez normalement jusqu'à la fin.

La tresse s'enroule autour d'une natte droite.

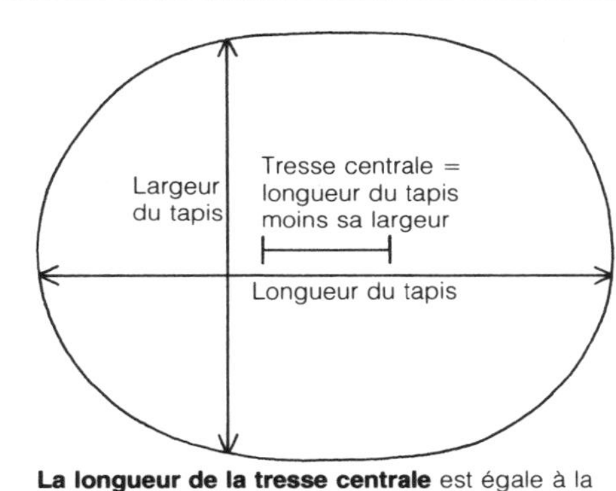

La longueur de la tresse centrale est égale à la différence entre la longueur et la largeur du tapis.

Pour le centre d'un tapis ovale, faites une tresse droite; exécutez trois tours morts. Tressez normalement jusqu'au tournant suivant; exécutez trois autres tours morts.

Tapis rectangulaire

On peut tresser un tapis rectangulaire bien que cette forme ne soit pas aussi traditionnelle que les autres. Il faut alors faire une variante dans la manière de tresser pour obtenir un *coin carré*. Cette variante fait faire un angle droit à la tresse. La longueur de la natte centrale droite d'un tapis rectangulaire se calcule de la même manière que celle d'un tapis ovale : elle est égale à la longueur du tapis moins sa largeur. Un tapis rectangulaire se forme en tressant normalement en ligne droite le long des côtés et en exécutant, pour chaque rangée, un coin carré aux quatre angles du tapis.

Les quatre angles présentent des coins carrés.

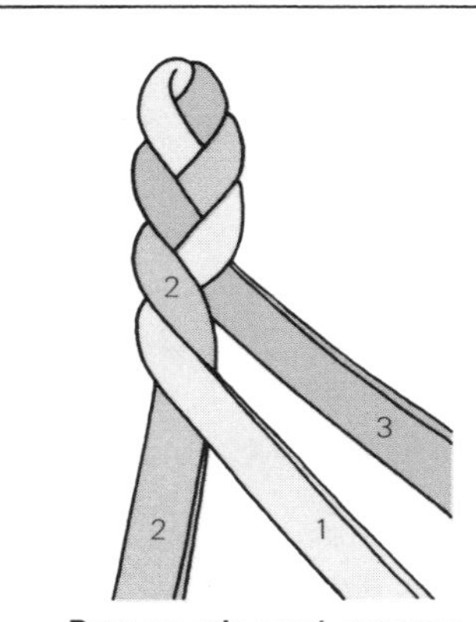

Pour un coin carré, ramenez deux fois de suite la bande de gauche sur celle du centre.

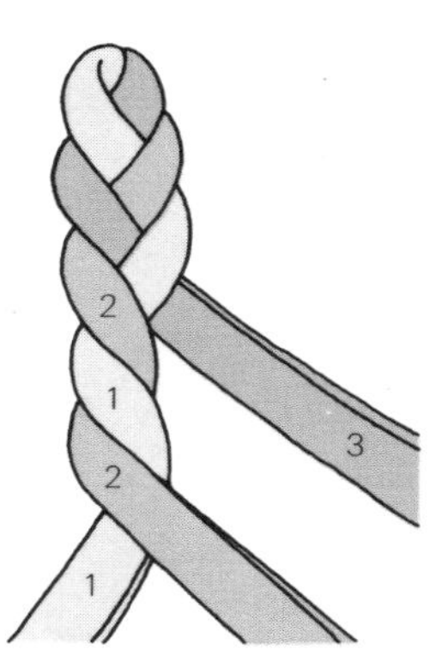

Ramenez une troisième fois la bande de gauche sur celle du centre.

Ramenez la bande de droite sur celle du centre et serrez très fort.

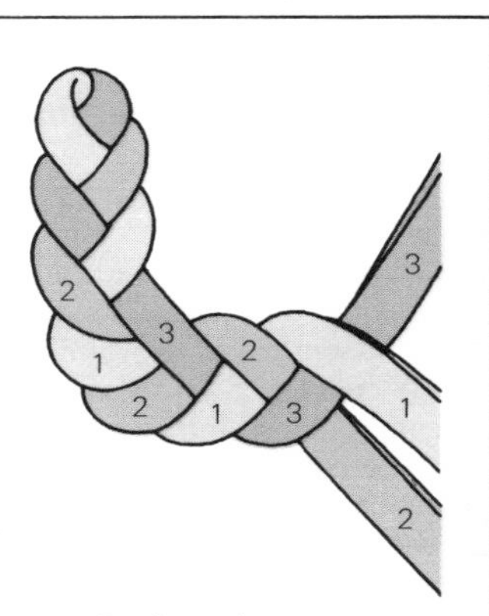

Continuez à tresser normalement jusqu'à l'angle suivant.

Tapis tressés

Laçage des tresses

On coud toujours ensemble le centre d'un tapis tressé, là où la tresse s'enroule sur elle-même. Le reste du tapis est lacé. Le laçage est plus rapide que la couture et fait un tapis plus robuste. Servez-vous pour coudre de fil à boutonnière et d'une aiguille effilée. Pour lacer, utilisez un passe-lacet et un cordonnet ou du fil à tapis. Utilisez toujours un fil double et une seule aiguillée continue. Quand une aiguillée arrive à sa fin, ajoutez-y une autre longueur avec un nœud plat. Travaillez sur une table ou une autre surface plane pour que le tapis soit bien à plat, sinon il se déformera. Tirez fort sur le fil de laçage pour qu'il soit bien dissimulé dans les boucles de la tresse; si le fil n'apparaît sur aucune des deux surfaces du tapis, celui-ci deviendra réversible.

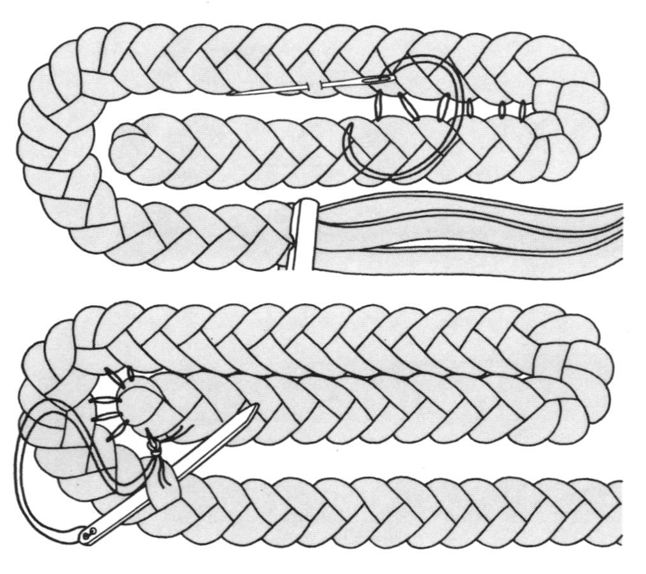

1. Pour coudre ensemble les premières boucles de la tresse, commencez au premier arrondi. Dissimulez le nœud du fil dans la tresse. Faites les points dans les replis des boucles sur le bord intérieur des tresses, en piquant alternativement d'une tresse à l'autre.

2. Continuez à coudre les boucles ensemble jusqu'à ce que vous ayez dépassé le second tournant. Enfilez alors le passe-lacet avec du fil et faites un nœud plat pour l'attacher à la fin de l'aiguillée précédente.

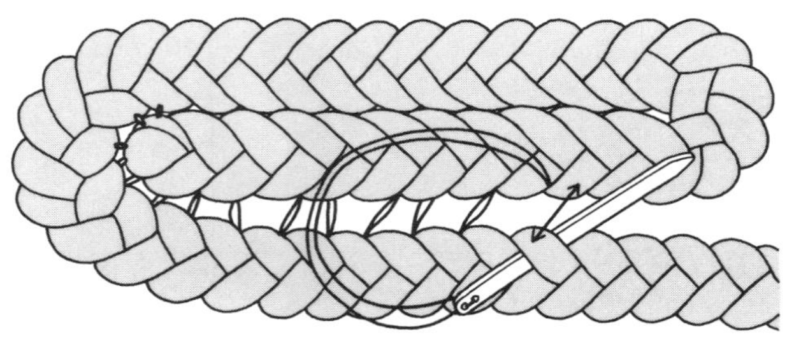

3. Pour lacer, passez le fil entre les boucles sans prendre le tissu. Insérez le passe-lacet diagonalement dans les boucles de chaque tresse, et tirez sur l'aiguillée pour que le fil n'apparaisse pas. Lacez tous les bords droits de la même façon.

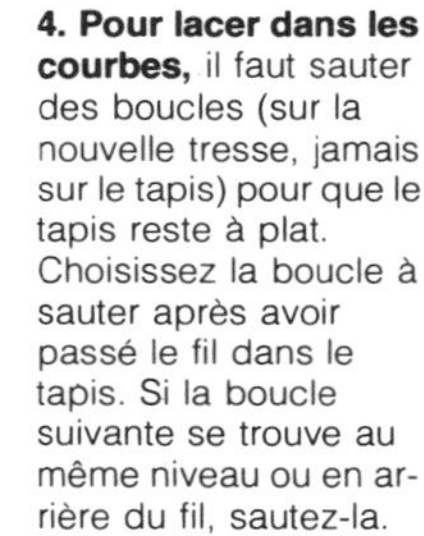

4. Pour lacer dans les courbes, il faut sauter des boucles (sur la nouvelle tresse, jamais sur le tapis) pour que le tapis reste à plat. Choisissez la boucle à sauter après avoir passé le fil dans le tapis. Si la boucle suivante se trouve au même niveau ou en arrière du fil, sautez-la.

Assemblage des bandes de tissu

C'est en cours de travail qu'il vous faudra assembler les bandes de tissu parce qu'il n'est pas possible de commencer à travailler avec toute la quantité de bandes nécessaire au tapis. Pour éviter d'avoir une protubérance dans la première tresse, travaillez avec des bandes de différentes longueurs pour que l'assemblage ne tombe pas au même endroit. Si vous voulez changer de couleurs, assemblez une bande de la nouvelle couleur sur l'ancienne. Arrangez-vous pour que les changements de couleur se fassent au même endroit à chaque tour (p. 486). Assemblez toujours une bande quand elle se trouve au centre après être passée sur une autre, de sorte que la couture soit dissimulée par la bande qui va la recouvrir.

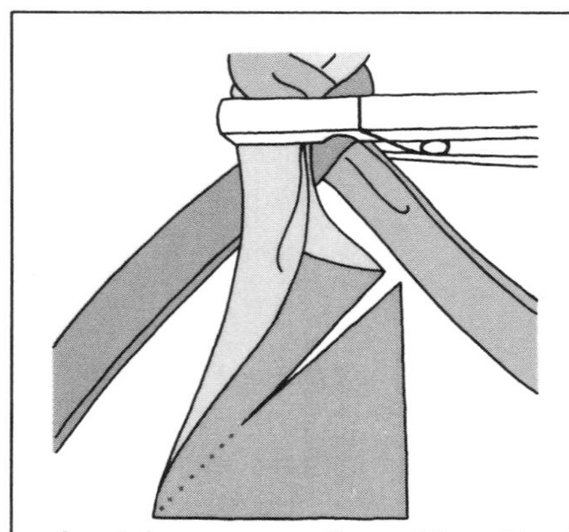

Avant de commencer l'assemblage, bloquez la tresse avec une pince à linge. Dépliez le bout de la bande et taillez en biais.

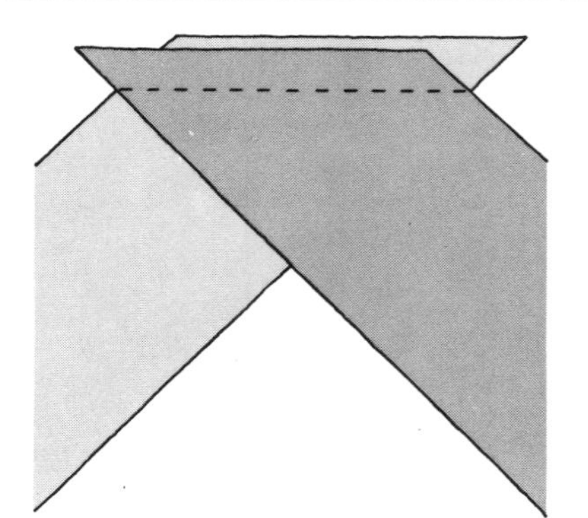

Placez la nouvelle bande sur l'ancienne, endroit contre endroit, et cousez le long du biais.

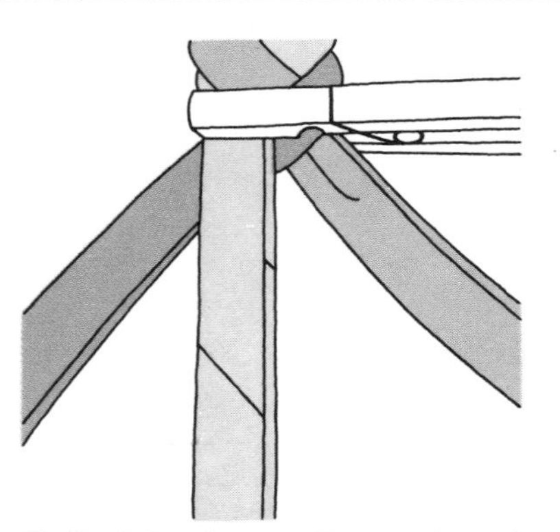

Repliez la bande rapportée et continuez de tresser; assurez-vous que la couture est bien dissimulée par la bande suivante.

Effilage de la pointe

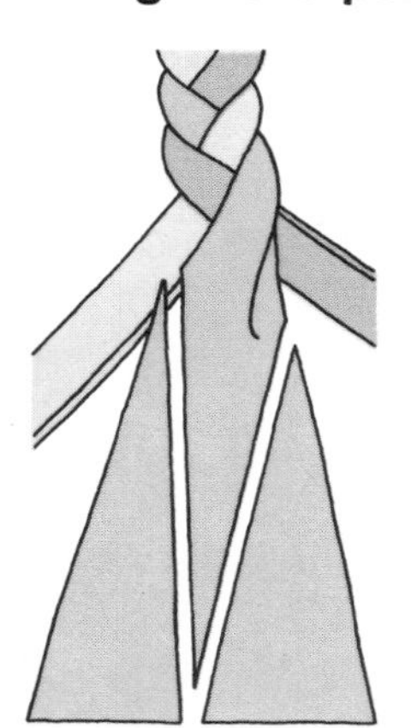

Quand le tapis a atteint la dimension voulue, effilez chaque bande en une longue pointe qui s'étende sur 12 à 18 cm (5" à 7"); coupez chaque bande à des hauteurs différentes pour qu'elles ne s'arrêtent pas toutes au même endroit.

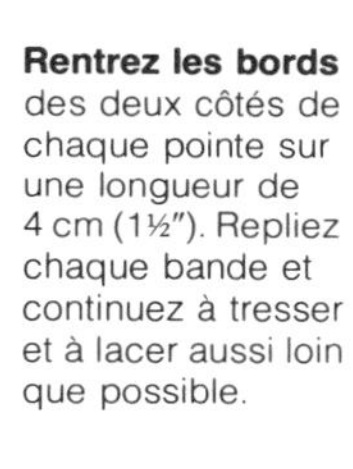

Rentrez les bords des deux côtés de chaque pointe sur une longueur de 4 cm (1½"). Repliez chaque bande et continuez à tresser et à lacer aussi loin que possible.

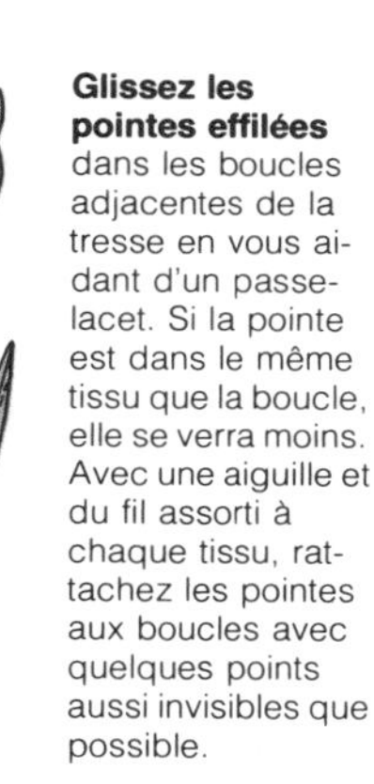

Glissez les pointes effilées dans les boucles adjacentes de la tresse en vous aidant d'un passe-lacet. Si la pointe est dans le même tissu que la boucle, elle se verra moins. Avec une aiguille et du fil assorti à chaque tissu, rattachez les pointes aux boucles avec quelques points aussi invisibles que possible.

Aboutement

L'aboutement consiste à joindre le début et la fin d'une tresse pour en faire un cercle complet. Bien qu'il soit possible de fabriquer un tapis selon cette technique, on s'en sert surtout pour donner plus de fini à la dernière

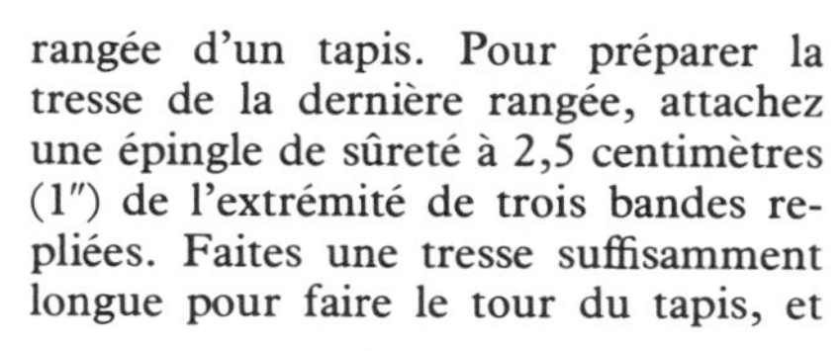

rangée d'un tapis. Pour préparer la tresse de la dernière rangée, attachez une épingle de sûreté à 2,5 centimètres (1") de l'extrémité de trois bandes repliées. Faites une tresse suffisamment longue pour faire le tour du tapis, et

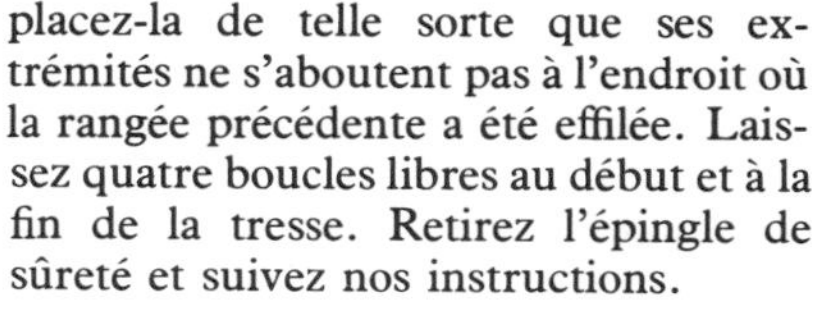

placez-la de telle sorte que ses extrémités ne s'aboutent pas à l'endroit où la rangée précédente a été effilée. Laissez quatre boucles libres au début et à la fin de la tresse. Retirez l'épingle de sûreté et suivez nos instructions.

1. Posez le début de la tresse devant vous et la fin de la tresse au-dessus. Si les trois bandes ne sont pas identifiables par leur couleur, marquez-les. Commencez à joindre les bandes ensemble après les avoir placées dans la position indiquée.

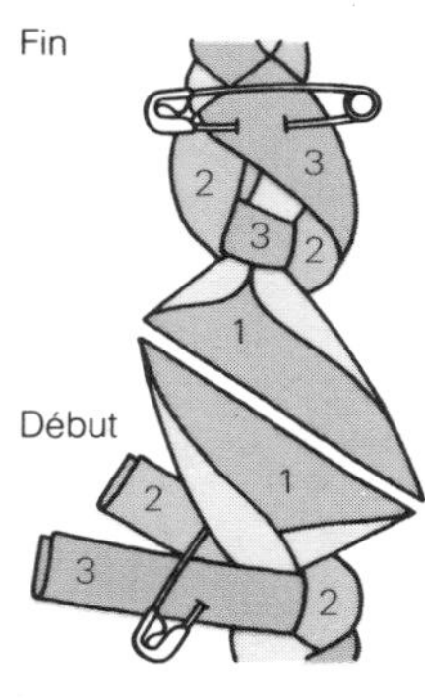

2. Ecartez les bandes 2 et 3 en les épinglant ensemble. Dépliez les deux extrémités de la bande 1 et taillez-les en biais.

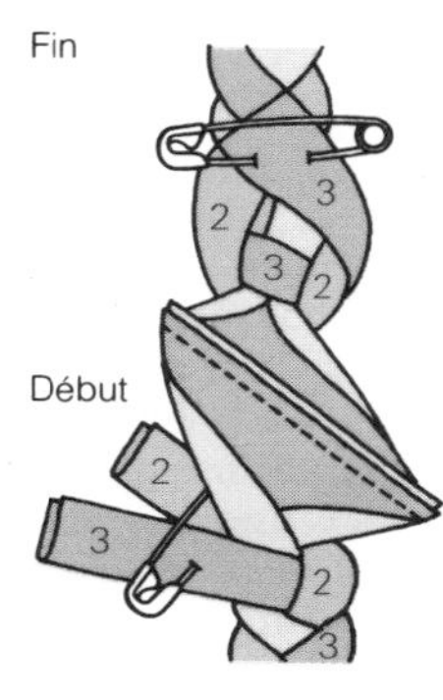

3. Placez les deux extrémités de la bande 1, endroit contre endroit, et cousez-les ensemble à 3 mm (⅛") du bord.

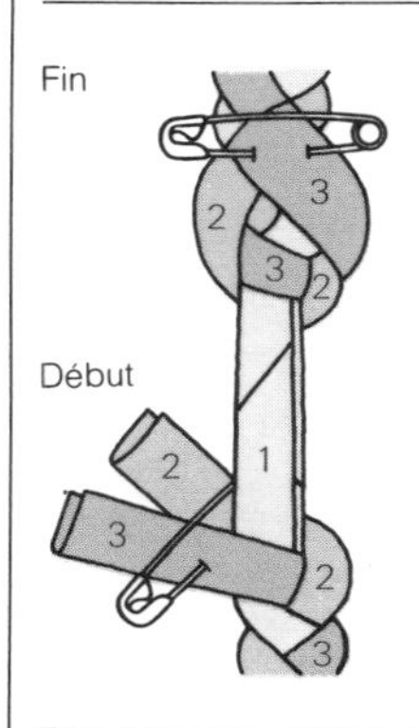

4. Repliez la bande 1 en lui donnant la forme d'un tube; la marge de couture se trouvera à l'intérieur.

5. En fin de tresse, faites passez la bande 3 sur la bande 1, cachant ainsi la couture. Passez la bande 2 sur la bande 3, puis sous la bande 1. En début de tresse, tirez la bande 2 sous la bande 1. Les deux bandes 2 se trouvent à droite de la tresse.

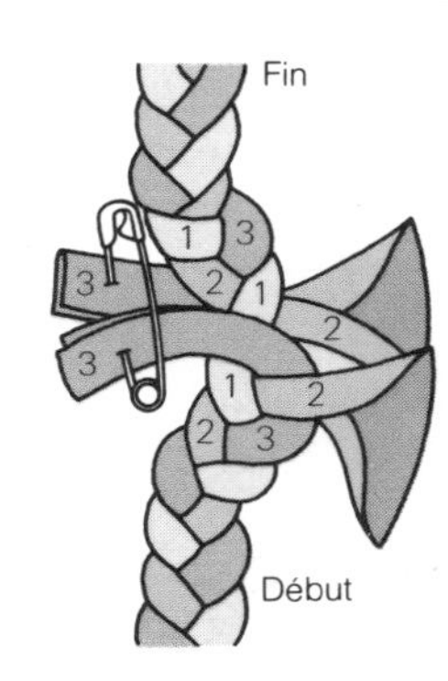

6. Tirez légèrement hors de la tresse les deux extrémités de la bande 2 pour les abouter. Ne tirez pas trop, sinon la bande sera trop grande pour bien s'ajuster au reste de la tresse. Vous remettrez la tresse en forme un peu plus tard.

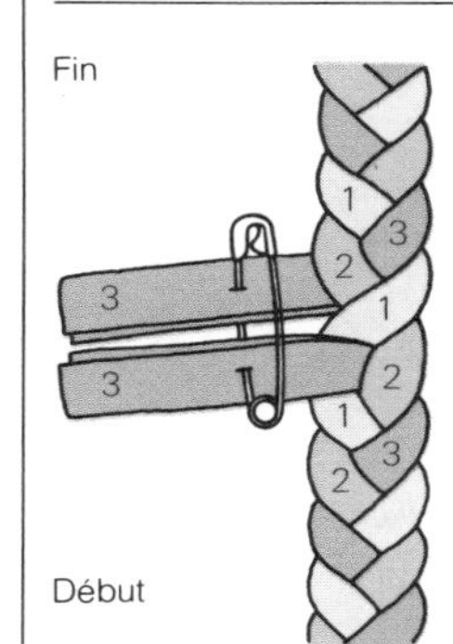

7. Aboutez la bande 2 et repliez-la en tube en suivant les instructions données pour la bande 1. Tirez sur les extrémités de la tresse pour lui rendre sa forme.

8. Au début de la tresse, ramenez la bande 3 sous la bande 2, et, à la fin de la tresse, retirez la bande 3 de sous la bande 2.

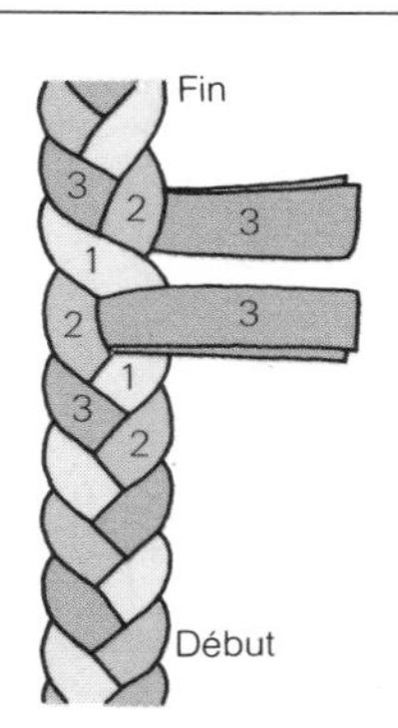

9. Aboutez les extrémités de la bande 3 en suivant les instructions données plus haut pour la bande 1.

Tapis tressés

Tresses à bandes multiples

Jusqu'ici nous n'avons traité que des tresses à trois bandes parce que ce sont les seules qui puissent être utilisées dans les tapis ovales, ronds ou carrés qui viennent d'être décrits. Les tresses de plus de trois bandes ne sont pas assez souples, mais elles peuvent former des tapis rectangulaires si on les place parallèlement dans la longueur, en rentrant les extrémités de chaque bande. Les tresses à bandes multiples peuvent aussi servir à confectionner des poignées de sacs à main ou de sacs de voyage, des ceintures et des serre-tête.

Immobilisez les extrémités des bandes de tissu repliées, avec une grande épingle de sûreté, ou cousez-les pour qu'elles se tiennent à plat. Pour vous y retrouver plus facilement, travaillez avec des bandes de couleurs différentes qui vous permettront de les localiser et de suivre leur trajet individuel. Les tresses à bandes multiples, comme les tresses ordinaires, doivent être entrelacées sous tension.

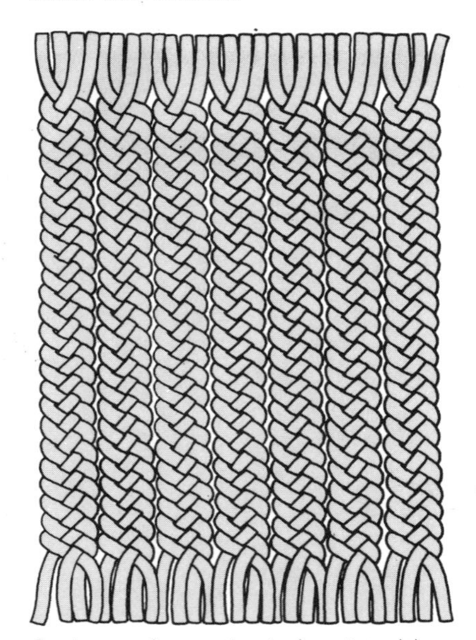

Ces tresses donneront un tapis rectangulaire.

TRESSE À 4 BANDES

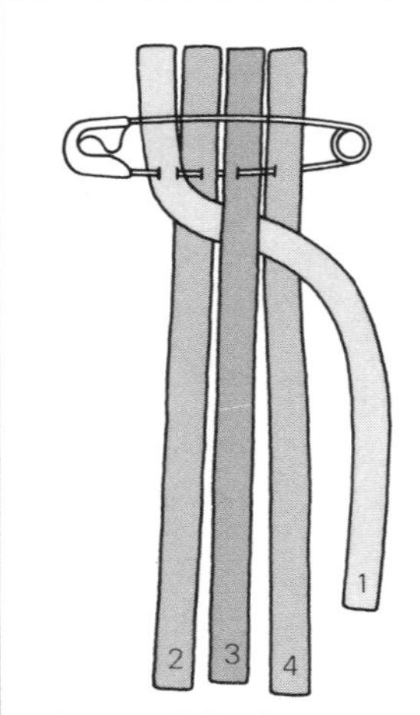

Amenez d'abord la première bande à gauche sur la deuxième, sous la troisième et sur la quatrième.

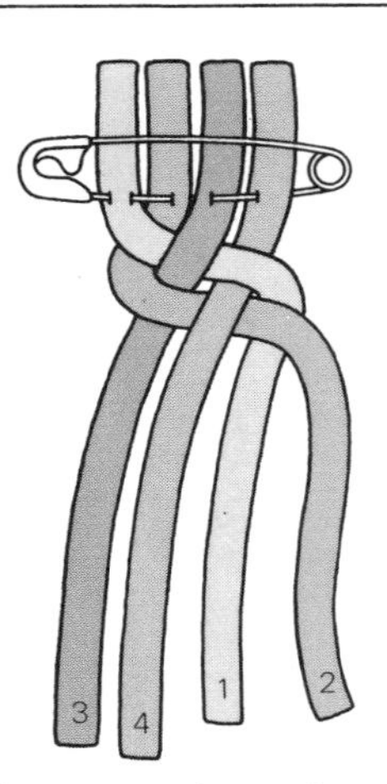

Ramenez ensuite vers la gauche, de la même façon, la nouvelle bande qui se trouve à gauche.

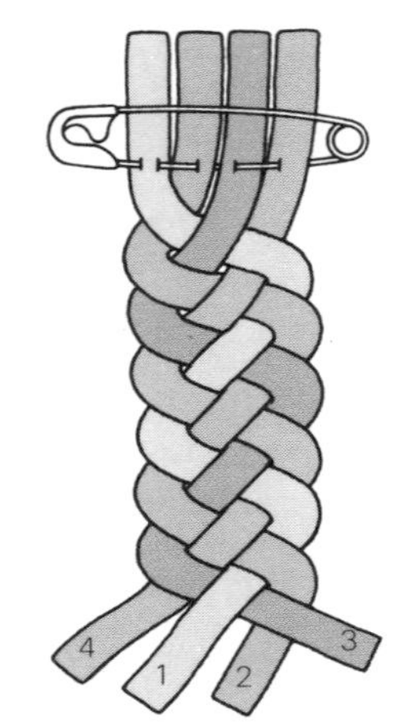

Utilisez toujours la bande qui se trouve à gauche et continuez à tresser de la même façon.

VARIANTE À 4 BANDES

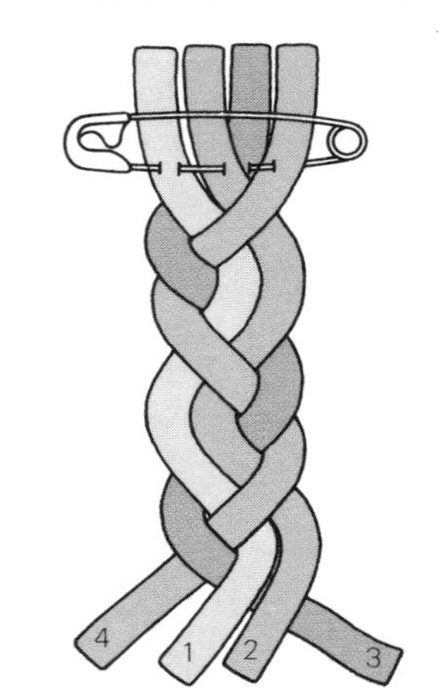

Tressez les quatre bandes comme si elles n'étaient que trois (p. 488) en retenant ensemble les deux premières de manière à n'en faire qu'une.

TRESSE À 5 BANDES

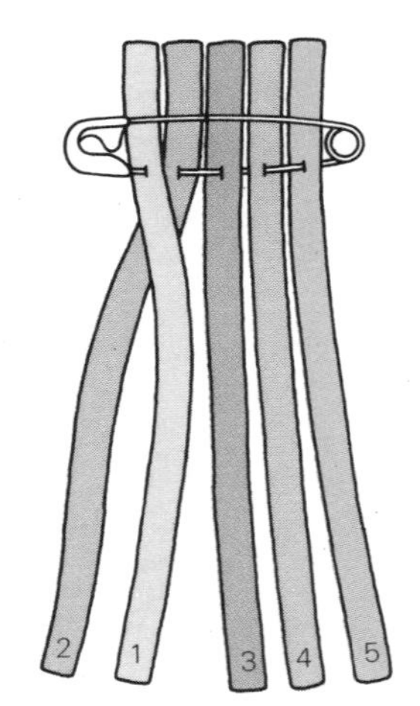

Ramenez la bande gauche sur celle qui se trouve juste à sa droite. Ramenez la bande droite

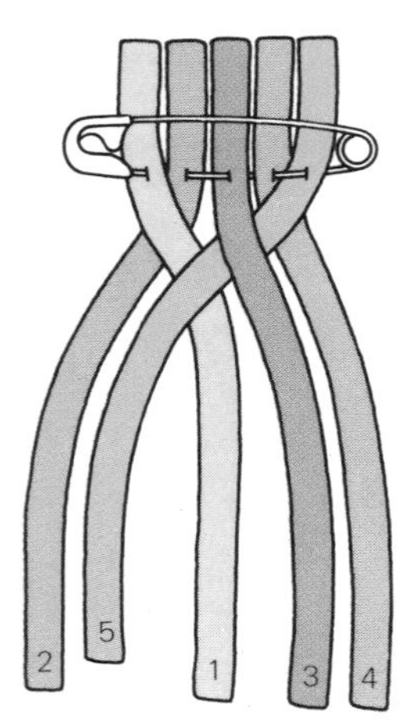

sur celle qui se trouve juste à sa gauche; passez-la sous la bande voisine et sur la suivante.

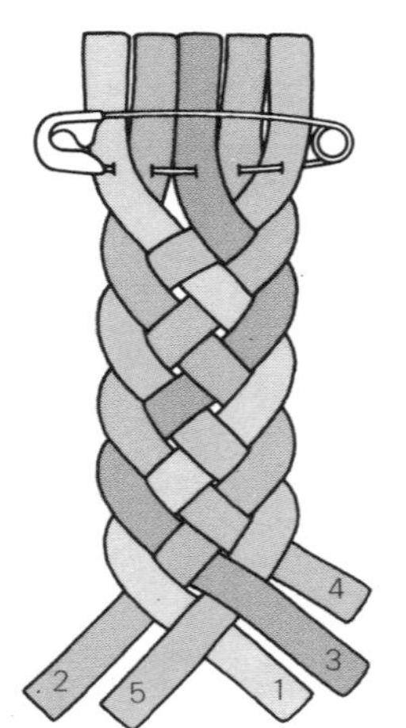

Continuez à répéter ces deux étapes mais en travaillant toujours avec les deux bandes externes.

VARIANTE À 5 BANDES

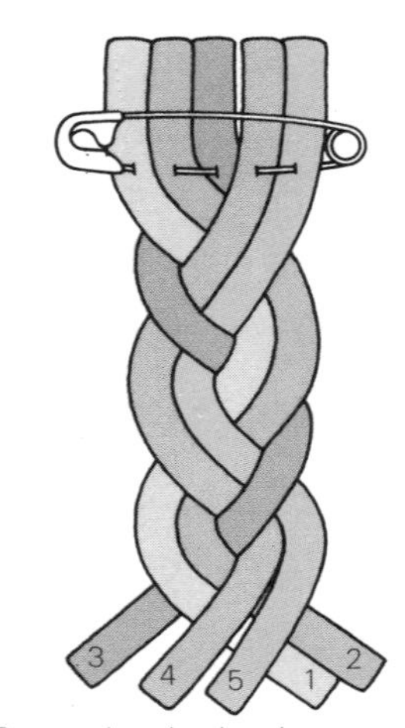

Tressez les cinq bandes comme si elles n'étaient que trois (p. 488); tenez ensemble les deux premières bandes et les deux dernières.

TRESSES À 6 BANDES

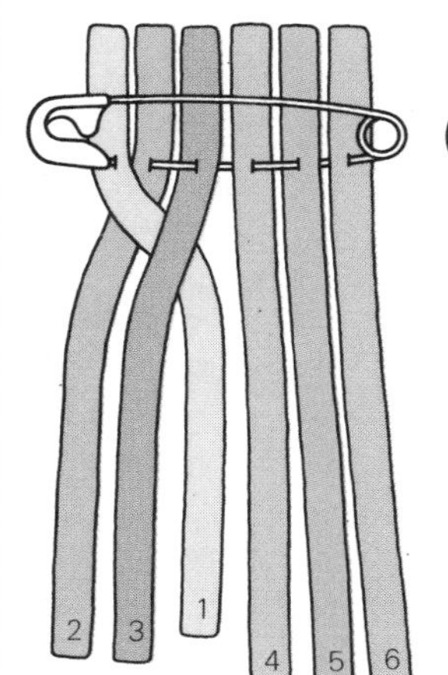

Ramenez la dernière bande à gauche par-dessus la deuxième et par-dessous la troisième.

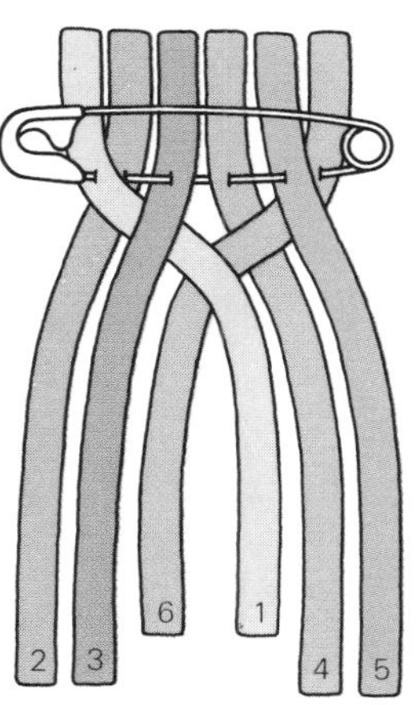

Ramenez la dernière bande à droite sous la cinquième, sur la quatrième et sous la première.

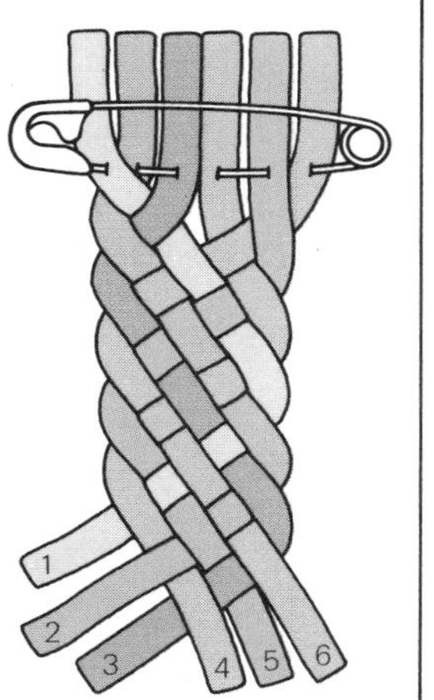

Continuez à répéter ces deux étapes, mais en travaillant toujours avec les deux bandes externes.

VARIANTE À 6 BANDES

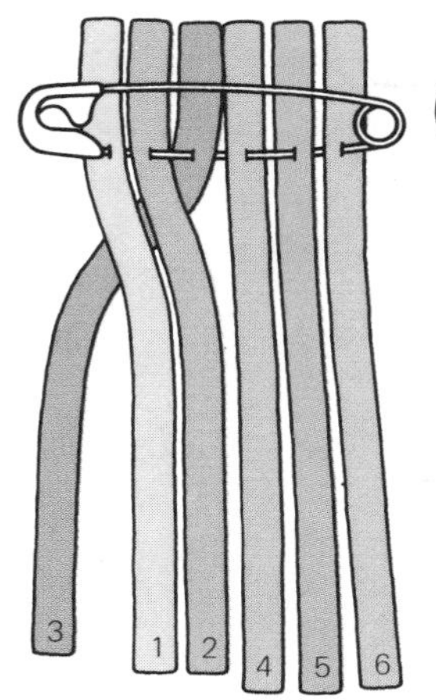

Tenez les deux premières bandes comme si elles n'en faisaient qu'une, et passez-les sur la troisième.

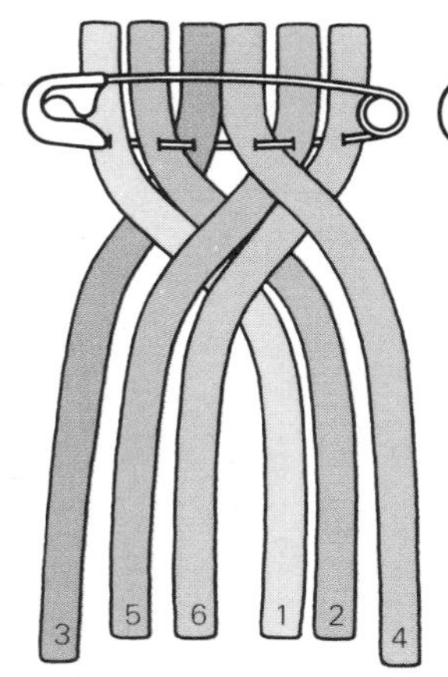

Tenez les deux dernières comme une; ramenez-les sous la précédente et sur les deux premières.

Continuez à tresser ainsi en tenant ensemble les deux premières bandes et les deux dernières.

TRESSE À 7 BANDES

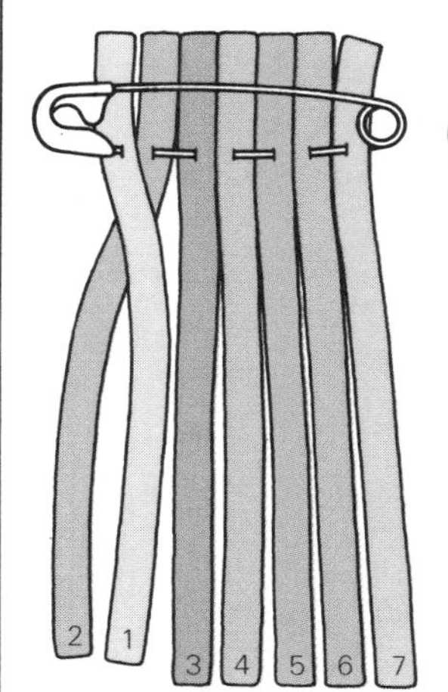

Ramenez la bande externe de gauche sur la bande qui se trouve immédiatement à sa droite.

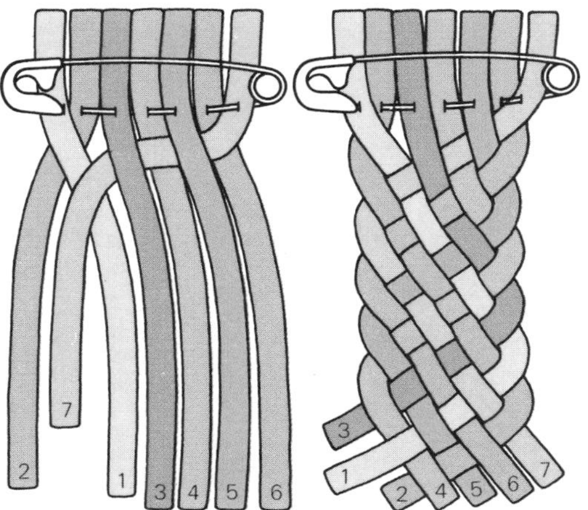

Ramenez la bande externe de droite sur et sous les précédentes, puis sur la première.

Répétez ces deux étapes. L'ordre des mouvements est le même pour tout nombre impair de bandes.

VARIANTE À 7 BANDES

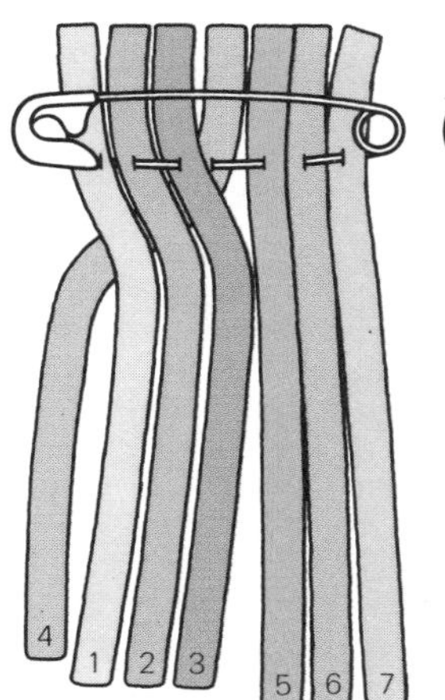

Tenez ensemble les trois premières bandes et ramenez-les par-dessus la quatrième.

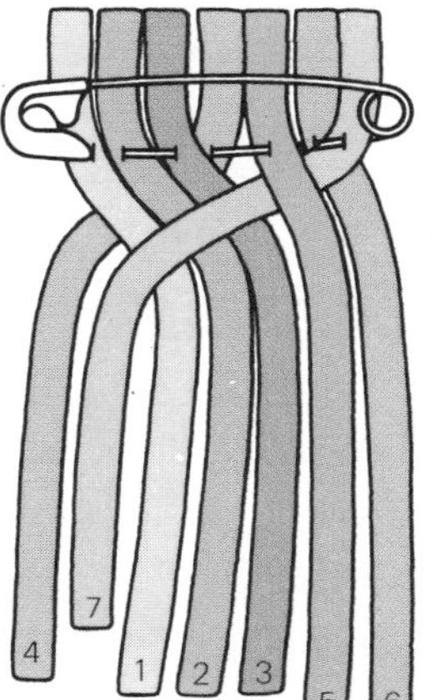

Ramenez la dernière bande sur la sixième, sous la cinquième et sur les trois premières.

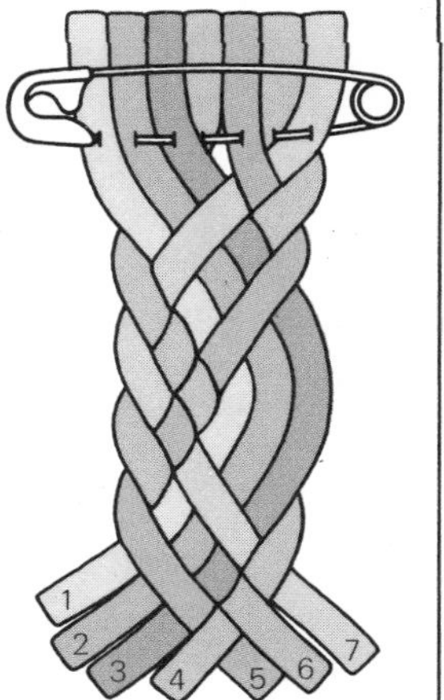

Répétez ces deux étapes en tenant les trois premières bandes comme si elles n'en faisaient qu'une.

Fond de chaise

La technique du crochet à tapis permet de rendre la complexité du motif floral de ce coussin.

Le motif floral de ce coussin est exécuté au crochet à tapis.

Fournitures

Carré de jute de 50 cm (20″) de côté
Crochet nº 4
1 m (1 vg) de galon à tapis
1 m (1 vg) de ruban de gros-grain en 0,5 cm (¼″) de large
Fil et aiguille résistants
15 cm (⅛ vg) de flanelle de laine en 140 cm (54″) de large dans les coloris suivants :
- 4 tons de gris
- 4 tons de bleu
- 4 tons de rouge
- 3 tons de jaune
- 3 tons de vert tilleul
- 3 tons de vert olive
- noir

25 cm (¼ vg) de flanelle de laine blanche dans la même largeur
Métier à tapis

Préparation

Agrandissez le dessin en préparant une grille dont les carrés ont 1,25 centimètre (½″) de côté et reportez-y le dessin (p. 14). Finissez les bords de la toile de jute et marquez-en les centres (p. 468). Reportez le dessin sur le support (pp. 468-469). Montez la toile de jute sur le métier (p. 471). Découpez la flanelle en lanières de 6 millimètres (¼″) de large (p. 470). Pour exécuter le travail, référez-vous aux pages 472-473.

Dégradés

Les instructions sur la manière d'obtenir des dégradés sont données en page 473. Dans cet ouvrage, chaque fleur a été exécutée avec quatre tons différents de la même couleur. Pour simplifier les indications, nous avons numéroté les tons de 1 à 4, le nº 1 représentant la nuance la plus claire, le nº 4 la plus sombre. Les rais des pétales sont exécutés dans le ton nº 3, les ombres derrière les rais dans le ton nº 2 et les pétales eux-mêmes dans le ton nº 1. Le ton nº 4 sert à souligner les contours de la fleur et de chaque pétale. Les fleurs en boutons sont exécutées dans trois tons d'une même couleur. Dans les boutons jaunes, le ton le plus sombre se trouve près des feuilles, le plus clair est placé au sommet du bouton. Les trois tons de rouge sont utilisés de façon à accentuer la rondeur des boutons de cette couleur. Les feuilles sont exécutées soit en une combinaison de trois vert tilleul, soit en une combinaison de trois vert olive, les verts plus sombres soulignant les tiges et les nervures.

Finition

Le travail terminé, coupez l'excédent de la toile de jute et posez le galon à tapis (p. 481). Si le coussin a des attaches, fixez celles-ci avant de poser le galon. Pour les attaches, coupez en deux le gros-grain, posez le coussin sur le siège et marquez l'endroit du cercle le plus proche des barreaux de la chaise que vous voulez utiliser pour retenir votre coussin. Pliez en deux chaque moitié de ruban, insérez le pli entre le galon à tapis et le coussin; fixez.

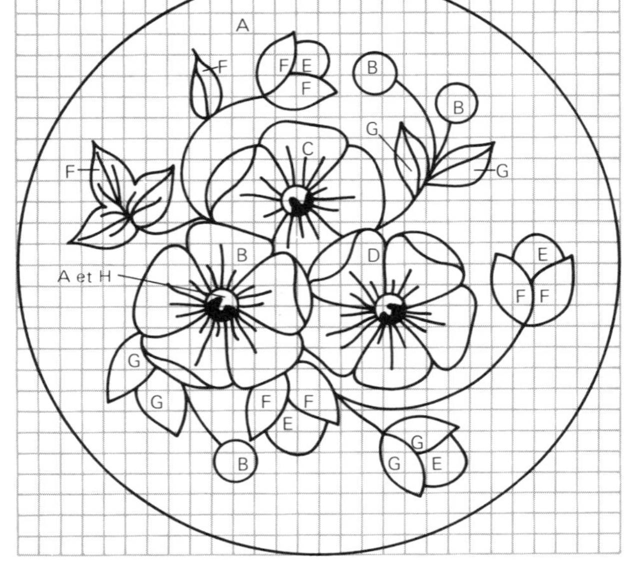

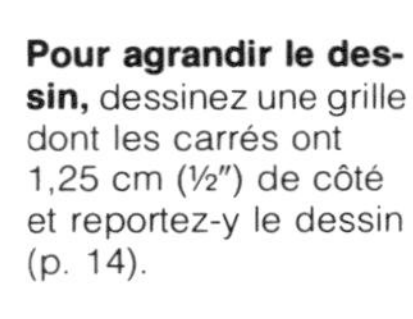

Pour agrandir le dessin, dessinez une grille dont les carrés ont 1,25 cm (½″) de côté et reportez-y le dessin (p. 14).

Légende

A Blanc
B Rouge
C Bleu
D Gris
E Jaune
F Vert tilleul
G Vert olive
H Noir

Murale

Cette murale de 50 cm x 80 cm présente çà et là des reliefs en fil Rya blanc.

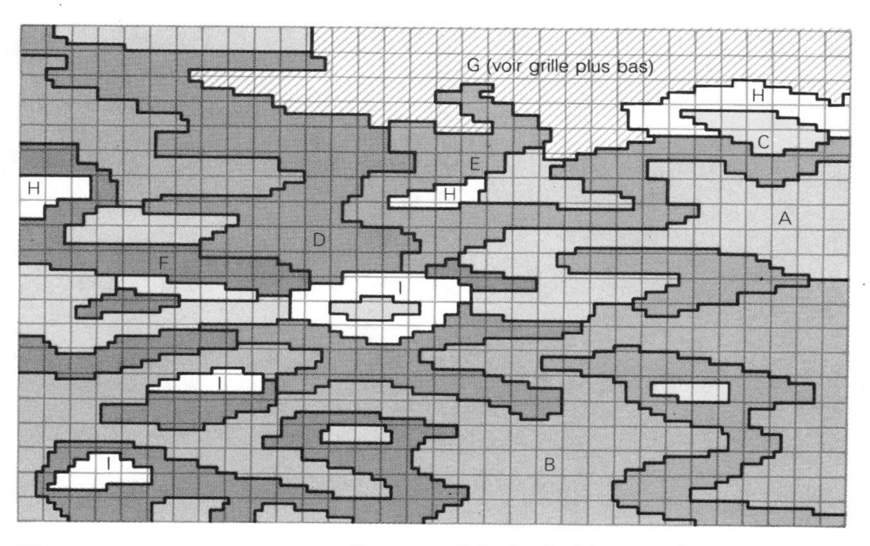

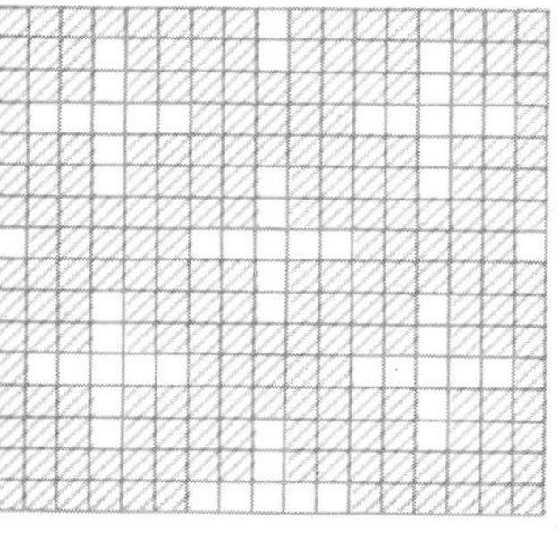

Pour agrandir le dessin, faites une grille à carrés de 2,5 cm (1″) de côté et reportez-y le dessin, carré par carré (p. 14). Puis reportez le dessin sur le canevas (p. 469).

A Bleu clair
B Mélange de bleu clair et de bleu moyen (p. 477)
C Rose
D Brun
E Vert olive
F Bleu-vert
G Grille, à gauche (voir aussi p. 479) : fond bleu clair avec brins précoupés de 6 cm (2½″); croix blanches avec brins Rya de 10 cm (4″)
H Blanc, brins de 10 cm (4″)
I Blanc, brins de 15 cm (6″)

Cette murale de 50 × 80 centimètres (20″ × 32″) est faite d'une combinaison de fils à tapis précoupés et de fil Rya coupé dans des longueurs différentes.

Fournitures

Papier et crayon
Crayon feutre indélébile
Canevas de Smyrne nº 4 de 65 cm × 95 cm (26″ × 38″)
Ruban adhésif
4 m (4 vg) de galon à tapis
Crochet à clapet
3 écheveaux de 100 g (3,6 oz) de fil Rya léger blanc
Fil à tapis précoupé en 6 cm (2½″) de long dans le nombre de brins suivants:
3 700 en bleu clair
1 300 en bleu moyen
200 en rose pâle
1 300 en brun
1 400 en vert olive
1 250 en bleu-vert
5 anneaux de plastique de 1 cm (½″)
Tringle de 75 cm (30″) de long et de 1 cm (½″) de diamètre

Point noué

Reportez d'abord le dessin sur une grille dont les carrés ont 2,5 cm (1″) de côté. Bordez le canevas avec du ruban adhésif et marquez-en le centre (p. 468). Reportez le dessin sur le canevas (p. 469). Vous pouvez colorer les surfaces avec des crayons de feutre ou seulement y faire tenir un fil de la couleur que vous voulez leur attribuer.

Utilisez une seule longueur de fil à tapis précoupé pour chaque nœud. Pour le fil Rya, préparez 2 000 brins de 10 centimètres (4″) de long et 1 100 brins de 15 centimètres (6″). Ne mélangez pas les longueurs. Utilisez quatre brins de fil Rya pour chaque nœud. Exécutez les nœuds en suivant le diagramme ci-dessus et les instructions des pages 477 et 479.

Finition

Une fois les nœuds terminés, sculptez les surfaces blanches. Egalisez les croix sur la partie supérieure de la murale en les taillant à 0,5 centimètre (¼″) au-dessus du fond bleu. Coupez les deux surfaces blanches du coin gauche, de sorte que chacune soit plus courte sur la droite que sur la gauche. Arrondissez les quatre surfaces blanches restantes.

Pour terminer la murale, taillez l'excédent de canevas à 2,5 centimètres (1″) des points. Posez le galon sur les bords selon les instructions de la page 482. Fixez les cinq anneaux de plastique sur le galon, à distances égales au haut de la murale. Glissez la tringle dans les anneaux et accrochez-la à des clous ou à des crochets sur le mur.

Vous pouvez voir en page 486 un autre aspect de ce tapis ovale tressé.

Tapis tressé

Les tissus qui composent le tapis sont dans les tons de brun, or et blanc. On a utilisé aussi un plaid dans quelques tresses pour créer un effet intéressant.

Fournitures

Tissu, les quantités suivantes d'étoffes de laine lourdes en 140 cm (54″) de large

- 1,35 m (1½ vg), or; brun
- 90 cm (1 vg), vieil or
- 60 cm (⅔ vg), plaid blanc et brun
- 45 cm (½ vg), blanc cassé
- 30 cm (⅓ vg), or mat; brun clair
- 25 cm (¼ vg), marrron foncé

Fil à boutonnières
Aiguille à coudre
Cordonnet
Passe-lacet

Préparation et exécution

Préparez le tissu en le découpant en bandes de 5 centimètres (2″) de large, dans le droit-fil. Si vous choisissez de plier les bandes à la main, consultez la page 487, mais si vous voulez utiliser des aide-tresses, insérez-en un à chaque extrémité de trois bandes des coloris suivants : blanc cassé, vieil or, et plaid. Quelle que soit la méthode d'exécution choisie, l'étape suivante consiste à placer les bandes en équerre (p. 488). Exécutez une tresse de 60 centimètres (24″) de long (la longueur du tapis moins sa largeur) pour faire le centre.

Au bout de la tresse centrale, faites trois tours morts (p. 488) pour que la tresse s'incurve. Continuez de tresser jusqu'à ce que vous arriviez au point de départ de la tresse centrale. Faites de nouveau trois tours morts (p. 489), puis continuez à tresser normalement. Pour lacer les tresses en tapis, consultez la page 490.

Changement de couleurs

Pour reproduire les couleurs du tapis illustré, il faut suivre le dessin schématisé et le tableau ci-dessous. Ce dernier indique la longueur de tresse nécessaire à chaque rangée et les trois couleurs de tissu utilisées chaque fois. Le dessin schématisé montre l'endroit où les changements de couleurs s'effectuent. La page 490 vous expliquera comment opérer ces changements de couleur en assemblant les extrémités des bandes.

Finition

Quand le tapis atteint la taille fixée, effilez les extrémités des trois bandes de tissu (p. 491). Cousez les extrémités aux boucles de la tresse, en utilisant du fil à coudre assorti à la couleur de chacune des bandes.

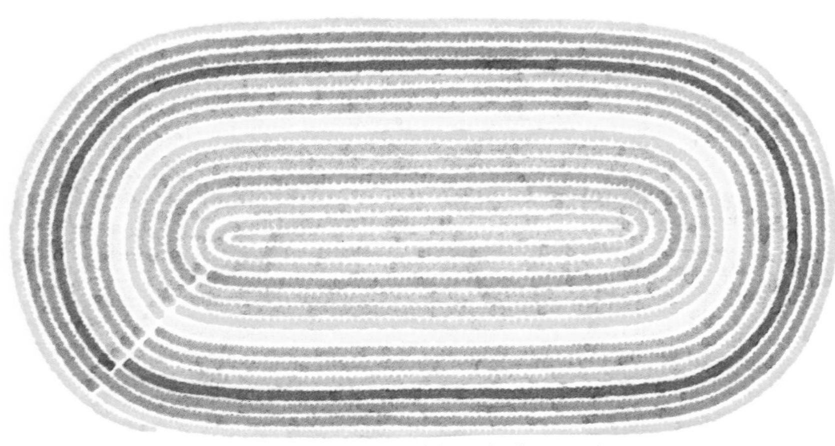

Les raccords se font toujours au même niveau, à la sortie d'une courbe.

Rangée	Longueur de tresse	Couleurs des bandes
1-3	4,25 m (14 pi)	Blanc cassé, vieil or, plaid
4	1,80 m (6 pi)	Or mat, vieil or, plaid
5-6	3,60 m (12 pi)	Or mat, vieil or, or
7	2,10 m (7 pi)	Or, vieil or, or
8	2,25 m (7½ pi)	Or, vieil or, plaid
9	2,55 m (8½ pi)	Or, marron foncé, plaid
10	2,70 m (9 pi)	Blanc cassé, brun, plaid
11	2,85 m (9½ pi)	Blanc cassé, brun, brun
12	3 m (10 pi)	Brun, brun, brun
13-14	6,70 m (22 pi)	Brun, brun clair, or
15	3,60 m (12 pi)	Brun, or, or

Index

L'index du *Guide complet des travaux à l'aiguille* est particulier. Au lieu de couvrir tout le contenu du livre, il présente chaque chapitre, et donc chaque technique, individuellement. On aura ainsi, par ordre alphabétique :

Appliqué	Patchwork
Broderie	Quilting
Crochet	Tapis
Dentelle	Tapisserie à l'aiguille
Macramé	Tricot

Cette disposition permettra au lecteur de retrouver plus aisément la technique ou l'aspect qui l'intéressent dans un sujet. Ces index « spécialisés » sont suivis de la liste exhaustive des projets pratiques proposés dans ce volume.

Pour vous aider à trouver immédiatement les sujets qui vous intéressent, voici une liste qui vous permettra de savoir dans quel chapitre trouver certaines techniques.

Nom de la technique	Chapitre où elle se trouve
Bargello	Tapisserie à l'aiguille
Filet	Dentelle
Franges	Macramé
Frivolité	Dentelle
Hardanger	Broderie
Nid-d'abeilles	Broderie
Œil-de-perdrix	Broderie
Petit point	Tapisserie à l'aiguille
Point bouclé	Tapis
Point noué	Tapis
Tissage	Dentelle
Trapunto	Quilting
Tressage	Tapis

Appliqué

pages 191-206

Broderie

pages 7-110

Crochet

pages 357-402

Dentelle

pages 403-442

Macramé

pages 443-460

Patchwork

pages 207-234

Quilting

pages 235-268

Tapis

pages 461-496

Tapisserie à l'aiguille

pages 111-190

Tricot

pages 269-356

Projets

LE SYSTÈME MÉTRIQUE ET LES TRAVAUX À L'AIGUILLE

Lorsqu'il est fait mention, dans ce livre, d'une mesure ou d'une grandeur métrique, on indique le plus exactement possible (entre parenthèses) l'équivalence en système impérial. Les instructions peuvent donc se lire en fonction de l'un ou l'autre système ; ne combinez pas les deux systèmes de mesures, car vous pourriez obtenir de légers écarts. Vous vous éviterez donc toute erreur en ne recourant qu'à un seul système dans l'exécution d'un projet donné.

ÉLÉMENTS DU SYSTÈME MÉTRIQUE

Les travaux à l'aiguille vous amèneront à utiliser surtout les mètres, les centimètres et les grammes. Quand les unités métriques sont écrites en chiffres, on se sert des *symboles* suivants:

mètre(s) **m**
centimètre(s) **cm**
centimètre(s) carré(s) **cm^2**
millimètre(s) **mm**
gramme(s) **g**

Gardez dans l'esprit la relation qui existe entre les unités de longueur:
100 cm = 1 m
10 mm = 1 cm

Le tableau ci-dessous vous sera utile si vous désirez convertir avec exactitude une mesure anglaise ou métrique:

Vous avez une mesure ou une quantité en	Multipliez par	Pour convertir en	Vous avez une mesure ou une quantité en	Multipliez par	Pour convertir en
pouces	25,4	millimètres	millimètres	0,0394	pouces
pouces	2,54	centimètres	centimètres	0,3937	pouces
pouces	0,0254	mètres	mètres	39,37	pouces
verges	91,44	centimètres	centimètres	0,0109	verges
verges	0,9144	mètres	mètres	1,094	verges
onces	28,35	grammes	grammes	0,0353	onces

MÉTHODE DE CONVERSION RAPIDE

De telles opérations mathématiques sont rarement nécessaires; en fait, vous trouverez préférable d'*éviter* la conversion d'un système à l'autre. Par contre, s'il vous faut comparer des mesures, il y a une manière facile de procéder. Repérez simplement la longueur désirée du côté impérial de votre ruban à mesurer ou de votre règle graduée; regardez le même point du côté métrique et vous aurez l'équivalent exact. Arrondissez au chiffre entier le plus proche. Les «règles» comparatives présentées sur ces deux pages s'appuient sur ce principe.

TISSU

La largeur du tissu s'exprime en centimètres (autrefois en pouces). Le tableau suivant indique les nouvelles largeurs métriques.

Largeurs des tissus

Anciennes	Nouvelles	Anciennes	Nouvelles
35/36 pouces	90 cm	54/56 pouces	140 cm
39 pouces	100 cm	58/60 pouces	150 cm
45 pouces	115 cm	68/70 pouces	175 cm
48 pouces	122 cm	72 pouces	180 cm

La longueur du tissu s'exprime en mètres et en décimètres (autrefois en verges et en pouces). Les «règles» graduées à l'extrême droite, page ci-contre, vous aideront à comparer les quantités de tissu requises.

BRODERIE

On exprime la densité des *tissus* utilisés dans les techniques de broderie à fils comptés par le nombre de fils au centimètre. On compte les fils sur 5 ou 10 cm, puis on divise le total par 5 ou 10, selon le cas, pour obtenir le nombre de fils au centimètre; le résultat peut être un chiffre approximatif, par exemple 8,7.

TAPISSERIE À L'AIGUILLE

La jauge d'un *canevas* de tapisserie à l'aiguille indique le nombre de mailles au pouce. Dans le système métrique, on compte le nombre de mailles pour 2,5 cm. Le numéro de la jauge est donc identique dans les deux systèmes.

APPLIQUÉ, PATCHWORK, QUILTING

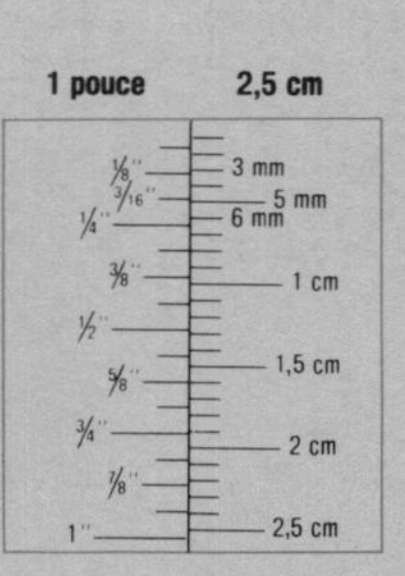

Les *marges* de couture, de rentré ou de surpiqûre varient, bien entendu, selon le cas. Le diagramme indique la relation qui existe entre les marges métriques courantes et les anciennes calculées en pouces. Si vous prenez l'habitude d'utiliser le système métrique, vous désirerez peut-être conserver vos marges habituelles, mais n'oubliez pas qu'il est plus difficile de repérer 6 mm et 1,3 cm que 5 mm et 1,5 cm, qui remplaceront avantageusement les marges courantes de ¼ et ½ pouce.

Les chiffres du *règle-point* de votre machine à coudre sont établis en fonction du système métrique ou du système impérial. Dans le système impérial, les numéros indiquent le nombre de points au pouce; dans le système métrique, ils expriment la longueur du point en millimètres. Le tableau ci-dessous fournit certaines comparaisons approximatives:

Longueur de point

Points au pouce	Pour	Longueur du point (millimètres)
6 ou moins	Point de bâti	4 ou plus
8-10	Tissus épais	3
10-12	Tissus moyens	2.5
10-15	Tissus légers	2
18	Petit point	1,5